U0110145

自由人（十九）

自由人總目錄

動盪時代的印記——《自由人》三日刊始末

陳正茂（北台灣科學技術學院通識教育中心教授）

一、前言：《自由人》三日刊創刊之背景

民國三十八年是中國歷史上驚天動地的一年，隨著戡亂戰局的逆轉，中共席捲大陸，國府敗退遷台，真是國命如絲風雨飄搖的危急存亡之秋。處此動盪時代中，除大批軍民同胞隨政府播遷來台外；尚有一部分人士選擇避難香江，南下港九一隅，這些人當中，有不少是失意政客和知識份子。基本上，當年選擇避秦來港的知識份子，其心態上有兩種，一則對國、共兩黨均感不滿；再則係看上香港為自由民主之地，較能有揮灑發展的空間。此情勢考量，誠如雷嘯岑所言：「在一九四九－五〇年之間，因大陸淪陷，香港乃成了反共非共的中國人士望門投止的逋逃之藪」。

這些投奔港九的政治難民，以高級知識份子居多；兼以香港時為英屬自由之地，所以只要不違背港府法令，一般而言從事任何活動是百無禁忌，相當自由的。不僅可以高談政治問題，甚至於從事政治活動亦不加以限制。於是，「從大陸流亡到港九的高級知識份子群，乃相率呼朋引類，常舉行座談會，交換對國事意見，而美國國務院的巡迴大使吉塞普（Philip Jessup），斯時亦在香港鼓勵中國人組織『第三勢力』運動，目的以反共為主。」在此背景下，港九地區的自由民主人士，在美國幕後撐腰下，「各種座談會風起雲湧，熱鬧非凡；而諸多以反共為職志的大小刊物，更是應運而興，琳瑯滿目了。」所以，《自由人》三日刊，就是在此大時代氛圍下孕育而生的。

二、《自由人》三日刊誕生之經過

《自由人》三日刊醞釀誕生之經過，最早鼓吹者，一般而言，說法有二，一為由王雲五號召發起。據其《岫廬八十自述》書中提及：「自民國三十九年開始以來，由於中共匪幫建立偽政權，並先後獲得蘇俄、緬甸、印度、巴基斯坦及英國的承認，於是匪幫的勢力在香港突然大振，不少反共分子漸呈動搖態度。旅港有識之士深感囂風日長，漸使全港華人隨而動搖，乃相與集議挽救之道。我因在港主辦一個小規模出版事業（按：即華國出版社），尤以一貫堅持反共方針，遂由多數參加集議人士推任領導。由臨時的集會，變為固定的座談；其地點經常利用國民黨在銅鑼灣某街所租賃之四樓房屋一層。每次參

1 馬五，〈「自由人」之產生與夭折〉，見馬五（雷嘯岑）著，《政海人物面面觀》（香港：風屋書店出版，一九八六年十二月初版），頁二一二。又此種座談會多在週末舉行，也有人稱之為「週末座談會」或「星期六座談會」。見馬五先生著，《我的生活史》（台北：自由太平洋文化事業公司出版，民國五十四年三月一日初版），頁一六一。

加座談者，多至三十餘人，少亦一二十人，皆為文化界人士，或為舊日與政治有關係者，各政黨及無黨派人士皆有之。後來我以香港政府最忌政治性的集會，凡參加人數較多，尤易引起猜疑，動輒干涉。加以如此散漫的座談，亦未必能持久，因於某次座談中提議創辦一小型之定期刊物，每週或半週出版一次，既可藉此刊物益鞏固反共人士之維繫，且刊物一經向港政府註冊，則在刊物辦公處所舉行的座談，皆可諉稱編輯會議，可免港政府之干涉。此議一出，諸人咸表贊同，遂計劃如何組織與籌款。結果決辦三日刊，定名為自由人，其資金由參加坐談人士各自量力提供。我首先代表華國出版社提供港幣一千五百元，此外各發起人分別擔任，或一千，或五百不等；並經決定撰文者一律用真姓名，以明責任。其後，又決定委託香港時報代為印刷發行。因是，籌備進行益力，發起人等每星期至少集會一次，間或二次，一切進行甚為順利。」[2]

二為眾人集議，早有志於此，雷嘯岑即主此說。雷言：「這時候，即有原在大陸上服務新聞界的報人成舍我、陶百川、程滄波，協同青年黨人左舜生、民社黨人金侯成，以及國民黨人阮毅成、無黨無派的王雲五，外加香港時報社長許孝炎、新聞天地雜誌社社長卜少夫一干人等，於每週末午後在香港高士威道某號住宅中，舉行文化座談會。大家談來談去，得到一項結論，要辦一份刊物，以闡揚民主自由思想，在文化上進行反共鬥爭。……適韓戰爆發，預料東亞局勢將有變化，刊物必須及時問世，刊物取名「自由人」，由程滄波書寫報頭兼撰〈發刊詞〉，標題是〈我們要做自由人〉。」[3]

然由當事人之一的阮毅成事後追記，似乎《自由人》三日刊能草創成功，仍是由王雲五一手主導的。阮說：「民國三十九年十二月二十日，雲五先生在香港高士威道約大家茶敘，其中特別提及『今日我約諸位來，是想創辦一份反共的刊物，以正海外的視聽。間接幫助臺灣，說幾句公道話。我們讀書人，今日所能為國家效力的，也只有此途。』」[4]由阮之記載，合理推論，《自由人》三日刊能順利催生問世，王氏為登高呼籲之首倡者，可能性是很高的！

但就在王氏積極創辦《自由人》三日刊之際，突發一件暗殺事件，則頗值得一述；且對後來《自由人》三日刊的發展不無影響。事緣於三十九年十二月下旬，王氏在《自由人》三日刊諸人集會散會後，在香港寓所遭遇暗殺，幸子彈未命中，逃過一劫，這突如其來之舉，使王氏決定立即離港赴台定居。此事來台後，王氏曾將真相告訴繼我而來的成舍我。王氏謂：「到臺以後，除將此次提前來臺的秘密暗中告知兒女外，他人皆不使知。後來事過境遷，才漸漸透露給若干至好的朋友，首先是對於不久繼我而來的成舍我君；因為他覺得我向

2 王雲五，《岫廬八十自述》（台北：商務版，民國五十六年七月一日初版），頁一〇四～一〇五。

3 馬五，〈「自由人」之產生與夭折〉，同註一，頁二一二～二一三。又見馬之驌，《雷震與蔣介石》（台北：自立晚報社文化出版部出版，一九九三年十一月一版），頁八一。

4 阮毅成，〈王雲五先生與自由人三日刊〉，見蔣復璁等著，《王雲五先生與近代中國》（台北：商務版，民國七十六年六月初版），頁三〇～三一。有關《自由人》之發起，另有一說為萬麗鵑博士論文所言：「《自由人》為『自由中國協會』成員所辦之三日刊。」見萬麗鵑，〈一九五〇年代的中國第三勢力運動〉（台北：國立政治大學歷史研究所博士論文，民國九十年七月），頁一六四。但根據「自由人」社發起人之一的雷嘯岑回憶說：「『自由中國協會』為當時在美國的胡適、蔣廷黻、曾琦等人所發起，胡、蔣、曾諸氏希望以『自由人』全體發起人為主幹，先在香港成立總會，台灣暨歐美各省都設立分會。嗣經提出座談會詳細研討，大家認為總會以設在台灣為妥，香港亦只設分會，庶合體制。結果不知如何，這個會沒有成立，終於流產了。」馬五，〈「自由人」之產生與夭折〉，同註一，頁二一四～二一六。故萬氏此說，恐不確。

來很少患病，在約定聯合宴客之日，我竟稱病缺席，舍我不免將信將疑。其後到我家探病，見我毫無病容，更不免懷疑。及我不別而赴臺，他懷疑益甚，所以在他來臺後，偶爾和我詳談及此，我也就不好意思對朋友有所隱瞞了。」[5]

上述言及之十二月下旬，實際上是民國三十九年十二月三十一日，除夕。阮氏說：是日「王雲五先生約在高士威道午餐，我應約前往，王臨時以腹瀉未到，由成舍我兄代作主人，謂『自由人』籌備事，大致已妥。」而四十年的元月三日，阮氏也說到是日，「應卜少夫、程滄波二兄之約，到高士威道二十二號四樓午膳。據滄波兄言，是日原應由王雲五先生作東，而王於當天上午，離港飛台，臨行前以電話托其代為主人。」[6]

王氏的不告而別倉促離港赴台，也使得後續有不少參與「自由人」社同仁跟進，紛紛來台，這對於原本人力吃緊資金短絀的《自由人》三日刊之發展，當然有不小的影響。至於《自由人》三日刊籌組的經過梗概，雖在王氏離港來台後，仍按部就班的進行。四十年元月十日下午，阮毅成與程滄波及左舜生又約至高士威道聚談。關於創辦刊物事，左舜生主張宜立即出版，卜少夫則以須現款收有相當數目，方能創刊。是月三十一日，雷震自台灣來，亦參加「自由人」社活動。會中大家一致決定《自由人》三日刊，於農曆年後出版。並在職務安排上初步有了規劃，即推程滄波撰〈發刊詞〉，以辦報經驗豐富的成舍我任總編輯，陶百川為副總編輯。又另推編輯委員十四人，分別是劉百閔、雷嘯岑、陶百川、彭昭賢、程滄波、陳石孚、許孝炎、張丕介、吳俊升、金侯城、成舍我、左舜生、王雲五、卜少夫。[7]

四十年二月九日，內定為總編輯的成舍我自香港致函王雲五，說到：「自由人半週刊已將登記手續辦妥，『館主』係由少夫出名，因渠後來未再提出不能兼任之困難，……編輯人經由弟以本名登記。股款雖交者仍不太多，但讀者則頗踴躍。……據弟觀察，維持六個月，在經濟上當可辦到。惟編輯方面，則危機太大，因主力軍如我兄及秋原兄均不在此，其他如滄波兄等不久亦將赴臺，（即弟本身亦恐將於三月間來臺）稿件來源，異常枯涸，然既已決定辦，弟亦只有勉力一試。」[8]尚未正式創刊，但資金人才捉襟見肘的窘境，已被成氏料中，這對好事多磨的《自由人》三日刊日後之發展，已埋下艱困之伏筆。

二月十四日，成舍我向雷震、洪蘭友等人報告，《自由人》三日刊已得港府核准登記，一俟台灣方面准予內銷，即行出版。二十八日，成舍我向「自由人」社同仁報告：台灣內銷事已辦好，《自由人》三日刊即將出版，並出示創刊號大樣。因與會者多係辦報老手，提供不少意見，而成舍我也很有風度，博採眾議，為慎重起見，同意改遲數日出版，以便從容改正，並呼籲社員踴躍撰稿以光篇幅。[9]可見在王氏離港後，《自由人》三日刊真正之台柱角色，已責無旁貸的落到成舍我肩上。

5 王壽南編，《王雲五先生年譜初稿》第二冊（台北：商務版，民國七十六年六月初版），頁七四三。

6 阮毅成，〈「自由人」參加記〉，《傳記文學》第四十三卷第六期（民國七十二年十二月），頁一四～一五。

7 見《自由人》創刊號（民國四十年三月七日）第一版的編輯委員會名單。《自由報二十年合集》（一）（香港：自由報社出版，民國六十年十月十日）。阮毅成說為十六人，疑有誤。見阮毅成，〈「自由人」參加記〉，同上註。

8 〈成舍我致王雲五函〉，同註五，頁七四六。

9 阮毅成，〈「自由人」參加記〉，同註六，頁一五。

三月七日，《自由人》三日刊正式創刊，社址位於香港德輔道中一四九號四樓。目前所知參與的發起人有王雲五、王新衡、王聿修、端木愷、程滄波、胡秋原、吳俊升、黃雪村、閻奉璋、樓桐孫、陳石孚、陳訓悆、陶百川、雷震、阮毅成、劉百閔、左舜生、雷嘯岑、徐道鄰、徐佛觀、陳克文、成舍我、金侯城、張丕界、彭昭賢、許孝炎、卜少夫、卜青茂、范爭波、陳方、張純鷗、張萬里、丁文淵等三十餘人。[10]

發刊後，一紙風行，各方咸予重視，發行之初，每期印八千份。為打開台灣銷路市場，內容安排方面，特別增加一些軟性文字，勿使論文過多，淪為說教。雷嘯岑即言：「『自由人』的作者確實很自由，各人所寫的文字題材雖相同，而見解不必一致，祇要不違背民主憲政與反共抗俄的大前提，儘可各抒己見，言人人殊，真有百家爭鳴，百花齊放的景象，……首任的『自由人』主編是成舍我兄，他包辦大陸通訊版，把大陸上的共報消息，參以陸續從國內逃到香港的難民所述情形，寫成有系統的通訊稿，可謂費苦心。」[11]

誠然如是，由於文章精彩，見解深入，內容多元，析論入理，所以出版後不久，南洋各地僑報即紛紛轉載《自由人》文章。故在香港一隅辦一刊物，無形中等於在數地辦了幾個刊物，影響所及，至為廣大。不僅如此，有關《自由人》所發揮的影響力，可以曾任該刊主編雷嘯岑之回憶為證，雷說：「自由人半週刊，頗受台灣以及海外；尤其是美國一般華僑的注意，原有的每週座談會照常舉行，參加的人亦陸續增多了，風聲所播，國際人士來到香港的，亦來參加我們的座談會，交換政治意見，如美聯社遠東特派員竇定，南韓內閣總理李範，日本工商與新聞界人士前來訪談者尤多，……唯有駐在香港鼓勵華人組織『第三勢力』的美國巡迴大使吉塞普，始終沒有接觸過，大概是他認為『自由人』半週刊這些人，多數係國民黨員，氣味不相投，我們亦以對『第三勢力』之說，不感興趣，因而絕交息游，毫無來往。」[12]

雷氏這段記載很重要，不只說明了《自由人》發刊後之影響力；也道出了《自由人》與「第三勢力」毫無瓜葛，這對坊間有不少人一直以為《自由人》是「第三勢力」刊物有澄清作用。《自由人》三日刊甫發行，負責盡職之成舍我隨即寫信給王雲五提到：「連日為自由人半週刊事，頭昏腦暈，尊函稽答，至為罪歉。現半週刊已於今日出版，附奉一份，即希鑒察。大著分兩期刊佈，並盼源源見賜。今後應如何改進之處，統希指示為荷。」[13]另針對其後外界對《自由人》諸多揣測，如與「自由中國協會」之關係等等，「自由人」社也在三月二十一日的高士威道聚會中也做出決議，大家皆一致表示，「自由人」應獨立組織，以別於其他團體，乃推定董事九人，以左舜生為董事長。監事三人，為金侯城、王雲五、雷儆寰。成舍我為社長兼總編輯，卜少夫為總經理。[14]

10 「自由人」社成員，據筆者統計為此三十餘人，且各會員加入時間先後不一，有關會員名單散見於雷嘯岑、阮毅成等人之回憶文章及《雷震日記》中。

11 馬五先生著，《我的生活史》，同註一，頁一六一。

12 馬五，〈「自由人」之產生與夭折〉，見其著，《政海人物面面觀》，同註一，頁二一三～二一四。另萬麗鵑博士論文也提到，為打擊「第三勢力」運動，「國民黨亦透過黨報如《香港時報》、新加坡《中興日報》、美國《美洲日報》，及其所資助的報刊如《自由人》報、《民主評論》等，展開對第三勢力的文宣戰，此即是《香港時報》社長許孝炎所說的以『與論對與論』的鬥爭。」萬麗鵑，〈一九五〇年代的中國第三勢力運動〉，同註四，頁一六四～一六五。又見〈許孝炎意見〉，《總裁批簽》，台（四一）央秘字第〇〇八五號（一九五二年二月二十二日），黨史會藏。

13 〈成舍我致王雲五函〉，同註五，頁七四七。

14 阮毅成，〈「自由人」參加記〉，同註六，頁一五。至於《自由人》與「自由中國協會」之關係，馬五在〈「自由人」之產生與夭折〉已言之甚

為了稿源，三月二十二日總編輯成舍我又致函王雲五拉稿，其中說到：「自由人在香港銷路尚好，一般觀感亦不錯。惟共匪刊物正以全力抨擊，弟等亦一反過去自由派刊物置之不理的辦法，強烈反攻。臺灣發行未辦好，少夫兄不日來臺，或能有所改進。同人撰稿，此間仍不太踴躍，盼公能以日撰五千字之精神，多寫數篇，並乞即賜惠寄，無任感幸。又此間稿酬，公議千字港幣十元，前稿之款，已送託香港書局轉交。此數雖微細不足道，然吾輩合力創業，知識勞動之所獲，在道德標準上說，固遠勝於以吃人為業之共匪萬萬矣。盼尊稿如望歲，望即賜寄，以慰饑渴。」[15]除簡略報告社務外，重點仍是稿源問題，而此問題也是《自由人》三日刊以後長期揮之不去的夢魘。

三、《自由人》之命名與經費及發刊宗旨

華路藍縷，創業維艱，有關《自由人》之命名，似乎是由阮毅成所起。原本成舍我欲名為《自由中國》，因與台灣雷震負責的《自由中國》半月刊同名而不獲採納。故阮毅成認為可參考台灣趙君豪所辦之《自由談》，而稍改其為《自由人》，卒獲大家一致同意，名稱問題因此而敲定。[16]其實若從五〇年代的背景去觀察，刊物取名為《自由人》並不足為奇。蓋彼時海外正刮起一陣「自由中國反共運動」浪潮，其中尤以香港地區為最。為壯大「自由中國反共運動」，於是乎，海內外的一些知識份子刻意以「自由」二字為雜誌刊物名稱，以凸顯有別於大陸的獨裁極權。職係之故，各種以「自由」為名之刊物如《自由中國》、《自由陣線》、《自由談》、《自由世界》等雜誌，如雨後春筍般紛紛出籠，《自由人》三日刊之命名，應該是在此時代背景下而正名的，且的確有其時空的特殊意義存在。[17]

至於現實的經費來源問題，早在三十九年十二月二十日的聚會中，王雲五即定調說：「我要先與諸位約定，這是一份自由的刊物，所以，一不能接受外國的幫助，二不能接受政府的支援。同仁不但要寫稿，還要負擔經費。」[18]王氏之所以要如此約法三章，是要避免外界將《自由人》視為拿美國人錢所辦的「第三勢力」之刊物的疑慮或揣測；另外，不接受政府支援，也是想以獨立身分之姿，能在言論上暢所欲言，而不受政府掣肘，更不想貼上政府刊物之標籤。揆之《自由人》草創之初，因經費來源由各會員出資，確實能夠如此。例如在籌備階段，王雲五首捐港幣三千元，各會員至少認捐港幣一千元，所以誠如雷嘯岑言：「大家分途進行，未到一個月，即籌募到港幣一萬七千元了。」[19]

創刊經費有著落，但接下來長期的經費支出，恐怕就不是由會員認捐可解決。到最後仍不得不仰賴台灣國府的金錢支助，在《雷震日記》中即披露不少箇中內幕，茲舉日記一則為證。民國四十年五月二十五日：「雪公（按：指王世杰（字雪艇），時任總統府秘書長）

詳，同註一。

15 〈成舍我致王雲五函〉，同註五，頁七四七～七四八。為稿源及素質起見，成舍我亦曾寫信向阮毅成拉稿，信上提到：「在臺同人寫稿，原約每期供給八千字。希望以兄之熱忱毅力，催請同人，公誼私交，達此標準。」又說：「自由人聲譽，雖日有增進。惟經濟及稿件，均危機太大。現此間已只賸左（舜生）、許（孝炎）、雷（嘯岑），及弟共四人，稿荒萬分。如濫用一般投稿，則水準即無法維持。」阮毅成，〈「自由人」參加記〉，同註六，頁一六。可見身為主編的成舍我，為稿源及《自由人》之內容水準，真是心力交瘁，煞費苦心。

16 同註六，頁一四。

17 馬之驌，《雷震與蔣介石》，同註三。

18 同註六，頁一四。

19 同註一二，頁二一三。

來電話，可助《自由人》三千港幣，但不可明言，因《新聞天地》一再要求援助而未允許也。……《自由人》因經費困難，而負責又無專人，致有停頓之可能，由予（雷震）約集雲五、滄波、孝炎、毅成、端木愷、少夫諸君會商，由予等籌款接濟，每月假定虧二千五百元，至年底約為一萬七千五百港元，改組組織，推定成舍我為社長，左舜生代理董事長，予負臺北催稿及催款之責，總統府之三千元，由予負責，予另外再籌五百元。」[20]由《雷震日記》可知，創刊才二月餘之《自由人》，經費已拮据如此，而不得不靠政府補貼，在此情況下，其日後之文章言論，就頗受台灣國府當局之制約影響了。

另有關《自由人》之創刊宗旨，其實早在刊物出版以前，對於未來言論與編輯方針，「自由人」社同仁即做了幾點規約：（一）、發揚民主自由主義；（二）、發起人按期撰寫頭條論文，且須署出真姓名；（三）、文責各人自負，但須不違背民主自由思想暨反共救國的大原則；同時將全體發起人的姓名亦在報頭下面，表示集體責任。[21]創刊後，首由程滄波撰發刊詞，題為〈我們要做自由人〉，擲地有聲的強調：「我們今天大膽向全世界人類提出一個問題：便是世界人類，現在與將來，要不要做人？如果想做人，從什麼地方去著手奮鬥？……今天世界人類只有兩個壁壘，一個是『人的社會』之壁壘，一個是「非人社會」之壁壘。這兩個社會的磨擦，今天已到了白熱化的程度。『人的社會』中每一個人，是有人性，有人格，根據人性與人格，發揮其個性，以增加社會之幸福與個人之生活水準，從而增進世界的和平與人類的文明。反觀『一個非人社會』中，人除了具備人的形態外，沒有思想與靈魂。『非人社會』中，人只是一群動物，既不許其有人性，亦不讓其有人格，他們是奴隸、是機器。」

程滄波言：很不幸的，今天的中國大陸，全大陸數萬萬同胞一年來，即陷入共匪的非人社會中。因此我們和全世界愛好和平民主的人們，要發動正義的呼聲，救自己，救同胞，救人類。我們要揹著自由的大纛，叫著「做人」的口號，開始「自由人」的運動。爭自由，爭人性，發動全人類自由人性的力量，去打倒與剷除共產帝國主義反人性的非人社會。不殘殺，不掠奪，在不流血革命的原則下，使人人有飯吃。本此目的，以建立新中國新世界。所以，「從今天起，根據以上主張，我們謹以此小小刊物『自由人』，貢獻於全世界凡是不願做奴隸的人們，也就是我們這一群人，決心獻身於這一運動的開始。全世界和平民主的人士：我們要做人，我們要做自由人。每個人爭取了自由，世界才有民主和平，人類才有幸福與光明。」[22]我們要做人，我們要做自由人，起來，不願做奴隸的人們！程滄波這篇發刊詞，簡直是一篇慷慨激昂的宣示詞，代表全世界不願在「非人社會」生活下的自由人，向共產專制極權政權，發出堅決的怒吼。[23]

《自由人》三日刊，每星期出兩次，每次十六開一張。主編人規定由原先的「座談會」同仁輪流擔任，一年一換，為義務職，故內部人事組織極為簡單，只有一主編，一助理員和事務員，共三人而已。

20 《雷震日記》（民國四十年五月二十五日），見傅正主編，《雷震全集》（三三）（台北：桂冠版，一九八九年八月初版），頁一〇〇～一〇一。

21 同註一二，頁二一三。吳相湘，〈成舍我為新聞自由奮鬥〉，見其著，《民國百人傳》第四冊（台北：傳記文學出版社印行，民國六十年元月初版），頁二七五。

22 程滄波，〈「自由人」發刊詞〉，見其著，《滄波文存》（台北：傳記文學出版社印行，民國七十二年三月十五日初版），頁一五七～一六〇。

23 阮毅成也說到，這是一篇代表知識份子愛國反共心聲的大文章，義正辭嚴，擲地有聲。同註六，頁一五。

該刊內容，第一版分「專論」、「時局漫談」、「自由談」各欄；第二版刊大陸共區消息；三版則記述港、台的社會新聞；四版是「副刊」。「專論」亦由座談會同仁分別撰寫，或徵用外界志同道合人士之作品；唯「時局漫談」和「自由談」二專欄，係由左舜生與雷嘯岑二氏負責包辦。《自由人》三日刊，因撰寫團隊堅強，且作者大多具有清望，故在海隅香港頗有號召力，銷路亦不壞；又可以銷台灣，雖無廣告收入，仍可勉強維持下去，在五〇年代的香港，可謂雜誌期刊界之奇葩。[24]

四、《自由人》的艱苦經營

平情言，《自由人》三日刊從四十年三月七日發行，到四十八年九月十三日停刊，維持約八年餘。這八年多的歲月，可謂艱辛撐持，多災多難。

首先為組織渙散不健全，於是才有民國四十年下半年的重組之舉。此中最大原因為「自由人」社大多數同仁均已離港在台，分別有：王雲五、王新衡、端木愷、程滄波、胡秋原、吳俊升、黃雪村、閻奉樟、樓桐孫、陳石孚、陶百川、陳訓悆、雷震，及阮毅成，幾乎佔了一半以上；而在港的僅有左舜生、金侯城、許孝炎、成舍我、劉百閔、卜少夫、雷嘯岑等人。其後在台參加的，又增加徐道鄰，共二十二人。為連絡方便起見，在台同仁乃公推王雲五為董事長，但又因刊物在港出版，故推左舜生為在港之代理董事長，就近處理刊物，成舍我則為社長。[25]

然因「自由人」社未有組織章程，也未在台辦理社團登記，所以才有民國四十一年一月十日，在台同仁在王新衡家為此商議之事。時適值端木愷甫自香港返台，報告港方同仁最近決定取消社長制，亦推左舜生代董事長，成舍我為總經理，劉百閔為總編輯。此事，在台「自由人」社同仁有不同意見，在三月七日及十五日的兩次餐敘商討論中，均決定仍採社長制，並仍推成舍我兄任社長。只是一個三十餘人的「自由人」社，就為了區區的刊物人事組織問題，港、台同仁即不同調，其他之事就可想而知了。所幸意見儘管有異，但同仁感情尚佳，阮毅成即言：「自由人在香港創辦之初，同仁常有餐會，交換意見。在臺同仁，於民國四十年七月十二日起，舉行聚餐或茶會，由同仁輪流作東，平均每兩週一次。除談自由人社各事外，亦泛論時局，交換見聞。」[26]

民國四十一年二月九日，「自由人」社在台同仁餐敘時，有鑒於《自由人》三日刊創刊已近一年，但組織與人事及編輯立論之困擾問題仍在，因此大家有必要提出意見交換，以尋求解決之道。席間程滄波首次提出編輯態度問題，但遭雷震反對。程又謂：「劉百閔不宜任總編輯，上次，此間同仁推成舍我任社長，何以改變？此間皆未知悉。」雷震與陶百川又認為，台方不宜干涉港方人事，雙方爭論甚久。最後由阮毅成提出折衷解決方案為：（一）、自由人本係超黨派立場。只知民主、自由、反共，不知其他。此後仍須守定此項立場。（二）、港方報刊如對台灣中華民國政府，有惡意攻訐，或無理批評，自由人不可自守中立，須起而加以駁斥。（三）、人事問題，另函在港之許孝炎查詢，不作決議。

24 雷嘯岑：《憂患餘生之自述》（台北：傳記文學出版社印行，民國七十一年十月十五日初版），頁一七六。

25 同註二三，頁一六。

26 同上註，頁一七。

眾皆贊成阮毅成之方法，並請其起草一函，致在香港之左舜生、許孝炎、成舍我、劉百閔、雷嘯岑諸人。阮函送各人簽名後發出，信中報告：「弟等今午聚餐，談及自由人編輯態度。回溯創辦之初，原屬超於黨派之外。……兄等在港主持，辛勞至佩，自亦必贊同弟等態度也。邇後港方報刊如對於臺灣中華民國政府惡意攻訐，或無理批評，自由人似不便自居中立，宜即加以駁斥。如有中國之聲作者來稿，希勿予以刊登，以嚴立場。再則，此間對第三方面各事，多持私人消息。語多片斷，難窺全貌。斯後尚懇時將各方動態，擇要見示。既可為撰稿時之參考，亦為知彼知己之一道。自由人素以民主反共為宗旨。署名：王雲五、程滄波、黃雪村、王新衡、樓桐孫、吳俊升、陳石孚、陶百川、雷震、阮毅成。」[27]

民國四十一年三月十五日，《自由人》創刊已屆滿一年，留台「自由人」社舉行全體會議。會議主席推王雲五擔任，其中：

（一）報告事項：（甲）、經費小組許孝炎報告——擬募集港幣三萬元（其中成舍我、許孝炎約洪蘭友，被分配擬向各紗廠募台幣一萬元）。（乙）、編輯小組成舍我報告：1、組織擬仍採現制，並請加推一人為必要時接替編務工作之用。2、發行擬請先行籌集基金以期達到日後之自給自足。3、編輯方針方面：積極在倡導民主自由，消極在反共抗俄，至對於台灣態度應仍許有批評，但不可損及自由中國之根本。4、在台同人集體意見推定專人執筆寄港，決登載第一版，並不易一字，如係個人稿件，在編輯方面擬請仍保有斟酌之權。5、每期需要稿件二萬四千字，在港同人無多未能盡任，在台同人時惠稿件。

（二）討論事項：（甲）、《自由人》三日刊社是否仍採社長制案。決議：仍採社長制，成舍我擔任社長。（乙）、《自由人》三日刊社費應如何加募案。決議：1、經費小組在進行籌募之港幣三萬元，於兩個月內籌足，作為基金，備日後擴充發行之用。2、另由經費小組加募港幣一萬元，作為最近數月經常費不足之需，在未募起前由許孝炎、成舍我負責維持現狀。3、加推樓桐孫、程滄波參加經費小組，並以王董事長雲五兼經費小組召集人。（丙）、《自由人》立論態度應如何確定案。決議：1、除積極的主張民主自由，消極的反共抗俄外，並須維護現行憲法倡導議會政治。2、凡外界對台灣有惡意攻擊影響國本時，應予駁斥，立場務須堅定，態度務須明確。3、除專門問題研究外，宜多載通訊及趣味性文字，理論文字及新聞性宜各佔三分之一。[28]此次會議至關重要，它為已紛擾年餘的《自由人》定調，但此為台方同仁之共識，港方同仁只是被動告知，並不見得完全同意，所以日後港、台雙方仍存有歧見。

其次更嚴重的是經費短絀，入不敷出，以至於時有停刊之議。這棘手問題其實打從創刊起即已浮現，只是苦撐待變，能維持多久算多久，但情況並沒改善且持續惡化中。四十一年六月十四日，王雲五、阮毅成與程滄波等聚會，商議如何應付《自由人》三日刊之困難。王雲五謂得左舜生與成舍我二君信，信上，成舍我堅辭社長，又每月不足港幣二千元。如無法解決，則自本月十八日起停刊。劉百閔則說香

27 〈阮毅成致左舜生諸氏函〉，見王壽南編，《王雲五先生年譜初稿》第二冊，同註五，頁七六八。

28 同註五，頁七七〇～七七一。

港紙價日跌，印刷係由《香港時報》代辦，印費可以欠付。以往亦每月虧空，並不自今日始。

對此，王雲五建議是否能改為月刊，移台出版，但眾意覺得移台出版，則《自由人》功用全失，仍宜繼續在港發行。最後決定由王雲五函復，請成舍我維持至七月底止。[29]是年十二月二日，「自由人」社同仁又再行會商，由王雲五主持，會中卜少夫表示願接辦，至少可免招致停刊命運。然未幾（十二月六日），卜少夫以有人表示異議，乃謂其《新聞天地社》同仁不贊成其再兼辦另一刊物，打消原意。王雲五即席宣布仍在港出版，推成舍我兄回港主持，並改為有給職。[30]成謙辭未果，旋即表示接受。後當場推定王雲五、程滄波、樓桐孫、胡秋原、陶百川、黃雪村為在臺撰述委員，程為召集人。另推成舍我、程滄波、胡秋原三人起草言論方針。王雲五、端木愷、王新衡為財務委員。香港方面撰稿委員，由成到港後約定人員擔任。事後，當事者之一的阮毅成，對是晚之會的結果表示很滿意，還稱為是《自由人》中興之會，同仁莫不興奮。但其後，主要的重點之一，《自由人》未來的言論方針並未草成。[31]四十二年三月十四日下午，「自由人」社同仁聚集在成舍我處，參加茶會。會中，成舍我出示香港許孝炎來信，謂自由人又不能維持。因已積欠《香港時報》印刷費港幣六千元，稿費十一期。且人力亦明顯不足，雷嘯岑將來台灣，左舜生又將赴日本旅行，主持無人，不如停刊。經同仁交換意見，仍認為不能停辦，並催成舍我兄速赴港負責。

因茲事體大，三月二十一日，「自由人」社另一要角阮毅成，也在家中約集在台同仁茶敘。會上，成舍我表示其有困難不願赴港，而港方近日來函，支持為難。眾意乾脆移台編印，仍推成舍我主持。[32]二十五日下午阮氏親訪成舍我，成表示三點立場：（一）、決不去香港。（二）、《自由人》如移台出版，願意主持。（三）、未移台前，可先在台編輯，寄港印行。同月二十八日下午，以《自由人》問

---

29 同註五，頁七七四。《自由人》經費之窘困，自創刊伊始至結束均如此，阮毅成即言：「我只記得在創刊第一年中，就賠去了港幣參萬參仟元。時歷八年半，為數甚為可觀。這尚是距今三十多年前的幣值，如以現在幣值計算，則更為巨大。」阮毅成，〈王雲五先生與自由人三日刊〉，同註四，頁三四。到《自由人》停刊止，其經費仍入不敷出，茲舉結束前致王雲五等人之二信函為證。四十八年九月十一日許孝炎自港來信王雲五，報告「自由人」結束時經費情況。「雲五先生並轉鑄秋舍我做寰滄波新衡秋原佩蘭少夫諸兄惠鑒：關於自由人停刊事，前經兄等決定函達克文。兄弟回港後，復經再三磋商，始於前日由在港各有關友人舉行特別會議議決定停刊，並於本月十三日起實行。茲將會議紀錄抄奉敬祈鑒察。」「預計自由人可能收入之款（連登記費在內）約為乙萬四千餘元，支出除舊欠稿費約乙萬三千元；及克文兄之欠薪近九千三百元暫不計入外，此外薪工紙張印刷房租，今年稿費應退報費及空運費等，共計約為二萬乙千餘元，不敷之數約為七千餘元。倘預計可能收入之款有一部分不能收入時則虧欠之數將必更多，如何籌還以資結束頗費周章。而有把握之登記費乙萬元則尚待少夫兄回港簽字後始能提出備用。」又十二日社長陳克文亦致函王雲五。「岫公賜鑒：茲奉上『自由人』在港同人特別會議紀錄一份，請 察閱。『自由人』經濟情形截至本年九月十二日止，共欠債務三萬餘元，除登記費一萬元外，尚可能收回之款二千餘元，結束用費約五百餘元，並此奉告，統請轉知在台各位同人為禱。」見王壽南編，《王雲五先生年譜初稿》第三冊（台北：商務版，民國七十六年六月初版），頁一〇五二～一〇五三。

30 同註五，頁七七九。《自由人》主編是不支薪的，可見其艱困於一般。同為主編的雷嘯岑曾說：「首任主編人成舍我兄苦幹了一年之後，因為準備移家台灣，不能繼續盡義務了——主編人不支薪——大家公推下走承其乏，因係義務職，唯有接受而已。」馬五，〈「自由人」之產生與夭折〉，同註一，頁二一六。

31 同註五，頁七七九。

32 雷震日記當天即記載：「下午三時半至《自由人》座談會，阮毅成提議《自由人》表面在港，實際遷台，無一人反對。我內心不贊成，但不願表示，因《自由人》遷台完全失去效用。今日雲五未到，他們囑我報告。」《雷震日記》（民國四十二年三月二十一日），見傅正主編，《雷震全集》（三五）（台北：桂冠版，一九九〇年七月二十日初版），頁四八。

題緊迫，急待解決。「自由人」社同仁乃在端木愷家中餐敘。對《自由人》前途，共有四種主張：（一）、停刊。（二）、移台出版。（三）、在台編輯，寄港印行。（四）、推成舍我赴港主持。討論結果，決定用第四法，成亦首肯。然成謂：《自由人》除發行收入外，每月須虧四千元，此問題亟需解決。[33]

四月十八日，因港方同仁頻頻催促速做決定，眾議又思移台編印，王雲五亦同意移台出版，但謂須改為半月刊或月刊。三十日下午，成舍我與端木愷、阮毅成、王新衡、程滄波等人，又應王雲五約茶敘。時端木愷甫自港返，謂港方「自由人」社已無現款，勢不能繼續。因以由今日到會者商定：（一）、香港方面自五月十日起停刊。（二）、在台登記改為月刊，推王雲老為發行人，成舍我兄為總編輯。[34]然不久，港方同仁又變掛，五月十一日，阮毅成訪成舍我，成即謂卜少夫前日到台，攜有左舜生致王雲五函，主張《自由人》仍在港出版。

此事經緯，雷震在其日記亦提到：「見到雷嘯岑來函，對我們囑香港停刊，決議移臺辦月刊則大不以為然，來信措詞甚劣，決定去電並去函說明，以免誤會。」[35]雷嘯岑甚至為此來函欲辭去社長職務。

33 雷震日記載：「下午四時，在端木愷處討論《自由人》移台問題，王雲五、徐佛觀、端木愷及我均不贊成，程滄波、阮毅成、成舍我願移台，最後決定請成舍我至港辦至六月再說，因行政院之款發至六月底止，如停刊或移台亦須至六月底再說。」《雷震日記》（民國四十二年三月二十八日），見傅正主編，《雷震全集》（三五），同上註，頁五二。

34 這問題一直延伸至四十三年依舊如此。雷震日記：「《自由人》在港不易維持，決遷台辦週刊，由成舍我任社長，王雲五任發行人。」《雷震日記》（民國四十三年八月七日），見傅正主編，《雷震全集》（三五），同上註，頁三一四。

35 《雷震日記》（民國四十二年五月九日），見傅正主編，《雷震全集》（三五），同上註，頁七四。

《雷震日記》記載：「今日午間約來臺之《自由人》報有關各位來鄉午膳，除端木鑄秋、阮毅成、吳俊升、胡秋原外，到有十五人，即王新衡、樓桐孫、陶百川、張純鷗、陳訓悆、卜少夫、卜青茂、程滄波、范爭波、王雲五、成舍我、黃雪村、閻奉璋等及另約陳方。飯後討論雷嘯岑來函辭去社長職務一事，經決議慰留。」為此事，雷震感慨的說：「《自由人》發起人在臺者，不過十餘人，港方不過數人，兩方意見不合，終會扯垮。民主自由人士之不易合作，於此可見一班。」[36]

由於雷嘯岑堅決辭社長職務，八月一日，《自由人》在台同仁藉由茶敘機會，聽取甫自香港來台之劉百閔報告，劉謂：在港同仁意見為（一）、必須在港繼續出版。（二）、改推陳克文任社長。（三）、每月不足港幣八百元，在港有辦法可以籌得。王雲五說：「左舜生有信來，克文係其物色，本人絕對贊同。」眾亦皆表示贊成。但成舍我認為每月八百元之說，計算必有錯誤，至少每月亦需賠二千五百元，所以決定請王雲五再去函新社長，請重為估計。其實《自由人》經費之短絀，可由總其事的總編輯都不支薪一事更可看出，四十三年七月十日，左舜生自香港致函王雲五即說到：「弟意，自由人編輯者，原規定每月可支三百元，以舍我、百閔兩兄任編輯時，未支此款，後任編輯一年，亦即未支。」[37]如此窘境，要不是有台灣國府當局在幕後經費贊助，《自由人》三日刊能支撐八年餘，根本是不可能的。[38]

36 《雷震日記》（民國四十二年六月二日），見傅正主編，《雷震全集》（三五），同上註，頁八五。

37 〈左舜生致王雲五函〉，同註五，頁八二四。

38 雷震日記：「王雲五約『自由人』社在台同仁晚餐，以「自由人」在港經濟困難，重申移台出版，由成舍我任編輯之議。」《雷震日記》（民國

最後為文章之尺度問題，除上述言及《自由人》三日刊甫創刊即面臨稿源不濟的困難外，更麻煩的為自從接受政府補助後，基本上，《自由人》的言論立場在相當程度上已受政府箝制。以至於在很多議題上，不僅不能秉公立論、暢所欲言；且須為政府妝抹門面，極力辯解。稍一不慎，隨即惹禍，遭致抗議。如民國四十一年六月一日，「自由人」社王新衡即訪阮毅成，談話重點就說到，《自由人》最近兩期，刊載左舜生〈論中國未來的政黨〉一文，有人表示不滿。[39] 為避免誤會，乃一起同訪王雲五，請其以董事長身份，致函香港總編輯成舍我，請其勿再刊出此類文字。[40]

雖係如此，但言論自由乃是知識份子的普世價值觀，用強制力約束是沒用的。果然到民國四十四年又發生更嚴重的文字賈禍事件，差一點讓《自由人》無法在台銷售。事緣於是年三月二十三日，王雲五即接到司法行政部部長谷鳳翔來函，表示《自由人》三日刊，登載雷嘯岑文章，影響政府信譽，要求王雲五代向該社方面解釋。全函內容為：「頃閱本月二十三日自由人刊載『自由談』及『半週展望』雷嘯岑先生文內謂，揚子公司貪污案牽涉本部，曷勝駭異，此種無稽之詞，殊足影響政府信譽，茲特寄上函稿二份，送請　察閱，並祈賜檢一份轉致雷君查明更正，仍乞代向該報社方面照拂解釋為幸。」[41]

由於《自由人》所刊文章得罪當道，引起了國民黨中央黨部對《自由人》言論的不滿。三月二十六日，時任《中央日報》社長，亦是「自由人」社同仁的阮毅成至中央黨部參加宣傳政策指導小組會議時，即受到中央黨部秘書長張厲生的警告：「香港《自由人》三日刊，近日言論記載，愈益離奇，須採取停止進口處分。」幸阮毅成趕快緩頰，除報告《自由人》艱難創辦經過外，並謂：「現在台北各同仁，久未與聞港事。王雲老曾去函港方，請以後勿再刊載不妥文字。又以所載台省情形，與事實相距甚遠，曾通知港方，以後遇有記載台省情形稿件，先行寄台複閱。認為可用者，方予刊布，亦未承照辦。惟自由人參加者，多為各方知名之人。如忽予停止進口，恐反而使海外人士，對政府有所批評。不如一面先採取警告程序，依照出版法，由內政部為之。一面通知在台之董事長王雲五氏，促其改組。如再有違反政府法令之事發生，則採取停止進口處分。」[42]

為此，是晚十時，阮氏尚先訪成舍我，說明會議經過；再與成同訪王雲五，報告此事。王雲五似乎對此頗為不悅，乃決定於三月三十日下午五時，在端木愷家中，約集「自由人」社在台全體同仁會商。在三月三十日的決議中，提到《自由人》的現實問題，「本刊如不能銷台，勢必停刊。為避免使政府蒙受摧殘言論之嫌，希望政府妥慎處理，使其能繼續出版。在台同仁，願意退出。惟在港同仁意見如何，亦盼政府逕與洽商。」並推阮毅成與許孝炎二人將此項決議，轉達黃少谷，另函告在港同仁。[43]

四十三年七月十一日），見傅正主編，《雷震全集》（三五），同註三二，頁三〇二。有關國民黨高層提供《自由人》之經費支援，尚可參閱〈對港澳政治活動之指示〉，見中國國民黨中央改造委員會第一六五次會議紀錄（一九五一年七月四日——附件），黨史會藏。

39 左舜生〈中國未來的政黨〉（上）、〈中國未來的政黨〉（下）二文分別發表在《自由人》第一二九期（民國四十一年五月二十八日）、《自由人》第一三〇期（民國四十一年五月三十一日）。

40 同註五，頁七七三。

41 雷嘯岑，〈半週展望〉，《自由人》第四二三期（民國四十四年三月二十三日）。雷文所寫之論揚子公司案，因涉及上海時期之揚子公司，對孔祥熙有所批評，遂奉命查辦。又〈谷鳳翔致王雲五函〉，同註五，頁八四七。

42 同註五，頁八四七～八四八。

43 同上註，頁八四九。

換言之，針對當局對《自由人》的不滿，「自由人」社在台同仁採取了委曲求全的態度，一方面願意退出，此舉可能有兩層深意，一為逼香港「自由人」社同仁，小心謹慎，莫再刊登批評政府之文章，否則與渠無關，二為多少有向政府交心之意，明哲保身，不想惹禍上身；再方面亦有請政府介入之意，希望儘量保留能讓《自由人》繼續在台銷售。[44]果然如此，四月七日，王雲五即致函總統府秘書長張群，說明「自由人」之情形，並建議將「自由人」社改組，由政府指定負責主持言論之人實行接辦。信的內容為：「惟是該刊經費本奇絀，全恃內銷而維持，一旦停止內銷，勢必停止刊行，外間不察，或不免對政府妄加揣測，弟愛護政府，耿耿此心，竊認為消極制裁，不如積極輔導，將該刊改組，由政府指定負責主持言論之人實行接辦，可變無用為有用，弟當力勸原發起各人，本擁護政府之初衷，竭誠合作。」[45]

一週後，以國民黨並無接手之意，在恐不能銷台的情況下，成舍我與王雲五、陶百川、徐道鄰、陳訓悆、程滄波、胡秋原、吳俊升、端木愷、黃雪村、阮毅成等決議：「茲因環境困難，經濟無法支持，決議停刊，由主席（王雲五）根據本決議徵求在港同人意見。」其後，在台同仁復在成舍我宅聚餐，決定在台同仁既已必須退出，而中央黨部又規定不得再與《香港時報》，發生關聯，則無地可以印刷，亦無處可再欠印刷費。外界聞知中央處分，亦必不願再行認指，環境困難如此，只可宣布停刊。並請王雲五函詢港方同仁意見，如港方同仁堅持續辦，在台同仁自不能再行參加。[46]

由於文章得罪當局，以致有禁止銷台之聲，在港負責《自由人》編輯工作之陳克文旋致函阮毅成、王雲五等人，表示「咎衍實無可辭」，「自由人停止出版，唯覺可惜，形勢如此，亦復無可如何，文與左劉兩公對此均無成見，惟此間尚有其他股東，又年來出錢出力者，頗不乏人，此事似不宜由文等三人遽作決定，即為港方同人之全體意見，擬於最近邀集會議，提出報告，徵求多數意見，再作正式答覆。」[47]但不久，事情又有變化，四月二十九日，一向敢言的左舜生，終於自香港來函，明確表示反對《自由人》停刊，並謂在港「自由人」社同人決暫予維持。信中言：

「雲老賜鑒：四月七日阮毅成兄來信，並附有留台同人退出決議一紙，十八日奉　公手書，知同人復有集議，以經濟環境關係，主張停刊；均已誦悉。此間於當地環境，已洞悉無遺；對　公等所採態度，並無不能諒解之處。惟念同本刊宗旨，一面在『堅決反共』，一面在『爭取民主』，四年以來，奉此週旋，雖不無一、二開罪他人之處，但大體上並未

---

44 《自由人》三日刊，國民黨中央當指示「扶助」之，以批判中共，擁護政府並同情國民黨為原則。故該刊早期立場為中間偏右，後來對國民黨的批評言論日益激烈，台灣當局乃禁止其輸入，並停止所有經費資助。故《自由人》能否銷台，對該刊影響至鉅。萬麗鵑，〈一九五〇年代的中國第三勢力運動〉，同註四，頁一六四。

45 〈王雲五致總統府秘書長張群函〉，同註四三。

46 同註五，頁八五〇。有關王雲五在此問題之角色，阮毅成有相當持平之看法，阮說：「雲五先生名為董事長，出錢出力，卻不便範圍各黨及無黨人士，一定均作統一的宣傳，致反而完全成為俗套，失去向海外為政府說話的影響力。於是在發刊期中，常常發生選稿欠當的問題。每次有問題發生，雲五先生首當其衝，常為他人所不諒解，致生煩惱。臺港兩地同仁，為此書信往返，謀求各種補救辦法，效果均不甚彰。」阮毅成，〈王雲五先生與自由人三日刊〉，同註四，頁三六。

47 〈陳克文致王雲五、阮毅成信〉，同註五，頁八五一～八五二。

> 逾越範圍。今赤燄正復高張，而民主亦勢非實現不可；大約在二、三月內或有變化，前途殊未可知！故此間同人，經過再三考慮，仍決定暫予維持，並囑舜代為奉復，即乞轉達諸友為荷。公等即不得已而必須退出，仍望不遺在遠，隨時予以指導，除宗旨不能犧牲以外，同人無不樂於接受。海天遙望，曷勝悲憤憂念之至！」[48]

從此以後，《自由人》三日刊似乎終於渡過了這段風風雨雨的歲月，儘管港、台大多數「自由人」社同仁情誼依舊，但經費、稿源、立論尺度等問題仍在。《自由人》三日刊即帶此痼疾，跌跌撞撞的支撐八年餘，在民國四十八年九月十三日宣佈停刊。[49]

五、結論——從《自由人》到《自由報》

無論如何，在五〇年代那段風雨飄搖的歲月，《自由人》能以香江一隅之地，在內外環境相當險惡的情況下，擎起「我們要做自由人」的大旗，反抗共產極權，與中共做誓不兩立的言論鬥爭，其勇氣和決心仍另人刮目相看的。另一方面，《自由人》雖義無反顧的支持台灣國府當局，但在恨鐵不成鋼的期待心理下，對台灣當局若干錯誤的舉措，仍一本忠言逆耳之立場，毫不留情的提出批判或建言，即使在經費斷炊的威脅下，亦不為所動，這份苦心孤詣之意，也令吾人感佩。

而此即所以《自由人》在發行的八年餘中，雖屢有遷台之議，但大多數同仁始終仍以在香港立足為佳之看法，因其言論立場較客觀中立，雖稍偏向國府，但非無原則的一面倒，兼以香港為基地，較少政府、政黨色彩之觀感，且因對國、共雙方均有批評，是以其在香港作用較大之故也。當然《自由人》之悲劇，除上文已詳述之經費、稿源、言論立場受到制約等外緣因素外，尚有深一層內緣因素存在，此即中國傳統知識份子屬性使然。知識份子主性強的「書生本色」，誰也不服誰之個性，長落人「秀才造反，三年不成」之譏，因渠主觀意識強，所以容易堅持己見，是其所是，不大能夠為大局著想，且因自視太高，未能屈己就人，所以較乏團隊精神。

這情況在「自由人」社這批高級知識份子間亦是如此，雷嘯岑曾舉一事證明之，在《自由人》是否遷台之際，「王雲五以董事長資格，致函於我，囑將自由人報遷赴臺北發行，且將繳存港府的押金萬元一併匯去。旋由代董事長左舜生召集在港同仁會商，決議仍在香港出版，但在臺北的同仁，亦可刊行臺灣版，然王雲五很不高興，說我不以他為對象，悻悻然嘖有煩言，殊堪詫異。未幾，許孝炎由臺北回港，主張自由人停刊，他怕我不贊成，先囑我莫持異議，我表示無所謂，而自由人三日刊，即於一九五八年九月十二日宣告停刊了。現代中國高級知識份子之沒有團隊精神，於此又得一實驗的證明，曷勝慨嘆！」[50]所以當年左舜生在《自由人》創辦之初，樂觀的夸談「自由人」社同仁可以組織聯合政府，永遠合作無間之見解，雷嘯岑說，實係幼稚幻想。文人相輕，自古而然，《自由人》三日刊的緣起緣滅，依然落得一個「殺雞聚會，打狗散場」的結局，這也是中國現代高級知識份子的悲劇，想來仍不禁令人浩歎！[51]

---

48 〈左舜生致王雲五函〉，同上註。

49 雷嘯岑說為四十八年九月十二日停刊，恐有誤。雷嘯岑，《憂患餘生之自述》，同註二四，頁一八二。

50 同上註。

51 馬五，〈「自由人」之產生與夭折〉，同註一，頁二二〇。其實雷嘯岑自己亦如是，當《自由人》剛成立時，「大家的情感很融洽，精神上團結

《自由人》雖然走入歷史停刊了，但未及五個月，一份延續《自由人》餘波的《自由報》在民國四十九年二月十七日，另起爐灶又在香港創刊了。《自由報》社址位於香港銅鑼灣高士威道二十號四樓，也是採取半週刊（三日刊）的形式，於每個星期三、六發行。社長為雷嘯岑，督印人黃行奮，出版第一期有由以本社同人署名撰寫的〈我們的志願和立場〉為發刊詞。該文強調「我們是一群崇尚自由主義的文化工作者。對社會生活篤信『人是生而平等的』這項義理，珍重個人的人格尊嚴；對政治生活認定『政府是為人民而存在的』，要求基本人權之確立與保障。……我們膺受著共產極權主義的荼毒，深感國破家亡之痛苦，流落海隅，於茲十載，內心上大家不期然而然地具有強烈的愛國情操和政治理想，要從文化思想方面，努力培育民主自由精神，發揚其潛能，成為救國救民的偉大力量。職是之故，本報的言論方針是國家至上，民生第一，我們的立場是超黨派的。」[52]

簡言之，民主、自由、愛國、反共乃為《自由報》創刊之四大宗旨，嚴格而言，此宗旨仍是延續《自由人》三日刊的精神而來。阮毅成曾說：「後來，雷嘯岑兄在香港出版自由報，乃係另一新刊物，與原來的自由人，完全無關。」[53]此話恐有商榷之餘地。《自由報》在《自由人》的基礎上，發行至民國六十幾年才結束，期間刊布了《香港自由報二十年合集》、《自由報二十週年年鑑》，影響力不在《自由人》之下。

無間，對任何事體決無爾詐我虞，或以多數箝制少數的作風。我（雷嘯岑）當時曾聲言：假使憑這種精神組織『聯合政府』，擔當國家政務，國事沒有不振興的。」馬五先生著，《我的生活史》，同註一，頁一六一。

52 本社同人，〈我們的志願和立場〉，《自由報二十年合集》（一九）（香港：自由報社出版，民國六十年十月十日）。

53 阮毅成，〈「自由人」參加記〉，同註六，頁一八。

自由報

[illegible]

（第一〇二四期）

（半週刊逢星期三、六出版）

[illegible]

社長李璜・督印黃運麟

社址：香港九龍彌敦道593—601號創興銀行大廈八樓五座

LIU CHONG HING BUILDING
7th FLOOR FLAT 5
593—601 NATHAN ROAD,
KOWLOON, H.K.
TEL: K303831
電報掛號：7191

承印：景星印刷公司

[illegible]

恭賀新禧　本報同人鞠躬

本報專論

爭辯時代的世界藝術思潮

于還素

拙作係於十一月二十四日，爲國立台灣師範大學演講所寫，講出時畧有增損，茲特重寫如下，並乞指正。作者附誌。

前記

藝術世界思潮，以中華民國爲最波瀾壯闊，蓋西方文化，稱漫世界之際，中國人正在晨昏定省，禪宗的文化，爲佛教東傳之後最大的結晶，鍛鍊結聚，盡去泥沙，明心見性，產生唐代的繁榮文化，我們今日回顧中亞盛世，衣食錦繡，正西方中世紀宗教烟霧迷漫之時，宗教哲學，以人的神性爲美，方之今日，一如中國人文藝復興之前期。此間錯綜複雜，吾人稱之謂中西文化論戰，已五十年之久，餘波蕩漾，勢或過之。渺渺者冥，知之者並非雲烟過眼，煩囂塵世，或爲天籟或爲啼號之聲，舍詩人，音樂家，有聖人之志者其可得乎？爭辯之事，人不以爲然，我心之矛盾，我物之兩極，理性與感性之相互消長，通人皆識之。方今之日，道德不能濟其窮，法律不能濟其用，心迷智亂，數十年戰亂相緒，哲學家出，人以爲邪說，基督再世，桀刑不改，世人之迷墮如此，舍登陸月球，無可解釋此二十世紀七十年代膨脹之世界。藝術家矚目四野，天地茫默，一線生機，即其生存之美。草此小文，以自限其所說之範圍耳。是爲記。

甲、釋題

所謂爭辯的時代簡言之，即是哲學與科學，方法論與目的論，戰爭與和平，善與惡，美與醜，生存與死亡，自然肯定與全盤否定；宗教家，哲學家，文人，爭辯之時代，在思潮泛濫高潮，吾人可預見若干結論——爲一無法爭論之事實。亦即此人爭辯的題目，我們不能回避，生死之事爲人生最大的矛盾「魚亦吾所欲也，熊掌亦吾所欲也」，此問題即是求生的慾望，是否可以超過味覺問題。

人類爭辯事項之一，在目前爲戰爭和平，然若此一問題爭辯日久，則此討論背後——無可逃避的事實，即各自蓄存其火藥，歷史上不乏永久性之戰爭，惟若今日之人類迷茫與清醒已超過歷史上之混亂，現代哲學究明迷惘與不安問題，語言至簡，然厥能究明人類內心之眞相。藝術家的工作，在表明此類眞相死亡最高深，入於無明之境，生存至浮淺，爲藝術家所不取，皇天罔極，無可無不可，人永遠存在於生存與死亡之間，此生與死，無可置辯。筆者爲文，摭拾此一題目，要之，在各人之思考而已。西人有謂無討論則無科學。此之謂歟！

乙、藝術的定義

嚴格此說，藝術無定義，佛教教人「凡有所作，皆是虛妄」，有人爲自由下定義，有定義即無自由，我人效法禪宗六祖之說「本來無一物」，無一物，乃是我們的觀念，定義者，假定耳，引喻則失義，「菩提本非樹，明鏡亦非台，本來無一物，何處惹塵埃？」爲一反問語氣，你問我，我還要問你，何處？那裏？在那裏有塵土？「不着一字，自得風流」，詩人到了明清之際，已經知道「無迹可尋」，藝術是一種感悟，現在心理學知道悟字即是對外物的反應形式，佛觀大千世界，最後說無，是知道了有我在，才是大自在，我如不在，則物即不存，體人性之極致故信之者衆。藝術的定義以中國道統言，爲否定的。「本來無」，無藝術就是無藝術，這種思想，與柳暗花明的西洋完全不一樣，今天講藝術思想，如我們先把藝術定義化，不管簡單之數學，一加一，等於二，故如何如何，因果，邏輯關係，產生定義。藝術不是哲學，她是人類文明生存的有法無法的法則，通天人之變者，爲一變化的法則，但我們討論問題不可漫無邊際。（上）

昨日與明日

國際間的心戰奇觀

何如

近來國際間有幾項心戰奇觀，值得注意。一是日本乘機對美國實行政治勒索敲詐，如願以償，而慾壑難填，又繼續表演第二幕鬧劇，旨在向美國示威，作爲未來要挾的張本。二是蘇俄與毛共進行的所謂「邊界糾紛」談判，宣告停頓了，俄共揚言將由俄酋柯錫金與周恩來再行晤談；然共方面毫無表示，讓俄方自拉自唱，實係激化的心戰態勢。

日本奇貨可居

日本的朝野人士覷破了美國急求結束越戰，視遠東地區爲畏途的恇怯心情，首相佐藤榮作於訪美之前，策動一般青年學生和勞動階級份子數萬人，表示反對佐藤訪美之行，跟警察大起衝突，被逮捕的示威人犯達數千名之多！這佐藤勒索琉球的統治權到手後，回國來發出日本決不坐視共黨侵犯台灣澎湖與琉球這類戰爭論調，而日本與一般左傾份子默然無聲了。這證明當日反對佐藤訪美的鬧劇，完全是演給美國人看的傀儡戲，幕後操縱人就是政府當局。

繼而日本所謂民間團體的「日、中貿易促進會」，正式向毛共要求加强經濟合作，擬派代表團赴北平洽商擴大雙方貿易的具體計劃。日政府當局聲稱這是基於「政經分離」政策的應有行動，政府將予支持云云。顯而易見，這又是日本當局在幕後操縱的把戲，教美國瞧着心慌，然後等待時機以進行要價還價的秘密政治交易，强化日本的國際地位，好戲還在後頭，大家等着瞧罷！

蘇俄欲擒故縱

俄共必欲推倒毛酋澤東，毫無疑問。它一面教唆陳紹禹在俄國創立「新中國共產黨」，對抗毛酋，同時在中國的邊疆製造分裂運動；一面却以旁觀者的姿態，對毛酋表示樂於修好的和平意念，特派代表到北平舉行邊境糾紛談判，明知其必無結果，樂此不疲，藉以觀察毛共內部的實際情況。

毛酋亦知道俄共的用心所在，照樣對外痛詆「蘇修」不置，煽起大陸一般民衆憎惡「俄國老毛子」的潛在情緒，且積極在邊境從事備戰工作。此外又對英國駐在北平的外交人士恣意凌辱，強姦其婦女，拘禁其大小職員，使大陸人民勃發「反帝」心情，相信毛共是不怕西方帝國主義的，因而降低反共思想，穩定內部人心。

今後的美、日與俄、毛之間的心戰，勢必趨於激化，日本趁火打刦，蘇俄擒縱自如，增加美國的幻想。至於英國呢，它祇有唾面自甘，忍辱苟安的份兒，玩不出甚末花樣了！

自由談

馬五先生

最近台灣全省辦理中央民意增補選舉，甚爲熱烈，事前各候選人皆向選民公開發表政見，琳瑯滿目，嘆觀止矣。在那些包羅萬象的競選諾言中，只有一位立法委員候選人劉闊才表示了一項切中時弊的政治主張，可圈可點，令人如聞空谷足音，與衆無儔。他已經當選了，如果現時開出的這張支票，將來他到立法院眞能設法兌現，那便是了不起的功績，無忝民意代表職責了。

劉君主張對國家的現行法令要加以整理，該保留的即保留，該廢止的就廢止。這實屬當務之急的大事，允符民望。咱們實施民主憲政生活已閱廿年，然過去在軍政、訓政、戡亂、抗日各時期頒佈的法令，至今一體沿用，無所軒輊，因而法令之多，冠於全球。在同一政體之下，法令繁複，亦乖治道，何況政體蛻化，時代變遷之後，而萬花筒式的法令照樣施行，怎末可以呢？

法令者，治之具，然非所以求治之道，它祇是對人民生活行爲的一種規範而已。如其過於繁密，決不足以獲致國泰民安的成果。英國很少成文法，但其民智民德與社會秩序，視世界任何國家皆優良；她的憲政生活且被譽爲世界的鼻祖，這不是很明顯的例證嗎？

欣聞空谷足音

任何國家的大經大法，如憲法之類，皆隨着時代進化而陸續修訂，有所去取。若夫普通法令的存廢修改，更爲事屬必要，理有固然。像我國現行這種「大雜燴」的法令，早就應該切實爬疏剔抉，化繁就簡了。然行憲迄今二十年來，政府既未遑注意及此，代表民意的立法機關亦漠然不以爲意，大家見怪不怪，習以爲常，老百姓深受困擾，無可如何。它的作用，以之求治則不足，以之病民則有餘，只是給一些不負責任和爲非作歹的官吏作護符，他們憑藉着萬花筒式的法令，雖然違[illegible]職，濫逞淫威，皆有煌煌法令可資依據，誰也不能說他有甚不對之處。於是乎，政治上充溢着「開會爲服務之本，請示爲負責之本，整人爲快樂之本」的乖戾現象，主要原因就是法令繁複所使然的。

國家創立甚末政體，即相應而頒訂甚末法令，這是常識，政體與法令相生相成沆瀣一氣，決沒有背道而馳的；有之，就是咱們中華民國，這亦不愧世界之冠吧？

台灣新選出的立委劉君闊才，初從政即洞見及此，而以整理現行法令爲己任，可知其平日對法學頗有心得，能見其大。這次政府增補選中央民意代表，旨在增加國會新血輪，如劉君者，當之無愧。我們希望他將來能夠履行諾言，而以愚公移山之力，促成這項劃時代的盛舉，劉君勉乎哉！

與論精華

蘇聯增兵遠東區

根據來自歐洲的消息：蘇聯的遠東部隊，最近曾經進行一次全面調整，並且自原有的十五個師，增加二十一個師。

蘇聯遠東部隊的司令官托路布戈將軍是一位飛彈專家。

蘇軍加强其在遠東的部署，任何人都可知道，只在對付中共。北京方面最近大嚷「備戰」，顯然也是爲了北部疆界的緊張。

中共軍迫近豐沙里

中共軍南師開向豐沙里的消息，對東南亞，特別是泰國而言，當然是極其重要的。豐沙里是寮國的北部省。自一九五八年以來，這一地區就幾乎陷於巴特寮（寮共）的掌握之下。

寮國的兩個北部省，其一是桑怒，又其一就是豐沙里。桑怒靠近東邊境界，受到了北越軍的控制，豐沙里接近北邊，受中共軍控制。

很早以前，中共的工程兵，就已經進入豐沙里，協助建築一條自雲南進入豐沙里的公路。

這條公路，據一般的資料指出：現在已經延伸到寮國中部的川壙。

北越軍在寮國

川壙一度受巴特寮國的控制，有過一個時候，中共還有一個代表團駐於川壙。川壙一落入巴特寮的手，皇都鑾勃拉邦和首府永珍，就等於被隔離了。過去幾個月，川壙附近地區，曾經有過戰爭。但由於有關各方都似乎不願戰爭，在外宣傳，寮國的實際情況很難知道詳細。

我們現在所知的，就是北越軍早已有好幾萬人，開進了寮國。

進入寮國境內的北越部隊，其任務是雙重的。

第一、支持巴特寮。

第二、經寮國滲透南越。

美國與寮政府軍

對寮國局勢的發展，不獨曼谷方面大爲注意，就是華盛頓，我們相信也無時不表示關心。

事實上，美國現在派駐泰國北部的空軍，其活動目標之一，就是寮國。

著名的「胡志明小徑」，有一段路程，就在寮國境內，而不時受到美國空軍的轟炸。

北京與河內，都曾抨擊美國空軍參加寮國政府軍與巴特寮作戰，華盛頓對此項指責，雖然不出聲，我們却相信是事實。

可能的情勢是：如果沒有美國空軍參加作戰，寮國政府就將站不住。

泰國注視其邊疆

曼谷方面突然公佈了中共軍進向豐沙里的消息，可能由於寮國情勢又呈不穩。寮國與泰國有一條綿長的邊界。而這條邊界僅有一河之隔。

曼谷當局明白：只要中共軍有決心，他們就可以任何時候，在湄公河上流，越過邊界。

泰國北部的泰共武裝游擊隊，則大可以担任嚮導之責。

（摘自星島晚報）

管理衆人事本來困難 大公無私爲基本原則

民主市長不能討厭新聞記者 台北申請建築執照似有問題

（本報記者劍聲台北航訊）台北市長高玉樹先生不習慣於新聞局記者招待會之記者所提問題，且認新聞記者所提問題像議員質詢，被記者幽了一默：「新聞記者不像議員，不要化錢人競選」。

高市長在答本報記者所提問題，有的避重就輕，有的故意答非所問。本報記者提出三點：一是高市長於五年半前就任民選市長之談話有無做到？一是選舉的問題，一是市民申請建築執照的問題。下面是本報記者與高市長的一問一答。

記者問：五十三年六月二日，高先生就任民選市長時的書面談話：一、「決定儘量起用市政府內的優秀人才」。二、「今後切實做到分層負責」。三、「目前急待辦理的爲：整理環境衛生及交通，淨化空氣，噪音，減少美化市容，清潔全市下水溝，使台北的衛生標準提高到國際水準」。請問：市長對這些做到沒有？

高市長答：台北市政府現在都是起用府內的優秀人才；並且分層負責。

至於台北市的環境衛生標準有沒有提高到國際水準，高市長沒有說明。

記者問：市長先生這次市議員的選舉，是一次相當成功的選舉。但據中央公職人員國大代表候選人邱長成在政見發表書上說：我是十月二十九日凌晨到台北市選務所撤銷市議員候選人的登記，已經超過規定的時間。按照規定，市議員候選人撤銷登記的法定時間是十月二十八日下午五時半。邱長成先生是市長競選時的主要助選員之一，在政見會上公開宣佈，市長先生對此事經過知不知道？有何意見？（按：台北市議員選舉事務所主任委員由市長高玉樹兼）

又中央公職人員台北市候選人在政見會上指出：台北市長由民選改爲官派，這是爲什麽？台北市改爲院轄市之行政區劃，未按照憲法第一〇八條規定的程序由中央立法，故有人批評與憲法規定不合，請問：市長對此批評有何意見？有沒有感想？立法委員候選人公開指責台北市選務所擅改候選人的政見刊載於選舉公報，是違憲的行爲。選務所删除之政見，候選人刊登於自印的傳單上，違不違背規定？應不應該取締？若將删除政見自印於傳單上符合規定，選務所之删除即屬不當，市長先生對此應加說明。

台北市各投開票所職員，是不是由國民黨、青年黨、民社黨等三黨人士共同參加？投票所有沒有做秘密投票？這次市議員選舉投票之日，議長張祥傳認爲投票所圈票處設備不妥當，故未做到秘密投票的境界，曾有指責，市長對此有何指教？

市長答：邱長成先生撤銷市議員候選人的登記，撤銷的登記時間，選舉所總幹事柯台山（即民政局長）可以決定；台北市長由民選派及未經憲法規定程序把台北市改爲院轄市，這件事我無可奈何。至於候選人政見删除一事，是選舉事務所受到各人政見後由選舉監察審查，如須修改或删除，都經通知候選人；故此事不屬於台北市選務所的職權。候選人把删除的政見印傳單，及政見未經審查而自印傳單散發，這是監察機關應不應取締的事。各投票所職員非由國民黨、青年黨、民社黨等三黨共同推派人士參加，而是選務所聘派公教人員主持，監察機關是不是請三黨推派人士共同監察，那是監察機關的事。

記者問：一般人申請建築執照由工務局承辦，或由市長審核，爲什麽由國民住宅興建委員會技士陳培基承辦？這與國宅會毫無關係。這位陳先生接到申請書後，有打電話給申請人的傳說，至於打電話的目的非外人所知，但對市長先生的聲譽影響很大，請予說明。

市長答：前幾天報上也有這樣的消息，不過，陳先生不會打電話給申請人的，他是代表市長看看公文而已！（完）

低調集

最高學府的怪事

·諸葛文侯·

台灣國立師範大學校長，爲着宿舍的分配問題，在辦公室內被該校警衛人員加以毆辱，而且辦公室的文件和電話亦被搗毀了。堂堂師表人倫的最高學府，竟有此非法蔑紀的怪象發生，殊堪驚駭！

一個僱用的校警，其職責原在維護學校秩序，保衛員生的安全，今乃悍然在辦公室內逞兇犯上，目無法紀，可謂咄咄怪事！該校警如斯胆大妄爲，自必嚐受應有的懲處，不成問題，其所以成爲嚴重問題者，在彼而不在此也。

身爲大學校長的人，除却品學足以矜式羣倫，具備師道的尊嚴性以外，尙須賦有行政的才幹，才是適才適任的上選人物。對日抗戰時期，中央大學在重慶諸多興作，經費浩繁，而校長顧孟餘鮮問事務，教育部在管理上頗感棘手，不無微詞，顧氏知悉其情，毅然投劾以去，毋忝學者風範，亦不失師道的尊嚴性，使全校員生知所警惕奮勉，不因治學而忽視做人的道理，這便是教育！

據說，台灣師大這個逞兇的校警，平日已有不守紀律的記錄，他佔據學校舊有宿舍以轉賃於學生，又復要求分配新宿舍，因而產生搗毀辦公室，毆打校長的暴亂行爲。這證明該校校長缺乏處理行政事務的能力，以致養癰貽患，玷辱斯文。

前幾年，教育部曾發生工友向常務次長逞兇的怪事，而當時某部長竟以鄉愿式的方法相應付，對兇犯優禮有加，該稱息事寧人。戾氣所鍾，馴致教育界乃有學生斧劈老師，校警毆辱校長這類反常的事件出現，師道淩夷若是，紀綱墮敗若是，誠不知主管百年樹人大計的教育當局，對此作何感想呢？

近二十年來，台灣各級學校的學生生活是安定而正常的，唯有一些師表人倫的教職員和教育行政官吏，每多不稱職守，爲世詬病，而以見利忘義，相率好貨喪德爲前所罕有的敗行。這原因固然不一，我認爲人才的關係甚大，辦教育與普通一般的從政生活不同，搞政治可以破格用人，可以不講資格，不論才幹，更可以不管學問品德。從事教育工作的人却須以品學爲第一，有才學而無品德的，不特不宜好爲人師，僭居清高的杏壇，即教育行政首長亦不可隨便讓他濫竽充數。否則他們本身就根本缺乏化民成俗的能力，視神聖的教育事業爲貿道，因而學校可以巧立名目，濫收學雜費，教育行政機關亦公然從中分肥，流行「紅包主義」，不惜上下交征利，而使國脈所繫的教育信譽，掃地以盡！

師範大學的地位何等崇隆，對社會上的影響何等深鉅，乃發生比一般「學店」還不像話的醜聞，政府主管機關若不切加整飭，剷除乖風，則所謂作育人才云云，殆如天方夜談而已！

葛建時與王覺源 論中國高齡元首

咸認反攻復國有新拓展

葛建時教授與王覺源兄論中國高齡元首問題說：「老友王覺源兄在上月自由報上發表了一篇「中國高齡元首」，把二千一百餘年中的元首二百餘人的年齡，作一個周密的統計，而認爲超過八十歲者，不過四人，這是一篇相當有份量的文字，我細讀這篇文字，認爲他對梁武帝、宋高宗二人，不免有溢美之辭，這且不論。尤其在年，超過八十者，連 今總統 蔣公在內，實有五人之多，在他文字中，實漏列了元世祖一人，元世祖承元太祖元太宗之後，入主中國，創平南宋，史稱他：「撫有全亞，兼包歐土，而爲東方一大帝國，引用漢人，發行交鈔，製新字，授時曆，罷榷酤，焚邦書，行裕享，製作大備，善政彝彝」，可見他是一位了不得的皇帝。還有幾件大事，可以一書的：（一）窮河源，以篤什爲招討使，往求河源。（二）創海運，入海取經，多在平江路之劉家港。（即劉家口，今名劉河，屬江蘇太倉）（三）開通運河，即今山東之運河，長二百四十里。河渠官張禮蓀等言：「開魏博之渠，通江淮之運，古今未聞。」（四）開鑿通惠河，即今大通河。元世祖在歷史上可以說是一個雄才大略的君主，成就不下于清高宗，當然缺點也在所不免，例如因爲他有雄心，用錢較多，不免引用聚斂之臣，以致積弊叢生。清高宗生前會有「八徵耄念之寶」記，內容甚佳，他說：「夫漢代以本，古稀天子才得六，六之中至八旬者才得三，而三帝之中，惟元世祖可稱賢，其二則予所鄙也。（原註：三代下諸帝登七十者僅六：漢武帝、梁武帝、唐明皇、宋高宗、元世祖、明太祖，而六帝中，惟梁武帝、宋高宗、元世祖年登八十，梁武帝自貽傾覆，宋高宗忘恥偸安，皆所素鄙，惟元世祖乃創業大有爲之君，然踐祚非早，建號僅卅五年、傳孫成宗，其諸王世系，元史雖無表可稽，但計其世次順帝，不過四傳，亦不能爲今五世同堂之盛。是則予以仰荷天眷，至爲深厚，不特古稀，且旬古所未有，如是而不祇承鴻貺，愛養黎元，則予敢，抑亦有所不忍也。）即元世祖亦未如予之五代同堂，是予沐昊乾鴻貺爲獨深！」

在這篇文字中，表示他不但享有遐齡，且有五代同堂之盛，因自號五代同堂古稀天子」，不免有自矜自伐之嫌，卒招致清室中衰之運。但他所許「梁武帝自貽傾覆，宋高宗忘恥偸安」，實爲不磨之論。今總統 蔣公繼承國父中山先生遺志，統一宇內，歷經東征北伐抗日戡亂之役，他遭遇到的，是歷史上最艱難困苦的時期，而卒能完成 國父未竟的遺志，換一句話說， 國父竭盡畢生心力沒有完成的事業，在他手中把它完成了。他在歷史上的地位，超過了上述四人。一般的看法，反攻復國的艱巨任務，於最短期內將有新的拓展，殆無疑問，打回大陸祇是時間早與運的事，這一點，我完全同意覺源兄的看法。

喬治桑外傳 一〇六

張大冀

裘白瓊向她呶呶咀，示意她坐在喬治桑的身旁。

「先生，你貴姓？小名丁蘭。丁副官的丁，蘭花的蘭。」這是一般酒女的開場白，丁蘭也不例外。

「我姓桑，桑樹的桑。妳長得「卡水」，來，來，來，我們先喝一杯酒。」喬治桑帶了幾分酒意，他見丁蘭長得不錯，所以用「卡水」來稱讚她，「卡水」者，台語漂亮之意也。

「丁蘭不錯吧？你滿意不滿意？」裘白瓊右手端酒杯，左手攬着小紅的腰，神態極爲瀟洒。

「滿意極了，就讓她陪我好了，另外不必再叫別人了。」喬治桑似乎對丁蘭很有興趣，意想從一而終。

「那也不必，我已經叫了素娟，琳琳，小翠，讓她們輪流來陪我們，免得「身後蕭條」，有何不可？」裘白瓊用身後蕭條來形容上酒家喝寡酒的慘狀，頗有幾分幽默。

「丁蘭，好久不見了，妳越來越豐滿，是不是多吃補品的關係？」裘白瓊油腔滑調，一見丁蘭便吃她豆腐來。

「你不要亂說，什麼補品不補品。老實說，我吃的東西並不多，大概年紀老了，容易發胖倒是真的。」丁蘭說話時，滿面帶笑，露出淺淺的兩個酒渦，喬治桑不免仔細看了她一眼。她的眼角隱隱現出魚尾紋，喬治桑知道她的年齡至少已緊扣三十大關。

「妳說妳老了？那我又怎麼說呢？」喬治桑找話與丁蘭搭訕。

「女人容易老，不像你們男人，桑先生你說是不是？」丁蘭一本正經說出她的理論。

「好了，好了，不談這些，還是喝酒罷。」喬治桑說完，端起酒杯，喝了一大杯啤酒。丁蘭不像小紅量淺，也陪了一杯。

「桑兄，你看丁蘭是屬於那一種女人？」裘白瓊歪着頸子，咀裏含着烟捲，一付輕狂之態。

「我不知道。」喬治桑揀了一塊生魚片放在咀裏細嚼。

「是吃性很重的，你難道看不出？」裘白瓊是玩家，他知道在這種場合不能拘謹，拘謹足以使空氣沉悶。

「我吃性重不重，你怎麼知道？我又沒有吃過你。」丁蘭在風月場中混久了，也懂得海派的術語。

「我會看相，一看就看得出。」裘白瓊反正隨口亂說。好在目的是增加熱鬧氣氛，也就無所謂了。

台北傳奇錄 （十三）

·陳光棟·

「叫你姐夫知道了，我怎麼說哪」？「事情鬧大了，妳更不好說」。「眞是倒運，早知道，一開頭，就不管你的屁事」？

大洋馬走到閣樓上，迎面碰上小辣椒，這位太太很顯然的已經先和金紅談過了，揚起眉毛來：「她正在等着你們」，怪裏怪氣的很不友善。

金紅聽到聲音，趕緊拿起一本小說來閒情逸致的躺在床上，假裝着沒事人兒。

「我想和妳談談」！大洋馬傲慢的說。

「妳是誰呀」？金寶躺在床上，眼皮都不抬。

「金恆貴是我的弟弟」。大洋馬耐着性子說：「妳是來找他的吧」？

「是又怎麼樣？不是又怎麼樣」？

「咱們都是女人，犯不着說話帶刺，妳願意談談就談談，不願意就拉到，我正要去洗頭髮」。

「我在等着他來，我們的事和別人誰也解決不了」。金紅由床上坐起來：「請坐吧」！

「這種椅子我可坐不慣，站着就好」！大洋馬開門見山的問：「你們兩個人到底是怎麼回事」？

「哼！說起來，話可就長啦」！

「咳！長話短說吧」！

「我爲了他，和老邱散了攤子，誰知道他原來是個窮光蛋，爲了生活，只好再去陪茶，一年多的時光，把他養的又白又胖，春節的第二天，我把首飾什麼的都給了他，來台北作生意，從此就桃之夭夭啦，前幾天，我在報上登了個尋人小廣告，妳們一定看見了」。

「沒看見」！大洋馬說的是眞話，自從桂先生回來以後，她一連幾晚連覺都睡不着，那兒還有心情看報紙。

「妳說咱們都是女人，要換了妳，應該怎麼辦？妳說說」。

大洋馬心裏想：要是自己碰上這種男人，就非宰了他：「好吧，妳要多少錢吧」？

「錢！誰說的？我要當面和他說，他得乖乖的跟我回去」。

「他已經有了正式的太太，破壞家庭不是犯法的呀」？

「妳說了可沒用！我有地方和他講理去，他不來不要緊，我會去看他！」金紅拿出撒手鐧。

「現在我先生不在家，妳先到我家坐坐，有話好商量」。大洋馬和氣的說。

「我無所謂，在那兒說都可以」。

金紅提着小袱，跟着大洋馬走到弄堂裏。迎面碰到送米的老邱。

「老邱！明天給我送二十斤米」！大洋馬故作輕鬆的說。

文涯樓別記

冷眼看中央公職人員增補選

執政的國民黨，在這次辦理中央公職人員增補選，確實花了不少人力、財力。在選舉結束以後，國民黨提名的立法委員、國大代表候選人全部當選，因之張寶樹秘書長和辦理選務的大員們都一再强調這次選舉的成功。

樓主冷眼旁觀，覺得這次選舉最大的特色是國民黨與「二無黨」對抗，這和英美各國選舉的政黨競爭截然兩途，「二無黨」者，無黨無派之謂也。這次參加立法委員競選的無黨無派人士，如郭國基、黃信介、黃玉嬌、張詩經等，在這次政見發表會中，筆劍唇槍，肆意謾罵，詆毀執政黨猶餘事焉，詆毀政府、詆毀 元首，其言論顯然早超過民主政治所能容忍的限度。樓主雖孤陋寡聞，但也跑過十幾個國家，借用徐復觀的口頭話：「未吃過豬肉，也看過豬走路」，從未聽說過民主國家從事競選的人，可以對自己國家元首作人身攻擊的，即使已被暗殺的羅拔甘迺迪，他也祇以刻毒的口吻抨擊詹森的越南政策，並沒有罵詹森說話等於放屁，或更難入耳的髒句。

有人說紐約時報派有記者在台灣採訪，把官僚們嚇唬住了；又有人說各國駐華外交人員，很多參予旁聽。本報是一張有廿年歷史的華僑報紙，組成和寫作同仁，除政論家、國士外，率多現任國內外公私立大學教授，堅强陣容，爲世界報紙冠，站在海外輿論一份子立場，站在學人們愛國家立場，表明我們對 總統熱烈支持和誠摯的擁護。 總統不僅是中華民國唯一領導人，且爲挽救中華民族厄運希望所寄，斷不容許失敗主義者，亦即是虛無主義者，藉競選機會來動搖海內外的民心士氣。這不是執政黨能否容忍的問題，而是一個國家的體統還有沒有？法律還存不存在？

講老實話，立監兩院委員，以及國民大會代表，增補或不增補，與復國大業沒有什麼太了不起的關係。在這次增補選中，替執政黨着想，要珍惜創業維艱，守成不易，尤其 中國國民黨七十餘年的光榮歷史，最高領袖偉大人格完全代表國格，絕對不容許黨內或黨外人士對其有任何不禮貌或侮辱。如果有的話，就得馬上澄清，做官的爲了紗帽子，「上天奏好事，下界保平安」灶老爺的搞法是要不得的，且會留不後患。

台灣外在的敵人是中共，潛在的敵人是「台獨」「台託」份子。

樓主這次對「二無黨」候選人的演說，找不出有若何政策性意見；相反的，倒覺得有濃厚的「台獨」「台託」論調，眞令人百思不得其解。某一候選人在其宣傳車上掛的口號是「有一天！」究何所指，即使他本人不願說明，還望能有人代爲解釋。

十三年前美國幾位由美抵泰的外交官員，在曼谷與樓主交換對亞洲局勢意見時，過重討論大陸問題，那時美國駐泰大使館中國事務官，即前任台灣美國新聞處長馬可笑也在座，樓主末了强調說：「中國不能一日無 蔣總統，否則將陷於混亂……」民國四十六年樓主二次回國應國立政治大學新聞研究所禀請作學術講演時即指出：「數延政治的後果是不堪想像的」。

·文匯樓主·

復興中華文化，完成復國建國（三）

吳文蔚

美國就欠缺像我們的道德文化，他的科學進步在世界上沒有一國可以比得上，但他的道德文化由於很薄弱，所以他的立國精神便不及我們，同時不足以維持他當前面臨的種種困難，如目前國際上的頹勢，與國內社會的動盪等是。

我們的道德文化既然勝過外國，那麼我們爲什麼還要倡導文化呢？ 國父在三民主義中，講到中國固有的道德時說：「中國人至今不能忘記的，首是忠孝，次是仁愛，其次是信義，其次是和平，這些道德，中國人至今還是常講的，但是現在受外民族的壓迫，侵入了新文化，那些新文化的勢力，橫行中國，一般醉心新文化的人，便排斥舊道德，以爲有了新文化，便可以不要舊道德，不知道我們固有的東西，如果是好的，當然是要保存，不好的才可以放棄，此刻中國正是新舊潮流相衝突的時候，一般國民都無所適從」。同時，他更舉了一個妙喻說：「一個苦力靠做工維生的人，有一天買了一張馬票，他把馬票號碼牢記心頭，將馬票捲起塞在竹扁担頭內，等到開獎之日，頭獎號碼果然與他所購的馬票號碼相符，這個苦力工人，興高彩烈，喜不自勝，以爲他已中了頭獎，從此後，他已成了富翁，可以不再作苦工了，遂把扁担投入海內，那知頭獎是要持馬票對號碼，待他領獎時，始記起馬票塞在竹扁担頭內，這時扁担已投棄入海，馬票自然是無從找着了，他懊悔之餘，已無辦法了」。現在我們中國人，對於固有文化的舊道德，就和那個苦力工人中了馬票，丟棄了謀生的竹扁担一樣，以爲接收了西洋的新文化，就可以不要舊道德了。殊不知舊道德才是固有文化的精華，中華民族所以能立國於世界，歷數千年而不衰者，就是全憑着舊道德的精神維繫呢！現在我們要消滅共產主義，消滅爲害人類的共產黨徒，完成建國復國的大業，最要緊的，就是要復興我們固有文化的舊道德，這就是中華民族的眞精神！世界上無論那一個國家的民族，若是喪失了他的民族精神，他的國家是很難存在的。因此我們復興中國固有文化的舊道德，就是消滅共產主義，消滅共產黨徒的唯一武器，和完成復國建國的根本要圖！我們一定要促其實現！

（未完）

綜談國劇復興（四五）

王方曙

丙、建立良好的批評制度，報紙電台電視，都可以有這一節目，介紹、批評、鼓勵。一面作宣傳，一面求進步。目前在各大報上，我們只見影評，少見國劇劇評。一則國劇太少，一則評的方式也需要重新建立。我們要有專家式的批評。不要捧角式的批評。一切都有新的姿態出現，國劇自然會有新的氣象，而有新的觀衆了。

九、結語

國劇之能不能復興起來，不是國劇本身的藝術價値問題，而是國劇工作者的努力如何，與扶植的用力如何的問題。因爲國劇本身是好藝術，不應該被人忽略。但因時代關係，新興的娛樂太多，從娛樂觀點或從時代觀點來看，許多新觀衆趨向了新興的戲劇電影。然國劇本身若能把握住時代，跟得上時代，新觀衆自然會跟着來欣賞國劇。只要我們的國劇工作者，能把握住國劇的特質，發揮其特長，吸收新的，改正舊的，創造出合於時代觀衆要求的新的民族藝術，是絕對可以作得到的。但這必須有下列幾種條件：

一、國劇工作者本身對此一復興工作能徹底了解。能夠共同努力。不保守，能進取，求創新；不以能摸仿前人爲驕傲，而以創造爲己志；認淸這職業是「文化」「藝術」工作。不僅是一種賺錢的職業，於是錢也賺到了，藝術也光大了。

二、國劇在氣質上的修養，要和藝術相配合，國劇學校不僅教技巧，更要注意文學藝術的修養。變化氣質，也就能藝術。

三、作好宣傳，使新觀衆認識我們。

四、政府有關機構，作有力的扶植輔導。

這篇文章至今連載了四十餘期，在最早我想簡單從事，後來却欲罷不能，越寫越多。但既已下筆，不能自己，也祇好寫下去了。現在在此結束之時，我願重申前言：我個人與國劇的榮枯無絲毫關係，也決不可能由此中求何名利。但我虔誠的希望這篇文字會發生一點作用，使國劇有復興的機會，使有補於純粹的民族藝術的光大。這樣，有益於文化復興，也有利於國劇工作者的事業前途。這就是我的意願了。

（全文完）

蘇東坡終不大用（下）

·漢年·

獄既成，十二月責授黃州團練副使本州安置。此五年中，禍福不同，但皆有其故，因大運滔已，誠癸水日元之貴人，此與日枝亥衝何有？至於乙卯、丙辰、丁巳三年，皆逢木火，是以裕如。戊午幹枝土火，故亦無恙。己未幹枝皆坐，是以禍起。

四十五歲庚申，至四十九歲甲子，雖謫黃州，有時尙爲通判，且有量移汝州之命。雖經過流年極否，究竟運行丙火，不無裨益。

五十歲乙丑，及至南京，有放歸陽羨之命，遂居常州。五月內復朝奉郎，知登州五日，以禮部郎召。到省半月，除爲起居舍人。

五十一歲丙寅，以七品服入侍延和，改賜銀緋。不久除爲中書舍人，復遷翰林學士，知制誥。

五十二歲丁卯，仍爲翰林學士，復除侍讀。

五十三歲戊辰，仍任翰林學士，知貢擧。

五十四歲己巳，任翰林學士，三月除龍圖龍學士，知杭州。此五年，運行午火，獨能化難呈祥，稍抒抑鬱者，實因子與丑合，不復衝午，君子道長，小人道消也。

五十五歲庚午，在杭州任所。

五十六歲辛未，奉召除翰林承旨，復知汝陰，汝陰因久雪人民飢餓，軾以義倉之積穀數千石支散，以救下民，炭數十萬秤，依原價賣之，以濟中民。奏放積欠賑災。又奏乞罷黃河民伕萬人，開本州講讀。詔許其請。

五十七歲壬申，改知揚州，未久召爲兵部尙書，復兼侍讀。

五十八歲癸酉，任端明侍讀二學士，出知定州。繼室王夫人卒於京師。

五十九歲甲戌，知定州，落兩職，遞降一官。知英州，行至南康軍，再貶寧遠軍節度副使惠州安置。丁運屬火甚佳，是以發政施仁，民福，豈料歲値癸丑，大限癸卯，歲値甲戌，小限壬寅，劫日元癸水，克大運之丁火，竟有喪妻貶職之災。

六十歲乙亥卯，至六十四歲己卯，自惠州而瓊州，雖然病呻吟，而軾胸中仍有然之處。此無，未運衝丑，得子之故也。

六十五歲庚辰，軾在儋州食芋飲水，適逢大赦，量移廉州，又移永州，行至英州，復朝奉郎，提擧成都府玉局觀，任便居住。

六十六歲，度嶺北歸，五月行至眞州，瘴毒大作，止於常州。六月上表請老，以本官致仕。七月丁亥，死於常州。按死時爲七月二十八日也。觀子瞻之命，汗漫澄淸之水，最忌逢土。歲値壬辰，得逢大赦，任便居住者，因無衝尅也。歲値辛巳，卒於常州者，二辛妒丙，已遙衝亥也。

蘇東坡之文章，爲百世之師，其忠義爲天下大閑，乃竟困阨如此，未入大用，豈非命耶！

按蘇東坡亦署諳相法。東坡詩有云：「坐閱諸公半廊廟，時有黃色起天庭」。據王朴「太淸神鑑」黃色吉凶歌云：「黃色天中列土分，圓光重大拜公卿」。坡老蓋用「太淸神鑑」之語。東坡自海南縣歸來，有人問他還謫之苦。東坡答道：「此是骨相所招。吾少時入京師，有相者對我說：『一雙學士眼，半個配軍頭；異日文章顯，當知名；然有遷謫不測之禍。』」

東坡又贈善相士程傑詩云：「火色上騰雖有數，急流勇退似無人！」此似相其不壽，而欲以早休當之。故又云：「我似樂天君記取，華顚賞遍洛陽春」。然坡公生平居官，起而復，未得遂急流勇退之願，而死於賊陵，未嘗一日享林下之樂，相者之言全驗。豈非命耶！（完）

諸葛亮狂想曲（七六）

·劉玄·

「諸葛亮倒沒有這種意思，他對我們會坦白說出他的意見。他說天庭之中懂國樂的多，懂西樂的少，所以以他的七絃琴造詣之深，卻不敢開演奏會，只不過作一鋼琴樂曲讓張素梅彈奏。你是有名的仙家，演奏會開成功固然好，開砸了，一世仙名從此休矣。故要我們回來和你從長計議一下。」何仙姑一番話說的頭頭是道，毫無破綻。

韓湘子暗想：我眞的好久沒有練吹了，一般人都有偶像觀念，認爲笛子是我的標幟，吹起來必然是行雲裂帛精采異常。是不是如此呢？自己也無把握。因此，沉默半晌，不知怎樣說才好。

「怎樣？你決定沒有？我以爲你的演奏會與諸葛亮的不同。第一，諸葛亮作曲由別人演奏。成功了，是諸葛亮的成功。失敗了是張素梅的失敗。可謂萬無一失。第二，笛子是你的「商標」，聽衆對你望之殷，則責之切。大家一定認爲你的演奏是「此曲只應天上有，人間那得幾回聞」，萬一吹奏走樣，不要說是你，連我們也將受影響。」何仙姑果然口齒犀利，至此，那怕韓湘子不知難而退。

「何大姊，依妳之見，我應該如何？」韓湘子氣餒，只好請教何仙姑了。

「依本仙姑卓見，演奏會暫時作罷可也。」何仙姑儼然以老大姊自居。

「就依大姊。」韓湘子垂頭喪氣，好像鬥敗的公雞。

呂洞賓、鐵拐李看在眼裏，暗自好笑，不約而同同何仙姑翹起大姆指。

「不是我當面恭維何大姊，她的見解確實比我們高。」韓湘子是老實人，那裏知道何仙姑的袖裏乾坤。

呂洞賓見談話告一段落，負手走過去看張果老、曹國舅下棋。

「觀棋不語眞君子，你看是可以的，請勿多口。」曹國舅與張果老的棋力都不及呂洞賓，他現在在棋盤上持白棋佔優，怕呂洞賓幫張果老。

「我不會說話，你放心好了。」呂洞賓雖如此說，他細看盤面，張果老的黑棋岌岌可危。張果老的額上沁出汗珠，呂洞賓看了於心不忍。

「大海欲觀龍起處，高岡會有鳳鳴時。」呂洞賓忽然諳起聯語來。曹國舅沒有留意，張果老知道呂洞賓在給他暗示，想了一下，「龍」是虎的暗示，遂虎了一子。

「漢皇重色思傾國」，呂洞賓又在背誦長恨歌。張果老又長了一子。一虎一長，盤面立刻改觀。

曹國舅和張果老下棋，原來是曹國舅佔優勢，經過呂洞賓在旁搗鬼，張果老反敗爲勝。曹國舅氣的將棋盤一推，「算了，算了，下次再來」。

張果老在八仙之中年齡最長，除了下棋一向懶得活動。

滄海拾遺

梁財神是非功過

赤松子

從民國元年到民國四年，北平人談耳欲聾的梁財神，自從籌安會被蔡鍔唐繼堯在雲南異軍突起打倒後，從此在北平日落西山一息奄奄，到了十年左右，忽然靜極思動，以考察歐美實業為名，帶了一個考察團，親赴歐洲實際上是想在歐洲財閥中，借個名義，在北平軍閥中表現一手「殺雞取蛋」的財政技術，然後一鳴驚人，再度上台，那知第一次歐戰後，戰勝國的英法，已經自顧不暇，至于戰敗的德奧，更是捉襟見肘，入不敷出，誰願見到東方一個過時的古董，西藏人聽見上太空一樣，縱不掩耳而走，勢必昏昏欲睡，所以說梁財神此行，可以說觀光則可，要想達到目的，其勢難于登天，何況過時的財神，財運自也不能看好，于是這次歐洲之行，第一站到英倫，第二站到巴黎，羅妙手空空而無所獲，總算平安無事，到了第三站柏林，反因吃兩頓便餐，飽挨一頓耳光，當挨耳光時，據說留德學生凌某數出當年籌安會一幕，及交通銀行停兌以致餓死北京市民事，但于他林，深知此事內幕，挨打唯一原因，全由兩頓便餐而起，若不詳細說明，閱者更覺糢糊，難道以財神之尊，不至吃飯付不出錢，何況當時係胡代辦招待，何至因此挨打，其經過情形，大致如左：

話說當時柏林康德街，中國菜館是天津溫老板開的，溫老板是從前德公使辛慈的廚子，技術到很普通，不過運氣實在高人一等，彷彿現在袁眉鑫戲一樣，每日午晚兩餐，以賣麥為生，每日高朋滿座，開店十年，溫老板已算小康以上的家庭，享有齊人之樂（一妻一妾），飯館後面還有兩間雅座，陳設相當雅緻，這兩間雅座可以包席，不過包席的很少，經常為幾位老柏林留學生獨占，一間拿來叉麻雀，一間拿來是供他們吃飯，（一年三百六十天中，總有三百五十天是供他們吃飯娛樂之用）他們和溫老板是什麼關係，不得而知。

這次梁財神到了柏林，胡代辦在東道招待了一次，由溫老板向他們交涉，請暫讓出雅座一次，據說費了九牛二虎之力，後來溫老板娘也出馬，不斷作揖打拱，他們才勉強答應。

于是溫老板親自表演他平生拿手好菜，如鍋貼愛吃的「和菜帶帽」及「紅燒肥鷄」等，財神也是北京著名講究吃的，不錯，胡代辦問梁財神，溫技術如何？梁財神笑道，不錯，不錯，我到了歐洲，這是第一次吃到，就在國內，只有北平忠信堂做得出來，胡代辦本來只想招待一次了事，見他如此欣賞，就說那明天我們再來一次何如？那知梁財神並不推辭，拈鬚天再請一次，還是在這房間，溫老板高興不在話下，明那知昨天胡代辦歡宴梁財神，把延時間太久，那幾位老留學生很不高興，當梁走後，他們問胡代辦請的是誰？

溫老板說道，就是當年大名鼎鼎的梁財神，其中有一位湖南人姓黃的打手就罵道，這個老而不死的妖怪，明天再來，老子一定要打他，當時溫老板聽了，也沒注意，以為他們是說來玩的。

到了五點左右，胡代辦陪着梁財神及隨行人員一齊到了菜館雅室坐下，那知早在四點左右，黃打手和凌某已到了菜館，坐在角上一棹，等到五點後，他們一棹人馬已經到齊，候到六點半，胡代辦一棹吃完送客，梁財神走前面，胡代辦緊隨在後，到梁財神走到菜館的中心，黃打手上前，對着梁財神的臉部，就是一拳，並罵道打你這個老奸賊，這一拳把梁財神打得坐下來了，（黃打手出名，是因為和德國流氓打過架的）梁財神起來，神色不變，叫一聲，朋友，有事坐下來談，不料後面出來一個小鬍子姓凌的，用一隻快子指着梁財神罵道：

罵一聲老奸賊真叫大，籌安會幾乎斷送了中華。交通票餓死千萬事非假，沒想到今天柏林遇見咱。這次放你太不成話，打死老奸賊，願受國法。凌某剛一罵完，黃打手再上前去揪住梁財神的鬍子，又是拳足交加，最奇怪的是中國人的隔岸觀火的精神，當時菜館中幾十個客人對這一場轟轟烈烈的熱戰，既沒有幫黃打手的，也沒有替梁財神說話的，好像大家都在欣賞汪笑儂的擊鼓罵曹的名劇，以從前赫赫不可一世的梁財神，竟為兩次便餐，捱了一頓飽拳，不說一般柏林學生想不到，就連九泉之下的梁財神，至今也還夢想不到的。

國父與國民革命（上）

許一塵

國父畢生致力革命，盡瘁國是，死而後已！大智，大仁，大勇，三者俱備，實為中國歷史上最傑出的偉人！而其革命思想的發軔，實起於中法之戰。國父自己也曰：「自中法戰敗之年，始決傾覆清廷，創造民國之志；由是以學堂為鼓吹之地，借醫術為入世之媒。……」（見「孫文學說」第八章）又曰：「予在廣州學醫甫一年，聞香港有英文醫校開設，予以其學課較優，而地較自由，可以鼓吹革命，故投香港學校肄業。數年之間，每於學課餘暇，皆致力於革命之鼓吹，常往來於香港、澳門之間，大放其辭，無所忌諱。時聞而附和者，在香港只陳少白、尤少紈、楊鶴齡三人；而上海歸客，則陸皓東而已。……予與陳、尤、楊三人常住香港，昕夕往還，所談者莫不為革命之言論，所懷者莫不為革命之思想，所研究者莫不為革命之問題。四人相依甚密，非談革命則無以為歡，數年如一日，故港澳間之戚友交游，皆呼予等為四大寇。此為予革命言論之時代也。……」（同上）

直至甲午年（公元一八九四年）「中日戰爭」開始，國父才赴檀香山創立「興中會」，這便是革命運動由言論而進入實際行動的階段。至乙未九月九日，國父便正式採取軍事行動於廣州起義。此次舉事雖功敗垂成，犧牲者有陸皓東等多人，但革命之火花，已閃耀全國，石破天驚，朝野震動。至庚子年（公元一九〇〇年）國父又發動惠州之役，殉難者有史堅如等。此為第二次革命失敗。乙巳秋間（公元一九〇五年）國父為了擴大革命陣營，乃赴日本成立「革命同盟會」於東京，並提出「驅除韃虜，恢復中華，建立民國，平均地權」等口號，俾結合中外有志之士，共赴革命。故丙午秋間（公元一九〇六年）又有江西萍鄉和湖南醴陵、瀏陽的義舉，總稱為萍醴之役，此為國父第三次革命失敗。丁未年（公元一九〇七年），國父親自主持，連續舉義五次，就是四月的黃岡七女湖之役，七月的欽州防城之役，九月的汕尾之役，十月的廣西鎮南關之役。戊申年（公元一九〇八年）二月，有欽廉之役，三月，又有雲南河口之役。庚戌年（公元一九一〇年），又有廣州新軍之役，皆歸於失敗。直至辛亥三月二十九日，又有廣州之役，事雖不成，而黃花岡七十二烈士轟轟烈烈之犧牲精神，已震動全國，迫武昌起義，一鼓成功，推翻清廷，建立民國。

綜觀國父的革命行動，實有十三次之多，而十二次皆失敗（國父在「孫文學說」中自述係十次革命，十次失敗，實忘了丁未元月潮州之役，與九月的汕尾之役。見鄧慕韓氏「國父事畧」，及黨史中也有詳細記載。），僅十月武昌起義，革命才告成功。（未完）

劉法師

周遊

唐貞觀中，華陰雲台觀，有劉法師者，鍊氣絕粒，有二十年之功。每逢三元則設齋。每設齋時，則有一人，衣衫縫掖，面貌黑瘦，入齋居於末座，齋畢而去，如此凡十幾年，其衣衫十餘年不變。一次，劉法師怪而問之，其人道：「余姓張，名公弼，住蓮花峯東隅。」劉法師心想，蓮花峯乃無人居住之地，此中必有文章。願與之同往蓮花峯一遊，公弼怡然許之，對劉法師道：「此中甚樂，法師能居此，不亦樂乎。」遂隨公弼前往，行二三十里，山路崎嶇，羊腸小徑，崖谷險絕，猿猱難過。然公弼行之，履險如夷。行至蓮花峯，見一石壁如削，高千尺有餘，下臨無底之谷，中有一徑，闊只數寸，法師與公弼側足而行。行至石壁間，公弼以手扣石壁中，忽聞石壁之中有人問道是誰？公弼答應，忽見石壁開啟一門，門中有天、地、日、月。公弼引法師將入門，門內者大怒道：「何故引外人來此？」說罷，用手一推，石門關閉如故。公弼對門內之人說道：「此人非外，乃雲台劉法師也。與余歷十餘年之故人，故請其來，何故拒人於千里之外也？」說罷，石門復開，引公弼及劉法師入內。入得洞府，公弼說道：「法師此來甚飢，君可備豐饌待之。」其人便問法師長住否？法師請約以後期。其人遂取一盂水，滲入一匙粉攪入水中，飲之，氣味甘香，飢渴立消。公弼道：「吾昨說甚樂，君以何娛法師，其人以東谷中，頃刻之間，有蒼龍、白象各一對，舞於谷中。又有威鳳各一對，且舞且歌，眞是奇觀所未見，聞所未聞。觀罷，公弼法師出洞，龍、象、威鳳俄然不見，祇見青崖丹壑。行至半途，公弼相告而別。法師回到寺觀，處理寺事，復尋原路去找公弼，前路已非往昔，步步險阻，杳不可階。法師悔恨，前次之不留住為憾，呼天叫地，後成腰疾，張公弼終不復見矣。（此事見唐人筆記小說「玄怪錄」，李復言撰）

生活漫談

連魚可治風濕痛

馬騰雲

徽菜的連（魚旁、以下同）魚羹，是以豬肉肥瘦肉丁、香菇、木耳、金針菜作配料，臨上桌時加胡椒粉與麻油，不僅美味且富藥用價值；上海人豆腐燒連魚，佐以絲筍乾、火腿片亦別具風味；用湖北吃法熬連魚湯，湯白似乳，鮮香可口。但連魚在民間認為是難登大雅之堂。運河流域、淮河流域、洪澤湖、鄱陽湖沿岸出產特別多，有時價錢賤如蔬菜，因之貴族人家很少買這種魚，並謂連魚容易生痰，身體不健康的人，根本就忌食，其實就是太多了不值錢，產生一些不三不四的說法。

連魚，俗叫鰱魚，生於湖泊河邊及池塘中，體滑沒有鱗，多黏液，咀部有長的觸鬚，河南、安徽若干地區呼之為鬍子魚，半下流社會開玩笑的話：「宰鬍子吃」——就是紅燒或敷黃連魚。台灣亦有連魚，但價錢很貴，比不上內地，祇賣兩三分錢一斤，同時台灣的連魚小，不若內地湖沼河流出產的連魚，大者長達三四尺，逾二三十斤者，背部黃青顏色，腹部發白，肥碩可愛。經專家化驗，連魚營養成份相當豐富，含水份百分之四一、五，脂肪四、六，無機鹽類〇、九，蛋白質一一、四，一般人所謂連魚生痰，是因為黏液太多，鄉下人認為黏液像痰，認為連魚是生痰的，殊不知連魚不僅不會生痰，而且有驅痰祛風濕的功用，如果因痰多吐不出，食連魚後，可使頑痰吐出暢快，這是出乎一般人意料之外。

用一條一斤或兩斤重的連魚，除去內臟及鰓，不用水洗，祇稍稍用紗布擦一擦，用一斤米酒代水，文火細煎，酒和連魚同入沙鍋中，不用佐料，煎熟後先飲米酒，後吃肉，就風濕痛的人說，吃三到五次有良好的效果，廣州和衡州的人，吃連魚的方法，多用酒煎，據說很補，去疲勞，增體力，農忙的時候，鄉下人連酒帶魚同煎，這表示主人對僱用的工人很關心，這個醫治風濕痛的偏方，抗戰勝利後，由著者帶到上海、南京乃至天津，親朋幾乎個個欣賞，醫癒的人數相當多，不過中西醫開始都不能置信連魚可治風濕痛，後來有人試驗的結果，認為中醫裏有很多難以解釋的事，不相信是一回事，治好了沉痾又是一回事，台灣連魚很貴，有藥用價值，三斤以上的很少，最好農復會能提倡養連魚，改良魚種，就像種蘆筍，台灣農民開始亦不相信，後來每公斤售價二十幾元，還對外匯的爭取，貢獻多麼重大。如果連魚能治好風濕痛，又何必用舶來品昂貴的特效藥呢？

騷壇逸話（二）

平民院長禮敬詩人

湘筠

有平民院長之譽的監察院長李嗣璁，向來待人接物，很謙誠，使接近的人，如坐春風，尤其是對台灣詩人，非常禮敬，老詩人來相訪，常常要送到院長室門口，因此博得民間一片好譽。

十一月二十三日桃園孔廟舉行桃竹苗三縣詩人大會，李院長有贈送十二位社長的聯語，聯均嵌社長之名，皆佳妙入化，其聯為：「太空得句如飛電，平日為人有古風。」（桃社吳社長太平）「增來祥瑞知無限，搖滅妖魔會有時」（以文吟社陳社長增祥）「綠水詩情分外逸，青山畫意與俱深。」（苗栗栗社社長賴綠水）「作詩明教搭承塑，衛道匡時在建仁」（新竹同光詩社社長黃作仁）「似錦前途宜入畫，堪傳藝績更催詩。」「文蕊道德超萃志，華國文章正世吟」（中興詩社社長劉國超）「傳詩已自嵌津始，亮節從來海宇遵」（嵌津詩社社長李傳亮）「人如白鶴飄然逸，詩似青雲大來橫」（鶴社李社長逸樵）「固維須仗中庸道，論教先從大學篇」（七鯤吟社社長夏維中）「宇唐宗法須遵律，揭漢大蘇總仗詩」（新竹大新吟社社長黃宇漢）「旋轉乾坤先創造，匡扶日月放光明」（東興吟社社長丘劍乾）「亦步亦趨千詠鉢，飛黃飛白擅題箋。」（詩社聯合總社副總社長馬亦飛）詩社聯合總社成立于五十六年九月何南史任總社長，馬亦飛，賴子清任副總社長，上面詩社皆簽約參加。

中華民國內政部內銷證內警台報字第〇三一號
中華民國僑務委員會登記證台僑新字第三二三號
中國郵政台字第一二八二號執照登記爲第一類新聞紙

自由報

（第一〇二五期）

（半週刊每星期三、六出版）
每份港幣壹角・台灣零售價新台幣式元
督印黃行寬・社長李運鵬
社址：香港九龍彌敦道593—601號
廖創興銀行大廈八樓五座
LIU CHONG HING BUILDING
7th FLOOR FLAT 5.
593—601 NATHAN ROAD,
KOWLOON, H.K.
TEL: K303831
電報掛號：7191
承印：景星印刷公司
地址：嘉咸街廿九號地下
台灣連絡中心：台北市田街五巷三號
電話：三七五〇二二
台灣區直接訂戶　合郵劃撥戶
第五〇五六號張萬有（自由報會計室）
台北營業處：台北衡陽街三十號
電話：二七二〇〇
台灣分社：台北市西寧南路110號二樓
電話：三三〇三四六，台郵劃撥戶九二五二號

本報專論

爭辯時代的世界藝術思潮

于還素

所以我們勉强的說，藝術是增進或改變人類美感與幸福的一個原則與方法，和美發生關係就夠了。如撫拾陳言，各位可以自己去搜集書本上的說法，當然很多了。我今天，只在說明我的看法，介紹若干觀念。

丙：藝術的媒體

藝術若分類，可分爲第一第二第五第六，第八第九，這只是大體上的一種假設，音樂，戲劇，繪畫，建築，雕刻，電影，舞蹈等等，也各有其不同的特質，如以動靜來分，雕刻就有動態的，建築更不用說，歌德說之建築是靜動的音樂，現在就不適用了。繪畫有平面的，也有立體的，有時間的，也有空間的，以時間來分也不適合了。二十世紀是一個混合的時代，在有一定觀念，固定觀念的人來看，就是很亂，以爲是變態，聯想到人的生理和心理。事實上，這些都是正常現象，藝術若以媒介物分類，豈不等於以材料，工具，當作藝術了。所以我把分類改成媒體（medium）各位再把這一觀點，對照上面說過的，就可以完全瞭解。

這裏有一個問題，是怎樣控制，運用，選擇藝術的媒體問題，這裏牽涉的很多，民族習性，個人愛好，環境要求，生存需要，精神動向，心理支配，傳統累積，無一不和藝術的媒體有關，比如我們寫字，我們是順從心靈，還是順從手的構造，手是傳達心靈的第一個材料，工具；如果不用手，是不是算是藝術？足球就是不用手，也是一種運動，大家規定用油墨寫字，好比比賽，不能算做違反規程，不過藝術家是立法者，是自爲認定的，所以他的責任比運動員重。同是力量，來源與方法不同，影響到藝術的實體，如運動身體不是藝術，則舞蹈就是動態之美生之於腦，形之於美的，究竟有分別。藝術的動力是人，這一點，還要每一位朋友自己去思考，現在只能提到一個大綱。

丁、藝術的方法

各位也許常常見到一類談玄說理的文章，有的且在文章中以禪宗的「不立文字」爲玄，「玄之又玄」，你可能以爲這是做文章在藝術思想史中，是沒有前例的。現在我倒願意建議，我們研究文學藝術的朋友，不要再把哲學當作高深的背景，要把它們當作一種方法。比如說，我們看見一塊美麗的石頭，這塊石頭可以作雕刻用，也可以作戲劇用。作戲劇用，石頭可以產生戲劇或文學，其價值不在雕刻品之下，「石頭記」就是一塊石頭。中國文人常常講究金石之學，這裏所談的金石就有天地長久的意義在，紀石立功，鑄金人，金石爲盟，以物體的空間，作時間性的延展，如「前生註定」，「三生石上」，彷彿一對情侶，有人事先用刀子刻好了似地，同爲一物，其說法不同，就是應用材料的方法不同。手也是有心的，現在請各位試一試，手心比我們的心靈還有感覺，手的溫暖，手的個性，比心的溫暖，心的態度，容易瞭解的多。現在我們可以知道，藝術的欣賞和創造用頭腦，就不一定完全正確。宋磁，她的美，不是旋轉的圓，乃是匠人手工之美，不信，我們現在常常說某人機械，就是這傢伙是死心眼的，這可見藝術是心靈的活動，那麼，我們就要想一下，心靈可以動，手爲甚不可以代替心靈？如果你沒有作品，怎樣才知道你有心靈？我這些話，都是中國傳統哲學的另一說法，非常淺近，不過，我們這也得要感謝現代科學使我們知道可以把哲學看作方法論，在某些人爲高深，在某些人爲膚淺，現在我們愛談沙特的小說，是因爲他存心要把哲學降低到文學的層次，試想，一個可以稱爲文學背景基礎的，也變成文學藝術的材料和方法了，那麼我們就可以知道那些談論玄學的，不是談玄學，是談方法。

以玄學作畫，就不是玄學，任何學問都可以拿來當作方法用，其作品的境遇如何，不問可知。所以我以爲，文學可以一切思想爲材料，藝術家的作品何獨不然？中國古語裏有「妙造自然」一說，可見古人是不拘泥成法的。妙，就是創造出來的藝術，既談創造，就不應受方法限制，比如我們造船做鐵鼓的，和做木板的方法不一樣，完全是因爲材料，而改變其觀念，可是在有人開始用鐵造船時，別人以爲他荒唐，因爲鐵比水重，一定會沉下去。現在我們住在多少層厚的水泥底下，我們也不覺得害怕了？可見方法決定實質。

戊、世界藝術大勢

這是每一位藝術家所關心的，也是每一個欣賞者所關心的。現在我用方法，語言說明，「關心藝術」，就是世界藝術大勢。

人人都在關心藝術，藝術爲美服務，美是人羣進化的標的，是幸福，是希望，是趨勢，我們從別察世界，應知人有環境的不同，利害的不同，但趨利避害人人都懂，在歷史上有因玩物以喪志者，也可能因藝術而亡國者，但唐玄宗，宋徽宗，乾隆皇帝，將在[illegible]文明，是永遠不斷，夢寐以求的趨勢，在詩人中，從來沒有人向我打聽過現代詩將往那一個方向走，蘇爾特，李白，李商隱，艾品雅，李爾克，梵樂希，托爾斯泰，都各以他們不同的成就使人快樂，慈悲。認識的更眞切，並不因爲他們有某一風格而互相追逐，藝術世界好像鍊金術，只有往好的美的方面發展，沒有往壞的一個趨勢去發展的。大家共同的趨向，往往是愚蠢的藝術家在學習時無我，成功時仍然無我，我尚不存在，一切潮流，派別只可以供我們參考，可以作爲我們思考問題的材料。所以派別，浪潮，是羣體性向，而非各人的主張，假定我們今天有一位作家，作了一篇不經的文章，我們應該鼓勵他。不同代表了出衆，鶴立鷄羣的新思想。這些話有一前提，就是，世界上的思想動向，如果我們毫無所知，就是孤陋寡聞了。

我們都在浪潮裏面，我們都在掙扎，我們都在努力，奮鬥，水的聲音，浪的顫抖，陽光的溫暖自然界人爲世界都是我們的感受，這不是詭辯的問題，我們個人的感受如何，就是藝術的動向了。自覺就是知識，沒有自己的充分自覺，如果我是聽講的人，我只是聽到一點消息而已。聽到的，想到的，做到的是一種進步的交响樂。是作家的一些材料或因子，現在我完全站在這一方面，我相信，我已經使各位朋友想到自己存在於生活之中，而非生存事實之外。

己、中國、十字路口

傳統，現代，現代，傳統，東方與西方，新與舊，吸收與排斥，個性，民族性，這一類的問題，在外國是沒有的，何以我們今日的青年關心這些問題？無他，不安，困惑與迷惘，迷失，茫然與荒謬，前面提過二十年持久之戰，精神上的消耗是多少？過去的，我們願意快快的忘掉，未來的幸福，我們都在淡泊地追求。我們每個人都在祈求幸福與迷解，如果說我們是屬於自由世界的，那麼，我們的自由，已經被古人奪去了，我們缺乏生存的權利，歷史上那些大的思想向我們招手，然而我們必須活下去——讓最小的空間，激發我們愛國愛民族的熱力，我們無可逃避，必須面對現實，藝術是我們的宗教，圖騰，信仰中的神，因爲她保存了愛，這一關我們沒有被破壞，我們就可以立足於社會，或國際社會，我的話，揭開了我們青年人的內在神秘感，誰肯營救我們呢？自己！我們沒有徘徊的資格，信仰毀滅了，我們必須堅信自己。我們談現代思想中的藝術問題，美就是愛——不管是神賜戲人授，我們都必須接受。這種無可如何，是歷史命定的；「人生而特限定有自由」，你們如果細品味沙特這句話，就知道一個人生存的多麼勉强，保存多少淚才以堅定自己。人，無法外求，當傳統價值遭受破壞的今天，每一個人都是可憐的，我們對於人羣的假想，將會使你失望，失望則使你不知自己所在。你或可能已成爲一個破壞者，因爲你的感情已經受到挫折，我們往那裏去？往那一個方向走？無人能決定。然而，我們甚需感謝這一個前所未有的環境，它給我們帶來那些迷惘，痛苦，永不使人開心的清醒。

庚、藝術！藝術！

二十世紀七十年代的藝術，都是在探討人的問題，不是自然主義的時代了。人是甚麼？這問題，好像太空探險一樣，永遠沒有止境，我們生存在探索中，我希望我們探索自己或我們的人羣，而不是我們生存在甚麼地方，中國傳統文化，正在遭受巨大的摧折與考驗，但，只有人，才可以考驗文化，藝術特爲之表明而已。

陳腔濫調，老生常談，我只是希望，我們爭辦中產生一點好的觀念。（下、完）

昨日與明日

八十五分

成公

教育部近來一連串的幼稚措施，實在令人啼笑皆非，其中最荒謬的莫過於留學生出國依據的標準，硬性規定爲八十五分了。堂堂教育部居然能有這種不可思議的規定，那就好像整個教育部裏，沒有一個教過書，甚至沒有一個人上過學一樣的幼稚。

分數並不是一個度量衡的單位，並沒有一個固定的標準，教師給分的寬嚴，題目的難易，選課的多少，在在都足以影響分數的多寡，因此美國的許多學校對學生申請入學給獎的審查，已逐漸採用「常態分配」的辦法，而摒棄分數制（雖則常態分配也同樣有極大的缺點），而我們的教育部卻迎「尾」趕上，而硬性規定八十五分，眞把這分數看的太神聖了。凡此不合理處以及其流弊（如還三二不良教職員，要挾勒索，待價給分……是），台灣的各報均已紛紛論列，茲不贅述。此處我們更進一步指出，教育部這一措施甚至連往日主持改善的事情都忘得一乾二淨了。

在教育部主持指導下的：台灣大專聯考制度，雖然問題很大，但就其考試及評閱的技術上講則爲大家一口稱讚，認爲公平正直其中，國文科的作文，就是由兩位教師，各自密秘評分，以免分數寬嚴不同的差距，這一措施不就是公開承認每位先生給分，不一定都能客觀一致嗎？然則何以目前又將每個先生私自單獨給的八十五分作標準呢？

再就聯考分發的成績講，不容否認的事實，台大的學生有近五百分的，最低也是三百多分，而某些私立院校的學生則是二百多分，甚至前幾年還有一個七十七分錄取的紀錄，這是由教育部主持指導下分發的，這不是公開承認台大最壞的學生，也比某些私立學院最好的還好吧？怎麼現在居然抹殺這一事實，而拉平了，一齊八十五分呢！這與把一年級得九十五分的學生，看成比六年級得八十分的學生學問還好，不是一樣可笑嗎。

教育部應該切實反省自責一下，不要將錯就錯，一直矇短才好。

自由談

貌似恭順防不勝防

馬五先生

曾國藩認爲政治上有三種人不可用：即油滑，諂媚與口出大言者是也。

任何一個佔有用人權力的統治階級人物，沒有不想得賢才以資輔弼的，問題在鑑別人才優劣的智慧如何？油滑與謙和有別：前者對人接物皆以虛僞作態爲本，言談不着邊際，人云亦云，遇事不負責任，一味敷衍；後者外圓內方，心有主宰。諂媚與忠誠更不能相提併論，眞正的忠良之士，決不屑脅肩諂笑，[illegible]媚行，有時候對上還要表示謇謇諤諤的作風，主持正義，口出大言者都是華而不實的浮夸人物，大言炎炎，聳人聽聞，志在欺世盜名，一目了然。

可是，油滑、諂媚、口出大言之徒，在政治上每每容易平步青雲，飛黃騰達，原因是一般具有用人權力的大人先生，才識多與常人無殊，因循苟安，好諛惡直，以耳代目。他以油滑爲練達之才，以諂媚爲忠貞之士，以口出大言爲瑰奇人物，覺得這些人都是很合胃口、可資信任的股肱之臣。

這三種人之中，最不可靠而又最具危險性的，便係諂媚之徒，他們心目中，只有個人私慾，而不知國家民族利益爲何事，也沒有「致君於堯舜」的意念。專爲着本身的富貴問題，揣摩當權者的意旨，投其所好，討取歡心，博得寵信，然後乘機作惡，拿着鷄毛當令箭，遇事說是主公的意思，他不過奉命行事而已。執政黨中不少這種典型人物。比如當年在國府軍政各部門服務時，極盡諂媚逢迎之能事者，榮華富貴，不可一世，到民國卅八年共匪猖獗，大局危急之秋，竟然竭力反對政府的剿匪軍事行動，主張跟共匪和談，不惜與在朝的文武官員作對，背後却逢人便說「我是奉命主和的」其實沒有這回事。區區即親聆過這項論調，一點不假，他主和不成，即蟬曳殘聲過別枝，又去媚事毛共了。

所以，油滑的人比較容易防範，也幹不出大奸大詐的事情；口出大言，此亦容易識破；唯有諂佞僉壬，貌似恭順，心懷叵測，眞是防不勝防，古今來的英雄豪傑爲諂佞僉所危害的史事，比比然也，可不懼哉！

台北傳奇錄（十四）

陳光棣

老邱擦了擦眼睛放下米口袋，金紅嚇了一身冷汗，眞是寃家路窄。

「金紅，是妳吧！他奶奶，我找的妳好苦！」老邱流着汗水冒着青筋，一把扯住金紅不肯放。金紅手足失措的看着大洋馬。

「老邱！可眞巧，原來她要找的男人就是你呀」！大洋馬有隨機應變的本領。

「個小舅子，我知道妳有一天會良心發現」！老邱改了調腔。

大概是這個年月，討個太太實在不容易；也許是感情這玩藝兒有不可理解的作用，總之老邱又和金紅雙宿雙飛起來，老邱送米送炭，金紅燒飯看店子，小日子過的還眞不錯，老邱那些王老五的朋友，對老邱的艷福都由羨慕變爲忌妒了，有人說：像老邱那麼個粗人，會有這麼個俏皮的小堂客。

再說桂先生回到閣樓上取東西，小辣椒拉住他問長問短。小辣椒一開始恨透了他，也不知道怎麼個碰口兒，他幾天沒有回來，小辣椒又覺得心裏缺點什麼，她也不知道爲什麼，沒有事就想到閣樓看看，閣樓空空蕩蕩的，一張床，一條毛毯，八仙桌上是空罐頭盒子，包裝紙，還有一股金紅留上的廉價的香水味道。

桂先生腳步聲進了閣樓，小辣椒就跟着進來，她告訴桂先生；金紅又和賣米的老邱姘上了，說來說去，還是金寶貴這小子便宜，又問桂先生有什麼打算，桂先生懶得理她，退了房子，拿着東西去找劉二爺。

「二爺，你好」！

「你那兒去啦？我正要找你，甚隆有個朋友，買了條漁船，需要人幫忙，歡迎你去」！劉二爺熱情的說。

「二爺，不瞞你說，我的工作沒有問題，謝謝你。」

桂先生誠懇的說：「我嚥不下這口氣，姓金的是個大騙子，我非要整整他」！

「咱們在外頭跑的人，講究光明磊落，老弟，別使性子。」

劉二爺一本正經：「損人利己的事，都不是你這種人作得出來的，何況是損人不利己的事呢？」

「姓金這種人都能站的住脚，我就不相信，非鬥鬥他不可」。

「何苦呢？惡人自有惡報，你等着瞧吧」！

劉二爺果然說中了，以後金恆貴又和金紅鬼混，幾乎出了人命，這是後話，暫且不表。桂先生從此和劉二爺成了忘年之交，我也很喜歡他們，尤其劉二爺那長者風度，叫人從心裏敬佩。

劉二爺結婚的事，由傳說變成了密鑼緊鼓。弄堂裏的女太太們特別熱心，爲了喝喜酒，紛紛的逛商店選衣服料子，預備吃喜酒的時候別別苗頭。廣播電台賴太太，更是忙的不可開交。

招商局每年虧損千萬

應及早檢討設法補救

七條船向日買四條租給日本

這樣翻來覆去打的甚麼算盤

（本報記者張健生台北消息）監察院交通委員會召集委員張維貞檢討台北市鐵路高架的問題，他反對高架。

監察院中央交通組委員楊宗培檢討招商局是不是有存在的價值：航業發展中心跟交通研究所的業務有重複現象，觀光事業委員會和觀光開發公司有重叠的現象；電話裝置費是世界上收費最高者。

關於招商局：楊宗培委員在監察院年度檢討會指出：招商局因虧損太多，不能再經營下去，乃於四年前改組，迄今仍年年有虧損。本年預算虧損六百萬元，而實際帳上虧損竟達一千二百萬元，超出原預算虧損數字一倍，長此下去，該局以有限資金，豈能彌補繼續不斷的虧損。該局整頓至今已屆四年，主其事者，尙缺乏具體轉虧爲盈的有效辦法，主管交通當局宜及早檢討其營運方針，以及調整其人事。該局改組後，在人事上有很多是在輪船退下的人員安插其中，名爲儲備反攻人才，實爲招商局很大的負担。交通當局把這些人送交通研究所去，但這些人既無研究的學識，也無寫作能力，如何能担任研究工作，在此情況下，招商局是不是有存在的價值？亟須徹底加以檢討。假定該局有存在的價值，政府就應有一套扶持的政策，使其復興起來。

招商局計劃買七條船。這七條船是在日本製造的。其中有兩條已造好，兩條明（五九）年造成，其他三條船尙未辦訂造手續。但這四條船都奉准租給日本使用，不曉得這個政策對於國家的航運有什麼好處？値得檢討。因爲自己造船而不自己使用，轉租給日本人使用，究竟有何好處？楊委員檢討海運時指證：少數航商利用輔導政策，虛報造船購船價格，套取國家外匯，利用政府之保證貸款，即不需要私人提供資金，政府應特別審愼預防。如剛成立的輪船公司，向日本訂購一艘輪船，假定造價一百萬，但在向政府貸款時，虛報爲一百四十萬元，除提付百分之二十定金外，尙可賺錢，這種情形，假定經營不善，招致虧損，政府就受到損失。因此，政府對此類國外購船，造船案件，應嚴加審核，多作調查征信工作，免爲投機者代負不必要的風險責任。

至於航業中心：四年前，聯合國資助我們航業發展才成立的，聯合國補助費用到五十八年四月終止，經政府要求延至五十八年底，以後該航業發展中心經行政院核准改爲財團法人，必須達成自給自足。該航業發展中心，顧名思義，乃是一個研究機構，研究機構沒有收入是很難達成自給自足的要求，所以今後是不是有繼續存在的價值，極有研究檢討的必要。楊委員認爲航業發展中心和交通研究所的業務有點重複，因爲航業發展中心的章程上說：「本發展航業中心是一個研究訓練的機構」，而交通研究的章程上也說是一個研究的機構，所以研究訓練的機構，這兩個機構的業務有些重複，今天我們國家經濟這樣困難，一個錢應該當兩個錢用，而今兩個錢用在同一事情上，這對於我們今天國家的環境來講，實在是浪費。如這個航業發展中心，四年來祇訓練一期甲級船員，人數只二十九人。另外和海事專科學校合作，辦航海專修科跟輪機專修科，這兩科，五十七年和五十六年招生兩次，而今（五十八年）沒有繼續招生。

航業發展中心的研究工作，除出版航業月刊外，出了四本叢書，等於在四年內每年出版一本書，浪費公帑。交通研究的亦設航海函授班，從業人員訓練班，專業講習班，並出版海運方面的書籍，故航業發展中心有無存在的必要，値得考慮。

本報記者按：據中華海員總工會理事長胡運龍「請願」稱：民國五十四年間，政府爲促進航運事業，經向聯合國申請獲准之補助基金項下，成立「航業發展中心」，以爲學術理論之臨時研究機構。至五十八年度因聯合國合約期滿，補助即將停止，該中心今後經費來源無着，勢必被迫解體，乃以「提高海員水準」，「防止航商剝削」爲幌子，亟謀承辦船員外調業務，收取服務費用，以維持該中心龐大之經費開支，達到繼續存在之目的。適當時交通部孫部長（現任經濟部長）與該中心總經理張申福先生有聯合國「同事」之誼，爲維持此一駢枝機構之長期「獨秀」，在未經航政主管研議，拒納航商意見之情況下，以嚴守「機密」方式草草通過新辦法——外國航商僱用中華民國船員辦法——公布實施，並即斷然指定該中心設立「船員外僱服務處」，負責辦理船員外調業務。殊不知該中心於聯合國補助時早已養成「奢靡」氣習，其辦公人員均按美金計算，支領高額薪津待遇，而所有人事編制、及經費均未經過立法程序，實際仍屬不倫不類之民間社團，顯非依法組織之政府機構可比。今政府以行政權力與國家財政繼續予以扶持，並使其成爲亦官亦商之「船員服務單位」，實開多年未有之惡例。

該中心於五十八年五月二十六日依交通部制訂的「外國航商僱用中華民國船員辦法」而成立「船員外僱服務處」（簡稱服務處）後，在將近五個月內，據該中心公布數字，登記求職者爲一千〇六五五人，而已受僱者僅一五四人，平均每月受僱船員不過卅人，與從前每月外僱船員三至六百人相比，已少得不成比例。原因是：外國航商僱用中華民國船員辦法第四條規定：「得向外國航商收取服務費」。該中心依此規定按月收取每船員美金五十元或每人美金二十元的「服務費」，致使外國航商深感困惑，鄙視和不滿。

楊委員對觀光事業委員會和觀光開發公司全在台北市南京東路再保大樓（美國花旗銀行樓上）辦公，亦提出檢討，認該處所非常華麗，考究。這個房子租金是按坪數計算，計二四三坪，每坪租金以二七〇元計算，每月房租六萬五千元，以這樣華貴處所，用作辦公，實有檢討必要。同時，這兩個機構性質相同，若合併成一個，即無重疊之現象。

至於電話安裝費，楊委員指出：電話安裝費約爲一萬六、七千元，以目前一般國民收入相比，可以說是世界上收費最高者。電信局每年收入盈餘相當多，全部繳庫，這點，我們希望能將繳庫盈餘數目予以減少，轉投資於業務上和設備方面，降低安裝費，迅速推廣線機，增加收入。過去，裝電話要等一年半載或三個月，方能安裝，目前亦需一個月的時間，故安裝應求迅速。

女監委張維貞對台北市區鐵路高架的理由是：西方的美國跟東方的日本都棄不採用鐵路高架，因爲鐵路高架工程大，用費大，需時久，便利小。乃主張多建幾座陸橋，即可解決台北市的交通問題。建陸橋不需四年時間和二十八億元經費。這是張委員個人的意見。（完）

喬治桑外傳　二〇七

張大業

兩對男女，正在譃浪笑傲之時，又進來一個穿碎衣旗袍的，怯怯生生一付可憐樣子。

「小翠，妳過來陪陪桑先生。」這次用不着喬治桑問來「將」通名，丁蘭一把小翠拖了過來。

「桑先生，對不起，讓小翠陪你一下，我去一去就來。」丁蘭說完，像一陣旋風吹往房外去了。

「小翠坐在喬治桑身旁，老老實實的樣子，一點酒女的習氣都沒有。

「白瓊兒，小翠出來做的時間不久吧，你怎會認識她的？」喬治桑感覺故有此一商。

「桑兒此言差矣，有道是人不可相貌，海水不可斗量。小翠吃這行飯，少說點也有五六年歷史。你看不出來吧。」裘白瓊說話時，眼睛却在上下打量小翠。

「這，我倒眞看不出。」喬治桑爲了好奇，便不禁仔細看小翠。

小翠屬於中國古典式美人，瓜子臉，櫻桃口。兩肩如削，十指尖尖。臉上白白嫩嫩的，一點疤痕都沒有。如果說她不美，實在很難挑出她的缺點。但又似乎缺少什麼。

喬治桑默默想了一下：哦，是了。小翠缺少的是「吸引力」，沒有時代女性的熱呼勁兒。喬治桑是受歐風美雨薰陶的人，當然不會欣賞這一型的女人。

「桑兒，你不要小看小翠，她有大戶經常捧場，她的家比那個姊妹都闊氣。」裘白瓊向喬治桑進一步介紹小翠。

「裘先生最會講客氣話了，我的家普普通通，那裏談得上闊氣。」小翠開口了，細聲細氣的，果然是紅酒女的派頭。

「別的不說，小翠有自備汽車，能有幾個酒家女是自己開汽車的？」裘白瓊提到小翠有自備汽車，倒使喬治桑不能不刮目相看了。

「我不過是爲了方便才買一部汽車代步的，現在工業時代，有自備汽車算不了什麼，桑先生你說是不是。」小翠邊說邊替喬治桑斟上一杯酒。

喬治桑暗暗叫聲慚愧。自己的兩三萬台幣頭寸，要不是古有方帮忙，幾乎無法過關。現在，我這個空心大佬倌却有一個香車美人陪酒，這也許就是人生？

復興中華文化，完成復國建國（四）

吳文蔚

我們除了復興固有文化的舊道德之外，還須要復興我們固有文化的智能。甚麼是我們固有文化的智能呢？關於這，可以從兩方面說起：我們如果把「智」「能」分開二字來說，便可以下一個定義，用以說明他的眞諦。「智」，就是智識的精神，同時也可以說是政治哲學的觀念。這個政治哲學的精義，就是「格物、致知、誠意、正心、修身、齊家、治國、平天下」。我們中國人，有一個壞毛病，總認為歐美的富強，他們文化就樣樣比我們高一等。其實我們的政治哲學，極完善，極至當，有條理，有系統，把一個人從內發揚到外，從內在的誠意，正心做起，一直到外在的治國，平天下止，亦是博大精微，為世界上任何文化哲學所不及。國父說：「我們格物、致知、誠意、正心、修身、齊家、治國、平天下的哲學理論，無論外國甚麼政治哲學家，都是沒有見到，沒有說過的，這就是我們政治哲學的智識中獨有的寶貝，是應該要保存的」。再說「能」，能就是能力，中國人的能力，不但勝過外國人，而還早過外國人。中國人遠在幾千年前，就有了發明的能力，只是因未能繼續研究現在落伍了。我們先民在幾千年前，便發明了很多東西，如指南針、印刷術、磁器、火藥、茶葉、蠶絲、建築、彫刻等。孟子曰：「離婁之明，公輸子之巧，師曠之聰」。這些人都是幾千年前的音樂藝術家和工程師。他們的能力原都是很高明，就是現在的外國人，對他們也很佩服的。只是中國人以後都忽視了技藝，重視做官，放棄了發明創造的眞本領，到現在一切事物都趕不上外國人。所以我們今天在復興固有文化的舊道德的同時，還須要復興我們固有的智能，這智能的本質，就是科學思想，與科學技能。道德、哲學、技能，統統復興了，就是我們固有文化復興的達成。我們復興了我們固有文化之後，還得要學習歐美人的長處，迎頭趕上時代，和他們並駕齊驅。

四

國父四十年前倡言恢復民族的地位時，曾說：「我們今天要恢復民族的地位，除了大家聯合起來做成一個國族團體以外，還要把固有的道德先恢復起來，有了固有的道德，然後固有的民族地位，才可以圖恢復」。國父所說的舊道德，就是我們的固有文化；蔣總統在民國二十五年倡導新生活運動所謂新生活，實際上就是舊道德，也就是實行固有文化的運動。現在 總統又明白昭示復興中華文化，也就是要把固有的道德復興起來，從國父倡導恢復民族地位到現在，這四十多年來，對固有文化的努力，在時間上說，久是算是很久了，但我們的固有文化，究竟有沒有恢復起來呢？在這裏可以舉一件事實，來說明他的眞象：民國十幾年的時候，印度詩人泰戈爾到了山西太原，去訪山西省長閻錫山，泰戈爾說，你們中國號稱是幾千年的文明古國，我從上海到天津，再從天津到北平，何以不見一點的中國固有文化呢？當時閻錫山省長對他說：「你走的是大都市，都市裏面你不會看到中國的固有文化，不只你在上海、天津、北平，看不到中國的固有文化，即在太原，你仍然是看不到中國的固有文化；都市裏面是吸收新文化的，固有的文化，統統都放棄了，你要看中國的固有文化，你須要到鄉村去，並且要經過一段時間，才可以看到中國的固有文化」。泰戈爾隨後到太原附近的晉祠鄉下住了一個時期，他笑着向閻錫山省長說：「這一下我看到了中國的固有文化了，中國農村人民純厚，所行完全是中國的固有文化；看到中國農村人民的重禮節，講信義，敦睦鄰，守人倫的種種美德，令人實感覺到中國的固有文化的偉大」！從這件事實證明，中國固有的文化，在舊社會的農村中依然是很深而且很普遍的，越是偏僻的地區，固有文化的氣氛，越發現得濃厚。我們由這一件事實，也可說明了中國固有文化的傳統精神，在農村而不在城市，知識低的人比知識高的人表現得濃厚，年紀老的人比年紀青的人信守得深刻。照這樣看起來，中國固有文化的力量，依然是很強大的，究竟舊社會比新社會裏的人數多，農村比城市的面積廣，這種潛在的民族精神，不只是 國父所說的：「歷史上我們有兩次被異族統治，一次是元，一次是清，但這兩次我們雖亡於異族，但結果他們都被我們同化了」。即以八年抗戰來說，日本軍閥之所以不能滅亡我們而卒告失敗的事實，何嘗不是我們固有文化的潛在力量？這一次毛共竊據大陸，在他的極權暴力統治下，始終不能把他的政權安定下來，暗鬥之風，與時加劇，反共之火，愈演愈大，到處反抗不與共黨合作的種種事件，在在皆說明了毛共「政權的崩潰在即，與其控制力量瓦解，面臨死亡而不可逃避。毛共看準了這是中國固有文化的蘊藏潛力，所以他要實行文化大革命，總想把我們固有的文化人倫道德摧殘消滅。那知道這正是他走上斷頭檯前的一息掙扎；與將面臨死亡時的迴光反映！我們今天倡導復興中國固有文化運動，也正是加速奸匪崩潰死亡的有效靈丹。 國父倡言恢復民族的地位，恢復民族的固有道德，這四十多年來，雖然沒有什麼大的成就，但中國的固有文化還是到處可以看得到的。在都市大城中，雖說固有文化的遺跡比較淡薄，然而固有文化與舊道德的習俗，依然成分很濃。這可從民間的婚喪大事中，充分的表現出來。以香港來說，香港被英國統治將近百年，香港是最現代勢的都市，並有「東方之珠」的頭銜，但香港社會中的習慣禮俗，仍充分的表徵着中國的文化。台灣被日本統治了五十年，但在台灣今天的農村中，無處不是中國固有文化的習慣和禮俗，無處不是守着中國的舊有道德。農村中鄉人的交接言行，比都市中人交往訂的契據合同，還要來得可靠有效。由此便可證明我們的固有文化的潛力原是根深而蒂固。祗是住在大都市的人們，與一般所謂新頭腦新思想的人物，吸收了歐美的新文化的習染，以為自己的固有文化和舊道德，從此就可以放棄不要。而結果，學不到別人的長處，反學來皮毛和短處。處處要洋化，要時髦，行為上不加檢點，裝束上古怪離奇，表現上好勇鬥狠，生活上浪費奢侈。於是影響所及民族地位起了動搖，國本家聲，齊起變化，使敵人有了可乘之機。這便是毛共所以能竊據大陸，而我們卻失去了錦繡河山與播遷到台灣一隅的根本原因之一。今日我們在台灣復興基地，於痛定思痛之餘，歷經十年生聚，十年教訓的努力奮發，軍政革新，經濟發達，社會繁榮，民生安定，在在都是朝向現代化的大路上邁進，一切均具有加速超速的進步與發展。所缺者，就是我們國民仍不知恢復固有文化的重要，身體力行，值此復國反攻的前夕，我們要扭轉乾坤，我們唯一的辦法，就是要響應總統復興中華文化的號召，把我們中國固有的文化復興發揚起來。國際間的反共形勢，方能遂漸有利於我，反共潮流，方能處處與我匯合，消滅共產主義的戰爭，才可獲勝，我們復國建國的任務，才可達成！

五

我們更須知道，復興中華文化，乃為完成復國建國與安定世界和平的偉大力量；復興中華文化就是反共必勝，復國必成，建立起一個大同之治的三民主義的新中國的根本要圖！而反共抗俄的任務之達成與復國建國的使命之實現，就必須依靠我們復興中華文化。 國父說：「我們要將來能夠治國平天下，必先要恢復民族主義和民族道德與精神。（未完）

生活的藝術（上）

高格

所謂生活藝術，即「美化」生活之謂。生活者，包括我們日常衣食住行育樂之各項活動；藝術者，為美感情緒之表現。故生活藝術者，即生活透過美感情緒，而使之美化的意思。我們生於二十世紀的科學時代，工業發達，社會之進步愈快，我們的生活則愈感覺厭倦，煩躁與不安。因人身為有機體之組織，非若機械之呆板可比，故生活之需要，除却衣食住行以外，尚須獲得精神的慰藉。因而知生活之需要美化，始足以慰藉其感情，滋潤其靈性，以使生活豐滿而富有意義。

第一，生活藝術可調劑人生之情緒：情緒與人生而俱來，死與俱沒；人生一日，情緒亦存在一日，是不可以須臾離的。情緒可以支配人類之行為，決定人生之苦樂。情緒之力，特別強大，每要求發洩而不可抑制。此類情緒之發動，如無適當之方法以調劑之，則鮮有不喪德敗身，使人墮落，甚至陷身法網，自毀前途。而調劑情緒之方法，最有效者，莫過於藝術。蓋因藝術可以調節感情，增進興趣，如鬱悶之時，一曲高歌，可使鬱悶全消，盛怒之時，一場笑語，可使怒氣冲散。最為重要者，莫過於在情緒未動之前，使之轉移；如臨池作書作畫，可使感情寄託於藝術之中；欣賞秀水青山，可使性靈寄託於物象之外；是皆藝術可以調劑感情之明證。且情緒本身，有時亦可表現而為藝術者，使別人於欣賞之餘，彼此中間可以超越時空的限制，而有心心相印之樂趣。是生活藝術不僅在調劑感情，且亦能構通感情。

第二，生活藝術可以滋潤枯燥之生活：藝術者，可以調劑生活，活潑身心，使心靈得以滋潤，如春風時雨，萬物沾之而生機蓬勃，生氣盎然，精神之疲勞因而恢復，工作之能力因而增強，此即生活藝術，可以滋潤枯燥生活之意。工業時代的人，甚少寧靜之機會，於是由枯燥之生活，而引起精神之憎厭；由機械之動作，更將有損於健康。生活藝術，能於緊張生活之後，使人一嘗藝術趣味，如酷熱之中突來一陣清風；沙漠之地，適逢一口甘泉；實使人有清涼恬靜之樂。故繪畫，音樂，野外之郊遊，清溪之垂釣，無不使枯燥之人生，經常保持愉快精神，青春活力，此即所謂滋潤枯燥之生活。今日學生軍訓行軍之際，口唱軍歌，不但可以忘倦，抑且可以提高精神，就是此意。由此而知勞動者之歌聲，皆以音樂抵消其疲勞。大科學家愛因斯坦曾主張用音樂來恢復疲勞，即本此理。

第三，生活藝術可以慰藉人生之逆境：人生道路，本極崎嶇，時而康莊坦途，時而羊腸小徑，故我們時而走順境，有時走逆境；實際上逆境比順境為多，荊棘之途較康莊大道為長。人生遭受磨折時，則如有藝術之修養，慰藉其苦痛，則楊柳甘露，荒漠甘泉，對逆境之人生，實具有無比之力量。故藝術生活者，實為消除煩悶，舒暢精神，增加活力，培養生機之有效方法。

藝術生活與人生之關係，已如上述，茲進而研究藝術生活之內涵：

第一，藝術之範圍：藝術有廣狹二義：就廣義言，對於自然及科學，凡為人工所成一切之製作，有審美上之價值者，概謂之藝術。即詩歌、音樂、戲劇、繪畫、書法、文藝、彫刻、建築、塑造、刺綉、舞蹈等等之總稱。就狹義言，謂專屬於視覺之藝術，如繪畫、彫刻、建築等是。亦即所謂（美術）。

詩歌：什麼是詩歌者？詩言志，歌詠言，即文學之有聲韻可以歌詠也。古多四言，仿自風雅。漸變為樂府短句，魏晉以後，多五七言。相傳五言起於蘇（武）李（陵）之贈答，七言起於漢武之柏梁，至唐詩學大盛，遂有古體近體之分。古體即仿樂府之作，近體則為今日之律詩及絕句是。

音樂：什麼是音樂？感於物而動，故形於聲，聲相應故生變；變成方謂之音，比音而樂之，及干戚羽旄，謂之樂。音樂不但以之感人，且亦移風易俗，伯牙鼓琴而六馬仰秣，瓠巴鼓瑟而沈魚出聽，」則音樂不僅對人有移轉感情之影響，且亦能感動禽獸也。

戲劇：什麼是戲劇？史記云：「優孟衣冠」，乃扮演故事之謂。在「優倡侏儒，為戲而前」，乃是漢以前，即有戲劇。現代有歌劇、話劇，皆以其感人至深，故又稱為社會教育。國軍第三屆文藝大會，曾有人提議將歌劇改為歌舞劇，議論甚久，未獲通過。

繪畫：什麼是繪畫？以線條及色彩，表現畫家胸中靈感，使人欣賞，亦可使人有同樣靈感之反應。其範圍甚廣，舉凡山水、人物、翎毛、花卉……無不可以入畫，亦無不可以增人之美感。

書法：什麼是書法？唯中國為獨有，蓋中國文字之本身，即為一種藝術。論字形，有眞、草、隸、篆、各體；論書體，有顏、柳、歐、趙、各家；在藝術上，或則剛勁古樸，或則清逸如高人隱士，或則活潑如鳳舞龍翔；皆足以使人欣賞。

文藝：什麼是文藝？文藝範圍甚廣，如小說、散文、詩詞等，亦為藝術。凡文藝作家，莫不具有藝術修養，而文藝作品，亦莫不常使人一卷在手，廢寢忘餐，喜而忘倦。良以文藝作品，其感人之情，樂而忘憂，至深且鉅者也。

諸葛亮狂想曲（八六）

劉玄

「何大妹子，妳去找諸葛亮交涉讓韓湘子老弟開演奏會，情形怎麼樣了？」張果老受呂洞賓指中指點，才贏了曹國舅一盤棋，但他不動聲色，可見他是一個老世故了。何仙姑說：「諸葛亮答是答應了，倒是我們商量的結果，韓湘子老弟卻擺出很像樣的姿態。」

「不舉行也好，韓老弟的笛子吹得太好了，這種仙樂豈可讓凡夫俗子隨便欣賞？」張果老撫了撫大把白鬍子。

「你們難道聽過韓老弟的笛子？」曹國舅說。

「我是當然。我對於八仙同道向具信心。譬如，呂仙的劍法，李仙的葫蘆，我都深信不疑的。」張果老拉上呂洞賓鐵拐李以壯聲勢。

「我不和你扯那些，我總覺得你倒騎驢子是標新立異。大概你什麼也不懂，白活了一大把年紀，所以好以倒騎驢來譁眾取寵。」現在曹國舅單刀直入逕取張果老。

「善哉，善哉。夫物極必反，陰陽玄妙之理，那裏懂得。什麼叫做進？什麼叫做退？你說是倒騎，我倒說是正騎。你說是倒騎驢正是一種觀念而已。」張果老的說法玄而又玄，果然不凡。

「你根本是強辯，什麼仙家的道理也。」曹國舅表示不服。

「你在八仙中什麼也不會，不過是濫竽充數而已。」張果老的老辣，咄咄逼人。

「你怎知道我什麼都不會？我和你地位一樣，你不要隨便損人。」曹國舅漲得紅耳赤。

「算了，你們眞吵得沒個完？你們不想，我們八仙在人間早已變成喜慶的標誌，每逢各位大做壽，我們可以一到場，他們都歡喜。我們必須密切合作，在天庭才有立足之點。」何仙姑在八仙中是一位女諸葛，她一說話，

「何仙姑說得極是，我記得在某年夏天拍了個照片，手裏拿一把扇子，後來竟變成我個人的註冊商標。有一次我們一塊兒去參加，漢鍾離，原因是我不會帶扇子出場。」漢鍾離用事實來支持何仙姑的話。

「這是漢鍾離的話對，照你們的說法，豈不是漢鍾離露出馬腳？我們能在天庭混出了名，只是憑一句話。」何仙姑一句話說得各仙啞口無言。

看官，你道八仙們為什麼常自己人一起磨牙？原來天庭昇平日久，各仙平時飽食終日無所事事。八仙是吉祥象徵，不用工作經常可以領一份優厚的俸祿，所以閒來無事就難免互相抬評了。

共產主義陣營起巨變（上）

一九六八年八月二十一日拂曉時分，蘇聯紅軍在其坦克部隊的掩護之下浩浩蕩蕩的侵入捷克布拉格。他們的最先行動已經給莫斯科提供精密之線索。政治思想的控制中心已經掌握了目標之名單。

莫斯科在「純潔的社會主義」名義進行了為期一年之思想鬥爭，到了今日，整個共產主義世界已經發生大破裂分崩離析，不可收拾。

在侵略捷克斯洛伐克的過程當中，蘇聯佔領軍一開始就佔領了布拉格電台，電視台，七家報紙的辦事處，捷克政府新聞處，捷克科學院，捷克新聞工作者協會，捷克作家協會。

布拉格電台跟溫塞斯拉廣場相隔一座建築物，位於捷克民族博物館之後。雖然蘇聯軍隊是以閃電方式佔領布拉格，但在佔領布拉格電台時却須跟捷克人血戰一場。在戰鬥過程中，該電台仍然繼續廣播，號召捷克人起來反抗，直至為蘇聯坦克部隊佔領為止。當時該電台乃為捷克青年捍衛着，他們當中包括有一些嬉僻士和來自布拉格查理斯大學的學生。該等嬉僻士一手提着吉他，一手握着汽油彈，雖然是嬉僻士，却嬉僻得可愛，終究表現出他們未忘愛國。捷克的愛國熱情，民族情緒，甚至連狂人嬉僻士也感動起來。可想而知捷克的民族主義情緒到了怎麼樣之程度。

華沙公約組織派遣五十萬軍隊侵略捷克，表面上雖已佔領了捷克重要的宣傳機關和政治思想中心。在理論上是謂旨在確保「社會主義陣營的西翼」之安全，其實該組織如此採取軍事行動，所負的使命又何止於此呢。

因為侵略捷克的確負有實際的思想使命，亦乃自第二次世界大戰以來共產主義發展歷史上最戲劇性的分水嶺。事關此次衝突事件不僅驚動了世界共產主義陣營，而且也撼動了全世界，從今以後，共產主義陣營內部的矛盾衝突更形惡化。

正因為以蘇聯為首的華沙公約組織武裝部隊驟然侵略捷克，引起全世界人民口誅筆伐，因為也就有的國家感到求之不得，立即利用世界政治的權宜之計，從中取得宣傳的利益。比如中共及其在歐洲的唯一「死黨」阿爾巴尼亞就利用此侵略事件譴責蘇聯，唾棄蘇聯的「修正主義罪惡」。當然這也是一種符合邏輯的發展趨勢，設若平素蘇聯跟中共及阿爾巴尼亞沒有思想瓜葛，則蘇聯之侵捷算是可免了受到抨擊，至少中共和阿爾巴尼亞的言論表現不同。就是指責亦有一定的限度。在侵捷事件之前，中共和阿爾巴尼亞早就大事抨擊過布拉格政權，指為受西方的「修正主義」煽動，大搞共產主義的民主實驗。至蘇聯侵略捷克，中共和阿爾巴尼亞就變換宣傳口脗，整天價在鼓勵捷克人民起來打破蘇聯的「枷鎖」。這說到了在國際上的政治價值之轉變。

今年六月份莫斯科經過多年來的籌備工作，最後召開世界共產高峯會議，但中共，阿爾巴尼亞、北越、北朝鮮和古巴予以杯葛，中共曾譴責該次高峯會議為黑色的會議。查實該次高峯會議為八年來之首次，早在一九六〇年召開的那次高峯會議有八十一個共黨參加，至此次只有七十五個共黨出席。蘇聯侵捷的行動引起羅馬尼亞和南斯拉夫的敵視。儘管羅馬尼亞是華沙公約組織的成員國，又是東歐經濟互助委員會的成員國，却拒不參與侵捷的行動。不特如此，羅馬尼亞的總統休斯占還抨擊華沙公約組織武裝部隊侵略捷克。羅馬尼亞對侵略事件的反應固然是如此，南斯拉夫亦對此行動加以反對。查實南斯拉夫在一九四八年已經脫離蘇聯集團國，仍然是一個共產主義國家，在鐵托總統的領導之下，走着獨立的共產主義道路。

至及參與侵捷行動的五個華沙公約成員國，對於侵略行動的反應更加複雜。雖然在蘇聯的壓力之下，它們不得不派出軍隊參加侵捷，但它們國內的知識界和年青一代却走自由民主的路線。

（未完）

國父與國民革命（下）

許一塵

但是，民國成立以後，由於封建的殘餘勢力尚未清除，軍閥割據，袁世凱欲行恢復帝制， 國父乃於民國二年起兵討袁；失敗後，乃赴日本特組「中華革命黨」，重振革命旗鼓。迨民國四年， 國父發起「討袁宣言」，各省紛紛起義，於是即摧毀了袁氏稱帝的迷夢。至民國五年氣憤而死。但洪憲告終，黎元洪任段祺瑞組閣，段復藉張勳所組之督軍團及其所組流氓團，迫國會通過對德宣戰案；張勳即乘段黎之爭的空隙，而稱兵復辟。後段祺瑞馬廠誓師，把張勳和溥儀打下台來，又回任內閣總理。因段仍毀法不顧， 國父乃於民國六年七月率海軍南下護法，開非常會議於廣州，就陸海軍大元帥職，成立軍政府。至民國八年， 國父又把「中華革命黨」改組為「中國國民黨」，以適應革命需要。民國九年， 國父再度回粵，就任非常大總統職，掃除陸榮廷等桂系軍閥，準備北伐。但當民國十一年，北伐軍分路出兵之時，陳炯明竟忘恩負義，背叛 國父，與北洋軍閥勾結，實行叛變，炮轟總統府； 國父倉卒逃入永豐艦，始免於難。民國十二年， 國父檄廣西之滇桂軍入粵討賊，即把陳炯明驅出廣州。並將桂系軍閥沈鴻英、北軍、以及陳賊餘孽，先後戡平。民國十三年， 國父入北京商討國是。至天津，不幸舊疾復發，段祺瑞乃遣人迎接入京。 國父向段力言要廢除不平等條約，召集國民會議，才可以解決國是。但 國父入京後由於沿途憂勞，遂使病勢愈趨嚴重，中外名醫束手無策，卒於民國十四年三月十二日逝世於北京，享壽六十歲，中外同悼，舉國並哀！

可見 國父由生至死，無時不在革命，無時不在為救中國而奮鬥！那真是鞠躬盡瘁，死而後已！

（完）

成語選粹（11）

李國良輯

海枯石爛

鄭氏允端望夫石詩：「石爛與海枯，行人歸故鄉」。鄭成功：「海可枯，石可爛，報國之心，決不可移。」今謂「海枯石爛」喻永久不渝也。

騷壇逸話（三）

陳邁子書法懷素

湘筠

東吳大學陳邁子工詩文，世咸不知其能書，頃示作者以書法數十幅，謂其書法懷素，按懷素書法，恆以蕉葉為之，因蕉葉光滑，筆易流暢，故如懷素，有的字如杯口，有的字似戒指方圓，大小不一，縱橫交錯，自有逸致，惜陳氏不能畫，只能說二難，不可言三絕。台灣有丘斌存，亦能書法，嘗自言其書宗顏柳中鋒，而另具特色，即筆鋒內有一暗線貫其中，日光或燈燭下，可見之，丘亦作詩為畫，有人說他是三絕。

但以實質而論，陳氏因腹有經書氣自華，故揮毫自有清氣，與丘氏相比較，可謂另具一種境界。

據說書家朱孝忱對陳氏之字很推崇，某總司令，也向陳氏學書。

陳邁子詩，于右老是擊節稱賞的，作者曾為右老私人秘書頗久，故過從甚密，知交頗洽。近詩如題宜蘭岳武穆王廟「風波亭」：「外虜騎鐵，風波亭內埋碧血。趙構秦檜俱成塵，精忠長照錢塘月」；又偕大專教授飛金門訪前方將士：「浮海原期滅暴秦，悲天一念救蒸民。較較射虎英雄氣，化作千門萬戶春」皆具新意，不同凡響。

西湖風景美

清心

杭的西湖，景緻秀麗。古來一直是詩人墨客吟頌的材料。白居易與蘇東坡兩位大詩人，都曾在杭州做過太守，所以撥出經費，大肆整修西湖，供人遊玩。白居易做官後不想回家鄉，有詩為證：「未能拋得杭州去，一半勾留是此湖。」他倆除公務外，終日遊蕩西湖，或在寺中聊天，與和尚為友，吟詩飲茶，說經說法，有時興來，大揮筆墨，以渡晚境。

西湖自古以來，都是個好的地方，南方的偏安，是它的黃金時代。而今，歷經滄桑，早已不是往日的繁榮景色了。

西湖有十景，如三潭印月、平湖秋月、斷橋殘雪、南屏晚鐘、蘇堤春曉、柳浪聞鶯、雷峯夕照、花港觀魚、曲院荷風、西峯插雪，引人入勝。其中雷峯塔已經倒塌，十景只剩九景。徐仙與白蛇娘娘的故事，就是發生在這裏。據說：白蛇精被法海和尚用法術鎮壓在雷峯塔下。電影不知拍了多少部，京戲「白蛇傳」，南北各埠均紛紛邀名角演唱，家喻戶曉，歷久不衰。

七七事變後，我由北平流亡到杭州，因我大哥在杭州教書。在西湖畔居住二個多月，終日陶醉湖上，手持清茶一杯，靜聽波聲蕩漾，及遠處傳來的山歌，人生一樂也。如今，大陸變色，神州淪亡。如果那時不去西湖，今生可能沒有機會到杭州了。想起來，那年秋天，桂花飄香，正是浙江名產「蜜橘」上市之時，我幾乎每天要吃一二斤，那才過癮呢？

杭州的藝專，與北平藝專同為國立大專院校，造就人才，相當有名。記得[illegible]件有名的同性愛殺案，主角是一[illegible]，國內外的頭號新聞。我也曾在那裏留念一番。

西湖之大，非一日所能遊玩，乘船蕩漾，遊覽十景，爬山逛寺與方丈品茗，須耽擱些日子。尤其是西湖的夜景，太美了，簡直就是一幅畫，一首詩。

西湖風景美，一別三十年，天涯遊子，深深的懷念，何時方能重遊？大嘆奈何！

神針

周遊

搜異錄

神針翟小翠，秣陵翟氏之女。少時從母學繡，舉凡綉錦之工，剪翠裁紅之技，無不精絕，父母愛如掌珠，若有「針神」之譽。小翠最惡蚊蠅，見則驅之。蚊蠅狡巧，稍動即飛去。女每以針刺之，初不經意，刺無所中。於是恆心試刺，先以粉畫蠅於壁上，略如掌大，時以針遙刺之，俟能命中，再漸遂小，如是歲餘，遂能在數十步之外刺豆，更以之刺蠅，亦無不中者。未久，小翠室內之蠅盡絕，然女以之自喜，但秘而不宣，旦夕不懈。

一日與從姊倚欄遠眺，花叢一方，忽見有彩蝶為蛛網所繫，急甚而呼之，姊以從婢持竿破蛛網援救之。小翠微笑道：「不必如此勞，要救此彩蝶，只一舉手勞可也。」其姊以其言大而誇，笑令試之。小翠就髻上拔一銀針，信手遙擲，果中蜘蛛之腹，彩蝶乃脫身飛去。其姊驚問其技之由來，小翠笑道：「妹豈能真有此技耶！因緣兒倖僥能了。」一姊亦信之。

過了數歲，小翠長成，一次從母北上，舟行探了其親，顧時已黑夜，於中途遇盜數十人，手持火炬，劫掠來勢洶洶，舉舟惶懼，舟中已除舟子外，不知所措；且盜為女流，無人敢登舟拒盜。一人方入艙，戶叫仆倒，眾賊視之，忽然呼左眼出血不止，猶插一針，長寸許，已暈絕，猶自恃人眾，不知其故，而又一針刺破中扉，先入者又忽應而倒，來者即倒，繼而魚貫而入針，或中其額，或中其目，皆痛徹心肺，不可復忍。盜賊雖眾，皆未得越艙而入，於是始知舟中必有奇人在，無敢再進，惟負其傷者而去。[illegible]

讀者佳音

醫藥理論家馬騰雲先生所寫「生活漫談」，影響到海內外上千萬的讀者，由於馬先生原習農業化學，後又改讀新聞學，最後研究中國醫藥，德業並茂，學驗兩豐，他最近倡導讀實用書，並接受本報約定主編「社會服務」，舉凡工藝生產技術，有關生活健康暨社會甚多問題，抱知無不言，言無不盡的態度，誠懇答覆讀者解答。

馬先生白手起家歷四次：第一次毀於日本軍閥（抗戰初期），第二次又毀於日本軍閥（抗戰末期），第三次毀於中國共產黨（卅八年大陸淪陷），第四次毀於泰國大政變（鑾披汶與乃砲被推倒）。但馬先生堅強意志如昔，從未灰心，且笑謂編者「上帝既要考驗我，祇有繼續試了」，一個愈挫愈奮的精神，堪作青年楷模，亦本報讀者佳音，用為介紹。

編者 元月七日

自由報

中華民國內政部登記證內警台報字第○三一號
中華民國僑務委員會登記證僑新字第三二三號
中國郵政台字第一二八二號執照登記爲第一類新聞紙

（第六二○一期）

（半月刊每星期三、六出版）

社長李運鵬・督印黃行寶

社址：香港九龍彌敦道593—601號振興大廈八樓五座

LIU CHONG HING BUILDING
7th FLOOR FLAT '5
593—601 NATHAN ROAD,
KOWLOON, H.K.
TEL: K303831
電報掛號：7191

爲歷史求証

——有關郭松齡事件的辨正——（上）

張振鷺

編者按：民國十四年郭松齡倒張（作霖）之役，識者謂爲近代史中一大事。蓋事若成，不僅東北之局面不同，即爾後整個之大局亦將另有發展也。我旅美學者梁敬錞先生曾有「林長民先生傳」及「林宗孟與郭松齡」兩文記其事，唯據躬與其事之東北名宿張振鷺氏指出其中頗有與事實不符者，乃請張氏爲文辨正，由本報發表以明眞相，想爲治近代史者所樂聞也。

不佞避地巴西，孤陋寡聞，舉凡國內報刊雜誌，難得一讀。五十五年，回國開會，偶閱傳記文學第七卷第二期，有梁敬錞著「林長民先生傳」一則，粗讀一過，覺其間有不符當年事實之處甚多。

頃又閱十一月份傳記文學第十五卷第五期，登載梁敬錞寫「林宗孟與郭松齡」一文，曾謂：「前者林長民先生傳之幾點疑誤，根據林宗孟先生日記，一一予以改正」。不佞讀之，詳加研討，不但未能補苴罅漏，反愈見其對關外情形隔閡，及南滿鐵路之事物不甚清楚，不容默不述，爰向林傳逐字校句合併剖辨，以存史實。

謹按：郭松齡將軍，民國十四年十一月二十二日，爲郭發東北，反對內戰，舉事於灤縣，聘林長民先生（宗孟）襄政務，至十二月二十四日，失利退走，中途被騎兵截[illegible]宗孟先生亦遇難於亂軍中。其友人梁君敬錞爲之立傳，藉以表揚，意良美也。惟以非躬歷斯役，語多失實，不佞追隨郭公久，亦參預此役始終其事之一人，於其失敗之經過知之甚詳，此某之所以不能已於言也。

首先「就林長民傳」論林長民（宗孟）先生應聘出關附郭之目的。

梁文中敘述林先生離行時，告他曰：「兩三日來，吾有一新發展，將於今夜出京。」梁文又一則曰：「林在北京方感受馮玉祥部將威脅，亦欲藉此以自脫於樊籠，乃於十一月三十日夜半乘郭所備專車（秘密離京）臨郭於錦州」。再則曰「聽與林同行而幸免於死者李孟魯，當林遇難前夕，與李同宿於某村樓上，其時已知兵事不利，躊躇機前，覩自念無與人共患難不濟。」凡此種種，皆足以證明林之出京實係避禍，並非圖附驥以取富貴者。（傳記文學七卷二期林長民傳）

按：民國十四年馮玉祥部下北京衛戍司令鹿鍾麟，逮捕段執政之親信姚震曾毓雋，不過向段氏示威而已。試問林長民先生當時在執政府，初無重要職位，僅參加制憲工作，亦非如段氏其他親信大員章士釗（教育總長）、梁鴻志（執政府秘書長）輩之職居要津，而彼等尙且安居北京無恙。則林氏又有何威脅之可感呢？換句話說，如果林宗孟先生眞爲避鹿鍾麟之威脅而出京，儘可於專車過天津時，避入租界，辭而不往，又誰能強勉其行乎。觀其由京頻行，語梁之言曰：「兩三日來，吾有一新發展，將於今夜出京」。是知林之出京實爲求發展，所以纔千里迢迢追隨郭公於錦州，縱非欲圖富貴，亦必別有政治上運用之目的可知。至於「無端與人共患難」之語，那是李孟魯自欺欺人之談，旣有所爲而來，怎能說是無端呢？以林先生爲當代賢豪，必無此言。

記得方郭軍下錦州時，潘陽震撼，張上將軍有棄家出走之意，奉天省議會，及商工會聯電歡迎。郭公爲作到潘陽接收之準備，在錦州專車上，曾召集一次政務會議，司令部各重要職員均出席，對林宗孟先生甚爲推崇，告知與會諸人，將來到潘陽，有關政務事項，請宗孟先生多多協助與主持。繼而林先生發言曰：「將來三省事務殷繁，絕非一二人所能爲力。應廣收賢才，相助爲理，東三省亦不乏才智之士，如現任東三省鹽運使翟文選，即是一位政治家。」不佞記憶猶新，當年參與此會者，尙有一二人健在台灣，可資左證。

再就不佞躬歷其事而論，對林先生之遇難，祇有同情哀悼，決不肯憑空加以不敬之言，壞其行誼。然而亦絕不願後人憑空捏造謊言，這樣過分文飾誇張，豈不有負林先生附郭謀發展之初衷乎。此應爲文反復辨正者一端也。

（一）梁文又謂：予於林行後第三日，得林自白旗堡來電，中有「河冰未合，車不得渡」之語。

按：梁氏舊作「追念林宗孟先生」（民國四十三年四月紐約華美日報、及香港天文台報）文中，曾自敍十一月卅夜二鼓，親送林至前門東車站，登車握別。今於「林傳」則謂林行後第三日，得其自白旗堡來電云云。準此當爲十二月四日以前，而林先生於十二月四日，方到錦州與郭公會晤，是李過錦州，豈能由白旗堡發電致梁乎。此應辨正者又一端也。（未完）

昨日與明日

有關國會近事雜感

艾敏

有關國會近事，感想不少，略誌數則，以就正於關心民主政治的海內外同胞。

畢竟還有是非

監察院彈劾高等法院院長孫德耕一案，經過公務員懲戒委員會十多位精研法學，在司法界極具聲望地位的委員們熟思精慮，多方參證，結果終於以「記過」了案。這件事，顯示了中華民國的司法精神，表示監察權之被重視，也表示了人間畢竟還有是非。人們都有這樣一個瞭解：公務員懲戒委員會的懲戒案件，幾乎絕大多數都是「從輕發落」，譬如台北縣長蘇清波被懲戒停職數月一案，社會一般輿論都覺得嫌輕些。孫案的性質很特殊，牽涉的問題非常複雜，爲了此案事件，當事人曾在報紙上大登攻擊監察委員陶百川的廣告，還向法院控告陶委員，而監察院最近檢討年會中，還有的委員大作翻案文章。如果孫院長對了，便是國民逃稅漏稅都對了，便利商人逃稅漏稅的法官和監察委員們便都應「受獎了」！公懲會的決議含有振肅官箴，辯別是非的意義，值得人們的重視。

痛哉沉默一羣

對於處理彰化大同實業公司逃稅案件，監察院曾彈劾高院院長孫德耕現在因公懲會已決議孫院長特記過一次，引用舊戲裏一句話，便是官司業已落案，可是在監察院年度檢討會中還曾有過一幕鬧劇，張建中和王枕華兩監委曾有所謂「自動調查」報告，和五人小組大展辯論，形成孫王兩委員和五人小組的對陣，而其他委員，都不置一辭，好像此事根本與他們無關似的。有位讀者向某報投書，希望監察院也出來一個像立法院吳延環那樣委員，能夠主持正義。結果並無一個，出來辯明是非，伸張正義，使社會人士深感：痛哉此沉默之一羣，何持重若斯也。

新生的力量

台灣省與台北中央級公職人員增選應選出國大代表十五人，立法委員十一人，於民國五十八年十二月二十一日業已順利選畢，此後中央民意機關新增一股力量，此在「冰凍」業已二十多年的民意機關裏，實在算一件天大的事。老實說，這些年來中央民意機關種種表現，不無暮氣沉沉之感。祇就中央立法機關而言，立委們專心一志研究法律的似乎太少了，太多關注立法以外的事，多少年來，我們很少發現立委們主動立過什麼法，幾乎全部立法都是行政考試司法等機關擬就移請審議的，他如民意代表本身之自律，國會新風氣的建立等，國人對這一股新生的力量，都有懇切的期待。

自由談

美國的亞洲新政策

馬五先生

二次大戰結束以來，美國對於亞洲各國——特別是對中華民國、大韓民國和日本這幾個國家，實行控制或佔領政策，事無鉅細，積極干涉，稍不如意，即以停止軍經援助相脅迫，却以「不干涉別國內政」相標榜。結果是這些國家的共產黨勢力，在美國直接或間接的培育之下，突飛猛進，爲禍甚烈，事實昭彰，毋待贅述。他如東南亞地區，亦經美國創立「東南亞公約」而以盟主自任，遇事頤指氣使，而共黨禍亂即相應激化。總之：美援所到之處，共黨勢力即隨之大增。美國揚言反抗共產主義，實際是贊助共產主義發展。日本的共黨勢力在戰前微末不足道，經過美國佔領之後，現在日共及其同路人的力量已瀰漫全國，奄有左右政局的地位了。反之，凡是未曾接受美援的國家，或稍受美援而拒不接納美國的政治要求的國家，如印尼，馬來西亞，巴基斯坦，印度，泰國等，共黨勢力不是被消滅亦復微弱難成氣候。

共黨叨着美國的亞洲政策之光，在遠東地區乘機竊發，構成了莫大的力量，隨時向外擴侵略，肆行無忌。美國始也不惜出兵抵抗，加以制裁，繼又聲稱幷無消滅共黨之意，而採取「不求戰勝」主義，視反共戰爭如兒戲，且教飽受共禍的國家跟共黨組織聯合政府，別人不同意，美國即表示消極態度，一面向共黨哀求和談，同時實行片面停戰撤兵，最後乾脆聲明「亞洲問題應由亞洲人自己解決」，美國不擬過問了！

綜觀戰後廿餘年來美國對亞洲所作所爲，可用兩言概括，即「始亂終棄，貽禍無窮」，早知今日，何必當初呢？美國當局雖然在口頭上經常掛着「亞洲政策不變」，「履行原有承諾」之說，然事實俱在，其誰欺乎？亞洲人根據廿餘年來的教訓，對美國政客們的油腔滑調，再也不感興趣了，羅吉斯國務長官之自說自話，可以休矣；即安格紐副總統之訪問亞洲列國，亦僅止於旅游意義而已，亞洲人決不存絲毫奢望的。

很顯明的事實，美國今後的亞洲政策，是要以一本萬利的商業算盤，盡力扶植日本，希望它造成亞洲地區的領導地位與能力，遵從美國意旨，負弩前驅，反抗共黨的世界革命運動。這是師承第一次大戰後英國私自培植德國，希望德國負起進攻蘇俄的責任那套故智，自以爲很高明而[illegible]算，可望獲利倍蓰。我敢斷言：歷史事實必然重現，日本一旦羽毛豐滿之後，它在國際上的第一號假想敵人就是美國，廣島、長崎的原子彈之仇，念茲在茲，非報不可的。美國如其沒有高瞻遠矚，魄力雄偉的政治家坐鎮白宮，主持大政，其前途之危險，殊難想像也。

輿論精華

艾格紐使人「刮目相看」

美國副總統艾格紐，將於本月底到遠東作第一次國外旅行，美國行的是責任總統制，以前的副總統除了作參議院院長就好像無所事事，但在近十年來的情形已有改變，先是在艾森豪總統任內，副總統尼克遜曾經廣泛到世界各國作訪問旅行，後來即憑此政治經驗出而競選總統，雖然當時僅以極少票受挫於約翰、甘迺迪，但在十年後的今日，終於當選總統了。前任總統詹森，原是甘迺迪的副手，在甘氏被刺殉職後，他順理成章的接替總統，由於政治經驗的豐富，在任滿競選時獲得連任，這也無疑是以副總統作爲他入主白宮的基礎的。去年尼克遜獲得共和黨大會提名時，他選擇艾格紐作他的競選副手，艾氏原任馬利蘭州州長，名望在許多共和黨首要之下，當時被稱爲跑出一匹「黑馬」。尼克遜就任總統將近一年來，艾格紐因爲沒有甚麼特殊表現，也好像平平無奇，但在最近，艾格紐一鳴驚人，却使我們不由不對他刮目相看。

艾氏一鳴驚人的事實是，在上月中旬共和黨中西委員舉行餐會中，他發表了一篇爆炸性演說，指摘少數特權人物壟斷全國電視網，聽由其新聞製作人、評論員等任意歪曲事實，對美國人民作不實之報道。他籲請全國民衆起而要求電視保持公正立場，對那些含有偏見的新聞評論，應該去信或打電話警告。在結束演講時，艾氏更向那些電視「霸王」昂然挑戰說：「我今天的講詞能否轉播，就得看那電視公司了。」艾格紐這一席話，是過去美國政要從沒有人敢說的，以此馬上就引起電視界羣起而攻，把他作爲衆矢之的。可是艾氏並不因此氣餒，當相隔不到一週內，艾氏在接受「美國新聞與世界報道」雜誌記者訪問時，他又準備「紐約時報」和「華盛頓郵報」這兩家有名的「大報」開火（按：這兩報紙一向爲鴿派的喉舌），他批評美國報界說，一些自稱爲大都市的獨立報紙，多屬無知與膚淺，這些未經由選舉產生，自封爲王，大權在握的少數特權報閥，利用政府發給的執照，行其控制新聞之實，具有良知的美國人，應羣起聲討才對。其中特別指「華盛頓郵報公司」說：該機構擁有華府最大的報紙，四大電視公司之一的電視台，及全國三大新聞雜誌之一的雜誌，但其論調，如出一轍。艾氏又批評「紐約時報」爲「自大與不負責任」的報紙。據指出：該報對三百位衆議員及五十九位參議員簽名支持尼克遜總統對越南政策的聲明，竟不予刊登，即其例證。

自艾氏連續對電視及新聞界發出重砲轟擊後，其招來那些平日慣於作威作福、目空一切的「報閥」及電視界「霸王」的惡聲相報，自是可想而知，但眞金不怕洪爐火，就在那些新聞界羣聲指摘艾氏企圖干涉「新聞自由」時，艾氏演說却紛紛獲得各大城市人民的喝采與支持，有許多平日少看報紙祇靠電視去供給新聞知識的美國人，至此皆如夢初覺，了然於自己原是那些「評論家」們任意愚弄的「豬仔」。此項嚴重紛爭目前尙未平息，但艾氏敢向那些美國「報閥」捋它虎鬚，揭開了美國人民長期被他們蒙蔽的蓋子，即以這種超人氣魄論，艾氏不僅使人刮目相看，而且也必要在他歷史上寫下不朽的一頁了。（摘自香港快報）

外國專家信口開河嗎
說台銀行業務像當舖
外行領導內行專業並不專業
呆賬數字驚人議會叮住不放

（本報記者錢震台北消息）自政府宣布修訂銀行法規，準備統一管理金融機構，使銀行業務納入正軌，工商界莫不馨香祝禱早日實現。

（一）祖師爺說我們開當舖

外國銀行專家考察了台灣的銀行業務和經營方式，毫不客氣的批評我們是在開當舖，不是辦銀行。倘以現代銀行標準來衡量，那就離題更遠了。孫哲生先生也曾慨乎言之，那些財經界霸主們，非但不反省，竟施出絕招猛力反擊，以孫院長聲望地位都不能批評，普通人就更不敢贊一辭了。

銀行是從歐美輸入的洋玩意，祖師爺的評語應該是權威之論，搞這一行的不管如何聰明，總不能說祖師爺是外行吗！儘管財經界不服氣，在國內一般人的看法又是怎樣呢？社會上對那些天昏地暗胡作胡為，自以為也是中國的銀行專家，其實是以侵蝕銀行為能事的銀行職員，（行庫局除了純公營便是公民合營，所以真正老板是政府）早就嗤之為「錢鬼子」。這也是阿扣心理，無可奈何，只有詛咒以洩憤。中外觀感為甚麼都是這樣惡劣，衆論所歸，當然有其自取之道，決不會無故冤枉了好人。

辦銀行有呆賬中外不能免，開當舖喫呆賬卻是古今奇聞。需要借錢的人把一件物品送進當舖，如果不是容易變賣換回現金的絕不接受，估價是照現值對折再八扣。當票上寫些鬼畫符的字，既非行書也不是大草，是一種別具一格的簡體，只有他們自己或能認識，也曾有人稱之為「當票文學」。從前有人在北方當皮袍，當票寫明「潮爛、虫咬、光板、無毛、破皮袍一件」，乘人之危，賺了窮人的錢，還要任意凌辱，拿窮人開心，有人咒罵黑心人開當舖，多半斷子絕孫，後代沒有人財兩旺，祖澤流芳的。當品死了當，（過期不贖）變賣收回當價，本利只會超過不會短少。今天我們銀行的營業方式雖被外國專家譏為當舖，仍不免喫呆賬，這個道理很簡單，當舖也有當舖的規矩，夥記都忠於當舖，並不忠於自己。今天銀行的職員剛剛相反，他們是忠於自己先私後公，除了盡情享受，恨不得把銀行經營的國家財富變為自己的家私，處事公私不分尚且不可；何況私而忘公，就無法以常理論斷了。當年當舖的夥計都要科班學徒出身，全是內行人辦本行的事。

（二）外行領導內行管理外行事

而今銀行裏職員，幾個高級的位子全被外行人佔據。試看台灣幾家銀行，那一家的董事長總經理念過銀行系或是研究財經學，而且服務銀行有年的。結果外行領導內行人管理專業化的外行事，如果自己承認是外行，處事虛心，尊重內行人的意見，也不會害事，只可惜一朝權在手，自作聰明任意孤行，胡作非為，遂其私慾。

月前台灣省議會預算綜合審查委員會審查省營各行庫下年度預算時，決議要省府積極清理各行庫應收及期欵二十六億元，這項數字好不驚人。平日培植的保鏢出來護航，原提案人也不甘示弱，將七行庫預算聲明要擱置，兩派相持，杯葛將近一箇月，最後終於過了關，但也費了不少手腳。應收及期欵何以驚動省議會促請省府積極清理，其中自然有文章。

（三）當舖掛的是銀行牌

銀行是經營存欵、放欵、匯兌、貼現等的新式金融機關。中央銀行是管理其他銀行的，金融業務檢查處，要經常派員檢查各行業務，發現有違國策，要隨時糾正。國庫局掌管國家收支，所有公庫都由它控制。發行局負責鈔票發行，其他銀行除非特准，不得擅自發行鈔票，目前將台幣發行暫時委託台灣銀行代理。外匯科管理國外匯兌。所有銀行可向中央銀行存欵也可以貸欵，中行並不直接向客戶貸欵。一般銀行名義上雖有專業之稱，事實上各行業務大同小異，無分軒輊。

台灣各行，久為各界所詬病，其積弊之深，黑暗重重也確實駭人聽聞。銀行收入主要依賴放欵利息。銀行放欵的目的是配合國策扶助工商業發達，促進社會繁榮。台灣各行則反是，國策一說在他們觀念中更沒有那回事。工商業者需要資金申請貸欵，「可」「否」之間，全憑主管一句話，如一定要「可」，必須先拿條件來，條件談不妥，等如是癡人說夢。所謂條件，說得清楚一點就是送「紅包」。信用貸欵根本不要談，（國庫用貸欵非一般人所能享受，所以對外宣稱根本不辦），要辦先拿押品來，（當舖的由來）通常若以貸欵十萬元作標準和受派調查的職員打打交道就行了。當天或第二天就鑒定抵押品，隨即對保，貸欵很快，可以如數到手，全部過程不會超過五天。否則你若人情世故一竅不通，只有等等等！調查的人絕不會採取行動，今天推明天，本周推下周，日子久了，也會終有調查對保的那麼一天，但可能生出枝節來。如果你貸的貨價實手續齊備，無所藉口橫生枝節，就拿各辦呈核等題目作文章。先說呈簽辦，拖久了再說送某某單位會簽，再則已經副座核示，種種刁難，不一而足。最後逼得你就範，否則只有放棄了事。倘若貸欵數字相當大，就得另走門路由上而下，（幾年前有人說某總經理不要錢，後來證實數字少不屑要，若達到標準數字一樣照收不誤）如果條件優厚，抵押品也可以通融通關，公開闖出來的，中央信託局就有過石頭當風扇的荒唐故事。貸欵人申請書寫着電風扇若干台，送進倉庫的箱子裏却裝些磚頭瓦塊，報紙騰載，先生們面不改容。（待續）

扶植正論培國家元氣
發掘人才固中興柱石
輿論界與監察委員應該建言
監院年會檢討馬空羣如是說

（本報台北通訊）監察院每年年會的政治檢討，究竟能發生多少作用，能不能收到一點效果，常常有人提出這樣的疑問。有的監察委員主張率性取消，不必再加檢討。監察委員馬空羣說：「最初我不贊成，後來一想，也有道理。不過院會沒有通過這些同仁的意見。」這不是牢騷，而是許多監察委員們的「心聲」。本年監察院政治檢討會，委員們的發言已不似往年熱烈，其冷落的情形，無法形容。

馬空羣委員認為：正論、人才、民心三者，為中興三寶。今日最首要的工作，厥為扶植正論，以培養國家元氣，發掘人才，以鞏固中興柱石，收撫民心，以儲備復國資本。此乃根要之所在，切不可等閒視之。

正論為國家的元氣，正論伸則國家元氣盛，正論摧則國家元氣傷，要保存國家的元氣，必須維護朝野的正論。人才為中興的柱石，人才足則中興柱石固，人才缺則中興柱石虛，要有良好的中興人才，須有良好的民心。民心為良好的民心得則復國資本厚，民心失則復國資本斷，要有復國的雄厚資本，必須得廣大的全國民心。

這三件事我們可以稱之為「中興三寶」，得此三寶而不失其一，則復國中興一定能夠完成，決無疑問。我們的政治革新，實應以維護這三寶為最首要的工作。使永保不失。有此三寶，小之可以促進政治革新之成功，易如反掌，大之可以完成復國中興之大業，如操左券。失此三寶，則必如墮荊棘叢中，步步都覺窒礙難行了。

馬委員希望今天我們的輿論界應該建言，我們的議會應該建言，而我們的各級公務人員應該建言。因為輿論界和議會僅能從旁策勵政府，促進政治的進步；而各級公務人員均負有各項實際的工作，在各項政務施行當中，遇有不當之處，無論事大事小，都可以隨時建言，一則比較方便，二則比較切實，三則效力宏大。不過無論輿論界議會或公務人員，如要建言，必須本於國家的利益去講話，決不可站在個人立場，為一己的利害打算，說一些似是而非淆亂聽聞的話。要建立一種嚴正的為公為國的正論。政府更應切實去扶植正論，消極方面要不妨害正論，積極方面還要獎勵正論。今天很多人都認為「言論自由」最為可貴，而不知「正論伸張」尤為可貴。因為若在言論自由的護符之下，作一些歪曲的言論，荒謬的言論，邪惡的言論，害社會，害國家，害民族，此種自由，究有何貴。我們必須在言論自由之中，清除邪說，扶植正論，使正論伸張，才是最可貴的。

這位貴州籍的監察委員，平日沉默寡言，但對問題的看法，却有獨特的見解。他指出：要有人才，才有事業。今天有極艱鉅的事業在等候着人才去肩負努力，所以發掘人才，實在是刻不容緩的。我們今天不特是承担艱鉅的人才缺乏，而且還有後起無人的憂慮。我國近半世紀來的教育，對於培養我們所需的政治人才沒有盡到責任。而目前的教育，還是沒有魄力扭轉過來的偏差。所以在一般青年學生中，已形成了一種很不正常的風氣，就是一窩蜂的爭學理科，誰也不願研究政治，以致政治科系，成了冷門，無人問津。大家都爭着去學習專門的學識技能，以謀求個人出路，尋找較高待遇為目的。這與我國傳統讀書人以研究治國平天下的大道為首要，而以治國平天下為己任的情形，完全相反。這樣培養出來的人才，乃是「以私為主」的專門人才，而不是「以公為主」的政治人才。所以政治人才自然大鬧才荒了。我們今天固應積極發掘政治人才，更應積極培養政治人才，否則，我們要發掘將無所發掘的園地了，這是應當急起圖謀的。

喬治桑外傳　一〇八

張大萬

喬治桑竟因此而有了輕微的自卑感，

「我敬妳，小翠。」喬治桑說罷，直着頸子，將一杯啤酒一飲而盡。

小翠只喝了一點點，並沒有向喬治桑道歉。

目前台北酒家，有很多酒女都變成了「富婆」，而往酒家尋歡作樂的，則不乏寅吃卯糧，打腫臉充胖子之徒。這種畸型狀態，未始不是工業社會繁榮的一大諷刺。

喬治桑雖然對小翠沒有興趣，知道她有自備汽車，與她談東說西，很融洽的樣子。喬治桑知道小翠沒有去過美國，於是大談拉斯維加的風花雪月，連裘白瓊也聽得入神。

大凡一個人的心情，幹正經事嫌時間過得慢，在聲色場中時間過得最快，桑、裘二人在鳳凰酒家一混已到午夜。裘白瓊低低問喬治桑，要不要節目再進下去。喬治桑搖搖頭，吩咐侍歐生拿帳來。完全以現鈔支付，另外每個酒女付給一百元。與裘白瓊在金鳳凰酒家門口握別。

喬治桑約裘白瓊喝酒，可以說完全是為了消磨時間。現在在微醺之下，反而有點意興闌珊之感。

喬治桑回到家，開門的不是別人正是雅麗絲。

「妳幾點鐘回來的？」喬治桑問雅麗絲。

「我陪媽媽一起吃晚飯，看了一場電影才回來的。」雅麗絲滿面春風，對天倫之樂顯得很高興。「哦，對了，我晚上曾打電話回來，想請你吃飯，順便介紹媽媽和你認識。可惜，你不在家。」雅麗絲一面在忙着替喬治桑泡茶，一面說話。

「我晚上有應酬。妳的媽媽是不是還在台北？」喬治桑點起一枝香烟。

「不，她已經坐火車回南部去了。」雅麗絲用茶盤端了一杯茶給喬治桑。

「為什麼不留她玩幾天？」

「你不知道，她在南部住久了，牌搭子多，容易打發時間，在台北反而不習慣。」

這時雅麗絲已經坐在喬治桑的對面沙發裏，看樣子還有一陣子聊。

（未完）

台北傳奇錄（十五）

·陳光棣·

東家串串，西家去去，到處傳播着劉二爺籌備喜事的進度。這天晚上，與高采烈的來到我家。

這位太太是屬于醜人多作怪型的人物，一年三百六十五天，總是忙的團團轉，幾乎每一分鐘都排滿了節目，兩片咀唇也總是呱啦呱啦說個沒完。她的丈夫賴先生在她父親手下作事情，這位可憐的賴先生白天伺候老丈人，晚上在家裏伺候太太，一天到晚被罵的瘟頭瘟腦，弄堂裏的太太們，都喊他大頭呆，其實賴先生人滿好的，就是有時候精神不集中。

「劉二爺這個禮拜六請吃喜酒，你們接到喜帖沒有」？

廣播電台問我太太：「你們去不去？以我看啊，以後咱們這兒就熱鬧啦，老夫少妻的，哼！」

「老夫少妻怎麼樣」？我太太不高興的反問。

「不是啊，我是說，不是挺新鮮嗎？」廣播電台改變了話題：「劉二爺搬到你們三樓來住了，和那位熊太太對門」！

「那位熊太太」？

「就是常打牌的那一家，你們住在一樓裏，連他們姓什麼都不知道哇？」

廣播電台大出意外的又說：「熊先生還是什麼處長哪！胖的那副德性，就跟豬一樣！」

太太是沉默寡言的人，廣播電台越講越不起勁，打着哈哈伸着懶腰就走了。我忙着跑上三樓去找劉二爺。

劉二爺的所謂新房，一點喜氣都沒有，幾件傢俱，孤伶伶的蹲在角落裏，看起來就有一種寂寞的感覺，和劉二爺的爽朗，安詳很不協調。

「禮拜六請過來坐坐，什麼都沒有準備，主要的是讓我太太和街坊鄰居們認識認識」。劉二爺恬靜的說。

「你一個人，也沒個人照顧照顧，早就應該有個老伴兒了，不然，你有了病躺在床上，都沒有人知道……」我本來想好了一套台詞的，誰知越說越不得體，我這人眞上不了台盤。

「的確是這麼一回事。」劉二爺看到我的窘態，馬上表示自己一點都不在乎。

「有人說，對方二十幾歲」。

「是，二十三。」

「唔……」我不知說什麼才好。

「本來我們不認識。」劉二爺打開了僵局：「這個女孩子的父親，前年去世了，留下了一屁股債務，她媽媽拖着四個孩子，連急帶累又得了肝病，這孩子休了學，就担起家裏的担子，這個年月，你知道，我們男人挑着一份家，都够辛苦的，何况一個未經世故的女孩子，不曉得怎麼回事，也許是常說的一句俗話。

毛共與蘇俄談判又告吹了

文滙樓劄記

文滙樓主

毛共與蘇俄正式談判是去年十月二十日宣佈揭幕，在秘密的氣氛中進行，歷八個星期，最後胎死腹中。蘇俄兩位主要代表，即蘇俄代表團長庫茲涅佐夫（現任蘇俄外交部副部長）副團長即蘇俄邊防軍參謀長馬特洛索夫，拂袖而去，說明這個談判完全吹了。

毛共與蘇俄談判，本來雙方都沒有誠意，講老實話，毛澤東早被槍桿子和壓寨夫人江青等捧得已經不是個人，那裏還能與吃烟火食的大鼻子坐在一齊談問題，八個星期的過程中，有幾件事使庫茲涅佐夫等受不了的：一、在會場上傳播毛語錄比秋天裏一種嗡嗡的厚臉蒼蠅還討厭。二、毛澤東的「核子訛詐」指責美帝國主義和蘇俄代表團在芬蘭首都赫爾辛基進行戰略武器管制談判，為甚麼不徵得「中華人民共和國同意」，據說毛澤東有一次在宴會上三字經的「國罵」「煮他娘」又出籠了，這在外交上與「放屁」控制不住，更沒有禮貌。三、毛澤東好戰態度未因其人形將就木而有變更，在中俄四千五百里的邊境上力圖軍事擴張，庫茲涅佐夫認為毛澤東越來越像「納粹」和「軍國主義」了。

毛共與蘇俄的談判，完全是因為前北越主席胡志明的遺囑：「盼望中共和蘇俄兩個共黨國家，千萬不要鬥爭，以免影響共產主義陣營裏的團結。」據說胡志明在彌留前為毛共力量太突出而流了幾點很傷心的淚，他以微弱的聲音向親信說：「共產主義陣營分裂後，會被帝國主義消滅的……」毛共與蘇俄談判起因於胡志明遺囑，後經蘇俄總理柯錫金參加胡志明葬禮後，轉飛「北京」跟中共總理周恩來會晤時決定的。

庫茲涅佐夫和馬特洛索夫兩人回到莫斯科的第二天，外電很快傳出消息，美國駐波蘭大使和中共駐波蘭代辦在華沙會晤，為雙方大使級恢復談判舖路工作（查此項會談中斷於一九六八年一月），不過毛澤東對恢復華沙談判的興趣並不高，做給俄國看看而已；美國則力圖與中共妥協，這是從上月二十三日美國務卿羅傑斯記者招待會中看出。所謂華沙談判焉者，據樓主冷眼觀察，很像騾子生殖器，沒有一點卵用。因為美國人的想法既天眞又可憐，以為拖中共參加國際事務，分担世界責任，可改變中共政策；又想鬆懈中共內部團結，用「和平攻勢」拖垮中共。毛澤東是一隻老狐狸，不僅懂得人間形勢，又能算出美國行動之意圖及演變。故能寫出老八股課題，一、美國必須完全退出台灣。二、美國不能干涉亞洲事務（包括日本統由中共來管）。美國國務卿羅傑斯認為這個題陳腐又兼不通，文章當然無法寫下去。

復興中華文化，完成復國建國（五）

吳文蔚

用固有的道德和平做基礎，去統一世界，成為一個大同之治，這便是我們四萬萬人的大責任，諸君都是四萬萬人的一份子，都應該担負起這個責任，這個大責任，便是我們民族的眞精神！」 國父昭示我們恢復民族地位以成大同之治的這個責任，我們原是負起了的，在八年抗戰之中，中華民族，全民奮起，在今 總統蔣委員長領導之下，終於擊敗了日本帝國主義的強敵，使列強都自動的放棄了不平等條約，收復了失土，收復了租界，雪盡了滿清遺留下的百年的恥辱，恢復了民族的地位。不意我們正在勝利建設新中國之際，共黨奸匪，乘着我們八年抗戰的疲憊之師，尚未整頓復原之時，顛覆造亂，竊據大陸，使我們復興民族的豐功碩果，功虧一簣！這雖是我們國民革命過程中之一極大挫折，但我們須認定共匪是毀滅不了中國固有的文化；即也滅不了我中華民族的光榮的地位。現在 蔣總統倡導復興中華文化，就是恢復我們的固有文化；恢復我們民族的光榮的地位；同時也就是要把 國父所倡言的「恢復固有道德」的責任，肩負起來，使之復興發揚光大，以聯合世界上愛好自由的反共國家，匯合全世界的反共潮流，消滅共產主義，消滅共產黨徒，藉以達成復國建國的和使世界獲得永久和平神聖使命，完成國民革命的偉大任務！

現在我們對復興中華文化的具體表現，第一步就是實施了九年國民義務教育的延長，我們知道，教育的力量，乃是正確民族思想行為的原動機，我們實施九年義務教育的目的，就是要鞏固國本，再造生力，從根本上澈底做起復興中華文化的種能組織，以恢復中華民族的光榮地位。

蔣總統在其「報國與思親」一文中，會剴切陳辭，勗勉國人，一致奮起，勇敢的担當起復興救國的大團結時說：「由剝而復，事在人為，理有可信，是以中正於此不能不為吾同胞同志，進而闡論國家民族所以自立之道：『先哲有言，國繫於家，以家庭興廢之理，可通於國，國之盛衰隆替，正由家之興衰無定，其或不勝推拆，而終於敗亡，或驟然興起，以自致富強，則悉觀其國民之覺悟及努力與否以為斷，中外古今，事無二致。（未完）

生活的藝術（中）

高格

彫刻：彫刻者，就木石金玉等物，彫琢形象，構成美術；或則玲瓏可愛，或則栩栩如生，供人欣賞，亦足以陶情逸興者。

建築：建築者，建造房屋、道路、橋樑與碑塔種種之謂。我國建築發展甚早，彫樑畫棟，美奐美侖，尤非世界其他各國所能及。參觀故宮建築，則有宏偉壯麗之情，參觀中山陵寢，則有穆肅尊敬之感，是建築亦足以感人也。

鑄造：鑄造者，如廟宇中之佛像，公園中之偉大銅像，皆屬鑄造之藝術。或則莊嚴，或則秀麗，或則偉大，或則神奇，無不使人興起敬畏之感。

刺繡：刺繡者，亦屬於藝術之一。以五彩之絲絨，可為各種形象藝術。如花鳥，如人物，莫不生動活潑，令人可愛；且色彩鮮明，歷久不變。為我國特有之藝術。

舞蹈：舞蹈者，在我國發源甚早。執干戚羽籥之屬，盡屈伸俯仰之容，即舞蹈之謂。古代舞有定則，故季氏以八佾舞於庭，而孔子譏之。現今之舞蹈範圍益廣，世人視之為一種必修之藝術，為日常交際生活中所不可少者。

以上所論，為各種藝術之簡單說明，皆屬於人為之藝術。此外尚有自然藝術，亦須注意。所謂自然藝術，並無一定準則，如天空景色，朝有晨曦，夕有晚霞，皆足以供人欣賞者；如名山大川，懸崖削壁，波濤萬頃，亦可供之遊覽者；其他如鄉村景色，花柳成蹊，流水小橋，夕陽明月，亦可供人欣賞者；再如四時花卉，五彩繽紛；古寺高塔，烟雲飄渺，亦皆足以供人之暢觀焉。

第二、藝術生活之情趣：藝術生活，並非在使人人均成為藝術家，乃著重於人之藝術情感。蓋人人都有情感，但人每不知陶冶其感情，而使之美化，故感情不能善用，每使生活枯燥，苦惱終生。如何陶冶情趣，則欣賞功夫為第一要則。欣賞之對象，有自然美之欣賞，與藝術美之欣賞。古人云：「清風明月，不用一錢買」，可謂最善於自然美之欣賞了。蓋自然景色隨處皆有，俯拾即是，要在人之善於欣賞而已。至於藝術之欣賞，則各種人工藝術，亦所在皆是，只要留心，不難尋覓。惟眞正欣賞功夫，貴能移情於物，易言之，即使我們之情感與物象化而為一。如某小孩子見桌上之茶壺茶杯，散亂放置，立即為之整理，使茶杯羣集於茶壺四周，說是：「茶壺者，乃茶杯之母親，今母子分散，各有隱痛，故使其歡聚一堂，享其天倫之樂」。又見床下一雙拖鞋，一俯一仰，立即為之收拾整齊，說是：「一雙拖鞋，乃一對兄弟，今一俯一仰，既不能互相說話，又不能彼此照應，故使其雙雙並列，不致使其寂寞」。像這位小孩子就是善能寄其情感於物象，感覺物之不調，即情之不調，使有同情之感，立即調而整之，必使之美而後已。可謂善於欣賞，善於發揮藝術之情趣也。

（未完）

高雄土地重劃受到國際重視

東南亞國家均將學習

（本報記者趙家驊高雄航訊）土地改革在中國以台灣省為濫觴，而土地重劃在台灣則以高雄市為嚆矢。土地改革在農業社會的中國是民生主義土地政策實施，可惜自民國創建以還四十年間，因外患內亂交相煎逼，民不聊生，未遑施行，以致赤禍乘隙席捲大陸，良可慨也！

溯自政府播遷台灣，乃毅然實行土地改革，安定民生。其實施步驟為：一、三七五減租；二、公地放領；三、耕者有其田，廿年來俱見宏效，農民擁有自己的土地，生活普遍提高，確是安定台灣社會步向經濟繁榮的基石。

土地重劃是平均地權重要歷程，分市地農地兩種辦法，其差異點是：市地重劃，因市地不集中，按都市計劃規格是就地交換，劃分，將支離碎破的土地重劃為方方正正的整塊，無論地主、政府、社會均蒙受其益。至農地重劃，則以集中為目的，不管東南西北互相交換，使農地化零為整，減少勞力，是排水、灌溉，農業機械化的先決。這是土地改革的重要部份，土地改革的目標有二：一、為土地分配；二、為土地利用，分配問題大體完成，利用問題即土地重劃的目的，殊堪注意。

農地重劃勢必走向農業機械化的途徑，廢除縱橫交錯地界，遍野橫陳的阡陌，以快速的耕耘，電引機，代替人力與畜力，但是農民勞力出路又勢必邁向都市，而就業又成了問題，因此據說，農地重劃收效至今不如市地重劃，原因在此，假以時日，都市可以容納更多勞力，則農業機械化，在台灣必可指日而待也。

高雄市為實施都市平均地權，於四十七年開始辦理土地重劃，截至目前（五十八年底）先後辦理四個地區的土地重劃，重劃面積為二一八、三五六公頃，完成都市計劃內公共建設工程計；開闢道路一〇一條，開鑿運河兩段，建築水溝一七三條，橋樑廿九座。

土地重劃在台灣以高雄市為首創，經過四期重劃經驗，發現它在發展國家經濟效益的實踐上，有重大的關係：一、適應都市人口迅速增加之需要，提供建築用地，解決市民居住問題；二、增加建築用地供應，便利工商業之發展；三、配合及加速都市計劃之實施，提早完成都市建設；四、消除土地畸零使用浪費與違章建築之都市病瘤，增進市容美觀；五、促進市政改良，提高土地利用價值，以增加所有權人獲取合法權益；六、加速都市未拓展地區之建設；七、增加稅收，充實建設經費；八、加速新社區建設，有助都市環境衛生之改善；九、公共設施完備，增進社會秩序之安全；十；增加公共設施工程，十進人民就業機會；十一、促進地方繁榮，土地價值增漲，豐裕稅收財源，十二、節省政府鉅額建設經費；十三、增加建材消費助長建造增產，以加深工業潛力；十四、健全地籍管理，調整土地分配利用，以達地盡其利的目的，為加速完成政策之有效措施。

高雄市土地重劃辦理績效不僅使外縣市相繼效法先後跟着辦理，即東南亞各國，派員前來攷察認為可以施諸彼邦者，大有國在，聯合國會數度派土地專家來實地攷察，認為本市土地重劃在土地改革制度上創造了奇蹟，記者以「奇蹟」相詢地改科長李盛華，他說：聯合國來高攷察專家認為，高雄市的土地重劃辦理的績效，可以作為其他國家土地改革的藍本云云。

諸葛亮狂想曲（六九）

·劉玄·

八仙閒話暫且不表，自從張素梅開完演奏會以後，各仙紛紛傳說，傳到瑤池王母娘娘的耳中，娘娘傳旨，要張素梅參加蟠桃大會。這是仙庭的殊榮。第一，參加蟠桃大會都有娘娘御賜的桃型徽章，掛在襟上在天庭各處活動都有很大方便。人家一見就知你是正仙而非邪仙。第二，每人至少要吃蟠桃一個，添壽千歲。上次孫悟空一口氣偷吃七十二個桃子，增壽七萬兩千年，各仙無不側目，可見仙桃與凡種之別矣。

張素梅聽到此一消息，喜不自勝，飲水思源自然要先來拜訪諸葛亮，順便請示覲見王母娘娘的禮節。

張素梅是隨同劉約翰來拜訪諸葛亮的。諸葛亮與劉約翰交往有日，深受西化影響，所以接見女賓又不像以往那樣拘謹。

「密斯張，妳好。」諸葛亮用英語與張素梅寒暄。

「諸葛先生，我特來向你請安。」張素梅還是用國語來問候諸葛亮，以示恭敬之意。

「這次諸葛先生有沒有聽到張小姐的喜訊？」劉約翰問諸葛亮，滿面笑容，充滿春風得意之態。

「哦，幾時請我喝喜酒？」諸葛亮誤會是張素梅已找到對象。

張素梅聽了有點害羞，臉上抹了一層薄暈。

「不是結婚，是王母娘娘要請她參加蟠桃大會表演。」劉約翰連忙代她聲明。

「恭喜，恭喜，眞想不到。」這事連諸葛亮都想不到，足見其為意外之事矣。

「我這次來，是特地來請教覲見王母娘娘的禮節。」張素梅自己說明來意。

「我先問妳，妳有沒有覲見過外國元首？」諸葛亮聽見張素梅有參加蟠桃大會的機會，內心十分高興，當然願加指導。

「我從來沒有這種經驗，老實告訴諸葛先生，連公開演奏，上次在龍岡還是第一遭呢。」張素梅是龍岡會友，在諸葛亮面前不敢說假話。

「每年蟠桃大會，我都有請柬，可是我生性好靜，只參加過一兩次。在覲見王母娘娘時，有司儀女官，其實禮節也沒有什麼特殊，行屈膝禮，面部表情肅穆，不要隨便說話，娘娘問話，要恭敬回答，如此也就行了。」諸葛亮不像關羽，一開口就是官腔官調。他很有民主風度，因此很得人緣。

劉約翰在旁見諸葛亮面授張素梅機宜已畢，插咀道：「她人極聰明伶俐，在參加蟠桃大會時，經諸葛先生面授『錦囊妙計』，決不致發生差錯。倒是御前演奏什麼曲子，恐須事先計議一下，以免臨時抱佛脚。」

「這算不了什麼『錦囊妙計』，我不過是照我所知道的告訴密斯張而已。」諸葛亮雖然在糾正劉約翰，但面帶笑容，神情很愉快。（未完）

共產主義陣營起巨變（下）

在蘇聯，由於有一部份知識份子對侵捷事件公開提出抗議而成爲階下囚，這種現了蘇聯領導人的神經多麽敏感，一旦發現有人起來反對，那怕是小小的活動，他們就得要設法對付。甚而至蘇聯的御用詩人葉杜申科亦寫詩抨擊此一侵略事件，表示不滿。

東德也出現反對侵略捷克的公開抗議示威。東德共黨頭子烏布里希强烈擁護干涉捷克內政，這可能影響到其政治地位。

在波蘭和匈牙利，因爲派出軍隊參加侵略行動，導致困擾和恥辱。要知道，波蘭黨領袖戈慕卡在一九五六年之所以能夠掌握權力，是因爲他勇於跟莫斯科挑戰，後來才接受蘇聯的路線。匈牙利黨卡達爾經一九五六年蘇聯干涉行動之後才掌握權力。他們會對其拍擋們費盡不少唇舌，最後贊成侵捷行動。波蘭和匈牙利早已嘗過了蘇聯侵略的滋味，却跟蘇聯一起參與兵克。所謂「己所不欲，勿施於人」，侵略就是波蘭和匈牙利所不欲的，但跟蘇聯一道對捷克以侵略手段，試問它們這兩個國家又怎會不感到大大的慚愧呢。

惟現時的波蘭和匈牙利兩國國家的政權，對於往事未可忘却，仍信仰侵捷是必要的這個概念。也許它們爲着自己政權安全的緣故，務須隨同蘇聯一起侵捷，寧可慚愧又是另一回事。

保加利亞可以說是蘇聯在東歐最忠心的盟國，在文藝藝術上依然存在着自由民主的傾向，在今年三月份，保加利亞黨領袖齊可夫提出警告，謂對於保加利亞存在像一九六八年捷克斯洛伐克那樣的自由民主傾向是忍無可忍者。但須知齊可夫此舉不外是諂媚而已。

侵捷事件發生之後，羅馬尼亞和南斯拉夫馬上加緊防衛，以防備蘇聯對它們施以對待捷克那樣的手段。羅馬尼亞立即組織了一支人民自衛部隊。至今年八月六日到八日，羅馬尼亞共黨召開代表會議，休斯古在會上宣佈，決不解散組織起來的人民自衛隊。兩年前，休斯古還因爲跟西德建立邦交而在莫斯科受指責，然而他在這方面却創造了驚人的成就。在今年八月二日尼克遜總統訪問布加勒斯特期間，休斯古會見尼克遜總統，羅馬尼亞跟西德建立邦交定會爲「和平共存」作出貢獻。

對於羅馬尼亞此擧，蘇聯無疑是異常憤慨的。在尼克遜總統訪問後，休斯古宣稱，共產主義制度不應該是一種「聯合」，而應該是一種自由合作，除了中共問題之外，蘇聯今日所碰遇最嚴重的問題要算是羅馬尼亞了。可以說莫斯科今時今日對休斯古尚未決定如何應付。爲甚麽呢？因爲以休斯古爲首的羅馬尼亞領導對蘇聯的基本政策路線反對得最烈。休斯古已對蘇聯的「有限主權論」提出抨擊。所謂「有限主權論」就是「布列玆涅夫主義」。在去年九月份由蘇共機關報「眞理報」社論最先予以宣佈，其主要內容是謂若於某個社會主義國家處於危險狀態，一定會受到蘇聯干涉。此種理論之出現，無異說蘇聯侵略捷克爲理所當然。不管蘇聯想聯合共黨國家對付中共也好，不管蘇聯提出在東歐搞經濟集中也好，羅馬尼亞都表示反對，因爲羅馬尼亞是堅持中立的。

在今年六月份的莫斯科世界共黨高峯會議上，羅馬尼亞總統休斯古阻止蘇聯公開譴責中共，結果得到意大利、英國、比利時和瑞士等的共黨代表支持。同時，他又指責對以色列的不公平，理由是謂不應該譴責以色列爲中東的侵略者。

經過蘇聯侵捷一年之後，世界共產主義陣營的基本矛盾衝突仍然環繞着這麽一個概念，不同的共黨之間務須團結。此概念是由羅馬尼亞、南斯拉夫、意大利和若干西歐小共黨所强調提出的。此外也還繞着蘇聯所提出的「無產階級國際主義」，這個主義乃暗示所有的世界共黨都應該統一思想，統一行動。不過此問題仍然未獲得解決，因爲當前的國際共產主義運動仍然四分五裂。而在莫斯科世界共黨高峯會議上，蘇聯一味藉着無產階級主義的理由，展開思想言論大攻擊弄得無法坦然討論共同的問題。

在蘇聯集團內部，蘇聯的共產主義教條已失效了，事由東歐共黨紛紛接受西方的思想，使思想言論從哲學轉向科學，這麽一來，莫斯科想尋求共產主義的團結，亦可謂難矣。

東歐和西歐的年青馬克思主義哲學家們認爲，思想的潮流一定會冲掉蘇聯的馬列主義陣營腐概念。去年八月二十一日，蘇聯坦克部隊一開入布拉格，便馬上先控制思想陣線，控制思想家、作家、科學家和新聞記者的組織機關，理由可能是蘇聯領導人已看出東歐思想潮流即將突變。知識份子往往容易「讀壞書」，但其思想爆發起來却非同小可，蘇聯侵捷後即控制知識界，道理亦在此耳。（完）

（摘自國際先驅論壇報）

岳武穆文武全器
命相與夢話

漢年

岳飛字鵬擧，河南湯陰人。父名和，世代業農，爲人仁厚，能節食以濟民，且不責備。岳飛生時，有大鵠從東南來，飛鳴於屋上，因以爲名。未彌月，黃河水決，洪水暴溢，母姚氏，抱岳飛坐於大甕中，隨波逐岸得免，鄉人以爲奇。岳飛少負氣節，沈厚寡言語，家貧力學，尤好左氏春秋，孫吳兵法。天賦神力，年二十，能開三百斤硬弓，腰弩八石。學射於周同，盡得其傳，能左右開弓。周同不久旋卒，岳飛每於朔望設祭其墓。父岳和喜道：「汝爲時用，其爲殉國死義之臣乎？」

宣和辛丑，年二十，岳飛以敢死士應募投軍，爲小隊長，捕賊有功，補承信郎。留守宗澤。紹興辛亥，年二十九，張俊請岳飛同討李成，大敗李成之軍，江淮悉平。累授武安軍承宣使，高宗親書「精忠岳飛」四字，製旗以賜之。

後歷授少保，河南北招討使，討平羣寇，屢破金兵，大敗金兀朮於偃城，進兵朱仙鎮，欲指日渡河，河北義士聞風響應。秦檜力主和議，欲盡棄河北之地與金，一日之內，降十二金牌召岳飛還軍。岳飛痛哭道：「非臣不能，實乃奸相誤陛下矣；可惜十年之功，廢於一旦。」揮淚下令班師。河南之民痛哭攔阻，岳飛拿出高宗金牌命以示，旋還河南之民於襄漢以居。

岳飛班師，河南之地復爲金人所有，高宗授樞密副使。韓世忠、劉光世、岳飛、張俊等四帥皆罷兵權。秦檜主和故作此以討好金人者。因岳飛極力主戰，且立志「直搗黃龍迎還二聖」，故不爲高宗所喜，因使秦檜除之。秦檜多方羅織其罪，强逼岳飛部將王貴，張憲爲證，使爪牙萬俟卨劾岳飛，言山陽不可守，援淮西之役逗留不進，以及岳雲與張憲書說是岳飛使部下要求朝廷恢復岳飛兵權等僞證。繫獄兩月，證據不成，至紹興十一年十二月二十九日，秦檜使獄吏絞殺岳飛於獄，岳雲張憲斬首棄市，家屬充軍嶺南。享年只三十九歲，死得可惜，朝野怨甚，高宗下詔賜岳飛死者，旋下詔不許任何人反案。至孝宗時，金人又侵南宋，乃下詔復岳飛原官，謚「武穆」。嘉定中，追封鄂王。下列武穆之生卒如左：

宋徽宗崇寧二年二月十五日巳時生。

宋高宗紹興十一年十二月二十九日？時卒。

「元理賦云：「不從不化，淹留仕路之人，得從此化。顯達名場之客」。謹按武穆之造，日幹之甲與時幹之己，陰陽聯合，同化爲土，此爲得化，非不化也。日枝之子藏癸，時枝之巳藏戊，暗中聯合，又復化火，爲甲己化土之生氣，雖誕生春分節後，黃帝並未司權，即此日時旺氣，格局遠勝尋常，況日元甲子，乃是進神，生屆仲春，又值月德。「巫咸經云：「進神執權，良有以也。

不僅此也，益以命官庚申，又格成四柱互貴，因年枝之未，爲甲庚之貴，月時卯巳，爲癸年之貴，日枝之子，爲乙己之貴。前引後從，左右逢源，（此名進神化格，又名四柱富貴格）即不言文昌會双，亦當運用一心，決勝千里。宋史列傳論云：「西漢而下，若韓、彭、絳、灌之爲將，代不乏人，求其文武全器，仁、智、並施，如宋岳飛者，一代豈多見哉！」觀岳飛尚未彌月，黃水暴至，母抱坐甕中，任其飄泊，竟乃得免。具見歲值癸未，幹能化火，枝值貴人，爲甲己化土格之值根也。自十九歲癸運，從周同學射，二十歲從軍爲小隊長，至三十八歲子運，授開府儀同三司，復加少保兼河南府路招討使。疏請建儲，捷於朱仙，克於偃城，大破宗弼，幾俘兀朮，軍聲大振，中外嚮應。及召岳飛班師，一日奉十二金牌，此固因岳飛文武全器，仁智並施，亦癸丑壬子四運神益化土有以致之也。三十九歲，忽行辛運，乙卯值辛，與生月幹辛克酉，枝衝擊，陽刃固非吉兆，互相攻擊，再逢辛丑月，癸巳日，巳化三合爲金，盜洩甲己化土之元氣，故不免爲秦檜所害。然純忠偉烈，碧血丹心，照耀千古，彼奸相以「莫須有」三字謀殺人者，適以遺臭萬年耳！（完）

搜異錄

神、鬼、精、魅，雖屬妄誕不經，但不獨中國有鬼神之存在，世界各國在在都有流傳；如但丁的『神曲』、莎士比亞的『仲夏夜之夢』，中國的『搜神記』、『封神榜』、『聊齋誌異』、『西遊記』，皆爲世界名著。都把神、鬼描寫的活神活現。今天廿世紀七十年代，科學已進入太空時代，人類已登陸了月球。然而神鬼之說仍然迷蒙在人們的腦海之中，但不因人類登陸月球而消失。反之，人類進入工業社會，生活緊張。往往在緊張忙碌之後，想求得精神一點抒暢，因此鬼神魑魅，仍不失爲安眠藥劑。爲此之故，談一些不經之說，使讀者暫時忘却緊張的心情。其實信不信仍由君自由。筆者姑妄談之。讀者能爲一粲乎？

鬼兵過境

周遊

我就「阿彌陀佛」！話說民國三十四年多，勝利復原之際，國軍裁員整編之時，在滇西保山就曾發生過鬼兵過境的事。因爲所見者不止一人，而且鄉民衆目睽睽。你能否定不信嗎？

十二月初，某日中午，保山西部鄉民正在田間耕耘，突見國軍部除滿山遍野而來。鄉民以爲遠征軍歸國。一位年長的說：「大軍還國何不乘車經公路而行，爲何沿山野漫遍而來？」另一人說：「數萬大軍集於田野，又無炊宿之地，入夜必然打擾居民。」又一人接着說：「怒江西岸大軍已撤，現部除屯駐，何來之有？」不一會，大軍已入村莊，農民恐軍除打擾，紛紛趕回家去，及到家裏，却不見一人一馬，於是大奇之。一會兒又有看見軍除集於田野，其中有無頭的兵，有負傷的，有足無手的兵。至是村民方悟是「鬼兵」過境，於是紛紛相告，閉門不出。

昌寧縣農民亦同樣看見大軍過境，鄉民紛紛供以茶水於道旁，見軍士傾罐而飲，過了半天，以爲茶桶已罄，揭桶蓋一看，赫然滿桶未動。一位老農心知有異，問軍士從何而來？凡數十人，均不答話。老農更驚恐不已，於是紛傳鬼兵，家戶以香火祭拜於道旁，方見軍士作擧手致謝之狀。日將暮，見軍除集合於田間，如講話除形，村人遠遠窺之，未幾見軍士席地而坐，狀甚疲憊。

鄉公所未接電話通知，突有大軍過境，火急備糧秣，延至晚間却不見一兵一馬。忽有鄉丁來報：人傳大軍入鄉，衆達數萬，實有其事。旋又報告：說軍隊自田講話後，忽又不知去向了。鄉長不信，親自去看，亦不見蹤影，但詢問鄉民，則人人親見異口同聲。吁，此亦今之鬼兵歟！（完）

成語選粹（12）

李國良輯

逢人說項

唐項斯受知於楊敬之，敬人贈詩有：「平生不解藏人善，到處逢人說項斯」。今因謂爲人揄揚曰「逢人說項」或曰「說項」。「說項」亦引申用爲援頰之義。

生活漫談
鼻子及其他

馬騰雲

有很多太太小姐們，爲了鼻子的漂亮去整容開刀，裝人造的物質進去，美化自己的鼻子。著者認爲除了要靠漂亮吃飯外，大可不必冒這樣的危險。

首先我們對呼吸道，應有徹底的瞭解，我們的鼻腔是呼吸道的一部份，從表面看祗有兩個鼻孔，可是他們的內部構造確非常複雜，鼻腔內的中間，分爲左右兩側，伸出在有兩側鼻腔內。像三層蝸牛狀的鼻甲，佔據鼻腔內大半的空間，鼻鼻內的表面，覆蓋着一層粘膜，這種粘膜，像是我們口唇和舌頭表皮一層很薄的皮，粘膜之下，有許多血管，因之鼻子受了創傷很容易出血，粘膜中有細胞能分泌稀薄的粘液，使我們鼻腔內經常是滋潤的。

平時鼻腔如果受了外間的刺激，比如嗅到辣椒，胡椒，粉末之類刺激，鼻腔粘膜就會產生更多的粘膜液流出來，粘膜的細胞上都具有很細的纖毛，這些用肉眼看不見的纖毛，整天都不停的活動着，在粘膜細胞間和血管的週圍，都有很豐富的神經纖維，也叫作感受器，它們非常敏感，外來的刺激，像冷空氣就刺激它們，通過神經反射作用，使粘液下血管擴大，鼻腔內就產生阻塞現象，如果用紙或毛插入鼻孔，就會通過神經感受器的刺激，引起噴嚏，鼻腔是呼吸道的門戶，這些神經感受器起了很大的保護作用。

這些鼻內複雜的機構，到底有甚麽功用呢？人的生命需要不斷的呼吸空氣中的氧氣，氧氣進入身體後，產生二氧化碳氣，呼吸的作用，就是將空氣中的氧氣吸入，同時將血液中的二氧化碳氣排出體外，這種氣體交換所，是在肺臟內進行的，空氣由體外達到肺臟，要通過一系列的器官，這些器管的總名稱叫作呼吸道，呼吸道既有這樣的重要，關係人的生和死，而組織又是那麽複雜，怎麽可以爲美容而隨便割開修理摻假的東西進去呢？

同時要知道，鼻腔和淚的淚管是嚴密連接在一起，當我們哭泣的時候，一部份的眼淚會順着淚管流入鼻腔中，淚流的太多，鼻子會阻塞，往往使呼吸用嘴巴代替，鼻腔又與複雜的咽部有關，咽部與兩側中耳部各有一條管子相連接，鼻腔開刀會影响咽部，咽部有問題就可能蔓延到中耳，喉頭生在咽部的下方，有很多男人頸部的上前方，那突出的就是喉頭，喉頭下面連接着氣管，頭的功用，一、空氣到肺部必需經過喉頭這一站，二、喉頭內有聲帶，它是發音的器官，喉頭有非常敏感的感受器，保護着下邊的氣管和肺部，如果咽部的食物接觸了喉頭，就會引起自衛作用，將喉頭立即關閉，使那些不需要的東西擋住，不准進入肺部，凡此都與鼻腔有錯綜複雜連鎖關係，爲了美容而隨便動刀，淚管、中耳、咽部、喉頭、食道，羣情憤慨，使這些部門秩序大爲混亂，造成惡果的，報紙不斷有記載。

自由報

中華民國內政部登記證內版臺誌字第○三一號
中國郵政台字第一二八二號執照登記爲第一類新聞紙

第七二〇一期

（半年爲週刊每星期三、六出版）
每份售價港幣角，台灣新台幣元
社長李鵬運‧督印兼發行
社址：香港九龍彌敦道593—601號
廖創興銀行大廈八樓五座
LIU CHONG HING BUILDING
7th FLOOR FLAT 5
593—601 NATHAN ROAD,
KOWLOON, H.K.
TEL: K303831
電報掛號：7191
承印：景星印刷公司
地址：九龍嘉咸街廿九號地下
台灣總社：台北市青田街五巷三號
電話：二五〇七三三
台灣區直接訂戶 台郵劃撥第五〇六號張英有戶（自由報台灣分社）
台北營業處：台北市衡陽路三十號
電話：二七二〇〇
台灣分社：台北市西寧南路110號二樓
電話：三三〇三四六，台郵劃撥戶九二五二號

爲歷史求証

——有關郭松齡事件的辨正——（中）

張振鷺

（三）梁文謂：民國十五年二月甲寅週刊第四十二期有梁敬錞氏所著雙括行詩序一文略載其事，梁序有句云「郭師過錦州白旗堡，去瀋陽僅二站，爲日兵所扼不得進，遂以間道趨小蘇家屯，忽爲黑龍江軍所敗。郭既被執，公亦罹亂軍中，其僕王明殉焉。」

按：林先生應邀赴郭軍中，同行三人，即林宗孟，李青魯及鄧某（忘其名）郭公派親信大員負責招待，與林等同住一輛火車包房中，知之最詳，並無僕從，那來的王明殉焉。此應辨正者又一端也。

梁先生於「林傳」引註，述及舊作「追念林長民先生」（載甲寅週刊第一卷第四十四期）有關出關收骨情形云：

「予感先生知遇，慨其才而又哀其死，乃同其胞弟天民（字希實）於民國十五年一月某日，乘京津火車，搭日輪赴大連，「擬由白旗堡至小蘇家屯，在張作霖軍隊還戈之下，覓其遺骸」。「乃行蹤南及大連，即爲日警窺破，松岡洋右時任南滿鐵路副總裁，以名刺約予等相見曰：君等來意，吾已備知，林先生爲日本敬重之人，已由白旗堡日領館收得骨殖，君等可逕堡取骨，予與希實知無可隱，乃乘板車夜馳，侵曉抵白旗堡日領館，取骨壘一長甕，歸返不及啓視，即匆匆歸。返大連後，開甕啓視，則顱，肋骨，足骨，胸骨，趾骨均在，而肉全銷，蓋由鄉民用火焚化之故。甕中有兩顱，希實驗其假齒，始得之，蓋其一或即其僕王明之顱也」。因在大連本願寺僱棺改殮，取京寓中所攜之舊衣冠，整其骸而衣之，即附日輪返福州，希實扶柩行，予仍返北京。」

讀罷梁先生這段敘述，疑竇甚多，茲爲詳細剖晰如下。

（一）按林搭日輪赴大連，擬在張軍還弋之下，覓其遺骸。倘屬近情近理之收骨途徑，乃不此之圖，竟言「行蹤南及大連，即爲日警窺破」。試問梁林二人，在搭輪赴連途中，是否明張旗鼓，揚言出關爲林收骨；觀其擬在張軍還弋之下，覓其遺骸之句，似彼等行動亦甚隱密者，日警何由窺破？此可疑者一也。

至謂南滿鐵道副總裁松岡洋右，以名刺約見曰：君等來意吾已備知，林先生爲日本敬重之人，已由白旗堡日領館收得骨殖，君等可微服過堡取骨云云。

試問林宗孟先生出京，「既屬秘密」（詳前文），到錦州晤郭公，亦未向外宣傳，日本人從不知林在郭之軍中。十二月廿四日凌晨一時許，林先生隨郭公坐馬車退走，更極隱密，非但外人不知，即不佞與齊世英（鐵生）兄亦不知，日本人何能得知，松岡洋右遠在大連，更何能得知林死於亂軍中，有白旗堡領館爲代收骨殖呢？此可疑之點二也。

再拿事實來說，當郭公偕林宗孟等一行人于十二月廿四日凌晨退走之同日早八時許，郭軍中重要大員某君恐被俘受辱，即避入新民日本領事館，因館外軍警巡邏甚嚴，羈留至八越月之久，彼時該館職員豐田忠千代，（五十五年曾任日本駐華大使代辦）說一口流利中國話，避難之某君，亦精通日語文。凡有關郭軍失敗前後人物動態，無不舉以相告，倘由該館收得林氏遺骸，豐田忠千代焉能不告知某君乎，及今詢之仍堅稱未聞有收骨之談。此就事實證明日本領事館代收林骨之說爲可疑者三也。

「假定」就算是梁敬錞、林天民二人由日本領事館，取骨壘一長甕，携返大連後，開甕啓視，甕中有兩個腦瓜骨，希實驗其假齒始得之，蓋其一或即其僕王明之顱也。「前文已證明並無王明其人」，這就奇了，試問死一個林宗孟，日本領事館收得兩具頭骨，如果那骨甕中，有三或四五個顱骨，日本也全爲收拾於一甕中，以待認領嗎？此則令人懷疑者四也。

再查民國十五年，南滿鐵路株式會社僅有社長副社長之職位，並無總裁副總裁之設置，呼松岡洋右爲副總裁，顯與當時事實不符。此可資辯證者又一端也。

「林宗孟與郭松齡」一文之剖辯。

在未剖晰此文前，先提出梁敬錞著「林傳」引註，述及其舊作「雙括行詩序」（載甲寅週刊第四十二期）及「追念林長民先生」（載甲寅週刊第一卷第四十四期）有關出關收骨情形云云……與林希實日記對比，加以研究而推敲之。

按：梁爲「詩序」「追念」兩文，是在民國十五年，其收骨之行亦在十五年一月間，以梁先生之精力充强，文筆矯健，竟能把當年親身經歷的事物，信筆寫成好多錯誤，殊難令人置信？就算是梁先生事冗健忘，把當年躬歷，當年寫錯。彼時國內交通便利，何以林宗孟先生平津友好，及福州戚族，無一人發現其錯謬之處，予以糾正，必待四十四年後之今日，交通梗阻林傳文字竟能流入福州，而又發現林希實日記傳到香港，加以改正。不佞不敢確信，祇有存疑而已。

茲再將「林宗孟與郭松齡」之原文摘錄幾段詳加剖解。以質高明。

梁文謂：「予既偕其胞弟希實先生，於民國十五年一月間，潛赴大連收骨歸葬，又作「雙括行」長歌，及中英文「林長民傳」，以誌其事。長歌收入「石遺室詩話」；英文傳入美國Boorman主持之「民國名人傳」，中文傳載入劉紹唐先生「傳記文學」（七卷二期），一場賓主之誼，差有交代。但林傳文字，流入福州後，林戚某君，根據希實先生日記，相與對勘，指出予文疑誤數則，介港上知交，寓書紐約，乞予訂正。予按關於宗孟先生關後之記述，寒家本亦稍有庋藏，惜因陷在大陸，無由徵證。今希實先生之日記出現，林家戚好，又不惜鉤稽之力，持與予文合參互校，歡幸何如。就希實日記校勘，予文疑誤之處有如下數點：例如大連與松岡洋右之談話，在到連之翌晨，而非到連之當日。

（未完）

昨日與明日

爲師大呼籲

成公

教育部留學政策，給台灣師範大學帶來了嚴重的危機，這種指責已數見報端論列，和議會指責，但在這一辦法一天未改善前，我們爲了教育前途計，一天還要大聲疾呼，加以匡正。

國家養士育才本來是爲了給本國自己服務，而不是爲了留學，以此來論，教育部需求師大畢業生，延長服務年限，本來無可非議。但在今天留學風氣甚囂塵上之時，那個有才氣的青年願意簽訂契約，自動放棄到國外留學深造的可能——事實上，也許終身不出國。——因爲服務六年後，在學科學的同學，勢必落伍荒疏，而難再出國深造了。何況爲學必須年少，三十而後女的已婚，男的也有家室，世務之累，因此流弊所及勢將有才氣，有理想的青年不敢報考師大，而來師大的將是許多，無大志，無理想只要有個學校念就好了的學生，換句話說，就是招進來水準較低的學生了，只此一端便將把師大的前途斷送而無遺。

今天台灣的高等教育相當發達，大專院校林立，但由於歷史的背景，能有一套完整的專任教授陣容的，可說只有台大和師大兩校而已；尤其師大的教育，國文，藝術，音樂各系陣容之堅强是有口皆碑的事實，現在把這一套完整堅强的陣容，不發揮運用，反拿些水準低的學生來充數，豈不是自壞長城，可惜之至。

孔子門弟三千，而爲賢者，不過七十，可見以孔子之望，對於資質較差的學生，也無法使之成材；何況師大的教授。此在其他學校尙無關係，學生不成材，將在社會上，自生自滅自遭淘汰而已。但師大的學生卻是一律要派充作中學教師的。其優劣將直接影響中學的教育，何況又是在這提倡九年國民教育制的時候，此中利弊得失，無需多述了。

因此教育當局務必把這一不當措失趕快糾正，千萬不可影響明年大學聯考的報名。據聞師大校長孫君與教育部關係甚深，部長是其同鄉親戚，政務次長是其令弟，他們對孫校長無不支持之理，但希望支持的不是孫校長的「寶座」，而是要支持孫校長所主持的師大事業，才好。

自由談

新舊官僚份子之別

馮五先生

「官僚」這一詞彙的涵義，在一般人士的觀感中，不啻是腐化貪汚的代名詞；實則未必盡然，舊有的官僚份子，無論公私生活行爲，皆比現代的新官僚優良多了。

先說公生活：舊官僚都唸過相當的書，縱然不精通文學，起碼亦能夠提筆撰寫公文函件，說明事由；有些老吏的文字，且表現着精闢練達的性能，令人無懈可擊。至於處理公務，有時固不免推拖延宕之弊，却能審知輕重緩急所在，相機肆應，表面上決不致示人以不負責任的腐敗作風。舊官僚當然藉着機會權力而存心扒錢，但他們多具有「君子懷刑」的意念，對於某種不法不義的銀錢，知所戒愼，不敢肆無忌憚的隨便貪取。例如司法官審理民刑案件而公然索取或收受當事人的鉅額賄金，如行政人員藉着職權而要索紅包，上下朋分，構成集體貪汚風氣等情事，舊官僚份子決不幹的。

若夫現代的一般新官僚人物，他們根本就少讀詩書，既不明事理，亦不識大體，更沒有「君子懷刑」的觀念，滿腦子充塞着物慾思想，見錢眼開，胆大妄爲，任何非份違法的金錢皆悍然貪圖，不計後果。說到處理公務，他們不顧職責與紀綱，不是顢頇胡來，便是曠廢積壓，而唯殫精竭慮於扒錢之道。

次說私生活：舊官僚固然未見得盡係規行矩步，潔身自愛之流，但他們對於官常官箴尙能相當注意。如公然接受別人有所企圖的酒色款待，隨便出入色情娛樂場所，乃至於爲着升官發財而不擇手段，無所不爲，雖穢迹彰聞，醜聲四播亦滿不在乎的情形，殊不多見。他們覺得人言可畏，妨害前程，因而對於太不像話的勾當，加以自律。新官僚呢，動則倡說個人私生活與公務無關的理論，任何卑汚苟賤的行爲都幹得出來，且視爲尋常之事，笑罵由人，好官自爲，私生活的腐爛程度儘管駭人聽聞，他亦恬然不以爲意，我行我素，上級長官也見怪不怪，漠然置之。

所以，同樣的官僚份子，新舊迥然有別，舊官僚却比新官僚略勝一籌，最大原因就是文化精神空虛墮落，汩沒了禮義廉恥之心。蔣總統在卅年前，即以「明禮義，知恥廉，負責任，守紀律」亟訓文武百官，又提倡「新生活運動」以期醫救末俗，然結果大失所望，今日乃不得不以「復興中國文化」相號召，探本追根，深中肯綮。要想博得復興文化的實效，我認爲須從整飭一般公教人員的公私生活着手，繼之以張居正所謂「貴先卑遠」，而後視近；躬先親近而後卑遠」的方法，循名覈實，虛僞不啟，示以楷模，樹之風聲，庶幾上行下效，可望振奮人心，滌盪澆俗，而官僚主義即將如雪球遇到太陽，自然非融化消喪不可了。

輿論精華

美國力圖與中共妥協

美國國務卿羅傑斯，廿三日在記者招待會中再三闡明美國對中共的態度，（羅傑斯談話請讀者參閱華僑日報第一版第一段新聞），充份顯示美國是力圖與中共妥協的。

美國與中共妥協眞正目的何在？可以從兩方面去看：

第一、從好的一方面看，美國認爲中共的轉變不僅可以穩定亞洲，抑且可以和緩世界緊張局勢。但怎樣促成中共轉變？自杜爾斯推行實力主義外交政策以來，都認爲與中共建立關係，引導中共參加國際事務，使到中共分担世界責任，漸漸演變下去，中共便可以改變政策，成爲世界國家之一員了。羅傑斯國務卿在這一方面的努力，與杜爾斯當的年辦法是大同小異的。但中共不是小孩子，中共懂得如何應付世界形勢之演變，中共也懂得研究美國行動之意圖。如果這是美國的好意，中共一定不會接納的。

第二、從壞的一方面看，美國企圖鬆懈中共內部團結，加深內部矛盾，從而減輕中共備戰工作。實行所謂「和平攻勢」，以拖垮中共，但中共不是小孩子，中共無時無刻不提防美國之「和平攻勢」的。是故即使從壞的一方面打算，羅傑斯的政策最後也會落空。

美國如何與中共妥協？就羅傑斯談話觀之，主要是恢復華沙大使級談判。我們對華沙談判一向不重視。事實證明，過去華沙談判絲毫沒有成就，主要原因是美國不能接納中共要求。中共要求什麼？世人知道的，是美國必須完全退出台灣，美國不能干涉亞洲事務。其他的要求可不必顧及，單純這兩點，美國事實上是不能接納的。中共的要求過去如此，今天或將來亦復如此。美國不能接納是一事，但中共絕對不會因爲美國不能接納而改變的。因爲中共上述兩點要求，幾乎是根本問題，根本問題不解決，其他問題當然無從談起。

羅傑斯國務卿對恢復與大陸貿易或互相旅遊可能存有幻想，但我們可以告訴羅傑斯國務卿，如果稍存幻想都是錯誤的。我們已連日著論指出，中共要全盤解決問題，不是一點一滴解決問題。恢復大陸貿易或互相旅遊，在美國人看來，或許是一件大事情或新鮮事情，但在中共看來是沒有多大意義的，或者可以說是毫不在乎的。中共連日尙無反應，足以證明我們之觀察並無錯誤。

總而言之，美國力圖與中共妥協是錯誤的，也是單方面的想法而已，妥協並不能解決問題，單方面的想法更不能解決問題。羅傑斯國務卿聲明，徒然增加自由國家人士之困惑而已，看不出有若何新意義與積極作用也。

（摘自華僑日報）

利用公欵炒地皮圖利
政府不准房地產貸欵
經手三分肥銀行職員難例外
生活多靡爛燕瘦環肥屋藏嬌

（本報記者錢覽台北消息）近年炒地皮那樣火爆，主要原因還是錢鬼子們在背後作怪，私人怎會有那麼大的力量。有些窮光蛋無中生有作起炒地皮的生意來，手無分文，只要和銀行搭上關係，地點看得中意了，他們可以替你調錢買下來。立即抵押給銀行，貸欵還賬接著建築高樓大廈分期付欵登廣告出售。這種利益如歸公家已經不該如此興風作浪，助長物價影響平民生活，何況借職務上便利套用公欵，賺得錢來中飽私囊！這些敗類營私舞弊罪禍多端，類此種種，實在不願多說了。

政府大概以爲炒地皮影響了物價，下令停止房地產貸欵，其實那些發了財的人已經心滿意足，竊笑政府寬大給予一次莫大方便。只是苦了眞正需要分期付欵買房子住的低級軍公教人員。然而有神通廣大的人依然可以貸欵大作其房地產生意，他們的辦法是，你若只能在房地產上動腦筋，當然先向銀行試探問路子。條件合適銀行的朋友會爲你設法說服財團代表人，依公告地價作抵押，把財團定期存欵提出來轉一道手貸給你。契約照銀行利息向地政事務處所辦理所定登記，辦妥之後提出一成作酬勞。例如貸欵一千萬元就拿出一百萬，財團代表拿回五十或六十萬（看事先如何商定），銀行經手人拿三十萬，其餘十幾二十萬讓穿針引線的人們瓜分。貸欵到期還不出，財團拍賣抵押品，不怕拿不回本錢，絕無絲毫風險。

（四）銀行職員生活靡爛大觀

一箇銀行分支行經理口銜雪茄搖頭擺尾，出入汽車，白天喫館子，入晚上酒家左擁右抱，舞廳裏蓬拆燕瘦環肥任意貼面抱腰，甚而有小公館金屋藏嬌。太太打牌作生日和男朋友跳舞，子女即不是太保太妹，最起碼也得喫飯穿幾套迷你裝，還要繳納學雜費，一樣不能省，試問只靠銀行裏薪金，能夠那一項開支？

某某董事長原不過一位有名無實的教育工作人員，他認淸現實享受第一，於是絕意政壇，躍登董事長寶座，先買最豪華汽車。公館住的舊房子看不順眼，下令拆除，地皮不算錢，動用公欵一百餘萬元重建現代化住宅，還養着小老婆。如果現代的人生是以享受爲目的，他就是最聰明的人了。 國父說：「人生以服務爲目的。」這項遺教倘若還適用他就是 國父的叛徒，只有鳴鼓而攻之。他的屬下總經理看董事長如此揮霍，着自己造報銷，一高興把自己新公館僱工用炸藥轟掉，費公欵二百餘萬翻蓋更精緻的洋樓。他們師徒這種作法，是神經有問題？還是發高燒生了狂犬病？

另一位董事長，也不高興政治生涯，喫定一家銀行，榮華富貴生活厭膩，手拿着洋酒跑酒家。回到鄉下享受田園生活，不知有意誇耀闊綽，還是爲的鄉間沒有現代設備，特意隨帶專人揑脚打扇子。紅樓夢裏的賈母叫鴛鴦打扇子，是賈母年老揮不動，那時節也沒有冷氣和電扇，試看一位龍鍾白髮老太太躺在床上，旁邊使個華年玉貌的丫環輕搖團扇，眞像一幅秀色入畫圖，不知這位董事長狂想些甚麼？未免太過份了。銀行裏高級的職員如此腐化，全部精神用於享受，還能有心管理業務，莫非欺人之談。部下愈能配合需要就愈有前途。否則你就是沽名釣譽，這裏不需要，我們不能因爲你不肯想辦法，而甘願受苦。這些安分守己的職員倘不被排擠出去，也永遠不會有升遷機會。只能混箇閒差，藉撩飢渴，萬一不識相，若再鼓吹正義，常發批評，除非眞有把柄在手，大概倒楣之期，不會太遠。

那些紈袴之輩，這種天昏地暗的環境，正好求之不得，也就過起罪惡生活，靡爛所及，甚麼禍事也敢闖。且把最近兩箇月報紙騰載幾箇實例寫在下面：

（1）土地銀行高雄分行女職員劉丁子受男友利用挪用經手存欵一百萬元。

（2）第一銀行延平分行被薛雲飛王淑卿夫婦串通騙去行員蔡明雄冒領二百二十八萬二千九百五十元，潛逃海外。

（3）華南銀行萬華分行收欵工友陳應將收來四十九萬元藏匿，謊報遺失又嬌裝女人腔調打電話說丈夫拾來巨欵化用一部分送回三十四萬元。

（4）彰化銀行建成分行被營造商陳文慶與辦事員陳茂雄勾結設法冒領八百七十五萬六千元。

（5）彰化銀行永樂分行行員楊進和利用甲種存戶王淸賜空白支票以十箇月時間冒領二百餘萬元在親友間大放高利貸。

（五）徒法不足以自行

物必先腐而後虫生，銀行裏的人事腐化非一日之寒，早在客歲九月間本報通訊，綜合各方意見，呼籲當局注意，若要自由中國財政經濟政策走上軌道，首應徹底整頓銀行，根本解決之道，必須調整人事，尤其首腦部。唯恐治絲易亂，所以提出一箇簡單可行的辦法，建議政府將銀行高級職員和其他公營事業機構高級職員對調服務。這箇辦法一經提出，有許多人都認爲可行，因爲他們的侵蝕行爲，不能獨負其責，上級主管監督機關未能善盡應負之責也是事實，從寬發落採取緩進政策，保持了大家顏面，也不會造成紊亂，彼此對業務並不默生，雙方業務上交往頻繁，業務相互瞭解自然深切，彼此雖非本行，因業務相近與平素體認，撥位之後不會無所措手足，妨碍業務進行。同時收到革新人事的實效，一舉數得，何不深思熟慮，躊躇一試！公營事業機構的人事腐化也是積重難返，頻臨再不整頓，即將崩潰的嚴重階段，容另文分析報道。

年終歲尾報載行政院財經金融會報通過「促進銀行現代化方案」。將修訂銀行法及有關法規，統一金融機構管理等。工商界及關心財經政策人士，担心法規修訂曠日持久，緩不能解決問題，當務之急，應先從改革人事着手。任何事業，用人不當，即無法期其成功。法規修訂任憑如何完善，沒有適當人才去執行，良法美德不可能福國利民，古人說：「徒法不足以自行」。「成敗在人，古今一理。」拿現在他們這一幫，只修訂法規不可能變換氣質，改邪歸正。

預算編審未盡責
歲計剩餘空歡喜
年年膨脹眞可怕

（本報台北記者張健生航訊）行政院主計處副主計長謝人偉說：「最近四年來中央政府歲出預算較前增加了百分之七十八，數字很大，實在值得加以注意。」但他又說：「如果將我國歲出預算與亞洲鄰近各國相比較，還是低了許多。」謝氏在答復師連舫委員質詢時所作的說明。

師連舫委員在「檢討近十幾年來我國財政」時質詢：「在財政政策中，我們必須首先檢討預算政策。近年我國預算已有歲計剩餘，例如截至五十七年止的最近五年間，歲計剩餘共達三十八億六千五百萬元，這是非常可喜的現象！但這祇是表面的看法，實質上在這五年中，共發行公債達九十九億元之鉅！即令除去這五年中公債還本付息的五十二億二千二百萬元，實際上公債收入仍達四十六億七千八百萬元；較這五年中的歲計剩餘，仍多八億一千三百萬元。一方面說有歲計剩餘，一方面却舉了比剩餘更多的債，這種歲計剩餘當然是假的！我們不能因有假的剩餘而沾沾自喜，說我們的預算已經平衡，沒有問題了。」

在「事實上，連年預算歲出的膨脹是十分可怕的。自四十二年度至五十九年度的十八年間，中央政府歲出平均每年增加百分之十六點五。即以五十三年起的近五年而論，五十四年度政府總預算的歲出，較五十三年度增加了百分之二十強，五十五年度較五十四年度較好，增加了百分之一弱，五十六年度較五十年度竟增加百分之三十二強，五五十七年度較五十六年度增加百分之四弱；四年間，歲出預算膨脹達百分之七十八之多，平均每年增加百分之十九點五，較十八年平均數更高，這不能不說是驚人的！」師委員認爲「預算政策不成功，而是經濟政策的效果。因此，對於預算政策不能不早作打算，在不利情況未發生以前預爲安排，以避免將來可能發生的危害，所以緊縮預算開支，實爲當務之急。」

至「一國的建設，必須以國內資金爲主，最近十幾年來在台灣的經建投資，實際上美援、外資、僑資仍居輔助地位，主要的還是靠國內累積的資金。在公共設施投資及重工業方面，政府投資最爲重要；但政府因一般政務開支增加，乃使此類投資力量大減，過去如此，今後必然更形嚴重！因此我們在預算政策上，必須儘量減少一般行政開支，增加建設投資。」師委員曾担任產業黨部書記長職務，他深感「近年政府支出增加太快。」並認爲必須「排除『如能籌得財源，支出不妨從寬』的觀念。財源充裕，應多作投資使用，不應任令一般政費把它消費掉。連年我們審查預算，發現在預算編成上，收入常失之過緊，這是主管機關避免不能達成預算責任，又可藉以獲得超收的功績，無足深怪。在支出方面，則常失之過寬，不該支出或應予減少者，亦每准編列，充分表示主管方面有虧職守——編制預算的行政院主計處及財政部，爲各機關要求龐大而苦惱，爲削減預算而成爲衆矢之的！」

喬治桑外傳　一〇九

張大蕙

「媽媽在台南有一個朋友，已經快四十歲了，生了好幾個孩子。她託我買最新的避孕藥。我已經交給她了。我看，還是男人佔便宜，女人生孩子實在是件苦事。」雅麗絲是一個女孩子，談來談去就要談到女兒經。但無意的一句話却使喬治桑聽了有如釋重負之感。自從他無意中發現雅麗絲房中有「騷奴兒」以後，內心很不安，又不便問，現在總算打開疑團了。

「雅麗絲，我想喝一點酒，請妳倒一杯白蘭地給我。」雅麗絲知道喬治桑的洋脾氣，一遇到高興的事，就想喝一點酒。

雅麗絲很快就將一杯白蘭地遞給喬治桑手裏。

「我現在才瞭解麻將的妙處。」雅麗絲忽然將話題轉到麻將上面。

「妳也會打麻將？」喬治桑知道雅麗絲不會打牌，故有此一問。

「我是不會打牌的。媽媽年紀大了，我又要在外邊做事賺錢，不能常常在她身旁，她每天打牌才不會寂寞。所以，我說麻將實在是年老人最好的消遣。」

喬治桑點了點頭，表示同意。

「媽媽告訴我，她每月平均要贏一兩千，不無小補。媽媽眞能幹，樣樣都行，牌也打得好。」雅麗絲一提起她媽媽，眉飛色舞，足見母女感情的深厚。

「妳的媽媽有妳這樣一個好女兒，眞是福氣！我眞羨慕她。」喬治桑有傷感的表情。

「你是聞人，有事業，有錢，你還要不知足，上帝都不諒解你。」雅麗絲捧喬治桑，說的倒是實話。

「妳不知道，是聞人又怎樣？有事業，有錢又怎樣？不瞞妳說，我活了大半輩子，連一男半女都沒有。」喬治桑的話倒有點像蘇三起解的崇公道。

「你不是已經認我爲義女了嗎？」雅麗絲聽了喬治桑的話，對他很同情，想安慰他。

「我是拿妳當親生女兒看待的。到底不是親生骨肉，妳恐怕不會拿我當父親吧？」喬治桑喝了一口白蘭地，微笑着問雅麗絲。

「你拿我當親生女兒，我當然拿你當父親。」雅麗絲咀裏雖然這樣說，心裏不得不承認喬治桑的話是很對的。不過，喬治桑心裏在想：雅麗絲是親骨肉嘛，但她不會當我是親生父親。人事變幻眞難以預料。

「哎呀，我眞該死，美國的匯票到了，我去拿給你。」雅麗絲忽然想起美國匯票，跑到寫字枱旁從抽屜裏取出交給喬治桑。（未完）

台北傳奇錄（十六）

·陳光棣·

有奶便是娘吧，總而言之，她欠了一筆閻王賬，平常日子家裏吃飯都成問題，還談的到還賬嗎？不還？沒有那麼便宜！在這種情形之下，一個女孩子，……何況還有一大家子的生活」。

「這個情形我今天才曉得」。

「我的話還沒有完，劉二爺接着說：「我想無條件的幫她，反正再有三年，她的大弟弟就大學畢業了。」

「你的爲人我知道」。

「哈！奇怪，她反而有條件才肯接受，這樣一來，不明內情的人，一定說我是趁火打刧。」

劉二爺說：「我從沒有體驗過進退兩難的滋味」。

「我瞭解你的心情」。我補充着說：「也許對方亟需有個依靠，才有安全感，她的處境是可以想像的」。

「這件事，唉！別人的觀感先不去管它，你想想看，兩個人的年紀差了兩三倍，眞是兩無益處。」劉二爺感慨的說。

「這也是緣份」，我想不出適當的辭句來。

「緣份？親戚朋友們背地裏怎麼說，我可知道。」

劉二爺苦笑說：「最好是難得糊塗」。

「那些莫明其妙的人，你何必理會」？

「這往後的日子，眞不知道是個什麼情形，人和人在一起，光是有錢可解決了不精神上的問題」。

「你不必顧慮的太多」。

初夏的夜晚，依稀有些涼意。我回到家裏，和太太談起劉二爺這椿婚姻來，也不知道因爲什麼，我忽然有一種不祥的預感，而又說不出什麼理由，太太說我是小說看的太多了，胡思亂想。

劉二爺結婚的那一天，差不多的鄰里都到齊了，我敢說：大部份是懷着好奇心來看新娘子的。

劉二爺家裏是三房一廳，平常還很寬綽，這時候三桌酒席一擺再加上五六十口子客人，可就擁擠不堪了，再加上孩子哭大人喊，更顯得雜亂。劉二爺和他的女婿步成材，在人羣裏忙來忙去，劉大姑奶奶走出走進的罵飯館子誤了時間。

新娘子一到，馬上就引起一陣騷動，這個場面也達到了高潮，站在前面的客人評頭論足，站在後面的客人欠着脚伸着脖子，仍然談的起勁的客人，則假模假式的拍着巴掌。

新娘子高高的個子，白白的皮膚，兩隻天眞的大眼睛，看起來很惹人喜歡，陪着她的是個中年婦人，大家都喊她馬寡婦。

在通常的禮婚進行中，都有講價比賽的場面，證婚人，主婚人，介紹人，來賓等特殊階級。

從秘密文件中看毛澤東

文匯樓主

文匯樓劄記

毛澤東的秘密文件，信札，講稿，及其著作，透過了香港、台北、東京等地有關人士，而落在美國外交官員的手上，經過美國國務院的整理，「時代周刊」與美國若干研究中共機構，都獲得了這些材料。

四川李宗吾寫「厚黑學」而著名，從秘密文件中看出，毛澤東可稱得上是「厚黑學」的忠實信徒。他生着一張油咀，可謂又能吃又能吹，臉皮之厚，近一世紀世界舞台上也找不到第二個人。比如他在講演時又是一口的論語孟子；當「大躍進」失敗的時候，準備一肩挑起「大躍進」所帶來的災禍責任，毛澤東引述孔子的話：「始作俑者，其無後乎？」意思指自己一個兒子死於韓戰，另一個兒子患有癲狂症，跟着毛澤東用一種接近痛苦的聲調，質諸與會人士「為了我的罪過，我應該絕後嗎？」

破壞中國教育制度的毛澤東，他指所有學校都是墳墓，把青年們都埋葬了，他說「改革醫學教育的過程中，不需要工具書和儀器等，華陀花了多少時間去學他的醫學，且舉證「盤尼西林由一位洗衣服的工人，在一間染布店裏發明出來的，美國（未稱美帝）寶報童法蘭克林發現電力，孔子二十三歲開始做事，耶穌進過甚麼學校？釋迦牟尼在十九歲時創立佛教，馬克斯在年青時創立辯證唯物論。學問較少的往往推翻學問較多的……」這種野狐禪的搞法，似是而非的論調，非臉皮特別厚的人，實在講不出口。早被整肅的高岡說「毛澤東咀裏吐不出象牙」非無由也。

不久以前毛澤東在廬山秘密會議時，他和與會者討論到蠶食東南亞國家，指如何控制和捏緊緬甸、泰國、寮國、越南的血管，不必急急忙忙佔領這些國家，毛澤東這樣表示：「不要操之過急，應當一步一步的來，俗話：「不能一口吃個胖子」」。一個人永遠不能夠希望自己一會功夫變得又肥又胖，周總理（指周恩來）和我，雖長得肥頭大耳朵，活像個猪樣，但不是一朝一夕才養成目前這個樣子的。」

毛澤東在大鳴大放前演說有：「同志們，如果你們去大便及放屁的話，你們的肚子會感到舒服和輕鬆」，誘惑若干萬千同志上了當，步入「百花齊放，百家爭鳴」陷坑，這是毛澤東一生騙術中最「成功」的一次。十年前的毛澤東是中共「同志」心目中的拒絕往來戶，十年後進展得非常快，於今已變成為七億五千萬人的拒絕往來戶，毛澤東的臉厚心黑，尖酸刻薄情形，樓主曾求證於沈之岳先生，他說：「一點也不假，毛澤東在談話中拿自己去開玩笑，而他眞正作用却是嘲笑他的同志。」

復興中華文化，完成復國建國（六）

吳文蔚

而近百年間，新興諸邦，艱苦復興之事蹟，尤足為吾人今日之借鏡，天下無不勞而倖得之收穫，亦無徒勞而不獲得之耕耘，唯貫以一致之精誠，出以持續之努力，則任何艱危，無不可以突破之理」！這段話，現在我們應該善為體會。

總統身負救國救民之志，以八十餘高齡之體魄，為國操勞，不厭其繁，倡導復興中華文化，繼手訂國民生活實施規範，復又以英人陶納建議，昭示執行政教各級幹部施行革新，其為國盡瘁之誠，實使吾人深深感動，並在國民中學聯合開學典禮中對全國國民中學的校長、師生、家長們訓示說：「大家知道，我們中華民國的教育宗旨，原是根據三民主義倫理，民主，科學的精神與內涵，以促進人民生活——强健其體力，提高其倫理道德，增進其科學智能，並以發揚民族文化與民主精神為目的……即此可知，實施九年國民教育，乃為培植現代國民，提高其精神與魄力，品德與智能，增進其明禮尚義，崇法務實，與互助合作，愛國保種的基礎，這不只為建設三民主義模範省的基本要求，且為建設三民主義新中國的根本大計」。這段話原與 國父所昭示我們的：「用固有道德和平做基礎，去統一世界，成一個大同之治的國家」的箴言，係屬一貫，本無二致，所以他在文末，又說明了我們建國的方向與南針，他說：「今天我們國家建國的步驟，就是要在政治革新，經濟動員的同時，開展現代化的——科學化的教育建設，並以現代化，科學化教育的動力，來導致中華民族文化的復興，和國家現代化的建設目標的達成」！

我們三民主義的教育極性，就是一部生的教育，書經上說：「天之大德曰生」，共產主義的哲學，是毀滅「生」而展開暴力鬥爭，共產黨徒以執行共產主義的錯誤哲學，以顛覆、造反、奪權的手法來摧毀人生，其必敗無疑，自可斷言。

閻錫山先生說：「與共產黨鬥爭，不是鬥智鬥力，是鬥民生，誰的主張合乎民生、誰勝！」我們復興固有文化，就是要實現我們的民生教育，並使之發揚光大以至全世界人類，我們的最後勝利，是一定穩操左券的。

共產黨徒是毀滅不了中國固有文化的，蔣百里先生說：「中國人決心不走共產的路，不是任何威力防止的緣故，而是由於中國人自己的家庭組織與愛國精神」！這話是對日本軍閥們說的，日本軍閥沒認清中國的文化精神而冒然發動侵略，終歸失敗。現在共產黨竟公然大言不慚的要毀滅中華文化，其結果當比日本軍閥失敗更慘！復興中華文化的基本動力，乃在實施九年義務教育的國民中學，在國民中學的教師們身上做起點。願我國民中學的教師們共同努力，辦好九年國民義務教育，以達成培植復興中華文化的種能力量，一致負起這個責任，實現建設現代化三民主義的新中國的神聖使命，完成復國建國大業，促進走上大同之治，以鞏定世界的永久和平。（完）

生活的藝術（下）

高格

藝術生活之修養與力行

藝術既為人類感情之表現，則人類如無感情，世界將變成何等機械而冷酷？世界如無藝術，人生又將何等寂寞而枯燥？藝術為感情之產物，能調劑我們之情緒，能豐富我們之生活。故愈有藝術修養之人，其心情愈平靜，愈感到人生之美麗，對生活亦愈有勇氣，從而能發揮生命之力量。人之一生，必須有甚多之磨折，一經磨折，即不免流入偏激煩悶，或轉向消極悲觀之途。但如能具有藝術修養，則心情寬泰，處之泰然，而使人增加一種無形之力量與勇氣，不至於失敗而悲觀，挫折而喪志；而能克服困難，勇往直前，向大處遠處作無休止之奮鬥。尤以我們處於當前的環境之中，更宜注重藝術之修養。

蔣總統說：「俄共毛共要滅亡我們中國，首先一着就是把我同胞夷為奴隸牛馬，拿殘忍兇暴的事物，來教育我們兒童青年，使其不知世上有人類愛，使其不知人間有羞恥事，更不知有甚麼藝術的欣賞……今日我們在反共抗俄戰爭中，為了保衛民族文化，為了策劃文化復興，必須維護仁愛的德行，培養民族審美的心情。」故我們注重藝術修養，表揚人生美感，用以戰勝俄共與毛共之殘暴。茲就培養藝術興趣與美化環境兩項，分別說明如下：

第一、是培養藝術興趣：興趣可以培養，則藝術興趣亦自然可以培養而來。藝術興趣，包括多方面：

最好的一兩種藝術方面之發表技術，用以宣洩感情者。譬如：學唱歌，學繪畫，能奏樂器，練習寫字，或能唱幾句平劇，都可以舒暢精神，宣洩情感，啓發靈性。

培養一兩種藝術欣賞能力，用以涵養感情；否則就須有一兩種欣賞藝術之能力，如欣賞唱片，欣賞大自然美景等等。欣賞乃由藝術品激起感情共鳴，即所謂感情移入者，至此境界，便能物我兩忘，怡然自得。

培養高級之藝術趣味。無論為藝術發表或藝術欣賞，都要高尚純正，避免低級下流。如萎靡之音樂，淫蕩之圖畫，猥褻之小說，黃色之電影，皆足以使人意志消沉，精神腐化，必須禁而絕之。

要有正當之娛樂，如游泳、划船、打球、運動、郊遊、舞劍、射擊，以及口琴、棋、書、畫等等，都屬於正當之娛樂，此類娛樂雖有些不屬於藝術，但與藝術有密切關係，我們熟悉幾項正當娛樂之技能，而使生活情趣，更為美滿。

第二是美化環境：何謂環境？就是生活的範圍。環境美化，可以怡情逸性，使人發生一種美感。試想一室之內，灑掃整潔，窗明几淨，空氣新鮮，不論讀書工作，必能精神充沛，興趣盎然。寢室之內，被褥整潔，衣履雜物，放置各有定所，則坐臥其中，亦可怡然自樂。居室之外，遊息之所，則栽植花草，佈置庭園，路徑保持整潔，花草修剪整齊，公餘飯後，閒步其中，更有一種情趣。其他如飯廳、廁所等地，亦須按時灑掃，按時整理，以保持整齊清潔，使人發生美感。（完）

西洋哲人簡介

釋迦摩尼（上）

劉長蘭

在耶蘇降生前五百餘年的某日，一位年輕的印度王子坐着滿鑲珠寶的車子外遊。這是人類史上的一件大事，因為這位王子此番出遊的見聞不但改變了他自己的一生，而且也改變了其後千千萬萬人的生命。

王子姓喬達摩，名叫悉達多。他父親淨飯王是印度中北部迦比羅國的國王，母親是摩耶夫人。做為一個王子，他自幼享受榮華富貴，過着無憂無慮的生活。根據當時該地的習俗，他於十六歲時便和耶輸陀公主結了婚。那時他的生命之目的就是繼承王業，為此他曾接受文事與武功的種種訓練。騎馬，鬥劍，繪畫，作詩乃至歌舞等他無不精通。但是因為他一向深居宮中，對於人世的悲慘却毫無所知。直到他婚後已經做了父親時，才突然在這次出遊中看到了生、老、病、死、種種疾苦。

在城鎮的路上以及在鄉村裏所見到的一切，強烈的震撼了他的心靈。回到家裏，他就關起門來長久的沉思。已經看到了人間的眞相後，他實在無法再回復到那種無意義的生活去了。然而他該怎樣呢？這不是一個簡單的問題。

儘管僕人在外面敲門，多番請他出來吃飯，這位王子都置諸不理，只是苦苦的思考。他所見到的人們的悲哀咬炙着他，甚至連他妻兒的懇求也不能改變他的憂心。

當他最後走出屋子時，他已下定了決心，他脫下豪華的錦衣，換上他曾見匍伏於路旁的僧人所着的素樸黃袍；解下腰劍，拿起僧人乞食的碗鉢，並宣佈放棄王位的繼承權；立志去當這遍佈人世的苦惱尋求解除之道。他毅然辭別了家人，去做一個苦行僧以完成他的志願。

這時他是廿九歲。

慧覺無比的悉達多了解他以往所受的教育將完全無助於他今後的目標。是以他乞教於許多宗教界的名師。他們的教導解答了他某些問題，但一般的說來，他仍感到不滿意。鑒於自己過去生活浪費奢侈之不當，同時期望能獲得清明的智慧，他又以贖罪的心情在恆河流域行脚，嚴格的苦修六年之久，每天只吃一點野菓，睡在土地上，受盡折磨。起初，也有些人追隨他，但是後來都漸漸散去。因為他這樣做法徒然使自己身體衰弱不堪而結果却一無所獲。

於是他從此放棄了所有傳統的修鍊方法，去到尼連禪河邊佛陀耶迦地方的一棵畢波羅樹下（這樹以後就被稱為菩提樹，即智慧之樹。）據說，他坐在那棵樹下四十九日夜，不食不飲，靜思如何導致內心的平寧滿足。在叢樹環繞的安靜氣氛中經過七週瞑想後，悉達多終於大徹大悟，擺脫了一切執迷。對於人生百般煩惱之根源已經了了分明，成為超然於諸煩惱之上的佛陀。「佛陀」的意思就是「覺者」，也就是「覺悟了的人」。

諸葛亮狂想曲（一〇七）

·劉玄·

「我因為看見平劇上的諸葛先生，發號施令，與人說話，都用計謀，所以才信口而出，還望諸葛先生恕罪。」劉約翰連忙認錯。

「這不必你們操心，請柬上註明要我演奏狂想曲。」張素梅說話是美國式，能省則省，能減則減，她所謂狂想曲，自然指的是諸葛亮狂想曲了。

「怎麼？王母娘娘也指定狂想曲？」諸葛亮面現驚訝之色。

「這不是很好麼？諸葛先生在天庭的名氣越來越響了。」劉約翰乘機拍馬。

「不是這樣說，我是一個名士底子，當初劉皇叔三顧茅廬硬拉我出來做官，我為了要匡濟漢室，才鞠躬盡瘁勞累至死。現在我在天庭比當年在臥龍岡更閒散，豈可讓天庭大小各仙誤認我為作曲家耶？」諸葛亮畢竟是中國讀書人，總以為作曲家屬於奇技淫巧之流。

「作曲家有什麼不好呢？悲多芬、莫扎特、蕭邦不是照樣名垂千古嗎？」劉約翰服膺西方文化，觀點與諸葛亮不同。

「現在說來說去都沒有用，我聽見諸葛先生已將狂想曲修改過，我應該加緊練習才對。」張素梅的話，言之成理，諸葛亮連連點頭，隨命琴童取出整理後的樂譜交給張素梅。

張素梅接過樂譜，掀開鋼琴蓋，叮叮多多彈奏起來，全部演奏怕耗時太久，只把修改處練習。不一會工夫，已經彈完。

「改得好！改得好！」劉約翰鼓掌稱讚。其實他根本是外行，藉此想博得諸葛亮歡心而已。

張素梅彈完鋼琴，盈盈站起來，向諸葛亮告辭。諸葛亮並不留客，只對她說：「妳可以將樂譜帶走，以便練習。」劉約翰見此光景暗暗佩服諸葛亮的精細。

諸葛亮送走張素梅，劉約翰也站起來想走。

「你不多坐一會兒，忙甚麼？」諸葛亮意思是要劉約翰留下來聊天。

「我還有英文課」劉約翰說出急於要走的理由。

「是誰在跟你學英文？」以諸葛亮的神機妙算都猜不到故有此一問。

「是葡萄仙子。她因為要學唱英文歌，才學英文的。」劉約翰拾起了一個公事皮包，急匆匆地走了。

客人走後，照例琴童進來收拾客廳。

「葡萄仙子是誰？她也學英文？」諸葛亮在自言自語。

琴童聽了，暫時停止用拂塵彈灰的工作，回轉身面對着諸葛亮說：「啓稟丞相，這些情形，我倒知道。」

諸葛亮用鵝毛扇向琴童一指，「說給我聽。」

（未完）

巨變歷險記！

苦口婆心（九二）

胡慶蕃

丁博士到成都，本來是應台灣空軍總司令部之邀，去向所有在成都的空軍人員講演的。民國卅八年八、九、十……月成都空軍部的總負責人是以後台灣的空軍總司令徐煥昇將軍。徐將軍請丁博士到他的各個單位去講演。所有成都的空軍人員都感到異常的興奮。他的講演內容偏於華北鐵幕後的實況，激發聽講人的同仇敵愾的心情。他又在分析共產黨的危機與必敗，以堅強他們的自信心，口詞清晰，聲音洪亮，有情感，有力量，大家都非常歡喜。講演的地點，就是各單位的營房。講演後，順便參觀

。大事在事實上對於前途都不抱樂觀，不無準備撤退的樣子。敵燄燒到成都了，這也難怪……

在同空軍講演的時候，又接到中國國民黨中央黨部宣傳部部長任卓宣老學長兼老兄的來電。這電是四川省黨部轉給他的。當時四川省黨部的主任委員是黃季陸先生，黃先生又是當時黨部四川大學的校長。任部長請黃主委安排丁博士講演的時間。黃先生是丁博士的老上司，抗戰時期，黃主委發表國立四川大學校長，他就延聘丁博士當他的訓導長。這訓導長，丁博士一直幹到戰爭勝利。加上任部長的推薦，四川省黨部，黃主委自然更加歡迎。事實上，在沒有作部長的推薦函

，四川省黨部，黃主委就已經歡迎了，並排定節目了。先與省黨部全體委員在省黨部會議室座談。黃主委談鋒最健，手放在西裝褲裏，擺他的龍門陣，頭頭是道，津津有味。丁博士也報告了他在平津在台灣的觀感。對於大局的危殆，誰也明白，在此千鈞一髮之際，危急存亡之秋，大家已到了束手無策。雖然今　總統蔣公這個時候以中國國民黨總裁身份蒞臨成都，也似乎是回天乏術。他到成都，不啻是西安第二，他的精神，可以感天地而泣鬼神，但在大局的挽回上也似乎無能為力了。一時成都情況非常淒涼。這個時候的四川將領一個一個的都在準備投降。

丁博士還是照着黨部派定的節目天天在省黨部大禮堂作他的公開講演，各學校各團體輪到來聽講。聽衆的熱力已經沒有了。好像空言無補，還講什麼？但丁博士還是講，講到中共如何虐待人民，如何危害國家，聽衆之中，有不少咬牙切齒的，但除了一灑同情之淚，還能有什麼作為！重慶方面，西北方面，政府各部門，胡宗南大軍，都向成都撤退，市面上的情況非常緊張，人心惶惶之下，空氣低沉，但丁博士還是照他的日程表，天天在講演，而成都的大報，新新新聞也非常配合，天天有丁博士的講演詞披露，關於他本人，也有不少傳奇的新聞。一天，新新新聞報大登黃季陸任四川省政府主席，丁作韶任他的秘書長兼民政廳廳長，不知何所據而云然！

張邦昌天尅地衝

命相與夢話

·漢年·

張邦昌，字子能，永靜東光縣人，（即今河北省）舉進士出身，累官大司成，以訓導失職，貶提舉崇福宮，知光、汝二州。政和末戊戌，年三十八，由知洪州，改禮部侍郎。宣和元年己亥，年三十九，除為尚書右丞，旋轉左丞。遷中書侍郎。欽宗即位，靖康元年丙午，年四十六，拜少宰。金人南侵，京師被陷，徽、欽二宗被金人擄去，冊立張邦昌為楚帝。金人北去，乃請元佑皇后垂簾聽政，以俟復辟。高宗即位，改元建炎元年丁未，貶張邦昌於潭州，賜死，年四十七。

張邦昌命造如左：

宋神宗元豐四年七月十六日亥時生。

宋高宗建炎元年？月？日卒。

其八字為：辛酉、丙申、辛丑、己

宋史張邦昌入於叛臣傳之首。叛臣傳之首有序說：「宋失其政，金人乘之，俘其人民，遷其寶器；效滅遼故事，立其臣為君，冠履易位，莫甚斯時。」但按察史實，張邦昌並非蓄意篡竊，實由金人之逼，冊立至退位，只三十餘日。金人冊立之日，只登文德殿，設位御牀西面受賀，遣門傳令諸臣勿拜。王時雍率百官遽拜，邦昌只東面拱立。又令百官稱予，（而不稱「朕」）「手詔」曰「手書」。只有王時雍每言事於邦昌前，輒稱「臣啟陛下」，邦昌斥之。將宮禁封鎖，不為皇帝之受。足見張邦昌並未存篡奪之意也。讀史至此，良深太息。謹按邦昌之造為：辛酉年，丙申月，辛丑日，己時亥。日辛之辛與月幹之丙，相近相親，雙方聯合，而又誕生於申月，其為水得令，概可想見。再益以年枝將星，時枝驛馬，其為氣象堂皇，聲聞遐邇，更為顯然。

可惜月帶亡神，時值孤虛，金玉其外，敗絮其中。更兼命相丁酉，天幹之丁，暗中化木，盜洩日立之水氣。地枝之酉，遙犯自刑，危害年枝之將星，福今禍伏，內密砒藏，端基於此。

三十七歲，舉進士，知光、汝二州。宋史未載年，以理測之，不外癸巳二運，因癸能引戊，化火濟水，已會酉亥，化金生水也。證以三十八歲仍行巳運，歲值戊戌，由知洪州而改禮部侍郎，更覺巳能化金，戊能化火，戊會面申，為西方一氣，均為辛丙化水之喜神也。

三十九歲大運涖壬，歲值己亥，雖還中部侍郎，仍不免愈加困難。此無他，壬能化木，盜洩水氣之故也。

四十六歲，大運蒞壬，歲值丙午。欽宗即位，拜為少宰，忽為河北路割地使，忽黜為觀文殿大學士，中太一宮使，忽又罷割地議。升沉不定。此為辰運午年，會生平之酉，生時之亥有以致之。

四十七歲，仍行辰運，歲值丁未，金人竟以邦昌治國事，邦昌始欲引決，或有人說：「相公前不死於城外，今欲塗炭一城嗎？」（足見邦昌寃為叛臣）及金人北去，兩帝北還，邦昌遂遣蔣師愈拜書康王（趙構，後之高宗）自陳所以勉循金人推戴者，乃權宜一時，以紓國難也！敢有他乎！康王詢知邦昌所由，乃即皇帝位。李綱拜相，邦昌封為太保同安郡王李綱極力主張賜邦昌死。高宗尚有天良，以為邦昌僭逆，理合誅夷。原其初心，出於迫脅，可特與免貸責，授昭化軍節度使，潭州安置。繼因李氏私事，詔數邦昌之罪，賜死潭州。凡此種種，一言以蔽之，為太歲丁未，與日主辛丑，天尅地衝之故也。

張邦昌之死，由於李氏者。原來邦昌居內庭時，有華國靖公夫人自獻媚好，數以果實奉進邦昌，因以為邦昌已登帝位之故也。邦昌厚響之。一夕邦昌醉，李氏擁之入內，對邦昌說道：「大家事已至此，尚有何言？」因色相獻進之，以赭半臂加於邦昌之肩。掖入福寧殿，夜半李氏假扮女陳氏以進。至邦昌還東府，李氏私送之，語斥乘輿。此一醜聞為人告發，高宗因下詔賜死。其實，邦昌有此一傀儡之立，早晚必死也。

賜死張邦昌詔云：

建炎元年詔云：九月二十五日，三省同奉聖旨。張邦昌初聞以權宜攝國事，嘉其用心，寵以高位。雖知建號肆赦，度越常格，支優償賜錢百萬，猶以迫於金人之勢，其示外者，或不得已。比因鞫治他獄，始知在內中衣赭衣，履黃，宿福寧殿，使宮人侍寢，心迹如此，甚負國家，遂將盜有神器，雖欲容貸，懼祖宗在天之靈，尚加惻隱，不忍顯肆市朝。今遣奉議郎試殿中侍御史馬伸問狀，止令自裁，令其家屬，仍令潭州日給口券，常切拘管。（完）

生活漫談

香港脚與香港屁股

馬騰雲

香港脚分乾氣與濕氣兩種，乾性的脚氣病，患者祇是麻木癱瘓，不發腫，一種為濕性脚氣病，患者除脚部麻木不仁外，還發出奇癢，脚面有時發腫，由於抓癢的關係，脚指與脚指間，感染得像牛皮似的，著者是患後一種，不僅癢得難受，而且脫皮難看，躺在床上，看在自己眼裏，越想越要根除，非根除不能做清潔人。台灣最近很多人患香港屁股，其病況和香港脚雷同，病因亦由於不透空氣而起，穿的是「龍」坐的是「膠」。

香港脚雖不是大病，如果不治的話，照樣可送掉人的命，一八八二年日本兵艦從日本開往紐西蘭，九個月的過程中，有一百六十九位水兵得了脚氣病（即所謂香港脚），其中竟有二十九人因此而死亡，後經日本醫官們研究，認為患脚氣病的人，乃缺乏蛋白質所致，尚不知道是缺乏了維生素B，因為當時尚沒維生素這個名稱，直到一九〇六年，荷蘭人艾克滿乃證明患脚氣病之原因，並非由食物中缺乏蛋白質脂肪之類，乃是缺乏一種生命所需要的物質，到一九一二年，鄭克氏從米皮中提出抗脚氣病的物質，取名叫抗脚氣病的維生素，後直到卓芒氏，乃改稱為維生素B，脚氣病的病源，到此時已完全證明由於食物中缺乏了米皮所含的維生素B，用糙米代替白米，即可治脚氣病的患者。

可是糙米很難吃，而且要常常吃才會生效，一般貴族和小姐太太們，就很難實行餐餐糙米飯，著者於前幾年翻閱「傳家寶」謂紅小荳「治脚氣著效。」看完立着人去買十元紅荳，分成幾次燉紅荳湯加以黑糖食用，第二天香港脚脚腫果消，第三天情況更佳，第四天像牛皮癬樣的脚皮漸脫，但不久又生，因未持久抵抗。紅小荳的力量有這樣大，經查藥典，謂赤小荳入藥為緩和性解毒利尿藥，用於水腫、脚氣、黃疸病，對於脚氣浮腫等之小便不利，用之有卓效，水浸研爛外用，可消各稱腫毒。由於傳家寶的提示，著者臨床實驗，再加上藥典記載，用介紹患有脚氣病（即香港脚）與香港屁股的朋友們，以紅糖調服（市上的紅荳湯與紅糖煮的荳湯有別），紅糖的功用迄未查明，大陸上的風俗，山東、河南、安徽，北十幾省，女人生產，親友們照例要送紅糖，從沒有人送冰糖或白糖的，而且孕婦在生產後，要盡量吃紅糖胡椒煮的流汁食物。用全國人口來說，兩萬萬以上的人習俗如此，一代傳一代，無分窮富貴賤，從來沒人敢輕易變更過，當然有它相傳的道理。

生活漫談首集業已出版（係自由報獨家連載）每本特價新台幣拾伍元，生活漫談合集（台北各大報歷年連載）業已出版，三百餘頁每本新台幣貳拾元，台北郵政劃撥五〇五六張萬有（自由報會計室）面購台北衡陽路三十號後進；郵票通用請直寄台北忠孝路三段廿一巷二弄二號自由報台灣業務拓展中心，注意生活漫談首集與合集，香港價日每本港幣二元五角，東南亞國家每本美金一元，歐美國家每本美金一元五角（寄費在內）

恭祝

本報嘉義縣辦事處主任兼記者戴永信先生當選嘉義縣漁商會理事長

自由報全體同人賀

自由報

中華民國內政部登記證台報字第○三一一號
中華郵政台字第一二八二號執照登記爲第一類新聞紙

（第一〇二八期）

（半週刊每星期三、六出版）
每份港幣壹角，台灣零售新台幣貳元
社長李運鵬・督印黃行寶
社址：香港九龍彌敦道593—601號
廖創興銀行大厦八樓五座
LIU CHONG HING BUILDING
7th FLOOR FLAT '5
593—601 NATHAN ROAD,
KOWLOON, H.K.
TEL: K303831
電報掛號：7191
承印：景星印刷公司
地址：嘉咸街廿九號地下
台灣連絡中心：台北青田街五巷三號
電話：三七五〇二二
台灣區直接訂戶　台郵劃撥戶
第五〇五六號張萬有（自由報會計室）
台北營業處：台北衡陽街三十號
電話：二七二〇〇
台灣分社：台北市西寧南路110號二樓
電話：三三〇三四六，台郵劃撥戶九二五二號

爲歷史求証
——有關郭松齡事件的辨正——（下）

張振鷺

松岡所指之日領館，爲新民縣，而非白旗堡，「板車迎骨，係自南滿支路某站附近，一村落中出發，不自大連」。「迎骨之行，往返三宿，而非一晚」。離平初意欲於晤郭之後，自溝帮子渡遼河，而非自白旗堡赴營口。雪池開弔，期在馮玉祥勢力猶在北京之時，而非奉張勢力已離北京之後。凡此出入，雖僅是地理上時日之參差，但已足證予文之漏誤，且與史實前後貫串有關，自應一一予以改正。」

按：梁先生更正之幾點，根據林希實日記而寫，說的千眞萬確，究竟林希實日記是否眞確尙成疑問，容下文交代。

茲就「板車迎骨，係自南滿支路，某站附近一村落中出發，不自大連」而言。查南滿鐵路，自大連至長春，除由蓋平縣界之大石橋至營口有一支線外，在大連附近就無支路，縱然由附近村落中，某站出發，仍是幹線，決非支路，搭客祗有一二三等客車，梁林由大連去瀋陽，不過普通乘客耳，決無板車搭客之理，凡當年坐過南滿火車者，均有此常識，大連朋友在台者，亦有多人，稍一訪問，便知余言之不謬也。且梁林二位既奉松岡洋右之命，去新民日領館收骨，儘可在大連總站登車北行，似無在某站附近村落登車之必要。舍近求遠，似乎不近情理。

「迎骨之行，往返三宿，而非一晚」。這就是不佞所說的可疑之點也。按大連到瀋陽是南滿線；瀋陽到新民爲京奉線，中間須在瀋陽總站換車，若在平時，一個人旅行競賽一刻不停，一事不辦，由大連去新民，往返三晚，或可跑個來回。但這是迎骨，往返三晚何能辦好，而況十五年一二月間，正是奉軍再進兵關內之際，軍運頻頻，客車時常悞點，京奉車不能與南滿線客車時間相配合銜接，大連新民間旅客，往往有等候數日之久，不得搭車者，所謂往返三晚，此時間上決來不及之一端。如梁著係指騾車，則大連距新民七百里，騾車單程三日亦不能到達，何談往返。

再來一次「假定」林氏骨殖爲新民日領館收得，亦萬難順利取出運走。試申言之。

當時在新民日領館避難的朋友，省方視爲與林先生同等重要，必欲得之而甘心焉。因此在領館附道，遍佈軍警，晝夜巡邏，以防逃亡。如果有人由日領館取出長斐一具，行不百步，必遭軍警嚴密搜檢，查出屍骨必究結來源及死去原因，如是平民病死，送法院檢驗後，向警察區公所領死亡證放行；由鐵路運送，又得向路局照章申請運屍骨執照，方能成行。而此斐中爲林長民之屍骨，且有兩個頭顱，地方叫焉敢擅自放行，勢必請示上峯處理，這種種手續，又豈是三晚所能往返的呢？此又一端也。

就算地方官請示上峯，不究既往，准予收骨，而鐵路運返屍骨，亦有特定章則，絕不能按帶行李起運。必須地方官發給死亡證明，路局運屍骨執照，交起運站托運。至南滿鐵路運屍骨或棺木辦法更爲嚴刻，必須把棺木、或屍骨罎通體用白鐵皮焊，不得絲毫有漏氣之處，以重衛生，這又豈是三晚所能往返的呢，此又一端也。

總上幾點看來，頗足顯示林希實先生未坐過南滿火車，亦未到過大連。不佞臆度，事實證明如斯耳。

梁文又謂：林家戚好，尙欲予訂正者兩事「一爲雙括老人遇難之眞相」、「一爲郭松齡倒張之實情」。雙括主人之遇難眞相，當時北京親友，皆只能根據其同行李孟魯與吳粹（字守緯）之報告。而李、吳報告，則彼此有出入。李謂槍聲作時，伊與林同伏郊塍之下，槍聲密時，伊呼林不應，始知遇難。吳謂槍聲寂後，伊已受下意識之驅遣，隨衆兵卒，向附近村中奔去，在村中且遇孟魯，故孟魯實亦未見林先生遇難之情狀。林之遇難，伊實自村民口中傳出，當槍定兵去後，村民忽傳「有衣皮袍者，已被害，其人服裝貴重，必是大官」。村中長老因謂：其屍骨宜設法保留，不久必有人來覓，可得厚賜」。伊與孟魯測斷，遇難者必是雙括主人，因軍中多短服，饒漢祥，楊懋君雖亦同應松齡之招，而遇難之日，亦不相見，則衣裘加者，除雙括主人外，無人也。

按：民國十四年十一月二十二日，郭松齡將軍以反對內戰，開發東北，班師出關，禮聘饒漢祥（宓僧）佐軍書，林長民（宗孟）主政務，均待以上賓之禮，派重要大員負責招待與林等同住一個火車內。林先生同來者，另有李孟魯、鄧某（忘其名）二人。自十二月四日，林到錦州晤郭公後，我們每日三餐均在一個飯車上，共進飲食迄新民失敗。相聚二十天，未見吳粹其人，詢之當日負責招待林先生之某君，亦只言林、李、鄧三位同行，並無吳粹其人。既無其人，曷能由鄉民口中說出一篇謊言乎？

就這篇謊言而論：未免過於幼稚，眞是淺之乎視東北老百姓也，謹按吾鄉民風淳樸，若在平時偶遇行路倒斃之無主屍身，村屯鄉長必報官請驗，然後集資棺殮，有姓氏籍貫者，必豎碣標明，以待後人認領。無姓氏者，則註明年貌衣履，而埋葬之。倘有人前來認領，絕不受酬，其貧不能還者，倘集資助之，使得歸骨家山。此種義舉，純出至誠。而謊言中，竟以可得厚賜之語，誣吾鄉父老，眞是一種汚辱。

但在戰亂時期，槍林彈雨之下所死亡者，別說衣裘加身，就是萬金在死人懷抱，鄉民亦不敢正視，均避而遠之，恐惹火燒身也。

軍中「慣例」：凡戰場上死亡之人，均由軍隊自行清理，積屍焚而瘞之。謂之清掃戰場，根本分不出誰是誰的屍骨，此軍中之實在情形也。

再說林、李、鄧三人之收場，以宗孟先生爲最慘，死於亂軍中，屍骨無存，李孟魯爲最幸運，逃出戰場，跑到南滿線，搭車回關內。至鄧某當時被俘，解省收監，瘐死獄中。

梁文謂饒漢祥、楊懋君雖亦同應松齡之招云云！。按饒先生係十一月二十二日晚隻身前來郭公軍中，佐軍書，由負責招待之某君，派一隨從兵，名王紹華侍應起居，並無楊懋君其人同來，不佞與某君均記憶猶新，同時不佞也把饒先生之收場，記述一過，藉以存眞。當十二月二十四日凌晨一時許，郭公退走之際，饒與王紹華同坐一車，聞槍聲，即伏車下暫避，旋被奉軍捕獲，見饒先生滿面汚垢，所穿皮袍，滿身油漬，頭髮散亂，老態龍腫，行走蹣跚，軍士問他作什麼的，王紹華代答是寫字的，軍士說寫字的，還不給我滾開。王紹華遂扶同饒先生慢步前行，遇一團長盤詰，聽說是會寫字，團長即留在團部充司書，過了兩個禮拜，饒以年老多病，請辭回津，團長允其請，並資遣之，王紹華以送饒赴營口爲由，即同赴天津，此段經過，兩三年後，王紹華到南京親口向齊世英（鐵生）兄所報告也。越一年饒先生病歿津門，不佞在南美時，閱某刊物，載饒先生死於是役，則誤矣。特詳細寫出，以供研究近代史家之參考。

梁文又謂：郭公之舉事，爲馮玉祥之鼓勵，又扯到加拉罕之背景，實際全非正論，郭按公之舉事，純係自己發動，絕無任何背景，此節留待他人辨正。

又比郭公爲「晉史」中之鍾會爲「春秋」之佛，成王敗寇，千篇一口，無須多辨，反正林宗孟先生附郭而死，是分不開的事實。天禍中國，才人多厄，自古爲然！悲夫

最後就日本南滿洲鐵道株式會社（以下簡稱滿鐵），社長副社長之任職年月，提出一項鐵證，以證明林希實之日記眞實性爲可疑，也可以說把收骨之行全案推翻。

按：南滿鐵道自明治三十九年，歸日本經營，設南滿鐵道株式會社。初任社長爲後藤新平無副社長。至一九二四年六月第九任社長爲安廣伴一郎，至一九二七年七月，始設副社長爲太平駒鎚，至一九二七年七月，與安廣社長同時解職。繼任社長爲山本太郎，副社長爲松岡洋右，自一九二七年七月至一九二九年八月同時進退。也就是中華民國十六年七月至十八年八月爲松岡洋右任副社長之時期

復按梁著「追念林長民先生」有出關收骨之敘述，文中肯定甫到大連，「如何爲日警窺破」，「如何松岡洋右時任滿鐵副總裁，以名刺約見」，「如何告彼等到日領館收骨」。而後又稱「林希實日記如何記載云云」（均詳本篇前文）。

查民國十五六年間，滿鐵株式會社，尙無總裁副總裁之名稱，僅社長副社長而已，此官職名稱不符者一也。再查梁林二人赴大連，是民國十五年一月間事，（載傳記文學梁著林傳）其時滿鐵副社長爲太平駒鎚。而非松岡洋右。何能以名刺約見，何能說林先生爲日本敬重之人，又何能告他們到新民日領館收骨。然則林希實之日記云乎哉尙可信乎。至松岡洋右爲滿鐵副社長（亦非副總裁）是民國十六年七月至十八年八月。與十五年一月，前後對照，相差一年有半，日本鐵道省有案可查。亦即不佞所指鐵的事實，縱蘇張復生，恐亦無口中辯也。由此觀之，林宗孟先生之骨，眞正收得與否，殊屬疑問。梁著林傳爲歷史虛構作證「載傳記文學七卷二期頁八」不佞根據親身經歷事實，爲歷史求證，故不嫌辭費，而撰斯文，豈詭辯哉。

（完）

昨日與明日

一葉知秋

老記

一葉落而知秋，看社會家生相，可以瞭解這個社會的實況，略舉數則，稍盡輿論一份子的言責，藉以促請有司的注意：

監獄人滿爲患

報載：監察委員巡查發現，監獄人滿爲患，由此可見犯罪人數的衆多。將違法犯科者，科以應得之罪，雖不失爲司法機關工作的表現，但國民犯罪率的增加，也顯示了這個社會的病態性。經濟進步與繁榮，在好的一方面，的確增强國家的實力，提高國民生活的水準，另一方面，却也容易促使國民精神文明的沒落，容易使人民沉溺於宴安享樂的生活；又因爲物質的引誘力太强，增多國民犯罪的機會。政治的不潔症和社會的頹廢浪漫病互爲糾纏，於是報紙犯罪新聞充斥版面，瞻念中華民族前途，何勝悚懼。執政當局，能忽視之乎？

銀行職員作弊

台灣近來不斷發現銀行行員串通顧客作弊，每次作弊金額達數百萬元，甚至千萬元之鉅。銀行職員待遇，向來較爲優厚，被人目爲金飯碗，而今連抱金飯碗的人也不斷作起弊來了，這是從前很少見的，可見社會風氣糟糕到何種程度；同時，也足以顯示：商業銀行在管理方面，大有問題。追究原因，大概與台灣商銀的公營性質不無關係。台灣最重要三家商業銀行：第一、華南和彰化三家，官股都佔半數以上，其人事與業務，大受政治影響。負責人企業精神，遠不如官僚精神；對上應付多於機關內部管理；又因禁止設立新行，壟斷使他們更不必求進步。我們覺得：政府對商銀應予整頓，而壟斷局面之打開，尤應愼重予以考慮。

監院年會失色

每年一度的監察院檢討會議業已開幕了。這次年會除了「自動查案」委員提出報告，一度呈現高潮外，可以算是靑菜豆腐，平平淡淡，使人不無蒼凉落漠之感。可惜，這一高潮，並不怎樣精采，無數正義人士，眞替監察院惋惜不已。總算馬空羣委員提出了重要的政風問題，而黃寶實在會中聲明：自己不屬於任何「派」「組」「內幕隱約可見。假如國會議祗重個體，忽視全體，祗有小圈子，小團體，而無視於正義是非以及國家民族利益，這樣民意代表還値人民重視嗎？監委們自律自省有其必要矣。

自由談

所謂自由生活，應以不妨害他人的自由爲基準，這是常識，而自由權利之享受，必須以不違悖國家法令爲㮣範，亦是毫無疑義的定論。

中華民國政府管轄之下的地區，乃是自由世界的一環，但在台灣社會中，卻有些在自由世界各邦國所少有的特殊自由權，嘆觀止矣！

例如：在全球的任何都市裏，車輛行駛或停放，皆有一定的交通規則，台灣原不例外。但人口最多、交通最繁的台北市，汽車風馳於通衢大道間，可無視紅綠燈而自由橫衝直闖，旁若無人——只有總統府門前廣場上的紅綠燈能夠發生作用，因爲有憲兵或警衛人員巡邏也。路上的車輛儘管往來如織，而司機滿不在乎的可作U字形的轉進，殆屬常事。還有機器脚踏車——香港人叫作「電單車」者，亦任意擠在快車道上的汽車羣中，爭先競走，亂撞一氣。最妙的是大街兩旁的房屋門前或廊下，電單車星羅棋佈地停放着，而且可以在走廊間任意駕駛馳走，路人爲之辟易而趨避不遑。我有個外國朋友初到台北觀光，住了一宵即飛回香港了。問他何以如此倉卒，他說，因爲害怕遭遇車禍而經常怵目驚心，神經緊張難受，祇好溜之大吉！

特殊的自由權

住在台灣的人，還有隨便使用空頭支票的自由，據說，以違犯「票據法」而被法院通緝的人犯，綜計在十萬人以上，這些自由行使空頭支票者，依其社會地位的高下，而在法律之前殊不平等，有的人懷刑畏罰，躲躲藏藏，有的人卻照樣招搖過市，有如上海人說的：當伊嘸介事！假使台灣亦像美國的銀行一樣，支票本成堆擺在櫃台上，任人取用，那還得了嗎？

香港地面比台北市還小，而交通工具和銀行的數量多過台北市，但香港的交通秩序幷無淩亂現象，銀行的空頭票絕對沒人敢於行使，其故安在呢？我認爲台灣各界人士與其多耗旅費而遠赴歐美考查一切，倒不如就近向香港的交通和金融企業的管制情況悉心考查，多多研究取法，事實上有益多了。若以赴歐美考查爲時髦而感覺光榮，那自然又當別論也。

馮玉先生

農會改選黑幕重重

狼狽為奸勾結舞弊

本報通信員柳一樺台北消息：最近農會進行改選，據各報新聞報導，幾乎是黑幕重重。以新竹地區而言，即有兩個鄉鎮農會之代表選舉，指當選之代表多與資格不合，而要求撤銷當選資格。依據所檢舉之事實為：（一）在此次改選後，所當選之代表中，竟有十一名拖欠會費或貸款逾期未償還。（二）其中又有部份會員代表偽造文書，將逾期繳納會費之收據，改為當選前繳納情事。（三）更有部份代表，串同總幹事利用：「以債養債」之方式，套貸所吸收之存款。（四）復有因積欠農物，於資格審查時被取銷資格後，而改以「推薦」方式出馬競選。

據聞農會之職員有互相勾結，利用職權兼營與農會業務競爭之事業，且損害農會之業務，不獨影響農民之利益。按農會職員不得兼營與農會有競爭性之事業，法有明文規定。農會職員兼營事業，如非與總幹事有特殊關係，為之掩護，其敢公然為之乎？僅此一端，已顯示農會之腐化，主管當局何以不加以徹底整頓，殊屬使人費解？農會職員利用職務，狼狽為奸，互相勾結舞弊之情事，莫如盜賣肥料，及盜用農民印章，冒領生產貸款及肥料。據報紙載稱，本省南部某農會之郵匯事及職員於十餘年前陸續冒領生產貸款一萬餘公斤，尚不及十萬元，批被冒領之生產貸款及肥料，既不償還，又未繳納利息，因之利上滾利，數達三百萬元之鉅，目前已有部份農民之財產被查封，迫使無辜農民陷於絕境，而到處申訴，以求救濟。未聞政府採取有效措施，多方設法，反而該會總幹事正在企圖以瞞天過海之方式，推卸責任。

農會信用部之主管單位，在地方政府究屬財政科局，抑屬於輔導課，自蘇澳鎮農會發生重大紕漏以後，該縣府財政科與輔導課，會經打過一陣「太極拳」。依省政府三九卯虞倫乙字第二五六一號令，「信用合作暨分支機構繁多，其組織是否健全，業務是否正常，關係本省金融途至鉅，為穩定全省金融機關及統一管理起見，本省合作金融機構，均由各縣政府財政科主管」，由是觀之農會信用部自屬財政科主管。然而近數年來，對農會信用部所發之命令，概由農林廳發佈，並非由財政廳發佈命令。農會信用部如有發生弊端，亦由農林廳派員會同地方政府輔導課人員調查，然而一旦發生漏，又推卸責任。

茶葉用農藥毒水入腸胃 蔬菜含毒量百分七十一

蔬菜含農藥之嚴重性，前經農林廳屏東市菓菜市場設置農藥測定服務站時，依據報導，該站每日抽驗來自各地之蔬菜，於三個月間共抽驗七百七十件，其中無毒者僅二百卅一件，佔百分之三十，含毒量一點一至二PPM者一百五十七件，佔百分之廿，含毒量二點一至三PPM者一百五十二件，佔百分十九點七四，含毒量在三PP 以上者達二百卅三件，佔百分之卅點二六，顯示蔬菜含農藥之份量，已足以危害人體之健康，而主管機關任由農民使用農藥，而不嚴格加以管制，僅要求各地農友，對於蔬菜、洋菇、香蕉、茶葉，不可使用農藥，以免消費者之健康受影響，殊不知養成農友使用農藥之習慣後，如果不採取有效措施，仍然漫無限制，甚難發生效果。

再就台北市衛生局在該市中央市場所批發之蔬菜抽樣測定結果，發現蔬菜含毒量一點五至二PP者，所佔比率竟高達百分之七二，因此呼籲市民於購得蔬菜之後，必須多加冲洗始可食用，由此可見蔬菜含毒量，危害人體之嚴重點，而農友使用農藥，不僅於蔬菜而已，諸如茶葉等亦使用農藥，試問茶葉須經焙製，倘含有農藥將如何冲洗？

本席認為青菜、洋菇、茶葉等年來外銷，且在出口貨物中所佔之比例甚高，而蔬菜於近年來亦有大量外銷，如果政府不予明確規定，仍採取放任之態度，使農友無從遵循使用農藥，不僅危害國民健康，且足以引致國外拒購，則此一損失，不獨影響農友之收入，更影響國家經濟。

輿論精華

歐洲集體安全會議

最近流傳在捷克中的一個笑料是關於駕駛汽車的。一個汽車的司機，他很欣賞那些戰前的舊車子，這些車子現在捷克的街上還經常可以看到。他忍不住，便在一個汽油庫邊前問一個駕駛舊車的司機，他怎樣修護車身上獲得這樣優越的性能。那位駕駛者說：「很簡單，主要是在輪胎上，後面的是中共的輪胎，而前面的是蘇聯的輪胎。」這個玩笑唯一的缺點是，它已經變得陳舊了不再流行了。因為從華沙條約外長會議上，有一個可以明顯的看得出，蘇聯對外交事務已經找到了新的信心。經過一九六八年災難性的一年之後，事情已慢慢轉好。這不僅因為中蘇共進行了邊界談判，而且也是蘇美以協議限制戰略武器的問題進行談判，同時，便是捷克的新政權已逐漸鞏固，新領導人胡薩克由於他的成功，已獲得克里姆林宮的信任。總之目前有心人已在希望能召開得成歐洲安全會議，使分裂的歐洲經過二十年的冷戰之後，能就他們之間的一些問題進行商談。它的首要問題，便是談判使歐洲保證放棄在歐洲使用威脅性的武力。在今年夏季，當中共的問題是蘇聯外交當中的一個主要問題時，蘇聯的外交政策會經陷于一種沉寂。現在由于北平的中蘇共邊界談判已在進行，克里姆林宮已不再放棄其他的問題，而同意和美國人會商限制戰略武器的問題，蘇聯提出舉行歐洲安全會議的建議。

當歐洲安全會議的第一次建議於三月間提出時，這個建議看來似乎不會得到任何結果。（令人驚訝的是，這一建議是在布達佩斯的華沙條約會議上提出的。）在過去十年當中，蘇聯人曾提出兩次類似的建議，但都被懷疑的西方人士當作離間北大西洋公約組織的手法。今年蘇聯似乎又再企圖重新在歐洲取得主動，要表明自己是一個和平國家。由於對捷克的侵略，蘇聯的和平國家的面貌一度因而消失。西方對它的建議表示了禮貌，但沒有顯示很大的熱心。四月間在華盛頓舉行的北大西洋公約的第二十屆週年大會，所顯示的反應是：意大利表示接受，英外相司徒華表示謹慎的態度，而法國政府則表示了懷疑。

可是自那時後，有關雙邊的談判已在有關的國家中間進行。芬蘭總統克柯南今年已顯示他是一個歐洲的調解人，並建議了赫爾辛基為會議的一個地點！且繼續往歐洲的東西集團國家中間旅行，到處受到熱烈的歡迎。而且蘇聯一默然的地撤銷了他們的一個不切實際的要求，即美國與加拿大包括在參加這個會議的名單內。可是自三月間以來，最大的事件則是西德的選舉及布蘭德的勝利。突然之間，西德政府表示願意承認東德為一個事實上存在的國家，因此力設法的撤除歐洲會議的一個主要障礙——如何使東西德一起坐下來談判的問題。蘇聯迅速採取行動，抓住機會，將三月間的呼籲變成確實的主動一點，顯示它希望這會議的召開是如何地認眞。此外還有兩個跡象，一個是華沙公約舉行會議後發表的公報沒有提及西德的「復仇主義」或北約的「侵犯」。第二點便是議程上的第二個議題——談及在歐洲國家中間擴大貿易，經濟、科學技術的關係。

這一切可能在西歐的權力走廊製造了一些尷尬。這種反應可能是不希望讓克里姆林宮擺脫捷克的問題與責任的目的是企圖以某些適詞禮貌性地使會議胎死腹中。可是由于一切準備已經完成，要延期舉行這會議，似乎困難一些。而且許多主要障礙似已撤除。反對這會議最主要的一項爭論是，最好提高人民的一些希望，而討論一些未會準備好的問題，以致無法取得結論。可是這是一個例行性，和毫無想像力的呼籲，尤其是在德國的選舉已產生了中歐合作的眞正機會的時候。

低估對德國的恐懼是不容易的。蘇聯的歐洲部份就存有這種恐懼。至於波蘭對德國的態度，仍有一些人使作了這樣的評論，即捷克人是「講捷克語的德國人」。五月間建議與西德簽署一項條約時，波蘭人已經顯示，他們對德國是如何地敏感，而且他們表示，他們是如何地希望改善他們之間的關係。在華沙公約的最新呼籲中，在它的宣傳後面存在有某種眞誠，改變的只是外交的氣氛。要拒絕這呼籲是不易找到藉口的。（摘自曼徹斯特衛報）

高雄簡訊

（本報記者趙家驊高雄航訊）喧騰數月，轟動遠播的高雄市愛河疏濬工程紅包舞弊案，目前市議會方面已成立了「專案小組」，進行調查，這個小組的召集人有所謂「明星議員」之稱的宋長浩當之，宋議員在議會中對該案攻擊最兇，力主組「專案小組」，可是小組成立至今近兩月，未見積極行動，其何以故？外界揣測紛紜，有謂：市議會不拘市政大小事，一旦發生，皆組「專案小組」，若非暗盤交易不了了之，即雷大雨小最後終歸沒事，往例斑斑，有案可稽。市議會一本正經儼然煞有介事，似不必預期有什麼結果。但高雄地檢處則展開了偵查，傳詢市府土木課官員及包商，該案有無苞苴賄賂舞弊情事，且看法院的苗頭了。不過據一位法界人士稱：該案之所以發生建設局長林大隆為始作俑者，林事先不察承包商信義營造廠有無承担該一鉅大工程條件與能力，如無施工必需的挖泥船與受泥船，而逕行簽訂合約，合約中規定押標金五十萬元應在施工完成三分之二後始可退還，（任何大小工程皆如此，用以促包商依法施工之意）可是工程尚未開始，林大隆上即不經市長批准，下亦不顧部屬反對，而逕自將押標金退還包商，其圖利他人之不法行為，昭然若揭，試問林局長作何解釋？他說：這是問題的關鍵，法院對此重點自應予以重視，責任攸歸與紅包問題自可指日判明矣！

喬治桑外傳　一一〇

張大草

喬治桑接過來一看，是拉斯維加克蘭敦寄來的，是一個整數，美金一千元。「這隻由美國寄來的『釘』子不夠釘台北的『眼』，他需要五萬元，[illegible]借三萬元，喬治桑沉吟片刻，將匯票收起。向蘿蔔絲借兩萬元，向古有方借了兩萬元，我想先還他一萬行不行？」

「這恐怕不好罷，美國匯款已經到了，乾脆全部還他算了。」雅麗絲那裏知道喬治桑的苦衷。

「我因為還有其他用途，史克蘭敦還繼續有錢匯來，蘇先生的借款我們慢慢想辦法再還。」喬治桑平時神氣活現，談到錢，聲音低沉，倒有點可憐兮兮的樣子。

「蘿蔔絲那裏沒有問題，我是怕你錢留在手邊容易花光。有借有還再借不難，何必要分兩次還他。」雅麗絲的話不無理由，但喬治桑只有一千美金無法支配。

「過兩天再看吧。」喬治桑在雅麗絲面前不能不維持尊嚴，只好如此說。

「妳今天和媽媽看的是什麼電影？」喬治桑改變話題。

「倒霉透了，看的是國語片『負心的人』，我倒沒有什麼，媽媽看了想到她自己的身世，哭得好傷心，帶的手帕都濕了。本來歡歡喜喜的，看電影看得傷心起來，眞倒霉。」雅麗絲都起小咀，不迭埋怨。

「我也不喜歡看悲劇，我總覺得人生是找快樂的，看電影淌眼淚大劃不來了。」

「我倒無所謂，老實說悲劇也有悲劇的味道，我今天看到媽媽傷心才心酸的。」

喬治桑默然不語，正在這時電話鈴忽然響了起來，雅麗絲自言自語：「這樣晚了，誰來的電話？」

雅麗絲問明對方，用左手掩住電話聽筒，問喬治桑：「是警察局來的電話，你要不要接？」

喬治桑大感惶惑，不知道是怎麼回事，略一猶豫，站起來由雅麗絲手中接過電話聽筒。

「喂，我是桑紹孔，有什麼事？」

「對不起，打擾你，小雲雀你認不認識？」

「那一個小雲雀？」（未完）

台北傳奇錄

（十七）

·陳光棣·

都要輪番轟炸，只顧炫耀他們的滿腹經綸，却不管新郎新娘的死活，更不管來賓們如坐針毡的苦況。

劉二爺夫婦並不舉行婚禮，但也免不了來賓致詞的那一套。

這時有人大喊了一聲：「請××長致辭」！

緊接着就有一位春宮面孔的紳士站起來，這位紳士先裝腔作勢的乾咳了兩聲，又向女人堆裏盯了兩眼，才慢條斯理的講起演來，先是以那麼……這個……開頭，接着由劉二爺的童年敘起，再轉而從夫妻，家庭，社會，談到國家民族，前後足足轟炸了五十分鐘又四十六秒，李麻子不停的看表，不停的報時，不停的罵人。

最後一個節目，是最精采的節目，這節目就是「入席」！緊接着拉椅子搬桌子，大家與高采烈的進入了「陣地」，到了正式就座的時候，問題又複雜起來。

原因是我們中國是禮儀之邦，縱然到了一般性的公共場所都缺乏教養，一旦到了應酬場合可就想起古人揖讓的古訓了；在我們這一邊，先是魏老板請鄭經理首席，鄭經理客氣的推薦王科長，王科長又拖李麻子，李麻子急的每一顆麻子都冒了汗；轉過身來拉着宮先生求饒，最後由大頭呆和步成材強制執行，硬把鄭經理捺在位子上，鄭經理剛坐下又蹦起來，再夥同李麻子架起王科長，王科長原有風濕的毛病，這一來只痛的呲牙咧咀，最後幸而是魏老板拉來了馬寡婦，才算天下太平。

在筵席上，馬寡婦特別活躍，有說有笑，又能吃，又能喝。

「這位先生，我敬你一杯」！馬寡婦找上了鄭經理。

「對不起，我血壓高。」鄭經理抱歉的說：「我敬妳」！端起酒杯來抿了兩西西。

「那可不行！我都乾啦，你可不能要賴」！

馬寡婦撒着嬌拉住鄭經理的手腕子：「你喝不喝」？說完了胸脯一挺，好像兩顆捲心菜。

鄭經理兩隻眼睛瞄着鄭太太，皺着雙眉喝了半杯，又咕都咕都的喝了一杯榮冠菓樂。

「來，乾杯」！馬寡婦又敬王科長。

「謝謝，我有風濕病」！王科長又鞠躬又哈腰。

「喜酒怎麼不喝哪」？馬寡婦端起酒杯來送到王科長咀巴上。王科長塵暈頭轉向的乾了杯。

「魏老板，咱們是老朋友，怎麼樣」？馬寡婦拿着酒瓶子講斤兩。

「我可不行，醫生說我血管硬化」！魏老板對馬寡婦的低領口最有興趣。

命相與話夢

「王安石，字介甫，號半山，江西臨川人；父王益，歷官州縣，頗有政聲。安石生有異質，及長博覽强記，善辯不屈，爲文淵源出於典誥，兼工書畫。宋慶曆壬午年，年二十二歲，賜進士及第，歷官支判官。嘉佑庚子，年四十，上萬言書，慨然有矯世變俗之志，不久入直賢院，知制誥。神宗熙寧元年戊申，年四十八至六年癸丑，年五十三，始則至京師，受翰林學士之命，繼則平章政事，除大小中允，案文殿設書，皆深倚之。謀改革政治，創青苗、水利、均輸、保甲、免役、市易、保馬、方田諸法。因多變革，引起物議沸騰，時名臣反對派皆被斥，而新法卒無效。七年甲寅，年五十四去位，知江寧府事。元豐中，復拜左僕射，封荊國公，哲宗元祐中，加司空。元祐丙寅四月癸酉，卒於金陵，年六十六歲。著有「周官新議」、「臨川集」、「百家詩選」遺世。按荊公之造：

生於宋眞宗天禧五年十一月十二日辰時。

卒於宋哲宗元佑元年四月初六日（時不詳）。

按王荊公之造爲：辛酉、庚子、癸未、丙辰。按年幹之辛，與幹丙合，時枝之辰與年枝酉合，「會通名之」曰：「天地合格，多主大貴」。此概論也。「采眞歌」云：「爲官多駁亡於國」。此說稍有區別，然仍以爲官許之，即是官亡，亦不過多駁雜而已，爲官效力依然存在，究未可以平凡視之。查得日元癸未，屬甲戊旬，年枝之酉，適值墓亡，其爲多駁雜可知。然此說仍是泛論，至於地位高下，得失輕重，仍在五行生剋中詳加探究，始可得其底細，否則似是而非，猶有霧裏看花之誚。

王安石志在天下（上）

查得日元之癸，在五行屬水，月枝子，時枝辰中各藏，在五行中又屬水。年幹辛屬金，月幹庚與年枝酉，又具屬金，再益以命宮庚子，幹金枝水合計之，水有四，金也有四。當此誕生之際，又値大雪節之後，黑帝司權，水歸東旺，不僅水淸，而金亦白。假使無木生火，無火濟水，雖有金、白、水、淸之美名，亦不得以貴顯。

今時幹之丙屬火，與日幹癸水並肩而立，日枝之未藏火，與日幹癸水，又復唇齒相依。此乃陰陽合協，萬物資生之相，却不言天地德合，亦當爲淸廟重器，巨川良材，非僅務於詞章，空談性理者所可同日而語哉！

·漢年·

西洋哲人簡介

釋迦摩尼（下）

劉長蘭

此時他是卅五歲。隨後喬達摩佛陀招集了他以前的門徒，五位苦行者，向他們解說他的道理。這是他第一次的說法。

概括的說來，對於人生的途徑佛陀認爲可以大別爲三：一、尋求世俗樂趣之途。二、苦修之路。三、中道。這三條路佛陀一生都曾經歷了的。在他離家前所過的生活自然屬於第一條路，離家後直至徹悟之時爲第二條，最後才終於走上他認爲惟一可以導致無我與寧靜的第三條路。

其中道也被稱爲八正道，因其中共分八部分：

一、正見——對事物的眞知灼見。

二、正思——對一切衆生愛護的思維。

三、正語——佛門弟子必愼言，言必誠信。

四、正業——一切行爲須合乎道義，榮譽而和平的原則。

五、正命——從事正當職業。

六、正勤——以堅定的意志祛除本身自私之衝動並培育善良之意念。

七、正念——佛教徒必須對於個人身體的活動，情緒的感受及觀念、思想、見解等予以密切注意，而達到對於情緒、思想等種種心智活動之生起與消滅的過程無不了了分明，且能予以控制的境界。

八、正定——經長時間之靜思與內省而求致完全的寧靜與快樂。

這八條途徑也就是完成佛教基本訓練的戒、定、慧三學的方法。其中，正語，正業與正命屬於戒學；正勤，正念與正定屬於定學；而正思與正見則屬於慧學。

此外，佛教的要義爲四聖諦，即：

一、苦諦——世事無常，是以人生充滿苦惱。

二、集諦——人對財富權力之貪欲更導致他人之痛苦。

三、滅諦——捨棄自我，痛苦乃止。

四、道諦——經由中道，證涅槃，獲得寧靜。

佛陀除自己向人說法外，更派遣門徒四出傳道，講解四聖諦與八正道的意義。希望人們由此解除煩惱，獲得快樂。不過他和他的門徒並不受印度嚴格的教規所拘束。因爲他教人不要浪費時間去崇拜那些虛無的印度神祇，不重儀式，理甚爲直接了當。他認爲無須藉神力之助，人自己有能力創造自己的命運。人以自己的行爲和思想就可以直接證得涅槃之樂。

但在另一方面，佛陀的純正與眞誠使他在羣衆中擁有衆多的信徒。不論他在那裏說法，他都能得到新的皈依者。後來連他的妻子與兒子也都宗奉了他。他的門徒[illegible]榮的標誌，皈依者都願意遵守佛陀所立的十條戒規。前五條列於正業之下，計有不偸竊，不打誑語，不犯奸邪，不飮酒與不吸毒等。另五條爲不可享受世俗娛樂，不服用飾物及豪華衣着，拒收金錢禮物，不睡架高之床舖及新皈依者午後不可進乾食等。

行腳的僧侶將佛教教義傳至錫蘭、泰國、中國和日本。憑着他們光禿的頭，乞食的鉢以及他們內在的力量，更重要的是因爲他們教導了人們如何獲得美好諧和的精神，他們遂成了被壓迫和苦難者的歡迎對象。

佛陀繼續說法約有半世紀之久，於八十歲時逝於拘尸那羅。

雖然佛教至今已傳遍了整個亞洲，甚至部分歐美人士也皈依了，據統計全世界佛教徒的人數已到達五億之衆，但是佛陀所倡導的佛教基本精神，許多非佛教徒或者連某些佛教徒們自己都有不少誤解之處。現在特提出數點說明於后：

一、佛陀並不以神靈自居。他自承只是一個單純的人。也沒有自命受了任何聖靈的感應。對於他自己的覺悟，成就及造詣，他完全歸功於他做爲一個人的努力與才智。他認爲人，而且只有人，才能成佛。只要肯發奮努力，每個人身內都潛伏有成佛的勢能。我們可以稱佛爲一位超絕羣倫的人，因爲他的「人性」完美之極。也就是因了這個緣故，在後世通俗宗教的眼光中，他被視爲超人，爲神。

二、佛教並不要人迷信。提起佛教，很多人便會立刻想到迷信。其實，佛教的要義全在一個「見」字上。古佛典中說：「悟時如覩掌中珍」，又常稱得知眞理的人爲「得淨法眼」，或說「他已見道，得道，知道。」及「以得正智慧如實知見」。佛陀在談到他自己悟道時說：「眼睛生出來了，知識生出來了，智慧生出來了，光明生出來了。」（註一）因此，顯然佛陀是主張由「見」與「知」而後「信」的。他要人由了解而生信仰，不要迷信。

三、佛教並不是悲觀的。這說法似乎與許多人的想法相抵觸。因爲時常我們可以聽到有人在萬念俱灰時「削髮爲尼」，或是在走頭無路時「剃度爲僧」，我們便誤以爲佛教是悲觀者所信奉的宗教，所有佛教徒也必都是悲觀的了。事實上佛陀雖認爲無常的世事使人生充滿了苦難，但他却以爲人如能照他的方法修習，仍然是能擺脫苦難而獲得快樂的。所以他在證得涅槃，徹悟了後就從沒有抑鬱不樂的時候。與他同時的人將他描述爲「經常微笑着」。在佛教的繪畫與雕像裏，佛陀的容顏永遠是快樂，寧靜，滿足而慈悲的，毫無受難或痛苦的痕跡。

最後，必須一提的是佛教寬容了解的精神。幾乎所有其他宗教都有一種「排他性」，惟獨佛教不然。佛陀曾一再忠告他的門徒不可有「只有這才是眞理，餘者皆假」（註二）的想法。在西元前三世紀時，印度的佛教大帝阿育王，遵照佛陀寬容諒解的模範，尊敬他國境內所有的宗教。在他雕刻在巖石上的許多諸文中，有一則至今尚存，其中他宣稱：「不可只尊重自己的宗教而菲薄他人的宗教。」因此，在兩千五百年漫長的佛教史中，決找不到一個佛教徒迫害他教的例子。佛教也從來不曾因爲勸人信佛而造成任何流血事件。佛教確實是一個最和平的宗教。（完）

（註一）見巴利文學會雜部經第五集第四二三頁；第三集第一。三頁及同版中部經第十九頁。

（註二）見巴利文中部經第九十五經。

國父的好學精神

許一塵

國父嘗自謂：『生平嗜好，惟革命與讀書。』（見胡去非「總理事畧」第二章第七節）由此可見 國父一生對讀書與研究學問的精神，是怎樣地令人敬佩！

黨國元老黃昌穀氏也嘗云：『有一次，很有名的日本人便問孫先生說：「我們每次看見先生，談不到三句話，先生就要談革命。究竟先生於革命之外，還有沒有別的嗜好呢？」孫先生答應他說：「我一生的嗜好，除了革命之外，祇有好讀書。我一天不讀書，便不能彀生活。」所以孫先生一生的生活，無論是在做事，或者是在休息，每天除了飲食做事之外，總是手不釋卷。不徒是在旅行之中，沒有帶什麼物件，總帶得幾本關於革命一方面的最新出版物，時常仔細研究。就是最近（民國十二年）在火線上督戰，也是攜帶許多書籍雜誌。軍事上的工作一經停止，便要把書本拿到手上來，從容不迫，一行一字的讀下去。像孫先生的這種愛讀書的嗜好，就是最不愛讀書像兄弟這個人，常常同先生到外面打仗，有時也不能不被孫先生所感化了！』又說：『中山先生一生，無論是在革命陣地，或者是在亡命旅行，除了和中外革命同志做宣傳革命和實行革命的工作以外，他總是讀書，研究革命。他的手中，總沒有離過書本，總是手不釋卷。他一生有讀書的天性，而且不愛讀無益的小說書。所讀的書，沒有一卷不是直接間接和革命有關係的。他常對同志說：「我一生無論是怎麼樣艱難困苦，沒有錢過日常生活，沒有大宗欵項革命，但是總要花錢買書。就是在亡命的時候，至少也要讀三四千塊錢的書。」由於這幾句話，就可想見中山先生日常的生活是怎樣了！……他到後來，因爲在中國買不到很完全的革命書做研究的材料，就兼讀外國書，而且是讀各國的革命書。所以他所發明的革命道理，不是部落的民族主義，不是偏於中產階級的民權主義，也不是專爲勞資爭鬥的社會主義，而是包羅古今中外革命眞理的三民主義。』（見黃昌穀氏講述之「中山先生之生活」）。

又革命大師吳稚暉先生在他的「我也一講中山先生」文中說：『我起初不滿意孫文，就因爲他不是科第中人，不是經生文人，並且疑心他不識字。到認識以後，才知道他是手不釋卷。一九〇八年（淸光緖三十四年）他到倫敦時，似乎旅費甚窘，所以有位朋友曹亞伯，在學生中湊了三四十鎊送他。不料三天以後，我們到他寓所裏見他，已把那些錢買了一大堆緊要書籍，指示我們什麼什麼。我是驚駭他的好學，曹君便以爲他不吃麵包，買那種不急之物，有些不滿意。後來我每見他，不是談國事，便是看書，終不談閒天。什麼麻雀下棋，更生平不懂得的了。直到前一月（民國十四年），皮海霞先生也對我說：「孫先生眞用功，他把最新歐美的社會學說，無不瀏覽。」他幷說：「儘管學者如汪××先生等，事情太多，幾乎像束書不觀，不及孫先生用功！」我當時也爲之振然，始更驚異孫先生的好學，竟是學者亦心折之。這就姑且算我最心折孫先生的一點吧！』

由此可見 國父不僅是一位革命家、思想家實行家，同時也是一位偉大的學者，終日手不釋卷，革命不忘讀書的！ 國父自己亦對鄒魯先生說過：『一般讀書人不認眞，還不要緊，我們革命黨人却千萬不可不認眞。因爲一般讀書人或是爲個人前程，或是爲一家的生活，他讀書不認眞，成敗得失，只在他個人或一家；革命黨人則不然，一身負國家社會之重責，如果自己讀書不認眞，事情做錯了一點就不但害了我們的黨，連整個國家社會也被害了！』這眞可以作爲國民黨員的座右銘。

諸葛亮狂想曲（一七）

·劉玄·

「自從丞相你學習英文的消息傳遍天庭以後，大小各仙都在一窩風跟進，變成一時風尚。我聽說除了葡萄仙子、還有芙蓉仙子、瀟湘仙子、桃花仙子……等都在跟劉約翰學習英文，劉約翰在天庭就靠這一手已經混開了，眞是奇蹟！」琴童很恭敬地向諸葛亮報告。

諸葛亮知道琴童慧黠異常，屬於消息靈通人士，說的話自有其可靠性。可是，爲什麼大家一窩風學英文？他仍感迷惑。因此問道：「他們爲什麼要學英文？」

琴童伸出小手，豎起三個指頭，說：「這有三個理由，第一，上次丞相想往下界觀光，雖未成功，已引起天庭大小各仙的注意，他們都動了凡心。他們認爲總有一天會有觀光的機會，應該早日準備。」諸葛亮聽了點點頭，問道：「這第二理由呢？」

「第二，自從美國太空船登月成功，天庭各仙感覺人類智慧並不下於仙家，尤其是美國的科學成就更使他們驚異，所以紛紛學習英文，其實也即是美文。第三，丞相所作的狂想曲，是外國調兒，特別是能歌善舞的各仙都想往西化路上走，因此如葡萄仙子等就非學英文不可了。」

諸葛亮聽了琴童報告立刻發生無限感慨，他認爲人類世界是一個動的世界，天庭也是一個動的天庭。琴童好動，故知道的比他多，他好靜，却變成孤陋寡聞了。

琴童收拾好客廳，正要退出，被諸葛亮喊住，他很溫和地吩咐琴童道：「今天沒有什麼事，你可以將天庭新聞說給我聽。」

琴童在天庭東奔西跑，道聽塗說裝了一肚子的貨色，平時諸葛亮不問他，他不敢亂說，現在得此機會正好打開話匣子。

「丞相知不知道韋陀菩薩最近與二將軍鬧的不愉快？」琴童口中的二將軍指的是關羽。

「我不知道。」三國時代的諸葛亮什麼都知道，現在在天庭倒變成懵懵懂懂了。

「據說下界有一個關帝廟，廟門口塑了一個韋陀菩薩像，韋陀像有兩種塑法，一種是雙手合掌，降魔杵橫放於肘彎之間。一種是雙手將降魔杵倒插地面。前者的塑法，香火必盛，後者的塑法簡直沒有什麼香火。那個關帝廟廟門口的韋陀菩薩像是採用後者的塑法，香火寥落，故韋陀菩薩大爲不滿。」

琴童說話很快，一口氣說到此處。

「這與二將軍何干？」諸葛亮與關羽的關係血濃於水，所以有點偏護關羽。

「我也是這樣想，但韋陀菩薩心有未甘，一定要二將軍託夢給該廟主持，將他的像重塑。二將軍不肯答應，韋陀菩薩認爲二將軍存心跟他過不去，他聲稱不再替該廟作守護之神，二將軍的說法更簡單：誰要你守護？看來此事已鬧成殭局。」琴童說完，接着問諸葛亮道：「丞相你看此事怎辦？」

（未完）

巨變歷險記

鄧錫侯歡宴（九三）

胡慶蓉

在重慶不利的消息，胡宗南大軍撤退的消息相繼傳到成都，成都大為震動。今總統蔣公，以在野之身，蒞臨成都，成都登時成了全國的軍政中心。四面八方都向成都的這個方向集中。重慶方面的，所有與政府有關的，都爭先恐後的奔向成都，固不用說了，就是西北的胡宗南大軍也奔向成都，成都一時重要起來，成為全國的軍政中心。四川的巨頭鄧錫侯也隨之重要起來。

當時四川省政府的主席並不是鄧錫侯，而是王纘緒，但王纘緒並沒有力量。他對於大局似乎不可能有什麼影響。當時受各方面注目的人物，倒是鄧錫侯。鄧錫侯，有水晶猴子之稱，鄧錫侯變成了水晶猴子，鄧錫侯之為人可知。鄧錫侯是一個不折不扣的水晶猴，他是一個名符其實的水晶猴子。你只要同他接近，你就會有這樣的感覺。特別他和你談話的時候，他的眉飛色舞動，簡直就是一個水晶猴子的化身。他的面貌，特別他那眼睛，簡直就是水晶猴子。猴子而冠以水晶，其為人之圓滑狡滑可知。其所以能在四川站得住而成為不倒翁者，不能不說有賴於這種圓滑狡滑。水晶是透亮的，這象徵他的智慧，這也就是說他有高度的智慧，也可以說他有高度的敏覺，不能說他料事如神，但他對於局勢的演變，往往看的很清楚，他能看得清，致所以他也能把握得住。

鄧錫侯同丁博士遠在民國廿一年的時候就熟識了。當時他任成都西灌縣下去茂縣松番理番雜各老等地的屯墾督辦。共黨所謂二萬五千里的長征，就是經過這個區域。當是丁博士在國立四川大學任教，同一位黃教授，應鄧督辦之邀，前往參觀。一過灌縣，一過灘堆，一過玉壘關，一過索橋，地形與以前大異，天府之國，變成不毛之地，兩山之間，只有一條小路前進，且每天風沙，對面而來，衝擊面部，痛不可當。這是後話，鄧錫侯，鄧督辦却同丁博士結上交情。丁博士第二次到成都川大是在抗戰的時期，一連七八年——作訓導長，更同鄧錫侯常往來。此次聽說丁博士又同到成都，特別是從北平來的，從台灣來的，對丁博士更熱列歡迎。在他的公館設宴招待，並請了當地的各界領袖作陪。鄧錫侯個子高大，實不亞山東大漢，有說有笑，能說能笑。歡宴之後，又同丁博士個別密談。以後又常常見面。他專從他個人的局勢及前途來看大局。他對於當前的局勢及其演變的可能，都有很正確的觀察。對於今　總統蔣公，不能意作張學良第二，但也不過是表面上的敷衍而已，想他在積極方面有什麼作為，他是不幹。其投降共黨的意見，丁博士很感覺得到。雖多方勸勉，效忠領袖，報效國家，也徒勞無益。成都的歸還，四川的大局，也已經是無可挽回的了。

搜異錄

定婚店

・周遊・

唐人韋固，杜陵人，從小而孤，欲早娶婦，然屢求偶，終不遂。唐貞觀二年，旅遊清河。一日旅次於宋城南店，順託媒尋偶，媒人以前清河太守之女為議。約韋固明日黎明相晤於店西龍興寺。韋固以求偶心切，毅然約期而往，因心中有事，早起赴約，斜月尚明。韋固至龍興寺前，見一老者坐於石階上，肩上斜掛一巾囊，向月檢視一書。韋固走近觀之，不識書中文字。因問老者道：「（老杖）之書何名，小生不識其文，願求教之。」老杖笑道：「此書不是世間物，君固不識也。此書乃幽冥之書也。」韋固道：「幽冥之人，怎能到此？」老杖道：「君來得太早，不是老漢來此也，凡幽吏皆主生人之事。今道路之行者，人鬼各半，自不易辨也。」韋固道：「然則老杖主管生人何事？」老者道：「老漢主管人間婚姻大事耳！」韋固大喜道：「小生少孤，欲早娶妻，屢求不得。今有人為之媒說，相約於此，欲娶潘司馬女。今過主管婚姻幽吏，不知能成姻緣否？」老杖道：「不成。君之妻今方三歲，俟年十七，當入君家」。韋固又問道：「老杖囊中何物？」老杖道：「囊中乃赤繩子耳！用之以繫夫婦之足。雖仇敵之家，貴賤殊隔，天涯從宦，吳、楚異鄉，只要赤繩一繫，終成眷屬也」。韋固再問道：「然則我妻何人，願聞其詳」。老杖道：「此店北，有賣菜家嫗之女便是。」韋固道：「可得一見否？」老杖道：「嫗常抱女賣菜，君隨我一行，吾當示君。」

天明，韋固隨老者而行肆中，見一嫗眇一目，抱一三歲小女孩而來，穿着破爛，弊陋不堪。老人指道：「此即君之妻也。」韋固見其鄙陋，不願異日為妻。因謂老人道：「殺死小女可否？」老人道：「此人命當大食大祿，因其子而貴，不可殺也。」老人言畢不見。

韋固回至逆旅，使其僕殺之。因於人叢中刺中其眉而回。韋固問奴道：「刺死否？」奴道：「我欲刺其心，不料僅中其眉間。」韋固悵然。

後來韋固求婚不遂，過了十四年，韋固以其父之蔭，除相州軍。刺史王泰有一女，許韋固為妻。女年十七，容色華麗，韋固得成佳偶，心中甚喜。惟其妻眉間常貼一花鈿，一刻不去。成婚歲餘，因問其故。其妻愴然說道，「妾非郡守生女，乃其養女也。我父曾為宋城縣令，去官時，妾尚襁褓，母親大兄相繼而故，惟遺一莊於城南，與乳母相依為命。乳母常於市中賣菜渡日。一日乳母抱妾肆中賣菜，不幸被一狂徒刺傷，故以刀痕尚在，因以花子飾痕。七八年前，叔從事盧龍來，送刺史為養女，方得依叔而蹤君也。」韋固道：「乳母為一眇婦乎？」妻道：「正是眇一目。君何以知之也？」韋固悵然道：「我乃昔年刺你之主謀者。」言畢，夫妻相感大奇，然後來夫婦相敬如賓，後生一子韋昆，官雁門太守，妻封太原郡太夫人。是以知陰幽之定，不可變也。宋城縣令聞知此事大奇，乃題其店名曰「定婚店」。（此事見唐人筆記小說「續玄怪錄」，唐人李復言著）

成語選粹（13）

李國良輯

網開一面

帝王世紀：『湯出，見羅者，方祝曰：「從天下者，從地出者，四方來者，皆入吾羅」。湯曰：「嘻！盡之矣！」乃命解其三面，而置其一面。』駱賓王破賊露布：「祝禽疏網，徒開三面之恩。」今謂「網開一面」，言施惠罪徒予以逃亡之隙，或故予人方便也。

紙上談兵

一、攻其無備，出其不意

「攻其無備，出其不意」典故，出自「孫子兵法」卷一的「計篇」。「計」就是計算。計算什麼？如將領的賢愚，敵之強弱，地之遠近，兵之多寡等等皆是。

曹操說：「擊其懈怠，出其空虛」。太公所說：「動莫神於不意，謀莫大於不識」。

曹操征烏桓，他的謀士郭嘉說：「胡兵以為我軍甚遠，必不設備，因其無備，卒然攻之，敵兵可破」。曹操稱善。曹操揮軍到了易水，郭嘉又說：「兵貴神速，我軍千里攻敵，輜重甚多，難以趨利。不如以輕兵兼道出擊，掩其不意我兵之神速，必能克敵制勝」。於是曹操之軍密出盧龍塞，直搗單于庭，三路之兵合戰，遂大破烏桓。

唐大將李靖，為太宗獻上十策進攻蕭銑。太宗以李靖總管三軍，集兵夔州。蕭銑以時值秋天，江水泛漲，三峽路危，以為李靖不能進兵，遂不設防備。李靖蹑軍行一月，乘江水泛漲之勢，突至城下，所謂「疾雷不及掩耳」之勢而來。蕭銑不意唐兵來得如此神速，城內空虛，乃向江南調兵，可是已經來不及了。李靖勒兵圍城，蕭銑只好開城投降。這亦是「出其不意，攻其無備」的實例。

三國魏將鄧艾、鍾會二將攻蜀，蜀將姜維守劍閣。鍾會攻打劍閣姜維，因姜維對此路有備，鍾會不能下。鄧艾對鍾會獻計說：「我軍一枝由陰平邪徑出劍閣，西入成都，奇兵衝其腹心。劍閣之兵必還赴救。將軍之軍由劍閣併進。如此姜維之軍不能還赴涪，涪城之兵則寡。軍志云：『攻其無備，出其不意』，今搗其空虛，破敵必然」。鍾會從其計，遂於蜀炎興元年，魏景元四年冬十月，鄧艾從陰平進兵，通過無人之地七百餘里，鑿山通道，造作橋閣，山高谷深，至為艱險。但鄧艾之軍，糧食匱乏，至於危殆。鄧艾非速行不可，乃以氈自裹，自山上滾之下山。將士都攀木緣崖，魚貫而進。前軍突至江油，蜀將馬邈措不及備，拱手投降。諸葛瞻從涪還綿竹，列兵抵抗，大敗戰死。魏軍突至成都，後主劉禪投降。這亦是「攻其無備，出其不意」之又一例。

齊神武為東魏將時，率兵伐西魏，屯軍於蒲坂，造三道浮橋渡河，又命其將竇泰趨潼關。高歡曹圍洛州。西魏將周文出軍廣陽，召諸將說道：「賊兵三路犄角逼我，又造浮橋於河上，以示必渡河之勢，欲綴我軍。以使竇泰得西入潼關。久與賊兵相持，賊計得行。而且高歡用兵，常以竇泰為前鋒，其部下多為銳兵，屢勝而驕。今我軍如出其不意，攻之必克。如勝竇泰，則高歡之軍不戰而走了。」但諸將則為「賊兵近在眼前，舍近而擊遠，時間空費，恐怕未善。」周文道：「高歡前攻潼關，我軍不過霸上。今日敵兵大至，我兵未出郊外，賊以為我軍固守，殊無遠圖，有輕我軍之心，如乘其不意而攻之，何患不勝！賊兵雖以造橋，未能征渡。我軍五日，必勝竇泰。公等勿疑。」周文遂率六千騎兵還長安，佯言欲出隴右。暗中潛軍出潼關。竇泰聞周軍突來，十分惶懼，依山為陣，尚未及佈陣，周文揮軍攻之，大破竇泰之軍，斬竇泰首級傳於長安。高歡曹雖陷洛州，聞竇泰敗死，燒棄輜重而遁。這又是「出其不意」致勝又一例。歷史殷鑒多多，不必盡舉。

偕大專教授同仁飛金門訪問賦贈前方諸將士之作

陳邁子

彈丸一島繫中興。莒墨復齊史可徵。
海上長城宜自許。收京指顧看先登。
一水盈盈隔大陸。遺民淚眼望旌旗。
中原北定烽烟靖。十萬貔貅奏凱時。
浮海原期滅暴秦。悲天一念救蒼民。
斬蛟射虎英雄氣。化作千門萬戶春。

生活漫談

烏鷄百補

馬騰雲

一切動物交配，都有固定季節，只有人打破動物的例規，因之常造成男婦虛弱，初爾脾胃不健，繼而頭目昏眩，耳鳴健忘，廣東人一年四季吃東西，總是研究如何補，實則補就等於植物加肥，動物加料。比如庭園栽植的月季花，花開後立即施肥培補，下個月開的花朵既鮮艷又大，否則一個月比一個月小，花的朵數亦一個月比一個月少，以證明培補的功用。

烏鷄百補湯是以烏鷄為主，大家所知道的鷄鴨魚肉，不過為葷菜之一種，殊不知鷄乃一種重要中藥，談中藥又離不開金、木、水、火、土；所謂金木水火土者，符號而已。符號的本身並沒有什麼意義，只不過是用以代表心肝脾肺腎五臟的一種。數典忘祖攻擊中醫的人，總認為中醫所用的金、木、水、火、土，是胡說八道，這只是自己淺薄，何況近年來進步的中醫，早將金、木、水、火、土，符號廢置不用了，而直接用心、肝、脾、肺、腎的五臟本名。藥典裏謂鷄屬木，而骨黑者屬水，水木之精氣，故能益肝、補脾、又兼助腎、治虛勞、補損益、治消渴、下痢噤，烏骨鷄骨肉俱黑者良，舌黑兼骨肉俱黑者更為上品。

烏鷄百補湯的別應法，以白毛烏骨鷄一隻（不是白毛雖烏骨藥力不大）用時注意，烏骨鷄不分雌雄殺後去毛破腹，腸雜拿出來洗淨，用大生地四兩，先用酒洗，麥芽糖四兩，共裝納鷄腹內，瓦罐裝好，隔水蒸爛食之十天一次，有意想不到之效力，進補期間，房事暫停。

素食百補膏，專為吃素的人，用以進補，其功力較烏鷄百補湯差額有限，處方為嫩黃耆五錢，切成片，當歸五錢（最上品須截頭去尾淨重）酒浸洗淨，竹葉心五錢，橘紅三錢（如果沒有真者，用老陳皮去淨白亦可）以泉水（如果沒有泉水，自來水亦可）熬成膏每早涼水調服，黃耆含有葡萄糖，粘液質，樹膠，纖維素等，為綜和強壯藥，無汗能發，有汗能止，補肺氣，壯脾胃，塡陽虛，瀉陽火，因有別糖作用，又為治糖尿病的藥物。當歸補血，盡人皆知。竹葉心，鎮咳解熱，涼血清肺，陳皮的功用甚偉，其成份含有右旋性檸檬還，柑果昔，檸檬酸，糖份，及維生素C等。四川、湖南、廣西、廣東、福建、台灣皆產，當以福建，台灣及廣州新會所產橙橘之皮為正品。中藥店賣的有化州陳皮、綠毛陳皮，實非橘而似柚類之皮，價頗貴，貨非適於藥用，買藥時注意。陳皮功能止咳化痰，鎮嘔止呃，青枝治胃痛、吐逆、解熱、消痰，用上列數藥熬膏成為素食百補膏，可以與烏鷄百補湯相提併論，非無由也。

讀者佳音

醫藥理論家馬騰雲先生所寫「生活漫談」，影響到海內外上千萬的讀者，由於馬先生原習農業化學，後又攻讀新聞學，最後研究中國醫藥，德業並茂，學驗兩豐，他最近倡導讀實用書，並接受本報約定主編「社會服務」，舉凡工藝生產技術，有關生活健康暨社會甚多問題，抱知無不言，言無不盡的態度，誠摯替讀者解答。

編者

自由報

中華民國內政部登記證內警台報字第○三一號
中華郵政登記為第一類新聞紙

（第一○二九期）

（中週刊每逢星期三、六出版）

社長：李鵬運・督印兼發行人

社址：香港九龍彌敦道593—601號廖創興銀行大廈八樓五座

LIU CHONG HING BUILDING
7th FLOOR FLAT 5
593—601 NATHAN ROAD,
KOWLOON, H.K.
TEL: K303831
電報掛號：7191

承印：景星印刷公司
地址：嘉咸街廿九號地下
台灣連絡中心：台北寶田街五巷三號
電話：三七五○二二
台灣區直接訂戶　合郵劃撥戶
第五○五六號張萬有（自由報合訂室）
台北警察處：台北衡陽街三十號
電話：二七二○○
台灣分社：台北市西寧南路110號二樓
電話：三三○三四六，台郵劃撥戶九二五二號

教育界亟需解決的兩大問題（上）

・吳相湘・

一、孫亢曾如「今天不回家」

昨早看到報紙刊載毆辱師範大學校長孫亢曾的駐衛警佐已經法院提起公訴的消息，閱讀三遍之後，始終感覺這一消息不完全，特上街將所有報紙買來細看，比較結果仍舊沒有發現這一消息另一半，并且是重要的一半即有關孫亢曾受此空前毆辱之後有何表示。

現代報紙已經不是有聞必錄，這一重要消息只發表事實的一面，更是具有反作用的。如果說這一消息是有懲一儆百作用。筆者以為是多餘之至。因為筆者對自由中國警察界具有充份信任：十餘年前，筆者曾因前中央警官學校校長趙龍文親挽台大張研田教授前來面邀（趙張均北大同學）至該校講授歷史，親見這些未來（目前應說今日了）警官的好學有禮。出國三年後回台，逢戶口校正，警員來舍，內子適赴校上課。警員檢對戶口名簿及身份證時竟說「伯母上課去了，眞辛苦」！使筆者大感驚異，因為與此警員無一面之識。這一親切的話語，更使我對警察界有好印象，尤其旅居東南亞三年後，對台灣治安良好，更感覺回國定居好。兩次遊美國華府各博物院及國立檔案館見每一陳列室都有一二警察戒備森嚴，這對多次遊覽過北平故宮博覽院及台北中山博物院的人眞有不自在之感。但洋人還說台灣是「警察之國」，眞是胡說八道。事實上：如果我們警察力量再多一點，治安更會好，例如台北市警局少年隊員警不到二十人，面對四十萬青少年，眞是難為啊。

筆者指陳這些事實，旨在分析這一消息沒有懲一儆百必要，因為絕大多數的警員都是善良的。俞某只是僅有的一例。而這一僅有惡例，是「無獨有偶」與孫亢曾相輔相成的。

本文自這裏開始不再用「師大校長」職銜，這是秉春秋筆法。因為自去年十二月十日孫被俞毆辱事件發生時起，孫所任「師大校長」已名存實亡，而孫在事發後竟未立刻封印掛冠而去，已完全失去讀書人應有的最低風骨，實在值不得應用任何禮貌稱呼，辱我筆墨。

當毆辱事件發生之後，孫亢曾為什麼竟學牽皮的甄珍一樣上演「今天不回家」。竟在「重頭收拾舊山河」的辦公室內欣賞藍幕上馬驪珠的「勾踐復國」。如果自十二月十二日至昨日（一月八日）孫亢曾是為着「忍辱負重」，專候俞某提起公訴後才「回家」，但今天報紙上仍沒有孫「回家」消息！

中國傳統對讀書進退行藏的氣節有很多提示，知止不辱更可為孫亢曾暮鼓晨鐘。在前年師大發生一副教授毆打教授事件後，孫亢曾即應「知止」。但他沒有這樣做。如是不到一年拳頭打到自己肩上了，這是孫亢曾以身作則為「知止不辱」古訓做一最佳反證。如今他仍不「知止」。一辱再辱之後昨日各報刊載「毆辱」消息，孫應該了解：俞某已經面對法律制裁，孫如果還不「知止」「知恥」（蔣總統手書全國共同校訓恥字右側作止，大義微言是很顯明的）。還「不回家」。要知社會輿論是很厚道的，不好意思說：「趕快滾回家」！

筆者百思不得其解孫「不回家」理由。如果是「戀棧」，則古訓「戒之在得」可以振聾發瞶；如果說等學期結束再說，比較之下，這一權衡完全顛倒錯誤。如果事發之後孫竟如傅斯年之氣憤而死，教育部也應立刻派接替人。筆者眞為孫亢曾可惜竟沒有高血壓病，如果當時如傅斯年之氣憤死眞重如泰山，如今「不回家」，可說是雖生猶死，輕如鴻毛。孫亢曾沒有理由「忍辱負重」，教育部更沒有理由要孫「忍辱負重」，這樣做只有給中華民國歷史增加污點。現在看報的人就因這消息缺少一半而憤疑，十年二十年以後，這些看報紙都是史料了，後人看今日定也會要找那一半，一定更說孫亢曾的靈魂失掉了。

筆者與孫氏無一面之識，更談不到恩怨是非，只是善意的為孫氏不「知止」「知恥」而可惜，更為今日教育風氣敗壞而嘆惜，為國家前途而嘆惜。讀者先生當有知孫氏其人其事的，難道他是「厚黑學」專家！（未完）

昨日與明日

林覺民先烈的一封信

國立歷史博物館前在台北展出「革命先烈先進墨寶」，從詩書文牘中，我們可以看到革命先烈，為創建民國，犧牲小我，轟轟烈烈的革命精神。其中如林覺民烈士的遺書：「不孝兒覺民叩禀父親大人兒死矣惟累大人吃苦弟妹缺衣食耳然大有補於全國同胞也大罪乞恕」字字血淚，想見上一代青年，救國救民的偉大抱負！事實上，也就因為有無數先烈，灑熱血、拋頭顱，才從最艱危的環境中締造了中華民國！

現代青年的抱負是什麼？

時代的輪子是不停止的，上一代的青年為國家民族盡了他們應盡的責任，長眠於地下。國家民族在今日面對共產黨摧毀文化、滅絕人性的威脅，其危疑震撼的程度，絕不稍遜於以往，但今日一般青年只知追求物質享受，在精神上陷於萎靡、頹廢，要為不爭之事實。如何到美國留學，如何能在美國立足賺美金，甚至討美國太太，入美國藉，都是今日一般青年的「理想、抱負」！像林覺民先烈那種壯懷激烈，以天下國家為己任的氣質，在今日一般青年中實屬鳳毛麟角。

青年需要黃花崗精神！

政府明令訂三月廿九日黃花崗先烈紀念日，[illegible]遠。反共復國大業的完成，所要求於今日青年者，正是黃花崗精神！我們認為當前教育對青年國家民族意識觀念的培養，慷慨激昂精神的激發，都嫌不夠。在以往歷史中，證明革命的力量主要是在精神方面。今後亦復如此。青年要以自身為爆炭，奮勇投入時代洪爐中。林覺民烈士遺書中：「累大人吃苦，弟妹缺衣食，然大有助於全國同胞也」這幾句話擲地作金石聲。也是青年愛國的最佳榜樣！也是「青年創造時代，時代考驗青年」不移的至理。

・易儔・

自由談

倫理不能漠視

人類的道德觀念，隨着時代進化關係而發生質變，理固然也；但所謂「道德」的本體是未可否定的。

工業社會與農業社會的道德標準有所不同，誰都承認，卻不能說工業社會就根本可以不講道德。譬如反忠孝仁愛、禮義廉恥立身行己的道理，時無論古今，人不問新舊，總不能視為不值一顧的迂腐之談，而以陰賊險狠、卑鄙齷齪為合理的人生觀吧？所以，生存在今日這樣科學發達的工業社會中，可以不相信上帝，否認一切神話，也可以修正舊有的道德觀念，然不能不講道德——新道德亦應該有它的義蘊和標準。人類如果完全蔑視倫理道德，任情恣肆，無所不為，就會構成獸性世界，名為文明進步，實係野蠻退化，世界即非毀滅不可！

美國是科學最發達，生產最豐富的工業國家，她過去全靠宗教精神以維護羣象生活和社會生計之向上發展，纔有現時的富强康樂景象。可是，由於工業超級進步，物質文明對人慾的誘惑力特別强烈之故，一般社會大衆皆漠視道德觀念，因而宗教精神日趨萎縮，為着追求物質的享樂，許多駭人聽聞的事情亦層見迭出，恬不為怪。近年來，美國青年人士表現的不道德行為，除青年男女性交自由，同性戀愛肆行無忌外，更倡導所謂男女通姦合法運動，實行青年男子與老年婦人婚配，而「嬉痞」妖人成羣，動則以邪術姦殺婦女。舊的道德標準已摧毀無餘，新的道德觀念又不存在，試問這是人類的進化？抑退化呢？

中國文化思想以四維八德為樞紐，而將平治天下國家之道，歸本於個人的正心誠意與修身齊家。所以，中國儒家最講究做人的倫理主義，其本質平正通達，適合人性，既非神道設教的玄學，亦與一般宗教的苦行義理有別，可以行之百世而不敝，放諸四海而皆準的。我們今日所缺乏的只是科學精神而已，至於倫理主義，我們應該向全球各地區輸出，固不失其為導師也。

顧何以此時又有復興中國文化運動之舉呢？乃由於近五十年來，一些震眩於西方物質文明生活的淺識之士，矯枉過正，誤認倫理道德為「吃人的禮教」，主張全盤西化，連中國的固有文字亦視為落伍的產物，試行胡亂改造，以自詡進步。幸而中華民族薰陶於四維八德的固有文化思想中，已歷五千年，根深蒂固，不易摧毀，否則像上述美國社會那種妖風邪俗，早已在中國盛行了！最近台北市警務機關，曾將男扮女裝、陰陽怪氣而招搖過市的「嬉痞」式份子加以懲究，殊堪稱贊，這就是復興中國文化的事實表現，其功效比發佈千百次文告宣言尤為深鉅。

蔣總統諄諄以科學與倫理併重之說，告誡國人，語重心長，切中時弊，願大家共勉之！

馮玉先生

輿論精華

美副總統訪問台北之評價

美副總統艾格紐昨日到了台北，立即與嚴家淦副總統會議，晚上又與蔣總統會談，今天在離台北赴曼谷之前，再次與蔣總統及蔣經國副院長會談。一連串的會談，顯得艾格紐此行的重要性。

美國近來對亞洲之新措施，無疑是增加台北不安的，例如：

第一、繼續自南越撤兵，不惜降低要求，希望與越共妥協。

第二、鼓勵日本干涉台灣及南韓事務。

第三、決定將冲繩交還日本，而抹殺了冲繩究竟是誰人之領土，及冲繩在歷史上之情況。

第四、重開華沙談判，企圖改善與中共之外交關係。

第五、局部恢復對中共貿易，及安排恢復美國人旅行中國大陸。

第六、協助自由中國購置新型戰鬥機事件，引起很大風波，暴露了美國會與華府對自由中國政策之歧見。

第七、減少第七艦隊巡邏台灣海峽任務，不必再列舉下去，單純是上述七項新措施，已經暴露了美國對華政策之轉變。這種轉變，顯然是為了美國本身利益，而忽略了自由中國之利益，更忽略了艾格紐此來，可能對亞洲帶來更惡劣之後果。艾格紐此來，主要任務是為了向自由中國解釋美國的新措施，消除自由中國軍民之疑慮。以保障中美一貫的團結合作，防止自由中國對美國之離心運動而已。所以，我們認為艾格紐在台北一連串會議，任務誠然重要，但極其量是對自由中國之「安撫」與「鼓勵」而已，不會有積極性的結果。要之「安撫」與「鼓勵」都是消極的、空洞的、並非具體的、更非對自由中國給予新的援助。自由中國人士將艾格紐訪問，看來不會寄以過高之期望。

我們進一步研究艾格紐之聲明，據中央社台北二日電稱：「美國副總統艾格紐今天重申美國決心遵守對中華民國及東亞盟國的防禦承諾。艾格紐說，美國是太平洋地區的一份子，將繼續積極參加並且關心這個地區的活動。但是我們亦認識到亞洲未來的前途操在亞洲人民自己的手中，以及他們在共同目標下，相互合作的意願與能力。他說：美國希望與亞洲人在這方面合作努力。我們決心遵守我們對中華民國其他東亞盟國的防禦承諾。我們的目標是援助那些尋求正義的和平，以及其人民在社會、經濟和政治方面福利的國家。」艾格紐透露說：他希望與蔣總統及中華民國政府其他官員會談時，討論實現這項政策的方法，以促成我們永久和平的共同目標。」

美國副總統此時重申美國協防台灣的決策，未嘗不可以減少自由中國軍民對美國之失望。但打開天窗說亮話：

第一、協防台灣是中美安全條約所規定，只要條約一日存在，美國便不能推卸其承諾，艾格紐的聲明，實屬多餘。

第二、協防台灣的作用是雙方面的。一方面是防止中共向台灣海峽用兵，一方面是限制自由中國反攻大陸。以達到台灣海峽之中立。試問這是為自由中國利益？還是為美國之需要？我們的答案是後者，所以我們對中美安全條約之性質與作用，一直保留存疑態度的。

第三、如果美國眞正協助自由中國這個戰時盟友，應該是從政治、經濟、外交、軍事各方面的全盤的支持。但美國現在重開華沙談判，恢復對中國大陸貿易，不管結果如何，但其對自由中國軍民心理之影響，對自由中國在國際之影響，我們認為是不能輕視的。

有此理由，對艾格紐重申保證美國協防台灣之聲明，眞正之價值與意義，我們是不應作過高評價的。

或曰：時間是最好的考驗，內外形勢瞬息萬變。自由中國之前途決於本身努力，自强不息，美國之協助，並非決定性之條件。自由中國軍民在歡迎美副總統艾格紐訪問之際，除了歡迎這位貴賓，及感謝其保證美國繼續協防台灣之外，應提高警惕，堅强自信，爭取時間，準備長久鬥爭，以扭轉惡劣形勢。（摘自華僑日報）

陳大慶主席重視林政
林務局措施議員不滿
郭雨新謂森林為本省之命脈

本報通信員柳一權台北消息：來自台中省議會報導，省議員郭雨新就農林方面提出質詢：

依據林務局五十九年度預算，計劃造林面積，除林相變更外，造林面積僅八、五四五公頃，比較上年度計劃造林面積一二、〇〇〇公頃，減少三、四五五公頃。惟依該局五十七年度決算，其造林面積，經濟林為九、一三八公頃，治水林為一、五九〇公頃，保安林為四三七公頃，計為一一、一六五公頃，而經造林補植者為三、九八三公頃，亦較本年度所計劃之造林面積為多。試問本省之森林在不斷砍伐後，造林面積不但不能增加，反而逐年減少，其能發揮水土保持之功能乎？

由於歷年來森林之大量砍伐，而導致水患，是不爭之事實。此次 陳主席蒞宜蘭攷察，曾經指出為「造林而砍伐」，要求確保水土，消彌水患，造林，才能砍伐，否則後患無窮。是誠中的之語。本省地理環境特殊，且屬海島，因之颱風與豪雨俱來，年有發生，唯有積極造林，斯是消彌水患之治本方針。本席對 陳主席之能體察入微，重視造林，是為歷任省主席中具有遠大眼光之林政專家，實在令人敬佩。然而林政主管當局將如何遵照 陳主席所指示之原則，規劃造林。

但依林務局所提出五十九年度預算，其計劃之造林面積，既較之上年度及前年度造林面積為少，而所列造林費用在上年度僅列二億六千四百餘萬元，本年度反較上年度增加三千二百餘萬元，達二億九千六百餘萬元，顯有浪費之嫌。而其中所列海岸造林費在上年度列五百九十餘萬元，已嫌不足，本年度減為五百三十萬元，治山防洪費，在上年度列九千九百二十餘萬元，本年度亦告減為八千七百二十萬元。以時受颱風豪雨侵襲之海島，治山防洪與海岸造林費用，如是之微，其有濟於事乎？

森林為本省之命脈，確保水土唯森林是賴，但觀之歷年來之大量砍伐，而造林面積又復不能比例增加，且有砍伐之後，棄置不顧，毫無造林跡象者，而橫貫公路，原有沿途青翠之山林，曾幾何時，砍伐殆盡，又未積極造林，有如童山濯濯，其不致水災，未之有也。試問農林主管當局視若無覩乎？

最後本席提出幾點質疑：

本省三年來之伐木面積及材積（包括橫貫公路森林開發處，大雪山林業公司及民間砍伐之數量），究有若干？林務局所佔之比率如何？本年度所計劃之伐木總面積及總材積若干？

本省三年來造林面積（包括橫貫公路森林開發處，大雪山林業公司及民間之造林面積），究有若干？伐木面積與造林面積所佔之比例如何？本年度所計劃造林之總面積若干？

良田變不毛之地
災區幾慘不忍覩
促請農林主管特別注意

治山防洪應為當務之急：

本省地理，由於中央山脈橫貫南北，以是地勢徒峻，河短流急，流域狹窄，加之河床淤高，每遇颱風侵襲，狂風驟雨來臨時，山洪暴漲，水患頻生，為消彌水患，則治山防洪應為當務之急。以宜蘭縣而言，該縣現有重要河川二條，而次要河川達廿條之多，總長六十八公里，幾佔全省次要河川三分之一，而各河川上游集水區，其地質多為易粹粘板巖或頁巖構成，因氣候多雨，風化侵蝕至速。且部份山地因採礦關係，產生大量礦渣，復因開礦爆炸，發生地震而影響崩山。又如深山之林木，除大量砍伐外，復受礦民濫墾，以致豪雨來臨時，發生嚴重崩山，洪水夾帶大量沙礫淤積河床。如不加强治山防洪工程，建築攔沙壩及護岸，勢必無法防止崩山，而消彌水患。

該縣於歷遭颱風之餘，因洪水所帶來之沙石，不僅淤塞河床，且沖決堤防，而使兩岸耕地埋沒。在解拉颱風之後，雖經林務局指撥專款二千萬元實施災區治山防洪工程，但因所受災情嚴重，災區尚未恢復舊觀。而於五十八年「艾爾西」及「芙勞西」颱風接踵而至，山洪又告爆發，由於各溪上游發生嚴重山崩而使堤防潰決，各鄉鎮盡成澤國，造成嚴重之災害，滿目瘡痍，慘不忍覩。以瑞北無名坑上游集水區而言，所有良田幾成不毛之地。未審農林主管當局是否繼續規劃該縣各河川上游之治山防洪工程，以竟全功，而防水患，請指教！

五十萬大軍集前綫
納薩决心向以攤牌
蘇俄支持阿拉伯法重染非洲
南斯拉夫警告俄非民主不可

本報記者柳一功綜合報導：來自芝加哥論壇報消息：納薩前天在蘇丹首都說阿拉伯已準備對以色列發動攤牌戰，前線有五十萬大軍處於戒備狀態，後方另有一支一百萬大軍正在動員階段。

中東那邊，在蘇彝士運河兩岸的炮火連天，使到埃及和以色列兩國間，戰火重重。還有，在阿拉伯國家裏，包括以色列在內，一切的跡象只看出中東局勢更加緊張。敘利亞已經把政府改組了，使到軍人奪得更大的權力。另一方面，以色列的空襲也深入埃及境內的尼羅谷去了。

大戰看來越發迫近了。

美國各報章對中東緊張局勢作更深入估計，指出蘇聯在中東一帶玩的把戲值得大家密切注意——

「蘇聯對阿拉伯國家（尤其是約旦）的突擊隊不斷襲擊以色列陣地，竟予以贊助，這從蘇聯報章上的喝彩可以見出來的。蘇聯態度在這一方面的改變，可以說是在地中海繼續集結軍力（特指海軍）的結果。

「事實上，蘇聯和那些阿拉伯國家的領袖並不是不知道阿拉伯國家聯合所有的軍力還是不能在一次「全面戰爭」中打敗以色列的。同時，莫斯科那些人纔真不想阿拉伯國家又一次把蘇聯供給的武器丟掉了。

蘇聯賭注阿拉伯國家是不會再一次跟以色列冒險來個「全面戰爭」，同時也賭注美國或及其「北約」盟國同樣不會企圖阻止蘇聯勢力在該區的膨脹而冒一次攤牌（大戰）的冒險。」

× ×

在非洲那邊，尼日利亞的內戰似乎已有一項急轉直下的改變，被指為企圖叛離而求獨立的必亞花拉族人因為被趕至末土的饑勇善戰的依波族心臟，迫得不能開始反攻救亡圖存。

為什麼形勢會突然有所改變呢？據來自拉高斯首府來的消息——

「被指叛離的必亞花拉已開始得到軍火武器的援助；可能包括更多的大炮。這事牽涉到法國，那些軍火武器可能是由法國直接空運增援的，路線是由利勃里維爾到加邦，以及來自象牙海岸。這兩國一面與法國有聯繫，一面又承認必亞花拉的政權。」

「究竟法國在必亞花拉有什麼利害關係？西非洲一些講法語的國家大都人口稀疏而且貧弱，根本沒有多大力量或影響力。可是，必亞花拉的依波族人却是黑非洲裏最慓悍的民族，對非洲最多人口的尼日里亞曾經扮演很重要的角色，不僅是這樣，必亞花拉又是一個產油的國家。因此，法國的力量和影響就在必亞花拉的增長，必定是英國的損失無疑。

× ×

南斯拉夫首都的貝爾格萊德官方人士對蘇京克宮所發出的一項警告：「在捷克，蘇聯方面儘有機會研究一項有天同樣足以摧毀蘇聯國內那種蘇維埃式的共產主義的經濟危機的。

「原來捷克的共黨人士近來發覺他們對蘇聯所強迫施行的那種經濟制度，而不能不反中央化實行民主化，及大開私有化之大門。克宮的那些領導階層就是明眼看到他在捷克失了控制，因此便不能不派兵入侵捷克了。」

但蘇聯本國竟也要面對捷克一般的經濟問題。蘇聯的技術人員和科學家們正在紛紛加入全國的作家和詩人們要求在太過嚴酷的共產主義制度中從事必要的改革，而免阻礙蘇聯本身的經濟發展和增長。

在蘇聯那邊，任何新的發明，要在工業裏派到用場，比起美國來，至少多拖四年以上，因此，南斯拉夫的人指出：「目前蘇聯所需要的是更多真正的民主。」（完）

立委徐中齊質詢
認農會無法無天
應嚴辦違法圖利官員

（本報記者劍聲台北航訊）立法委員徐中齊對台灣省農林廳暨彰化縣政府輔導農會改選人員之無法無天情形，向行政院嚴兼院長提出質詢。

徐委員質詢指出：查農會會員大會分定期會議及臨時會議兩種，由理事長召集之，農會法第二十二條有明文規定。農會會員代表大會由農會理事長召集，召集人並為大會主席，台灣省各級農會暫行辦法也有明白的規定。彰化縣福興鄉農會五十八年十二月卅日第七屆會員代表大會及改選理監事的會議，是彰化縣政府建設局農會輔導課長謝正榮跟台灣省農林廳主辦官員蔣書諧上下其手，暗中教唆並要彰化縣政府指導員蘇梅盛以「代理召集人」的名義召開的。蘇梅盛沒有發通知召開此項會議的身分和職權，他在執行「指導員」職務時，假借權力而圖利，並利用職務上的機會加損害於人，顯然違背台灣省農會人員服務規定之依法令執行職務規定。應先依法撤職而後移付懲戒，謝正榮亦應視同正犯應受撤職與懲戒處分；其圖利之瀆職與妨害選舉罪嫌部分，法院檢察官應自動偵查。

蘇梅盛、謝正榮、蔣書諧的長官，彰化縣政府建設局長吳漢彬、陳時英縣長與張訓舜廳長等，明知蘇梅盛、謝正榮、蔣書諧等上下其手而圖利，不依法處罰，依法應受懲戒。

查國家設官分職，各有一定之職權以司其所事，此即法統；而公務員應遵守法令執行職務，公務員有服從上級長官命令之義務，為公務員服務法所定，此即法紀。

至彰化縣福興鄉農會現聘總幹事許福曜畢業於私立新民商業職業學校高級部，曾任教員，農場指導員等職，總幹事資格，業經內政部於五十八年三月三日審查合格在案，殊料台灣省農林廳與彰化縣政府先後於同年十一月跟十二月間，對內政部之此項資格審定，公然不予承認而「另案交由省農會審查。」云云，乃中華民國法治史上的笑話，台灣省農林廳與彰化縣政府對國家法統視如草芥如兒戲，有關官員視法紀無天之現象，似此無法無紀，倘任其下去，豈不「天下大亂」！

這位川籍立法委員，近年來對台灣地方問題，極為注意，他說：基於愛國民主法治的赤忱，基於維護國家法統法紀的尊嚴，提出質詢，行政院應切實加以調查，徹底嚴懲違法濫權圖利之官員，要有貫澈端正政風的毅力與決心，才能辦好農會改選的工作。（完）

陳大慶主席出巡
指示苗地方政治
下級要瞭解上級的政策

（本報苗栗記者金玉晉航訊）台灣省政府主席陳大慶，今天在巡視苗栗縣時，强調上下聯繫協調的重要性，他指出：上級固然要了解下級的實際政情，下級也要了解上級的政策、制度、法令和力量，才能合作而有效的推行政務。

陳主席今天上午八時四十分，由新竹承車蒞臨苗栗，巡視縣政府、警察局、將軍山農牧綜合實驗區、後龍水庫，下午則視察前二次颱風災害南莊鄉東河村的災情，順道又視察了東河國民小學。

而陪同陳主席巡視的，有民政廳副廳長張宗良、財政廳副廳長周文蔚、教育廳副廳長林清輝、建設廳長柯丁選、農林廳長張訓舜、交通處長陳來甲、社會處長邱創渙等人，為陳主席巡視地方政務以來，省府廳處首長陪同巡視最多的一次。省山地農牧局長王蘇振杰、水利局長王道隆，並前來苗栗，分別親向陳主席報告將軍山農牧綜合經營實驗及後龍水庫施工情形。

陳主席今天抵達苗栗縣後，首先在縣政府聽取縣長黃文發的縣政簡報，以及省議員魏綸洲、邱仕湯、慶松所反映的民意後，對該縣所採取的五項政治革新措施：（一）實施「三日付款辦法」，（二）實施「土地登記革新作業」，（三）實施「建築證照簡化辦法」，（四）實施「營利事業登記簡化辦法」，（五）征屬優待及安家費之發放，實施「鄉政送到家」及「接鄉鎮驗付」，表示讚譽。不過，他强調要「在便民的條件下守法」，「在守法的範圍內便民」；「便民必先守法，守法必先了解立法的精神」，在執法時才能為便民，要民而一負起責任。

台北傳奇錄（十八）

·陳光棣·

「你們男人是怎麼搞的，都有毛病？」血管硬化不要緊，只要食管不硬化就可以！」馬寡婦右胳臂搭在魏老板肩上，左手端起酒杯來。

「好，我喝！」魏老板瞇着眼看了看太太，紅着臉喝了大半杯。

馬寡婦鬭酒的本領高人一籌，看來就是有喉癌的朋友，也逃不掉喝酒的關口了，於是男士們也洒脫起來，一霎時滿座生風，再加上馬寡婦的撒嬌發爹，步成材更不住的歪着脖子，看着馬寡婦出神。喝到後來，李麻子斟酒的時候，眨着眼睛專往桌面上洒。

一上甜食，筵席就算進入了尾聲，這是中西文化相同的地方，吃西餐的時候，西一端上布丁來，那就說明大勢已去了。至于中西文化不同的地方，

先說請柬吧：中國式的是「潔樽候光」，洋鬼子的玩藝兒是：「請給我同席的光榮」，兩者之間，嚴肅與輕鬆大異其趣。洋人請客最不近人情的，是主人竟規定客人穿什麼服裝，這實在不客氣，不像咱們中國人請客，那樣尊重人權，你愛穿什麼就穿什麼。洋人請客一定要準時到場，準時入席，毫無通融；中國人請客就自由多了，雖然請帖上寫明下午六時，實際上則六時以後什麼時間都可以，越到的越晚，越有派頭，越身份高的人越要遲到，主人對客人也就以客人的早晚作為標準的。外國人請客，坐的位子都有一定的規矩，說坐就坐，誰也不讓誰，這是因為中國的「禮字」，外國人不懂。

洋人的筵席一開始，先由西崽端上一碗湯，這就和我們中國一些小館子吃涮羊肉，每人先發兩個燒餅一樣。洋人請客通常的情形，是沒有酒，這是大煞風景，所以從那時起，客就少請，看咱們中國人請客，尤其是大拜拜的時候，主人常是手持酒壺鼓勵客人喝酒，多麼夠意思！洋人吃菜的時候，就像餓狗一樣，吃的時候也一人一盤，就和咱們勢不兩立的神氣，又彷彿客人就心菜少的景象，真使人倒足了胃口。

紅衣女俠

搜異錄

周遊

民國三十五年，滇軍某部一營，調駐汶山，分駐於學校及城隍廟。某連奉命駐於城隍廟。廟鄰有一老叟告某連長道：「廟鬧鬼，宜多加小心為妙。前某駐軍於此，無故失蹤二名士兵，並在夜間發現鬼怪，鬧得官兵不寧。」某連長常聽人云鬧鬼之事，心中不免暗怯。入夜，則多派衛兵值班，並派組巡查隊輪流巡查。數夜未見奇異，於是守夜巡查稍懈。

時值二更，見一士兵裸體臥於膳堂，呼喊不應，遂報告連長，連長親自去看，問其何故裸體臥地。某士兵窘而不答，似羞且畏，其班長怒而摑之。某士兵乃道：「我與一紅衣女郎尋歡……」連長遂將該兵處罰。然心中已存戒疑。疑紅衣女郎恐係淫妖，飭令各班長小心。

半月之後，士兵在廟中賭博，不分晝夜。某夜，大門衛兵忽然看見一紅衣女郎，手提竹籃，內盛香燭紙錢，直入廟內。衛兵以為日常燒香婦女，故不予盤查。紅衣女郎入廟燒香，半日未出，衛兵大惑，遂到處尋找不獲，於是報告班長，時值星班長正擲骰子，不理報告，衛兵復出營門守衛。

過了數夜，前一受迷士兵復被紅衣女迷於寢室，旁人不知。翌晨，受迷士兵乃將上情報告班長：「昨夜又見紅衣女郎來寢，欲呼而不能成聲，如夢如迷，強與之交媾畢方醒。」次夜受迷如故。面色蒼白，如病兵。連長憐之，日夜派兵一名伴隨，但每至二更，仍見迷狀，驚而鳴槍驚之，受迷士兵忽醒道：「紅衣女郎迷矣。」幸未遺，長而大哭，乞於他處，避妖之纏。於是將該兵移往民家，並請巫拒之，旬餘復原，乃重返廟中。

另一士兵，自前受迷士兵移於民家後，亦遇紅衣女相迷，成其好事，畏不敢言，凡數夜，體漸瘦弱，某夜，班長忽見該兵獨自裸體臥於殿內，與前者相同，下流精液，氣若垂死，急救之，部只見迷笑，衆兵圍觀。忽然笑聲起，轉身撲於壇後而死。數日後，某班長在壇後發現二具枯屍，驚而大叫，衆移屍相大白。此一紅衣女怪消息早已傳遍汶山城邊，逡迎巫師施法驅妖，並查所有墓地有無異狀，數日後，人報山後樹下一棺，埋土甚淺，中有一女屍，屍着紅衣而出，其屍赤上衣，遍體生毛，其狀可怖，遂集薪焚化，拋棄河中，自此遂寢淫妖之說。（完）

喬治桑外傳　一一

張大兼

喬治桑接了刑警大隊的電話，知道小雲雀服毒自殺，心中忐忑不寧，但他自知與這件刑事案毫無關係，所以感覺坦然。

「怎樣？有一個酒家女自殺了？與你有什麼相干？」雅麗絲問喬治桑，語氣充滿關切。

喬治桑這時正坐在沙發裏發楞。聽了雅麗絲一番話，沒有立刻回答，先抽了兩口香烟，吐出淡淡的兩個烟圈，然後冷冷地說：「我不過是她的一個普通客人，為什麼治安機關會調查到我的頭上來，眞想不通。」

「目前台灣社會風氣不好，尤其是聲色場中最易惹事生非，我想你以後除了應酬外還是少去為妙。」雅麗絲一派管家婆口吻。

「妳說的很對，現在我就很少到酒家舞廳去。」喬治桑也只好如此說。

喬治桑心中有事，胡亂吃了幾口飯，便去睡午覺。

大約是下午兩點鐘左右，忽然門鈴響，是雅麗絲開的門。

「桑先生在不在家？」來的人一開口，雅麗絲就聽出是本省人口音，穿一套兩色舊西裝，黑褲子灰上身。花襯衫，沒有打領帶。三十幾歲年紀，面容顯得很蒼老。右額下長了一撮黑毛，好長好長。

「你找桑先生有什麼事？」

「我姓洪，是小雲雀的哥哥。」

「請你等一等。」雅麗絲走進喬治桑的臥房，看見他和衣而臥，頭上有幾莖白髮，心中倒有點憐憫他。

「外面有人找你。」雅麗絲輕輕推醒了喬治桑。

「是誰？」喬治桑一骨碌坐起身來。

「姓洪，據他說是小雲雀的哥哥。」

喬治桑沉吟了一下，說：「妳請他到客廳裏坐，說我就出來。」

「洪先生請進來。」雅麗絲很有禮貌地到門口請進來訪的客人。他走進客廳坐在沙發的邊沿上，態度有點侷促。

喬治桑走進客廳，客人站起來向他問好，他只客套點了點頭。

「你找我有什麼事？」喬治桑以前在小雲雀家裏見過此人一面，小雲雀也沒有替他介紹，他還以為是她家裏的男佣人。

「桑先生，你知道小雲雀自殺的消息罷？」

「我正要問你，我和小雲雀不過是普通的朋友，為什麼治安機關要向我調查？」喬治桑皺着眉頭，顯出不耐煩的樣子。

「她忽然服毒自殺，警方搜出她的日記，見有先生的名字，所以才向你調查的。」

喬治桑問出原因，心中放寬不少。到底與小雲雀有過一段不尋常的關係，多少總有點關切。便問道：「她是為什麼自殺的？」

「不瞞桑先生說，我這個妹妹樣樣都好，就是愛賭錢，最近「店」裏生意不好，賭四色牌輸了十幾萬，那天多喝了幾杯酒，一時想不開，想不到她竟會去自殺！」小雲雀哥哥的國語雖不標準，但說話還清楚。

「現在是不是已經脫離危險了？」

「幸而她吃的是安眠藥，經過送醫院灌腸，今天早上人已清醒。警方已經在病床邊做了談話筆錄。」

喬治桑喝了一口茶，神態已恢復平靜。

「你叫什麼名字？」

「我姓洪叫洪尾。」

「偉大的偉？」

「不是，是狗尾的尾。」

（未完）

文匯樓別記

中央日報不必紅紅綠綠

台北自中國時報（原徵信新聞報）用彩色印刷機印報後，銷路激增，聯合報自難坐視，最近以高價訂了彩色機，準備向中國時報尾追，中央日報準備人力物力財力在台北壓倒優勢無疑問，當然對這股一窩風帶來的震蕩，聽說也將改用彩色印刷機。從此台北報紙將打破世界慣例，變成為彩色境界。

如果紅紅綠綠的新聞，配合彩色印刷是很協調的，大陸未淪陷前，廣州有一家「紅綠報」，新聞也都是紅紅綠綠，在心煩和無聊的時候買一份看看，燒殺淫擄，黃黑兼備，或公子落難小姐落漢，比用吃喝嫖賭作消遣經濟的多。據說「紅綠報」的銷數相當大，尤其廣告生意很好，割包皮、修理性器官、隆乳、去皺、假裝處女、做海綿屁股，及春藥醫生非有幾篇性技術連載，與每週一次的「藝術攝影」，引用吳稚暉先生的話：「啊唷！我的媽呀！」

中央日報是中國國民黨黨營事業，乃代表執政黨發言的一份報，先天的條件雖好，但言路較窄，有很多消息，民營報能登，而中央日報不能登，民國三十二年樓主在重慶與當時中央宣傳部部長張道藩在寓所天南地北，道藩先生慨然的說：「中央日報一字之錯，總裁即來電話指責……」政論家前安徽教育廳長本報總主筆雷嘯岑述及，蔣總統講 國父辦報的一段，重要文章，皆親自過目，從不敢大意，有時交鄧仲凱、朱執信看稿，上版的時候， 國父仍得看大樣後才發字付印。辦中央日報的困難，由此可以推想。但中央日報今天能得到知識界一致支持，言之非難，行之維艱。就中國的傳統觀念，士農工商，讀書人乃四民之首，樓主和很多四民之首交換過意見，一致認為中央日報應當脫俗，尤其印刷不必紅紅綠綠，全世界幾家權威大報，除內容充實外，很少在報面上搞花樣的。

中央日報應興應革的事當然很多，比如消息祇要正確，不必顧慮太多，對很多政府垃圾與貪官汚吏應先民營報而批評，但必須做到「明利害，辨是非」人之與禽獸有分別者就在這一點，我們試看殺雞時，被殺的雞丟在地下，疼得亂蹦亂跳，其他的鷄不僅不同情反勇猛向前爪啄其毛，其眼，據說屠狗情況也復如此，報紙如果專門欺侮弱者，與雞狗有甚麼區別呢？司馬遷寫歷史如「遊俠傳」可謂妙用無窮。中央日報的副刊編得相當好，論文亦老手佔多，寫作圈圈再能擴大一點，對銷路會有更好的影響。鬧目前鄰里報激增已經與聯合，徵信發行數字鼎足而立了。

週前借張起鈞兄同晤陳立夫先生，蒙其暢談百年辦報逸事，昨日本報評論委員會聚餐，前中央宣傳部長梁寒操被邀作主客，名學人及報人們擠擠一堂，有人談及彩色報爭取讀者的事，絲毫引不起大家興趣，乃至於有一點討厭，因之感到中央日報不必紅紅綠綠，倫敦泰晤士報，美國紐約時報，都是以正道爭取讀者，從不隨便變更多年的傳統，就是最好的例證。

文匯樓主

介紹程旨雲先生之春秋地理學（上）

◁劉正浩▷

程旨雲發軔先生，近以所撰「春秋左氏傳地名圖考」一書，榮獲本年度教育部文學獎。浩也不敏，以從學日久，謹述所聞，以申景仰，以告高雅。

春秋釋地，以杜先凱「春秋釋例」之「土地名釋例」為嚆矢。杜氏所收春秋土地名，大凡一千二百一十二，其五百五十九闕。而先生於杜氏所釋者，則一一覈實規正之；杜氏有未備者，則廣搜衆說而補益之；是以所釋地名，總凡一千五百八十六，就中存錄別說者九十四，地闕疑在今某地者十五，地全闕無考者僅十有一處而已。至春秋輿圖，昔以楊守敬、熊會貞所繪「春秋列國圖」最具規模，然二氏有總圖而無分圖，且於古地少見者固鮮著錄，即古地多見如王城、曲阜、臨、帝丘、商丘等附近要地，亦遐闕如，實未足饜讀者之意；而先生此書第四篇「春秋列國地圖」，計總圖五，分圖十一。諸圖今地悉用紅色，古地悉用黑色，套印而成，凡地名之見於經傳者，皆可按圖索驥，而知其古在何方，今居何所。此則在圖考之備方面，遠勝前修之處。

先生之考釋，以杜預土地名為準，他如漢書地理志、後漢書郡國志、楊守敬水經注疏、程公說春秋分記、高士奇春秋地名考畧、江永春秋地理考實、以及清儒如王夫之、顧祖禹、顧棟高、沈欽韓、洪亮吉、梁履繩、呂調陽、葉圭綬等，暨諸省志、縣志，凡其有關春秋地名考證者，無不詳徵博引，以求至當。至於今地，則以大清一統志，及民國改定之省縣為準；所繪地圖，則以新法繪製之分省地圖，及國防部發行之軍用地圖為據。此則在參考資料之豐富，與圖繪製之精確方面，遠勝前修之處。

先生自謂：「余考證地名，具有簡要原則：（一）綜觀前後經文傳文，（二）先定地名方位。（二）將所定方位，就杜注及前人所考證者，相互比較，以資抉擇。（三）前注仍不能適合者，或闕疑，或抒己見，以期貫串。（四）同名異地，或同地異名者，必按經文傳文，分別詮釋，以期適合。」此實治沿革地理不改之短矱也。例如春秋隱公元年「鄭伯克段于鄢」，鄢邑何在，舊有鄢陵（今河南省鄢陵縣西北四十里）、[illegible]（人旁）（河南柘城縣北三十里）、鄔（河南偃師縣西南）三說。

（未完）

諸葛亮狂想曲　（二七）

·劉玄·

諸葛亮沉吟一下，冷冷地說：「二十世紀的人類，腦神經的構造與以前不同，華陀要二將軍托夢，未免強人所難。還種芝麻綠豆小事，根本就不該提，華陀未免有點小題大做也。」

琴童很少聽到諸葛亮打官話，今番直斥華陀，很出他意外。

「還有其他新聞沒有？」諸葛亮意猶未盡，還要繼續聽取琴童的新聞報導。

「最近聽說有一位西班牙鬥牛士，閒得發慌，下書約牛魔王比武較量，使牛魔王很光火。牛魔王認為他是一位神仙，豈可和凡夫俗子爭勝？但要是不應戰，又怕天庭各仙笑他懦弱，為此十分煩惱。」琴童又掀了牛魔王一張底牌。

「上次我記得閩演奏會的時候，牛魔王就借故沒有來，以避對牛彈琴的忌諱。其實這是不必要的，牛魔王經過千年修鍊，已變成人形，但他在心理上仍然自以為是一條老牛，難怪西班牙鬥牛士要向他挑戰了。」

「牛魔王不知天高地厚，居然向我挑戰，不知好歹。你想，牛魔王慣使一把搖風大砍刀，比二將軍的青龍偃月刀還要重，當年唐僧取經，孫悟空遇見他，幾番交鋒都戰成平手。西班牙鬥牛士所用之劍，比切西瓜刀長不了多少，那裏是牛魔王的對手呢？」琴童只能觀察事實的表面。

「你說的雖然不錯，可是」當年諸葛亮擺下空城計，打掃城門的老軍向他問長問短，都被他用「國家事用不着爾等旁心」一語打發了，如今他和貼身的琴童討論問題，可見諸葛亮目前的閒散與以往大不相同矣。

琴童張大眼睛，稚氣的臉上帶着疑惑的表情。

「我知道西班牙是一個很奇怪的國家，該國人民對於鬥牛表演有着狂熱的嗜好。這個成名的鬥牛士，比好萊塢的電影明星還要更豐。他們在陽世的生活，醇酒美女，錦衣玉食，富比王侯，神仙不若也。現在他們到了天庭，除了到耶穌基督那邊聖誕探望而外，大小各仙根本就不會理他們。現在他們異想天開，想向牛魔王挑戰，來引起天庭各界對他們的注意。語云：三代以下有不好名者，天庭竟亦不能免此，眞是奇哉怪也！」諸葛亮聲調低啞，似有無限感嘆。

「難道他們眞要在牛魔王的大砍刀下？」琴童始終看好牛魔王的一方，故有此問。

「在西班牙鬥牛士的想像中，牛魔王不過是一條碩大無朋的蠻牛而已。他們認為紅手巾，短劍就能鬥得過。他們沒有想到在天庭中，牛魔王坐騎，不是西班牙奔跑，用牛角往前衝，而是金剛級的古代猛將！」

巨變歷險記

劉文輝約談（九四）

胡慶蓉

劉文輝雖然是西康省的主席，但他在成都的時候却非常的多。他在成都有很漂亮的公館。我說漂亮也不過是說新而已。鄧錫侯的公館是老式的，而劉文輝的則是新式的。所謂新式的，也不過是新建築的意思，實在說不上怎樣了不得的好看。成都的房子，四川省的房子，大都是木架竹子編的牆外塗以白石灰，但遠望並不醜。劉文輝新建築的，都變成磚牆了，白石灰抹縫，窗戶都由紙糊的變成了玻璃的，還加上紅玻璃藍玻璃，其實是很俗的。劉文輝約丁博士談，是在他的外客廳，先是在大間，後又到小間。而且談不止一次，總共有十多次。

四川整個快完了，西康倒還完整。在胡宗南率領大軍有退入西康的意思，今　總統蔣公或亦不能說沒這個打算。但劉文輝心中是不願意的，雖沒有說出堅壁清野以拒，但持的是拒絕進入的態度。事實上，大部隊向西康退，是很困難的。主要是沒有交通。其次，糧食已缺乏。劉文輝的西康以產鴉片著名。在國民政府禁烟的時候，劉文輝在西康却大種其烟。烟是他的財政來源，烟也成了他的生命。劉文輝的鴉片已成癖。他的外貌，一看就是吃烟的人。他的烟色并且很重。以之與鄧錫侯比，大不相同。鄧錫侯，高頭大馬，雄糾糾，氣昂昂，而劉文輝則面色蒼白，骨瘦如柴，但此公以有智謀著稱。普通吸烟的人，一趟在烟榻上，兩口一抽，子就湧上來了。劉文輝不但不例外，殆尤過之。

劉文輝本人並沒有什麼力量，但在四川搖搖欲墜之際，今　總統蔣公到達成都之時，他也就在跛子層裏成將軍了。一時劉文輝成為各方面注目的人物。他的動向，他雖沒說出來，但人已經看出來。他對於今　總統移尊就教，當然受寵若驚，表面上對於今　總統的指示亦無不唯唯諾諾，虛與委蛇，但他的對於共方投降，他已經在積極準備了。他之歡迎丁博士，不是看在他從台灣來的，而是看在他從平津來的，特別看在他與林彪的會談。從劉文輝的談話，很明顯的看出他的動向。在他看起來，四川乃西康的屏障，四川都不能保，西康又怎樣能保？在四川完了之後，西康也沒法不完。他的幾個部隊，人人兩桿槍（一支步槍，一支烟槍），那里能作戰？他對丁博士，他有特殊的願望，但丁博士無能為力，丁博士總在勸他，為今　總統效忠，為國家民族盡忠。這，他聽不進去。他對於政府的前途非常悲觀，他對於政府的措施諸多批評，希望他為政府效力，是不可能的了。故所以今　總統一離開成都，成都變色，西康也隨之變色。丁博士失望之餘，又轉到雲南，竭其棉薄所及，為保留國土而奮鬥。

生活漫談

鹿為冬天最補劑

馬鵬雲

當我翻到一部中國醫書時，就會對國醫診病的信念，益加堅定。再翻翻本草綱目，體會到中國人從前對事物肯下苦心研究出不少藥品，直至現在仍舊在海內外暢銷的，計算起來有百種以上，年賺外匯相當可觀，只可惜一向沒有人統計，更可惜的是保障民族生命的一種偉大事業，近百年來陷於停頓狀態，乃至醫藥知識的補充，要靠西藥來教，這是多麽使人遺憾的事。

今天我們來談最進步的組織療法，冬令最佳補品鹿，鹿屬單蹄獸，集體居於野山中，以樹葉種子為食糧，雄的是黃褐色，雌的有白色斑點，鹿雄有角，雌的沒有角，角上的分枝可以判斷年齡，夏季自動觸樹木而脫落，初生嫩角內含血液而柔軟，未成骨質時名鹿茸，產於長白山、關東、海參威、黑河、內蒙西北各地及台灣山區均產，血茸為上品，鹿角煎成膠即為鹿角膠，以透明者良，另有一種鹿角霜，日本的是以鹿角燒灰而成，我國則以煎膠之渣滓，兩者比較，燒灰的功力較强，在台灣吃鹿茸角，就認定台灣貨不會吃斷，比如犀牛角為凉藥，其實黃牛角亦為凉性，高價買贋品，不如低價買次真貨。

一般的習慣，只知鹿茸、鹿角、鹿角霜、鹿角膠，殊不知鹿身上的珍品甚多，比如治乾血癆强陰補腎的鹿胎餅，鹿喂小鹿，必在五更，喂完出洞，至夕陽西下方歸，小鹿食奶於腹，結為十二小餅，每一小時消化一餅，台灣山地人同母鹿出洞，將小鹿抱歸飼養，但他們不知道剖取腹餅，價值連城，鹿胎，為溫補精血之要品，很多人以麋胎冒充，購時注意，真鹿胎的辨別，視其嘴尾蹄相合，與生鹿無異，色淡而為真，鹿脂通腠理治頭風，對療面皰有特效，但此種脂肪不可沾男子陽莖，近則陽萎。鹿骨安胎，治內虛（浸酒常服），返老還童。鹿髓生肌收口，炭火煨之，以黃香為度，焦黑則失去作用，鹿腎補腎壯陽，並治耳聾（用豆豉入粳米煮粥），鹿腦為面脂最上乘化粧品，塗之令人悅澤，清乾隆宮庭常延用之，鹿精治虛羸勞有奇效。鹿癌，鹿之產於鹿體者，功用與牛癌同，治婦人月經困難，瘀血血瘤，小便硬痛，外用能吸出腫毒，鹿齒治心腹痛，瘰鼠瘡，散瘀血，此物不可近男子陽莖（見清名醫處方），鹿蹄肉，治諸風，脚膝骨疼痛不能踐地，鹿頭肉治消渴及夜長夢多，鹿胆消腫解毒，鹿髓補陽強陰，同蜜煎服最壯陽道，令人有子，鹿肉美味，滋補價值甚高，鹿的本身幾乎沒有廢物，甚至鹿糞都入藥，可治婦人經病，詳載本草。

中藥以鹿角為正宗，經化驗成份含有軟骨質、燐酸鈣、碳酸鈣、氯化物、炭酸鈉、蛋白質及鹿茸精等，台灣中藥店有製之至鹿丸，確有增强活力之功，消除人體疲勞及虛墳損均有卓效，只可惜未按照份量服用，若干中醫喜歡向西醫看齊，令服用的人每次服六粒乃八粒，乃至十幾粒，其實大可不必，古方規定幾錢，就是幾錢，只能加重不可減輕，除非科學方法提煉過了，像日本的「鹿茸素」那是例外。

生活漫談首集業已出版（係自由報獨家連載）每本特價新台幣拾伍元，生活漫談合集（台北各大報歷年連載）業已出版，三百餘頁每本新台幣貳拾元，台北郵政劃撥五〇五六張萬有（自由報會計室）面購台北衡陽路三十號後進；郵票通用請直寄台北忠孝路三段廿一巷二弄二號自由報台灣業務拓展中心，注意生活漫談首集與合集，香港價目每本港幣二元五角，東南亞國家每本美金一元，歐美國家每本美金一元五角（寄費在內）

紙上談兵

周燕謀

二、上兵伐謀

「上兵伐謀」，典出「孫子兵法」「謀攻篇」。李筌說：「合陣為戰，圍城曰攻。欲克敵致果，必先定謀。謀攻敵之利害，應當全策以取之。」

後漢寇恂圍征隗囂，高峻守高平第一軍。高峻屬下有一謀臣皇甫文，此人足智多謀，胆識過人，忠義不屈，高峻遂遣他向寇恂說以利害，使寇恂重視高峻之降。皇甫文見寇恂，詞禮不屈。寇恂藉故大怒，喝令斬皇甫文於帳外。然後報知高峻，說軍師無禮，故已斬之。欲降請速降，如欲不降，即日攻城。高峻因謀臣被斬，無以為計。於是開城投降。諸將問寇恂道：「敢問斬彼之使，而降其城，這是何解？」寇恂答道：「皇甫文乃高峻之心腹謀臣，先去彼之謀者，猶去其腹心，如但留着此人，皇甫文必然得計，誰勝誰敗，實不得可料。所謂上兵伐謀，是也。」諸將歎服。

晉平公欲攻齊，使范昭前往觀察齊景公動靜。齊景公設宴款其來使。酒至半酣，范昭請用景公之樽為其酌酒。景公道：「寡人之樽乃進客者」。范昭不待景公許，一飲而進。晏子撤樽之酒再為之樽。范昭再飲，佯裝酒醉不悅而起舞。一面對齊國太師要求奏成周之樂。太師以不習成周之樂回答。范昭大怒，不辭而出。景公對晏子、太師二臣說道：「晉乃強國，來觀我國政事。今天你們得罪大國之使，將如何是好？」晏子起而答道：「臣觀范昭絕不是不懂禮者，其企圖在擲辱我國，臣所以不從也。」太師起而答道：「成周之樂，乃是天子之樂，惟有人主始可舞之。范昭乃是人臣，而欲舞天子之樂，臣故不從。」范昭回到晉國，報告晉平公說：「齊不可伐。臣欲辱其君，晏子知之；臣欲犯其禮，被太師識破。故仲尼說：『不越樽俎之間，而折衝千里之外』，晏子是也。」晏子、太師皆能伐晉之謀，使晉國不敢加兵，是乃上兵伐謀之一例。

春秋時，秦伐晉國。晉將趙盾引軍拒之。堅守不戰。趙之上將臾駢對趙盾道：「秦軍遠來，不能持久，我軍深溝高壘以待之。」趙盾之意亦合。秦伯對士會道：「為何不戰？」秦將對道：「趙國有一新將，名臾駢，彼用堅守以待，而老我師，想必為此人之謀。今我不急戰，將以謀伐彼之謀。因趙國有一側室，名趙穿，乃晉君之婿。雖然有寵，但其為人弱不知兵，好勇而狂，而且恨臾駢之佐上軍，位在其上。若使近者離間之，使臾駢不得志，坐觀其敗。此乃上兵伐謀也」。於是秦軍攻晉上軍，趙盾堅不與戰。趙穿引兵追秦兵不及，返軍大怒，斥趙盾道：「裹糧坐甲，固敵是求，敵兵至而不擊，將何以待？」軍吏回答道：「將軍謀以待敵師老而擊之也」。趙穿怒道：「我不知謀，只知撕殺」！於是獨自引軍出擊。趙盾對臾駢道：「今趙盾獨自出戰，必為秦兵所敗。我如秦兵獲勝而回，我何以報晉君？不如盡出交戰」。於是與秦軍交戰，秦俘趙穿而退。臾駢之謀，為秦軍所伐。晏子對敵，敵謀伐我，我先伐其謀，因此敵人不得而伐我。秦將士會者，為我將謀伐敵，敵人有謀拒我，我乃伐其謀，故敵人不得勝我。以上二者，皆「上兵伐謀」之一例也。故敵欲謀我，須伐其未形之謀；我若以謀伐敵，敗其已成之計。所以梅曉臣說：「以智勝上」。王晳說：是「智謀屈人為上」。晏子之瓦解范昭之謀，使晉喪計而屈服。這就是以奇策秘算，取勝於不戰。此即用兵之上者。故云「上兵伐謀」。

成語選粹（14）

李國良 輯

再接再厲

孟郊鬥雞聯句：「一噴一醒然，再接再礪乃。」注：「接猶接戰也。」礪通作厲，礪刀也。乃，語尾助辭；無義。世謂「再接再厲」言猛進不已也。

命相與夢話

王安石志在天下（下）

十九歲戊運，己卯損之公棄養。此金白水清忌土之明證。逢卯衝酉亦烈。

二十二歲，戊運壬午，賜進士及第出身，簽書淮南判官，此乃午戌會火之特徵，壬水不足取也。

二十三歲癸未，至四十歲庚戌，自任淮南判官，及上萬言書，慨然矯世變俗。此皆　丁丙運火能濟水之明證。雖酉運屬金，得丁火蓋頭，亦復不忌。

四十一歲辛丑，至四十五歲乙巳，自任三司度支判官，直至集賢院，遷二部郎中，迄至吳太夫人逝世。

四十三歲癸卯，金陵守制，此為申運會子辰為水之弊，四十六歲丙午，仍在金陵，四十二歲丁未，公子王雱登進士第，按旌德尉，公起原官，知江寧府。

四十八歲戊申，召為翰林學士，上本朝百年無事劄。

四十九歲己酉，任右諫大夫，參知政事，講求新法上戒禁疏。

五十歲庚　，參知政事，加同平章事。召諸路散青苗錢，禁抑配，立保甲，行募役法。此乙庚遙合，而又不失資生丙火之本真，是以蒸蒸日上，為所欲為也。

五十一歲辛亥，任平章政事，罷廣惠倉田，更定科舉法，罷詩賦及明經諸科，專以經義論策試進士。

五十二歲壬子，任平章政事（宰相），行市易法，上五事劄子。

五十三歲癸丑，任平章政事。王韶破走木，征取岷巖洮疊四城，帝御殿受賀，解所服御帶賜公。

五十四歲甲寅四月，安石去位，以觀文殿大學士知江寧府，薦韓同平章事。呂惠卿參知政事。

五十五歲乙卯，春二月，復安石同平章事，兼修國史。冬十月，呂惠卿出知除州。此未運藏木藏火，碍岔癸水之故，是能發抒抱負，大展經綸，因中有藏七，與水為仇，駁雜不純，小人為害，以致兵連禍結，功敗垂成。

五十六歲丙辰，任平章政事。春二月，以郭逵為安南招討使。秋七月，長子王雱死。冬十月安石去位，以使相判江寧府領經局。自此不言政事。

五十七歲丁巳，判江寧府事。帝憐安石之貧，賜金五十兩，安石乃以金施之於僧舍。

五十八歲戊午，罷使相，為惠靈觀使，居於蔣山。

五十九歲己未，六十庚申，均居蔣山，加安石為特進尚書左僕射，改封荊國公。

六十一歲辛酉至六十五歲乙丑，仍居蔣山。推其原由，因甲運屬木，資生丙火，是以賜火封爵，惜壬辰犯刑，子午犯衝，致有交趾入寇，傷子罷相之惱。午運整個遙衝子月，是以株守蔣山，得無大風波，因有日枝之未合午耳。

六十六歲元佑丙寅，四月癸巳初六癸巳，卒於金陵者，因大運逢癸，月日亦逢癸，乃水歸冬旺之命最所忌，雖歲逢火水，亦難勝之，以多暴寡，莫可如何。

註：各人生日表載：荊公十一月十二日生，歷代名年譜同。生卒錄引「能改齋漫錄」云：王介甫辛酉十一月十三日辰時生。」李璧亦說生於天禧五年辛酉。自天禧至元佑元年丙寅，僅六十六，宋史「六十八誤也。漫錄所云三字，恐為「六」字之誤。錫山顧棟高所輯荊公年譜，沿用宋史，亦作六十八，天禧三年己未生，且引公慶曆八年戊子「別鄞女」詩「行年三十已衰翁」為證。又安知三十不為約數也！至云蘇潁濱集中與馮京，皆生於辛酉，疑誤。此說尤難採信。因潁濱與荊公為同時人，當知荊公之確實年齡，與宋史之作於後期者不同。又按臨川集卷十三，荊公日次韻南郭子詩有云：「殘骸豈久年夢，猶是驗人幾來。」讀此亦信公為辛酉年生無疑。因此枝生有酉為雞也。

王荊公修身潔行，過於韓、范、富、歐（註：）其志在天下後世，必欲一身一時任其事，但不得人似荊公耳！乃不能推其心，萬古交訕，豈不寃哉！荊公自信無愧，以人言為意，誤天下後世矣。」（完）（註：韓琦、范仲淹、富弼、歐陽修）。

·漢年·

自由報

（第一〇三一期）

（半週刊每星期三、六出版）

社址：香港九龍彌敦道593—601號 廖創興銀行大廈八樓五座

LIU CHONG HING BUILDING 7th FLOOR FLAT 5 593—601 NATHAN ROAD, KOWLOON, H.K.

TEL: K303831 電報掛號：7191

承印：景星印刷公司 地址：嘉咸街廿九號地下

台灣連絡中心：台北市寶慶街五巷三號 電話：三七〇二二

台灣區直接訂戶 台郵劃撥戶 第五〇五六號張萬有（自由報會計室）

台北營業處：台北衡陽街三十號 電話：二七二〇〇

台灣分社：台北市西寧南路110號二樓 電話：三三〇三四六，台郵儲金劃撥戶九二五二號

教育界亟需解決的兩大問題（下）

· 吳相湘 ·

二、研究教授應注意徇私弄權

最近立法院質詢研究教授的熱烈，筆者以納稅人身份願加贊揚（筆者已非公教人員，今後決不再為五斗米折腰）。張九如委員在中國時報發表「為了幾個『大』苦了兩個『大』」文中指出吳大猷原案被「特權階級」改動了。這所謂「特權階級」實即盡人皆知把持中央研究院台灣大學的李濟沈剛伯一流人。筆者曾在台大任教十餘年，目睹耳聞這批人「把持」，將台大弄得每況愈下。傅斯年臨死前論中國教育界「懶」。而沈剛伯任台大文學院院長二十年，幾度代理校長，連他的得意門生於楚華在文字上也會說沈剛伯的「懶」（於楚華自美回國時，沈曾在台大文學院院室舉行茶會歡迎，又於書為撰序，於仍秉愛眞理勝過吾師原則，說出這一個字之旺，可佩之至），再加徇私弄權。民國五十四年四月，筆者目睹耳聞種種，不願同流合污，特函錢思亮「辭職以表示抗議」，并要求錢校長將筆者函件存檔。錢在親至舍間挽留不獲，後復信接受辭職并允文件存檔。

李沈徇私弄權有一有趣事例，即當胡適主持長期科學會時，李濟要求錢思亮提名沈剛伯為國家講座教授，錢照辦。但在長科會討論時因沈四十年來除「聖水未嘗心已老」一類打油詩以外，沒有可夠最低水準的學術論文，投票結果五對五。李濟即主通過。幸其中委員之一也是立法委員趙　芳博士力言不可！因自小學至大學學生成績向以六十分及格，今國家講座以五十分及格，成何體統！因此遂否決。錢思亮在散會後對楊樹人說：我實沒有想到剛伯論文是這樣少。從此，沈剛伯未再問津這最高譽榮，嘉新講座，中山文化基金會的名利却送到沈公館了，但就中山文化基金會刊佈沈的幼稚論文看來，沈剛伯只有稱為「沈文懶公」，光耀女孫了。

這段往事說明今日立法院的質詢正確並且必要的，無論如何，要打破特權階級的把持，立法院更應質詢：沈剛伯既不合乎國家講座資格，為甚麼幾年來竟担任長科會人文組主任，掌握生殺予奪大權。自己不會做學術論文的人，如何能審核許多孜孜不倦努力學術研究人士的論文。這實是咄咄怪事！難道這是俗語「眼高手低」的最佳例證嗎？

沈剛伯徇私弄權另一例證是對台大歷史系徐先堯的壓抑。徐在日本習西洋史，論文多篇曾刊載日本著名「西洋史研究」等雜誌，也曾刊載台北的日本研究雜誌，但徐在台大助教及講師位置停滯最久。原因即在沈夫人亦以教西洋史專家自命，而徐一文發表，眼看徐論文在日本發表，不僅沒有欣賞的能力，而妨賢嫉能的劣根性却充分發揮了。

這些例證說明立法院要求吳大猷對研究教授應由個人申請是正確的。但報載指出這是「避免行政人員如院系主任遭受困擾」，事實上這只是站在院系主任有利立場說話，看看上述例證應知問題另一面尤在避免院系主任徇私弄權妨賢嫉能。

說到妨賢嫉能另一例證，即方家教授多年委屈，就「方家六十自定稿」洋洋大觀及傳記文學元月號刊載方氏著述目錄，任何人都要敬佩方氏的努力。但自有長科會國家講座以來，方氏竟不是國家講座或研究教授，與小門生一例申請研究補助費。這一現象之出現，即因沈剛伯院長權威下的教授們自然無法出頭了。數月前方氏在電話中還與筆者言及此。而不一月方氏就任政大文學院院長，可見。

總之，個人申請可形成負責任知廉恥風氣，如果自己不知自己學問的高低妄圖非份而被否決，這是自取侮辱。孫亢曾應該立即封印回家，關係國民教育，研究教授應打破特權階級把持，尤其不學有術的人不應再濫竽審查，是高等教育進步與否的大問題。鍾部長如果不敢作主。嚴院長蔣副院長親自來處理吧。

中國時報在刊出「學術界革新」社論之後，今又有「對本年度文教界的兩點期望」。語重心長，句句沉痛，與論界實在應發揮力量，推動學術文教界的進步了。（完）

民國五十九年一月九日

昨日與明日

不便民應判罪

老記

執政黨中央曾派團視察從政同志執行職務時的便民情況，結果發現許多問題，視察人員曾坦率直陳，各方對執政的國民黨如此勤求民隱，勵精圖治，頗為敬佩。我們有感於此，也略表所見。

民主政治眞諦

當前政治潮流是民主政治，普世皆然，而民主政治的真正精神，就是民有、民治、民享。人民大家自由選擇官吏，來替人民辦事。對人民而言，這叫做選擧；對官吏而言，這叫做為民服務。總理在三民主義中因而將政府的官吏，稱為人民的公僕。公僕為人民辦事，不能不有報酬；辦事或建設又不能沒有經費，因而人民以「租稅」的方式，繳納政府機關，委託人民的公僕代為開銷辦事。立法機關的審查預算，監察機關的審計和監察，其宗旨都在將「錢欵」正用，不能浪費。「公僕」幹得好，令人民滿意，下次繼續選你；幹得不好，請你走頭。這是當前民主政治最淺鮮的解釋，也是最正確的解釋。

錯誤認識

不幸，若干服務政府機關的官吏，並不這樣去瞭解民主政治，有的認為：我的官是被派的，祇為令一，二人滿意，就可以坐汽車、住洋房，擺官架，保持高官顯位；有的則認為：官吏就是權威，「官」就是「管」，是管理人民的，祇要一朝權在手，便把令來行，於是，憑藉法條，發號施令，擺出無限權威，因而打官腔，擺官架，講官話，對上是脅肩諂笑，一付奴才嘴臉，對下則刻薄漠視，腦海中還是充滿着專制時代的思想，既不瞭解民主，更缺乏「為民服務」的觀念。思想是行動的指針，思想既錯，行動當然也就跟着錯了。

專找麻煩

今天政府辦事，表現不便民的地方，可以分為兩大類：第一類：法令手續太繁雜，譬如人民申請建築執照、辦理工商登記、出國手續、貿易結匯申請、甚至向銀行借款等等，無不感到手續太繁。第二類：公務人員態度和辦事精神，譬如一件可建築執照申請案，被認為不合，要申請人一再修改，甚至百般挑剔。前者是無心無善，後者是有心作惡。可以如此，主因還在於對民主認識不够，對服務觀念理解不够，官吏在心理上總以為自己是管理人民的，不這樣規定，何以表現權威；而別有用心的官員，更是挾手續以自謀，不這樣找人民的麟煩，何以達到自己的目的，人民為了怕麻煩，祇有想另外的辦法，於是紅包政治，由是而生焉。

撲滅貪污細菌

所以有人建議：政府為遵照蔣總統政治革新便民的指示，應另立：「凡公務員執行職務時，有故意不便民的事實，應予以懲處」的法條，記者覺得：在這過渡期間，如是立法，也有必要。因為懲治貪污雖盡善，但發現貪污，却不容易，而公務人員之不便民却是貪污滋生的細菌。撲滅細菌，從根解決，豈不甚妥。

輿論精華

共黨要青年送死！
——大陸又一「金訓華」事件

學自俄共的「斯塔汗諾夫運動」，毛共也塑造了雷鋒、王杰、焦裕祿等一批偶像，現在，又捧出一個給洪水淹死的金訓華。

金訓華本是上海市二十歲的中學生，和他十六歲的妹妹於五月廿五日一同被下放到黑龍江雙河大隊插隊落戶，八月十五日，因為山洪冲走了兩根電柱，他下水搶救，給狂流淹死了。這是一幕悲劇慘劇！

於是，一篇什麼「光輝事迹」，和「金訓華日記」就在共黨宣傳機器編排下發表出來了，這一切，和他們塑造雷鋒、王杰、焦裕祿的一套，一模一樣。也於是，照例把這位白白送死的青年，封了一個「烈士」的名號。

從他們所發表的所謂「金訓華的光輝事迹」看來：「山洪直瀉，江河橫溢，河邊上的農田被淹沒，大樹被拉倒」，「小金在急流中與洪水展開搏鬥，一個巨浪把他打入漩渦，他從水裏拱出來，向電柱猛冲，又一個巨浪把他打入漩渦，他從水裏拱出來，繼續向電柱猛冲，第三個巨浪又一次把他打入漩渦，他還是頑強地把頭拱出來，繼續向電柱猛冲」，「小金離電柱只有一米遠了，這時，又一股漫甸子上的洪水冲進大河，呼嘯着向他蓋去……」。這是說，在明知敵不過兇猛的狂洪情形之下，而竟跳進漩渦去，這不是英勇，而是無知。再說：岸上的人，目覩小金這種危險掙扎的情形，不去拯救，分明是有意製造慘劇。

像金訓華這樣的死，會有什麼價值嗎？這價值等於被水冲去的牲畜。然而共黨為了要加强「一不怕苦，二不怕死」的宣傳，那就不必考慮地以人民的生命作為牲畜。

一個僅僅二十歲的青年，對於未來的責任，和社會對他的需要，至重且大，而共黨却叫他去白白送死，而且要其他青年也學他一樣的去白白送死，這就簡直把下一代連牲畜也不如。

這二十年來，大陸人民的生命價值，就比不上牲畜，那些所謂建設，那一樣不是由這些「人畜」的生命所建築而成呢？

由金訓華這一悲慘事實指出，今日大陸不少青年被騙到荒遠的邊疆去送命，被迫過着牲畜不如的生活。

是他們自願嗎？是他們要做什麼「英雄」、「烈士」嗎？所謂「一不怕苦，二不怕死」，連最無知的牲畜也不會這樣，而共黨却要人們恪遵這八字教條，誰也沒有顧不願意的自由。

何止一個金訓華，大陸許多青年們，正等着作其死亡的「接班人」呢

（摘自香港快報）

自由談

君子無所爭

現代政治生活上，有所謂「集體領導」的新名詞，這原係俄共幹部人物於史大林暴斃後，為避免爭奪領袖的醜劇而發明的玩藝兒。所以在共黨領導階層人士聯名向外發佈文告時，排名的次序就表示着每個人的政治地位之高下，及其權力之輕重關係。因為共產黨人是專講鬥爭的，喪失了權力卽沒有生存的價值，甚至成為犧牲品，此卽毛酋澤東要搞「文化大革命」以奪權的癥結所在也。

自由世界的政治生活却不然。一個政治團體在民主原則之下，一是皆以團體成員的大多數意見為依歸。居於領導地位的人，除却資望勞績和德行堪以矜式羣倫外，平日尚須有讓利不先、赴義孔後以為大衆服務的精神表現，這樣自然實至名歸，博得大衆的眞誠擁戴，你要讓賢亦不可能，夫何爭奪領導地位之有呢？

中國文化思想上，還有一項傳統的謙遜美德，越是遇事不忮不求，與人無爭，越就能够獲得羣衆的愛護崇敬，所謂「君子無所爭」是也。吾國近代名伶梅蘭芳於聲譽崇隆之後，處處表示謙讓，對前輩、平輩或後輩的同業人士，從來沒有爭奪「頭牌」地位的情形，他若跟楊小樓余叔巖同台演出時，在戲報上一定讓楊余的名字排在大軸戲的最後——梨園習慣這就叫作「頭牌」。他為提携晚輩，亦曾跟尚未成名的伶工演配角。可是，「伶界大王」的榮銜，終歸為梅伶所享有，別人沒法跟他抗衡。現代居於領導階層的政治人物，其氣度和德行，難道不如一個唱戲的伶工，還要爭持其名字在文告上的先後次序，無形之中，中了共黨作風的毒而不自知乎？

吾國士大夫舊有的痼疾，只要有三五個人組織政治團體，卽發生爭奪領袖地位的醜劇，結果每每是「殺雞聚會，打狗散場」，徒留笑柄於人間。在集體領導制度下，而爭奪排名的先後，這比爭奪領袖地位尤為俗不堪耐，難登大雅之堂也。

馮五先生

毛林集團正瘋狂備戰
在峨嵋山建地下總部
預防核子突襲實施全面疏散
美蘇如果聯合中共將攻香港

（本報記者柳一功本港綜合報導）更多的有關中國大陸各地，正在加强備戰的報導，紛紛傳抵香港。由來自大陸的華人旅客帶來的這些消息說，北平目前對於和蘇聯發生戰爭的危險性之强調，已使大陸人民對於外國人感到高度懷疑。這些報導並說，北平政權已下令農民及各地人民減少他們的糧食消耗，以節省下來的糧食在「國家糧倉」中建立存量，並建立更多的糧倉。報導說，北平已宣佈備糧運動為全面備戰中不可少之一部份。這些旅客說，廣州的備戰措施，包括把該市半數居民驅往鄉間，和每天軍隊使用炮兵的作戰演習。廣州的氣氛有如戰時。

據悉毛澤東已準備數處掩蔽場所，應付蘇聯攻擊。「毛澤東已在四川成都附近的峩嵋山，打通一條隧道，建立了一個新的地下指揮所。」中國消息人士今天報導說，北平若干科學和軍事指揮部的前站人員，已經進入了這個山中掩蔽部。峩嵋山掩蔽部不過是毛澤東準備撤出北平在數處蔽掩部之一而已，一般人相信另一個掩蔽部是在陝西延安。

據剛從中國大陸返回香港的一名本地居民說：中共已在深山中的堅硬巖石中，建造了一處精心結構的「政府」辦公室和軍事總部，以便在一旦和蘇聯發生核子戰爭的時候使用。這位香港人說：中共的新總部，建造在四川省的深山幽谷中，四週環繞着一萬二千呎到一萬五千呎的高峯。總部內有幾英里長的隧道和毛澤東，林彪的寬大起居間。這個香港人說：他從他的一位親戚口中，得知這個消息。他這個親戚是四川省的高級共幹，自稱他曾親自參觀過這個龐大地下總部的一部份。香港人引述他親戚的談話說：中共在準備打核子戰爭的地下「政府」和高級軍事指揮部的所在地區，建有防空掩體，以防蘇聯或其他外國的核子攻擊，另外還建有精心結構的公路和鐵路系統。這個戰畧要地，甚至連飛機也難以進入。毛澤東計劃和周恩來以及黨中央頭目陳伯達，康生等人，進入這個地下總部，抵抗擁有核子武器的蘇軍或其他外國軍隊。無數軍隊正在守衛這個地區的秘密設施和備戰建設。當地居民也都接受軍訓，並且禁止和中國大陸以外的任何人通信。同時原在武漢，洛陽和天津等工業城市的國防重要工廠，也都已遷到這個禁地的附近地區。

基督教科學箴言報記者休茲，從香港報導說，中共現在無疑在忙着戰爭準備。休茲又說，香港的許多觀察家認為，北平的內部問題，還是種備戰運動的原因。據休茲說，毛澤東會「歡迎」甚至挑起對蘇聯的第一次邊界事件，以在召開第九次黨大會前，鞏固內部的團結」。雖然事實上這個會議早已過去，但「大陸上仍鬥爭不已，而備戰運動，可能為了消除「文化革命」與黨大會後顯然殘存的冷漠和不滿而設計的。」休茲說：「許多觀察家相信，備戰運動可能還特別為了刺激和團結中共陸軍而設計，因為在軍隊中最近有不安的跡象。」

休茲稱：當然中共「眞的恐懼蘇聯攻擊」—也許為核子的—，也不無可能。倫敦「每日電訊報」報導，據蘇聯駐東南亞外交人員透露，由於中蘇共「邊界會談」進行的情形非常不順利，中蘇共之間的情勢正日趨嚴重。「每日電訊報」在一篇發自寮國首都永珍的報導中指出，一位蘇聯官員曾向寮國官員透露，中共一再提出無理要求，使蘇聯無法接受。

毛林集團藉詞防範「帝，修，反」的突襲，各省，市，自治區的軍政機構，刻正制訂全面大疏散計劃，以實現其工業生產的部署。據消息靈通人士透露：這種大疏散，包括人口和工廠兩方面，其中對于人口的疏散，據來自廣州的消息，計劃內容規定分三期進行，即先疏散有勞動力的，再疏散半勞動力和老弱民衆，最後疏散包括工人，商以及各機構的工作人員和所謂「革命羣衆」等。原則上以四個月為一期，由一九七零年一月起實施，如時局變化，則隨時變更。消息中指出：在毛林集團下達「隱蔽與分散相結合，長遠與安全相結合」「貨量與數量相結合的指示」下，目前從華北到東南沿海的有關所謂國防的大工廠內遷後，均設于地下，小規模的，則實行合併。據悉：毛林集團今後地下國防工業將以陝，甘，青以及四川省為中心，原設在新疆鄰近蘇境的國防工業，亦將陸續遷往這個中心。

據靈通人士消息說：毛林集團藉口備戰，號召青年參軍，并提出「建設海防，保衛邊疆」等口號，要中共海，陸，空軍「忠于毛」，以「一不怕苦，二不怕死」的所謂「革命精神」做好作戰和訓練的各項準備工作。所有各軍區，警備區以及各地駐軍的領導機構，最近均奉命舉行與備戰有關的各種軍事集會。消息中透露，華東區共軍首要，最近曾在上海市連續舉行會議達一週之久，駐南京共軍司令許世友，副司令張才千等均參加。

據報導，中共正繼續準備與蘇俄作戰。預定十一月二十四日出版的新聞周刊稱，中共對於上月宣布的中共蘇聯邊境談判，似乎並不具有完全信心。新聞週刊「瞭望台」欄刊載的報導說：「據旅客們稱，中共的戰爭準備，正繼續加緊進行，城市居民奉命準備緊急時期的糧食供應。郊外工業區，掘塹壕，中共部隊正在絡繹增援邊境，遠至它試驗核子武器的新疆省」。

一名從廣州來的中國旅客稱，中蘇邊境談判仍舊陷入僵局，而北平正在認眞準備應付中蘇可能發生戰爭。他說，這是在最近的一次會議上，北平傳給廣州幹部的一項警告的要點，蓋他有一名任幹部的親戚曾出席上述會議。他引述這名幹部之言稱：如果美蘇展開聯合攻擊，對付中共的話，則北平業已決定「解放」（佔領）香港，以免香港被利用作為敵軍的立足點。不過，北平的通告並沒有說明倘如蘇聯單獨攻擊中共，則香港將否被接管，通告强調指出，如若蘇聯不攻擊中共，則中共也將不攻擊蘇聯，但是，如果蘇聯攻擊中共，則中共將即刻展開回擊。廣州的幹部獲悉此種政策乃符合毛澤東的語錄：「人不犯我，我不犯人，人若犯我，我就犯人」。這名旅客又說，廣州人民相信，如果戰爭爆發，敵人將不會利用香港作為他們的立足據點或攻擊據點，他們相信敵人將從其他據點攻擊中共。與此同時，中共正在進行廣泛的備戰，以保護北平市和中共的高級領袖，以免他們在萬一蘇聯對北平展開閃電攻擊時落入蘇聯手中。毛派政權目前在全國各地所進行的廣泛備戰，乃一種預防性的阻戰措施，以使蘇聯不敢攻擊中共。

議員非鏢師
護航要不得
吃得咀軟拿得手軟

本報訊：台灣省第四屆第四次省議會，自五十八年十一月廿七日起至五十九年元月廿日止為期七十多天，行將快已結束了，在此漫長的會期中，自始迄今所參加開會的省議員都寥寥無幾，少至五位或六位，多至半數的位，難以到達半數，既然省議員為省民的喉舌，官民間之橋樑，施政措施，社會安寧，人民生活等應該都要密切注意，代表身上，為什麼省議員諸公不明白自己所負的職責重大而放棄開會的義務，本報記者有鑒及此，乃走訪多數省議員，據答各單位對開會期間的省議員態度是一種敷衍性質，遇到質詢時，承辦單位的官員都是說：某公意見很好，事實上也應該改善，今後當儘速加强服務，盡量改善，會期過後，一切照舊，我行我素，浮報仍是浮報，浪費仍浪費，甚至於各單位分別柬請省議員享以佳餚美酒尤來唐塞一番，作一種掩耳盜鈴手法，像以前高雄市籍的省議員李源棧就在某一件案中氣死，另外還有一種戲劇性的手法使正直發言的省議員受到阻碍，因此大家對開會的興趣不濃，事性不去也就算了！但是我們要為省民發出最高呼聲，希望省議員諸公應該以民衆為前題，振作起來，勿自暴自棄才不辜負省民的願望與民衆的血汗錢給如此漫長會期的人力、財力浪費才對。

喬治桑外傳　一一二

張大夏

雅麗絲在旁聽了，幾乎笑出聲音，勉强忍住。

「你來找我有什麽事？」至此喬治桑不能不問洪尾的目的。

「是我妹妹叫我來找你的，她想……」洪尾說至此處欲言又止。

「她想什麽？」

「她想向你借五千元，付醫院的帳，慢慢再還你。」洪尾談到借錢有點不好意思，低下了頭，聲音很小。

「她為什麽不向『店』裏借？」

「她在『店』裏已經借支好幾萬了，無法再開口。」

「她難道沒有別的客人？」

「她說你桑先生人最好，在危難時，只有你可以幫她的忙。」洪尾下意識地摸了摸下顎的一撮毛。

「好罷，我幫她一點忙，可是我身邊沒有這樣多的現款。」說完喬治桑從身邊掏了五十元美金出來

「這，恐怕不夠，光是醫院的帳就要三千多，她現在身上一個錢也沒有。」洪尾看見喬治桑肯借錢立刻追緊可見他是借錢的能手。

「雅麗絲，妳開一張四千元支票。」喬治桑吩咐雅麗絲。

洪尾一想，開口五千，實拿四千，也差不多了。如果再緊迫釘人，便不够意思了。因此，一聲不響。

不一會工夫，雅麗絲開好一張四千元支票，交給洪尾，洪尾拿在手中，吹乾了印泥，很小心地摺起來，放進西裝上身的小口袋裏。然後站起來說：「桑先生，你有什麽話告訴小雲雀？」

「叫她遇事着開點，賺錢還我千萬不要再賭錢。」喬治桑一本正經地，句句都是金玉良言。

「你幾時到家裏來看她？」

「最近我事情忙，等我有空一定去看她。」

喬治桑送走洪尾，坐在沙發裏點上一支香烟，輕輕道吟：「十年一覺揚州夢，贏得青樓薄倖名。」

「包死，你在說什麽？」

「我在唸兩句唐詩。」

「我對於詩詞是一竅不通的。剛才來的那個人，長相實在不雅，他的妹妹生得怎樣？」雅麗絲兩手環抱胸前，站在喬治桑面前。

「妹妹當然比他漂亮，不然怎能當酒家女。」

「他的妹妹怎會單找你借錢？」

「那我怎知道？」

「你心裏有數？」雅麗絲面上現着調皮的笑容。

「雅麗絲，我請妳去看一場電影好不好？」喬治桑為了要改變話題，所以詞峯突起請她看電影。

「為什麽不好，我要去看珍西蒙絲的深宮怨。」

「那妳快去換衣服，正好可以趕兩點四十分的一場。」

有話即長，無話即短。喬治桑自從遭遇小雲雀自殺意外事故以後，果然很少再涉足酒家舞廳。一有空便帶雅麗絲看看電影，吃吃小館子。又陸陸續續買了不少小禮物送給雅麗絲。雅麗絲發覺喬治桑實是拿她當親生女兒看待，所以也不拘形迹。他們的感情有很大的增進，不過，這是父女的感情而非男女感情。

在一天細雨濛濛的下午，喬治桑在家「賦閒」，沏了一壺咖啡，與雅麗絲對坐閒話。

「雅麗絲，我要準備回美國了，時間至多還有兩三個月，我要問妳，妳現在有何打算？」喬治桑啜了一口咖啡，表情嚴肅顯然說的是正經話。

「眞的這樣快就要走？」

「我想將美國的事業收拾一下，年紀大了，爭名奪利實在無謂，準備找一個地方養老了。」喬治桑說這話時，老氣橫秋，似乎老了不止二十歲。

「我有甚麼打算，不做事便結婚。女人到底是女人。」

（未完）

台北傳奇錄（十九）

・陳光棟・

最讓人不能忍受的，是洋人宴席上，男男女女說起話來都是細聲細氣的，吃起菜來也是躡手躡脚的，從頭到尾一幅半死不活的場面，請帖上所寫的「給我同席愉快」的一些鬼話，原來是騙人的。

瞧咱們中國人的宴會場面，主客高談怪叫，聲震屋瓦，劃起拳來，地動山搖，所以報上常登着某名人應酬回家以後，就因心臟病去世的消息，賓主盡歡到了這種程度，才證明了傳統習慣的偉大。

這雖然和請帖上「潔樽候光」的嚴肅字眼有些不符，但咱們最講究的就是這種「含蓄」。歸根結尾，洋人究竟是歷史淺，在這些地方和我們一比，就露出了狐狸尾巴。

單說劉二爺的喜筵散了以後，大部份的客人都走了，只剩下大洋馬和小辣椒拉着新娘子問長問短，馬寡婦和步成材談得非常投機，三樓的賴太太拉着李麻子直發牢騷。

「最近手氣怎麽樣？」李麻子問賴太太，他一向拿賭當飯吃，和賴太太是老牌搭子。

「還說哪！我們大丫頭就要參加大專聯攷，我一上了牌桌就神不守舍，連輸了半個月。」賴太太懊惱的說。

「賭錢嘛，自然有輸就有贏，再不就夠本。」李麻子很內行的說。

「你這不是廢話嗎？」賴太太推了李麻子一把，女太太們一好打牌，有時候對牌友比對自己的丈夫都親熱。

「妳們大小姐攷什麽系呀」？劉二爺關心的問着。

「她要攷乙組，我們無所謂，老頭兒偏要她攷甲組」！賴太太看看手錶。

「為什麽非攷甲組哪」？

「我們親戚朋友家的孩子，都是攷甲組嘛！」賴太太說：「攷乙組多洩氣呀」！

「賴太太，行行出狀元，只要書讀的好，念那一組不都是一樣」。劉二爺認眞的說。

「甲組是熱門，就和我們打牌一樣，雙門抱和五門齊怎麽會一樣哪」？

「這個社會什麽人材都需要，光是學理工的，也辦不了事」。劉二爺不死心。

「話是這說呀！看我先生，什麽不好學，偏學什麽文科，哼，倒他八輩子楣，不是我爸爸提拔他，我不跟他討飯才怪」！

「賴太太，妳可眞是在福不知福」。劉二爺强笑着說。

「麻子，走吧，時候還早，可以打八圈。」賴太太感到話不投機，拉着李麻子揚長的走了。

過了兩天，劉二爺夫婦到我家來拜望。大家寒喧着落了座。

（未完）

文滙樓別記

請台灣區讀者釋疑

前寄往香港文匯樓主寫的「自由報挖苦水」航空郵件遺失了。其實內容並未講甚麽，祇敍述，提倡四維八德報紙要扣，立法院公報的消息也不准登，乃至於對不尊敬領袖的競選人批評批評，又觸及到幽上欺下官策，這年頭眞的難混了。

台灣區的讀者對本報一個月遲到三幾次，已經變成習慣，比如星期三，星期六看不到當日的自由報，很敏感的知道自由報又發生問題了；但很少再來電話打官腔，或藉口拖延不付報費。相反的，祇收郵費的贈送報，有很多竟堅持作普通訂戶繳費，某名學者專函勗勉樓主連同報費交由馬五先生帶到報社，愛護自由報的熱忱，眞使人感動。甚至台灣讀者來信將自由報抬高到三十三層天外天，天外天的靈霄殿，靈霄殿的棋桿上。同仁們咸以「抬的高跌的响」作警惕，亦希望讀者們共體時艱。

最近台北發生過好幾件空穴來風的消息，經攷慮後必須要向讀者說明：一、某官員傳出消息，香港自由報接受黨外投資，打擊黨內同志，乃至於還有人提案查封自由報及修理主持人。二、香港自由報係在台灣印刷，違反出版法令等。三、自由報裏沒有好人，說這話的邏輯，謂罵人就是壞人。因之幾個月來對報紙的麻煩，幾未間斷。

「接受黨外投資，打擊黨內同志」，這是十八世紀惡訟師的搞法，提筆替人寫訟狀時，先將對方扣一頂帽子，被告臉白的話叫作白臉狼，黑叫作黑面虎，如果屬於善人，則曰表面道貌岸然，實則男盜女娼，某官員播送這些惡毒和中傷人的謠言，就是怕自由報批評選舉，選關既過，「黨外投資」的帽子，黨內自行收回。用血口噴人，失去了若干萬知識份子的向心力則未計算。「自由報在台灣印刷違反出版法令」，這叫作更「莫須有」，報紙進口要通過機場檢查站、海關、航空公司的運單，台灣銀行的結匯，如果自由報在台灣印刷，這多單位的人都得幫同作弊，才能行得通，天下有這樣的傻人嗎？至於自由報裏沒有好人，這要讓老百姓的眼睛去看了。照已故黨國元老陳果夫先生的邏輯，一張報紙常被壞人攻擊，可判斷這張報一定是主持正義的；一張報常被公認爲有正義感的人批評，這張報有問題了。總之我們檢討上年度跟自由報過不去的計有：貪官汚吏、政治垃圾、專門挖政府牆角的好幾位混蛋國會議員、地下律師、錢鬼子和不忠不孝不仁不義的人。

于斌樞機說：「香港自由報辦得相當成功，探求眞理，主持正義，轉移社會風氣，發揚時代使命，與天津益世報有甚多雷同之處。」曾約農、沙學浚、陳立夫、吳經熊、顧翊羣、梁寒操、錢穆、程滄波、熊式一、李漁叔、劉季洪、吳相湘、劉振東等百餘國際知名學者，都是自由報的忠實讀者和精神上最支持自由報的人，根據此一邏輯，自由報大概不是壞人集團。

．文匯樓主．

介紹程雲先生之春秋地理學（中）

◁劉正浩▷

先生首據左傳「京叛大叔段，段入於鄢。公伐諸鄢，大叔出奔共」之記載推考，以爲大叔既有西鄙、北鄙；而莊公自新鄭（今河南新鄭縣西北）進兵，則鄢應在京（今河南滎陽縣東南二十里）、共（今河南輝縣縣治）之間，是以位處京城東南一百七八十里之鄢陵，及京城東南三百五六十里之鄢（人旁），均被剔除；至於鄢地，雖屬鄭之西鄙，說者改鄢爲鄔，以爲字誤，究乏實據；何況由京至鄔，中隔嚴邑之制（今河南汜水縣東十里），及險阨之穎（今河南鞏縣西南），處心積慮之莊公，必不許大叔度越可知。是則舊有之說，無一合者。先生乃以水經注濟水篇云：索水即古旃然水，合梧桐澗水後，北流經大索城南。河南通志云：叔段城（即京城）在[illegible]陽縣城東南二十里。錢坫新斠注地理志云：京在今[illegible]陽縣東南二十里，大索城即今[illegible]陽縣治，晉灼讀索爲劃。因考訂鄢即讀爲鄻之索（大索），當以在旃然水上得名；旃然水即鄢水，急讀爲鄢，緩讀爲旃然，猶朱塞即鄢，語言緩急致殊而已，如是則段既出京，竄入西北二十里外之鄢；復出鄢北濟黃河，逃奔至共；就方位言，就情勢言，皆與傳文契合。此先生準其自定之前三原則，並廣泛應用聲韻訓詁之學而爲之者，其於第四原則，亦如前述方法，對同名異地，或同地異名諸地，多所析合；莫不實事求是，信而有徵。此則在方法之科學、推考之周全方面，遠勝前修之處。先生此書，共分四篇：第一篇「春秋地名考要」，先擇春秋地名相同者，作綜合性之考訂；另有周代、楚國、秦國建都三考，及周代封建與遷國考，取材不限於春秋三傳，而偏及經籍及史記，以追溯其遠流。第二篇「春秋地名今釋」，依春秋經傳爲序，詳考其所有地名，而釋之以今地。

（未完）

命相与話夢

宋代大儒朱文公，名熹字元晦，一字仲晦，徽州婺源人，即今安徽婺源縣北十里地爲其故城。世居縣之永平鄉松巖里。父松爲政和縣尉，（政和縣在福建）因僑寓福建建州，即今福建省建甌縣。南宋紹興十七年丁卯年十八歲，舉爲建州鄉貢，紹興十八年戊辰，年十九歲，登進士第一，歷經高、孝、光、寧四朝，累官轉運副使，煥章閣待制，秘書閣修撰，兼侍讀，賜封婺源縣開國男。

慶元二年丙辰，年六十七歲，沈繼祖爲監察御史，誣朱熹十大罪，詔落職罷祠。門人蔡元定亦送道州編管。慶元四年戊午，年六十九歲，他自以年近七十，申乞致仕。五年己未，乃依所請。六年庚申三月甲子日午時卒。享年七十有一歲，葬於建陽縣唐石里之大林谷，贈寶謨閣學士，謚曰「文」。紹定時，追封徽國公，淳祐時從祀孔廟。清康熙中，升位於十哲之次，故稱朱子，或朱文公。

始居崇安時，名其廳事曰「紫陽書堂」，又創「草堂」於建陽之雲谷。名曰「晦庵」，自稱「雲谷老人」，亦名「晦翁」。晚年卜居於建陽之文壽亭，作滄州精舍，自號「滄州病叟」，又號遯翁。因考亭爲講學之所，故人稱考亭學派。其論治以「正君恤民爲宗」；爲學則以「居敬窮理」爲主。宋之理學，到朱熹乃集其大成。其著書有「易本義啓蒙」、「著卦考誤」、「詩集傳」、「大學中庸章句或問」、論語、孟子集註，太極圖通書西銘解、「楚辭集註辯證」、「韓文考異」；所編次有論、孟集註、孟子指要、中庸集略、孝經刋誤、小學書、通鑑綱目、宋名臣言行錄、家禮、近思錄、河南程氏遺書、伊洛淵源錄，共數百卷，皆行於後世。

朱文公造，日元之甲，在五行屬木，生居寒露節後，白帝猶司權，與三春之青司權迴異。年、時、幹，交拱庚金，年月二枝，戊藏辛金，此皆戕賊甲木之神，萬不能取用。只有月幹丙火，及年月日時，戌、戊、寅、午之火局，與日元甲木，有母子相生之關係，堪爲我之護符。不過火占多數，木占少數，必須辭尊居卑，舍木從火，始可木、火濟輝，文明昭著。尤其妙的是，他四者之中，幹無壬癸，枝無亥子，格局淸高，毫無瑕疵，或謂命宮之子中藏癸水，奈何謂子藏之癸，非惟無損，且可獲益，因子上乘戊，合癸化火，與戌寅午火之局，同明相照，同氣相求，聲價彌增了。因此，文公故能樂孔而志伊，省身味道，登第五十年，仕於外者僅九考，立於朝亦不過四十日而已，而能竭其精力，闡明聖學。此豈是平常公侯將相所能企及？

十四歲亥運己丑，小限己酉，祝太夫人又棄養。

四十七歲，辛運丙申，小限壬寅，劉夫人逝世。

六十二歲辰運辛亥，年限丁亥，長子朱埶死。

六十七歲癸運丙寅，小限壬午，罷職歸里。凡此種種，足證木、火齊輝格，最忌金水傷害。

至於十八歲戊運丁卯，舉建州鄉貢。十九歲戊辰，登進士第，以及除武學博士待次，樞秘院編修，秘閣修撰，煥章閣待制，其運歲限三者，大都非木即火，非火即土，與木火齊輝格皆爲同類。最明顯者，文公壽享七旬有一，適在巳運，庚申年，庚辰月，甲子日，庚午時，恬然而逝，具見日元一甲，不勝三庚之剋，寅午戌之火，不勝甲子辰之水衝也。然而紹道統，立人極，爲萬世宗師，木水齊輝，豈有既極耶！

朱熹論讚命相

漢年

朱文公爲一代大儒，集理學之大成，著述等生。其中有關於論命相二者，因與命相有關，故錄其精要如下。

贈徐端叔命序

「……世以人生年月日時所値，支幹納音，推知其人吉凶壽夭窮達者，其術雖若淺近，然學之者，亦往往不能造其精微。蓋天地所以生物之機，不越乎陰陽五行而已。其屈伸消息，錯綜變化，固已不可勝窮，而物之所賦，賢、愚、貴、賤之不同，特昏明厚薄毫釐之差耳……。」

又云：「富貴榮顯，固非貪慕所得致，而貧賤禍患，固非巧力所可辭也。」

朱子論陰陽五行說：

數只是算氣之節候，大率只是一箇氣。陰陽播而爲五行，五行中各有陰陽。甲乙木，丙丁火，春屬木，夏屬火，年、月、日、時，無有非五行之氣。甲乙丙丁又屬陰屬陽，只是二五之氣，人之生適遇其氣。有得淸者，有得濁者。貴賤壽夭皆然，故有參差不齊如此。聖賢在上，則氣中和，不然，則其氣偏行。故有得其氣淸，聰明而無福祿者，亦有得其濁者，有福祿而無知者，皆其氣使然。堯、舜、禹、皐、文、武、周、召得其正，孔、孟、夷、齊得其偏者也。

又說：

陰陽是氣，五行是質，有這質，所以做得物事出來。五行雖是質，他又有五行之氣，做這事物方得。然却是陰陽二氣截住這五個。不是陰陽外另有五行。如十幹甲乙，甲便是陽，乙便是陰，五行相爲陰陽，又各自爲陰陽。

又云：

氣之精英者爲神，金、木、水、火、土非神，所以爲金、木、氣、火、土者爲神，在人則爲理。所以爲仁、義、禮、智、信者是也。

金、木、水、火、土雖曰五行，各一其性，然一物又各具五行之理，不可不知。康節（邵康節）却細推出來。木火淸。金水濁，土又濁。

陰以陽爲質，陽以陰爲質，水內明而外暗，火內暗而外明。橫渠（張載）曰：陰陽之精，互藏其宅。

（完）

青年心聲（上）

范文煥

讀周德偉先生「論報酬德業正義及社會組織的一封信」書後。

現代學人中，周德偉先生不僅是一經濟學家，而且是一思想家，他的道德文章，是値得世人推崇的。我曾拜讀過周先生的許多政治哲學及經濟論著以及散文集，我覺得周先生的文章，不僅理論正確，而且文氣奔放，一瀉千里。尤其他落筆的一言一語，對我們這一代青年，都具有啓惕作用。日前又讀到六月十八日香港出版的一張自由報，周先生在該刊發表一篇「論報酬、德業、正義及社會組織的一封信」的大作，捧誦再三，越讀越覺得這篇文章，不但代表着我們青年人的心聲，而且提供我們一種正確的人生觀，使我們這一代因被利慾衝擊而幾致迷失生活方向的青年，開拓了一條應走的路向，我們不再徬徨迷失了。

說眞的，我們這一代——特別是受過相當教育的青年人，對現實的社會，充滿了忿懣與不滿，不僅對自我勞務的付出，常有被剝削之感，即對自由意志的追求，亦常有被約束之痛！在我們的潛意識裏，這社會好像缺少正義，沒有公道似的，而使我們的心靈深處，蘊蓄着過多的不平與感傷！當然，這只是我們慨歎於「物質報酬不與德業相當」所使然罷了，然而誠如周先生所說的，誰人的報酬會與德業相當呢？

（未完）

諸葛亮狂想曲（三七）

·劉玄·

諸葛亮確定西班牙鬥牛士沒有摸淸楚天庭大小各仙的行情。

「這樣說來，西班牙鬥牛士註定要血染黃沙了？」琴童看書掉淚，忽然替西班牙鬥牛士担起憂來。

「這，你倒不必担憂，自從上次孫悟空大鬧天宮，哮天犬咬了呂洞賓以後，玉帝降旨，嚴禁天庭械鬥，才維持了一片昇平景象。所以，牛魔王不會接受西班牙鬥牛士的挑戰，倒不是怕鬥牛士驍勇，而是不敢違背玉帝旨意。」諸葛亮料事如神，他的猜測自然不會錯。

「這樣一來，西班牙鬥牛士不費吹灰之力，就能揚名天庭了？」琴童很聰明，立刻找出結論。

「一點不差，正是如此。」諸葛亮用鵝毛扇點了兩下。

諸葛亮與琴童扯談剛剛告一段落，案頭的漢玉八卦爐發出嘶嘶的聲响。原來太白星君與諸葛亮約定有八字眞言的傳心術，藉八卦爐隨時溝通消息。諸葛亮連忙走近八卦爐俯身聽了片刻，吩咐琴童準備雲車。

「丞相今天不打坐參禪了？」琴童聽說諸葛亮要出門，覺得詫異。

「星君要我馬上到他那邊去。」諸葛亮知道星君找他談話，屬於「天機」，決不可洩漏。

諸葛亮登上雲車，須臾來到太白星君仙邸，自有鶴童上前迎候。

星君盤腿坐在紫檀木的雲牀上，脚底朝天，可見他的修鍊工夫更在印度瑜珈術之上。星君看見諸葛亮駕到，立刻下了雲牀迎接，這是諸葛亮的面子大，換了別人，星君是踞坐不動的。諸葛亮見了星君，打一稽首，星君還禮。

「我給你的八卦爐，傳話靈不靈？」經星君唸過八字眞言的八卦爐，據說總共只有四個。星君只有對最知己的人才給此爐。他也像電話公司一樣，裝好了電話，先要問一下通話靈不靈。

「我就是從八卦爐中聽到星君召喚才趕來的。」諸葛亮很恭謹地回答。

「好，請坐。」星君揮手，又像是請，又像是命令，要諸葛亮坐下雲牀旁的一個玉石鼓櫈上。這種玉石鼓櫈，冬暖夏凉，迥非凡品。坐在上面比最考究的沙發椅還舒服。

「我這兒沒有咖啡，只有人參茶，要不要來一點？星君只有接待上賓才用人參茶。

「不敢叨擾，」諸葛亮不得不表示謙遜。

「我的人參茶，與別人不同，是用丹爐裏鍊丹的玉液瓊漿冲的，功能提神養氣，益壽延年。」星君三句不離本行，語句之間離不了鍊丹。

「多謝星君厚賜。」諸葛亮人參茶未到口，先致謝，這是受中華文化薰陶之故。

（未完）

巨變歷險記！

學潮澎湃（九五）

胡靈蓉

今 總統 蔣公，以在野之身，蒞臨成都，登時成都舉世注目，但成都本身却更加脆弱，謠言滿天飛，處處表現出暴雨欲來的情景。各方面都向成都逃，但成都却又看不出有什麼人有什麼力量來抵擋。風聲鶴唳，一夕數驚。心理上的崩潰，更加速敵人的到來，望江樓的四川大學，學潮不斷發生，其與社會人心，影响是很大的。

四川大學，原來是省立的成都大學，地點在皇城，南較場。校長是後來鬧民盟的張表方先生。從民國廿年改國立，校長是王兆榮先生。丁博士應聘，担任他的法律科目。抗戰軍興，遷移到望江樓畔，薛濤井旁，套星樓後，校長是已去世的前教育部長程天放先生，程校長又把他搬到峩嵋。迨黃季陸主委（四川省黨部）兼任校長，又把他搬回來，並應當前的需要，大力擴充，收容四面八方逃來成都的各大學的學生，一時濟濟多士，熱鬧非凡。丁博士就任他的訓導長。

由於黃校長兼容並包，氣度恢宏，又由於重慶接待毛澤東，大開其政協，高倡民主，四川大學的學生就成了共產黨及共產黨同路的各黨各派搞政治活動的中心。教授們，也有一個組織，與共產黨及其同路人沆一氣——互相為用，聲勢浩大，常常為了一點小事，罷課遊行，遊行罷課，招搖過市，喊聲震天。這與社會人心影响固然是很大，因四川的軍事政治也有很大的影响。

川大的訓導長是丁博士，訓導處的生活管理組主任是韓伯勳先生，他們常常為學潮而奔波勞碌。共產黨及其同路人的花樣非常多，有時候，遊行放在白天，有時候放在夜裏，所謂火炬遊行。千百學生，手執火把，高呼口號，沿街行走，震耳欲聾，奇怪的軍警並不阻止。原來社會軍警自然有他們的理由。原來社會人心已經搖搖欲墜，再加上學潮的澎湃，更成了火上加油。

對於專門鬧學潮的人，學校雖然明明白白的知道，也無如之何，否則你就是不民主。學校裏，標語滿天飛到處是，有時會把辦公大樓前面貼得滿滿的，要求整肅這個，膺懲那個，共產黨學生及其同路學生之猖狂可知。黃校長對於訓導長非常支持，勝利之後，訓導長前往平津，訓導長仍始終未委派別人，現在他又從平津回來，學生的情況並沒有改變，實際上更行猖獗。黃校長當川大校長一直當到成都淪陷，四川淪陷大陸淪陷。去年（五十七年）在台北市黨部大禮堂舉行的中國訓導研究會會員大會席上，黃先生作專題講演談到這一段，猶不禁感慨系之。

有人說共產黨以鬧學潮起家，不無理由。學潮造成社會心理，心理影响社會，心理堤防一被衝破——其他方面也難於防守了。

感靈琴

搜異錄

周遊

晉人王敬伯，字子仕，會稽人，美姿容，善彈琴，年十八仕為東宮扶侍。因休假還鄉，行至吳通波亭，維舟中流，月夜沿琴而彈之。正彈之間，忽見一美女，後隨三少女披幃而入。施錦被於東床，几置鮮果羅列，請王敬伯上坐，酌酒獻酬。酒至半酣，女子命小婢取空條（兩字竹頭、下同）彈之，引吭高歌。女子語婢女道：「明日在霧氣中彈，今夕聲不能揚，可取金帶掛空條彈絃作歌。」小婢聽命取出金帶，長約二尺許，掛於空條上，復彈之。女子取下頭上金釵扣琴和之，歌道：「月既明，西軒琴復清，良宵美酒且同醉，朱絃發响新愁生。歌宛轉，宛轉宛似哀，願為星與漢，光景共徘徊。」又云：「悲且傷，參差共成行，低紅掩翠渾無色，金徽玉軫為誰鏘。歌宛轉，清復悲，願為烟與霧，氤氳共容姿。」天明，女子留錦緞四疋，臥具繡枕囊佩等物贈與敬伯。敬伯亦以象牙火籠玉琴爪回贈之。次日，聞吳縣令劉惠明之亡女船中，失去錦緞四疋，及女臥具繡囊佩各一雙。縣令役遍搜諸行船，搜至敬伯船，獲得失物。役吏拘敬伯於署詢之。敬伯將明夜事一一相告。於是遂命再尋亡女帳後，果見敬伯所贈之象牙火籠，於箱中又獲玉琴爪，縣令乃以婿禮視敬伯，厚加贈賄而別。敬伯問其部下之人云，縣令之女十六，名妙容，字雅華，去年冬得疾而亡。未死以前，有婢女二人名春條，一名桃枝，年十五，皆能彈空條，又善宛轉歌，相繼而死，並有姿容。即敬伯明夕所見之婢女也。敬伯聽說，心中有感，遂名其琴曰「感靈琴」。

紙上談兵

周燕謀

三、避其銳氣，擊其惰歸

「避其銳氣，擊其惰歸」，典出「孫子兵法」卷七「軍爭篇」。所謂「氣」，就是「士氣」，士衆戰志昂揚，銳不可當。士氣消沉，所戰必敗。士氣可分為三種：朝氣銳，晝氣惰，暮氣歸。司馬法上說：「新氣勝舊氣」。什麼是新氣？新氣就是「朝氣」，什麼是「朝氣」，即初來之氣，所以氣方勝銳，作戰之時，碰到此種情形，應該避免。晝氣初始已過，漸久稍怠，又稱「再作之氣」。梅曉臣的解釋：朝氣是其始，晝氣言其中，暮氣言其終。因士氣開始銳，久則惰，惰而思歸。所以善用兵者：「避其銳氣，擊其惰歸」。

根據杜牧的釋氣，那就更加詳細了。他以一天按時間分成三段。說陽生於子時，成於寅時，衰於午時，伏於申時。他這種分法，很合於科學。早晨朝陽之氣初盛，其氣必銳，譬如士氣之初起；故必須避之為妙，候其衰伏，擊之必勝。

田單即墨之戰，以五千人敗燕軍十萬之衆。田單先乘燕軍劓齊降卒之鼻，掘其墓塚，暴其祖先之骨。齊兵憤怒，此其氣也。乘其上下一心之氣，一戰復齊國七十餘城。此其善用士氣之一例。

唐武德中，唐太宗與竇建德戰於汜水之東，竇建德列陣。綿亘數里。太宗引數名親騎登高觀察，指諸將說：「賊度險而囂，是軍無政令，逼城而列陣勢，有輕我之心。今我軍按兵不動，待敵氣衰，列陣久而必衰，士卒飢惰，然後擊之，何往不克！」竇建德列陣既久，自卯至午，兵士飢倦，悉則坐石，又爭飲水。正在惰歸之時。太宗下令道：「將士可以擒賊了」。唐軍開城出戰，遂大破竇軍，生擒竇建德。這就是「擊其惰歸」之一例。太宗登高觀察敵情，見敵盡其精銳來攻，改稍待者，即「避其朝銳」之兵法也。

但請讀者不要誤會的，所謂「士氣正盛，並不止於一朝一夕，然亦有一朝一夕者，如太宗之破竇建德是。尚有待於數日數十日士氣始惰者，如田單之破燕。我們以朝氣比喻氣之始，晝氣喻氣之中，暮氣喻氣之末，不必以一日之朝、午、暮三時為辭而拘泥之。

大凡人之精氣，初來的時候，氣新而勇銳，陳久則竭衰。凡善用兵者，當其銳盛之際，則堅守以避之；待其惰歸，則出兵以擊之。即所謂善治己之氣，而奪人之氣是也。如前趙將游子遠之擊郯伊餘羌，亦善此法而勝；反過來說：就是氣盛勿擊，衰懈易敗。但運用之妙，在於勿失時機，善用兵者，不可不知。

成語選粹 (15)

李國良輯

青天白日

韓愈答崔羣書：「青天白日，奴隸亦知其清明。」朱子全書諸子：「若孟子則如青天白日，無垢可洗，無可索。」世以「青天白日」喻清明之象。

生活漫談

柿餅可治熱咳嗽

馬騰雲

暑天的咳嗽與冬天的咳嗽治法不同，如果用冬天的咳嗽方法，治夏天的咳嗽，不僅無效，而且變本加厲，患有咳嗽的朋友，不得不特別注意。

夏天的咳嗽，大多屬於熱咳，冬天患熱咳的也很多。來自「燥」與「火」，治熱咳用柿餅煎水溫服最有效驗，柿餅的成份，含有轉化糖、遊離酸、甘露酸、柿醇、柿酸。我國各地皆有出產，以安徽、山東、河南產者為佳，福建、台灣兩省產品次之，成熟柿餅為溫和滋養品，內服能止血，調順大便，降低高血壓，對治療痔疾腫痛、痔瘡出血，直腸出血，均有顯著效果。

用半磅豐碩柿餅，加兩磅水煎到還有三分之一，溫熱飲專療熱咳，兼化痰，潤心肺，清胃腸，治痔瘡。柿蒂能下氣，治逆喘。柿霜清喉痛，治肺熱。柿漆（在大陸為作雨傘用），一湯匙混和牛奶或果汁沖服，一日三回，為高血壓、腦出血急救藥，本方為日本藥田吉氏所有。

在中國北方幾省，九月為紅柿季節，尤為沿淮河流域，無分老幼，均嗜食此物，食時很習慣的將柿蒂粘貼在牆上幾十到幾百個，柿蒂雖是一種好藥，但太普遍了，賣不到錢，藥店亦很少儲備，可是遇有呃逆病、高血壓，須柿蒂急救時，祇好家家戶戶去行討，柿蒂裏含有溶融點三七五C之無氮素結晶性物質，既苦又澀，可能就是治上列病的有效成份。

另一個治熱咳的驗方，是扁柏葉燉荳腐食亦非常有效，這是廣東一位老醫生傳授，產地以廣東清遠產者為最好，台灣山地亦很普遍，中藥名叫側柏葉，其成份含有松柏苦味素，側柏昔、精油、樹脂、酸等，為一種良好健胃藥，兼能清涼收斂，如咳血、吐血、腸出血、婦人子宮出血、及赤白帶下等症，用本品大量內服無流弊。又能治淋疾利尿，以此治熱咳，可能採其富涼血消淤，滋肺祛濕關係，荳腐裏含有石膏，石膏乃清涼解熱藥，用於急性熱病之規溫、齒痛、頭痛、咽喉痛有著效，綜上所述以此二物混和，用於著天治熱咳的驗方，是很有道理的，側柏葉的份量，不能超三十公分，用時須注意。

咳嗽不止使人非常難受，有很多病人被迫內服麻醉劑，這是非常危險的一件事，因麻醉藥成了習慣後，再咳嗽非用麻醉藥難以收效，很多吃鴉片及海洛英的朋友，都是因治病上癮。除上列兩驗方外，筆者有一偶而發現的驗方，就是當咳嗽得太劇烈的時候，以薄荷少許，擦摩咽喉骨，立可止咳，有殺菌和末稍神經知覺麻痺作用，不僅沒有害處，且利咽喉，治感冒。

自由報

（第一三〇一期）

（半週刊每星期三、六出版）
每份港幣壹角．台灣零售價新台幣貳元
社長李運鵬．督印黃行實
社址：香港九龍彌敦道593—601號
廖創興銀行大廈八樓五座
LIU CHONG HING BUILDING
7th FLOOR FLAT '5
593—601 NATHAN ROAD,
KOWLOON, H.K.
TEL: K303831
電報掛號：7191
承印：景星印刷公司
地址：嘉咸街廿九號地下
台灣通訊中心：台北青田街五巷三號
電話：三七五〇二二
台灣區直接訂戶　台郵劃撥戶
第五〇五六號張義有（自由報會計室）
台北營業處：台北衡陽街三十號
電話：二七二〇〇
台灣分社：台北市西寧南路110號二樓
電話：三三〇三四六．台郵劃撥戶九二五二號

已到雪恥自強最後犧牲關頭

張六師

僅一百五十萬以色列人，在巴勒斯坦，另有一千萬在世界每一角落，使使美、俄、英、法束手，一億九千萬阿拉伯人徬徨。難道大陸外三千萬中國人，竟不能掀天動地，創造歷史驚人英雄事業嗎？中國人是否能爲國家盡忠？爲民族盡孝？爲人類萬世開太平？就在今日一念之變，把生死榮辱看得透澈與否而已。所有新老帝國主義何足道哉！

一、沉痛的回憶與對西方的透視

當前的時代，事實上正是殘酷無情的新戰國時代。並世的各大國，以強凌弱，以衆暴寡，撕毀條約，廢棄信義，對小國控制、剝削，他們自己間互相欺詐，滲透顚覆，恫嚇示威，閃擊侵略，已成司空見慣。因此，今天面對國際的新變局和新認識，應該確定一個大原則，就是如果不自強、自助，自立更生，自主地採取人心所趨向的行動，不僅中興政策，不能實現，即使反攻登陸成爲事實，是否經得起國際大風大浪，和大陸政治變革的考驗，而不受外力影响而倒退，眞是應深思的大問題。

自二次大戰後雅爾達秘密會議，首開撕毀大西洋憲章和一九四二年二十六國聯合宣言的惡例，便已暴露出西方文化的弱點本質，——種族主義、唯物主義、自私優越和犧牲弱小，毀棄諾言的傳統思想，比二次大戰前還更加甚。在「物競天擇」，「優勝劣敗」的哲學觀念下，兩百年來，自以爲是「優秀種族」，對「落後地區」，「衰老民族」的「化野蠻爲文明的「白人天賦使命」觀念下，到了他們自己利害關頭，便露出爲德不卒，出賣盟友的本來面目。在「除了我之外，不准別有神」的傳統意識中，政治控制思想與生活方式同化，甚至把已放棄的俄羅斯方式——滲透，顚覆手段，也照樣加强施展。亦如清末俄、英、法、意對華强迫訂約傳教，和教會必須以白人爲當家作主，而干涉到別國地方內政，激起教案的時期，只是方式不同。

以同盟者身份，偏聽太平洋協會與共黨同路人的愚弄，壓迫盟友在內政上的國共和談，籌組聯合政府，不成則不惜停止援助，發表「白皮書」暴露帝國主義作風至今未改。韓戰爆發，英美自己所培養的共黨暴力集團反以武力對西方作報答。在對俄國怯懦，對中國威壓的慣例下，用第七艦隊中立台灣海峽，限制同盟國主權。在舊金山和會中，出席者大小共五十多國的會議，獨不容許抗戰最久，犧牲最大的中國共同對日簽訂和約。這類事實今日已留下了歷史性荒謬記錄使人難忘。

他們撕毀大西洋憲章的原則，和戰時波茨坦與開羅會議宣言，不正式將台灣和琉球合法地交還中國。除陰謀「托管」與搞「台獨」及「擅交琉球予日本」外，還掩護毛澤東坐大，限制中國行動，使俄毛放胆發動韓戰與越戰。至於分化兩個中國，兩個韓國，兩個越南，兩個德國，坐視東歐蘇俄鐵幕內部數不清的弱小國家和民族被奴役而消滅，這都是西方大國，認爲在「進化論」和「生物史觀」中的合理結論。

這就是當前殘酷新戰國時代的血腥，可悲現象。

面對此種現實環境和壓力，中華民國會爲了遷就現實而放棄　國父所交付的理想主義，以圖挨過困難。但橫逆之來，有加無已，相形之下，我們已連英、美、俄、法勢力下的錫蘭、巴拿馬、波蘭、盧森堡……都不如。而今日處境，則甚至不如緬甸、馬來亞、新加坡、印尼和許多阿拉伯國家。自然較之以色列不免更有愧色。可是實際上我們無論文化方面，軍事方面，經濟方面，人力方面的實力。以及民族所蘊藏的在大陸、台灣海外的各種精神與物質的潛力，無不超越上述好幾十個國家之上——也即是今天美、俄、英、法、日……各國所以對我們千方百計，打擊、限制、壓迫、分化、恫嚇、嫉妬、滲透的主要原因。預料我們愈進步、愈充實、愈堅强，這類橫逆之來，必還有加無已，環境也必會更惡劣。甚至極可能還有這樣一天，所有西方帝國主義者，會分工合作，在同一個目標上對付我們，這是因爲僅在海外，他們目睹三千一百多萬華人雖散漫而未統一，無重工業與尖端科學工業基礎的力量，已如此可怕；今後如果在海外能完成一個統一的有現代化組織和團結的力量，其對西方不又是更可怕的一個「黃禍」？假如有一天更把大陸更聯在一起，豈不比蘇俄更還危險？

二、根據歷史教訓從事變革

所以今天在大陸上，西方陣營，要利用中俄共的矛盾，給蘇俄以併吞內外蒙、新疆、東北的機會，使中俄兩國後代長期相持不下。又給印度以機會，把西藏暗示交給它作爲未來繼尼泊爾、不丹後的保護國，所以把中國有千年血緣的琉球交給日本都是一石二鳥作用。而在海外則一面高唱「台灣法定地位未定論」，又以「台獨」卑鄙手段作分化陰謀以「托管」聯合搧手的最後打算。同時更惡毒地仿效蘇俄，大力挑撥黃種民族，消滅中國文字、語言、宗教、信仰、生活方式，分化而同化於各地方民族。更在經濟上使中國人由知識分子到勞動者——尤其是下一代，以腐化、惰落生活方式，物質誘惑，於不知不覺中使中國青年淪爲忘本奴才之奴才，更無所謂祖國觀念。

百年來的世界大國，玩弄手法，勾心鬥角，縱橫闔闔，背信棄義，出賣友邦，買空賣空，以盟友爲犧牲品，搞滲透，顚覆政變，已成司空見慣。而使用技術無不是秘密外交，幕後勾搭，金錢收買。今天由俄毛共黨的表面罵街，背後交易，到美俄的赫爾辛基會議，美毛華沙勾搭，乃至北平邊界談判，無不背後藏有不可告人黑幕。他們之間討價還價，正使盡混身解數，但皆不可告人。這種邪惡外交，無不是站在所謂「實力地位」立場。其中以毛共鐵幕封鎖比蘇俄還嚴，則在討價還價中，故左右逢源。但面對蘇俄，則犧牲慘重，故大家相互力戒消息外洩？

作爲自由民主，和戒愼過度的中華民國，處此局勢，應付之策，如再僅以「不變應萬變」已是過時之下策。二十多年來世變之大，已至不可想像程度。我們只說要「開拓新機運」但却既未開，亦未拓。新機運雖有，却受人束縛，而屢次失之交臂，以致形成今日之局。

目前處變之際，形勢逼人，已不容許不變。應變之方，對內爲大刀闊斧地變法，——即全面革新——應闢及每一個人生活方式思想意識的革新，和政治、經濟、法律、社會、文教、音樂、藝術、戲劇、電影、與娛樂……尤其是輕重工業（如有重工業）、軍事制度，內政組織，都該全面性的來一個空前革新進步。在精神上都是絕對離不開以國父民族主義作中心，以軍事第一黨體制，厲行法治，抱置之死地而後生的決心以從事。在對外方面，力求絕對的獨立自主，一棄被動的主動選擇「與國」。這是應允海外一千七百萬僑胞的要求，與全省一千三百萬人民願望，以此拒抗外來壓力。（尤其是要整肅頹風，打擊崇洋，嚴懲漢奸和奸商，貪污黷職之蠹和搞派系分子）。絕對集中組織力量，深入羣衆，說服羣衆，與羣衆打成一片（上下同欲）。軍隊幹部應以提高士氣戰志同仇敵愾，團結競賽立功爲第一。並以之作懲獎標準。如此方能表率士兵。政戰人員更應以身作則，既能團結全軍，更能化敵力量，作爲我方力量。

吾人每讀國父遺教對羣衆曾以「造成時勢，鼓動風潮」昭示革命幹部。對黨員及全體國民，更明白指示：「民族主義對任何階級其意義不外免除帝國主義之侵略。在實業界（即經濟界）苟無民族主義，則列國之經濟壓迫，使自國生產永無發展可能。在勞動界（即工農階級）苟無民族主義，則依附帝國主義之軍閥，與國內外資本家，足以蝕國家生命而有餘。故民族解放之鬥爭，對於多數之民衆，其目標皆不外反帝國主義，而帝國主義受民族主義運動之打擊而削弱，則此多數之民衆即能因而發展其組織，而鞏固之，以備繼續之鬥爭，此本黨於事實上證明之者。」（第一次代表大會宣言）。

基於上述情形與要求吾今日對內應如何變法革新，建立以寡勝衆，小勝大之國家及社會新體制。團結羣衆及民族資產者作基礎及自力以開拓新局面，與建設國家重工業及尖端科學工業。切實節制私人資本平均地權，革新生活方式及社會風尙。對外以軍事爲後盾，（當今世界只重視此一點）以文化經濟作前鋒，對大陸，對亞洲及世界，以作超越飛躍的邁進迎頭趕過。（切勿只跟別人後面）。否則即非　國父之信徒，黃帝之子孫，英雄之中華民族。

一月三日於艾格紐訪華時

昨日與明日

從洪典事件談起

成公

洪典是參加拳擊比賽，受傷而送至台大醫院緊急治療的學生，根據元月十三日台北中央日報第三版的新聞，有下面這樣的一段紀載。

「據省拳協表示，當洪典在台大醫院急診處期間，省拳協副總幹事，邱虛谷及省拳擊裁判簡瑞明見醫師對其傷勢不甚重視，且爲其辦理住院不得要領的焦急情況下（院方稱無病房）幾與台大醫院人員大打出手。幸得立法委員吳延環見義勇爲；透過教育部的關係，使洪典住進二一六病房，否則目前還可能停在急診處」。

這段新聞，我想任何看了都不會理解。既然無病房，怎麼通過教育部的關係又有了病房。醫院原是慈善事業，中國往昔常以「是乃仁術」的成語贈醫生，怎麼給病人看病還要通過教育部，官場勢力的關係。

如是我聞

但是在行情熟悉的人士，看了這段新聞，却是一目瞭然知道得一清二白。據他們說，這段新聞在台大醫院目前的情況來講眞是「少見多怪」，試問那個人的傷勢甚受重視，那個急診處的人會碰到院中。有病房，那個病人去交涉會得到要領；而其給你進病房，鄭重治療，唯一的公開秘密，就是要送紅包。大家抨擊：「要教育部關照，才有病房住」那實在還不是癥結，入裏之談，若不是那些拳擊人士以「大打出手」作後盾，恐怕僅僅教育部關係是住不進去的。例如就在洪典事件前一個星期教育部一位科秘的老太太，跌傷急診，當時爲了打關節，托人情，還特請了一位司長到場，照應關說，事實還不是在急診處擱了一夜，推說沒房，結果仍是塞了紅包「才找到」病房住進去。

整頓乎，澄清乎

台大醫院是台北最大也最有歷史的一家醫院。一向担負起台北最大的醫療負荷，但不幸近些年來，社會上有着種種不甚名譽的傳說，像上面那位人士的談片，我們不止一次的聽過了，我們不相信這竟眞能是事實。但在另一方面却又使人不無「事出有因」之感！我們知道台大醫院規模太大，管理匪易，在此待遇不合理的時代，也難免有若干良莠不齊的事實發生，但不論如何，我們希望台大醫院方面對這些傳聞，如眞有之，應該切實整頓不能聽其腐爛下去。如其是出傳聞失實，則應該加以澄清以正視聽觀感才好。

自由談

美國總統尼克遜就職一年間的對外政策，我們可以看出一些輪廓了。即在現狀之下與蘇俄集團和平共存，而希望中國大陸上的毛共以「亞洲狄托」自居，一面跟蘇俄對立，同時對美國接近，不復視「美帝」爲死敵。於是乎，美國恃其尤裕的物力財力，各方肆應，市惠示恩，靜觀天下之變，始終藉「武裝和平」姿態，縱橫闔於國際間，以期立於不敗之地。換言之，尼克遜是要專用政略來遏制共產主義的世界革命狂潮，使美國能避免核子大戰而執世界的牛耳，長此享有安全繁榮生活。只是先生之抱負可謂宏偉，構想亦很周密，可惜美國政治人物的智慧不足以語此也！

第一次世界大戰結束時，美總統威爾遜在巴黎和會提倡的「民族自決」主張，全球人士皆喝采稱讚，結果被英法玩弄股掌之上，徒託空談，美國僅能消極的不批准和約，置身事外，不參加國際聯盟，致有二次大戰之發生。第二次大戰時，美總統羅斯福以「民主國家兵工廠」老闆的資格，聲勢煊赫，不可一世，結果被史大林玩弄股掌之上，簽訂雅爾達密約，心勞日拙，而中國大陸上的六億人民，乃在美國「應援」之下，淪爲奴役了！尼克遜的才幹幷不優於威爾遜，更不及羅斯福遠甚，而美國國內的情形，視第一二次大戰後糟糕百倍，內憂外患，日趨嚴重，尼克遜却想以政治手腕解決國際大問題，這是既不知彼，又不知己，志大而才疏，寧有倖理乎？

美國拙於政略

美國開國尚不滿二百年，國民的血統種族又甚駁雜，文化根基淺薄，文化精神即談不上充沛，僅憑其工商企業與科學技術之發達，富强蓋世，這是世界霸主的資質。美國如果以其對外卄無領土野心的信譽，而完全放棄孤立主義作風，在國際間主持正義公道，糾合與國，憑實力遏制共產主義之侵略擴張，必能有所成就。若想使用政治策略跟共產主義者鬥智以求勝利，那便是班門弄斧，絕對要失敗的。因爲高明的政治策略導源於高深的智慧，而智慧係文化思想的產物。霸道的優點在鬥力，王道纔是鬥智。美國的政治人物乃棄其所短，不亦愼乎！例如二次大戰末期，英首相邱吉爾主張在俄軍尚未到達德境之前，請美總統杜魯門電令盟軍統帥艾森豪迅速揮軍渡過易伯河，搶先佔領柏林，又主張美軍勿退出捷克首都，皆不獲美當局同意，（見邱翁回憶）否則東歐何致讓俄帝勢力獨佔，而東西柏林的對立局面亦不致產生，所謂北大西洋公約即沒有組織之必要了。文化智慧對政略關係之重要有如此者！

美開國之助華盛頓曾預言將來美國人很可能敗於無代價的和平思想與無代價的安樂生活。目前美國情形正是朝着這條路線發展，尼克遜總統也就是格於形勢比人强的趨向，無可如何，要想旋乾轉坤，談何容易呢！

馮玉先生

國貿與中信出了毛病
小麥染色事竟然亂來
政府信譽受損進口商遭打擊
監院依法糾彈應當從嚴懲辦

本報記者董尚書來自監察院消息稱：爲國際貿易局核准由中央信託局代辦進口飼料用之小麥規定染色百分之百使進口商無法辦理而予收購標售時仍係原有染色貨品未遵自定標準非僅進口商蒙受損失政府信譽亦受損傷特依法提案糾彈。查雜糧進口商台安、榮德、台與等三公司於本（五八）年四月二日委託中央信託局向國際貿易局申請採購飼料用小麥四萬二千公噸，以作製造飼料之用，並由申請人出具切結，不作其他用途，否則願受「違反糧食管理治罪條例」懲處在案，當經國際貿易局依案予以核准，中央信託局始招開國際標，由日商得標，轉向法國採購，至於如何識別飼料用途小麥，且由申請人口頭承諾「爲避免移製麵粉起見，本批小麥均用植物性食用染料加以染色處理，以資識別。」惟染色標準國內無明文規定，遂於委託合約書中註明染色小麥，對於染色成份標準未予明確記載，據中信局說明：「合約未有明文規定者，依國際間一般慣例辦理。」是其染色程度參照國際標準按百分之五染色之緣由。復查該等雜糧進口商過去均進口泰國玉米，供應製作飼料，惟以本年玉米售價高昂，每公噸C&F六十四美元，乃改進口飼料小麥，國貿局亦認爲本批小麥每公噸C&F四七・八〇美元價格低廉，可供本年六七月間泰國玉米、青黃不接季節之需，遂提經國際貿易審議委員會第十四次會議決議通過，指定向澳、紐及歐洲地區標購進口，並憑決標文件核發許可證，其後因麵粉商之反對，要求制止中信局代雜糧商進口飼料用小麥，亦經該局於五月廿九日以台（五八）貿三發字第三六〇四號通知該會，說明價格低廉，經予染色處理，並促其約束會員工廠不以此種品質較低小麥製粉，則不虞流入麵粉市場，因用途迥異，可不受此限制等語。本年六月廿四日函請中信局注意，規定應作百分之百染色處理再行進口。中信局易貨處於同日以台易發（五八）肆字第〇三七四二號函知委託人，僅謂「應切實辦理染色處理，並須具結保證本批小麥不售麵粉廠，或食品加工廠，或委託彼等加工，以免流爲飼料以外之用途。」等語；翌日台安等三公司已函覆遵辦，並說明在起運地染色種種困難，中信局遂於六月廿七日以台易發（五八）肆字第〇三八二號函國際貿局第三組，並說明按美國農業部第六九——二八號公告（附表）對飼料用小麥之染色，規定甚詳，足資依據。國貿局於七月十日以（五八）國貿三發字第六二〇二號函准進口染料在台染色，並由中信局易貨處於七月廿一日以台易發（五八）肆字第〇四二二九號函轉知商品檢驗局及財政部高雄關按國際慣例百分之五監督染色在案。當第一批飼料小麥一萬四千餘公噸於八月一日運抵高雄港口，麵粉商遂出名檢舉其貨證不符，雖經商品檢驗局及海關技術人員按照國際慣例百分之五上船監督染色，而染畢之後，國貿局又藉口不足百分之百，不予放行，阻止其提貨，第二批第三批等雖在起運地加以百分之五染色，運抵高雄港口後，亦不許業主提貨。乃於本年九月一日以台安公司未按規定將進口飼料小麥作百分之百染色，予以收購，除將第二批一四、三七六公噸照數撥售台糖公司外，其餘二九、一〇〇公噸小麥之處理，經國貿局等有關單位於五十八年九月廿三日會議決定發交中信局責成其全部儘速標售，中信局遂於九月廿五日根據會議紀錄，擬訂投標須知，送經主辦單位國貿局第三組組長石振玉會核同意頒發（見附件一），至十月二日標售時，陳列樣品則註明法國飼料用小麥，染色約百分之五，並非按原規定經過百分之百染色處理者，仍爲原物標售。標售對象定爲麵粉廠除外之飼料、雜糧、畜牧及農會之領有糧商執照者爲限。查當日標售台中市飼料商業公會、環球貿易公司、益豐碾米廠等十八家，共計七、三五〇公噸（附件二），其餘二萬餘公噸之處理，經國貿局於五十八年十月廿四日提報經濟部國際貿易審議委員會第卅七次會議決議：「倉存七千公噸，即將洽議省農會，即將到貨部份洽讓台糖公司。」等語，中信局易貨處據以遴洽該兩單位承購。惟據表示不能全部承購；中信局復於十一月四日以台總易（五八）字第一二四一號函國貿局處理，國貿局於十一月七日據情提報國際貿易審議委員會第卅九次會議決議：「本案台糖及省農會既不能全部承受，按下列方式處理：①請中信局再洽省農會及台糖查明能承受數量，優先按原變條件讓售，限於自用。②其餘部份由中信局按該局所開條件牌售，迅予處理。」等語，業經國貿局於五十八年十一月八日以一五八國貿三發字第〇八三三六號函中信局按照上項決議辦理。中信局遂洽撥省農會七千公噸、台糖公司八千公噸，餘七千公噸於十一月十二日牌售台牧及富牧兩實業公司各二千公噸，台中市飼料商業公會二千公噸（見附件三），現已全部售罄。

經查國貿局對本案進口飼料用小麥收購之理由，係以其染色成份不足百分之百，恐其流入麵粉市場造成混亂，自己之時亦應予遵循規定加以染色，邏輯，如仍以染色貨品，何獨進口商出售可能有流入麵粉市場造成混亂之虞，而由中信局標售給飼料行即不虞有流入麵粉市場造成混亂？如謂標售時投標對象已規定限於非麵粉業者，則前次規定進口商具結不得移作飼料以外之用途，則屬具文，是則能否流入麵粉市場，殊屬於人爲因素，不足以染色程度若何可以限制，政府宜於事先在防範上，其移作飼料以外用途，予以明確條欵限制，且其限制條欵應兼顧事實，使業者均能做到，或對違反申請進口用途者，按「違反糧食管理治罪條例」加重處罪，如事先規定條欵有所疏漏，事後補救，均足以正自亂步調，殊任過以民口責，亦是政府自從速制定飼料小麥染色國定標準，以供業者遵循，而杜紛爭。本案非僅飼料進口商已蒙受損失，政府信譽亦因之深受損傷。爰依監察法第廿四條規定，提案糾正，送請行政院轉飭主管機關注意改善，以維政府信譽。

退休人員待遇不平
袁良驊提書面質詢
臺灣銀行近水樓台先得月
其他機關無錢祇好不理會

（本報記者張健生台北通訊）立法委員袁良驊爲退休公教人員待遇不平而向行政院提出質詢。他認爲公教人員退休後的生活，尚有不少缺點，希望政府有所改進。

袁委員書面質詢：公教人員中，有一部份向住機關配給之宿舍，退休仍得居住，另一部份則未配宿舍，僅月領房租津貼，退休即行[illegible]，退休所得，又無增給房租補助之照顧，致該部份人員退休後，以所領退休金維持一家日常生活，已屬萬分支絀，焉有餘力租住房屋，大有無法棲身之苦。照此觀察，兩者待遇相去極爲懸殊，故不平之鳴，比比皆是，而中央主管機關，則置諸視而不見，聽而不聞，未謀救濟之方，有失公平合理之道。

這位追隨　國父革命，前任廣州市參議會副參議長的粵籍立委，揭發並抨擊台灣銀行對退休人員給與之內幕，他說：台灣銀行對於退休人員之給與，凡是未配宿舍人員或已配而自願退還者，均發給房屋補貼費，計台幣四萬五千元，辦事員專員六萬元，高級人員九萬元，所給補貼之數，雖距實際需要相差甚遠，但象徵式照顧，尚有可取。惟該行是金融機構，故得運用其資力以之獨行其是，其他機關因限於預算無法目謀，而國家行局則待命不予置理，又形成退休待遇分歧之不平現象，不知中央主管機關，對此有何措施？使其趨於公平合理。

袁委員對不平之措施人加指責：行政院五十七年十一月七日的院會通過：「中央各機關學校公教人員福利互助辦法」後，其福利互助委員會旋即組織成立，經予配合施行，在福利互助中，對於公教人員之退休，可獲十五個月之補助，爲數相當於退休金最高基數百分之二十五，退休者在途窮路盡之際，得此補助，自屬非常重要。何以國營事業與國家行局，竟歷時一年而至今未辦，致其退休人員喪失應得利益，是否出於此等機關主管，或其主管機關之漠視而稽延，抑是認爲其服務人員無享福利互助權利與不舉辦。須知金融經濟事業機構爲政府重要之一環，在充實資源，準備反攻復國中，不能忽視而影響其發展。若原定福利互助辦法，本應一視同仁，事業機構亦可援照辦理，則主其事者應辦而未辦，確屬未能盡其應盡之職責，不知中央主管機關，對此有無補救之道，使退休人員均沾其利。至於退休金之存欵利息，政府爲照顧退休人員退休後的生活，可資挹注，特予優待，將其利率提高定爲一分二厘一毫五，指定由台灣銀行辦理，但規定是以中央機關學校公教人員之退休者爲限，其他則無此照顧，即銀行業本身亦未允許援此例照辦。不無偏愛不平之處。（完）

觀察家分析指稱
越戰與韓戰不同
北越目的消耗美軍逼迫退讓

本報記者柳一權綜合報導，來自美國新聞與世界報導：看「美國新聞與世界報導」派駐南越首府西貢的訪員的一篇報導與評述——

「這是一個完全不同的戰爭。

一直到了韓戰的末期，美國和他的盟國部隊在韓國作戰時，就祇欠使用核子武器，不然，可以說凡是可以使用的正規武器，都已「出盡八寶」，同時，除了中共在東北的「此難所」得倖免外，差不多什麼大小目標都已成爲攻擊的目標。

那是一場正規戰爭，比較簡單得多。但這次越戰可不同呀！

「至今（至少是指下令停炸北越之前）爲止，美政府（指詹森總統）對越戰所加的種種限制，以及列名避免攻擊的目標，眞可說要比在韓戰時多得多（按：韓戰時美國杜魯門總統只不許美軍和其它盟軍空襲中共東北地區，也不越過鴨綠江以北追擊共軍，當時美軍統帥麥克阿瑟就因爲存心有意想冒犯這一禁令，結果給他的頂頭上司杜魯門總統「炒魷魚」了）。

越戰一方面既不是爲了佔領土地而戰，同時却又不只限於殺傷（敵人），美國既不企圖摧毀北越，也無統一南越的打算。

北越從不會想過他會在軍事方面獲取勝利。在一種「全面戰爭」中，北越只想在戰鬥，政治，及宣傳的諸多方面，對美的長期戰中把美軍消耗掉而已。

因此，越戰既是一個性質不同的戰爭，那就祇能期望一個性質不同的和平了。

「在西貢這邊，大多數的觀察家都懷疑越戰會像韓戰那樣，透過簡單的談判，一段「談談打打」的時期，最後來一個妥協，戰爭也就如此這般地結束了。西貢這邊儘有不少人士覺得北越的共黨才永遠不會（也不肯）接受一項「經過談判的失敗」。」

因此，除非美軍下令全部撤退，而將南越雙手供獻給北越，否則北越的領導階層只有兩個途徑可資選擇：要麼悄悄的「自行潰解」。要麼將他們自己的政府組織來個爆炸性的摧毀（倒台或改組的意思）。

「但現在就想推測越戰的結束可嫌太早了。

但已經明顯看得出，是北越在戰場上已遭了「慘敗」。有種種理由使人相信河內的領導階層正在面對着一種政治的麻煩。除非他們以爲美國是準備作出一項重大的退讓，否則他們頂要對他們的基本戰略改變一下。但關於這一點……

「目前的事態浮現了這麼一種危機——

北越的共黨可能誤會以爲此時此地可以最廉的代價獲得美國一項重大的退讓。因此也就可能認爲此時此地對他們的戰略是無須加以改變的了。這，只有時間才能作出答案。」

好，再看看今日的韓戰。對美國的一個戰鬥同盟友南韓目前的防備確是給人關切。

美國都已作出許多項計劃，能在最快速的時間隨時提供援助，其中的一項計劃是準備從美國北加維連那州大規模空運兵員在南韓降落增援。有一點是很堅定不移的。那就是美國和南韓之間會有種種行動來表現出兩國的密切團結的。

喬治桑外傳　一一三

張大英

「男大當婚，女大當嫁，能有相當的對象還是早點結婚。」

「包死，不瞞你說，雍爾蔡已經向我求過幾次婚了，我覺得他人還不錯，你覺得怎樣？」這是雅麗絲的第一次向喬治桑吐露衷曲，可見她確實拿他當父親看待了。

「我只和他見過一次面，這是靠妳自己觀察。妳的母親有沒有意見？」

「媽媽很開通，一切聽我自主。啊，我忘記告訴你，以前他見我和你出去，還莫明其妙地吃醋呢。」

「現在呢？」喬治桑面上帶着慈祥的微笑。

「現在他知道我們是父女的感情，當然不會了。」

「假使妳結婚，妳希望我送什麼給妳？」

「什麼也不要，只希望你能參加我們的婚禮。」

「不，妳一定要說出妳所希望的東西。」

「我要……嗯，送我一件最時髦的羊毛衫。」

「羊毛衫算什麼，要貴重一點的。」

「那你送一幢房子給我。」

×　×　×

「我最近胃口不好，倒喜歡吃清淡一點。」喬治桑年紀畢竟大了幾歲，每天大魚大肉有點吃不消。

「阿翠在患感冒，我來做兩份三明治，好不好？」雅麗絲也有美國的生活習慣。

「最好，最好。」喬治桑不住點頭。接着說：「阿翠身體很棒，怎麼也感冒了？」

「台灣天氣早晚變幻太大，偶一不當心，便容易生病。」雅麗絲說完，到廚房去做三明治了。

「李小姐，煮什麼菜給先生吃？」阿翠講國語，不脫本省口音。

「妳去休息罷，讓我來做。」雅麗絲對阿翠一向很體恤，阿翠對她也好。

「流線型感冒沒有什麼，我吃了李小姐給我的藥已經好多了。」阿翠說話發音嘶啞。

趙姨娘

紅樓人物

趙姨娘係賈政之寵妾

•蕭綏錦•

她生下一男一女，而且女兒是探春，又是最出色的人物，論情理，她的地位和面子，應該不很低下，較襲人要高多了。但襲人之母生病，接襲人回去，王夫人親自吩咐鳳姐，斟酌辦理，好像一件很重要的事情似的，鳳姐即刻告訴周瑞家的，叫襲人如何穿戴，如何派妥當人跟去，還要了小丫頭，還嫌簡了，嚴然要緊的嬤嬤奶奶出門的樣子。而趙姨娘的弟弟死了，她同去坐夜，便沒有人知道，小丫頭向寶玉借衣裳，雖然自己也有一件，便捨不得穿了。鳳姐把她來不算數，一點小毛的，便完全不放在眼裏，動輒給以顏色，可以當面叫小丫頭，剋扣她的月錢。王夫人對她也，祇有責罵，一點恩惠也沒有。她在家庭裏面所以毫無地位，毫無情面的原因有二：第一賈政在她屋裏起坐，也生有兒女，王夫人因此有了醋意，便不肯稍假辭色。鳳姐是一位看上風的人，當然跟着欺壓她，還要過份一點。第二，她太愚蠢，愚蠢得可憐，壓根做些自討沒趣的事。弄得探春瞧不起得。馬道婆看見趙姨娘做鞋子，便要問她要一塊緞子做鞋面，她嘆口氣道：你瞧那裏頭還有塊像樣的麼？有好東西，也到不了我這裏，她內心相當悲哀和怨憤了。她知道自己比不上這層裏那一個人，處處受壓迫，心裏積滿怨恨，加之性情愚蠢，毫無見識，耳朵又軟，又不安份，所以處處探春出氣，或叫彩霞私自在王夫人房裏，拿點日用品。她經不住馬道婆的調唆，以為將鳳姐治死了，便沒有欺壓她的人了，把寶玉治死了，賈環就可以為王了。她不知道事情的輕重，更不明白是非，以為胡作妄為，可以趁願哩。報應二字，為作者主要目的之一，全書數十萬字，差不多每件都有報應的事實。譬如寶釵襲人，用盡心計，結果空閨獨守。林黛玉雖然夭，又寫寶玉為她出家，又寫她太虛幻境，高貴無比。王熙鳳貪財要強，人人懼怕，結果抄沒一空，弄至力絀失人心，借刀殺人，而象鬼索命。晴雯罵老婆子或小丫頭們，動輒攆出去；而她首先被攆，抱屈而死。襲人希望固寵，而把晴雯排除，反因而失了寶玉的愛。趙姨娘對於探春的爭吵，不過是愚蠢的表現，不能算是作惡，和鳳姐的殺人，完全不同，她計害鳳姐寶玉，不過謀而未遂。但作者寫趙姨娘死時的悲慘，比鳳姐更可怕，報應於趙姨娘的，未免太過份吧。

紙上談兵

四、奪氣

周燕謀

「奪氣」出『孫子兵法』卷七『軍爭』篇。前章所述『避其銳氣，擊其惰歸』，用兵似未採取主動，「奪氣」乃為主動的一端。孫子說：「三軍可奪氣」。司馬法說是「戰以力久，以氣勝」。如齊之伐魯，莊公將鼓戰於長勺（下同），此時莊公將擊鼓而戰，曹劌說：「現在不可」，阻止之。待齊人三鼓而竭，曹劌乃道：「現在可以出戰了」！一鼓敗齊軍。莊公不知其妙而問曹劌，曹劌說：「凡戰陣惟勇氣，一鼓作氣，再而衰，三而竭。彼竭我盈，故克之。」莊公乃服其言。

三國曹魏將毌丘儉與文欽，反抗司馬昭專權，起兵壽春。司馬昭的將校急行軍，突抵毌丘儉兵屯樂嘉。毌丘儉全軍皆驚。文欽有一虎子，名叫文鴦，勇冠三軍。文鴦自恃其勇，欲乘司馬昭安營未定而擊之，必可破敵。於是城鼓噪。誰知司馬昭善用兵，見叛軍銳氣正盛，不可與之爭鋒，於是下令按兵不動，再觀叛軍動靜。文鴦三次鼓噪，文欽之軍不能響應。此所謂「再而衰，三而竭」。文鴦見友軍於城外不能相應，乃相引退。欲向東吳投降，司馬昭對諸將道：「文欽去了，速發兵以追之。」諸將不知其妙，請問司馬昭道：「文欽乃是宿將，文鴦年少而勇，引軍入內，未見失利，必不會就此而去！」

，則可謂善用兵之將帥。

張預對「奪氣」的解釋說：「故用兵之法，若激其士卒，令上下同怒，則其鋒不可當。故敵人新來而氣銳，則可以不戰而挫其銳氣，伺其衰倦而後擊之，故彼之銳氣可以奪也。」尉僚子則說：「氣實則鬥，氣奪則走。」曹劌說「一鼓作氣」者，以齊軍初來之氣必盛。「再而衰」「三而竭」者，諸齊兵列陣過久，士卒怠倦，故三鼓而後擊之，是為「奪氣」致勝之理。

李靖對於「養氣」，尤甚重視。他說：「善守者，不止完其壁，堅其陣而已，必也守我之氣而持久也。所謂「守其氣」者，常養吾之氣，使銳而不衰，然後彼之氣可得而奪也。善養氣尤比奪氣」更進一步了。

青年心聲（中）

范煥之

是的！周先生會這樣說過：人生原有多種境界，道德學問境界，不必混入經濟境界，等量齊觀。因此周先生勸勉我們應重視真正的德業修養，不應計較外界的榮辱；能達則兼善天下最好，否則，亦應窮則獨善其身，效顏子而安貧樂道。這是何等的儒家風範！我們知道，物質報酬雖然不與德業相當，但是報酬並不限於物質的一面，何況德業無須以物質報酬為衡量標準呢。如我們純從形而上的觀點而論德業，則德業具有永恆性，因此，德業的價值也是永恆的。雖然堯舜死亦枯骨，桀紂死亦枯骨，但枯骨與枯骨之間之所以不同者，乃堯舜有偉大的德業，永垂不朽，而桀紂只是一代暴君，遺臭萬年罷了。陶淵明舍功利，棄五斗，返歸田園，以琴書自娛，忘懷榮辱，他那種「採菊東籬下，悠然見南山」的人生境界，是何等的開闊！

無可諱言的，我國是注重倫理道德而以農業社會為基礎的國家，幾千年來，士人並不過份重視物資生活的追求，但卻特別着重於精神生活的涵泳，故君子憂道不憂貧。然而自從滿清的敗落，西風東漸後，國人的思想改變了，舊有的社會組織隨之瓦解，而新的社會生活觀念也改變了，制度又未能健全的建立起來。在這劇烈變動的過程中，人人利慾徵逐，向權勢爭奪，凡所作為，唯報酬是賴，已不復知德業為何物，相互徵逐爭奪的結果，遂致公道淪沒，正義不存，我們這一代所以迷失在利慾之中，原因在此。

當然，人人既要謀生，就不能撇開經濟境界，古今聖哲無一人忽視此事。故易曰：「因民之所利而利之」。孔子主張為政，先富後教，孟子主張制民之產，亞里士多德極力主張人人有就業之充分自由，實現相互替代之正義。司馬遷說：「天下熙熙，皆為利來，天下攘攘，皆為利往」，故貨殖列傳平視人人發展資生之工具。至於社會制民之產，古今中外從未實現過，亦無可能。故順應人人求生之欲，乃發展了以價值為準繩的社會制度。在此一制度下，人人始能各盡其力，各出其工作成果以為生；在此一制度下，最大多數人不靠憐憫，不靠施捨，不靠救濟以為生；（祇有老弱幼稚殘廢無生活能力者例外，此禮運大同篇之可貴也。）在此一制度之下，人人能培養獨立精神，此為社會之自然演進，無人能扭轉之。當然此一制度下，亦有缺陷，只能經社會演化程序克服之，這是周先生肯定的第一個至理。德業非不重要，德業乃提高社會品質，穩定社會生活之本源。但德業是每人之身心內事，不能用經濟價值來衡量，不能用報酬來衡量。誰司衡量之責？交給政府衡量麼？則必使人趨炎附勢，求取政治人物之所好。交給一委員會來衡量麼，但委員會必定一批蠢材，而且自私自利，充滿偏見。故德業必須與政府分開，而由獨立的士君子負領導之責。我們自孔子以來，就建立了這樣一個階層，他們不計較身外榮辱，不計較報酬，轉移世運就在這批人身上。這是周先生肯定的第二個至理。試看春秋戰國是極亂之時，維持善良風俗於永久者，只靠公孫僑（子產），孔子、孟子、荀子、墨子及其門徒，這些人只有公孫僑一人在位，他不毀鄉校，並日防民之口，甚於防川，這是何等尊重士人與德業。東漢末，總算是大亂之時，而維持道統於不墜者，只靠鄭康成、郭泰、管寧、龐公、諸葛亮一批人物。這些人中，只有諸葛亮一人在位。曾滌生稱：「諸葛公當騷擾之世，被服儒者，從容中道，何其神也。」故諸葛公之重要，不在事功而在德業。明亡以後，維持民族大義及道統者，只靠顧炎武、王船山、黃梨洲、朱舜水諸位先生。至於英雄帝王，功名非不煊赫也，權謀術數非不工巧也，於維持世道人心，延續文化反無關聯。又若欺世盜名，使貪使詐，以圖一己一時之功者，則毀滅文化之罪人，春秋之所必誅，不足論矣。周先生之所謂將政府與德業分開，只是說：德業不能靠政府評定；只是說士君子要有獨立的風格，及不奔走權門的道德；至於成就大小，則世運也，非一己之私也。並不是，政府不必提倡德業，居上位者果能提倡之，則有風行草偃轉移風俗之效。所謂提倡，非收買之，高官爵祿以羈縻之，使天下英雄入我彀中，如此，則更敗壞風氣。提倡之道，最好是自己身體力行，如周公一沐三握髮，一飯三吐哺以待士。其次須對德業之士，成全其志節，如漢光武之優禮嚴光、周黨，獎勵氣節。梟雄如曹孟德亦識此理，安車駟馬以迎管寧，不強以官職。但任何政府，不能定出一制度，為各色各樣的德業定出一報酬標準。任何人努力大小事功，均包含有德業，為辛勤，為毅力，為遇事留心，有關因素毫無遺漏，皆德業也，千頭萬緒，政府何以一一知曉，故決不能靠其評定。各機關考績委員會的工作，均是一團糟，何也，彼等遭逢一不能解答之問題也。故不如以各人之努力，待社會一般之評價為有效。此種評價非操於一人，乃經過市場作用。

（未完）

文匯樓別記

毛澤東面臨山雨欲來

「九斗九升命，湊成一石要生病」，這是中國民間俗話，毛澤東政權早已到了要生病和物極必反的階段中，大陸最近局勢的發展，用「山雨欲來風滿樓」形容到相當恰當。

蘇俄指責毛澤東一夥人說：「熱切地，在底洞的邊緣上，耀武揚威地，揮舞核子武器，企圖使人類的大部份生命，來完成他們的瘋狂計劃」，在從毛澤東最近幾次的演說與談話煽動青年不必讀書，謂學校是青年們的墳墓，指出華陀、耶穌、釋伽，未讀很多書，乃至於孔子二十三歲時就做公務員也被利用上支持自己的道地論術。把這些話加以分析，顯然是想把三次戰爭打完後再言其他。莫斯科電台最近曾以華語廣播說：「中共領袖們在國內煽起戰爭的狂熱，呼籲人民備戰備荒，目的在麻醉人民，使他們相信戰爭的不可避免。」觀察家認為毛澤東有可能將戰爭掀起。

毛共在中俄邊界四千五百七十五里的領土上，集中的軍事力量，和備戰運動的展開，與一九六五年美機空襲北越那一個時期的緊張比較，就不可了道里計了，祗以地下首都將遷四川裝備來說，其他可以推想了。

有一個矛盾用辯證邏輯沒有方法求得統一的，中共二十年來一切為了「人民」，但「人民」厭惡革命，「人民」反對戰爭，要求生活能過得正常，一九六九年毛酋高居中共頭子卅五年時，中共的「人民日報」「紅旗」雜誌和「解放軍報」發表聯合社論說：「我們的任務是繼續貫徹「毛主席」的指示，在政治上、思想上、經濟上和組織上鞏固無產階級專政」，譴責「官僚主義」、「主觀主義」和「形式主義」的復活，又指責「我們一些同志的思想、工作、方法，處處表現出違反毛澤東思想」這種不打自招式的口供，對毛共政權的動搖局面業已直認不諱，在共產國家的報紙一字一眼都有固定和鐵定性，今天竟然公開披露「處處現出違反毛澤東思想」，有一位資深共產黨員說：「紙裏已經包不住火了」。

一九六九年中共九全大會，各首腦人物在開會時各項辯詞、囊結加以分析，大陸人民顯然很厭惡「革命的生活」，對物資缺乏和前途渺茫，感到絕望，沒有一個不懷憬自由國家美滿愉快和自由生活，最近從大陸逃出進入香港的一位銀行職員，他透露大陸每一個人民對毛澤東不再認為是大救星了，相反的認為是一顆不折不扣的掃把星，有一天王師跨海北征，必能獲得七億五千萬人民，直接或間接的熱烈支持。

•文匯樓主•

台北傳奇錄（二十）

•陳光棣•

「歡迎劉太太常到我們家坐坐」。我說。

「她年紀輕輕，多指教！」劉二爺說：「你家少爺小姐都大了，嫂夫人也不太忙，往後多教教她。」

「那可不敢當，有個伴兒常聊聊，倒是求之不得」。太太說了實話。

「你真有福氣，陳太太。」劉太太親切的說：「我叫素馨，娘家姓杜」。

「我叫費穀，是個單名」。太太說：「妳還習慣吧？」

「慢慢的就能適應了」。劉太太看看劉二爺。

兩位太太談的一起勁，把我和劉二爺冷凍了一個多鐘點，我們兩個人除了打哈欠之外，沒有找到張咀的機會。劉家夫妻去了以後，太太說劉太太又直爽，又大方，說話很有深度，普通二十幾歲的女孩，絕不會那樣老練。我對劉太太印象也很好，讓太太多和她走動走動。

劉二爺結婚以來，照舊每天釣釣魚，散散步，沒事在家看看書，劉太太負担起主婦的責任，家裏的空氣非常安祥和寧靜。馬寡婦出現了之後，劉太太的心情開始混亂了。

劉二爺早晨起來，又出去釣魚，劉太太正要上街買菜，馬寡婦一陣風似的吹了進來。

「素馨，怎麼樣？老傢伙還行不行」？馬寡婦瞇着眼睛。

「妳怎麼這樣下流」！劉太太惱怒的說。

「哎喲！什麼下流上流的，我是關心妳」！馬寡婦輕佻的笑着。

「妳有什麼事啊」？劉太太一向討厭這位無事生非的鄰居，無奈自從父親去世，很多事情都虧她跑前跑後的張羅，有時候就不能不和她敷衍，劉太太結了婚，希望恢復一下身心的疲憊，生活越安靜越隱匿越好，看到馬寡婦從心坎裏就不舒服。

「哦！沒有就不能來啦！妳現在一神氣，就不認識老朋友啦」！

「這是什麼話嗎」？

「人家好心好意的來找妳聊聊，看妳帶搭不理的，嘖！何必哪」！

「好吧，我聽着。」

「妳呀！是得聽着」。馬寡婦神秘的笑笑：「妳那口子正在找妳哪」！

「誰，那口子？」劉太太感到一陣暈眩。

「別裝傻，就是秉貞」！

「錢秉貞怎麼樣」？劉太太儘量保持鎮靜。

「怎麼樣？我把他好有一比」！馬寡婦自說自話：「他好比傷風的鼻涕，叫妳給甩啦」。

「妳少胡說八道，我們不過是普通朋友，其實連朋友都談不上，大家都是同學。」

命相與夢話

「山中宰相」陶弘景

梁陶弘景，字通明，江蘇丹徒秣陵西鄉下里人。永光乙巳年十歲，得葛洪「神仙傳」，遂有養生之志，晝夜研讀，讀書萬餘卷。善琴、棋，工於草隸。齊高帝建元壬戌，年二十七歲，召爲諸王子侍讀。雖在宮門，閉影不交外物，惟以披閱爲務。永明壬申，年三十七，乃毅然絕心脫去朝服，掛於神武門，上表辭祿，隱居於句曲山，（在江蘇句容縣東南）自號華陽隱居，晚年又號華陽隱逸，又號華陽眞人。性好著述，尚奇異，顧惜寸陰，老而彌篤，尤明陰陽五行，風角星算，山川地理，方圓產物，醫術本草。又嘗造渾天儀，著「古今刀劍錄」、「三命抄略」、「相經」、「眞誥」等書。梁武帝早年與弘景游，至即位後，下詔徵辟，弘不出。但每有吉凶征討大事，則武帝必親往諮詢，故時人謂之曰「山中宰相」。大同丙辰三月癸丑，年八十一歲，無病而逝，顏色如生。梁贈中散大夫，謚「貞白先生」。有人以爲仙去云。

陶弘景生於南北朝宋孝武帝孝建三年五月初一丑時。（生卒見茅山志）卒於梁武帝大同二年三月十二日巳時。笪蟾光審編「茅山志」載：貞白先生，生于宋孝武帝孝建三年丙申歲，夏至之日，未知時生。按夏至之間，皆刻亥初，旦刻丑正，日出於寅，日入於戌。貞白先生生時不鳴，其爲丑時無疑。其八字乃爲丙申、甲午、乙卯、丁丑。「造微賦」有云：「天幹連珠，朝廷擢用」，今月幹值甲，日幹值乙，年幹值丙，時幹值丁，其爲連珠可知。世稱先生爲「山中宰相」，此與朝廷擢用相同。「三車一覽」云：「學堂有氣，惟利師儒。」今月枝之午，時值學堂。時方夏至，火氣正揚。是以先生顧惜光陰，愛好墳籍，既嫻九章曆學之術，尤好太乙遁甲之書，即素問之方，琴操之法，羿射荀碁，蘇卜、管筮，皆悉搜求之，且皆精熟，而利師儒，非無故也。徒以午乘孤虛，丑乘空亡，是以隱居求志，行義達道。以歸空爲美，以無形爲貴。總之乙木日元，夏生多亢，金水二者，乃是喜神。若四柱缺金之水，雖有智慧，亦未如之何也。今年枝之申，與時枝之丑，各藏金水，而行運又值申酉亥庚，子辛丑壬之金水，與用神共表同情。是以獻頌而得褒贊。居官而獲清名，乃諸禀道家符圖經法，棲記茅山，而得楊許眞跡。以及東行浙越，伏處華陽，竟能左右逢源，頭頭是道者，不居人工，實有天命在焉。至云享壽八十一，大運淼寅，歲居丙辰，具見衝中亢木，雖有道之士，亦不得告一段落也。

·漢年·

織女思凡

周遊

郭翰者，唐太原人，生得姿度俊秀，善談論，工草隸書法。因早孤，獨居道宅。一年盛暑，乘月臥涼庭中，時清風拂拂，送來香氣，漸漸而濃。郭翰心以爲奇，仰視天空，見有人冉冉而降，直落郭翰之前，注視之，乃一美女也。明艷絕代，光彩照人；身穿元綃之衣，曳霜羅之披，戴翠鳳之冠，隨身侍女二人，皆有殊色。郭翰心神爲之感蕩，急整衣下床拜謁道：「不意尊靈迴降，願垂德音。」女微笑答道：「我乃天下織女也。久無上對，而佳期阻曠，幽態盈懷。上帝賜命遊人間，仰慕清風，願託神契。」郭翰道：「非敢望也，益深所感。」仙女命二婢淨掃室中，張霜霧丹縠之幃，施水晶玉華之簟，轉鳳會之扇，感如清秋。仙女乃携手入室，解衣共枕。女之褻體爲輕紅綃衣，香氣盈室，有同心龍腦之枕，蓋雙縷鴛鴦之衾，柔肌膩體，深情密態，妍艷無匹。織女天曉辭去，面粉如故。郭翰以手拭之，乃本色也。送女出戶，凌雲而去。自此之後，夜夜而來，情好日切。一夕郭翰戲語織女道：「牽牛郎何在？伊敢獨行？」織女道：「陰陽變化，關君何事？且河漢遠隔，無可得而知，不足爲慮。」女因撫郭翰心前道：「世人不明天上。」郭翰又問道：「卿已託靈辰象，辰象之門，可得而聞否？」織女答道：「人間觀之，只見明星，其中自有宮室居處，羣仙皆遊觀之。萬物之精，各有形象在天，成形在地。下人之變，必形於上者。吾今觀之，皆了然自識。」乃爲郭翰指列星宿分位，盡詳紀度。時人不悟者，郭翰因得而知之。

二人情好，相距七夕，織女復不來，維數夕方至。郭翰因問道：「七夕相會快樂否？」織女笑而答道：「天上那比人間，正以感運當爾，非有故也，君何必相忌！」郭翰問道：「卿今來何遲？」答道：「人中五日，天上一夕。」郭翰徐觀織女之衣無縫，因問之。織女答道：「天衣本非針爲也」。織女每去，則以衣自隨，經一年，一夕忽見織女姿容悽惻，涕流交下。女攜郭翰之手言道：「天帝有命，今當永訣。」女嗚咽泣不成聲。於是二人徹夜不眠。天明，撫抱親別。女以七寶椀留贈，臨拜言明年某日某時有書來候。郭翰答贈玉環一雙。織女便迎空而去，女回顧招手，良久方消失。郭翰自是思相成疾，終日不忘。明年約期屆，果有侍女持書而來，書以青綃爲紙，鉛丹爲字，言詞清麗，情意[illegible]密。書末有詩二首云：

河漢雖云闊，三秋尚有期；情人終已矣，良會更何時？

又云：「朱閣臨霄漢，瓊宮御廚房；佳期情在此，只是斷人腸」。

郭翰以香箋答書，詞意綿綿。末亦題贈二首云：

人世將天下，由來不可期；誰知一迴顧，交作兩相思。

其二云：

贈枕猶香澤，啼衣尚淚痕；玉顏霄漢裏，空有往來魂。

自此而絕。是年太史奏道：「織女星無光」。郭翰思織女不已，人間麗色，不復遂意，復以繼嗣計，大義須婚，强娶程氏女，因不稱意，遂成反目。郭翰後來官至侍御史而卒。（完）

生活漫談　補腦聖品佛袈裟

馬騰雲

管理全身，發號施令思想感情的機關，是神經機構，神經機構的主腦部份是中樞神經，包括大腦、小腦、延髓、脊髓四部，大腦有兩大半球，上面有很多皺紋，人的大腦比猪的大腦大得多，皺紋也多得多，它總管全身各部份的機能，全身各種感覺都通過神經、脊髓、延髓，反映到它那裏去，大腦還能發生思想，指揮說話和行動，小腦在大腦後下方，是調整運動的機構，它使大腦指揮運動能夠互相配合，成爲統一的配合得很好的行動。延髓只有八到九分長，上面連着大小腦，下面連着脊髓，正在我們後腦的下邊，腦袋和頸子接頭處的上面，它主管一些身體上比較呆板的任務，如光線亮了，指揮瞳孔縮，身上熱了指揮出汗，內臟的運動亦受它調節，這都是不用腦子去管，自己會做的事。不過腦子裏的思想，情緒亦能影響到延髓，比如吃了髒東西，腦子裏有噁心的感覺，它就指揮嘔吐，情緒變化，它就調整心跳的快慢。脊髓藏在脊骨裏面，上面接住延髓，我們的脊髓骨一共有三十三節，在每節骨的結合部，脊髓左右發出一枝神經，一共發出三十一對神經，脊髓就是這些神經和腦髓的聯絡道路，這就是腦神經組織的大致情形。

中國的補腦藥物很多，據筆者試驗的結果，沒有能夠比得上「紫河車」的，自從俄國發明組織撩法後，認爲人胞衣（即是紫河車）爲極合理之臟器撩法，後來瑞士根據這一個原理，製出一種去皺紋的化粧品，叫作「面露」，還有好幾種同樣的東西，標明是用人衣胞裏一種激動素提製，每瓶賣港幣一百餘元，太太小姐們非常熱中，生意好得很，台灣始終未獲准進口。

紫河車的吃法，以紫河車一百公分，淮山藥五十公分，精製冰片十分公，共研成細粉，每次服五公分，開水送，一日三回，紫河車的來源旺，最近做這行生意的人漸多，每一個大的好的祇售新台幣二十元，重約台秤一兩，本處方得自清宮，著者尚未將其編入藥書或藥典。現在服用此藥有膠囊，一點不難吃了。紫河車的功用，蘇俄專家代我們說過「爲極合理之組織撩法中的臟器撩」，瑞士的「面露」比俄國人吹的更兇，香港日晚報隨時可見到，我們將話再說回頭，俄國和瑞士等國，大體上都是從日本轉抄去的中國藥物的功用，中國藥典載：紫河車用於神經衰弱，記憶力減退，湯劑，不孕，乃慢性衰弱症，肺結核等有卓效，又能補氣益血，治虛損填，培補眞元。又據日本醫典中載，胎盤中含有促進乳汁分泌的「激動素」，爲非常合理的臟器撩法，此一廢物中的殊品，服用後確有意想不到的效力，它的藥名有好幾個，除稱作紫河車外，人胞、胞衣、混沌衣、混母元、佛袈裟等。

介紹程旨雲先生之春秋地理學（下）

◁劉正浩▷

第三篇「春秋地名檢查表」，依所考地名筆畫多寡爲序，彙編爲表，以便檢索；公穀稱名有異者，亦附錄備考焉。第四篇「春秋列國地圖」，繪製春秋地圖十六幅，自北而南，由西向東，依經傳度爲序；另附「禹貢九州圖」一幅，以爲讀書之參考，更知輿地之始基。如是，則凡春秋地名之見於經傳者，必有注釋；凡見於注釋者，必有表可檢，有圖可驗。首尾一致，表裏呼應，此則在體例之嚴謹、組織之精密方面，遠勝前修之處。

先生籍隸湖北大冶，是乃楚之故國也。春秋之時，天方授楚，人才輩出；先生引以爲榮，每謂「余楚人也」。昔在姬周，程伯休甫紹重黎之後，世序天地，司馬子長，其裔孫也。先生對「重黎」二字，比王應麟、顧炎武所考證者，更能推出本原：以重黎初爲民族之稱，以官爲氏，非是人名，其語根出於匈奴，漢書匈奴傳：「匈奴謂爲「撐犂」。」重黎音近撐犂，其義爲天，故太史公謂「重黎氏」世典天官事也。休甫即先生之祖，故先生每謂「吾與史公同宗，我程伯之胤也」。是以爲學，綜子長之博通經史，蒸貫百家，著「國學概論」百萬餘言，甫經國立編譯館收入大學叢書，交由正中書局出版；是書分訂三冊，末冊未出，前二冊初版業已告罄。蒸楚先君篳路藍縷，以啓山林；精研左氏春秋，念載於茲。蒸先祖世掌天地之官，著「春秋左氏傳地名圖考」，獲文學獎；著「春秋曆說」一編，業已脫稿；並在民國四十一年推定孔子誕辰應在陽曆九月二十八日，經 總統明令採用，即吾人於是日慶祝教師節之來源；又創「投時曆補法」，推算每年冬至，與天文日曆所載者，干支時日，無不相合也。先生民族性極強，當民國二十八年舉國同仇，奮起抗日之時，調任湖北省幹訓團教務長，講授抗戰地理，對抗戰形勢，多所貢獻；來台後，除在師範大學任教，並受聘爲光復大陸設計委員，負責研究中俄邊界，著「中俄國界圖考」三十萬言，近由蒙藏委員會列入「邊疆叢書」印行，他日光復華夏，清理中俄國界，此其最完備之依據矣。（完）

自由報

中華民國內政部登記證內警台報字第〇三一號
中華民國僑務委員會登記證台僑新字第三二三三號
中國郵政台字第一二八二號執照登記爲第一類新聞紙

（第二三〇一期）

（半週刊每星期三、六出版）
零售價新台幣式元・台灣零售每份港幣壹角
督印兼發行黃運麟・社長李運麟
社址：香港九龍彌敦道593—601號廖創興銀行大厦八樓五座
LIU CHONG HING BUILDING
7th FLOOR FLAT 5
593—601 NATHAN ROAD,
KOWLOON, H.K.
TEL: K303831
電報掛號：7191
承印：景星印刷公司
地址：嘉咸街廿九號地下
台灣連絡中心：台北市甘街五巷三號
電話：三七五〇二二
台灣區直接訂戶　合郵劃撥戶
第五〇五六號張萬有（自由報會計室）
台北營業處：台北衡陽街三十號
電話：二七二〇〇
台灣分社：台北市西寧南路110號二樓
電話：三三〇三四六，台郵劃撥戶九二五二〇六

今後國語文教育根本問題

・張　昊・

一、語文爲交通綫

以語言文字爲中介，人與人乃能穿透空間與時間之距離，以溝通消息，交換意見，藉供行動之參考，亦添生活之樂趣。由個人立場言，其行動之成敗，生趣之豐嗇，與其所保有之溝通工具及綫路之多少、通塞、遠近，成正比例。由民族集體言之，亦復如是。其重要頗似今日之電話、電視、與鐵路、航綫等。而語言文字教育之使命，在保持且增進此交通綫之效能。

二、中國語文卓然特立

中華語言特性：一曰「語法」，較他語爲簡；二曰「腔調」之任務比他語爲豐。以言中華文字，特性尤著，爲世界現行唯一以「象」形爲根幹，「表聲」爲輔翼之文字：鶴立宇宙間，而爲其他僅司「表聲」之文字所羣繞。

三、危機

中華語文之危機產生於西洋之接觸。帝清荒棄民敎，聽爲文盲。傳敎師乃乘虛而入，越畔代耕，沿閩、浙海岸，以拉丁字母拼華語傳敎。西洋言語學家，不通中文，即執埃及廢墟陳迹，咬定中國象形文字落後，謂必遭淘汰。崇洋淺學之徒，從而趨時附和。三十年代，蘇俄編拉丁化華語課本，以敎邊境華民，魯迅聞風傾倒，在上海發動拉丁化，呼中國文字曰「方塊字」，效清儒詆歐文爲「蟹行文」，欲加詆毀，先取揮名。其言曰：「方塊字是祖先留給我們的沉重負担……弄了幾千年，可憐就畫了幾千年的圖畫！……救救孩子罷！……方塊字是死症，無可救藥。簡化筆劃，只能苟延殘喘。不如乾脆讓它死掉，另用拉丁化代替。」云云。三十年來，搗毀中國文字者的戰畧分三步：

第一步：確立其所謂「科學的言語學」理論：「象形字落伍，兒童難學，故中國文盲多。」云云。

第二步：拆垮部首：如簡「開」爲「升」，以破壞其系統，使字字飄零，不成片段，無「門」可「井」，無類可歸。同時攪混四聲，如簡「幹部」爲「干部」，取消腔調之任務。其手段爲從內部分化，拆卸零件，造成斷瓦殘磚，一鍋糟狀態，迫使不得不走向——

第三步：剷除「瓦礫」，掃清「廢墟」，另起爐灶，實施百分之百的拉丁化「中國新文字」。

這樣做，於他們還有一個好處：從此子子孫孫，再不能讀古書，與過去數千年思想、情操傳統，一刀兩斷；「救孩子」，「卸重担」，「丟包袱」，全是美名，使少年腦幕成了一張白紙，好隨他塑造其「新人類」。

四、轉機

所謂言語科學乃一新興課門，發端於前世紀之Franz Bopp，至本世紀之F. de Saussure始具規模。在英國大學設科爲一九六〇年事，尚甚幼稚。治此學者，意見分歧。多理論大胆假設，少堅確之實證，僅爲一種「軟科學」。上節所述Joseph Alsop，所謂「象形字落伍將淘汰」的大胆假設，懂中文的學者如瑞典高本漢，法國戴密微皆不同意，里昂大學華學教授Dudarbier，且謂將來人類共通文字，以採用中國文字爲最切實用。

歐洲最進步的西德與北歐，近年來，於十字街頭、高速公路、戲院、火車、臥室車臥舖等處，逐漸摒棄其拼音文字，並廢禁以聲達意之汽車喇叭，而採用象形、指事原理之圖象。此足證中華文字象形、指事原則較拼音制更切合新時代之急需。日本名古屋至神戶高速公路，爲減少車禍，亦捨「假名」與拉丁拼音而採用漢字。蓋漢字形象集中於一「方塊」直接映入腦幕，無煩讀音譯意之轉折，故了解正確驚人，且快懂十倍以上，新世界大勢愈趨向「耳聞不如目見」之象形原則。

五、原理

中文入目印腦，即宛若生靈之面貌身材。是以「國」如方臉，「月」似長身；「衣」「表」飄衫，「獅」「狼」舞爪。依心理學，多紋之老婦臉易記，光滑之兒子面難分辨。百人之相片好分，百人之語音難辨，業偵緝者類能言之。筆繁的「雞」、「龜」、「獅」、「象」，雖幼童一見不忘；筆簡的「兌」、「兗」、「允」、「充」，成人亦要費神辨。日本石井勳氏，以心理測驗證實：教三歲童記認「九」字，比記認「鳩」字多費十倍時間。方今印刷日廉，寫字愈少。吾人可半月不提筆，不能一日不看報。幼童認字宜早，習字可遲。然一經開始，則必遵正楷。若貪圖以簡筆省手指筋骨之勞，而導致腦府神智系統之亂，則得不償失矣。腦爲君爲主，手爲奴爲僕，寧使臣勞而君逸且明，毋縱令奴顛以陷主昏也。

六、原則與辦法

（1）堅持正體楷書，確保部首系統。（2）提倡以化學分析態度，對字形語音所溯比較，蔚爲社會風氣。（3）小學教師必先治「小學」，即語文訓詁學。初中學生必習說文，涉獵爾雅、方言、釋名，稍習小大篆、甲骨。習於溯河則識強；（4）從小學起即選教詩經，利用兒童心理喜愛做、愛歌唱，使其背誦少習經、傳、詩、古文辭。寓教育於游嬉，無須詳解。（5）至少年期，師長宜常領入圖書室自翻四部，習於自動搭乘「直達通車」，乘興詳訪孔、孟、老、莊、左、遷、李、杜，幸福生命與愛國人格；乃知不祖古之國民，其生命爲漏斗乾涸，賤同可憐矣。（6）作文以白語爲局格，以取明詳，兼採文言之字彙韻律，漸致精深豐美。橫通大衆，縱貫古今。（7）從教唐詩起，即加教入聲，協調平仄，以消除其與古詩（例如杜甫貧女、麥李白等）之隔疑。（8）校對爲文化樞機，其重要似戰爭中之雷達。凡出書刊，務使校者著者之名並列。校書功繫重，應改稱「校正者」以尊之，另致優酬。

七、通融與納新

處世界新潮不斷沖擊中，最危險之事，爲不知畫清界綫：何者必須堅持不移；何者宜放膽通融，開懷暢納。此即交易、變易、與不易之原理也。竊意堅持者僅兩原則：一、印刷書報必楷書正體，部首統類，不許拆毀。否則爲破壞「古今鐵路」之交通綫，所以爲中國民族罪人。二、必須爲全國同胞，修「古今直達通車」，領導其常作時間上之遠足。其餘均可通融，納新受益。例如：（1）數理、音樂等書可變通作橫行。（2）歷史書採用公曆爲大綱，朝代爲大目，年號爲細目。（3）書報、行文可夾印外國人名、地名原文；而以最近似音之華文注於括弧內，亦「中外直達通車」之原理也。（4）字典部首上加阿拉伯數字編號，且注讀音；便利學童，稍稍「第85水部」、「第172隹部」，俾其一生受用。其所以用阿拉伯數字者，一不與華文部首筆劃相混，二則佔地位無多，一格足矣；三則以示此制古無，吾人不宜以今混古也。（5）學童於熟習楷書筆劃數目及名稱，能自翻字典之後，乃可略教簡明行草，不居正位也。總之，在保衞中華語言文字之原理原則確定之下，細目由國民討論訂制之。（完）

從昨日與明日
從對外貿易看台灣經濟

自由中國的台灣，由於海島經濟特質，依賴對外貿易殷切。從她的對外貿易方面來看她的整個經整，可以看出她的經濟進展情況，也可以發現許多內在和外在的經濟問題。

可喜現象

根據對外貿易統計數字，我們至少看出近年來台灣經濟確有進步，而社會經濟結構也確由農業社會邁進工業社會。第一、貿易總值，民國四十九年不過四億二千餘萬美元，而十年後的民國五十八年則增加到二十二億六千餘萬美元，增加五倍有餘，同期，輸出由一億七千餘萬元增加到十八億餘萬元，輸入由二億五千餘萬元，增加到十一億八千餘萬元。第二、輸出品向以農產品爲主，年來佔輸出總值最多的則屬工業品及農產加工品，輸入向以消費品最多，年來則以生產設備佔首位。第三、貿易區域擴展甚廣，非僅限於少數國家。這些都可以說是可喜的現象。

也有問題

台灣對外貿易問題也不少，僅從統計數字方面看，第一、貿易仍多入超，譬如從民國四十九年到民國五十八年的十年之間，民國五十二年及五十三年出現出超，其餘都是入超，民國五十七年入超且達一億八千四百餘萬美元的高峯，去年入超數字雖減，但仍達九千四百餘萬美元。第二、對日貿易比重甚多，輸入，日貨佔首位，輸出，日僅次於美，而對日貿易，年有鉅額入超，民國五十八年入超金額高達三億多美元。

其他內在外在問題

台灣對外貿易的外在問題，最嚴重的是國際競爭問題，許多國家都工業化起來，外銷產品的競爭，越來越劇烈。內在問題，來自政府方面的如管制、檢驗、退稅手續，資金融通、租稅負担、港口運輸等等。工商企業本身方面，如資金薄弱，經營方法陳舊、市場推銷落後、品質包裝難合國際市場水準，廣告宣傳無力以及國際商譽不够健全等等，都相當嚴重。譬如去年歲末毛呢不暢，在國內賤價銷售，售價甚至在成本以下，已發生對外貿易危險的信號了。

解決之道

台灣必須發展對外貿易；而發展對外貿易，必須克服產品外銷種種障礙。其至要關鍵就要仰賴政府和民間共同合作，經濟部所屬國際貿易局，任務是非常艱鉅的，可惜自該局改組成立以後，工作效率未見加强，而局長由經次兼任，責任不專、力量分散，在領導方面大爲失敗。以該局任務的艱鉅，負責首長即屬專任，也未必幹得好，况兼任乎？所以我們贊成立法院堅決主張：國際貿易局長不应兼任，應該專任，不是沒有理由的。

千　公

自由談

教育上的管制主義

報載中華民國立法院教育委員會提出「教育考察報告」，指出現行教育制度有若干需要改進之處，深中肯綮；尤以師範大學與師範學院應該單獨招生一項，尤稱卓識，實獲我心。

過去政府在大陸時期，全國各大專學校并無所謂「聯合招生」之說，然今日在社會各界從事各項職業，以及在政治上担任官吏的，甚係出身於當年各大專學校的，他們并未經過「聯考」，然其才學視今日的大專學生未遑多讓，許多特出的學者專家如李政道楊振寧之流，都是依其個人的志願，自由投考大專學校的。可見「聯合招生」的制度并不高明，相反地且足以阻遏青年學生的個性發展。很顯著的毛病即爲大多數入學的子弟，皆不能按照他們的第一志願而分發就傳——有心肄習數理之學的，却分發到文法科系，而志在文學的，又迫其改習法政或其他不感興趣之學科。這其間不知埋沒了多少天才，斷喪了許多優秀青年，眞是利未見而害已先著，未審所爲何來？

至於師範學生，更有其特殊的本質，如不從其志願而受學，弊害尤甚，聯考分發計。立志修習師範教育的青年子弟，跟一般學生的意念不同，他們願以畢生精力爲百年樹人的理想而奮鬥，若由官方随便分發就學，對師範教育的前途毫無裨益，殆可斷言。

「聯合招生」的最大理由，就認爲可以提高學生的智識水準，這是不合邏輯與事實的說法。尤其在供求律極不相稱的情況之下，每年因聯考而落第失學的子弟大爲激增，適所以損害教育宗旨也。若說藉此可以防制各學校濫收學生之弊，更是廢話！濫收學生的「學店」，不特社會人士有目共睹，難以存在，而教育行政當局負有考核取締的職責，豈能漠視乎？最近竟對私立中學亦不許單獨招生了，眞是胡鬧之至！本社不悟盡監督輔導之責，改進師資，充實設備，尤其對校長人選不從嚴考核任用，而專在學生入學方面極盡管制之能事，不啻本末倒置，蓋有其所見。例如師範大學與學院的校長，即絕對不宜濫竽充數的，但台灣的師範大學，從當初的省立學院到現在的國立大學，歷任院校人物，有那個是合乎標準的嗎？

專講管制的流弊所及，教育行政機關隨便頒訂章行法規，藉統一編纂教材而索取「編審費」，容許中小學校濫收「學師費」而朋分之，甚至於學校要向商家購置教授外國語文的器材，亦非呈請核准不可。古今萬國的教育界，那有這種怪象呢？

從教育大計設想，今日應該首先管制的，既非一般求學的青年子弟，也不是各級學校人員，而係主持教育行政的官吏，信不信由你！

馬五先生

本報啟事

二月四日（星期三）及二月七日（星期六）新春休息不出報，由二月十一日（星期三）起照常出報。

司法機關執法不嚴 致使刑事案件迭增

監院總檢討會曾提出意見

（本報記者張健生台北通訊）監察院五十八年度總檢討會議，於元月十日圓滿閉幕。五十八年度的總檢討會議不似往年「精彩」，大同案把監察院弄得烏烟瘴氣，各委員會召集人的選舉，把十五年前的召集人選舉鬧劇重演，更暴露監察院派系之爭的弱點。在監察院內沒有政黨與政黨間的爭論，祇有派系與派系之爭，與民主國家國會的情形不一樣，可以說是怪現象。這種怪現象對國家無益，記者不願也不忍作深入的報導，希望各派委員諸公三思而行。

這則通信所要報導的是：有關司法方面的問題，這些問題都是監察院中央和地方巡察組的「巡察意見」以及監察委員的「檢討意見」。司法人員未能體會刑事政策，尤其對於政府實施耕者有其田未認眞執行政策。

監察院司法委員會政治檢討意見：「年來重大刑事案件，迭見增加，其部份原因，固由於人口增加，但其主要原因，則由於各級司法機關執法不嚴，推行政策不力，致未能收刑罰之效果。」如刑案方面的竊盜案件，政府為此於四十四年間制定「戡亂時期竊盜犯贓物犯保安處分條例」公布施行，其重點在於品性惡劣之竊盜犯宣告保安處分者，令入勞動場所強制工作，但實行以來，送入者極少，在監察院特別促其注意後，司法行政部對於推檢辦理竊盜案件特訂定應行注意事項通飭遵行，對竊盜犯之裁判量刑已見普遍提高。五十八年四月至八月，省市地區竊盜案件發生數為九、一四七件，與五十七年同一時期比較，計減少二〇六件。尤其竊盜慣犯數字，五十八年五月份佔全部竊盜案八月份僅佔百分之三十七，並有繼續減少之趨勢。由此可見，司法人員遵照政府的政策執行，已發生良好的效果。

如烟毒案件，政府廢止禁烟毒治罪條例以後，烟毒案件逐年增加，政府為防止烟毒，於四十四年間制定戡亂時期肅清烟毒條例公布實施，唯對烟毒犯仍處極刑者，仍非常少數，致烟毒犯案件仍不斷增加，在台北監獄兩千三百餘受刑人中烟毒犯就佔八百多人，佔受刑人總額三分之一以上，台中監獄也是七年以上有期徒刑的重刑監，在受刑人一千二百餘人中，烟毒犯佔有二百八十人左右，佔受刑人總額八分之一，由以上兩項數字中可以看出烟毒犯被處重刑的實在太少了，執法人員違背了國家的重大政策。

如貪污案件，自政府廢止懲治貪污條例以後，對公務人員貪污案件，都適用刑法上的瀆職罪，所以因處刑過輕，貪污案件又逐年增加。政府為防止這種惡化現象，於五十二年制定戡亂時期貪污治罪條例公布實施，唯貪污罪被處死刑或無期徒刑者，仍是很少，所以貪污案件也沒有減少的跡象。

在民事案件方面，執法人員也未能體會政府政策，認真執行。如政府為實施耕者有其田和減租保佃政策，在四十年和四十二年先後制定實施耕者有其田條例和耕地三七五減租條例，實施以來，對土地改革已見成效，但因少數執法人員，仍未能重視此項重大政策，對於土地出租收回自用以及租佃契約之終止，認為征收放領無效，類似情形，監察院會有三案送請大法官解釋，可是一般執法人員仍不無誤解。因此，監察院希望各級法院對於耕地征收放領及租佃案件，應該特別注意政府實施耕者有其田及減租保佃政策，特別注意保護自耕農和佃農的利益，而不能依照民法之普通契約權利義務關係處理。

少年犯罪案件近年來直線上升，而政府制定的少年事件處理法，早在五十一年公布，亦經先後籌備完成，但實施日期迄未決定。原定五十七年在台北、台中、高雄三地方法院成立之少年法庭及少年觀護所，所有担任少年法庭之推事及觀護人，亦經司法行政部司法官訓練所設班訓練結業分發任用，但少年法庭及少年觀護所，則迄未見成立。聞司法當局，就於少年事件處理的內容，認為多未妥適，所以沒有積極籌設。監察院的意見是在少年犯罪問題日益嚴重的情況下，就於少年事件處理法的實施，絕不能再緩，如有未盡妥適的地方，應迅速修正施行。

監察院司法委員會在政治檢討意見中對司法行政部調查局的工作表示「績效頗著」。檢討意見認為：「司法業務年來頗見進展，如台北地方法院法庭大廈之新建，足以解決十餘年來因法庭不敷分配，致審理草率之積弊，高檢處之設立，各地檢察官辦公室及看守所分舍，足以疏解司法警察機關移送案件之時間困難，及設置台灣地區刑事資料中心，以期能掌握準確之犯罪資料，供各檢辦案之參攷，暨積極清理通緝犯，通緝犯已顯見減少，司法行政部調查局專設訓練班，以辦理幹部養成教育。調查局嚴密紀律查察，一年來處理違紀案件，共六十五案，受處分者八十四人，計移送法辦者四人，停職管訓者九人，記大過者八人，記過者十三人，其餘為記過申誡，可見紀律查察之認眞。調查局之調查人員素質已見提高，偵辦貪污瀆職及漏稅案件多起，工作績效顯著。」

監獄人滿為患 亟待設法疏導

假釋條例應謀普遍適用

台北監獄及台北地院看守所收容受刑人及被告人數，均超過原定容納量三分之一以上。如台北監獄原定容納量為一千六百四十六名，現在增加為二千四百人左右，每一監房原定容納人數，現在每晚都要側身而睡。人犯擁擠，不堪，以致教誨，衛生，工作等，均發生影響。其他監所亦多類似情形。

監察院極盼司法當局速予改進處理辦法。金越光監委為此提出「檢討意見」，並指出監獄人滿為患的原因。他說：「偶讀歐陽修之『縱囚論』，覺得唐太宗施仁德於天下，於貞觀之六年，將犯死罪的囚犯三百多人放他們回到家裏去，約定期間，教他們自己歸來就死，到時候，那班囚徒都自己歸來，沒有失約的。這是我國歷史上極堪頌揚的德政佳話，流傳至今。見本院司法巡察組的報告，台北各地監獄及看守所都人滿為患，管理教誨作業等工作，都感覺到困難。本來監獄是遷善改過的場所，其意義並不在於懲罰，所以只要受刑人能知道悔改，有向善的表現，法律即給予自新的機會。因此刑法第十章對特設「假釋」規定，對於受徒刑之執行，而有悔悟實據者，無期徒刑逾十年後，有期徒刑逾二分之一後，由監獄長官報請司法行政最高官署核准得許假釋出獄，這不僅是鼓勵受刑人改過遷善，而且也是疏通監犯擁擠的辦法。可是施行以來，為什麼監所仍患人滿呢？據說一部份原因是由於犯罪人增加，監所縱經多次擴建，也不能配合犯罪的增加比率。其次是由於監所管理教誨作業等工作，辦理績效未著，未能使受刑人改過遷善，且有的縱屬後悔有心，而因監所制度各種限制未能完全切合規定者，亦多未獲假釋。致監所仍嫌人滿，政府特於四十三年公布戡亂時期監所人犯處理條例，以資疏導，據說施行以來效果很好，一時囹圄為清。可是適用上項條例公布以前的犯罪者，對於其以後的犯罪者，仍不能適用，致監犯又逐漸充斥。

金越光委員建議政府應把戡亂時期監所人犯處理條例，及時修正，以資疏導。其次應該考慮的，就是關於假釋制度如何普遍適用的問題。貪污犯罪之受刑人，即使後悔有據，也不能假釋，因為戡亂時期貪污治罪條例第十一條有犯本條例之罪者，不適用刑法假釋之規定，這在立法上的理由，實在令人不易瞭解。難道貪污罪的受刑人，都是不能遷善改過的嗎？貪污犯的犯罪惡性比較叛亂走私販賣烟毒盜匪等等還嚴重嗎？而且刑法上的假釋制度，對其他犯罪都可適用，為什麼單單貪污罪不能適用呢？政府對於所有受刑人均應該公平待遇，不應該對某一種受刑人有所歧視，以鼓勵向上。所以假釋制度如何促其善當運用，以及普遍運用也值得檢討。如能適當運用假釋制度，也足以疏導監所。

至於其他問題，如待遇之不平，據監察院地方巡察第三組報告「一般問題」指出：「法院書記官固有補助費之加給，而書記官中又以担任財務法庭工作，担任民事執行案件，辦理法庭紀錄及辦理一般行政事務等工作之不同，而所得待遇互異。監所人員中，僅有戒護人員，可領司法人員之補助費，均予人以極大之不平。」如法院書記官之不足，「分發法院服務之候補推事、檢察官，並未配置書記官、錄事等人員，法院須臨時抽調其他書記官錄事協助，深感調度為難。至法院通譯人員，因出路問題而乏人願任，故關於此項人員之儲訓問題，亦須設法加以解決。」

至監所人員之不足，如「澎湖監獄係重刑累犯監，人犯均屬本島移去之惡性頑劣重刑犯，而戒護、警衛人員僅二十五名，按現有崗位四八制作息，尚不足三十一員之多，曾經呈請司法行政部增加管理員二十名，未被核准，現戒護力量薄弱，堪憂慮，似應增加員額，以防不測。」（監察院地方巡察第七組巡察意見）

台灣鐵路局開創貨櫃聯運業務

圖示為一列貨櫃列車由高雄開往基隆港口，裝輪出海直達美國。

喬治桑外傳　一一四

張大夏

「是流行性感冒，不是流線型感冒。妳還是去休息吧，多睡總是好的。」雅麗絲改正阿翠的語意，同時堅持要阿翠休息。阿翠道了謝，回到她自己臥房去了。

喬治桑吃了一杯冰牛奶和三明治當午餐，吃完照例午睡。這種情形是經常如此的。

喬治桑換了睡衣，原來準備好好睡覺，不意思潮起伏，一時竟無法入睡。他怕雅麗絲的母親發現他的眞面目。他想儘量給予雅麗絲父愛，他想儘快結束在拉斯維加的販賣色情生意，作孽的錢根本存不起來，不是嗎？混到今天還是一個空場面。他自己了解自己，上流社會的下流人物。他記得拉娜納做過一張電影叫「黑色肖像」，他算什麼？對了，「灰色肖像」。

「包死，你快起來，有客人來看你。」雅麗絲伸頭進來對喬治桑說話。

「什麼人？」喬治桑因為根本沒有入睡，所以立刻就能有反應。

「是豐坦洋行的司馬德先生。」

喬治桑一聽是司馬德，他立刻感覺必然是他的美國影伴史克蘭頓匯款來了。因為他一向都是由豐坦洋行拔錢的。

台北傳奇錄（廿一）

·陳光棣·

「他可對你一往情深哪」！

「他自作多情，我可沒有辦法」。

「妳說的倒簡單，人家聽說你結了婚，都快急死啦」！

「我家的情形，他很清楚，結婚的事情，我和他說過」。劉太太理直氣壯的說：「那天談的時候，我大弟弟還在旁邊」。

「這都跟我不相干，我告訴你，他可要來看妳。」馬寡婦故意小聲的說：「我倒可以給妳安排安排」。

「他也別來，妳也少安排」！

「妳可別狗咬呂洞賓，不識好人心，我可是為了妳好」！馬寡婦揚着頸子說。

「我沒有什麼見不得人的事情，妳就少費心吧」！

「好吧！」馬寡婦大失所望的換了話題：「喂，妳先生的大姑爺，那個叫什麼不成材的！」

「步成材」！劉太太糾正着。

「這個人實相很不錯，怎麼偏偏起這麼一個怪名字。」馬寡婦刨根問底：「他是幹什麼的」！

「好像暫時沒有工作，我不大清楚」。

「我倒可以幫幫忙，妳知道，××長是我乾爸爸。」馬寡婦試探着說：「他不是就住在附近嘛，得便妳告訴他」。

「妳自己去告訴他吧，我自己的事還忙不過來」！

「妳怎麼這麼彆扭」！

大洋馬和小辣椒一按門鈴，馬寡婦就匆匆的走了。

「我是蔡太太」。大洋馬坐穩了自我介紹：

「這位是宮太太，外號叫小辣椒」！

「她叫大洋馬」！小辣椒搶着說。

「妳別見笑，大家都是好鄰居，見了面總開玩笑」。大洋馬有些不好意思。

「我們都住在對面樓上」。小辣椒說。

「是啊！遠親都不如近鄰」。大洋馬補充着。

「咱們以後，可得多親熱親熱，明天買菜的時候我來約妳」！小辣椒直拉近手。

「謝謝，我很晚才去買菜，怕是走不到一塊兒」。劉太太防範的說。

「為什麼不早去呢」？大洋馬奇怪。

「是啊，早去才好，熟人多，買着談着，才有意思哪」！小辣椒說。

「去晚了，菜市場冷冷清清的，有什麼意思，人多點才熱鬧，擠來擠去的好好玩兒」。大洋馬說。

「我們昨天圍在一起買肉，一個男人要擠進來，大洋馬一搖屁股，就把那傢伙擠在菜攤子上」。小辣椒笑的合不上咀。

「咱們打個會好不好，妳當會頭」。大洋馬期望的說。

文滙樓別記

傳王光美已被處決

在香港高階層社會裏，最近有一項流傳，說已被鬭的前「中共政府」主席劉少奇的妻子王光美以間諜和反革命罪被處決，此項消息越傳越廣。

據說促成王光美被處決的主角是毛澤東老婆江青，遠在對日抗戰期，王光美和江青就不睦，王光美曾在北平輔仁大學畢業，從小就生長在小布爾喬亞家庭中，民國廿六年家鄉淪陷，投奔到延安進入「抗日大學」，王光美之誤入歧途和一般進「抗大」青年一樣，上了賊船，只好跟着賊徒和爛泥，因而認識了中共革命理論家劉少奇，王光美很驕傲，自比蘇聯之花克蘆蒲斯克雅，不過劉少奇的外號比三寸丁列寧帥得多，讀書並不遜於列寧，那時的王光美那把江青看在眼裏，「哼！爛橘子。」「江山易改，本性難移」，指江青到延安第二天就睡在毛澤東的身邊了，「好雌不踏臭狗屎」拒絕劉少奇勸和江青接近，仇恨就種在這兒。

凡是女人都有其不成秘密的秘密。抗戰勝利後，王光美被指派打入「軍調處」，擔任色相盡在不言中，江青公開責罵王光美是一枚「爛桃子」，要到山姆叔手一拍就跟着去了，不要臉，中國共產黨的秘密，被王光美洩露光了。」因而想到泰戈爾有一句名言，「女人的舌頭是她整個身體中最後停止活動的器官」。王光美、江青當然逃若干年來都在演「舌戰羣魔」，結果江青獲得最後勝利。

在劉少奇和他們的嘍囉們未被毛澤東的老婆江青在「文革」中整肅前，劉少奇的老婆王光美，是中共實力派人物，紅到發紫，後來毛澤東確信自己在奪權運動中獲得壓倒性勝利，才敢對王光美下毒手，直到目前這個秘密還未公開，不過毛澤東已下令高級幹部研究公佈此項消息的技術問題，並畫成好幾位心戰專家協助至遲在一九七〇年三月底前要公佈王光美被處死的消息及所加的罪狀。

王光美的死訊，劉少奇還不知道，因劉本人還在鞍山鋼鐵廠接受勞改，他在毛指派的衛兵監視下，硬性規定每天早中午得唸三次毛語錄，還得會背。王明（陳紹禹）對毛澤東的胡作妄爲攻擊得非常劇烈，王光美下落不明是陳紹禹在莫斯科攻毛最大的理由。毛澤東的文化打手姚文元說：「王明是濫情主義的代表（按王明籍貫安徽元安，王光美是安徽無爲）其實兩王並沒有甚麼連帶關係，更談不上有何濫情。

・文匯樓主・

紅樓人物

晴雯（上）

・蕭綾錦・

晴雯從小沒有父母，身世不可考，祇知道是賴大買來，她的姑舅表哥叫吳貴，這是她唯一的關係人，十歲時因賈母喜歡，賴嬤嬤（女傭，以下同）就孝敬了賈母，從此便與賴家沒有往來。後來賈母給了寶玉。她在寶玉房裏，算是出色的頭等丫頭，地位僅次於襲人。她聰敏剛毅，率性任情，她內心雖然愛戀寶玉，但表示得很自然，毫不做作。心地坦白純潔，她鄙視襲人的陰險，不同意襲人的鬼祟，沒有一點含蓄。看到不順眼的事，便會厲言厲色的指責和痛罵，鑒兒偷了平兒的蝦鬚鐲，衆人都說等襲人回來再處置，獨她不依，一定要即刻攆出去。小紅正想走鳳姐的門路，她罵道這是高枝兒上飛，要長長遠遠的在高枝兒上纔好，她常常說些尖刻令人不愉快的話語。李嬤嬤罵了襲人，寶玉點頭嘆道，這又不知是那裏來的賬，只不知那個娘得罪了上在她的賬上。一句話未完，晴雯在旁說道，誰又沒瘋了，得罪她做什麼，既得罪了，就大有本事承認，犯不着累別人。晴雯不能明哲保身，不明白她的地位，上有三四層主子，下有許多小丫頭們，是一個最難處的環境。她一味的任性，遇事毫不思考，只憑自己的直覺做去。平兒說她是一塊爆炭，若是遲鈍一點還罷了，偏又聰靈敏，口齒鋒利，說她不知道，跌折了扇子，寶玉說她不小心，便毫不客氣，頂撞寶玉，大吵大鬧，襲人過來問是怎麼了，便把襲人大罵一頓道：我倒不知道你們是誰，別叫我替你們害臊了，你們鬼鬼祟祟的那些事，也瞞不過我去，不是我說，正經明公正道的連個姑娘還沒掙上去呢，也不過和我們一樣，那裏就稱起我們來了。

襲人和寶玉因爲幹了鬼鬼祟祟的事，都有秋紋這些人，都裝不知道，從來不肯提起，她偏當面指出，她的話語，實在太刻薄了，叫襲人如何受得了呢？如何不懷恨呢？這次晴雯的遭遇就是這次的爭吵吧。她的性格，和襲人完全不同，襲人以柔克剛，溫和討好，她偏偏任性多刺，寶玉很瞭解她們兩人的個性，所以施於她們兩人的寵愛，各個不同。

襲人晴雯兩人，爭寵寶玉侍妾的地位，相當激烈。王夫人分自己的月費銀二兩給襲人，還有新鮮衣服，這顯示襲人的戰術，已經成功十分了。晴雯既不能向上巴結，又不會團結羣衆，還要用最利害的語言，攆穿襲人的鬼胎。她認爲一樣是這裏的人，難道誰比誰高貴些？你們別和我裝神弄鬼的，什麼事我不知道。假使寶玉只愛襲人，把她看作霽月一樣，那襲人還可免強忍受。無奈寶玉的情感裏，有時晴雯在襲人之上，因此襲人的心裏，非把晴雯擠出不可，所以晴雯之死，死於才，死於貌，死於寶玉之愛。鳳姐道若論這些丫頭們，總共比起來，都沒晴雯生得好，論舉止言談，我看她甚好，賈母亦說她針線，都不及她。王夫人說她，色色比人強。（未完）

懷念冬雪

清心

陽曆十二月廿二日，是陰曆十一月十四日，正巧是「冬至」。俗語說：「冬至大過年」，南方人大都吃糯米粉做的圓子──點綴一下。北方人是怎樣過的，竟然全都忘了。離別故鄉已廿一年了，如何不忘呢？

最使我想念的，就是故鄉的雪景。北國的冬天，在冰天雪地中，人們都穿着浮腫的棉花皮襖，屋內生着火爐，否則就要凍死。

十二月號的「純文學」月刊，封面是雪景。我一看便想起家鄉的往事，令我追憶。「藝文誌」月刊的封底也刊印了一大張「北平頤和園」雪景的照片，觸目驚心，我已深深的墮入故鄉的夢思中。

賀年片，聖誕卡，有很多印的雪景，但有些不是我國北方的照片，却是歐美的照片。

故鄉的雪景，是富有詩意的。在皇城根的雪地上漫步，在北海冰場上滑冰，在郊外雪景中策馬奔馳，在萬里長城上眺望，那是人生的夢。如今我在南海之濱，遙念北國的冬雪……五十八年冬至於台中

青年心聲（下）

范煥之

人人有一份力量，縱不合人人之期待，既成爲制度，亦可使人安分知命，如不滿意，亦有不作此則作彼之自由，追求亞里士多德之所謂替代的正義。故政府爲政之道，只須提供人人可以發揮其能力之自由及法治間架，支持一定的教育制度。此地只言支持者，蓋教學藝之機關，非可由政府包辦也。政府人員既可隨時變動，愛好可隨時變更，一有包辦，則不能適應社會之需要，更重要者，莫如維持並尊重士君子之獨立地位，絕不可予智自雄，抹殺民意，看待士君子爲文奴，更不可視文奴爲有德業之士君子。現在西方之智識分子，大多數爲政府及企業家之僱員，無獨立意識，無先天下之憂而憂，後天下之樂而樂之抱負。總統國務總理下台，亦可做董事長或律師，蓋其樂唯職業之是求，此不可學也。不幸中國獨立的士君子已不爲人所尊重，以至於消失，天天爲喚復興固有文化，而不尊重士君子，毋乃反其道而行乎！此理已暗合於周先生之文中，但未明朗說出，補充於此，想亦爲周先生所歡迎。

我們這一代青年，雖然爲利慾所迷惑，所困惱，但我們的本性並沒有泯滅，我們何等的希望能盡到我們所應盡的社會職份，發揮我們的自由意志，提供我們的勞務與產品，當社會的富裕與繁榮而努力，而使我們的生活獲得合理之改進。人人能各盡其能，則利慾的觀念消滅了，徵逐的觀象隱跡了，便可在相互供需的前提下共享社會的繁榮。到時，那人們所追求的，既不復是財富；反之，必如周先生所說的：「待一般人之生活改進後，或發財的機會不復能引人入勝時，必有更多人士作高尚的追求」了。

讀了周先生的大作後，感慨委實太多，然而我所獲得的，恐非筆墨所能言宣。我們何等誠摯地希望周先生一本愛護我們青年的初衷，多多發表這類具有鼓勵性的文章，也希望自由報多多刊載這類文章，好讓我們如夜航茫茫海上，望見燈塔；朝着正確的方向邁進，我們深信，我們只要有正義的引導，有足够的智慧與毅力，改造社會，造福人羣。（完）

介紹王肯堂著證治準繩醫書

王肯堂，字宇泰，江蘇省金壇縣人，是明朝萬曆十七年進士，膺選翰林院庶吉士，明朝理學文章，表表一時。那時日本侵略朝鮮，肯堂上疏，請求給他御史官銜，練兵海上，朝庭沒有採納，他就辭官返里，由此可以看出他是一位有血氣、有風骨的人。他在少年時代，很欽佩范文正公「不爲良相，則爲良醫」的話，有空就看看醫書，很覺有味。一次，母親患了很重的病，歷延名醫診治，各人所說的都不相同，很少得到要領，他心中很表不滿，於是就立志學醫，後來他的妹妹生病，幾乎死亡，結果被他救活，因而遠近的人都聞名請他看病，戶限爲穿，救了很多的病患。但是他覺得行醫濟世，只能限於一個地區，範圍不廣，如果著書，傳之天下萬世，豈不更好？於是就採取古今醫書，參以他自己的見解，先後完成證治準繩八卷，類方準繩八卷，傷寒準繩八卷，外科準繩六卷，幼科準繩九卷，女科準繩五卷，後人稱這六部書爲「六科準繩」。「證治準繩」是他最先完成的一部鉅著，據他說：醫生看病有五個階段，第一是把脈，第二是查病因，第三是定病名，第四是辨症候，第五是治療。本書對於辨證和治療，說得特別細；而且把脈、查病因、定病名，是醫生才能勝任，一般患者，不懂這些，但是可以查查證候，檢出對證方子來治療，這也是本書的目的所在，所以就把書名稱爲「證治準繩」，這樣看起來，本書除了醫生外，一般病患也可以人手一冊，作爲自己治療的參攷。至於本書的價值，有四庫全書的評語如下：「其書採摭繁富，而參驗脈證，辨別異同，條理分明，具有端委，故博而不雜，詳而有要，於寒溫攻補，無所偏主。視繆希雍之餘派，虛實不問，但談石膏之功，張介賓之末流，診候未施，先定人參之見者，亦爲能得其平。」實爲公允之論，可以深信。惟此書因卷帙浩繁，醫家備之者少，坊間亦無售者，本人前從大陸帶來一部，惜版本不佳，近有史雲青先生，得汲古閣版本，交付人力印書館出版，字體甚大，裝訂亦善，爲邇來中醫藥出版界不可多見之好書，特爲介紹，並希望類方準繩，傷寒準繩等五種，賡續付梓，以餉同好，更所企盼！

・陳紬藝・

黃庭堅襟懷恬淡

命相与夢話

漢年

黃庭堅，字魯直，號涪翁，又號山谷道人。生於江西分寧縣修水故里。自幼警悟，七歲能作詩，治平丙午，年二十二，鄉舉爲首名。丁未春赴禮部試，登進士第，除汝州葉縣尉，熙寧壬子，年二十八，試中學官，除北京國子監教授。元豐庚申，年三十六，入京改官，授知太和縣。以平易爲治。哲宗元佑元年丙寅，年四十二，召爲校書郎，除神宗實錄院檢討官，遷著作左郎。實錄告成，擢爲起居舍人。

紹聖元年甲戌，年五十，除知宣州，又除知鄂州。章惇、蔡卞惡妒其才，貶之涪州（四川涪陵縣）別駕，黔州安置。元符元年戊寅，年五十四，徙戎州，均在四川。

徽宗建中靖國元年辛巳，年五十七，權知舒州。崇寧元年壬午，年五十八，六月初九日，領太平州事，只九日即罷。二年癸未，復謫宜州。四年乙酉九月三十日甲子，逝於宜州（廣西宜山縣），年六十一歲。著有「山谷內外集」、「別集」、「簡尺」、「年譜」。大觀三年己丑，蘇北固、蔣偉護其喪歸，葬於雙井祖墳之西。紹興元年辛亥，宋高宗中興，特贈公龍圖閣學士、加太師，謚「文節」。文節之生卒如左：

宋仁宗慶曆五年六月十二日辰時生。

宋崇寧四年九月三十日（？）卒。

黃文節之造爲：乙酉、癸未、丙寅、壬辰。日幹之丙屬火，日枝之寅藏丙亦屬火；月枝之未藏丁，又屬火。合計之，有三火。一火曰火，二火曰炎，今命占三火，其爲火炎可知。經云：「火炎須水濟，否則旱魃爲災，何足取哉。」今月幹透癸水，時幹見壬水，時枝又藏癸水。合計之，水也有三，坎之離調偕、萬物資生，是以人品高超，襟懷恬淡。公年甫七歲，作牧童詩有云：「騎牛遠遠過村前，吹笛風斜隔岸聞；多少長安名利客，機關用盡不如君。」讀此可以見其浩浩陶陶之天性矣。但細按之，日枝之寅，中藏甲木，年枝之乙與月枝之未，時枝之辰中各藏乙，又俱屬木，木多生火，木多洩水，因此火盛水衰。再益以命宮之巳，中藏丙火，助丙火日元之勢，更觀火炎水灼，名雖命占三水，仍有不敷濟火之弊，名雖萬物資生，其收穫數量，究不及雨暘時若之豐稔也。因此文章道德雖冠倫當時，而挫折頻遭，竟飄蓬靡定。木火有餘之造，運歲如逢金水，補偏救弊，仍應雄飛，若再見木火，助紂爲虐，未有不大受影響者。

觀其二十二歲鄉舉首選，二十三歲禮部試第，除汝州葉縣尉，是以知其爲辛金化水之功。自二十四歲至三十九歲，忽除北京國子監教授，忽改官太和，或爲秘書檢討，得以從容應付者，皆庚爲純金，巳辰含金有以致之。四十九歲，己運土能洩火，按部局班，尚可除集賢校理。卯運衝酉，李太夫人仙逝，豈無故哉！五十六至戊六十歲，費寅運，化火生火，亢龍有悔，宵小爲殃，是以有黔涪戎宜四地之貶。公雖處之泰然，究不免形神憔悴也。六十一歲丁運屬火，歲值乙酉，幹屬木，枝刑酉，偶爾違和，竟致不起，能不歸究於命乎！（完）

巨變歷險記！

風聲鶴淚……（九六）

胡慶春

今 總統蔣公，冒險犯難，蒞臨成都，各方面的情況，並沒有因而改善，大局之不可爲，益臻顯明。是不是這個時候的蔣公已經辭去總統的職務已經不是總統了，他已不掌國家的大權，對他聽不聽話，好像已經沒有什麼關係。四川的軍人，西康的軍人，注意的是眼前的利害，注意不到國家民族的前途。

蔣公離開成都之後，成都的危殆更爲暴露。成都素有小北平之稱，構成他的特點之一是茶館林立。這在全國，除了廣州，再沒有其他地方有這麼多的茶館。以之與巴黎的咖啡館比較了，殆彷彿似之。成都人愛上茶館，茶館分職業分行道，文化人有文化人的茶館，百貨商有百貨商的茶館，其他百業百行也無不有他們的茶館。每天早上，茶館生意興隆異常，就在白天，就是一整天，茶館的生意也不見得壞。一杯在手，躺椅上一躺，可以「泡」半天，可以「泡」一天，這是講生意的地方，也是論道的地方，當然更是說時事的地方。在三十八年九月以後，尤其在十月以後，成都茶館生意異常的興隆，大家什麼事都不做了，都在「泡」，都在坐觀成敗，坐觀四面八方的人逃來成都，坐等共產的所謂「大軍」到來。學潮澎湃，固然可怕，但一般民衆的對政府不支持不作爲也很可怕。

街道上的情景也令人感到可怕。成都的中心地帶，首推春熙路，商業場。春熙路的春熙舞台，是唱川戲的地方，是第一個唱川戲的地方，其次商業場也有個唱川戲的地方，在祠堂街也有個唱川戲的地方，號稱西蜀大舞台，這些娛樂場所，平常生意很是不錯，今 總統蔣公離開成都後，也都輟演了。大局江河日下，誰還有閒情怡致？誰還有心去看戲？少城公園，平常人是很多的，現在也是門可羅雀。

更象徵暴雨欲來的，是商場的不營業關門。這是金融的關係，調整金元券的關係，現在什麼都講銀元，法幣、金元券幾乎沒人要。商人不好說不要，但又不能要，最妙的方法，最有效的辦法，就是關門大吉，消極抵抗。

閒步成都，一片靜寂，一片荒凉，只看見各方面逃難來的人在街上亂碰。有親戚朋友可奔的，當然比較好。若必須找旅館到飲食店，那就困難大了。誰會帶銀元？手上有的，不是法幣，就是金圓券。旅館飲食店縱然接受，那折扣就大了，到了一個時期，簡直不值錢不當錢。但逃難的人誰又攜帶多少法幣金圓券呢！逃難人的可憐相窮像，簡直難以形容。

總之，成都淪陷前的情況很不好。主要是一般心理的崩潰。昔秦王苻堅稱兵百萬，投鞭可以斷流，氣勢之雄可知。但到了敗於謝玄，士兵有風聲鶴唳之感。淪陷前的成都，似亦已到了風聲鶴唳的地步……

……。

（未完）

紙上談兵

周燕謀

五、佯北勿從

「佯北勿從」，語出「孫子兵法」卷七「軍事篇」。「北」即敗走。敵方戰時，氣勢未衰，便奔走而陣却者，必有奇伏詐謀，不可深入。太公所謂「出甲陣兵，縱卒亂行者，欲以爲變。」賈林所謂「敵未衰，忽然奔北，必有奇伏要擊我兵，謹勸將士，勿令逐追。」「王晳所謂「勢不至北，必有詐也。勿逐。」

如戰國時代，秦國伐趙，趙奢之子趙括代廉頗爲將，拒秦兵於長平。秦陰使白起爲上將軍。趙括出兵擊秦兵。秦兵佯敗而走。兩翼張奇兵鉗形之勢，趙軍追之逐勝，追至秦營，壘堅而不得入。而秦奇兵二萬五千人，絕趙軍之後路，另一軍五千騎絕趙壁間，將趙軍分爲兩斷。因此糧道斷絕。秦出輕兵擊之，趙軍不利，因築壁堅守，以待救兵到來。秦聞趙軍食道斷絕，趙王親自帥軍來到河內。於是秦發兵遮斷趙之援軍，並斷其糧道。趙兵不得食四十六日，暗中相殺而食，趙括中箭而死。此即佯北深追致敗之顯例。

三國時，劉備依劉表之時，劉表以劉備駐兵新野，以拒曹兵。曹操遣夏侯惇、李典擊劉備。劉備設下伏兵，一日自燒其屯而奔。夏侯惇欲追之。李典道：「劉備無故自退，疑必有伏兵，南路窄狹，草木叢深，切不可追。」夏侯惇不聽，引兵追。爲劉備伏兵所破。李典往救，劉備見援軍到來，乃引兵退去。

西魏末年，遣將史寧與突厥同伐吐谷渾，軍至樹敦，即吐谷渾之舊部，多藏珍寶，而其主先奔賀眞城，留其征南王等數十人固守。史寧引兵攻不下佯退。吐谷渾人果然開城追之。史寧軍返擊奪門，全軍遂得殺入，生擒征南王。所獲珍寶，盡歸諸突厥。此又一例。

北齊高澄既立爲帝，侯景叛變降梁，而圍彭城。高澄遣慕容紹宗討之。紹宗以梁人慓悍，恐不能敵。乃召諸將帥說道：「我軍佯敗，誘梁人深入。汝等引軍擊梁之後。」而侯景亦命梁將道：「逐北勿過二里。」「兩軍奮戰，紹宗佯北，梁兵不聽侯景之命令，乘勝深入，魏兵伏兵齊出，遂大敗梁軍。此又一例。

唐安祿山叛，郭子儀圍衛州。僞鄭王安慶緒，（祿山之弟）引兵來援，分其軍爲三。郭子儀嚴陣以待。預選善射士兵三千人，埋伏壁內。子儀戒士兵道：「汝等視吾稍退，賊必爭進。侯賊進入，則登城擊鼓，弓弩齊發射之。」兩軍交戰，子儀佯退入營，賊兵爭進唐營，忽聞金鼓大震，箭如雨發，賊兵大駭，奔命而出。子儀整軍追之，大破安慶緒。此又一例。

然敵人北走，必須審其眞僞，若旗鼓齊應，號令如一，紛紛紜紜，雖然退走，則非眞敗，必有奇兵，不可追也。若旗靡轍亂，人囂馬駭，此乃眞北，追之可也。

生活漫談

天寒回憶食冰魚

馬騰雲

中國淮河有一種冰魚又稱黃瓜魚，亦叫作靑魚，每年到冬天最冷的時候，冷到滴水成冰，這種魚才會出現，魚體透明，儼若玻璃，味似黃瓜，奇鮮無比，相傳爲進貢之物，故一般咸稱作爲貢魚。

今天介紹的黃瓜魚，與淮河出產的黃瓜魚，味道完全相同，祇是淮河黃瓜魚的一種代製品，且含有藥用性質，清凉解渴，也可回憶淮河吃黃瓜魚時意味。

黃瓜魚的製法，選半斤到一斤的活鯉魚，殺好取出腸肥雜，用水略冲，熱帶和亞熱帶的魚不能多冲洗，否則鮮味完全消失。昆明滇池的魚，祇用潔淨的布巾將血擦乾淨，即可烹調，就是最好的例子。將鯉魚弄乾淨，和平常煎魚一樣，煎得兩面發黃，葱薑和酒略洒胡椒及鹽，燉到湯發奶白色，再將黃瓜切成細片，乘滾倒入，黃瓜魚則宣告禮成。黃瓜如果沉到碗底就表示廚師手藝不精，黃瓜子必須取出，否則致瀉。

黃瓜裏含有失水戊唐（西旁）及維生素C，脂肪油及維生素A，國藥店老一輩都知道，有一種黃瓜霜，治急性胃氣痛，胸口痛有神效，並可治實火牙痛，咽喉痛。用黃瓜一條，破成兩半，去掉肉和子，入生白礬末，塡滿合住線捆，懸掛在通風和太陽曬不到的地方，漸漸的風乾，直到黃瓜的外皮起白霜，取下研細，收磁瓶內密封備用，遇到急性胃氣痛，胸口痛，用此霜點眼四角立愈。咽喉痛者用藥鼓吹入，牙痛者用霜擦立可止痛。

鯉魚味甘平，下水氣利小便，治咳逆上氣，脚氣黃疸，姙娠水腫，中國古方治水腫有鯉魚湯，鯉魚粥，以證明黃瓜魚，亦可治水腫，劉河間說：「鯉魚治水，鴨之利水，所謂因其氣相感也。」

鯉魚以黃河出產者爲最上乘，其肉既鮮又嫩，在河南大館子裏，一魚三吃，就是一條魚要吃三道，比如第一道是糖醋鯉魚，顧名思意，當然全用糖醋；其次就是生薑米、葱蒜花，綠筍尖，火腿片之類，吃剩下的頭尾划水碎肉，加豆腐紅燒及黃花菜，木耳，馬蹄片，大蒜頭之類，眞可說香鮮可口，拍案叫絕。紅燒鯉魚再剩下的，製作魚湯了，加冬菇，髮菜，豆腐皮，青菜心，端上桌前，臨時加添兩胡，一是胡麻油，一是胡椒粉，黃河鯉魚吃過一次，有永遠難忘之感。

假定我們用中藥學角度去看一魚三吃，簡直是治食藥於一爐，鯉魚本身是一種藥，糖，醋，生薑，葱花，綠筍尖，豆腐，黃花菜，木耳，馬蹄，冬菇，髮菜，豆皮，火腿，菜心，胡椒，胡麻油，酒，醬，原料和配料，計共十八種，其中有十五種是中藥，以證明「食在中國」不是亂吹了。

搜異錄

獵虎緣

周遊

劉子賓，貴州人，自幼勤習武藝，刀、矛、弓、箭、無所不能，爲千人之敵。性情伉爽，急公好義，道見不平，立拔刀相助，雖殺身蹈火之禍，無所顧忌。因是鄰居皆愛戴之。

其鄉有強鄰豪富虎而冠者，恃富驕人，魚肉鄉人以爲快。鄰人唯隱忍之，莫敢與之抗。後又強據良家婦女，事爲劉子賓聞悉，立奔往責詢。虎而冠恃強不服，反惡言相加，勢欲動武。劉子賓大怒，飛起一脚，將虎而冠打仆在地，其豢養鷹犬欲上前圍擊，劉子賓雙手叉腰，怒目環視，衆知其勇，不敢上前。只好鳥獸散。劉子賓救女送其歸家。於是劉之名益著。

後聞山中有虎，常出沒傷人。劉子賓聞之，攜械立往。一夜宿於山中待虎，日夜尋覓偵跡，但終無所得。又數日，方潛伏於叢草間，忽聞風聲呼呼，即起注視，見一猛虎方疾馳而過，口中啣一女子，綠鬢朱顏，隱約可辨。劉子賓急拈弓搭箭，連發二矢，一貫左目，一中虎臂，虎負痛怒甚，釋女撲劉，子賓亦不懼，抽刃與虎格鬥，刀傷其頷。虎迭受殊傷，疲不能起，倒地僵臥。「劉子賓再以刀結果了虎命，梟虎頭落地。回視女子，則仍臥草中，乃近前撫之，軀體猶溫，似因驚恐過甚之故而氣絕。於是加以按摩呼喚，女子漸漸甦醒，宛轉欲起，劉止之道：「惡獸已被吾殺死，毋庸駭怕。」女子聞言驚喜不已。劉子賓問女道：「姑娘向居閨中，因何被虎所噬？」女子微啓朱唇道：「妾姓朱，家住城南。今晨入後園摘花，不意牆久圮，此獸乘隙而入，肆虐於妾，幸遇壯士相救，否則妾身已入虎腹矣。救命之恩，不敢忘也。」劉子賓遜謝。旋護女返家，家人驚喜交集。適女猶待字閨中，經此患難，恩同再造，遂將女配劉子賓爲妻，日後伉儷益篤。

自由報

中華郵政台字第一二八二號執照登記爲第一類新聞紙
中華民國內政部內版臺誌字第〇三一號
中華民國僑務委員會登記證僑新字第三二二號

（第一〇三三期）

（半週刊每逢星期三、六出版）
每份港幣壹角，台灣零售價新台幣貳元
督印暨發行．社長李運鵬
社址：香港九龍彌敦道593—601號 廖創興銀行大廈八樓五座
LIU CHONG HING BUILDING
7th FLOOR FLAT 5
593—601 NATHAN ROAD,
KOWLOON, H.K.
TEL: K303831
電報掛號：7191
承印：景星印刷公司
地址：嘉咸街廿九號地下
台灣連絡中心：台北市青田街五巷三號
電話：三五〇二二
台灣區直接訂戶 郵政劃撥第五〇五六號萬有（自由報台灣發行部）
台北營業處：台北衡陽路三十號
電話：二七二〇〇
台南分社：台北市西寧南路110號二樓
電話：三四九三〇二〇

恭賀新禧

本報同人鞠躬

美式與俄式的如意算盤

李運鵬

美國、英國的兵力，正作退出亞洲的準備。本來美國擬像在越南塡補法國退出眞空一樣，當英國逐步退出亞洲時，亦逐步塡上的；但由於越南揹得太慘便龜縮起來不敢再問津了。英美退出亞洲後處心積慮想塡補接防的是蘇俄，這就是毛共與蘇俄糾纏枝枝節節的焦點。一九七〇年美國會不會從亞洲撤退，還要看亞洲局勢的怎樣發展，但英國已決定自一九七一年放棄駐軍於新加坡和馬來西亞。英國力量撤退後蘇俄早作接防打算，態勢顯然有目共睹。

蘇俄的如意算盤，建議召集五國會議，先布署擺足於東南亞的伏棋。最近莫斯科更將建議五國會議擴大，一如我國韓信將兵的辦法，多多益善。不過印度與巴基斯坦都表示婉謝。由於蘇俄的惡劣記錄，不敢使人置信會作好的拷法。尤其佔領捷克的征服，及其魯莽與粗剌的佔領政策，早顯示出蘇俄不配做現代第一流的國家，再加上蘇俄的階層的領導人物，一邊醉心於奪權運動，其有力人士又一邊都隨時爲自己的安全而担心，俗語說：「泥菩薩過河本身難保」。一的處境之下，沒有辦法產生光明磊落的政治招數，也就是蘇俄的强權已陷入「發展至其極，自己含有之否定所否定」的公式（見馬克斯主義辯證法）所否定。

我們論蘇俄在亞洲欲巧妙的塡補美國與英國遺留下來的眞空，爲什麼要把捷克問題又牽出來呢？因爲蘇俄在東歐國家的關係上所表現出來的荒謬與混亂，說明蘇俄一切惟槍桿與刺刀是賴，連等而下之像史達林時代那種頑固的領導者統治都不如，再求其次者的手上也辦不到。今日蘇俄已無政治理想實行，祇是魯雪夫那一套，政權操在有勇無謀，那裏能敲詐就到那裏敲，甚麼地方可檢便宜就到甚麼地方去檢，它已形成爲一個强大而最具危險性的帝國，因之世界第三次大戰的突然爆發，並非絕對沒有可能。

從最近一年來國際局勢研究，一九七〇年的蘇俄，必然把自己塑成爲一個愛好和平的僞裝，以騙取亞洲國家對他的相信，包括日本欲索回在二次大戰後北方失去一連串的島嶼，蘇俄都是好話相答，所謂生意不成人情在，目的在圖促進自己爲主角的亞洲軍事聯盟，這是俄式如意算盤。

美國呢？在科學上，財勢上雖算是世界上大手筆的大亨，但政治上就太差勁了。二次大戰結束，原子彈祇此一家並無分號，而地球會被蘇俄割去一半，演變到目前，在全球各地無一是處。美國副總統安格紐最近訪問亞洲國家，解釋尼克遜主義！向泰國、越南、尼泊爾、阿富汗、馬來西亞、新加坡、印尼等國的領導人，保證美國仍然是一個太平洋强國。中國有句俗語「家有黃金外有斗秤」，這些此地無銀三十兩的作風，除給人以幼稚天眞印象外，其餘的用意就不得而知了。

安格紐的訪問台，要算其行程中最重要的一站，在訪台期間，會與 蔣總統，嚴副總統，蔣經國先生等，進行過數次會談，據聞嚴副總統坦誠提出警告，美國爭取與中共改善關係的行動，對整個亞洲局勢的緩和並無助益，因之中國政府不贊同美國對中共的新政策，安格紐很誠摯的提出保證，美國絕對履行對中華民國的條約義務，繼續密切合作，美國決心站在中華民國一邊。

亞洲人從尼克遜主義另一表現的問題，分析，用「談判代替對抗」這種新思潮的新政策，包括要求，不僅使亞洲的非共國家感到迷惘，尤其鐵幕外的中國人，看到美國這一套倒胃口的措施，簡直是在打退堂鼓，已使中美兩國人民關係，無形步向低潮，且有可能造成不良後果。有遠見的政論家，咸認爲美國在和自己開玩笑。爲甚麼會下這樣一步狗屎棋？

抑有進者是美國經營冲繩島軍事基地，假想敵無疑的是毛澤東。美國決定將冲繩島其給予日本，並撤除在島上的核武器，迅速撤對共威脅，倘若向毛輸誠；再加上越南迯撤美軍，與放寬對大陸禁運，尼克遜的想法：毛澤東眞正的敵人不再是美國，而是蘇俄了。美國人的構想，利用當前現有的縱橫交措形勢，以毛共牽制蘇俄，以台灣與日本牽制毛共，將自己的泥脚拔出居於第三者。他忽畧了日本志在恢復二次大戰前的領土，也就是索所謂「潛在主權」像冲繩島等，却無意替美國政府做箝子。毛澤東亦有毛澤東的如意打算，他認爲西德與英法等國最怕蘇俄的觸角伸向歐洲大陸，站在本身利益，精神上似非支持中國共產黨不可，絕對不會和蘇俄站在一起。觀察家指出，毛共不怕蘇俄的未來，而怕蘇俄的現在。蘇俄呢？不怕毛共的現在，而怕毛共的未來。這是由毛澤東不打自招的口供洩露。他說：「我們的國家好像一枚原子彈，在這枚原子彈核子裂變之後，所發現的熱能就會驚人，到時我們可以做到現在不能做的事」。意思就是「萬事俱備，祇待核子」。換句話就是用空間爭取時間。他瞭解日本軍閥的田中奏摺，征服全世界的新計劃因洩露太早而失敗；毛澤東的「到時我們可以做到現在不能做的事」暗示地球的顏色到了某一階段，全部可以染紅。雖屬痴人說夢，不過納粹一型的野心家大抵如此。

美式的如意算盤忽畧了蘇俄已把勢力擴到印度洋印度巴基斯坦，阿富汗，緬甸，高棉和新加坡，除高棉外都是處在印度洋海空有關的國家，這──對阻止中共或美國的政治勢力伸展到大陸──印度，具有重要意義。結果美國人最躊躇的太平洋問題並未解決，而印度洋的問題却跟着產生俄式的如意算盤，──而祇顧搶塡美國英國軍力撤退後的空白地帶，而忽畧了中共核子實力瘋狂發展的風向正在日本無止境的領土擴張，亞洲地區的改變，鹿死誰手，在未定之天。

蘇俄與中共在亞洲的圖謀已往同床異夢，於今做夢也在打架。有時看來目標又隱約相同，那祇是爭取領導權雙方都清楚誰能把舵，竟認爲革命的毛澤東行列有就跟着誰走；但很奇怪的美國和穩定心理學上這完全是一種錯覺，世界上沒有一個共產國家能爲非共產國家着想的。日本軍國主義今後的復轍意向，一條是自然的，步向當年日本的「南進」，佔領泰、緬、越、直薄印尼、馬來西亞，與非律賓；一條是三島向北，旨在對抗蘇俄，爭取韓國，而侵畧東南亞發展，共產黨最近的領導地位。

日本協助中華民國在台灣建立一個海洋基地，並將飛機軍火售與自由中國，陰謀協助加速反攻大陸，這消息包括中不管眞假，但今後的亞洲國家，也非西亞，印尼，新加坡，韓國實上馬來西亞，也非走在一起不可。律賓建立亞洲集體安全聯軍，針對中共南進或北侵，予以有效的阻遏中國，才是上列國家生存的大道。特別是自由中國受共產黨茶毒最深，痛苦經驗已多比一天失敗，成功之母，也一天比一天接近成功。最後我們衷心祝望美式或俄式的如意算盤，不管怎麼變，我們的路，祇有一條，就是以不變應萬變，候兩句話，作民國一完人，死而後生，也是士大夫們應當有的所謂置之死地而後我們祝望討毛救國成功。

昨日與明日

推動全民儲蓄

千公

行政院在民國五十九年元月十五的院會中，通過加强推動儲蓄方案，同時也通過促進銀行業現代化，保險業務改進等案，配合政府當前經濟發展大計，鼓勵國民儲蓄，改進銀行業務，實有必要。

政策完全正確

國家經濟建設，有賴資本形成，而資本形成，更有賴於儲蓄，這是經濟學上最淺顯的理論，也是經濟發展過程中一個不移的事實。可惜過去我們經濟型態在農業社會階段中，人民普遍患窮，無力從事儲蓄，造成國家的貧窮惡性循環；這些年來，我們經濟發展了，民生富裕了，人民也就浪費起來了，所得多消耗在吃喝玩樂方面，許多有用的生產資源都虛擲了。一個最明顯的事實：人力本是最有用的生產資源，而今無數男女青年競走歌星、明星的路，從事這類娛樂性服務人數日益增多。大家都以玩樂爲業，社會所需生產將何由進行。現在財政當局求推動全國儲蓄，目的在加速經濟發展，支持政府第五個四年經建計劃，可謂完全正確。

應辦强迫儲蓄

國內儲蓄來源可分爲政府儲蓄與民間儲蓄兩類。政府儲蓄仰賴政府歲計的盈餘，依目前情況，不易做到；今天應當全力推行的祇有民間儲蓄。推動民間儲蓄的方式，又可分爲自願和强迫兩種。行政院所通過的方案，以自願儲蓄爲主，强迫儲蓄，實則衡諸當前客觀社會情況，也實有必要。其具體途徑是：一、根據公私機構員工固定所得，規定提出最低的百分比從事儲蓄，它的數目以不影響個人生活爲準：譬如月入一千元，至少提出二十元，從事儲蓄。二、就國民消費行爲，特別是娛樂性的消費行爲支出中，規定按照支出金額百分之幾用購買儲蓄券的方式來從事儲蓄，儲蓄券由政府發行，面額分一元、五元、十元、二十元、五十元、百元、六種，譬如看電影一票，花費二十元，即購儲券一元；花費一萬元，即購儲券百元，其他類推。如此，在消費者本身並不感覺負担，並且寓儲蓄於消費之中，零星儲蓄，整數收入，三年或五年後，可以有相當數目，可以派用處，而政府則集腋成裘，有效運用。

改進銀行業務要點

加强推動儲蓄，改進銀行業務，以資配合，更有必要。現在銀行業務的經營與現代水準實在有些距離。今後應當特別加强徵信工作，勿太着重抵押，以免有遺銀行變爲當鋪之虞；政治性（非政策性）的放欵更應絕對避免，以免發生呆帳浪費資源。目前各行庫存放欵利率都根據劃一標準，也很不合理。我們覺得：中央銀行對存欵利率應規定一最低標準，對放欵利率規定一最高標準，在規定標準範圍內，由各行根據客戶情況，自行斟酌調整，期收有效吸收儲蓄和靈活運用資金之效。

自由談

席豐履厚，明着家屬餘蔭的美國花花公子愛德華、甘迺迪參議員，儼然以民主黨領導人的氣派，成爲下屆總統候選人。祇因他跟女秘書乘車出游而發生車禍，以致女秘書慘遭溺斃，惹起「官非」，大受輿論攻擊，法院決定依法追究責任，毫不客氣地要開「調查庭」了。調查的目的，就在甘氏是否有意置女秘書於死地的犯罪情節？無論結果怎樣，他的政治聲譽已因此一落千丈，「總統夢」勢必歸於幻滅，這便是輿論的偉大力量表現！

民主社會的言論是自由的，對於政治人物的公私生活情況，隨時檢討批評，或褒或貶，構成輿論權威，而名之爲「爬糞運動」，實是「言者無罪，聞者足戒」，間接的對政治發生消毒作用，弼成淸明之治，善莫大焉。

像小甘的女秘書因車禍致死這類意外事件，如果小甘不是政界顯要而係普通人士，自不會引起輿論界的注意，不了了之。只因他是參議員，聲勢煊赫，纔招來許多物議。可見幹政治生活的人，一言一行皆得自律自愛，否則難逃淸議的指摘。若說個人的私生活與公務無關，那是官官相衛的文過飾非之詞，誰能相信一個私生活卑污苟賤之徒，他一旦從政，就會做出福國利民的淸廉績業來呢？

輿論與政治的關係

前年英國國防部長普洛佛穆，因爲跟一位交際女郎有來往，遭受輿論攻擊，終於自劾去職。還有十餘年前美國總統杜魯門的副官，爲着接受了一件朋友贈送的貂皮大衣，經輿論界實施「爬糞運動」，加以揭發，而該副官即不得不辭職，雖總統先生亦設法庇護呢！這都是民主政治的優點，也就是輿論促進淸廉政治建設的效能。沒有言論自由，就說不上輿論政治，不講究輿論政治，就無民主憲政之可言。

所謂「言論自由」，當然不是信口開河，造謠生事，否則便係惡意攻訐，構成誹謗罪。英國法律對於誹謗罪特別重視，尤其是輿論上的誹謗罪的究處甚爲嚴厲，可是，言之有物的決不犯法。譬如台灣最近發生的高雄靑果運銷社對政府官吏贈送金碗金盃案，有些接受了重達卅兩金盤的人，輿論即可根據事實加以指摘，主持公道，以免有「竊鈎者誅，竊國者侯」的惡果，不特影響政府信譽，亦無由奠立廉潔政治的風氣。

咱們國家實行民主政治已經六十年了，然輿論權威始終在虛無渺之中。這不能完全歸咎於言論自由的程度不夠，輿論界本身有時候亦失却公正無私的作風，該說的不說，可以不說的却放言高論，表現着莊生所謂有「蓬之心」，輿論權威自難樹立，而民主憲政之治即大打其折扣了！

馮五先生

教育革新刻不容緩
崇法務實拿出整套辦法
按步就班不能標新立異

（本報記者錢震台北航訊）台灣教育令人担心、焦慮，本報一再呼籲，有志復國的，反應殊多。記者特綜合各方面意見，扼要報導。一般認為來台之初遭某學閥把持，已經是不幸。近年又來些外行教育官（首長們自己要作官，意有未足一氣竟把校長也經改為公務員）在那裏瞎搞，外行人自作聰明，不顧國策，不理民情，興之所至，隨手拈來，好似朝令夕改，多發幾條消息，在宣傳上要耍花樣，就已經為國家民族盡到責任。

九年國民教育實施已進入第二學年，省屬國中還有六七所尚未派定校長。台北市有的國中遲遲定校址，而校舍依然沒有動工興建，借地上課。矇上欺下，粉飾太平。長此以往，究不知伊於胡底。

教育部為響應政治革新號召，表演了幾年，竟使輿論譁然成為笑料：公布美國留學就彼邦二千餘所大學中僅只選定二一四院校。經各方指摘怨又增加五十一所。莫非其餘院校有宣傳共產主義的事實，所以不准就讀？師範畢業生要服務五年後始准出國深造。最初也有人支持教育部，強調享受公費權利，就應該盡教書的義務。後來瞭解所謂公費尚不足每月伙食，而且領了公費即不得和其他大學同等申請一般獎學金。原本支持教部的，最後也只好同情師大了。私立中學不准招收初中學生，將以代用國中對待，等候分發學生就讀。私中校長不服，組團請願，立、監兩院議論紛紛，輿論界更是交相指摘。鍾皎光部長，在立法院又不承認有此限制，將來變甚麼戲法，且看事實證明。

說他們外行，當然不服氣，請仔細分析各級教育官員不論大小，有幾人是學教育的？又有幾人是幹的本行？事實鐵案如山，我欲代辯也無從說起呀！叫人如何說法才算得體呢？幾年前自從某某躍登部長，將一股僚氣帶進教育部，他一意塑造部長尊嚴，教育界唯我獨尊。當管的不管，不當管的硬要管。法令像是專為別人訂的，與他全無關係。部長指示就是法律，教育事我一人當家，既作我部下，就得唯命是聽！主持會議，更是頤指氣使，常常呵斥與會人員，我要如何！如何！

不幸後來的人也是嚮往僚氣，醉心尊嚴。凡是前任毛病，又都刻意摹仿。加以援引私人，遭遇批評，患得患失繼之而來，一心企求諒解更無意深入研究教育基本問題。做出來的事，總是文不對題，內行人怎會這樣手足無措？亂雜而無聲？

說來奇怪，凡不是出身世家，又沒有作過公務員，曾念了幾本洋書，線裝書從未碰過面，偶然機會被政府延攬，一躍而成為要人的，率多有點僚氣十足，既恐被人發現外行，又怕人家看不起，由於自卑感作祟，處處擺出大官的架子。動輒官腔，脾氣越大越顯得威風，處理起行政事務來，全是一榻糊塗。九一八後翁文灝以名教授身份被政府禮遇，進了行政院當處長，標準的文人從政，那知他對部下開口罵混蛋，動手把公文摔下地，沒有人敢同他接近，把自己完全孤立起來，而後又抱怨國民黨沒有人才，竟投共匪而去，依然不能得意。

教育是專業性的千秋事業，學驗皆備的教育家，埋頭苦幹若干年尚且不一定作好。不懂教育，沒有專業素養，又缺乏夠水準的學問，則更談不上了，自從前年將國教原定六年改為九年，實施九年國民教育，是一箇極大的變革。總統經多年考慮下方有這樣決定。教育政策需要全面革新是事實，但革新是隨國策慢慢去舊更新。執行的人一定崇法務實，顧全國策，按步就班拿出整套辦法。絕不是標新立異，多耍幾下花招就是革新。主其事的人首先去掉作官的思想，建立起新觀念，今天我坐上這箇位置，就決心把這一部分事來辦好，對得起領袖的擢拔。外行也不足為病。遇事虛心，多接觸教職員，深入瞭解現實狀況。請教專家多聽取他們的意見，自己要有主張，有魄力、有毅力，眼光放遠，不求表現。更需具有「成功不必在我」的胸懷，只求路線正確，若干年後教育成功，就是你的成功！所謂前人種樹，後人乘涼，後人當然感念前人的苦心。譬如你是提倡發展科學的，不一定在你任內太空船登上火星，與美國並駕齊驅，才算是成績。

目前教育需要革新的問題雖多，根本之道，仍應先把學校教育拉回教育本位來，這是刻不容緩的。否則背道而馳，愈去愈遠，說甚麼都是空談。例如適用已有多年的校長任免制度忽然修訂，視同一般公務員，列入公務員任免條例，校長名義上取得了公務員資格，同時也喪失了教育家的榮譽，擺脫了「清高」的束縛。這樣修改，純是教育官員為便於指揮，滿足私慾而設想，不曾考慮到百年大計是甚麼？致使現任的校長，都抱著五日京兆的心情，一天不調差就混一天，沒有那一位作長久打算，流弊所及，不堪想像者。新訂國中校長任用辦法，台灣省限制年齡在五十歲以下，擻驗文憑參加考試。台北市變本加厲限定在四十五歲以下。這箇不合理的單行法，論者說是荒謬不經，教育當局竟然照准，這是用來貌似打擊異己的一手，就把那些已經訓練成熟學驗俱豐正可用的人才，都給淘汰而且擱了。青年從政，當然富於朝氣，惟有辦事的能力，却非經驗豐富不為功，經驗是由年齡而來。

韓昌黎為「師」所下的定義是「傳道，受業，解惑。」傳道列為首要，社會上批評教育界一件是非，常是拿「為人師表」四字來穿衡。「道德」往往是建立在犧牲上，從某一方面看是殘酷的，博得品德上的佳譽，必需自我作繩墨節制，潔身自好。道業的養成，不是件容易事。校長是領導全校的一校之長，「傳道」精神需要特別強烈。他個人的言行要使人欽敬，否則不配領導教師和學生。

一位大學剛畢業的青年，當教師還沒有幾天，一旦榜上有名，立成新貴，春風得意，飛揚浮躁，學問、品德、經驗、修養一樣也不夠，領導群倫，焉能勝任。師道尊嚴，從何說起？

教育是著重潛移默化，校長一心為作官，聲望品學又不足以服人，更不知表率為何物。各個班級雖有導師的設置，但又多半不能負責任，把學生課堂以外的事交給軍訓教官負全責。教官處置學生違規事件，處罰而外，別無他法，如此一來，教育意義完全喪失，學生就學，教育云何？教育云何？

台北市首屆議會新作風
到政府機關聽簡報
遭到了高市長杯葛
議員檢討指出咎由自取

（本報記者台北通訊）台北市第一屆市議會第一次大會已於一月五日開幕，新議會新作風的新創例，結果誠如市議員陳重光所指「咎由自取」。

市議會通過的議事日程規定：市議會於聽取政府首長施政報告、各部門工作報告及說明之後，由正副議長率領全體議員到政府機關實地聽取各機關主管的簡介。在討論議事日程時，幾位議壇老將如陳重光、蔣涂生、陳愷、楊燗明等，均表示反對，他們認為此一新創例有失議會體制，有失議會尊嚴和神聖不可犯的莊嚴。如要實地聽取政府機關首長的簡介，應該在議會閉會期間由各委員會分別到各單位實地考察，在大會期間，千萬不可以，因為由議長率領到政府機關開會聽取各主管報告，等於議會議場遷至該政府機關，這是違背憲政體制的。

但經表決結果，陳重光議員等的意見被否決了。一月六日，台北市議會由林挺生議長率領全體議員到陽明山管理局聽取所謂「簡介」，實際上，據幾位老議員說，不是聽取什麼「簡介」，而是聽酒女的「歌聲」和「蓬折之聲」。七日，到台北市實地聽取民政，財政，教育各部門的「簡介」，不料，高玉樹市長在市長室而不與議員們見面，因此，鄭娟娥、陳重光等，於八日市議會大會中提出來自我檢討。

問題的發生是正副議長和三十多位新議員，均無議會政治的經驗，也缺乏高度的智慧，所以發生笑話。

在檢討時，市議員們對全體同仁的風度，尤其林議長的容忍精神，值得敬佩。

市議員陳重光在檢討時說，當初在討論議事日程時，我反對大會期間實地聽取簡介，此一意見未獲採納，而今招致如此「不歡迎」，非咎由自取嗎？

九日下午，是民政部門質詢，由於民政局長柯台山因病未向市議會告假而又未列席備詢，致市議員們情緒激昂，乃休會抗議。

台北市議會民政部份質詢第一組議員陳瑞卿、楊燗明、陳重光十六人共同提出書面質詢中，指出：五十八年是大選年，市議員及中央民意代表選舉，所用經費多少？辦理成果如何？台北市第一屆市議員暨中央民意代表選舉投票率，為何相差懸殊？台北市民政局辦理本屆市議員及中央民意代表，有否公正？

據市議員楊燗明質詢說：台北市第五選區為什麼多印一千張選票？且經市議員落選人許炳南查獲，此事如何處理？柯台山局長答：此事用書面答覆。

該質詢指大同區公所購置幻燈機一台，實值八千元，據報載價兩萬二千元，浮報情形眞相究為如何？大同區區長所用吉普車，依照行政院規定，為公務用車，而該區改作為旅行用車，是否合法？

台北市政府人事處有過問台北市議會人事的意圖，因而陳瑞卿議員等在質詢中抨擊台北市政府人事處長說：台北市議會人員之派免遷調及人事業務之推行權責，向係比照同級政府權責處理，施行迄今，績效良好，台北市議會除代表民意對市府依法執行監督職權外，並無隸屬關係，不料台北市政府人事處竟生監督台北市議會人事的意念，欲剝削台北市議會職權，究何用意？

此次質詢案，係市議員陳瑞卿等自費繕印，打破慣例而不由市議會繕印，故此項質詢內容未提出前，保密工作做得相當成功。觀此可知，本屆市議員行使職權時與過去市議員的作風和做法，迴然不同，這是值得注意的。（完）

喬治桑外傳　一一五

張大萬

「桑博士你好。」司馬德用京片子向喬治桑打招呼，京片子說得很道地。

原來美國人學習華語，國語和京片子分不清，他們喜歡用能說到地京片子的中國人。在語言考試中，他們出過「四十四個死的石頭獅子」，來測驗應考人說京片子的能力。很多話劇演得頂瓜瓜的人都難倒。這種繞口令式的語言測驗，雖然有折騰人的味兒，大家看在美金的份上，也只有滑着舌頭，讓美國人拿鴨子上架。

司馬德是土生土長的北平人，他本來是豐坦洋行洋經理的華語教席，歷經史密斯、歐文、麥康納等，稱得上是三朝元老了。現在他無形中變成了豐坦洋行搞公共關係的人，所有與中國各界人士的交道，都由他出馬。

「司馬先生你好。」喬治桑也以主人姿態對訪客寒暄。

「我們經理讓我來告訴你，史克蘭敦叫我們撥兩千美金給你，你要美金還是要台幣？」

「嗯，好，麻煩你了，我在這兒用錢，給我台幣好了。」喬治桑像上海話所說的：「正在擱血」，缺錢，現在聽說鈔票到了，眉飛色舞，滿面春風。

「要不要喝點什麼？」喬治桑用洋規矩來招待司馬德。

「不用了，謝謝。」司馬德懷中掏出支票，用鋼筆支頤想了一下，開出一張八萬一千五百元的即期支票給喬治桑。這時，雅麗絲倒了一杯茶給司馬德，他又道聲「謝謝」，但並沒有喝，便起身告辭。

「不多坐一會兒？」喬治桑接過了支票，迎風搖了兩下，似乎是想把墨水吹乾。

「我還有事，不坐了。」司馬德在洋行呆久了，也學會美國人慌張張的作風。

喬治桑送走司馬德，轉了一個圈子，很像在跳華爾滋，然後坐進沙發裏。

「你不需要休息了？」雅麗絲關了大門跟他進了客廳。

「羅蔔絲是不是明天生日？」喬治桑答非所問。

「是呀，你怎麼忽然問這套？」

「上次承他借錢給我，明天請妳代我還他，並向他道謝。」喬治桑說完掏出一本支票簿，就在沙發旁邊的茶几上開支票，立即交給雅麗絲。另外又開了一張一萬元的支票給她，說：「這是妳的薪水。」

（未完）

台北傳奇錄（廿二）

陳光棣

「我從不打會。」劉太太淺笑着拒絕。兩位太太又想打聽劉太太的身世，也不得要領，自覺話不投機，便鼓着一肚子氣告了辭。兩個人一走到弄堂便罵了起來。

「什麼東西，還裝正經貨色」。小辣椒狠狠的說。

「嫁個老頭子，還不是黃鼠給鷄拜年」！大洋馬憤慨的說。

「越是這種人越要自抬身價」！

「咱們告訴廣播電台也別來啦，她根本看不起咱們」！

「對！下午去告訴她！就會兒」。小辣椒到了下午，眞的找到廣播電台，話了劉太太許多壞話，還用了很多在這裏不能拿出來的難聽的字眼。

劉二爺的女婿步成材自從在喜筵上見過了馬寡婦，在精神上就變成了馬寡婦的俘虜。馬寡婦的熱勁兒才是他夢寐以求的，不像劉家姑奶奶冷冰冰的，所得到的總是嚴詞的拒絕。

步成材反正一天到晚沒事作，于是躲在家裏為馬寡婦寫了不少新詩，他有一闋最得意是：

「像我這樣一表人材的男士，
竟娶不到馬寡婦那樣的密斯，
到底上帝是怎麼搞的？
氣起來，我眞想找他評評理！」
「馬寡婦全身，
充滿了迷人的氣息，
好像一顆甜蜜的橘子，多汁，
要不想她，可身不由己，
芙勞西颱風再回來吧，
請把她吹進我的懷裏。」

就詩論詩，這叫作寫實派的，雖然不算好，但比一些時下詩人寫的東西，總還畧勝一籌，時下所謂印象派詩人們的作品，講究使人看不懂，比如形容天氣冷吧，寫成「天氣阿拉斯加」，把花寫作「非食用園藝產品」等等，還說他們的詩根本不是為了使人懂的，而是為了使人「感受」的，你想想：假如看不懂還能感受個屁。

時下印象派的畫也是一樣，講究畫什麼不像什麼，硬說是要你看着它像什麼。你也許不明白這是怎麼回事，我舉個例子你就明白了，廿年以來，洋人在交際舞方面，怎麼也變不出花樣來了，而嬉皮們又追求新的玩藝兒，不要緊；把他們最看不起的非洲黑人的東西拿來吧，于是把原始的黑人跳的戰爭舞蹈，祭祀舞蹈都一塌括子搬了過來，還美其名叫什麼「阿哥哥」「靈魂舞」，明明是黔驢技窮，却還要巧立名目，眞怪！

再說步成材大學畢業以後，換過不少工作崗位，呆的最久的機關，也沒有超過一年，原因是他看着什麼人都不順眼，上至主管下至工友，沒有一個人能夠合得來。

介紹「安徽十三傑」連載

·文匯樓主·

柏拉圖說過：「經驗閱歷對吾人之爲害，遠較其對吾人之增益爲多」。又說：「青年人較老年人有創見，富想像。」能夠用行動支持柏拉圖這種論調的，在歷史上要算亞力山大了，他在二十五歲征服波斯以前，於軍事以外之各方面均有高度的創造力，但到廿五歲以後，其創造力反陷於痲痺癱瘓，推其原因因早年靠天才際遇，後來因未讀書，再加以攬無緊主義不切實際。其創造天才趨於萎縮是必然的。

自由報於二月份起在第三版推出一篇連載，題目「安徽十三傑」，這十三個傑出人物，一、政治家管仲，二、哲學家老子，三、思想家莊子，四、謀略家曹操，五、醫學家華陀，六、名學人朱熹，七、廉能官員包丞，八、革命事業家朱元璋，九、民族英雄戚繼光，十、清代名臣李鴻章，十一、再造共和段祺瑞，十二、現代學人胡適，十三、科學家楊振寧等。

這十三個傑出人物出生地，爲亳縣，阜陽，鳳陽，合肥，定遠，蒙城，歙縣，婺源，以大禹會諸侯於「塗山」爲據點計算，（古爲塗山氏國，即鳳陽懷遠交界，明太祖朱元璋崛起於此，城北黃覺寺即龍興寺。（爲太祖微時披剃之所）安徽十三個傑出人物中，有十一個都是生在以塗山爲中心的三百六十華里直徑之內，（即一百八十公里）這一百八十公里內，民風强悍剛勁，歷代豪傑輩出，清代訓練水師，淮勇尤爲上選；南部人民，馴文樸實，自宋以來，文學翕然爲海內所重。淮上人勇敢，祇耳聞目睹者，有些事幾不能使人置信，在國民革命北伐時代，張大帥（宗昌）擁有三個白俄師，其中有一師最新裝備的精銳白俄部隊經過懷遠縣境，整師人馬槍枝被地方老百姓，徒手消滅，表現出「揭竿而起」的革命作戰精神。曾國藩晚境建議清庭，以淮軍代替湘軍非無由也。

寫「安徽十三傑」的執筆人，計有政論家雷嘯岑、李漁叔、老子哲學權威，前華盛頓大學、夏威夷大學哲學教授張起鈞、國立政治大學哲學研究所教授黃公偉、國立清華歷史系教授陳光棣，青年哲學家吳怡、青年政論家王邦雄、八歲能文的安徽神童劉玄（現諸葛亮狂想曲作者）及醫藥理論家馬騰雲等，樓主因近水樓台的關係已拜讀了幾篇，眞是句句金玉，字字珠璣，使人愛不釋手，百讀不厭，可稱得上爲傳世不朽之作。

老油條魯迅曾對哲學的解釋謂：「哲學焉者，是自己不知道的東西，使別人也聽不懂，這就叫作哲學。」這些該打屁股的話，早被哲學家們都推翻了。事實上今日社會一切的進化，包括登陸月球，無一不來自哲學，祇可惜已往文字嚴肅，未上段的讀書人對哲學實難以理解，「安徽十三傑」有關哲學部門，力求輕鬆通俗，做到人人易懂，個個能讀爲原則，其他各篇更不在話下了。

樓主在開頭就引證柏拉圖的話，且舉出亞力山大爲例，說明一個人的成功即是一點一滴而來，功業學問都得盡其精力，貫徹始終，始能有成，曾國藩對此情得最多最深。周書記載，周公向成王述六件事：「富貴者觀其禮施，貧窮者觀其有德，嬖寵者觀其不驕奢，隱約者觀其不懾懼，其少者觀其恭敬好學而能悌，其壯者觀其潔廉務行而勝其私，其老者觀其意慮，強其所不足而不踰。父子之間，觀其孝慈；兄弟之間，觀其和友；君臣之間，觀其忠惠；鄉黨之間，觀其信誠。」「安徽十三傑」作者們寫安徽十三個傑出人物，對周公所述各點，幾包羅無遺。安徽十三傑是一部處世做人的藍圖，也是治學和研究，歷史的方向盤，殆無疑問。特別向本報廣大讀者鄭重介紹。

哲學與宗教

·林夏·

今日世界爲什麼原子炸彈消滅不了戰爭的陰影？很明顯的，戰爭不是武力戰而是思想戰，乾脆地說是純粹的哲學戰。

談到哲學，許多人認爲這是深奧難懂的學問，因此一般人覺得痛而未敢問津。其實，不討論學術思想問題則已，一討論，就不能不牽涉到哲學。而且不僅止學術思想方面，即就實際行動，若想實現偉大事業，至少不能沒有確定的思想與人生觀，而這些都是屬於哲學的範疇。

哲學到底是什麼？據羅素的看法：「有些問題在當代的世界中並不屬於任何科學的範圍，只是對普通知識所生的懷疑，只欲求解答此懷疑，只能用一種專門的研究，這種研究即稱爲哲學。」普通說：是什麼？即爲哲學的本體論。我們應該如何？即爲哲學上的人生論。哲學所求的知識，是眞的知識，即爲一般知識的知識，最根本的根本原理，哲學是有科學綜合觀察，同時且要追求到底而注意「全體」、「意識」等問題。哲學不僅爲求宇宙問題，根據科學找根據，主要是爲人生找合理的基礎，是以理智的努力，根據人類對宇宙人生的態度，而組織一完善自圓的宇宙觀，期以爲人類的理想標的。至於研究的方法，最普遍的是以形式及辯證邏輯，前者是以演繹的方法從已知的事實和原理形式地引導出來的事實和眞理的方法；後者是以正反合的推演過程以找出其矛盾對精神之所在。至於中西哲學的差別問題，我認爲西洋哲學始終不脫離二元論的範圍，而中國則一貫的不離一元論的領域。不同而有：觀念論、感覺論、絕對論、相對論、唯心論、唯物論、實證論、實驗論、先驗論、懷疑論、實在論、進化論、實用論等學派名稱之不同，因此先後產生新實在論、新實驗論的派別亦多至汗牛充棟。雖然，而全面地認識世界，卻是無可移越的統一觀點。

宗教的教義和哲學一樣是屬於形而上學，也常常談到世界整體的問題，如說世界的根源是由神創造等是。同時宗教的世界觀是以精神作用爲中心思想，這又是哲學頗相類似之處。不過是與上述的觀念論、感覺論、唯心論等較相近似，而在表面上相似聖凡殊途之二元論，在骨子裏是講究超凡入聖一元論。如佛說：「衆生皆是菩薩，即菩薩不悟，即是衆生。」所以六祖慧能說：「何期自性本自淸淨，何期自性本不生滅，何期自性本自具足，何期自性本無動搖，何期自性能生萬法。」爲着學佛的人，即在明心見性，「人之心秉天地之所以生，其始先靈性所以爲性；遞後因慾則皆爲性，性乃雜於情矣感染。」三字經劈頭所稱：「人之初，性本善，性相近，習相遠。」一語道破。在道家所尚的「歸眞返璞」，「復歸於嬰兒」和佛家的「明心見性」同其趣旨。孟子則說：「盡其心者知其性矣。」釋氏則言：「三界唯心，以眞如爲性；主張無無明。以爲一念妄動，足以隱蔽本覺之妙明，於眞如妙性，無所明了，則萬惡以起，邪念頓生，心乃昧於慾而爲非理之心；盡心知性，性乃合於理，心合於理則近乎天命，近於天命，則近乎性也。此即孔子之「性相近」的正解；同爲明心見性的哲理。釋氏之見解，以爲一切存在之根本，無非心之根本性，一切現象之起伏，無非意欲之作用，所謂涅槃印意欲消滅之狀態，於主觀而言，則爲超越差別現象之無爲世界，有爲是一切生成之根本實在，無爲是超越生死解脫之絕境，即爲天人合一的境界，同爲哲學夢寐以求的絕對。老子說：「人法地，地法天，天法道，道法自然。」基於上述之所探討，足見哲學與宗教同爲研究的大道。如是我言。乞證於高明。

翻印舊書的態度（上）

——從「現代中國文學史」與「中國文學研究」說起

思兼

最近一年來，台北明倫出版社翻印了不少以前大陸上出版的舊書。例如鄭振鐸的「插圖本中國文學史」、陸侃如的「中國詩史」、周樹人的「中國小說史畧」、以及最近新印的古史辨、談藝錄、中國文學史、現代中國文學論叢。在中文系師生和愛好中國文學的朋友們來說，這眞是一大福音。因爲許多大家久聞其名而不易讀到的重要參考書，如今只要花少量金錢，就可以購置案頭，欣然賞之，實在痛快。可是，出版者的搜羅重印，固然予人很大方便，翻印舊書的態度失當和作風欠佳，卻難以令人苟同。因此，我們要以讀書人的立場，提出一點意見。下面且從「現代中國文學史」（錢基博著）和「中國文學研究」（鄭振鐸編）兩本書談起。

一、現代中國文學史

一部學術著作的完成，以逐漸醞釀者居多，精心者往往數易其稿。即使印成鉛字，正式出版，還是很難令人十分滿意。因此，在著作出版一段時期以後，經過學術界的批評，討論和作者自己的考驗，往往能匯集衆長，增加損益，而刊行更趨完善的增訂本。據我所知：錢基博著「現代中國文學史」，就有兩種本子。

（甲）民國廿一年印行的原刊本。（五十八年十二月，台北明倫出版社據此影印）

（乙）民國廿五年印行的增訂本。（五十四年香港龍門書店據此影印）

錢基博，字子泉，又字啞泉，別號潛廬，江蘇無錫人。生於民國紀元前廿五年，與孟子同生日。所著「現代中國文學史長編」於民國廿一年出版，轟動一時，享譽甚隆。胡先驌、郭斌佳有專文評介，劉麟生有校勘記。到了民國廿五年，三版售罄，又重爲增訂出版，所以有兩種不同的本子，筆者於年前曾以港幣三十元購得龍門書店影印的增訂本，現在又見到明倫出版社影印的原刊本。兩下一比較，內容出入非常大。作者在四版增訂識語中說：

「有舊有其人而傳改作者：如散文之馬其昶、姚永概、永樸、林紓……白話文之胡適是也。有舊無其人而今增入者：如魏晉文王闓運之增廖平、吳虞、駢文孫德謙後之增黃孝紓：以及詞朱祖謀之增附龍沐勛，曲吳梅之增附盧前是也。其他諸人，雖仍舊貫，各有增訂；以視原書，材料增十之四，改竄及十之五；要删於詳畧互見，脈絡貫通，神明不滅，而翔實過之！」

他又指出增訂本鄭重申敘，而爲原書未及者三事：

「第一，疑古非聖，五十年來，學風之變，其機發自湘之王闓運。由湘而蜀，由蜀而粵，而皖，以匯合於蜀。其所由來者漸變，非一朝一夕之故也。

「第二，桐城古文，久王而厭，自清末以逮民國初元，惟姚永概永樸兄弟，恪守邑先正之法，載其淸靜，而能止節淫濫耳。

（未完）

晴雯（下）

紅樓人物

·蕭綬錦·

晴雯實在是紅樓裏面的最出色的人物，假使溫柔和順，在人面前討好，博得上下人歡心，或許比襲人還好，襲人縱然有心打虎，可是她不能委曲求全，還要依恃寶玉的寵愛，任性要强。王善保家的說：「頭一個是寶玉屋裏的晴雯，那個丫頭，仗着她的模樣兒比別人標緻，又長得一張巧咀，天天打扮的像個西施樣子，在人跟前能說慣道，抓尖要强，一句話不投機，她就立起兩隻眼睛來罵人。」

晴雯確實有此形態，不過心地純潔的，並沒有勾引寶玉的手段行徑，亦不會用手段使暗箭傷人。抄檢大觀園，查到她的箱子，她豁琅一聲，將箱子掀開，把所有的物件倒出，她不管在有權威的二奶奶面前，亦不顧忌邢夫人的陪房，指着王善保的大罵，自己是老太太打發來的人，面子更大，暫時借來壓倒別人。這一幕的表演，是她個性發展的最後一次。她因感冒病倒床上，王夫人怕她勾引壞了寶玉，在賈母面前，故意說她患了女兒癆，非攆出去不可。眼看着打炕上拉下來，蓬頭垢面的，由兩個女人攙架而去，回到污穢黑暗的姑舅表哥家裏，遇到不安份的表嫂，要茶無茶，獨睡炕上，凄涼萬分。幸而寶玉不忘舊情，偷家探看，才得最後表白的機會，對得千萬讀者，證明她是潔白之身，死後作了芙蓉神，雖是小丫頭的揑造，亦是作者對於純潔的晴雯姑娘，一種善意的報施。古往今來的社會，成功的都屬於善用手段和有機智陰險的人，具有善良心地和任性淡泊的人，都是失敗者。不過引人同情，博得讚許的，多屬後者一種。晴雯後悔往担虛名，其實沒有早打正經主意。寶玉因爲是杜担虛名，爲她的一死，纔眞正傷心，好一篇哀痛悱惻的誄文，晴雯可以含笑地下了。寶玉的精神情感上，除了黛玉之外，晴雯佔了第二位，打正經主意的花襲人，到頭來，又有什麼所得呢？

（完）

諸葛亮狂想曲（七四）

·劉玄·

鶴童捧來了用古磁蓋碗盛的人參茶，諸葛亮揭開蓋碗，乳白色的液體很像台灣的芭樂藥汁，啜了一口，甘潤異常，確有沁脾潤喉之效。

「味道如何？」星君笑着問諸葛亮。

「亮乃俗子凡胎，今得沾仙家雨露，感銘肺腑。」諸葛亮這兩句話，謙抑得有點俗氣，但星君聽了卻很高興。

諸葛亮啜了第二口人參茶，問星君道：「不知星君召見，有何差遣？」

「不敢，不敢，爾我爲知己朋友，何用差遣二字，我有點事要和你商量一下。」星君順手摸了摸白鬍子。他紅潤的面色，像熟透的蘋果。假使他穿上黑膠靴，背了大口袋，與聖誕老公公是十分類似的。所不同者，聖誕老公公向孩子們送禮物，他是一門心事鍊丹。

「請指教。」諸葛亮似乎受了星君的感染，也摸了一下灰白色的鬍子。

「日前玉帝召見我，他的意思想成立『宇宙發展委員會』，要我推薦一人專司其事。玉帝原來想請如來佛出任，後來知道如來的境界是四大皆空，最怕麻煩，所以我想推薦你。」星君想提拔諸葛亮在天庭做官，殊出諸葛亮意外。

「亮賦閒已久，況天庭非凡人間，天官職責重大，亮恐無法勝任也。」諸葛亮先謙辭一番。

「你一定可以勝任，宇宙發展委員會是一個學術研究機構，你深通天文，必然能做得好。」星君對諸葛亮倒很有信心。

「宇宙發展委員會的工作，究竟是什麼性質？」諸葛亮雖然通曉天文地理，但對於天庭這種新名堂還搞不清楚。

「日月星辰、風火雷電都屬於天庭控制，不容人類插手。現在聽說他們發射人造衛星，以僞亂眞其情可惱。美國太空人登月成功，踏入嫦娥禁地，震動天庭。玉帝又擊於人類所造原子彈，其威力尤大爲超過雷霆萬鈞之力。過去人類世界，大家不敢公開作惡，主要是怕遭天譴，五雷轟頂，如今什麼也不怕，竟想與天庭一較高低。玉帝爲確保天庭至高無上尊嚴，特諭知天官，尅日成立宇宙發展委員會，以有效防止人類侵擾。」太白星君元氣充足，說話金聲玉振，仙音果不同凡響。

諸葛亮尋思：他本人對於兵書戰策是有研究的。過去因看見月亮發暈，蜻蜓亂飛，才知道必然會起風，這是一般老農的經驗，那裏有借東風之事？現在星君竟推薦他出任宇宙發展委員會主任委員，他怎樣能担當得起？不錯他一向具有鞠躬盡瘁死而後已的精神，但已經位於仙佛之間豈可再心爲形役乎。

太白星君見諸葛亮沉吟不語，問道：「你是不是有什麼困難？」

「星君厚愛，亮十分感激，只是此一職位，責任重大，亮恐無法承當也。」諸葛亮對星君說話，態度恭謹異常。

巨變歷險記

應盧漢電請

（九七）　胡慶蓉

今　總統蔣公在成都的時間，丁博士忽又接到雲南省政府主席盧漢的電請，前往昆明。這還是中國國民黨中央黨部宣傳部部長任卓宣先生推薦的。

大家都知道盧漢有一度不穩，但後來又變同來了，對於國民政府繼續擁護。他原請任部長在昆明講演，任部長以有要公在身，不能久留，又以盧漢有辦幹部訓練班之意，特推薦丁以自代。

很謝謝盧漢匯給來兩百塊袁大頭，這兩百塊大洋。在當時——民國卅八年十月左右，特別在幣制紊亂的時候，兩百塊大頭是一個了不起的數目。他給的幣忙太大了。五十塊一包，五十塊一包，兩百就是四包，由銀行送到少城黃瓦街。丁博士的精神為之一振。他在台灣講演，有政府人員奉陪，到那里，那里就是招待，吃非常之好的，住也住的很好，但活動的錢沒有，也不好意思開口。現在有這兩百塊大頭，手頭上活動了，添製點什麼也容易了。

離成都以前，外西臥牛巷靜園他也住了幾天。這是在抗戰初期由桂林退出來退到成都就住過的。這院子裏有非常美麗的梅花，也有非常美麗的竹子。在這里他看見他的大兒子國軍二兒子國航長大。成都他很喜愛，成都應該說是天府，成都盤地，生產豐富，氣候也很適中。成都是四川的省會，成都也是大西南的首善之區，西康省主席常住在這里，與西藏的交往也從這里開始。西藏事務處主任孔慶宗先生也住在成都。四川巨頭之一——田頌堯也住在這里。成都有小北平之稱，說來真是不錯。成都亦稱錦城，他的錦綾被面也是著名的。

成都無限好，只是近「黃昏」，好像巨浪滔天，成都眼看就有被淹沒之勢。他自思守土無責，但對於守土有責的人，無不勸其緊守死守，無奈大勢已去，人心惶惶，當時的成都，已到了守無可守的地步。

搭機飛赴昆明，同他來成都一樣，還是乘坐中華民國國民政府空軍的飛機。在台灣他要感謝周至柔總司令處長葉滄凡科長陸咸秘書，現在去昆明，還是要感謝他們，對於當時成都空軍的負責人徐煥昇將軍也永遠不能忘記。去昆明的飛機是在早上起飛的。好像時間不太長，在上午十點多鐘就到了昆明。

（未完）

紙上談兵

周燕謀

六、銳卒勿攻（上）

「銳卒勿攻」語出「孫子兵法」卷七「軍事」篇。李筌說「避驕氣也」。杜牧說是「避實也」。陳皡說前二者是「避敵所長，非「銳卒勿攻」之旨。蓋言士卒精銳，且勿攻之，待其懈惰，然後擊之。所謂千里遠鬥，其鋒莫當，因近之耳。」

歷史上的實例，如蜀先主劉備之伐東吳，為關羽復仇。劉備盡出全國精銳十萬人東下。孫權遣使請和，劉備盛怒不許。孫權乃拜陸遜為大將，拒蜀軍於夷陵界。蜀軍立營數十屯，但宿將趙雲、魏延等均未隨軍。劉備以金帛爵賞，誘動諸蠻，諸蠻響應，聲勢正盛。又遣吳班在平地立營，向吳軍挑戰。東吳諸將請戰。陸遜道：「劉備舉軍東至，銳氣始盛，且乘高守險，難以卒攻，攻之縱下，猶難盡克，若有不利，損我必大，今但有獎勵士衆，廣施方畧，以觀其變」。劉備知其計不可行，乃引伏兵八千人從谷中出。陸遜道：「所以不聽諸將擊吳班者，揣知必有巧故也。」諸將並道：「攻劉備當在初，今乃令入五六百里，相銜持經七八月，其諸要害，賊已固守，擊之必無利矣。」陸遜道：「劉備乃是猾虜，其事始集，思慮精專，未可攻也。今已住久，不得我便，兵疲意阻，計不復生，犄角此寇，正在今日。」於是陸遜乃先攻一營，蜀軍小勝。陸遜道：「某巳有破敵之計了」。乃令士兵各執一把茅草，引火攻之，火燒蜀軍數十營。劉備大敗，奔於白帝城。

魏末吳將諸葛恪圍城，司馬昭使毋邱儉、文欽二將拒之，司馬昭按兵不動，毋邱儉、文欽二將請戰。司馬昭道：「諸葛恪帶甲深入，投兵於死地，其鋒未可當，且新城小而固，攻之不可拔。」遂令諸將高壘以固守之。相持數日，諸葛恪攻城力屈，死傷大半，司馬昭乃令文欽引銳卒合趨合榆，斷其歸路，諸葛恪懼而遁去。此乃「銳卒勿攻」之例。（未完）

生活漫談

腰痛因素與組織治療法

烏騰雲

腰痛的因素，不外下列數端：一、房事過度，二、負重受了損傷，三、酒食不節，四、臥室陰潮，五、受了跌挫。

凡腰部綿綿作痛，除風濕外都是腎虛現象。台灣人喜歡用烏荳（就是黑荳）浸酒，以取其補，是很有道理的。黑荳形狀像腎，取其益腎，謂胡桃仁像人腦，必定可以補腦，後經醫化驗，胡桃仁果含有磷酸鈣，鎂，錳，灰份，糖類及蛋白質維生素等。確有補腦之功，且為強壯藥及梅毒之淨血劑，正合乎所謂組織療法。因之腰痛的人，可多吃羊腰，牛腰，豬腰，雞腰，鴨腰，效力甚著。受了跌挫的話，兼飲木瓜虎骨酒。

戒房事與補同功，因每個人的身體都有自然抵抗力，比如我們身上有了傷口，不久以後傷口附近的血管就擴張，白血球大量開到傷口附近，吞滅從傷口侵入的細菌，及因傷而死了的皮膚肌肉趕快復原。腰子（就是腎）亦是一樣，比如我們兩個腰子一個生了病，乃至於壞了，非割掉一個不可，很奇怪的另一個腰子就會長大一倍，担負起任務。心的活瓣如果損壞一點，心亦會長大，使鼓動血液的工作不會受到損失。

不過這種養精蓄銳，企圖復原的效力，年青人最快，中年人亦還快，祗是老年人比較慢一點，最好是加强培補，中年人培補，可收事半功倍之功，青年人培補，如植物施肥，功效立見。這種腰痛的培補，恕筆者不是醫生，不便妄開藥方，基於組織療法原理，食腰補腰最好，但每天吃腰子恐非一般經濟力量所能負担，另一個補腎劑，可作點心服用，其功效亦如神，黃牛骨髓一斤，（水牛骨髓力量小弱）黑芝麻一斤，麵粉一斤，紅荳一斤，炒黃發出香氣後，研成粉末，再將牛骨髓熬化去渣，同粉末攪和，早晚用滾水如冲藕粉樣冲服，甜度聽便，最好白蜂蜜或葡萄糖，白糖均可。牛骨髓取其添補精髓，骨，蜂蜜芝麻，取其補中潤腸，益腎生津，悅顏養氣，清導利便，紅荳其形如腎，取其益腎鎮心，滋補少陰並能安神，如果腰痛得很烈，可另熬一點牛骨髓油，置瓷器中，每天數次用棉花，（須消毒）塗牛骨髓油烊化揉患處，同時多食胡桃仁，油炸，椒鹽，糖製皆可，胡桃仁可補氣養血，益志潤燥，益命門，利三焦，故能使腰痛很快痊癒。

照常理，我們的身體各種機構，受到病毒侵擾以後，把它制住，在一定的時間內，不怕這類病毒的侵害，比如出過天花痲疹的人，很多年以內，不會生第二回，也有些病毒引起的病，接着還可以再傳染，不過病勢一般的說，是越來越輕，我們種牛痘，打防疫針，就是把半死不活的細菌，注射入人身體，使我們的身體對毒素有抵抗力，在一定的時間內，就不會傳染那種病，但腰痛的因素與別的病畧有出入，因腎虧損虛，乃係透支精力及人為所致，不可能因虧了以後，或痛了以後，就不再虧和不再痛了，相反的由房事過多，而導致的腰痛，第二次比第一次較難治，日本人有句格言：「好色的人，如燈蛾之撲燈，焚身乃止。」患有腰痛的朋友，食動物腰與服牛骨髓製劑，確有奇效，但萬不可憑藉渭濡補力，大開闢門，聽任泛濫那就糟了。

生活漫談首集業已出版（係自由報獨家連載）每本特價新台幣拾伍元，生活漫談合集（台北各大報歷年連載）業已出版，三百餘頁每本新台幣貳拾元，台北郵政劃撥五〇五六張萬有（自由報會計室）面購台北衡陽路三十號後進，郵票通用請直寄台北忠孝路三段廿一巷二弄二號自由報台灣業務拓展中心，注意生活漫談首集與合集，香港價目每本港幣二元五角，東南亞國家每本美金一元，歐美國家每本美金一元五角（寄費在內）

搜異錄

長鬚國

周遊

看過李汝珍的「鏡花緣」的，莫不佩服構想奇妙。把幻想中「女兒國」、「黑齒國」、「聶耳國」、「無腸國」、「元股深目國」、「君子國」、「毛民國」、「毗騫國」等等……。許多國家，不同的社會風俗習慣。在他的「女兒國中」，女子作男子工作，男人搽脂抹粉，女權高於一切。一切構想莫不令人叫絕，的確為中國女子大打抱不平，為女吐了一口怨氣，女士們不可不讀。

在舊的筆記小說中，我發現有「長鬚國」的記載，為唐人段式的「諸臯記」，其中有兩篇如李汝珍的幻想。一是「長鬚國」，一是「乾國」。因入「搜異錄」中，用博一粲。

唐大定中年，有士人隨新羅使者行，被風吹到一個不知名的國度，人人生長鬚，語言與唐人相通，打聽之下，乃知名為「長鬚國」，人物茂盛，建築，衣冠稍異中國。其地名叫扶桑洲，猶若唐之一州。其官品有正長戢波日沒島羅等號。某士人遊歷不少地方，長鬚國民皆敬重之。

忽然有一天有車馬數十來接，聲稱大王召客。接某士人而去。行了兩日，至一大城，城門有甲士守衛。使者引士人入謁，見王宮殿宇高敞，儀衛如帝王。士人見王拜伏，王封士人為「司風長兼駙馬」。國王下嫁公主與他。

長鬚國王丰姿甚美，有鬚數十根。士人由是暴富煊赫，富有珠玉。但每上朝歸家，見其妻則不悅。國王每月十五日月滿之夜，則大會羣臣歡宴。士人見姬嬪皆有長鬚，心甚奇異，乃賦詩一首云：「花無蕊不妍，女無鬚亦醜。」國王聽了道：「駙馬尚未忘情於小女頤頷間？」

某士人在長鬚國過了十餘年，生有一子二女。忽一日，長鬚國君臣上下憂苦不堪，士人怪而詢問國王。國王答道：「吾國有有難，禍在旦夕，非駙馬不能救。」士人驚道：「若能免難，雖犧牲性命，我不辭也」。王於是命準備船隻。又對士人說：「你去見海龍王，但說東海第三第七島「長鬚國」有難求救，因我國絕無，必須再三呼叫」。國王言罷，與駙馬灑淚而別。

士人登舟，瞬息至岸，岸沙皆為七寶，人人衣冠長大。士人上前求謁龍王。使者引導，只見龍宮如佛寺所畫之天宮一般，光明迭激，目不能視。龍王見士人入來，下階降迎，與士人升階登殿。龍王詢其來意，士人具一一言之。龍王速命夜叉探視回報。不一會，夜叉回報「並無此國」。士人再哀求道：「長鬚國在東海第三第七島」。龍王再命復探，一面設午宴款待士人。一面，探者回報道：「該島之蝦合供大王本月食料，前日已追到」。龍王笑道：「你乃爲蝦所魅了。我雖爲王，所食皆稟天符，不得妄食，今爲客減食」。乃令引客觀看。見鑊鑊數十如屋，滿鑊中是蝦，有五六頭紅色，其大如臂，見士人即跳躍，似求救之狀。陪觀者指巨蝦說道：「此頭乃是蝦王」。士人不覺悲泣。龍王乃命釋放蝦王一鑊，令二使者送士人歸中國。一夕到了登州，回顧二使者，乃是兩條巨龍。蝦無論雌雄，皆有長鬚，世人之衣食，皆有天定。這故事亦爲寓言，絕無其事可知。

自由報

中華民國內政部內版臺誌字第〇三一號
中華民國僑務委員會登記證台數新字第三二三號
中國郵政台字第一二八二號執照登記爲第一類新聞紙

（第一〇三四期）

（半週刊每星期三、六出版）
元式幣台新價售零灣台・角壹幣港份每
督印兼行董：李鵬運長社
社址：香港九龍彌敦道593—601號
五座八樓大廈行銀興創業
LIU CHONG HING BUILDING
7th FLOOR FLAT '5
593—601 NATHAN ROAD,
KOWLOON, H.K.
TEL：K303831
電報掛號：7191
承印：景星印刷公司
地址：嘉咸街廿九號地下
台灣連絡中心：台北青田街五巷三號
電話：三七五〇二二
台灣區直接訂戶　台郵劃撥戶
第六〇五六號張萬有（自由報會計室）
台北營業處：台北衡陽街三十號
電話：二七二〇〇
台灣分社：台北市西寧南路110號二樓
電話：三三〇三四六，台北郵政劃撥戶二九二五二號

「修正中學教師登記檢定辦法」的檢討

——文憑主義作祟（上）

・陳天式・

教育部曾有「修正中學教師登記檢定辦法」的頒布，經過年餘的施行使我們不得檢討一下，這辦法結果眞是新的和更切實際的嗎？

第一項我們要分析的是「修正中學教師登記檢定辦法」。此項辦法之公佈，據去（五十八）年元月卅一日中央社的台北電訊，謂同月開始施行。中央社給這項辦法的按是：「對於高中、高職、國中、初中、初職及師校普通科教師等的登記與檢定，有許多新的，更切實際的規定。」這彷彿是遵行領袖對於『革新教育』求新求行的指示了。信能如此，當是一件非常令人稱道的事。

可是，修正的「中學教師登記檢定辦法」一開始在本質上便是不「切實際的」，引起社會上相當不良反應的，據中國時報去年三月三日所引幼獅社電訊：「苦學成名的學者王雲五表示，就他個人的立場，他不同意中學及小學教師檢定辦法的部份內容，因爲該兩辦法對檢定考試的報名資格限制太嚴。」蓋據「教育界有關人士稱，依照最近修正公佈的中小學教師登記及檢定辦法規定，王雲五既不能登記爲中小學教師，也沒有資格報名參加檢定考試。」（此時王雲五先生尚未獲得韓國致贈之榮譽博士學位）而「教育部官員則堅稱，大學教授不一定有資格教中小學生。」學校是「傳道、授業、解惑」的學術場所，就之執行「傳道、授業、解惑」的學者，依理必應以學者爲最適當人選，其餘的便不該濫竽充數了。學者而苦學成名如王雲五，其學力之深厚，自然不在話下，所以他担任了國內很有名的大學教授，而且還教的是博士和碩士班，能夠教任何學校是絕對沒有問題的，但檢定辦法却限制了他，而其所限制的，如教育部官員的高見，並不是學力而只是資格，足見檢定辦法的目標是以資格爲指歸而放棄學力的，這使當前的中小學教育只剩下資格，而沒有學力，只剩下形式，而沒有實際，辦得眞是一塌糟！這就未免太不「切實際」了！而且只剩下資格和形式。沒有學力和實際，和距今三十七以前英人陶納對中國教育所批評的「人人都畢業，却是沒有一人受過教育」的情形便完全相同了，所以這種檢定辦法所支持出來的教育，就仍然是舊的而不是新的；是違反領袖「求新」與「求行」的指示的。何況檢定考試規定報名資格，和國家依據憲法所實施的檢定攷試之只要求學力並不要求資格的平等精神也是不相吻合的，是違憲的！但教育部官員制定檢定辦法之時，却忽視了它。這眞是一件令人匪夷所思的事。

同時，根據五十八年三月十六日台北版聯合報社論：「去（五十七）年開始實施九年國民教育之初，主管方面的估計，新辦國民中學的三年教育，從五十七學年度起，到五十九學年度止，每學年必須增加教師六千人，三個學年，共需增加一萬八千人。」而「台灣省教育廳長潘振球曾表示，五十八學年度開始時，全省國民中學需新增教師五千五百多人，除預計可從師大應屆畢業生和原來初中、初職減班超額兩方面，約有兩千人可應聘任教外，所差三千人，將委託行政院青年輔導委員會辦理儲備登記，以資彌補。」加上「第一個學年，所需五千多國中教師例，固然如數聘得了，但經過已經相當緊張，如有一度，我曾經考慮過强迫徵召二千名去年應屆退伍和畢業的大專學生以應急的辦法。」可見目前中學教員是非常缺乏的。但這還不包括國民小學和高級中學，職業學校和師範學校所需要的教員數字，如果把如此需要數字合併計算，中小學教師荒的情形便要達到可怕的程度了！如何以求行的決心來解決，這應該是教育部的絕對當務之急，比如徵用有學力而無資格的人才以應各級學校教師荒的要求，便是一個很明確而有效的辦法，但教育部官員却不此之圖，而只在形式主義」的落伍趨勢之下，更使之「形式主義化」，只顧表面，不要內容，勞神費力的結果，只是搞了一個「檢定辦法」的花招出來，彷彿目前中國的成年國民都是大學教育科系畢業，每一個人都有了碩士學位的樣子，其不「切實際」，的確是到了令人莫測高深的程度，值得注意！（未完）

昨日與明日

作官的人兒

何如

這兒所說的官，是指一般吃政治飯的文職大小官員，而軍官不預焉。蓋秉鉞擐甲的將帥職位，並不是每個人皆可以營謀爭取，濫竽充數的。

人類有集團生活，即有政府組織，有了政府，自需要設官分職以管理衆人之事，這便是政治。吃治飯的官員，表面上是要具備一定的資歷，也有任免黜陟的法制，事實上祗要有所謂「人事關係」，阿貓阿狗皆可以青紫，留身廟堂。所以，就社會上的職業分類而言，最冗濫的就是行政官員。在封建農業經濟社會中，一般勞心而不能勞力的智識份子，謀生的途徑甚窄，相率向着政治界求出路，且由於官尊民卑的習俗誘惑，視作官爲揚名顯親的榮譽所在，趨之若鶩。降及工商企業發展民智大開的現代民主社會，作官的本質雖然原封未變，但官尊民卑的封建意識，縱然尚未滌蕩盡淨，亦復所餘無幾，舊有那「揚名顯親」的虛榮觀念已不存在了。因此，行政官員雖然人人可爲，有些人却不可爲，或勉强而爲之，結果必然一無是處，甚至弄得身敗名裂，貽譏後世。

得愛惜羽毛

我認爲凡是讀書有得，愛惜羽毛的人，即決不宜於作官。爲甚末？因爲在官場中要想蜚黃騰達，必須具有昧良寡恥，無所不爲的厚黑心情，而其技術應當不擇手段纔行。筆者目睹若干落後國家及殖民地有些官員，當然是少數人像娼妓一樣逢人陪笑臉，獻媚態，委屈自卑以討取狎客的歡心，庶可望蜚聲花國，名利雙收，現代歌曲「烟花自嘆」有云：「爲只爲逢人笑，暗地抹淚痕」，不過非如此，縱使涉足政界，亦祗有沉淪下位，委頓末秩的份兒。明儒袁中郎指官吏生活爲「事上官如奴，候過客如妓，諭人民如開山老祖」，這話是對封建社會官員的寫實語，若夫民主時代的官員，不特沒有「諭人民如開山老祖」的權力，相反地應該事人民如太上老君，名義上叫作「公僕」實際連傭僕都不如，君不見民意代表的議會中，每每把一般達官顯宦看成罪犯，隨便指斥謾罵的情況乎？

是非與賞罰

凡屬讀書有得的士大夫，都講究做人的道理，遇事有所不爲，動則說甚末「先天下之憂而憂，後天下之樂而樂」的話，又要明是非，嚴賞罰，綜核名實，虛僞不齒。這樣的思想與言行，完全跟官場生活背道而馳，怎麼可以呢？做官做到宰相地位，算是了不起了，但古今來身爲宰輔，而又具有政治抱負，堪稱爲政治家的，林林總總，不勝縷述，究有幾個得到好下場的呢？王安石[illegible]台之後，能以「知江寧府事」善終，可謂幸運之至，如張居正死後還膺受抄家滅門之禍。他二人卽係讀書有得之士，以誤吃政治飯而落得身敗名裂的下場，其他更無論矣。

時代進化到了原子世紀，謀生之道很多，何必作官，然後吃飯呢！因此之故，我對於那些三日無官則皇皇如也的朋友，總覺得可憐而可哂也。

自由談

思想與鬥爭

馬五先生

國土有大小之別，國力有强弱之分，但生存鬥爭必不可免。

鬥爭的成敗得失以思想爲基準，先要有健全的思想，纔能够產生正確的原則，而訂定有效的策略。所以 國父曾說「有思想就有力量」，實爲不刊之論。

談到鬥爭的原則，以大對小，是實力爲主，以弱敵强是人才第一，這是定律。美國在二次大戰後，實力甲於全球，穩握世界霸權，要維護世界和平，唯有憑實力以從事，站在[illegible]，興滅繼絕，而其[illegible]的主義的立國精神亦可以發揚光大。然而美國智不及此，偏偏好用其所短，具有舉世望塵莫及的原子彈優勢力量而不知利用，韓戰之役，竟不惜接受俄共酋史大林的和談誘惑，簽訂屈辱的板門店和約，丟架失格，甘蒙紙老虎之譏，猶自以爲得計，而越南戰爭事卽隨之發生了。這便是原則失去了正確性，也就[illegible]結果。職是之故，戰後二十年間，美國名實相符，允屬强大國家，到頭來乃構成了既不能强，又不弱的尷尬境遇，不得不以苦餓乞憐的心情，向中、越共要求「和平共存」，可哂孰甚哉！

若夫以弱敵强，卽以劣勢對抗優勢的話，那就專靠人才了。國家與國家之間是[illegible]治集團與敵對的政治勢力[illegible]。劉邦與項羽爭天下，勝負未定之秋，項王奄優勢力量，沛公卽以「鬥智不鬥力」的原則，網羅四方智勇辯力之士，相助爲理，而且因才器使，推心置腹，既沒有親疏厚薄之分，也沒有派系小圈子觀念，豁達大度，天下爲公，終能轉弱爲强，摧毀敵對勢力，統一寰宇。歷史上的同樣事實很多，不勝縷述。處劣勢的鬥爭環境中，若不能廣收天下人才共濟時艱，是無異爲淵驅魚，爲叢驅雀，製造敵對勢力，寧有倖理乎？史大林對韓戰提倡和談，卽知道當時中、韓共以劣勢對抗美國的優勢，非玲不可，連蘇俄也害怕美國優越的原子實力，所以改取「鬥智」的策略，鬥智就完全是人才問題，與原子彈、氫彈不相干啊！

俗言「拿着金飯碗討飯吃」，美國今日的情形，正類乎此，毛病就在思想不健全，將來還要吃盡苦頭的！謀國者幸愼思而明辨之，知所取鑑，庶幾有豸！

輿論精華

美國撤兵與亞洲軍盟

泰國外長乃他納說，亞洲國家必須照顧它們自己的利益，並且會十分留意，一旦美國撤出亞洲時那一個國家將會填補眞空。乃他納相信：「假使有意填補眞空的國家對亞洲採取敵對態度，亞洲國家可能發覺蘇聯較爲符合它們的利益。」

泰國外長的話，可能反映了泰國政府的一個意見，卽對於蘇聯較早提議的建立亞洲安全同盟，泰國正採取積極的看法。乃他納並說：「泰國之要求美軍自泰國撤出，因爲有一些政客和報紙對美國駐軍有所誤解。」

從泰國的態度看來，人們可以得到一個非常重要的認識，這就是如在亞洲現狀下進行反毛的軍事合作，蘇聯可能比美國來得更有利。

美國在對中共問題上所長期玩弄的兩面手法，委實已使亞洲各國對華盛頓感到失望，美國在越戰問題上所表現的搖擺政策，尤其使亞洲盟國對華府失信心。此外，在防止毛共侵略的問題，由於蘇聯有起而「填補眞空」的來勢，正强烈顯出所謂東南亞公約組織完全失效。

要援助亞洲，切實保證這個地區的集體安全，並不是出錢就可以的，它在出錢的同時還要尊重他人的主權和道義。過去，凡有美援的地方，幾乎就有反美的行動，這就說明了美國政策在有關情形上並不適當。最嚴重的是，美國政府在毛共「聲討美帝」的宣傳下要向對方討好，美國政府更在中蘇共火拼的情勢下向毛共賣笑，這除非別有「良謀」，否則就決然使美國在亞洲的威信喪盡。

蘇聯如要同亞洲進行新的政治投資，却必須以行動取信於亞洲人，並提出合理而清楚的約法，才會有結果。第一，蘇聯必須正式宣佈把它舊時對中共的同盟條約斷然取消。第二，對中國問題及中蘇邊界問題，蘇聯必須承認唯一的談判對手是中華民國。第三，北越南侵所攪成的越戰，蘇聯必須同英國聯合執行關於越南和平的一九五四年日內瓦協定。

蘇聯對亞洲合作的立場應卽迅速表明，否則當美國「撤出」而轉向毛共拉攏之際，這個地區勢將出現很大的游離傾向，那時要着手組織就怕會事倍功半了。但是，美國眞會坐待這種局勢出現嗎？這却是美國的利益問題，聰明的美國人當能替自己的利益打算。

不過有一點可以假定：若果此時美國想用日本來「代理亞洲」，則以東京的現在資格而言，似乎尚言之過早。

（摘自香港天天日報）

選舉風氣還是很壞
監委力促應加改善
監院人數減少亟應謀補救

（本報記者張健生台北消息）監察院五十八年度總檢討會議對一般政治設施檢討意見，沒有像往年那樣精彩，監委們的發言也不「茂盛」，大概是委員們年邁而無「火氣」罷！有關內政外交等各項檢討意見，就其重要部份，加以摘要於後。這些意見，均有公開會議的紀錄可按。

去年在內政方面，有兩項選舉是國內外各界所重視的，一是台北首屆市議員的選舉，一是中央公職人員的選舉。監察委員們對這兩項選舉都有意見，但在會議上公開檢討而又提出意見的，只有金越光和葉時修委員等。

葉時修委員說：「談到選舉問題，最近辦了兩次。一般講起來，選務工作準備不錯，但選舉風氣還是很壞。這一次選舉（按：指台北市議員選舉），仍有送味精、送香烟、送肥皂，但不易找到證據。中央公職人員增補選，十二月二十日投票選舉，聽說有人拿錢買票。對於選舉風氣如何改善，這實在是民主政治，也是地方自治的根本問題。老實說，我們監察院應該多注意選舉風氣，這問題的確關係太大了。至於候選人發表政見，似乎不宜加以限制。台北市議員競選時，限制太嚴了。我們用不着限制那麽嚴，讓他們自由發表意見，使選民投票時有所選擇，以提高投票率。」（監察院第一一三四次會議）

金越光委員檢討這次監察委員僅有增選而無補選，實在使人感到意外，而且多少有些疑問。

他說：「我覺得我們今天既推行高唱法治，自應恪遵國家法律的規定才是。國家法律以憲法爲基本大法，也就是說憲法的規定事項必須嚴格遵守，在遵守時，絕不可曲解法條原意。四十三年，司法院大法官會議的釋字第卅一號解釋令，却使人感到萬分遺憾！此一解釋竟將原來毫無疑問也毫無爭辯的監察委員任期，看做問題，加以『解釋』。司法院宜針對事實，掌握問題核心，就已發生任期問題之第一屆立法委員任期，加以解釋，即算是『功德圓滿』。其何以故意擴大範圍，將本無問題之監察委員任期曲認爲已有問題，或行將發生問題，而予以一併解釋，致使一般人均誤認爲監察委員之任期早已屆滿，而係經由大法官會議解釋加以延長？此一誤認之後果，對監察院之影響頗巨。

「監察委員之選舉，照制憲原意爲間接選舉，既有常設性之選舉機關（當時之省市參議會，以後必然設置之省市議會）可以隨時辦理，自無候補名額之必要。二十年來，第一屆監察委員年事日高，院務愈重，而人數減少之後又乏補充可能。試以四十年與五十七年作一分析，即不難看出將來監察權行使在人數方面發生之困擾與危機。

「民國四十年間，在台委員人數爲一百零一人，委員年齡最高七十六歲，最低卅八歲，平均年齡爲五十三歲不足。是年院方收受人民書狀九百九十七件，每一委員平均處理書狀十件不足。五十七年間，在台委員人數爲七十二人，委員年齡最高八十三歲，最低四十二歲，平均年齡爲六十七歲，是年院方收受人民書狀五千八百十四件，每一委員平均處理書狀爲八十件。兩相比較，五十七年人數約較四十年減少百分之二八點七，五十七年每人處理案件約較四十年增加百分之八一六，亦即人數減少太多，案件增加過巨。是以朝野有識之士，莫不備極關懷此一情勢之發展，而亟思有以補救。

補救之道，自不出於憲法規定之外，無他，補足其缺額而已。可以補足之缺額，事實上，自由地區非無設置省議會之省份，既有省議會之設置，何以不能以補選方式辦理之？」

突破經濟發展瓶頸
必須財經密切配合
公營事業未走上企業化
監委認係行政過份干預

當前的財經政策，各機構本位主義太重，是各行其是，甚至有爲財政而發展經濟的現象，監察院對財政配合經濟的問題，提出檢討意見：金融（財政）必須與經濟配合。而我們現在無論在法令上、事實上，大多是各行其是，這種各自爲政的現象是衆所週知的。如果財政金融不能和經濟配合，經濟發展的前途是很有限的，有人說是經濟發展的一個瓶頸，到此就「卡」住了。這個危機，證券市場已有很明顯的例證。現在的證券市場是一年不如一年，參加證券市場的公司是以公司債爲最多，而買賣股票的公司並不多，公司債是證券的一種。而且是短期的，眞正的長期投資，是靠股票發行。發行股票，一方面受稅捐的影響，一方面沒有金融政策的支持。譬如某一種股票在市場上發生困難時，應由投資證券公司、甚至投資證券銀行積極的支援，但沒有做到。這是今天金融與經濟不能配合之顯著例子；財稅要同經濟發展配合，是目前的重要問題。

發展經濟的目的是提高國民所得並改善其生活。我國國民所得平均每人只有兩百多美元，較美國的四千多美元與日本的一千多美元，要遜色很多。因爲經濟發展受到資金的限制和沒有把經濟建設的道路走上大衆化，致經濟建設造成若干大資本家，所走的道路是否能够達到民生主義之節制大資本，是有疑問的。

公營事業未能企業化的原因，監察院經濟委員會檢討意見認爲行政機關過分干預，現在董事會的組織是一種酬庸，董事會每每用非其人，等於人員任用和事業人才的職權也因此而減低。其次是公營事業人才外流的原因是待遇菲薄和進修問題、環境問題。這都是對人才不能善用，使事業不能發展的致命傷。

今天我們對物產的製造，每每一窩風，如夾板工業，會轟動一時，但目前已發生問題，外銷已發生困難。任何國家對內外銷總有一個比例，通常外銷額如超過百分之二十五，則這個工業早遲要遭到很大的危機，浪費投資。但我們的工業產品，已超過百分之四十，這在內外銷比例上應該注意的。如內外銷超過一定的比例，或以內銷貼補外銷，而不考慮的內銷價格，這在抑平物價問題上和低物價政策上，只有增加困難，所以政府在計劃對外貿易發展上，要特別注意。倘圖目前之利，將造成日後更大的隱憂。

全力爭取友邦
打開外交局面
葉時修認美國作法
有些地方妨害邦交

葉時修委員認爲，美國的作法，有許多妨害我們的地方。譬如，他把琉球交給日本，我們應該極力反對，但不能僅說「是遺憾的事」。然而儘管如此，但琉球交給日本已成定局。美國希望日本負起亞洲的責任，殊不知日本國家的左翼勢力雄厚，一般思想相當厲害，一旦左傾社會黨幾乎抬頭，目前自民黨執政的反共政策勢力抬將完全改觀，到那時候美國再要拜託日本照顧亞洲其他國家，已不可能，因爲日本只是經濟發展，國防力量甚微。老實說，亞洲的問題，需要亞洲人自己來解決，否則美國出兵是辦不到，連撥一點欵來援助，都不容易。

葉委員很佩服越南，他說：過去，美國有五十五萬兵在越南幫助作戰，現在要慢慢撤退，阮文紹總統居然表示贊成說：「越南問題由越南人解決。」如以最近越南對付北越滲透正規部隊之作戰，打得很不錯，越南可以自己負責起來繼續打越戰。「亞洲國家中，眞正要找一個安全組織，也很難辦，因而我們應注意於提高自己在亞洲的地位，以及聯絡友邦，與建立邦交等工作。現在我們和日本有邦交，但日本和中共的關係，也拉得很好。菲律賓和我們邦交不錯，非律賓也願意和中共建交。我們和越韓的關係很好，但越韓自己問題很多。此外，眞正幫助我們的朋友更少。如馬來西亞，如新加坡，如印尼等南太平洋的重要地區，我們在外交上的進展非常遲緩，沒有什麼成績可言。

這位對東南亞僑情極爲熟悉的監委，他在監察院抨擊外交上的問題時說：印尼人口多，物產豐富，自蘇哈托建立反共政府，迄今三、四年來，我們的外交工作太差，對印尼邦交毫無進展，結果連原來印尼預備委託我們棉花加工的事也吹了。此外，印尼現在開放賭禁，由政府抽稅，但賭場只准中國人出入，不准印尼人進去，如此方式，足可使華裔社會經濟崩潰，因久賭必輸，印尼政府抽稅結果，等於把華僑上百年奮鬥辛苦之成果，付之東流。

葉委員指出：在反共戰爭中，婆羅洲有六萬華僑成了難民。原來在婆羅洲之南有許多海島上的人，因與共黨游擊隊做生意，結果被土人殺的殺，砍的砍，逼到最後有六萬人成爲國際難民，但聯合國無人過問，致使這些人有的病，有的死，現在還有二千人，男女不久可能就要化爲烏有，對此問題，我們政府應予救濟。聽說我們送去幾千斤米，竟被經手人搞失了。有一次送兩萬包救濟米，但不知被誰賣掉，災民一點也沒有得到實惠，眼見他們流落在那裏，國際不救濟，我們也應迅予救濟，所以我們談到提高我國在亞洲的地位，不要說比日本的地位高，總要比這些小國家的地位提高，我們應設法和他們建立邦交，拉好關係，再說。但到現在爲止，我們在亞洲一無進展，究應如何打開外交僵局，希望大家注意檢討。

（完）

喬治桑外傳　一一六

張大鵬

「謝謝，我的薪水不急，你先用好了。」雅麗絲與喬治桑相處日久有了情感。

「我的手鬆，喜歡用錢，還是付給妳。」喬治桑立刻將支票給了雅麗絲。

喬治桑還了蘿蔔蔡的債，心情輕鬆。忽然問雅麗絲道：「妳今天有沒有約會？」

「沒有，為什麼？」

「妳打個電話給蘿蔔蔡，說我請他吃晚飯，好不好？」

「我看不必罷。」

「妳打一個電話試一試。」

× × ×

「好，我一定送一幢房子給妳。」喬治桑是以賠嫁妝的心情說出這話，但雅麗絲却不敢相信。

「我跟你做事很久了，我知道你待人好，可是你是僱我做事的，我怎敢接受你送房子？」雅麗絲說完，起身拿起熱水瓶替喬治桑滲上熱水。

「我不是隨便說過便算的，我拿妳當親生的女兒，妳知不知道？」喬治桑眼中流露着慈愛，使雅麗絲深受感動。

「你眞的決定要回美國？」

「我想，我在台灣花錢的機會多，賺錢的機會少，呆久了實在毫無意思。」

「中國人不是說落葉歸根麼？你爲什麼不打算在台灣養老？既然你拿我當女兒，讓我也好奉養你。我聽人家說，美國是青年人的樂園，老年人的墳墓，不像台灣富有人情味。」

喬治桑了解雅麗絲說話的誠意，但他知道有雅麗絲的媽媽在，自己不可能長期留在台灣，一旦事情拆穿，除了她的媽媽還要加上雅麗絲的怨恨。唉，自作孽，不可活，這話一點不錯。喬治桑心中亂想，一時沉默無話。

「你爲什麼不說話？是不是我說錯了？」雅麗絲見喬治桑不做聲，以爲是她說錯了話。

「你沒有說錯，不過在美國的老年人只要有錢還是可以過得很舒服。我想，我如果將在美國的事業結束一下，暮年的生活，還不會成問題。」喬治桑說完，下意識地嘆了一口氣，似有無限感慨。（未完）

台北傳奇錄（廿三）

・陳光棣・

又總感到自己懷材不遇，受了人間的冷落，因此痛恨全世界的人都看他不起。後來一位老同學拿他開玩笑：「老步！你想過沒有？人生最苦惱的事情，是無法選擇出身父母，但是找個有錢的老丈人，可並不困難，要想有所作爲，這倒不失爲一條捷徑！」步成材果然從此就順着這個方向動起腦筋來，眞所謂天下無難事，就怕有心人，正當他走投無路的時候，碰上了劉家大姑奶奶，當時她已是卅歲的人了，在世俗的眼光看來，叫作賸餘物資。

步成材一打聽這位「物資」的爸爸劉二爺，很有點底子，只集郵一項，就值上兩萬美金，他在喜出望外之餘，就展開了瘋狂攻勢。一來二去的，兩個人自然就結了婚，劉二爺的態度是不贊成也不反對。

步成材變成了劉家的姑爺，對老丈人比對太太還要關心，不想劉二爺打定了主意拒絕往來，這一下子，步成材就和洩了氣的皮球一樣，再也打不起精神來了。他乍一看到馬寡婦，就有臉發紅，腿發抖，血液循環不正常的感覺，所以他就決心要在馬寡婦身上得到點什麼東西。

問題是製造個什麼機會，能和這小娘兒們勾搭勾搭。至於馬寡婦也想拉攏他作個幫手的腹案，他可是一點都不知道。

步成材午睡醒來，已經是下午四點半了，他冲了一杯巖茶，坐在窗子前面胡思亂想。門鈴一响，他以爲是小女兒放學回家，不想開門一看，却是他朝思暮想的馬寡婦。

「對不住，我請問一下：劉二爺家裏的門牌是多少號哇？」馬寡婦媚態可掬的丁字步站着，一股强烈的香氣，衝的步成材差點昏過去。

「啊！是！哈哈，不要緊，沒關係」！步成材死盯着馬寡婦劃的雙眼皮。

「劉二爺家……」。馬寡婦看到步成材直眉瞪眼的情形，她就知道這傢伙對于女人就和餓狗一樣，只要稍微給他點兒甜頭，牠就會搖尾巴。

「他們住在……啊，你請進來坐坐。」

「太太不在家嗎」？馬寡婦明明知道劉大姑奶奶決不會在家。

「她！」

步成材難爲情的說：「我一個人看家，下女又走了，我……」

「改天吧，你指給我劉二爺家在那兒！」

馬寡婦欲擒故縱。

「他是七號三樓，就在斜對面」！

「好，謝謝，歡迎你沒事到我家坐坐，哈哈。」

（未完）

文滙樓別記

蔣經國先生討厭張治中

·文匯樓主·

本港報紙每談到張治中，大率喜歡冠以「蔣總統親信」字樣，這實在是對政治瞭解不夠，舉一事以爲例，對日抗戰期間，全國劃成十一個戰區，十一個司令長官中如陳誠、薛岳、閻錫山、孫連仲、余漢謀、顧祝同、朱紹良、李宗仁、程潛等，爲甚麼沒有張治中呢？

總統府資政趙恆惕先生，風雲一生，他身邊有兩個秘書始終不外放，有一天，趙遇到一個命相的客人，兩個秘書亦乘機求看相，客人很直率的指出，「兩君爲三花臉之輩，一生不登大雅之堂！」語未盡，兩個秘書站起來要修理這位客人，且向趙表白：「我們追隨議長（湖南省議會）幾十年，從不敢越規妄行，有目共睹，這個傢伙公然對我們侮辱，不可不懲！」趙急止謂：「你們疑爲你們自己未越規妄行嗎？客人批評的一點也未錯，如果你們有可取，早外放了，還會在我省長、督軍任內老早把你們放了。」這段湖南逸聞很多人都知道。

言歸正傳，張治中在　蔣總統心目中並沒有太重的份量，遠者不論，民國卅八年大陸局勢逆轉，國共進行和談之際，李宗仁代理總統，決定派張治中、邵力子、黃紹竑、劉斐、李蒸等五人爲和談代表，毛澤東也指派周恩來、林伯渠、林彪、葉劍英、李維漢等爲代表，張治中於行前先電　蔣總統，要到溪口請示，欲面稟政府所定的和談腹案，但　蔣總統非常冷淡，只說了一聲「他來不來無所謂。」

蔣經國先生對張治中理解最深，在他的心目中，張治中是一個沒有立場的投機份子，所謂東倒吃羊肉，西倒喝羊湯。一切都成了定型，張到了溪口，果未出所料，所襄的事，所提的主張，每一句話，沒有一件對國家民族有利，也可以說等於替共產黨借箸代籌，經國先生判斷張治中到北平準定投降，竟被不幸言中。（京戲中的小丑都屬於張治中這一型，益證翰林們編戲是有根據的）

「自由中國」運動，一般人的印象都以爲是胡適等發起這又錯了，最原始乃　蔣總統感於國家須要組織一個「設計機構」以備對國家重要問題和政策之諮詢。同時計劃發動「民主救國」和「自由中國」兩個運動，且定出領導與宣傳計劃，「自由中國」運動可能就淵源於此。因此記「蔣經國先生討厭張治中」附筆誌之留於史家們參考。

翻印舊書的態度（下）

——從「現代中國文學史」與「中國文學研究」說起

思兼

「第三，詩之同光體，實自桐城古文家之姚鼐轉衍而來。桐城之文，在清末雖久王而厭，而桐城之詩，在民初頗極盛難繼也。此三事，向來未經人道，特拈出之。」

此外，增訂本書後還附有錢基博於民國廿四年寫的自傳一篇，內容極爲精采，在讀其書知其人的觀點來說，是很值得細讀的。作者已經自稱其增訂本「材料增十之四，改竄及十之五」，兩種本子內容差異之大，由此可見一斑，不必再列舉細目了。站在翻印舊書的立場，翻印佳本是毋庸置議的事。也就是說，明倫出版社理當據廿五年增訂本現代中國文學史影印。然而，明倫出版社據以影印的藍本卻是廿一年出版的原刊本。捨優而就劣，實在太說不過去了，也許，是由於出版者對於舊籍內情不十分明瞭，或者是一時難求佳本，致有如此差失。可是，翻印舊書之先，總得慎重考慮考慮，請教幾位年高德劭的老先生，才不致於鬧出笑話。我想，出版者沒有不希望印好書賺錢的，也沒有不希望儘量予讀者最佳服務的。這是利人利己的事，何樂而不爲？同樣的成本，同樣的利潤，更好的銷數和更好的聲譽，爲什麼要捨優而就劣呢？

二、中國文學論叢

提起「中國文學論叢」，就會令人想起台灣出版界翻印舊書的一大歪風——隱去著者姓名，或是擅改書名與人名，最著名的，例如：中華書局印行劉大杰著「中國文學發展史」，抽去劉大杰的自序，編者變成中華書局，書名變成「中國文學發達史」。開明書局印行朱光潛著「文藝心理學」，著作者也是開明書局。商務印書館印行朱光潛的「變態心理學」，作者姓名削去三分之一，由朱光潛變成「朱潛」。這是衆所周知的事，其他諸如此類的例子，非常普遍，不勝枚舉。明倫出版社印行「中國文學論叢」就是一個典型的荒唐例證。

首先，我們得弄清楚這本「中國文學論叢」的眞正面目。他原是民國十六年六月上海商務印書館出版的「小說月報第十七卷號外——中國文學研究」。原書分上下兩冊，由鄭振鐸編纂，收集了五六十篇當代名家的論文，份量頗爲可觀。筆者於暑期研讀文心雕龍時，得悉此書收有梁繩禕著「文學批評家劉彥和評傳」一文，經過多方搜求，好不容易才借到一本，後來又看到香港立生書局五十二年的影印本，所以知道此書之梗概。下面且來看看明倫出版社如何動手脚，重新裝配此書。

（一）書名由「中國文學研究」（小說月報第十七卷號外）變成「中國文學論叢」。編纂者鄭振鐸換成著作者梁啓超等。

（二）去掉卷首的十九幅插圖：文正畫「鶴鳴圖」，吳道子畫「孔子行教像」，梁楷畫「李白行吟」，羅聘畫「少陵昌黎二公合像」，夏珪畫「觀瀑圖」……等。減去若干讀書看畫的韻味。

（三）擅改作者姓名（好在文章篇名未更動，果然，更要面目全非了）：鄭振鐸作鄭木鈴，鄭振鐸的學名西諦作西眞，兪平伯作兪昔霸，陸侃如作陸和樂……。眞是滑稽。鄭板橋說：「死後如有託名翻板，將平日無聊應酬之作改竄爛入，吾以爲厲鬼，以擊其腦。」不知上述諸位是否同意？

（四）篇次改變。例如原書第一篇是鄭振鐸的「研究中國文學的新途徑」，第二篇是郭紹虞的「中國文學演進之趨勢」，現在都放到後面去了。再由原來第七篇梁啓超的「釋『四詩』名義」居首。原先條理井然的篇次，現在好像成了天下大亂的局面。

像這種改頭換面，翻印舊書的作風，眞是可恨復又可哂！撇開道德、良心與學術文化風氣不談，這種自欺欺人的作風又是何苦？如果書的本身有毒素，那當然絕對不能印；要說有的作者與書名不能公開亮相，卻是不合情理的。在文化復興聲中，我們竟連「不因人而廢言」，這點胸襟都沒有。換本書名的掩耳盜鈴一番，就可以「心安理得」？前些日子，筆者在台大旁聽「西洋漢學名著簡介」，那位美國籍的任課先生就說過：許多研究漢學的美國人，向台灣買書常常上當。因爲他們只能看書目，而不知道實際內容。等到寄到美國一看，原來是舊書換了新的名字，這才知道受了欺騙。」商場的詐騙實在太惡劣。也實在令知識份子寒心。我們以讀書人立場呼籲出版商：不要再掩耳盜鈴的自欺欺人了！我們是泱泱大國，堂堂中華兒女，現代民主社會，翻印有參考價值的舊書，怎麼可以偷偷摸摸地把書名和作者名字都換掉了？

（完）

命相與夢話

歐陽修少師致仕（上）

漢年

歐陽修，字永叔，廬陵人（江西吉安縣）。宋祥符庚戌甫四歲，其父病故，母鄭氏年方二十有九，有節女之風。家貧無資入學，鄭母以荻畫地教其寫字；及稍長，從鄰里借書而讀，或手抄其書，書未抄完，竟能成誦。天聖庚午，年二十四歲，舉進士甲科，聲名遠播，補西京留守推官。

宋仁宗朝，韓琦、范仲淹相繼罷去，歐陽修上疏極諫，出知徐州，還爲翰林院學士，拜參知政事（即副宰相），盡心匡輔，與韓琦策立英宗。歐陽修當官，以風節自持，既數被污衊，時年六十，即連辭退休，帝優詔不許。及徙青州，又請罷「青苗錢」，爲王安石所詆，因此求退益切。

宋神宗熙寧四年辛亥，乃以太子少師致仕。次年壬子閏七月庚午卒，年六十有六。詔贈兗國公，諡「文忠」。歐陽修天資剛勁，見義勇爲，平生與人盡言無隱，獎掖後進，爲恐不及，賞識之下，率爲聞人。及在朝廷，士大夫有所干求，則面諭可否，雖諫臺論事，亦必以是非詰之，因此怨謗益甚。

自五代以來，文體卑微。歐陽修遊隨州，得唐韓愈遺稿，讀之而心慕其人，遂苦心探賾，竟忘寢食，遂以文章名冠天下，終學者翕然師之。歐陽修始老於西湖。在徐州，自號醉翁；晚年又號六一居士。自豪道：「我藏書一萬卷，有琴一張，有棋一局，而常置酒一壺。吾老於其間，是爲六一」。遺著有「新唐書」、「新五代史」、「毛詩本義」、「文忠全集」等。

按歐陽修四歲時，相者對其父說：「行在戌將死」，惟證其生四歲而孤，乃知術者之言果驗。

文忠之造爲：丁未、戊申、乙卯、戊寅。日元之乙屬木，誕生六月，甫過立秋，炎風未退，暑氣猶存。年幹明見丁火，年枝亦藏丁火，時枝又藏丙火。命宮丁未，幹固屬火，枝又藏火，火炎若此，木亢可知，同時交拱戊土，年枝未，與命宮未，又各藏已土。同時二枝申寅，又各藏戊土，土多如此，地閼可知。所幸生年丁未，命宮丁未，納音同爲天河之水。生日乙卯，納音又爲大溪之水。時枝之寅，中藏甲木，日枝之卯，與年枝之未，命宮之未，又各藏乙木，得水制火，得木疏土，衰多益寡，酌盈劑虛，非惟春發其華，尤應秋結其實，況又日坐祿元，時逢帝旺。

（未完）

紅樓人物

史湘雲（上）

史湘雲豪放爽直，無閨閣氣，她愛穿男兒裝束，而且更好看了，正所以表明她的性情。她是賈母的內姪孫女，父母早喪，跟着叔嬸過日子，因爲賈母喜愛，才有時接來身邊居住。秦可卿之喪，開始與讀者相見。她初時與黛玉較寶釵爲親厚，胸無城府，因爲說笑玩兒，她說：「……個人來，你敢挑她，我就服你……你敢挑寶姐姐的短處，我就算你是個好的。」大家都誇寶姐姐好，戲子比黛玉，都點頭不說，湘雲便接口道：「我知道是像林姐姐的模樣兒。」她不知道藏頭露尾的做作，不知得罪不得罪人，想到便說，毫無心機。寶玉怕她得罪黛玉，好意對她使眼色，表示提醒的意思，她認爲是受了人家的眼色，便立即吩咐翠縷收拾衣包，明早回家。她送紋戒指給寶釵，寶釵轉送襲人，她倒不覺得寶釵卑視她的戒指了。還說道：

「我祇當林姐姐送你的，原來是寶姐姐給你。我天天在家裏想着這些姊姊們，再沒有一個比寶姐姐好的，可惜我們不是一個娘養的，我但凡有這麼個親姐姐，就是沒了父母，也沒防碍的，說着眼圈兒就紅了。寶玉道罷罷，不用提這個話了。湘雲便道，提起了這個便怎麼？我知道你的病，恐怕你的林妹妹聽見，又嗔我贊了姐姐了，可是爲這個不是？……好哥哥你不必說話，叫我惡心，只會在我跟前說話，見了你林妹妹，又不知怎麼好了。」

她這種率性的口氣，有點像晴雯。她不懂人情，又無定見，她的說話，專愛譏刺黛玉。但是黛玉對她很坦白，很親熱，從來沒有得罪她的地方。然而湘雲偏說黛玉小性兒，行動愛惱人，她認爲黛玉可以轄治寶玉，寶玉的心裏眼裏，只有黛玉，寶玉對黛玉不該太好了。她完全受寶釵的籠絡，替寶玉說話。所有的女子，她訂婚最早，沒有父母，由叔父作主，所以早早決定了她的終身大事。她最初對黛玉很親密，後來對黛玉不好，好像一陣風似的風吹過了，一切便呈安靜態度了。

湘雲勸寶玉說：「如今大了，你就不願去考舉人進士的，也該常會會這些爲官作宦的談談講講那些仕途經濟，也好將來應酬事務，日後也有個正經朋友，讓你成年家只在我們隊裏，攪得出些什麼來。」

（未完）

諸葛亮狂想曲

（五七）　·劉玄·

「這事用不着你立刻決定，讓你考慮幾天再給我回話可也。」星君對諸葛亮愛護有加，語句之間充滿情感。

「容亮考慮幾天再回復星君。」諸葛亮說完就想起身告退。

「你等一等，我鍊丹時間未到，我們再談談。」

諸葛亮聽星君此言，重又坐下。

「我要你來看看新奇玩藝。」星君由他雲榻背後抽屜裏拿出一個像養蟋蟀的瓦盤，不過比養蟋蟀的瓦盤要大得多。他小心地放在茶几上，徐徐地揭開了蓋子。諸葛亮靠近一看，不覺暗暗稱奇。原來在瓦盤裏豢養了如蟋蟀般大小的老虎。這些小老虎在瓦盤裏張牙舞爪，並不時發出細弱的吼聲。瓦盤裏峯巒疊嶂，自成天地。

「眞奇妙，請問星君是怎樣做成功的？」諸葛亮看到這種奇妙小動物，不能不由衷佩服。因爲這比他所發明的木牛流馬奧妙多矣。

「我常常想，無論是佛是仙是人，最難解決的問題，便是生命的奧秘。我將虎卵，虎精放入鍊丹爐中，化鍊成這種小老虎。這是對自然生命的挑戰試驗！你大概聽說過，西遊記上的蜘蛛精大如車輪，蜈蚣精身長逾丈。這屬於動物反常的可怕。現在你看到的這些小老虎，挨不了一蒼蠅拍子，立刻要粉身碎骨。這便是動物反常的可愛。老虎是可怕的野獸，變小了，便不可怕了。普通的蜘蛛、蜈蚣，人可以一脚將牠踏死。但如果大得像西遊上的蜘蛛、蜈蚣，連孫悟空都不容易將牠制服。我說這些，不知你有沒有悟解？」星君從鍊丹打坐所得來的哲理，自不尋常。

「亮以爲大小只是相對的而非絕對的，老虎爪牙之利，足以構得對人的生命的威脅，所以人會怕牠。像星君在瓦盤中所豢養的老虎，蟋蟀之類的昆蟲，見了牠恐怕就不勝慄慄了！」諸葛亮絕頂聰明，星君舉一他可以反三。

哈哈，哈哈，星君聽了諸葛亮的話，發出得意的笑聲。他指了指他房裏的鍊丹爐說：「這上面的八卦不是隨便畫上的。除了不能創造生命，改造生命是無問題的。在這裏面，我可以讓大鵬變成蝴蝶，也可以使蝴蝶變成大鵬。所謂拇指玩童、丈二金剛，都在我丹爐之內。現在你總可以相信了。」

太白星君露了一手絕招給諸葛亮看，是表示他在天庭有崇高地位絕非偶然得來。

「星君道行法力亮素來敬仰，今日得見奇蹟更令亮五體投地。」諸葛亮倒不是阿諛星君，說的是實話。

太白星君今天的興緻很好，陸續拿出各種縮小的動植物給諸葛亮看。最使諸葛亮感覺興趣的，是綠豆般的蟠桃。

太白星君拈了一粒給諸葛亮，「你嘗嘗看。這是瑤池仙種，不同凡品。

（未完）

巨變歷險記！

昆明，對丁博士來說，還是首次看到。

昆明的氣候之好是有名的。昆明的氣候令人有四季春之感，平常的時候，不小熱不冷，令人感到非常之舒適。更令人感到愉快的，是那邊的空氣十分的乾淨，平常總是晴空萬里，碧藍的天，絲絲的雲都沒有。蘭亭序上所說：天朗氣清，惠風和暢，彷彿似之。但一下起雨來，可就冷了。一雨成冬之說，很是不錯。丁博士到了昆明，被招待在商務酒店。這並不是什麼了不起的大旅館，更談不到什麼觀光大飯店、，得如很通俗得很，但因為昆明沒有更好的旅館，這也算是最好的了。不過商務雖不大，但有個房間都有一架西門士的床，床的彈簧非常好，故睡起來也很舒適。他沒有餐廳，用飯也很方便。早上，丁博士愛到冠生園。這本來在南京在上海等各地都有的，成都的更具有歷史。早上他那滾燙滾燙的一壺紅茶，實在非常合中國人的胃口。他那點心一份一份的送到你面前，也都極符合你的需要。一杯在手，喝着，吃着，真是人間神仙，樂也融融。他的香腸飯，臘味飯，也非常名貴。此外，吃鴨子吃雞所謂烤鴨燒雞等也都有他的地方，館子大的小的也所在多有。南門外的牛筋大筋，更是馳名。

昆明觀感

（一九八）　胡慶春

為招待丁博士，盧漢，除派專人外，還有個專車，司機，丁博士還記得是一個日本人。此人開車技術並不差，但一次開車去溫泉，經過西山前面，因為躲避一個老太婆，撞在一棵樹上，旁邊就是一大水池，深不可測的大水池，昨天剛有一個翻車倒在水池裏還沒拉出來，今天又來了一個丁博士。這不是天保佑，車子撞到樹上，但沒有翻到池裏。丁博士坐在司機台的旁邊，頭險面，特別上類撞到前面的玻璃，血流如注，幸好對面就是一個醫院，丁博士就到這醫院醫治。循西山而下，會到一個溫泉浴室。裏邊佈置的很合理，每一個池子都有很多的階梯，水溫熱也非常合適。這也是盧漢招待客人的地方。丁博士認為這個溫泉比北平西山過去溫泉村的溫泉還要好，前途是很大。因為距離昆明較遠，去的人並不多。西山，有如北平的西山，在昆明湖的邊上，昆明湖在省城的邊一邊，可惜記不到了。竺竹寺，也是昆明的名勝。內有八百羅漢，個個塑的不同，個個栩栩如生，黑龍潭，也非常馳名。省政府位於五華山，在鼓樓的後邊。省政府在大樓上辦公。省政府大樓亦名光復大樓，為前唐主席蔡鍔籌義之地。丁博士到了昆明，首先同盧漢在這大樓的最上一層的辦公室就在這大樓的省黨部，陪同前往的即當時的省黨部副主任委員，即今台灣立法院裴存藩委員。

紙上談兵

六、銳卒勿攻（下）

周燕謀

前趙劉曜遣將討羌人，大酋權渠率眾保險阻，劉曜之將劉子遠數戰皆勝。大酋權渠欲降。其子伊餘大言道：「往年劉曜自來，猶無若我何，然何投降」！劉子遠壘門堅守，左右勸出戰，子遠道：「吾聞伊餘有專諸之勇，慶忌之捷。其父新敗，怒氣正盛，且西戎勁悍，其鋒不可擋，不如緩之，使氣竭而擊之，乃堅壁不戰。伊餘有驕色。劉子遠待其無備，夜半蓐象，士卒飽餐，凌晨具甲，掃壘而出，黎明設陣而戰，生擒伊餘，降其衆。

唐武德中，太宗率師往河東討武周，江夏王道宗從軍。太宗登玉壁城觀察敵情。顧對王道宗道：「賊持其衆來邀我戰，汝將如何破敵？」道宗對道：「羣賊鋒不可當，應以計而屈敵兵，難以力爭。須令衆深壁高壘，以挫其鋒。烏合之徒，莫能持久，糧運致竭，自然離散，可不戰而擒」。太宗道：「汝謀與我合」。後賊兵糧盡夜遁，一戰擊敗劉武周。

又太宗征薛仁杲於折墌城。賊有十餘萬，兵鋒甚銳，數次挑戰，諸將請兵出戰。太宗道：「我兵新經挫衄，銳氣猶少，賊驕勝必輕我軍，閉壁以折之。待其氣衰，而後奮擊，可一戰而破。此萬全之計也」。於是下令軍中道：「敢請出戰者斬。」相持久之，賊兵糧盡，軍心有異志。太宗知仁杲心腹內離，賊兵銳氣已挫，可以戰矣」。遂令總管梁實，在淺水原紮營以誘之。賊大將宗羅睺自恃驕悍，求戰不得，氣憤已久，至此見淺水有唐軍，盡出精兵以攻之。梁實固守不出，而挫其銳氣，羅睺攻之愈急。太宗知賊已疲，復對諸將道：「賊兵銳氣已衰，我今取之必勝」。於是下令諸將，黎明合戰，令將軍龐玉佈陣於淺水原之南，出賊兵之右，先餌賊攻。羅睺併軍共戰，龐玉軍幾敗。是時太宗親御大軍，奮自原北，出其不意，羅睺回軍來救，唐軍表裏齊奮，呼聲動天。羅睺氣奪，因此大潰。太宗大勝。

又唐李靖從河間王孝恭討蕭銑，兵至夷陵，蕭銑之將文士宏率精卒數萬屯清江，孝恭欲攻之。李靖道：「文士宏乃蕭銑之健將，士卒驍勇，今新出荊門，盡出精兵，且為救敗之師，恐不可當。宜泊南岸，不可與之爭鋒。待其氣衰，然後奮擊，破之必勝。」孝恭不從，留李靖守營，自引軍出戰，結果大敗，奔於南岸。此乃銳致敗之一例。

晉、楚相爭時，楚晨壓晉軍而陣，軍吏患之。欒書道：「楚師輕窕，固壘以待之，三日必退，退而擊之，必然獲勝。」所謂「銳卒勿攻」，成敗已見甚多。舉不勝舉。（完）

生活漫談

家庭一寶健胃茶

馬騰雲

咖啡與茶的功用大家都知道的，今天特介紹一種老少咸宜的健胃茶。

健胃茶用黑荳二兩，檳榔二兩，大麥芽半磅，山查果半磅，用鍋炒發出香味，快到炒焦的時候，取出候冷，混和研成粉，當作咖啡冲服，有咖啡的香味，而無咖啡的刺激。換句話就是，有咖啡的優點，而無咖啡的缺點，對幫忙消化，立可顯出成績。（兩小時內就會知道）比酵母劑，蘇打片等有效，比肝油，牛肉汁營養，（一般的牛肉汁部是荳類製作）並可增進食慾，增加體重。

黑荳在雜糧行有賣，檳榔、大麥芽、山查果，中藥店有售，買的時候，囑其代研成粉，他們都願意為顧客服務的。如果大量製作，（一斤以上）可到中藥批發行去買，否則就形同到飯店去賣葱，差額很遠。

黑荳的維生素B最多，為清涼性解毒強壯劑，有解毒利尿作用，檳榔含有檳榔鹼及數種檳榔副鹼，柔（革旁）質和脂肪等，用於感染了條（虫旁，以下同）虫的病人，以檳榔切片三十公分，加水二百公撮，煎至三十撮，於清晨空腹飲下，一到三小時條虫隨出，不必服瀉藥。因檳榔本身能致瀉，湖南湘雅醫學院，曾以檳榔治薑片虫，獲得很好成績。其用法以檳榔粉五十公分用清水一二五公撮，煮一小時，倒出煎液，約得五十公撮，患者於深晨空腹飲下，不吃早飯，二到三小時後，再服瀉藥，連續以六十四個患薑片虫的病人試驗，於服檳榔後，二到三小時，（未服用瀉藥前）即排出大量薑片虫，有少數的患者，服檳榔後，半個鐘頭即開始排虫，惟其中有幾位患者，發現嘔心及腹痛現象。大麥芽含維生素B．C．脂肪、卵磷脂、蔗糖、麥芽糖等。有幫助消化及滋養強壯作用，用於小兒及老人胃虛弱食慾不良，能增進食慾及助消化，因其含有麥芽糖化酵素。又為製啤酒之重要原料。山查果含有草酸鈣、酸、檸檬酸唐（酉旁）類，維生素C等，功能增加胃中酵素，促進消化，用於食積、肉積、腹脹、及腸疝病、脾臟腫等有效。散瘀化痰，治積塊血塊，尤其對腥羶油膩之積，著有卓效，但胃酸過多的人，不宜飲用。

健胃茶各項藥的功效能如上，家庭間能準備一點，除自己飲用外，招待客人，說明功能，亦是一種生活藝術。檳榔本有殺虫及去虫卵的作用，能經常當茶飲，腹內各種虫類，均會感到「衛生」環境太壞，只好遷地為良，故連虫帶卵都排出來，正符合「覆巢之下，焉有完『卵』」。科學進步國家，早鑑及植物製藥的重要，德國和日本都向這路上邁進，這是從這幾年來宣傳廣告中統計得來。湘南湘雅醫學院，是美國教會辦的，在廿年前他們就不斷的用中藥作實驗，規模宏大的安徽民望醫院，及民康女醫院（美國教會經營）曾發現「黑熱病」，「肝硬化」中藥裏有特效藥，只可惜進行實驗到中途，大陸淪陷。國父孫中山先生的肝硬化，當時本有救藥，借孫先生是學西醫的，致誤了挽救的機會，待胡適之向孫先生勸說被接受後，為時已晚，處方及醫治經過，仍載於「國父年譜」，中醫們不妨去翻一翻，那個處方的高明，使人嘖嘖稱奇。

美國墮胎合法化

美國法律界及醫學界人士曾經長時間作戰，企圖把墮胎法律近代化，並且肅清在這方面活動的敗類，包括不學無術的庸醫和藉端勒索的歹徒，現在這種努力終已得到聯邦法庭若干重要的協助。

最適當不過地，它是美國地方法院法官基塞爾，是著名兒科醫師安諾德．基塞爾醫生的兒子，他想出一個答案，俾有助於解決這種「不要的孩子」的問題。他裁定，任何「能幹領有執照的醫生」，為了他本人及他的病人滿意的理由，可以在哥倫比亞特區合法地施行墮胎。

基塞爾法官斷言稱，一九〇一年的地方法院法律，規定合法的墮胎，只有在「需要為了保存那母親的生命或健康」的時候才可以施行，這是太過含糊的，而且該項法律還規定被告須負責證明這種墮胎是必需。

因此，他不僅宣稱這項法律是不合憲法，而且邀請美國地方法院檢察署把他的裁定直接訴諸美國最高法院，並且促請國會在目前的情況下，應該從新研究這項墮胎法規。

毫無疑問，在這種基本的個人問題中牽涉有敏感的人類和宗教問題，但是「當前的情況」是人所皆知的。這種「墮胎工廠」是美國最可怖的，和最賺錢的不法組織，這些社會敗類最歡迎富有者墮胎，因為她們可以付出高昂的費用，這些組織多數是由那些更不能幹也非領有執照的男女主持，時常在惡跡昭彰的人物控制之下，故此的人對于病人的生命甚有危險，而且也影響社會對法律的尊重。（原載紐約時報）

自由報

中華民國內政部登記證內警台報字第〇三一號
中華民國僑務委員會登記證僑新字第三二三號
中華郵政台字第一二八二號執照登記爲第一類新聞紙

（第一〇三五期）

（半週刊每星期三、六出版）
每份港幣壹角・台灣零售價新台幣式元
督印兼社長李運鵬・督印黃行寶
社址：香港九龍彌敦道593—601號
廖創興銀行大厦八樓五座
LIU CHONG HING BUILDING
7th FLOOR FLAT 5
593—601 NATHAN ROAD,
KOWLOON, H.K.
TEL: K303831
電報掛號：7191
承印：景星印刷公司
地址：嘉咸街廿九號地下
台灣連絡中心：台北市田街五巷三號
電話：三七五〇二二
台灣區直接訂戶　台郵劃撥戶
第五〇五六號張萬有（自由報會計室）
台北營業處：台北衡陽街三十號
電話：二七二〇〇
台灣分社：台北市西寧南路110號二樓
電話：三三〇三四六，台郵劃撥戶九二五二號

「修正中學教師登記檢定辦法」的檢討

文憑主義作祟（下）

・陳天式・

或者教育部勞神費力搞出來的「檢定辦法」是有它的道理的。因爲如教育部「閉門造車」式的看法，大學總該是培養學力的場所，把「中學教師登記檢定」的資格規定爲大學或與之同等的專科學校畢業，總該是提高中學程度和辦好中學教育的不二法門了。事實上如何呢？　蔣總統在「十九世紀以來亞洲的形勢和我們愛國建國的要道」中曾經指出：「我們教育制度，太不現代化了，所以大學中很有學問的教授，有的教書教了好幾十年了，因爲他沒有機會去攷察求新，所以他今日用的講義，還是當初那一本一字不易的講義，領導新知識，新學術的教授，尚且如此，其他還用多說嗎？」

此其一；去年二月五日香港華僑日報報導立法委員「喬一凡幾句秘密話」說：「我當過某大學交換教授，我問他去美教何種功課，他說他在所講。接着他又說，很多教書多年的教授，來美進修，連聽講的能力都有問題，可見得有些老教授，早已落伍。」此其二；又去年三月二十四日中央日報的「不可忽視的學校師資問題」社論中表示：「時會艱難，專事學術工作的人不多，以致大專教師的新陳代謝十分遲緩；也有本來是很好的教師，因爲不繼續求進步，而逐漸落伍，以致影響學校的教育成果與學術水準」，而「大學的師資」，便「又爲一泓死水，少有活潑流動的現象！」此其三。綜此三端，可見今日的大學，已經不是培養學力的場所了！如此而把「登記檢定」的資格定死在大學畢業的限制上，這不止是「刻舟求劍」，而且更是「緣木求魚」，其能因之提高中學程度和辦好中學教育，稍有知識者，必知其不可能也！這眞是太不「切實際」了！不「切實際」自然就不是「求新」與「求行」了！何況當前的大學教育，又是在因爲不「知恥」遂又不「知病」的情況下因循敷衍的。同爲去年三月二十日的華僑日報「台灣新聞」欄裏面，秀河先生的「國家觀念」短評中說：「傳說某學者赴韓國講演，以英文發言。給韓國學者轟了一陣。他們不滿的心理，大約是：一、對韓國人講英文，似易使韓人有「韓」乃「美」的附庸的感覺；二、中國人講英文不講中文，有失中國人的立場。韓國人最瞧不起一個不愛國的國民；三、既大談文化，文學，語言是文化的一部份，爲甚麼有中文不說，偏說英文！」當前國家的大學教育及承担大學教育的所謂「學者」，就正是「有中文不說，偏說英文」，甚至偏說日文，使中國的大學教育，非「乃「美」之附庸」，卽爲日之附庸的！其爲不知恥而不「知病」便不必有任何爭辯了！「中學教員登記檢定」的資格規定爲如此之大學畢業生，其作用何在，使人百思不得其解！

但「中學教師登記檢定辦法」之令人不勝惋惜的還不止是上面之所說的，如其中等學校教師之登記，既鐵定爲非有大專學校畢業之資格不可，而檢定方面，復規定必須大學畢業，然高初中教員之受檢，竟有曾任高中教師或中學教師四年以上之似乎並無資格規定之一項，與檢定及登記剛爲大學資格之天下來對照，則無資格者又何能有四年以上高中教師或中學教師之曾任？這如果不是邏輯上的不圓通，便該是教育部官員有意開無資格而有學力且願以教育爲終身職業者的玩笑了！此其一。又如中央社會報導，教育部宣佈：中等學校教師登記或檢定合格，並在原省市中學繼續服務的，其教師合格證書的有效期間爲十年，期滿須重行「登記」，故「對登記或檢查合格，而轉任其他省市教師的，辦法中明定：應向所轉入省市主管教育行政機關，另行申請登記或檢定。」登記或檢定的內容，如果辦法中已有統一性規定，則登記或檢定合格的教師，其資格和可能的能力，依理推斷，總應該是相同的，轉任其他省市，並沒有不相同的情形發生，何以必須另行申請登記或檢定呢？是否教育部的辦法已經不能出教育部之門呢？此其二。中學教師之登記與檢定的「合格證書有效期間爲十年，期滿須重行申請登記或檢定」，此一規定，從文字上來分析，當是登記的教師的合格證書的有效期間爲十年，期滿須重申請登記，檢定的教師的合格證書的有效期間爲十年，期滿須重行申請檢定；如所分析不錯，則辦法的創立精神，必爲以「工之子恆爲工，商之子恆爲商」之封建思想爲基礎者，因爲登記之申請，只是辦理一項手續，對於申請者是不會構成太大苛擾的，而檢定之申請，如辦法[illegible]經過筆試和口試的，對於申請者的精神壓力未免太大一些了，使無大學畢業資格者要永遠掙扎於被歧視與被虐待的形式主義之苛擾了，這顯然是有背於三民主義憲法之平等精神的！然此形式主義，在辦法之本身是特別提倡和顯揚的，如中央社電訊之所引列：「教師於服務期間，曾參加在職教師進修研究，成績優良並有證明文件的，得於有效期限屆滿時，予以延長十年。」此之在職進修研究，與上述規定相比照，其有否定「重行申請」作用者甚爲顯然，除了登記之重行申請已形互相矛盾外，而於檢定之重行申請，似有網開一面之德，但却又把考試揚棄了，或者「進修研究，成績優良」也包括了考試，可是重點都是在「證明之件」之上，是乃資格取士之形式主義之最澈底的表現，[illegible]否眞實學力及是否立志以教師爲終身職業之品德則皆不去審它，無資格的[illegible]去別謀出路了，讓資格把持了國家的教育吧。教育部官員所需要的中學教師，[illegible]英語唱片上英文課，抄着例題授數學課，對着語體譯文講國文課的資格而已，這是一種「利益關係」的衝突，沒有資格的人是對付不了的！

綜上所論，可見去年三月三十一日公佈的「中學教師登記檢定辦法」似與所致按的，「新的、更切實際」背道而馳的。但這或者是教育部有資格的官員們勞神費力的特殊成就，「肉食者謀」，不在其位者還是不要過問它吧！

（完）

自由談

通才與專才

同樣是一匹馬，會騎的人卽控御有方，馳驟自如，雖駑馬亦有相當的效能。若不會騎，則未有不顛蹶僨事者。人才亦然，善用之，可以福國利民，績業彪炳，否則折鼎覆餗，誤盡蒼生。

高級知識份子的才幹，可分爲通才與專才兩種。凡屬具有特種性質的事業，如電氣、地質、採鑛、冶金、醫藥，乃至造船、紡織、原子爐……等類業務，非由專才主持一切不可，決不是普通一般的知識份子所能勝任的。若夫行政事務——特別是負有綜持大計、擬訂政策之責的政務人員，就必須用通才，纔能夠行尙而往有功。

這道理很淺明。專才的智識是專業化了，他的思考能力比較單純，治事方法相當械機，對於錯綜複雜的行政手續，統籌全局的政署政策，素鮮研究，罔識竅要，不知如何是好。三十年前，翁文灝以地質學專家，受任行政院秘書長時，瞧着盈尺的案牘，無所措手；而教政務處長蔣廷黻代爲處理，他自己卻每天到檔案室去編製卡片，整理卷宗。他經過十五年的政務歷練，繼居行政院長後，於卅七年冬間徐蚌會戰失利，大局危急之際，遇着少數職業學生闖入行政院高歌「不要你呀不要你，不要你這個壞東西」的俚曲，非法騷動，竟莫可如何，而堅決求去，雖再三挽勸亦不顧。這便是專才不能担當政務官的顯著例證，而上述事實都是我所目擊的。

現在咱們國家要提倡科學，要發展科學，是必要的。但發展科學之道并不簡單，必須通盤籌劃，各方面互相配合纔行，不僅是只教學習工科的專才來做教育行政官就可以達到目的的。果若是，則利未見而弊卽先覩，首先就是主持百年大計的教育行政業務，未能兼籌併顧，以致產生完備的教育政策，而培養通才的大學校，亦相率以工科專才承其乏，從整個國家的利益設想，未免得不償失吧？

充實大專學校的科學教材與設備，鼓勵青年子弟修習自然科學，延攬優秀的科技專家歸國服務，都不失其爲提倡科學的有效方法。若使工科專才而担當綜持全國教育事業的通才政務官的職責，這其間的利弊得失孰多，我認爲是值得研討的大問題！

馮玉先生

昨日與明日

台北市的自來水

台北市的公營市業，作得出色的，實在是鳳毛麟角；反之，卻儘是受人指責之處，其中以公車處，和自來水廠二者，更是一向「有口皆碑」（？）

最近台北市的首屆議會集會期間，便有許多議員們一連串對上述二機關提出查詢，其中以李福長議員對自來水廠的質詢最爲具體，他說：

「申請接水，從申請，設計，檢驗，試裝，到裝設，每一關，都索取一百元以上的紅包。申請人若不給則拖延刁難，數月裝不了自來水。倘送了紅包很快會獲得接水」（見先月二十一日台北中國時報）

李福長議員所聞，是否完全屬實，我們沒有正式調查，不能隨便下結論，不過例是想起一件舊事，不知是否與李先生的質詢，有偶合處。

想起舊事

去年八月底，本報連絡中心同時申請裝設水電，電燈不到一星期就裝上了，而水則一再拖延，遲遲不能裝設，當時並曾轉託台北某權威黨報的記者去一再疏通關照，每次都說明天就裝（可是並無不可裝的事實困難），然而每次都是只聞人聲不見下樓，這樣推拖延了一個月總算才裝上了。當時眞是納悶奇怪，不知道理何在，現在看了李議員的質詢，才想起我們未給紅包（包工的給了沒有，我們還不知）是否便眞個「申請人，若不給則拖延刁難……」呢，那我們就不敢下判斷了。」

張宗昌的辦法

在李議員質詢時，自來水廠的負責人，歡虛接受，並見鄭重的表示「一經查覺，決予嚴辦」，實在符合民主精神，值得我們欽佩；但是細一想他這話「一經查覺，予嚴辦」，難道悠悠之口，「國人皆曰」的事實，還不夠整頓「嚴辦」的基礎嗎？而還要一定「一經查覺」才要嚴辦！那也然是說，不查，或未經查覺就不辦了嗎。

從前軍閥張宗昌，出身綠林，快人快語，每多使人傳爲笑談，張氏廣蓄妾姬，田廣不耘，自是難免紅杏出牆。某次張氏公開對妾姬道：「你們偷人，儘管偷人，可是別讓我知道。我要知道了，就一定槍斃」，眞是土匪口吻，活靈活現。現在看到水廠負責人的表示，我們乃不知張氏的話，應該譯爲文言的「一經查覺，決予嚴辦」呢？還是「一經查覺，決予嚴辦」應該解釋爲張宗昌的辦法？

・成公・

稅制與稅政甚多不合理

直接稅比例太低

（本報台北消息）監察院五十八年度總檢討會議中，財政巡察組認爲今天的賦稅，無論稅制、稅政，有很多不合理的地方。最不合理的就是直接稅收在整個稅收中所佔比例非常低，這是世界其他國家所沒有的。蓋間接稅易達到稅收目的，而直接稅不是易收的，有很多的困難。如五十七年稅收二百一十一億元，直接稅收只有廿一億元，佔百份之十，這可以說非常不合理。

自五十八年開始的第五期四年經建計劃，所需資金一千九百五十億元，這些資金如何籌措？大部份來自外債，但資金來自國內儲蓄較外債更好。但五十七年各行庫有七百多億的存款，但其中很多定期存款，而是隨時可以動用的短期存款，經濟建設所需要的是中期或長期的儲蓄存款。其次誘導游資投入證券市場，作爲經建資本，五十八年證券市場不景氣，爲歷年來所未有，如何使證券市場活躍只有鼓勵並誘導游資投入證券市場。爲此，銀行之一年內定期存款能免除所得稅；證券交易稅能比照儲蓄存款予以免稅，非如此，則資金問題將更嚴重。

監察院財政檢討意見對銀行資金缺乏的問題，相當重視，故建議政府對中國銀行，交通銀行之資金應予提高。

對公營事業轉投資 監院提案指為不當

借欵變成了投資弊竇叢生 設專案小組調查有無徇私

（本報記者張健生台北消息）關於省營行庫之逾期放欵、催收欵、呆賬損失的問題，台灣省主席陳大慶曾有所說明。

所謂逾期收欵，陳主席說：係放欵本息逾一定期限，正向債務人催收中，仍可予收回，並列原放科目，乃銀行內部業務處理上自行區分以供參考者。此為放欵之一種情況，並無另設「逾期放欵」科目。外界每有誤解，將逾期放欵之含義，併同催收欵、應收欵、應收利息、呆賬等均視同無法收回之放欵，依此計算，認為金額龐大，提出諸多意見，實與事實不符。

至於銀行之呆賬，陳主席就理論言，卽放欵到期不還經過催收，依法訴追仍不能收回者，謂之呆賬。省營行庫對呆賬之處理，必須先向法院訴追，若仍無法收回，經取得法院之債權憑證，方可以損失列銷，非能由行庫自行任意為之。此為對其財與一般工商行號不盡相同。按省營六行庫自開業迄今已二十餘年，歷年放欵貸款累計總額數當在幾千億元，而實際列銷之呆賬損失迄至五七年底止，累計為二千四百餘萬元，所佔比率小。

省屬行庫之逾期放欵、催收欵、呆賬損失概況，五十八年上期結算，逾期放欵總共七億五千四百零五萬三千元，佔同期放欵總額四百廿一億二千六百萬元的百分之一點七九，較五十七年底逾期放欵七億二千四百十一萬七千元，增加二千九百九十三萬六千元，但較佔同期放欵額三百八十七億二千三百萬元的百分之一點八七，減少百分之零點零八。

五十八年上期催收欵總共四億七千一百六十六萬元，佔同期放欵總額百分之一點一二，較五十七年底催收欵四億一千九百一十七萬八千元，增加五千二百四十八萬二千元，但較五十七年底催收欵佔同期放欵總額百分之一點四六，減少百分之零點三四。

我國銀行法第二條明定銀行買賣有價證券及投資，係屬銀行業務之一；依同法第五十三、六十一、七十四各條規定，投資對象為農工礦生產公用交通事業，並規定投資總額，在商業銀行不得超過其存欵總額百分之二十，在儲蓄銀行不得超過其存欵總額百分之二十五。

台灣省政府擬訂省營金融機構對外投資處理程序有三點：

第一、購入農工礦生產、公用交通事業公司股票，其預算之編制與存放欵相同，編列年度總營運量，不逐一列明對象。

第二、購入何種股票或對新創事業認股，或對原投資單位認股增資，均由其董事會在法定額度範圍內決定辦理。

第三、如政府命令其投資，事關政策，當編列預算或專案送請省議會審議通過後辦理。

省營金融機構歷年對外投資，依據審計處最終審定各行庫截至五十七年底止，總共投資八十六單位，投資總額新台幣十四億八千三百七十七萬四千六百九十二元七角九分，五十七年度獲得投資利益新台幣一億四千二百零三萬八百六十四元九角三分，平均為年息百分之九點五七，卽每百元投資經營一年的結果可獲九元五角七分。

對省營銀行五十六年度投資於農、工、礦生產公用交通事業。監察院提案抨擊投資不當，甚至無法律依據而亂投資。台灣合會儲蓄公司雖未納入金融系，但其經營為金融業務，其轉投資事業，有中國化學公司一百二十九萬五千元，台電公司九萬九千三百元，台紙公司一千七百九十元，工礦公司四百，台泥公司二千零七十元，農林公司三百卅元，高雄硫酸公司一百元，復興紡織公司一百元，投資額為一百三十九萬九千一百三十元。惟依銀行法第五章儲蓄銀行經營業務之規定，可以「辦理生產公用交通事業，及有確實收益之不動產抵押放欵」，而無轉投資的規定，該公司之轉投資，未審依據何種法令？

其他公營事業機構之轉投資單位，有與其業務無關聯者，如鐵路局本身卽為應接受投資的交通業，又復轉投資於鐵路貨物搬運公司四百零三萬餘元，糖業公司一十三萬五千元，產物保險公司三百六十八萬元，人壽保險公司八十萬元，農林公司二十一萬元，工礦公司三萬八千八百元，中鹽公司四百元，總計八百五十七萬餘元。甚至有些公營事業機構本身之經營，己經困難重重，尚須依賴支援者，竟亦轉投資於其他事業，如台灣航業公司自五十二年起迄今卽未分配紅利，歷年虧損至五十七年達三千三百八十五萬九千餘元，竟也轉投資於中國航業產物保險公司三萬元，投資台灣產物保險公司一百二十萬元，投資台灣人壽保險公司四十三萬元，殷格斯台灣造船公司九十萬餘元。如台灣省農工企業公司至五十年底虧損八百八十六萬餘元，竟投資台糖公司三十三萬餘元，投資台肥公司一百三十九萬餘元，投資台機公司二十八萬餘元，投資新華梭管廠七萬餘元，中國打撈公司十萬餘元，更屬令人費解。

在省營金融事及業機構之轉投資中，有多筆金額較鉅者，皆為久借不還變更為投資。金融機構借出欵項，應有利息收益，設有催收無着，亦可訴請執行，尚可收回部份借出之欵。今如變更為投資，非僅利息無着，抑且因須共負盈虧責任，而致血本無歸，形同奉送。若不及時糾正，不特弊竇叢生，違法亂紀，且恐羣起效尤，良莠莫辨，影響所及，曷堪設想！

因此，監察院成立專案小組，由陳翰珍委員等五人共同調查省營行庫及事業機構之轉投資，有無徇私浮濫；主管機關有無怠失之處。

台灣省財政廳長杜均衡對放欵改作投資一節，認「非屬合理現象」。他說：就原則言，放欵改作投資，非屬合理現象，惟政府基於政策，扶植生產事業，准將放欵轉作投資，旨在減輕生產事業之財務負担，促其復甦或改善經營，乃不得已之情事，並非銀行一般放欵發生延滯均可轉作投資。

省營行庫資金運用 議會質詢認多浮濫

逾期放欵多未辦理催收 台銀投資若干未配股息

省營行庫對資金的運用，省議會質詢案認多浮濫，且有循私利用情事。譬如，五十七年度決算中的暫墊預付欵項計有：台灣銀行四億二千餘萬元。土地銀行六千八百餘萬元。彰化銀行三千五百餘萬元。台灣合會儲蓄公司一千九百餘萬元。第一銀行一千四百餘萬元。華南銀行八百餘萬元。台灣合作金庫六百餘萬元。

本屆省議會第四次大會五十八年十二月八日預算綜合審查委員會，審查省營各行庫五十九年度預算時之附帶決議是：省營各行庫所列應收及期欵項中，應收欵達二十億元，應收利息六億元，計達二十六億元，應請省府責令各行庫積極清理，以免資金呆滯。各行庫依法提列之呆帳準備為數達十億元，致引起各方的誤解，認為所提的備抵呆帳，卽屬損失的壞帳。各行庫對生產事業的投資幾達二十二億元，數目至為龐大，由於政府對所屬單位辦理轉投資民營企業的管理，卽乏法令依據，而轉投資程序，又失之過寬，以致浮濫。

台灣省營行庫之逾期放欵，據審計處依據查報截至五十七年十二月底止統計，省營金融機構台灣銀行等七單位逾期放欵總額達七億七千八百餘萬元。其中；逾期六個月至一年者一億零七百四十萬零七千元。逾期一年至二年者一億四千四百一十一萬七千元。逾期二年至三年者一億六千四百五十六萬一千元。三年以上至四年者一億五千八百五十七萬九千元，四年以上至五年者三千九百二十萬零六千元，五年以上者一億六千四百三十二萬三千元。按照台灣省政府五十三年九月廿六日令規定，凡逾期六個月經過催收而未能收回者轉入催收欵項科目，惟省營金融機構多未遵照上項省令辦理。

省營事業機關轉投資其他事業，至五十七年底，其投資金額計有：

第一、台灣銀行投資高雄硫酸公司等三十一單位，投資金額新台幣九億零六百八十六萬六千八百九十三元一角九分，五十二年至五十六年間之股息紅利金額新台幣五億四千一百五十三萬餘元，五十七年度應收股息紅利金額九千三百零四萬八千五百五十五元，平均每百元投資可獲股息紅利新台幣十元二角六分。在投資的三十一單位中有八單位自五十二年至五十七年止無股息紅利可分配，這八單位是：四十二年奉省令投資一億二千五百八十二萬七千三百七十二元的台航公司，四十三年奉省令投資三千零四十八萬一千九百九十四元的農林公司，四十四年奉省令投資六百三十一萬元的台灣倉庫公司，投資一百五十三萬一千元於工礦公司，五十一年奉省令參加發起而投資僅一萬元的中央產物保險公司，五十一年奉省令以借欵四千二百九十二萬三千元轉投資於唐榮鐵工廠，五十二年奉省令以借欵三千萬元轉投資中央電影公司，五十七年六月十日台灣省政府第一二一次首長會議紀錄主席裁示參加發起投資一百萬元的中華紙漿股份有限公司。這八單位投資總計新台幣二億三千八百零六萬三千三百七十元，佔投資三十一單位的總額九億零六百八十六萬六千八百九十三元百分之二六點二五，易言之，台銀有四分之一以上的投資是沒有股息分配的。

台灣銀行五十七年度營業盈餘為三億零三百三十六萬餘元，較法定預算盈餘數增加一億三千八百六十九萬餘元，其盈餘增加的原因是營業預算中之金融業務收入增加二億四千八百八十六萬餘元，以及出售房地產投資業務之土地溢價五千五百餘萬元，如非營業支出增加一億六千三百一十三萬餘元，則盈餘數可達四億元以上。在支出增加的項目中用人費增加三千七百萬元左右。

喬治桑外傳 一一七

張大燕

「反正你還沒有馬上就要走，到了相當時候，我會下決斷的。」

「談點別的罷。」雅麗絲第一次看見喬治桑的傷感表情，心中也有點不自在，所以建議改變話題。

「你和蘿蔔的感情進展得怎樣了？」

「哎呀，你眞迂，我不是告訴過你了，他追我追得很緊，我還在考慮。」麗絲一本正經，毫無忸怩之態。

「妳的媽媽對他印象怎樣？」

「印象還好，不過她因為上過男人的當，她對世界上所有的男人都懷疑，她要我特別小心。」

「妳的媽媽要妳特別小心，用意是對的。但是，妳要知道，結婚的本身就是一種冒險行為，過份小心，往往會失去機會。我不知道妳能不能了解我說話的意思，我的意思就是說，一切要靠妳自己去觀察，只要妳覺得對方人品還合式，必要時就得下決斷。」

「嗯，我很感激你對我的關心。」

雅麗絲說完一扭，身回到房裏拿了一包玫瑰瓜子出來，抓了一把給喬治桑。這一舉動很有稚氣，喬治桑心裏想這也許就是天倫之樂？

「哦，我差一點忘記告訴你了，蘿蔔明天過生日，他請了半天假，由下午起要我陪他玩一天。前幾天我因為媽媽來請過假，現在又要請假，眞不好意思……」雅麗絲一邊說一邊在嗑瓜子。

喬治桑不等雅麗絲的說完，立刻說：「這兩天沒有事，妳明天下午陪蘿蔔去玩好了，希望妳能夠快樂。」最後一句喬治桑是用英文說的，不脫洋味。

這時輪到喬治桑站起來，回到臥房在衣櫥抽屜裏揀了一條不曾用過的新領帶。再回到客廳。

「我這條領帶還沒有用過，請妳帶給蔡先生，算是我的一點心意，祝他生日快樂。順便請妳替我包裝一。」

「這怎麽好意思，他又不是你的朋友。」

「妳的朋友就是我的朋友，何分比此。何況妳將來還有嫁給他的可能，他還是我的準女婿呢！」

「你眞會人家開玩笑。」雅麗絲並未着惱，面上綻開笑容。

「謝謝，謝謝，妳肚子餓不餓？要不要我準備什麽吃的？」

「燒點咔啡也好，烤兩片麵包，」喬治桑看了看腕表，正是下午四點半。

「OK」雅麗絲輕哼着流行歌曲，跑去燒咖啡，喬治桑一人獨坐無聊，隨手拿起電話機，連撥兩個電話，一個給古有方，一個給裴白瓊，卻都不在家。

「阿翠，到門口看看晚報來了沒有？」喬治桑提高了喉嚨命下女拿晚報來看。

阿翠的動作很快，幾乎是立刻就將晚報送在喬治桑的手中。

（未完）

依洞集

談恭喜發財

鴻鈞

恭喜發財是中國人過年的吉利話，家家如此，很少例外，也證明中國自古就重視經濟問題，親友見面互祝「恭喜發財」兼含有互相勉勵之意。

江湖上有幾句話：祇說不練假把戲，祇練不說傻把戲，又練又說眞把戲。一般人十有七八都犯着假把戲的毛病，練傻把戲、眞把戲的更少；尤其多一事不如少一事的官僚做法，乃社會進步的絆脚石。

人類已到月宮好幾次了，由於風氣使然，我們這裏的財神廟香火仍舊很盛。進香的願望，當然為發財，最理想的是不勞而獲的財，像貪污走私漏稅和假鈔之類。財神究為誰，各地的說法不一，筆者曾看到某財神廟有副對聯，到是幾句眞話，上首：「能有幾何錢，你也要，他也要，給誰是好。」下首：「不做半點事，今來求，明來求，叫我如何。」

春到人間，萬象更新，祝大家發財，更祝本報海內外整千整萬的讀者，站在自己的工作崗位上，練傻把戲、眞把戲，從正當事業，發正當的財，功在社會，利屬自己，一舉兩得何樂不為？

一報當關對抗統戰

文滙樓劄記

·文滙樓主·

十五年前曼谷有一家「南洋報」，爲湖南某報人幕後支持，專對毛共統一戰線而創刊，內容比台灣的官報態度還激烈。那時候正是所有報刊（泰國全攜）言論都向左轉之際，南洋報獨站在最前哨，不懼恐嚇，不怕警告，沒有背景，沒有政治支援，提着自己的頭在手上與毛記統一戰線週旋到底。

南洋報曾以「台灣是反共產主義的司令台」爲題，指出：「中華人民共和國是魚眼睛，中華民國是珍珠，晶亮發光的珍珠，珠與魚目絕對不能混爲一談，反共產主義的司令台在台灣」。反共產主義最高領袖，是蔣總統，他在甚麼地方，甚麼地方就是復國的根據地，不容有半點懷疑……」末了批評第三勢力說：「所謂第三勢力者，不過是復國過程中一個瘡癤或毒瘤，對反共陣營不會有任何影響……」（那時香港某政客派人到曼谷遊說某等）

東南亞毛家班的統一戰線機構對某報人的「懼悍」行爲自無法坐視，先以利誘，後加威脅，既不吃軟，也不吃硬，採「東和孫權北拒曹操」，看準幾個內心反共大僑領，而又不願公開鬥[illegible]妙運用的結果，將毛記統戰前頭輕輕移向當地的特別部××××等，（特別部即泰國情報最高機構，）

「東和孫權，北拒曹操」是三國上的故事，泰國人將「三國誌」當作兵法來讀，警察總監乃砲也耶暖上將據報有湖南報人×××深通「三國」，後透過某種關係邀其前往講解。未料想這段三國演義緣就這樣結成。

某報人講解三國最得到乃砲欣賞的一段是諸葛亮和項羽同是中國歷史失敗人物，因爲他們都喜歡鬥狠攻堅，老子：「齒因剛折舌以柔存」此之謂也。但諸葛亮在彌留前將經手軍政大計交代得清清楚楚，項羽則反其道，祇逞一股英雄氣，刎頸而死。又分析「空城計」，司馬懿知道諸葛亮守的是空城，經過反覆考慮，功高震主自古大忌，能保留諸葛亮，司馬懿才會有高官厚祿，乃砲聽後拍案叫絕，從外表上看他這位報人出身的商人和泰國若干部長階官員混得火熱，眞是一丈二尺高的和尚摸不到頭頂，孫碧奇公使究竟是書生，對外交不外行，他看出泰國內政部長鑾素那因，最高法院院長鑾坤奴馬吉和若干虎將等和這位報人水乳交融公私不分，以泰國中華總商會主席張蘭臣之尊，僅在這位報人經營的公司裏佔一席董事，均有記錄及生活照可考，[illegible]杭立武大使到任也未例外，[illegible]中華民國駐泰黨政官員，五單位會聯合登門向其致敬及慰問，中央黨部前任秘書長唐縱對上列各事瞭解的最多。

從學庸談孔子的人生觀（一）

蔡金濤

「大學之道，在明明德，在親民，在止於至善。」這是大學的三綱領，說明爲學的最高宗旨在於明白「明德」，而最後止於「至善」。所謂「明德」，按朱子的註解：「明德者，人之所得乎天，而虛靈不昧，以具衆理而應萬事者也」。這是人秉自天的屬性，在釋家謂之佛性，在道家謂之道體，在西洋哲學謂之本體，而儒家謂之明德，其詞雖互異，其義則一也。而明明德之「明」，乃一動詞，是達到明德及止於至善的一種方法或過程。前既云明德乃秉自於天，人各具足，何假手於方法？朱子說：「但爲氣稟所拘，人欲所蔽，則有時而昏，然其本體之明，則有未嘗息者，故學者當因其所發而遂「明」之，以復其初也。」這是朱子的解釋，導源於他的理氣二元論，即理是善的，氣是惡的。王陽明也說過：「無善無惡心之體，有善有惡意之動」的話，宋明理學家率皆主張理氣二元論，姑不論理氣二元的理論如何，他們都認爲是天賦予人的明德，[illegible]氣稟所拘，人欲所蔽，故須有明的功夫，[illegible]返歸本源。

南懷瑾教授在其「禪宗六祖的中國學」一文中說：「大學之道，在明明德，上字之明，乃所明，動辭也。下句明德之明，乃能明，名辭也。明德者，明乎心情之體，故明德已可以「在親民，在止於至善」。親民者，用以應世也，止於至善者，絕對之體也，以善惡皆隱，乃讚美其善美之至也，即此數句，即單提直指，儒家的心法明矣；使有未能頓悟此明德一着子，以下即教以次第漸修的法則，故繼之曰：「知止而后有定，定而后能靜，靜而后能安，安而后慮，慮而后能得。」得者，得此明德的體也。上下二節，一爲頓悟，一爲漸修次第，首尾兼顧，[illegible]誠意，乃至正心、修身、齊家、治國、平天下。又復指出「致知在格物」。此之所謂知，即佛法所謂根本智（[illegible]佛法所謂差別智），[illegible]照此知的一念，即可入於象妙之門，達明德之域矣。以佛法釋之，致知在格物，即轉識而成智，物格而後知致，識轉而後心明矣。

周濂溪之學主於存誠，如云：「誠者聖人之本」，「聖，誠而已矣。」「誠無爲，幾善惡。」「寂然不動者，誠也，感而遂通者，神也，動而未形有無之間者，幾也。」「誠神幾曰聖人」。凡此立見，皆以誠爲成聖之基，微言至論，實爲性理之大軌。濂溪定擧搖爲體性，謂誠乃無爲的，無爲即乃寂然不動的，感而遂通，則爲誠之神[illegible]；其機動[illegible]「自誠明」的步驟，自明能誠，[illegible]神明來復，通於萬化[illegible]禪之事，以漸修[illegible]，特別提出識得仁體後，必須以義理栽培，誠敬存之，應爲「[illegible]誠」的路線，或爲禪宗之頓悟，先明此自性之明，後保任此靈明而致於誠者。

由此可知，所謂明明德，乃人之對宇宙人生的體驗，天人合一的境界，依現代心理學的觀點，乃人心之冥合道體，而非屬一種直覺功能，而應推理的程序所能完成也。現就以此心理狀態綜論明明德的性，此有關孔子的人生觀，不得不詳論之。近代哲學都偏重知識論。知識論的根本問題就是：我們如何知道宇宙事物的存在？這個問題引起近代哲學家特別注意到以心知物時的心理活動。比如說我們知獄這張桌子，在哲學方式是否只有一種呢？據近代哲學家的分析，對於同一事物的認識，可以用三種不同的方法。（一）直覺，即「知」。最原始最簡單的「知」是直覺，其次是知覺，最後是概念。拿桌子爲例來說。假如一個初生的小孩子第一次睜眼去看世界，就看到這張桌子，他不能算是沒有「知」它。不過他所知道的和成人所知道的絕不相同，桌子對於他只是一種很混的形相，不能有什麼意義，因爲它不能喚起由經驗得來的聯想。這種模糊形相不見意義的「知」，叫做「直覺」。假如這個小孩子在看到桌子時同時聽到他的父親說「桌子」，或者看到人在桌上寫字，以後他再看到這張桌子時，他就會聯想到「桌子」的名稱，他的父親寫字或是想到「桌子」一個名稱，「桌子」對於他於是就有意義了。它是與父親寫字和「桌子」字音有關的東西。這種由形相而知意義的知就是通常所謂的「知覺」。在知覺的階級，意義不能離開形相，知的對象還是具體的個別事物。假如這個小孩子逐漸長大，看到的桌子逐漸多，有圓的，有方的，有黃色的，有黑色的，有木製的，有石製的，有做寫字用的，有做開飯用的，形形色色，但是因爲用具桌子所必有的要素，它們統叫做「桌子」，此時小孩子不免常把一切桌子所同具的要素懸在心目中想，這就是說，離開個別的桌子的形相而抽象的想到桌子的意義。做到這一步，他對於「桌子」就算是有一個「概念」了。這個概念就是超形相而知意義的知，它是經驗的總結賬，知的成熟，科學的學基礎。

史湘雲（下）

紅樓人物

以湘雲的摔脫和她的豪放，不應該有這種世俗之見，這完全是寶釵的口吻，她和寶釵太接近了。受了寶釵的薰陶，變化了氣質。又有點像襲人的意念，她好像加入了寶釵襲人的陣容裏。黛玉後來亦被寶釵籠絡了，雖然把寶釵看作親姐姐似的，但她的性情和主張，並未受寶釵的影響。寶玉猶爲倔强，父親責罵亦好，寶釵湘雲襲人的勸說亦好，他並無絲毫接受的意思，所以湘雲趕不上黛玉寶玉的品格，就在這些地方。她在家裏累的慌，差不多的針線，要她動手，既無父母的慈愛，一切又不能作主，她身世的可憐，和黛玉差不多。黛玉在賈府，有賈母疼愛，飲食起居一如寶玉，比三個孫女兒還好。寶釵來到賈府，賈母拿出錢來，特別替寶釵做生日，額外熱鬧，口裏還不時的稱許，賈母初見寶琴，便迫着王夫人認爲乾女兒，住在賈母房中，又送孔雀毛織的斗蓬。而湘雲呢？雖然在賈母身邊的日子多，對她並沒有親切的表示，連生日亦沒有人知道，在家却更苦了，她家打發人來接她回去時，她眼淚汪汪，見有家人在跟前，又不敢十分委屈，走到門前，又回身叫寶玉到跟前，悄悄的囑咐道：就是老太太想不起我來，你時常提着，好等老太太打發人接我去。她的生活，只有在賈家可以求得一些溫暖。她性情爽直洒脫，雖然處境不佳，並不幽鬱悲觀，或傷心落淚。平常談話冲口而出，高聲大笑，擄袖揮拳，旁若無人。盧雪亭爭聯即景詩，她揚眉挺身，邊說邊笑，好似搶命哩。香菱請教她談詩，越發高了興，沒晝沒夜，高談闊論起來。她評論各家的詩，確有見地。寶釵稱她爲話口袋子，又稱爲詩瘋子。她聽見岫烟當衣，黛玉不過同情感嘆而已。湘雲聽了却動了氣，說道等我問着二姐姐去，我罵她們這些老婆子丫頭一頓，給你們出氣。完全感情用事，意氣衝動，她沒有想到她的地位和身份。一時高興，便請客開詩社，幷不估計自己的力量和環境，虧得寶釵想得周到，替她預備旁蟹好酒，纔把請客的事打發了。寶釵替她解决困難，內心的感激，亦是人情。她的文學，較黛玉稍差，但幷不下於寶釵。她的性情，和寶釵襲人不同；較黛玉率直樂觀，沒有晴雯的尖酸，假使她是男兒，一定是阮嗣宗劉伶一類的人物哩，她幼年坎坷，長大出嫁，又青年守節，多麼可憐啊！紅樓夢序曲說：

「襁褓中父母嘆雙亡，縱居綺羅叢，誰知嬌養，幸生來英豪闊大寬宏量，從未將兒女私情畧縈心上，好似一霽月光風耀玉堂，斷配得才貌仙郎，博得個地久天長，準折得幼年時坎坷形狀，終久是雲散高堂，水涸湘江，這是塵寰中消長，數應當，何必枉悲傷。」

這一支序曲，把湘雲的性情環境命運，統統說盡了。她的遭遇，不管八十回前或八十回後，都是一樣的意思，但有些讀者，根據因麒麟伏白首雙星的回目，認爲湘雲後來嫁了寶玉。不知作者爲什麼要列這樣的回目，除此之外，幷無其他根據。寶玉替湘雲保留金麒麟，因湘雲原有此物，沒有這個好的緣故。其他亦無任何跡像，何況從前女子再嫁，幷非一件普通事啊！不知是否作者的初意，寫湘雲的結果，另有一種寫法，因屬考註範圍，所以沒有多表意見。總之，全書內容，有許多隱晦的地方，令人難以索解，讀者們各憑己意，穿鑿揣測，各抒見地罷了。（完）

歐陽修少師致仕（下）

命相與夢話

漢年

同値天乙，氣象萬千。吾宗遠祖天綱有云：「幹爲祿本，定、職位高遷，壽極年長，蓋爲祿臨旺地。」證以文忠此造，確信然也。

四歲庚戌，鄭國公觀（其父），終於泰州軍事判官。

廿七歲癸酉，元配胥夫人卒。

三十歲丙子，爲切責高若訥，降爲峽州夷陵縣令。

三十二歲戊寅，胥夫人之子夭。

三十九歲壬辰，鄭太夫人棄養。

以上種種，皆爲丁運屬火，已運藏火，癸運化火，及經過流年之衝刑剋害，有以致之。二十二歲乙運甫交，公攜文謁胥學士於漢陽，胥公大奇之，留於門下，旋攜公赴京師。次年在京師，試爲國子監第一。秋解試，又占第一。次年正月，試禮部又得第一。御史試，第十四名。五月授將仕郎。其所以能青雲直上者，皆乙木大運，氣求聲應之效果。及三十三歲，由縣令而復舊官，充館閣校勘，修崇文總目，知揚州、潁州、開封府等。轉兵部尚書，改知蔡州，卒至以觀文殿學士，太子少師致仕。凡此種種，皆由甲辰、癸卯、壬寅等，水、木資助之運有以致之。壽享六十六，捐館於潤七月二十三日者，蓋爲幸運之金，而壬子年，戕賊乙木。庚午日，會生日乙卯，又爲四仲齊衝。子夏曰：「生死有命，信然。」（完）

諸葛亮狂想曲（六七）

·劉玄·

有一次王母娘娘要我替她準備一個大蟠桃，比一座小山還大，足供參加蟠桃大會上千仙家的食用。但你知道，壽桃不比蛋糕，分食相當困難。聽說八仙祝壽因參加歌舞表演節目，何仙姑、韓湘子就沒有吃到蟠桃，頗有怨言。因此，王母娘娘要我改做這種小蟠桃，大概一個蟠桃可做五六百個。過去每開一次蟠桃大會消耗蟠桃何止千百之數。現在只需三五個蟠桃已經足夠。我爲這種蟠桃起個名稱叫「珍珠蟠桃」，外面塗有鍊丹膠液，能藏百年不壞。上次嚼桃大會改用「珍珠蟠桃」十分成功。很多仙家捨不得吃，帶回去當紀念品呢。」

諸葛亮聽得出神，連連點頭，隨即將「珍珠蟠桃」納入口中，細細一嚼，甜糯無核，涼沁肺腑，果然不同凡品。

諸葛亮參觀過「迷你」老虎，吃過「珍珠蟠桃」，二次起身告辭。

星君這次不再強留他，微笑着向諸葛亮道，「我帶你到後花園看兩樣小玩藝。」

諸葛亮跟隨太白星君，穿過長長的走廊來到仙邸後花園。一眼看見有個小小馬槽，拴着八種不同顏色的駿馬，昂首奮飛揚，只是體型比家貓高不了多少。另外一個龐大的獅籠裏，關着兩條哈叭狗。硬是有獅子大小。

「這是我準備送給王母娘娘的壽禮。其實原來是八匹駿馬，兩條小獅子狗，經過改造，便變成現在的樣子了。」星君向諸葛亮解釋一番。

「眞有意思，眞有意思。」諸葛亮一面向星君稱讚，一面暗想：「這老兒眞有一套，他化的代價不多，無疑的這種別緻壽禮，自能深得王母喜愛。仙家的人情世故又高一着了。」

諸葛亮回到住處，有琴童拿了龍岡會的請柬，雙手呈與他。他拆開一看，只見上面寫着：「茲訂於農曆三月六日吉時舉行關聖帝君磨刀大典，敬請光臨觀禮。下面由總會長劉備署名。」

原來農村社會留下的習慣，關聖帝磨刀要用水，農村就能普降甘霖。天庭的龍岡會也就藉此形式化一番。

諸葛亮看完請柬，一言不發。

「二將軍磨刀，能用多少水？那裏會使農甫普降甘霖？這根本是農村社會的一種迷信，或許有些神棍想藉此混點香火罷了。」琴童跟隨諸葛亮日久，耳濡目染對事也有較深刻的觀察力。

「休得胡說！以後記住，但凡涉及龍岡之事，不許你亂批評。」諸葛亮語氣嚴厲，琴童聽了，那敢再做聲。

諸葛亮心中所反復考慮不能決定的是「宇宙發展委員會」問題。他認爲茲事體大，不但攸關他個人的出處而且影響龍岡在天庭的地位。他決定找劉備一談。遂命琴童準備雲車。（未完）

巨變歷險記！

盧漢歡宴（九九）

胡慶蓉

雲南的情形，從表面上看不出什麼，從表面上像一池秋水，風不吹草不動，到處平平靜靜，若無事者然，然若向裏邊探測，則殊有突變大變的可能。昆明的空氣雖然無比的好，但有政治意識的人則感到低沉，感到沉悶，甚至感到窒息。盧漢就是當時的寒暑表。從他可以測量出雲南政治的動向。

雲南，從蔡鍔、唐紀堯時候起，地位本來就大大的變了，由龍尾一躍而為龍頭，有建瓴之勢，登高一呼，全國响應。但在民國卅八年年底，在東北淪陷，華北淪陷，東南不保，首都退出，連四川也搖搖欲墜的時候，雲南又恢復了他從前的尾巴地位，領導不起來，也只有追隨了。

雲南是非常保守的，在政治方面，還是龍雲時期的形態，一切統於一。中央雖派有兩個軍——八十六軍與八軍在監視他的行動，但也好像莫奈他何。換言之，盧漢是雲南省的主席，盧漢也就是雲南王。

他對於丁博士的到達昆明，表示竭誠的歡迎，第一次他們會面是在雲南省政府大樓，以後就改在他的公館。丁博士在昆明，不下一個月之久，他們會面恐不下二十次，他們無所不談，但大局必竟是最主要的。他對於大局，更是悲觀，他認為大陸一定不保的了。縱然他不投降，雲南也沒有方法保存，於其空作努力，無補大計，何如棄攏之為愈！

在丁博士到達昆明之後，盧漢曾在公館設盛宴招待。以後也時常在他公館吃飯，盧漢公館是一座很小的樓房，吃飯的地方在樓下，一桌人十一二位，好像把地方都佔滿了。菜很好吃，可惜名字都忘記了。有一種，還記得，是炸什麼魚，此魚並不大，像小手指一樣，或者還要小點。此魚的長處是肝是肥，而且白，而且嫩，一點腥味都沒有，剛炸起來，可口新鮮，越吃越想吃。他如烤鴨，肉鬆，上邊說過，也都是雲南名菜。鴨雖不如北平的個子大，雖不如北平的肥，也可以稱為兄弟之邦，在伯仲之間。鴨要趁熱，越熱越香。肉鬆乃由羊奶提煉而成，帶有腥味，故所以也要快吃，也是越熱越香。假如成都有小北平之稱，昆明也等於小北平。充滿農村的氣息。北平有個鼓樓，昆明也有個鼓樓，當然沒有北平的高，但同西安的則極相似。昆明的金雞碧馬牌樓，較之北平的玉帶橋兩頭的牌樓，也並無遜色。

青年問題漫談（一）

——不要忽視青年休閒問題——

關者清

當今青少年問題嚴重，報章雜誌長篇累牘地刊載，專家學者不停地會議討論，但莫衷一是，各有各的理由，也就是說各有各的高見。到最後每次的答案都是一致的——即飭令各學校嚴加督導，並籲請家長合作。

事到如今，問題解決沒有？據各方面的統計似乎頗值得安慰，比起美國的嬉皮，比起日本的學潮，還是我們有能在安定中求進步。比來比去正如同「武當派」的拿手「招數」「太極拳」，結論是根本沒有「問題」了。我們的青年問題如小巫見大巫，不足為怪。

筆者為此深入青年羣中，由學府到社會，並非危言聳聽，事實上問題之嚴重遠於司空見慣，見怪不怪了。為什麼？教育喪失了主旨，青年得不到正確的領導。說來話長，今後將一一討論，茲將最普遍的一現象先提出供專家們「鑑賞」。

何謂青年：青春的氣息，活潑的身心，進取、好奇、樂觀，對未來充滿希望。而今呢？青年比比皆是，而青春氣息蕩然無存。過激者拼命尋求目前的刺激，保守者將未來的希望寄托在美國彼邦。

且放下社會問題及學校問題不談，站在一個「人」的立場，此一生所求何來？不錯，是幸福，但幸福並非可望而不可及的幻想。而是在每一刻消逝的時光中，所享受到的歡悅。以及為下一刻作準備的投資。

現在的問題是長輩們不斷地要求年輕人「投資」，日以繼夜，年復一年，正當好奇心最重的這段時光中，對這份「投資」並未看到結果，恰如同一些大公司不斷地要股東拿錢，假如股東見不到實惠？管你有多遠大的計劃？年輕人只看得見目前，於是問題叢生。

當然要年輕人眞正了解目前所作的「投資」的代價，是相當困難的，但作為一個大公司的股東何嘗不然？技術是如何使他們繼續投資？在公司而言，按期發給紅利，保證皆大歡喜。而年輕人需要的是什麼呢？說來可憐：一點點最低限度的娛樂，如此而已！

一個青年學生憤怒地說：「不錯！家裏有電視機，爸說是買給我們看的！但是看什麼？電視影片被剪得七零八落，稍合年輕人口味的都剪了，說是維護善良風俗，但是女人穿得只剩下三點，大搖大擺，難道這是善良風俗？老實說，電視公司都是滿足一些老色迷的！」能否認嗎？這是事實。

又一個大學一年級女學生說：「我唯一的嗜好是聽音樂，因為我覺得很輕鬆愉快，但是大人們硬說那是不良少年的玩意，我只好偷偷地去咖啡館裏聽，」咖啡館在台北是不良少年的溫床，但是有多少純潔的青年被「逼上梁山」？

年前首仙仙自殺死了，她如在一個良好的環境中，一定會被養成光芒四射的天才文豪，不少人事後表示了一些追悼的「錐心泣血」的「傑作」，但是：有誰顧及，有多少首仙仙默默地在枯萎，默默地在慢性的自殺？

青年人要的是朝氣，被壓抑！青年人要的滋養，闕如！青年人要的輔導，在那裏？

時常聽到青年人說：「今天有空閒，那裏去玩玩？」回答的是千篇一律：「看場電影吧！」因此好萊塢那些「商業道德教條」下的「惡習」一律深深地根植在青年腦海中。

可是，癥結問題是，年青人在功課之餘，到那裏去？去做什麼？除了國內現代藝術尚能趕上國際水準外（可惜却遠離了青年的水準）文學、音樂、戲劇、娛樂，有那一項能給年青人帶來滿足與愉悅？

別以為年輕人無知，他們欣賞水準並不低，老一輩的只知自己混飯吃不求上進。很多年青人對我說：「扭開電視機，電視劇只要看一分鐘就早知道了結局！」是誰低能？再談到國語歌曲節目，年輕人更光火了：「大人們老罵我們崇洋，可是國語歌曲唱了卅年了還是老樣子！」誰能否認？」還有個女學生說：「媽媽不許我交男朋友，說愛情妨碍學業，可是國語歌曲裏儘是我愛你你愛我的，叫我怎麼辦？」

問題很明顯的擺在眼前，台北之繁華已超過當年的上海，但是一切遊樂都為成年人而設，翻開報紙，各種緋聞，各色污穢的「壯舉」，都被轟轟烈烈地塞進這些好奇的純潔無邪的心裏。可是他們又沒有自己的天地，唯一的路徑是偷偷摸摸向大人們學習。

試問學校能管多少？試問麻將桌上的家長們願意知道多少？斬草不除根，春風吹又生！不給年青人正當的發洩途徑，「綠島」可能變成黑壓壓的一羣「青年島」。

本文最後引用一句一個「不良少年」的良心話」作結束：「我知道自己「錯」，但是比「對」過癮，明知要受處罰，反正活該！」

國醫與國藥

針灸驗案

山東孫培榮

前言

余有幸，叨祖宗餘蔭，生而不虞衣、食、住、行，成年出塾一心嚮往奇技異能，常獨往訪求異人，期月不歸，吾母屢責，「如其不務正業，荒廢光陰，何若拜爾錢曾文表伯學習針灸，他日倘有心得，亦可為鄉里鄉黨解除病苦之助。」遂趨叩錢表伯，表伯為吾鄉馳名遐邇針灸大師，渠以熟讀針灸大成為啓蒙，窮研針灸古籍，再參以親身經驗，以針驅病。

不幸生當亂世，初避盜匪搶刦，軍閥內亂，繼之七七抗戰，先後數數棄家逃難。日寇納欵，又遭赤禍，故土且難苟安，歷避連雲港、南京、上海，最後渡海台圓。難友有病，既無醫藥可求，余以針相隨，果能濟急，久之知者益衆，鄉親慮及自由中國乃法治國家，深恐密醫或遭取締，救人反獲罪譴，勸余報攷檢定，幸獲錄取，攷試院頒給合格證書，竟成為合法中醫針灸大夫。倏忽二十年，診病既多，慨於無知之輩，盲目反對中醫，余曾將所經病歷詳細登記。有同道既憤反中醫竟無所知，又鑒於德、法、日、美各國對針灸一道，風起雲湧悉心研究。促余整編成書，自愧譾陋，但拋磚之任，吾又何辭。勉就手邊病歷稍加整理，力求精簡，名曰「針灸驗案彙編」。仿針灸大成體例，每一病症，編成七言歌訣，共得二百篇，每篇四句，前二句病名症狀，後二句說明應針之穴。並將古今名人著述之病理引證錄內，其後列舉病癒者姓名、住址、年齡、病情及施針經過；（間有不便直錄者隱其名或住址，原稿存眞以備查證），眞人眞事，例證確鑿。

自由報社長李運鵬先生囑先發表，公開討論。余欽其言，并感衛護中華固有文化熱誠，特鈔錄送請披露，尚望博雅君子不吝指教共同研究，使針灸昌明於世，則幸甚矣。

頭部

頭疼異常疾因多，昏沉痴呆久成痾，須刺關亢與百會，太衝邱墟病卽瘥。

難經曰：頭心之病，有厥痛，有眞痛，何謂也，然手三陽之脈，凌風寒伏留而不去者，則名厥頭痛，入連在腦者，名眞頭痛。註：厥者逆也，眞者無他雜也。手之三陽從手至頭，風寒客於頭，則壅逆而不得流通，所以作痛，謂之厥頭痛。厥頭痛有六種、頭痛而若腫起而煩心一也，頭脈痛心悲善泣二也，眞頭痛重而痛三也，頭痛意善忘按之不得四也，頭先痛而腰脊為應者五也，耳前後脈湧有熱六也，靈樞言之詳矣。腦為髓海，風寒之氣，入於泥丸宮而連於腦，謂之眞頭痛。

古人謂：此痛或屬內傷，或屬外感，其外感頭痛，多屬三陽絡，太陽頭痛，在正中與項部，少陽頭痛，多在兩側，陽明頭痛，多在項部，內傷頭部，多見氣怯精衰，遇勞卽發，或頭痛如破，或時常作疼，昏重不安。外邪襲入三陽絡，或頭部血管充血，或鬱血，皆致頭疼，以頭部屬陽經也。然有因風、寒、暑、濕熱等之差別，感受風寒而疼者，則兼惡風惡寒。因於濕者，則頭疼而重，或倦怠無力。因於熱者，只見發熱，心煩口渴。因於暑者，或有汗，或無汗，身惡熱。如血分不足，陰火攻冲，則疼連魚尾，善驚惕，或五心煩熱。因七情惱怒，肝胆火鬱，上冲而疼者，則頭疼如破，或疼引脅下。因痰飲疼而者，則昏重而疼，悶悶欲吐。頭疼自有多因，不可不辨也。（一）

紙上談兵

周燕謀

九、圍師必闕

司法法云：「圍其三面，闕其一面，所以示生路也」。如圍師不闕，則勢逼為「困獸必鬥」之心，千萬切忌。

杜佑說：「若圍敵平陸之地，必空一面，以示其虛。故使戰不固，而有去留之心。若敵臨危據險，彊救在表，當堅固守之，未必闕也。此用兵之法。」

李荃說：「圍敵必空一面，以示不固，若四面圍之，敵必堅守不拔也。項羽坑外黃，魏武圍壺關，即其義也。」

杜牧說：「示以生路，令無必死之心，因而擊之。」

歷史成例，如後漢妖巫維汜弟子單臣傅鎮等，相聚入原武城，刦掠吏人，自稱將軍。光武遣臧宮引北軍數千人圍之，賊兵糧多，數次攻之不下，士卒死傷。光武乃召公卿諸侯王問以方畧。明帝為東海王，起而對道：「妖巫相刦，勢無久立，其中必有悔者；但外圍急，不得路可走，如開圍一面，賊必散，此城可破了」。光武納其言。令開圍緩攻，賊衆分散，遂斬單臣、傅鎮等，降餘衆之賊。

大唐天寶末年，李光弼領朔方軍，與史思明戰於土門，賊衆退散，四面合圍，光弼令開東南角以縱之，賊見圍開，棄甲急奔，因追擊之，盡殲其衆。是開一面而破賊之證。

如後漢初，張步據齊地，漢將耿弇總兵討之，張步使大將費邑阿軍於歷下，又分守祝阿、鍾城。耿弇先擊祝阿，自晨攻城，未至日中，城破，故開圍一角，令其衆得奔歸鍾城，鍾城人聞祝阿已潰，大為恐懼，遂潰亡一空。

又朱儁與徐共討黃巾餘賊，韓忠據宛城，向朱儁乞降，朱儁不許，因急攻之，數攻不能破。朱儁登山觀之，顧對張超道：「吾知之矣。」賊今外圍周固，內營急逼，乞降不受，欲出不得，所以死戰。萬人一心，猶不可當，況十萬乎！其害更甚。今不如開圍并兵入城，韓忠見圍解，則勢必自出，出則易散，亦易破矣」。因下令圍解，韓忠果然引兵出，朱儁俟其出而擊之，遂破宛城賊。

曹操圍壺關，下令道：「城破皆坑之。」連月不下。曹仁對曹操獻議道：「圍城必示之活門，所以開其生路也。今公告之必死，賊必人自為守，且城固而糧多，攻之則士卒傷，守之則曠時既久，今頓兵堅城之下，以攻必死之虜，非良計也」。曹操從之，敵開城遂降。

又後魏末，齊神武起義兵於河北，朱兆、天光、度律、仲遠等，四將會於鄴城之南，士馬精強，號稱二十萬，其時圍神武於南陵山。神武有馬二千匹，兵士不滿三萬人，兆等設圍不合，神武連繫牛驢自塞歸路，於是將士死戰，四面奮勇，大破兆等。此乃見敵之企圖，自塞一歸路，以破敵之謀之一例。是故圍城開一面，可自塞活路，置之死地，然後死戰，而破圍開一面之企圖。是乃用兵之法，不可不知矣。

自由報

（第一〇三六期）

（半週刊每星期三、六出版）
每份港幣貳角、台灣售價新台幣貳元
督印黃行寶　社長李運鵬
社址：香港九龍彌敦道593—601號 廖創興銀行大廈八樓五座
LIU CHONG HING BUILDING
7th FLOOR FLAT'5
593—601 NATHAN ROAD,
KOWLOON, H.K.
TEL: K303831
電報掛號：7191
承印：景星印刷公司
台灣連絡中心：台北市青田街五巷三號 電話：三七五〇二二
台灣區直接訂戶　台郵劃撥戶 第五〇五六號張萬有（自由報會計室）
台北營業處：台北衡陽街三十號 電話：二七二〇〇
台灣分社：台北市西寧南路110號二樓
電話：三三〇三四六，台郵劃撥戶九二五二分

研究教授何以不能見天日！

・吳相湘・

拙撰「敎經界亟需解決的兩大問題」刊佈本報（本年一月廿一、廿四日）以後，直接間接收到許多讀者來書，一致以爲說出了讀書人的心聲。其中最有趣的是有幾位讀者投詩，例如其一「讀自由報『今天回家』設興：爲愛儒冠夢寐求，『知止知恥』自由，攀藤自有鄉親路，任君識笑作詩留」。又其一「讀自由報評論某大學校長回家有感：回家呼喚義蓬蓬，祗爲沈迷利欲中，安得「厚學」掃不去；豈容粘地裝盲聾」。這些詩句如何解釋？高明讀者自能了解。至於來信者有云：「大文有振聾發聵之功。惜此輩無恥之尤，較饞鑽尤難治也」。又另一信有云：「社會自有公評，恐亦非少數人所能掩天下耳目也」。事實上：當拙文刊佈之際，中國時報等對於國科會不公佈研究教授名單已有所批評；中央日報亦刊載「讀者之聲」更可以代表絕大多數讀書人的心聲：這「不是國家最高機密，爲什麼不公佈？納稅人有權利知道那些教授是全國公認的一流學者」。「提倡科學的人，說話和做事必須應比一般人更遵守科學原則，以最近公佈研究教授人數分配一事來，不免令人對科學有點懷疑」。

就這一則「讀者之聲」看來：國科會舉動乖錯，祇發生了反科學的作用，政府當局苦心孤詣推行經濟建設提倡的心意完全被糟塌了。

國科會之所以不公佈研究教授名單，紙上只簡單說是「避免困擾」，并沒有比較詳細具有說服力量的理由。事實上：即筆者在前文所謂「徇私弄權」的小人自知這是不公平的措施，所以不敢公開敎見天日；國科會主任委員吳大猷博士在離台赴美前夕的談話，一則自認無任何國定居計劃，再則自稱希望有年青的領導人才來接替，證之以中國時報刊載張九如「爲了幾個大苦了兩個大」一文所指陳，又據消息來源有云：吳大猷原議具有其他公職及民意代表身份的都不提名爲研究教授，以使這一國家最高學術榮譽更具獨立自尊性。但結果此議爲一二人情所破壞了。因此以尋繹吳大猷臨行談話內涵意義：他已「領教」國科會十二金釵的「領導精神」！否則，所謂「領導人才」「接替」作何解釋？并且吳博士久居美國深知美國大學一博士論文題目決定後即送陳各學會刊登通訊，以免重複。今對國家研究教授專題研究題目（有三年之久契約）自更應慎請國門。故就種種跡象顯示：吳大猷是國科會主任委員，但居留國內時少，且屬孤單奮鬥，正不敵邪，特權階級自就爲所爲了。吳大猷博士的辛勞竟白費了，眞可惜。

國科會具有投票權的十二人，人文科學組五人「清一色」是台大「做莊」（筆者應用此術語，因某大學某系教授多在治十三經「一三經」）勤奮認眞，殊不「懶做」之壞）。如果說：這是一決策機關應包括台大以外各院校的文學院院長或所長組主任，即按學術著作論：陳槃凌純聲勞貞一方豪諸先生即勝過五人中其一從無研究論文發表及另一祇通一小徑者。即就台大小圈以內的歷史系說更充分表現「徇私弄權」：著作甚精的傅樂成教授未被提名，因其有乃伯斯年先生「反鄉愿」精神，不爲特權階級所喜。而著述不如傅樂成之杜陳二人却獲提名。據悉：當投票時，陳某只得　四分，距標準點二十五分僅一分。「做莊」的五人之一爲維護其「犖犖利益」要求再度投票，結果更慘，竟只得二十三分。有資格的觀察家分析其原因：一、這是「十二人」對於要求再度投票的人從無學術論文發表而作此逾分要求一種鄙夷不信任的表示。二、五人中之二人不滿意陳參加故宮博物院研究滿文老檔工作，因爲這一工作將爲「二人」所不喜的爵爺院長增加光輝，故此一再露一手「權威」絕招。

這是有人格權威人士函告筆者的。這樣「徇私弄權」，中華民族科學研究的前途實在令人非常悲觀。

惟有「徇私弄權」，才不敢見天日，明乎此，研究教授名單之不公佈的原因也就不待言了。

研究教授實即以前長科會研究講座教授的變名，論金錢數目也不過比以前稍多。何以以前每年可公開於世，如今竟「保密」，所謂避免困擾，如拙撰前文，實即院系主任之徇私弄權「畏人言」，其他教授那裏敢有言語行動。眞是以小人度君子之腹。如果說：這是國家學術最高榮譽，爲什麼要如此躲躲藏藏，偷偷摸摸——上週有同學聚餐會，見召有研究講座教授榮銜的高去尋院士與李其泰教授等，數十同學相聚無所不談，有人談及研究教授不公佈事，笑詢高李二位名學者：不能見天日的是什麼東西？國科會這一乖錯，眞是侮辱盡了讀書人！如果你們兩公（高李）這次又是研究教授，是要這不能見天日的東西？還是要人格？

沒有獲得「研究教授」的眞正讀書人實在應該引爲欣幸；或多或少只遭受一次侮辱而沒有「對碰」！以自己孜孜不倦的辛勤作品竟由一從不知研究爲何物的人來「品評」，已是受侮辱！而在這樣「產生」出來後又不能見天日，又加一番侮辱。嗚呼，可悲哉。

中央日報「讀者之聲」提到「講座教授」名實不符，更是值得注意。就報載國科會原議有所謂教學成績優良者云云，經立法院質詢而動搖，今又出現。考教學應是由「敎」「學」相長一語而來，既不能「學」（研究）如何能教？今更掩耳盜鈴偷天換日，其爲應酬某某不做研究的人更可想見。這也就是名單不能見天日的最大原因[illegible]「新聞天地」于衡文引李濟[illegible]「書不觀」之可悲。而國科會五人之一亦談無根！尚復何言哉！）。

筆者對教育問題從未發言，今一再發此逆耳之言，實由筆者兒女在台灣受教育完成，除小學入初中必須經過考試外，其他各級學校均以優良成績而蒙保送，實台灣教育優良所賜。

台北市各中等學校聯合畢業典禮在中山堂舉行時筆者且被選爲家長代表致詞，建國中學畢業典禮亦然。

筆者既享受榮譽，即不應因自己子女已長成而緘默，必需秉「幼吾幼以及人之幼」精神，不畏權勢，指陳教育上種種缺點，力求改革，爲他人子女謀幸福。

再則近歷讀國父及蔣總統言論，深感國家興亡繫於教育，蔣總統指示教育失敗爲大陸淪陷主因，應爲教育界所共知。

民國十年後國父在廣州對教育界演講，要求教師學生立志自強：「當革命之初，吾黨有志用十年時間改造中國，使中國爲世界第一，諸君以爲可達此目的否？諸君亦有此志否？諸君如有此志，則可以爲教育家！如無此志，則不如及早改業」（詳見東方雜誌本年二月號「國父全集外二篇重要演講佚文」）。語重心長，更不自安。知我罪我，非所計及。

有關人士能否知錯即改，也不計及，至少存一代是非之公：現在台灣高等教育界少數特權份子受自國家社會者太多，而貢獻於國家社會者太少太少，當此存亡絕續之交，竟有此不能見天日之乖張措施，歷史紀錄決不應稍事寬恕也。

中華民國五十九年二月三日

昨日與明日

高玉樹市長要再努力

台灣寶島是今日自由中國的所在地，是世界二千多萬僑胞所歸心的反共精神堡壘；而中華民國政府所在地的台北市也就是光明和希望的象徵。作爲這樣國際馳名大都市的市長，不僅地位崇隆，任務當也特別艱鉅。從報載有關高玉樹市長種種，引起了我們對高玉樹市長、台北市政以至台灣政治前途的關注。

府會之間

府會之間，似乎早有暗潮。改制後台北特別市議會成立後，原期可望改觀，但由於議員去市府考察，未蒙市長親自接見，會議進行中，議員質詢又與市府官員起了糾葛，因此，府會之間，又將舊調重彈。民主政治的最大功能，也就是最重要的功能，就是對行政部門的監督和促進，藉以提高行政的效率增進人民的福利。如果行政當局要給議員眼色看看，反正特別市長是上峯派的，議員其奈我何；在議員方面，如果假公濟私，對人不對事，專找渣兒，都是不瞭解民主政治的眞諦，都應當對民主政治再學習學習。百五十多萬的台北市民誠摯希望，台北市議會大力策勵督促市府，實施高效率的市政建設。府會之間，不能融洽，如議員對市府所爲，一切OK如同一般無識記者在報紙上所宣傳的府會一家，那市民們選舉市議員幹舍（口旁）。

地下局長

台北市議會開大會時，有位市議員曾向台北市教育局長質詢地下教育局長問題，教育局長無從作答，最後議員方面透露：所謂地下教育局長是指着市府姓楊的一位秘書，他也就是高玉樹市長的弟弟，對教育局大權在握攬，事事都管。由於這一新聞，我們也想起了兩件舊聞：一是高玉樹市長另一胞弟楊玉城曾因管市府工務的事而出了漏子，另一是姓陳的市府機要秘書掌握公車處的大權，也發生過問題。熟習台北教育界情形的人們知道：高市長對教育人事非常重視，因爲太重視了，往往在資格能力與位置之間，發生很大差距，有時甚至不顧失效。從前現教部劉先雲次長當教育局長時，就曾嘗過其中甘苦。個中情況，一言難盡，然亦看出高玉樹市長是感情中人，對於過去選舉人情還背着很重的包袱。

値得喝采

在台北市政中値得喝采的是公車處袁譜處長最近廢止贈票，報載：廢止贈票每月所增收入，可以購買新車一輛，嘉惠市民良多，可謂一大善政。這件事，當然是高市長所核准，我們對高市長和袁處長的魄力，深致欣佩，因爲獲得贈票，都是有力人士，他們不怕得罪人，完全爲公家和市民着想，値得喝采。其實當初贈票辦法就不對。公家車票等於公家之欵，公欵，怎可任由官吏贈人？有何權力？管物資的官吏，可以隨意將物資贈人嗎？主持銀行的、管的是錢，可以將鈔票隨意贈人嗎？因而我們認爲：鐵路局，公路局對省議員，立法委員的贈票，都該一律停止。這是特權的享受，民主政治之下，不應有特權。

政者正也

最後，我們願贈言高玉樹市長：在人們心目中，高市長是非常聰明、非常能幹的人，也是在政治上非常有前途的人，不過要想讓前途更輝煌，還應當加強研習民主政治，澈底爲人民謀福利，政者正也，無其他妙方也。高玉樹市長是個極端聰明人，如善用民主原則，前途更會光明萬丈。

・老記・

自由談

迂腐之談

近數十年來，吾國有些少讀華文書籍，識字無多的人，動則攻訐本國固有文化的儒學爲封建腐敗思想，對於孔孟垂訓的立身立己之道，譏之爲「吃人的禮教」，「封建的道德觀念，主張把線裝書一概丟到茅廁裏去，而以西化主義的進步人士自居。相激相盪，乃使一般知識份子的文化思想陷於空虛墮落境況，祇是拾取一點西方功利主義者的學說思想的牙慧，狂呼「民主」與「科學」的口號，曉曉讙咋，不知所云，甚至於對中國的方塊字亦表示厭惡，要予以拉丁化。談到做人的道理，即視爲迂腐的落伍思想，誰也不屑置意的。這纔是中國鬧成現在這種慘狀的基本原因所在也。

儒學的精義是倫理思想與政治行爲相融合，治國平天下之績效，導源於修身齊家，而以正心誠意爲甚準。人是政治的動物，政治是管理衆人之事，儒學講究個人的品德修養，先要正己而後正人，這是腐敗思想嗎？這又有甚末新舊時代關係之差別呢？像近年來的台灣社會上，兒子向父親索錢不遂而殺父，學生不願意老師嚴格管教而殺師，男人追求女性失望而逞兇殘殺婦女這類行爲，在儒學思想中是罪該萬死的，標榜西化主義的進步份子，難道就認爲殊堪嘉獎不成麼？

試閱「朱子家訓」，從首句「黎明即起，洒掃庭除」，到最末句「庶幾近焉」，全篇語意盡係揭示做人的道理，即以現代原子世紀的思想來衡量，有甚末不對之處嗎？他說：「見富貴而生諂容者最可恥，遇貧窮而有驕態者賤莫甚」，西化主義者看來，是否認爲迂腐之談，我很懷疑。因爲他們好以鄙說詭辯來掩飾自己對中國文化思想的　陋無知也。

西化主義者還有一種令人齒冷的技倆，即對西洋人販賣中國文化的「封建腐敗」產品，而對本國人則高談西方的新奇事物，藉以顯示「淵博」的才學，欺世人以無知，眞是無可道也，言之醜也。時至今日，咱們再要蔑視中國文化，不認識中國字，少讀線裝書爲進步，以不講究做人的道理爲開明，中華民族勢將淪於萬劫不復之境，危乎殆哉！

馬五先生

農工發展不能配合 致使農業成本提高
有關單位執行政策有偏差 省議員呂俊傑促予以糾正

（本報霧峯通訊）台灣省議會於本年一月十九日開始省政總質詢，彰化縣選出的省議員呂俊傑一口氣提了十五個問題向省主席陳大慶質詢，因爲時間關係，陳主席徵得省議員呂俊傑的同意，改爲書面答復。

省議員呂俊傑的質詢如下：

農地自然分割的問題：「本省現有耕地八十九萬二千九百零七公頃，較四十八年增加一萬五千一百六十七公頃，增加率爲一・七二%。現有農業人口戶數九十一萬八千一百八十七戶，較四十八年增加十三萬七千七百八十五戶，增加率爲一七・六五%。農業人口戶數增加率大於耕地增加率幾達十倍以上。現有農業人數爲六百一十一萬四千一百四十三人（佔人口總數四九%以上），較四十八年之四百九十七萬五千二百三十三人增加一百一十三萬八千九百十八人，（農業人數並未因工業起飛而遞減，若以農業人數增加率來觀察工業，便值得檢討了。）增加率爲二二點八九%，農業人數增加率大於耕地增加率達十三倍以上，也大於農戶增加率達一三〇%。現在每一農戶平均六點六五八人，較四十八年之每一農戶平均六點三七五人增加零點二八三人。觀此可知，每一農戶人口增加而耕地相對減少，請問：農地自然分割對農業機械化的推行有無影響？如何研訂適當可行的對策改進小農制度？

農業用電等應不應獎勵：查現行獎勵投資條例第三條規定，非依公司法之股份有限公司組織的農業生產事業，概不獎勵，所以農業用電費率不但較工業用電費率高，而且無論用電與否，均須繳納基本電費。例如行政院國軍退除役官兵輔導會所屬台東知本農場，現有深水井兩口，尚未利用，每月須繳納基本電費三千二百七十六元。又如農田灌溉用水的價格高昂，有些農田高於水位，根本用不到水庫的水，水利會不問有沒有用水而照樣收費，倘農民負担不起，就送法院強制執行，此乃農產品成本提高之主要原因，請問：省府對獎勵投資條例不合現行農業政策之條文，有無建議中央修正？農業用電費率應不應比照工業用電費率予以優待？

我國的經建計劃是以農業爲基礎發展工業，與日本以工業爲基礎發展農業的旨趣迴異。故我國之工業發展與農業發展有密切的關係，如生產質良價廉之農業生產用品，使農業儘量充份利用，以提高農業生產力。如加速農業機械化，有賴於性能優良，價格便宜，並能適宜本省小農耕地之機器，以及農民使用與保養技術之訓練，如肥料工業，飼料工業等等，均應配合農業發展，此一政策，由於執行偏差，及財政主管當局之本位主義，結果是：農業配合工業發展，農業成本不斷提高，使農民收益逐年減少，請問：機械、肥料和飼料工業等應不應配合農業經濟發展？執行政策偏差之單位與財政主管之本位主義應否糾正？

如何加強辦理山坡地：加強山坡地之保育利用是發展農業措施之一。本省山坡地面積約二百餘萬公頃，其中有六十萬公頃以上可作農牧生產之用，政府曾制訂「台灣省公有山坡地推行水土保持辦法」，另由省農林廳擬訂公有山坡地濫墾整理六年工作計劃，據以執行，本年爲最後一年。請問：五年來省府整理濫墾公有山坡地有多少公頃？省府六十年度概算編列公有山坡地水土保持經費多少？公有山坡地水土保持工作是否因經費困難而無法進行？

農業學校招不到學生：科學與加強農業研究是本省今後發展農業的重要方向之一。政府充實科學研究經費與設備，優先加強農業化學、植物生理與病理等基本科學研究，培養農業人才，改進生產技術。但計劃與事實距離很遠，就一般農校培養農業人才而言，如台灣省立埔里高級農校五十八學年度招生，報名者僅二十九人，到考者二十七人，註冊入學十七人，註冊入學上課的學生僅十七人而已，其他農校也有類似情形，這種情形發展，對於以農立國的我國所謂「培養農業人才」的計劃是極大的諷刺。所謂「加强農業基本科學研究」，如家畜衛生試驗所產品：家禽霍亂菌苗、混合菌苗、狂犬病菌苗、牛布氏桿菌病診斷液等，竟「無人問津」，請問：農校招不到學生的現象，有無採取對策？

本省的農業投資不足：據官方書載：第四期四年經濟建設計劃內，農業投資增加率已見遲緩，今後政府須積極設法充裕農業資金，增加發展農業所需之公共設施投資。譬如第五期農業投資總額計劃中，農業二百一十二億三千三百萬元，佔工業投資總額八百三十三億一千七百萬元的二四點五七%，但農業生產毛額一千三百三十三億七千一百萬元，佔工業生產毛額二千四百零二億六千萬元的五五點五一。觀此可知，每百元農業投資可獲生產毛額六百二十八元一角三分，每百元工業投資僅獲生產毛額二百七十八元零二分，就經濟效益言，投資工業的效益不若投資農業的效益大。由於農業投資不足，所以許多有關農業發展的基本建設，均將落空而成爲「紙上談兵」，請問：農工業投資不均衡是否符合農工業發展並重的政策？政府有無成立一農業金融統籌決策機構的方案？

國外市場對我不利 農品加工外銷萎縮
省議員促力謀降低成本

農產加工品外銷萎縮的問題：農產加工品外銷因財稅機關之本位主義而萎縮。如香蕉在日本市場已非獨佔，因菲律賓及中南美洲香蕉輸日之競爭，我國香蕉在日本市場由原佔日本進口香蕉百分之八十以上的地位，退居於百分之二十左右。洋菇外銷西德，面臨法國洋菇以差別關稅二三%的競爭。美國市場對我頗爲不利，因我小農草舍生產的洋菇，經不起嚴格檢查殘餘虫體而難獲通過。巴西對我洋菇之進口稅，由八五%提高當一八五%。因國際市場對我不利，截至去年十月底止，洋菇罐輸出僅一百九十萬零四千七百六十一箱，與五十七年同期之二百一十五萬八千八百九十四箱比較，減少二十五萬四千餘箱，減少率爲百分之十一點七七。蘆筍外銷西德，估我外銷總額八五%，但西德採管制進口，不定期發表外匯配合，致我無法預爲配合產銷，外加歐洲共同市場正倡議實施限價進口；至於日本市場，因我國對蘆筍征收臨時捐，故日本誤認我國對蘆筍外銷是不受鼓勵之外銷品，乃加征五%的關稅。美國市場，除非廉價致每箱美金十元，否則沒有銷路。本省原有蘆筍工廠一六四家，去年只有八十家左右開工生產。

國際市場對我農產加工品外銷之不利情勢已如前述，但香蕉、洋菇、蘆筍之生產成本，由於肥料價格不合理，農村勞力缺乏，稅捐苛重，而又普遍提高。經濟部主張自五十九年元旦起停征香蕉洋菇蘆筍外銷臨時捐，而財政部則基於財稅增收的本位主義而反對停征，最後，經由行政院院會決議：該臨時捐由五%減征爲三%。請問：政府「加強輔導香蕉、洋菇、蘆筍的外銷政策」如何澈底執行？經建計劃之「降低成本」於何時實施？妨害農產加工多銷的稅捐應不應該停止征收？

民生主義與平均地權：農業經濟發展的主要資源是土地。政府征收私有土地的政策應是穩定並且防止地價暴漲的。但現在的實際情形是：政府於出售公有土地時，儘量提高地價，使人民誤認政府在領導土地漲價；政府征購私有土地時，相反的，把地價儘量抑低，使人民的權益得不到合法合理的保障。政府以實施都市平均地權爲手段，目的在增加財稅收入。

（以下轉第三版）

依洞集
彭明敏逃矣！

鴻鈞

本港報紙普遍登出，所謂「台灣獨立聯盟」彭明敏已逃走，眞面目漸揭開，純爲傀儡組織，外電指出，其幕後爲黃面孔之非中國人，經費亦由此而來。

我們在揣想，應當不會是日本人，因上次大戰，中華民國對日本有「以德報怨」之恩，照理不應恩將仇報，否則帝國主義易於禽獸者幾稀？就日本處境來說，也不可能與中華民國反恩爲仇，因毛澤東向日本開出的八百四十幾億美金戰費賠償，果還日本非還不可，日本廿年的經濟繁榮，幾等於零，不接受毛澤東勒索的話，祇有與中華民國合作一條道路。

抑有進者，英國在亞洲軍力，已宣佈一九七一年撤退，美國當然也不會太久，蘇俄正作填防空白的佈署，毛澤東爲與蘇俄爭「狗骨頭」，怒目仇視，劍拔弓張，整個大陸已進入備戰狀態，日本如果不從大處着眼，而專從小處下手，就太小兒科了，因之我們懷疑日本不會這個樣的亂來。

喬治桑外傳　一一八

張大燕

「喬治桑看晚報有一個習慣，先看娛樂版的電影節目和觀光飯店的表演節目。接着再看連載小說，然後是社會新聞，最後才翻到第一版的國家大事。

有一張晚報在手裏，時間容易消磨，雅麗絲端來咖啡和烤麵包。

「妳明天和蘿蔔的節目是怎樣排的？」喬治桑是老白相，對於吃喝玩樂最感興趣。

「還沒有定，大概是先去看一場電影，然後是吃飯帶跳舞，玩來玩去還不是這一套。」

「妳送什麼生日禮物給蔡先生？」

「我自己織了一件毛線衣給他，你看可以不可以？」

「太好了，女孩子親手織毛線衣送男朋友，這種感情已經不平凡了。」

「你又來了，不過說眞的，我還是第一次織毛線衣送人呢。」

「妳能不能將妳織的毛線衣拿來我看看？」

「當然可以，可是你不要笑我織得不好。」雅麗絲第二次回房，拿出一件深灰色的羊毛衫出來。

喬治桑拿在手裏一捏，知道是用上等羊毛織成的，柔軟非常，尤其手工很細緻。

「眞看不出，妳織得眞樣好！」喬治桑不免稱讚一番。

「有什麼好，都是媽媽教我的，媽媽織得才好呢。她現在年紀大了，不再織毛衣了。」

喬治桑聽到雅麗絲的提起她的媽媽，立刻想起她的媽媽確實織得一手好毛線。不是也送過自己一件麼？往事依稀，不堪回首。但這一輕微的感喟，却不會被雅麗絲察覺。

「叟，你晚上有沒有應酬？」雅麗絲每逢喬治桑在家，到了將近吃晚飯的時候，照例要問他。

「大概沒有，就在家吃飯，吃過飯再說。」

「今天沒有什麼菜，你只有馬虎吃一頓了。」

拉斯維加的史克蘭敦撥了兩千美金給喬治桑，使喬治桑如獲甘霖，多日愁苦心境豁然開朗。

他自然要立刻還蘿蔔蔡的欠債，同時，他也想見見這位未來的準女婿。

「我看你不必請蔡先生吃飯了，欠他的錢由我拿去還給他好了。」雅麗絲有雅麗絲的想法：喬治桑根本不認識蘿蔔蔡，請吃飯未免是多餘的。

「禮多人不怪，妳想，蔡先生與我素昧平生，在急難時能拔刀相助，我請他吃一次便飯，是應該的。我又不請外客，只請妳作陪。」（未完）

台北傳奇錄（廿四）

・陳光棣・

馬寡婦打開皮包，拿出紙筆來留了個地址。

「啊，那裏？一定，一定。」

「我先到弄堂口小舖子去一下，回來再到劉二爺家」。馬寡婦撒着謊扭着大屁股去了，步成村迷惘的站了半晌，都沒有清醒過來，關大門的時候，狠狠的揍了一下自己的脚骨拐。

從此步成材就常去粘着馬寡婦，向馬寡婦訴苦，發牢騷，自吹自擂，罵劉二爺小氣，馬寡婦總是耐心的聽着，隨時也不露痕跡的問問劉二爺的底細，她知道，步成材很快就會聽她擺佈，因此她總牢守着最後一道防線，誠心叫步成材乾着急，她說只要男們在女人身上什麼都得到以後，就不肯再惟命是聽百依百順了。

台北夏季的黃昏，仍然是熱的使人喘不過氣來。劉二爺吃過了晚飯出去散步，劉太太一個人心炊意亂的看電視。

呀的一聲門推了一條縫，露出了錢慕艮半邊臉。劉太太驚慌的說不出話來。

「門怎麼沒有關好？」錢慕艮推着門說：「我能進來嗎」？

「咦！是你！」劉太太吓了一跳。

「我在弄堂裏站了一下午，就和電影上的小偷一樣，看到妳的：……那位先生出去了，我才來看看妳」錢慕艮懦懦的說。

「我已經結了婚，你多餘來看我，鄰居們閒言閒語的，我可受不了」。劉太太悻悻的說。

「我想問問妳！」

「還是那個老問題嗎？你已經問過好幾遍啦！」

「眞奇怪，妳怎麼會願意嫁給一個老頭子」？

「我不願意接受別人的施捨，我家的環境又需要別人的幫助，就是這麼簡單」。

「這是變相的買賣」！

「只要是誠實的買賣，也沒有什麼不好」！

「沒有愛情的婚姻，在理論上說來，就不能算是誠實」！

「愛情！可不能當飯吃，你永遠沒有法子體會；早晨起來一睜開眼，就是樣樣要錢，手頭上又一個錢都沒有，那種日子眞是可怕」。

「以我看，再沒有比一個少女，嫁個祖父輩份的丈夫更可怕的事了。」錢慕艮衝動的說。

「你怎麼這樣無聊」？劉太太光了火。

「你結婚的前幾天，爲什麼不告訴我」？

「你是我的什麼人？爲什麼」？

「至少可以商量商量，也許我也可以幫點忙」。（未完）

「盤谷銀行的貝祖貽」

·文匯樓主·

前看到泰國盤谷銀行在台北報紙公佈的資產負債表，因之連想到該行行長陳弼臣，他在盤谷銀行的權力地位，一如戰前中國銀行的「貝祖貽」，但陳氏較具富有傳奇性，今天特就其對勵志有關的部門談幾句。

陳弼臣籍貫廣東朝陽，一直是爲五斗米折腰的朋友，腦筋很聰明，筆下也還利落，在華僑社會知識份子中，用商業術語形容，要算「一枝獨秀」，但僑社是以錢衡量人的，錢怎麼來的，則鮮有人去苛求。爲五斗米折腰的陳弼臣在未發跡前，也有過一段辛酸史，辛酸史的重點當然是「窮」，祗虧了七千銖泰幣的債，（合新台幣一萬四千元）就被人逼得立不住腳，於民國三十四年離開僑居地返回祖國去了。

詆毀與窮困本是孿生兒弟，潮州七屬包括朝陽縣人，與曼谷來往的人很多，對陳的第二生命影響頗大，珠江流域風氣日繁，陳弼臣只好捲土重來回到曼谷，不是棄筆從戎，而是棄粉筆做生意，開始也是「小拚油」。企業和冒險在英文的字意上可說有同源之雅，僑社本不是教書和辦報的地方，陳弼臣這一改變，算是思想搞通了，也可說從此踏進「樂園」，由單幫而開店，由開店而保險公司，信託公司（即僑批實則就是與大陸匯兌業務）直到榮膺盤谷銀行總行長。所謂一帆風順。

陳弼臣解釋信用，他說：「信用就像潮水一樣有漲有落」，他對昨日之我非今我，今我又與昨日殊的梁啓超相當崇拜，他對做生意的觀點認爲非常時期要拿出非常手法，在一個不正常的社會裏，將本求利比登天還難，像這些招數非有特別胆量和超人魄力很難做到，他一生最佩服英雄，而討厭「狗熊」，他說：民國四十四年，香港工商界以鷄尾酒會歡迎泰國財政部長暨銀行家陳弼臣，陳有舊友麥某者，因不知陳爲新貴，腦子裏仍憧憬其往日坎坷的那一階段，在酒會間直指陳說：「你現在的環境怎麼樣？不再和人家扯扯拉拉了吧」，（上海話就是拆爛汚）陳弼臣不僅未動肝火，內心反覺得麥某很耿直，有引爲知己的趨勢，在旁的客人看到麥對陳的態度，非常感到驚訝，蓋麥某當時腦子裏祗有泰國財政部長印象，不知主客就是陳弼臣也。回家輾轉反側，不能入眠，認定自己太老混蛋了，這不是失荆，而是失去了活財神。次晨趕赴高羅士打陳弼臣寓處，表示懺悔，並掌責自己的左右臉，這一幕「狗熊」戲演出，反被陳瞧不起了。有關陳的家世和戀史也頗饒風趣，有機會時再談。

農工發展不能配合 致使農業成本提高

（上接第二版）政府每年調整公告地價一次後，即照價課征，未聞政府照公告地價征購，因此，都市地價不斷上漲，進而影響農地亦比例上漲。農地上漲的結果，則提高農產品的成本，都市地價上漲的結果，則一般物價也隨之上漲，此乃制度與人爲的雙重因素，與土地自然增值不同。政府對計劃用地，既不辦理征收，但也不許人民使用，致人民蒙受損失，請問：政府實施平均地權是求民生主義的實現？抑是爲增加稅收？

農地重劃工作的檢討：主席巡視台中縣時，要求辦理農地重劃政策有所埋怨。足見主席深知農地重劃之弊端與問題在所，亦望主席對農民的權益是如何重視！查土地法對「土地重劃」雖有規定，但欠週詳。而「土地重劃辦法」又是二十多年前公布施行的，條文簡略，致農地重劃後所發生的問題，因無法令依據而不能解決。其次是：農地重劃，旨在促進土地高度有效利用之農業機械化，但一甲農地經重劃後只剩下九分耕地，另一分農地作「剩餘地」由政府處理。是故農地重劃後之面積比重劃前的面積小，更不適宜機械化。

有關單位執行政策有偏差 省議員呂俊傑促予以糾正

彰化農會選舉 主管濫用職權 營私舞弊破壞法紀 主委指爲無法無天

中華民國還沒有法紀：省議員呂俊傑抨擊省農林廳與彰化縣政府處理彰化縣各鄉鎮農會改選糾紛，濫用職權，枉法瀆職，尤其主管人員對內政部有利的解釋令立即適用，否則不予承認。

彰化縣政府農會輔導課長謝正榮爲帮助他的弟弟謝正義出任福興鄉農會總幹事的職務，不但公開營私舞弊，而且公開對報界聲言要罷免本席（呂議員）的公職，因爲本席在省議會第二次大會省政總質詢時向前主席黃杰提出質詢，儘管黃氏答覆說：「彰化縣政府農會輔導課長謝正榮違反公務員服務法，並支持其胞弟謝正義出任福興鄉農會總幹事各節，自當交付澈查，依法處理」。但事實上，果不出謝公開對人說：「省政府主席對他沒奈何！」呂省議員深感遺憾的是：省府既未把「澈查」和「依法處理」的情形答覆他，而謝正榮與省農林廳主管人更進一步的携手合作，破壞法紀，致被立法委員徐中齊質詢爲「無法無天」。我們的政府還有沒有法紀？省農民組織科長與縣農會輔導課長應不應規定任期而防止營私舞弊？

省衛生機關究司何事：台南市醫事檢驗技術協會，經呈奉內政部五十七年九月十日台內社字第二八一〇七六號令准予組織，不料該協會奉令組織之一年後，灣省衛生處竟指爲非合法團體。請問：台南市醫事檢驗技術協會是不是合法的團體？

醫檢規則有沒有施行：關於醫事檢驗人員的資格問題，內政部尚未獲致結論，省衛生處說是密醫應予取締。

五十八年十月十四日，內政部長徐慶鐘在立法院宣稱：「醫事檢驗人員，對於診斷疾病貢獻至大，致使醫事檢驗規則施行而影響到他們的就業與生活，當設法補救。醫檢規則雖公布，但對於醫事檢驗人員資格取得方面，與考試院商談後，尚未獲得一致結論，所以該規則雖公布，尚未行。」同月廿三日，省衛生處函復台南醫檢技術協會略謂：……查醫事檢驗業務，爲醫師治療疾病之一種科學診斷過程，關係國民健康至爲重大，其執業資格依遵內政部民國五十六年七月一日公布之『醫事檢驗人員管理規則』之規定，應由醫事檢驗師或醫師始得爲之，本處以地方政府立場，當遵循該規則予以管理，否則是爲密醫，自應予以取締，以維護全民健康。」

請問內政部是不是省政府的上級主管署？下級機關應不應該服從上級長官書面或口頭的命令？醫事檢驗人員管理規則有無施行？本省醫事檢驗人員一共有多少？省立或縣市之公立醫院醫事檢驗人員多少？現有醫事檢驗人員尚未取得「檢驗師或醫師」資格的有多少？

（完）

傳記春秋

儒道法先驅管仲的功利思想（一）

·黃公偉·

（一）前言

管子應是先秦諸子最早之先賢，世以「孔墨老」爲春秋三宗，實則在孔子老子之前出生之前一百六十年管子已出世了。他在周莊王十二年（公元前六八五）爲齊桓公的宰相。方當平王東遷後八十六年。正當春秋初期。孔墨老未出，其他諸子更無論矣。史記稱：「管仲夷吾，潁上人也。其時與鮑叔牙游，鮑叔知其賢。管仲貧甚，常賴鮑叔，鮑叔終善遇之。不以爲言。已而，鮑叔事齊公子糾，以小白立爲桓公，公子糾死，管仲囚焉。鮑叔遂進管仲。管仲既用，任政於齊，齊桓公以霸，九合諸侯，一匡天下。管仲之謀也。」（管晏列傳）通鑑稱：「丙申（十有二年），齊人殺無知，公子小白立。齊以管夷吾爲相。鮑叔以管仲至齊，三釁三沐之。齊侯親迎於郊，與之坐而問焉。對輒稱善。乃以爲相。號曰仲父。仲爲政，四民不使雜處，制國爲廿六鄉。作內政以寄軍令，官山海以準輕重。立三選以擇賢，分五屬以布憲。重農以取穀幣，贖罪以備器械。厚聘幣以反侵地，以親諸侯。齊侯悉從之。故仲得盡其才，而霸功之」。管子生當齊桓公晉文之世，諸侯之攘奪，上無天子，下無方伯，王權開始衰落。管子倡「尊王攘夷」之說，內諸夏外夷狄，以大一統口號，從事政治建設。以號召諸侯。以量輕重，愼權衡，倡言禮義廉恥歸於法治。在自然天道方面，首以「虛無」爲說，以宇宙起源於「氣」，虛靜無體，稱之爲「道」。以心本體以爲宇宙，以五行以釋宇宙生理。故「班志」列之入道家。但於人生則主功利。其用於政治則興地利，治生產，從事經濟建設，軍事建設，行九惠之茂，以爲富國利民之本。據漢劉向校定有書八十六篇（廿四卷）。淮南子云：「齊桓公之時，天下卑弱，諸侯力爭，南夷北狄，交伐中國。中國之不絕如縷。齊國之地，東負海而北障河，地狹田少，而民多智巧。桓公憂中國之患，苦夷狄之亂，欲以有亡繼絕，崇天子之位，廣文武之業。故管子之書生焉」。（要略訓）由云管子因興於時勢所造，東周春秋之局，亦管子所力成。亦英雄造時勢也。宋張臬（山旁，字巨山）云：「余讀管子然後知莊生，晁錯，黃生之語，出於管子也。不獨此也，凡漢書語之雅馴者，率多本管子」。楊忱亦云：「桓公之功非王道之功也，以攘狄而有周也。無桓周滅，有周桓賊。桓卒齊衰，楚人滅周，周之不幸，桓之早死也。桓之不幸，管仲之早死也。（早桓公早卒）故曰：桓之功，管仲之力也」。（管子序）後至孔子，復興周公三業，祖述堯舜之德。故稱管子云：「管仲相桓公，霸諸侯，一匡天下。民到於今受其賜。微管仲之之披髮左衽矣。如其仁，如其仁」。（論語）孔子尊王賤霸，稱管子之仁德，而曰：「管氏而知禮，不孰知禮」，不稱管氏之僭越。此儒家有取於管子，道家源本於管子，而法家尤以管子爲元祖。管子殆爲東周諸子的共同先驅。其爲中國哲學思想的開闢人物，昭然若揭矣。

（未完）

成語選粹（16）

李國良輯

雪中送炭

宋史太宗紀：「淳化四年，雨雪，大寒，遣中使賜孤老貧窮人米炭。」范成大詩：「不是雪中須送炭，聊裝風景要詩來。」「雪中送炭」喻濟人於困急之境。

諸葛亮狂想曲（六八）

·劉玄·

劉備在天庭，無法在玉帝駕前謀一官半職，事實上也無法有適當位置，所以每天都到龍岡總會長辦公室處理「要公」。其實連鷄毛蒜皮的事兒，一個月都難得有一樁。所以，他有工夫練太極拳，下圍棋。上有所好，下必有甚焉，龍岡會員打拳下棋，成了一時風尚。

諸葛亮在天庭屬於有車階級，不消片刻就到了龍岡會所，在他經過大廳時，所有下棋的，打拳的會員，一律肅立向他致敬，他一一頷首爲禮。他是用不着通報的，逕行進入總會長辦公室。

劉備正召集龍岡各組負責人在他辦公室開會商討關會長磨刀大典籌備事宜，一見諸葛亮來到，連忙站起來趕到門口歡迎。

諸葛亮爲人謹厚，見了劉備先行君臣之禮，很恭敬地說：「主公主持會議，亮在會客室恭候。等主公會議完了，有事請示。」

「並非是什麼重要會議，是二弟的磨刀大典籌備事宜。」劉備說完，吩咐麋芳道：「麋秘書，你代我主持一下，我要和諸葛丞相談話。劉備身爲一國之主已久，到了天庭雖然投閒置散，一開口還免不了有官腔官調，這亦是人情之常。

劉備引諸葛亮進了另外一間會客室，君臣分賓主坐定，自有當差的小厮獻上人參茶。

「這是王母娘娘瑤圃中的仙種，與高麗參相差不可道里計，丞相可以嘗一嘗。」劉備戎馬半生，一向不講究飲食，現在居然也大談補品了。

諸葛亮聽了劉備的話，啜了一口人參茶，讚道：「果然味道與衆不同。」

「丞相此來，有何見教。」劉備理了一下五柳髯。他的五柳髯連一根白的都沒有。因此，看起來年紀要比諸葛亮輕得多。

「亮此來非爲別故，只因日前太白星呌亮去談話，說是玉帝要成立宇宙發展委員會，召星君想推薦亮出任該會主任委員。亮以此職責太大，故不敢立刻應允，如果堅辭不就，又恐有負星君厚愛，爲此躊躇難以決定。」諸葛亮說罷，兩眼望着劉備，等候劉備發表意見。

劉備聽後，眼中顯出驚喜之色。他忽然站起來，背着手，在室中逡巡。這是他的老習慣，遇到重大問題要當場決定的時候，必然有此形態。

「我主張你接受。這有三種理由，第一，你在天庭的身價抬高，大小各仙都會對你刮目相看。第二，你有面子，備們也能沾光。第三，你多年研究天文的心得，可以一展抱負。」劉備叠起手指說得頭頭是道。

「主公的意見很對，但也有反面的理由：我等君臣在天庭做自由神仙，與天庭大小各仙可以和諧相處。一旦鑽入天官行列，就會搞出很多恩恩怨怨，似乎犯不着。何況這就一「宇宙發展委員會」內容空泛，工作很難有表現。所以亮還是決斷不下。」諸葛亮也有他另外的看法。

（未完）

巨變歷險記！

在昆明講演（一零○）

胡慶蓉

丁博士在昆明講演，由雲南省黨部副主任委員裴存藩陪同，第一次同盧漢會面就決定了。講演的地點在雲南省黨部大禮堂，每天一次，聽講演的人，則常常在變，由黨部的人員到省政府的人員，由部隊各單位到民衆各團體，各同鄉會，以及各級學校也都在聽講之列。昆明除了有個雲南大學，還有個西南聯大。西南聯大乃西南聯合大學之總稱。這是很多逃難的大學聯合來辦的，主要是北平的北京大學，清華大學。去世的蔣夢麟先生，梅貽琦部長，剛去職的閻振興部長，現任考試委員的查良釗先生：……都在西南聯大。他們在極端艱難的環境之下能夠維持，精神的偉大，令人欽佩。昆明很少新式的建築，就是老房子，舊房子也不多，大家住的地方，許多就是農村的房屋。他們大家本都希望勝利之後能夠「還都」，能夠回到北平，誰料想不幾時又開始戡亂的戰爭，局勢演變到目前的地步。但局勢雖然險惡——昆明仍然絃誦不輟。每天聽講的學生。還是絡繹不絕。雲南的地位雖然變動了，但丁博士仍然以唐繼堯爲例，以蔡松坡爲例，勉雲南上下，勉聽講的人，個個效忠領袖效忠國家，步唐蔡之後塵，再一度創雲南的光榮記錄。從前是袁世凱威脅中華民國，現在是共產黨威脅中華民國。過去唐蔡爲護法爲中華民國而奮鬥，今日也應當爲護法爲中華民國而奮鬥。對於共產黨之殘暴等等，丁博士尤盡其刻畫之能事，引得聽講的人個個咬牙切齒。

每一次講演，都有錄音，都有灌的片子。這是昆明廣播電台負責。灌好的片子，又由廣播電台轉播出去，因爲大街小巷裏有喇叭，故在街上在家裏都可以聽見。很顯然民國三十八年十月間的昆明，整個在恐懼的空氣下，被恐懼所籠罩，聽講的人面表情沉重，就是在街上走的人，在家裏坐的人，也無不表情沉重。似乎個個有大禍即將臨頭之感。

除了廣播電台，傳播的工具，還有報紙。當時在昆明的報紙，有民國日報，有民意報。前者是黨報，後者是民營報紙，與中國國民黨也很有關係。民國日報，民意報，對於丁博士的講演，都有長幅的披露。民國日報並且把丁博士在台北寫給中華日報，中央日報，新生報，掃蕩報的文章也分別的印成單行本流傳雲南各地。民意報當時的社長就是今天台灣在台視常常看見講國際時事的丁中江先生。丁中江在當時昆明文化界非常活躍。對於中央，擁護不遺餘力。民國日報的社長，同樣忠貞不二，聽說後來死於共產黨徒手中，實令人追念不已。

談文學藝術「評論」

水青

人之異於禽獸萬物者，表面看來似有天淵之別，而實際上人類祇不過是多一種判斷及演繹的能力，經過長年累月，才形成人類特有的智慧。判斷與演繹不可分，相互相成，才有進步，才有今天的文明。

在文學藝術上，甚至於推廣到一切科學上，演繹可以當作創造及發現的原動力，而判斷則爲選擇及證實前者的價值與是非。

假如再具體些說來，判斷除了創作者的主觀以外，就是第二者的評論，或者是一般所謂的輿論。要想有優秀的創作，必然離不開有權威而正確的評論，否則是非不明，黑白不分，人與禽獸何異？

目前在國內，最可怪的現象是沒有「評論」，一件藝術作品，文學著作，假如沒有客觀而正確的評論，其價值如何斷定？須知，大衆並非萬事通，他們必須藉評論家切實的見解來衡量他們自己對各種作品的選擇。

比如說，書店中琳瑯滿目，讀者如何能夠一一翻閱再決定選購那種讀物？

不錯，在報章什誌上，往往可以見到各種推薦性的文字，但千篇一律只見吹捧上天，而不見一字之貶，難道我國這些大作家們，個個意境高超，文筆皆臻化境？

猶記得數年前有所謂文化超越之爭辯，但那也不能稱爲「評論」而論爲「抨擊」，一至於攻擊人身，粗語謾罵，好不容易點燃了一絲「評論」的火花而竟燬原成災。

如欲深究其因，說來慚愧，我國泱泱之風早已飄洋過海不知所蹤了。所剩下的只是心胸狹窄，有我無人之氣燄，但顧開「吹拍捧頌」，不求進取，畏懼眞理。

在此先談一件令人痛心疾首的事實。國內的新聞界似乎除了發佈一些中央社的消息外，唯一採訪得勤快的是社會新聞，尤其是緋色新聞，莫不爭先恐後，以獲獨家消息爲榮。至於文藝版，只是登些連載武俠小說，間或一些不着邊際的散文，不關痛癢的小說。便傲視報壇，不可一世。不要說評論，連文藝報導都鮮見，偶而有一二消息刊載，百分之二百是多方拜託人事情面，然後擠上報尾巴。

筆者曾與友人談及，皆有同感，擬借某報篇幅專闢一欄，作爲評論園地。經多次洽談結果如次：第一是文學不能批評，退而求其次，藝術活動亦無須批評，音樂是不必評論，最後只有專作電影的評論，因爲電影編輯同意了，而目前的影觀衆多，所有影評家皆因地盤鞏固，除了稿費之外尙有外快，所謂評論也者只是一篇故事說明而已，尤其是誇贊一下演員鼻子眼睛動得恰到好處，根本不能給觀衆任何啓示，更妙的是影評與宣傳成正比，宣傳成本愈大者，其評價也愈高，至於觀衆做了冤大頭還祗能自怨藝術修養不夠。

于是筆者邀集同好準備資料，打算憑着良心，絕對拒絕「紅黑」攻勢，樹立評論的超然立場。

但是該報財務部門却堅決反對，他列舉數字，證明報紙銷路上昇並不能賺錢，賺錢的是廣告，尤其是電影廣告，如若拆穿紙老虎，只要該電影廣告不刊登，報社就要關門大吉。

這是千眞萬確的事實，也正代表了現在輿論界的份量，金錢能使鬼推磨並不希奇，希奇的是竟能使輿論跟着團團轉，是非公理何在？人類創造了金錢，竟然要做金錢的奴隸？

這件事並不能怪片商，他們唯利是圖，當然不願利益受損。但也不能怪報社，因爲報社靠廣告吃飯，怪來怪去只怪瞎眼睛的觀衆，自願送上鈔票，坐在電影院裏受罪。

自然而然地，輿論的權威沒有了，評論的價值沒有了，是非不明，黑白不分，知識份子自掃門前雪，訂份報紙只爲應景，準備作包垃圾之用。

人爲萬物之靈，其靈何在哉？

國醫與國藥

針灸驗案

山東孫培榮

秦福達年五十歲，山東福山縣人，僑居日本橫濱市。患異常頭疼，時之不知，發之不曉，好似木頭，經年累月，昏昏沉沉，神志不清，如醉如痴，因此失業年餘，衣食無着，萬般無奈，幸經同鄉相助，於民國五十五年十二月一日，迴回台灣，暫居於台北市博愛路，旋即來所求治，予即施針關元、百會、先後診治數次，其病若失。

秦君另有一病，據其言曰：在十七年前，右耳後似被蚊虫咬傷，起一小泡甚癢，抓破流黃水，而後愈發愈大，漸成一瘤，形似核桃扁而圓，痛癢難熬，瘤後生一條小筋，臥不能近枕，動之即疼的大汗直流，至今已十七年之久，廣求中西醫治療，均屬罔效。余視此處，係屬足少陽胆經部位，即於足臨泣穴紫脈上，用三稜針，放出黑血很多，數年沉痾，從此而愈矣。

李先生年六十五歲，山東諸城人，住台北縣景美鎮。患偏頭皆疼，臥不能近枕，終日昏迷如醉，倦怠不堪，民國五十六年八月九日，來所求治，經取關元、百會、太衝、邱墟、繼續針治，數次而愈。

項望如先生年五十歲，山東人，住台北市松江路，患頭疼症，痛點在後頂部，自感一股熱氣上沖，精神恍惚，性情失常，歷時二十餘年，遍求中西醫，均屬束手，於民國四十二年秋，來所就診，經施針一次即愈。

劉先生年四十六歲，江西省進賢縣人，住台北市中正路。患異常頭痛，於民國五十七年十一月二日，來所請治，並親筆自述：得病之年數，及治療之經過，受病之痛苦，自民國五十年就有頭痛緊張病，頭腦中似有亂草一握，刺痛難忍，上目難睜，終日昏沉，如在夢中，以後一年比一年厲害，因病退伍後，在各大醫院，神經科，都已看遍，無有效果，痛得實無可忍，民國五十七年十月間，經友人介紹，請孫大醫師看，看了六次的時候，就好的多了，劉君親筆。經施針、關元、百會、太衝、邱墟、繼續鍼治數次，其病霍然而愈矣。

陳君年五十歲，山東諸城人，住台北市信義路三段，患異常頭痛。昏沉痴呆，精神失常，記憶大減，雙眉緊皺，目眶烏黑，又兼臍下生一積塊，形似核桃，按之很硬，日夜痛憷不止，以致身體羸瘦，昏昏如醉，弱不禁風，名醫求遍，仍無好轉，歷時數年之久，於民國五十七年十一月二十三日，求予診治，經施針，關元、百會，太衝、邱墟、先後針治二十餘次，幸獲痊癒。

（二）

青年問題澤談（二）

——人才，文憑，升學——

關者清

當今國內教育的普及，是中華民族幾千年來空前的成就，但是當今教育水準，却遠遜於孔夫子誕生以前的時代。

談到教育必需問：教育的目的，是爲了作「數字競賽」呢？還是用作「標榜功績」？

在古代文官遍野的時代，或許是由於數字比較太懸殊，「以致」人才輩出。但以數學或然率算來，現在所出現的人才，其比率幾等於零。這也不能不算是「空前」。

或許這個謬論無人接受，但我所謂的人才不包括喝「洋開水」的在內。有人認爲要待蓋棺而後才能論定，那也未免太短視，我們不必與洋人一爭「長短」，（我們先天營養不足）但不妨與古人一比，廿年來在台灣畢業的文科大學生總有十萬人以上，其餘的且不必談。但是市面坊間請問有哪幾本新的著作能夠教人看了不臉紅，戲劇音樂根本不值一提，至於文學作品只有在中學生羣中暢銷一二年，如此而已。

有人說：今天的時代不同，文學所佔的份量不過是各學系的百分之一，言之有理，難怪不臉紅。談到這裏便不能不提一提「洋人」了，他們比我們更崇拜物質，更現代化，但是請看看他們的文學、音樂、戲劇。還有人說：「他們人多，自然人才輩出了。」也有理，就算美國吧！此我們多廿倍人口，而我們趕得上他們的二百分之一？不！二千分之一？天曉得！

現在的大學畢業生，有幾個能提起筆來寫些像「東西」的「話」？（包括本人在內，祇够吶喊的份兒）那麼教育了些什麼人才？答案是：「各種人才」；結果是「都不是人才」，因爲除了科學家，他們可以不用文字來表達（寫論文時可請人捉刀），但其餘的呢？國文是「工具」：是最基本表達自己意向的「工具」，「教育」的「結果」，只發「文憑」不給「工具」，這是「教育」？

其實說穿了很簡單，人人知道，舞文弄墨混不飽肚皮，在今日「混肚皮」要緊，而「混肚皮」只靠文憑就可以，而國文六十分文憑一樣到手，加上天知道，這六十分中有百分之幾十是「人情分數」！

以當今考大學入學率最高的台北省立第一女中來說吧：其「教育」之成功無人敢否認，因爲有「數字」可以證明。先不談別的，不信「邪」的請參觀一下學生們上課的情況，一班五十人有廿人不戴近視眼鏡的已屬奇跡。據云，最高紀錄全班僅二人不戴眼鏡，至於爲何不戴不在本文討論之列，但這代表了教育的眞正意義。在此我要修正一下蔡子民先生的意見：「戴眼鏡是爲了時髦」，現在戴眼鏡是爲了「自保」，多「時髦」的一代！一個女學生說了一句不朽的銘言：「在一女中讀了三年，獲得了三百公斤的眼鏡框一具。」

（未完）

自由報

中華民國內政部登記證內版台報字第〇三一號
中華郵政台字第一二八二號執照登記爲第一類新聞紙

（第一一〇三七期）

（半週刊每逢星期三、六出版）
每份售港幣壹角、台新幣壹元

社長李運騰·督印黃行寶

社址：香港九龍彌敦道593—601號
廖創興銀行大厦八樓B座

LIU CHONG HING BUILDING
7th FLOOR FLAT 'B
593—601 NATHAN ROAD,
KOWLOON, H.K.
TEL: K303831
電報掛號：7191

承印：景星印刷公司
地址：嘉咸街廿九號地下
台灣連絡中心：台北青田街五巷三號
電話：三七〇二二
台灣區直接訂戶　台郵劃撥帳戶
第五〇五六號張萬有（自由報會計室）
台北營業處：台北衡陽街三十號
電話：二七二〇〇
台灣分社：台北市西寧南路110號二樓
電話：三三〇三四六，台郵劃撥戶九二五二號

綜論台灣鐵路交通問題

—車禍之多在亞洲地區名列前茅—

·郭雨新·

自從陳處長履任以來，有鑒於台灣交通擁擠之現象，決以除弊革新，便民服務，而積極擴充鐵路建設，加强監理，以促進交通安全。均屬正確之措施。然而在經濟發展與旅運激增之今日，台灣之交通建設，仍然趕不上時代之需求。因之筆者就鐵路運輸及交通安全方面，提出幾點檢討意見，以供改進之參考。

本省鐵路交通，於近年來積極從事於更新設備，從貫線之鋪設雙軌，延長站場股道，提高行車速度，以及建立調車制度，增加車次，確有不可磨滅之功。然而在陳局長苦心經營之下，何以鐵路運輸仍然存在擁擠、亂擠及行車事故之不斷發生。考其原因，不外乎鐵路局人事負担沉重，其中不乏優厚待遇之冗員，而實際工作之員工，反有感於調配困難，加之待遇又差，以此不健全之人事制度，試問能激發員工之服務精神乎？當茲政府厲行革新之秋，何不裁汰冗員，以謀建立科學管理之人事制度，合理調整員工待遇，謀求員工福利，以安定其生活，而提高工作效率？此乃筆者認爲要徹底整頓鐵路業務，須從革新人事着手，否則勢必使鐵路業務日趨衰頹而老化，未審交通主管當局以爲然乎？

火車本屬陸上交通最安全之工具，不獨較之汽車舒適可靠，抑且運輸量大。然而本省火車迭生事故，例如列車追撞，出軌翻車等不幸事件，屢屢發生，死傷人命，損失財物，交通受阻，公私財物均受重大之損失。如以桃園鶯歌間列車脫軌傾車事故而言，每隔相當時日即發生一次。交通主管當局雖曾考慮改善鶯歌站附近鐵路彎道，爲時已過一年，迄未見有所改善，而任其火車翻覆，其屬人謀不臧乎？依據專家分析，釀成事故之原因：第一爲現場附近敷設之鐵軌，使用年代已久，磨損較大。第二爲現場附近係屬陵坡，彎曲很大。第三爲司機駕駛速度，超過正常狀態。第四爲車廂重心較高，重量較輕，不甚穩定。凡此種種均與鐵路局之經營管理有關，該局不能克服困難，謀求改善，其能推卸責任乎？

本省鐵路，由於缺乏車輛及路軌，影響行車速度，以致鐵路運輸，形成擁擠，亂擠之現象。以觀光號爲例，不僅購票成問題，車上秩序亦已紊亂不堪。在政府積極推展觀光事業之時，交通主管當局不謀改善設備，疏通營運，整頓秩序，排除污穢，何能使鐵路業務趨於正軌？

近據報導，鐵路局將於春節，以最新型之莒光號客車，參加縱貫線行駛，其票價較之觀光號提高百分之二十，即台北至台中爲一百廿五元，台中至高雄爲一百四十元。竊以爲與變相加價何異？且以「毋忘在莒」之「莒光」，春秋戰國時代，田單在莒係以儉樸之風，克難精神，規劃復國，而今以華麗客車稱之爲「莒光號」，其不與「毋忘在莒」之意義背道而馳乎？是否適宜，亦有檢討之必要。又以莒光號參加行駛後，其他班車，如普通列車及平快，是否導致益加紊亂，就不得而知了。

宜蘭線火車興建已近半世紀之歷史，其行車里程，自台北至宜蘭不過八十二公里，所行駛之火車，亦有觀光號、對號快車、平快、普通列車四種，而其行駛時間，觀光號爲二小時四十五分，對號快車及平快均爲三小時，普通列車爲三小時，較之東、西線之行車時間爲長。據說明該線行車速度，較慢之原因，以爲宜蘭線可單軌行車，且處處彎曲所致。然而觀諸東線之行車速度，以花蓮至台東長達一百七十二公里，其行駛時間，對號快車僅三小時卅分，而普通列車亦不過五時卅分，該局以單軌行車緩慢爲理由，其能使人置信乎？至於行車準點，在宜蘭線火車誤點，幾屬家常便飯。以宜蘭至蘇澳爲例，在短距離之間，由蘇澳開出之列車，能準時到點已達百分之九十五，以宜蘭線之情形，其不自欺欺人乎？試請鐵路主管當局如何圓其說？

本省光復二十年，人口之增加幾達二倍，物資之增加不止十倍，而鐵路交通，始終趕不上實際之需要。今後人口仍然不斷增加，物資之運輸量亦將大量增加，爲配合經濟之發展，適應時代需要，勢須積極擴充設備，改善鐵路交通，但是鐵路交通建設，在在均需投下龐大之資金。本人認爲政府必須以資金支應，然而該局歷年之決算結餘，既不能留作建設資金，反而需令解繳國庫，使該局負担利息，誠屬使人費解。未審交通主管當局能否轉洽中央將繳庫結餘，撥充該局爲改善鐵路交通之需？

台灣目前車禍之多，雖不可謂甲於全世界，但在亞洲地區，則在第一二位之間，依據統計，平均約二十次，死亡將近四人，受傷者多達三十人。歷年來政府對於改善交通安全，推行不遺餘力，而車禍之發生，仍然不斷發生。據統計，誠屬使人百思難解。在歷年來所發生之交通事故，其屬於人爲因素者幾佔百分之九十，因此使人懷疑監理機關對於駕駛人考驗，是否有弊端之存在。據聞駕駛人之考驗，如無紅包，則不能過關，如有紅包，則受考驗之駕駛人，縱使技術不够水準，亦可過關，如屬事實，其視人民生命如草芥，實在令人嘆息！近據新聞報導，公路班車亦頗傳慘重車禍，或屬駕駛員之疏忽，或因機件失靈，均屬人爲因素所引致。以桃園縣平鎮縱貫公路上之車禍而言，公路班車因方向盤失靈，與大卡車相撞，由於兩車車頭全毀，卡車司機當場慘死。公路班車旅客受傷者達廿九人，而傷勢嚴重者達十人。公路班車尚且如此疏忽，遑論其他。筆者認爲天下最無謂之犧牲，莫過於車禍。爲維護交通安全，未審交通主管當局有何更具體而有效之措施，以防止車禍之發生。

昨日與明日

爾愛其羊，我愛其禮。

台北方面對於祭孔的儀節，最近有一次正式的討論。討論的中心在今後祭孔是否仍用「太牢」。

遠在去年八月，祭孔禮樂工作委員會開會時，柯台山委員即提出建議，認爲「祭孔典禮使用三牲，有違時代精神；並助長民間祭典牲祭宴客之頹風」因而建議用香花素菓，以爲代替」。此議關乎兩千年統習慣之存廢，於是有關方面於去年底邀集碩彥人士集會研討，與會人士類多認爲自漢高祖首以太牢祭孔子以來，兩千年，皆循此禮，今一旦廢去不僅有失隆重，且將使人感到不倫不類，而有「祭如不祭」之感；因此決議，仍照古禮行事。

看了這段事實，不禁使我們想到論語八佾篇的一段：「子貢欲去告朔之餼羊，子曰賜也爾愛其羊，我愛其禮。」這不簡直是等於對前一段事實的簡要記載嗎？能不信然。西諺說：「太陽底下無新事」。時光儘管流變數千年，而往昔故事一樣重演，只是名詞，口語，形成，說法變遷而已。同時發言的，也一樣有比較現實一如子貢的；也一樣會有比較，重禮一如孔子的。前後相映妙趣非凡。

我們此處並無意說禮儀不能改，更無意說凡主張守舊的，就是深刻高貴一如孔子；不過有一點我們要表示的，就是假如主張廢太牢古禮代之以香花素果者僅僅是爲了節省一隻牛，或是覺得與外國人不一樣，那倒大可不必，因爲今天台灣經濟發展，不在乎這一條牛。而與外國人不一樣，才正有其中國古禮的遺風，何必削足就履，捨己從人。

·成公·

自由談

有法等於無法

中華民國的現行法律不但繁複駁雜，而且許多都是囫圇吞棗地照鈔外國作品，與本國傳統文化思想和社會生活習慣扞格難通。舊立委傅秉常曾說過：當年立法院在南京制訂民法時，是將瑞典瑞士等國的民法全文，先從德文譯爲英文後，再譯成漢文，核對無訛，即照抄不誤。民法的來源如此，其他各項法令，大概亦出於一些「文抄公」之手無疑也。

吾國自滿清末葉講求洋務以來，派遣了許多智識份子赴外國留學，結果這些留學生學成歸國後，衹知道外國的制度文物是怎樣的，却不知本國應該怎樣？一切剿襲着外國的玩藝，盲目實施，是否適合國情，對人民有益，并不在考慮之列。談到堅甲利兵問題亦然，不知致力製造砲艦的科技工夫，而以購買外國的砲艦爲能事。迄今歷時百年，猶是故態依然，更大倡其全盤西化之說，恨不得將中國人種亦變成黃髮碧眼兒。別人指稱我國爲落後地區，尚復何說之詞以自解呢？

法律原係全體國民的生活軌範，如果與國情相刺謬，而爲社會大衆所不容易接受，弊害寧堪設想嗎？所謂法律不外乎人情的說法，是正確的，否則如英國側重於「不成文」的立法原則，即無從建設民主憲政體制，而被人譽爲「憲政之祖」了。

咱們現有的法律內容，大半都是輸入的洋貨，而繁增特甚，據說光是土地法規即有數千種，以之求治則有餘，以之便民則不足，非徹底加以修訂不可。筆者曾經一再著文指述吾國現有法令過於龐雜，主張切實修訂，可存則存，該廢則廢，能修正的妥予修正，一是皆以執簡馭繁，脗合國情爲本。這是立國的根本大計，不此之圖，而專事增訂法令，販賣外國成品，日積月累，不但人民動則得咎，莫名其妙，即執法的官吏，亦將顧此失彼，莫適誰從。及其弊也，有法等於無法，全屬具文，除給貪官酷吏以瀆職殃民的方便外，沒有絲毫效用可言，法治云乎哉？

馬五先生

輿論精華

蘇不擬襲擊中共核子基地

中蘇共在蘇聯中亞地區的邊界衝突，展開得很激烈，但消息靈通人士說雙方都不擬展開大規模的全面戰爭。但華盛頓的情報人士表示，蘇聯方面亦沒有突擊中共核子設施的計劃，只是進行邊界小衝突而已。專家們揣測說，中共軍面對蘇聯人時這樣對自己說：「在野獸面前，皆不可表示絲毫的怯弱。」而蘇軍面臨中共軍時這樣說：「受到挑戰時，我們必須予以還擊。」

因此邊界的衝突預料將會以同樣的步伐進行，雙方面以相同的態度作反應。雖然每一次衝突的性質，人們無法曉得，但目前所知道的情形顯示，雙方面皆無須負責，三月間中共軍的還擊，可能是對蘇軍一系列試探的反擊，在三月中，蘇聯進行反擊。六月及八月間，同樣的情形一再重複發生，雙方面可能都認爲他們自己那方面是正確的因爲邊界隨着河流的改道而產生問題。

（據美聯社收的莫科電台的報導說蘇聯總理柯西金會與周恩來舉行了會議，會議是在雙方協議的情況下進行的，而且雙方對他們的立場，皆清楚予以表明。廣播說，會議具有建議性，但內容却沒有透露。）

沒有一個人願意對中蘇共爭執的前途作出猜測。因爲他們在這地區的意向究竟如何，很少人知道。但華盛頓的專家有一致的看法：（一）雙方面皆是根據理智的判斷行事。任何一方考慮及他們行動的後果。（二）他們避免意氣用事。（三）雙方面在那四千哩的中亞邊界仍會發生衝突，但這衝突不會予擴大。（四）中蘇共皆不會向對方展開大規模的攻擊。

任何一個近日來注意中蘇共之間叫罵的人，都會得到不同的印象，胡志明葬禮舉行時，雙方代表團的表現，足以說明雙方之間的鴻溝。在爲北越領袖哀悼時，中蘇共代表團皆力圖避免碰見對方。目前蘇聯已指責中共犯境四百八十八次。蘇方說，這對蘇聯構成了擴張性的威脅。

同時中共領袖們呼籲人民防範蘇聯對中共核子設備的突擊。中共與蘇聯，皆以同樣的前提處理邊界的問題：他們都不願接受對方的胡鬧，因此雙方面只是像今年初那樣，

中蘇共的分裂原先是因爲理論的爭執與歧見，從一九五六年開始到赫魯曉夫世紀，這些歧見便告擴大，這是因爲雙方皆以民族利益作爲標準，專家們指出，最近莫斯科電台第一次呼籲中共軍人掉轉槍頭指向他們的領袖，理論問題不再是爭論的要點了。

美國政府相信，若中蘇的爭執不擴大，這將是世界和平之利。美國官員們認爲，美國的立場只能「袖手旁觀」，不要顯示他們支持一方，反對另一方，除此之外，華盛頓的兩隻手實際上已被綑綁。任何企圖利用這種情勢的意圖，皆會遭致不良後果。同時美國繼續催促蘇聯召開美蘇之間的裁軍談判，同時向中共作出小姿態，表明美國是無法干預他之間的爭執。

（摘自基督教科學箴言報）

教育界風氣不像話 主管機關視若無睹

使神聖清高杏壇蒙上污點 省議員郭雨新提三點質詢

（本報通訊員柳一權台灣省議會消息）郭雨新議員就教育界風氣敗壞與主管機關視若無睹，提出質詢，他說：近幾年來，教育界的風氣，越來越不像話，我們在報紙上所看到的，和在民間所聽到的，眞是不一而足。在教育機關方面：人事調遷需要紅包，校舍建築需要回扣，教育人員介入地方派系，協助公職選舉，原屬縣市地方自治業務的國民教育行政，省方强加控制，不僅違反了憲政自治原則，而將人情攻勢，酒肉攻勢，甚至銀彈攻勢，擴大到了中興新村，霧峯，使神聖清高的教育界，蒙上了無可洗刷的污點。在學校方面，因教師待遇低微而發生惡補，不許惡補則奔走兼差，又因惡補兼差而使校長教職員之間發生摩擦，甚至動武砍殺，也時有所聞。又所謂代辦費家長會費等等，名目繁多，不僅使清寒家庭不堪負担，而且違法舞弊，師生關係日漸惡化。至於老師擺攤，學生毆打老師，此起彼落，已經不算新聞了。政府經常宣傳復興中國文化，並且强調民族精神教育，由於教育界風氣如此惡劣，所薰陶出來的青年學生，在台灣社會就有不少流為太保太妹，一到國外，竟有不承認自己是中國人的，豈不大可悲哀？然而主管教育的行政首長，對於這些穢聞，似乎視若無睹，聽若無聞，好官自為，沒有聽說如何引咎，如何自責。

總統希望教育人員教育學生成為堂堂正正的中國人，就我所瞭解，堂堂正正的中國人，必須明禮義、知廉恥、負責任、重節氣，請問：

一、教育界風氣如此惡劣，能不能使青年學生陶冶成為堂堂正正的中國人？

二、如果不能，則整肅匡正教育風氣的責任，應該由什麼人負担？並且準備如何著手？

三、國民中學以下的教育行政權責，能否依據地方自治綱要，交還縣市政府？

整頓人民團體 除弊重於興利

須有一套具體辦法

關於人民團體整頓的根本問題，郭議員質詢說：在政治風氣社會風氣良好的承平時期，國家施政，興利重於除弊；但像目前這樣政風敗壞的時候，除弊就重於興利，因為如果沒有補偏救弊的妥適辦法，縱有興革，也將為發奸之徒製造營私舞弊的機會，事雖倍而功不能得其半，這是必然的道理。

自從去年春天高雄青果合作社香蕉弊案，到目前仍在進行中；南部二個水利會發生問題，治安機關對於經濟犯罪人民團體的不法舞弊，經常注意偵查，期間有所揭發，固然是除弊的一種作法，自然是應該的。不過，所謂「除弊」，「揚湯止沸」，不如「釜底抽薪」，僅僅司法機關懲處已被揭發的違法行為，乃是「揚湯止沸」的作法，要想徹底改革，必先檢討人民團體何以會發生這些弊端？人民團體負責人全是在黨政機關輔導之下選舉產生的，而在輔選之前，必先辦理黨內候選人提名，如果被提名的眞是「賢能之士」，何至於當選之後，上下其手，違法舞弊呢？報章揭發，人民團體選舉，也和地方公職人員選舉一樣，不僅競選要花很多錢，競選之前的「競提」，也需要很多活動費，至於賄選對象，更是應有盡有，而導演的又多是黨內負責人，甚至像台南高雄兩市漁會選舉，被監察院糾彈以後，安平區漁會賄選案被當事人向司法機關檢舉，如石沉大海，不予法辦。像這樣姑息縱容，還能整頓人民團體嗎？請問：一、整頓人民團體，除治安機關偵查以外，有進一步的具體辦法嗎？二、人民團體舞弊，輔導機關應負連帶責任嗎？三、輔導人員公然舞弊，上級機關有查究法辦的決心嗎？

對於實施耕者有其田政策的修正問題，郭議員說：貫徹實施耕者有其田，是政府既定的政策。公有租地調查放領，預定自去年十月開始，第一期今年完成，第二期明年完成。私有租地征收放領，明年一月開始，十二月完成，全是內政部根據行政院指示所定的作業程序，並且已經正式公布，各縣市正在積極進辦之中。可是，上月六日，中央社發布新聞，說根據內政部和農復會合辦的調查研究報告，合理的租佃制度，裨益農村經濟。並且指出：「如果貫徹實施耕者有其田，佃農一旦領得承領的耕地，家庭經濟情況雖有改善，但改善的程度並不大，而耕地之係承租或自有，在當前情況下，並無十分顯著的關係。如果貫徹實施耕者有其田，僅在改變土地的所有形態，不能擴大佃農的經營規模，對於佃農的裨益仍屬有限。」我們看到這項新聞，感到非常驚異！如此大事，政府何以未經研究成熟，就快的定案決策？繼續貫徹原定政策，不是變成了不顧事實，剛愎自用了嗎？

一、政府對於這一調查報告，抱持何種態度？是否準備修改既定決策？

二、十多年來，政府對於農地改革，實行耕者有其田，大肆宣傳，不僅告訴中國人，也告訴全世界的人，說佃農獲得自有耕地以後，產量如何增多，生活如何改善，社會地位如何提高，今天事實揭開，不過如此。過去的種種宣傳，是謊言呢？還是誇大？

三、社會經濟結構，從農業進入工業化以後，人民向都市集中，農村勞力缺乏，成本增加，而耕地狹小，推行機械耕作並不經濟。在這種情況下，小農的經營制度實在不合時宜，土地政策確應求新求變，但不是走回頭路的維持租佃關係，而是准許企業家購置農地，放寬自耕尺度，擴大農場規模，為農業機械化、科學化、企業化、現代化鋪路。不知主席高見以為如何？如果表示同意，能否建議中央修改有關法令？

宜蘭風災建宅經費 突起變化施工困難

建宅安頓災黎用意良善 中途收回經費為德不卒

郭雨新議員就宜蘭風災建宅經費問題提出三點質詢，他說：去年十月本省連續發生兩次颱風，災害慘重，尤其台北宜蘭地區，山崩屋毀，災民無家可歸，情況悽慘。政府曾通令盡一切可能方法，從事搶救，復舊，對災害特重者，並應另建國宅安頓。用意良善，省民同深感戴。那裏知道事過境遷，平民住宅正在籌建的時候，中央竟要將建宅經費收回，為德不卒，不知用意何在？

去年十二月二十九日聯合報載：「宜蘭縣風災平民住宅重建，由於行政院要收回救濟金餘額，現在施工發生困難。」該報說：「宜蘭今年發生「艾爾西」及「芙勞西」風災，縣政府運用救濟金餘額一百廿五萬元，及全國救濟會撥來三百萬元，興建平民住宅二百棟，免費撥給貧苦民衆居住。縣政府設計，每坪二千五百元，為水泥鋼骨建築。但是，現在行政院撥來的救濟金餘額一百廿五萬元要收回去，縣政府只好計劃變更設計，每坪建築費降低為一千元。一千元一棟的房屋，簡陋可想而知，宜蘭颱風頻仍，到了明年恐怕大部吹垮，到了政府又要支出救濟金了。」

請問：一、聯合報這項報導，是否實在？二、如果確有其事，省政府能不能轉向行政院要求免予收回，讓宜蘭縣政府按照原定計劃進行，嘉惠災民？三、台灣電視公司每星期大同節目，告訴全省觀衆說：兩千多年前的先聖先賢，就主張「矜寡孤獨廢疾者皆有所養」。現在到了福利社會時代，政府竟可以不管苦難人民的死活嗎？

對於不便民之公僕，應否接受處分問題，郭議員說：最近執政黨中、便民考察小組，發現政府機關不便民的事例過多，有感於困擾民衆的嚴重性，而提報中常會，經決議責成從政主管同意澈查嚴辦。執政黨中央高階層的這項決議，可以說是加强便民運動，從新擴展的開拓，相信各級政府機構，必能遵照辦理，則過去曾經受過公僕弄權之苦者，自此將免除無限困擾。行見恩澤普及，道路謳歌。

陳主席為實踐革新，便民的諾言，在執政黨加强便民運動的同時，毅然取銷四十三種中請案件，免繳戶籍謄本，開創新猷，使政府與人民，兩收其利，兩得其便。陳主席復指示所屬繼續研究，這種確切做到便民，利民，使我們非常敬佩！但是觀之地方機關，便民運動，行之有年，收效不大，以各方所投訴不便民案例，仍然很多。便民之德政，不能推行的原因，以過去的情形觀之，半由於「人」，半由於「法」。中央關懷民瘼，今欲根本祛除擾民之害，眞正做到便民，應該採取從嚴議「人」，從寬立「法」，樹光明正大之心，綱不直者而去之，凡從政者，如能秉承政府德意，不苟不縱，則此番重中便民前令，當能雷厲風行。為求貫徹政府便民之德政，本席認為不便民的公僕，應受嚴厲處分，以起教育作用，至於不便民的法則，則應進行檢討，分別重新修訂，以杜邪念，未審亦以為然否？

對貧窮作戰 創社會福利 作有效配合

建均富安和樂利社會

最後郭議員就當前社會福利建設以及如何與貧窮作戰問題質詢說：今日台灣，經濟已有長足的發展，人民生活水準日益提高，但是貧民與貧戶，仍屬不少，影響國民生活、社會秩序，更阻碍經濟的正常發展。我們認為更表現「實實在在的」社會理想，適應國家建設與地方自治的需要。必須善為運用人力資源，加强社會福利措施，建立社會安全制度，謀求社會發展與經濟發展的平衡推進，才能建設均富、安和、樂利的社會。

據台灣省勞動力調查研究所統計，本省貧民人口達一百十五萬三千餘人，且有逐年遞增的趨勢，如果不探究貧窮形成的原因，了解貧民的實際狀況與需要，以研究逐步消滅貧窮的方法。僅憑有限物質的救助，能夠肅清貧民與貧戶嗎？我們認為消滅貧窮主要的是應創造就業機會，然後推行社會福利措施，才能作有效的配合，所謂福利措施，必須加强推行勞工福利、擴大勞工保險、急難救助、家庭計劃、社區發展、合作事業，以及興建國民住宅等社會福利建設，才能保障其生活，而免直接影響經濟的成長，間接導致社會的嚴重問題。

我們知道 總統一向對消滅貧窮，最為關切，深望主席責令有關單位作密切的配合，推動社會各方面的通力合作，一致向貧窮挑戰，以社會的財富，創造社會的福利，相信我們的社會，邁向均富、安和、樂利的光明境界，可計日以待了。

喬治桑外傳 一一九

張大莫

「好吧，既然你堅持，讓我來打一個電話給他。」雅麗絲話罷，立刻便去撥電話。

「喂蘿蔔，我是雅麗絲。上次我為桑先生向你借的錢現在可以還你，桑先生想請你吃飯，你什麼時候有空？」

「我也是這樣說，他一定要請你。」

「好，好，就這樣決定，再見。」

「他怎樣說，」喬治桑等雅麗絲掛斷了電話，問雅麗絲。

「他本來不肯，你剛才聽到的，經我一再向他說明，他說明天晚上七點鐘在「小南園」見面。」

「小南園」是江浙館子，雅麗絲媽媽是蘇州人，喜歡吃江浙菜，蘿蔔蔡指定「小南園」，自然是投雅麗絲所好。

（未完）

台北傳奇錄（廿五）

・陳光棣・

「謝謝你的好意，你要想幫點忙的話，最好馬上就走，從此別再來擾亂情緒，我要燒飯啦」！

「什麼，朋友來看看妳都不行？」

「你別裝糊塗！」

「妳罵我糊塗」？

「謝謝你來看我，再見」！

「再見！才不哪」！

錢慕頁氣冲冲的走了，劉太太關好門嘆了一口氣。說起來：他們兩個人是比較談的來的同學，劉太太輟學以後，錢慕頁常到她家坐坐，也有的時候約她去看看電影，散散步，可惜劉太太當時總是提不起興緻，每次都拿別的話岔開了，錢慕頁也無所謂，反正彼此之間只是普通朋友。所以他也不會展開積極的行動，直到劉太太出嫁的前夕，他才知道問題並不簡單，原來在將要失掉她的情形之下，他發覺他愛上了這個女孩子。

人是奇怪的動物，在平常，對于利害得失，都能衡量的很清楚，惟獨對于金錢和異性的誘惑，往往就失去了抗拒的能力而迷糊起來，到了這種時候，便只想達到目的，毫不顧忌後果，社會新聞之能多采多姿，形形色色，便是這樣來的。

再者是；對于能得的或已經得到的物事，都覺得並沒有什麼了不起，可是對于得不到或是丟掉的東西，卻又特別珍視起來。錢慕頁的心境就是如此，他從馬寡婦咀裏，聽到劉太太結婚的消息，猛然間好像挨了一記悶棍，回到家裏越想越不是滋味，越不是滋味越覺得劉太太眞的很可愛，這麼一個可愛的女人，馬上就要去睡在別人身邊了，這簡直是男人不能忍受的事情，他于是熱血沸騰的很想有一番作為，繼而一想，自己還正在求學，一切都還依靠父母，對于眼前的問題，實在是力不從心。人的感情雖然是熾熱的，而現實卻是冰冷的，任你是什麼硬漢，碰到這種情形，都會倒抽一口冷氣，何況錢慕頁只是一個沒有出道的大學生呢？因此他想來想去的也就釋然了，壞也壞在他總是想來想去，越想就越想不開，越想不開就越苦惱，最後決定去看望劉太太，為什麼？自己也不知道，看望的結果是更苦惱，就好像小孩子把一塊糖掉在地上，又被媽媽打了一個耳光的感覺，在混亂的心情下，他去找馬寡婦訴苦，馬寡婦正中下懷，一再挑撥他應該多去劉家走動走動，至少劉二爺死了以後還有希望，六十幾歲的老年人絕對耗不過二十幾歲的小伙子，錢慕頁聽起來不大像話，但多少還算得到了一些安慰。人就怕迷糊，一迷糊就會作出蠢事來。

錢慕頁的過訪，使劉太太感到很不安，吃晚飯的時候，也沒有胃口，匆匆收拾飯桌的時候，已碰倒了湯碗，劉二爺心明眼亮，看出蹊蹺來。

（未完）

文匯樓別記

記扶乩偵察案件

・文匯樓主・

讀學人李漁叔先生著「風簾客話」一五〇頁記瞿秋白事及樓主所遇扶乩二三事錄之以供靈學家們研究。

共產黨人瞿秋白於江西瑞金之役逃走後，在長汀被捕，戮後經年，某次突現乩壇，生前友朋們詢死後情況，瞿書答如流，謂：「自長汀見殺，亦無所苦，但覺身輕如葉，隨風飄隨無定，或有所繫，隨念所之，今日偶過此，睹吾弟「瞿雲白」與諸君皆在，遂乃援筆一吐離情」。有人復詢冥間鬼神究作何狀？答：「混混茫茫，無有日月，鬼且不見，何有於神？」所言甚長，大率類此。（見風簾客話）

又曼谷紗廠於民國四十三年風雨飄搖中，某股東扶乩占前途，呂純陽臨壇謂：「凡百事業，經濟爲先，經濟潰，一切潰，慎之，愼之。」再詢有何策挽救？答：「創業與讀書，貴克勤克儉，涓滴之微，以成江河之大，爾小子等混跡江湖，既無學又無術，尚圖不勞而穫，莫非緣木以求魚！」後曼谷紗廠倒閉，果走向「經濟潰一切潰」的道路。

民國三十二年秋，樓主避難湘西靖縣，桂林日軍從通道縣尾追，人到急難，似境外有人或物主宰，難友中有人到飛來寺扶乩，占可否去晃縣，距靖縣百里，由關羽臨壇答：「查靖縣刦後餘生，三月之內可保無虞，由靖縣逃晃縣，不啻五十步笑百步，何況今日戰爭勝負，已非決定於敵我矣。（美國直接參戰）湖南省境扶乩問事，早經政府明令查禁，何又敢煩瀆？」按第九戰區司令長官薛岳嚴禁民間扶乩問事。

民國三十二年湖南中華時報採訪主任李憲民被空軍第四軍區參謀長徐燕謀邀同偵察案件，指出隱情歷歷如繪，依照線索前往起贓迅速破案。又湖南衡陽市政府秘書某君奉與奇偉主席交議，欲發表衡陽市市長，好事者藉扶乩攷驗占事，濟公臨壇，果謂不可，反復試之，乩詞未變，次日湖南省府會議通過後此一迷信事件，不揭自穿，未料當夜三時報社編輯有電話給樓主謂：「中央社南京電報，湖南新化縣長某君在任內交代不清移付糾彈」，其實祇爲很小的事疏忽所致，扶乩究竟是怎麼一回事頗値研究。

台北扶乩之風甚熾，及關西擴骨等，同屬鬼谷子側支，邪不歸正，又有人謂，甚麼人扶甚麼乩，因這樣說來乩隨人意，非神示乩意，讀書人每持「敬鬼神而遠之」是很有道理的。

從學庸談孔子的人生觀（二）

蔡金濤

在理論上，這三種知識的發展過程，直覺先於知覺，知覺先於概念。但是在實際經驗中它們常不易分開。知覺決不能離概念而存在，因爲我們必先覺到一件事物的形相，然後才能知到它的意義。概念也決不能離知覺而存在，因爲對於全體屬性的必須根據個別事例的知。反過來說，知覺也不能離概念而存在，因爲知覺是根據已往經驗去解釋目前事實，而已往經驗大半取概念的形式存在心中。比如說「這是一張桌子」時，我們是在知覺桌子，同時也是在用概念，因爲「桌子」是全類事物的公名，就是一個概念。因此近代哲學家常否認知覺和概念可分割開來。克羅齊曾說：「知識有兩種，一種是直覺的，一是名理的」，他所謂「名理的知識」就兼指知覺與概念。

據以上的分析，知的根本只有兩種；直覺的名理的。直覺的知識是「對於個別事物的知識」，名理的知識是「對於諸個別事物中的關係的知識」。一切名理的知識都可以歸納到「A爲B」的形式。比如說「這是一張桌子」，「玫瑰是一種花」，「直線是兩點之間最短的距離」。這個「A爲B」公式中必定是一個概念，認識「A爲B」就是知覺A，就是把一個事物（A）歸納到一個概念「B」裏去，看見A而不能說它是某某，就是對於A沒有名理的或科學的知識。就名理的知識而言，A自身無意義，它必須與B有關係而得意義。我們在尋常知覺或思攷中，決不能在A本身站住，必須把A當着一個踏腳石，跳到與A有關係的事物上去。直覺的知識則不然。我們直覺A時，就把全副心神注在A本身上面，不旁遷他涉，不管他爲某某。A在心中只是一個無沾無礙的獨立自足的意象。A如果代表玫瑰，它在心中就只是一朵玫瑰的圖形。如果聯想到「玫瑰是木本花」，就失其爲直覺了。

直覺的經驗也是美感的經驗，直覺的對象是上文所說的「形相」，所以說「美感經驗」可以說是「形相的知覺」，如果一件事物叫你覺得美，它一定能在你心眼中現出一種具體的境界，或是一幅新鮮的圖畫，而這種境界或圖畫在霎時中霸佔住你的意識全部，使你聚精會神的觀賞它，領略它，以至於把它以外一切事物都暫時忘去。這種經驗就是形象的直覺。

老子說：「爲學日益，爲道日損」。學是經驗知識，道是直覺形相本身的可能性。對于一件事物所知的愈多，愈不易去注在它的形相本身，愈難直覺它，愈難引起眞正純粹的美感，美感的態度就是損學而益道的態度。比如見到梅花，把它和其他事物的關係一刀截斷，把它的聯想和意義一齊忘掉，使它只剩一個赤裸裸的孤立絕緣的形相存在那裏，無所爲而爲的去觀照它，賞玩它，這就是美感的態度了。在科學態度中，梅花因與其他事物有關係而得意義；在實用態度中，梅花因可實用而生價值。在美感態度中它離開（一）與其他事物有關係以及（二）可效用於人兩點之外，自有意義，自有價值，梅花對於科學和實用人都依賴旁的事物而得價値，所以它的價值是外在的，對於審美者則別無依賴，獨立自足，所以它的價值是「內在的」。

以上不嫌詞費的反復說明，不過爲了指出直覺的與名理的兩種認知形式而已，人生所以是苦的，是因爲人們太用名理的認知，處處分析利害，計較得失，佛家所謂妄念，即指此而言。世界所以是美好的，是因我們能用直覺來面對這個世界，直覺得這個世界的聲音和色調，事物都是和諧的。

孔子的人生觀便是一任直覺的人生，是藝術的人生，此建基是他的形而上學。這種形而上學本來就是講「宇宙之生生」的，所以說「生生之謂易」。由此孔子讚美讚賞「生」的話很多，像是：「天地之大德曰生」，「天何言哉，四時行焉，百物生焉，天何言哉」，「致中和，天地位焉，萬物育焉」；「唯天下至誠爲能盡其性，能盡其性則能盡人之性，能盡人之性則能盡物之性，能盡物之性，則可以贊天地之化育，可以贊天地之化育，則可以與天地參矣」；「天地變化，聖人效之」；「大哉，聖人之道，洋洋發育萬物，峻極於天」；如此之類總是贊嘆不置。這個「生」字是最重要的觀念，知道這種就可以知道所有孔子的話，孔子沒有別的，就是要順着自然的道理，頂活潑頂流暢的去生發。他的宇宙總是向前的發生，萬物欲生，即任其生，不加造作，必能與宇宙契合，使宇宙充滿了生意春氣。這種道理，發育萬物的聖人意的，豈是佛家所顯爲妄的嗎？他不是以生爲不在的嗎？他不是要論生死的嗎？提出「無生」不是與儒家的最根本的「生」不是恰好反對嗎？所以我們可以說儒家代表的道理是「生」，代表佛家道理的是「無生」。

楚文拾遺（七）

王曰叟

張春霆先生昆仲凡三人，其長兄名繼丙字筱松，亦爲孝廉公。枝江文風閉塞，百餘年無中舉者，有之自先生始，先生爲官清正，孝友持家，極見重於鄉里，時値清末，目睹國事日非，乃東渡扶桑攷察，期明近代興衰底蘊，而務強國強種之實學，乃歸國未久，卽歸道山，誠有「長使英雄淚滿襟」之歎也。先生詩文功力頗深，惜遭喪亂，散佚無存。僅有去日本東京自題小照之五律四首，因其令孫張起鈞教授，珍藏照片而得傳，亦云奇矣。其詩曰：

滄海橫流日，風雲慘淡辰。十年勞薄宦，萬事悟前因。攬鏡霜彫鬢，親書筆有神。壯懷殊未遂，空負胆輪囷。

壯歲思投筆，因循愧若耶。每愴雲龍會，虛增櫪驥年。不材甘蠖屈，此輩竟鴻鶱。可憐書十上，陳迹滯幽燕。

憶放嚢門棹，頻年作壯遊。功名思擊楫，身世愴登樓。正算衡春相，遺風慕武侯。白雲時在望，留滯錦城秋。

萬里東瀛客，乘槎俱問津。遺蹤求舜水，古跡訪王仁。故國荊門隱，殊方弃服春。歸來應袖石，一洗日京塵。

儒道法先驅管仲的功利思想（二）

・黃公偉・

（二）管子的宇宙觀與道家之先驅

管子在「橐」的宇宙觀，何謂「橐」。如說文「有底曰囊，無底曰橐」，而上下無際之義。管子以審天地如一橐，無處無本，由神而變化。他說：「天地，萬物之橐。宙合有橐天地」。（橐合篇）又云：「宙合有橐天地，天地長萬物故曰萬物之橐。宙合之義，上通於天之上，下泉於地之下，外出於四海之外，合絡天地爲一橐。故云至於無間，不可名而止。是大之無外，小之無內，故曰有橐天地。」（同上）此涵容萬物之橐，正如莊子所說：「出無本，入無竅，有實而無出處，有長而無於本剽」者然。管子云：「天　陽無計量，地化生無法崖，所謂是而無非，非而無量，是非必有交來，苟信是以有不可先規定。必有不可識，慮之將然，卒而不戒。故聖人博聞多見。畜道以待物。物至而對形，曲均存矣」。（同上）此宇宙生理之化有，由無而有，以神爲主宰。管子云：「天地若夫神之動化變者也，天地之極也，能與起而王用，則不可以道出也。」（侈靡篇）宇宙虛靜之氣，本爲精化生精神，乃有萬物之形。他說：「天之道虛，地之道靜。虛則不屈，靜則不變。虛者萬物也，故可以爲天下始。」（心術上）又云：「一氣能變曰精，一事能變曰智，非鬼神之力也，其精氣之極也。」（同上）陰陽四時之天象，萬物人類之地象，皆由精氣之變而成。後世老子言宇宙，完全本於此理而來。

管子之世，太極陰陽八卦之說，尚未倡行。他獨取五行論而以「無極論」爲主。五行之生理，以日爲陽生火，以月爲寒生水，以木爲星，以金爲辰，而以日月星辰爲天象。宋代邵雍所謂「天之四象」本此，以五行爲地象，合以爲萬象。而以水生人之五形爲骸與性情。管子云：「形有時而兼示？對曰：「陰陽之不定，則甘苦之草生也。從其宜則酸鹹合焉。而形色定焉。以爲聲束。夫陰陽進退滿虛時亡，其散合可以視歲，惟聖人不爲歲，能知滿虛。奪鋒滿補不足，以通政事以瞻民常」。（侈靡篇）所謂「以天爲父，以地爲母，以開乎萬物，以總一統」（五行篇）蓋依宇宙之生理以成人道。他道：「故通乎陽氣所以事天也，經緯日月用於民。通乎陰氣所以事地也，經緯星曆，以視其離」。（同上）宇宙予萬物人類以生命智情，法天事天以爲人生，此管子宇宙觀。

（三）管子的直覺認識論與虛無本體論

管子的認識論與本體觀：管子宇宙起源於氣，無法涯無岸底，虛靜無體故稱爲「道」。他說：「道也者，動不見其形，施不見其德，萬物皆以得然莫知其極」（心術篇）包括天道地道人道在內，本於無極。他說：「凡道，無根無莖，無葉無榮，萬物以生，萬物以成。命之曰道。天主正，地主平，人主安靜」。（內業篇）又云：「天之道虛，地之道靜。虛則不屈，靜則不變」。（心術篇）這完全爲老莊「清靜無爲」說之所自出。此虛無之精氣即宙宇之原始生能。

（未完）

諸葛亮狂想曲（八七）

・劉玄・

「丞相此言差矣，你當年在三國時代，與周郎、曹瞞鬥爭毫不含糊，現在怎麼連恩怨都怕起來了？天庭承平日久，所有天官還不都是在等因奉此地混日子，談什麼表現不表現。」劉備對爲官之道的了解似比諸葛亮深刻。

「主公指示使亮獲益良多，惟此事牽涉至廣，容亮考慮後再爲定奪。」諸葛亮官場混久了，胆子混小了，顯然還不能立刻下決心。

劉備知道諸葛亮的個性，當年是他三顧茅廬才請他出山的，現在玉帝只不過挽星君與他一席談，他怎會輕於應允。因此遂將本題暫時告一段落。

「二將軍的磨刀大典，本年準備怎樣舉行？」諸葛亮知道今天龍岡會正在開磨刀大典籌備會，故不能不問一下。

「不瞞你說，」劉備見四下無人，壓低了聲音向諸葛亮輕輕地說，「磨刀大典實在是農村社會的一種迷信，下不下雨由天庭雨師掌管，與磨刀並無絲毫關係。不過二弟是要面子的人，年年都舉行，今年當然不能廢止。我的意思，今年磨刀大典儀式一切從簡。比較疏遠的大小各仙一概不請，只邀龍岡有關係的人來湊湊熱鬧也就算了。」

「我倒要請問一下主公，二將軍的青龍偃月刀，是不是眞的上銹？必須要在磨刀石上磨？」諸葛亮是軍事謀略家，對於兵器不大內行。

「這不過是說說而已，二將軍的青龍偃月刀重達八十餘斤，上陣交鋒，純以秦山壓頂的氣勢取勝，故刀鋒極厚，老實說，割老母鷄的頸子都嫌不夠銳利。前幾年我向呂純陽要來鍊丹爐中的丹液，塗在刀上，等於塗上一層塑膠體，永保不銹。我所以要這樣做，也卽純粹感於青龍刀已經成爲二弟的商標。是龍岡的特色，不能不妥予保持也。」劉備說出有關青龍偃月刀的一段秘密。

「主公愛護桃園弟兄無微不至，亮實感欽佩。不過，亮深知二將軍的個性，用丹液保護青龍刀之事，最好不讓他知道爲是。」諸葛亮知道關羽好勝的個性。

「丞相的話很對，我是秘密囑周倉去塗的。並告誡他千萬不可告知二弟，以免傷他的自尊心。二弟還以爲青龍刀不上銹是一種奇蹟呢！」劉備臉上帶着得意的微笑。

「磨刀大典舉行的時候亮一定前來觀禮。」諸葛亮這句話使劉備安心了，因爲諸葛亮是非來不可的，要是他不來，關羽會疑心諸葛亮藐視他，劉備夾在當中，就要感到困難了。

在以往龍岡舉行磨刀大典，殺牛宰馬大開宴席，所費不貲，後來桃園弟兄才知道天庭的風俗習慣與人間不同。大小各仙都已修成正果，不吃烟火食，其次焉者也只吃水果，只有那些凡胎俗子才候此機會大吃大喝。所以，桃園弟兄經商議結果，免除了酒食招待，雖然每年仍然照樣舉行磨刀大典，節省多矣。

談談廣徵春聯（上）

諸葛盧

我國文學，詩詞曲聯，居重要地位，而對聯因用途普遍，而字數有限，在有限之字數中，欲工力悉敵，均衡者，往往較作詩文尤難，故士君子諳此道者，一聯一語，窮年累月（佳偶天成者不能常得）力叩其如何音節和協，雄渾清暢；格局如何開宏，奇肆，博大；結構如何嚴密，精遽詳周；用典如何恰當，恰分，恰題，未敢絲毫敷衍苟且製作。文化局去年為發揚國粹，舉辦廣徵春聯，冀作盛世元音，中興鼓吹，其用意不為不善，是以學士騷人應徵者一千五百六十七人，收到聯語達一萬一千六百十四付，經選出入選暨佳作二百幅，于五十九年元月二十五日，由王洪鈞局長以茶會招待入選者，計入選聯每幅贈獎金五百元，佳作聯每付贈獎金二百元，猗與盛哉，海內外傳為佳話，咸以聯對之學，將日益光大。文化局復編印春聯選集，將二百春聯刊成小冊，集內前言中云：「觀此次作品，多文采有餘，而意無蕭瑟，請以復國先聲，盛世元音視之可也。」但此選集送各界後，海內外寄望，突從萬丈熱潮，一瀉而成為低調，代之者為失望嗟嘆，學術人士，紛紛議論，茲就所聞，摘錄一點心聲以為代表。

趙：不知道文化局這麼選的，簡直沒有幾付像樣嗎？短聯則毫無氣勢，如五言中第一幅，「開春一歲始」「復國萬事先」下聯竟一連四個仄聲，平仄既不合，音韻又不協，讀都讀不下去，第二幅：「吟梅懷故國」「傳檄復神州」神州故國，失之重複，第三幅：「春色鳥聲交響曲」「春色上河圖」歷史上只有「清明上河圖」「春色上河圖」出自何人手筆，未加說明，似有杜撰之嫌，古人有春色滿園眠不得之句，春色滿園順理成章，春色河殊有未安。第四幅：「鄉心新歲切」「春色小樓多」，考劉長卿新年作首二句為「鄉心新歲切，天畔獨潸然。」此上聯係抄襲劉長卿句，下聯又用上春色，試問「小樓春色多」多些什麼春色，太緋艶而不莊重了，其他幾幅如「慷慨澆春酒」，「昂藏看寶刀」，「讀書破萬卷」，「明德垂千秋」，「河運開新局」，「河山復舊觀」，「春風榮草木」，「正氣耀山河」。「近海風云壯」，「逢春草木滋」，「佳節常思蜀」「平生不帝秦」單論文字，到還平穩，錢兄以為如何？

錢：我以為短聯純以氣勢，記得張良廟有于右老一聯：「辭漢萬戶」「送秦一椎」，捨張良外，他人不能用，氣勢大極，先生所述的五言聯，一覽無餘，缺乏文學上的回味作用，其中二聯，雖平穩，亦有語病，如：「近海風雲壯」「逢春草木滋」下聯在台灣這種氣候，草木就很少這種現象，草木經冬既不凋枯，逢春何來滋長呢？又「春風榮草木」「正氣耀山河」只有光彩能耀氣豈能耀山河，如改為「正氣護山河」就好得多了，至「佳節常思蜀」，蜀字改為一漢字，則意義較廣，用安樂公劉禪樂不思蜀之典，則意義不正大，地域觀念過于狹仄了。「明德垂千秋」一聯，係挽聯作法亦不妥，嚴格說來，只有「昂藏看寶刀」與「河山復舊觀」尚為平穩。而此五言共達十聯，綜論並不特色出奇。

六言總共選出三幅，第一幅為「教以詩書禮樂」「還我城郭人民」沒有談到一點新春氣象，第二幅為「毋忝中華兒女」「重振大洋天聲」，中華即大漢，意義重複，兒女亦不能對天聲。第三幅為：「新時光莫虛度」「好兒女當自強」尚平穩。

再談七言，共選出七十幅，語病甚多，我認為下列數聯，尚屬佳秀：「芝蘭自得山川秀」「松柏長留天地春」（氣象），「百年天地回元氣」「萬里江山待凱旋」（此聯有詩意），「寒梅秀發香千樹」「爆竹聲催復兩京」（工力意境並到），「中興氣象隨春至」「積善人家納福多」（自然），「枝頭紅杏春無價」「簷底青蔬夜有光」（工穩），「蒼茫夏甸收詩卷」「浩蕩春風入酒杯」（感慨），「憑欄而望山河在」「仗劍南來歲月新」（慷慨），「家居白日青天下」「春在和平博愛中」「由來仁政原無敵」「歷盡嚴冬總是春」（有意義）。

不穩妥者如「一年作計由春始」「百行于人以孝先」，作計之作字太硬湊了，作計兩字，亦無文字來源，「學業自強方自得」「功名非易亦非難」不似春聯，亦太浮泛，「東南獨泛三千里」「運會方期五百年」，獨泛三千里似含意生澀，「耕已有田千頃碧」「讀無須費萬家春」，費字指費用，太不明顯了，「寶島又添新歲月」「神州更有好河山」，更有兩字不妥，如改為待復意義就不同了。「義教九年端治本」，「衣冠萬國醉華風」，治本豈能對華風。「直掛雲帆濟滄海」「不教胡馬度陰山」共匪已佔據大陸，胡馬早度陰山矣，而下聯為王昌齡詩「但使龍城飛將在，不教胡馬度陰山」顯係抄襲。「碧落乘槎能上月」「青春作伴好還鄉」杜甫聞官軍收河南河北詩腹聯：「白日放歌須縱酒」「青春作伴好還鄉」此聯下聯抄襲杜詩而評審者，竟連此人盡皆知之杜詩亦不知，遽予入選，可謂滑天下之大稽了。「施比受更為有福」「因生果斷然無差」好像讖語，「反省無慚心自泰」「研求有得氣斯雄」為座右銘則可，為春聯則不可。「武略文韜豪傑志」「春風夏雨聖賢心」「迎春處處齊鳴爆」「待旦人人盡枕戈」爆竹省為爆不妥，結婚禮方有鳴炮奏樂，用鳴爆就欠通了。「創業成功忠是本」「立身行道孝為先」總是對春字無一處着[illegible]，「大陸何人能送臘」「台灣此刻已迎春」有語病，相對未免太刺激了吧。

（未完）

創業大學

從前的社會「萬般皆下品，惟有讀書高。」在今天這句話已經行不通了，最少聽起來已感到落伍。因為從立國到現在未打過敗仗的美國政府，他們滿朝朱紫貴，都是生意人。

中國有創業維艱守成不易的格言，又兼人間冷暖是緊跟住成敗走的，不以成敗論英雄，乃勸勉人的話，實則成者為王的觀念，是在每個人的心坎中生了根的。生意人執政算盤精，再加以政治全由人民自主，若干國策的決定，先敲敲算盤，不會產生太大的偏差。

國與國間交往，常以「國運昌隆」互祝。國既有國家命運，個人亦自有個人命運，讀曾文正公日記云：「古來聖哲名儒之所以彪炳宇宙者，無非由於文學事功。然文學資質居其七分，人力不過三分；事功則運氣居其七分，人力不過三分。」

孔夫子說：「不知命無以為君子」今日社會人心擾擾攘攘不定者，都是為不知命。尤其在政治場合及事業圈圈，明爭暗鬥計較得失，幾乎成為常道，有的利用職權貪贓枉法，有的詭詐巧奪甚至分老朋友的屍。這些糊塗行為，又率多為聰明人做出，就是不知命。

知命機會及自私

楚狂主義

人生有很多機會，但多失於躊躇。成功的秘訣，在於隨時準備把握機會。歐美的觀念，認為喪失機會，就是喪失勝利與成功。

任何英雄好漢，如果遇不到機會，成大功立大業留大名都是很難的。人一生的富貴貧賤，莫不由機會所造成；乃至於死後，機會並未因人死而消失。

關雲長與中華民族歷史永垂不朽，假定關在曹營的時候，遇害或病死，後人誰能諒其心跡？又怎能發覺他的忠君報國赤肝義胆？人人都唾罵秦檜是奸臣，但秦檜上書二帥千言餘，慷慨激烈，誓欲立趙氏之後，假定秦檜因上書觸怒被殺，能不被認為宋室忠臣嗎？關雲長不死於曹，機會成其忠；秦檜不死於金，機會成其奸。

機會對於人生太重要了！聰明的人絕對不等待機會，而是抓取機會，運用機會，征服機會，認為機會是注意力的產品。

大陸上的奪權運動，內戰逐漸爆發，帶給我們一個反攻復國的機會。此時此地還不動手，以後好的機會恐不會太多了。

一個自私的人，並不是因為斤斤計較自己的利益而討人嫌，問題是他忽略了別人的利益。自私的人另一不可饒恕的，因為他視同情如仇敵，幾如水火之不能相容。

古代名醫扁鵲謂有六種病不治；一、驕恣不論於理，二、輕身重財，三、衣食不能適，四、陰陽並藏氣不足，五、形羸不能服藥，六、信巫不信醫。筆者引述其說，創業亦有六必敗：一、得意忘形者必敗，二、重財輕義者必敗，三、謀為不正當者必敗，四、揮金如土，漫無節制者必敗，五、英雄主義者必敗，六、親小人遠君子者必敗。

扁鵲的六不治，成為醫生的共同守則，創業的六必敗乃筆者積三十年之經驗所舉出。而這六條必敗，條條與自私有連帶關係。

紙上談兵

十、軍有所不擊，城有所不攻

周燕謀

語出「孫子兵法」卷八「九變」篇。

曹操說：「軍雖可擊，以地險難久，留之失前利，若得之則利薄；困窮之兵，必死戰也」故「軍有所不擊」。

杜佑說：「軍雖可擊，以地險難久，留之失前失，若得之利薄也。窮困之卒，臨陷之軍不可攻，為死戰也。當固守之，以待隙也。

杜牧說：「蓋以銳卒勿攻，歸師勿遏，窮寇勿追，死地不可攻；或我強敵弱，敵前軍先至，亦不可擊，恐驚之退走也。言有如此之軍，皆不可擊，斯統言為將須知有此不可擊之軍，即須不擊益，為知變也。故列於九變篇中。

陳　說：「見小利不能傾敵，則勿擊之，恐重勞人也。

賈林說：「軍可威懷，勢將降伏，則不擊。寇退據險，擊則死戰，可自固守，待其心惰取之。

張預說：「縱之而所損，克之而無利，則不須擊也。又若我弱彼強，我曲彼直，亦不可擊。如晉楚相爭，士會曰：楚人德刑政典禮不易，不可敵也。不為是征，義相近也。」

城有所不攻者，如曹操所說：「城小而固，糧饒不可攻也」。曹操所以置華費而深入徐州，括取了十四縣。

杜牧說：「曹操捨華費不攻，故能兵力完全，深入徐州，得十四縣也」。因言敵於要害之地，深峻城隍，多積糧食，欲老我師若攻拔之，不足為利；不拔則挫我兵勢，故不可攻。

宋順帝時，荊州太守沈攸之反，素養士馬，資用豐積，戰士十萬，甲馬二千，軍至郢城。功曹以為攻守異勢，非十日所能破，苦不時舉，挫銳損威。今順流長驅，計日可捷。既傾根本，則郢城豈能自守！故兵法云：「城有所不攻是也」。沈攸之不從其議。郢州郡守柳世隆拒沈攸之，沈攸之出精銳以攻之，不能破，士衆潰散。沈攸之竟亦入林中自縊而死。

後周武帝出兵河陽以伐齊。吏部宇文　進道：「今用兵須擇地，河陽要衝，精兵所聚，盡力攻之，恐難得志。如臣所見，彼分之曲，山平，攻之易拔，用武之地，莫過於此」周武帝不納，其結果出師無功。再舉伐齊，卒用宇文計以滅齊。

賈林說：「忠臣義重，稟命堅守者，亦不可攻」。

王皙說：「城非控要，雖可攻，然懼於鈍兵挫銳，或非堅實，而得士死力；又雖得之，利不能勝其所害也。」

張預說：「拔之而不能守，委之而不為害，則不須攻也。又若深溝高壘，卒不能下，亦不可攻，如士匄請伐偪陽，荀罃說：「城小而固，勝之不武，弗勝為笑是也。」以上所舉，皆為「城有所不攻」者。

針灸驗案

國醫與國藥

山東孫培榮

二、

前腦疼痛實難當，昏暈疲憊目惚恍，須刺太倉名胃募，妙用金針效自彰。

大成有云：此病多屬陽明經，亦有痰飲，停滯胸膈，賊風串入腦戶，偏正頭風，發來連臂內疼，或手足沉冷，久而失治，惟恐變成癱瘓。

于君五十五歲，山東青島人，住台灣省台北市長春路，患前腦疼多年，病況劇烈，有歇有止，發時二目難睜，眼眶發黑，疲憊如醉，睡臥不寧，昏昏沉沉，如在夢中，民國五十五年十一月十六日來所求治，經施針，中脘，先後三次而癒。

李君年四十五歲，住台北縣新店鎮二十張路，患前腦疼痛很久，精神疲憊，目不能睜，於民國五十五年元月九日來所求治，亦施針、中脘，三次而癒。

羅君四十九歲，四川人，住台北市六張犁，現役軍人，患前腦疼，已三年餘，發作時精神恍惚，二目難睜，民國五十六年七月十七日，來所就治，經施針上穴兩次而癒。

劉君四十二歲，山東人，住台北市建國北路，前腦痛疼，歷三年之久，或疼或止，每日夜三至五次不等，頭腦昏暈，精神倦怠不堪，民國五十七年八月二十九日，來所求治，經施針，中脘，先後診療三次疼止而癒矣。

三、

後腦疼痛苦心煩，暴痛如破近枕難，束骨陽輔針有效，風池天柱病自痊。

頭痛有虛實之分，暫痛多為實邪，久痛多屬虛。偏頭痛多是痰火，正頭痛多是風熱，腦後疼痛，此病多屬太陽經與督脈，突然發作疼痛，重若石壓，頭不能抬。

（三）

自由報

（第一〇三八期）

（半週刊每星期三、六出版）
每份港幣壹角・台灣零售價新台幣弍元
督印黃行實・社長李運鵬
社址：香港九龍彌敦道593—601號
廖創興銀行大廈八樓五座
LIU CHONG HING BUILDING
7th FLOOR FLAT 5
593—601 NATHAN ROAD,
KOWLOON, H.K.
TEL: K303631
電報掛號：7191
承印：景風印刷公司
地址：嘉咸街廿九號地下
台灣通訊中心：台北市晉田街五巷三號
電話：三七五〇二二
台灣區直接訂戶　台郵劃撥戶
第五〇五六號張萬有（自由報會計室）
台北營業處：台北衡陽街三十號
電話：二七二〇〇
台灣分社：台北市西寧南路110號二樓
電話：三三〇三四六，台郵劃撥戶九二五二號

從修訂留學政策說到教育問題

·雷嘯岑·

中華民國教育部最近擬訂留學政策，作新的規畫，特別對於留學美國的，并指定一些認爲合格的學校，因而引起各方面紛紛議論，多所抨擊。如果憑客觀的立場，根據事實以論斷，我認爲教部新訂的政策，大體上未可厚非。

我國舊有的留學規程，實在失之太濫，尙未受過高中教育的，亦可以出國留學。自從中央政府轉移台灣後，一般特殊階級的兒女，更以出國留學爲急務——且以去美國爲唯一目的地，而且一去即不復返，有如逃難然。試看前幾年若干青年男女假藉赴中東「朝聖」的名義，中途跑到美國冒充留學生的情事，即知留學政策非重新釐訂，加以限制不可了。迨去年聯合國秘書長宇譚對「文教委員會」提出報告，指述全球各國人才外流情形，以中國爲最甚，祇是在美國留學而且學有專長，又不願回家的高級知識份子，就有五萬人之多！宇譚所說的「中國留美學生」，并非完全是由台灣或中國大陸上去的，香港以及東南亞各地區的華僑子弟亦在其列，但由台灣去的佔着大多數，却無疑問。因爲自從毛共竊據大陸後，採取反美仇美政策，大陸的青年學子很少前往美國留學了。所以宇譚所說五萬名中國留美學生之中，至少有三萬名是台灣去的。政府經常號召旅外的學人歸國服務，乃有三數萬留在美國的高級智識份子，甘爲別國服務而不回來，這是何等嚴重的情況！政府對於出國留學的辦法，如其再不改進，後果寧堪設想嗎？

過去出國留學生之所以冗濫，乃由於舊有那套留學規程過於寬縱——也可說是放任。按照舊有的九項留學資格，誰也可以出國留學，等於沒有限制。現在教育部將那九項資格併爲五項，再將硬性規定考試改爲「甄試」，可謂從寬處理了，如果連「甄試」亦不需要，那根本就沒有修訂留學政策之必要，率由舊章可也。我懷疑反對甄試留學的，都不免基於「有蓬之心」，害怕自己的兒女不能自由出國留學。記得對日抗戰末期，政府號召青年從軍之際，一般在朝的文武顯要官員，以及在黨政方面佔有相當地位的人士，莫不大聲疾呼，勸勉智識青年踴躍投筆從戎，事實上這類黨政要人的青年子弟，却沒有眞正從軍的。以彼例此，自難免我的神經過敏啊！

次爲指定美國各個學校問題，這祇能要求主管機關必須調查翔實，有若法官判案，做到毋枉毋縱，却不應予以全盤否定。任何國家的公私立學校，辦理的成績都有優劣之分，而在美國開辦學校和創刊報紙皆很自由，美國根本就沒有國立學校，亦沒有官辦的機關報，美國各級學校辦理成績之不一樣，殆屬勢所必至，理有固然。咱們政府既對出國留學的資格有所限制，在現階段又以赴美國留學的最多，主管機關列舉一些認爲夠格的美國大專學校，指導學生入學深造，似乎義所應爾。民國初元吾國知識青年一窩風地前往日本留學，有些留日畢業生連日本文亦不通曉，居然持有大學畢業證書，回國教書或發表文章時，竟將「手形」（票據）「爲替」（匯兌）這類日本名詞，依樣畫葫蘆地使用着而莫名其妙，因爲那時候日本有些學店式的私立大專學校，只要按月繳納學費，不須上學亦可以給予畢業證書的。近四十年來，大家一窩風地以留學美國爲上計，究竟他是進的甚末學校，沒人過問，憑着留美學生的頭銜，令人另眼看待，有些人且以「博士」自稱，報紙上提到他的名子，輒稱之爲某某博士，而美國的大學眞正可以頒給碩士博士學位的，決不容易，祇有贈送「博士」名號甚隨便，梅蘭芳亦擁有美國某大學的「文學博士」頭銜呢！所以，教育部對留美學生指定一百所以上的學校，實有提高學術水準的作用，不必反對。

再次就是師範大學生出國留學問題。教育部認爲師範生畢業後，應該照章先在國內服務期滿，方可去國留學。這因爲國家特設師範大學或學院，專在培養中小學的師資，師範生在學期間的一切費用，皆由國家支應，跟一般的大學生有別。如果師範生亦與一般大學畢業生同樣出國留學而不須服務，那就失去了專設師範學校的意義，况且國家實施九年國民義務教育之後，要增加幾百所國民中學，師資的需求更急切，從整個教育計劃設想，要師範畢業生先行服務，殆屬迫不得已。據聞教部對此亦有變通辦法，卽師範畢業生如不願服務而須去國深造，只要將其所受國家的一切公費待遇償還、亦就可以了。我們認爲如此彈性規定，允稱合理。

此外，尙有一項引起教育界非議的規定，卽學生在學成績滿八十五分以上者，可以免試留學。專憑平日的考試分數以衡量留學資格，實在很有問題，教育界的非議，良有以也。不過，在原定的五項留學資格中，凡取得外國大學獎學金的，卽可不受這項分數的限制，而平日在學成績優良的，自可取得外國學校獎學金，這項分數規定，其作用除却潛具一點鼓勵意義外，也就等於具文了。既屬具文，似以根本取消爲愈。法令總以簡要爲上，利少弊多，或者并不發生積極作用的官樣文章，何必枉費心機呢？

民國肇建以來，不但留學政策雜亂無章，一無是處，卽整個教育政策，亦完全失敗了。毛病就是六神無主，從事模仿，祇知道別國是怎樣的，卻不知本國應該怎樣？譬如發展科學問題，卅年前曾有黨國大員建議停辦全國各大學的文法科系，專辦理工科，可謂急進的科學救國運動了，然結果某大員的建議固未實現，而理工教育計劃亦漠然不以爲意，荏苒三十年的光陰，到今日纔感覺發展科學爲當前急務，浪費三十年的時間，所爲何來耶？發展科學并不是簡易事業，必須具備一定的基礎，釐定層次，各方面互相配合，機行，庶幾而有其所成就。重點乃在停辦大學的文法系，固係因噎廢食，不切實際之談，而理工科學人來綜持全國的教育行政工作，使一些科學人有效措施，讓科學人才搞政治，非發展科學的良策。對個人對國家都是得不償失的。美國是世界第一科學國家，但美國的科學家很少從政的，科學家愛因斯坦在生之日，如果不是長時間坐在美國的學術研究室，精竭慮於科技之發展，而是到國務院作官，以他二次大戰末期的原子彈，亦就絕對不會產生。以色列立國伊始，會請愛因斯坦去做總統，他亦避之若浼，這是科學家的渠範，不愧爲人類的福星。希望幾個科學因在萌芽時代的我國，一般科學人才，能以愛因斯坦自任，專心致力於發展科學，使命，唯正業是務，搞政治與發展科學，是不能相輔相成的！

自由談

韓國總統朴正熙最近頒佈命令，凡屬政府的官員住在華麗宅第中者，一律限期遷出，否則懲究；若係私有產業，且須出售他人，這是實行節約生活的一端而已。此外韓國嚴禁官民吸用外國香烟，官吏犯禁者判刑，人民犯禁者罰金。又禁官吏接受禮物餽贈，倘有收受必要，亦須交由公家處理，絕對不許據爲私有。至於外匯管制之嚴密，不讓官民有將金錢套匯存放外國的機會，自不待言。如此以言節約生活，庶幾近之矣。

節約是屬於移風易俗的社會問題，必須管理衆人之事的政府官吏以身作則，示範羣倫，行之以恆，持之以堅，纔可望獲致效果。昔人謂「風俗之厚薄，繫乎一二人之心之所嚮而已」，卽係此義。假如官吏的日常生活豪奢浪費，視爲當然，而向社會大衆高唱節約運動，文告標語，不一而足，那便是癡人說夢，自曝其醜，人民的眼睛雪亮，誰願意聽你這種自說自話的欺人之談呢？

談節約運動

美國人以自己的利益爲出發點，要向產業不發達的地區推銷商品，乃倡導「提高人民生活水準」之說，且謂這是反抗共產主義的特效劑。又認爲生活浪費可以刺激生產，不足爲病。這就美國那樣產業發達，物資充裕，國民收入所得甚高的社會生活而言，或許不無理由。像咱們這種只有大貧小貧之別的國家，何足以語此呢？可是，我國的一般官吏，拾取別人牙慧，藉作追求物慾享受的口實，亦侈言提高生活水準，而以貪污受賄爲物慾享受的來源，因而隨時吹着經濟起飛的法螺，認爲一年有四五億美元的入超，就了不起了，日常生活涉於浪費，何足道哉！殊不知日本一個私人企業機構——豐田株式會社，去年就賺到外匯十八億美元之多呢！所以，有美國的生產力而追求高度的生活享受則可，否則妄也。

今日咱們有推行節約運動的必要，毫無疑問，但須效法韓國之所爲，先以官吏節約爲主，限制外來奢侈品之輸入，取締一般超級浪費兼販賣色情的娛樂場所，而對犯禁的官吏從嚴究處——對於特權階級份子更須重懲，無所瞻徇。非如此，則節約云云，不談也罷！

馮五先生

昨日與明日

長科會自設立研究教授，副教授的辦法以來，倍受社會的指責，其立法原意雖善，而技術方面的措施，則屈指難數。尤其最使社會不能諒解的一端，即是這一研究教授，副教授的名單，自推荐，遴選，到諱莫如深，不使社會知道。只看本報最近不斷的接獲讀者來函和寫文評論，就是明證。

受聘爲研究教授，副教授，乃是一種光榮的表彰，而絕非偷偷摸摸不可見人的事，何以竟然秘而不宣，守口如瓶到這般天地呢？據說主持長科會的人認爲教授們不能「放榜公佈」，爲了維持教授們的尊嚴，所以不公佈。這話實在似是而非。

這該保密嗎

卽令我們同意此種說法，但也最多作到不公佈，不放榜就可以了，但絕沒有「誓死守秘」的必要。至少在會裏也不必當作機密保守。據說長科會中的會計部門人員都不知道受聘研究教授的是什麼人。他們發錢只是按照單位的人數來發款，那也就是說只知道某一學校有多少名而已。至於這錢是誰領的，會計人員也不知道，換句話說那錢也就是「瞎發」了。誰不瞞呢？只有少數「主持」（一「把持」？）的人了。這是民主時代應有的政治嗎？難道這是國家機密嗎？

公佈不公佈，秘密不秘密，其實這都是事象的表層。例如總統每過年節，都對清寒教授有所贈送，試問誰追問過這個名單。而今天大家對這研究教授，副教授的名單一再追詢，而主持人士死命的不肯公佈，其問題的癥結乃在大家彼此心裏都明白，這一名單是不公平的，「該聘的未聘，聘的不該聘」。其所以指責「把持」在此，其所以引起社會人士的公憤亦在此。

我們借箸代籌，長科會應該從速將名單公佈，並註明各該人氏的「學術」（而非「權術」或「政術」）成就，如其果爲碩學名儒，則悠悠之口自然平息。如其確不當，一如外面傳說，則僅僅「誓死保密」，絕不能抗社會之怒潮。那便應引咎自責，速謀改善之道，或可取得社會之諒解。

·元閑·

吳大猷博士必須公布名單

張禎祺

據一月十六日「中央日報」載：「國家科學委員會設置的「研究教授副教授」，目前正積極進行審議，將在月底前完成審查。主任委員吳大猷博士說明：現正進行的研究教授副教授的審核，由專家學者在極慎重，極公平態度下進行，每一個案仔細地審查，為了避免干擾，是個別聘請，而不公開名單。」

同日「台灣日報」又載吳博士的談話，說「國科會在考慮研究教授時，絕對站在發展國家科學觀點，凡是對學術上有傑出成就，在研究上有卓越紀錄存在者，均在敦聘之列。目前正在擬議聘請一百八十位尚未作最後的決定……吳大猷認為這是一個新觀念。我們要發展科學，使我國躋於世界科學强國之林，國人必須能够接受新的觀念，拓展新的眼界，如果認為設立「研究教授」是不平等的話，那麼「不平等」就太複雜了，同時要發展國家科學，還要涉及更多複雜問題，根本就辦不成了。」

我們的感想是：吳大猷先生遴聘一百八十位真才實學之士，發展中國學術，是國家盛事，功在千秋。然既然審核是極慎重極公平的，就應該公開；如果說為了避免干擾，那麼，公布前公開才有干擾，事後公布，又有「傑出成就，卓越紀錄」的標準，在學術界總應有基本的良心和良識。如有不服者，叫他拿出貨色來看好了。如不公開，那未免將極慎重，極公平之意埋沒了。

其次，我們決不認為設立研究教授是「不平等」。學問是真工夫，工夫有高低，高者報酬高，低者報酬低，是真平等，真公平。中外古今都是如此，也不算什麼新觀念。吳博士可以放心，中國社會不致沒有常識。如果高低同酬，便是假平等，亦即不平等。如果不通之徒，詐欺之徒，賭錢之徒有高報酬，有學之人反而低報酬，那就不僅不平等，而是侮辱學術，貽害國家，誤人子弟，是犯罪，是黑暗，那就是不可公開的。

無可諱言，我國學界由於種種積弊，有假□等，不平等，也有黑暗。這是中國落後的根本原因。吳博士海外歸來，無人事干擾之累，負國家負托之重，大家期望其公平，而也一定公平，開一新紀元。然如此好人好事而不公開名單，結果，難免使人對公平，慎重懷疑了。況且，學術之成就，是個人與國家之勞績，得國家之尊重，又個人與國家之榮譽。對榮譽之事不公開，是對榮譽之損害。

無論如何，不公開決不是新觀念。恐怕恰是腐敗至極的觀念，為了使全國了解吳博士之公平慎重，為了增進國人對國家學術的信心，為了鼓勵青年學子之上進，我們呼籲吳博士務必將這名單即日公開！

科學委會成立經年 立委認為毫無貢獻

花了兩億經費所得代價為何 新瓶裝的舊酒仍是官僚作風

（本報記者張健生台北通訊）立法委員喬一凡對國家科學委員會主任委員吳大猷之「現在的國家科學會是根據過去國家長期科學會發展而來」的報告，「認為錯了，從根錯了」。因為「現在這個新機構成立經年，根據吳先生報告，知道新瓶裝不是新酒，而是新瓶裝的舊酒。這是花了國家兩億多經費，試辦的結果，除掉不可告人的力量外，試問國家得到了什麼代價？可以說毫無貢獻。」「而時間浪費過去，讓敵人走在前面，尤為可惜。」喬委員質詢說：

吳大猷先生說，現在的新辦法，是總統批准的，這是過去的官僚作風。過去任何事情，總是以總統作擋箭牌，一切由總統負責。總統是國家的領袖，他統治的東西，有許多是他定是服從的，沒有話講。但是若干事情施行的結果，不僅未能達到總統的願望，而且上了這批官僚的大當，並還給他老人家帶來了很多的恥辱，使總統受到這樣的地步，試問總統內心能不難過麼？現在我們一切都在復興，希望不再增加恥辱，而要為他老人家設法雪恥，替國家爭光，這才是負有職責者，首先應該想到做到的。

——人家發展科學是自由的，是一、二次世界大戰以後的事情，人家的研究工作，都是聽個人自由提出研究計劃，去向基金會去申請經費，基金會公開的分設若干審查委員會，審查申請研究計劃，是不是國家所需要的，是不是有研究的價值，是不是有可能的結果，如審查合適，即發給其研究費，使其研究，並考核其研究進度，使此項發展科學金錢，不致浪費。這種費用，是專為研究而用的，教授、副教授可以申請，就是助理教授，研究生也可以申請，社會上一般業餘有研究的人也同樣的可以申請，並不限於某一個範圍，或某一個系統，才可以秘密申請，秘密決定，只要你的研究計劃，是國家所需要的，都可以向基金會申請研究費用。也有國家須要研究的，特別指定某某大學，某某教授，或某某工廠去研究的，祇有科學上的秘密，沒有人事上的秘密。反過來看看我們，仍然是過去老樣，由官僚把持，先取得總統的批准，使大家不能講話，而聽主持者鼓其如簧之舌，去魚龍變化，這完全是官僚不科學的作風，希望吳先生不要把自己放在這染缸裏，這是使國家與百姓非常失望的。

——美國國際科學合作局方面的負責人，他講老實話，告訴我：說美國對外合作是「自私的」。外國的東西，他們不能不借重外國人去合作研究，比方拿魚來說：研究台灣的魚，是須要與我們合作，也可以增加台灣人民的營養。這幾年是我們的重要關頭，我們不能再像過去，把時間混過去，一定要珍惜目前的時間，要加速現代科學的發展，而不是須要安慰骨董科學者，和仰承外人的意旨。

——只要五年時間，就是製造原子彈，我們的人才都可以，我們有的是現代科學人才。我們下一代的孩子，在美國做大學教授的，已有二千五百人，加上其他公司工廠做工程師及高級研究員的至少有五千多人。我們的現代科學，已在下一代生根了，而且已產生了很多的優秀人才，為人家大學與研究所教導若干萬新的科學青年，為人家公司與工廠增加若干億美元專利的財富，為什麼不請三、四百人回來，一面充實大學現代科學教育，一面協助較大的公司工廠設立研究實驗機構，來迎頭趕上，並增加自己的財富？

這位江蘇籍的老教育家，以立法委員的身分提出五點質詢，檢討國家科學委員會決定之六十年度五項工作。喬委員說：

一、各大學之設備，應再繼續補助。所謂各大學，是否已知改進，包括公私全體，抑係仍照主委吳大猷所謂僅限於公立大學？又發展科學經費，是否仍用於若干假借科學之名，而濫支其實。而所謂研究教授與副教授之補助，是否仍不公開審查，公開支配，是否仍以不懂現代科學之骨董科學者，用莫測高深之辦法，以審查現代科學，而此項不公開之方式，是否仍請總統先行批准？

二、中小學科學教育之加强辦理，並寬籌必要之經費，言之頗為成理，但此一問題，純係教育部之職掌，無須代謀，更似不應分散指定發展科學之經費，以減少急切需要。

三、延攬國外學人返國，素為我所主張，以現有每年指定之六億經費，足敷延攬千五百人之需，如動用此欵三分之一，亦可邀請五百人來歸，六十年度，究竟預備延攬幾人？是否係邀第一、二流之青年科學人才，抑仍照過去玩票方式，延攬依附朋比之分子，作署期之演講。而主委吳大猷在美執教，已屆彼邦退休之年，是否可以請其提早返國，以專職成，免我滯留海外之現代青年科學家，懷疑其不知時間之重要，重心之所在，貽誤國家重大之生機。

四、動用發展科學經費，選送科學及技術人員出國進修，名額竟定有一百五十人之多，令人不無懷疑，良以我國今日之局，早非遜清五大臣出洋考察之時期可比，滯留海外之現代科學人才，數將逾萬，祇要去私能容，懂得現代科技人員，隨手可得，何以不以此等欵項邀請此等已有成就者來歸，以及時壯大我之現代科學陣容，而反欲以同等之經費，資送年齡已長，出國進修，其功效如何？不言可喻，何況此等分子，人非至愚，非但聽講困難，無益於現代科學高深之研究，且恐將成為來日發展科學之障碍。至技術人員，出國作短期之觀摩，原屬可行，然本末不可倒置，輕重不可失權也。如謂係為歸國之科學者計，青年科學之歸國者，類多已得高級學位，實已知各科研究之門徑，以吾人之天賦，祇要供應其分內研究之須要，即可有所發明，且歸來未久，更無須即行派出觀光，以打斷其研究。

五、供應青年科學者之住宅，此本我國特殊現象，除社會主義國家以外，其他國家並無此一套辦法，即有供應，亦照常收租，僅略加優待而已，關於此點，不妨仿效他國，動用民間儲蓄，各行之資金，指定某些銀行，貸欵建築，分期扣還，實亦不必動支發展現代科學之專欵。

馬來西亞排斥華僑 政府應採對策

九立委提書面質詢

（本報記者健生台北通訊）中國青年黨的九位立法委員就馬來西亞政府排斥華僑措施，聯合提出書面向行政院長質詢。這是青年黨去年大團結之後，首次在中央民意機構顯示精誠團結，故為台北政壇重視。也是一則文字最簡短的質詢。

該書面質詢指出：近悉馬來西亞政府對於我國留居該國僑胞，除已取得該國國籍者外，其居留許可改為逐月辦理一次，致居留該地多年之僑胞，隨時有被逐走之虞，目前已有若干在該地有事業、有地位之僑胞、迫而流往泰國，或香港等地，人心皇皇，浮動不安。而毛匪帮派在馬來西亞邊境從事顛覆活動之首領陳匪平遂乘此機會，大肆煽惑，以擴大其顛覆勢力，我僑胞亦不少因此挺而走險者。此項消息，聞之駭然！

此項質詢認為：我國與馬來西亞雖尚無正式外交關係，但同屬反共之友好國家，我僑胞在該國境內約有二十五萬人之多，該國政府此種措施，不僅有背兩國增進友誼之政策，危害我僑胞之生存，亦且助其內部之叛亂，實屬損人損己，極端不知之行為，未審我政府有無接獲詳細報告？已謀有效對策否？敬請迅賜答覆云云。

提質詢之九位立法委員是：陳祖貽、徐淡豪、李公權、朱世龍、林可璣、劉子鵬、蘇汝淦、馬木齊，冷彭等。這則質詢是立法院四十四會期最後一次院會提出的。

喬治桑外傳　一二〇

張大萬

「好，「小南園」妳去過沒有？」喬治桑問雅麗絲。

「怎麼沒有，媽媽最喜歡那裏，每次媽媽來台北，我們總是在那裏吃飯。」

每次雅麗絲一提到她的媽媽，喬治桑心中總有說不出的一種味道，正是別一般滋味在心頭。

喬治桑一時找不出話與雅麗絲閑聊，倒覺得內心有一種空蕩蕩的感覺。這種感覺，以前從來不會有過，是了解雅麗絲身世以後才有的。

喬治桑自從這次回到台灣，轉瞬已經半年多了。他原想在台灣搞點名堂出來，那裏知道，台灣也和美國一樣，都是人精。他在交際應酬所投下的賭注並不少，可是到現在為止，魚兒也不上鈎。他和牛董事長和兩個日本人合辦製藥公司，毫無下文。政治、文化圈子裏面朋友的，都認為他是華僑，而且是有辦法的華僑，形形色色的公司希望他投資，名目繁多的事業希望他捐欵，他是像一香港人常說的，是想來台灣「刮龍」的，那有挨刮之理。

台北傳奇錄

（廿六）

·陳光棟·

「妳好像有什麼心事」？劉二爺親切的說。

「我想把妹妹接來住兩天」。劉太太力持鎮靜，仍然收着盤碗。

「昨天讓你回去接，妳又不肯，讓她來陪陪妳，也免得寂寞，我這種生活習慣，跟妳配合不起來」。

「現在這樣很好，你不在家我就看書，免得復了學以後跟不上」。劉太太把湯匙碰到地上。

「對」！劉二爺笑笑：「妳聽我說，夫妻之間，要互相坦白，妳明明有心事，我一看就知道」。

劉太太是心地善良的人，便把錢慕良的事告訴了劉二爺。

「年輕人，也難怪他」。劉二爺平靜的說。

「你相信我們沒有私情吧」？劉太太急促的問着。

「夫妻之間，應該彼此信賴」。劉二爺安慰的語氣：「這都是小事情，不要放在心上」。

「他假如再來怎麼辦」？

「大大方方的，請他進來坐坐，不妨說我也想見見他」。

劉太太只知道劉二爺像長輩一樣愛護他，倒還沒有想到劉二爺這樣開明。她再度體會出嫁給老年人的溫暖。

兩夫妻正在談話，老邱扛着米口袋來搞門。

「老邱，抽支烟，坐坐」。劉二爺招呼着。

「你老！」老邱兩隻搬煤炭的大黑手直往衣服上擦：「等俺先把米倒在缸裏」！

「老邱！日子過的好吧？劉二爺關心的問。

「好什麼！他奶奶！」老邱發着牢騷。

「你現在有個幫手，不是很好嗎」！

「有個伴倒是好喂！」老邱難為情的說：「晚上不悶的慌。」

「這就好嘛」！

「唉！」老邱嘆口氣：「王小二過年哟。」

「怎麼」？

「買賣不行咧，賣米傷耗大沒有好處，從前指着送煤送炭，還有點賺頭，現在可完啦，都燒什麼「該死」哀！」

「燒瓦斯，洋名字就是GAS。」

「都不再買煤炭咧，前一陣子，一個人還可以湊合着，如今倆人，可就不够咧，俺那女人好吃懶作，出門還坐什麼「太可惜」呢！」

「計程身」。

「個小舅子！真坑苦了我咧」！老邱抱怨着：「劉二爺，你看，我想改改行」。

（未完）

文淵樓劄記

「風簾客話」讀後

文園樓主

李漁叔先生著「風簾客話」，對古代人物軼事，及詩壇藝林掌故，以生動筆調，寫成短文，句句金玉，字字珠璣，不僅可以增廣讀者見聞，也可作大學補充教材。

魚千里齋隨筆，很久以前在報紙上拜讀過，初時樓主僑居國外，不知魚千里者，就是李漁叔，他留給華僑們的印象，文筆雄壯富麗，描寫細膩而曲折，尤其是詩，長於把自己的生活體驗表現出來，清新俊逸、非文學造詣很精很深的人，讀者們的興趣不容易這樣的被啓發。

漁叔先生在國立台灣師範大學教授墨子，對墨學見解精闢，甚受學生歡迎，墨子的廬面目，一般人無法了解，古代這樣一個聲勢顯赫的學者，「史記」只有幾句關於墨子的記載：「蓋墨翟宋之大夫，善守禦，爲節用，或曰幷孔子時或曰在其後。」墨學之神龍見頭不見尾，道理在此，以孟子智慧之高，都認爲當時的思想上，不是走入墨家，便會投向楊朱，如果楊墨之道不止，孔子之道便傳不下去了，他號召學人們對抗楊墨，以謀挽救孔學的命脈，證明當時墨子聲勢浩大的實際情形與社會上如何重視墨學。

墨學倡「兼愛」，重點爲大公無私，互利互愛，如果談國際間應當「和平共存」，墨學乃和平開山老祖。他認爲人與人，家與家，國與國，彼此之間都不得相攻相害，必須保持親睦態度，這與共產主義主張鬥爭，完全背道而馳。漁叔先生在師大每講授墨子，聽講者，幾坐無虛席，其所以能有這樣的號召力，乃多年潛心研究墨學必然的結果，也可能是感染到墨子的偉大人格與救世熱情，心理學上叫作自然現象。

讀「風簾客話」寫的範圍很廣，舉凡歷史、哲學、藝術、傳記、法律、地理、詩歌、鑑學等無所不包，而字裏行間皆含有很濃厚的墨學成份，其賦性聰慧及文筆之洗鍊，娓娓道來，如數家珍，每句話都是從心靈深處流露。漁叔先生更擅長書畫，「一個人如果能畫一幅傑出的畫，塑一座雕像，或使某些東西美化，當然是很有意義的事，可是，如果能夠造一種溫暖的氣氛，那就更了不起，因爲這種氣氛，會影響日常生活的風格，所以成爲崇高的藝術」。羅梭這段話，好像是兼對魚千里而發，樓主也以此語作「風簾客話」讀後感，兼作爲「風簾客話」的介紹。

從學庸談孔子的人生觀（三）

蔡金濤

論語上明白指出孔子所持的態度說：「子絕四，毋意，毋必，毋固，毋我」；又說：「我則異於是，無可無不可」，又不但對於其實不如何的而認定其如何，是錯，並且一認定，一計算，在我就失中而傾欹於外了。平常人都是求一條客觀呆定的道理而秉持之，孔子全不這樣，制定這個是善那個是惡，這個爲是，那個爲非，這實在是大錯，我們覺得宋明理學家算是能把孔子的人生重新提出的，大體上沒有什麼不對，所有的不對，只在認定外面而成了極端的態度和固執。他們把一個道理認成天經地義，像孔子那無可無不可的話不敢出口。認定一條道路順着往下推就成了極端，就不合乎中。事實像是圓的，若認定一點，拿理知往下推，則爲一條直線，不能圓，結果就是走不通。譬如以愛人愛物這個道理順着往下推去，必至流於墨子兼愛基督博愛派頭，再推就到了佛教的慈悲不殺；再推不但不殺動物也「不殺害植物才對；乃至一木一石也不要毀壞他才對；那麼，那個路你怎麼走呢？你如果不能做最後盡頭一步；那麼你的推理何以無端中途不往下推？其實不但後來不能推，從頭原不應判定一理而推也！所以孔子主張「親親而仁民，仁民而愛物」；在我的直觀上對於親族是情厚些，就厚些，對於旁人略差些，就差些；對於生物又差些，就又差些，對於木石更差些，就更差些。你若判定情厚，多愛爲定理而以理智往下推尋。把他作爲客觀道理而秉持之，反倒成了形式，沒有眞情，謬戾可笑，何如完全聽憑直覺！然而一般人總要推尋定理，若照他那意思看，孔子所謂「釣而不網，弋不射宿」「君子遠庖廚」未免不通；既要釣何如網，既不網也就算釣；既要弋就射宿，既不射宿也就算弋；既不忍食肉就不要殺生，既殺生又何必遠庖廚。一般人要講理，孔子是不講理的，一般人是求其通的，孔子則簡直不通！然而結果一般人之通却成不通，而孔子之不通則通之至。蓋孔子總任他的直覺，到沒有自己打架，而一般人念念講理，事實上只講一半，要用理智推理，結果仍得憑直覺。我們的行爲動作，實際都是直覺支配我們的，理智支配他不動；一邊自己要用理智，一邊自己實行不聽他，臨時直覺叫我們往那裏去，我們就往那裏去。這種自己矛盾打架，不過人自己已不覺罷了。其實是無時無刻不這樣的，留心細省就知道了，調和折衷是宇宙的法則，我們不邊守，其實已竟無時不邊守了。極端的事，一偏的事，那裏是極端？那裏是一偏？他對於眞的極端還是折衷，他對於眞的一偏還是調和。其實無論何人自認爲澈底往下推的，也都是不講理的，就是說沒有一個人不是不往下推的，所以一般人心裏總是有許多道理，見解，主張的，而孔子則無成心，他是空洞無絲毫主張的。他因此就無常師，就述而不作。孔子的這種不認定，有擬佛家的「不著有」但全非一事，不過孔子這種空洞無主張，只是述而不作，則與佛陀一般一樣。

（未完）

依洞集

謹防舊劇重演

何如

美國參議院司法委員會於一九五二年公佈的「太平洋學會調查報告」，內容十分詳盡而翔實，所述調會經常爲國際共產黨張目作倀——特別對中共勢力之培育工作，甚爲積極——的經過情形，人證物證，樣樣俱全，值得每個反共非共的中國人仔細閱讀，痛定思痛。

在這本調查報告中，很明確地指出一個爲中國人最熟悉，而到現在還有些中國知識份子跟他勾勾搭搭，替他說好話的所謂美國大學教授費正清其人者，原係一名不折不扣的共產黨徒。去年我政府一位官員訪問美國時，曾謁見費正清談論中國問題，費氏很坦白的說他素來就對國民黨沒有好感，更不諱言他贊助「台獨」運動。可見費正清實係中華民國最顯著而惡毒的敵人，絕無絲毫妥協的餘地。然而，吾國文教與政治界人士，至今尚有對他表示親近，寄以同情，甚至造作訛言，宣稱費氏的思想已經轉變爲反對共產主義了！似此抹煞事實，閉着眼睛說瞎話，誠不知其是何居心？有何作用？多年來，我根據若干事象，很懷疑咱們的營壘之下，難免有高級共諜潛伏着，而且表面上常以雙料忠貞份子的姿態出現，招搖過市。

讀了「太平洋學會調查報告」後，即知道中國大陸之淪陷，完全是國際和國內的共黨及其同路人，裏應外合而產生的結果。今日我們被迫轉徙於「海外扶餘」的台灣一隅，應該痛切地領取歷史教訓，視國內外的共黨及其同路人爲毒蛇猛獸，不可與同羣了，像費正清之徒，尚能對他稍存妥協希望嗎？

我們過去在大陸上，好似坐在艨艟巨艦之中，縱有少數賊人潛入，亦不在乎。於今大船被賊徒弄翻了，乘着一葉扁舟，徜徉驚濤駭浪間，再不特別警覺，斷絕賊徒的滲透機會，萬一舊劇重演，寧非死無葬身之地，可懼也夫！可懼也夫！

傳記書簡

儒道法先驅管仲的功利思想（三）

公偉·黃·

管子云：「虛者，萬物之始也，故曰可以爲天下始。」（同上）能化虛無爲有者，在天爲精靈，鬼神，在自然爲精氣，在人爲智力，爲聖人。他說：「凡物之精，此則爲生。下生五穀，上生列星。流於天地之間者謂之鬼神，藏於胸中謂之聖人，是爲民氣」。（內業篇）又云：「凡人之生也，天出其精，地出其形，合此以爲人。和乃生，不和不生」（同上）是故天地之化生萬物人類由於陰陽合和，先生萬物，後生人類。而所謂「民氣」即生於陰陽之「和氣」。生物生人，生形生心的原理。他說：「精也者，氣之精也。氣道乃生，生乃思，思乃知，知乃止矣。凡心之形過知失生。一物能化謂之神，一事能變謂之智。化不易氣，變不易智，惟執之，君子能爲此乎」。（同上）此管子之本體觀，老莊之所本，亦宋代邵雍張載之所依。

管子論知識以直觀唯心爲本，道家之清靜無爲，無欲學說，蓋由是以說起。首先，管子言心，以心爲生命之君位。（荀子謂之天君）管子云：「心之在體，君之位也。九竅之有職官之分也。心處其道，九竅循理。嗜欲充益，目不見色，耳不聞聲」。（心術篇）故主「心術無爲而制竅者也」。耳目爲心門，心門之關閉聽命於心。故管子言「治心」，在虛靜。所知所在於智力之悟。他說：「凡心之形，自充自盈，自生自成」。（同上）如心定乃不爲物欲所誘。他說：「神明之極，照乎知，不以物亂官，不以官亂心，是謂中得」。（同上）故管子主節欲。他說：「喜也者，想也者，欲也者，惡者也。天下之度」。（宙合篇）反之，則「正心在中，萬物得度」，亦即「中無惑意，外無邪心全於中，形全於外」。（同上）心虛靜而全，自可君臨萬物。故嘗言修養即重以靜制動，無垢無蔽，然而乃能達事萬理。他說：「虛無欲，神得入舍，除不潔，神乃留處」。（心術篇）猶如佛家之求身口意三業清淨。管子云：「鑒於大清，視於大明」，故能「徧知天下，窮於四海，敬發其光，立謂內得」。（內業篇）由養知而養悟，由「中得」而「內得」」心智之用乃無所不達。自能超於官覺之外，所謂「聞言以貫萬物，謂之知道」。（戒篇）此管子的知識論，厥以直觀爲根本，道家老莊的學說，以不知爲全知眞知，蓋本於管仲。

（四）管子的法學思想與道德觀

管子論道德禮義與法相提並論不可分。他說：「君臣父子，人間之事，謂之義。登降揖讓，貴賤有等，親疏之體謂之禮。簡物小末，一道殺戮禁誅謂之法」。（心術篇）他言道德，則云：「德者，道之舍，物得以生，生知得以職，道之精。德者，得也。以無爲之謂道，舍之之謂德。故道之與法無間。義者，謂如處其宜也。禮者，因人之情，緣義之理，而爲之節文者也。故禮者謂有理也。理也者，明分以諭義之意也。故禮出乎義，義出乎理，理因乎宜也。法者，所以同出不得不然者也」。（心術上）依管子言，道德非生於先天良知，而爲後天聖王所制定。

（未完）

成語選粹（17）

近水樓台

李國良輯

宋范仲淹知杭州，兵官皆獲薦書，獨蘇麟適外任巡檢，未得與，乃獻詩曰：「近水樓台先得月，向陽花木易爲春；」見清夜錄。今謂僚屬之接近長官得優惠者，多以此爲喻。

諸葛亮狂想曲（八八）

·劉玄·

諸葛亮這次來訪劉備，主要是爲了與他商議「宇宙發展委員會」的事，不想君臣意見未能一致，好在他們現在都是閒人，討論問題都很輕鬆，不像三國時代那樣緊張也。

「我已經託人到雨師那裏去打聽過，磨刀大典舉行的那一天是萬里晴空，沒有一滴雨，如果人間還有老農在那一天希望普降甘霖，只有乾着急的份兒。」劉備與諸葛亮無話不談，特地將秘密透露給他。

「據劉約翰告訴亮，現在地球上各國多數已由農村社會蛻變爲工業社會，磨刀大典在現代農民看來，根本是一種迷信，在那一天能燒香，點蠟燭的人已是寥若晨星了。」諸葛亮因常常和劉約翰接近，故對於地球上一切動態有相當了解。

「這些我都知道，但二弟生性恃強好勝，儘管人間已經不再紀念這個日子，他還是要堅持非舉行磨刀大典不可。」劉備是盟兄，對於盟弟關羽知之最深。

「磨刀大典目前最主要意義是藉此以激發龍岡傳統精神，也即是桃園義氣，況所費不多，自然還是應該舉行的。」諸葛亮從另一觀點爲磨刀大典下一註解。

「丞相言得極是，我每次在磨刀大典中致詞都是強調這一點。」劉備與諸葛亮所見相同。

諸葛亮喝完一杯人蔘茶，與劉備談話告一段落，遂起身告辭，回到住處，有琴童上前迎候。

「丞相到龍岡會所遇見了總會長沒有？」琴童稱呼諸葛亮仍延用從前的官銜。對於劉備則已改稱總會長。

「遇見了，他正在召開磨刀大典籌備會。」諸葛亮在天庭交遊不廣，有時樂得與琴童閒聊。

「我有一句話，不知能不能向丞相明說。」琴童很慧黠，懂得在說話前先向諸葛亮備案。

「你有話但說不妨。」諸葛亮表現平易近人的民主風度。

「二將軍每年所舉行的磨刀大典，不但人間已不奉它當一回事，即天庭各仙對之亦毫無興趣。」琴童直言談相，幸虧他是對諸葛亮說，如果被關羽聽到，一定會受到申斥的。

「天庭各方怎樣說法？」諸葛亮知道時代不同，輿論是很重要的。

「他們都說，二將軍從前過五關斬六將，在古城又斬過老蔡陽，殺人也算夠多了。況且已經被封爲武聖，可爲功成名就了。現在每年還要磨刀，磨刀是不是又要大開殺戒？論武藝他鬥不過呂布的方天畫戟，呂布的兵器早已變成一堆爛鐵，他的青龍刀有什麼値得炫耀的？現在在天庭，別的不說，孫悟空所使的一條金棒，重達三萬六千斤，巨靈神用的一把宣化斧，也有八十斤，青龍刀眞是小巫見大巫了。其次再說到磨刀大典舉行時能夠下雨，更是荒謬萬分……」琴童正準備往下說，被諸葛亮用鵝毛扇制止。諸葛亮知道琴童的話雖不無理由，然而却是不懂政治的童言，故需糾正。

巨變歷險記！

迤是雲南的另一種稱呼。雲南稱滇，是大家都知道的，雲南稱迤，恐怕知道的就不太多。雲南亦有三迤之稱。迤與夷之音近，是不是蠻荒的意思？迤又是曲曲彎彎，是不是象徵雲南的地形？雲是遙遠的意思，雲也可以作天解，雲南即天的邊邊上。實際上雲南也就是中華民國最遠的一個省份。

丁博士到了雲南，心想再不退了，一定要想方法把雲南這個省份保留給中央。民國三十八年年底前，主持省政大計的當然是盧漢，但盧漢不穩的消息遍傳南北，而且事實上變過一次，現在是轉過來的，但轉過來，又何嘗不可以再轉過去？再轉過去，遂為各方所注目。近在昆明，置身於黨政軍學圈之間，對於這一點，更看得清楚。不知盧山真面目，只因身在盧山中，是不對的，應該說：認識盧山真面目，只因身在盧山中。他親與盧漢接觸，親與盧漢的左右接觸，再觀察各方面的動態，對於雲南大局之惡化，有深切的了解，與深切的認識。昆明的情形，雖不像成都，但其緊張情況，只是身處其中的，無不有同感。

縱橫迤南（一之一）

胡慶蓉

怎樣阻止盧漢不再變，中央有兩個棋子放在那里，一就是廿六軍，沿呈貢，宜良，鎮遠，蒙自，建水，石屏……迤南一帶佈防，一是八軍，沿崇明，南靖，霑益……迤東一帶佈防。廿六軍的軍長是「虎奔三千」抗戰時期困守常德的名將余程萬將軍，副軍長是彭佐熙將軍，八軍的軍長是轉戰山東轉戰緬邊反共抗日的李彌將軍，副軍長是追隨　總統有年的曹天戈將軍。且按着李曹兩將軍不談，談談余彭兩將軍。余將軍尊容雖不如剛去世的四維羅，但他的醜陋，應不亞於關公的侍衛拿大刀的周倉。但他同四維羅（羅家倫先生）同有不同凡響的艷遇。羅夫人的白白嫩嫩之美，令人嘆為觀止，而余夫人，其嬌小玲瓏，殆遠過之。她之嫁余將軍，據她說是慕名，因為余將軍是抗戰英雄。彭副軍長，老廣，小個，但非常結實，非常富智慧，且為人剛毅。余將軍在李代總統到達昆明之際，在省政府與丁博士相遇，堅請他到他所在迤南的部隊各單位去講演，以激勵士氣，俾能敵愾同仇，共赴國難。他當然有電報給他的彭副軍長。開始第一站是鎮遠，歡迎之盛，令人非常感動，廿六軍軍部就在火車站不遠的地方。軍樂隊也到了車站。長的歡迎橫條懸在街上，兩旁還有無數的紙標語。在鞭炮聲軍樂齊鳴之下，被迎進了軍部。從第二天一早，就開始了講演。從此再回到呈貢，宜良，又前往蒙自，建水，石屏……，縱橫迤南，所向都報以熱烈的掌聲，其對於士氣之鼓勵者至大，一時在整個的二十六軍，可充滿了朝氣！充滿了（希）望。

新聊齋誌異

雷公

葉琪，別號翠微，廣西容縣人，肄業保定軍校第三期，習騎兵科，與唐生智白崇禧同期同學。葉於畢業後，于役湘軍唐生智部下頗久，湘人多不知其為桂省籍也。自從民國二十年唐生智迭經叛亂而徹底失敗，所部湘軍瓦解後，葉氏即回桂投効李宗仁幕中，受任為桂軍總部總參謀長，以才智超羣，甚得李白等重視。宗仁爹有英國產名駒一匹，係香港友人以港幣萬元自當地馬會購贈者，葉隨時騎赴郊外馳騁，習以為常。

民國二十三年春間，葉奉命赴四川公幹歸來，時值「西南自主」期間，宗仁駐廣州參預「西南政務委員會」，桂省府與桂軍總部均設在南寧。一日，葉氏乘馬例行郊游，中途馬忽震驚狂躍，葉自馬上墜落地面，以大腦受震甚劇，當場斃命。宗仁聞耗急馳回南寧，料理善後，對葉氏悼念不已，曾循俗作「問仙」之舉，法由巫師唸咒，招葉氏靈魂附託一男或一女之身，與生人對答。既而葉靈果至，宗仁先詢其墮馬殘生事有無別情？葉答曰：無，係其川籍同學從事報復而然。宗仁訝詰究竟，葉謂在保定軍校求學時，某日與一川籍同學習騎術，葉於同學據鞍揚鞭前進之際，故意戲弄馬足使其跳躍，而該同學乃因此墮馬致死了！最近葉奉命入川一行，該同學陰魂未散，隨來南寧，即以其道還治其身，並無冤枉云。葉又謂：彼所保管之某些重要文件，鎖在某一櫃，鎖匙在其辦公桌某抽屜內，請派員逐一取出，交由繼任人處理之。最後對其家屬如何安頓，所積私財若干如何分配，皆分別指示，乞宗仁予以區處。宗仁即如囑分別筆記在冊，歸而詳查一切，均無差錯，殊可異也。

吾國對日抗戰中期，魯人柏某，隨軍在湖南戰區担任政工宣傳大隊長，計有男女隊員五十名。一日該隊下宿於某鄉鎮間一座空曠院落中，全隊人員正在晚膳之際，有中年婦人携女傭持燈籠入院請晤柏隊長，自稱係本院主人，住居後苑樓上，明午將設宴為隊長暨全體隊員洗塵，務請惠臨，言罷辭去，了無異狀。次午，柏隊長率領同人如約入後苑赴宴，見滿院莽叢生，認係戰時常情，並不介意，相與披荊斬棘，進至樓下，則該女主人已具備酒食，嫣然迎候來賓，主客歡洽盡歡，臨別時女主人復以漢玉戒子一只，黑綢大塊方巾一張致送柏隊長，謂係聊表慰勞之意，柏稱謝而領受焉。迨拔隊他去，乃將女主人殷勤招待並致送禮品各情，向當地市鎮上之人士敘述之，聞者大驚謂：該院落早已無人居住，何來女主人耶？柏氏亦驚詫不已，顧問其詳。據言該院全家男女早被共匪以地主反動罪名，屠戮或擄掠殆盡，屋宇曠廢有年矣。柏氏深感怪異，匆匆就道去者。

未幾，柏氏隊工作中，忽遇敵機來襲，奔至曠野避難，見一土坑，即以受贈於女主人之黑綢方巾蒙頭坐坑內，敵機投彈甚多，周圍皆落彈。唯土坑未被擊中，亦云險矣！至漢玉戒子一只，柏氏藏諸手指間，隨軍進行中，與敵寇遭遇劇戰，柏氏雖非戰鬥人員，而身處槍林彈雨，手指所戴漢玉戒子被槍彈擊碎不知去向，身體却未受傷。說者認柏氏或與該女主人前生結有宿緣，致發生此種離奇現象，其然豈其然歟？

黃公偉教授又一巨著 宋明理學體系論史 四十萬言。即將問世

（本報台北訊）以專治哲學佛學哲學知名之黃公偉教授，現任教政大、輔大哲學系中國佛學研究會召集人，過去十年曾有中國哲學史，倫理學，佛學原理，人生哲學，社會哲學等七種專著問世。深受青年學子之愛戴。其哲學論文常見於各學術報刊。佛學論文如「鳩摩羅什的思想」，「唐玄奘的唯識論」，「佛學在中國文化中的地位」等則發表於獅子吼月刊。最近其主講三載之理學，構為「宋明理學體系論史」一書，包舉宋元明清四代，上下幾近一千年之理學思想累為系統之專書，計分十篇三十六章一百卅三節，達四十二萬言之多，誠學術界之盛事，為渠所著「人生哲學通義」後又一巨著。即將出版。

中興名臣李鴻章（一）

創建淮軍，繼踵曾國藩，隱握清庭軍權，物望攸隆。身歷督撫要職閱三十年，位極人臣，身繫天下安危，一生事業，對近代中國命運影响不小。

安徽十三傑

·諸葛文侯·

李鴻章是滿清末葉的中興名臣，他的事業對近代中國的命運影響不小，而以太平軍之役為嚆矢，幾被提携者曾國藩也。自同治三年洪秀全的革命勢力敗亡以後，李氏以淮軍統帥繼曾國藩前修，隱握清庭的軍權，物望攸隆。旋經曾氏以「勁氣內斂，才堪大用」考語，向清帝推薦，身歷督撫要職閱卅餘年，位極人臣，身繫天下安危。庚子年八國聯軍攻破北京之役，中日戰爭敗績暨，皆由李氏以特命全權議和大臣，與敵國從事講解，任務極其艱難，國家所蒙損失亦復不淺，他的功過是非，迄今尚確無明確定論，我們不妨畧加蒐討，藉資史家參考焉。

投效曾國藩帳下

李氏於道光末年得中進士，他父親李愍荃與曾國藩係道光二十年同榜進士及第的同年之交，鴻章跟隨父親在北京修習制藝，奉父命向國藩請益，執弟子禮。迨道光三十年洪秀全的革命運動勃發，軍事進展迅速，曾國藩以在籍侍郎，受命辦理團練抗拒太平軍，馴致創建正規的湘軍，轉戰到江西祁門時，李鴻章已獲儁成了進士，即馳赴曾氏帳下投効，挽請曾氏左右幕僚說項，國藩知其青年意氣奮發，慮其見事太容易，乃故示躊躇，謂「少荃現是翰林，有如鱣鱷巨艦，恐非淺瀨細流所能容吧？」幕僚陳作梅與鴻章知交，從旁解釋，曾氏即命鴻章担任記室，負撰擬公牘之責。曾晚年對人說，少泉的公牘技能，勝過師門（指曾自己）云。後來翁同和亦稱讚李鴻章所擬公事電文簡練得體，視為難得。

悚然承教感尷尬

未幾，湘軍裨將李續賓與太平軍陳玉成部鏖戰於皖境廬江三河地區大敗，廬城失守，國藩震怒，屬鴻章擬稿奏劾續賓，鴻章以此役並非續賓作戰不力，亦非調度乖方，勝敗兵家之常，似可免予究處。然曾意堅決不許，鴻章抗言「門生未敢擬稿」，曾忿然謂「我自己草擬可也。」師生意見衝突，鬧成僵局，鴻章乃乞退，曾氏亦即照准，保舉他出任浙閩邊區的建霞道台，此地被太平軍佔領中，鴻章根本不能到任，只負着道員空銜，落拓於津滬間，極感無聊。經過一年後，國藩語左右曰：「少荃歷練已有日，教他回來罷。」從此師生相處無間，鴻章際會風雲，拜將封疆，扶搖直上，繼承了曾氏績業，克享大名，可見昔時讀書人的風義，足資矜式也。

吾湘長老傳述李氏初在曾幕的一段故事：李賦性放蕩不羈，每好狎邪游，而曾氏習慣於早晚進餐時，必集幕僚共席。李知其然也，某晚外宿前，置雙履於榻前，較帳低垂，作未起狀，密囑同寅於次晨曾氏與幕僚進粥之際，告以李染微恙在床，不思飲食，曾頷之，餐畢入李臥室署為省視，無言而出。迨晚餐，李在座，飯後曾氏正色語李曰：「少泉，我們這團體的唯一信條，就是一個『誠』字，務望注意！」蓋曾氏固知道李先夕未歸，趕不及早餐，假裝有病以掩飾的，却不說破它，使李大感尷尬，而悚然承教，一時傳為佳話。此可見曾氏平日對僚屬採取「勤教」方法，很有道理，今之大人先生殊不足以語此也。

募淮上子弟入伍

越同治初元，太平軍遣李秀成率部進攻上海甚急，賴租界內少數外國兵丁合力抵禦，未告陷落，然形局殊岌岌。時曾國藩「討賊軍」總部駐在安慶，滬上紳商界醵資租用外商小火輪數艘，派代表乘輪赴安慶乞師，國藩許之，即命李鴻章担任援滬軍的統帥，先撥湘軍一營作基本部隊，率往上海。（未完）

針灸驗案

國醫與國藥

山東孫培榮

四、頭頂疼在正當中，重若石壓目難睜，身柱陶道均可治，湧泉二穴用針通。

肘　歌，註：頂心頭疼眼不開，湧泉下針足安泰，鶴膝腫勞難移步，尺澤能醫筋骨疼。

玉龍歌：偏正頭風有兩般，有無痰飲細推觀，若然痰飲風池刺，倘無痰飲合谷安。

黃小姐，年二十五歲，台灣人，住台北市中正路，患頭頂痛疼，在頭頂正當中疼（即百會）重若石壓，三日夜不止，疼得目閉頸縮，苦難忍受，於民國五十三年五月三十日，來所求治，經施針身柱，陶道，湧泉，繼針兩次其病若失。

趙君，年五十五歲，山東高密縣，住台北市中華路，患頭頂疼很久，經數度服藥注射，均屬罔效，於民國五十三年四月二十八日，經朱、孔，二位先生介紹，來所求治，即施針上穴，先後二次而癒。

吳君，年四十二歲，湖南人，住台灣省嘉義縣水上鄉凌雲二村。患頭頂百會部脹痛，二目難睜，重若石壓，痛苦難言，歷經年餘，民國五十六年三月二十六日，來所求治，經施針上穴，漸告痊癒。

劉君，年三十三歲，山東人，住台北市克難街。患頭頂正當中疼，重若石壓，二目難睜，鼻子也脹，歷經兩月，民國五十七年八月三日，至本所求診，經施針上穴兩次，漸漸而癒。

五、腦後風府痛何堪，强直怎能面仰天，委中靜脈分三股，依照患路鍼便安。

曾經治此患者，頸後啞門疼痛，在頸後啞門風府部疼痛，須在委中紫脈放血，按照此法使用，奏效迅速。

馬君，年四十歲，浙江人，住台北南市昌街一段。患胸後啞門風府部疼痛，民國五十二年二月四日，來所求治，當即施針，委中，刺出惡血而癒。

趙君，年四十七歲，山東福山人，住台北市柳州街。患啞門部疼，頸不能轉，頭不能抬，民國五十二年十月一日，來所求治，依據上法，就委中出血而癒。

徐女士，年四十八歲，浙江人，住台北市新生路三段。啞門風府部疼，頭不能仰視，經施針，委中紫脈出血而癒。

楊君，年四十歲，山東日照人，住台北縣新莊鎮，患啞門疼，歷經八月餘，頸不能轉，頭不能仰，民國五十六年七月十六日，來所就診，經予施針上穴，旋即癒。（四）

中華民國五十九年三月四日 THE FREE NEWS 星期三 第一版

自由報

（第一〇三九期）

（半週刊每逢星期三、六出版）

香港九龍每份售港幣壹角．台灣零售每份新台幣弍元

督印兼發行：社長李運鵬

社址：香港九龍彌敦道593—601號 廖創興銀行大廈八樓五座

LIU CHONG HING BUILDING 7th FLOOR FLAT '5 593—601 NATHAN ROAD, KOWLOON, H.K.

TEL: K803831

電報掛號：7191

承印：景星印刷公司

台灣分社：台北市西寧南路110號二樓

反對運用政府權力頒行簡筆字宣言

中國文字學會

文字乃是人類進化史上的一個劃時代的里程碑。思想無形，語言流動，端賴文字爲之凝固，爲之定形；而文化的廣布與綿延，亦惟文字是賴。因此，文字不僅是紀錄語言的符號，交流思想的媒介，更是發展文化的動力。

中國文字，乃是中國文化的象徵，其字形本身往往反映造字當時的社會制度和人文思想，成爲中國文化的結晶。同時，中國文字與中國的歷史，尤具有不可分離之關係。在歷史上，中國文字鞏固了民族國家之統一，而對同化入侵民族，貢獻尤爲重大。國父會稱讚中國文字爲「富麗殊絕。」瑞典語文學家高本漢云：「中國文字有豐富悅目的形式，使人發生無窮的想像，不比西洋文字那樣質實無趣。」又謂：「中國人如不願廢棄此種特別文字，决非笨拙頑固之保守。中國文字爲中國必不可少者。如中國人毀棄此種文字，此乃自願摧毀中國文化之基礎，而降服於他人。」此一外邦研究文字學有高深造詣者之見解，實足發中國人之深省。

値此提倡簡筆字謬說甚囂塵上之際，本會同仁爲推行中華文化復興運動，維護中國文字體系之完整，特提出對中國文字的基本看法和具體主張，以昭告社會。

我們的基本看法

一、中國文字爲吾先代聖哲集體思想與經驗所創造，經過千年羣衆的運用，已證明其爲並世各國文字中最優越之成就，雖古今之語言有變，各地之方言不同，然賴有統一性、固定性之文字，故能通貫千年如一日，凝合國內海外數億人爲一體，對於文化之發展，民族之團結，厥功至偉，絕不宜任意改造，妄加變形。

二、中國文字之構造，結晶於形聲，其形體則結晶於楷書，楷書奄有篆隸之長，去其繁重，而又秩然有序，不失原意，所以可貴。除古今名家揮毫落紙，各擅其美，爲舉世界特優之藝術外，自唐宋以來，刻版和活字發明，楷書最適宜於排印，遂被廣泛地採爲印刷體，印成書籍文件，自有一種整齊嚴肅之美，一直沿用至今，絲毫沒有變動。至於個人書寫，各隨其學力與興趣，眞行狂草，破體簡筆，無不適宜，絕無人加以干涉非笑；如寫成著作付印，由手民排出，依然是一清二楚，端端正正的印在紙上；這不僅我國爲然，即各國文字亦無不如是。假定有西洋人士，嫌若干西洋字字體拼法太繁，主張將正楷中的字母簡掉，其情形和中國字簡掉偏旁點畫一樣，不單是讀不出聲音，形態意義也將跟着破壞，這後果就嚴重極了。我們非常詫異，在西洋各國，從沒見過有人主張，將國家現行全盤文字加以改革整理，成爲簡體簡筆，以適應印刷、便利書寫的；縱然有，也會被大家罵他爲糊塗、荒謬。而惟獨我們中國，竟有人專以搗亂自己傳統文字爲樂事、爲進步，而不被一般人所唾罵！何以故？那是因爲西洋字係屬多音節，簡化一字，大都不能發音，理由很簡單也很淺顯，大家極易明白；而漢字則兼有形、音、義三者，如給以簡化，情形雖更加嚴重，而內容却較爲複雜。一般平日不甚留意本國文字構造的，就容易爲他們所蒙混欺騙了。現代印刷術，日加精進改良，進步國家的著作人，在寫作時，皆是雙手不離打字機，一面構思，一面打字。近年來，中文機械化的歷程，如鉛字鑄造、排印、照相、打字等亦隨科學發達而向前邁進，甚至已漸次做到排字不必一個個尋檢，可以一按指而將字體排列於版上。現在工業社會中，大家異常繁忙，都在爭取時間，講求快捷，然而目前所有工商行號一應來往文件、書牘，政治軍事機關部隊的文書、情報的撰擬、傳遞，無論如何繁複如何忙碌，而除了用口頭、電話、電報以及上列各種機械代勞外，十分之八、九，均不與用手寫字相干。縱然有些字須用手寫，又有誰限定其必寫楷書，而不儘量利用行書簡字呢？在這種情形下，簡筆字在日常應用的範圍裏，有何迫切需要之可言？保持正楷字原形，不加破壞，又有何淩虐後代之處。這種無的放矢的建議，落伍到褪色發霉的思想，不合邏輯的理論，除居心搗亂外，實在想不出任何其他理由爲之辯護。

三、總統在此時倡行復興中國文化，實爲反共救國，萬分重要之運動。蓋一國之歷史文化，爲其立國建國之基礎，欲滅亡人之國家，必先滅亡其歷史文化，欲滅亡人之歷史文化，必先從破壞其文字構造着手，使其由混亂而漸趨於滅亡。若干年來，共匪摧毀破壞我國歷史文化文字，無所不用其極。我們對共匪此種暴行，理應聲罪致討，決不容許其繼續存在。當此創鉅痛深之餘，迴顧我國歷史文化文字，珍惜與發揚之不暇，更何忍同其行徑，蹈其覆轍！而且於共匪推行簡體字十餘年後，公然一再主張響應倣效，豈不令愛國志士寒心，萬惡共匪聞之鼓掌稱快：（香港匪大公報五十八年四月十八日社評「台灣也採用簡體字」對台灣少數人提倡簡字，已有讚許，並乘機煽動）尤其令人大惑不解的，有人竟謂現在大陸人民，因用慣簡字，不識我國固有文字，若光復大陸時，仍用固有繁複字體，將不易爲光復區一般人民所識，故應先將固有文字簡化，以適應此一事實之需要云云。關於此點，我們想到光復大陸時，人民久在匪區，與我們民主自由國家生活形態不相適應之處，已恐非普通想像所及，如果不從良好的再教育方法着手，而一出於姑息遷就，顚倒着去適應他們，學習他們，則三反五反，公審鬥爭，亦何不可暫時保留，以求適合現狀？這種不健全的心理、公論，出於自由中國反攻大陸前夕，眞是咄咄怪事。

四、主張簡筆字的人們，最不爲大衆所諒的，就是妄想利用政府的力量，硬性規定，甚至以命令行之，才可以遂行其陰謀，符合其謬見；殊不知簡筆字的弊害，不正式提倡則已，若一經由政府下令頒布，則必流毒貽害於無窮。一些短視的簡字先生們，只看得一字少寫幾筆，以爲可以便利青年後代，殊不知簡的結果，反爲虐待與迫害他們。原來中國文字最大的長處，即是善於利用一個人聯想力，本身早已具備了以簡馭繁的優點，例如溪、雞；觀、灌、權；淺、賤、錢等字，都是由左或右得聲。識得一字，卽連帶認識許多字。簡化後的雜、觀、權、漢等字，左或右皆變爲「又」，這「又」字萬能造成最多的混淆。時如簡化爲时，詩、侍、寺是否簡化爲討、付、寸，待、峙、等、痔又如何簡化？鐘如簡化爲仲，衝、僮、撞、童是否簡化爲沖、仲、中？由於違反中國造字原則，推行簡筆字的結果，必然是，所有漢字，除少數外，或失其音，或失其形，或失其義。而簡筆之路既開，當然花樣翻新，越簡越妙。以後畫一圈即代表零、林、鈴……雙圈即代表零陵（共匪區已如此寫）……反正是政府下令要簡，大家樂得爲簡。在現時，我們這一輩還知道雜字由左得聲，今簡爲又，就是奚字變了又；往後簡字推行，聯想之路既絕，下代青年對此隔了膜，一定要另編一本字典，死記，一個別的符號代表一字，字下注明楷書，以便查閱，單是這兩個包袱，即會累死人。而且政府頒布推行簡字，却不能同時下令禁絕楷字，縱然萬不得已要出此下策，恐亦不能貫撤，因爲維護楷字的道理正而人數多，提倡簡字者則完全歪曲事實而人數少，且由古到今一切舊有書籍浩如烟海，重新排印，亦絕無可能。如勉强去做，社會上勢必正楷簡字並行，莫衷一是。青年人對本國文字從此更要認識兩套，亦毫無疑問，以後對正楷即全部陌生，目前白話文言已讀不通，這樣，正是斷送中國固有文化的致命傷。我們相信政府決不會遂行簡筆字先生們的主張，致貽民族國家以無窮之害。

我們的具體主張

一、確立標準：所有印刷品仍用正楷字（包括宋體字）。

二、人民書寫簡筆字，可聽其自由，不加干涉；但學生作業必須用正楷，不許寫簡筆字。

三、大陸匪區推行「漢字簡化案」及「漢語拉丁化拼音方案」，目的在於廢除漢字，我們應揭發其陰謀與禍害。

昨日與明日

資金運用更重要

公共投資居先 保險資金運用不容忽視

自由中國推動全國儲蓄的機構已經成立了。在發展中的國家，資本形成問題，頗爲重要，蓄積國內資金，從事經營建設，自屬非常正確。今後値得注意的問題，這些資金的如何運用？如果是政府機構所蓄積的資金，自可由政府根據計劃、統籌運用；民營金融機構所吸收的儲蓄，將如何運用？仍由各民營機構自由運用？或由政府指導運用？或由政府調撥統籌運用？應當仔細籌劃，否則，好不容易籌集資金，結果因運用欠妥，而使資源浪費虛擲，將破壞整個國內儲蓄計劃，公私統受損失。我們覺得：民營金融機構所吸收的儲蓄資金，應另立專戶，組織銀行團，依據政府計劃貸放運用，目的以公共投資，促進就業爲主，譬如都市的整建，新社區的開闢，橋樑道路的興修等等，都是可行的。

我們不僅注意未來建設資金的籌集，對於現有金融機構所吸收資金的運用情況，更應有嚴格輔導與監督的必要。其中，最値得注意的，莫過於保險公司所吸收資金的運用情況。年來台灣保險事業發展，保險公司現已有廿五家，分公司三十多處，遍佈全台各地，吸收資金甚夥，而且都是中下階層人民的金錢，可是這些保險公司的財務情況和資金運用情況，却蘊育着不少問題。很奇怪地，公開對外刋佈的中央銀行年報，竟沒有各保險公司業務情況的記載，使人誤會：中央銀行好像和保險公司根本無關似的，實在是一大漏洞。其實各保險公司對於資金的運用，非常値得注意。譬如有的保險公司的董事和有關人士也同時經營其他公司，將保險公司所吸收的資金，轉爲自己運用，坦白說，就是利用他人的金錢，作自己的生意，流弊百出，黑幕重重。政府有關機關如不妥善監督，將來公司業務雖失敗了，賺錢的還是那些公司負責，受害的則是無辜的平民保戶。到了這個地步，責由誰負呢！

信社也是一個問題

就在本文撰著同時，報載台北第十信用合作社去年業績甚佳，吸收存款達六億多元。我們因而也想到信用合作社的問題，合作事業本意甚佳，可惜，年來台灣信用合作社這樣的金融機構，辦理却很差勁。譬如第八，第十五信社都倒了，使無數存戶受了損失，主管官署始終未見有何善策。有之祗是利用職權，向各社借款，這些消息，我們還是看報後才知道的。其中最大毛病就是吸收社會資金，由理監事化名借用。以往倒閉的合作社就是因爲理監事大量購買地皮，週轉不靈而將信社拖垮，根本問題，還是資金運用不當。像這樣的吸收民間資金，如此運用，對於國家經濟發展，又有何裨益呢？

所以，我們覺得：鼓勵儲蓄，雖很重要，對於現有金融機構所吸收民間資金，如何運用，更値得注意。

·千公

自由談

美國在日本東京開設的兩家化學公司，最近奉到紐約總公司通知，解除對中共區域的戰畧物資禁運令，這當然是獲得了美政府當局許可的措施，毫無疑問。事實上，在韓戰方酣之際，英美商人就以戰畧物資如汽車與西藥等等，從澳門向中共區域輸入以賺取暴利。次看民國卅八年（一九四九年）秋間，我國空軍向進入上海的毛共軍隊予以空襲時，旅滬的英美商人夥同一般西方傳教士宣言反對，要求該國政府武力干涉，而美國商輪「飛雲」號，公然以戰畧物資運赴上海出售，美當局且指我政府封鎖領海的聲明係「於法無據」，表示不承認。再看二次大戰初期，日軍尙未偸襲珍珠港的前夕，英美商人亦競以大量石油與廢鐵，販運給日本牟利，却不顧自身的死活而拼命貪取血腥金錢。此乃資本主義社會先天的癌疾，也就是重商主義立國的死症所在，再發展到資本帝國主義階段，便接近死亡邊沿了！

自掘墳墓的作風

這次美商解除中共區域禁運令，尙有政治作用潛存着，卽華府當局藉此促使中俄共發生戰爭，兩敗俱傷，讓美英坐收漁人之利，永享安全繁榮生活，而又執着世界牛耳，確據「國際大亨」地位，不亦快哉！至於中俄共是否按照美英當局的幻想而大打出手，却不在考慮之列，不見棺材不掉淚，資本主義社會人士的本質如此，所謂江山易改，本性難移是也。君不見美國尼克遜政府實行對國際共黨姑息妥協，而自以爲可以博得人民同情擁護而沾沾自喜乎？

美國在日本的化學公司宣稱解除禁運令，僅是試探性質，如果毛共稍假美國以詞色，則進一步根本撤禁運政策，殆屬意料中事。這證明資本主義確係培育共產主義的酵姆，而資本帝國主義的姑息政策正助長共黨發展擴張的兇手。然他們却以「維護人類自由生活」的大好佬自居，口口聲聲教別人努力反共，這眞是言僞而辯，行僻而堅，順非而澤的小人之流亞，俄酋赫魯雪夫預言「要埋葬你們」，不由人不認爲是値得注意的言論啊！

馮五先生

香港應否設立冤情大使

·胡鴻烈·

大律師胡鴻烈博士前在香港大專中心公開論壇中，對香港應否有冤情大使的設立發表意見：

顧名思義，冤情大使制度，於一九六五年，創始於北歐之瑞典、芬蘭、及丹麥三國，一九六二年挪威及紐西蘭亦跟着採用，然後英國、加拿大及美國之夏威夷州等地亦加採用。目前此種政治思想蔓延於世界各地。

冤情大使究竟是怎樣的一種制度，關於其特點有下列諸項：

（一）冤情大使是由立法機構產生，而非由行政機構指派。（二）它是公正及獨立的調查者，不涉及政治。（三）它對於政府之決定無權加以否決，對於法庭及行政亦無直接控制之權。（四）它有權採取主動進行調查。（五）它以直接快速非正式及經濟之方式來處理上訴事件。因此，事無大小均可加以處理，而且還是對窮人一個極大的保障。（六）如果冤情大使經調查以後，認為投訴不當，則可將其投訴駁回。（七）因為冤情大使係由立法機構所指派，隨時可向立法機構提出報告，其地位甚為超然。而且其每年之報告書中，還可提出有關政治上應興革之事項。此後各國採用冤情大使之制度者，多此為藍本。

在此需要特別一提的，英國的制度，與瑞典、芬蘭制度稍有出入，首先在英國避免用冤情大使一名詞，而用國會行政監督來代替，首任監督為退休之審計部長所担任。在英國的制度下，市民不能向「行政監督」直接投訴，而須先向國會議員投訴，由國會議員先行作初步之調查後，然後再報告給「行政監督」。這樣的設置，可以避免國會議員對其選民之疏遠，但其缺點則在於一般市民無法向一個公正而無政治色彩的冤情大使直接投訴，而且使冤情大使亦無法自動採取調查。

而且英國的「行政監督」對若干事項以法律規定，不屬於其職權範圍以內，如有關外交、安全、警務、公務員之個人事件，軍事、地方醫務委員會、公共事業公司、政府所簽訂之契約及地方政府等均不得染指，而且政府可以「公衆利益」為理由，訓令「行政監督」停止調查或停止公開若干文件之內容，而且如果某一事件經法庭解決，則無須由「行政監督」加以調查處理。

在英國「行政監督」係由政府委任，並不由國會指派，這點亦與北歐國家不同，而且在保守黨政府時代對於設立冤情大使一事並不予以贊同，工黨在上次大選時曾以此作為競選綱領，因此當選以後，於一九六七年始有「行政監督」之設。

也正因為如此英國一部份輿論，認為「行政監督」形同虛設，有人認為這是一個「帶口罩的守門犬」，「不帶劍之十字軍」，「想打抱不平的老鼠」等，由此可知在英之冤情大使，實在是工黨政府上台後因為要履行競選諾言而敷衍塞責而已！

由於以上之分析吾人可知「冤情大使」或英國之「行政監督」是近代法治制度下的產物，法律本來是為保障人權而設的，但是有時候，往往因為法律太繁複或被人曲解或被人別用或被人走法律的漏洞，因此不能達到法律所預期的目的，此種情形尤以近代社會福利發達之國家為然。在最近十年來由於聯合國及國際法學家學會所敦促下，已有若干國家採取此種制度，其用意無非想打倒官僚主義，使一般人民之權利添多一層保障及盡量設法消除政府與人民之間之隔膜，因此，「冤情大使」雖然是政府的一都份，可是實際上，他是來監督行政，司法與立法權的行使的，他的職權好像是中國古代的御史，又像五權憲法中的監察權。可是他的職責又較監察官吏為廣泛，因為他還負有調解，解釋及勸導的責任，這種政治思想在中國來講，可說是一種固有的制度，可是在西方民主國家來說，這還是一種新的嘗試，各國議論紛紛，有的國家是贊成的，有的國家則頗疑懼。

凡是一種政府制度，都有利弊兩面，「冤情大使」之制度亦不能例外，有利之處，則可包括下列諸點：

（甲）有關行政方面：

（一）冤情大使之設，可以改良政府之行政程序，而使一般市民之權利受到保障。（二）立法機構亦須謹愼從事，務以盡量改進行政為能事。（三）使一般人民對政府有更大之信任，而與政府採取合作之態度。（四）公務人員可避免受無辜之指謫。

（乙）有關市民心理安全及保障方面：（一）每一市民受到不公平或不合理之行政待遇時，可得以申訴。（二）政府公務員因有「冤情大使」之設，極力避免對市民有不公平或不合理之處理。（三）有若干事件，市民從「冤情大使」處得到合理及滿意的解釋。（四）增加市民心理的安全感，法儒孟德斯鳩認為自由之眞諦，在於每個人均獲有安全感，不必對任何人怕懼。

不利之處有下列諸點：

（一）使一般公務員過份小心從事，減低行政效率。（二）「冤情大使」本身亦可論為另一個官僚化之機構。而且因為要應付被調查，各機關只注重表面之紀錄，而忽視實際的施政效果。（三）「冤情大使」並非某一行政事項之專家，故其調查有時會不及要點。（四）因為「冤情大使」之調查頻仍，會減少對政府之支持。（五）「冤情大使」因為並非專家，故其所作對施政之報告有時會被認為不切實際。（六）一般市民因為有「冤情大使」之設，對政府施政之注意會減低興趣。

有關冤情大使性質，設置，歷史背景及利弊情形均已分析論了，那麼香港究竟應否設立冤情大使。如果要設立的話，採取那種方式？及用何種人士担任？我認為香港冤情大使之設，應採取下列之制度：

第一步：以本質而言，香港是一個貧富懸殊，而社會服務及福利缺乏的地方，又是一個殖民地，且因為言語不通，以及文盲亦復不少，所以有很多人有苦無處說，而且有合理的要求時也沒有辦法投訴，因此市政局民選議員有鑒及此，於一九六五年由代表革新會之民選議員李有璇醫生提出成立港九十大投訴處，由市政局議員分別担任，據本人觀察，自一九六五年十一月一日成立以後，收到極大的效果，以本人所負責之投訴處而言，每星期約有數十人投訴，而且本人均將合理之投訴，轉函有關當局，且大部份獲得圓滿之解決。二年餘以後，政府之用意何在，此時亦無法作推測之舉，但兩者之職責，實有重複衝突之嫌，因此本人於一九六八年六月即在市政局提出，民政處須與市政局議員緊密合作，俾便替人民謀福利。自該議案通過之前，至今尚未聞政府方面有若何反應。

這裏有一個很不公平的情形存在，就是市政局議員自一九六五年以來自己貼錢、貼時間、貼精力，來替市民服務，政府竟然連一個專任的文員也不設置來幫助，而另一方面却於兩年後化大量金錢來設立民政處，有充足的人力、財力及設備，因此有一部份議員感覺不滿的，而且對議員之誠意及努力亦有欠公平。

本人雖然主張原則上在香港應設「冤情大使」，而且鑒於目前之情勢，及近三年餘來實際之發展，及本人去年六月所提出動議，促使市政局議員與民政司署之努力，我極主張民政司署隸屬於市政局之內，作為市政局之執行機構，現任市政局議員兼為民政機構之主任（名譽職），不負實際責任，這樣可使民政專員與市政局議員相輔相成，共為市民謀福利。這是香港設立冤情大使的第一步。

第二步：改善了已有的基層組織，應該由政府指派一位德高望重，勇於負責之中西人士為名符其實之冤情大使，受理每一投訴處（WARD）無法解決之案件，（因為由於第一步之實施，所謂投訴處實包括現有之投訴處及民政司署，）而這冤情大使，查之範圍及方式不應受任何限制，而且對港督負責，向港督提出報告，但冤情大使僅在調查事實之眞相及建議應採取之步驟和方法，至於採取實際之行動，則須由港督決定。港督且有權以公共利益為理由，中止或停止調查，或禁止其報告書之發表。

本人之愚見，是否有價值，尚待社會公論。但本人深信此種措置，必須有助於本港行政之改革，及加强政府與人民之關係，則可預卜。

難忘的恩人（上）

張振鷺

閒嘗在報刊上，看到慷慨好善之士，有的拯溺救焚，有的解危濟困。這一份人間溫暖，讀之不覺與往事之嗟歎，發感恩之幽思。

回憶五十年前，援我於急難間的一位恩人，使我永生難忘。用特表而出之，以新義舉，藉資觀摩。

民國七年秋九月振鷺由奉天省立工業專門學校機械科二年級，轉學北京國立工業專門學校時，因復試成績不佳，降當一年級，愧憾之餘，竟未向該校報到入學。遂決心投考陸軍軍需學校第四期學生班。當時各省學生報名投考者千數百名，錄取名額，僅八十人。考試分三場進行，第一場考國文，通過後，准考第二場，數、理、化、英文。再通過，最後檢驗體格，三場已畢。振鷺幸獲錄取第十九名，自報名投考迄發榜，已三月有餘。急作家書，告慰雙親，以釋遠懷，正在興高采烈之際，孰知煩惱隨之而來。

依陸軍部規定，凡錄取名生，應先辦理入學保證手續，保人資格，分甲乙兩種，「甲」在京城殷實商號。「乙」京官荐任委任各一人，担保學生終身，且每個保人，只准保一名學生。原因是軍需學生畢業後，職司銀錢粮服經理，倘有差錯均由入學保人負完全責任。因此謹愼小心之人，對被保者，均不肯冒然承担，無深切關係，振鷺來自田間，負笈京師，不但無殷實商號可求，就是荐任委任官，亦無素識者。祇開原縣同鄉京官高崇宇宗山，現任陸軍部陸海軍會計審查處簡任處長，友人張君競擇，時就讀北京大學，以其父張鉞（曾任鎮安上將軍張錫鑾的參謀長）與高崇高為莫逆交，寄食宿於高家。知我無處求保，乃自動轉求於高，不但遭其峻拒，並責之曰，以素不相識之人，如担保他終身，豈不將來拐欵潛逃，累及自己。競擇熱心友誼，經此挫折，不肯罷休，又求他父親的老友，京師憲兵司令陳興亞先生，陳竟慨允，並代填該司令部內一位委任官完成保證書手續，振鷺數月緊張情緒，一變而為輕鬆愉快。靜候開學上課，不期三日後，接學校通知，因陳司令已不能再保過一個學生，令先保該生担保云云。洽值農曆戊午除夕，惟一為我奔走之好友張競擇，先二日回籍省親度歲，乃至一籌莫展。在世家大族子弟，求一個入學保證人，本微不足道之小事，在我以農家子，竟成一件大難事。這一夜，展轉反側，思潮洶湧。想到高之峻拒，深感人情冷酷。想到陳之慨允，而生波折，又自歎時運不濟，命途多舛。想到家中老父正患癌症，一息奄奄，接到振鷺考取之信，必為之一喜。倘因無保失學，致父病加劇，又曷勝憂懼。最後乃思陸軍部規定入學保證人，担保學生終身之不合理。試問學生畢業後，分發各省服務，如有失誤，各省自有懲處法則，必無問及入學保證人者。總之這一夜，反覆思維，焦灼萬分，通宵難以入睡。

除夕故都度舊歲，氣氛甚濃，爆竹之聲不絕，我竟徹夜不寐，充耳不聞，左思右想，無路可走，心緒之焦急，非筆墨所能憶述。正在為難，忽然想到在投考前，經同學友馮君兆異（就讀北大，亦回藩度歲）介紹，認識臨川傳式可先生「鑒」在總統府秘書廳行走，委任職薦任待遇。乃於無可如何之中，姑往一試，能否有濟，不敢逆料，但期有成耳。

（未完）

喬治桑外傳　一二一

張大萬

喬治桑在台灣所撐的這個場面只是一個空架子，經不起分析。這點，只有他自己最明白。他自己檢討，這次來台灣最大的收穫，是無意中發現了自己的親骨肉，激發了他的良知，覺今是而昨非，這也許是他的人生轉捩點。

西方文化工作者，認「沉思」與「藥療」只有一個字母的差別。對喬治桑來說，眞是再確切沒有了。他現在常常沉思，一反以往邋遢不可終日的樣子。由沉思的藥療，引起他內心的改變。

他有時為了閒得無聊，悶得發慌，找裘白瓊等酒肉朋友，打幾圈麻將，……甚至往酒家買醉，只不過是殺時間而已。並不像以往那樣，意興飆發樂此不疲。當然，從反面來說，亦未始不是老態的表現。

「喂，裘公館嗎？裘先生在不在？」喬治桑拿起電話，又找古有方，顯示他閒得無聊，悶得發慌。

「喂，博士，有何吩咐？」接電話的正是裘白瓊本人。

「今天有沒有空？」

「是你手癢？脚癢？還是喉癢？」裘白瓊是玩樂專家，除了吃喝嫖賭之外，倒沒有其他不良嗜好。他所謂手癢，是打牌。脚癢是跳舞。喉癢是喝酒。喬治桑一一省得。

「能不能約幾個搭子打幾圈？」

「你要打小牌，隨時都能成局。想打大牌，找搭子可不容易。」

「自然是打小牌，目的是消遣嘛。」

「好，請你馬上來。」

（未完）

台北傳奇錄（廿七）

·陳光棟·

「改行，幹什麼」？

「隔壁的二楞子，以前也是賣煤炭的，打從去年就改行賣臭豆付，個老丈人！他可發老咧！」老邱贊嘆着。

「你也賣臭豆付」？

「那玩藝不行！我一聞到那個氣味就頭暈，我想開個小飯館」！老邱有把握的說：「蒸饅頭、拉麵條、包餃子，俺可都行」。

「好！好！」

「俺老婆跑堂，他奶奶的，包你沒有人賒賬」！

「對，飯館子就怕欠帳。」

「可是一樣」！

「噢」！

「俺的本錢……，二爺，你看……哈哈……」

「差多少？」

「俺昨天告訴俺老婆，說劉二爺人怪好的，要是和老人家張張咀，咱們的本錢就有咧，俺老婆說，那你就去吧。哈……跟劉二爺說，往後你要想吃個餃子，吃個大餅什麼的，只要一句話，就什麼都有了。」

「你要多少錢哪」？

「沒有多少錢」！

老邱為難的說。

「你說個數目，咱們研究研究」。

「你就給兩萬塊錢吧」！

「啊！多少，兩萬塊？」劉二爺驚奇的問。

「俺老婆說的，修修門臉，粉刷粉刷房子，添點傢俱什麼的，就可以開張咧」！

「有一萬塊錢就足夠，明天給你送過來」。

「那就謝謝你老喂！」老邱高興的衝着劉太太：「俺也謝謝大奶奶」！

老邱的飯館開了張以後，饅頭餃子個兒特別大，價錢賣的又便宜，金紅招呼客人更是有一套，所以生意非常火爆，老邱是出名的勤快；買菜、掌杓、蒸饅頭、洗碗的工作，都是一個人担起來，說累也眞累，說高興也眞高興，樂的一天到晚合不上咀。金恆貴也從此借着鬧胃病，每天要到老邱的飯館吃頓麵食，主要的還是要和金紅搭訕搭訕，老邱是老實人，覺得上了門的就是主顧，買賣生意不能得罪人，他可並沒注意到金紅總是不向金恆貴收錢。

連霪雨的天氣，客人照例很少，老邱接早打了烊，蹲在廚房裏燒洗澡水，又盤算着一天賣了多少錢，正在出神的時候，金紅拿着把傘一扭身就出去了，一直到大半夜才回來，老邱已經睡的像條死豬。

金恆貴拈着脚進了弄堂，老遠就瞄着自己家的窗口；看到沒有燈光，心裏才算踏實，於是又開始計劃着和金紅下一次的幽會。

（未完）

爲自己講幾句話

·文匯樓主·

自由報自民國五十六年改組後，完全變成爲學人組合，組成份子百分之九十五都是國內國外大學教授，根據多數教授的意見，想把這張有二十年歷史政論性的報紙，走向發行本位，完全憑內容爭取讀者，最近一年來正朝着這個方面走，故元旦與國慶佳節，不向任何機關或工商號拉廣告就是這個道理。

本報改組後，全球各地約定代表三十七位，每一位幾乎都是所在地教授兼任，稱得上「整齊優秀」，民國五十九年起，我們要做到：「有中國人的地方就有中國人，有中國人的地方就有自由報」，非洲國家，南美國家，中東國家，現已有甚多直接訂戶，今後將更加強。自由報作風也有修正，「版權所有，禁止轉載」，這雖是法定的權利，我們準備歡迎轉載，但必須註明：「轉載香港自由報」，這對海外報紙，可謂打開方便之門。台北有一家大報開過這樣的笑話，馬騰雲的文章又在台北發表，且代爲改名換姓，當然是編輯先生的疏忽，以證明辦報這一行飯很難吃，新聞學沒有博士學位。

樓主第二次回國，在國立政治大學發表演說，述及海外僑報複雜情形，謂：「地痞流氓可以辦報，不識字的人可以辦報……」，後來看到台灣警備總部將推銷書刊列爲冬防期間禁條之一，感到非常意外，爲甚麼對文人這樣的不客氣？後來瞭解不客氣的防止地痞流氓假借文人的招牌勒索敲詐。

自由報台灣發行區最近常發現有人冒充自由報記者在外招搖撞騙，總社除將函請台灣治安機關帶同查究外，從三月份起，正式發職員服務證。同時聲明的，自由報採發行本位，自由報不拉廣告，有必要的話，報社備函接洽；還有就是從五九年起，除台灣分社主任張執中，台灣業務拓展中心經理張健生，駐台北記者張健生之外，其餘沒有在台北市活動的記者，分社不能聘用記者。柳一樞是卅幾年老報人，教授業餘寫稿，國會議員，海外歸來，閉門謝客，從不公開社會活動。如果有人假借自由報名義在外推銷書刊，或冒充自由報記者野狐禪，請先看其服務證，如無服務證，可就近報案，有服務證者請撥電話：二七二〇〇自由報台灣營業處，當報請有關當局處理，這也是支持和愛護自由報的方式之一。俗語說：「一個老鼠壞一鍋湯」，不能因爲一個地痞流氓冒充自由報記者名義在外，使這一個中華民國唯一政論的僑報染到污點。

命相與夢話

謝方得命官八月

漢年

謝方得字君直，號疊山，宋弋陽人（今江西省）。爲人豪爽，每觀書史，一目五行齊下，性好直言，與人論古今國家治亂之道，掀髯抵掌自奮，以忠信自任。

宋理宗寶祐四年丙辰進士，年三十一歲，始舉參軍（即今江西臨川縣）棄官不就。復出試教官，中兼經科，除爲建寧府教授又不就。理宗開慶己未，年三十四歲，應吳潛之辟，集結民兵萬餘人，以扞饒信，兵敗，朝廷覈諸軍費，險遭削職。考試建康，語忤奸相賈似道，乃誣以「居鄉不法」而謫居興國軍。宋度宗咸淳丁卯，年四十二歲，朝廷始赦免。

宋恭帝德祐乙亥，年五十歲，除爲江東提刑，知信州（故地在今江西省上饒縣西北）累遷江西招諭使。元兵東下，信州不守，乃變易姓名，入建寧唐石山（轉建陽縣西北）中，寓逆旅中，日着麻衣躡屨，東鄉痛哭，人不識者，以爲病狂，依賣卜易，小兒賤卒，亦皆知其爲謝侍郎。南宋亡後，遂居閩中。元至元丙戌，年六十一歲，劉夢炎薦之出仕不起，遺書有云：「吾年六十餘矣，所欠一死而已，豈有他哉！」戊子年六十三歲，元召宋代故臣，有福建參政魏天祐強迫北上，己丑四月至京師，遂絕食而死，享年六十四歲。門人私諡「文節」，世稱疊山先生。遺著有批點「檀弓解」、「詩傳註疏」、「選唐詩」、「疊山集」、「文章軌範」等。

謝方得之造爲：南宋理宗寶慶二年二月二十四日亥時生。元世祖至元二十六年四月初五日？時卒。

八字爲丙戌、辛卯、乙酉、乙亥。

歷代名人生卒錄云：「謝文節公寶慶二年二月二十四日亥時生，其八字當爲丙戌、辛卯、乙酉、乙亥。天幹爲木、火、土、金，四行具備，與下列明商、文毅公之造木火土金四行俱備相同。」又「巫咸經」云：「四柱遞互相親，多生喜慶。」規模宏大，概可想見。

惟細按文節之造，乃是火金土木，雖可相生，究嫌隔閡，文毅天幹甲丁己辛，木火土金，順布連環，毫無障礙。文節之造，地支戌卯酉亥，文昌長生，先合後衝，中多破綻，文毅地支午卯巳未，祿元帝旺，聲氣相求，互相團結，所以一爲兩榜侍郎，一爲三元宰輔，因此稍異。所以妙者，文節年幹丙火，可以制金，月幹辛金，可以制木，及時枝之亥木，命官之寅，各藏甲木，疊疊尅土，而日主之己土，仍可資生萬物，大地人民，仍得食息於斯。

由此看來，謝文節之造，緊要用神，特殊秀氣，全賴年幹丙火，其他年枝戌藏丁火，命宮寅藏丙火，不過遙爲聲援而已。因此，入世二十一年，居官僅八月。然而宋代之亡，而自隱身，恥爲二臣，絕食成仁，芳遺百世。如此操守，較之文毅又有過之。至於賣卜建陽，惟取米屨，忠周所謂自商夷齊，漢龔勝，至文節，不食異姓之粟而死，僅此四人。

漢年按：自漢之司馬季主、嚴君平、及魏之管公明，賣卜而負盛名者，至文節亦僅有四人而已。觀文節三十一歲午運，歲值丙辰，舉進士，明年丁巳，除教授建寧，即可知午爲日祿，合成會火，而丙辰丁巳，幹枝火土，又裨益用神，故若是也。

三十四歲己運，歲值己未，應吳潛之辟，團民兵萬餘人，以扞饒信，兵退，朝廷覈諸軍費，文節幾至不免。

三十九歲未運，歲值甲子，文節考試建康，語忤賈似道，誣以居鄉不法，謫居興國軍。

四十歲丁卯，歸閉居。

五十歲申運，歲值丁亥，除江東提刑，累遷江西招諭使，及信州不守，乃棄家入閩，賣卜建陽市。綜合以上四事，更信乙未申三運，木尅土，金能洩土，而己未丁卯，會亥爲木，甲子丁丑，刑卯會金，都足以助紂爲虐。

至六十三歲戊運，歲值戊子，小限甲子，既喪老母，再爲魏天祐強逼北行。六十四歲，歲值己丑，小限癸亥，文節矢志絕食，四月初卒於燕京閔忠寺。此雖爲金木水之爲害，而戊己之土亦與有功。否則節義勛庸，豈能彪炳史籍，與日月同光哉！

（完）

中興名臣李鴻章（二）

另由李在滬上招募若干新兵，擴充建制，並替李氏擬定治軍方略，一切以湘軍體制爲基準。李抵上海後，即從皖省招募淮上子弟兵入伍，號稱「淮軍」。自成局面，聘英國人戈登，以西法訓練戰陣技術，槍械亦購自西方，火力特強，名曰「洋槍隊」。上海局勢乃告安定，旋將蘇州收復了。太平軍原駐蘇州的兵力頗雄厚，分由雲官等八名將領統率之，淮軍進攻莫下，乃改採招撫政策，遂由戈登居間勸降，許以照舊收編錄用。迨和議告成，鴻章入吳門城內，集八名降將讌飲聯歡時，竟全部加以屠殺，太平軍的戰士被坑者亦衆，滬上西洋人士指其殘忍非法，有乖人道，淮軍洋將戈登因是不直鴻章，憤然求去，曾國藩聞訊亦責其過當，鴻章諉稱事前不知情，係部將擅命所爲，然時論對李氏終不諒解，幸曾國藩未向朝廷奏劾，清帝置不究問，否則李氏前程將有顛躓之虞。然李鴻章的聲名，亦因此爲西洋人所周知。

援金陵遲滯不進

同治三年夏間，湘軍曾國荃部圍攻金陵持久無功，清帝嚴詔飭李鴻章自上海派兵增援，李遲滯不進，疏奏謂所部槍械係洋槍，炎暑行軍容易走火失事，須秋涼乃可云云，清廷信以爲眞，然李氏左右皆詫異，力主及早馳援會師，建立奇勳，實係大好機會。鴻章認爲金陵賊軍已成弩末，沅甫（曾國荃別號）早晚必能獨力克復，應讓吾師專享殊榮，淮軍若赴援作戰，固可提早勝利，與湘軍同膺懋賞，然非弟子對老師之道，實所不取。觀乎此，師生曾李二人相處的風範，皆可爲世楷模也。

安徽十三傑

·諸葛文侯·

金陵既克，太平天國的革命政權完全崩潰了。曾國藩怵於「功高震主」，「佳兵不祥」的危機，一面教乃弟國荃解甲歸家休息，一面具奏清廷謂湘軍疲老不堪再用，乞予遣散，而以新銳的淮軍承其乏，他對李鴻章稱其「勁氣內斂，才堪大用」的考語，就是這時候向清帝密奏舉薦的。後來李征剿捻匪之役，即以淮軍爲主力，國藩指揮裕如，運用無間。鴻章每對人談及自己艱難創業的過程，輒謂「我是得力於吾師的『挺經』精神」，所謂挺經者，係國藩發明的，意義是要在危難間能夠堅忍不屈，無所憂懼，他舉例詮釋云：有農夫力田，肩挑着重担行於阡陌小道中，適對面一大漢空手迎面而來，論理，大漢應該讓肩荷重物的農夫走過小道，詎大漢昂然馳前不顧，硬要農夫側身走下水田讓他先過去。然農夫怒其無理，亦停立小道間不理，於是，兩人相持不下，彼此皆沒法通過。這時農夫之子給父親送午飯來，農夫乃大聲吩咐兒子曰：回去告訴爾母，晚飯亦可送到這裏來，老子要挺立到明天呢！」這便是「挺經」，而爲鴻章私淑服膺，終身受用的人生哲學。

負全責創建海軍

國藩解除兵柄後，封侯拜相，歷任兩江與直隸總督兼南北洋通商大臣，職位量移時，常由李鴻章繼其任。曾氏逝世後，李挽曾聯語有「師事近三十年」之句，蓋紀實也。另以白金千兩致賻，表示報答師恩之意思，而曾紀澤婉謝之，可稱雙美也矣！

曾國藩晚年與浙閩總督左宗棠，倡議創建海軍，遴派青年子弟出洋留學，於福州馬尾暨上海高昌廟建立造船廠，規模宏敞，李鴻章當然參預其事。迨曾侯去世，左伯年耄入中樞拜相後，關於建設海軍的實際任務，由鴻章負全誠。他第一步採取委託英德兩國代造艦艇政策，擁有「威遠」「鎮遠」等主力艦若干艘，而以淮軍宿將丁日昌、衛汝貴等担任海軍統帥職務，中國海軍建設，頗有蒸蒸日上之勢。不料清廷慈禧太后晚年耽於逸樂，罔顧國家安危，竟將海軍建設經費，大量移造頤和園，鴻章知之而不能阻止，洎是不特在英德訂造的軍艦沒法完成，即已有的海軍設備亦聽其日趨陳舊，無從革新，加之以海軍官兵生活腐敗，罔知振作，隨携家屬住在岸上，每逢海軍定期集南北洋會操，官兵即在香港、上海、天津等港口市鎮中。（未完）

諸葛亮狂想曲（八九）

·劉玄·

「二將軍爲一代儒將，呂布不過是一介武夫，怎能與他相比？至於孫悟空、巨靈神之流，根本就沒有受過中華文化的薰陶，只崇拜權力，那裏懂得忠義？」諸葛亮與桃園弟兄關係太深了，自然不願任何人批評劉關張任何一位。

「孫悟空跟隨唐僧到西天取經，任勞任怨，經百千刧而不變，難道他還不忠？巨靈神聽候如來佛差遣，難道不義？」琴童聽諸葛亮只稱讚關羽，顯然有點不服。

「你那裏知道，孫悟空不敢不聽唐僧的話，是怕唐僧唸金箍咒，使他頭痛。如來佛佛法無邊，巨靈神那敢違背他。至於二將軍對漢室始終不貳，並非由於權力崇拜，而是眞正的忠義千秋。」諸葛亮這番話引古證今，倒並非一意曲護關羽，琴童遂無話可說。

「啓稟丞相，最近二將軍的心情不好，丞相知道不知道？」琴童的消息比新聞記者還靈通。

「我不知道，究竟爲了什麼？」諸葛亮知之爲知，不知爲不知，只好不懂下問來請教琴童。

「據說現在共產黨在大陸，倒行逆施，搗毀了不少關帝廟。在三國演義中做翻案文章，崇拜曹操，貶抑桃園弟兄。這且不言，在台灣和東南亞華僑社會，一般做走方郎中，賣狗皮膏藥的，都用關刀做標識，民主社會中，政府固然無法禁止，二將軍對於用他的青龍刀做標識，深感不悅。」琴童雖然到了天庭，但畢竟是中國人，對於大陸和台灣的情況甚表關切。

「這倒算不了什麼，據劉約翰告訴我，目前美國、泰國、菲律賓和台灣，龍岡會組織很發達。跑江湖的首重義氣，他們用關刀做標識，正表示他們對二將軍崇拜之誠，二將軍何必爲此着惱。」諸葛亮觀察事理比較深刻，關羽不及也。

「丞相見解高深，有機會還請丞相向二將軍解釋一番。」琴童說話雖直率，但還是愛戴桃園兄弟的。

「我在太白星君那裏，看見幾樣新奇玩藝，你如果看到，一定喜歡。」諸葛亮感覺老是和琴童談正經事，殊爲乏味，不如換個輕鬆話題。

「是什麼新奇玩藝？」琴童是孩子，聽說有新奇玩藝，自然要追問了。

「一種是珍珠蟠桃，一種是迷你老虎，還有小得不能再小的駿馬，大得不能再大的哈叭狗。」諸葛亮遂將上項各種玩藝細說一遍，琴童聽得津津有味。

諸葛亮打坐參禪的時間已到，琴童退出。諸葛亮與太白星君親炙已久，參禪功夫較前大爲增進，調乾振元雖未達登峯造極之境，已非一般野狐禪所能望其項背。

在天庭中，著名仙佛，如釋迦、觀音、太白星君等常年不進飲食，他們靠呼吸太虛混元之氣，就能維持其可大可小的精神體。其次如八仙、孫悟空等需要吃些仙菓，仙露始能顯示其與凡人不同。

國醫與國藥

針灸驗案

山東孫培榮

六　偏頭疼

偏頭疼痛苦難挨，耳鳴眼花相繼來，痛刺太陽率谷透，頭維邱墟任君裁。

玉龍歌：偏正頭疼最難醫，絲竹金針亦可施，沿皮向後透率谷，一針兩穴世間稀。

此症屬足少陽膽經部位，疼在太陽，或頭維處，或半邊頭皆疼，甚則耳鳴，二目昏花，疼極時眼睛發黑，眉皺不開，或一目緊縮，並噁心嘔吐。

余君，年五十八歲，江蘇人，任職台灣省台北市，常患偏頭疼，因而眼胞腫脹，眼瞼發黑，夜不能眠，民國五十五年元月二日，經友人介紹，來所求醫，當施針頭維，邱墟，太陽透率谷，先後針治二次，其病霍然而癒矣。

馬先生，年七十四歲，安徽人，住台北市愛國東路。患偏頭疼，三日夜未得安眠，民國五十六年十月卅一日，來所求治，經施針，太陽透率谷，一針而癒。

鄭君，年四十九歲，浙江人，住台北市杭州南路一段。患偏頭疼，三日夜未止，飲食減過，睡臥弗寧，民國五十七年十月十一日晚十一時許，至本診所叩門求治，經施針，太陽透率谷，其疼霍然如失。

七　偏頭近耳疼

偏頭近耳疼如裂，陣陣疼痛似鐵鉗，調氣陽陵肩井先，次尋風池用針揭。

此症屬足少陽膽經，疼在耳根近處，陣陣連續不止，類似鉗苦難忍受也。

杜君，年四十一歲，住台北市仁愛路三段，患耳根上部疼痛，類似鉗，已兩月餘，民國五十八年五月十三日，來所求治，經施針肩井，風池，先後診療兩次而癒。

黃小姐，年二十九歲，台灣人，住陽明山公館里，患頭疼，疼在左耳上部之近耳處，連續五年之久，猛一陣疼，輒如刀挖，忽疼忽止，纏綿不休，民國五十六年五月二十日，來所求治，爰取肩井，風池，頭維，當施針而癒。

劉君，年二十一歲，四川人，住台北市安東街，患兩耳根疼，寢食不安，歷時半月，民國五十八年元月五日，求予診治，經施針，陽輔，肩井，風池，旋即告癒。

黃君，年二十九歲，湖南人，住台北縣中和鄉中山路，患左耳根疼痛月餘，民國五十七年十月二十七日，求予診治，經施針，肩井，風池，先後施針兩次，即告痊癒。

八　頭暈

頭暈多屬肝火衝，昏旋眼花嘔逆生，風池頭維連百會，太衝邱墟配上星。

金鑑，註：眞頭風痛連腦內，手足青冷至肘膝之節，朝發夕死。凡頭疼眩暈，時時迷冒，目猝然大痛，或瀉多之後，皆凶證也。

驗方新編，註：眩暈雖然小病，然大病起於眩暈者很多，眼目一時昏花，猝然跌倒，而不可救者，往往有之。

素問至眞要大論：諸風掉眩，皆屬於肝，諸逆衝上，皆屬於火。其中有肝火內攻者，亦有氣鬱過者，頭旋眼花，亦有腎水不足，虛火上炎者，亦有命門火衰，眞陽上泛者。

所經治，患此病者頗多，輕則自感恍惚不穩，重則頭旋眼花，甚則臥不能轉身，每感天翻地覆，自身不知所在，動輒嘔吐。（未完待續）

紙上談兵

十一、塗有所不由

周燕謀

「塗有所不由」，語出「孫子兵法」「九變篇」。孫子所謂「九變者」，圮地無舍，衢地合交，絕地無留，圍地則謀，死地則戰，塗地有所不由，軍有所不擊，城有不攻，地有所不爭，君命有所不受。但「九變」並非指此九事而已。「九」為數之極，用兵之法，當極其變之能事，今所謂「戰爭藝術」者是也。曹操說：「變其正，得其所用九也」。張預說：「變者不拘常法，臨事通變，從宜而行之之謂也」。「九變」又有說為「九地之變」，「九地」者，猶非僅指其地，尤包括「時」「空」在內：如「軍有所不擊」，「君命有所不受」，而實指人與時。故「九變」實包涵「時」「空」「人」三者所發生之種種情況，而非止於「九變」之數也。「九」則包涵無窮。武穆所謂「運用之妙，存於一心」是也。何謂「塗地有所不由」？塗，即「途」也。曹操說：「隘難之地，所不當從，不得已從之，故為變」。杜佑說：「阨難之地，所不當從也；不得從之，故為變也。道雖近而不中，則不從也。」李荃說：「道有險狹，懼其邀伏，不可由也。」後漢光武，遣將軍馬援、耿舒討武陵武谿蠻，軍次於下雋，今有兩道可入，從壺頭則路近而水險，從充道則路夷而運遠。光武初以為疑，及軍至而取徑，耿舒請從充道。馬援以從充道棄日費糧，不如兵入壺頭，搤其咽喉，則賊自破，應從壺頭為上。光武採納馬援之議，乃進兵壺頭，賊乘高守險，水勢湍疾，而船不得上。時值暑濕，士卒多疫病死。耿舒與其兄耿弇書云：「我曾上言，當先擊充道，糧雖難運，而兵馬得用，軍人數萬，爭欲先奮，今壺頭竟不得進，大家怫鬱行死，誠可痛惜！」此即「塗有所不由」之例。謀按「塗」，即「途」也。「由」即「從」也。如途且不利，雖路近亦不可從。途雖可從，而有所不從，慮奇伏是也。如趙涉說周夫避殽黽阨陝之間，慮有伏兵，請走藍田，出武關，抵洛陽，其間差不過一二日之途是也。

張預所說：險阨之地，車不得方軌，騎不得成入，故不由也。不得已而行之，必為權變，如韓信知陳餘不用李左車之計，乃取入井陘口是也，實例甚多，不勝枚舉。

生活漫談

大蒜治惡性便泌

馬騰雲

惡性便泌，中西醫都沒甚麼特效藥，中西醫的治法，都是用瀉藥，而且都是治標並不治本。今天介紹化三五元新台幣可治癒惡性便泌的藥物，從治標起，慢慢的改正漸趨於治本，這還不算便宜，便宜的服用本方後，等於打了癌病預防針。

處方：大蒜兩到三頭，（約新台幣一元），黑芝蔴二兩，雜糧行有賣約新台幣兩元，先將芝蔴炒香，次將剝好的蒜頭共搗或研成蒜泥，取出晚飯佐餐，必須全部吃完，如求急功，可加倒小磨麻油一二兩（新台幣三元左右），欲味道好一點，可略加醬油味素少許，次晨大便可完全變質改觀，治療便泌過程中，茶葉改用石斛茶代替，能多飲或濃一點最理想，直到大便納入正軌，最好能養成吃大蒜黑芝蔴習慣，石斛代替茶葉，必能卻病延年，對新陳代謝尤著奇功。

蒜功能健胃整腸，有意想不到的驅蟲滅蟲作用，治腸病，大蒜中含的PHYLOUJD成份，不僅可以消滅阿米巴原蟲的性能，對葡萄球菌，鍊狀球菌，赤痢桿菌，八聯球菌，及副傷寒甲乙菌都能夠殺滅，奧國醫學界，用大蒜油製成乳劑，滴入鼻孔，治傷風鼻塞，經過臨床實驗，得到滿意的結果。大蒜裏含有葫油，含硫之揮發油，殺菌力甚強，傷寒菌在五分鐘內可完全殺死，又用大蒜汁加入細菌培養血中，可完全制止細菌發育，故有防癌治癌作用。

國民黨元老李石曾，談起大蒜經，洋洋數千言，大蒜有百利但也有一弊——臭。如果我們不是百長彙集一短難留的人，希望天天能夠多吃大蒜。這裏再介紹一種鎮江糖醋的製法：

一、原料：大蒜頭。二、紅糖、糖精、粮食醋，因粮食醋有粘性，有香味，浸出的成品，色香味三者俱備。三、製造過程，先將蒜頭加以整理，進行鹽醃，大約十天的樣子，就成為乳白色的蒜頭了，每十斤鮮蒜，可製成鹹蒜九斤，十斤鮮蒜用鹽一斤，每天早晨用木亮挖醃蒜的水，澆酒缸面的蒜頭各一次，到了七天就成半成品，同時要注意的，鹹蒜最好放在室內，假定在露天存放，可以搭棚遮太陽，但不可用蓋蓆把缸口蓋住阻礙空氣的流通，澆蒜要準時，否則缸內大蒜會乾濕不勻，十天期滿須及時復製，先把帶鹽水的蒜頭晒到半乾，裝入罐中，罐進糖醋進行泡製，在常溫下約三個星期，可以成為美味的糖醋蒜頭，經過複製後，鮮大蒜十斤可製成糖醋蒜七斤，糖醋的配方每十斤半乾的蒜頭，用粮食醋七斤，紅糖兩斤，糖精一分五厘，配足後，將粮食醋單獨煮沸，再滲進紅糖，待紅糖溶解後，將滾水冷涼，再以少許沸水溶解糖精，就成功為糖醋汁，將半乾的鹽蒜入陶磁罌中，祇裝成半罌，留出其餘的一半空隙，準備容液，用木棒搭緊，但注意不要搗爛，進溶液搗緊大蒜，然後封罌口捆緊，最好在罌口內放一個十字片，防大蒜體積膨脹，衝出口固的木蓋，糊上皮紙，現在可用最好用豬血調石灰（簡稱血料）封閉嚴密，因與治惡性便泌有關，特附介紹之。

從學庸談孔子的人生觀（四）

蔡金濤

中庸上說：「天命之謂性，率性之謂道」，就是要率性就好了，往往不用多操心，我們根本錯誤就在找個道去走，就是打算着去走。若是打量計算着去走，就調和也不對，不調和也不對；若是我們一任直覺，則自然會走對的路，原不須操心打算的，遇事他便當下隨感而應，這隨感而應，通是對的，要於外求對是沒有的。他的生活便是流行之體，他自然會走他那最對最妥最適當的路，他那遇事而感而應，個個變化自會得中，自會調和，所以其所應無不恰好。所以我們就知道是夫婦之愚可以與知與能的，這個知和能，也就是孟子所說的不慮而知的良知，不學而能的良能，在今日我們謂之直覺。這種求對求善的本能的直覺，是人人都有的；故孟子說：「人皆有不忍人之心：所以謂人皆有不忍人之心者；今人乍見孺子將入於井，皆有怵惕惻隱之心，非所以內交於孺子之父母也，非所以要譽於鄉黨朋友也，非惡其聲而然也」，又說「惻隱之心人皆有之，羞惡之心人皆有之，恭敬之心人皆有之，是非之心人皆有之，惻隱之心，仁也，羞惡之心，義也，恭敬之心，禮也；是非之心，智也；仁義禮智，非由外鑠我也，我固有之也。」這種好善的直覺與好美的直覺，非二；好德好色是一個好，非二。所以孟子說：「口之于味也有同嗜焉，耳之于聲也有同聽焉，目之于色也有同美焉。至于心獨無所同然乎？心之所同然者何也？？謂禮也，義也，聖人先得吾心之所同然耳，故禮義之悅我心，猶芻豢之悅我口」；這種直覺人所本有，並且原非常敏銳，除非有了雜然習慣的時節，你怎樣能復他本然敏銳，他就可以活動自如，不失規矩。

此敏銳的直覺，就是孔子所謂仁，胡適之先生在中國哲學史大綱上說：「仁就是理想的人道，盡人道即是仁，蔡子民中國倫理學史說，孔子所說的仁乃是「統攝諸德完成人格之名」。這話甚是；論語記子路問成人，孔子答道：「若臧武仲之知，公綽之不欲，卞莊之勇，冉求之藝，文之以禮樂，亦可以為成人矣；」成人即是盡人道，即是完成人格的人，即是仁。我們現在先講明仁即是敏銳直覺的話。論語上宰我問三年喪似太久，孔子對他講：「食夫稻，衣夫錦，於汝安乎？」他說「安」，孔子說：「汝安則為之，夫君子之居喪食旨不甘，聞樂不樂，居處不安，故不為也；汝安則為之。」宰我出去，孔子就嘆道：「予之不仁也」！這個仁就完全要在那個安上求之。宰我於這樁事心安，孔子就說他不仁，那麼不安就是仁嘍。所謂安，不是情感薄直覺鈍嗎？所謂不安，不是情感厚直覺敏銳是什麼？像所謂惻隱，羞惡之心，其為直覺是很明白的。為什麼對於一樁事情，有人就惻隱，有人就不惻隱，有人就羞惡，有人就不羞惡，不過是一個安不安的分別罷了。一個就覺得不安，一個就覺得安，這個安不安的分別，不就是直覺敏銳與遲鈍的分別嗎？所以儒家要緊的就在直覺敏銳明利，而唯一怕的就在直覺鈍麻痺，所有的惡，都由於直覺麻痺，更無別的緣故，所以孔子只要人「求仁」，人類所有的一切諸德，本無不出自此直覺，即無不出自所謂仁。（未完）

實用生產百科全書

敬請注意下列優點

一、教授實用技術導人謀生致富

二、每種學費祇合新台幣五分錢

三、全球創舉港滬等地聞所未聞

四、空前機會錯過召喚不再回頭

一、學技欲得正確方法者，快購本書。二、凡會函授未學成功者，快購本書。三、想即學即成即謀生者，快購本書。四、紙學技術不求理論者，快購本書。五、求生活永遠有保障者，快購本書。六、居安思危深謀遠慮者，快購本書。七、使生活增藝術風趣者，快購本書。八、如欲解脫經濟枷鎖者，快購本書。

本書二十九冊，計二千種技術的學習費用，等於新台幣五分錢，與國外函授學費，每種技術不須港幣九十到七百元，真不可道里計，且本書中有百餘種技術皆為昔日上海天津香港東京等函授講義。

本書為農工商學兵上中下各階層讀者實用書，對改善個人經濟，增進社會生產，有無比助力，全書二十九冊，本本經過考慮，技術約千種，條條使讀者能夠受用，全書售港幣廿元，新台幣一百二十元，敬請注意，凡未約者，趕快預約，已經預約者，廣為介紹，所謂：「助人為快樂之本」，空前機會萬勿錯過。台北郵撥五〇五六張萬有（自由報會計室）郵票或現直寄台北忠孝路三段廿一巷二弄二號自由報業務中心，備有目錄樣張函索附郵二元。

自由報

中華民國內政部登記證內版臺誌字第〇三一號
中華郵政登記認為第一類新聞紙

（第一〇四期）

（半週刊每星期三、六出版）
每份港幣壹角・台灣售價新台幣弍元
社長李選鵬・督印黃行寶
社址：香港九龍彌敦道593—601號 廖創興銀行大廈八樓五座
LIU CHONG HING BUILDING
7th FLOOR FLAT '5
593—601 NATHAN ROAD,
KOWLOON, H.K.
TEL: K303831
電報掛號：7191
承印：景星印刷公司

犯上作亂自食其果

龍雲、盧漢興衰如出一轍

李樂

曾任雲南省主席，晚年投降中共政權之龍雲盧漢，皆出身微賤，因緣時會，得受長官特別培植，漸趨顯達，而以背叛長官為能事，稱雄一時，終於自食其果，一敗塗地，其人其事，有足述者。

民國七八年間，雲南督軍唐繼堯控制川黔，聲勢煊赫，位居「西南聯軍統帥」之際，他的衛隊號稱「次（人旁以下同）飛軍」。此時龍雲係川滇邊境「哥老會」之類的黑社會人物，以擅長技擊拳術，奄有頭目地位，旋由唐聯帥予以招撫，龍率其打家刦舍的徒衆馳赴昆明候命。唐聯帥亦諳拳術，會命龍氏當面表演技藝，果屬非凡，即將龍編入次飛軍服役，倚為心膂之士，龍亦恪盡職責，頗示忠誠。唐欲拔擢之，然龍資歷卑下，恐無以服衆，乃遣其入雲南講武堂肄業，迨龍畢業後，洊任為唐督軍的衛隊首長，未幾，受命充當正規軍的將領，成為唐氏嫡系部隊，實力亦最強。嗣後唐督軍雖因駐在川省的滇軍統帥顧品珍倒戈而一度下野，龍氏仍對唐無貳心，使唐氏得以復起，唐對龍倚畀更深。唐氏再主滇政後，復有部將胡若愚等發生叛變，唐恃有龍雲實力，初不置意，認為亂事不足平也。詎龍此時亦與叛軍潛通，始而首鼠觀望，繼乃公然背叛，最後唐氏據報龍雲倒戈消息，嚴驚氣忿，嘔血數升而一病莫起矣！

龍雲雖資質譾陋，然頗工心計，他衡量自己的兵力勝過其他叛軍，乘機將唐氏推倒後，可以奪得滇省政權。是時唐氏弟弟繼虞亦擁兵駐在滇西，而昆明近郊皆龍雲部隊，聞變不及馳援。繼堯窮蹙去職，抱病在床，龍又派人向繼虞游說，願言合作，繼虞則以乃兄被迫下野，勢不見容於胡若愚等，龍雲雖叛主，基於舊有關係，或不至相煎太急，亦樂得與龍苟合觀變，然龍氏用意則在利用繼虞的連横勢力以對抗胡若愚。結果他就憑着這樣手段，取代了故主唐繼堯的滇南王位置。

龍雲奪得雲南政權後，志在鞏固吾圉，不預外事，與唐繼堯自營四極，不以一隅自安的作風有別。在他主持滇政期間，國內曾有民國十九年「擴大會議」之役，廿年「西南自主」之役，龍雲皆置身事外，無所牽涉。當十九年閻馮興兵反叛南京國府之初，中樞在前線的軍事形勢頗不利，顧慮雲南或有不穩，時吾同學老友李培天子厚兄任雲南駐京辦事處主任，曾奉中央最高統帥指示，電請龍雲表示態度，龍即通電擁護中央，而子厚亦因此獲得了十萬大洋的獎金，這是子厚親口告訴我的。我敘述這段故事的用意，是在說明龍雲無大志，如果對日抗戰結束時，駐防昆明的國軍將領杜聿明不亟亟於從事「屠龍」運動，讓他繼續作「雲南王」到卅八年共匪作亂時，他或許不致如盧漢之反覆無常，臨危叛亂，亦未可知呢！

對日抗戰時期，中央的統治力量達到了雲南，龍雲為着本身的利益計，有些地方固不無割據情況，但大體尚說得過去。外來人士或中樞文武官員蒞臨昆明的，只要對他表示尊重，他皆樂於結交，如奉命到昆明督辦滇緬路政的曾養甫氏，因他對龍周旋盡禮，龍即遇事給曾氏以便利，相處甚融洽。吾友王公弢初到昆明籌備「朝報」復刊，曾晉謁龍氏，龍起與握手，悚然謂：「公弢何人，敢與主席握手嗎？」龍為之大悅，對人揚言：「我從未見中央人員有如王某這樣客氣的！」嗣後對王氏甚親切，亦諸多贊助。龍對「西南聯大」各教授，曾按月饋贈禮金，教授們以其師出無名婉却之，龍乃不時分別約請諸教授前來講學，然後以講學酬勞名義，致送贄敬，而諸教授即受之無愧了。李協和（烈鈞）上將軍，與唐繼堯在日本士官同學，清末曾任雲南講武堂總辦，滇省軍官多出其門下，「護國」之役，入滇担任討袁軍第二梯團司令，係龍雲的老前輩。對日抗戰時，李將軍一度寄居昆明的老同學兼舊部黃毓成家，龍雲常派人致送饋品，禮遇有加，然李迄未趨晤龍。迨李携家轉地前往重慶時，龍託人傳語，若李協老到省府話別，將奉送贐儀申敬，而李臨行僅派人持名刺告別。後來筆者在渝以此事面詢李協公，據言：「龍係唐蓂（繼堯號）的衛士，當年我在雲南時，他見到我便須立正呢！」表示不屑降格相從之意。我說：彼一時也，此一時也，先生何妨隨俗呀！李仍搖首焉。凡此皆足見龍雲跟一般老粗的作風不同，他的知識雖有限，然其本質尚不太壞，心計亦復不甚深。

盧漢跟龍雲有些葭莩親誼，世人說他們是同父異母的兄弟，非也。盧家貧，幼年即喪失雙親，甇甇無依，龍雲憐其孤苦，予以收容撫養成人，使其習軍旅之事，遂漸培育提掣至高級將領，視為繼志創業的嫡親子弟，其情與唐繼堯之培植龍雲如出一轍。

盧漢在龍雲領導之下，對滇省的發展亦無向外擴張的行動，無如唐繼堯時代之多采多姿，迭起變化。因而龍盧之間，相處融洽，從未發生裂痕，雲南內部安定，龍信任盧，視當年唐聯帥對龍雲，殆有過之無不及也。可是，盧漢之為人，詭詐深沉，卓工心計，却不失為青出於藍的龍雲信徒，龍既以叛主起家，盧亦見賢思齊，繼踵前修。盧之辜恩變節行為，計分兩幕。

在對日抗戰期間，國軍陸續入滇禦敵，龍雲對於中央的軍令政令，有時不無打折之處，盧漢深悉內幕，他即不露聲色地對中央瞻望輸誠，對於駐在滇中的國軍將領，尤盡力結交，曲意周旋，龍雲懵然無知也。中央則因龍雲桀驁難馴，亦樂於扶植盧漢，分化滇省地方實力，藉收釜底抽薪之效。迨日本無條件投降後，安南方面的受降工作，由我國担任，中樞即指派盧漢率部赴越受降，此時龍雲已覺察這對自己的前途殊不利，曾密語盧曰：若干年來，我為着顧全雲南利益，對中央一切措施，間有不能完全遵從者，現在國軍駐滇的兵力還不少，你將雲南部隊大量調往安南後，萬一中央對我有不利舉動，我即束手無策，深堪顧慮，你應該慎重將事，妥為籌畫乃可！盧答謂：「請主席放心，如果昆明有警，主席電告我，立刻回師救援，決無問題」。龍雲相信盧的話可靠，讓滇軍出國受降，且認為這是一項光榮任務呢！

盧漢部隊進入安南後，國軍駐在昆明的杜聿明將軍，即有派隊包圍五華山省府的驅龍行動，龍雲聞變，急電盧漢促其回師，而盧已得中樞消息，內定他作雲南主席了。這比較當年龍雲以謀叛手段，而奪取恩主唐繼堯政權的情形，表面上光明正大，何樂不為呢！龍雲坐困五華山上，孤立無援，旋中樞派宋子文飛赴昆明晤龍，許以軍事參議院院長的高位，龍無可奈何，祗好悽然離滇，讓盧漢繼主滇政，可謂天道好還，自作自受，然他尚未弄到吐血而亡的下場，算是幸運了。

在盧漢主持滇政期間，共匪叛亂日亟，中央忙於戡亂，將原駐滇緬各地的正規軍，陸續調赴華中與華北從事剿匪，僅留下余程萬的第廿六軍仍戍滇境，論實力，亦足以控制滇局，蓋盧氏所擁部隊已有半數早赴華北與東北各地戡亂了。

可是，對日抗戰結束後，雲南方面由於文教界，潛伏着不少的左傾份子之故，政治氣候頗不安靜，而給共黨以滲透醞釀的機會極力煽惑，環伺於盧漢左右，「民革」份子楊杰夥同一般失意的官僚政客，為共作倀，唯恐天下不亂。自西南聯大左傾教授聞一多被暗殺後，一切反動勢力匯成一股逆流，到處氾濫，盧漢首鼠依違，聽其惡化，妄冀藉此可以挾持中樞，鞏固自身的政治地位。既而國軍於徐埠大戰失利，局勢危險，蔣總統宣告引退，副總統李宗仁代行元首職權，曾往雲南游說盧漢，主張西南團結自保，然盧氏惑於共幹田莊的甜言蜜語，相信將來仍可保存滇省主席職位，對宗仁之說表示冷淡，宗仁失望之餘，乃飄往香港了。是時國軍李彌兵團已從徐埠戰區撤至雲南整理補充，而西安方面的胡宗南部隊源源調入四川，盧漢尚多顧忌，未敢異動，西南軍政長官張岳軍亦主張對盧運用安撫手腕，免有激變之虞。實則盧早已接受共匪誘惑，決計謀叛，其所以遲佪觀望者，只因川中戰事情況尚未判明而已。迨重慶撤守，中央政府轉移成都時，蔣公擬將政府遷赴昆明，而盧峻拒之。適滇人張維翰等晉謁蔣公報告雲南局勢，謂中樞若將胡宗南部隊調駐滇西，盧漢即不敢叛亂，蔣公頗以為然，唯西南軍政長官張岳軍持相反意見，指斥張等不應在西南開闢第二戰場，徒誤大局，旋張長官奉命二次赴昆明對盧進行安撫工作，致被幽囚，盧且假藉張長官名義，召集文武大員會議，而將余程萬李彌等中央將領一律扣留，公然通電投共了！

盧既通電叛國，在滇的國軍余程萬所部第十軍，協同李彌兵團，儘可解決盧氏的少數兵力，佔領昆明。詎余程萬竟受盧氏甘言蠱惑，且貪取其鉅額金錢，回到防地後，悍然主和。當時盧語余程萬：「今後不是爾我的利害問題，而係美蘇兩國的問題。我暫且投共，老兄（指程萬）可赴香港，由雲南辦事處領取八千兩黃金，前往美國活動。將來美蘇兩國孰勝，你我彼此照顧，實為計之得者！」余氏果然相信，隻身馳往香港，而盧氏所許的黃金，徒託空言，以致進退維谷，終於遭到暗殺以死，其愚不可及也。

自由談

其誰欺乎？

美國參議院安全小組最近發表正式報告，認為二次大戰結束後美國改變對華政策，以致中國大陸被共匪控制的原因，歸咎於美國駐華低級外交官的行動。這種論斷絕對不正確，是有意為民主黨政府推卸罪過，我以中國受害人之一的立場，根據若干事實考證，不能不加以剖析也。

當二次大戰揭幕伊始，蘇俄一面跟希特勒締結互不侵犯條約，一面在國際間倡導「人民陣線」以對抗法西斯集團的運動，進行得如火如荼，這種宣傳很迎合美國人的胃口。迨希特勒撕毀條約，進攻蘇俄，美國亦決定參戰，引蘇俄為盟友。於是乎，早已滲透在美國各界的共黨份子及其同路人，藉着所謂「太平洋學會」作背景，利用民主黨政當局自命為開明進步的心情，乘機紛紛進入國務院，竊踞重要職位，尤以外交方面為最多，如著名共黨份子居禮，拉鐵摩爾，希斯，費正贊，范宣德，謝偉志等，都是羅斯福杜魯門總統的親信人物，而國際共諜懷特亦位居財政部次長，中共老幹部冀朝鼎，便係由懷特以財政次長地位，介紹給我國派赴華府談判貸款的代表陳光甫帶回重慶來，被任為中央銀行幹部職員的。當時有人指述冀氏是共黨，政府某金融權威人士，聲稱願以身家性命保證冀某決非共黨哩！

拉鐵摩爾奉派到中國作蔣委員長的政治顧問的同時，費正淸亦担任美國駐華新聞處長，而以老共黨冀貢泉（朝鼎之父）為秘書。美副總統華萊士受命訪問重慶，他的訪華團構成份子，盡係居禮與拉鐵摩爾等人安排推薦的同路人。

日本宣告投降後，民主黨政府派遣特使馬歇爾來華，名為調解國共爭端，實際是為共黨張目助勢，壓迫蔣主席跟毛共組織聯合政府，馬氏在重慶國民政府大禮堂上，竟公然詈罵中國的反共人士為「反動份子」——內容是以陳立兄弟為對象——我當時甚感氣憤不平，曾在「世界日報」著文反詰馬歇爾，請他不要以法國派駐北非殖民地的「高級專家」自居，并警告在野黨人士稍顧國格與民族人格，少到馬特使門下去告洋狀。

綜觀上述事實，從二次大戰中期到戰後四五年間，美國民主黨政府的總統副總統暨駐華外交大員，以及調解國共之爭的特使等等，盡係袒護毛共以打擊我國民黨的決策與發號施令之人，這能說是駐華低級外交官的行動？尤其是馬歇爾特使，他抵華後卽告語美國軍事代表團長魯克斯：「過去我們裝備國民黨軍隊，今後是要解除他們的武裝」（見美參議院司法委員會的太平洋學會調查報告）更證明美國改變對華政策的原動力，決非少數低級外交官應負的責任。由民主黨佔着多數的美參議院安全小組，要以「低級外交官」作替罪羔羊，掩飾民主黨政府出賣盟友而誤人誤己的愆德，其誰欺乎？

馬五先生

依洞集

大學教授竟是小偷

・方曙・

據二月二日台北中央日報消息，台灣逢甲學院法律系副教授張笙，係一竊犯，曾偷人有獎儲蓄券三四七張，被軍法判處徒刑等。

監察院獲悉前情，認為大學教授竟然是一名竊犯，有沾杏壇清譽，乃函教育部調查，經教育部向原服務單位查明屬實，已令逢甲學院解聘，並轉知各大專學校不得任用，這一個乾脆而明快的措施是對的。

有幾個問題，一般要講而未講出口的：（一）逢甲學院從董事長，校長到教務長都是老教育界，何以對一個竊犯混跡學校幾年而未發覺。有無過失或另有隱情。（二）、盤據教育高位，比張笙更糟的人有沒有？是值得教育部自動注意。（三）、教育官員貪污瀆職，議員們嗓子都喊啞了，何不追查？四、台灣甄審教員的風風雨雨實情如何？

「道德的科學」闡微（上）

——「宋明理學體系論史」自序——

黃公偉

（一）

「理學」一詞本起自有宋，而推原於易經書經，如對天道人心之生成，心性理欲之體用則括爲一字訣而收宇宙萬化萬事於其中，宋儒所謂理氣，乃以爲精神現象之根源，故史家對儒學而主「道學」之名，後世統稱之爲理學。西人則義譯爲「道德的科學」（MORAL SCIENCE）是知理學實含有哲學與科學合一的意蘊。近人往往於理學之上冠以宋明而不言元清，元代介於宋明之間，不言而喻；清代由「漢學」取代其地位，別稱爲「宋學」。非置元清於範圍之外也。不消說，在中國古典人文思想的創造發展中，這是被視爲新古典人文思想的一階段，也是從原始道統歷代相傳，使性命之學，道德之義，推展至於水準最高的形態一階段。有人名之爲「新儒學」，自兩宋而明，流傳的歷程近垂千年之久，更可見其所具之權威性，實爲此四代文化精神之代表。照乘之珠，和氏之璧，熠鑠其光，耀眼寰宇。所以，言中國歷史文化之傳統，不能不知理學，論中國學術思想之價值更不可不求之於理學。近今我國高等學府，文哲科系，莫不列爲專業科目，從事於研習，非無理由。

（二）

世知宋明理學家論究本體現象之理，心性道德之義，原本於易經天人合一原理，與舜典所謂「人必惟危，道心惟微」之說。可謂由來已久。儒家中庸大學分言心性，傳孔門之微言，孟子復合心性之「萬物皆備於我」之宗旨，道家取無極無爲之古訓，先明天而道德次之。形上形下之辨，體用內外之學，漢儒早著向前歸結，向後擴充之論述。繼之魏晉六朝之世，佛老並立，論宗辨正之風，辨惑思玄之議，佛道與儒集中論義於精神界義理闡發，開後世儒佛門戶之爭。宋儒之世，佛道精神猶存而以華嚴天台禪爲主流之佛法，盛行兩宋。以故，宋儒雖以儒爲主，上溯於六經，而其論自然心性之義理，所謂「知危」、「明微」自不能避免，佛道之影響，那是自然當然的客觀趨勢。正爲如此，理學的發展，再分化而有「心學」，綜括三教心性之古義，發爲反正，有無之論辨，以納於論理道德之評價。超越前代，構爲風華絕世之新史頁。這是理學家的特有本領。自「點」的樹立而言，如北宋六家，南宋朱陸，明代王學之出世，各有其獨特之創造，自不失爲理學之靈魂。樹之風聲，流澤四域，霑滋泉生。而理學乃爲固有文化的傳統，勾繪出新面目。自「面」的擴張來說，洛學末朝，學派分立之勢形成，由濂洛關學而衍爲湘學閩學、贛學，浙學、蘇學、川學，傳佈愈廣，流量愈遍，蔚爲全國性之新學風，學者名家先後輩出，學派相繼有起伏消長。遂有後代之門戶標榜。而新古典的人文思想亦因是而撼動世俗，其流力之強，幾爲史頁所僅見。自「線」的延伸觀之，由兩宋之肇造，向後伸展，直至清末，流傳九百餘年而不息。有開創有承襲，學說有同時之異出，有異時之抑揚。源遠流長，本固枝榮。謂之爲劃時代的思想建設，亦不爲過。綜此三點。信示理學富於科學精神，雖堅持儒家原始義諦，而卻能於後學精神，外來學理爲價值之取捨。其析論體用，辨識本末，重改造與發展，自成系統，此所以爲新傳統之構築，適與前代不同。獨稱爲「理學時代」，那不是偶然的事。（未完）

蔣總統領導反共復國 最注意華僑偉大潛力

監察院年終檢討會所得結論 重視廣播電影書刊三大工具

（本報記者臺北消息）監察院年終檢討會有關華僑問題重要部份結論，摘要如下：

（一）「華僑爲革命之母」，是國父畢生革命所得的結論，領袖領導反共復國工作，除對台灣一千二百萬同胞予以生聚教訓外，尤注意海外一千八百萬僑胞之偉大潛力。吾人欲團結海外僑胞，加強反共復國大業首要工作在於宣傳，而廣播、電影、書刊爲宣傳工作之三大工具。惟迄至現在，海外僑胞還聽不見祖國呼聲，電影書刊亦屬終年難得一見，而所見所聞，多屬匪僞廣播及其宣傳書刊電影等。返國僑胞，莫不以海外僑胞渴望獲得祖國消息爲請。本院多年呼籲，政府籌備已久之強力電台，迄未編列預算，付諸實施。據查設立強力電台經費並非十分龐大，而且分六年支付，政府對此重要措施之必要經費，何以如此吝於撥付？希望速予編列預算，剋期實施，以慰全球僑胞之渴望。（二）印尼僑胞因過去受匪僞誘迫，爲匪助虐傾銷匪貨者頗不乏人，該等華僑多已富有資力，彼等當時多屬遭受誘迫夥從，現印尼政府已與匪僞破裂，政府極應確立政策，善爲運用，如能公開表明立場，即予爭取，以免再爲匪用，而增僑胞團結力量。（三）僑務工作，日益重要，駐各國大使館領事處及各地領事館，雖爲辦理僑務機構惟祇能應付一般行政工作，對領導僑社文教經濟等事業之改善推進，打擊匪僞滲透，增強忠貞力量等工作，應另設專人如僑務專員等，以專責成，而收宏效。（四）留學生學成後仍留國外，及由其他途徑出國，已成爲華僑身份，又未有學人地位者，爲數甚夥，政府招待學人及留學生回國省親觀光，不包括該等華僑在內，彼輩久羈異國，極應由僑務主管機關，統籌招待返國省親觀光，使能瞭解國內進步情形，誘導回國服務。（五）僑生回國升學，雖已實行甄試，惟國語文程度，仍多不能適應，致影響求學進度與興趣，又年來旅居南北美歐洲等處華僑子弟，紛紛要求返國升學以接受中華文化，惟以不諳國語文，諸多困難，目前雖可在師大語文中心及實小補習，又以名額學費及年齡等關係，難於普遍。爲發揮僑教效能，尤其對於歐美僑胞子弟發生教育作用，應將僑生大學先修班擴大組織，增設語文等專修學科，充實師資設備，收容國語文程度不足及未習國語文之僑生，予以短期補習以適應需要，而宏號召。（六）回國升學僑生超額分發問題，不但困擾各大專院校，而不爲學校錄入分發科系之僑生，尤甚，本院歷年檢討意見，迭會提出，反應迄未改善，極應由政府主管機關與有關院校研求妥善辦法，以資解決。（七）華僑及外國人投資審議委員會，合署辦公以來，有關單位仍未能完全授權派駐該會辦公之人員，致影響行政效率，僑胞嘖有煩言，本院去年會提出檢討意見，仍未澈底改善。行政院嚴兼院長曾提出合署辦公後即當修改有關機關組織法，使審議會成爲權力機關之諾言，現該會合署辦公已一年有餘，組織性質仍未確定，極應釐訂審議會組織法，並修訂其他有關機關組織法條文，使該會從速成爲權力機關，以提高行政效率，擴大投資號召。（八）華僑來台投資全部外銷廠商，因現行原料進口及保稅等手續麻煩，拖延時間，影響成品生產及成本；又以信用狀向銀行抵押借欵，仍須提供担保；及退稅拖延過久又不扣除廢品等等，諸感困難，應速設法改善。

難忘的恩人（下）

張振鷺

翌晨農曆己未元旦，振鷺晉謁傅先生於宣武門外臨川會館，先生方高臥，聞振鷺來拜訪，披衣而起，見面之下，首先獎贊考取名次很近，繼而曰聽說入學保人限制很嚴，人多不願承担，君找到否，當告以曾求憲兵司令陳興亞寫了一份保證書，因不合規格，昨日被學校退回。先生曰，你如求不着別人，我可以代你想辦法，驟聞之下，驚喜若狂，感極欲泣。不謂僅一面相識之人，竟能慷慨援手。振鷺遂拿出保證書紙兩份，先生更爲轉求總統府秘書河間劉宗彝先生同作保證。待將保證書送到學校，已是限期屆滿最後之一天，向使無臨川公之熱誠援手，必致失學，前途實不堪設想。當時振鷺私心自誓，日後倘有寸進，必盡力救助他人之急難，以報傅先生今日之栽成。

民國十年冬，値先生壽辰，振鷺特由瀋陽買關東鹿茸一架，親身送至臨川會館，爲先生壽。十一年夏，徐世昌總統退位，先生亦能職南旋，此後即不通消息，至今每一念及，仍難忘援助之法。

附述高崇之爲人及爾後之友誼。

按高崇之爲人，性頗固執，異常謹愼，因而事多過慮，他自民國元年，即供職於陸海軍會計審查處。由科員而科長而處長，十餘年來，頗能廉潔自持，常以君子懷刑自律，亦屬難能可貴。

十五年秋，高維嶽任察哈爾都統，高崇以東北軍第四方面軍軍團長韓麟春之薦，引任審判處長，（等於行省之高等法院）振鷺同時任張虎多稅務監督——居近比鄰，又因同縣同鄉關係，時相過從，覩其行性善良，對於往事，深爲諒解。

是年冬，農曆丙寅年關將屆，審判處以司法收入不敷開支，同仁無欵發薪，高處長擬向都統署借支一個月經費，爲度歲之資。深慮高都統不准，以都署軍需課長，郭海濤爲我同學好友，求爲關照，當即用電話向郭課長說項，務請轉呈批准。因此高乃益表友善，對當年拒絕爲我担保，頗表悔憾，此其僚友親口爲余言之也。在我不過口角春風，即爲他人解除困難，甚感愉快，爾後與高相交益厚。

十七年秋振鷺任奉天省（遼寧）財政廳長，頗思延攬一般老成持重及青年有爲之士，相助爲理。時高崇先生在省城，困居旅舍數月，彼此惟一恃爲奧援者韓麟春，方患中風不語，別無門徑，正在絕望之際。一日我走訪高於逆旅，詢其近況作何打算，高曰由察哈爾回來，手內僅有二千元，已將用罄，如再住下去，將有當賣一空之慨，無已只好回籍家居了。乃慰之曰，不妨再住些時看看機會，語云水窮山盡疑無路，也許遇到柳暗花明又一村。當時振鷺的腹案，擬撤換營口縣稅捐徵收局局長，因係一等局缺，必須報請長官核准，方能發表。所以未便直言相告，越日又邀高晤於財政廳官舍，告以請他担任營口稅捐局長，高曰向來只知感激涕零四字，不知是何滋味，今日感公盛情，救我於窮途末路，深深領畧個中三昧矣。振鷺聞之，心中有無限安慰。總算把傅老先生施之於振鷺者，暫施於人，而且施之於當年不肯援手之人。想到助人爲快樂之本，自覺心安理得，有莫可言喻之愉悅。（下、續完）

喬治桑外傳（一二二）

張大眞

喬治桑這個電話，雅麗絲在旁邊聽得一明二白。

「包死，你又要去打牌？」雅麗絲這句話帶有關切之意，意在言外。

「打小牌，不傷脾胃，又不是賭博。」

「我以前是最反對打牌的，後來發現媽媽打牌對她只有好處，沒有壞處，也就不反對打牌了。不過，輸贏越小越好。」

喬治桑是講究修飾的，出門必須換衣服、刮鬍子、洗臉。

鈴、鈴、鈴，電話聲響。

「喂，桑公館。」這次接電話的是雅麗絲。

「啊，李小姐。我是裘白璣。請桑先生快點來。」

「他在洗臉，要不要他來接電話？」

「不必了，請妳告訴他客人來了在等他。」

大凡打牌的人都猴急，尤其是三等一的時候。雅麗絲因爲媽媽愛打牌，所以也了解打牌人心理。

雅麗絲掛斷電話，站在客廳裏提高喉嚨喊：「包死，裘先生來電話，催你快去。」

喬治桑走進客廳，用兩隻手整了一下領帶，說：「他們眞性急。」

「打牌的人都一樣，三缺一，傷陰隲。你還是快去吧。」雅麗絲說這話時，並無責備之意，而上帶有嬌憨稚態。（未完）

台北傳奇錄（廿八）

・陳光棣・

有一些男人，就好像饞貓一樣，只要有機會能逮一咀就逮一咀，一旦被捉住，換頓臭湊也好，被削掉頭皮也好，只要能逃脫了性命，下次還是會捲土重來。有些男人常常爲了在女人身上亂打主意，搞的神魂顚倒，焦頭爛額，卻偏以風流鬼自居，只要母狗稍微搖搖尾巴，他就絕不放棄任何獵艷的機會，這是一種卑劣的侵畧衝動，也是下意識佔有慾的滿足，雖說這種男人和饞貓一樣，無奈缺乏饞貓的優越處境，因爲饞貓無所謂世俗間所講的「名譽」，人，尤其是男人，却非講那賣起來一文不值的「名譽」不可，所以在這個社會上幾乎每天都有人爲了放蕩形骸而身敗名裂，一頭扎在人海裏永遠不得翻身。

金恆貴正得意的走貓，想着。是誰提着丹田咳嗽了一聲，吓的他兩條腿一發軟差點兒坐在地上。

「誰」？金恆貴仗着胆子借着路燈的光線想看個清楚。

「我」！劉二爺站在金恆貴面前：「金先生，今天晚上玩的高興吧」？

「啊！是，哈……」金恆貴心裏直打鼓。

「老邱是個忠厚人，作個小生意，賺幾辛苦錢不容易」劉二爺有意無意的說：「咱們鄰居們，可是應該多照應照應他」！

「當然，當然」！

金恆貴想找個什麼裂縫鑽進去。

「你太太又年輕又漂亮又賢慧」！

金恆貴心裏直罵老烏龜眞他媽囉素，咀裏還是乖乖的直說「謝謝，謝謝」。

「你眞是福氣」！

劉二爺又找補一句。

「哈……明天見，明天見。」金恆貴連哈腰帶小跑，眨眼之間消失在黑暗裏，劉二爺不住的搖頭。

劉二爺進了家門，劉太太關上電唱機站起來：「你到那兒去了？三更半夜的」。

「巷子裏走一走」。

「你出門也不說一聲，眞叫人躭心」。

劉太太責備着。

「怕什麼，我的腰腿俐落的很」！

「上了年歲的人，就得小心點。」

「哼！要是退回二十年去，今天晚上我會好好的湊那小子一頓」！劉二爺當年上大學的時候是足球校隊。

「誰呀？沒頭沒尾瞎」！劉太太睜大了眼睛。

「前面姓金的那小子，偸上老邱的老婆」。

「事不干己，你生什麼氣呀」？

「這明明是欺負老邱缺個心眼，我就看不慣這種事」！

「老爺子，你少管人家的閑事吧」！劉太太懇求着。

（未完）

文滙樓剳記

孔聖人的霉運

·文匯樓主·

自「五、四」運動以來，中國固有文化的導師孔聖人，即交上了噩運。「打倒孔家店」，「剷除吃人的禮教」，「把線裝書丟進茅廁裏」，這類口號，洋溢乎全國的文教界，誰要談儒家思想，講孔孟學說的，皆被譏爲封建落伍的腐敗份子，幾乎屬於「暴諸四夷，不與同中國」之列。如今咱們在國破家亡之餘，痛定思痛，又要從事復興中國固有文化運動，孔聖人的運道入了否去泰來的境界，乃使我想起民國十八年的「廢孔」運動那幕滑稽劇的經過情形，殊堪紀念。

民國十七年間，吾國教育界人士以蔡元培先生爲首，倡議實行「大學區制」，廢除教育部改稱「大學院」，而以當地的國立大學校兼管教育行政事宜，指定蘇浙皖三省爲示範區。據說這是模仿法國的制度，實則只是法國某一省區的特有政制而已。

越民國十八年，「大學院」通令全國實行「廢孔」運動，先將各省府的文廟拆毀，樹之風聲。各省府當局多意存觀望，然亦不便表示違抗，唯有雲南省巨紳孫光庭（民初曾任西南宣慰使，後又任滇省府委員）在鄉間聽說省府奉中樞命令要拆毀文廟，急足趨至昆明，將昆明市的警察人員全部帶到文廟裏，不讓人拆毀，當時雲南民政廳長就是現任監察院副院長張維翰，不知怎樣處置纔好，請示省主席龍雲，龍囑將孫氏請來省府，教警察們回去，停止拆廟工作再說。孫氏即草擬萬餘言的電文，引證孫總理各項文告與講演詞中推崇孔教的語句，指斥廢孔運動違背三民主義，是孫中山的叛徒，洋洋灑灑，錚錚有聲，龍雲祇好替他拍發出去，而湖南的何鍵，四川的劉湘，立予通電響應，反對廢孔運動，對於拆毀文廟之令，當然束之高閣，不願奉行。川湘兩省既與雲南採取一致行動，其他各省亦就置「大學院」通令於不顧了。

國民政府瞧着這種情形，即命「大學院」不必操之過急，引起無謂的糾紛。事實上，國府主席譚延闓根本就是不贊成廢孔的，祇因他的個性是甘草型，而對於文教界事業尤不願多所置喙，蓋惴於「五四」運動的前事，深恐激起學潮，惹來煩惱，老於官場的譚主席，因應如是也。

蔡先生經此挫折，對廢孔運動，不免心灰意冷，因而對「大學區」制，亦不感興趣了。他向中樞辭職，舉蔣孟鄰繼任。中樞准如所請，並恢復教育部原有建制，而「大學區」制即與廢孔運動同歸夭折，曇花一現，徒然留給後人一種笑柄而已。

與廢孔運動同樣滑稽的文教界趣事，尚有一樁，即民國廿一年春初，國民黨中央政治會議，曾通過某顯要提議停辦全國各大專學校的文法科，專辦理工科案，亦引起輿論界的爭論，結果不了了之。今日國人高談科學救國，聲震遐邇，某顯要地下有知，當以先見之明自慰自豪也。

從學庸談孔子的人生觀（五）

蔡金濤

所以一個「仁」就將這種美德都可以代表了。而對於仁的說法，可以種種不一，此孔子答弟子問仁各個不同之所由來也。大家要他沒有一定的說法，就以爲是一個空蕩蕩理想的好名稱了。我們要來解釋朱子的話：大家要看這個不安是那裏來的？不安者要求安的表示也，要求得一平衡也，要求得一調和也，直覺敏銳且強力的人，其要求安，要求平衡，要求調和就強，而得發諸行爲，如其所求而安，於是旁人就說他是仁人，認其行爲爲美德，其實他不過順着自然流行求中的法則走而已。易經上說：「一陰一陽之謂道，繼之者善也，成之者性也。仁者見之謂之仁，知者見之謂之知，百性日用而不知，故君子之道顯矣。」道在調和求中，能繼此而走就是善，却是成此善者固有本性然也。仁就在這一點上，知也在這一點上。你怎樣說他都好，尋常人人都在這裏頭度他的生活，而自己不曉得。這自然流行日用不知的法則就是「天理」，完全聽憑直覺活動自如，他自能不失規矩，就謂「合天理」；於這個之外，自己要打量計算，就統統謂之「私心」「私欲」。

大家要曉得，天理不是認定的一個客觀道理，如臣當忠，子當孝之類；是我自己生命自然變化流行之理，私心人欲不一定是聲，色，名，利的欲望之類，是理智的一切打量，計較，安排，不由直覺去隨感而應，孔家本是讚美生活的，所有飲食男女本能的情欲，都出於自然流行，並不排斥，若能順理得中，生機活潑，更非常之好的；所怕理智出來分別一個物我，而打量計較，以致直覺退位，成了不仁，所以朱子以無私心合天理釋仁，原從儒家根本的形而上學而來，實在大有來歷。我們再來講這個仁。仁就是本能，情感，直覺前已說過。在直覺，情感盛時，理智就退伏，理智起了的時候，總是直覺情感平下去，所以二者很有相違的傾向。孔子說：「剛毅木訥近仁」，又說：「巧言令色鮮矣仁」，我們都可以看出這仁與不仁的分別一個是通身充滿了眞實情感，而理智少暢達的樣子；一個是臉上嘴頭露出了理智的慧巧伶俐，而情感不眞實的樣子。大約理智是給人作一個計算的工具，而計算實始於爲我，所以理智雖然是無私的靜觀，並非壞的，却每隨佔有衝動而來。因爲這妨碍情感，和連帶自私之兩點所以孔家很排斥理智，但仁雖然是情感，却情感不足以言仁，仁是一個很難形容的心理狀態，可以說是極有活氣而穩靜平衡的一個狀態，似乎可以分爲兩條件。

（一）寂——像是頂平靜而默默生息的樣子。

（二）感——最敏銳而易感且很強。

能使人所行的都對，都恰好，全仗直覺敏銳，而最能發生敏銳直覺的則仁也。仁是體，而敏銳易感則其用；若以仁兼體用，則寂其體而感其用，若單以情感言仁，則祇說到用，而且未必是恰好的用，故當仁者不可不知寂之義，這個寂與印度思想全不相涉，淺言之，不過是爲心亂則直覺鈍，而敏銳直覺都生於心靜時也。孔子說：「回也其心三月不違仁，其餘日月至焉而已」；那仁便是指的一種內心生活，祇要能如孔子說的「君子無終食之間違仁，造次必於是，顛沛必於是」，就都好了，並不要一樣一樣去學著作那種種道德善行，蓋此根本在此，不過此種內心修養不像道家佛家於正路外有什麼別的意見；他祇要一個「生活的恰好」，「生活的恰好」不在拘定客觀一理去循守而在自然的無不中節，拘定必不恰好，而最大的尤在妨碍生機，不合天理，他相信恰好的生活在最自然，最合宇宙自然的變化——他謂之「天理流行」，在這自然變化中，時時是一個「中」，時時是一個「調和」——由「中」而變化，又得一「中」，如是變化流行不息。孔家想照這樣去生活，所以就先得「有未發之中」而後發無不中節」了，「仁」與「中」異名同實，都是指那心裏的平衡狀態。中即平衡，歸寂即以求平衡，惟其平衡則有不合此平衡者就不安，而求其安，於是又得一平衡。此不安在直覺。世人有一種俗見，以爲仁就是慈惠，這固然不能說不是仁，但仁之重要意思則爲宋明家所最喜說而我們所最難懂的「無欲」，即以欲念興，直覺就鈍，無欲非以枯寂爲事，還是求感通，要感通就先須平靜，平靜是體，感通是用，用在體上，欲念多動一分，直覺就多鈍一分；亂動的時候，直覺就鈍得到了極點。

（未完）

傳記春秋

儒道法先驅管仲的功利思想（四）

·黃公偉·

所謂「道德定於上，則百姓化於下矣」。（君臣篇）他也指陳道德之起源云：「德有六興，義有七體，禮有八經，法有五務，權有三度」。（五輔篇）「德」有六興：生，寬其政，匡其急，振其窮，爲與德之本，孝悌慈惠以養親，恭敬忠信以事上，中正比宜以行禮節，爲禮之本。上下有義，貴賤有分，長幼有等，貧富有度，爲禮之本。凡此皆於生客觀道之需要而由聖王制定。他說：「爲民興利除害，正民之德，而民師之。是故道術德行出於賢人」。（君臣篇）他又以禮地指出：「道德出於君，制令傳於相，事業程於官。百姓之力也，胥令而動者也」。（同上）故管子所言道德即具法學的意義。完全是「他律」性質。管子云：「德之以懷也，威之以畏也」，懷柔與控制並用，所謂「道德定，而民有軌矣」。於是，上修小禮小義小廉小恥，乃能期百姓行大禮大義大廉大恥。依「上行下效」之義，以爲御之，術莫如「四維」。（立政篇）管子云：「禮不踰節，義不自進，廉不蔽惡，恥不從枉」。又云：「四維不張，國乃滅亡」。（牧民篇）是知管子言新義道德，感化之用小，張強之用多。甚於興利除害，全不顧自新自律之理性作用，所以是「功利道德」，爲後世荀子所依。

（五）管子的法學與「權術」思想

管子的功利主義用於政治，則爲「權術」。重賞罰，以增高君主專制的威勢。他說：「朝無刑政，賞罰不明，賞罰不明，則民幸生」。（七法篇）又云：「正法直度，罪殺不赦，殺僇必信，民畏而懼」。（版法篇）因之，管子以用禮治不如法治。他說：「人心之悍，故爲之法，法出於禮，禮出於治」（樞言篇）。他說：「有一體之治者，去奇說，禁雕俗也」。（七法篇）[illegible]（同上）。一與人的行爲皆循一定的法律而行爲，久則自能化民成俗。管子強調云：「漸也，順也，靡也，久也，服也，習也，謂之化」。（同上）其功能在使人效命於君上。管子云：「布法出憲，而賢人烈士，盡功於上矣」。（君臣篇）在使人民團結一致。他說：「法制有常，則民不散，而上下合，竭情以納其忠」。（同上）在於去私弊。他說：「治國無法，則民朋黨而不比，術巧以成其私」。（同上）反之，他說：「設法而不以私，爲上在擇法者行私，則爲人臣者援私以爲公」。因此管子以爲「法有五務」：即君職在「擇臣而任官」，大夫之職在「任官辦事」，官長之職在「任事守職」，士人之職在「修身功行」，庶人之職在「耕農林藝」。（五輔篇）蓋皆所以照其職責，以守法去巧。進一步而言，法貴「簡明」。管子云：「求多者其得寡，禁多者其止寡，令多者其行寡」。（法法篇）法貴賞罰嚴明，管子云：「選賢舉才，而待之以法」。（君臣篇）又云：「法制不議，則民不相私，刑殺勿赦，則民不偷於爲善。爵祿勿假，則下不亂其上，三者藏於法，法施，於國則俗成，其餘不強而治矣」。（法禁篇）換言之，就是「用賞者貴誠，用刑者貴必」。（入國篇）故「號令也，斧鉞也，祿賞也」。（重令篇）爲行法之三器。法貴樹立威勢。管子云：「明主在上位，有必治之勢，則羣臣不敢爲非。是故羣臣之不敢顧主者，非愛主也，以畏主之威勢也」。

成語選粹（18）

李國良輯

胆大心細

唐書孫思邈傳：「心爲之君，君尙恭，故欲小；胆爲之將，以果決爲務，故欲大。」今謂作事勇敢，顧慮周密曰「胆大心細」本此。

諸葛亮狂想曲（九〇）

·劉玄·

至於桃園弟兄，他們本來是俗子凡胎，自到天庭仍然喜歡吃些龍肝鳳髓熊掌駝峯，特別是張飛、馬超之輩，豪飲健啖，不減猛將氣勢。由於上述原因，天庭的應酬倒是很少的，不像人世間一過到婚喪壽慶，逢年過節以及迎神賽會，拜拜之類都要大吃大喝一番。諸葛亮習道有年，已經到不吃烟火地步，所以他在天庭地位迥異一般三國人物。

諸葛亮在白雲深處的住宅中，打坐參禪暫且不表。且說劉備在龍岡會所主持磨刀大典籌備會已告一段落，特派龐秘書芳到關羽官邸報告經過。

龐芳到了關羽住處，遠遠就看見八名衛士手持長戟站立兩旁。朱漆大門，足有一丈餘高。上面一個黑漆橫額，上面有金色四個大字「關聖帝府」。氣派雍容華貴，果然與衆不同。龐芳尋思：三國人物，只關羽最爲幸運，這種排場，連劉皇叔都望塵莫及也。

衛兵都認得龐芳，大家都向他立正致敬，龐芳也點首回禮。衛兵入內通報，關平出迎，略事寒喧，輕輕對龐芳說：「父王正在下圍棋，請龐秘書稍候。」

關羽的武藝盡人皆知，百萬軍中取上將首級易如探囊取物，閒居無事最喜閱讀春秋或下下圍棋，故有儒將之稱。關羽的棋力，在天庭不能列入上段之羣，比呂純陽等相差甚遠，但關羽生性好勝，就怕輸棋，所以，他找人下棋，第一是要找名氣響的，以符刀下不斬無名小卒之旨。第二是要找棋藝差的，這樣他才能贏棋。有一次他和呂純陽連奕三局，呂純陽要授他三子盤，他執意不肯，結果連輸三盤，直氣得關羽滿面通紅，好在他本來就是紅臉，別人不在意，關平看在眼裏，從此不敢再約呂仙到府下棋。

關羽下輸了棋，送走呂洞賓，氣呼呼地說，「呂洞賓三戲白牡丹，在八仙中以他品德最差，以後少叫他到我這兒來。」關平聽後，知道他父親的意思是不願再和呂洞賓下棋，只好唯唯稱是。

龐芳穿過大廳進入內客房，看見關羽正聚精會神與一位黃臉老道下棋。

「你來了，請坐。」關羽沒有站起來，只揮手示意龐芳坐下。接着爲他的棋友介紹道：「這位是黃雲大仙，我的棋友，這位是龍岡會的龐秘書，龐芳。」

龐芳一聽，黃雲大仙？好陌生的名字，怎麼在天庭從未聽說過。但却不敢問關羽。

過了好一會工夫，關羽和黃雲大仙的一盤棋已經下完，檢點盤面，關羽持白子淨勝五目。

「這盤棋黑子下得不錯，可惜打劫失算所以輸了，白子雖勝，但確實很費力。」關羽持白棋贏了，笑容滿面在講評棋局。

「對了，龐秘書，你也是行家，你過來看看這盤棋。」關羽顯然要龐芳來欣賞他的圍棋戰果。

巨變歷險記！

丁博士在迤南的時間，除了到廿六軍各單位講演，同時也到各縣向民衆講演。同余軍長更多所接觸。

出昆明，沿滇池，第一站是呈貢。呈貢縣縣城是再沒那小的，進了裏邊，像進了一個大院。但城門樓並不小，而且非常標準，高並不高，但形。城牆有口，城牆也並不高，但城外各關倒不小。第二站，宜良，那就是大縣了，城牆，城門，規模都非常大，縣衙門在山坡上，氣勢也很雄偉。裏邊的大房子也有幾處。有一個地方，叫藏經樓，更高高在上，非常惹人注目。第三站建水。這恐怕是迤南最具規模的大縣。他的城門樓，頗有北平前門的樣子，既高且大，有好幾層。前面區額，寫着「無遠弗屆」，字是大草，也非常好。第四站是石屏，完全是個農村模樣，縣衙門也不成爲衙門，就在一個大戶人家。傍邊有一個湖，湖裏邊還有一個廟，外邊看起來，湖裏的魚味也非常美。

到各部隊講演，部隊集會最多的，是在鎮遠的一次。鎮遠爲廿

迤南講演

（一零二）　胡慶蓉

六軍軍部所在，一集會有五六千之衆，站在台前，黑猩猩的一片，服裝整齊，精神抖擻。他們對於聽講演都非常感興趣。第一是他的聲音洪亮。看他站在台上，有翳不勝風的樣子，但一講起話來，却語驚四座。他要講的，也是大家樂意聽的，即當前時局的演變。他不相信共軍能就來，只要我們能站得住，敵人是無可如何的。廿六軍是中央的部隊，中央依爲長城——大家要抱決心來捍衛國家。何況雲南在中華民國的歷史上，有他特別的地位。昔袁世凱稱帝，蔡鍔從雲南一號召，全國無不風聲景從。今天的余程萬軍長，彭佐熙副軍長，過去在革命歷史上都有他們卓越的表現，希望在這次戡亂戰爭中，能表現的更卓越。共軍是不足怕，只要自己的穩腳步，誰也不會把我們推翻。最怕是自己先亂了自己的腳步，這樣不待敵人來就瓦解了。

對百姓講演，多在鑄天廣場。其目的在使老百姓明瞭共軍殘暴的情形。對於什麼是共產，對於共產的清算鬥爭三反五反，尤盡其刻劃的能事。雲南的經濟，還停留在農業的社會，農業社會的人民對於他自己的財產是非常愛護的，但怕共產給他共了去，所以如何防止共軍的南侵，雲南的老百姓，無不願爲力。

現在怕的，還是盧漢自己有什麼變化。雲南政治的樞紐握在他的手中。余程萬軍長，態度並不積極，在整個的大陸僅餘雲南一省的時候，盧漢會不會站得住，余程萬會不會站得住，都不能不打問號？尤其余程萬，是抗戰名將，但在大勢已去的今日，對於中央已無擁護的決心，對於盧漢也沒有反抗的信念。萬一盧漢一旦再變回去，雲南大局，恐怕不堪設想。在迤南的期間，常在鼓勵余程萬。彭副軍長倒很堅決，可惜他不能指揮整個的廿六軍。

史不足信可以無史

杜負翁

閱自由報，一〇二七期，爲歷史求證一文，讀之既畢，不禁感慨系之。近世以來，抱有董狐之筆者，殆已絕跡，吾嘗謂史不足信，可以無史，顛倒黑白，使千秋萬世，莫知眞相，其罪深矣。

吾嘗見四川文獻六十六期，載有「黃復生炸徐寶山經過」一文，姑勿論徐寶山是否爲黃復生所炸，就其文中所載各節，與事實不符者，已有若干。當徐寶山被炸之時，余居籍揚，且爲余親目所覩，余可負責證明文中不實之處，錄之於左。至徐寶山究爲何人所炸，當另文述之，因事甚曲，非簡短之辭所能盡。

（一）文中云：「袁世凱心腹」，揚州鎭守使徐寶山，當時爲陸軍第二軍軍長，揚州從無鎭守使？徐寶山亦從無鎭守官銜。文中又云：「以旅長爲鎭守使」。考徐寶山於民初揚州光復時，任揚州軍政分府，後經蘇浙諸軍推爲江北北伐軍總司令，共和告成，編爲陸軍第二軍[illegible]）文中云：徐以旅長爲鎭守使，不知徐寶山既非旅長，亦非鎭守使，如果徐寶山被炸，係黃復生所爲，豈有不知其所任職，遑加以揑造之理。

（二）文中云：「覓人模擬徐所派親信人，致函徐日：「覓得古銅器，確爲三代時物。」當日徐擬買磁瓶，徐所派之人，爲揚州骨董肩客（俗稱扛木稍）一名艾二，（行二，人以艾二呼之，名已忘），一名吳蔡賢，皆與負翁友善，故知之甚詳。初由艾吳在滬得見此瓶，歸以告徐，徐乃命至滬，將瓶攜回，定，事機不密，乃構此奇禍。黃復生對於磁器，銅器，且未清晰，何從能僞信，而且重要之點，在裝置炸藥之箱，冒充裝置磁瓶之箱，函中僞稱磁瓶入土已久，若稍碰撞，極易受損，必請親自開啓，以昭愼重，設爲炸器，稍碰無傷，何必令其親啓，是更可爲磁器一大證明，況當時報紙所載，幾無不爲磁瓶否論。

（三）原文云：「鑰與箱，不同時送去，於薄暮先將箱送營門，交副官求登時呈徐，俾僞忘帶鑰匙，明晨遣人送來，（中略）翌晨，送鑰至。」吾不知鑰與箱，分時送往，其意何在，事實上並不如此，鑰匙附在信內，與箱同時送至司令部，信面寫明軍長親啓，並語閽人云：鑰匙附在信中，須軍長親自開鎖，因磁瓶年久，極易破損，叮囑至再而去。以上所載，係徐炸毀後，閽人供詞，按諸事理，亦以鑰匙附在信中，較爲合理。

（四）文中又云：「砰然一聲，則見血花四濺，徐一手已飛貼牆壁間」。徐被炸後，余曾見其照片，從右腹以至右頰，皮肉盡毀，臟腑畢見，但兩手齊全，則所云一手已飛貼牆壁，更爲向壁虛造，可斷言矣。

（五）文中又云：「同時炸斃其妾，及侍詔馬弁三人，」徐被炸時，只有理髮匠名九斤子在傍同難，其妾既不在傍，更未同死。按徐第一妾，住南河下徐之私第，徐被炸，係在引市街，第二軍司令部，徐妾自徐被炸後，未幾，即削髮爲尼，十餘年後，以患痼疾終，則黃復生所述，更可證其虛誕。

（六）文中又云：「徐遺體，用金葉裹補，」余知徐之遺體，係由上海紅十字會張竹君，派護士張嘉蓉等來揚，以藥水棉花塞其空穴，外以紗布裹之，然後加以衣服，以上將服裝入殮，云用金葉裹補，金葉與屍體，如何粘附，爲事實所無，可見異想天開，炫奇立異。

原文作者，署名蜀俠，首載『中央黨史會』所藏四川黨史輯處所編四川黨史材料，其中有記四川黨人黃復生炸徐寶山一則，對炸徐經過有較詳記述，四川黨史編輯處，成立於抗戰期中，主持人爲朱叔痴先生，其時黃復生尚健在，所記當得自黃先生之口述也」，照以上一段文字，言之鑿鑿，顧何以與負翁所見所聞，大有出入，負翁以其文末有「此次助復生製雷管者，尚有黨人李煜瀛之友，法國無政府黨人阿斯頓云。」按李煜瀛，字石曾，今已高齡九十，與負翁素有交誼，乃往訪石曾，並示以「黃復生炸徐寶山經過」原文，李一見標題，即斷言曰：「黃復生何曾參與此事，吾與黃復生素相識，其言不足信也。」且云：「阿斯頓，係比利時人，彼又誤爲法人，滿紙荒唐，於斯可見。」李石曾先生，今在台灣，有疑負翁之言者，不妨一叩問之，當知吾言之不謬。

又見某某雜志，載杜月笙傳，云徐寶山，爲杜月笙與王柏齡炸，更屬無稽，即此兩端，可見近世之人，對於史事，可以憑空捏造，可以隨意變更，使後世之人，撲朔迷離，莫知孰是，意志不堅之輩，更以爲歷史所載忠奸善惡，皆是後人以意爲之，只須舞文弄墨，儘可作奸作僞，顛倒是非，成爲忠良之士，今之百世流芳，是今之僞造歷史文字之所以多也。

中興名臣李鴻章（三）

侯諸葛文

娛樂，聚賭視同兒戲，鴻章固不諳海軍之學，未能整頓，事實上，中國萌芽的海軍，虛有其表，變成不堪一擊的廢物了！

放棄朝鮮宗主權

這時候，東鄰日本挾其「明治維新」的新興力量，積極向朝鮮侵畧，但懾於中國堂堂大邦的實力，而海軍在表面上亦似可觀，因而採用蠶食方畧，勾結朝鮮親日派——東學黨人士醸亂，企圖奪取政權，使朝鮮脫離中國藩屬關係，名義獨立自主，實際歸日本控制之。維時中國派駐朝鮮的陸軍宋慶部隊，尚足控馭局勢，而營務帮辦兼商務專員袁世凱有才智，對付朝鮮內亂暨日本侵畧行爲，措置有方，如擒送朝鮮攝政王「大院君」李應昰至天津，便係袁宋二人合謀進行的。但袁宋的政治地位卑微，對政策問題必須請示李鴻章，而李祇知本國軍事實力不足以對外作戰，一味主張和平遷就，却昧於國際情勢，不知妥訂適當的對策，竟與日本訂約規定雙方皆可駐兵朝鮮，遇事互相知照，放棄了中國對朝鮮的宗主權，僅恃有與日本內閣總理伊藤文的私人交誼，認爲可用情面來應付一切。故於「大院君」釋回後，朝鮮親日派跼張奪權，日本陸續增兵朝鮮之際，袁世凱迭電李氏請增派兵力赴朝鮮，藉資鎭懾處理，而李漠然置之，袁氏眼見着日本咄咄逼人，必欲夷朝鮮爲殖民地的積極行動，無可爲計，逼得離職回國，而局勢乃更邈惡化了。

朝鮮事件受處分

日本勾結朝鮮東學黨人醸亂奪權，實行親日反華的陰謀已昭然若揭，日軍不斷增加到朝鮮京畿，分駐各重要據點，威脅中國駐軍，公然啓釁挑戰，情勢極危迫，袁世凱迭電李鴻章乞增派援軍，而李總是飭袁和平處理，避免衝突。日本方面瞧着中國政府這種怯情形，更肆行侵畧計劃，對於朝鮮的親華派勢力，大事芟夷，不惜引起戰爭，日本海軍且在朝鮮海峽暨渤海一帶佈置防線，而我北洋總督府與北京總理各國事務衙門（即外交部）懵然罔覺。迨我原駐朝鮮的少數軍隊遭受日軍襲擊，節節敗挫，袁世凱束手無策，馳歸天津告急後，李鴻章纔租用一隻「高陞輪」，載運了三營陸軍，由海道前往朝鮮增援，行至中途即被日本海軍擊沉了！於是，朝野人士聞訊大譁，齊聲主戰，而以內閣大學士兼軍機大臣翁同龢爲首的所謂清流派主戰尤力，翁是光緒皇帝的師傅，光緒平日對他很信任，因而亦贊同翁氏的主戰論。各方對李鴻章羣起指斥，致有「李二先生是漢奸」的物議，清廷乃向日本正式宣戰，同時對李鴻章予以摘去三眼花翎的處分，甲午中日戰爭之役即勃發了。

一味主和無作法

李鴻章一味主和的原因，是他深知本國兵力不足以對外作戰，尤其是海軍爲然。他的和平主義固屬未可厚非，但錯在毫無作法，知己而不知彼。（未完）

安徽十三傑

八德跋語

王道

味齋長者兼修儒佛，齒德俱尊。所書孝悌忠信，禮義廉恥，諸惡莫作，衆善奉行兩聯，乃長者一生所篤信力行，至老而不懈者。今蒙不棄鄙陋，囑跋數語，竊謂語言文字，實不如長者身教德被感人之深，玆惟畧言此十六字之本末體用，藉以就正于有道云爾。

夫人莫不有仁心也。此仁心發端萌芽于父母兄弟，人生倫理道德之實踐從此始。故有子曰：孝弟也者，其爲仁之本與。孝經曰：夫孝，德之本也，教之所由生也。仁心之誠於中者謂之德。德行之顯於外者，謂之道。盡心力以自求成德履道者謂之忠。謹言行而一出于眞實不欺者謂之信。本忠信，以行其敬愛，使人羣相與揖讓交接于親善和睦之中者謂之禮。本忠信而立身處事，以求善之在我，行無不宜者謂之義。義而不苟取謂之廉。義而惡不善謂之恥。恥不善則無爲其所不爲，無欲其所不欲，諸惡皆莫有出諸己矣。好善則取人爲善，與人爲善，衆善具在其中矣。故聖人立教，先從孝弟培養其仁愛之根，主忠信以擴其仁心之不容自己，於是父以教子，兄以教弟，推之則爲五倫，擴之則爲百行，人倫教化由是而充，達于天下矣。此所謂君子務本，本立而道生也。而今聖教日衰，世道大壞，人類不知伊於何極，長者之印此，蓋亦出于仁心悲慧之不容已於懷者也。

己酉孟冬教晚王道敬跋

（第一〇四一期）
（半週刊每星期三、六出版）
每份港幣壹角．台灣零售價新台幣弍元
社長李運鵬．督印黃行富
社址：香港九龍彌敦道593—601號
廖創興銀行大厦八樓五座
LIU CHONG HING BUILDING
7th FLOOR FLAT '5
593—601 NATHAN ROAD,
KOWLOON, H.K.
TEL：K303831
電報掛號：7191
承印：景星印刷公司
地址：嘉咸街廿九號地下
台灣連絡中心：台北青田街五巷三號
電話：三七五〇二二
台灣區直接訂戶　台郵劃撥戶
第五〇五六號張萬有（自由報會計室）
台北營業處：台北衡陽街三十號
電話：二七二〇〇
台灣分社：台北市西寧南路110號二樓
電話：三三〇三四六，台郵劃撥戶九二五二號

起用青年不是一句口號

·文叟·

政府何以要起用青年，這應該是不言可喻的事。概言之，自然情勢的需要如此，時代潮流的趨向不得不然。就生物學的觀點而言；正如同一個體生命的機能，要經常保持旺盛，必須藉力其本身的新陳代謝作用；就社會學的觀點而言：時代日新月異的進步，每到一個劇變的階段，就必須另有一套新思想，新學識，新作風以爲肆應。青年就是個體的新細胞，就是社會的新血輪。創業意志高，體力強，幹勁足，更是青年所特有的條件。因此，政府起用青年，畀予重任，自是理所應爾，情勢必然的事。再說世界各國，泰半都早已朝這個方向走，亞洲的日本、韓國，甚至東南半島上的國家，莫不如此，遑論歐美先進國家了，我們總不能老是事事步人後塵啊！

不可否認的，最近幾年來，政府當局也確實注意到了起用青年的問題，但到底做了多少，這是值得檢討的。我總覺得當今老一輩的人對於青年，似乎往往責難多於愛護，打擊多於提携。大家只一味責備青年們熱衷出國留學，一去不復返，沒有國家觀念，缺乏民族意識；要不就批評他們只顧個人利益，貪圖物質享受，缺乏遠大的理想和抱負；再不然就是指斥他們太保流氓，自甘墮落，不知長進。殊不知將這些時代社會環境的產物，完全歸咎於青年身上，揆諸情理，是難謂平的。再說使一代如此，老一輩的人又怎能不負責任？試觀青年們進入政府機關服務以後的情形又是如何？不必諱言的，一般機關單位不僅未曾有計劃的輔導與培植，甚且對此類青年後進者的歷練，工作與考核，都很少能作公平合理的安排。職是之故，青年們的抱負無由伸展，理想無從實踐，滿懷的工作熱情，便漸次冷却，消極一點的，只有出於隨波逐流一途，得過且過；積極一點的，也是處處碰壁，牢騷滿腹。情形至此，起用青年，便如同口號，充其量僅止決策當局的一番苦心而已。

青年們所以如此的受到冷落，我以爲古老政治的衙門積習，至今仍是一個死結，死不結解，問題便無法解決。喜歡賣老，或許就是我們的民族性之一，在大的方面，不管在那種場合，國人向以五千年的悠久歷史文化爲豪，而習慣把老祖宗抬出來炫耀一番，在小的方面，兩代人聊天，年老的總喜歡來這麼一句：「想當年如何如何？……」還是忘不了弄一番老資格。在機關裏，此類習氣，青年人所受到的「另眼相看」，只有身歷其境的人，才能體會箇中況味。兩代之間，普遍存在着一道鴻溝，在這種情形之下，青年人不被排擠打擊，已屬不易，遑侈談什麼培植與起用呢？當然，事情也不能一概而論，眞的關切青年，愛護青年的亦所在多有，只是一直缺乏一套可行的計劃與方法，終歸是口頭說說而已，再無下文。於是一些「好好幹」「慢慢來」原本是鼓勵上進的話，變成了跡近敷衍哄騙的台詞了，說來實在令人不勝欷歔。

我們知道，鄰近的日韓兩國，都是飽經戰亂的國家，但現在處處都呈現着一片蓬勃的朝氣，各種建設，突飛猛進，尤其在政府大量有計劃的培植下，青年人才輩出，更是充滿着進步的潛力。

反觀我們國家，雖然經濟建設，倘勉可撐撐場面，但綜觀全局，仍是進步遲緩，瞠乎人後，未能切實有效起用青年的不良影響，已在此可見，實不可等閒視之。

在另一面，由於青年們的缺乏出路，懷才莫展，造成他們的不滿現實。所學原本不必出國深造，也競相遠適他邦，亂闖天下的，將國家民族置之腦後；出了國的，就蠅營狗苟的唯利是圖，貪求享受；更等而下之的，索性就要起流氓太保來。是凡此種種現象，非但未能受到適切的同情與關懷，反而責難迭來，譏詬交至，而形成了所謂的「青年問題」，寧非憾事！

準此而言，起用青年，實屬當務之急，而起用之道，首在確立觀念。長江後浪推前浪，一代新人換舊人，唯無如此的綿綿不斷，國家民族的命脈才得賴以延續。老一輩的人，千萬不可泥於賣弄老大的陋習，更不可徇私而戀棧不去，應多給與青年充分的機會，以貢獻力量，報効國家。

事實上唯有「青出於藍」，才能進步，青年人的成功，正是老年人最值得驕傲之處，因爲青年人爬得再高，畢竟是從老一輩人的肩頭上爬上去的啊！

其次，就是要有一套可行的計劃與辦法，徹底付諸執行，要不然漫無頭緒，時輟時續，一陣風，一陣雨，一如現在，到頭來還是要落空的。

起用青年，並非只象徵性的使用一些年輕的官員，而是要全面性的展開。近來一般公私機構，對於甄選或任用新進人員，往往有年齡三十歲以下的限制，對於年老的公務員，則採取限齡退休的辦法，如此雙管齊下，對於促進人事的革新，已漸漸奠定了基礎。

今後老一輩的人，如能以自己豐富的經驗，從旁輔導青年後進，以愛護取代責難，以培植取代打擊，並信任他們，讓他們放手去做，一段時間過後，必定另有一番新氣象、新局面，這是毋庸置疑的。

教育青年，這是國家一項最大的投資，如果人才選就出來之後，却讓其投閒置散，不能使之各盡其才，各得其所，而爲國家所用，那是國家絕大的浪費，也是一種無法估計的損失。

邇來青年人才的外流，已引起廣泛的重視，而政府所致力於此的，却是在設法防堵此一潮流，這絕非治本之道。

如能在改善就業環境，多多在起用青年方面致力，相信這種現象，必可減輕至最低程度，而連帶着更可以解決諸多的問題。

所以起用青年，是當務之急的事，絕不是一句空洞的口號，這是我們每一個人所應有的認識。

昨日與明日

一幅豐年圖

越南戰火未熄，中東炮聲正酣，菲律賓有數千學生在總統府廣場示威，在這舉世擾擾，遍天烽火之中，自由中國和全世界自由地區的華人，熱烈歡欣地渡過春節，特別是反攻復國司令台的寶島台灣，春節期中，風和日麗，政府機關放假兩天，公司行號休業三天至五天，人民有的拜訪親朋，有的郊外遊覽，娛樂場所，名勝地區，無不擁滿人潮，而各業年終結算，也無不大發利市。

統計數字也告訴我們：民國五十八年度的國民生產毛額已接近新台幣二千億，平均個人所得已超過二百五十美元，比較前年大有增加。在在都顯示着：自由中國的人民是過着富足康樂，寧靜平安的生活，台灣的經濟日趨進步而繁榮，這和中國大陸同胞啼饑號寒，無年無節的奴工生活相比較，眞有天壤之別，就是和日據時代相比較，當時日本對台胞大肆搾取，徵兵徵糧，民不聊生，回首前塵，也有如隔世之感。如果有丹青聖手，繪畫一幅今日台胞豐年圖，材料一定是取之不竭的。

可喜與可氣

感謝將士辛勞

今日自由中國的人民，何以能過這樣富足康樂生活，當然要感謝政府的領導，特別是在　蔣總統的領導下，數十萬武裝將士對祖國和同胞的捍衛。平時我對於台灣電視公司的節目，不敢恭維，惟獨在春節期間，台視放映我英勇海陸空軍在寒冷上空中，在驚濤駭浪中，在孤零碉堡裏，防守台灣海峽，那樣不避艱險，不怕風濤辛勞情況，令後方同胞看來，眞是感動萬分。由此可知：自由中國的經濟繁榮，一方是人民的辛勞努力結果，另一方，當也是我英勇三軍將士在　總統領導下流血流汗的代價。

最煞風景之事

雖然我們有很多可喜之事，但也有許多令人氣惱之事。春節中最煞風景的一件事莫過於新竹大車禍案了。這次車禍，造成十人當場死亡，四十七重傷的慘劇，其造禍離奇之難以理解，死傷人數之衆多，也爲光復以來火車失事「所僅見」。一交通出事常見，火車出事不多，一般人都以爲乘坐火車最安全，而今天，連坐火車也不保險安全了；而且，台灣火車出事，年來時有所聞，不僅一次。其中一定有原因存在，不管當局如何解釋，這項錯誤是難以原諒的。能令乘客含寃以死嗎？我們覺得：火車屢次出事，顯示鐵路局內部，管理不善，人事行政頗多問題。省府應責成交通處長和鐵路局長，連帶負責，「對失事人員」應嚴加議處，今後對路局人事更要澈底整頓，妥善處理，不能再演慘劇了。

·張松·

自由談

台北市議會新任議長林挺生，初次當選民意代表，又被舉爲主持會務的首長，他向外聲稱對議會政治是個外行人，曾向台灣省議會前任暨現任議長們從事「惡補」工夫云云，其言謙遜而幽默，殊堪讚賞。搞民主政治的人，就應該具備這種風度，否則不足觀也矣。

「知之爲知之，不知爲不知，是知也」，孔聖人這幾句格言，確有眞理存焉。吾生有涯，而知也無涯，世界上絕對沒有萬能的上帝式人物。凡是自命爲無所不通，無所不曉者，其人非愚即妄，他幹任何一項事業，決無成就可言，若不弄到身敗名裂，醜聲四播的結局，即算萬幸了！

做到老．學到老

可是，古往今來，强不知以爲知的妄人有的是：例如有些對中國字認識無多，讀中國書莫名其妙的所謂留學外洋的博士碩士之流，偏偏好談中國文字學，說漢字某些是「死字」，某些「不通俗」，非廢棄或簡化不可，甚至對於筆劃稍多的字即表示厭惡。說文言文是過時的玩藝，非打倒不可。他却不瞭解中國字構成的來源如何，六書的意義又是怎末回事？更不知道語體文與文言文究有甚末深切的關係？信口開河，瞎扯一氣，且自以爲學貫中西呢！

這類妄人在政治界尤其衆多，有些對「政治」二字尚不知作何解釋的傖夫俗子，一旦弄到一官半職，即以「政治裏手」——湖南話——自居，擺出天才政治家的氣派，遇事我慢自專，沒有學習意念。中華民國建立了六十年，而民主憲政始終尚在虛無縹渺之中，基本原因便是吃政治飯的妄人太多了！

林挺生以一個工商企業家而從政，能有這種卑以自牧的學習精神，可謂難得。我國有「雖曰未學，吾必謂之學矣」。「做到老，學到老」這句俗語傳着，可惜一般妄人莫明其妙，而讓林挺生獨專其美，奈之何哉！

馮正先生

創業大學

人格之磨鍊與識時

·楚狂主講·

蘇格拉底認爲患難困苦，是磨練人格之最高學府。和孟子所說：「天將降大任於斯人也，必先苦其心志，勞其筋骨，餓其體膚，空乏其身，行拂亂其所爲。」意思大致相同。

根據狂人幾十年體驗，困難愈甚，其成功愈巨。路透通訊社的創始人路透，開業之初，經濟非常困難，窗戶紙被風雨吹破，連買紙張的錢都成問題。被資本家冷諷熱刺，乃至於逐出門外，幾成家常便飯。新聞界都知道「新聞自由」，就是當時英國政府，因銀行界控訴路透造謠，法庭寃判了路透。事後發現錯誤，爲補償路透所受精神損失，特頒「新聞自由」法令。後影响及世界各國，亦採用此法令。飲水思源，這位新聞界的大功臣，對人類社會的貢獻，勢必與歷史永垂不朽，堪作創業者楷模。

識時務者爲俊傑，古今來很多大英雄、大豪傑，犧牲於不識時務，就近代人來說要以馮玉祥爲代表了，舉例：當國民革命軍北伐部隊抵達鄭州與馮會師時，黨國要人，雲集鄭州，生活上難免奢華，馮玉祥親自書聯一幅贈汪精衛，聯曰：「一桌點心，半桌水果，那知民間疾苦。兩點開會，四點到齊，豈是革命精神。」另加橫批是：「官僚舊樣」其使人難堪，可謂不留餘地。在他一生中不知做過多少類似的事情，如開會時不坐汽車，穿着一套最破的軍裝等。統可歸納爲不識時務。

清名臣曾國藩，要算是最識時務的人了，他將太平天國平定後，舉出甚多理由，奏請皇上，要練淮軍接替湘軍，清政府要封曾王位時，曾回奏說：「此次剿滅洪匪，上仰萬歲德威，下賴將士用命，與國藩何干？國藩倘可封王，天下封王者多矣！」直率一點說，前者自動解除武裝，後者消除皇室功高震主顧慮，爲政能像曾國藩，這樣識時務的太少了。其能成爲中國大政治家之一，非無由也。

曾國藩對政治的看法，勢之所在天地聖人不能違也，勢來時，即摧之未必會毀，勢去時，即挽之未必能回，故每遇事，皆循自然法則，也即所謂三分人事，七分天命。

「道德的科學」闡微（中）

——「宋明理學體系論史」自序——

黃公偉

（三）

予嘗語生徒，治哲學須天資與工夫各居其半。宋明理學諸巨子之闡論天人，可謂集才思之大成。如康節，濂溪之豁達，明道象山、白沙、陽明之智慧，固超絕世俗，因有不世之貢獻。而橫渠、伊川、龜山、南軒、朱子之功力，亦世罕其匹，故其所締造，非同凡響。用是其究元決疑之論適變達用之學，無不各擅一代之勝。有警闢處，使人稱絕，有精微處引人擊節，至扼要處，動人心魄，逢融會處，開人茅塞。其發為萬世眞言者，誠前賢所未及道，後儒所難盡出。這種天人一貫之學，為迷離晦暗，紛紜交錯的思想史頁，別開洞天，誰能不說是千古之奇蹟。第宋明諸子智慧工力之所及，也有不可諱言的遺憾。其一，一般都囿於古代傳統，而視佛道為異端外道，不肯突破主觀之偏執而與佛道心性觀相提並論。被以「唯識」、「禪學」為批評之對象，非據理以見高下，乃多出於「衛道」之攻訐。這不但不足勝人之口，抑無以服人之心。其二，宋明理學諸巨子，所謂「門戶」之見，並非依儒學自身而立論，其引為互訟相訕之柄者，却以入佛與反佛為中心。如程朱之攻陸王為「禪學」。陸王之詆程朱為「支離」，這是佛家大小二乘，空有二邊之諍論，奈何禍延於理學？如此，謂宋明諸子無染於佛法，其誰置信。其三，佛道本末均異，而各擅本體人生高明之識見。適無補兩者之所未逮，但理學家每依傳統而「護短」，又因價値而「取長」，正所謂「陽□陰釋」者，何不如少數陸王學者，攘臂而出，坦承入佛為必然，這種態度自欠光明磊落。王學支流如顏（鈞）胡（直）何（心德）李（贄）諸君子，敢為三教合一之說，世多非之。其實，王學所以沉名百代都由王龍溪一系學說所促成。這是應該澄清的觀念。

（四）

宋明諸子之論學，不重著書，故後世甚少專著可憑。除濂溪之「通書」，「太極圖說」，康節之有「經世衍易」、「皇極經世」、「觀物內外篇」而外，橫渠作「西銘」「正蒙」，明道為「識仁」、「定性」等文，語焉不詳。明道之作，尤寥寥數百言，其他多散見於語錄、書札、論文，題辭，雜著。自南宋朱熹始關心於洛學之存眞，作為「伊洛淵源錄」、「二程遺書」、「近思錄」之輯錄，然亦僅存洛學之體統而已。明儒姚江弟子徐愛、陸澄等人始集「傳習錄」以為陽明學說之統。此外，如陳白沙之作「道學傳序」，洪覺山之為「理學聞言」，劉宗周之作「聖學三關」，才開始著眼於傳統之辨正。然心即理乎？性即理乎？各執一詞，一切放下乎，承當世務乎？孰是眞統、正統，孰為歧途枝葉，恐使聖人再世，也難解此紛擾了。清儒借實利和實用之學，掄內求外，故清人考鏡學術源流，率多奉朱子以貶陸王。如初清二陸之思辨，即宗朱學，次為唐鑑「國朝學案小識」，黃宗羲的桐（日亭）之「釋儒」，章學誠（實齋）、李穆堂（紱）之「原學」、「辨儒」，曾釗、林祐之本源，姚文田（秋農）作「宋儒論」，都泛論兩宋諸子之得失，至熊賜履（愚齋）作「學統」，提出道統學統之論題，中以理學源流為專論者，要皆推朱學為正統。如最早有孫奇逢作「理學宗傳」，黃宗羲作「宋元」、「明儒」兩學案，開史著之先河。尚能持超然之宗旨。下至耿介作「理學正宗」，張伯行（敬菴）作「理學正宗序」，「道學正宗序」，提出正宗口號，則學統之辨益然壁上矣。張夏作「洛閩淵源錄」（未完）

宗教不可擅自創設

立委趙焯家力促行政當局

應確定制度維護宗教尊嚴

（本報通訊員柳一權台北消息）立法委員趙家焯就宗教問題，向行政院提出書面質詢，全文如下：

左傳劉康公語曰：「國之大事，在祀與戎。」可知宗教事項，乃國之要政，不容或忽者也！辭源：釋宗教曰：「有所宗以為教者也。」根據奧人卡勒季于其歐洲合衆國一書中，則謂「一民族之形成，不必淵源於一始祖，而是繫於同一宗教。」由是而知宗教者，宗族之教也。考宗廟，即其族人之廟。大凡一民族有其固有之信仰，由信仰而表現及於各種文化，道德、法律、制度、學術、技藝、風俗、習慣、語言、文字，禮節等，由是出焉。宗教之力，乃為形成民族文化之根源。我國自紫氣東來，白馬西出，道佛兩教，各立門戶，然以道教與民族關係至深，崇奉道教之風，遍及朝野。宋宣和時，曾詔佛歸道，于是釋教融入我民族而道化矣；遂成仙佛合宗之一道派。

然以道教為中國固有宗教，（總統于解決共產主義思想與方法的根本問題訓詞解釋最詳）且歷史悠久，按其博大崇高之教義，分成積善、經典丹鼎、符籙、占驗，五大道派。若就丹鼎、符籙所代表之道派，已一百廿餘派之多；若連經典、積善、占驗，所分之支派予以統計，約莫在三百派左右，最奇者道教各教派，均稱教。如符籙道派之正一派，稱正一教；丹鼎道派之全真派，稱為眞教。宋明遺老，全謀復國，創立若干教派。萬變不離其宗，仍屬道教。我中國「儒學為表老學為裏」之文化，歷數千年而不墜，亦即道教文化有其悠遠歷史之能深入人心也，唯道獨尊之說，自古相傳迄今，因之教派雖多，均仍歸屬於道，從無自立為一宗教者，良以固有宗教，代表一民族，而一民族內，不能分為若干民族也。

信教自由之風，瀰漫于全世界，政治思想複雜之國家，多採多宗教主義，而狡黠之徒，每利用宗教以為掩護，以其秘密組織，參加公開政治活動，致影響國家政策之施行。現宗教最多國家，莫若日本，根據調查結果，現政府有案者，有百八十餘宗教。我國從未用多宗教制度，邇來有似開放之動機，各教派欲自成為宗教。竊以「信教自由」，與「創教」二者，顯然不同。信教自由一詞，雖出現于一八五八年六月至一九一五年五月與外人所定之各種不平等條約中，然亦祇有自由傳授自由學習之規定，而無自由創教之說。且創教為促成民族文化思想紊亂之根源，更促破壞民族之團結，往往使信徒傳播邪說，大禍，貽害國本，危及子孫！在我國宗教制度未改變前，似不宜允許任何好事者，濫行創教！

然若以為既成事實，似不可予以否認？則遠之若全眞教、正一教、眞大道教、茅山教等，近之若神教、龍華教、金幢教、先天教、（空教、德孔教、（同善社）儒教、三教合一教、五教合一教等，國外傳入者，若大本教、金光教、神道教等，雖原均屬於道教，然均有其廣大之徒衆及寺廟，可謂事實具者矣，政府能允其成為宗教乎？

若謂凡有主神，具反共意識者，皆可成為宗教。若是，則前述各教派，無一不有經典，有寺廟，且具備成為宗教條件者，更有王母、關公、媽祖、保生大帝、五府王爺，本省隨處可見，亦均合宗教之條件，則將出現王母、關公、媽祖、城隍、法主等宗教矣。

又若中央級民意代表可以創教，則國大代表丁德隆先生，早經創立崑崙教，奉主神女媧氏，以煉石補天之經為其經典，以圓滿天之壇為教處，並闡揚教義，著有大同大道萬言即世一書，其餘信徒之請，擬創立開天教，主神為盤古氏（人類之始祖最早之尊神）以開天經為經典，寺廟則本省有十餘處之多。（者）就近則碧潭東岸新修有開天宮，李建和先生題匾，高玉樹先生題匾，信徒數千人，每逢臘祭，擁擠於途，備極誠敬。中央級民意代表如吾兩人，合創教之資格與條件者，衆矣，政府能一一認為皆宗教，而准予成立乎？

更有其創教祖師為道教龍門派第十三代弟子，（龍門派詩：道德通玄靜、眞常守太清、一陽來復本、合教永圓明……）近其後代教竊，數典忘祖，以有時機可乘，棄其先師之傳統，自立門戶，擅定派詩，使戒酒忌烟徒衆，疑其即為祖師所遺法止于此！昔曾子責子夏曰：「使西河之民，疑汝於夫子，爾罪一也！……汝何無罪與！」今為宗教中罪人，反助其罪行，認為違師背道之罪可恕，則將率天下而出於不忠不孝之途也，胡為至今故縱乎？

余以為憲法所規定者，為人民有信仰宗教之自由。宗教各教派，當包括於宗教之中。然若標新立異，自創宗教，政府當先攷慮其民族關係如何？同一民族中，以前是否有宗教之創立？如以前曾有者，則後起諸教，均為前者之教派，不以奉神不同，經典有別，而有異也。如我民族宗教為道教，為多神教。所奉任何神，不能超乎民族之信仰；所習任何經，不能越乎道藏五千四百八十餘卷之範疇。且人民團體組織法規定，同一區內不能有同性質同級之團體存在，蓋免爭也。故監督寺廟條例，認全國寺廟住持，非道即僧，為奠立國家宗教制度，不能不如此也！宗教既為國之大事，民族文化以為基礎，萬不可使之氾濫，致國人發生誤會，而入歧途，以貽歷史羞辱！政府尤不可認非宗教為宗教。若有人濫制禮法，擅自創設，欺世盜名，投機取巧，政府應予以取締，以正觀聽，以儆狂妄！證之我國近代史，及總統訓詞，國中除道佛兩教外，亦祇有外來宗教如天主教、基督教、（新教）回教等，更未見有如今日之非宗教，而冒充宗教者。此為我建設台灣反攻大陸期間，一大奇事；亦為一大笑話！以故行政當局，對此國之大事，應確定制度，維護宗教尊嚴，不許有所篡亂，以重民族文化傳統。

立院教育委會已通過

師範畢業生服務代兵役

與本報主張不謀而合

（本報通信員柳一權台北消息）本報一再著論籲請政府規定大專畢業生教師服務代替兵役，以解決師資缺乏問題，立法院教育委員會四四次會頃通過一案與本報主張不謀而合。其原文為：師範生之待遇、服務年限與出路。（一）為鼓勵優良學生投考師範學校，應比照軍事學校學生提高其公費待遇。（二）師範畢業生服務年限應從五年縮減為三年，服務期滿成績優良者，保送其繼續深造。（三）師範畢業生得以服務代服兵役。（四）提高中小學教師待遇及福利，並增加導師津貼，減少導師授課時數。（五）師範生在山地或偏遠地區服務者，應給優厚補助，並應建立輪調制度。

喬治桑外傳

一二三　張大燕

「妳不要等門，回來晚了，我會自己開門。」

裘白瓊家裏牌局的安排，十九是陰盛陽衰局面，不用說，喬治桑上演的又是三娘教子。不過這次又換了新搭子。

一個是電影業鉅子卞承浩的遺孀三姨太。這位三姨太以前是上海名舞女，綽號「留蘭香糖」，芳名與妲妮。一個是華太太，金融界聞人華世銘的太太，最近因華世銘姘上了一個酒家女，剛剛離婚，在保險業跑生意很兜得轉。另外一個便是裘太太。

喬治桑一進門，立刻由裘白瓊引入麻將間。替他介紹客人，也就是牌搭子。

「這位是卞太太，綽號留蘭香糖。」

「這位是華太太，電影明星的大家乾媽。」

「這位是裘太太，綽號黑牡丹。」

裘白瓊一口氣為喬治桑介紹了三位牌友。（未完）

台北傳奇錄

（廿九）

·陳光棣·

「少管？要是我打游擊的時候，非把這小子的狗腿打斷了不可」！劉二爺一生最得意的事，就是在家鄉打游擊，當年日本人一聽到劉某人就害怕。

「天哪！那是那年那月的事啊？」劉太太說到這裏，劉二爺沉默起來，的確，自己當年打游擊的時候，是三十來歲的小伙子，精力充沛，天不怕地不怕，如今可不行了，眞是簡直的就是生龍活虎，外帶着不信邪，歲月不饒人，身上的零件開始鬆懈起來，每天多作點活就感到腰痠背痛。劉二爺感到一陣落沒，靠在椅背上呼了一口長氣。

這個時候，劉二爺的姑爺步成材正躺在床上胡思亂想，翻來覆去的睡不着覺，一閉眼睛就看到馬寡婦，耳朶裏也不時聽到馬寡婦說的話：「老頭子根本就看不起你，自己的姑爺，還不就等於自己的兒子，你想想，老頭子幫過你什麼忙？可又給過你什麼？」步成材思前想後，果然劉二爺從來就沒有拿正眼看過他，談起話來也總是冷冰冰的，連點兒熱乎氣都沒有，尤其是伸手要錢的時候，老頭子從來就沒有痛痛快快的給過一次，碰到不高興的當口，難免還要聽一次精神講話，步成材越想馬寡婦說的話越對：「老頭子還能活幾天？把這個狐狸精娶回來，就更差不多了！什麼時候兩腿一伸，你連一個銅板都摸不着，還這樣一天到晚傻兒瓜几的，我說呀，你可眞是二百五的弟弟，二百六！」步成材決定第二天就去請教馬寡婦，主意定了以後，一陣睏意襲來，不提防一翻身碰醒了太太，又沒頭沒腦的，換了一頓罵。

馬寡婦是個工於心計的人，見人說人話，見鬼說鬼話，不管是什麼樣的男人，只要被她叮上，運氣好的話也都得脫層皮，她給步成材一連「上」了幾次「課」以後，步成材眞是由衷的服貼，她那種不推不就的嬌勁兒，也使得步成材迴腸蕩氣。

馬寡婦早晨起來，刻意的打扮了一番，又換上一套迷你睡衣，坐在沙發上等着魚兒上鈎。

果然步成材興高采烈的來了。一進門看到馬寡婦，血液循環就開始不正常，馬寡婦什麼情形沒碰到過，兀自大模大樣的坐着。

「嘿！妳可眞漂亮」！步成材坐在馬寡婦身邊：「這套衣服可眞水」！

「你遠點好不好，擠到一塊兒，不怕長痱子」？馬寡婦拉長了臉。

「坐近了得說話」。步成材不死心。

「我又不是聾子」！馬寡婦移開了半寸。

「不是啊！我要跟你說……」步成材要拉馬寡婦的左手，馬寡婦把左手抬起來摸摸頭髮。

（未完）

從影圈李翰祥說起

·文匯樓主·

文滙樓別記

港台影劇圈裏的恩恩怨怨，可寫很厚一本「劇林外史」。尤其男女明星近幾年的自殺風氣可說到了頂峯，像林黛、樂蒂、莫愁、杜娟、洪波等，都懷有了不起的演技，竟然自動提前馳往人生旅途終點站，我們爲他們惋惜。

有人說：尤敏、葛蘭及上官清華等很幸運都嫁得理想對象，過着溫暖家庭的美滿生活，果如此，影劇這一行飯就不值得使人太羨慕了，尤其電影業老闆們，沒有一個不懷着鐵算盤的，啓用新人，就等於扣着鯉邦跳龍門，新人也落得碰運氣，這種勞資兩利的辦法，形成爲長江後浪推前浪，推得老一輩非上岸不可，換句話不用回頭已經是岸，李翰祥等就是一個最好的例子。

假定說「暴富不祥」那麼梁山伯與祝英台的執導則爲不祥的開始，這部片子的內容，凡「乘看則明」過的人都知道是怎麼一回事，李翰祥從梁祝後一直在走下坡路，和邵逸夫、陸運濤、沙榮峯、李道法、楊樵、莊清泉等，鬧着不大不小各種各樣的情緒，講到這裏又得歸根到命運了，「勝不過命，巧不過運，能不過錢，拗不過天」，被判了八個月刑的李翰祥據說最近對命運業已服氣了。

違反票據法而被判刑，本來就不太合理，本報曾著論反對題爲「票據法應立即廢止」，主張廢除票據法，指出票據法似在專懲治失勢失財沒有背景的窮小子，形成法律之前高高低低形形色色的不能平等，台灣的達官貴人，國會議員，豎地方特權階級，違反票據法的多得可用鞭子趕，可以用斗量，別說很少看到坐牢，簡直很少聽到所謂易服勞役，自由報本「明利害，辨是非」而替廣大羣衆講話，至於爲求眞理而得罪很多不能得罪的人，則非所計。

近代史學家吳相湘，上月寫一篇觸怒權貴的文章在自由報發表，和本報社長李運鵬商量，打算先將行李捆好，準備去住不出房飯費錢的大瓦屋，一個合乎國際規格的知名教授，有這樣的想法，乃感到逢是非之時，處是非環境，從事論是論非的事業，（即先天下之憂而憂），是非自難避免，一代報人張季鸞，于右任等都坐過監，故樓主常勸搖筆桿子的朋友們趕快改行，賣洋桃水或牛肉麵，都比辦報好，就是這個道理。時代已進入工業社會，工業社會萬般皆下品，惟有錢最高，不明乎此就是落伍。

不過話又說回來，也有很多例外，像李翰祥一類的人，被人控告反動、漏稅、走私、行賄等罪，據說有證有據，其連一根毫毛都傷不了他，李因違反票據法被台北地方法院判決，法院對他也無可如何，這叫作老公雞不撒尿，各有各的路，何況刑不及大夫古有明訓，不了了之在台灣，當然不止李翰祥一個一般高，犯了法後就得分出三六九級，如果不相信的話打開票據通緝犯的名冊，就可證明樓主是一個不說謊話的人了。

最後我們特別聲明的，並非對李翰祥過不去，且從不認識李翰祥其人，不過我們想藉李翰祥違反票據法的事件來說明違反票據法應當廢止。老樂倫人在法律上都是告訴乃論，支票是雙方同意的合約行爲，根本就不應當這樣做；要做的話就得法律之前人人平等，要以一點的話，講出又犯忌諱，質諸高明，以爲如何。

從學庸談孔子的人生觀（六）

蔡金濤

永嘉禪師的奢摩他頌第四說：「恰恰用心時，恰恰無心用；無心恰恰用，常用恰恰無。念非忘塵而不息，塵非息念而不忘，塵忘則息念而忘，念息則忘塵而息，息念而忘，忘無所忘，忘無所忘，忘無所忘，塵遺非對，息無能息，念滅非知，知滅對遺，一向冥寂，闃而無寄，妙性天然。」能達此妙性天然的境界，即慾念（名理的知識）滅至最低，以至於無，直覺現前，以觀照萬物，則喜樂無比，頗似吾等欣賞一幅山水畫覺一般，以靈敏的直覺定神於畫中，此刻已物我兩忘，進而爲物我合一，雜念（名理的念）俱消，美好無比。孔子所以一任直覺的觀賞世界人生，故世界是美好的，人生是藝術的，故他說：「發憤忘食，樂以忘憂，不知老之將至。」

孔子的唯一重要的態度就是不計較利害，這就是儒家最顯著與人不同的態度，直到後來不失，並且演成中國人的風尚，爲中國文化之特異彩色的。當我們在這裏細說當我們作生活的中間，常常分一個目的與手段；譬如避寒避暑，男女之別這是目的，造屋子，這是手段。如是類推，大半皆是這樣。這是我們生活中的工具——理智——如其分配打量之便利，而假爲分別的；若當做眞的而且危險了，什麼錯誤危險？就是將整個的人生生活打成兩斷截；把這一截完全附屬於那一截，而自身無其意味，如我們原來生活是一個整的；若一分，則當造房子時時處處都有意味；那一段生活就全成了住房時那一段生活的附屬，而自身無復意味的。若處處持這樣態度，那麼就把時時的生活都化成手段——例如化住屋爲食息之手段，化食息爲生殖之手段——而全一人生生活都傾欹之外了。其實生活是無所爲的，不但全整人生無所爲，就是那一時一時的生活亦非爲別一時生活而生活的，平常人蓋多有這種錯的分別——尤以聰明多欲人爲甚——以致生活趣味枯乾，追究人生的目的，意義，價值等等，甚而情志動搖，潰裂橫決，孔子非復常人，所以全不如此，而且教人莫如此；墨子猶是常人，所見遂不出此，而且變本加厲。墨子事事都問一個「爲什麼」事事都求其用處。其理智計較算賬用到極處；就把葬也節了，因爲他沒用處；把喪也短了，因爲他有害處；把樂也不要了，因爲他不知其何所爲，這澈底的理智把直覺情趣斬殺得乾乾淨淨；其實我們生活中處處受直覺的支配，實在說不上來爲「什麼」的。你一笑，一哭，都有一個「爲什麼」，都有一個「用處」嗎？這都是隨感而應的直覺而已。那孝，也不過是兒女對其父母所有的一覺而已。我們人的行爲動作實在多無所爲，而且最好是無所爲，「無所爲而爲」是儒家最注意用力去教人的。我們已說過孔家是要作仁的生活了，最與仁相違的生活就是算賬的生活，所謂不仁的人，不是別的，就是算賬的人。仁只是生趣盎然，才不算賬則生趣喪矣！即此生趣，是愛人敬人種種美行所油然而發者，生趣喪，情緒惡，則貪詐暴戾種種劣行由此其興，算計不必爲惡，然算計實唯一妨害仁的，妨害仁的更無其他；不算賬未必善，然仁之心理却不致妨害，美惡行爲都是發於外之用，不必着重去看；要着重他根本所在的體，則仁與不仁兩種不同之心理是也。要着重這兩種心理則算計以爲生活不算計以爲生活不可審也！這是說明孔家不計較利害之由於違仁的一個意思。計算始於認定前面，認定已失中，進而算計更失中；甚至像前面所說：計算到極處則整個人生都傾欹於外。孔家爲保持其中又不能不排斥計算。傍人之生活時不免動搖，以其重心在外；而孔家情志都爲其生活之重心在內故也。這是說明孔家不計較利害由於失中的一個意思。違仁失中都是傷害生機，不但像墨子那樣辦法使人完全成了機械。

（未完）

成語選粹（18）

揚眉吐氣

李國良輯

李白與韓荊州書：「何惜階前盈尺之地，不使白揚眉吐氣，激昂青雲耶！」世謂「揚眉吐氣」喻得意之狀。

傳記書刊

儒道法先驅管仲的功利思想（五）

·黃公偉·

（明法篇）其適在於「聖王任法而不任智，任數而不任說，任公而不任私」。（任法篇）所謂「仁義禮知皆出於法」，他說：「夫法者，上之所以一民使下者也。私者，下之侵法亂主者也」。（同上）「生法者君也，守法者臣也，法於法者民也」。（同上）使上下皆從法而天下大治。於是君權乃立其威勢。

管子說：「法者，民之父母也，令重於寶，社稷先於親戚。法重於民，權威貴於爵祿。故不爲重寶輕號令，不爲親戚後社稷，不爲愛民枉法律，不爲爵祿分威勢。故曰：「勢非予也」。（法法篇）所以「管子所謂「法出於權」，有權有勢，而君乃有威。而令無不行。私無不消，民無不化。管子云：「活人如活水潦，養人如養六畜，用人如用草木」。（七法篇）無親無情，一任於法。他完全取物質主義的態度，把人民視同物。所謂「不貴人之博學，欲其人之和同以聽令」。（法禁篇）他說：「聞識博學之士，能以其知亂法惑上」。（任法篇）絕聖棄智，由法治可化「有爲」爲「無爲」，這是法治的萬能主義，也是確立君主專制的唯一途徑。故管子法學爲先秦開立了君權至上的原則。由於管子任法，重權勢威，而後戰國法學思想由齊國流於西方，韓人申不害重「術」，衛人商鞅重「權」，趙人愼列言權勢，賓尹文重「形名」，至韓非而集其大成。韓非受荀子之學，但「吾蠹」之論，以「學者、言談、帶劍、串御、工商」爲用智不用力之五蠹，而集「術」、「勢」、「威」、「名」、「權」、「刑」六者於一體。由諸子分承其學，由韓子總匯其精華，而用於秦。是爲强秦之主因。亦極端專制政治之所由來。

（六）管子法學思想與「霸術」

春秋之世，始以霸道代王道。始自管子之言霸術。即「依力不依德」，在極端人爲主義，權力主權之下，政治原則以富國强兵爲基礎。以攻戰勝人爲目的。其開拓自强致勝之手段，即專以謀畧、霸術爲用，當與姜呂南封於齊有關。因太公望即權術兵法之開山也。管子釋「霸」云：「尊賢投德則帝，身仁行義服忠用信則王，審謀章禮，選士利械則霸」。（幼官篇）對內設立國君專政之權威，對外以優越之武力加於諸侯，使各國畏服。這是管仲相齊的妙計。他說：「定生處死，謹賢修伍則象，信賞審罰爵材祿能則强。計凡付終，務本飭末則富，明法審權立常備能則治。同異分官則安」。（幼官篇）此致富强之術，又云：「夫霸王之所始也，以人爲本，本理則國固，本亂則國危。故上明則下敏，政平則人安，士教和則兵勝敵，使能則百事理，親仁則上不危，任賢則諸侯服。霸王之形，德義勝之，智謀勝之，兵戰勝之，地形勝之，動作勝之，故王之。」（霸言篇）在人材衆多，內政安定，人心歸服形勢下，構成軍事地利壓倒優勢，而以智謀動作制人先機，是故不戰而勝。以軍事爲外交之後盾，以謀畧爲制勝之左劵。管子云：「夫用天下之權者，必先布德於諸侯，是故先王有所取有所與，有所拙有所信，然後能用天下之權」。（同上）又云：「夫先王取天下也，術未大德也，物利之謂也」。（同上）此權術即謀畧之應用，純智慧之戰爲主。所謂「夫爭强之國，後先爭謀，爭刑，爭權」。即是說：「精於謀，則人王之願可得也，而令可行也。精於刑，則大國之地可奪，强國之兵可圉也。精於權則天下之兵可齊，諸侯之君可朝也」。（上同）

（未完）

諸葛亮狂想曲（一九）

·劉玄·

麋芳對於棋道甚精，他與關羽下過兩次棋，事先劉備囑付他只許輸不許贏，所以一次是下成和局，一次讓關羽小勝。

麋芳走到棋盤邊仔細看了一下，覺得這不過是很普通的一盤棋，談不上有若何精妙之處，不過爲了要逢迎關羽，只得說道：「黑子佈局穩健，是高段手法，幾乎是無懈可擊，白棋中盤突出奇兵，遂使黑棋感到難以應付。二將軍用兵如神，在棋盤上不過是小施其計耳。」麋芳胡吹瞎捧，目的只不過是博得關羽歡心而已。

關羽聽罷，掀髯微笑。「麋秘書駕到，怎麼人參茶還未拿來？」關羽一眼看見麋芳面前空空如也，遂對侍衛打官腔。

「聖帝這盤棋下得實在好，我也費盡心思，才能維持到最後，換了別人，恐怕早已在中盤棄子投降矣。」黃雲大仙瞇着一對三角眼，拍關羽馬屁很有一套。

「今天龍岡開會，我因爲下棋沒空，所以沒有去，開會的情形還好罷。」關羽與麋芳扯了半天棋經，現在才言歸正傳。

「啓稟二將軍，本年磨刀大典，決定分五組辦事，計分總務、文書、招待、宣傳、聯絡、各組的組長副組長均由皇叔擬好名單，命我徵求二將軍同意後，即行發出。」麋芳說罷，從懷中掏出一張黃裱紙名單，雙手呈遞給關羽。

「我不用看了，總務組的副組長，我推薦黃雲大仙担任。」關羽因一時高興，分明是要提拔黃雲大仙。

「請問大仙的名號？」麋芳從懷中掏出萬用毛筆問黃雲大仙。

「黃楚朗，黃忠的黃，楚漢相爭的楚，開朗的朗。」黃雲大仙向麋芳通名報姓。

「其他各項事務，請你轉告皇叔由他作主好了。本年磨刀大典，仍由周倉作示範表演。」原來所謂磨刀大典者，龍岡會員聚集以後，由周倉拿出青龍刀在一塊大磐石上比劃幾下，就算禮成。

「我承二將軍厚愛，要我担任磨刀大典總務組的副組長，恐怕難以勝任。不過，我却不敢言辭。久仰二將軍威名蓋世，所謂寶刀未老，公實足以當之。」黃雲大仙趁機又拍了關羽一記馬屁。

「再沒有什麼事了，你可以告退了。」關羽棋興未已，還想再殺黃雲大仙一盤。

麋芳未便再留，立刻向關羽告辭。因受劉備之囑，在見過關羽之後，順道去看諸葛亮，故一轉便轉到諸葛亮住處來。賓主坐定，麋芳將欽見關羽經過報告畢，問道：「丞相，你可知道與二將軍下棋的黃雲大仙是甚等人物？」

諸葛亮搖搖頭，但隨即叫琴童進來，問道：「你知不知道黃雲大仙是甚麼人？」諸葛亮知道琴童消息靈通，現在倒變成他在天庭的萬寶全書了。

巨變歷險記

往滇東講演（一零三）

胡慶蓉

國民政府的部隊第廿六軍沿呈貢、宜良、鎮遠、蒙自、建水、石屛……一帶佈防。這屬於滇南。第八軍，即李彌的一軍，則沿昆明、嵩明、南靖、霑益……一帶佈防。這個地區，號稱滇東。滇南地區講演之後，又到滇東講演。主要的對象是第八軍，其次是民衆。

這是民國三十八年十一月下半個月的時候。這個時候，重慶已告失守。在重慶失守的消息到達昆明的晚上，昆明的廣播電台特別的請丁作錄音的講演，實際上也就是等於告雲南全省的上下，希望他們不要氣餒，繼續為擁護政府而奮鬥。語音低沉，但剛毅有力。這篇演說，同其他的演說一樣，電台不斷的轉錄出去。這與振奮人心士氣作用是很大的。有很多很多的人分別聚集在街上的播音器下面或坐在收音機旁靜靜的聆聽。

由於重慶的失守，無疑義昆明的空氣顯得格外緊張，而盧漢再度不穩的消息也傳遍到處。

但丁博士並不失望，在滇南回到昆明之後，又僕僕風塵，再往滇東。行前，李宗仁飛往香港，路經昆明。這更促成盧漢的叛變。李宗仁離開本國，中樞無主，一片混亂現象，成了各奔前程，盧漢還有什麼顧忌？為維護他的實際利益，惟有出於投降一途。李宗仁的飛機飛到昆明機場，盧漢率領全體省府官員及軍警憲到機場歡迎。此外民衆學生也去了很多。雖不能旌旗蔽天，倒是塵土飛揚。隨行人員有丁博士的老同學有東方美男子之稱的洪蘭友。洪蘭友是國民大會的秘書長，也是李宗仁內閣的內政部長。在第二天的民衆歡迎大會，盧漢作主席，在台上的有洪部長等。一直到離開，李宗仁並沒有宣佈他去香港轉美國，也沒有人知道他要去香港轉美國。盧漢接待他，上下歡迎他，都當作是到昆明巡視或與盧漢有什麼事要秘談。從洪部長的言談中，知悉李宗仁有困難，有倦勤意。今　總統府秘書長張羣岳軍先生似乎也在昆明，並且在歡迎台上。會本來是個歡迎會，但空氣非常緊張，緊張到簡直喘不出氣來。在此風雨飄搖之秋，李宗仁代行總統職權，如何可以離開首都。迨李代總統的飛機不飛返重慶，不飛返成都，大家才恍然大悟。

但滇東演講，在李代總統飛離國土之後，仍不變更計劃，仍前往滇東對第八軍講演，並對民衆講演。他先去霑益，然後回頭來，然後去南靖，去馬龍，去嵩明……。他到霑益的時候，第八軍軍長李彌正準備去昆明晤盧主席。聽說第二十六軍軍長余程萬也準備去。他們被扣省政府光復大樓樓上，就是這一次。不久卅八年十二月七日盧漢就宣佈叛變了，整個大陸也隨之完全變色。

台灣的讀書風氣

言叟

台灣的讀書風氣很差，這是有事實根據的。我們不妨先從表面的現象來觀察：在一列長途火車上，舉目所見，儘是無所事事的人，或打盹、或聊天，或漫無目的的東張西望，很難得看到幾個能利用時間來看書的；在一大棟豪華的公寓住宅裏，冰箱，冷氣各種電化設備一應俱全，就是難得找到幾家陳設有書櫃，更遑論像樣的書房了。需要時想到家俱店買座書櫃，走遍大街小巷，也極難得買到一個稍能稱心如意的。由小見大，可以看出當前社會上讀書風氣的一斑。尤其圖書出版與銷售數量，衡諸以一般國際水準，尚有一段不小的差距，更直接可以看出我們國人讀書風氣是如何的不够。

由於時代進步，知識領域不斷的擴張，而形成了所謂「知識的爆發」。一個現代國民的知識，若孤陋寡聞如昔，實無法適應劇變中的外在環境。再就個人本身來說，讀書是攝取知識，涵養德性的最佳途徑，也是最切實效的自我教育。為政者唯其能博覽羣書，見多識遠，於主持大計時，才能在權衡取捨之際，瞭然其利弊得失，作通盤考慮，採擇精當。教育學術界的人士，負有「傳道授業解惑」的重責大任，更得孜孜不倦於研習進修，這當然不在話下，就是其他各行各業，亦莫不如此。

每個人要使自己不至於落伍而不自知，只有藉多讀書來充實自己。事實上學校教育，嚴格說起來，不過是在人生無盡的學習歷程中初奠根基而已，唯有繼之以始終無間的自我充實，才能跟上時代，因應各種需要，何況古人有言：「學如逆水行舟不進則退」呢？

目前台灣的情形是：有錢的人寧可逛入觀光飯店夜總會、舞廳去揮霍，或酒食徵逐，極盡聲色之娛，却不願化錢買些書來看看；有的人有時間搓麻將，通宵達旦，不以為苦，但如要他抽些時間看書就不幹。當然像本文所提到的這些不好的現象，外國未嘗沒有，但比較起來，人家就沒有我們這麼嚴重。須知讀書可以增進一個人對於人生意義的了解，培養生活的情趣，讓生命更趨充實，如仍以古代的觀念來衡量，全把讀書認作是做官求職的進身之階，不參加考試以謀職或求取文憑就不讀書，這是很難見納於現代社會的。

三日不讀書，便覺「面目可憎，言談無味」，曾國藩是個讀書有得的人，他的體悟自較深刻，我們暫且不把它形容得這般嚴肅。我們可以這樣說：要是一個人能優、游、藏息於書籍之中，多培養出一些「書卷氣」，總比那碌碌終日於爭名奪利，所形諸於外的「市儈氣」要好的多啊。

又昧於國際大勢，連對於敵方的情報工作亦付之缺如，祇是頭痛醫頭，腳痛醫腳，從事鄉愿式的應付，當然一無是處。戰端既啓，海軍早已腐敗，又沒有準備，倉皇應戰，每戰皆北，陸軍實力原不强，以沒有海軍掩護，處處受制於敵，更無幸理，而一般綰領要塞防務的官員，多屬中庸之才，臨戰不是張皇失措，即聞警潛逃，如旅順港的船塢總辦龔照璵，聽到駐防將領擬訂防守計劃後，他即於宴會中私自逃回內地了，這人是鴻章的親信兼同鄉，其他的海陸軍高級將領，十九亦是淮軍出身的，自難怪全國人士皆對鴻章不諒解呢！

中興名臣李鴻章（四）

諸葛文侯

與日議和遇刺客

戰事很快就失敗了，中國海軍實力全部告熸，海陸軍將士死難者更無算，海軍統帥丁日昌於戰敗後不接受日軍誘降而自殺，可謂壯烈矣！旋由英國出面斡旋停戰議和，清廷只好答應，特派張蔭桓，邵友濂為全權代表赴日和談，然日方認為他二人份量不够，故意說張邵所攜帶的全權議和代表文書有問題，拒不接受，要清廷另派資深望重的大員，對象就是指李鴻章。是時鴻章以反對戰爭被國人詈為「漢奸」，業經清帝明令議處，幽居北京郊區法源寺，憂讒畏譏，對國事噤若寒蟬，清廷怵於戰敗之勢，乃命鴻章為全權議和代表，馳赴日本下關與日本代表伊藤博文（內閣總理），陸奧宗光（外交部長）談判。日方所提條件極苛刻，除割讓台灣這大塊領土外，另索賠償軍費五億兩紋銀，表示沒有還價之餘地，鴻章雖苦苦求情亦無效。距有日本青年於鴻章談判回寓之際，在途中加以暗殺，槍傷面部，流血甚多，國際間聞之，指日本不是文明國家，竟對敵國議和使者妄加傷害，日皇急派御醫為李醫療創傷。迨李痊癒復議時，日方乃自動將賠欵減少二億兩，算是李氏流血的代價，其他條件照樣。當日本提出議和條件之初，尚有割讓遼東半島一項，俄法德三國聯合反對日本佔有遼東半島，俄艦隊且在旅順大連灣監日本長崎港海面示威，擺出不惜一戰的態度，日本自怯不可抗拒，承認不佔有遼東半島而加索軍費二億兩紋銀，共計五億兩，嗣因李鴻章受刺客槍擊，纔減去二億兩的。三國干涉遼東半島問題，係以俄國為首倡，後來的日俄戰爭即種因於此也。

採以夷制夷策畧

鴻章狃於俄法德三國干涉還我遼東半島之役，認為今後吾國可以利用外力以自保，乃採反所謂「以夷制夷」的外交策畧，却不瞭解國際列强只是垂涎地大物博的中國這塊肥肉，羣思嘗臠，並無正義公道之可言，尤其對於西方資本帝國主義的本質及其發展趨向，一竅不通，結果引狼入室，夷未能制而禍害隨之叢生，這是李氏誤國的愆尤，功過不能相抵也。

光緒乙未年（公元一八九五年），即中日戰爭的次年，俄皇尼古拉二世加冕，清廷特派李氏赴俄道賀。李從上海出發時，會語維新派人士黃遵憲云：「今後將以西洋牽制東洋」。

安徽十三傑

搜異錄

鬼兵

杜負翁

自由報，一〇二六期，載周遊君撰「鬼兵過境」一文，時間為民國三十四年，地址在滇西保山，所叙見聞，歷歷如繪，與民國二十九年，江蘇泰興，鬼兵過境，先後如出一轍，茲錄泰興鬼兵於左，以供研究。

友人印文燦，籍泰興，民國二十九年時，任泰興區長，住泰興東南鄉，印家莊，距城十八里，於春夏間，每至夜晚，遙見通衢大路，燈火若繁星，無慮千百，向前移動，若有秩序之魚貫行，村人趨往，即忽然而滅，蹤跡毫無，以上情形，村中男婦老幼，無不見之，絕非一二人之幻覺。尤奇者，是年六七月間，時已旁午，忽見若干軍隊過境，黑衣者既盡，繼以衣草綠色者，歷時許，方畢。當發現於大道進行時，村人前往就近觀之，見有若干士兵無頭，乃不敢前近，知為鬼兵，不免大駭。該莊盡處，有一木排，鬼兵過境時，有士兵三人立其上，鬼兵過盡，木排上之三位士兵亦隨之俱沒。該鄉人士，有目共睹，蓋亦鬼也。該鄉駐有國軍一排，未數日，共匪進犯，國軍一排，寡不敵衆，悉數成仁，則所見鬼兵，與國軍一排之殉職，不知有無關係，留待未來研究。吾深信此類見聞，在今日視之，未有不指為迷信，然事實自事實，吾以為若干年後，科學發明，或有明確解釋之一日。

即以周遊君所記，與本文互觀，大同小異，一在滇西保山、一在江蘇泰興、一在二十九年、一在三十四年。余與周遊君從未謀面，且不知其眞姓名，絕無相互作僞，故作奇談以驚世駭俗，想讀者當能共諒！

宋希尚（達庵）教授治水五十年桃李盈門成材甚衆詩以美之

・陳邁子・

溪洶湧會稽高。驚心水患人中豪。水學瑕饋適其曹。人溺己溺志昭昭。南通保坍試牛刀。遙望大閘功槩潮。海濱鹽墾姓字標。重洋負笈飛雲霄。胼手胝足禹掬勞。大河潰決浪滔滔。廬舍蕩然萬民焦。奮力堵口事功超。卒告合壟民安郊。李冰賈讓許同儕。治河導江氣獨驍。盡瘁寧災隱患消。三峽高壩眼界遙。薩凡奇氏與相要。發電設計民富饒。海天悵望水迢迢。三千桃李盡英髦。春風廣被樂陶陶。著作等身心力拋。餘緒詩文美瓊瑤。先生之德有清操。先生之功萬頃濤。先生之言振風騷。先生之榮勝袞褒。

自由報

中華民國內政部內警台報字第〇三一一號
中華民國僑務委員會登記證僑台報字第三二三號
中國郵政台字第一二八二號執照登記為第一類新聞紙

（第一〇四二期）

（半週刊每星期三、六出版）

每份港幣壹角，台灣零售價新台幣壹元

督印兼發行人・社長李運騰

社址：香港九龍彌敦道593—601號 廖創興銀行大廈八樓五座

LIU CHONG HING BUILDING
7th FLOOR FLAT 5
593—601 NATHAN ROAD,
KOWLOON, H.K.
TEL: K303831

電報掛號：7191

承印：景星印刷公司
地址：嘉咸街廿九號地下
台灣連絡中心：台北市青田街五巷三號
電話：三七五〇二二
台灣區直接訂戶　台郵劃撥戶第五〇五六號
台北營業處：台北衡陽街三十號
電話：二七二〇〇
台灣分社：台北市西寧南路110號二樓
電話：三三〇三六四，台郵劃撥戶第一二九二號

中東均勢已動搖 俄共又在慫恿利比亞

·行深·

今天的利比亞阿拉伯共和國是世界上產油最多的國家之一，尤其是蘇彝士運河關閉以後，利比亞因為地理上的接近，對於歐洲的石油供應，比以前更為重要。

俄共在中東導演戰爭，爭取了一個利比亞，不但對中東的戰局是增加了很大的反以色列的力量，并且對今後歐洲和地中海的均勢的打破，會發生很大的作用。

美、英在亞洲撤退，又在中東和北非吃虧，使毛共，俄共坐大，這不是軍事上的落伍，而是政治上的近視與無能的後果。法國還要買一百架飛機給利比亞，似乎是想填進英美的空檔，其實是無比的自私和愚蠢！

北非的利比亞阿拉伯共和國，面積一百七十六萬平公里。人口一百八十萬人，其中百分之九十二是阿拉伯人。全國共分十區，有兩個首都：一個是突利波利，一個彭加斯。氣候乾燥而炎熱，晝夜氣濕相差很大。

主要的生產是石油，一九六八年產油一億三千萬噸，比利亞政府的財政和民間經濟的發展都靠石油的收入。

去年一年中從石油上收入二億七千五百萬利比亞鎊（每利比亞鎊約等美金兩元半。）

但是石油的生產差不多完全由外國公司所控制，一共大約有四十家的公司，其中二十幾家是美國的，五家是西德，三家是英國的，三家是意大利的。到一九六八年才成立了第一家的國立石油公司。

利比亞除掉石油之外，還出產牛、羊、海鹽、石膏、石灰和白粉。

蘊藏有鐵苗和磷酸鹽，但是并沒有開採。此外只有小型的水泥，煉油，烟草，火柴等工廠。全國人口百分之六十都是農民，可耕種的土地僅佔全國面百分之二·五。全國文物中心在北部沿地中海一帶。

交通落後，無鐵路，在地中海沿岸一帶有公路，共一千八百二十二分里。對外貿易只靠石油，國家預算百分之十在此。

在六四二年利比亞被阿拉伯人征服，土耳其在十六世紀佔領了它，經過三個世紀。

一九一一——一九一二年意土戰爭，意大利勝利，佔領了利比亞。在第二次世知大戰中是英、美、法和德、意作戰的有名的北非戰場。

戰後俄共首先在一九四八年巴黎四強外長會商意大利殖民地的處置的時候，就提出利比亞的獨立。

一年以後，在聯會國第四次大會提出審查。俄共提議立刻讓利比亞獨立，在三個月內撤退駐利比亞的外軍。一九四九年決議通過。

利比亞在一九五一年十二月二十四日宣告獨立。

這時候經濟混亂，百分之九十以上是文盲的人民，生活水準低落

一九五三年利比亞和英國簽訂友好同盟條約。

一九五四年和美國簽約，允許美國在突利波利附近威列士費爾特建立空軍基地。俄共極力在幕後煽動反對。

一九六九年九月一日當利比亞國王伊德列士在土耳其訪問，國內政變，廢除了他的王位，而宣告成立利比亞阿拉伯共和國。政權先由革命委員會掌握。其政府在一九六年九月八日組成，總理是馬赫莫德·蘇賴曼·阿列，麥格列比。在俄共慫恿之下，宣佈增加工資一倍，實行工改。蘇聯政府也立即予以承認。

阿列，麥格列比隨後又查禁與以色列有往來的外國公司，宣佈要取消英美在利比亞的空軍基地。英國在去年十二月十四日，開始撤出，在今年三月底撤完。

利比亞政府目前仍然表示，只要外國石油公司能夠對利比亞的人民的利益和國立石油公司今後發展無害，暫時可以合作。

這是因為今年的石油輸出要達十億美金，固然外國公司賺得很多，而利比亞的政府百分之八十的收入也寄托在此，所以還不至於馬上輕舉妄動。

昨日與明日

電影製片商的無理取鬧

台灣電影製片商為了中國電視公司放映國語電影長片，大表反對，除向政府機關申訴外，並在報端刋登大幅啓事，說明反對理由，同時也想出種種抵制辦法，很引起社會人士的注意。

就消費者的立場看來，電影製片商這種行為，完全無理取鬧，所有消費者對於電影製片商的行為，都是反對的。

消費者有選擇的自由

首先，我們都應該明瞭：我們現行經濟制度，是三民主義經濟制度的自由競爭經濟。

所謂自由競爭經濟，其眞正精神之所在，就是消費者的自由選擇和企業經營的自由競爭。

消費者的自由選擇，係指購買物品與勞務的自由而言。

譬如消費者有一元錢，他可以購買一個燒餅，也可以購買一塊麵包；他有幾十元錢，他可以買張電影票，到電影院看電影，也可以買張歌廳入場券去聽歌，完全隨消費者的意願，電影院既不能強迫消費者一定去看電影，歌廳老板也不能強迫消費者必須去聽歌。

中國電視公司放映國語影片，消費者看，或者不看，完全是消費者的自由，電影製片商壓迫中國電視公司不放映國語影片，豈不是干涉消費者的自由選擇，嚴重點說，也侵犯了人民的自由：烏乎可？

有競爭才有進步

企業經營有自由競爭，社會才有進步，人民的福利才可以增進。

電影製片商的企圖包辦壟斷，顯然違反了自由競爭原則，既有碍於社會的進步，更防害了人民大衆的福利。

一個正當的途徑：製片商應當提高製片水準，使戲院設備更現代化，讓消費者去電影院看電影不僅欣賞影片，也使他有最滿意的享受，讓消費者都心甘情願地去戲院而不願在家看電視。

目前，製片商為了本身利害而忽視了消費者的利益，算是那一門子自由競爭？正如同當計程車初行駛時，三輪車夫的反對，這種開倒車的行為，能夠行得通嗎？

中國電視公司堅強起來

年來電影製片商的粗製濫造，武打、暴露影片之有害善良社會風氣之建立，社會詬病已久。

電影製片商本身必須加以檢討，中國電視公司應顧及社會需要，和推行民族精神教育，繼續選優良國語影片，不能向片商屈服低頭，社會大衆站在中國電視這一邊。

·艾敏·

自由談

見小遺大

美國商務部長史坦福最近聲言：凡以紡織品輸入美國的自由友邦，必須與美國進行談判，限制輸出的數量，否則美國會將製訂法案，加以分配云云。好像這是一項很嚴重的問題，不可須臾緩也。

對美輸入紡織品的自由地區，不外乎日本、台灣、香港等處，數量并不大，且有供求律的關係，亦不可能隨便把貨品對美國大量傾銷的。就台灣來說，每年輸入美國的紡織品價值不過五十萬美元而已，再加上日本香港兩處的貨品，每年亦不會成為一個大數目吧？美國在越南的戰費，一天就要消耗近千萬元，以視台灣等處之紡織品輸入美國出售的價額，殆如九牛一毛，不成比例。

然美國主管當局却認為是不得了的事情，非急加限制不可，明察秋毫而不見輿薪，可哂亦復可憐也哉！

再說戰後三十年來，美國對自由地區隨便輸入各色各樣的貨物——特別是奢侈品，為數不可勝計，更把一些報廢的軍用物資和剩餘農產品，作價售與友邦，美其名曰軍經援助，以換取若干政治權益。

一般自由友邦，對於美國奢侈品之輸入，并未表示要予以限制，而紡織品與奢侈品對人民生活暨社會生計的惡劣影响，未可同日而語，這又怎樣解釋呢？

美國富強甲於全球，奄有自由世界領導地位，不失為泱泱大國，對於自由友邦少數紡織品之輸入，在經濟上不致構成重大損害，殆可想見，何必斤斤計較，示人以小家子氣派呢？唯一的解釋，便係重商主義作祟，也就是資本主義先天的病態使然。

假使美國硬要限制自由地區紡織品輸入，毫無商量餘地，我認為中華民國政府更可以頒訂法令，限制外國奢侈品之輸入台灣，以免影响人民生活，防止浪費風氣，理由十分充足，了無愧怍也。

馬五先生

輿論精華

香港大陸兩春節

此地春風撲面來，
隔橋柳色却含哀；
人間本一何分二？
為憶桑榆劫後灰！

今年春節，日麗風和，香港人雖然腦子裏有着陰影，但當此佳節美景，不免顧而樂之。且看，這幾天市內郊外，都擠滿了人，娛樂場所，正合了「爆棚」一語。這是自由社會的特點。

但從大陸的宣傳機器看，經過休刊三日（比自由報章多休刊一天）後復刊的毛報，照往年之例，少不得把大陸人民過春節的情形，特大篇幅來吹擂，說着大陸人民如何歡樂，如何大吃大喝，而今年則一反過去常態，除報導春耕和什麼「開展愛國衛生運動」，「大辦各種類型的毛澤東思想學習班」外，僅提到春節市場供應充分。另些方面：

一、新華社八日報導：大陸人民以讀毛語錄及開毛澤東思想會，代替過春節。在春節期中，不得放假，堅決地「抓革命，促生產」。

二、廣州歸客逃說，在春節期中，廣州市民一律義務勞動四天，並於除夕早上，由街坊組織逐戶通知，要在春節四天內，各市民到指定地點，集體進食「憶苦餐」。所謂「憶苦餐」是以穀糠混合煮成（即前時餵豬飼料），違者以「反革命」論罪。

不論如何，從大陸宣傳機器所反映，香港人和大陸人過春節的情形，恰恰成了一個相反的對照。

回憶過去，香港人喜孜孜地回鄉渡歲，也喜孜孜地回到香港來，這刻，香港人之回鄉渡歲的，也懷着喜孜孜的心情嗎？回到故鄉後，所渡的是什麼的歲呢？帶着什麼心情回到香港來呢？顯然是兩樣，相反的兩樣。

香港人會看到：由大陸運來香港的「年貨」，正如過去在大陸所見過的一般，有着種種色色的品類，包括吃的、喝的、裝飾的、甚而兒童玩具、迷信品，幾乎是應有盡有，但如果你以為大陸人也一樣會享受到這些東西，那就簡直就是傻想，大陸人有的、享受的，就是「憶苦餐」。

不信，你可以聽聽新近逃亡來港的難胞們所述。

不信，你可以看看從大陸親人們的來信。

不錯，大陸一切都變了，變得和過去不同了，春節的情形就是一個清楚的例子。然而，這不是什麼「破舊立新」的變，而是「破好立壞」的變啊！

（摘自香港快報）

「道德的科學」闡微

—「宋明理學體系論史」自序—

黃公偉

魏（柏鄉）作「聖學知統」，范鼎作「理學備考」，江藩作「宋學淵源記」，大抵程朱之傳聲，「宋學」之名由此盛行。至如惲敬為「姚江學案書後」，「明儒學案條辨序」，則因梨洲而辨王學。唐鏡海（鑑）作「學案小說」，亦如之。雷（翠庭）作「象山禪宗考」，「陽明禪學考」，直指陸王為異學。則如楊慈湖之拒讀程子書，同其偏激。朱為弼作「儒與二氏出入論」言及三教離合關係，並未見客觀的論斷。總如上述，清儒理學之史著與批評，推究三教異同取捨的態度，其依程朱而拒陸王者，依舊宋明人舊家風。鮮見持中之論。其執古統以排佛而又因價值以入佛為新統者，程朱與陸王，半斤八兩之比也。然就反陸王而言，與朱子當年之譏讓象山之攻擊，就不可同日而語了。

（五）

予竊以為治理學之關鍵在佛道，故欲朝對理學有真知，不可不持客觀態度，尤不可不知佛道。宋明人輕視佛法，多不肯精治佛學。所謂「先佛老而後返諸六經」者，證明他們泥古之見過深，所以他們闢佛老亦多不得要領。現在，予為生徒授宋明理學，中西哲學，又兼授佛學已歷年所。常以象山所謂四海聖人，「此心同此理同」主義，逖諸生先六經而會於佛道。即可真見心性，不為偏袒一隅之說所惑。予之治理學深感於前人，乏客觀性之批判因屬美中不足。近人罕體學性之論著，尤覺教學有阻。是以就予前所為諸書而言，如人生哲學，哲學史，倫理學之所論列，會綜先秦漢唐諸子以為心性道德修養人格歸宿諸篇，亦覺對理學作業，未作單一系統之詳釋，而咎歉不已。爰踵前業繼以三載，講學反復推考，以成茲編。蠶吐絲，蜂釀蜜，風雨雞鳴，花朝日夕，未嘗中輟。（未完）

馬來西亞排華措施

損人損己實為不智

立委促政府說明所採對策

（本報記者張健生台北消息）立法委員李公權在口頭質詢時，讚揚台灣省主席陳大慶革除高雄港務局的「陋規」，並引用陳大慶主席在台灣警備總司令任內說的兩句話：「幫助最困難之人，解決最困難之事。」來質詢嚴院長。

立法委員以質詢方式在立法院院上公開表揚一位省主席，以陳大慶為第一人，也是憲政史上的一項創例。

李公權委員提出四個問題向嚴院長質詢：第一、關於馬來西亞政府排斥華僑措施的問題：馬來西亞政府對於我國留居該國僑胞，除已取得該國國籍以外，其居留許可改為逐月辦理一次，致居留該地多年之僑胞，隨時均有被逐走之虞。目前已有若干在該地有事業，有地位的僑胞，被迫流往泰國或香港等地，因此旅馬來西亞的僑胞，人心惶惶，浮動不安。而毛幫派在馬來西亞邊境從事顛覆活動之首領陳匪平，遂趁此機會，大肆煽惑，以擴大共匪在馬來西亞的顛覆勢力，我僑胞亦不少因此挺而走險，此項消息，殊使人聞之駭然！

我國與馬來西亞目前雖尚無正式外交關係，但均屬反共之友好國家，我僑胞在馬來西亞者約有二十五萬人之多，該國政府此種排華措施，不僅有背兩國增進友誼的政策，危害我僑胞之生存，抑且助長其內部的叛亂，實屬損人損己，為極端不智的行為。未悉我們所獲得之消息與事實有無出入？我政府有無接獲更詳細的報告？採取何種有效的對策？請政府有所說明！

第二、政府自播遷台灣以後，當時陳故副總統主持台灣省政，曾提出：「民權至上」、「民生第一」兩句口號，此項政策的實施，成績至為良好，為人所稱道。

其中關於「民權至上」方面，如實施地方自治，省縣議會議員，鄉鎮民代表，及縣、市、鄉、鎮、里鄰長的選舉，均設有監察制度，由各政黨、議會、地方公正人士所組成，行之多年，至具功效。立法院鄉委員品聽主持選舉監察委員會，勤勞公正，表現至為良好。可是此次中央公職人員的選舉，却不採用此種監察制度，改由司法監察機關辦理。對於司法監察機關負担選舉監察工作的利弊得失，不作比較；但捨棄了有二十餘年經驗和優良成績的制度不用，我以為期期不可。台灣地方自治的選舉與監察制度，係由行政院制定公布施行，現在的更張，希望行政院應慎加考慮！未悉嚴院長對此事有所注意否？

第三、某報建議：目前台灣司法制度，在二審方面，有台灣高等法院及其所屬台中高分院、花蓮高分院、台南高分庭。因為自台北市改制以後，台北地方法院院長及首席檢察官的官階已改為簡任，與高院相同，對相同官階部屬的指揮，在制度上已不甚適當；同時，祇有一高等法院，在人事調度上亦缺乏靈活的彈性。建議將目前的台灣高等法院改為台北高等法院，台中高分院改為台灣高等法院，台南高分院仍隸屬於台灣高等法院，而將花蓮高分院改隸於台北高等法院。此一意見，因人員與經費均不增加，而職權更能集中，效率尤可提高，不知司法當局對此意見曾否加以研究？

司法行政部部長查良鑑答覆說：李委員關於司法方面的質詢，茲答復於後：依法院組織法第十六條規定：「省或特別區域各設高等法院，但其區域遼闊者，應設高等法院分院。首都及院轄市得設高等法院。」照這項規定，省必須設立高等法院，並限於一所，有必要時得設分院。院轄市則「得」設高等法院，設立與否，應斟酌各項因素而定。抗戰勝利後，如上海市即單獨設立高等法院，但廣州市亦為院轄市，却未單獨設立高等法院，而由廣東高等法院全部管轄。李委員主張另設台北高等法院，而以台中高分院改為台灣高等法院，自是寶貴意見，但須斟酌目前台灣交通狀況，人口分配及區域管轄等情形有無必要？本部願意加以研究。

第四、民主國家有三種要素發生極大的功能，即政黨、議會及輿論。此三者相互發生作用，如輿論可以影響政黨與議會。反之，政黨的政策可以影響輿論，議會的表現亦可以影響到政黨與輿論。但此三者均以民意為依歸，因此，民意乃為我們所重視。

某一在政府很有地位聲望的人士說，在台灣如欲謀一職業，須具下述六字：「小事情，大面子」。在另一方面，根據多年的體驗，政府官員如對某些小問題能切實解決，對社會亦甚有好處，套用前句，可說是「小問題，大功效」。比如高雄港務局向有很大的陋規，歷多年而無法解決；可是陳大慶接任台灣省政府主席以後，發現了這一陋規，即飭令該局長斷然的予以革除，獲得高雄各報、工商界良好的反應。我又想到陳主席前任台灣警備總司令時會說：「幫助最困難之人，解決最困難之事。」因此，希望行政院固要注意國家大事，同時也要注意小問題，幫助最困難的人，解決最困難的事。

行政院長嚴家淦答覆說：李委員所提政黨，議會與輿論三方面有連帶的關係和相輔相成一點，意見至為正確與寶貴。李委員又提到不要因為事情小而忽略，因為事情大而不敢應付。國父說：政治是管理衆人之事。既係衆人之事，當然包括大事與小事。其實大小是相對的名詞，從某方面看是小事；但從另一方面看却係大事，此係觀點不同，看法自異。不過就政治的立場而言，如發現有問題，應針對問題謀求解決。李委員的原意見督促政府如何去做，雖會提出很多的例子，也不過是舉一反三之意。除對李委員的見解表示欽佩外，行政院方面定必加倍努力，針對事實，切實解決問題。

教廷要人聯袂訪台

主持台北教區活動

激發聖職人員傳教精神

（台北消息）據「教友生活」消息：台北總教區羅光總主教，已於元月下旬抵達羅馬，出席於一月底及二月初所召開之教會法典修訂會議。除參加會議外，並與教廷各部院聯絡洽商有關傳教問題，希望對台北教區之教務發展有所裨益，經多日來之聯絡結果，已決定下列事項：

一、已邀定聖伯多祿大殿管理處主任馬里拉樞機，將於今年七月間來台，主持台北教區成立廿週年擴大慶祝典禮。希望藉此慶祝及馬樞機之光臨，能引起台北教區聖職人員及教友之更大傳教精神。

二、宣道部次長畢肅道里總主教，定於今年七月間蒞台，為台北總教區神父及修女所組織之牧靈研究會，主持開幕禮並致訓詞，希望對台北教區牧靈研究會，能予以具體和實際的指導。

三、宣道部培植國籍聖職委員會秘書長馬匪蒙席，決定陪同宣道部次長來台作友誼訪問，以便商討促進聖召問題。

四、前教廷駐華大使高理耀總主教，亦將來台作友誼訪問。

上述四位貴賓的蒞臨，對台北總教區的神父、修女和教友們的傳教精神，以及國籍聖職的提倡，必予以莫大的啓發和鼓勵。

喬治桑外傳　一二四

張大葉

喬治桑是認識裘太太的，裘白瓊故意介紹，不過是想增加鬧熱氣氛而已。

兩位女客微笑着向喬治桑點頭。對於裘白瓊的輕佻口吻不以為忤。倒是裘太太開了腔：「為什麼要介紹人家的綽號，眞是狗嘴裏長不出象牙來。」裘太太責備裘白瓊，臉上是帶着笑容的，可見並非當眞在責備他。

「久仰，久仰，」喬治桑滿面春風先坐到牌桌上。一看籌碼早已分配好，像牙科醫生用的特製牌燈，發出耀眼的光芒。

「白瓊兄，你不上場玩幾圈？」喬治桑問裘白瓊，他明知裘白瓊無份，不過是表示禮貌而已。

「我是乙組球員，太太是甲組球員，什麼緊迫釘人，假動作，我都不行。所以，太太上場，我休息。」裘白瓊天生是小丑的胚子，最會插科打。

「我們不來了，你的太太牌打得這樣好，我們不是明送錢？」開口的是留蘭香糖卞太太，身上散出濃厚的脂粉氣。臉上雖有些微皺紋，但另有一種所謂徐娘風韻。他穿一件深灰薄呢旗袍。手上戴一隻鑽戒，在牌燈照耀下顯得好大好亮。

「妳聽他瞎說，我的技術最差，十打九輸。他在外邊跑酒家、舞廳，我都不管他，打小牌是我唯一的消遣，可輪不到他上場。」裘太太人很爽直，說的都是老實話。

「我的太太比我有錢，她打牌品也最好，輸脫底也不動火。」裘白瓊為他的太太做了一次廣告。

裘家的牌局雖然不算大，但也有三五千元的輸贏。好在打牌的搭子都是有點身家的人，並不在乎。

「眞對不起，桑博士，又要請你唱一齣『三娘教子』，好在你是名票，一定要唱得好。」裘白瓊肯冷落喬治桑，臨上場的時候，還要調侃他一下。

「我很高興，能陪三位美麗的娘娘消遣，人生一樂也。」喬治桑也頗擅詞令，這兩句話說得很而技巧。

台北傳奇錄（三〇）

陳光棟

「你有什麼話趕緊說，別打老娘的歪主意」。

「昨天晚上，我他媽的想了一夜，妳說的眞有道理！」

「我」？

「是啊！老頭子對我無情無義，我也犯不着剃頭挑子一頭熱。」

「怎麼樣」？馬寡婦平靜的問着。

「能有個什麼辦法，整老頭子一傢伙，不顯山不露水的就能搞一筆，還得乾淨抹利」。步成材看着馬寡婦說。

「什麼？害人！」

「天哪，妳囉嗦什麼？」

「可沒有我的事，你另請高明……」

馬寡婦一本正經的說。

「咱們總是好朋友，我不過是這麼說說」！

「說說，說點別的吧，這種事，和我不相干，我可不要聽」！馬寡婦拒絕着。

「妳先別生氣，我是說着玩的」！步成材有點發慌。

「看你急的這副德性，想說什麼你說吧，我可不要聽」。

「比如說，老頭子上樓梯的時候，一交栽下來」！步成材壓低了聲音說。

「嗯」！馬寡婦聚精會神的聽着。

「平常日子從樓梯上栽下來，當然不對頭，假如是喝了酒以後，那就另當別論了」。步成材好像是說給自己聽。

「還有哪」？

「要是煤氣開關出了毛病，兩口子都昏過去，一兩天之後，才有人發覺……」步成材自言自語的沉吟着。

「還有沒有」？

「沒有啦，妳知道，我只有這麼多學問」。步成材偏偏的說。

「你為什麼要跟我說」？

「只有妳，才和我說的來」！

「見你的大頭鬼，誰跟你說的來？」馬寡婦假裝生氣。

「喂！妳叫什麼名字來着」？

「這跟我的名字有什麼關係」？

「我想問問」。

「你問過啦，告訴你我沒有名字」！馬寡婦什麼事情都先作預防。

「沒有就沒有，我是說，假如……到了那個時候，我會有一大筆錢，我就要和妳結婚」！步成材認眞的說：「連妳叫什麼都不知道」。

「你少灌米湯，你的事和我毫無牽連」！

「妳別這麼一推六二五，我是誠心誠意的跟妳討教」！步成材哭喪着臉說：「妳總不忍心看着好朋友塌台吧！」

（未完）

再談風濕痛的治療

·馬騰雲·

生活漫談

人到了四十五歲，身體的健康就向下坡走了，很多毛病亦跟着來，最先光臨的是白髮一根一根的上頭，其次就是風濕痛，關節痛，手腳麻木等，都跟着上身來湊熱鬧。凡患有上列的情形，千萬急不得，記住越急越難治療，這和果園的果樹生了病，菜園青菜裏生虫，須洒射殺虫藥的道理彷彿，人體內生了毛病，當然亦須治療，治療的目標，在撲滅我們所需要撲滅的病。

風濕疼痛，手腳麻木，直到半身不遂，換句話即這三種病是關連的，祇要我們得着一種，其餘是先後來的問題，一般的說，是風濕走在前邊的，今天我們參照中國的古方，和根據全國若干名醫實例，專研究如何根治手腳麻木，相信必受廣大讀者所注意，亦為很多醫藥界的朋友所樂聞。國醫中有六氣之說，風、寒、暑、濕、燥、火等，如果說風濕，首先得弄清楚，什麼是風，什麼叫作濕，所謂追本求源就是這個道理。

風分外因的風，和內因的風。外因的風，為冷熱二氣的鼓盪作用，中於人的皮膚，能使毛竅疏淺，交感神經弛緩，汗腺放縱，所以得了傷風病的人，便一定會發熱出汗，或引起風痛。內因的風，為神經發病的變態，或神經過於興奮刺激，致生痙攣，如驚風癲癇等，或神經過於沈滯，致麻痺或半身不遂，均為內因的風。濕為水蒸氣作用，天氣降雨的濕，居處過低的濕，空氣中的過燥或過濕，都會妨礙人體的健康因而致病，這種病象計有頭昏嘔吐，泄瀉水腫，筋骨酸痛，看濕氣所中的部份而定。內因的濕，以消化器為主，當濕困擾住脾胃時，食的營養，就不能吸收，因之營養不能隨着血液在身週流，全身分配不到營養時，於是胸部脹滿，疼痛麻木半身不遂等症，隨之而起。以上為六氣中風濕病的簡要說明，瞭解這些道理後，才能對症下藥，做到藥不虛發。

本方係供給風濕痛，關節痛，手腳麻木，半身不遂患者，合乎邏輯的重要參考資料：用藥是牛膝，金毛狗脊，雞血藤，木瓜，桑樹枝，松樹節，續斷，杜仲，秦九（草頭），桂枝尖，熟地黃各一錢，當歸身二兩，虎骨膠一兩，一方作五服，每日一服，五日服完，六日後，用兩碗水煎到還有一半，再以紹興酒一小杯同飲，假定六天過後尚未痊癒，用高粱酒三斤將藥泡服，飲完必愈。

惟在吃藥的過程中，最忌生冷寒涼，及帶有不易消化的食物，多休息，少操勞，不打夜牌，不渡夜生活，同時要絕對避開房事，其他如不吹電風扇，睡眠時關住當風的窗，如果風濕病患者住處太濕而得來的病，換一處較高較乾燥的地方，病立時會好一半，上列外因的風，內因的風，外因的濕，內因的濕，我們隨時能注意之，能做到避風袪濕，亦療治風濕病的最重要的一課。

從學庸談孔子的人生觀（七）

蔡金濤

要窒息而死，稍加計算，心理就不活潑有趣，就不合自然活潑；孔家是要自然活潑去流行的，所以排斥不計較利害由於傷害生機的一個意思。大約儒家所謂王霸之辨，就在一個非功利的，一個是功利的。孔子曰：「道之以政，齊之以刑，民免而無恥；道之以德，齊之以禮，有恥且格。」蓋刑罰實利用衆人之計較心理而成立者，此必至率天下而為不仁之人，大悖孔子之意，所以要反對的。王道雖不行，然中國[illegible]文化之彩色。西洋雖以功利為倚，與墨子為一態度，而同時又有藝術，其態度是得一調劑，故墨子之道不數十年而絕，而西洋於今有今日，因藝術是用直覺而當情趣，其態度為不計較的。

我們再看孔子從這種不打算計算的態度得到怎樣一個生活，我們可以說他這個生活是樂的，是絕對樂的生活，旁人的生活多半是不樂的；就是樂，也是相對的。何謂絕對的樂？他這個樂是不繫於外物的對關係的，所以為絕對；他這個樂是與對待的，所以為相對。若絕對關係而超對待。人走計算的路，總要由手段取得目的，於是必有所取得而後樂，取不得就苦了。其樂全繫於其目的物，而藉待於外，所以說是關係的而非絕對的。孔子則不然，他原不認定計算而致情志繫於外，所以他毫無然，天機活潑，無入而不自得，決沒有那一刻是他心裏不高興的時候，所以他這種不是一種關係的樂，而是自得的樂，所謂絕個東西在他是縈影全無，而心裏無時不樂。他說：「仁者不憂，知者不惑，勇者不懼」，智是惑的反面，勇是懼的反面，這是大家曉得的；我們還要曉得仁是憂的反面，我們可以說孔子樂，便可時時懂得這仁。宋明人常說：「尋孔顏樂處」是也。他只是順天理而無私欲，所以樂，所以無憂苦煩惱——憂國憂民都在內——通是私欲，私欲不是別的，就是認定前面而計慮，沒有那件事值得計慮——不但名利，乃至國家世界。秋毫泰山原無分別。大學上說：「心有所忿懥，則不得其正；有所恐懼，則不得其正；有所好樂則不得其正，有所憂患則不得其正。」這樣人似乎成了木石？其實不是不許有所忿懥，只是不許有所忿懥；不是不許恐懼，只是不許有所恐懼；不是不許好樂，只是不許有所好樂；不是不許憂患，只是不許有所憂患；隨感而應，則無所不可，繫情於物，則無一而可。所謂得其正者，不傾欹於外也，念念計慮，繫情於物，即便有樂，其樂不真，若孔子即啼笑不必異人，只是過而不留，中心通暢，則無時不可以謂之樂乎？論語上說「君子坦蕩蕩，小人常戚戚」，孔子因為有意打量安排，便常不安；所以要立意作樁事情，就是善的也不對，所以論語上叙孔子坐，孔子問他們各人要怎樣，一個個說要這樣，一個便說要那樣，都是要有所作為的，孔子都不甚許可；只有曾點說：「暮春者，春服既成，冠者五六人，童子六七人，浴乎沂，風乎舞雩，詠而歸。」孔子喟然曰：「吾與點也」。那麼，孔子就不要作為了嗎？不是的，只他不是出於打量罷了。所以他自己說：「其為人也，發憤忘食，樂以忘憂，不知老之將至。」

天命是孔子和儒家所常說的，如所謂「五十而知命」，「不知命無以為君子」，「樂天知命故不憂」，「道之將行也歟？命也。道之將廢也歟？命也。」雖然有孔子罕言命的話，其實孔子所說的「天命」，在孔子說來，所謂天命原很難講，大概說去就是指那造化流行而言。這個宇宙大的流行，他的來路非常之遠；惟其遠，其力量也非常之大，一直貫注下來，成功這個局面，很難輕的。除了我當下這一動是未定的，其餘周圍種種方面情形都在我之外而屬於已成。這周圍已成的局面都可以叫做機會，或機緣——不拘他對於我這一動為順為逆。這最多而有力的機會變化方向，殆足以決定我那一動的能否發出，接續表現成功，故曰有命；初不如平常人所謂命定者。樂天者，樂夫天機而動；知命者即是樂天；而無立意強求之私也；無私故不憂，墨家非命，而孔子知命，其對待之根本在用理智與用直覺之不同，在墨子以理智計算，則非非命不能鼓天下之動；然如此之動不能長久不疲。

（未完）

傳記春秋

儒道法先驅管仲的功利思想（六）

·黃公偉·

智謀為主，以善利用時機，須籌劃，為主動。所以管子云：「善用國者，因其大國之權以其勢小之，因其國之權以其勢弱之，因弱國家合強以攻弱以圖霸，強國少，合小以攻大以圖王。強國衆先舉者危，後舉者利。強國少，先舉者王，後舉者亡。戰國衆，後舉者可以霸。戰國少，先舉者可以王。」（同上）衡情度勢，因強弱衆寡大小之勢以為攻國伐兵之決策，其成敗決於謀略之擬定。是即孫子所謂「上兵伐謀」。管子舉例說：「伐逆不伐順，伐險不伐易，伐過不伐及。」他說：「四封之內，以正使之，諸侯之會，以權致之。近而不服以地患之，遠而不聽以刑危之。一而伐之，武也。服而舍之，文也。文武具滿，德也。」（同上）軟硬兼施，此謀策之彈性。而特重人之材能，故管子極想集中智力，以勝人之智。他說：「夫爭天下必先爭人，明大數者得人，審小計者失人。得天下之衆者王，得其半者霸」。（同上）地廣人衆，兵強，財富，乃用在人。管子云：「觀國者觀君，觀軍者觀將，觀備者觀野。」

又云：「地大而不受命者曰土滿。人衆而不理命者曰人滿。兵威而不止命曰武滿。」（同上）三滿皆非用人之道。所謂「立政出令用人道」，此管子所謂「權」「力」政治，一半決於財富，即「經濟作戰」一半決於「人材」，即智慧取勝。於是強人政治，能力事功，遂成齊國霸業的要素。所謂「通之以道，畜之以惠，親之以仁，和之以樂，期之以事，攻之以官」，是為爭人之謀。又云：「發之以力，感之以誠，一舉而上下得終，再舉而民無不從」，是為得衆之謀。又云：「三舉而他辟散成，四舉而農鐵舉，五舉而輕金九」，是為得財之謀。又云：「六舉而絜知事變，七舉而內外為用」，是為外交之謀。又云：「八舉而勝行威立，九舉而帝事成形」，是為成霸之謀。如是「九合諸侯」，威加海內，位雖為侯，而穩操帝王之實權。管子用齊，而桓公遂為二侯之長。

（七）管子法學功利思想的評價。

管子言禮義廉恥而歸於實功實制，與孔孟不同。自非堯舜文武立教之本意，故至孔孟而非之。所謂「齊一變至於魯，魯一變至於道」，此由管氏而孔孟者是，管子言「道」，由虛無而歸於功利，此由自然而人為，為老莊所不取。故老莊與法同源而返於自然。又如老莊變古之所由來。然而春秋戰國，諸子爭鳴，自管至於韓非，終同歸於法。非古是今，絕聖而不棄智，流行五世紀的絕對機械，唯物的一派思想，乃升高發展而為暴力當政的君權膨脹。後世評論者，如荀子云：「宋子（）蔽於欲而不知得，慎子（到）蔽於法而不知賢，申子（不害）蔽於勢而不知智」。（解蔽篇）而韓非獨得其全，管子為之率先也。漢司馬談云：「法者，不分親疏，殊貴賤，一斷於法，則尊尊親親之恩絕矣，可以行一時之計，不可長用也。故曰：「嚴而少恩」。（論六家要旨）但又云：「若尊主卑臣，明分職不得相踰越，雖百家弗能治也」。（同上）是亦有其優點。班固則云：「法家者流蓋出自理官，信賞必罰，以輔禮制，易曰：先王以明法飭罰，此其所長也。後苛者為之，則無教化。去仁義專任刑法，而欲以致治，至於殘害至親，傷恩薄厚」（「漢書」藝志）。法家在道家看來是反自然，在儒家觀點，則不近人情。莊子所謂「慎到之道，非生人之行，而致死人之理」。（天下篇）抹殺人性自由，剝奪自我尊嚴。所以，賈誼「過秦論」云：「及致秦王，廢先王之道，焚百家之書，以愚黔首。名城，殺豪傑」而歸於「仁義不施」自速滅亡。後世多勝責管商韓非之學，不足以為治術。然漢初之黃老形名之術，不輕言去法，三國魏蜀諸葛明法，唐人魏徵論政，宋人荀消五微言藝，王安石為相，都重法治。故管子之學為中國法學原理，實開萬世不法治之先河。較之西方「羅馬法典」，孟德斯樓之「法意」，既早出而又具精密之立論。中國文化傳統中，此亦寶也。

（完）

參攷書：拙作「中國哲學史」（帕米爾書店版）

諸葛亮狂想曲（二九）

·劉玄·

「黃雲大仙？他是天庭的冷門人物，別人不曉得他的底細，我是一清二楚的。」琴童面露得意之色，表示他是消息靈通人士。

「難怪我從來沒有看見過他，原來他是冷門人物。」諸葛亮雖沒有正面問琴童，但顯然是想摸一下黃雲大仙的根底。

「黃雲大仙是黃鼠狼精，在茅山修鍊千年，偷鷄成性，惱了雷神，幸虧茅山有一所關帝廟，他躲在裏面避過此刦。我倒不知道他是甚麼時候學會下圍棋的。」琴童翻開黃雲大仙的底牌，原來是專放臭屁的黃鼠狼。

「這就難怪二將軍在和他下棋時要焚一支線香了。」諸葛亮莞爾微笑，話却說得很含蓄。

「當然要焚香，否則他一個臭屁不把二將軍薰倒才怪呢。」琴童口沒遮攔，將黃雲大仙揭夠了。

「黃雲大仙陪二將軍下棋，輸的時候多，贏的時候少，因此頗得二將軍歡心。二將軍有一次介紹他覲見玉帝，將保舉他當一名門官，不想他在答話時放了一個又臭又響的屁，只薰得玉帝皺眉蹙額，滿朝文武相顧失色。」琴童對於黃雲大仙的一切情形，倒是知之甚稔。

諸葛亮聽了，勉強忍住笑，淡淡問道：「這樣一來，黃雲大仙門官當不成了？」

「門官？玉帝要不是看在二將軍面上，不辦他個欺君之罪才怪哩！」琴童連玉帝的心理都能摸透，可見其人小鬼大。

「聽說這次磨刃大典，二將軍要他担任總務組副主任，不知確否？」諸葛亮羽扇輕搖，好整以暇樂得與琴童扯談。

「我聽龍岡會議秘書說，二將軍已推薦黃雲大仙担任總務組副主任，目的是要調劑他，劉總會長也不便反對。我個人總覺得磨刀大典是每年龍岡會所舉行的一次盛典，執事人員要審慎選擇才對。」琴童證實了諸葛亮聽到的消息，同時，也表示了他個人的看法。

「磨刀大典以二將軍為主體，當然應該尊重他的意見，你不要隨便亂批評。」諸葛亮倒並不是顧慮太多，而是他深知關羽所決定的事，一向不喜受人批評。

諸葛亮正和琴童閒談，忽然聽見門外有人叩環，遂命琴童出去看看誰來找他。

琴童出去不久，進來通報：關平求見。

諸葛亮連忙囑琴童請他到客廳談話。

關平見了諸葛亮，執子姪禮甚恭。

「令尊大人好久不見了，他的身體好嗎？」諸葛亮開口先問候關羽，儼然是父執的口吻。

「家父的健康一向很好，可是現在迷上了圍棋，每天黃雲大仙都來找他下棋，他棋下得太多，精神也就不如從前了。」關平言下，對黃雲大仙似有不滿。

（未完）

巨變歷險記！

迤東戰情 （一之四）

胡慶蓉

是民國卅八年十一月下旬，國民政府不利的消息紛至沓來，而且瞬息萬變。在這種情形之下，中央駐雲南的兩個軍，雖處於監視的地位，而且有監視的職責，但沒有監視的勇氣。八軍是新成立不久的一軍。軍長李彌，雲南騰充人，黃埔四期，倒是軍中的老大哥。抗戰期間，轉戰滇緬地區，戡亂開始，又轉戰山東，徐淮大戰，僅以身免。現在雲南，可謂東山再起，但八軍則屬新組織，正在訓練中，力量說不上怎樣雄厚。霑益是他的司令部所在地，也是他的主力所在。丁博士到達霑益，正是李彌應盧漢之邀前往昆明。彼此在火車站上相遇，自不免一番寒暄。並介紹給他的代理副軍長曹天戈，他的各師師長，各團團長，各營營長。副軍長以下都非常知禮，因而對於他的講話都在靜心的聽。士兵們更高興的聽，霑益等於是雲南的門戶，位於雲南的東邊，與貴州相通。這個時候貴州已落於共軍之手，霑益一夕數驚，各方面都在備戰狀態，而且非常積極。霑益名氣非常大，地位非常重要，但實在是一個大的農村，靜得很，在這戰雲瀰漫之際，更顯得格外的靜，靜得令人發慌，靜得令人害怕。誰也會料到這就是暴風雨之前夕。車站秩序非常亂，而且小得很。火車也非常之小，同台灣運甘蔗的小火車彷彿相似。

從霑益下來，就是曲靖。這更是一個農村的景象，古老的城門城樓都還獨立存在，屹立無恙。縣衙門擠在民房的中間，小得像一戶人家。

曲靖下來，就是馬龍。馬龍是個縣名，馬龍也是縣城的名子。馬龍之小之窄狹，實在出人意料之外，簡直就是一個小村莊。戰情，馬龍也深深的感覺到，大家好像都在等待什麼，但大家又不便啓齒，熱鍋上的螞蟻，有手足無措之感。

馬龍下來，就是嵩明了。這是距離昆明最近的一縣，當然是迤東這一線而言。嵩明縣在嵩明車站之後，約十數里之遙。城牆城門城樓都頗具模規。縣長當時是盧漢的一位親信。

十二月七日的晚上八點至十點半在嵩明靖共堂（即縣府大禮堂）講演。盧漢叛變的消息和他扣留丁博士的命令，夜十點半到達嵩明縣政府。

琉球史譚

許一塵

近見報載美國已答應於一九七二年把琉球交還日本。此事違背了「開羅宣言」和「波茨坦宣言」，更與「聯合國憲章」不合。蓋美國之管治琉球，係屬臨時託管性質，依法應受聯合國約束和監督。美國爲何遽行把琉球交還日本。

按琉球即中國古籍上所稱的瀛洲，與中國很早就發生了關係。如「隋書」「琉球國傳」載云：「琉球國居海島之中，當建安郡（今福建甌）、水行五日而至。……大業元年，海師何蠻等每春秋二時，天清風靜東望，依稀似有煙霧之氣，亦不知幾千里？遂命羽騎尉朱寬入海求訪異俗，何蠻言之，遂與俱往，因到琉球國，言不相通，掠一人而返。明年，帝復令寬撫慰之。琉球不從，寬取其布甲而還。時倭國使來朝，見之曰：『此夷邪久國人所用也。』……」這是在隋以前琉球與中國之間的情形。但是到了明代，琉球與中國的關係更其密切了！他們常派使者至中朝貢，已經成了中國的藩屬。如自琉球王舜天以後起，經馬順熙、義本、英祖、大成、英慈、玉威、西威，凡八王，一百六十三年，至察度。察度王即當元的二十三年——即當我國明洪武五年（公元一三七二年）正式揭開了「中琉封貢史」的一頁（見「大英百科全書」「琉球條」）。這一年，明太祖遣行人楊載賚詔至琉球。跟着，琉球中山王（爲中國冊封名號）察度，也遣子泰期奉表至中國，幷貢方物，然後帶回第一道中國皇帝給琉球王的詔書。這道詔書的措辭是非常堂皇的，如琉球人自己的「中山世鑑」中也有載：「二十年（按即明永樂）癸卯秋，遣使奏曰：『我琉球國分爲三者，百有餘年，戰無止時，臣民塗炭。臣巴志（按即察度曾孫）不堪悲歎！爲此發兵，山南伏誅，今歸太平，伏願陛下，不違舊規，給臣襲封。謹貢土產馬及方物。』大明皇帝賜詔云：『爾琉球國分爲三，人民塗炭，百有餘年！比爾義兵，復致太平，是朕素意。自今以後，愼終如始，永綏海邦，子孫保之。欽哉此故諭。』……」

從此琉球國凡二十王，均受我國冊封，共歷五百餘年，總計向我國貢方物二百六十九次。至清康熙、乾隆之世，我國政府幷對琉球王贈有金印，如康熙元年所頒王印，上鐫有「琉球王之印」五漢篆字。乾隆朝另需鐫新印，印文仍舊。像這樣綿亘將近五百年的「封貢」盛舉，幾乎不帶一絲一毫的脅迫意味，完全出乎兩國之間純感情的行動。如「大英百科全書」「琉球條」，也言中國政府自始至終對琉球「決未企圖過把琉球置於軍事控制之下」。此種能與鄰邦長久和平相處的德操，又豈是今日陰謀篡奪和公然強佔的日本所能望其項背？二者實不可同日而語矣！

至於日本侵畧琉球，係自一六〇九年（明萬曆三十七年）開始，先攻下王都首里城（今那霸市東），接着，即把琉球王尙寧擄去，幽禁於薩摩（今日本九州鹿兒島）。二年後，又把他釋放回國。但這時的琉球，其國政雖受制於日本，在外表上仍爲一獨立國。直至一八七九年，始被日本正式佔領，並廢除琉球王，改其地爲冲繩縣，直接由日本政府派員管轄。所以今日外人通稱冲繩而不稱琉球者，其原因在此。今日所稱的冲繩島，也即以往的大琉球——即琉球本土。

但是，琉球被日人統治雖將近七十年，而琉人的風俗習慣迄今尙保持着和我國一樣。如陰曆新年過年前的「送灶」，新年後「迎灶」；三月清明掃墓，五月五日端陽節賽龍船，七月中元節盆祭，十一月過冬節等，無一不和我國相同。至古跡方面，在今日那霸市還有「守禮門」、和「孔廟」及「明倫堂」遺跡。總之，在今琉球各地所遺留的中華文物，還很多很多，因篇幅所限，恕不多舉！

中興名臣李鴻章（五）

諸葛文侯

往後他由西洋各國游歷回來，又對黃遵憲說：「二十年內可保無事」，殊不知轉瞬即發生了日俄戰爭，中國沒法保持「中立」，領土主權大受損失，十足地構成了「人爲刀俎，我爲魚肉」的處境，可哂可歎！

與帝俄簽訂密約

李氏在莫斯科以中國特使身份，跟帝俄簽訂密約，允許帝俄從西伯利亞建築「東清鐵路」，通過我東北領土哈爾濱以達旅順大連，與海參威連接，旨在酬謝帝俄策動法德干涉日本還遼那回事，亦即實施「以夷制夷」之計，所以他就認定從此可以保持二十年和平，沾沾自喜，然英美法各國乃援例要求「利益均沾」，而威海衛、廣州灣、青島等領域即相繼喪失了！

訪英法德受優遇

李氏在莫斯科的任務完成後，順道訪問英法德各國，甚受優遇，原因是各國看中了他在中國政府的政治問題上——特別是外交事宜，具有舉足輕重的力量，要利用他做蠶食中國的工具，只是他不懂得別人的用心所在，尤引以爲殊榮呢！

由於清廷實行李氏的「以夷制夷」策畧，國際列強對中國的侵畧陰謀日趨激化，隨時干涉中國內政，而以反對慈禧太后廢立清室帝位一事，最使實際主持朝廷的慈禧痛恨至極。當慈禧進行廢黜光緒皇帝，另立溥儁爲「大阿哥」之初，曾密詢各省督撫意見。論資望，李鴻章享有最大的發言權，這時他充任兩廣總督，跟西洋方面接觸亦較多，儘可切實進言，消弭國家隱患，但他心裏雖不贊成，表面却不作積極表示，反而兩江總督劉坤一直言極諫，說出「君臣之名分已定中外之視聽難易」這種擲地有聲的議論，奄有大臣風格，爲李氏所不及，因此乃激起庚子年義和拳的仇外事變。

圖諫阻帝后流亡

拳亂初起時，李鴻章亦與東南各督撫一致行動，採取保境安民政策，禁止境內的仇外行動，迨八國聯軍攻佔了天津，慈禧太后挾持光緒帝準備逃亡之際，李氏會擬好電文，分別徵求兩江兩湖總督劉坤一、張之洞暨山東巡撫袁世凱聯名拍發，諫帝后出奔，嗣張之洞不同意而作罷。假使李氏能以「老成謀國」的重臣資望與地位，毅然阻止帝后流亡，而乘機藉外力以解除光緒帝的幽囚生活，出面跟列強和談，或許國家的損失可望減少些，而滿清的帝業亦能够再延續一段時期，未可知也。然李氏於這等關係國家安危存亡的重要關頭，竟畏首畏尾，爲德不卒，即此可見其才智並不足以儕於大政治家之列。

等到北京被八國聯軍佔領，慈禧挾光緒帝遠走西安後，又以李氏爲全權議和代表，敎他兼程由粵北上。這證明他在國際和國內都是首屈一指的政治人物，處理國家大事，非他莫屬也。他到北京與外國聯軍統帥議和，當然喪失國家的權益不少，但其境況却較甲午中日戰爭時期的和議情形爲佳，而其政治生命亦至此宣告完結，不久他以七十九歲高齡，溘然長逝了！

未能創造大事業

綜觀李鴻章的一生事業，對國家的建樹固不及曾國藩遠甚，而其智慧亦不及胡林翼，胡氏在生之日，瞧着外國小火輪溯江捷馳，即深感國家前途危殆，憂惶莫釋，嘔血去世，若使林翼於八國聯軍之役尙健在，而享有鴻章的政治地位，對於慈禧太后之盲目仇外，以及蒼黃挾持光緒帝西狩蒙塵等舉動，必然正色反對，無所顧忌。胡氏係霸才，智慧亦較高，自不會如李氏之跋前疐後，瞻顧因循。鴻章之才，僅能與左宗棠相伯仲，而其氣魄尙要遜左氏一籌啊！至於翁同龢一般清流指李氏爲「漢奸」，那是莫須有的惡譏，李氏的愛國思想是無可懷疑的，他的缺點在沒有近代知識，純粹是中國舊式的官僚人物，以致居有爲之地，遇有爲之機，擁有爲之力，亦未能創造一番大事業，太可惜了！（完）

附註：本文參考資料是湘軍志，湘綺樓全集，中國近百年外交史料續編，桐城吳摯先生年譜等。

（完）

安徽十三傑

眞德秀三犀貫頂

漢年

眞德秀南宋福建浦城人，弟兄有四，德秀居次。早孤，賴母親吳氏劬勞教育，幼少穎悟。時郡進士楊圭，見德秀之面，貌如「三犀貫頂」，說道：「此乃異人也」。使歸居建甌郡地，同諸子學，並以女妻德秀。

宋淳熙己酉，年十二歲，入黨庠。宋寧宗慶元乙卯，年十八，舉於鄉。己未，年二十二登進士，特授南劍軍判官。

開禧乙酉，年二十八，中博學宏辭科，奉旨建宏博坊於僊陽鎭安廟前。丙寅年二十九，奉命入閩帥幕，召爲太學正，累官參知政事，（按：參知政事爲副相），世稱西山先生。端平乙未，五月壬寅逝世。享年僅五十八歲。諡「文忠」，從祀孔子廟廷。

眞德秀立朝有直聲，遊宦所至，惠政深洽，其所學以朱熹爲宗，自韓侂胄立僞學之名，以錮善類，其後正學得以復明者，實德秀之力也。所著有「大學衍義」、「唐四書集編」、「三禮考異」、「讀書記」、「心經」、「西山甲乙稿」、「文章正宗」、「西山文集」等書遺世。

文忠之造：南宋孝宗淳熙五年九月十五日卯時生。南宋理宗端平二年五月初十日午時卒。

命造八字爲戊、壬、乙亥、己卯。

文忠之造，日元乙木，秋生凋零，八字土多，尤虞身弱。恰好生時可命官，同日祿，一可合化，一時可合亥，化木，藉火制金，木益木，枝葉雖凋零，根本頗充實。且四柱無庚，不犯官星，其爲得道多助，大名遠揚，從而可知。古歌云：「日祿歸時格，攀雲折桂枝；若無官破氣，名譽四方知」。指迷賦云：「合中帶祿，定可封侯」。此不過是言其大畧。其實文忠十二歲即入黨庠，十八歲舉於鄉，二十二歲登進士第，特授南劍官判官，二十八歲又中博學宏辭，奉旨建宏博坊於僊陽鎭。此豈止折桂枝麼？自二十九歲入閩帥之幕，召爲太學正，以至領江東計度轉運副使，除參知政事，授資政殿大學士兼侍讀。又有泉州聽訟，囹圄皆空，海賊盡平，以萬民祠祀等政績，以觀徼幸封侯，旅進旅退，無補時艱者，不有雲泥之判麼？此無他，因公一路行運，大半木火齊輝，是以早登鼎科，廣行德政，不僅所著「大學衍義」一書，堪爲人君求治之南針而已。或者有人問道：「公十五歲，甲辰，運壬子，小限辛丑，父嵩公謝世。四十三歲，卯運乙酉，小限戊辰，四木三凶，劾公落職。五十八歲，辰運乙未，小限戊午，竟考終。此何故也？」此無他，皆爲衝形破害爲患，不僅土、金肆虐而已。

自由報
中華民國內政部登記證內警台報字第〇三一號　中華民國僑務委員會登記證台僑新字第三三號
中國郵政台字第一二八二號執照登記為第一類新聞紙
（第一〇四三期）
（每星期三、六出版）（半週刊）
每份港幣壹角，台灣新台幣弍元
督印[illegible]·社長[illegible]
社址：香港九龍彌敦道593—601號 廖創興銀行大廈八樓五座
LIU CHONG HING BUILDING
7th FLOOR FLAT '5
593—601 NATHAN ROAD,
KOWLOON, H.K.
TEL: K803831
電報掛號：7191
承印：景昌印刷公司
地址：嘉咸街廿九號地下
台灣通訊中心：台北青田街五巷三號
電話：三七五〇二二
台灣區直接訂戶 合郵劃撥[illegible]
台北營業處：台北衡陽街三十號
電話：二七二〇〇
台灣分社：台北市西寧南路110號二樓
電話：[illegible]

請吳大猷博士回國改組國家科學會

·章正義·

正義近讀自由報吳相湘先生有關研究教授兩篇文章及今年二月十四台北中央日報張禎祺先生的啟事，呼籲「請吳大猷博士公佈研究教授名單」，不禁感慨係之。台北中國時報、中央日報（讀者投書）自立晚報等也有相同呼籲，迄今許多天尚未見國科會公佈，使人懷疑其中必定有種種徇私，審議不公平的情形。中央日報記者（姓名不詳）說：「國科會一些負責人曾談起，這份名單，僥倖的人沒有，但遺珠却難免。一位負責人會表示，只要標準稍稍放寬一些，許多人都有資格身列名單中。」（今年二月二十三日中央日報文教走廊）這位記者未表露眞實姓名。正義要問：既然「僥倖的人沒有」，既然標準十分嚴格（因為標準沒有稍稍放寬一些），則國科會通過的研究教授、副教授，必然是「全國第一流學者」，（今年一月三十日中央日報讀者投書）但為甚麼不公佈名單呢？不公佈名單必然有隱衷。

近來與各方接觸，咸認國科會有下列四個缺點：

（一）缺乏主管經常坐鎮：國科會主任委員吳大猷博士平時在美國講學，僅於寒暑假來台北渡假，順便主持業務。今年一月二十六日他在松山機場講：「縱使長住國內，也不見得發生更大的作用。」這是天大的錯誤，世界各國沒有這種事。假使政府各院、部、會首長都向吳博士看齊，也都常年在國外，政府還像甚麼樣子？

國科會實際上由副主任委員閻振興主持。閻君並非十分能幹人，缺乏教育家風度與修養，在其任教育部長時，鬧了許多笑話，出了許多問題，姑且不談。他以全部精力時間主持國科會業務，尚有不能勝任之苦。他又兼任遠在新竹之國立清華大學校長及遠在桃園石門之中正研究院院長，分身乏術，只好到處奔波，結果一定是三處事情雖辦不好。不過，這種集三個主官於一身的現象，政府亦應負責。這種用人政策違反了政府宣佈的一人一職的大原則，實在不足為訓。

（二）台大包辦審議委員：該會設自然科學和教學，人文及社會科學，生物科學、科學教育四個審議委員會，專門審議各種申請，掌握了生殺予奪之權，除科學教育審議會外，其他三個審議委員會最重要，據聞其委員絕大多數由台大一校教授包辦，結果就難免偏袒台大及中央研究院。為何偏袒中央研究院呢？台大不少教授是「依合作辦法與中央研究院合聘」在中研服務的，五十八年度即有二十人之多，其中包括歷史學系主任許倬雲，考古人類學系李濟，芮逸夫，凌純聲三教授。正義十分贊成合聘辦法，但反對偏袒。

（三）憑人事關係分配研究教授副教授：此次國科會通過之一六九位研究教授與副教授，據各方初步報告，其分配名額為：台大一〇一人，中央研究院一六人（歷史語言研究所佔一半），成功大學（國科會副主任委員閻振興曾任校長）十人，清華大學（閻振興現任校長）九人，中興大學，政治大學各七人，國防醫學院，師範大學各三人，交通大學二人，其他各院校共十餘人。上舉數字如與實際有出入，請國科會更正，因國科會保密，外界人求得正確數字，十分困難。

（四）優敗不優勝是反淘汰：由於人事關係，反淘汰現象是很流行的，兩所國立大學就有好例子。一方面研究成績優良的教授竟不能獲得提名，例如「著作甚精的傅樂成教授，未被提名，因其乃伯傅斯年先生『反鄉愿』精神，不為特權階級所喜」（吳相湘：研究教授何以不能見天日！自由報一〇三六報，今年二月二十一日）

另一方面，某教授從未發表有學術價值之論文，但竟因「教學成績優良」獲得校長提名，並由國科會授以研究教授的名義，原因是國科會委員陳雪屏担任教育廳長時，他是主任秘書，私交甚篤，此次他能獲一研究教授，應歸功於陳雪屏的大力支持。

似此情形，國科會現狀與原定宗旨不符，亦與吳大猷博士宣佈人選標準不合。務請有魄力有抱負之吳博士以國家百年大計為重，即日放棄在美教職，飛返祖國，大刀闊斧執行改組工作，以報最高當局付託之重，並慰國人殷殷之望。此外並敬向政府建議二點：

（1）請立監兩院調查國科會有無以私害公，違背國科會設立宗旨之事實。

（2）請行政院：即日公佈研究教授與副教授名單；在立監兩院調查結果公佈前，國科會不得與該會已通過之研究教授，副教授訂立合約，以免造成既成事實。

自由談

「世界和平是廢話」

俄共集團的政權，經常攻擊帝國主義國家，視為不共戴天的死敵，實則共產主義的世界革命思想，即係[illegible]級的帝國主義，而以蘇俄為魁首。在我們[illegible]，二次大戰後，世界現狀儘多變化，然帝國主義這一兇神惡煞的人類大患，不特未見消沉，而且變本加厲地發展不已，祇是形式上有新舊之別而已。

試就中東、北非和東南亞的動亂情形加以檢討分析，若不是美俄英法這個新舊帝國主義從中作祟，即不致鬧成目前這種紛紛擾擾的局勢。

中東問題導源於以色列這一新興國家之驅逐巴勒斯坦數十萬難民，聯合國早就派遣中立國家人員從事調解，只因美俄英法各懷心事，各有所圖，乃使聯合國的調處工作，毫無效用，以致中東風雲日趨險惡，變成了世界大戰的火藥庫。這些新舊帝國主義國家，肆行强權政治，相率以軍事物資和飛機，大砲，兵艦等，供應中東各國與以色列，讓他們不斷地進行局部戰爭，企圖坐收漁人之利。然又害怕因此釀成全面大戰之禍，於是乎，彼此隨時提出所謂「中東和平建議」，像煞有介事地咨詢徵詢，結果是徒費唇舌，互不協調，僅以「和平建議」來掩飾自己的醜惡面目，矇混世界人士的觀聽罷了。

至於東南亞問題，自從法軍敗退安南，英國倡訂「日內瓦和平協定」後，美國不相信其法能夠維護東南亞人民的和平生活，且顧慮中俄共勢力乘虛而入，又另組「東南亞公約」藉以保障和平，卻不以東南亞國家為主幹，更把英法這兩個舊帝國主義者拉進來，居於領導地位，而英法代表每次參加東南亞公約國理事會議時，竟不贊成說「反共」字句，如此，所謂東南亞公約乃成為毫無意義的廢紙了！

認為以色列應該有其生存權，美國亦表示售予以色列一批新式戰鬥機，美國亦表示願將幽靈式戰鬥機販運以色列，而蘇聯立即跟進，聲稱要給埃及以現代化的軍備。這那兒有絲毫促進中東和平的意念，相反地，唯恐中東各國不能大打特打，使新舊各國帝國主義國家失去了混火摸魚的機會。

綜觀上述情形，即知新舊帝國主義不死，世界人類戰爭不止，到頭來必然促成各個帝國主義者相互拼個你死我活的下場，誰敢相信世界大戰可以避免的謊言，誰就是頭腦簡單的笨伯！

馬五先生

昨日與明日

如何改進銀行業務

改進銀行業務，社會呼籲已久，自從財政部與中央銀行設置銀行業務改進委員會改進銀行業務，業已由「坐而言」階段，邁入「起而行」階段，希望在不久的將來，能夠有具體的改進措施，付諸實行。問題要點是：改進銀行業務，究以何者為優先呢？

經理就像經理

老記很欣賞台灣大學潘奇志教授在一項座談會所發表的一段話。他認為改進銀行業務，應從基本條件：「人」，改進起，要培養良好的風氣。他看到日本的情形是：日本各銀行的高級職員，都是實實在在的，大智若愚，不賣弄小聰明，他們的外表像是一位村夫，事實上却是學養深湛的專家，都帶一點書卷氣。他們能力和品格，都與他們的職位相稱。一位經理，就像一位經理，所以深受部下的愛戴，尤其近年來厲行考試制度，新進的年輕行員，十分優秀。潘教授說：去年到日本看了很多銀行，會見了許多日本銀行界人員，從小小的女服務生，一直到大銀行的董事長，深深覺得在這般人上下協力的情形下，日本的銀行，不會辦不好。

僚氣與銅臭氣兼具

反觀，我們的銀行界呢。董事長總經理，經理等人，當然很「能幹」，如不「能幹」，不會爬到那麼高的位置。但這「能幹」二字，如何解釋，却要大費推敲。因為我們的銀行，多屬公營，所以，銀行頗具衙門氣氛，負責人士多帶僚氣，甚至浮華的流氣，「打官腔」，固優為之矣。因為銀行是經理金錢的，負責人士頗具銅臭氣，好像有錢的××大三輩，往往氣燄萬丈。特別是對於借款之人，態度的傲慢，手續的麻煩，甚至非酒家舞廳，意思意思，難以借到銀行的錢。可是有權有勢，便來個政策性，上百萬元也照借。如果和銀行打過交道的，恐怕都有這樣的認識。

誰負其咎？

我們金融界，最大失敗，就是以往沒有建立良好的風氣，培養出優秀的銀行家。因而，金融界的舞弊事件，層出不窮。數十年來，主其事者從沒有認清這項重要課題，所以，直到今天，我們始終沒有建立完善的銀行制度，完善的金融人事制度，更沒有樹立良好的金融同業服務風氣；而腐化，奢華，重勢利，忘信義，便成了若干金融大亨的代名詞。事是人做的，人不好，一切都是空談。希望談改進銀行業務的人士，能注意這一問題為幸。

·老記·

安格紐表現傑出

·文叟·

一九六八年美國大選，當尼克森提名安格紐為副總統候選人時，絕大部分的人都認為尼氏係為爭取票源而出此，並非安格紐其人有何卓越的才識，而能榮獲倚畀。豈料安格紐上台以後，處處表現才華洋溢，胆識過人，未幾即聲譽鵲起，竟有許之為在美國歷任副總統中不作第二人想者。此一事實證明：當初大家對他的評價，原不過是一種欠缺了解的臆斷而已。

我以為最近有兩件事，可以說是安格紐異招突出，不落恆蹊，最值得喝彩。他以代替「沈默大多數」的發言者自居，批評美國一些大衆傳播機構的言論偏頗，歪曲事實於先，繼則聲討「嬉痞，野痞和公正體制的破壞者」於後，事實上此等舉動，即等於漸次向存在於美國境內的邪惡勢力挑戰。按理安氏躍居副總統寶座，為期尚短，地位未臻穩固，冒然行之，委實風險太大，但安氏似不計於此，非大勇者，曷克至此？

衆所周知，美國有不少大衆傳播機構，為左傾份子所把持，言論偏激，譁衆取寵，殊悖於美國立國的傳統精神，亦與眞正民意的指歸大相逕庭。但彼等寄生在美國式的民主制度之下，由來已久，且勢力至為囂張，無人敢攖其鋒。安格紐却毅然挺身而出，義正辭嚴的予以駁斥，不事姑息，實在難得。至於嬉痞，野痞之流，本是當今美國社會的毒瘤，目前的情況，有如野草逢春，已呈滋蔓難圖之勢，政府當局對之亦無可如何，只有訴諸任其野生野長一途。如今安格紐聲稱要此輩及所謂公正體制的破壞者，「閉口不言，并在自由政府體制而努力」，才『[illegible]』他的聲音。無疑的，這將是一場漫長而艱苦的戰鬥。在一般官僚政客看來，這絕非明智之舉，但對一個有良心，有血性的政治家而言是勇於負責，勇於担當的表現，誠屬難能可貴。

總之，安格紐能洞察現象，把握契機，主動緣藉其所謂「沈默大多數」為後盾力量，向邪惡勢力展開誅伐，其智慧固有過人之處，但最可敬可愛的還是他那股「不信邪」的傻勁兒，姑不論其是否能獲致效果，安氏表現如此的智慧，如此的胆識，不管當年尼克森的眞正動機如何，現在我們總不認為他僅是尼氏為爭取選票所挖出來的一個搭伴角色啊！

對日貿易逆差甚鉅 亟應謀求有效對策

立委主張須積極打破困局 應採取主動不可受其要挾

（本報記者建健生台北航訊）立法委員程烈就外交、國防、財政、經濟、交通方面的問題，向行政院提出口頭質詢。尤其財政部之儲蓄方案，「不切實際，且「無重大效果可言。」他主張對日本貿易採取對策，不可受其要挾。

這位計政專家對財經方面的問題，主張在財經政策上必須「量力而為」，故不可以「好高騖遠」。現舉出以下實例加以說明：（一）最近（行政）當局擬行之有效儲蓄方案，令人失望。因為儲蓄只有有錢的人才有能力儲蓄，如果將財力不繼的公務人員，甚至不能自立的學生也納入其中，似屬不切實際，且無重大效果可言。因為目前所急需者為鉅額資金，小額之聚集，實緩不濟急。惟何以政府對於國際貨幣基金中之「特別提欵權」美金五億餘元，並無動用計劃，而對區區小欵之儲蓄，反有重大期望？（二）前任財政部長曾有一項德政，即提高利率以獎勵儲蓄，並有計劃擬進一步使一年期存欵免繳所得稅，但是迄今仍未辦到。像韓國政府對於吸收民間資金，則有一項良好辦法，即民間資金存入國家銀行，由政府給予較高利息，銀行再以低利轉貸各事業應用，其差額亦由政府負担。此一方法，程委員前曾向我政府首長提出參考，惟被認為財力不够，不能辦理，類此率爾之回答，實因彼未考慮經濟成長率與銀行存欵息率殊高所致。這次重行提出，希望當局能重行予以考慮。（三）一般人民對於如何投資？不甚熟悉，政府應辦理「示範投資」，即辦理若干企業公司，然後將股票出售與人民，果能如此，當逐漸誘導人民，使有投資習慣。（四）實施「重點出口」；我國出口產品應以能與外人競爭者為合格，否則時間經驗均嫌不够，不能與外人競爭。例如瑞士鐘錶，德國儀器等，均為世界第一流者，一時自無法與之競爭。故應先行生產國內所需機器，使能自給自足，倘能先做到自用者能自給，亦即可減少外匯支出，等於增加出口，俟將來能有餘力或產品水準能與外人競爭，再謀擴大出口，豈不兩全？（五）我國對日貿易逆差甚鉅，現聞日本幣值將有升高之說，如我國不早準備擬定有效對策，則將來一旦實現，我國對日貿易入超勢將更鉅，茲將喚起我政府注意，請問：有無熟思慎慮之方，以預謀適應此一情形，而免臨時措施無方？（六）國際貿易重在「互惠」，對外購買貨物應有主動之選擇，現在國際間二十年分期還欵已不算優待。國際貿易局必須採取主動精神，應付國際貿易之談判，如果他國購買我國貨品有所留難時，則我國亦可採取相同對策，改向另一國購買，不可受其要挾。像目前中日貿易的不平衡，是否有積極打破困局之必要？

關於建立預算制度問題，已經喊了好幾年，結果只見「樓梯響不見人下來」。程委員對此而提出質詢：政府一再宣稱的修正預算法，迄未送立法院審議。當前預算處理零亂不堪，甚至連國家總帳也沒有，長此下去，實等於沒有遵守預算的概念，這種漠視法律的行為，實在太危險，為尊重法制起見，究竟「預算法」修正案何時完成？又何時可送立法院審議？

觀光收入的問題，財政部長和立法委員的意見相異。程委員說：財政部李部長對觀光收入認為係一種統計推算之收入，不能作為國家財政收入。但數千萬外國旅客懷美金換成台幣應用，其數年達六、七千萬美金之鉅，這些美金到那裏去了？在整體經濟中會發生什麼影響？為使這種「無中生有」的收入，發生很大的效用，我們應該如何注意？

推行儲蓄運動目的 養成國民節約習慣

小額儲蓄為數相當可觀 財長李國鼎答立委詢問

財政部長李國鼎在答覆程委員質詢時表示：程委員的質詢曾提到儲蓄方案。這次行政院所核定的儲蓄方案，主要的是希望發起儲蓄運動，以作長期的努力，改變社會的風氣，俾養成國民節約儲蓄的習慣。因此，我們在研究此一方案時，特別注意小額的儲蓄，因為大額的儲蓄，可以直接投資，而作有計劃的運用。可是小額儲蓄，合計起來，為數也相當可觀。譬如五十八年的郵政儲蓄金共有一百五十九萬多戶，原來的目標是儲蓄存欵五十四億元，結果共有存欵六十億元，超過預定的目標很多。五十九年預定的目標原為六十一億元，可是到現在為止，在不到二個月的期間，已有存欵六十五億元，因此，本年度的目標提高為一百億元。假定照行政院所核定的方案，以現有的儲蓄金帳戶來說，每戶每月如果儲蓄一千元，一年便有一百八十多億，所謂「集腋成裘，聚沙成塔」，正是這個道理。所以，小額儲蓄，也不能忽視的。此外，在儲蓄方案中，特別提到各金融機構存放欵利率問題，我們希望漸次縮短存放欵的距離，以增加大家儲蓄的興趣。這一點，也是財政部和中央銀行共同努力的方向，很希望此一方案儘快能送立法院完成立法，俾便推動。程委員提到國際貨幣基金在去年（五十八年）年會所通過的特別提欵權問題，此項欵額，今年共有三十五億美元，此筆資金，是準備在整個國際貿易量增加之後，國際資金不敷應用的情況下，予以資金融通，以增加國際貨幣的流通性。由於此筆資金性質不同，不能用作彌補預算赤字，也不能作為貨欵之用。所以我們聲明暫時不申請使用此項資金。

李國鼎部長答覆程委員所提利率貼補政策時說：程委員主張提高存欵利息，如因此而發生差額時，可由政府予以貼補。關於這個問題，將形成不公平的現象，就是一部份存欵者的利息收入，要由一般納稅人來負担，我想這種情形，當然不是程委員所希望的。程委員提到觀光客携來的外匯進入銀行之後，使有台幣流出來，等於增加台幣的供應量，這是很重要的問題，我們業已加以注意。在過去一年當中中央銀行與各有關部門已進行研究，儘量設法放寬結匯，並增加出境携帶美金的限額，其目的即不希望台幣供應量增加太多，而影響到幣值的穩定。關於預算制度問題：預算法的修正原則，業經行政院會議通過，現正由主計處整理修正文字之中，一俟整理完畢，便儘速送立法院審議云。按：程委員指李部長的答詢不够完整，要求補送書面答覆。

經濟部孫運璿部長於答覆程委員有關經濟問題質詢時說：關於如何利用兵工以配合經濟建設問題，實際上國防部正在計劃一部分部隊在山坡及河床地帶從事墾荒，此項工作，正在計劃試辦中。至於其他工程，如公路工程及防空工程等，可能要請一部分兵工去做。其次，我們的兵工生產，現有很好的設備，故經濟部正在研究，如何使公民營及兵工事業加強交換，利用設備及技術交流，同時並研究在戰時如何將其設備轉換使用。

關於示範投資問題，孫部長答說：現在政府有兩種做法：一是對於民間沒有把握或者有風險的事業，由政府協助其投資發展。如開發煤礦採用直坑煤及機器採煤法，由政府協助民營煤礦，增加設備，進行開採，即是一例。另外一種做法，就是民營企業可以辦理的事業，但在開始時不願辦理者，先由公營事業帶頭經營，俟有成就後，再將其方法介紹給民營事業去辦理。如台糖公司從事養猪、養肉牛，也是一例。

孫部長讚揚立法委員程烈之「重點出口」主張。他答說：程委員認為我們對外貿易，應作重點輸出，這種看法非常正確。現在我們對外拓展貿易，特別強調長期觀點，在政府方面係採取重點主義，積極輔導並督促幾項重點工業，如電子工業、紡織工業及機械工業等增產外銷，同時，希望民間強調產品多元化，期其各盡所能，以打開其產品外銷之路。今後一定要將外銷產品的重點，由農產加工品轉移為工業產品。至於程委員指教我們應注意消費物品的自給自足，並減少消耗物資的進口，這也是我們一直在做的事情，今後仍要朝此方向繼續努力。程委員指教我們在國際貿易方面，要注意貿易互惠，以保持貿易的平衡，最好能造成貿易的出超。關於貿易，這是我們的目標，相信在二、三年後，可能會到貿易出超的地步。關於貿易互惠，也是我們注意的重要課題，因為只有在長期互惠的基礎上，才能使國際貿易走上健全的道路。

「道德的科學」闡微

——「宋明理學體系論史」自序——

黃公偉

一、置重點於個別學說之組織特色以為剖析。二、重持各學派之形成，流傳與影响，由學說之得以衡見其升降消長的變化。三、從分析綜合而比較，以發現各學派橫的關聯與縱的脈絡，從而覺其價值之高下。如此，予所謂「體系」者，自指全體精神而言。所謂論史者即指學理之評判與相傳千年的演變發展過程而言。三者俱備，庶可有裨於生徒之學習也。

予執教佛學，生徒中有謂「世上最難習之學科「恐即相對論，原子科學與佛學」了。予授理學，生徒中有謂「在中國哲學中，恐以理學為最難捉摸」。予曰：「否、否」。依我所知，生徒中之通曉佛學者，深知理學者，大有人在。乃信韓退之所云：「聞道有先後，術業有專攻」之不謬。非敢如荀子所稱：「青出於藍而勝於藍」，引為教學之效果。憶自初學迄今五十餘年來予始終堅信工夫勝於天才。誠如宋明諸巨子之凝神貫注於所學，終有「撥雲見日」之一天。古謂「三更燈五更鷄」，治學以精勤為上，何僅少年立志應如此。如能持之以恆，必有「立竿見影」的收益。清人曹雪芹有言云：「滿紙荒唐言，一把辛酸淚，都云作者癡，誰解其中味」。治哲學縱非抒情可比，而辛酸之苦，却無可避免。治理學無庸痴情，却需不計得失之愚公移山精神，始可得其眞味。茲編既成，凡三卷十篇，三十六章，一百三十三節，三百六十二目，都四十萬言。在撰述中，參閱古今各家家書類之多，猶如駱駝之慢食細嚼，猶如礦工之沙中澄金。繁簡互推，偏全互至，而後始通為一貫。三載營建，設計鳩材，奠基上樑，一如巨厦之竣工。此中滋味充為揭幕禮之說詞，不亦可樂？是為序。（續完）

五十九年二月七日（正月初二）

喬治桑外傳

一二五　張大蘇

在揀完坐位以後，華太太坐在喬治桑的上首，卞太太坐在他的下首，對面是裘太太。

一開頭四人閉聲不響，一門心事在打牌，打過兩三圈。卞太太因為喬治桑牌打得糟，連和了幾副大牌，贏了不少籌碼，對喬治桑發生了好感。

「桑先生，你是不是上海人，我覺得好面熟。」卞太太向他搭訕。

「卞太太，妳以前是不是在百樂門做過？」喬治桑見卞太太向他搭訕，開門見山，也就不客氣地直言談相了。好在現在是工業社會，戲子舞女的地位與從前大不相同。「是呀，怪不得好面熟。」卞太太一面打牌，一面與喬治桑談天。

「我還記得妳進場的那晚，百樂門的花籃由大門口一直排到舞廳裏，整個舞廳變成了一座花山。」（未完）

台北傳奇錄（三一）

·陳光棣·

「塲台不塲台是你的事，我管不着，你老丈人好不好，是他的事，好歹你們總是一家人，我有時候說幾句公平話，也不過是閑扯談，想起來也是，你們男人都是沒有骨頭，有胆子就作，沒有胆子就拉倒，我最看不起婆婆媽媽的人！」馬寡婦拿着小扇子火：「大清早晨的，跟我嘀咕個沒完，這不是瞎子點燈白費臘嗎」？

「妳說我沒骨頭，我就作給妳看，量小非君子，無毒不丈夫，妳等着瞧吧」！步成材斬釘截鐵的說。

「瞧你吹的這個圓勁的，我就不相信你還有這股子吃奶的狠勁兒」！馬寡婦撇着咀說。

「妳總有相信的那一天，到了時候妳可得嫁給我」！

「算了吧，你看到你家那母老虎，連大氣都不敢吭一聲」！馬寡婦講究打鐵趁熱：「把人的大牙都要笑掉了，你別在這兒作夢啦」！

「好！妳看我老步嘍！」

步成材走了以後，馬寡婦喃喃的說：「男人都是傻瓜蛋」！她把整個情勢又從新檢討了一次，劉二爺的婚姻不大正常，老夫少妻一向就容易出毛漏，何況半路裏又出現了一個錢囊良，這小子楞頭楞腦，血氣方剛，為了女人可能什麼事情都作的出來。再加上劉二爺的姑爺步成材游手好閑；誰都知道他是個吃軟飯的窩囊廢，窮極生瘋的人，就有犯罪的傾向。當然最要緊的一點，還是劉二爺很有錢，有錢的人就命中註定了有風險，假設劉二爺一旦出了岔子，不必找什麼倒霉的專家，就是普通老百姓，也能憑着直覺曉得是怎麼一回事。這種天造地設的好機會，眞是打着燈籠都不容易找得到的。目前最要緊的事情，是催着錢囊良多往劉家跑兩趟，其次是步成材，這傢伙雖然已經上了鈎，無奈冒冒失失的，不像個能辦事的好衙役，有了功夫還得給他上一課，多打打氣，必要時鬆鬆褲腰帶都可以，嘿，不成，男人都是一個師傅傳授下來的賤貨，得不到的時候，怎麼說怎麼好，一旦到了手，就馬上換一副面孔，哼！在老娘身上，可沒有這麼便宜。不過話又說回來，男人們也不是傻子，你不給他們一點甜頭，他們怎麼肯百依百順呢？好在這種事情無關緊要，火候到了的時候再看老娘的高興吧！倒是一些細節應該先安排好，千萬別叫步成材壞了事，煮得了的鴨子再飛掉，那可眞倒胃口。

馬寡婦是說作就作的人，換了一套素淨的旗袍，到了劉二爺家裏。

劉二爺沒有去釣魚，正坐在家裏欣賞郵票。

（未完）

憶童年說遵彭

·文匯樓主·

本報五十七年七月三日，「文匯樓別記」以小鐵面包遵彭為題，謂「安徽定遠包耀祖先生，憑其神來之筆，服務桑梓，任職蚌埠大淮報主筆，（民國二十四年到二十六年）兼替京滬各報撰稿，署名鐵面，文筆犀利有力，甚得讀者擁戴。小鐵面者乃耀祖先生公子，即今日國立歷史博物館長兼中央圖書館長紅到發紫的包遵彭是也。」

該文又指稱：「就包遵彭今日職位來說，雖越過其所受教育，但其氣魄雄偉和超人智慧，為一般所不及。如果繼續向前爭取的話，還有一步棋，那就是國立大學校長，或黨營報紙的負責人。小鐵面從小對新聞事業就有濃厚興趣，其尊翁包耀祖也希望他能成為一個中國傑出的報人。假定包遵彭將用在國立歷史博物館的招數，竭盡心血移作辦報，必為中國報業史上一傳人，未料後來偏愛於官場生活，就其個人說乃一大損失」。

包在童年的英雄主義色彩非常濃厚，翹課，鬧風潮，請願為家常便飯，亦精力過剩青年必然結果。其受「物競天擇，適者生存」的影響很深，不愛讀書，但天資很高，那時候還沒有「問題少年」的名詞，遵彭不斷的轉學則屬事實，最後轉到懷遠淮西中學（教會）係男女分校，包在讀書時兼蚌埠皖北日報皖北時報記者，兩報社長現均在台灣（潘澤鎔現任中央黨部第二組副主任，李洛九為中央級民意代表兼執教中國文化學院），有一天遵彭脫去淮西制服，以記者身份到女校觀光，正掀起女生臥室枕下秘密時，巧遇男部校長朱繼聖趕前責問：「包遵彭在幹甚麼？」次日校方將經過情形函知樓主及其家長，後經包耀祖挽人關說記過了事。包耀祖一邊情商樓主解釋經緯，要求對遵彭勿退保，每個月六元銀幣照常支持，直到畢業，不要中斷。

遵彭早年稱樓主為叔叔，民國三十二年樓主抵渝，應母校（中央政治學校）邀請講演，次日各報捧場，大登消息，遵彭閱報馳來寓所，仍以叔叔見稱，到了民國三十五年，南京相遇，遵彭改稱樓主為公，民國三十六年由公降為老大哥，民國四十一年改稱為兄，民國四十七年直呼名字了。樓主某次與遵彭同席，醉後笑謂：「閣下官階越大，我的輩份益低，希望到「兄」止步，我與尊翁究屬好友，若將愚兄降為「老弟」或「世兄」則非拒絕不可了，並引證袁世凱與張謇（季直）一段故事，袁世凱原稱張謇為夫子，執學生禮，後改稱季公，又改為季直兄，張狀元，實在忍不住了，回信謂爾官越大，鄙人地位越低，待爾登峯造極，竊將不成為人形矣！包被激動得面紅耳赤，連謂：「兄我同庚何必充老？」從那次起彼此之間友誼似轉入「敬神如在」一階段，回憶梁寒操早年書贈樓主之「精鋼寧斷不為鈎」條幅，假定精鋼又能為鈎，則可成大器矣！樓主之不若遵彭者在此，牛驥子之不能搞政治者在此。

從學庸談孔子的人生觀（八）

蔡金濤

有時而墮矣！孔家一任直覺，不待鼓而活動不息；其動原非誘於外，則不管得失成敗利鈍，而無時或倦。所謂知其不可而為之，在以理智計算者知其不可則不為矣；知其不可而為之，直覺使然也。此時不慮其不動，而轉恐任情所至，有失乎中，故又不可以不知命也。知命而仍舊奮發為自然的不容己，完全不管得失成敗，永遠活潑，不厭不倦，蓋悉得力於剛。剛者無私欲之謂。私欲本即陰滯，而私欲不遂活力餒竭，頹喪疲倦有必然者，無私欲本即陽發，又不以所欲而生阻，內源充暢，挺拔有力，亦必然者。易所謂「天行健君子以自強不息」又孟子說浩然之氣：「其為氣也至大至剛，以直養而無害，則塞於天地之間」皆表其剛健的態度。故孔子說知命在他原無弊病，而人之以此怠於作為者，斯出計算態度而然，非孔子之過也。

我們再看孔子怎樣作法可以使社會人都得一個仁的生活呢？在這個地方孔子差不多有他的宗教。我們不要把宗教看成古怪東西，他只是一種情志生活。人類生活的三方面，精神一面總算很重，而精神生活中情志又重於知識；情志所表現的兩種就是宗教與藝術，而宗教力量又常大於藝術。不過一般宗教所有的一二條件，在孔子又不具有，本不宜喚作宗教；因為我們見他與其他大宗教對於人生有同樣偉大作用，所以姑且這樣說。我們可以把他分作兩條：一是孝弟的提倡，一是禮樂的實施；二者合起來就是他的宗教，孝弟實在是孔教唯一重要的提倡。他這也沒有別的意思，不過他要讓人作他那種富情感的生活。自然要從情感發端的地方下手罷了。人當孩提時最初有情自然是對他父母，和他哥哥姊姊；這時候的一點情，是長大以後一切用情的源泉；絕不能對他父母家人無情而反先同旁人有情，論語上「孝弟也者其為仁之本歟」一句話，已把孔家的意思說出。只須培養得這一點孝弟的本能，則其對於世界，社會，人類，都不必教他什麼規矩，自然沒有不好的了。要想使社會沒有那種暴慢乖戾之氣，人人有一種溫情的態度，自不能不先從家做起，所以說：「君子篤於親，則民興於仁。」又說：「夫孝，德之本也，教之所由生也。」儒家對於喪葬的注重，在墨子看去，以為對於死人何必糜費許多事，不知這都大有道理，所謂「愼終追遠，民德歸厚矣。」節葬短喪所省者都是看得見的利益，而人情一薄，其害不可計量，墨子固不見也。父母在可以盡孝，父母死則送死為大事；既死之後則又有祭祀，使這種宗教的作用還是不斷；於是有祭禮，為禮之最重大者。那麼，我們其次來說禮樂。禮樂是孔教唯一重要的作法，禮樂一亡，就沒有孔教了。墨子兩眼只看外面的質，孔子兩眼只看人的情感，因為孔子着重之點完全在此，他不得不就這上頭想法子。雖然提倡孝弟亦其一端，而只是這樣提倡，是沒有效的，我們原是受本能，直覺的支配，你只同他絮絮聒聒說許多好話，對他的情感衝動沒給一種根本的變化，不但無益，恐怕生厭，更不得了，那唯一奇效的神方，就是禮樂。禮樂不是別的，是專門用於情感的；他從直覺作用於我們的眞生命。要曉得感覺與我們內裏的生命是無干的，相干的是附於感覺的直覺；理智與我們內裏的生命是無干的，相干的是附於理智的直覺，我們內裏生命與外面通氣的，只是直覺的窗戶，一切色，聲，香，味，觸，法，所附直覺都能有大力量作用於我們，譬如我們聞某一種香味，即刻可以使浮動之心入於靜謐，又換某一種香味，又即刻可以使人心蕩，乃至飲食滋味也可有很多影響，平和的是一樣，激刺的又是一樣；而聲音變化之多，作用之大尤其為最。一切宗教都曉得利用直覺施設他的宗教，即不妨說各教皆有其禮樂。但孔子的禮樂，却是特異於一切他人之禮樂，因為他有特殊的形而上學為之張本，他不但使人富於情感，尤特別使人情感調和。「夫民有血氣心知之性，而無哀樂喜怒之常，應感起物而動，然後心術形焉。是故志微噍殺之音作，而民思憂；單諧（口旁）慢易繁文簡節之音作，而民康樂；粗厲猛起奮末廣賁之音作，而民剛毅；廉直勁正莊誠之音作，而民肅敬；寬裕肉好順成和動之音作，而民慈愛；流辟邪散狄成滌濫之音作，而民淫亂。」是故先生本之性情，稽之度數，制之禮義，合生氣之和，道五常之行；使之陽而不散，陰而不密，剛氣不怒，柔氣不懾，四暢交於中而發作於外，皆安其位而不相奪也。」又「……故樂行而倫清，耳目聰明，血氣和平，移風易俗，天下皆寧。」又「禮樂不可斯須去身：致樂以治心，則易直子諒之心油然生矣；易直子諒之心生則樂，樂則安；安則久；久則天；天則神；天則不言而信，神則不怒而威，致樂以治心者也。致禮樂之道，舉而錯之，天下無難矣。」

（未完）

岳飛

周燕謀

第一章

岳鵬舉忠勇天生　周教授喜獲高徒

宋徽宗崇寧二年（公元一一〇三年）二月二十五日的早上，河南湯陰縣中和鄉孝悌村，忽然有一隻大鵠從東南方飛來，盤旋在岳和的屋子上空，伸頸長鳴。村裏看見這樣奇異鳥鳴的人，深覺詫怪。正驚異之間，孝悌村裏的人看見那岳和的屋子上面火光冲天，好似失火了。看見的人，不禁大呼「失火了」！鄰居都紛紛跑來救火。大家走近一看，並沒有失火。只聽見岳和家裏有嬰兒的啼聲，大家又感到十分驚奇。岳和忙從屋子走了出來，對衆鄰居說：「適纔老夫內子生產一子，眞是謝天謝地！」衆鄰居告訴岳和適纔間所見的異狀。岳和聽了衆人的話，心中也暗暗驚奇。岳和乃半百獲子，喜不自勝。因此就以衆人所見的徵兆，來為他的愛子取名字，因名岳飛字鵬舉。這就是我們這位偉大民族英雄——岳飛的誕生。

各位讀者！關於岳飛的誕生，以上是可信的歷史。另外尚有幾種神迷不可信的傳說：

說岳飛是大鵬金翅鳥下凡轉世的。

還有人說：岳飛的前生是張巡轉世，張巡的前生是關羽轉世，關羽的前生是伍員轉世。世世皆為忠良。

以上這些却是佛、道二家以及民間的附會與傳說，只可姑妄聽之，不足採信。

岳飛誕生剛到滿月，不幸黃河大水泛濫，河南相州數縣皆成澤國，湯陰縣多被淹沒。幸虧岳和機敏，將他灶房外一口大甕，從水中浮了過來，把姚氏和初生的愛子抱入大甕之中，然後向高阜推進。幸虧這一口大甕，方免於水難。

岳飛出生在一個貧農之家，岳和是韓琦的佃農。岳飛先世出自神農氏，世居山東東昌縣，自高祖父始遷於河南湯陰縣。高祖以上皆不可考。岳飛高祖父的家世是：

高祖父——岳漁，字饗桂，曾仕宋為令使。生二子，長名岳成，次名岳德。

曾祖父岳成——字舜福，生一子名岳立。

祖父岳立——字乾祿，生二子，長名岳和，次名岳睦。

父岳和——字坤鑄；母姚氏——是一位偉大母親。

岳飛生在北宋末年的亂世。依賴父親的耕種，母親的紡織來維持一家三口的生計。到了七歲的時候，岳飛幫助家裏做些打柴跑腿的工作。他雖然是一個獨生子，但父母對他的教養却十分嚴格。雖然正史上沒有記載岳母出自名門，是否知書識禮？但據岳母刺字——「盡忠報國」一事看來，她是一位偉大的母親。她畧通詩書是可信的；否則她如何能刺「盡忠報國」（小說以為「精忠報國」是根據高宗御書「精忠岳飛」旗而來。）四字來訓子？

岳飛在工作之餘，岳母嘗嚴於課讀。因為家貧，紙筆不能常得，她教岳飛盛沙代紙，削樹枝代筆，在沙上練習寫字。

（一）

安徽十三樣

成語選粹（20）

李國良輯

班門弄斧

梅之渙題李白墓詩：「采石江邊一堆土，李白之名高千古，來來往往一首詩，魯班門前弄大斧。」班公輸子名，魯之巧匠；之渙自以為詩不如白，故云。今亦用為謾不自量，妄炫其能之辭。

諸葛亮狂想曲（三九）

·劉玄

「圍棋足以怡養性情，可是下多了却無好處。你為什麼不勸你的父親？」諸葛亮對關羽很表關切。

「老伯，你是知道家父脾氣的，他喜歡做的事，是不聽人勸說的。」關平知道他的父親與諸葛亮交非泛泛，所以說話也沒有什麼顧忌。

「賢姪來找我有什麼事？」諸葛亮用羽扇撥了一下灰白色的鬍子。

「父親關照我，在磨刀大典舉行的那天，請你務必駕臨指導。」關平態度恭謹，足見他是一個很有教養的青年。

「我一定去的，何必又勞動賢姪再跑一趟？」諸葛亮何等聰明，他知道關平此來另外還有文章。

「父親又說，老伯與太白星君交情最好，如果方便擬請老伯代邀星君蒞臨指導。」關平說出本題，諸葛亮聽了沉吟片刻，暗想：三代之下無有不好名者，雖賢如關羽亦不能免。

「太白星君在天庭很少參加集會，上次我開演奏會，他肯來是一種破例。不過，你的父親既有此意，我可以專誠去請他一下，但能不能請到，我可沒有把握。」諸葛亮有神機妙算，但請太白星君却無把握，可見星君的仙駕，不是隨便出來的。

「我一定將老伯指示回稟父親。聽說老伯府上有一種飲料比人參茶更好，可否賜飲一杯？」關平也和天庭各仙一樣，沒有喝過咖啡。物以稀為貴，他以為咖啡比人參茶更珍貴，故想嘗一下。

「我不知道賢姪也愛喝咖啡，這倒不是什麼稀罕之物，比人參茶便宜多矣。」諸葛亮說罷，遂吩咐琴童煮咖啡待客。

關平雙手捧着咖啡杯，喝了一口，皺起眉頭，諸葛亮未等他開口，問道：「味道是不是很苦？」關平點點頭，諸葛亮拿起糖缸，遞給關平。關平會意，在裏面加了三調羹的糖，然後慢慢地喝了一杯。

「咖啡味道如何？」諸葛亮問關平。

「味道很奇特，老伯厚賜，沒齒難忘。」

關平喝了諸葛亮一杯咖啡，如此感激，當然有點過份，但他是後輩，謙恭有禮亦算是一種美德。

關平喝完咖啡，起身告辭，諸葛亮只欠身為禮，並未送到門口。

「關平要丞相去請太白星君，請得到請不到？」琴童在收拾咖啡杯時，問諸葛亮。

「依你看呢？」諸葛亮不回答問題，却反過來問琴童。

「依我看，丞相要誠意邀請，星君會來，否則他不會來。」琴童臉上露出狡黠的笑容。

「你這話我不太明白，請客那有不誠意之理。」諸葛亮要琴童解釋一下他說話的語意。

巨變歷險記！

被囚五馬樓（一零五）

胡慶蓉

到嵩明車站是在民國卅八年十二月七日的下午四點半左右，縣長率領縣士紳已經在站上列隊恭候。縣長尙年輕，舉止很矯捷並很有禮貌。他是盧主席的親信馬弁，倒不足爲奇。士紳們大都年長，很多留着鬍子，一一拱手，連聲道謝。走過了歡迎的行列，到了車站後面，就有車子在等候了。這不是什麼汽車而是牛車。浩浩蕩蕩，直奔嵩明縣城而去。在快到城外，先有人送來很多明信片，知道縣議長在帶同縣城裏的各界首長以及學生在前歡迎。只看見旌旗飄揚，黑鴉鴉的人羣，旋即聽到鼓樂齊鳴，喊聲震天。很遠很遠，丁博士就下車了，當然別的人也都下了車。經過隊伍前面，舉右手行軍禮。議長縣長陪同檢閱隊伍陪同進城。

並先進縣衙門，先到縣長的公館。縣長就是本地人，公館就在城裏。巧得很，也或許是事先安排的，他的兒子結婚，請博士作他令郎的證婚人。縣長公館熱鬧得很，整個的縣城也都很鬧熱。證婚之後，吃飯，酒席非常豐富。酒，大家喝得很够量，晚上八點鐘，開始講演。地點就在縣政府大禮堂。這堂的名子很有意義，很合今天講演的內容講演的目的，這堂名靖共堂。這靖共二字的來源不詳，但顧名思義，亦足以啓發人的靈感。

講演歷兩小時，越講越有精神，聽的人越起勁。縣長主席，自始至終都在注意的聽。快要講完，他興奮得跳到台上似的，大大的感謝一番，他拿耶穌拿釋迦牟尼來比丁博士。他說今日的耶穌，今日的釋迦牟尼？栖栖遑遑，席不暇暖，他小孩結婚，能得到丁博士證婚，也可以說三生有幸。

眞是天有不測風雲，人有旦夕禍福，誰也沒有想到盧主席就是今天晚上變的——盧主席投降了中國共產黨，背叛了國民政府。盧主席之不穩，固人所共知，惟今天晚上變，大家沒有料到。嵩明縣政府電話可直通省府直達盧主席。盧主席親自有電話給嵩明縣的縣長，要他扣留丁博士，轉瞬之間，就由台上客變爲階下囚。

這來得突兀，剛剛熱鬧的場面，轉瞬間烟消雲散，變得冷冰冰的陰森森的，縣衙門登時成爲閻羅殿。扣押在縣衙門正堂旁邊的房子裏。這房子並不是樓房，却稱爲五馬樓。這五馬樓大大的有名。這五馬樓過去囚共匪大頭子朱德的地方。朱德曾在昆明武備學堂做過事，他也一度做過昆明的什麼警察局長。他行爲不檢，犯罪，被押在五馬樓。

丁博士押在五馬樓，派去監視的一共有五人。有一位是全縣自衛隊的隊長，兩位秘書，兩位科長。大家默默無言，過了一夜。

小事情　大毛病

老叟

或許有很多人早就發覺到這個問題，不過沒提出來就是了。雖然是件小事情，但却有大毛病在，要是不說，倒眞有如鯁在喉，不吐不快的感覺。所以我還是說了。

在台灣的讀者，經常可以看到一些女孩子，在電視上綜藝，歌舞一類的節目裏出現，或者拋頭露面於觀光飯店、夜總會以及歌廳之中。他們，有的身上斜掛着吉他，有的手彈着琴，有的敲鈸打鼓，三五個人湊在一塊兒，取個名叫什麼姊妹的，就組成一個合唱團。唱起歌來，不停地扭扭擺擺，大概聲帶尙未發育成熟，或是天生就不是唱歌的嗓門兒，只聽得一味的尖叫，單調刺耳，了無韻味。儘管如此，但主持節目的人在介紹時總少不了捧上一句「最受歡迎的某某合唱團」，台下的觀衆也紛紛報以廉價的掌聲。諒是老叟腦筋冬烘，跟不上這種「迷你」的時代，此一情形看在眼裏，總覺得很不是味道。

急功近利，似乎是當代社會的一大病症。絕大部分的人，一天到晚腦筋轉呀轉，就是想該如何「很快」的賺「大錢」。生性篤實，肯拼力氣，流血汗以獲取代價的人，似已日形減少；而投機取巧，專抄小路以獵取厚利的人，却很明顯的一天比一天增多。像上述的情形，那些小女孩年齡都不大，是否已上完了初中都很成問題。看他們那種乖巧伶俐的樣子，也不像是考不上學校而作罷的下駟之材。是女孩子自己嚮慕虛榮？抑或他們的父母只知道要錢，而不擇手段要她們棄「學」就「業」？如屬前者，亦爲父母監督不周，管教不嚴，其咎難辭；如屬後者，咳！情形至此，夫復何言？再說下去，一大堆惡毒話都要出口了。不過，我還要問一句：如果多數人都打這種主意，那這個社會還堪設想嗎？現任國防部長的黃雲達，在他担任台灣主席任內，就會對此一現象表示不滿。事情起因於他的一位朋友，曾經跟他說，大意是說一個女孩子，讀書沒什麼大用處，如能設法讓她讀個中學畢業，就讓她到夜總會、歌廳去唱歌，鈔票便麥克麥克的滾進來。這種話如何教他聽得進去，難怪這位有「儒將」之稱的省主席，當時要對這種歪風公開表示鄙棄之意了。

再回過頭來談談這類合唱團的素質。這種少女合唱團，雖然爲數頗多，但極少夠上水準的。多半都是「急就章」，花筆錢購來一套樂器，添置一些衣服，再跟着唱片學些熱門歌曲，如此倉促成軍，就上台亮相了。反正台灣現在夜總會、歌廳到處林立，不愁沒去處。就這樣多跑幾處歌台舞榭，偶而再上幾齣電視廣告，連她們自己都不敢相信，所謂「紅歌星」，所謂「最受歡迎的」少女合唱團，就掛在人們的嘴邊，也時常在報紙上出現了。其素質當然不問可知。嚴格的說，這對稍具水準的觀衆實在是一種侮辱。此外，在全省電台聯播的節目裏，也時常可以聽到一些才十一、二歲出頭的女孩子，大唱其「負心的人」，「我還是永遠愛着你」……等一類靡靡之音，俗不可耐，甚且含黃帶灰的歌詞，不斷地從這種純潔無瑕的小女孩口中唱出來，從來就沒人過問，不消多久的工夫，便又造出一批所謂的「天才歌星」，請問把改善社會風氣當口號喊的官員們，像這類的事難道不必改善嗎？

最後，話可要說清楚，老叟雖然窮，但絕不是看人家「很快」的賺「大錢」就眼紅的傢伙，更不是吃不到葡萄就說葡萄酸。說眞的，人家當父母的如果認爲這是賺錢的竅門兒，並且是光耀門楣的事體，那還有什麼話要說呢？再說不管唱好唱壞，只要聽衆喜歡，又關咱們屁事？只是老叟思想較爲保守，書呆子的念頭老是在腦海裏縈迴，一心總希望像這樣的小女孩，都能好好的接受適當的教育，在正常的生活環境裏，培養成健全的人生觀，於人於己，甚至國家民族，都有好處。如果說當父母的，認爲自己的小女兒，很有音樂天分，埋沒了實在可惜，那大可讓她往正途發展，像到菲律賓表演轟動一時的中華交響樂團，就是很好的例子，馳名全世界的維也納合唱團的成員，也不都是小孩子嗎？要不然像目前的情形，讓一批批十幾歲的小女孩，不斷的投入這種聲色的場所之中，在這中國人的傳統道德觀念，畢竟還是維繫社會秩序主要力量的今天，是很難教人苟同的。雖然說來這只是小事情，但裏頭却有大毛病存在，實在是不容掉以輕心的。

信不信由你

猴子竟會犯罪

・簡文・

動物犯罪，是可能的；但如果是由于我們儼然的人類所惹起或教唆所致，那罪過便屬于人，而不在于動物了。

不久以前，南美哥倫比亞京城哥波大，發生猴子咬傷主人的事件。原來，這猴主喜愛喝猴子的血，就爲了宰殺猴子取血時給其咬傷。當地護生會在地方長官處給這猴子辯護，說它從沒傷過人，結果，這猴子給從輕判處監禁六個月。

法國東南里昂城，曾發生一連串竊案，使得警方也莫名其妙。原來，這些事件，都在白天人家房子的窗開着時發生的，而失竊的，又只是屬于光亮的東西像指環，金錶一類。最後警探在一個現場發現犯的指紋，但這和所見一般的指紋都不類似，它沒有螺紋，而線紋是垂直的。因有個科學家認爲可能是猴子，于是把城中所有的猴子都給它們打下指模，這一來，才知道那怪指紋是一個意大利籍街頭樂師一隻小猴所留下。當在這樂師的寓所搜出一些失物時，據認是他訓練其猴子偸取的，案情這才大白。

趙文藝教授著「萬里前塵」評介（上）

・陳邁子・

環球博覽意拳拳　學術遊踪萃一編

萬里歸來人似玉　前塵妙筆付流傳

賦贈「萬里前塵」作者趙文藝女史

二十世紀是人類精神文明和物質文明的創造，幾乎達到顚峯狀態，而極爲光輝燦爛的一個時代。也是人類在生活歷程上最爲激動和變亂的一個時代。人類心靈智力之所出，文化教育之交流，亦於此時有其極爲錯綜複雜的表現。尤其是東方和西方的兩個世界，由於新航路開闢海道以還的接觸頻繁而相互瞭解，由心靈之溝通，以達智慧之啓迪，積久孕育，乃始有今日人類輝煌的成就。這也是極爲顯然的事實。

當今之世，眞是其進也無涯，其變也曷極。天下滔滔，橫流滾滾。在今日今世，正不知有多少地方，在靡爛荼毒創深痛鉅之中。正不知有多少人在血淚呼天水深火熱之中。也正不知有多少地方在繁榮似錦綺歌艷舞之中。也正不知有多少人在錦衣玉食瓊樓玉宇之中。一邊是笑，一邊是哭。一邊是歡樂，一邊是哀愁。一邊是血光淚影，一邊是秣馬厲兵。當荒淫與嚴肅成了鮮明的對疊，而邪惡與正義也正在交鋒。這便是這一半奴役一半自由的世界的寫照。

在這樣一個變亂乘絢采多姿「進化之速百年銳於千載」的時代，作爲一個學養深邃而負有改造人類靈魂重大使命的教育工作者，更兼荷論政經邦匡襄國是的大責重任之士，勢非窮五洲之觀，行萬里之路，不足以言博訪周咨。其需要研究考察遊覽的逼切，已超過了當年太史公司馬子長所說的「讀萬卷書，行萬里路」的程度。那麼，一個足不出國門或雖出國門而仍欲廣知的知識份子，其勢非借助於研究考察的載籍專著，不足以言博覽通識，這也是顯而易見的道理。

「萬里前塵」一書的作者趙文藝教授，是一位才華卓越罕識超羣的女教育家。不惟門第淸華，學養深邃，而氣質高雅，夙有掃眉才子之目。

（未完）

寫在「岳飛」前面

關燕謀

岳飛生在北宋與南宋之交，如果以史家的年代來畫分，岳飛的青年時代二十五歲以前，是爲北宋；二十五歲以後，是爲南宋。岳飛有生之年僅爲三十九歲，因此他在南宋的生平只有十四年。這十四年也正是他一生最光明燦爛，轟轟烈烈的十四年。拙作的主要內容，也集中在這十四年之間，其他的點頭綴尾，乃是岳飛生存的時代背景，以及時代治亂之因果。俾以成岳飛一生行事之全貌。

在岳飛生存這短短三十九年時間中，中華及北方之金、遼的廣大空間，起了極大的衝突與變化。其變化有三個：一是北宋的衰敗與南渡。二是女眞——金人的崛起與南侵。三是遼人之腐化與滅亡。從空間方面而言，可以算是一個大動亂的時代。岳飛就生存在這個由北而南的大動亂的時代裏。

金人於北宋靖康二年（公元一一二七）圍了宋都——汴京，擄去徽、欽二帝諸王，以及宮人大臣三千多人；金銀玉帛爲之一空，同時還樹立了一個傀儡——兒皇帝張邦昌，施行「以華制華」的政畧。汴京雖然是兒皇帝的京都，但却是金兵的勢力控扼之下。康王（宋高宗）因緣時會，得應天繼位，史家就以宋都之不同，而畫分北宋與南宋。但南宋的都城是臨安（杭州），本來就是臨時之都，寓再圖復興之意。不料日後時勢演變，宋高宗起了私心，秦檜爲金人所收買，回宋做了漢奸，使原來有復興打算的南宋朝廷一變而爲「偏安」，寫下了「南宋」的第一頁歷史。使得耿耿精忠，有志光復的岳飛，大志不得伸，最後爲了達成和議，不惜犧牲了一代偉大的民族英雄。

從以上所說看來，岳飛似乎是一個失敗英雄，如果以小說來看，似乎是一幕「悲劇」；但從歷史的教訓來看，這又是一部「痛史」，爲資治的殷鑑。假若從歷史人物來論英雄，岳飛內在條件的優越，人格的完美，豐功和偉業，以及他的精神來衡量歷史人物，岳飛乃是一個不朽的人物。我們不能以他的志不得伸，而遭奸人陷害的結果，來品評岳飛的不智，肯定岳飛是「失敗的英雄」。那未免有厚誣古人之嫌。

論一個人物的成敗得失，必須兼備其內在的條件與外在的環境。如果二者皆優，必成大功，爲一世之傑，萬世之表。岳飛內在條件之優越，固不用列舉，外在的環境就太惡劣了。諸葛亮之所以成爲諸葛亮，他就是有兩個言聽計從的君主。諸葛亮才比伊尹，功蓋三國。但如果不是劉備寄予特達之知，畀以軍國重任，臨危託孤。後主雖庸而不亂，言聽計從，乃能鞠躬盡瘁，死而後已。我們看岳飛所遭遇的是：「君有私心，臣無鬥志」；而且高宗偏安求和，一則防杜武將專兵，再則恐怕欽宗之還。故其重用漢奸秦檜，排擯忠貞主戰派，收其兵柄。爲討好金人之議和要求，必殺岳飛。因此岳飛就在君臣的私構下，不僅恢復之志不得伸，而且作了沉痛千古的犧牲。

拙作的主旨，乃在發揚岳飛的忠、孝、節、義，殷鑑於治亂之由。以時代意義而言，岳飛忠君愛國的思想，以及完美的偉大人格和精神，尤足以鼓舞民心，振作士氣。岳飛之志，「還我山河」，「駕長車，踏破賀蘭山闕」，「直搗黃龍」，「迎還二聖」。直是何等的精忠！「文官不貪財，武官不惜死，則天下太平矣」！這些針砭時弊的名言，又是何等的慷慨激烈！在吾人反共復國的今天，實可以作爲殷鑑，絕非過言。

拙作雖以正史爲藍本，然亦參酌各家筆記及考證，糾正了正史的謬誤。爲求讀者閱來輕鬆愉快，文字力求深入淺出，出以小說的筆法，間以評話以品其史事之得失。故拙文不僅可以小說觀，且可以史話看。至於有無「史識」之價值，那就只有讓讀者閱了全文之後，再作指正了。

自由報

中華民國內政部登記證內版台誌字第〇三一號
中華民國僑務委員會登記證僑台報字第三二號
中國郵政台字第一二八二號執照登記為第一類新聞紙

（第一〇四四期）

（半週刊每星期三、六出版）
每份港幣壹角・台灣售價新台幣弍元
社長華達騰・督印黃行奮
社址：香港九龍彌敦道593—601號
廖創興銀行大廈八樓五座
LIU CHONG HING BUILDING
7th FLOOR FLAT 5
593—601 NATHAN ROAD,
KOWLOON, H.K.
TEL: K303831
電報掛號：7191
承印：景星印刷公司
地址：嘉咸街廿九號地下
台灣連絡中心：台北青田街五巷三號
電話：三七五〇二二
台灣區直接訂戶　台郵劃撥戶
第五〇五六號張萬有（自由報會計室）
台北營業處：台北衡陽街三十號
電話：二七二〇〇
台灣分社：台北市西寧南路110號二樓
電話：三三〇三四六，台郵劃撥戶九二五二號

國際局勢與尼克森外交政策（上）

·谷正鼎·

（一）七十年代的國際局勢與尼克森外交政策

要知道七十年代國際局勢的演變趨向，當要為檢討六十年代的情況。在過去的六十年代，自由世界經濟繁榮，社會安定，人民豐衣足食，而共產國家則經濟凋敝，政治混亂，人民苦不堪言。在政治團結方面，民主國家間雖有許多摩擦點，令人沮喪，惟在重要問題上尚能協調。但共產國家間則互相鬥爭，甚至以兵戎相見，如蘇俄之佔領捷克，匪俄之邊境衝突，使共產陣容為之破裂，而各共產國家內部又有其自相殘殺的鬥爭，今後衝突鬥爭將愈演愈烈。以亞洲來說，自韓戰以來美國對亞洲的安全做了很多的貢獻，特別是在越南，美國在人力與物力上都受了很大的犧牲，但却由此建立了越南民主憲政的政權，遏阻了共產東南亞的侵略，並挽救印尼使得免於赤化，星馬局勢得以安保，整個亞洲因之趨於穩定與繁榮安定。尤其重要者，為共匪因越戰而對外擴張受阻，致演成內部鬥爭與混亂。美國在越戰的犧牲雖大，但對亞洲的自由安全的保衛，是有價值的，對世界和平是有貢獻的。

尼克森總統最近對國會提出咨文題為「一九七零年代美國外交政策——和平的新策略」，將二次大戰後國際形勢分為三個時期：一九六零年代以前為冷戰時期，各大國敵意甚深，一九六零年代為轉變時期，各大國漸能協調。一九七零年代將以談判取代對抗。以後即是協調和平時期。這是「美國外交政策的分水嶺」。尼克森總統首先揭出「持久和平的間架」，指出「和平需要實力」，強調「繼續保有實力，在受到挑戰時，防衛我們的共同利益。」和平需要「夥伴關係」，對美國的友邦提供非依賴而為獨立，非鉗制而為平等的夥伴觀念。七十年代的美國外交政策，將不深深介入世界政治，也不完全擺脫，而將是與美國的資源相配合。以美國現在的國內狀況來說，尼克森自有其不得已的苦衷。咨文中表明，美國決意維持其對中華民國的條約義務，並決不忽視共匪的敵對行動和思想鴻溝。但另一方面說，美國有意與共匪建立「相互有利」的關係，「最初幾步也許不會立即導致重大結果」，但「中共遲早會準備重返國際社會」。

我們首先指出，尼克森在七十年代要以談判代替對抗，要想經由談判過渡達到協議和平，這是不切實際的幻想。因為今天美國談判的對象是共產黨，我們須知，凡是相信馬列主義的共產黨人，其人生觀與道德和行為的標準均與自由人類完全不同，用自由世界的「人」的觀念去待共黨，一定會吃虧上當的。共黨視談判為達到戰爭目的的另一種鬥爭型式，共產黨利用談判（無論是和平時期或戰爭時期的談判）來在其對方國家的內部散佈和平空氣，以麻痺其精神，崩潰其鬥志，使無抵抗的能力。而在其自己範圍內則以鐵幕封鎖，極力鼓吹動員備戰，整軍經武，準備對其敵人作最後之打擊。故與共黨談判，很難達成協議，縱然有時協議達成，或即使構成條約，亦難期望其遵守，因共黨視條約等於廢紙。故尼克森想以談判代替對抗，來達成協議和平，終歸而失敗，而且恐將貽誤自由世界的。

從全球反共戰略及美國國內的情形來看，我們對尼克森政策要漸擺脫越南戰場，不再捲入越戰型的戰爭，並主張亞洲國家自立自衛，我們是無所非議的。美國應當是幫助亞洲人民對共黨作戰，而不能代替亞洲人民作戰。過去美國不動員亞洲人民的力量，而以自己的軍力代替亞洲人民作戰，長期的消耗致遭減低對共的優勢。尼克森的外交政策全忽視了對共鬥爭是自由與奴役鬥爭的基本性質，它完全忽視共匪殘暴狂妄好戰與一貫反美的特質，它更忽視大陸一直動亂不安，大陸人民一直在運用各種方式來爭取反毛反共，而毛共政權搖搖欲墜的事實。它希望與毛共建立「互相有利」的關係，並做出種種措施，如放寬禁運恢復華沙談判等，它想「中共遲早重返國際社會。」我們須知，中國大陸人民不是毛共的順民，而是毛共的敵人。美國如與毛共為友，即是與中國人民作敵，與毛共「互相有利」，即是對中國大陸人民不利。美國支援中國反共，是人類史上莊嚴最偉大的正義事業，可是尼克森的新外交政策，却不敢提出自由世界的正義要求呼聲。美國要求南越舉行自由選舉，它為什麼不要求北越、北韓、及中國大陸匪區舉行自由選舉？共產國家的人民，生活如牛馬，人權被剝奪，人民渴望自由的心情，和冒死爭取自由奮鬥，美國為什麼不予考慮？且欲討好一小撮殘暴的共黨統治寡頭，以扼殺人民的自由願望。這是尼克森新外交政策的弱點，這對自由世界不利，對美國不利，而與美國的立國精神是違背的。毛共與美國勢不兩立，決難「互相有利」。毛共利於中國人民與自由世界，必有害於美國，有害於中國人民與自由世界。美國政策最嚴重的後果，是沮喪大陸人民反共的鬥志，助長毛共的氣燄，延長中國人民奴役痛苦，助長國際姑息主義的聲勢。這些因素再發生連鎖反應，也就更束縛美國的手腳，使美國雖有強大的軍力，也陷於無所作為的境地。吾恐今後美國對共產侵略作戰的戰場，將不在亞洲，而在美國本土。目前毛共鼓動菲律賓青年暴動奪權，而北越在共匪的支持下，又在擴大寮國攻勢，將會更大規模的進攻泰國、馬來西亞、印尼，這還是美國參議院禁止其政府在寮、泰作戰的結果。共黨一直繼續不斷的進攻，是美國用談判能阻止的嗎？談判能代替對抗嗎？談判妥協，適足以助長共黨的進攻。

當此姑息氣氛瀰漫，而美國外交政策誤入歧途之時，中華民國的外交不能沉默、畏縮。我們在，世界將無反共主義。我們是戰鬥的，我們要團結亞洲反共國家，我們要自助自強，共同奮鬥。我們要代表大陸人民發言，要求自由世界對大陸人民自求解放的反共運動，予以支援。我們堅決反對「一切與毛匪建立關係之企圖，堅決反對美匪談判，堅決反對秘密外交。我們要強調光復大陸，解放同胞之神聖使命，並從大陸內部發動人權擺脫毛政權，以粉粹姑息主義者「兩個中國」的陰謀。我們要改善並加強亞洲的反共局勢，要以亞洲國家團結反共的事實，來打擊美國的內部的姑息主義。

（二）美匪華沙談判與中美關係

美國政府一面申明尊重對中華民國之條約義務，一面又企圖改善與匪關係，主動要求恢復華沙談判。美國口口聲聲都說其條約係承認中華民國為代表中國人民的惟一合法政府。在該約前言中：「以光榮之同感，追溯上次大戰期間兩國人民對抗帝國主義侵略而在互相同情與共同理想之結合下團結一致，併肩作戰之關係。」「願公開並正式宣告其團結之精誠，及為其自衛而抵抗外來武裝攻擊之共同決心，俾使任何潛在之侵略者不存有任何一締約國……立於孤立地位之妄想。」「第二條並訂明締約國要抵抗「危害領土完整與政治安定之共產顛覆活動。」」很明顯的共匪就是兩國共同的敵人。一九五五年八月，美匪間之大使級接觸，是美國急於解決韓戰戰俘和美僑的釋放問題。現在美國政府求與匪改善關係，事先做了許多姑息措施，與匪恢復了華沙會談。而所談問題超出換俘以外，當然涉及中國的權益問題。我以為美國與中美條約的潛在敵人——共匪會談有關兩國問題，係屬違反中美共同防禦條約，我政府應當對美提出嚴重抗議，並要求停止此項邪惡談判。僅僅「聲明反對」，是不夠的。

（未完）

昨日與明日

醜陋的日本人

由於最近中日香蕉貿易會談的破裂，日本採購商人的氣燄萬丈，使我們想起了：日人長谷川才次所作的「醜陋的日本人」一文。

幾個醜惡點

在這篇短文中，長谷川才次首先提出了一個問題：「醜陋的日本人」會不會逐漸取「醜陋的美國人」而代之？由於外國，特別是美國，對於日本人的眾多批評，在長谷川的腦海中，不斷產生出這樣一個問題。

他在這篇短文中，攻擊日本人的有以下幾點：一、到海外貿易商人，耗費太多時間在夜總會和耗費太多精力在當地女郎身上。二、日本人在心理上，到了異域，就可以為所欲為。出盡日本人的洋相。三、

毛病就出在眼光太短

日本人出外旅行，總是結合在一起，甚至連駐在外國的日本新聞記者，也犯同樣毛病，譬如駐在美京華盛頓的數十名日本記者也避免與外人接觸，把他們與外人隔離起來，結果使日本人從海外旅行中，不能學習任何東西，日本人的眼界始終十分「偏狹」，日本人無法認識事物的另一面。

長谷川才次是日本時事新聞社的社長，故具有現代新聞記者的敏銳觀察力，正如同「醜陋的美國人」著者，也是一位眼光銳利，觀察入微的記者。說老實話，美國和日本，兩個國家，都發了財了，都是世界上富庶之國，可惜他們都犯了眼光短小的毛病，尼克森總統所標榜的新亞洲主義，將來難免自取其辱，固無論矣，就是佐藤的政經分離政策，也不見得怎樣高明。日本人中雖然有許多中國通，但真正瞭解中國問題的並不多見。以往，九一八事變，東北傀儡政權的建立，以及七七事變，日本對華的軍事侵略，終於引發中日國際戰爭，甚至構成第二次世界大戰的導火線，短視的日本政治領導者和日本軍閥，是不能不負責任的。

應反躬自問

在現階段的國際局勢中，中日兩國，休戚相關，在自由中國的經濟發展過程中，日本和台灣的經濟關係，又極為密切，可是在台灣所見到的日本商人，不是恃富而驕、氣燄萬丈（如蕉貿會議，日方代表的無理強硬態度），就是沉溺於酒色之中的利徒，能夠真正為中日前途打算，實如鳳毛麟角。日本應向那兒走呢？醜惡的日本人會不會取醜惡的美國人而代之？這位日本新聞記者問的實在對！如何回答，日本人祇有反躬自問了。

·千公·

自由談

正確的預言

美國前任駐日大使賴世和說，如果日本的武力發展和其經濟力量相韻頓，世界歷史將進入一段危險時期。他主張美日對亞洲問題應該分擔責任，即不贊成美國把領導亞洲的任務，完全寄托日本云。這位一向抱有左傾親共思想的「破鑼非色」（PROFFESOR）的見解，倒是正確的。

二次大戰後美國對世界問題的作風，始也遇事挺身而出，頤指氣使，認為「老子天下第一」；迨稍受困擾，窮於應付時，即將責任歸之於當地友邦政府之腐敗無能，不足與有為，改取消極措施；最後則以「避免全面核子大戰」的說法，表示退却，而期望某個接受美援的國家，扮演反抗共禍的主角，讓美國躲在幕後，坐觀成敗，而獲致川諺所謂「輸贏都有糖吃」的後果。這便是美國對外政策的全盤經緯。

現在美國當局由於戰後對亞洲問題的措施乖方，屢告失敗，乃以「亞洲問題應由亞洲人自己處理」的詔令，實行退縮政策，而教日本担負亞洲方面的領導任務。為着取悅於日本，不惜違背國際協約與道義，私擅把琉球交予日本，又贊助日本擴充軍備，阻擋共禍。這與二次大戰前，西方帝國主義國家袒護日本，教它充當「亞洲憲兵」以抵制俄共的策略一脈相承，毫無二致。假使美國在二次大戰後對中國問題，亦採取「亞洲問題應由亞洲人自己處理」的方針，而不猛烈的干涉中國內政，則中國大陸決不致變色，韓越戰事又何致發生呢？「話倒是兩句好話，可惜爾講遲了」，中國舊劇中「三娘教子」王春娥的台詞，大可以送給美國當局聽聽呀！

日本如果在美國指導贊助之下，積極擴軍，恢復其「亞洲憲兵」崗位，我敢斷言，亞洲不特永無安定之日，到頭來，美國若不被拖入全面大戰的修羅場中，即唯有眼巴巴地從亞洲抱頭鼠竄，回守北美孤壘，自顧不暇，休想再過問世界事務。賴世和所說的世界歷史最危險時期，大家便要身經目擊，悔之晚矣！

鳴玉先生

日共黨實力日益强大
自稱在日可發動革命
不須要莫斯科和北平支持
認蘇聯與毛共矛盾無法消彌

（本港消息）來自外報新聞特稿：據日本保安官員透露，有黨員二十五萬名的日共在民間的聲望越來越高，其活動亦日益增加，並且將會擴大其活動範圍。

日共一度被視爲危險的極端主義政黨，但現在已改變作風，逐漸給人以「非暴力獨立政黨」的印象。

日共黨員認爲，在當前的環境下，利用國會及地方議會發動革命，比以暴力發動革命對他們更爲有利。

但保安當局警告，假使日共爭取到足夠的民意支持，或其領導層出現變動，他們可能改變目前的「溫和」戰略，轉而以暴力發動革命。

當局說，在國際陣線方面，日共將會設法與意大利、法國、北越及北韓的共黨拉緊關係，以便抵消來自蘇聯和中共的壓力。

據觀察家說，日共無可能在短期內消弭其與蘇聯及中共的糾紛。此種糾紛還要持續一個不短的時期。

日共於一九六七年與北平鬧翻，嗣後即沒有同中共交談過。日共認爲中共是毛澤東的私人組織，中共則視日共爲「一小撮國會修正主義者」所組成的政治團體，有共黨之名而無共黨之實。

日本當局相信，日共與蘇共修好的機會比與中共修好的機會爲大，但短期內仍未有修好的可能。

蘇聯於一九六八年八月糾集華沙公約組織傀儡軍隊攻佔捷克之舉，令致日共和蘇共的關係惡化，但日本政府官員指出，有跡象顯示蘇共和日共的非正式接觸已經恢復。

日共不會拒絕與蘇共修好，但莫斯科必須嚴肅保證不會干涉日共的獨立政策，不會對日共强加任何壓力。

日共由於採取不受別國共黨控制的獨立政策，因此在選民間造成了一個良好的印象，在近年舉行的選舉中均得到顯赫的成就。

在去年十二月舉行的大選中，日共在國家議院（有議席四百八十六個）的實力增加了三倍，即從原來的四席增至十四席。

日共在這次大選中一共得到三百一十九萬九千零三十票，在一九六七年一月舉行的大選中僅得二百一十九萬零五百六十三票。

日共在參議院（有議席二百五十個）的實力亦告大增，由四席增至七席。

日共領導人預言，在下屆大選中（日期仍未定），該黨不僅在城市可以得到更多的選票，在鄉村地區亦可以得到更多的選票。

日共黨報「赤旗報」目前每日的銷數共四十萬份，三年前三十三萬份，星期日的銷數由一百一十三萬份增至一百四十五萬份。

中共今年向外擴展
加强對東南亞侵畧
寮馬高緬印巴越泰菲爲目標
進行顚覆與武鬥支援游擊隊

（本港消息）據有關方面所獲消息：北平最近決定把加强對東南亞國家侵畧計劃，作爲中共今年對外擴張的一個主要任務。

有關方面說：據北平的計劃，中共將執行它的對東南亞國家的侵畧，今年將政治顚覆與武裝顚覆並重。在政治顚覆方面，中共將以經濟利誘和軍事威脅推進其串通親共國家與反共國家作對的統戰活動，並且扶植那些支持以共黨力量去顚覆他們自己國家的政府。在武裝顚覆方面，中共特以思想上的指導，軍事和物資上的支援，幫助訓練重要幹部，以及協助建立游擊基地等方式，支持那些國家的共黨奪取政權。

消息中指出，北平在這一計劃中，並就各種不同情況，擬具了對東南亞每一國家進行侵畧的具體目標：

支持寮國共黨進一步實行武裝革命，擴大他們的佔領區，保護經過這個國家通往越南的「胡志明小徑」。

鼓動高棉政府推行親共反美政策，利用高棉爲支持共黨侵畧南越的基地。

脅迫緬甸政府推行中立政策，支持緬甸共黨重建游擊基地，重建緬甸共黨武裝力量以奪取對北緬的控制。

支持親共的印度共黨發動革命和示威活動，威脅印度政府不得與美國站在一邊，並在中印邊界製造緊張衝突。

利用克什米爾問題討好巴基斯坦，並與印度對抗，加强在巴基斯坦境內的顚覆與滲透活動，製造巴基斯坦內部矛盾，以經濟援助爲餌迫使巴基斯坦政府推行親共政策。

破壞在巴黎舉行的越戰和談，煽動北越對美作戰到底，切斷蘇俄與越戰問題的干預。

協助泰國共黨組織「泰國人民解放軍」，在泰國北部地區發動革命，推翻泰國政府。

支持馬來西亞共黨發動武裝革命，在華人與馬來亞人之間製造糾紛，離間馬來亞各邦之間政府之間的關係，破壞馬來西亞聯邦。

支援印尼共黨滲入社會各階層秘密武裝鬥爭，煽動農民支持蘇卡諾政府再起。

加强對菲律賓政治，經濟和文化滲透，製造姑息及中立氣氛，幫助菲律賓發動武裝革命。

喬治桑外傳

一二六　張大鵬

喬治桑道出一段往事，同時也發出輕喟的感喟。

「桑先生你的記性眞好。那時我年紀輕，什麼都不懂，現在才了解人生如夢的意味。」卡太太說到此，只聽到牌尺卡察一聲，又和了一副不大不小的牌。

「打牌就打牌，不要再談從前的事了，免得提起來大家感慨。」裘太太倒很有好漢不提當年勇的氣概。

華太太是新寡文君，聽他們談談說說，只在旁微笑，很少插嘴。這大概是中華文化潛移默化之功。不像美國式作風，就連美國總統遺孀，都要急吼吼地忙着嫁人。

「華太太，現在影片公司是不是歸妳主持？」裘太太是主人，怕冷落了華太太，所以找話跟她說。

「名義上由我主持，我什麼也不懂，還不是靠公司的同仁大家幫忙。」華太太淡淡地回答，同時夾起一支香烟，喬治桑連忙用打火機替他點上火。她輕輕道聲「謝謝」。

這場牌與上次在裘家那一場稍有不同，上次誰淚笑傲，喬治桑一點顧忌都沒有，這次出場的都是太太，雖然非寡即離，喬治桑到底要矜持一點。

在吃晚飯時，留蘭香糖卡太太與喬治桑聊得很多，並告訴了她的住址和電話。

「喂，桑兄，卡太太現在很寂寞，你可以常常去陪陪她。」裘白瓊因爲卡太太在做舞女時便認識她，所以講話沒有什麼顧忌。

「我現在已經不姓卡了，別老是稱呼我卡太太。」卡太太露出編貝似的牙齒在細嚼一塊葱油雞。

「請問芳名？」喬治桑插嘴。

「我本姓劉，叫劉蘭香。」

「啊留蘭香糖的綽號就是由此而來的。」裘白瓊有點小聰明，悟解很快。

「你們都知道，上海人喜歡起綽號，什麼可口可樂哪，小花貓哪，鹹魚西施哪……憑良心說，我們的這個綽號還不算難聽，所以就讓他們叫。」

「現在空的時候作何消遣？」喬治桑這一問有啣接裘白瓊的話之妙。

「偶而打打小牌，看看電影，跳跳舞。第一是找不到合適的舞伴，第二現在流行的什麼阿哥哥舞我都跳不慣。」

「桑博士的舞跳得最好，標準步子可以說獨步台灣。」裘白瓊大捧喬治桑。

「好了，不要瞎捧我，我實在吃不消。」

「他在維也納得過香檳的。」

「眞的？桑先生舞跳得這樣好？」留蘭香糖眼中露出惺惺相惜之色。

「那是很久很久以前的事了，現在年紀大了，舞也大大退步了。」喬治桑似乎有撫髀興嘆之概。

「幾時我請客，大家一淘去玩好不好？」留蘭香糖依稀還有當年上海紅舞女的豪情。

「那能讓你請客，我來請客。」喬治桑是老白相，碰到玩樂事兒，總是很起勁的。

裘白瓊家裏的飯菜相當精緻，四位牌友吃得都很開胃。大凡打牌的人都很性急，一吃完飯，便馬上開枱上桌。剛打完兩三副牌，裘白瓊跑進來，賊忒嘻嘻地說：「桑博士，請接電話。」

「是誰打電話找我？」喬治桑並沒有立刻停止玩牌。

「還有誰，是你的甜心。」裘白瓊在十里洋場混久了，也懂得幾句洋涇，甜心用的是英文。

（未完）

常務次長代表「身份」有問題
經長未能列席立院
嚴兼院長有所說明

（本報駐台北國會記者消息）由於財政部長李國鼎和政務次長馬兆奎二人，因公未能列席立法院院會答覆立法委員質詢，而由常務次長王紹堉以代理政務次長的身份列席備詢，但因大會主席黃國書院長報告：「白委員（大誠）的質詢……財政部王次長（紹堉）分別答復。」

當財政部王次長答覆白大誠委員質詢關於海關退稅問題完畢後，立法委員鄧翔宇立即以程序問題而獲得大會主席黃國書准予發言，鄧委員針對王紹堉的「身份」問題而要「主席以後不要接受」。這是二月二十四日下午五時三十四分的事。

鄧委員說：「王次長（紹堉）答覆質詢，本席認爲程序上頗有問題。行政院列席本院會議的，是行政院正副院長及部會首長，財政部李部長不來，政務次長也不來，常務次長列席院會答復質詢，我認爲不妥。請主席以後不要接受。」

大會主席黃國書說：「行政院送來的條子上寫的是財政部代理政務次長，政務次長出國去了，由常務次長代理。鄧委員提出的問題，請行政院注意。」

接着，當行政院長嚴家淦在答復陳顧遠委員質詢前，對此一問題加以「說明」。嚴院長說：「方才鄧委員對於王次長答復質詢的意見，我完全同意，我們遞上去的條子寫的就是財政部代理政務次長，政務次長出國還沒有回來，王次長是以常務次長代理政務次長的身份答覆質詢，可能是代理政務次長的職銜，報告的時候，大家沒有聽清楚。鄧委員所指出的，我們都已經瞭解，也許以後還會有常務次長來列席答覆的，我們一定要指明他是以代理政務次長來的，除非得到大會的同意，常務次長不能答覆，這一點必須做一個說明。」

按照憲政第五十七條第一款規定：「立法委員在開會時，有向行政院院長及行政院各部會首長質詢之權。」立法院議事規則第六十七條規定：「立法委員對於行政院院長及各部會首長之施政方針、施政報告及其他事項，得提出口頭或書面質詢。」觀此規定，可知立法委員在院會中之質詢對象爲行政院院長及行政院各部會首長。

但憲法第六十七條規定：「立法院得設各種委員會，各種委員會得邀請政府人員及社會上有關係人員到會備詢。」對政府官員列席委員會備詢並不限制。

台北傳奇錄（三二）

·陳光棣·

劉二爺的集郵很豐富，幾本薄子都貼的滿滿的，手邊擺着放大鏡，小攝子，量孔尺，還有透明的玻璃膠紙。

馬寡婦看到劉二爺在家，大出意料，也顯得有些慌亂：「您怎麼沒有去釣魚呀，我以爲您不在家」！

「等一會兒要去會個朋友」。劉二爺看到馬寡婦就感到一陣不舒服，他第一次和馬寡婦見面，就看出這女人是三姑六婆型的角色，專門無事生非，誰要聽了她的話，兩口子都得分家，所以咀裏儘管敷衍着，臉上的表情却是冷峻的。

「您的郵票可眞多」！馬寡婦最善於應付各種場面。

「還不少」！

「我那死鬼在世的時候，也喜歡玩郵票」。

「噢！眞的」？劉二爺睜大了眼睛。

「他的郵票都不值錢」！馬寡婦試探着說。

「主要的是興趣，値錢不値錢都在其次」。

「您的郵票都是那國的呀」？

「那國的都有」？

「您喜歡那一種的郵票呀」？

「都喜歡，人物哇，花卉呀，動物哇，舟車呀，風景啊，只要是圖案設計的好看，彩色勻稱的郵票我都收集一些」。

「這些郵票要値不少錢吧」？馬寡婦風聞劉二爺珍藏的郵票値三萬美金，碰巧今天可以印證印證，反正是値錢的東西，都不愁找不到買主。

「嗯，沒有，湊到一起也不値幾個錢」！劉二爺防範的說着，又歪着[illegible]子看看窗子外面。

馬寡婦也很識相，搭訕着站起來去找劉太太。

劉太太正在溫習功課，很怕開了學以後跟不上班，另外的原因是討厭馬寡婦。

「嗨，妳在這兒哪」！馬寡婦摟了劉太太一把：「我來啦，妳也不招呼一聲」！

「這是幹什麼」？劉太太皺着眉。

「喂！錢慕良來過沒有」！馬寡婦壓低了聲音：「他可想死妳啦」！

「妳有話大聲說」！劉太太很不高興：「別這麼偷偷摸摸的。」

「嗬！幹什麼呀？這麼大的脾氣」！馬寡婦假裝嘁着咀。

「好話不背人，背人就沒好話」！

「哎呀！我是開玩笑的，妳這麼緊張幹什麼」！馬寡婦不死心：「喂！他又來過沒有」？

「誰又來過沒有」？劉太太扯着嗓門。

（未完）

唐伯虎與秋香觀後

文涯樓剳記

·文涯樓主·

最近在台北上演的「三笑」宣傳廣告：「紀念唐伯虎五百年誕辰，請看三笑緣千古傳韻事」。

上演中的「三笑」內容，唐伯虎簡直像一條色狼，在追求下女的過程中，被囚在柴房，還有甚麼值得紀念的呢？教華太師的兩個公子讀書，和華老太太嘴繪觀音，在觀音像上題唐伯虎愛秋香的聯句，都是胡鬧。眞可謂之鬧劇，鬧劇的定義果如此，風趣與肉麻應當一體，文明戲與話劇也不該再有甚麼劃分。

以淩波與李菁主演三笑，演員的物色非常正確，祇是劇本與編導，都還不夠理想。就整個劇情來說，唐伯虎沉醉於秋香的色，色到手後劇終，沒有絲毫教育意義。如果是小公司爲賺錢則可以原諒，有國際聲譽的邵氏產品，會使觀衆們感到遺憾。

就劇論劇，唐伯虎點秋香，本來就沒有這回事，如果勉强找一點線索，乃出自「花朝生筆記」，謂華太師舟過吳門，見鄰舟孤獨一人對酒狂飲，喃喃自吟，華注目甚久，忖想必爲文人騷客之輩，詢之乃唐伯虎也，華非常高興，整衣冠過謁，相談甚洽，日暮後唐益醉，華家婢女隔簾窺之而笑，唐作「婢女篇」譏諷華，華亦作「中酒歌」答之，事實止於此而已。三笑乃喜劇，其實唐伯虎者，乃悲劇人物，西諺有「事實與理想往往相反」證之非訛。唐伯虎貧無立錐，有給文徵明信爲證：「衣焦不可伸，履缺不可納，童僕據案，夫妻反目，舊有獰狗當戶而吠，反視室中，甌甌破缺，衣履之外，靡有長物……日願一餐，蓋不謀其夕也。」雖如此但有氣節，比如當時寧王甚慕唐伯虎才名，重金聘之執師禮，經過一個時間，唐伯虎看到寧王府多行不義，且懷反志，唐欲求去故作瘋狂，寧王遣人贈重禮時，竟一絲不掛以裸體譏呵使者爬開，寧王大爲不悅謂：「人皆譽唐子畏（伯虎號）是一代學人，我看他不過是一個放蕩不羈狂悖無理之輩。」當然很快被炒尤魚了。

唐辭別寧王後，隱居桃花塢，將自己居處命名桃花菴，菴後空地半畝，不種菜，不養豬，而遍種牡丹，花開時邀朋友們飲酒於花下，沒有錢將朋友的衣服借來典當，也得狂飲，這大概是受李白：「主人何爲言少錢，徑須沽取對君酌，五花馬，千金裘，呼兒將出喚美酒，與爾同銷萬古愁」的影響，唐伯虎比李白近乎人情者，唐每次必乘醉塗幾幅山水，次晨賣得的錢，將衣物贖回各歸原主，不像李白那樣要顯「天子呼來不上船，自稱臣是酒中仙。」

唐伯虎不僅重氣節，做官的話一定也很廉能，看官們如果不相信，有詩爲證，例如他在晚年的一首七言絕句：「不煉金丹不坐禪，不爲商賈不耕田，起來就寫青山賣，不使人間造孽錢。」綜觀唐伯虎的一生，是一位典型悲劇人物，有過人的智慧氣魄與氣節，未料想像不過，落荒而終，誠如他自己所講：「一失足成千古恨，再回頭已百年人」了。「三笑」一劇如果將這些含有教育意義的故事編進去，相信能更賣座。影劇屬社會教育工具之一種，編導工作非讀書人不可，否則永久擺脫不了鄭板橋的詩句：「青山亦很揚州俗」有時俗到使人搖頭，那就太不成話了。

從學庸談孔子的人生觀（九）

蔡金濤

這幾段話皆其最美的，而到了那沒有須不和不樂的地步，便是孔子的「中」與「仁」了。若在別人的禮樂，蓋未有不陷於偏激者。而在禮之中又特別着重於祭禮，亦其特異之點；所謂「治人之道莫急於禮，禮有五經，莫重於祭；」「君子之教也必由其本，順之至也，祭其是歟？故曰祭者教之本也已；」是也。大約情欲要分界限是沒有的，然大概可以說情感是對已過與現在；欲望是對現在與未來；所以啓誘情感，要在追念往事；提倡欲望，便在希慕未來。祭禮之所以重，無非永人念舊之情。祭統篇：「夫祭者非物自外至者也，自中出於心也。」表示啓誘情感，何等眞切！祭義篇：「齋之日，思其居處，思其笑語，思其志意，思其所樂，思其所嗜，齋三日，乃見其所爲齋者。祭之日，入室，僾然必有見乎其位；周還出戶，肅然必有聞其容聲；出戶而聽，愾然必有聞乎其嘆息之聲。」又表示念舊何等眞切！他把別的宗教拜神變爲祭祖，這樣鄭重的做去，使輕浮虛飄的人生，憑空添了千鈞的重量，意味綿綿，維繫得十分牢穀！凡宗教效用，他無不具有，而一般宗教荒謬不通種種毛病，他都沒有，此其高明過人遠矣。」

但是孔子並非宗教家，並且他是很反對宗教的。宗教多少總帶出世意味，由此傾向總要有許多古怪神秘；而孔子由他的道理非反對這出世意味，古怪地方不可。孔子弟子不要人胡思亂想，而一般宗教皆是胡思亂想，宗教總是問什麼，人生以前怎樣？人死以後怎樣？世界以外怎樣？思前慮後，在孔子統統謂之出位之思，與孔子那仁的生活——祇認爲下的直覺生活——大大不合。所以子路以鬼神生死爲問，孔子說：「未能事人焉能事鬼，……未知生焉能知死；」這是孔子的態度，不可不注意。人必情志不寧而後計慮及此；情志不寧總由私欲，而殷殷計慮又是私欲；種種荒謬之談由是而興，雖有所信奉，賴以郎安，則又態度傾欹不得其正，論語說：「子不語怪力亂神，」中庸說：「索隱行怪，後世有述焉，吾弗爲之矣。」其排斥之情，不既明耶？其實還不但如此，大約孔子是極平實的一個人，於高深玄遠之理似都不肯說的。所以論語上則曰「子罕言利與命與仁」，再則曰：「夫子之言性與天道不可得而聞也。」罕言利是不肯言利；罕言命與仁，以及性與天道不可得聞，不是不去說，祇是平實切近的說法——如對於諸弟子所說的仁——而不及其幽玄處。荀子去孔子未遠，而言性惡，又說：「唯聖人不求知天」似皆可爲孔不甚談命的證據。後來宋明人競言性命之學不爲無失，而世人更有扯入神秘古怪一團者，則尤爲荒謬！

即曾言及孔子人生是一任直覺的。但純任直覺則一一所得俱是表示，初無所表示之一義；無表示之表示，蓋離開當下之表示，有一回省而後得之者，此離開當下而回省者，是有意識的，理智[illegible]活動，孔子差不多常[illegible]；不直接任一個[illegible]而爲一往一返的[illegible]直覺；此一返爲回省時附於理智的直覺。又如好惡皆爲一個直覺，若直接任[illegible]一個直覺而走下去，很容易偏，有時且非常危險，於是最好自己有一個回省，回省時仍不外訴之直覺，這樣便有個救濟。大學所謂「毋自欺」，實爲孔家方法所在，但此處不及細講；又如孔子之作禮樂，其非任聽情感，而爲回省的用理智調理情感，既甚明瞭。然孔子尚有最著明說出用理智之處，則此中庸之說是也。你看他說：「道之不行也，我知之矣，賢者過之，不肖者不及也；道之不明也，我知之矣，智者過之，愚者不及也」又說：「舜執其兩端而用中；」又說「道[illegible]高明而道中庸」[illegible]明於直覺的中庸[illegible]，更以理智[illegible]的求中，自然求中[illegible]，智有[illegible]種[illegible]，調和[illegible]，都是孔子的根[illegible]。所以錢穆先生[illegible]：推[illegible]中庸重言「推」。推即推理作用。非爲直覺也。中庸之言曰：致中和，天地位焉，萬物育焉。」又曰：「君子之道費而隱，夫婦之愚可以與知焉，及其至也，雖聖人亦有所不能焉。夫婦之不肖，可以能行焉，及其至也，雖聖人亦有所不能焉。」「君子語大，天下莫能載焉。語小，天下莫能破焉。」「君子之道，譬如行遠，必自邇。譬如登高必自卑。」「故君子不可以不修身，思修身，不可以不事親，思事親，不可以不知人，思知人，不可以不知天。」[illegible]修身而推至於知天。又說：（未完）

第一章

岳鵬舉忠勇天生　周教授喜獲高徒

又因無錢買燭照明讀書，在日間拾薪，晚來照明苦讀。史稱岳飛天資穎悟，「家貧力學」，「强記書傳」，「無所不讀」，尤其喜好讀左氏春秋，孫吳兵法，常常讀至達旦不寐。關於他內在條件優越，思想純潔而富於傳統的儒家精神之所至，一則由於天資秉賦的優秀，一則由於母教的潤育和薰陶。

岳飛是否師事大儒？史書上毫無記載，這樣我們不能不承認他的天賦與「力學」所致。岳飛苦讀與他人不同之處，就是目的不同。一般世風是「學而優則仕」。而岳飛却迥然特立不同流俗。何以知其故呢？岳飛讀書是爲了「報國」。岳飛讀書是如何不同呢？他對於史、傳不拘泥於章句的死記，不識「記問之學」，「一得精要則棄之」，他祇選取其精要；然而對於辨是非，析義理一方面，他甚有興趣；每有所得，作成文字，人皆以爲是「精思而得」。這就是他不同於流俗。超越一般士大夫之處。後來他確立「盡忠報國」的偉志，却不是偶然了。

岳飛十五歲開始學習武藝，由於他天賦的神力，武功進步神速。但起初皆未得名師，祇靠自己的體會。岳飛在十六歲那年，就與十八歲的李孝娥結婚。史稱李氏「敬事尊長，懋著閫德」。但又不知出自那家名門。逾一年，岳飛長子岳雲出世。

十八歲，岳飛纔拜到名師，那就是鄉豪周同。周同是相州聞名的神射手，授了不少門徒，但却沒一個可傳其衣缽的得意門生。自從見了岳飛，以爲奇才，於是在數月之內，盡傳其絕技。由於岳飛天資穎悟，以及他具有天生神力，他十八歲就能開三百斤硬弓。「腰弩八石」。悉得周同絕技的眞傳，能左右射，矢無虛發。

一日，周同集合所有門徒，傳授射箭，衆徒弟久已渴望一睹老師的絕技。教射開始，周同首先以身示範。周同取了自己的寶雕硬弓，連發三矢，就枝枝中的，連中三元。周同射畢，對衆門徒得意的說道：「必如此，方可談射呀！」

岳飛少年氣盛，心有未服。對周同請道：「弟子請試吾師神射如何？」周同頷首說道：「鵬舉，你儘管射吧！」

岳飛欠身道：「弟子遵命。」岳飛步下武場，張弓搭箭，一連射了三箭，枝枝「破其笴」。就是岳飛的每一枝箭，都射在周同所射的矢尾，將周同所射的三枝箭破成兩片。衆人不禁掌聲雷動，連聲喝采。周同一見大驚說道：「汝子可教矣！」

周同高興之至，忙把他心愛的兩柄寶雕弓贈與岳飛。岳飛接了周同的弓，急忙叩頭拜謝。

從此之後，岳飛日益勤練，竟至百發百中，正是「青出於藍而勝於藍」。後來岳飛爲將，以此絕技傳授將士，所以岳家軍多能左右射，摧敵鋒，痛擊胡虜。岳飛的武功除了天賦神力之外，後天的技藝得之於周同。

（二）

更正

岳飛並非安徽十三傑之一，前期誤植入安徽十三傑內，特此更正，並致歉！

成語選粹（21）

李國良輯

仰人鼻息

後漢書袁紹傳：「孤客窮軍，仰我鼻息，譬如嬰兒在股掌之上，絕其哺乳，立可餓殺。」按資治通鑑注：「鼻氣噓之則溫，吸之則寒，故云然。」今人謂依賴於人曰「仰人鼻息」本此。

諸葛亮狂想曲（四九）

劉玄

「我知道丞相與星君的交情厚，星君與二將軍的交情淺。丞相假使一再誠懇邀請星君，他拗不過丞相的面子，只好來。假使只輕描淡寫請一下，恐怕他就要託故不來了。」琴童年紀雖小，對人情世故倒是很透澈。

諸葛亮自從到了天庭以後，閒來無事，喜歡與琴童聊天，他覺得琴童還比一般名爲仙家其實是草包的高明多了。

關羽的磨刀大典他已決定用黃雲大仙爲總務組副主任，龍岡會友雖然在背後竊竊私議，却不敢公開反對。關羽是要面子的人，他想要諸葛亮代請太白星君到場，諸葛亮心中卽使不願，也只好跑一趟。

在第二天早晨，諸葛亮在漢玉八卦爐與太白星君通了消息，駕起雲車逕往星君仙邸。鶴童一見諸葛亮，知道他是被歡迎的客人，不敢待慢，立刻請他進入禪房。

「你來找我是不是上次我和你請的事已經決定了？」太白星君還以爲諸葛亮找他是爲了宇宙發展委員會之事。可是仙家未卜先知是欺人之談。

諸葛亮照例向星君先打一稽首，恭敬答道：「星君上次所談之事亮曾愼重考慮過，深感才疏學淺恐難當重任。還望星君將下情轉奏玉帝」

諸葛亮在官場混久了，知道與星君談話不宜隨便表示相反意見。譬如：像楊延輝那樣的草包，與鐵鏡公主對話，「非也」出口，幾乎腦袋搬家。

「這事並不急，假使你還沒有考慮定，過些時沒有關係，我想暫時不必奏明玉帝。」太白星君對於曾國藩的「挺經」雖不懂，對於官場的「拖功」倒很有研究。

「上次亮在仙邸看到迷你老虎，珍珠蟠桃等奇蹟，會與人談起，莫不交口稱讚星君道法高深。」諸葛亮開場白先捧太白星君一頂高帽子，是社交中的高手法。

「眞的？戲法人人會變各有巧妙不同。這不是戲法，恐怕在天庭沒有人能辦到呢！」太白星君呵呵大笑，十分得意。

「你這次來，我不用人參茶招待你，另有新發明的東西招待你。」星君說罷，從錦匣裏拿出一顆像鷄蛋大的紅色石頭般東西。

「這是何物？」諸葛亮確實不知道這是什麼東西。

「此名聞香丹，聞一下可以益壽百年。你聞一下。」星君將聞香丹湊近諸葛亮鼻旁，諸葛亮嗅一下，覺得異香撲鼻，神清氣爽。

看官，你道星君爲何發明聞香丹？實因他每年祇能練乾坤兩丹，一供玉帝，一留自用。其餘丹爐內渣滓鍊的丹，各仙紛紛來求，大有供不應求粥少僧多之感。所以發明聞香丹，以免麻煩。可見以色列作風卽天庭亦難避免。有一個笑話：某人是吝嗇鬼，他每次與兩個兒子吃飯向來不買菜，祇在牆上掛一個大鹹蘿蔔頭，規定每吃一口飯，祇准看鹹蘿蔔頭一下。（未完）

巨變歷險記！

丁博士由座上賓，一落而爲階下囚。曲終人散，昨晚的熱鬧已不復見，除監視的人外，與其他的人一概隔絕。

被囚的房間是縣長會客室辦公室後邊的一個長方形的大房間。另外有一個門出入。這個門在縣長辦公室的後面，對着客廳有門，對着辦公室也有門，但門雖設而常關，門的上邊都糊着紙。嵩明的天氣，陽曆十二月已經相當的冷了。秋意很濃，已經是冬季了。屋裏還燃着有火盤。白天消磨時間就是同監視的人閒聊，不然就是習字。監視的四位先生都相當友善，只要丁博士不離開屋，他們是不爲已甚的。飯起初在飯廳，要離開這屋。離開的時候，他們都隨同。後來丁博士要求也擱在屋裏，還樂得方便。門外有兩位荷槍實彈的弟兄在監視着，是跑不了的，也沒法子跑。

對於監視的人，丁博士在儘量拉交情，儘量拉近合。爲首的一位縣自衛隊大隊長，家頗有財產，就住在城內，曾帶領丁博士去參觀。

特號文特起解

（一零六）　胡[illegible]

他有一位老大姐，年近卅，尚待字閨中，在參觀之便，同丁博士見面，雖不能說一見鍾情，相許終身，但也可以說很相得相愛。大隊長有作舅子的可能，對於丁博士的防範，漸漸的疏懈，以後丁博士就常常的到大隊長家。爲表示他愛令姊，把他身帶的一百塊大頭拿出來作爲訂金。鄉下人對於大頭很重視，這一百塊大頭的信金，益增大隊長對於這未來姐夫的相信。他進而同丁博士商量如何蓋房如何安家如何買地……。

每次從五馬樓出來，丁博士常常要求去欣賞欣賞嵩明的古蹟，遊逛的街道，轉轉嵩明的城牆，對於嵩明的地理，一星一點都在注意。從那里到那里，轉到那里到那里，無不了如指掌。

嵩明接近昆明，昆明的消息，有報紙可以看，但不准丁博士看，不給他看；其次有電話，省府同這里，這里和省府，可以直接通話。這管電話也是大隊長的人，每天的消息，每個時候的消息，大隊長都來給丁博士談。

昆明的報稱丁博士爲國民黨方面的特號文特。特是特工，文是文化，特號是最大的意思。都在呼籲盡法懲治。是十二月二十日，在夜裏十點半的時候，昆明盧漢的電話來了，命令縣長將在押的特號文特丁作韶解送來省，不得有誤。

這對丁博士來說，是非常不好的消息。解送到昆明，就是死路一條。交付人民公審，拉出去槍決，是意料中事。但籠中之鳥，甕中之鱉，也只有任之聽之。

起解的時間是在民國卅八年十二月廿一日的早上天似亮還沒有亮的時候。丁博士在兩位全副武裝的士兵夾着坐在後面，汽車外邊什麼也看不見。

趙文藝教授著「萬里萍塵」評介

·陳邁子·

許多年來一直是立法院教育委員會的委員，時或爲召集委員。本其終生獻身教育的素志和熱誠，爲國家教育水準的普遍提高，暨民族精神的激勵發揚，常殫精竭慮，以貢獻其聰明睿智和豐富的經驗，補偏救弊，匡濟時艱，裨益於教育立法者甚大。此外，更本其專長，都講上庠，授教育課程，身教言教，兀兀勤勤，循循善誘。歷廿餘載，未嘗中輟。桃李盈門，成材甚衆。早在數年前，爲了研究觀摩，博訪周咨，重洋遠涉，遊覽歐美，足跡幾歷環球一周。萬里歸來，前塵在憶。將所見所聞與研究考察之心得，分章撰述，次第成篇。心影游蹤，采筆流美。陸續發表於報章雜誌。嗣復輯爲一編，分上下兩本，名曰「萬里萍塵」。並將與遊記有關而富有歷史價值之彩色照片多幀，分別插印於篇章之中。瑰麗奪目，珍貴異常。踵事增華，圖文並茂。而印製裝訂，無不精美。允稱時下一般出版物中上乘之選。至文筆之條暢雅潔，流麗生動，猶其餘事。

就全書內容而言，其重心在歐美教育和議會的比較研究和深入廣泛的考察。而以遊記之體裁出之。故文中除了有關教育和議壇的報導外，還參雜着很多通都大邑風物的描寫和名勝古蹟的記述。這些寶貴的題材，透過作者的慧心妙構，無不吐語如珠，情辭深至。凡作者筆觸所及的意象和景色，寫來是那麼眞摯綺麗，如畫如詩。故本書不惟可作世界遊記讀。亦可作考察教育議會心得報告讀。更可作文藝精品讀。眞是今日時代青年最好的精神食糧。根據本書作者的自序：四十五年秋，作者取道日本，加拿大赴美，入明尼蘇達大學研究院進修一年後，又轉往美國東部各州參觀。接着乘船橫渡大西洋，遍遊英、法、北、瑞、奧、德、意大利等國，考察各國教育及議會情形，並博覽各地名勝，在羅馬時，曾出席國際蒙特梭利第十一屆會議，然後經德黑蘭、喀拉蚩、仰光而到泰國、柬埔寨、越南、菲律賓、香港等地考察華僑教育。四十六年冬，才返台灣。以上便是此書所涉及的空間的輪廓。

在教育方面，首先對我們的近鄰日本的教育，有極爲扼要的介紹和精確的觀點。日本延長義務教育年限爲九年，把初中級納入義務教育範圍之內，以及教育行政之地方分權化，都是極有參考價值的報導。而僑教改進的意見，也是非常寶貴的。加拿大的僑教，在僑胞生活艱苦奮鬥之中，仍異常重視。他們靠自己的力量，集資興學，傳授祖國文化，維持中國人的禮教於不墜。他們愛慕祖國和嚮往祖國的深情，使國內同胞，難以想像。對教育的研究介紹，作者自然以美國爲重心。關於美式的教育制度方面，從作者入研究院註冊起，到指導教授的選課、上課、研究與觀摩等等，都有非常詳盡的記述，很值得有志留美者的參考。更有一章特別報導了美國教育的特色。也可以說是作者考察的心得。一是：富於變化的小學教育。一是配合生活需要的中等教育。在其中等教育的特點有四：第一、教學設施多能切合實際生活的需要。第二、課程內容多能與謀生技術相配合。第三、注重實地觀察和親身體驗。第四、注重生活教育。一是多采多姿的高等教育。作者特地指出「美國高等教育的功能與理想」。雖各有不同背景與傳統，但其科系及課程，則多以實用爲主。社會需要甚麼？大學便設甚麼科系和科目。「例如化妝品學，文書檔案學，旅館經理學等的設立。所以課程內容，非常複雜而廣泛」。「大學主要的任務是教學、研究、和推廣。在近幾十年來，美國大學除對大學除對教學與研究加強之外，並對大學的推廣教育，也非常重視。一般大學都辦理暑期學校或夜間部，以期師資、校舍設備、圖書等得以充分利用。讓較多的青年，能夠接受高等教育。同時還可使部份學生，讀暑期學校而獲得早日卒業。因此近年來接受高等教育的人數激增。這些報導，設非作者具有深邃的學養，和研究教育的專長，何能別具慧眼，有此深入的發掘。

（未完）

生活漫談

高血壓患者一份食單

·馬騰雲·

人到中年血壓增高，並不是什麼太危險的事，祇要飲食調節得宜，是很容易治好的。但最忌烟酒及濃茶咖啡之類，少吃肉類，多吃蔬菜，尤其不可吃火腿、香腸、板鴨、鹹魚等。

血壓高的人，晚上睡覺的枕頭，不能用普通木棉花枕芯；湖南人喜歡用鴨絨做枕頭，更要不得；中國北方用麥楷做枕頭，麥楷亦是熱性。上列幾種枕芯，不僅對高血壓不適宜，就是普通的人，也不應當用熱性的枕芯做枕頭，頭腦不能夠冷靜，無論幹那一行都會有問題的。今天我們祇研究高血壓問題，其他一律從畧。

綠豆殼枕頭，爲清涼解熱最佳藥物，綠豆殼在豆腐店，糕餅店，荳芽小販有賣，廢物利用，價錢不會貴的。蠶沙枕頭，爲中國北方十幾省，兒童的枕頭，都是用蠶沙裝的。蠶沙就是蠶屎，其醫療作用與桑葉相同，有鎮靜作用，患有高血壓或麻痺不仁及半身不遂等，用蠶沙造枕頭，可謂最佳的一種外用醫療藥。台灣農村養蠶人家很多，不須要多少錢就可買到一大包，蠶蛾、蠶蛻、蠶蛹、蠶連、蠶故紙、蠶繭、蠶沙均入藥，以證明蠶在國藥裏的重要性。菊花枕頭，祛肝熱，治頭暈，菊花價貴摻以菊花葉裝成枕芯對血壓患者，如頭暈、目眩、夜眠煩燥、愛講夢話、睡時心驚極爲適宜。

喜歡吃茶的人，突然不吃茶，感覺非常單調，同時我想能藉茶當藥，比專門打針吃藥自然適舒些，茅根茶，清涼退火。台灣民間兒童出疹後，一再服用茅根茶肅清體內熱毒，茅根茶清香可口，對降低血壓有效。山渣茶爲治療高血壓有效藥物，台北迪化街中藥批發行買，價錢不貴，每天以五錢到一兩燉茶，家裏有冰箱最好，山渣茶加葡萄糖、陳皮，勝過街上買的酸梅湯，於飯後飲用，不但可以降低血壓，且能幫助消化，增進飯量。石斛茶：雖非高血壓用藥，但能使腹內積糞排出，有清導及推陳出新作用，亦爲滋養清涼藥，久服多服並不傷胃。

高血壓人的菜單，以蕃茄、芹菜、茄子、紫菜、海蜇、豬腰、海帶、海參、干貝、昆布、苔菜最適宜。蕃茄降低血壓，很多醫生公認。芹菜可消熱，袪除肝火旺。茄子維他命P最豐富，可以防止細血管出血。紫菜煮湯，對血壓減低有著效，經許多人食用，效果均好。海蜇作菜，用麻油，醬油拌和味甚佳，用半磅海蜇熬湯，海蜇化成水，並不難吃，功能化痰降血壓乃驗方。豬腰可以補腎，補腎可以平肝，肝火降低，血壓平復。海帶有清火平肝之效，涼拌清燉，紅燒隨便，味道雖不太好，但對高血壓患者有益，海參，含有豐富的礦質，礦質可以防治血管硬化，爲中年人老年人滋補的食品。干貝食法隨便，燉、煮、蒸、熬湯皆可，功能養陰降火平肝，昆布屬於海產食品，葉厚面滑，味帶腥氣，用以煮糖水飲，降壓有效。苔菜是寧波人重要食品，苔菜曬乾，名爲苔條，對高血壓有預防和治療功效。

你不信由你

黑色的雪

簡文

雪是甚麼顏色的呢？在你回答之前要細心想想。我們通常叫它做白雪，其實是沒有顏色的。顏色幻覺來自那些好像小鏡一般的無數小平面；它們反映了雪花表面的光輝。

不過，眞的有過有色的雪。阿爾卑斯山落過黑雪，那是由於西西里島埃得納火山把百萬噸的巖灰噴入大氣層而引起的。

意大利熱那亞市有過紅雪，一個目擊的市民說，那一天，漫天飛舞的白雪突然變成淺紅色。至於它的原因，一直都沒有一個令人滿意的解釋。

天降活魚

在印度，由於地理環境，常常產生旋風，往往有些旋風會捲了地上的貓和狗上天，然後又在數十哩或數百哩外降下來。這種情形，已經不是少見的了。但近年卻發生了奇怪的事。不久前，新德里收到了來自好幾個省的報告，都說有不少活魚從天而降。這使得當局將信將疑，科學界中也引爲奇談。

自由報

中華民國內政部登記證內警台報字第○三一號
中華民國僑務委員會登記證僑新字第三二三號
中華郵政台字第一二八二號執照登記爲第一類新聞紙

（第一〇四五期）

（半週刊每星期三、六出版）
每份港幣壹角・台灣零售價新台幣式元
督印兼發行人李鸚運・社長
社址：香港九龍彌敦道593—601號
廖創興銀行大廈八樓五座
LIU CHONG HING BUILDING
7th FLOOR FLAT 5
593—601 NATHAN ROAD,
KOWLOON, H.K.
TEL: K303831
電報掛號：7191
承印：景星印刷公司
地址：嘉咸街廿九號地下
台灣連絡中心：台北市田街五巷三號
電話：三七五〇二二
台灣區直接訂戶　台郵劃撥戶
第五〇五六號張萬有（自由報會計室）
台北營業處：台北衡陽街三十號
電話：二七二〇〇
台灣分社：台北市西寧南路110號二樓
電話：三三〇三四六，台郵劃撥戶九二五二號

國際局勢與尼克森外交政策（中）

・谷正鼎・

蘇俄現在西方試圖緩和緊張，俾得集中力量於亞洲對付共匪，故有美俄限制戰略武器談判之舉行，及歐洲安全會議之籌開，而共匪亦乘美國希望改善與匪關係之際，與美國恢復華沙談判，企圖借美以對俄。而美國亦圖於匪俄衝突中作權衡之運用，一面與俄談判，一面與匪談判。如運用不當，反可促使匪俄關係和緩，協以對美。匪俄雖衝突而反美則係相同的，而共匪是想先挑起美俄核子戰的。我認爲美國政府對共黨陰謀認識不清，對共外交技術低能，且國務院潛伏有共產份子，美國是不夠資格在匪俄之間作權衡之運用，畫虎不成反類其犬。匪俄衝突是共產集團內部的鬥爭問題，匪俄衝突對自由世界是有利的。美國對現階段匪俄鬥爭只宜嚴守中立，而美國務院亦會有守中立的聲明。但美國現求與匪改善關係，恢復華沙會談，是違反中立的。亞洲國家大多是畏懼共匪侵略威脅的，蘇俄又積極正向東南亞發展，並倡議組織亞洲集體安全體系，美國與匪改善關係的影響，勢將使亞洲國家或降匪以自保，或投入蘇俄懷抱以求安全。美國是在爲淵驅魚，爲叢驅雀。除堅決反共之中華民國，大韓民國與越南共和國三國外，美國在亞洲恐將無友邦。我認爲美國今天的基本要圖，是作以鞏固並擴大自由陣容，並促進共產集團之內潰，尤其在亞洲方面更須如此。倘美國與匪改善關係使友邦疑懼，是自毀長城，自挖牆脚，將自食惡果。

中美兩國深遠的傳統友誼，是對世界和平的保障。所以國際共黨要多方破壞。根據最近美國參議院國內安全小組委員會本月十五日發表的文件，題爲「美亞雜誌事件——中國災難之線索」。從此文件中，知道美國當時駐華的幾個左傾親共的職業外交官，破壞美國對華政策，實爲大陸赤化之主因。編輯該報告的柯貝克教授在序文中說：「在二次大戰期間，美國政府支持國民政府之政策，被一些駐在中國的美國人員從中作梗並加以破壞。」「韓國和越南的慘悲戰爭，均直接由於共黨奪取亞洲心臟地區所造成的。而遠東其他地區過去二十年一再發生騷動，其主要禍根在中國大局之糜爛。」今當美匪恢復華沙會談之時，我們希望尼克森政府不要再蹈覆轍。我常驚異，何以少數潛伏於國務院與駐華使館之共黨份子，竟能破壞美國之對華政策，而負最高決策之總統與國務卿，竟受愚弄，我深懷疑他們的智慧與責任。羅斯福、杜魯門、馬歇爾等的對華政策錯誤，導致韓戰與越戰，美軍傷亡三十萬，是拿美國子弟的血，來補償他們的過失。尼克森總統如再錯誤，恐美國將有更大的災禍。購機援華案之被打消，參議員傅爾萊奮之反對，和國務院之從中作祟，實爲主因。刪除購機援華案對毛匪有利，姑息分子對毛匪實作了最佳的服務。當購機援華案進行協議時傅爾布萊特曾以「中國遊說團」之說來進行譏諷，而我方外交人員亦噤若寒蟬。依我看來，美國國會既有援外案之公開討論，則受援國家當有權利與義務向美國議會及民衆陳述意見。這是光明正大的事，不能視爲干預美國國內事務。只有傅爾布萊翼遇事均與反共友邦作敵，爲共黨張目，這才眞是共產遊說團。姑息主義是共產黨的先鋒，要反對共黨必須首先反對姑息主義。我們要維持中美的友誼，必須對姑息主義的宣傳，力予駁斥。對美國政府的錯誤政策，我們應據理力爭，力求改正。今後如遇類似白皮書的文件，我們應當提出對案，公諸於衆，訴諸於美國的民衆，訴諸於世界的輿論，我們萬不可默爾而息，唾面自乾。以其事後無法補救，不如力爭於事先。我們要以堂堂之鼓，正正之旗，來揭破共黨與姑息主義者破壞中美關係的陰謀。當此七十年代尼克森外交政策分水嶺之時，亞洲國家應當自立自強，團結合作，增進美國友誼，加強美國領導力量，以確保亞洲的自由。

同時我們要提醒美國，亞洲的安全是世界安全的屏障。爲了保障亞洲的安全，美國必須從各方面給予亞洲反共國家以應有的援助。從經濟與技術協助各國，求人民生活的改善，及政治與社會秩序的安全。因爲安定是防共的武器，混亂是共產的溫牀。目前亞洲問題的重點在越南，共黨千方百計，要用聯合政府取代阮文紹總統的合法政府，以達到赤化越南的目的。我們希望美國不要強迫越南接受與共黨組聯合政府的主張。並希美國駐外人員不要在越南搞政變，免爲共黨所乘。

美國與亞洲各盟邦的關係，必須如尼克森總統所說，是「夥伴」的「平等」關係，而非「控制」。美國應修正在亞洲强制推行「美式民主」的觀念。亞洲國家與美國國情不同，故其實行民主的方式亦異。歐洲各國的民主制度與美國亦不盡相同。目前在亞洲各國要有安定，才能建設民主。美國應嚴防其駐外機構中的共黨潛伏份子在友邦內部製造分裂運動，圖利共黨。

（三）大陸動亂與匪俄關係

大陸情勢迄至目前一直在混亂之中，毛共在去年雖召開了僞「九大」，但黨政機構一直建立不起來，全國一切機構均處於軍管的狀態，內部尖銳對立、武鬥事件層出不窮，蘇俄看透了毛共瀕臨沒落及其外强中乾之勢，企圖以軍事威脅，促進內變，迫使毛匪投降。這就是匪俄邊境衝突及匪俄談判之由來。現在匪俄雖在進行談判，但從匪所發表的五點主張看，共匪已承認中俄間一切不平等的條約，并願以這些不平等條約作基礎進行談判，不要求收回蘇俄根據這些不平等條約所割去的領土，而且并願根據「居民利益」調整蘇俄所已違約侵佔的新領土。這完全是毛匪屈辱的出賣國家利益的投降態度。如僅以邊界問題而言，依照這一態度，在匪俄談判中，蘇俄已可獲得很大的利益，匪俄的談判應該很快獲得結果。可是現在匪俄迄無達成協議之象，顯見蘇俄的慾望，決不限於邊界問題。蘇俄要求解決匪俄之間的矛盾，要毛匪再度屈服（蘇俄名之曰匪俄合作），當然這是毛匪所不甘心的。現在毛共藉瘋狂「備戰」以加強對內的鎮壓和嚇阻蘇俄。匪俄關係已瀕臨戰爭邊緣。

誠如　總統昭示，大陸一夜之間可能發生驚天動地的變化。這種突變可能是由於毛共奪權鬥爭而導發的宮廷政變，或地方割據的內戰，更可能是由於廣大人民的反共抗暴革命的爆發，也可能是匪俄之間的戰爭。這種突變不論是那一種對自由世界都是有利的。特別是匪俄之間的戰爭，對整個的人類都有利，對中國大陸人民的解放，對蘇俄人民的解放，對東歐各國人民的解放都是有利的。

面臨大陸隨時可能發生突變的形勢，我希望政府能有隨時應付這種情況的積極準備，同時我更奉勸我們的盟邦，認淸大陸情況，不要爲毛共的宣傳所惑，以爲毛共已建立有效的統治，這與二十餘年前說毛共係民主的土地改革者，含有同樣的毒素。更不要插手匪俄之間的鬥爭，企圖支援一方以抵制另一方。我們不怕蘇俄會吃掉了中國，世界上沒有一個國家能滅亡中華民族的。

（未完）

昨日與明日

國科會的失着

由於國科會未能及時將研究教授的名單公諸於世，台灣學術界爲之掀起了一陣軒然大波。事實上公佈與否，本來都是利弊兼具的，甚至正式把名單披露以後，不管審核工作做的是如何客觀公正，其所招致的紛擾與批評，可能要比沒有公布爲大，但無論如何，還是以公布爲上策。公布以後即使被指責爲不公，甚至被譏評爲徇情弄權，在輿論界也往往失去了應有尺度的今天，這種事[illegible]，爲人做事原就難得盡如人意，但求無愧我心就行了，那怕是議論交至，責難迭來，一笑置之可也。須知爲國家服務，份屬公僕就必須有這種涵養。要不然像此次一切只爲避免紛擾而不予公開，即使一切的秉公辦理，是如何的客觀而確實，也要貽人以口實，認爲事有蹊蹺，見不得人，漫天疑竇，從此而起，舌敝唇焦，也無法解釋淸楚，含寃忍辱，也都很難令人同情，這可以說是國科會的一大失着。

不過，我總以爲這僅是國科會在處理事情時效應欠周詳，所鑄成的一項失誤，當中容或有徇情弄權的現象存在，也只是政治上的陋習一時未能根除，因此而影響到高階層學術界的清譽，固屬憾事，但這還不是最嚴重的。我以爲最難以令人苟同的，乃是在這批研究教授中，據悉社會科學所佔的名額太少，又一次讓人感覺到社會科學在我國的遭受漠視。此則屬於基本觀念的偏差，導致決策的錯誤，影響所及，至爲深遠，這才是值得大加檢討的問題。

從歷年的大專聯考，可以明顯的看出目前的社會學科已成冷門。囿於就業環境及其他現實的出路問題，對於學生們作如是的選擇，我們是沒有理由予以苛責的，不過面對此一趨勢，政府未能設法挽救，已屬於失策，如今竟然再冷落社會科學，這就形同推波助瀾，無風助燎，眞不知如何向國人交代。既往的事實不必贅述，在代表高階層學術界的研究教授之陣容中，研究社會科學者的名額佔十分之一，這是很令人費解的。

晚近由於自然科學急劇的進步，社會科學未能與之均衡發展，已給人類帶來無限的混亂與困擾，這是衆所公認的事實。我們當然知道我們的自然科學尙極落後，亟需迎頭趕上，可是格於先天環境與其他條件的限制，只能循序漸進，力求發展，絕非一蹴可即的。現在爲了要發展自然科學，全力以赴，就把社會科學打入冷宮，顧此失彼，勢必問題叢生，自亂步驟，結果事功未卜，反動搖根本，實不智之甚。據報導今年美國社會科學人才，供不應求，而理工科技人才的出路，反形狹小，衡諸以經濟學上的供需關係，已可窺出美國學術研究重點的必然轉移。這一代的美國人，凡事都是講究實驗實證的，際此他們已在不斷的掉頭轉向的時候，我們如果懵然不覺，還在過分的強調自然科學，而忽略了社會科學，這實在是值得深省的事。

教育學術是國家的百年大計，不可不謹愼將事。自然科學和社會科學，必須相輔相成，不使偏廢，才能造福人類，這不是見仁見智的觀點差異，更不是孰重孰輕的程度問題，正如同截司國家發展科學工作的國家「科學」委員會，對於「科學」一詞的內涵，總不能硬性規定爲自然科學佔十分之八，社會科學佔十分之二吧，雖然主持其事者都是學自然科學的。

・文史

自由談

美俄的援外政策觀

馮正先生

二次大戰後，美俄兩大强國皆實施援外政策，相互標榜着決不干涉受援國家內政的諾言。實則都是「此地無銀三百両」的自欺欺人之談，只是干涉別國內政的方式和手法各不相同罷了。

就美俄兩國利用援外政策以干涉別國內政的作風而言，蘇俄比較深沉而乖巧些，美國却不免顯預幼稚之病。蘇俄的援外目的，但期符合共產主義所要求的「世界革命」利益，而採取反美路線就行了，至於受援國家的政府形式和內政措施，表示不加干預。美國則不然，友邦一旦接受了美援——包括軍經援助——除却必須從事反共政策外，更要別國實行「內政改革」，且以美式民主政治生活爲標準，如法泡製，不許走樣，否則便認爲係不值得援助的腐敗、貪污、無效率的政府，說是把美國納稅人的金錢投進了鼠洞，報紙猛烈批評，國會議員譁然起哄，非停止「美援」不可。這其間，只有一個例外，即英國在戰後原是接受美援最多的國家，然其內政施我行我素，并未受到美國的干預，英國人喊出「要貿易，不要援助」的口號，表示不屑領情的氣槪，美國亦就算了。

民主政治原是人類共同的願望，但由於各個國家民族的傳統文化和社會結構各不相同，產業發展的程度有別，民主生活必須循序漸進，並非一蹴可幾的事。何况民主制度亦有若干種類，美式民主生活并非放諸四海而皆準的金科玉律，一定要接受美援的國家實行美式政制，即有如對病人亂投醫藥，利少而害多，未見其可也。

職是之故，戰後二十多年來，凡是接受美援的國家，一般人民的反美情緒乃普遍潛滋，毫無例外。這情形，美國人士亦知道，却未徹悟其癥結所在。這就是美國與蘇俄在國際政治鬥爭中，永遠處於下風的正確答案，不知美國當局以爲如何呢？

談貪污問題

雷公

依洞集

昔人有言：「子孫如其賢，要錢幹甚麼？子孫如不賢，要錢幹甚麼？」這道理很淺顯，稍爲有點知識的人，都能夠暢曉這兩句話的涵義，受用無窮的。

可是，社會上偏偏嗜財好貨的人特別多。商賈市儈以營利爲目的，他們貪圖財貨，原屬習與性成，理有固然，一則知識陋少讀詩書，二則夕持籌握算，斤斤於財貨的盈虧得失，他們的人生觀，祇知道扒錢至上，發財第一，無所謂義利之別也。若夫一般從事國家公職的黨政人員，大家都受過高等教育，號稱爲知書明理之士，然其貪污行爲竟比那些商賈市儈更厲害，知法犯法，見錢眼開，處理任何大小事情，非送紅包不行，不特視貪污爲義所應爾的固有權利，甚且構成集體貪污的勾當，亦復肆無忌憚，寧非咄咄怪事嗎？

居心貪污扒錢的目的，一方面是在貪圖本身的物質生活享受，一方面在爲後代子孫聚積財富，使其免於匱乏之虞，此外再無理由可說了吧！實際上，公職人員的日常生活，已較社會大衆優裕多了，而人類的慾壑永遠是填不滿的，硬要以身試法，胡亂好貨，即令不談精神生活的人生哲理，專講物質享受，亦是得不償失的。君不見許多貪官貴人由於飽煖思淫慾的關係，經常鬧出醜事穢聞，流傳社會，以致聲名狼藉，人格掃地，遺臭後世乎？官位越高，聚斂越多的，越爲社會大衆所不齒，何苦乃爾呢！

談到爲子孫積財，尤其罪孽深重。自古迄今，凡有事業成就的，誰不是清寒之家的子弟，貪官污吏的後人，多見其爲太保太妹，青年時期不肯讀書求智，幹出許多玷辱三代祖宗的壞事情，涉足社會後，若不成爲流氓地痞，已算萬幸，承繼先人的遺產越多，他們所造的罪惡就越大，遠者不必說，只要看看眼前的現象，即知吾言千眞萬確，決非過甚其詞也。

吾思之，吾重思之，今世貪官污吏之滿坑滿谷，基本原因還是如近代人詠周處的詩句所指述：「翠兒致貴矜身手，翻笑先生好讀書」，鐘鳴鼎食之流，盡是些少識之無的草茅下士，廉潔政治談何容易哉！

調整軍公人員待遇

政院月內提出預算

嚴院長答立委成蓬一質詢

（本報記者張健生台北通訊）行政院長嚴家淦與財政部長李國鼎答覆立法委員成蓬一的口頭質詢，質詢委員成蓬一要求嚴院長和主管部長再口頭答覆。成委員要嚴院長再口頭答覆的理由是：由於質詢要時間限制，致口頭質詢未完畢而時間已到，故祇好將已質詢事項和未質詢事項補充列於「公報」，請嚴院長再口頭答覆。此項要求於法有據，但類此實例尚屬創舉。

成委員質詢說：軍公教人員待遇問題，約爲四年調整，據行政院六十年度施政方針之「改進薪給制度，與增進福利措施」。約爲四年調整，請就當前國策——反攻復國——之急待展開，是否縮短爲二年內，調整軍公教人員待遇現行一倍？並普遍實施職位分類，邁向單一俸給制的道路上前進，請問嚴院長如何決心實行？

嚴院長答覆說：成委員所質詢第一點關於軍公教人員待遇的問題，請各位最好在行政院的報告中找資料。行政院是對立法院負責的，行政院所要準備做的事一定要向立法院報告。關於調整軍公教人員待遇，不管是調整百分之二十五，或是調整四分之一，行政院並沒有提出這個報告。

關於軍公教人員待遇問題，行政院將於三月底以前提出預算案，函送貴（立法）院審議，對於軍公教人員待遇的調整，行政院一定要憑國家的財力及政策之需要就國家總預算案中提出。到時各位有甚麼決議的話，行政院當照貴（立法）院的決議來執行。

（按：嚴院長於答覆立委白大誠質詢時說：「關於軍公教人員待遇的問題，行政院原則上已有所決定，調整的福度較過去爲大，已編列於國家總預算中。」）

成委員對嚴院長的原答詢，要求依照重列之質詢再口頭答覆。

關於沒有列帳（國家總會計與國庫）的特種收入及其用途，成委員質詢指出：行政院施政報告第五二頁，載有「來台觀光人數，五十八年全年累計共三七一、四七三人……連同來台渡假美軍四二、九七五人，則五十八年全年來台觀光人數達四一四、四四八人，估計收入美金約六六、八〇〇、〇〇〇元。」按照現在政府規定匯率，折合新台幣二十六億七千二百萬元，究竟此數作調整軍公教人員待遇呢？還是增建軍事裝備呢？尤請注意的，嚴院長在口頭報告時，說明實際上我國現在的國際收支除五十八年度外貿輸出與輸入稍有逆差外，尚有外人投資與外銀貸欵，仍呈順差等語，故上項觀光收入每年數千萬美元，實屬國家收益，應當列入國帳與國庫，更應如何作有效的運用？尤以增加軍公教人員的薪給與其福利措施爲最優先，這是行政院應辦的事！

當時，財政部長李國鼎答詢：成委員的質詢中提到關於觀光收入問題，在行政院施政報告上確是提到觀光事業外匯的收入有六千六百八十萬美元，剛剛我請教交通部張部長主計處周主計長，據他們的說明，這個數字是根據一年來對觀光旅客抽樣統計結果，每一觀光旅客在台逗留大概是三至四天，每人所花的錢約爲五十元美金，這樣每位旅客在台灣住旅館，買紀念品，連餐費一個人大約要二百美金，一年三十多萬人，估計爲六千多萬美元，這是旅客的消費數字，政府能拿到的，只是娛樂稅等稅收，爲數不多，因爲大多是消費了的，只是一種無形外匯收入，列在外匯總帳中去了，這當然是個很好的財源，但多用於消費上，不能列入國家預算中。

由於李部長的答詢意見與成委員質詢主張相左，所以成委員不滿而要求李部長依重列質詢內容再質詢。

關於當前財經措施上的幾個絆脚石如何克服的問題？因時間的限制，成委員僅提出兩個問題質詢：第一、關於貿易，現有一種登記外匯，即外匯結匯額的百分之八十，廠商可留作購原料之用，實際上他們却把這百分之八十的一部分，以四十五、四十六元的價錢賣到市面上去，這無異於造成複式匯率，這種弊端應予根除。第二、政府對出口商鼓勵出口，但對出口商因辦理重整或其他原因，致未能如期輸出者，却要處以萬分之五的罰鍰，這種處罰當局認爲按利息性質處理，明是行政罰鍰，爲什麼要當成利息處理？依所得稅法規定，利息是可以作爲費用列支的，作利息列支時，所得稅就受影響，這種措施原是爲鼓勵外銷所定的辦法，但施行時却變了質。

來函照登

敬啓者：頃閱貴報三月七日第一版低調集所載，查與事實有出入。茲聲明如次：（一）本校未設法律系。（二）張奎在本校爲兼任講師而非副教授。（三）中央日報曾載此項消息之第三天即有所更正，諒貴報尚未閱到。上述即請貴報發表爲荷。此致

自由報

私立逢甲工商學院敬啓

五十九年三月十二日

大台北區防洪措施

將提具體方案

政院答蔣肇周質詢

（台北消息）行政院頃就立法委員蔣肇周所提「對大台北地區防洪措施特提出四項質詢」一案，答復如下：

一、對北區防洪計劃之檢討：關於本案已責成經濟部水資會於五十八年五月成立工作小組，就原方案全盤檢討，並對各方面所提新意見加以分析比較，預定於本（五十九）年五月底提出具體方案。蔣委員希望政府一面切實整修台北市下水道及加強排水設施，一面對石門水庫洩洪，亦應切實研究有效可行之良法，甚佩卓見。本院所核定台北防洪六項臨時措施已有包括在內，經分飭有關機關積極規劃研究實施中。

二、對淡水河洪水平原管制之檢討：（一）查淡水河左岸三重、蘆洲、新莊等低窪地區實施洪水平原管制，並非全面禁建，僅係局部臨時措施，與一般禁建不同，不僅管制洪水，並使當地居民提高警覺，增加防洪措施，減少洪災損失。洪水平原內，一級與二級管制區之劃分，並非以海拔之高低爲準，一級管制區，包括：提防預定地、堀子川疏洪道預定用地、及天然洩洪道三部份，應嚴格限制建築，用以配合防洪計劃實施時之需要，及保持目前天然洩洪道之暢通，其餘二級管制區內，不僅未限制建築（管制辦法內有明文規定），並鼓勵人民改建樓房，以便洪水時遷避高處。至於一級管制區內規定工廠在不增建廠房原則下，變更登記七原則，以及一級管制區內空地免稅，均爲在嚴格限制建築原則下之便民措施。

（二）上項管制措施，經本院院會通過後，曾提報國家安全會議，並奉總統指示：「政府要實施管制之目的，全爲人民整個利益着想，政府在籌劃時自應顧及管制地區有關人民權益，考量利弊得失，妥愼處理，目前要實施禁止建築或管制建築，其目的在減少洪水禍患，因爲築堤防水不僅無益，且將加深災害，使兩岸居民均蒙重大損失，政府權衡輕重在堀子川疏洪道尚未決定興建前，自應實施淡水河洪水平原管制，政府此種從遠大處爲人民謀利益之苦心，要使人民了解」。

三、對石門水庫洩洪之研討：關於石門水庫歷年被山洪泥沙淤積情況，台灣省石門水庫管理局已有測量資料，並已訂有「石門水庫集水區治理辦法」，加強水土保持，興建攔沙壩等，減輕水庫淤積。又石門水庫係一防洪、灌溉、發電、給水之多目標水庫，關於如何加大防洪效能乙節，因涉及債欵分担等，尚須經過經濟分析、詳細核算，現正由經濟部會同石管局、水利局等單位審績研究中。

喬治桑外傳

一二七

張大萬

「你不要亂說，我跟本就沒有『死味哈脫』，」喬治桑說完，站起身來，裘兄，你替我代一牌。」

喬治桑離開麻將間去接電話。

「是誰打電話給桑先生？」「綽號留蘭香糖的卞太太首先表示關切。

「他的女秘書李小姐，才貌雙全。我知道他追求她已經很長久了，最近有無進展，我却不太清楚。」裘白瓊是海派作風，說話向來口沒遮攔。

「美國人最喜歡拿女秘書當太太用，也就和咱們北方人所謂上坑老媽子一樣。」裘太太在北平呆過，所以也懂得上坑老媽子。

「什麼是上坑老媽子？」卞太太問裘太太。

「還不是男人們的花樣，北方天氣冷，人們睡坑不睡牀，女傭人陪男主人晚上睡覺，就叫上坑老媽子。」裘太太誨人不倦，特爲卞太太解釋一番。好在她們都非黃花閨女，談談男女苟且之事，也不會面紅耳赤。

「我的太太最兇，我以前在北方用的一個小老媽，漂亮極了，還沒有等到上坑，不到三天就被她辭退了。」裘白瓊半帶開玩笑地挖苦水。

「虧你還好意思說出口，見了鮮魚就嘴饞，妳沒有看到他看到那個小老媽的急色兒像，白瓊，那個小老叫什麼名字？」

「叫芙蓉嘛，」裘白瓊對芙蓉的記憶似乎比他的親娘還深刻。

（未完）

台北傳奇錄

・陳光棣・

（三三）

「她瞞，你們對門的那位什麼太太」。馬寡婦生怕劉二爺聽到起疑心，趕緊改了話題。

「沒有，我和誰都不來往，就想靜下來念點書」。

「好啦！女博士，別打官腔啦！」馬寡婦善于下台階：「我走啦，改天再來看妳」！

馬寡婦走了之後，劉二爺開了腔：「妳愛信不信，馬寡婦和那個男孩子，叫什麼……」

「姪錢」！劉太太伸個懶腰。

「兩個人是商量好了來的」。劉二爺靜靜的說：「不然怎麼會這麼巧」。

「那也不一定，姪錢的昨天就來過，我沒有讓他進來，今天一清早，就站在弄裏，直眉瞪眼的盯着咱們的窗戶，所以我才告許你上午別出去」。

「這也不是辦法」！劉二爺收起集郵簿：「乾脆我亮亮相，和他打個照面，妳看怎麼樣？早晚是這麼一回事」。

「這種人無聊透頂，你理他幹什麼？他願意站在那裏，就由他去站着，咱們坐在家裏舒舒服服的，不是很好嗎」？

「話不是這麼說，他究竟還年青，我們應該同情他，他是一時想不開，我是過來人，我懂的青年人的心理」。

「你是過來人？你從前也追求過結了婚的女孩子？」劉太太詫異的問着。

「什麼呀！」劉二爺微笑着說：「妳想到什麼地方去啦」！

「我說哪」！劉太太吁了一口氣。

「這麼辦，我找他進來坐一坐，咱們把他當個客人看待，妳要自自然然的，千萬不要陰陽怪氣，我們不能把他當成壞人，青年人都有血性，誰對他們誠懇，坦白，他們就尊敬誰，妳看怎麼樣」？劉二爺在徵求着太太的同意。

「我不懂，也許你對」！

「這麼拖拖拉拉的，可不是辦法，天長日久了，鄰居們也會說閒話」。

劉二爺罩了件襯衫走了出來，錢慕良正在直着發呆，聽到開門的聲音，本能的就往弄堂口衝了去，劉二爺正要喊叫，想一輛摩托車剛好沒頭沒腦的撞在錢慕良的骨上，一羣哄着孩子的太太們嚇的鷄毛子喊叫。摩托車騎士乘亂子溜掉了，其實劉二爺早已檢起一塊小石頭在水泥地上記下了車牌的號碼。

混亂中，劉二爺把錢慕良扶進了計程車，一直送到醫院去，留下了看熱鬧的太太們說長道短。

（未完）

文滙樓別記

談報應

・文滙樓主・

月裏嫦娥都被太空人揭穿了，廿世紀七十年代還來談報應，非冬烘之輩，亦白天見鬼，不相信有報應的人，一定如是觀。

報應並非含有鬼神，乃種豆不能得瓜，種瓜不能得豆之謂，希特勒勇冠萬軍，墨索里尼的特工組織之嚴密，即眞有鬼神亦難挿入；東條英磯的軍事計劃，征服全世界後，還有廿幾個師團作恢復秩序時治安人員，他們那裏會料到本身會上斷頭枱，此即謂之報應。

台北有某律師，在爲官時操生殺小權，受人買動，判良民爲匪，處以極刑，這位冤死的人被綁赴刑塲前，照例要錄簡短口供，詢明有無遺囑，未料該「囚」破口大駡：「你媽的皮，你拿人多少錢，自己心裏明白，你這筆錢，要留着葬你最親的人，二十年後的今天，我會來找你……」某律師的獨生子竟於幾年前在碧潭游泳被暗礁將頭頂撞破，死於水中，後屈指計算正是那冤死鬼二十年前行刑的日子，事實經過如上，信不信由你。

湖南某報人於民國卅四年冬暨卅五年春，正値湘南大荒年，憑藉個人力量，先捐出自己儲蓄廿幾兩黃金發動救濟災民，救濟難童運動，活人多萬，直到湖南善後救濟分署成立，才將擁有二千六百餘人的兒童救濟院移交給善後分署，被救濟的人於今有很多都在台大、師大畢業了。民國卅八年大陸淪陷，某報人混跡難民羣中，經過數十次的匪幹精密檢查，未被識破（女人陰戶要看過，萬金油盒也得用針挖一挖），抵達安全地帶後，某報人的西裝內袋裏懷有幾十張時人名片於曬衣時倒散在地上，而未被匪發現。善行於先，得救在後，即是一種巧合，也應當歸納在種瓜得瓜因素之中。

中國有「做官的錢在眼前，生意前六十年，農民的錢千百年」成語，泰國强人乃砲是耶嗳上將，擁有三十四億泰幣財富，李宗仁通過李品仙的關係，將全安徽省刮得「天高三尺」，怎麼會想到在瑞典和美國都窮得一貧如洗呢？小貪官們應當看看大貪官們的榜樣，就該作好的搞，尤其司法官貪污，十年來馬上報應的不計其數，詳見台港各報，天道自然律如斯，夫復何言？

從學庸談孔子的人生觀（十）

蔡金濤

所以孔子的辦法不是走單的路，而是走雙的路（直覺與理智）；單就怕偏了，雙則得一調和平衡。這雙的路可以表示如下：

（一）似可說是由手內的一任直覺的，直對前境的，自然流行而求中的，只是一往的。

（二）似可說是兼顧外的，兼用理智的，離開前境的，有所揀擇而求中的，一往一返的。

像墨家的兼愛，佛家的慈悲，殆皆任情所至，不知自返，都是所謂賢者過之；而不肖者的縱欲不返，也都是一任直覺不前的一。所以必不可只走一路，致因性之所偏而益偏；而要以「格物」、「愼獨」、「毋自欺」爲之先爲之本。中庸上說過愼獨，才說到中和，時時有者此也。更須時時有一個執兩用中的意思，極高明而道中庸，以自省免照着外邊的賢者，致爲「賢者之過」。中庸之說實未對賢者與高明人而發者也。亦唯如此走雙路而復合乎他的根本道理；看似與前衝突而其實不然。蓋孔子雖一面有其根本態度而作事來固無所不可，所謂中行是也，「不認定」與「道中庸」皆爲照看外邊時所持的態度，宋明大儒似均不分清此雙條的路，而尤忽於照看外邊，於是種種流弊毛病，遂由此而生。

孔子這種一任直覺的人生態度，在中國發生了相當的影響。中國人雖不能完全像孔子所謂「自得」，却是很少向前要求，有所取得的意思，他很安份知足，享受他眼前所有的那一點，而不作新的奢望，所以其物質生活始終是那種簡單樸素，沒有那種發明創造，此在其結果之不好的一面看，則爲物質文明之不發達，乃至有時且受自然界之壓迫——如水旱種種天災。蓋此種知足的容忍的態度，在人類尙停留在初期文化時，因爲此時實在是不甚相宜，要圖生存的，當然不能抗天行的；又且物質上的不進步並不單是一個物質的不進步，一切文物制度也都不得開發出來。此其弊害，誠不勝說。然在其結果之好的一面看，則吾人雖有此許多失敗，而却有莫大之不幸。因爲從此種態度即不會產生西洋近世的經濟狀況，西洋近百年來的經濟變遷，表面非常富麗，而骨子裏其人苦痛甚深，中國人就沒有受着此種苦痛。雖然中國人的車不如西洋人的車，中國人的船……中國人的一切起居享用都不如西洋人，而中國人在物質上所享受的幸福，實在倒比西洋人多。蓋我們的幸福樂趣，在我們能享受的一面，而不在所享受的東西上，——穿錦繡的未必便愉快，穿破布的或許很樂；中國人以其自然融洽游樂的態度，有一點就享受一點，而西洋人風馳電掣的向前追求，以致精神淪喪苦悶，所得雖多，實在未曾從容享受。

在社會生活方面，孔子的倫理，實寓有他所謂絜矩之道在內，父慈，子孝，兄友，弟恭，總使兩方面調和而相濟。並不是專壓迫一方面的——若偏欹一方就與他從形而上學來的根本道理不合，却是結果不能如孔子之意，全成了一方面的壓迫。這一半由於古代相傳的禮法。自然難免此種傾向。而此種禮法因孔家承受古代文明之故，與孔家融洽而不能分。儒家地位既藉此種禮法以維持，而此種禮法亦藉儒家而得維繫不倒；一半由中國人總是持容讓的態度，對自然如此，對人亦然，絕無西洋對待抗爭的態度，所以使古代的制度始終沒有改革。數千年以來使吾人不能從種種在上的權威解放出來而得自由；個性不得申展，社會性亦不得發達，這是我們人生上一個最大的不及西洋之處，然雖在這一面有如此之失敗，不利，却是自他一面看去又很有勝利。我們前曾說過西洋是人先有我的觀念，才要求本性權利，才得到性中展的。但從此各個人間的彼此界限要劃得很清，開口就是權利義務，法律關係，誰同誰都是要算賬，甚至於父子夫婦之間，也都如此；這樣生活實在不合理，實在太苦。中國人態度恰好與此相反；西洋人是要用理智的，中國人要用直覺的——是情感的；西洋人是有我的，中國人是不要我的，在母親之於兒子，則其情若有兒子而無自己；在兒子之於母親，則其情若有母親而無自己；兄之於弟，弟之於兄，朋友之相與，都是爲人可以不計自己的，屈己以從人的。他不分什麼人我界線，不講什麼權利義務，所謂孝弟禮讓之訓，處處尙情而無我。雖因孔子的精神理想，沒有實現，而祇是些古代禮法，呆板教條以致偏枯不少，然而家庭裏，社會上，處處都有一種趣味，不都是冷漠，敵對，算賬的樣子，於人生的活氣有不少的培養，不能不算一種優長與勝利。

中國人初不會像西洋人那樣認清了「我」，不像西洋人那樣與自然分離對待，更不像西洋人那樣劃清界線，那樣的知識（科學）我就不是依之以爲發達，生活，其理智無甚作用是很明的；與自然渾融，不是由人計算的；與人的情感而不鮮其較，不是直覺嗎？其社會上尙情而不計較，不是直覺嗎？所以爲生活之一切學術莫非玄學化，一切藝術化，不都是用直覺嗎？還稍不細心，未嘗不可看成別的生物或什麼野人靠着本能爲生活。這實由中國很早的時代就想成功那極高的文化，爲其聖人領着去作，以理智運調直覺，祇成了這生活，却其結果渾沌難辨的生活，非高非低。中國古代那很玄深的哲理實是由理智調弄直覺所認識的觀念；孔子不單是直覺便好的，孔子和孔子所承受的古化都是教人作一種憑直覺的生活，而以調理直覺爲之先，如我們所敘孔子走雙路和禮樂等制度，其以理智運行直覺而不過甚明。不過這古聖人的安排，在那時事實上難行，也維持不久，或形式微具，只結果似乎成了很低的文化，失不發達的樣子。其實在很高明的理智發達之後，才要一種直覺的生活，其所謂理智運用直覺以直覺運用理智，比那單是直覺再多一層理智用理智，是來用直覺運用理智的一週折而更進一層，

一切生活都由有我，必有我才活動才生活。孔子的生活只是毋我的生活，初非眞破了分別我執，其直覺的認我，依舊的我，然亦唯只我他直覺的我。西洋人更無其我執。「我」又加以理智的區劃，就是以直覺認我，而孔子亦唯分別者而已；一般人唯只有直覺而我執且强，不悉有分別我之明。如西洋之無分別，又不如孔子之莫不有我執；其實孔子淸楚顯著，則不執過一淸無我執則迷離。渾若無我，一經破除，是分別我執，不能無此破除之理。功全假理智分別而立，他蓋由理智分別而破。孔子的直覺生活實以理智爲之先，此不可以不知也。直覺爲其理智之主，運用理智仍由不知也。他是多一周折的，所以我們更說進一層的，中國人雖走他這路沒走到好處，即仍不妨既原要這樣說。所以我們可以說，中國生活是理智運用直覺的生活，此即孔子受的直覺的人生觀的影響。（全文完）

老子（一）

張起鈞

老子道德經是一部奇書，它雖然只有寥寥五千字；但對中國文化所產生的影響，却不是五千部書所能闡述得清楚的。據統計，過去國人替它注解，闡述的書，留存到現在可稽考的已有六百餘種。平均每七個字，便有人替他寫一本書。到了近代，譯文遍及各種重要的文字；每一文字譯本，還不止一種。即以英文爲例，到現在止，便有四十四種譯本之多。人們對於他的重視，可想而知了。

這本書在戰國時代，已是很流行了。像莊子這樣的天才，尙且隨時隨地引用它充滿了智慧的句子；還有法家韓非子的書中，竟有「解老」、「喻老」兩篇文章爲它詮釋。足見推崇之一斑。其他如荀子之批評、遊士之徵引，眞是不一而足。到了漢代，由於政府採行黃老政治，這本書乃成了爲學施政所共遵的寶典。而那偉大的批評家司馬談，更是把它推崇備至。東漢末年，中國本土產生了一種道教，居然把「道德經」看作聖經，接着魏晉的名士們，更是人手一冊，把它看作淸談資料。到了唐朝，由於皇朝姓李的緣故，「愛屋及烏」，竟然認道德經的作者爲祖先！一方面設立研習道家的博士、助教等，並分別立道家爲一科以舉士；一方面又在天下遍設道觀，誦道德經及莊子列子等書。這時幾乎每戶人家，必備道德經一本。由於歷代學者和君主的倡導，道德經的流行，幾乎比論語還要廣泛呢！

道德經不僅在國內盛行，而且暢銷於國外。它被譯成各國文字，據艮師叢書的編者說：除了基督教的聖經外，譯得最普遍的，就要推「道德經」了。尤其兩次世界大戰以來，世人受盡了炮火的荼毒，窮極知返，才覺悟到徒賴物質並不能給人類帶來眞正的幸福；他們把目光轉向東方文化，於是代表東方智慧的道德經，更引起他們的注意和推崇。因此蒲克明（當代美國的學者，譯有老子）在道德經的譯本序中說：當人類隔閡泯除，四海成爲一家時，道德經將是家傳戶誦的一本書了。

總之道德經的風行，絕不是偶然的。大英百科全書一九五九年版說：中國人的生活、文化，沒有一方面能擺脫「道德經」的影響。這固然是一個西方學者對於中國人的瞭解，但他確是指出了其眞象。道德經所以這樣重要，乃是因爲它代表了中國的經驗、中國人的智慧，不能只拿它當作一本「書」來看。

（二）

那末這部道德經的作者是誰呢？筆者可以很快的回答說，是老子。如果再問老子究竟是何許人？這可有點爲難了。請先看司馬遷告訴我們的故事：

孔子在五十一歲那年，爲了增廣禮制的學識，便跑到周朝去請教一位守藏文獻姓李名耳字伯陽的老官員。那位官員已是白髮蒼蒼的老翁了，在他眼中，孔子還只是一個血氣方剛，初出茅廬的青年，所以用教訓的口吻說：「你現在所研求的禮，它的創造者的骨頭都已腐爛，只是他的言論還保留在世間吧了。一個君子有機會便出來爲仕，沒有機會便應該退隱。我曾聽說一個善經商的人，藏着很多貨色，但表面上好像很匱乏；一個有德行的人，即使滿肚子都是智慧和才學，表面上好像一無所知。所以你應該去掉驕氣、態色、和慾心，這些對於你是有百害而無一利的啊！我能告訴你的，只是這些吧了。」孔子聽了這段話後，回去便向他的學生說：「鳥，我知道牠會飛；魚，我知道牠會游；獸，我知道牠會走。會走的可以用網抓，會游的可以用綸捕，會飛的可以用箭射；至於龍，我就不知道了。因爲牠可以乘着風雲直上九霄，我所看到的老子，就是游龍啊！」

安徽十三傑

諸葛亮狂想曲（五九）

劉玄

大兒子吃一口飯，看了羅蔔頭兩下，小兒子向某人揭發。某人怒容滿面地說，「不理他，讓他餓死！」現在星君發明聞香丹，但不是笑話，而竟是仙家的奧蹟了。

諸葛亮嗅過聞香丹，稱謝畢，恭敬向星君禀道：「不知星君有沒有收到磨刀大典的請柬？」

「是不是關羽主持的磨刀大典？」星君反問諸葛亮。

「正是。」

「請柬我是收到了，但這類集會我向例不到，你是知道的。」

「磨刀大典這次恐怕是最後的一次了，所以龍岡諸位會友都希望星君仙駕光臨以增光彩。」諸葛亮有舌戰羣儒的底子，他用以後一次的說法來邀請太白星君，確是妙着。

「爲什麼是最後一次？」星君果然發生疑問。

「據劉約翰告訴亮，目前下界氣象學十分發達，農民知識亦大非昔比，所以在磨刀大典那天能燒香點臘燭的已是絕無僅有的了。龍岡自劉總會長以下都在考慮今後不再舉行。」諸葛亮知道自從上次開演奏會以後，星君對劉約翰的印像不壞，所以特別提起劉約翰以增加語言效果。

「那我更不必參加了。」

「星君根本沒有參加的意思，」諸葛亮聽了有一點着急。

「本來是不敢勞動星君仙駕的，不過磨刀大典的另一意義是發揚龍岡傳統忠義精神，符合中華文化。星君仙駕若能光臨，天庭必然家都會領畧到上述意義，仙駕不去，大家都將懷疑這一種迷信舉動。因此，亮不能不向星君禀明。」諸葛亮說話果然有一套，竟將磨刀大典與星君揉合在一起，使星君難以回絕。

「你說的不一定全是事實，我倒沒有想到那麼多，既然你希望我去，看在你的份上，到時我去便是。」星君的法力更高，他不與諸葛亮談理論，只講面子。

諸葛亮聽後喜不自勝，向星君稱謝不已。

太白星君坐禪甫能，精神正旺。諸葛亮任務達成正想告退，星君那裏肯放，硬要留他多聊一會兒。

「玉帝最近命我佈置一個「宇宙室」，作爲將來「宇宙發展委員會」的參考。這任務很不簡單，要比地球上畫山河海洋難多了。因爲星球之間的距離，要用光年計算哩。你要不要參觀一下？」星君雖然是在問諸葛亮要不要參觀，卻已站了起來，當然是準備領導他去參觀了。

星君領諸葛亮穿過後院，大哈叭狗，小八駿馬仍在那兒，走不多時來到一個墳狀建築物旁，星君一按機鈕，機關門洞開，諸葛亮躬身隨星君進入，裏面眞是別有洞天。星月交輝，好一派天體形象。

巨變歷險記

天網恢恢，疏而不漏，這恐怕是對惡人說的。但對丁博士來說，這位栖栖遑遑，席不暇暖的鬥士，天可能是另眼看待，網雖恢恢，網開一面，給他繼續奮鬥的機會。

也眞有湊巧，車，囚車，起解的車開到板橋，再不能前進。前面來向縣長報道：昆明戰事發生，八軍、廿六軍爲解救在省府光復大樓被扣的主帥李彌，余程萬，發動對昆明的戰事，廿六軍已兵薄城下，八軍也已在板橋一線佈防，並已進入戰鬥狀態。縣長聆聽之下，面色全變，當命令司機原車開回原地。這樣一來，丁博士得救了。

隻身逃出嵩明（一〇七）

胡靈 著

原車開回嵩明縣府，丁博士又被關在五馬樓。丁博士想到昆明戰起，這是一個大好的機會，在混水中摸魚，在混戰中脫逃，機不可失，時不再來，如何脫逃，丁博士確在傷透了腦筋。首要堅定監視首腦大隊長的信心，要叫他相信他同他大姐結合是堅定不移的。他同他大姐是不是迷信？積善之家必有餘慶，積不善之家必有餘殃。昆明起解，中途折回，他們相信丁博士吉人天相，一定可以脫險，他們更相信有情人終成眷屬。

這是一個禮拜天，早上八點的時候，大隊長說他有事，他要出去一下，叫我到一位科長的辦公室。這位科長是負責監視的。還有兩位秘書也都在這位科長地方。他們也都向這位科長請假，說有什麼事，也需要出去一下。這兩位秘書也走了。剩下丁博士同科長。科長對於大清演義特別的有興趣，日來常常在看，有手不釋卷的樣子。今天快接近慈禧之死光緒之死，看到入迷。就在他入迷的一刻，好像什麼都忘了的樣子那一刻，丁博士悄悄的走出科長的辦公室，又走出縣衙門，照他事前擬定的路線，折向左，然後再向右，穿過一條小巷，直向城門走去。遠看去，衞兵正面向裏，對一個什麼人講話，在他的旁邊有一輛大卡車，滿載着貨物，正橫在路上，正對着城門，說時遲，那時快，丁博士毫不遲疑的，目不轉睛的，若無其事的，不慌不忙的走出城門洞，從衞兵背後，繞到大卡車的後面，循着一條直直的路，直直的向前走，快快的向前走，以便脫離衞兵的視線，步入安全的地帶。

丁博士的目標是嵩明火車站。但因爲恐怕人家來追，本來應該向東南方走的，改爲向東北方。再由東北方，轉到東南方。本來一個鐘點可到的，丁博士走了十點鐘。嵩明火車站旁邊是山，嵩明東面東北面也都是山。看山跑似馬，看山很近，但越走越遠，整整轉了一天才轉到嵩明火車站。這已經天快黑的時候，八軍駐防，於聞悉丁博士脫險的消息，莫不振奮，登時播遍了全軍，傳到了昆明。

趙文藝教授著「萬里前塵」評介（續）

．陳遂子．

還有與美國教育有關的社會福利設施的報導，也是別出心裁的一章：「由聯邦政府直接辦理者，計有：（一）老年及遺族保險。（二）退役軍人服務。（三）聯邦政府公務員服務。（四）印第安人服務。（五）鐵路員工服務。（六）聯邦政府關於法庭監獄之各種服務。（七）住宅服務。（八）機關教業。（八）爲精神病者療養及盲聾人之教育等。（九）旅居國外僑民福利。（十）康樂服務。（十一）軍人福利。（十二）託管地區及其他特別地方之社會福利。（十三）佔領地區之社會服務等。由各州或各縣市依法辦理之社會福利事項。計有：（一）公共救助（包括老人、盲人及貧兒救助等三種）。（二）就業輔導。（三）兒童福利與婦嬰衛生。（四）公共衛生與心理衛生。（五）失業保險（六）住宅服務。（七）農業合作推廣及家事推廣服務。（八）學童午膳。」著者並且實際參觀了紐約市社會福利設施的重要部門。都有翔實而眞切的記述。足爲吾人借鑑。

當著者遨遊巴黎時，更寫到了法國的文教設施，並且也作了實際的參觀：「第二次世界大戰後」，法國因受戰禍的影響，工業不振民生凋敝，若不是美國「戰後歐洲復興計劃」的援助，恐怕連現狀都難維持。因此在教育上，有著名的郎子萬教育改革方案的提出。該方案主要是一反過去的階級觀念，並矯正重知識輕技術的思想。其方案內容主要有兩點：第一、取銷雙軌制，樹立「教育機會均等」的民主制度。第二、學校教育應與社會教育相結合。必須重視技術與實用的職業教育。因此，法國廢除了雙軌制，採行文化陶冶與職業教育並重的新制度，「法國的中等教育，可分爲三種類型：（一）完全中學——清一色的國立。（二）普通中學——大半爲地方而設。（三）職業學校——受完八年教育之後，不能繼續讀書的青年，則入這類學校。」法國中等教育還有兩點，值得一提：第一、重視中學師資。第二、中學的會考制度。這些都有詳細的介紹。此外在「巴黎大學城」一節中，對法國著名大學的校史，學生住宿及教學設施等都有詳實精湛的記述。

在「倫敦之行」一章中，著者也寫到了英國的教育：（一）英國義務教育的年限是逐步延長的。辦法是逐步趨向完善。從一八七〇年到十九世紀末義務教育年限由五年延長到七年……延長到十年，現已延長爲十一年了」。「英國中等學校的類別，公私立不下十多種，主要的三種類型是：（一）文法中學。（二）技術中學。（三）現代中學。這三種類型的中學，可以適應三種不同心理類型的青年的需要。學生在中途如發現與志趣不合時，可以互轉。我國中等教育階段，缺乏互轉機會，實在值得重新檢討」。英國高等教育的特色：（一）私校補助的寬裕。（二）課程範圍的擴展。（三）入學方式的改變。（四）學生獎助金名目的日多。（五）教育研究生的比例大增。這些都是著者對英國教育觀察所得的結論，極富參考價值。

著者更以教育研究者的姿態，對一位偉大的女教育家特感興趣曾代表自由中國參加了在羅馬召開的「國際蒙特梭利教育協會第十一屆大會」。不但報導了大會的盛況，並詳述蒙氏生平及其教育的理想：瑪麗亞．蒙特梭利，一八七〇年生於意大利。她最初在羅馬大學習醫。一八九四年得醫學博士學位，旋任羅馬大學精神療病法助理醫生，對低能兒童教育發生興趣。又見貧苦勞動階級的子女。（未完）

生活漫談

春令當心兒童肺炎

．馬騰雲．

兒童患肺炎的防止法，包括成年人都很適用，因爲在比例上，兒童患肺炎超成年人，尤其春令得特別當心。

鼻子是用來呼吸空氣的，從兩個鼻孔進去，共分三條路，最上面一條通路，是檢查空氣好壞的，檢查時立即辨別空氣裏各種氣味，當傷了風，呼吸仍照常，但無法分出香臭，俗語罵人「臭豬頭遇到實鼻子嗅」，意思是指沒有人要的東西竟會有人要，就因爲兩條路已經塞住了的原故。

鼻子裏第二對通路是彎彎曲曲的，裏面經常很濕潤，發黏，還生很多細毛，這是呼吸的大路，空氣從那裏進去，灰塵大部份被黏水和細毛擋住了，空氣裏的細菌也大部份被黏住或殺死了，因鼻涕有殺菌功用，在工廠和礦山裏，許多灰塵是有碍健康的，都市的燒生煤，和家庭燒炭爐，極細的灰塵能通過鼻子和氣管進到肺裏去，進去以後，咳痰又咳不出來，就留住在肺裏面了，很多灰塵是有毒的，肺部一旦中了毒，就會生肺病。

鼻子第三條路是筆直的，那是出氣的路，第二對通路閉塞了，就用第三對吸進空氣，第三對也閉塞了，只好用嘴呼吸，用嘴吸氣，氣管直接受到外邊的刺激，吸進的灰塵細菌，對身體有非常不好的影響。空氣由鼻子吸進氣管，氣管的口子上，有一個軟骨的活蓋，叫做喉門蓋，我們吃東西的時候，它就把氣管蓋住，以防吃的東西被呼進氣管，吃的東西被吸進氣管，便會引起咳嗽，如果咳嗽咳不出來，就可引起肺炎症，所以吃飯的時候，不要大鬧大笑或者講話，孔老夫子說：「食不語」是很有道理的。

肺分左右兩邊，右邊是三葉，左邊是兩葉，它沒有知覺的，痛癢都沒有感覺，有些人因爲感到胸部有點痛或是脹悶，就懷疑自己得了肺病，乃至於購買成藥或者單方進補，其實胸部痛和肺很少關係，肺不僅沒有痛癢的感覺，肺連自己脹縮的能力都沒有，呼吸時由於肋骨的起伏，和橫膈膜的上下鼓動，才會一張一縮的。橫膈膜是分開胸部和腹部的一層薄皮，肋骨往上鼓，橫膜膈同時往下窩，肺就脹大了，空氣就吸進了肺裏，肋骨往下塌肺橫膈膜同時往上鼓，肺裏的空氣就被擠向外出，這就所謂呼吸，所以肺是經常活潑運動的東西，不容易得病。

肺炎的由來，傷風不很快醫治，吸進的細菌未經過黏水，細毛檢查哨便進入肺部，易生肺炎，吃的東西被吸進氣管，會引起咳嗽，如果咳都咳不出來，也會引起肺炎，此外要特別注意的，我們兩個肩窩底下的肺尖兒，平常那裏肋骨的鼓動小，不常換氣，非常的脆弱，如果壞的空氣含有細菌，最可怕的是結核菌吸進肺裏，遇到當時身體不堅强，血液沒有把它消滅，它就從肺尖慢慢的侵害到肺部，所以我們平日要多作體力活動，使肺部多有運動的機會，孩子們在學校舉行晨操是很合理的，同時要注意避免和肺炎肺結核病人接觸。

信不信由你

生吞毒蛇

．簡文．

美國北卡羅州沙羅特市有個成藥商人。買回來五條名叫「一夕喪」的毒蛇，準備作煉藥之用。這種毒蛇性很烈，被咬一口，性命不能超過一夕時間，因此人們就叫它爲「一夕喪」。它的身體很小，長不過三吋，身粗如通心粉，體膚爲青黃色，是北方南達科州的特產。

這個藥商有一個三歲的女兒，牙牙學語，他買回的毒蛇，是用鐵罐子載着，放在八呎的櫃架上，小女兒不懂事，用竹桿把鐵罐子弄下來，玩弄中把罐蓋打開，不知危險，伸手拿出一條毒蛇，竟往口裏一送，一咬就吞下去；這時做父親的才發現無知女兒誤吞毒蛇，急忙把她送去醫院，做父母和醫生的已急得滿頭大汗，而她竟若無其事，談笑走動如常。

醫生認爲她年紀小，不宜洗胃，更不宜服烈性藥物，難道任由毒蛇在她肚子裏作惡嗎？父母驚得要哭，但醫生也感束手無策，只有聽天由命。

奇怪得很，她吞下毒蛇，沒有半點痛苦，而且在五天後和糞一起把毒蛇痾了出來，它還沒有腐爛，但已死去。直至現在，這個三歲女孩在四個月中安全無恙，醫生檢定將來也沒有危險。

第一章

岳鵬舉忠勇天生　周教授喜獲高徒

小說中以王貴、湯懷、張顯、牛臯皆與岳飛結爲異姓兄弟，根本沒有此事。湯懷更無其人，以張憲易爲張顯，亦屬妄乖，皆不足採信。

岳飛十八歲的同年，周同病故，岳飛大慟，如喪考妣。小說以岳飛爲義子之說，亦屬附會。周同視岳飛如子，却甚合情理。因周同視岳飛爲天生奇才，在數月之內，將畢生絕技全部傳授給岳飛，以傳其衣缽。岳飛感周同之知遇，故每逢初一十五，岳飛必至周同之墓哀弔恭祭，每祭痛哭失聲，祭畢，即引周同所贈之弓，連發三矢，以示不忘其本。

岳飛每祭周同，便得焚衣帛冥紙。父親發現岳飛衣物皆盡，但又不知究竟。一日，岳飛往祭周同之墓，岳和悄悄暗中窺視。見岳飛焚衣燒冥，方知究竟。岳和以手撫愛子之背說：「汝異日得爲時用，其爲殉國死義之臣乎？」這話却被他父親言中了。岳飛對父親答道：「大人許兒以軀報國，何患事功不立！」岳和欣然歎道：「我有子如此，死而無憾了！」由是岳和更加鼓勵岳飛勤練武藝，俾便早日報效國家，而爲時用。可是讀者閱畢拙作之後會感到惋惜的是：岳武穆生得其時，而不得其主。岳飛本身內在的條件非常優越，算是超人，是卓越的歷史人物。以他一生外在的客觀條件而論，岳飛是一位失敗的英雄。尤其是失敗的英雄，更令人們崇拜。而今岳飛已成爲「神格」化的「神」，絕不是偶然的倖至。

岳飛二十歲從軍報國，在此二十年間，正是女眞崛起强大的時期，也正是北宋政治、社會趨於腐化的時期。因此一時代背景，對於岳飛的影響甚大，尤其是金人在南侵北擾時期，岳飛對金人之痛恨，發自民族的自尊心，激發了岳飛愛國忠君之思。他尤其對於徽、欽二帝在靖康年間所遭受的國恥，可說是刻骨銘心，時刻不忘。無論岳飛的言行與事功，無一不以「驅逐擄虜，還我河山，迎還二聖」爲職志。在同一時代中，可以說沒有第二人可與之倫比。岳飛後來的遇害，也就發生在此種政治因素之上。這就是所謂「謀事在人，成事在天」了。

爲了使讀者明瞭岳飛所生的時代背景，故下章對於金人的崛起和强大，以及宋、金的交往，宋朝的失策等，要加以述說，俾使讀者明白岳飛時代背景的全貌。（三）

自由報

中華民國內政部登記證內警台報字第○三一號
中華郵政登記認為第一類新聞紙

（第一〇四六期）

（半周刊每星期三、六出版）
每份港幣壹角，台灣零售價新台幣壹元
督印黃行當・社長李微塵
社址：香港九龍彌敦道593—601號
廖創興銀行大廈八樓五座
LIU CHONG HING BUILDING
7th FLOOR FLAT '5
593—601 NATHAN ROAD,
KOWLOON, H.K.
TEL: K803831
電報掛號：7191

承印：景星印刷公司
台灣通訊處：台北市青田街五巷三號
台灣讀者訂閱處
台北營業處
台灣分社：台北市西寧南路110號二樓

國際局勢與尼克森外交政策（下）

· 谷正鼎 ·

毛共以俄為師，用欺騙手段將俄式奴役制度，強加於中國人民的身上，二十年來它的統治就沒有一天穩定過，過去的大鳴大放運動，大躍進時期的逃亡潮，文化大革命以及目前層出不窮的武鬥事件，在在說明了中國人民在反共。毛匪過去反地主，反富農，反資產階級，以後又反智識份子，反右派，現在卻進而反它自己的幹部，連它過去黨內最親密的戰友，都成了毛匪的敵人。這已足以說明毛共的孤立及其不為中國人民所接受的情形，中國人必將粉碎一切的共產奴役制度。蘇俄想乘中國人民反毛之際，企圖染指中國，必將受到中國人民的痛擊。我們希望我們的盟邦，重視大陸人民在與共匪鬥爭中所表現的反共意志和力量，同情他們，聲援他們，中華民國一定與大陸人民站在一起光復大陸，消滅共匪。

（四）日本問題與亞洲國家的關係

尼克森的新外交政策，要求日本在亞洲負更大的責任，就是要日本加強本身防衛力量，增加對亞洲開發國家的援助。日本自己也希望由「經濟大國」進而為「政治大國」。日本是我們友邦，日本果能成為政治大國，負更大的責任，自為我們所歡迎。不過作為一個政治大國，首須具備下列條件：第一、必須有保衛自己安全的自衛力量；第二、必須有防制滲透顛覆的能力，能免於共產顛覆的危險；第三、必須與反共國家站在一起，為自由而奮鬥，不可投機中立；第四、必須有道義力量，能為亞洲各國所信任。今天日本的安全，還須依賴美國的保護與中、韓的屏障。日本左傾勢力的囂張，時時威脅日本社會的生存。假如日本負了更重大的責任，一旦左傾的政黨執政，亞洲的前途何堪設想？老實說，我們今天不怕日本侵略，只怕日本赤化。亞洲民族已經覺醒，何懼日本侵略？但日本的投機中立，卻可能導致赤化。日本首相佐藤最近對美記者說：「日本無潛在敵人。」這是不願增加防衛的託詞。日本面臨共匪與蘇俄的威脅，能說無潛在敵人嗎？日美安全條約第一條載明：「……抵抗外來之武裝攻擊，……協助鎮壓……外國煽動或干預所引起的大規模內部暴動及騷擾」，此條所指的外來武裝攻擊，及煽動暴動之外國，不是潛在敵人嗎？日本的生產額已居世界第二位，而日本的國防費僅佔總生產額百分之一弱，而美國為百分之十，西德為百分之四。日本最少應與西德一樣，才算能盡初步的自衛責任。我們希望日本在自民黨佔300餘席的國會時，佐藤首相對日本防衛有所作為。日本政府每借憲法為藉口，以推辭建軍的責任。日本憲法為佔領時期的產物，如不能符合現在日本國家生存的需要，日本應當設法修憲。惟日本如不從端正青年的思想教育入手，則建軍工作如被左翼勢力滲透，其危險亦不堪設想。

尼克森的新外交政策，將亞洲的重點放在日本身上，是頗堪顧慮的。

（五）亞太理事會與集體安全制問題

美國的新外交政策，將逐漸把亞洲推進一個新境界。美國軍隊逐漸撤退，亞洲人必須以自己的力量保衛自己，亞洲人必須自己站起來。未來世紀內將是亞洲人自己決定自己命運的世紀。興衰存亡完全看亞洲人自己奮鬥的程度來決定。亞洲民主國家必須堅強的團結起來，共同為迎接這一新世紀而奮鬥。

我們當前外交任務，必須以促成亞洲國家之團結為當務之急。團結之道，首須建立集體安全制度。我們不妨先由利害一致的國家，建立軍事聯盟，再進而由少數擴及於多數，由經濟、文化的合作擴及於軍事政治的合作。我們必須把這一工作，當作鍥而不捨的大目標。

亞太地區所面臨的威脅為共產侵略，但察亞太理事會歷次聯合聲明均用「外來侵略」。查「外來侵略」一詞，雙關二意，共黨視美國駐軍保衛亞洲國家，參加越戰，為「外來侵略」。而共產侵略主要係由內部滲透顛覆，而不從外來。北越至今尚不肯正式承認有軍隊進入越南。詹森總統之轟炸北越，係確認北越之滲透顛覆為侵略，應受懲處。參加亞太理事之國家除日本外，如中、韓、越、菲、泰、澳、紐、及馬來西亞均為堅決反共之國家，即以日本而論，雖不反共，但美日安全條約中所稱之「由外國煽動之大規模內部暴動及騷擾」，即係共產侵略。我希望我國在五屆亞太理事會部長會議時，要提出改「外來侵略」為「共產侵略」。亞太理事會如果受日本灰色影響，而不敢用「共產侵略」字樣，則此組織只供日本投機之用，無存在之價值。東南亞公約秘書處每年報告尚且明白具體指出共匪為侵略的根源，亞太理事會只抽象的用「共產侵略」更屬應當。

亞太理會事聯合申明，對中國大陸情形「不穩定」，「予以密切注意」。查中國大陸情形非只「不穩定」，而實係「混亂」或「動亂」。全世界的共產黨與姑息主義者，對中國大陸情形都在密切注意，何需亞太理事會勞神。我希望我國應提出要求亞太理事會「對中國大陸人民的自由奮鬥，予以同情與支援。」

我國在亞太理事會所提糧食及肥料技術中心案，於四屆部長會議中通過，本年四月將正式成立。查糧食肥料技術，並非我國之特長。我們應當在下屆會議提出土地改革中心案，因土地問題為共黨在亞洲煽動農民之工具，亞太地區國家要施行土地改革，以杜共產亂源。

亞太理事會第五屆部長會議於本年八月舉行，剛巧在聯合國大會的前一個月，我國應要求會議通過「維護中華民國在聯合國之合法地位」，使亞太國家的共同要求能向聯合國有所表達。日本也是支持我在聯合國地位的，它也應當贊成。

面臨共產侵略威脅，集體安全組織，實為亞太國家生存所必需，亞太理事會應為其實現而努力。亞太理事會之組織。實應即改為集體安全之組織。但對此問題，當遭遇困難，尤以日本的反對最力，其藉口當為日本憲法之限制，不准派兵到外國，因之不能參加集體安全組織。查日本與各盟國所簽訂的金山和平條約承認「日本以主權國之一，有權加入集體安全辦法。」是日本對集體安全辦法不能反對。而美國與中華民國、韓國之共同防禦條約，美、澳、紐安全條約，美、菲安全條約均有「……以待太平洋區域更廣泛之區域安全制度之發展。」由此可知「廣泛的區域安全組織」為亞太國家之期望，而日本之特別反對乃在於意存投機中立。日本需要亞太組織以為其向美國出賣敲索之工具，但又需要灰色態度，以便向共匪投機取巧，故多方設法軟化亞太組織，只談經濟、文化，連政治都不要談。殊不知沒有軍事安全保障，則經濟、文化無所依存。亞太會議國家應推動日本反共，而不要為日本投機所利用。韓國政府積極推動集體安全之組織，泰國外長於廿四日在紐約呼籲亞洲國家互相建立安全措施，我政府應與各友邦聯絡，在第五屆部長會議提出集體安全組織問題。美國對亞洲的集體防衛組織，是會援助的。（軍援與經援）

（完）

昨日與明日

政務官不應贈與退職金

王正誼錯了！

立法院法制委員會在最近一次全體委員會議中，曾將院會交付審查的行政院，考試院函請制訂動員戡亂時期政務官退職金贈與辦法審查完竣，決議予以廢止，並提報院會。在討論過程中，行政院人事行政局王局長等並曾有所說明，實際上，業務主辦機關也就是行政院人事行政局。我們衡情論事，這件事，立法院法制委員會的決議是正確的，而王正誼則錯了。

命令不能變更法律

根據公務員退休法，祇有事務官纔能享受退休金的權利，政務官是沒份的。行政院所起的「退職贈與金」一詞，顯然與法無據，同時又顯然有玩弄「文字」技倆，避免立法干擾之嫌。況且，退職金的贈與，是來自國庫的負担，就是來自人民大衆口袋裏的金錢。事關人民負担，人民代表焉能不過問，決不應當由行政院和考試院商量通知立法院一聲（函請查照）就可了事。如果立法委員不表示意見，納稅人也要反對的。

要錢得先辦退休

根據公務員任用法和退休法，公務員的任用，必須具有相當的學歷與資格，到了一定年齡，便須退休，不管你的體力尚健，仍可為國家做事，但法律規定，必須請你走路。行政院人事行政局對此項措施，辦理極為澈底，當然對人事上的新陳代謝，也不無好作用。不過，政務官就不同了，既沒有任用上的資格限制，也沒有退休的規定。如在台北政壇上就曾傳出這樣趣聞：某某人作簡任官的資格都沒有，可是做起政務次長，甚至部長了。許多政務官都是終生官，既沒有任期的限制，也沒有年齡的限制，都是終生為官，何來「退職贈與金」的可言。如果要頒發退職贈與金，也必須和事務官退休一樣，先有年齡的限制。權利義務均等，既然沒有任用、年齡等等的拘束，就不能享受相類退休金待遇的權利義務。你說對不對？

是如此嗎？

正面的說法：政務官大多由事務官調升，一旦離職，兩袖清風，生活立刻陷入窘境，所以有贈與金的必要。我們的問號是如此嗎？迄今為止，我們還沒有發現那位離職後的政務官生活發生問題。又何況總統愛護僚屬，體恤下情，政務官去職後，照顧頗為週到，往往畀之總統府資政或國策顧問等職，怎可能發生問題呢？

· 張直 ·

自由談

美國參議院最近刊佈的「亞美」案件調查報告，對於二次大戰期間美國一些駐華外交官員如戴維斯等人，接受國際共黨的使命，存心詆毀我國民政府及領導人，而專為毛共張目助勢的經過情形，敘述甚詳，令人怵目驚心於過去美國政府當局之顢頇幼稚，硬將中國大陸淪入共黨魔掌中，終於自食其果，追悔莫及。

可是，美方發表此項舊案的用意，我認為不在使美國人士懲前毖後，知所戒懼，而在希望反共非共的中國人提高警覺，不要再蹈覆轍。因為當年我政府對於高級共幹如冀朝鼎父子，且加以信任，并由達官貴人介紹他們加入國民黨，視為忠誠幹部，自難怪美國官員甘受共黨蠱惑利用，為共作倀了。

假如美國當局真有悔不當初的意念，則於中國大陸淪陷後，即不應該聽取英國的意見，既要搞「兩個中國」的陰謀詭計，又讓所謂「台獨」運動的漢奸們在美國公開活動，不惜損害邦交。美國對於接受美援的友邦，總喜歡友邦內部發生動亂，惶惶不寧，纔算是真正的「民主生活」！南韓總統李承晚，南越總統吳廷琰，都是叨着美援之光而犧牲的！

他山之石

現在自由中國的警戒之下，又有些冀朝鼎式的人物，跟美共重要份子費正清之徒裏應外合，沆瀣一氣，總想把台灣之政府搞垮。這決非走故作驚人之談，乃有人證物證可以指出也。上月美總統尼克森聲稱對台灣中華民國要履行條約義務，據說，英首相威爾遜赴華府訪晤尼氏時，認為祇有將中華民國政府搞垮，美國纔可以解除條約義務，而其方法即由聯合國決定把台灣托管美國。明乎此，即知今日潛伏在台灣的共黨同路人，掛着學人與文化人的招牌而招搖過市的隱患為何如了！我們讀過「亞美」案件調查報告後，尚能麻木，罔知取鑑自淑嗎？

馬五先生

勞工問題未予重視
監察院提出糾正案
要求行政院督飭切實改善

（本報記者張健生台北航訊）監察委員陳翰珍、郭學禮所提：「為糾正各級主管機關對於勞工待遇、工作、休息、安全等問題，均未重視，違反勞工政策，剝削勞工權益」一案，經監察院內政委員會第三一四次會議討論通過糾正案，移「請行政院督飭切實改善」。

根據五十八年底出版之「台灣地區勞動力調查報告」載：從事工礦業者八萬九千人，從事工廠製造業者九十一萬一千人，合計為一百萬人，佔就業人口總數百分之二十，這些人的工作時間超過規定，而所得待遇又低，按照政府規定月薪六百元估算，則每年所得不過七千二百元，與行政院主計處編印之五十八年國民平均每人所得一萬三百五元相比較，這一百萬人的所得是沒有繳納綜合所得稅的資格的。

關於工資問題：糾正案指出：國民政府二十五年十月廿三日公布：「最低工資法」沒有施行。政府來台後於四十四年擬定台灣產業工人基本工資，成年人每月不得少於新台幣三百元，童工每月不得少於一百五十九元。至五十三年，政府將基本工資調整為每月四百五十元。五十七年三月十六日，政府公佈施行「基本工資暫行辦法」一種，將基本工資由四百五十元調整為六百元。童工工資亦由原規定不得低於成年工人之半數提高為百分之七十。並明定應組織基本工資審議委員會，依據最低生活，生產力及就業狀況等因素作適時調整基本工資。

五十八年元月間，台灣省政府抽查全省工廠約二百五十家，據報：大部均照基本工資標準辦理，尚有小部份未達此一標準。基本工資既經確定，自應切實執行。在政府不斷謀求經濟加速發展政策下，工人必呈供不應求現象，工資必然將隨之而提高。但目下物價日形高漲，基本工資六百元，已屬偏低，竟有部份廠礦未照此標準給付工資，而主管機關亦未見有組織基本工資審議委員會，作適時之調整，似有未合。應糾正者一。

關於工時問題：工廠和礦場工人的工作時間，法有明文規定。惟本省目前礦場與工廠之工作時間，根據台灣省工礦檢查委員會所出版之報告分析，該會五十七年全年檢查二百三十四家礦場，其中工作時間在七小時以下者一百十一礦場，佔百分之四七點五；工作時間八小時者一百廿二家，佔百分之五二點一；超過八小時者，僅有一礦場，尚能切合法令要求。

然而工廠方面的情形則較為嚴重。該會去年檢查五百零七家工廠中，工作八小時者三二五廠，佔百分之六四；八點五小時者二十四廠，佔百分之四點七；九小時者四四家，佔百分之八點七；九點五小時者二十六家，佔百分之五點一；十小時者七十六家，佔百分之十五；十一小時者九家，佔百分之一點八；十二小時者三家，佔百分之零點七。各種工廠中，以紡織工廠工作時間最長，該會去年檢查一百七十四家紡織工廠，其工作八小時者六十五家，佔百分之三七點三；八小時半者六家，佔百分之三點五；九小時者十一家，佔百分之六點三；九小時半者十六家，佔百分之九點二；十小時者[illegible]；十一小時者九家，佔百分之五點二；十二小時者三家，佔百分之一點八；據台灣省建設廳出版之台灣省勞工統計報告，本省工廠工人歷年每日平均工作時數均在九小時以上，與先進各國比較，我國工人之工作時間，不僅影響工人健康，尤其對下一代國民之身體成長，更是戕害。且進而造成生產效率之降低，工業災害之增加，主管當局亟應深切檢討。應糾正者二。

關於工休問題：目前台灣廠礦對工人休假之情形，根據台灣省工礦檢查委員會五十七年檢查報告，該會全年檢查礦場二百三十四家，每七日休息一日者三十九家，佔百分之十六點七；每月休息三日者一家，佔百分之零點四；每兩週休息一日者七十四家，佔百分之三一點六；每月休息一日者八六家，佔百分之三六點八；每月全無休息者三十四家，佔百分之十四點五；國定假日休假者七十七家，佔百分之三二點一；未休假者一百五十七家，佔百分之六七點九。工資方面，無論休假與否，均不發給（這是礦場老闆公開剝削勞工的證據）。

至於工廠方面，該會五十七年檢查五百零七家工廠中，依照法令規定，每七日給予一日休息做為例假者有二百二十八家，佔百分之四四點九，每月休息三天者三家，佔百分之零點六，每兩週休息一天者二百六十一家，佔百分之五一點五，每月休息一天者三家，佔百分之零點六，全月無休息者十二家，佔百分之二點四，而國定假日依法休假者四百四十九家，佔百分之八八點六，未休假者五八家，佔百分之十一點四，假期中工資照給者四百七十四家，佔百分之九三點五，不給工資者三三家，佔百分之六點五，至法令所規定之特別休假，則台灣各礦場尚未見有實行者，故就台灣省各礦場而言，休假制度，仍未普遍實施，主管機關未予切實管理，此應糾正者三。

安全設備因陋就簡
礦場連年災變頻繁
工礦檢查機構事權不一
人手經費不足亟應改善

關於童工女工保護的問題，按照工廠法規定，未滿十四歲之男女，工廠不得僱用為工人。男女在十四歲以上未滿十六歲者為童工。（第五、第六條）童工每日工作時間不得超過八小時（第十一條）。童工不得在午後八時至翌晨六時之時間內工作（第十二條）。女工不得在午後十時至翌晨六時之時間內工作（第十三條）。

但據台灣省工礦檢查委員會五十七年檢查報告，全國檢查工廠五百零七廠，（按：全國大型工廠五千七百三十五廠）僱用工人數九萬三千八百四十六人，其中女為四萬八千四百十七人，佔百分之五一點七，童工為四千四百六十八人，佔百分之四點八，而僱用童工廠數二百零一廠，童工在晚八時以後工作者有十五廠，每日工作超過八小時者有七十九廠。僱用女工廠數為四百四十五廠，女工在夜晚十時以後工作者有九十四廠，生育假期未合法令規定者一百五十一廠，可知目前本省各工廠對現行法令之保護規定，並未重視，大部均未遵照實行。同時本省大部份紡織工廠均係僱用女工，而紡織廠多係分三班日夜開工，故目前紡織廠及食品工廠女工從事夜間工作者，比比皆是，而主管機關亦未嚴格執行。至學徒之保護，在現行之工廠法中，亦有明確之規定，不過工廠以招收學徒名義，大量僱用國小畢業之學生，尤以電子等新興工業為甚，是不獨破壞延長國教之目的，而兒童過早從事勞動工作，其於今後身心之發展，實有莫大影響。但工廠法第五條規定，凡未滿十四歲之男女，不得僱用為工人，而同法第五十七條又規定工廠可以招收年滿十三歲之男女為學徒，法令與事實不能兼籌並顧，使業主可乘之機，此應糾正者四。

關於工廠礦場安全及衛生設備問題；據五十七年台灣省工礦檢查報告，多數廠礦對於安全衛生並不重視，有待改進之處尚多。連年以來，礦場災變頻繁，尤以五十八年七月初旬發生之瑞三煤礦災變，死傷之八、九十人，令人慘不忍睹。

監察委員陳翰珍等在糾正案中認煤礦災變的原因，「一則勞資雙方對工礦安全之重要性缺乏認識，資方為節省成本，對安全設備多因陋就簡；再則工礦檢查由內政部先後授權省及台北市分設工礦檢查機構，承辦轄內廠礦檢查事宜。另高雄加工出口區管理處亦承辦區內工礦檢查，致職責分散，事權不一。且人員經費均感不足。」

就台灣省工礦檢查委員會而言，目前該會經費，僅能檢查礦場六六〇礦次，工廠五六〇廠次，蒸氣鍋爐七五〇座次。而台灣省現有礦場四百廿礦，大型工廠五千七百三十五廠，蒸氣鍋爐約有三千九百五十一座，平均礦場每年尚不能檢查二次，大型工廠約需十年始能檢查一次，蒸氣鍋爐約需五年始能檢查一次，且檢查以後通知改善情形如何，亦因人手不足，無法作有效複查。至高雄加工出口區內之工廠檢查，不歸主管官署辦理，亦不合理，此應糾正者五。

喬治桑外傳　一二八
張大蘇

「對了，叫芙蓉。卞太太，說起來眞氣人，那時我嫁給他還不滿一年，別人家的女傭人，都是叫張媽、李媽的，我們家裏用的那個，卻叫芙蓉。說眞的，那個妞兒，長的確實不差，只有十九歲，是名副其實的小老媽。」女人們最喜歡抄冷飯，嚼舌子，裘太太也不例外。

「十九歲？那不還是個大姑娘嗎？」卞太太也是元好問的徒弟。

「妳不知道，北方農村社會都時行早婚，芙蓉嫁一個丈夫才十三歲。因為家境不好，才出來幫傭的。林翠主演的女人，女人，妳不是看過嗎？就是那種情景。」裘太太走過大江南北，見識比卞太太多。

「我記得，這個鬼東西那時才二十五歲，幸而我發覺情況不對，只過了三天就辭退了芙蓉，否則，一定會鬧得家翻宅亂。」裘太太是個能幹的女人，提起當年之事，精悍之色猶現於眉間。

「妳現在怎麼對裘先生又採取放縱政策呢？我們在台北的人誰不知道，他每天不是酒家就是舞廳，妳根本就不管他。」卞太太向裘太太請教其中奧妙，這是御夫術，雖貴為英女皇都感興趣的。

「現在他年紀大了，閱歷也深了，我們夫婦的感情也穩定了，他去應酬玩樂，只要不太過份，我也懶得管他。妳知道，他是出名的牙籤，所以我可以放心。」裘太太說溜了嘴，竟說出「牙籤」這一犯忌諱的名詞，她忘了卞太太的底子是舞女。卞太太聽了，面孔紅了一下，隨即恢復常態，未露痕跡。

喬治桑這個電話聽的時間很長，回到麻將間，裘白瓊已經替他打了一圈牌。

「你來，你來，」裘白瓊一見喬治桑，立刻起立讓賢。

「你再打兩牌，」喬治桑向裘白瓊表示禮貌。

「不要客氣，」裘白瓊很懂得牌場規矩，替人代打，絕對不適用曾國藩的「挺經」，再打就有點不識相了。

「桑先生，你的女朋友對你眞好，才分開幾個鐘頭，就不放心了。幾時請吃喜酒？」卞太太笑着問喬治桑。

「你不要聽他胡扯，是我的秘書打來的電話。」喬治桑口中的他，自然指的是裘白瓊了。

「聽說你的女秘書李小姐，人生得既漂亮又能幹。」卞太太的話，意在題外。

「不錯，她是一個很好的女孩子，她有一個男朋友姓蔡，等他們結婚時，我將以家長名義請你們吃喜酒。」喬治桑這幾句話說得很妙，已替自己解圍。

「眞的，桑兒，你眞的拿李小姐當女兒看待？」裘白瓊臉上露出驚異之色。

「人家是大小姐，豈能嫁我這個糟老頭子？」喬治桑一面打牌，一面冷冷的答復裘白瓊。

「哎呀，像你這樣的糟老頭子你介紹一個給我做朋友好不好？」卞太太語驚四座，連華太太都不免向她看了一眼。

「桑兒到今天還是在單吊，他又有學問又有地位，人又和氣，誰能嫁給他，倒是很有福氣的。」裘白瓊在交際場中混久了，最擅於替人捧場，也即滬語所謂落檻是也。

「你不要捧我，現在女人都是鳳凰，我這隻老烏鴉是配不上的。」喬治桑越自謙，卞太太越對他有好感。

（未完）

台北傳奇錄（三四）
·陳光棣·

「這個小伙子，我看着怪面熟的」！小辣椒先打開話匣子。

「可不是嘛」！大洋馬說着朝樓上努努嘴：「那個小娘兒們的男朋友，見錢眼開，把人家給甩了，爛×」！

「是我告訴妳的好不好！」廣播電台援着說：「這小伙子內情難忘，隔兩天就來站崗，給老頭子打打更（讀若經）」！

「瞧妳說的這個難聽勁兒噠」！小辣椒好奇的問着：「妳怎麼知道的」？

「我當然知道，跟妳說吧，這一帶誰家有什麼事，都瞞不過我」！廣播電台得意的說。

「妳們看，劉老頭子的寶貝姑爺」！小辣椒縱着鼻子說：「他去找那個小娘兒們幹什麼」？

「他去倒洗腳水吧」！大洋馬說話很刻薄。

「妳眞缺德」！太太們嘻嘻哈哈的走掉了。

步成材看到劉太太深深的鞠了個躬。

「請坐吧」！劉太太客氣的說：「他剛出去」！

「我今天閒着沒有事，想過來給你們打掃打掃，瞧這些蜘蛛網」！

「不用啦！等我騰出功夫來，自己收拾吧」！步成材仰着臉說。

「你別跟我客氣，從前我們住在一起的時候，這些事情都是我作的。」步成材走到廚房拿起掃把。

「小妹上學去啦」？劉太太滿肚子厭煩。

「孩子上學，太太作事，就剩下我呆在家裏孵豆芽」！步成材解嘲的說。

「你還是湊合個事情嘛」！

「運氣不好，高不成，低不就，上一次找了個工作，那個主官一天到晚雞蛋裏挑骨頭，哼！王八好當氣難生，算了，有合適的差事再說吧」！步成材拿着掃把不停的掃來掃去，從客廳掃到臥室，又拿塊抹布擦保險櫃，趁機會仔細的研究了一番保險櫃的構造，也估計了一下重量。劉太太站在一邊沒精打采的看着，想着方才錢慕良遭遇的車禍，很不得劉二爺馬上回家報告消息。

「我們這位老岳，眞是有福不會享，有那麼多錢，留着幹什麼？找着下女幫幫妳多好」！步成材用抹布擦着手。

「我們兩個都願意活動活動，家裏也沒有什麼事情」。

「要是有了小的，可就不行了」！步成材轉入正題。

「小的？誰說的，他要我把大學讀完了！」

「那好！那好！」步成材從心裏高興。劉二爺一進門看到步成材，把要說的話又嚥了回去。

（未完）

文滙樓剳記

談官癮

·文滙樓主·

吾鄉有大戶陳凱祥者，房地產甚多，富甲一方，其獨子少祥，對政治興趣特別濃厚，到而立之年，捐官未果成瘋，每天出門，乘四人抬綠呢大轎，白馬四匹開路，警衛隊，大刀隊各十六名，木槍空彈，武裝若眞，在自已家裏私設公堂，三班衙役，應有盡有，以此精神療法歷若干年。

民國四十七年樓主從國外歸來，受「有僑皆傾」的特殊待遇，接觸官場中人特別多，發現不少與「陳少祥」同一神經類型的人，其所未盡同者，沒有騎兵開路與警衛隊前護後擁而已，比如有朱某者，做了多少年的部長還不過癮，李宗仁上台硬要去再扮一角，到台灣後年邁退休，官威不減當年，僚屬們念其孤寂，聚數十人，分成廿個小組，輪值分出層次，每天有求見部長的人侍從亦表演如儀，祇因朱不識大體，常辱罵捧場晉謁的人，致使捧場小組不折自散。這件事在國內有很多人知道，在國外亦不徑而走，引為笑談。

又某部長喜歡向客人訓話，下台後毛病迄未稍改，有時在電話中訓斥對方幾十分鐘之久。又西北某省政府主席，嗜殺成性，開口就是槍斃，閉口即曰砍頭，至於某些官僚，說話時非哼即哈，在台灣多得可以用鞭子趕，他們簡直不知道「下飯」賣多少錢一斤，更不知道時代已進入到什麼階段，福至心固會靈，窮極也會無聊，有些說出的話，做出的事，即笑匠卓別麟亦望塵莫及，為防匪報轉載，實例從畧。

另自一位司令長官兼主席某公，威嚴如昔，雖居家官味不淺，於今報章雜誌例由秘書剪輯呈閱，親友們問候函件，也得由侍從摘由簽呈，然後批「可」「行」「如擬」「閱」「存」「挽覆」「相應不理」等，據說程序上絲毫不能亂，遇舊部謁見，必須照步兵操典開宗明義第一章，「立正為不動姿式」。樓主和這些人雖有相當淵源，但最怕去看他們，「立正為不動姿式」還無所謂，如果話不投機被罰作「舉槍兩腿半分彎」，那就吃不消了。

這大概都是「官癮」作怪，統可歸納為「陳少祥」型的人物，最令人大惑不解者，在台灣據說治喪委員會名額也有人爭取，乃至於爭到面紅頸子粗，目的在使自己的大名能榮登喪榜，如果落了榜的話，會引起很多紛爭，非埋怨張三故意的踏，即憤恨王五蓄意的擠，大有走着瞧君子報仇三年的情，俗語有「三代之下無有不好名者」，但好名而從治喪委員會較長短，眞是連「陳少祥」都不如了。

冤魂轉胎記

林夏

記取本刊第八六七期我曾寫「談鬼」，這是基於鄭子產所論：「枉死而冤魂不散，因以為厲」的見解。並經列舉親歷的幾樁事實，用供參考。現在我以同一「冤魂不散」的觀點，來寫「冤魂轉胎記」，所記內容，在當事地區，原是膾炙人口相傳已久的故事，就因其因果遣化現示太靈顯，故易不脛而走。在慾人慾橫流，詭詐百出的現社會，的確值得一談，特不憚煩走筆，用佐茶餘飯後之閒談。

首先我要說的是我一位同鄉，而且和我同時長大，姓張名笑春。他父親張照生原是往來贛江的船夫，相傳一次，有糖商某僱乘他的船運載白糖數十桶往南昌，就中一桶過重，照生心知有異，入夜窺視，發現該桶所盛非糖，盡是銀元。照生潛伺該糖商晚出船頭納涼時，即遽然將他推入江中淹死，後以一桶糖價抵換一桶銀元清賬致富。由是轉業五金行。翌年生笑春。笑春及長，人極聰明，且詭計多端，當時即微聞有人背地指他為糖客轉胎的討債鬼，因他經常竊取父母私藏，在外花天酒地，狂嫖爛賭。照生曾為笑春的不肯不斷求神起願，也許是有人故意諷他，聽說叩神的結論是：前世冤孽，須積善化解，勸他修路十里，多建茶亭。的確，照生信以為眞，曾決意修路，可是究因愛財如命，修了一條僅十幾丈的山路便停工了。笑春不僅絲毫沒有變好，反變本加厲抽起鴉片烟來了。照生眼見無可救藥，一氣之下便死了。從此笑春愈發無所忌憚，揮霍無度，不兩三年間，便把全部家產典賣殆盡。最後妻子改嫁，連惟一的一個女兒都賣掉了，終於兩手空空地死去了。

其次，我要談的是贛州盡人皆知的一樁因果報應的奇跡，約模是在滿清中葉期間，贛州姚某，膂力過人，因隨軍有戰功，升遷至總兵，後人以姚總兵呼之。在職時，曾因軍次廣東虎門，銜命搜捕海盜。某次曾捕獲一名海盜巨魁，按律當斬。該盜暗中以數百萬金賄賂姚總兵，乞免一死。姚於受賄之餘，未予釋放，仍置問斬。不久，姚解職歸，以贓銀可觀，遂於贛州城之東南隅，大興土木，正是朱樓迭起，廣廈連雲，呼奴使婢，盛極一時。但惟一缺恨，即妻妾均無出，膝下猶虛，雖經各處求神拜佛，了無應驗。某日傍晚，姚獨坐廳中，瞥見其當年所斬的盜魁，滿身鮮血淋漓，蹣跚而至，姚知不妙，急欲趨避，而眨眼不見盜魁。當時其妻正在分娩，旋報喜獲麟兒，姚以內心有數，悶悶不樂，及今所見幻異，計將此子處死，詎其妻以幻覺難信，堅決反對。姚不久竟因此內咎難解，積鬱抱病，終起身不至死。此子及長，耗資無度，揮金如土。竟日探詢食用何者最貴？或有獻議最好以烹飪魚苗為貴，按一碗魚苗幾與幾千斤魚價相若。由是該子專嗜食魚苗，每日數十碗。但雖如是，仍難遂其揮霍願望，仍於各處遍詢何種玩法最花錢而最有趣？或有戲謂：如能於晨曦在城牆朝日面河以風車車散金葉於河中，金葉反映日光燦爛繽紛，甚是奇觀，而市民爭先躍入河中搶取金葉之緊張，十分刺激有味。詎該子竟如法泡製，一時觀眾及入河奪取金者數以萬計，該子不知吝惜，反而手舞足蹈，引為狂歡。如是者再，不十餘日，數百萬家產，盡彼其購金葉落河中用罄，一個月後，該子竟至赤貧而淪為乞丐，旋卒於垃圾堆中。至今其家門或為以儆後人，仍以其路稱為姚衙街。

最後，我還欲提供一掌故，此為南康鄒仁治先生（時為南康縣中校長）之所告語，亦為當地人士每念不忘的事實。據稱南康鏡貝（土旁）墟吳某與友人張某同赴南雄行商。及至南雄鄉間將貨物售盡，囊金北返時，吳某突以病重步履維艱，遂將囊金交其友背往前行，約於前十餘里某飯館相候。詎其友張某忖吳某病重勢將不治，爽約不待。吳某行抵指定飯館，詢知張某已過多時，度難追及，知其蓄意鯨吞，遂以窮病交集，加以氣憤填膺，竟至吐血而亡。張某抵家，匿居數日，不見吳某歸來，料其必死，遂趨吳家偽稱吳某落水溺斃，打撈無影；吳妻雖疑信參半，究以無證據而不奈其何。張某因貪得橫財遂致暴富。數月後，張某於門前探望，偶見吳某迎面而來，直趨其室。初時張猶以為吳已病癒，前來討債，後以杳無蹤影，且其妻正分娩生男，乃知其友冤魂轉胎討債，竊計處處提防，以杜後患。翌年，又生一子，張某乃心存好惡，偏愛幼子。十六年後，張某為防範長子討債起見，遂將家產作為三份平分，心想討債鬼至多將其已下所得花盡而已。詎該長子於花盡已有產業後，即淪為竊盜，而經常以偷竊其父及弟為對象，張某知已防不勝防，度料非至傾家蕩產不止，遂於黑夜潛入其室將其長子殺害，自以為從此了却孽債。不料其長媳之生父因為地方有名之惡訟師，揑詞乃弟弒兄刑狀，囑其女詣縣府鳴冤，時縣官為貪婪贓官，知張某富有，遂拘捕張某父子到案，判決乃弟抵命。張某以痛愛其幼子，乃將家產全部行賄，惟乞減刑，究以人命關天，縣官雖飽受賄賂，而終未敢改判無罪釋放，迄張某家產由是蕩然無存，自身竟至凍餓至死，其幼子亦以繫獄亡身。至今該地每一談及冤魂不散，報應不爽時，少不了提起此事，引為定論。

老子（二）

·張起鈞·

司馬遷說完了這個故事後，更有聲有色的描寫下去：認為這個老子以道德修身，他主張自隱無名，不求聞達。他住在周朝很久，後來看到周室衰微，便出關西去。關令尹喜知道他是飽學之士，勸他寫一本書以把他的智慧傳留在人間。於是老子便寫了五千字；分為上下篇，就是現在的「道德經」。他出關以後，便沒有人再知道他的去向了。接着司馬遷又懷疑起來，覺得老萊子也和老子一樣是楚人，著書十五篇，也是發揮道家思想的。太史又似乎是老子。最後，司馬遷自己也搖搖頭，不知誰是眞正的老子。

司馬遷談了半天，非但沒有告訴我們道德經的作者，究竟是誰？而且使我們感覺得迷惑不解。不過我們對於司馬遷所說的孔子問禮的故事，頗感興趣。這段故事的味道，與莊子書中所提到孔老的故事相同。老子是莊子心目中的至人；孔子却是莊子眼中，值得同情，而常常挖苦的人物。雖然莊子書中有關老孔的故事，都是虛造的寓言；但從作者的態度上，可以看出老孔之間的關係。這與論語的隱者與老子的關係完全相同。由這個線索，我們可以這樣的說：老子是長沮、桀溺、楊朱，一系的人物。也許是楚國的那位狂人，也許是背草器的隱者，也許是鋤草的那位老人。

筆者說這話無意在逃避問題。事實上，二千年來，這個問題一直是個謎。許多學者絞盡了腦汁，仍然猜不透這個謎底。有的說老子生在黃河流域，有的說老子是印度的移住者，有的說老子在母胎數十年，生出來已有白髮，所以稱為老子。有的說老子名耳，可能是緬甸地方大耳國的人種，遠徙到中國的。有的說老子姓李是因為他家有李樹。對於這些漫天胡猜，我們只有一笑置之。到了近代，又加上一個老子成書年代的謎。有的說「道德經」比論語早，有的說道德經比莊子晚。當然他們都會提出一番大道理，但仍然無法揭出這個謎底。因為這不是一個可解的謎，而是一個不適於去猜的謎；也就是說這個謎本身便沒有一個確定的謎底，正像天上的浮雲一樣，你說它像山也好，像樓台也好，事實上它什麼都不是，它只是雲。所以我認為「道德經」的作者是老子，老子就是老子。

因為道德經這部書不是完成在一個人手中，他是由許多道家思想的人物，輾轉抄寫，而且隨時隨地添加，刪節而成的。正如今天我們聽到許多充滿智慧的俗語，試問誰能知道這俗語的創作者。尤其這些人物，都是隱士，他們生時已把自己的姓名隱住，不願在社會上露臉；死後我們又怎能突然知道他的大名？同時，即使我們知道某個隱士所作，對我們也毫無助益；因為我們對於某一個人的瞭解，往往是瞭解他在社會的功業和人與人之間的關係；而一個隱士早已揚棄了這些關係。我們除了知道他的存在，對於他本身理應一無所知；因為沒有生平正是他的生平，否則他便不是一個隱士了。

成語選粹（22）

李國良輯

昏定晨省

禮記曲禮：「凡為人子之禮，冬溫而夏清，昏定而晨省」，注：「定，安其床衽也；省，問其安否何如。」

諸葛亮狂想曲（六九）

·劉玄·

諸葛亮進了「宇宙室」，不是劉姥姥進大觀園，而是小孩子逛狄其耐樂園，覺得樣樣都新奇，足足逛了有個把時辰，諸葛亮兩足發酸，星君却無倦容，在旁一一講解。

星君出了「宇宙室」，諸葛亮跟隨在他的後面，重返回禪房。

「你參觀了「宇宙室」，有何感想？」星君問諸葛亮。

「宇宙奇觀盡收眼底，足見星君邱壑非凡人所能比也。」諸葛亮並非隨便捧太白星君，而是表示衷心佩服。

「不是我誇口。在天庭，恐怕只有我能夠完成「宇宙室」的設計。我為了一時高興，製成「迷你老虎」，「珍珠蟠桃」，消息傳到玉帝耳中，他便命我負責設計宇宙室。設計「宇宙室」，比繪製地圖，困難何只十倍。眞是自惹的麻煩。」太白星君言詞之中，似乎深悔自己多事，其實，正是他在炫耀他的法力無邊。

「玉帝統馭天庭，「宇宙室」是確有必要的。除了星君以外，再無人自負責設計。請問星君，「宇宙室」是否與「宇宙發展委員會」有關？」諸葛亮是聰明人，參觀了「宇宙室」立刻連想到「宇宙發展委員會」。

「不是你提起，我倒忘記告訴你這事的經過了。上次我推薦你出任「宇宙發展委員會」主任委員，當蒙玉帝首肯。後來我在覲見玉帝時，玉帝即問起我是否徵求過你的意見？我當時不敢說你猶豫不決，這分明是對玉帝的大不敬。我只說你為了沒有實驗室，所以要考慮。」太白星君說到此處，聞了一下「聞香丹」，其作用猶如目前一般人吃「克勞酸」一樣。接着又說，「玉帝聽了，連連點頭，沉吟片刻，吩咐我道，那你就趕快設計一個「宇宙室」罷。事情就這樣決定了。」

諸葛亮靜靜在聽太白星君說話，心中暗想：星君對他的愛護，可謂無微不至了。

「我眞羨慕你，在天庭自由自在過着閒雲野鶴的生活。我因為時常接近玉帝，別人也許很羨慕我，可是玉帝偶有所命，我是非辦不可的，毫無推辭。」太白星君這番話，說得很妙，雖好像是自說自話，意思是逼諸葛亮非就「宇宙發展委員會」主任委員不可。

「星君厚愛，亮非草木，豈能無動於中。如果星君要亮担任「宇宙發展委員會」主任委員，亮有三個要求，不知星君能否答應？」諸葛亮對政治並不外行，他叠起三個手指，足見他也有他的袖裏乾坤。

「你有三個什麼要求？且說給我聽聽。」諸葛亮雖做過漢丞相，但太白星君壽逾千歲，難怪他對諸葛亮說話要老氣橫秋了。

「第一，亮只向星君負責，遇有重大問題，亮不直接覲見玉帝，一切有勞星君轉奏。第二，所有人事均由星君安排，亮不參加意見。

安徽十三傑（二）

巨變歷險記！

隻身逃出嵩明（一一八）

胡慶蓉

丁博士逃出嵩明縣城，轉了一天，才轉到嵩明火車站，實在累得動不得了，又渴又餓，被情形够狼狽的。第八軍的官長揖入一家小小的飯館，「飢者易爲食，渴者易爲飲」，眞是千古名言。茶連喝了幾壺，飯連吃了幾盌，炒的一盤木須肉，燒的一盌豆腐鷄血酸辣湯，也喝得吃得光光了，要一盤熱水把腳泡起來，那太舒服了。後及送到一所古廟裏，給了一個特別小房間，雖沒有嘗胆，眞正是臥薪，牀上堆了很厚的草，就睡在上邊。

第二天前往佛教公墓觀戰。

昆明戰事正酣。廿六軍在彭副軍長指揮之下，八軍在曹副軍長指揮之下爲救他們的軍長，爲救在省政府扣押的余程萬將軍李彌將軍，發動昆明的戰鬥，兩軍自動的開到昆明，分別由東門北門進攻。但兩軍之間，並沒有聯繫，眞是各自爲政，各自爲戰。據八軍將領談，不但勝利在望，簡直是勝利在即。第二天從嵩明車站出發，不久就到達了。這在昆明附近，這是一座小山。杯土纍纍，且有很多的戰壕，有很多的死屍，也有些氣息奄奄的，也有還能呻吟的，是不是大家忙着推進，對於傷亡，無暇顧及？天上還有飛機來回，但聽不見投彈聲，城裏城外的鎗聲也不大能聽得見。大家都在向好的方面想，都以爲昆明城快攻下來了，都在準備進城了。

但事實上並非如此。盧漢將余程萬李彌放出來以解昆明之圍。他這個計劃是成功的。但丁博士主張再攻昆明，奔走李彌余程萬之間，奔走彭佐熙曹天戈之間，大有成爲事實的可能。盧漢赫然震怒，恨嵩明縣長沒有事先報告，讓他跑出去了。除重辦嵩明縣長外，並懸賞十萬大頭買丁作韶的頭。於此不能不感謝余軍長彭副軍長還有田副軍長。當時在廿六軍，在去開遠的途中，落入田副軍長之手，他當眞的放在一個火車的車廂裏，叫數十枝槍看守的人講話，說就準備送昆明交盧漢換取十萬大頭。這又使人受驚不小。及一次在宜良軍部，廿六軍也可以裝在囚籠送昆明，但彭副軍長不這樣做。彭副軍長現在台中居住。日前梁師長令郎在台南市結婚，彭副軍長到台南參加，他還對大家談及盧漢懸賞十萬大頭緝拿丁博士的事，對於田副軍長對他不要十萬大頭保存朋友生命之事，深引以爲驕傲。上至余軍長無不優禮有加。余程萬不穩，整個廿六軍要改編爲盧漢的部隊，從余程萬由昆明城出來就宣傳了，甚至他還被盧漢關着的時候就有這種傳說了。但丁博士依然奔走與李彌合作再攻昆明，縱然這沒有能够實現，他們不要十萬大頭賣朋友的頭，丁博士至今還非常感激。

花籃與人情

文叟

禮尙往來，這種人類社會的傳統，於敦睦人羣關係，安定社會秩序上，一直發生着很大的作用。如今進入工業時代，社會結構大變，人類生活日趨緊張，這種往來之禮，在各種條件的限制下，實質上已無法一如過去那樣的具有濃郁的人情味，但形式上却依然有其交際頻繁，多彩多姿的一面。諸如婚喪喜慶的盛行，以及各種交際的鋪張，拜年賀節，應酬，不一而足。不過應酬，畢竟是私人的事，只要人們認爲有此需要，便沒有理由予以禁止，儘管事實上此中往往注入現實利害的色彩，絕少眞情可言，也是不容局外人置喙的。倒是官場中濫送花籃的陋習，有的因事涉浪費公帑，任何納稅義務人都可以理直氣壯的提出檢討。

目前賀生日一事，在一般高級官員之間，仍大行其道。只要是稍有地位者，即使其本人一再婉辭，一樣有人主動爲之做面子。如係位居要津的達官顯宦，那更是人情如潮，鐵門上鎖也擋不住了。不過話說致賀者眞盛情難却，意必表達一番而後已，那就忙裏偷閒，來個「高軒蒞止」，碰面一陣恭喜，幾聲哈哈，倒是人情之常，不足爲病；或是意興勃發，舞文弄墨，歌功頌德一番，也無傷大雅。但偏偏就有那種花籃盈庭，燦爛如錦的場面出現，惹人側目。這在老叟看來，送受雙方，都不會感到有何多大意義！非送者唯恐禮有不周，受者只怕力之不恭，只是陋俗累人而已。一日易過，人潮頓杳，枝殘花謝，徒增清潔工的負荷外，又有何意思？固然，在凡事都要多少講講情面的社會裏，一個高級官員，於公於私，免不了要搞搞公共關係，可是以公款送花籃賀生日，到底不是理想的方式。在文具店裏，印就有生日卡片出售，樣素大方，所費無幾，只要交由文具店要人員，落個款，署個名，按址寄送，人情「公庫」兩相兼顧，何樂而不爲？爲什麼一定要花大鈔送個花籃呢？再說把這筆數目相當可觀的錢移到有意義的用途上，可以做不少事，眞是有利而無一害，要說也不過是幾家賺大錢的鮮花店生意較爲清淡吧了。

據說曾經有些官員表示要改善這種風氣，但就是狠不下心來破除這種情面，因此有的人即使想「獨善其身」，無如「來而不往，非禮也」，反正也不必自掏腰包，結果還是蹈襲如故，要整頓這種高階層的風氣，似乎唯有寄望於高級官員本身理性與良心的自覺，旁人徒喚奈何？記得唐人白居易有兩句詩：「一叢深色花，十戶中人賦」，老叟心情俱黯，於是，夫復何言？

生活漫談

談風濕痛的治療

・馬騰雲・

風濕病究是怎樣感染到的，中西醫的說法不同，西醫對風濕痛注射和服藥，大體上都是治標，包括美國、瑞士、德國、英國、日本、俄國各種各型的風濕特效藥，服時雖可以止痛，可是它的止痛有效時間，則在四至六小時，繼續服繼續止痛，不服疼痛照常。

中醫對風濕的看法，分作內外兩種因素；內向的風，爲神經發病的變態，或神經過於興奮，致生痙攣，如驚風顚風，或神經過於沉滯，致麻痺成萎縮者，如風濕中風等是；外因的風爲冷熱二氣鼓盪的作用，中於人的皮膚，能使毛竅疏洩，交感神經弛鬆，汗腺放縱，所以得了傷風，或者受了風的人，一定會發生高熱，咳嗽流鼻涕，或者筋骨酸痛，與關節痛等。

中醫的精深繁雜，非經十年以上的攻讀不能卒業，因中西醫藥，至少先以幾年的時間，爲分別的研究，再以幾年的時間作比較研究，才能知道中醫的優點與缺點，然後說出話來，才不會十分外行，比如風濕痛這一專門問題，僅憑膚淺的常識，沒有方法求答案的，假定連膚淺的常識還缺乏之，那就根本不必研究了，著者對中國醫藥，用功既久，才漸有所悟，乃知此學雖舊，苟能擇其深奧而活用之，確有很多不可思議之新。

根治風濕疼痛的處方，用紫蘇一兩，帶鬚葱頭二兩，老生薑二兩，陳皮二錢，共搗爛切碎，用菜子油二兩，放鍋內煎過，再加麵粉，攪勻做成一餅，趁熱敷痛處，冷了即取下，用菜子油少許放鍋內，舊藥餅溫熱再敷，冷則隨換，日夜不散，即可根治。有人手痛不能抬起，纏綿十年有餘，敷至數日，疼痛全消，如果沒有菜子油，用好燒酒代替亦有效。

我們分析這四味藥，紫蘇含有揮發性精油，紫蘇荃，松節油透，左旋遯檬透，及紫蘇紅色素等，爲發汗鎮痛，發散有效藥劑，及强力防腐作用，葱爲調味品，但能通暢活血，寒熱中風，能安胎，利五臟，殺百藥毒，其所含成份有蘋果酸，磷酸迷（酉旁），丙稀硫迷（酉旁）等，生薑活血行氣，風痺臂痛，對驅風有卓效，屢試屢效，又爲芳香健胃藥，陳皮消腫毒，治脅痛，鎮咳袪痰，止嘔利尿，療胸中鬱熱，降逆氣，治睪丸腫。

前邊已經說過，風之侵入人體有內與外兩個因素，這四味藥恰巧都對這兩個因素，功能發散，疏導，鎮痛，驅風，和血，通暢，而不用煎湯內服，避其中輾轉週折，藥力分散，故以菜子油煎成熱餅直指患處，行之臨床，十有八癒，日本「皇漢醫學」著作人湯本求眞氏，是日本有名的西醫，也在皇漢醫學序文裏承認，對於中醫經過十八年的研究，才對中醫有正確認識。台灣中醫當然有些不學無術的庸醫，唸了幾句湯頭歌就替人治病，但這和西醫中亦有很多做了幾天看護，出來自稱醫生的情形一樣，這是政府衞生行政問題，而非中醫本身有什麼毛病，這一點社會要分清楚才好，否則中醫的地位，將每況愈下。

趙文藝教授著「萬里前塵」評介（續）

・陳蓮子・

經常缺乏適當的管教，創辦「兒童之家」以實驗其教育理想，極爲成功。於是蒙特梭利，遂引起了國際學人的重視。其最注重者爲自由觀念，主張兒童應照自己的方向而自由發展爲主旨。除必要的指導外，教師對兒童的活動絕不加以干涉或幫助。使兒童精神健全發展。並重視實際生活操練。故其在歐洲影響之頗大。其次，因爲本書的著者是國會議員。所以對於世界民主政治第一流的美國國會參衆兩院及各委員會的組織，職權，及會議活動等等，都有極爲詳盡的描述。並在參院旁聽之餘，作了「國會巡禮」。把美國國會會議進行程序，各種動態，以及國會形勝，建築外貌，會場內部裝修設置等等，就目擊耳聞情形，一一寫入。文筆是那麼細緻、生動、眞切、流麗，眞是歷歷如繪，令人讀之，有如置身美國國會之感。而著者的政治抱負，建國理想，也不難於字裏行間見之。

書中對民主政治的先驅而帶有濃厚的古老傳統色彩的英國國會也有詳盡的報導。由國會的外貌到議場的設置，傳統史實等，會議的制度，作了源源本本的記述。著者更以雅潔的寥寥數語，作了很精要的描寫：「議場的裝置，都維持着古香古色的情調，墻上的壁畫，窗上的五彩玻璃，屋頂上的圖案畫，以及室內的地毯，配合起來，充分表現了英國的老大和古舊」。讀之令人有悠然神往之思。

在「意大利國會一瞥」中，寫到國會由參衆兩院所組成。參議員共有二六四名，其資格分爲三種：

1、代表各行政區的，由人民直接選舉，任期六年。每二十萬人口選出一名，但每區至少應有六名。

2、社會、藝術、文學、科學上有卓越成就的人士，由總統指派爲終身職。

3、卸任總統，自然取得參議員資格，亦爲終身職。

意國參議員選舉人年齡須二十五歲，被選舉人年齡爲四十歲。他們參衆兩院被選舉者的年齡，都比我國立監兩院爲高。這是何等精簡的敍述。著者輕輕着筆，寫來深中肯綮。

在羅馬之遊中，更寫了「天主教世界領導中心——梵蒂岡」。在此章中，對教會滄桑史，敍述綦詳。顯然著者對舉世人類精神寄託的聖域，不憚辯費地加以介紹，亦自有其宗教的情懷。教廷的組織——梵蒂岡政府內工作的教士逾一千名，政府中設有二十一個院，分掌立法、司法、行政之責。各院中以聖事院、御前會議院及國務院爲最重要。其後並述及了教廷與中國外交關係。

復次，著者對歐美民情風物，山川形勢，名勝古跡的記述，尤不遺餘力。且均能發其奧蘊，抉其精華。凡筆跡所及之處，均屬異常珍貴之處，亦無不是極爲重要之處。而又能出以綺麗窈窕之筆，寫來跌宕有致，有搖曳生姿之美。如「美國人的週末」，寫到與阿莉達的交往，有這麼幾句：「深夜，我和阿莉達面對面的坐在床上閑聊。她一把又一把的抓着我的臂膀，並且唉聲歎氣的好像有點怪我怎麼會中途把她拋開。爲甚麼不和她結成聯盟，一起當老處女呢」。如巴黎凡爾賽宮，丹布露宮的描寫，都有引人入勝之筆：「我仰望天空，繁星點點，濃密的樹林，在朦朧的燈光下一片墨綠。台上的彩燈，配合着歌舞千變萬化。這何異於廣寒宮的霓裳羽衣舞，我眞有點飄飄欲仙了。」凡是有歷史陳跡而極富於紀念價值的名勝景物，都不輕易放過。如遊比利時必詳寫「滑鐵盧之役」的經過。寫到德國，便述及歷史名城慕尼黑。寫到奧地利，就談到音樂王國的史事。一訪莫札特的故鄉，备述其生平。還有音樂之都維也納，維也納的美泉皇宮。寫世界花園——瑞士、盧森之遊，有如詩如畫之美：「由布根斯托下山來，沿途都是田疇與牧場。你可以由微風中聽到遠遠傳來清脆的鈴聲，這就是大隊牛羊群正在草原上嬉戲而發出來的。鈴聲在山谷中迴旋震盪，十分悅耳」。儼然有置身畫圖的感覺。又如日內瓦湖的描寫，狀湖光之斂艷（水旁），寫山色之清幽，都有情詞兼至之勝。如：「有時靠在湖邊的椅子上，凝望湖中來往的小帆，輕飄飄的好像在自己心湖中蕩漾。朵朵的白雲，浮游在四周的雪峯之上。身旁又是如繡的花壇，天碧藍的和湖水一樣。天連水，水連天，整個的空間，全爲景物所淨化（未完）

信不信由你

羅素自撰訃聞

・簡文・

英國哲學家羅素於本年逝世，但他的訃聞早在一九六二年五月十八日，八十有七的誕辰上在電視訪問節目中自誦「訃聞」。英國有史以來自發訃聞者，當以羅素爲第一人。他曾四度結婚，於一九三七年即爲自己撰寫訃聞。按此係當時倫敦之風尙。羅素對記者說：「這份訃聞迄今未更改一字，仍保持原文，包括我的死期。早料定爲一九六二年六月一日爲死日一節，屆時我年逾九十，似乎應該死了，我承認接近該日之際，稍感神經緊張。」直到本年度才死，出其自己意料之外。

自由報

中華民國內政部登記證內警台報字第〇三一一號
中華郵政台字第一二八二號執照登記爲第一類新聞紙

（第一〇四七期）

（逢星期三、六出版）
每份港幣壹角・台灣新台幣貳元
督印・黃運騰・社長李
社址：香港九龍彌敦道593—601號
劉創興銀行大廈八樓五座
LIU CHONG HING BUILDING
7th FLOOR FLAT '5
593—601 NATHAN ROAD,
KOWLOON, H.K.
TEL: K303831
電報掛號：7191
承印：景泉印刷公司
地址：嘉咸街廿九號地下
台灣通訊中心：台北市吉林街五巷三號
電話：三七五〇二一
台灣區直接訂戶　台郵劃撥戶
第五〇五六六號劉萬興（自由報台灣分社）
台北營業處：台北市衡陽路三十號
電話：二〇〇一二
台灣分社：台北市西寧南路110號二樓
電話：三三〇三四六，台郵劃撥戶九二五二號

當前「人口政策」之批判

・湯如炎・

行政院施政報告中內政部門第二目「推行家庭計劃」，其說明「全文」如下：

『本期內會由內政部邀請有關機關會商宣傳辦法，決定如次：1・家庭計劃之廣播、報紙、電影院、電視等宣傳方式，由本院新聞局分別協商教育部文化局及台灣省家庭計劃研究所辦理。另由台灣省家庭計劃研究所出版有關宣傳家庭計劃之連環圖，分發各地民衆服務站及國民小學，供大家閱覽。2・推展家庭計劃之教育，由教育部將人口與家庭計劃事項，編入社會教育與學校教育教材中，由內政部對醫務與護理學校之學生，實施特種家庭計劃教育，由國防部將入營士兵酌情灌輸家庭計劃知識。3・郵票宣傳，由內政部請交通部郵政總局研辦，發行家庭計劃紀念郵票，並在郵件上加蓋有關宣傳計劃之郵戳。』

照以上云云，究竟各別的眞相如何雖未便億測，但共同的等因奉此，不會依於三民主義，而是依於「五三主義」，則敢斷定。其實，樂嘗可樂，不愁有普無人裝，全面動員宣傳，「風氣形成不復返」，委實危險！尤其「郵票宣傳」，讓代求情請免。蓋丟人不現世還能忍受，丟人又現世太難堪了！我嘗在想：既然「家庭計劃（子）」之推行，乃我國人口政策（母）中之重要環節。」何以「母」「子」倆一直不向立法院申請授予合法地位呢？老一輩嘗說，「理有八面」，止是就善惡、利害、是非、公私而言。現代、新與舊對立得更尖銳，然黴然理有十面了；理有十面，又何以不待明辯就急急於鼓着幹呢？究竟是十面之理容不得人口政策？還是家庭計劃無臉見十面之理呢？請聽我垂淌泣而道之。

一、善與惡之辯。

國父致李鴻章信上說：「天生人爲萬物之靈，故備萬物以爲之用。」明末張獻忠在他的七殺碑上面也說：「天生萬物以養人」。甚於同一前提，國父申出來的結論是：「而萬物固無窮也，在人之釐取之用之而已。」以此，民族主義所探討的，主要是「取之用之」之「情」的方面之原則。民權主義所探討的，主要是「取之用之」之「法」的方面之原則。民生主義所探討的，主要是「取之用之」之「理」的方面之原則。談「情」，便不能離開「倫理」。談「法」，便不能離開「民主」。談「理」，便不能離開「科學」。一言以蔽之：惟三民主義惟能止於至善！而張獻忠則不然，所作的結論是：「人無一德以報天，殺、殺、殺、殺、殺、殺、殺！」現在張聯彬氏主張「節育如節流」；所倡「三、三、三、三、三！」聽音思義，「三」「殺」難分，所差：一個下手在產後，不幸，只是短命。一個下手在孕前，根本不讓投胎。要問那一套最毒？「五三」猶過「七殺」；「七殺」難比「五三」！

誠然追求「優生」算得是「善」，不過，優生的「量」的一面在求平均生育率大，優生的「質」的一面在求有效生育率大。而表現優生之果的，不是二者之和，而是二者之積，故平均生育率衰微，有效生育率再大，欲收優生的理想之果仍不可得，因有效生育率之最大值恆小於「一」故也。又所以「重質不重量」之說，理論似是，事實則非，藉曰盡美矣，未盡善也。二張一念之差，正負毫釐千里！值此人性大變，人心太壞之魔鬼世紀，怎敢不提高警覺？何況善惡分明，何去何從，還用得着辯嗎？

二、利與害之辯。

國父對人口政策的主張，有如總統 蔣公在育樂兩篇上所補述的，無一而無積極性。「求行」的程序則爲：庶（生育）、富（養育）、教（教育），一如孔子的主張。國父爲怕淺識之士在「養育」階段，未見其利，先怯其害，因而消極；所以又婆心苦口諄諄激勵。他說：『人不能以土養，而土可生五穀百菓以養人。人不能以草食，而草可長六畜以爲人食。』生育、養育、教育：誰都知道樣樣是苦差事；誰都知道越多越艱苛，越少越愜意。不過，子墨子曰：『害取其小，不得已也；利取其大，非不得已也。』此時此地倡行節育，固然是「利取其大」，可是害則更大，得不償失；還是回過頭來，「害取其小」吧！

三、是與非之辯。

「節育致生改（生活改善）」之說，美國鴿派（軟派）尼肯博士在自己國內鼓吹，却來台灣強調，故立委酈公維藩生前曾痛斥其非；迨接到恐嚇信，警覺乃益提高，抨擊益力。我們求新求行之意不誠，研究未周澈，即急先求發展，致發展愈速，偏差越大，事到於今，顯有「積非成是」不可收拾的態勢了。竊謂，今日台灣之病：不在不節育，生聚拖累財經；而在不節約，財經拖累生聚。今日台灣不節約而節育，貧窮拖累豪富；而在不節約，豪富拖累貧窮。試攀攀指頭算算：一宴萬金，食的浪費有多少？窮奢門侈，衣的浪費有多少？建拆亂章，住的的浪費有多少？車輛疏防，行的浪費有多少？惡考惡補，育的浪費有多少？聲色征，少樂的浪費有多少？大案無當，各色各樣浪費又有多少？——年年浪費之所耗，難道節約下來還會不夠抵補不節育的虧空嗎？再說：「張博士討老婆」爲的就只一句話「新婚燕爾的甜蜜氣氛」嗎？禽獸夫妻何時有過「甜蜜氣氛」，不是在生育期間嗎？難道人性連禽性獸性都不如嗎？明令實施家庭計劃不到兩年，就有七十一萬婦女「爲拖累事」而自暴自棄，果眞父母夫妻都一致心甘情願嗎？常言道得好：「佛爭一爐香。人爭一口氣。」國難未解，毛賊未除，不節約而節育，即令「生改」得美如「美」，也算不得爭回來了這口氣！「人之欲善，誰不如我？」這一筆「是非」帳，呆得過三年五年，呆不過十年二十年，總有一天會要比照「血債」的價錢來償還呢！

四、公與私之辯。

「人不爲己，天誅地滅！」——這句話罵盡天下一切人，也表示諒解天下一切人。妙在一語道破：「自私」是人類的天性，無法不予原諒；而人類具有這樣一個可惡的天性又不甘不予痛罵。可是既屬矛盾便絕難統一，所以「萬惡私爲首，百善公爲先」——兩句天經地義的好話，從來就沒有那個敢於提出來。聖人有憂之，左思右想，才想出一個中庸之道，俗稱「公道」，具有孔子所謂「大道之行也，天下爲公」之含義； 國父創新的三民主義奠基於此。「公道」是中華文化的奠基石，平正無比。「公道」是中華民族的保命符，靈驗無比。操之則逢兇化吉；捨之則弄巧反糟。爲甚麼？因爲只有「公道」，好人才誠服，壞蛋才屈服，凶的兇不起；巧的俏不起來，左傾之害一眼就看出來了。

試問：爲了滿足豪富超安適之生活，干涉貧窮創造繼起生命之自由，「不節約而節育」，「公道」嗎？爲了滿足第五期經建投資，減少常年生聚投資，「視節育如節約」，公道嗎？僅僅一個觔斗爭得先登之捷，即便對後之來者厲行後至之誅，鄙我躬不鄙我後」，「公道」嗎？不會弄巧反糟嗎？反會逢凶化吉嗎？即以「孝」的問題而論：孟子曰，「不孝有三，無後爲大。」所謂「不孝有三」，一是不養父母之體，二是不養父母之志，三是不傳父母之後。三者之中何以說「無後爲大」呢？雖然是，前二者只關係二老身心的保養，後者則關係整個民族的盛衰，比較起來，前者私，事小；後者公，事大，——固也。可是「孝於親，爲私爲小，孝於民族，爲公爲大，」只是民主時代的新觀念，當時人是意識不到的；足見孟子立論的重點并不在這上面，只在權衡事體之是否符合「公道」而已。「不孝有三」，致親恩不報，同是不公道；而「無後」更斷絕報恩之後望，最是不公道，故曰無後爲大也。世未有揚棄「公道」而不一敗塗地者；否則張獻忠的「七殺主義」就搶先成功了，「五三主義」壓根兒就派不上用場！

五、新與舊之辯。

新與舊是劃時代最突出的兩面。過去所學謂學問只是民族世代相傳的經驗知識罷了，進展得非常迂緩，新與舊極爲接近。但自民權思想瓦解了神權君權思想以後，自由主義抬頭了，科學在自由研究，自由競進的態勢下，日新又新，神速無比。而不幸的我們，困於外患內憂，戰亂頻仍，對新的文明既然無力迎頭趕上，對故有文化遂亦無顏固執。老一輩表現無能；後一輩信心盡失。舊派（下稱硬派）以「歷久彌新」爲新，追求的是實質的新；新派（下稱軟派）以「曇花一現」爲新，追求的是形式的新。以此，處處柄鑿，格格不入。以節育一事來說：一、硬派爲甚麼不說贊同的話？無他，憲法與三民主義通不過。二、爲甚麼要說反對的話？無他，倫理、民主、科學所主張。三、爲甚麼要期期計較十面之理？無他，一怕「減育」勢成，後悔莫及；二怕後之子遺數典怨祖，罵鋪班。而固執節育的軟派，唯一尚勉具有邏輯形態的幾句話，只是：「如果人口增殖」（加）率不能由今日百分之三，減低至今後十年的百分之一點八左右，欲保持百分之七的穩定經濟成長率，勢必更爲困難。」這幾句話從五年前宣傳起，在前年催生出一個「台灣地區家庭計劃實施辦法」。

（以下轉第三版）

昨日與明日

台北羅斯福路應改名

若干年前，我曾在本報著文反對把美國總統羅斯福的名字，作爲吾國都市上的道路名稱。現在閱讀了美國會發表的「太平洋學會調查報告」與「美亞事件調查報告」這兩本紀錄後，我的主張更堅定不移了。

把一個外國人的名字作路名，毫無疑問的是認爲這外國人對咱們國家有甚末恩德存在之意，值得永久紀念他，以示不忘之意。可是，羅斯福在生時，他對咱們中國實係功小而過大，沒有尊崇之必要。不錯，羅斯福當政之際，曾以物力人力援助我們的抗日戰爭，但他在雅爾達會議中，私擅將我國領土外蒙古拋送給蘇俄，事後壓迫我們不許說二話，光憑這樁事情，他對中國人民就已罪無可逭了！

再看前述兩種調查報告的內容，在二次大戰時期，信任國際共諜，派遣美國的共黨份子及其同路人，到中國來担任外交官或情報人員，縱容這般傢伙爲共作倀，專門詆毀我政府暨國民黨，助長中共釀亂力量的，就是羅斯福的傑作。他死後，民主黨政府秉承他的既定政策，千方百計地要把中國大陸斷送於中共之手。羅斯福允屬中國人民的禍首罪魁，事實斑斑可考，他還值得我們特別尊崇而紀念之嗎？

國與國的外交策略，固不必斤斤計較恩怨，只講現實利害。若要永久紀念一個外國的政治人物，教全民一致感戴，且影響後代子孫的觀感，却不能不講究是非，而隨便應酬的。何況羅斯福當年在中日戰爭伊始，還是遷就日本帝國主義，對中國并無仗義執言的表示，且讓美商把戰略物資大量輸送給日本，直到珍珠港事變發生，美國挨受日本的慘重打擊了，這才對我加以援助，目的是要減少美軍對日作戰的損害而已。

明乎此，台灣那條「羅斯福路」，應該迅速易名纔是！

・李梨・

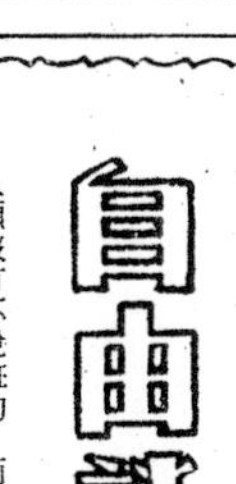

說謊世界

人類沒有不說謊的，而以政治人物爲首屈一指的撒謊者！官兒作得越大，政治地位越高的，說假話的程度即更甚焉。

例如美國總統尼克森，原係極端反共的人物，一旦身居國家元首高位，即對共黨在世界各處釀亂貽禍的行爲，表示姑息主義，而美其名曰「維持世界和平秩序」，且說出許多自欺欺人的假話，甚末「亞洲問題應由亞洲人自己解決」啦，甚末「美國不再介入國際間局部戰爭之中」啦，重複申述，像煞有介事。

實則尼克森的反共思想依然如故，他并不怕跟共黨衝突——即令蘇俄要跟美國從事核子大戰，他亦無所畏懼的。他之所以侈言和平，再三說謊，爲的是要爭取下屆總統選舉之獲選連任。他師承老上司艾森豪的故技，要擺出「和平總統」的面目，以羅取選民的信任，同時希望在今年十一月國會議員改選中，爲共和黨爭取多數席次，如是而已。我敢打賭：再過三年後，尼克森如果連任總統，他對於國際間的共禍，一定不像現在這樣的姑息作風了，因爲八年總統做過後，非退隱不可啊！

政治上的大人物好說假話，已成定律。若夫一般官僚政客之謊言欺世，更屬司空見慣，毫不稀奇。分明是個著名的官僚，偏要對人聲言「我是來作事的，不是來作官的」；分明是個貪污之徒，却向人暢說建設廉潔政治的道理；分明是卑污苟賤；無所不爲的人物，一登仕版即強調復興中國文化，注重倫理道德之說。這類說謊者到處都是，讀者閉目思之，歷歷可見矣。

因此之故，世界上任何一項職業，最卑鄙的殆莫過於搞政治，這行業務，不愧爲「說謊世家」呢！

馮五先生

政治性現形記（三八）

李　纂

第十二回　投機性成，責友求榮徒取辱。作官心切，趨炎附勢亦落空。

徐耀先出身華南的一個富農之家，自幼過着紈袴子弟生活，游蕩玩樂成性，讀書一竅不通，虛榮心很熾烈。他本名「達德」，是私塾先生給他取的，後來他在本縣一所私立舊制中學畢了業，父親教他到外面升學，他立志作官，乃改名「耀先」，表示將來要「光宗耀祖」的意思。

民國初期的學校，錄取學生比較隨便些，但徐耀先因為智識太差，在南京上海一帶的私立大學投考若干次皆告落第。好在家資尚充裕，即到北京首善之區去游覽，一面報名投考大學，心知憑自己的程度很難達到目的，以金錢代價請人同時應考，入場領卷後，彼此交換卷子而寫作，結果徐耀先被錄取了。可是，他對中國字就認識很少，更談不到學問之道，文法科和英文系都不敢學習，理工科更莫名其妙，只好選讀外文系，專習英文，經過了三年時間，算是大學畢業了，適有同學武立人在北京開設一所私立中學，聘徐担任英文教員，但徐耀先志不在此，一心一意要作官，却沒有求官的門路。恰逢民國十四年冬間，國父孫中山先生赴北京商討國事，國民黨勢力在北京抬頭，徐耀先認為求官的機會已到，即要求加入國民黨。那時北京的國民黨由共黨分子和一些投機的左傾政客當權，徐耀先亦以左派人物的姿態出現，隨時參加羣衆運動的工作，專門担貼標語，散傳單一類的工作，因為他既沒有寫作能力，又沒有演說才幹，用鋼筆簽幾個中文名字，亦與初小學生寫的一樣難看，但如跑腿打雜的事，倒是所長。他家裏寄來的錢，尚足够普通交際應酬，常常請同志宴飲娛樂，不吝惜小費，藉此結交了一般好作政治活動的朋友。他對那位老同學武立人特別尊敬，因武氏係國民黨老黨員，學識才幹和活動能力，都比徐耀先強多了，徐既想作官，對武氏自不得不盡力巴結啊！

到民國十六年春間，國民革命軍佔領了南京上海，國府移至南京，武立人奉召南下從事黨務工作，徐耀先跟着武氏南下，由武介紹在上海黨部担任職務，雖係機械式的工作，却因此與中央要員有了接近機會。繼而武立人奉命返北平，徐又隨了武氏北上，原來武氏創辦的那所私立中學，因無人照料，即派徐耀先代理校長，一面在北平市黨部兼差。這時徐氏更想活動了，他糾合一些朋友組織政治團體，目的當然在作官，武立人瞭解徐的心理，曾擬介紹他到河北作縣長，他嫌官職太小，表示不幹，武立人教他對黨事多努力，表現一些成績，將來一定在中央替他說話，弄個省府委員或中央各行政部門的中級官，保證不成問題。

越民國十九年，所謂「閻馮之變」發生了，汪精衛與閻錫山在北平召開「擴大會議」，反對南京，另組中央黨部與國民政府，聲勢甚盛，原在北平主持黨務的武立人只好避往天津租界觀變，此時徐耀先也認定南京方面必告垮台，大可乘機獵官了。於是，他一面表示反南京，利用原有小組織名義，發表「×××」宣言；同時乘人之危，張貼「×××××走狗武立人」的標語，竊佔武氏的私立中學，據為己有，因此頗受汪精衛重視，常常接見徐氏，獎許有加，徐受寵若驚，表示加入改組派。武立人在天津聞訊，認為這小子以投機起家，非懲戒不可。他心生一計，派人潛赴北平，邀約「地攤工會」、「清潔工會」負責人來天津，說明徐氏反噬情形，教他們代為報仇，這些工會都是武立人在市黨部時協助組織成立的，現在因反抗南京，就連帶受到汪閻歧視，這些工會負責人對武立人擁護到底，請武氏指示機宜，一定遵辦。（待續）

海上長城・反共堡壘

中外新聞界卅餘人訪問金門記

本部記者　張健生

金門，是海上長城，是反共堡壘，馳名於中外。

那兒的建設，突飛猛進；它的地位，十分重要，十多年來，在軍政一元化的領導下，全體軍民，合作無間，共同努力，無論軍事戰備與地方建設，均有輝煌之成就，已使昔日之地瘠民貧，荒蕪落後地區，變成「堅強、安定！繁榮、進步」之海上長城。

三月十四日，中外新聞界一行三十餘人，由行政院新聞局編譯室主任陳世祺、軍事發言人室副主任毛政等陪同，飛抵金門作旋風式的訪問。計有：日本新聞界編輯幹部訪華團之松村和夫等十三人，西德、瑞典、越南、烏拉圭四國作家五人，各僑報駐台北記者十七人。本報記者亦被邀隨同訪問金門之莒光樓、馬山前哨及馬山播音站、古寧頭、擎天廳、安老院、太武發電廠等。

金門轄大小金門，大膽二膽等十二個島嶼，其中除大小登，分為五個鄉鎮，即金城、金湖、金沙三鎮，金寧、烈嶼兩個鄉，及三十七個行政村里，另代管烏圻鄉，以交通不便，庶政多難企及。全縣實有面積一百四十八平方公里，其中耕地面積九萬六千餘市畝，約有四萬餘市畝可以重劃，現已實施農地重劃者三萬三千餘市畝，並完成土質改良地五千九百餘市畝，重劃後平均增加耕地面積百分之五，增加產量百分之二四點六，

全縣人口共五萬九千七百餘人，男性為三萬餘人，女性為二萬九千七百餘人，而分佈在海外的華僑約有十二萬餘人，每年平均出生率約為百分之三點九，死亡率約為百分之零點四八，平均每年約增加兩千人。

實施地方自治　奠定縣政基礎

關於政治建設：實施地方自治，推行民權訓練，奠定縣政基礎。縣政府設有諮詢會議，為戰地代表民意機構，由縣政府遴聘地方人士為諮詢代表十五人，負責宣導政令，反映民意，每三個月召開一次會議。實施鄉村整建，改善民衆生活環境，自五十年起，已逐年整建各村里所有民間豬、牛、馬舍均集中遷建村外飼養，並修建水溝、巷道、公廁、公共浴所、晒物場與活動中心等公共設施，村內並廣植花木，使其美化。

加強民防組織、縣設民防指揮部，由縣長任指揮官；鄉鎮設民防大隊，村里設民防中隊，并依人口之多寡，分設戰鬥村。每年農閒時，分別施以軍事及專長訓練，平時從事勞動生產，戰時担任軍勤，支援軍隊作戰。

改良社會風氣；金門沒有舞廳、歌廳、酒家、酒吧，也沒有太保太妹，流氓和幫會組織，更沒有乞丐，可以說是一片乾淨土。而金門居民多以農、漁為生，保有舊社會之習俗，政委會為改良民俗，移轉社會風氣，以推行新生活，規定婚嫁不索重金，節約宴客，統一拜拜，嚴禁賭博，取締神棍，改善生活環境衛生，消除匿名控告，挾私陷害等惡習。

加強經濟建設　擬定四年計劃

關於經濟建設：金門經濟建設十年來，主要農作物平均成長率為百分之七點二，漁牧為百分之二三，由於土地貧瘠，雨量不足，目前除蔬菜、猪肉尚可自足外，糧食年差百分之三三，飼料缺少百分之三一；魚類距每人年食三十六公斤標準差百分之四。雞蛋消費僅及台灣六分之一，今後應有計劃加強生產，以應需要，力求自給自足，減少運輸負担，俾厚植支援軍事作戰潛力，現已擬定四年經濟建設計劃，投資一億八千七百九十八萬元，預計四年後農業增產率為百分之一百，林業增產率為百分之三七點八四，漁業增產率為百分之六九點三八，畜牧業增產為百分之四三點三，航運增加一千五百噸，磁土運銷增加三萬三千六百噸，水利增加灌溉面積四萬二千餘畝，（按：現有水利設施可灌溉面積為耕地百分之四〇點三，四年後可達百分之八四點八）自來水用戶可達百分之九〇點八。電力提前兩年完成，至明年（民國六十年）初用電普及率可達百分之一百，以提高人民生活水準，增進地方繁榮，使金門由落後的農業社會逐漸進入現代化生活的境界。

另據資料統計：金門可耕之地六千三百餘公頃，其中私有地約五千五百公頃，以現有人口計算，年需食糧約八百萬公斤，若以金門所產之雜糧食米總合，較實際需要相差甚遠，每年進口食米約四千噸，其餘不足數以什糧補充，為此，一面提高邊際土地生產，一面增加耕地面積，並配合品種及栽培技術與水利設施之改善，自按設計實施以來，已有顯著成效。漁業方面，擴展遠洋漁業，由於該地區之漁民，均甚貧窮，造船資金非漁民所能籌措，已計劃在銀行貸款百分之七十（由政府負担百分之五十的利息三年），漁民自籌百分之三十，分期增建大型漁船二十四艘。舉辦作業技術訓練班，以充實作業技能，發展養殖漁業，鼓勵各村里公私有池塘，適時放養，改善漁村設施，以維護漁民收益。設立漁船修造工廠，興建漁船避風港，以維護漁船作業安全。

發展水利交通　興建新發電廠

交通方面，金門對台灣運輸，因受制於高金聯營所，該所僅有三艘逾齡小船，最大噸位約三百噸，運費昂貴，每噸二百五十元，超過台灣、日本間之運費，既無客艙設備，亦不能行使基隆，致台灣北部客貨運輸均受極大限制，影響經濟發展至鉅。現已報請設立港務處，業已徵得各方同意，並由地區民衆集資興建一千五百噸客貨輪一艘，以減輕運輸費用之負担。

工礦方面，金門磁土蘊藏量達六百五十萬公噸，品質優良，為塑膠造紙、陶瓷業必須原料，目前月產一千二百公噸以上，如大量開採運銷可拓展於國際市場。玻璃砂藏量極豐，目前價格太低，如能解決運輸問題，拓展運銷，前途無量。

金門高粱酒，是馳名中外的特產。民國五十一年前僅銷五十萬公斤，而現在年產高粱、大麯、特級高粱、益壽、和風、濕藥酒等約一百三十萬公斤，增加百分之一百六十，目前銷售量因受台灣菸酒公賣局法令之限制，及原料運輸成本之限制，無論國內、外，短期內不易拓展，現該酒廠正擬改善設備，加強管制，以期降低成本。

發展水利，金門地區缺水，也是衆所週知的事，故農產作物頗受限制，政委會計劃興建大小水庫及水壩，開鑿灌溉淺井，挖掘深水塘。現該地區以「太湖」為最大，面積三十六公頃，儲水量一百一十四萬立方公尺，灌溉面積一百四十五公頃。「蘭湖」面積約六十七公頃，儲水量十七萬立方公尺，灌溉面積三十公頃。「擎天水庫」儲水量二十五萬立方公尺，可供給水及農田灌溉，此外尚有水壩七十七座，淺井六千七百一十三口，水塘五百五十一口，可灌溉耕地面積約佔百分之五三點五二，預定本年底可達百分之九以上。自來水已在金城、山外、榜林等地區普遍供應，預定六十年約有百分之九十的村莊均可供水。

電力方面，金門電力公司的發電廠，有最新式的火力發電設備，但該公司所屬之莒光、太武兩電廠之發電量，均已達到最高之負荷點，尚有多數地區無法供電，居民生活較為落後，現正計劃興建發電廠數處，預定民國六十年底，全縣村落可以全部全日供電。

造林綠化全島　推行九年義敎

林業：在民國三十八年前，僅有少數榕樹，故有「荒島」之稱。然自民國四十五年成立林務所以來，經農復會、經濟部、台灣省林務局之協助，及全體軍民積極經營，現已在平原及淺山地帶，已接近綠化，對防風定砂保持水土極有效益，最近又大量培植經濟建材樹苗，推行大面積裸露地區造林，使將來能獲得優良木材之生產與利用。

關於文化建設：金門雖為軍事上之重要地區，政委會對青年學子教育問題，亦甚為重視。金門縣自五十三學年度起，試行九年制國民義務教育，為我國教育史上開創新紀元。現全縣設有福建省立金門中學一所，辦理升學教育，並設特師科及國民技藝訓練中心。國民中學五所，就學率為百分之九四點六；國民小學三十七所，就學率為百分之九八；鄉鎮設幼稚園，已實施學前教育。金門已達到一村里一小學，一鄉鎮一國民中學的目標。全縣在校學生人數，佔總人口百分之二六點二六，約計一萬六千八百餘人。

台北傳奇錄（三五）

・陳光棣・

「您回來啦」！步成材恭順的說：「我過來帶着打掃打掃」。

「好，好，把手洗洗，坐一會兒」。劉二爺掏出一叠鈔票來！「拿回去，給孩子添點衣服吧！」

「您別給這麼多呀」！步成材眼睛發了亮。

「你身上也得有點零錢」！劉二爺把鈔票塞在步成材的襯衫口袋裏。

「謝謝您」！步成材難為情的說：「眞不好意思。」

「你吃了午飯再回去吧」！

「不要啦」！步成材彎着腰出了房門。

「這個人眞沒出息，好吃懶作，不務正業」。劉二爺看着步成材的背影。

「他今天不是很勤快嗎」？

「妳曉得什麼，他一缺錢用，就在我面前獻慇勤，沒瞧見過這種不長進的男子漢」。

劉二爺搖着頭：「那個姓錢的小夥子傷勢不重，住幾天就可以出院了，幸而摩托車緊急煞車，不然可眞是不堪設想」！

「都是他的錯，這叫作自作自受，還累你忙了一上午」！劉太太放下一顆心。

「不管什麼人都會作錯事情，不同的地方是老年人作的錯事少一點，青年人作的錯事多一點」。劉二爺感慨的說。

「噢！」劉太太不大明白。

「比如說吧：歷史上的一些大人物儘管風雲一時，可沒有一個人沒有犯過錯誤，不然的話，這個世界絕不是今天這種場面」。

「為什麼」？

「遠的不去談它，就拿美國羅斯福總統和俄國的史達林訂的雅爾達密約說吧……」

「雅爾達秘約」？劉太太說：「你等等，讓我想想，我在高中學過」！

「當年，羅斯福慷他人之慨！」

「對，是一九四五年二月簽訂了雅爾達密約」。

「要說民國三十四年」！劉二爺改正着說：「在條約裏，俄國人佔盡了便宜，抗戰勝利了以後，俄國人携着約定接收咱們的東北九省和韓國卅八度以北的土地，俄國人利用日本關東軍繳的大批武器彈藥，裝備共匪的軍隊進行全面叛亂」！「那個時候，我還沒有生出來」。劉太太不願意打劉二爺的高興：「以後哪」？

「當時我們的國家，一方面復員，一方面對共匪作戰，俄國人用盡了方法幫助共匪興風作浪，禍國殃民」！劉二爺氣憤的說。

「美國不是幫着我們嗎」？

「說來話長，當時美國朋友是拉後腿幫倒忙，越幫越忙」！

「為什麼哪」？

（未完）

文匯樓別記

中國電視公司贏了

·文匯樓主·

中國電視公司與電影業公會爭戰的結果，表面上看影劇業佔了上風，實則是中國電視公司贏了。

二十世紀七十年代，一切事業心戰為先，中國電視公司以超心戰術得到全面性勝利，樓主講這句話，看官們一定會懷疑，事實上中視已變為敗軍之將，勝從何來？

現在，我們就事論事加以剖析，中視一開始就佈署成「哀兵」的陣勢，哀兵必勝不乏先例，其最成功誘使影劇業，包括製片、電影院等，對中國電視公司羣起而攻之，在火力集中的過程中，中視在戰略上贏了，外可得到輿論界的同情，內受觀衆們一致支持，戰略既獲勝，戰術是跟隨戰略走的，這比登任何廣告與任何宣傳方式都高明，輿論界於不知不覺中都自動成為中國電視公[illegible]力量。

另一用金錢買不到的收穫，中國電視公司與台灣電視公司相形之下，觀衆們很自然的戴起有色眼睛看台視了，一是台視不應該坐山觀虎鬥，二是中視打贏了仗台視自然有份。對中視呢，一致認為中國電視公司的做法是正確的，英勇的，顧及觀衆們權益的，本報三月十四日「昨日與明日」就有「電影製片商的無理取鬧」不客氣的指責電影業：「企業經營有自由競爭，社會才有進步，人民的福利才可以增進。

「電影製片商的企圖壟斷，顯然違反了自由競爭原則，既有碍於社會的進步，更妨害了人民大衆的福利。

「一個正當的途徑，製片商應提高製片水準，使戲院設備更現代化，讓消費者去電影院看電影不僅欣賞影片，也使他有最滿意的享受，讓消費者都心甘情願地去戲院而不願在家看電視。

「目前，製片商為了本身利害而忽視了消費者的利益，算是那一門子自由競爭？正如同當計程車初行駛時，三輪車夫的反對，這種開倒車的行為，能夠行得通嗎？

「年來電影製片商的粗製濫造，武打，暴露影片之有害善良社會風氣之建立，社會詬病已久。

「電影製片商本身必須加以檢討，中國電視公司應顧及社會需要，和推行民族精神教育，繼續選優良國語影片，不能向片商屈服低頭，社會大衆站在中國電視公司這一邊。」

中視除了得到輿論和觀衆支持外，將計就計利用這風風雨雨波波折折的環境，做到三國演義周瑜打黃蓋式的「虧」，眞所謂求虧得虧，實現股東們大吃小小變了，一統江山的經營政策，凡此非局外人所能瞭解，也就是工業社會帶來的苦果，這完全是從好的方面看，好的背面也隱伏着很多不成問題的問題，容有機會再加分析，據說有兩三家民營電台股東，不服這口氣，準備「挺」到底。

傳記春秋

黃公度之得意與殺身（上）

·諸葛文侯·

曾任廣西省建設廳長黃公度，是桂省永福縣人，在未留學蘇俄以前，係李宗仁所部第七軍的秘書，嗣與韋永成由宗仁派赴莫斯科入「孫逸仙大學」肄業。回國後，黃、韋二人皆服務桂省黨政界，遂成宗仁親信幹部，黃氏尤為宗仁所器重，顯赫一時。迨民國廿六年對日抗戰前夕，竟以「勾結共黨，圖謀叛亂」的罪名，由宗仁親自審訊而處以大辟。實則黃氏固非共黨，罪行亦乏確證，宗仁初無殺黃之意，間接促成黃氏死罪者，係桂軍諸高級將領，直接迫使宗仁決心殺黃者，乃政客潘宜之的一句話，蓋與劉備在曹操座上，而至呂布於死地的情形相同也。

公度由蘇俄回至桂省，基於舊有關係，受命担任桂軍政訓處暨桂林軍校政訓處長職務。維時廣西不奉國府正朔，倡言自治，對於情報工作尤特別注意，唯恐被外力滲透，宗仁亦命黃氏綜持其事，組織甚嚴密，黃氏仿效蘇俄「格別烏」的伎倆，不但使南京方面戴笠所屬的特工份子，無法涉足廣西，且使廣西的同類人員混入了戴笠的情報系統中。頗受宗仁與白崇禧激賞，引為心膂之士，參預密勿。迨民國廿四年春間，毛共自江西突圍遠竄，道經桂境之際，宗仁召集軍政高級幹部會議，研討如何防禦之策，黃公度獨排衆議，認定毛共必不進入桂省，自趨絕路，只是過境而已，不需派遣大軍堵截，僅以民團為主力，再西以少數正規軍作後盾，即保無虞也。宗仁姑從之，派葉琪為總指揮，馳赴湘桂邊境，督率民團防禦，果如黃氏所料，毛共且戰且走，被桂軍俘虜了數千名的落伍士兵和民伕，造成大捷，延譽全國，而黃公度在李白等鉅頭心目中，聲價十倍了。旋即授公度以建設廳長要職，又為延攬外來的政治人物，特設「廣西建設委員會」以資容納，亦由公度綰領其事。此時黃氏在桂省的政治地位，僅次於李宗仁白崇禧而已。廣西原係李、白與黃紹竑（季寬）三人共治的局面，是時黃季寬已在南京作內政部長，社會人士乃以幽默口胳，說現在的廣西三鉅頭仍為「李、白、黃」，但不是黃季寬，而係黃公度，可見黃氏在桂省的份量了。

黃公度之為人，書生氣習很濃重，日常生活好下棋，看小說，亦喜吟咏，且不事生產，每在交際應酬場中，寡言笑，缺風趣，凡是自己主觀上不喜歡的人，即不屑交談一語。他這種性格，根本就不宜於搞政治，而他還有一種對人的怪作風，約好了別人來談正經事，却讓客人在會客室坐冷板凳數小時，他埋頭下棋不顧，等到棋局終了，纔跟客人談話，許多人都受不了這種冷遇，對他沒有好感，這就是他失敗的基本原因。

桂林軍校畢業出來的學生，照例分發到桂軍各部隊工作。這般學生在校時已有嚴密組織，皆由黃公度督導管訓。畢業後奉派赴各部隊于役，規定每月必須寫通訊一篇交校本部政訓處所領導之同學會，所有通訊一律由同學會所創辦的「通訊社」公開發表，分別寄給各部隊長官閱覽之，「通訊社」的正副社長就是李宗仁白崇禧。那些青年學生所寫來的通訊內容，不是指某部隊士兵缺額很多，長官貪污吃缺。（未完）

老子（三）

·張起鈞·

我說老子就是老子，就是說這個老子沒有固定的生平。這個老子可能代表張三、李四等好幾個人；也可能代表王五一個人。（李運鵬社長拉同鄉，把他列為安徽十三傑，當然他也可以說是安徽人──一笑）總之，這是一位有智慧的老人。他像普通老人一樣，閱盡滄桑，飽經憂患，他曾眼看別人建造了高樓大廈，眼看別人在大廈內歌舞歡笑，同時又眼看別人的高樓大廈變成斷井殘垣，眼看別人走進墳墓變成枯骨。他退在一旁靜思，一切繁華逝如流水，人生究竟為了什麼？他看到有些人先天的稟賦比別人好，却是紅顏薄命，大才早夭；相反的，醜女和愚人，反而傻人有傻福，能坐享天年，他摸着鬍子靜思，曇花一現，這是什麼緣故？他又看到有些人一生追求幸福，得到的却是痛苦；有些人一生追求理想，却掉入失望的深淵；有的人步步成功，最後却是一次大大的失敗；有的人老謀深算，自以為聰明，結果壞人還有壞人磨，強中更有強中手。他沉思又沉思，默想又默想。他把所思的、所想的寫下來，都是些人生寶貴的經驗和智慧。

莊子曾對惠施說過：「孔子到六十歲的時候，才看得開人生；以前認為對的，後來始發覺是錯的。我們現在所認為對的，安知到六十歲的時候，不認為都是錯的呢？」人生的確如此。年齡愈大，世界的閱歷愈多，對人生的瞭解也愈透徹。這就同爬山，在山脚下時，我們妄自尊大，因為那時我們的眼界只及於周圍，超不出那重重的圍牆去看外物；等到我們往山上爬，爬高一步，我們的眼界擴大一點，我們的境界也更高一層；直到爬上了山峯，我們的眼界可以拓擴到無窮遠，這時再回頭看看山脚下，那螞蟻般的行人是多麼的渺少，以前妄自尊大的自我，該是多麼的無知愚蠢啊！

今天，我們在周圍可以發現許多老人，他們雖然沒有豐富的學識，却有充沛的經驗。他們的知識不是靜的，而是動的。我們的老子正像這些老人一樣，已活到生命的高峯。一個老人總有他們老人的看法。他們不再喜歡用強鬥狠，也不再像年青人那麼富有衝動。他們喜歡回憶，甚至希望返老還童。他們的心境往往跟兒童一樣的天眞無邪，他們看得太多了，懂得太多了，他們已摸透了人們的心理，也看透了世事變遷的法則。老子是一位老人，他的思想中，便充滿了這些特色。

所不同的，老子非但活到了生命的高峯，而且也達到了智慧的高峯。他的智慧並不因生命的衰老而衰老；相反的，因生命的成熟而成熟。他在人世間混了一輩子，看盡了人世的一切興衰存亡，和悲歡離合。他總覺得冥冥中似乎有一個主宰，而這個主宰既不是作威作福的鬼神；又不是無法解說的命運。他覺得萬物的自生自滅，都有它們的道理；而人生的果報相應，也有它們的道理。這個道理，很不容易用言語來表達，用思想來分析；但却是實有其物，眞有其事的。老子道德經就是為了反覆描畫這個道理。

安徽十三傑（三）

當前「人口政策」的批判

·湯如炎·

（上接第一版）到去年又催生出此一辦法的母法──「中華民國人口政策綱領」。可是事實證明預言全不靈。據今年二月十一日中央報訊：「經合會說，去年（兩次大颱風損害之餘），經濟成長率（一寬）是百分之八點九，較預定目標百分之七為高（高得多）。預料今年的情況將更為長好。」這說明什麼？一、當前台灣人口雖擁進、激增，並不影響經濟成長率的穩定乃至高升。二、由於新生人口只是未來人力資源又只是未來經濟成長率之本，因此，節育「一五三」化的丟人結果，註定了既不可能為現在的「經長」錦上添花，更否定了為未來的「經長」雪中送炭，只可能在二十年後寃寃相報，鬧你個「人財兩空」！

再說，「生之者衆，食之者寡，則財恆足；食之者衆，生之者寡，則財恆不足」的道理，那個都懂，僉無異言。可是談到如何適應，硬派則主張採積極手段，軟派則主張採消極手段。硬派遇到「生之者寡，財恆不足」的時候，必遵從「庶、富、教」的程序，一面生聚，一面教訓，不濟則繼續努力，以求這一套（生聚、教訓）之日新又新，至於歷久彌新！軟派則不然，認為「食之者衆」壞事，必須使食之者也寡，寡則與生之者平衡，「經濟成長率」才會穩定為「百分之七」。可是去年就升高為「百分之八點九」，而食之者花天酒地，一以當十，為數之衆並不減於前幾年。試問這種「扶東倒西」的「新」，於事有濟嗎？所以硬派遇到「食之者衆，財恆不足」時，表現得更積極：一面反對節育，以求未來的生之者衆；一面呼籲節約，以濟現在的食之者衆。而軟派則仍固執「食之者衆為財恆不足之唯一原因」的老見解！由於硬派倒祖宗霉，話的價值看低，軟派走洋人運，話的價值看高，而節育確能致短暫之苟安，於是「樂普」滿島飛了！

「生改」不理想，歸罪於「食之者衆」，唯叫喊「節育」。「經長」有困難，也怪罪「食之者衆」，也叫喊「節育」。現在事實證明完全不是那麼回事，還進一步叫喊「積極推行」！明明造成一代（六十年）人口，以年計，平均每年的減少率為百分之零點四有強，反而說每年的增加率當在百分之一點二左右。這是騙人太甚，昧良心又非出於無賴呀！觸景寒心，內疚自慚之不暇，反忍心拿來丑表功麼？

（完）

諸葛亮狂想曲（七九）

·劉玄·

第三，如果亮才能不够，精力不濟，或遇有重大問題無法解決時，請准許亮隨時提出辭職。」諸葛亮提出三點要求，自然有他的作用。第一，他要星君居間緩衝。第二，他可避免人事上的困擾。第三，他幹不了可以不幹。

星君聽了，微微皺起了他的白色壽眉，沉吟半晌，沒有說話。

「亮所提出的三項要求，不知星君能否俯允？」諸葛亮見太白星君不說話，追問了一句。

「第一、第三項都沒有什麼問題，至於第二項，天庭各方是否會誤會我在把持『宇宙發展委員會』？太白星君具有道家思想，最愛惜羽毛，講求一塵不染。

「亮以為這點星君不必顧慮，在表面上仍由亮承乏宇宙發展委員會主任委員，這是亮與星君個人之間的君子協定。」諸葛亮肅穆回答，態度極為莊重。

「什麼叫君子協定？」星君問。諸葛亮因與劉約翰交往日久，隨口說出了現代化名詞，星君當然不懂。

諸葛亮遂將「君子協定」向星君詳細解釋了一番。

「好，好，我們就這樣作成『君子協定』。你還有別的意見沒有？」星君知道諸葛亮足智多謀，所以再有此問。

這次諸葛亮搖搖頭，表示並無意見。

「你去告訴龍岡朋友，磨刀大典舉行時，我一定到。過兩天我要去覲見玉帝，決定『宇宙發展委員會』的事，你看這樣行不行？」星君在送諸葛亮出門時說。

「一切均照星君意見。」諸葛亮算是答應了。

諸葛亮登上雲車，不一時回到住處。

星君有沒有答應來參加磨刀大典？」琴童很關心諸葛亮有沒有空跑一趟。

「答是答應了，我却惹了麻煩。」

我早就料到，星君看丞相的面子，一定來的。丞相惹了什麼麻煩？」琴童料事如神，足見強手下無弱兵也。

上次所說的「宇宙發展委員會」，我因拘不過星君的面子，所以只好答應了，豈非惹上麻煩？」諸葛亮自從被劉備三顧茅廬請了出來，鞠躬盡瘁，確實對於政治生涯感覺厭倦，因此，說的倒是實話。

「丞相賦閒已久，現在做官了，是一件喜事，怎說惹上麻煩？不過，主任委員職位大？還是丞相職位大？我却搞不清楚。」琴童過去跟隨諸葛亮東西戰，南北剿，目濡目染，覺得搞政治畢竟是多釆多姿的，故認為諸葛亮再做官並不壞。

「宇宙發展委員會主任委員」與丞相職位是兩回事，無法相提並論。」諸葛亮將「宇宙發展委員會」的業務性質向琴童解釋一番。

「主任委員官位也不小嘛！」

巨變歷險記！

冒險犯難（一一九）

胡璉著

盧漢懸賞十萬大頭要買丁博士的頭，但丁博士並沒有被他嚇倒，更加積極的活躍，為再攻昆明奔走於廿六軍與八軍之間。

這是在昆明退出之後，丁博士從板橋八軍軍部到宜良廿六軍軍部。誰也想不到，誰也不會想廿六軍與八軍合攻昆明而彼此之間並沒有聯繫，更遑論合作。但這卻是千眞萬確的事情。廿六軍之攻昆明也，完全出於自動，為救他們的主帥余程萬。而八軍也亦然，他們也是為救他們的主帥李彌而自發自動到昆明去作戰。在開始的時候，不期而合，非常順利。由於盧漢釋放余程萬李彌，以停止進攻昆明為條件，形勢就大變了。首先是余程萬的廿六軍撤退昆明，接着就是八軍。

丁博士到達佛教公墓之後，就知道大事不好了。在佛教公墓，他就已經看到廿六軍的人一隊一隊的撤下來，一堆一堆的在休息。廿六軍責備八軍，說是八軍先撤，他不得不撤，八軍以牙還牙，就責備廿六軍先撤，他們的撤是不得已的。廿六軍先撤，應該是不爭的事實。余程萬對盧漢不但答應撤軍，還答應改編，不但是投降。陸軍副總司令湯堯隨八軍到板橋。丁博士離開佛教公墓也趕到板橋。原來八軍有一個師——李楨翰師司令部就設在佛教公墓。同前線有電話聯繫。在佛教公墓旁，還有鐵路局辦公的地方。這里也歡迎去休息。在撤退昆明的前夕，他就睡在這里。但他沒有敢脫衣，一夜槍聲逐漸的稀少，他就知道事情不妙，趕到佛教公墓，八軍的部隊正從那里經過。

如何與廿六軍聯絡？如何去見余程萬？如何說服他與李彌合作再攻昆明，成為湯副司令的主要課題。八軍曹副軍長天戈他也感到確有必要。但這個責任放在誰的頭上呢？當仁不讓。丁博士莫屬。丁博士並且探得來的消息，余程萬現在宜良。要同他見面，必須前往宜良。丁博士毅然決然的去了，只帶了一連衛兵。誰也替丁博士担心。余程萬已答應盧漢撤軍，他還願意再攻昆明嗎？余程萬既然投降了盧漢，他還會對丁博士客氣嗎？丁博士去見他，豈不是自投羅網？丁博士去見他，烏有倖免之理。故所以追隨他的人，到了呈貢火車站，差不多都溜光了。但丁博士並不氣餒，還是毅然決然趕到火車站。天就有那麼湊巧，他到的時候，已經夜裏九點，還有一列車，在準備出發。是時天已大黑，火車頭的火光閃閃發亮，火車頭的聲音遠遠的就已經聽到。這是最後的一趟車，假若開走了，那就沒辦法去宜良了。時乎時乎不再來，丁博士就兩步作成一步，拼命的跑，拼命的趕，總算趕上了。並且被迎上第一節車，請坐在長官的坐座。丁博士坐上，火車就開了。

趙文藝教授著「萬里前塵」評介（續）

・陳邁子・

連遊人也好像都與水天凝成了一個水晶體」。著者設非妙手，何能有此慧心妙構清麗絕塵之筆。此外，寫羅馬古城的今昔，寫噴泉勝地——瀰里以及鬥獸場等等，抒情寫景，俱臻上乘。而莫索里尼情人的別墅的刻畫，寫來更纏綿悱惻，哀感頑艷，令人不忍卒讀。這些，既可作遊記讀，又可作藝文小品讀，更可作歷史小說讀，世有知音，會心當不在遠。

綜觀女史大著「萬里前塵」之作，其胸中有書，下筆自然不俗。亦即古人所謂「腹有詩書氣自華」，「其學養所積者厚」，自然筆墨流麗高雅，吐屬不凡，以此不同於時下一般紀遊的作品。凡所記述，皆由學術醞釀而來。透過深邃遠大的思想涵育鎔鑄以成，堪稱不朽之著。著者以此書榮獲五十八年嘉新優良著作獎，良有以也。

若言其價值：考察則博訪周咨。論理則透闢警策。敘事則條貫明達。描寫則眞切流麗。這是學術與文藝的結合，亦是哲理與藝術的融匯。眞是不可多得之傑構，昔坡翁有詩：「人生到處知何似，恰似飛鴻踏雪泥。泥上偶然留指爪，鴻飛那復計東西」。人生駒光易逝，有何可以捉住的痕跡，何妨捉入篇章，垂之天壤。文壇曜采，兼素生香，自是絕大佳事。吾秦晚唐大詩人杜牧之誌曰：「萬里誰能訪十洲，新亭雲構壓中流。河鮫縱 難為室，海蜃遙驚恥化樓。左右名山窮遠目，東西大道鎖輕舟，獨留巧思傳千古，長與蒲津作勝遊」。畫意誌情，又不啻為「萬里前塵」之寫照。「千秋釣艇歌明月，萬里沙鷗弄夕陽」。才人遊思，宛然在目，讀之尤令人感慨無既。（完）

邵康節終身不仕

・漢年・

邵雍字堯夫，其先為范陽人，父邵古徙衡漳，又徙河南共城。父卒，堯夫葬其父於伊水之上，遂為河南洛陽人。讀書於蘇門山之北源。北海之才為共城令，授堯夫圖書先天象之學，其妙悟神契，多所自得。富弼、司馬光、呂公著退居洛中，堯夫與之從遊。堯夫自耕稼，僅給衣食，自名其居為「安樂窩」，又自號「安樂先生」。

宋嘉祐中，詔求遺士，留守王拱辰薦之於朝，授以將作監主簿，堯夫不赴任。熙寧中，又舉逸士，補潁州團練推官，亦不之任。十年丁巳七月初五日卒，謚「康節」。遺著有「觀物篇」、「漁樵問對」、「伊川擊壤集」、「先天圖」、「易卦換象法」、「皇極經世」、「分宅分房定式」等書。

康節生于宋眞宗祥符四年十二月廿五日戌時。卒於宋神宗熙寧十年七月初五日丑時。

按邵康節之造，甲木兩排，辛金亦兩排，形式整齊，格成兩幹不雜，就表面觀之，乃富貴中人也。可惜誕生於大寒節後，雪積冰凝，枝殘葉脫，雖曰甲，木兩排，亦不能勝兩位辛金之剋制，而況亥子丑會為北方一氣之水，又有濕木之嫌。所幸時枝值戌，中藏丁火，命宮逢巳，中藏丙火，藉此二火以制金，藉此二火以暄木，一舉兩得，而甲木之生意，仍可含蓄無窮，再益以日值天赦，月帶貴人，故能為刻苦，立品清純，不學獨窺天地運化，探陰陽之消長而已。觀其初運子庚，已亥，一派水金，何等偃蹇！寒不爐，暑不扇，不就席者數年，豈無故哉！

及至戊運戌運，得厚土制水，得藏火暄木，是以講學於家，就問者日衆。然蓬蓽環堵，不避風雨，躬爨養親，仍如其故。自三十八歲交入丁運，始卜居洛陽。富弼、司馬光、呂公著諸賢退居洛中，常相從遊，乃為市園宅居。

四十五歲乙未，長子伯溫生。四十七歲丁酉，次子仲良生。是年詔舉遺逸，留守王拱辰以堯夫應詔，授將作監主簿。五十八歲乙運，熙寧之初，復求逸士，御使丞呂公誨，龍圖閣直學士祖公無擇，與丞相吳公充，又與先生為言，補潁州團練推官，皆固辭不受。凡此種種，足證丁火，丙火與乙木，皆為甲木日元之喜神，雖經申酉二運，得丙丁蓋頭，金受火制，亦不為害。六十七歲未運，歲值丁巳，小限丁亥，既會丑戌為三刑，復見巳亥為六衝，是壽終正寢，贈秘書省著作郎，加賜粟帛。當其疾病時，司馬光，張載，程頤，程顥，晨夕候之。既葬，程顥為銘墓，稱康節之道「純一不雜」，就其所至，可謂安且成矣。元祐中，韓獻肅公守洛陽，為請謚於朝廷，奏下太常，賜謚「康節」。

邵康節之名，皆有所本。康節以十二萬四千五百年為一會，自開闢天地至堯時，正當十二萬年之中數。故康節名雍字堯夫。名雍者，取「黎民於變時雍」之意也。其居洋水，亦取天地之中。字堯夫者，取當堯時之中數也。四千五百年之數不知何意，令人莫測高深。

邵康乃宋代大學者。他的一部「皇極經世」，乃是一部難解的奇書。其書以一元統十二會，一會統三十運，一運統十二世，一世統三十年，一年統十二月，一月統三十日，一日統十二辰。學者稱「皇極經世」為一部推步之書。經世以十二辟卦，管十二會，翻定時節，就中推吉凶消長。堯時正是乾卦九五，其書與易自不相干。三十六宮都是春，易中二十八卦，翻覆成五十六卦，惟有乾，坤，坎，離大過，頤小過，中孚，八卦，反覆只是本卦，以二十八卦湊此八卦，故言三十六也。

生活漫談

保護人體中的鍋爐

人體中胃是的鍋爐，不得特別注意，應當隨時檢查，有毛病的話，得馬上修理，鍋爐不壞，機器壞的可能比較少，機器能耐久，即等於所謂長壽。

胃口就是飲慾，食慾不強就是胃口差，消化器强的人，不僅欲食，且能多食，如果受病症之影響，則消化力量阻滯，胃口頓減，就是勉強進餐，形同煤炭倒入爐裏不燃燒相彷彿，鍋爐自然失去作用。諸葛亮飯量小，而業務煩，司馬懿認為葛諸亮食少事煩，不能久壽。食少就是因為胃口差，胃口差即鍋爐有問題，鍋爐有了問題，怎麼能持久呢？

胃生在心窩那兒，所以一般人將胃痛認作是心痛，俗稱作心口痛，心氣痛，我們在人體圖解裏見到的胃，很像一個橫着餵奶的瓶子，又像是豬肚子，這完全是根據西醫解剖，胃的筋肉鬆時的樣子。中醫認胃，基本下是立着的，也沒有那麼大，偏在心口左邊一點，胃裏產生出一種很酸的水，來消化吃的東西，有很多東西在咀裏未嚼碎，在胃裏則會消化，變成一種能溶化的東西，以便輸送到身體裏去。

同時胃還能自己扭動，把吃的東西和酸的東西混和，吃的東西裏面有很多細菌，在胃健康的時候，就是胃口好的時候，一般的細菌會被酸的汁水殺死；胃在不健康的時候，很多痢疾菌，傷寒病的細菌，在胃裏如果沒有被殺死，而步向腸子裏，這些細菌，就要造反了，會引起痢疾和害傷寒病等。

怎樣才能保持胃的健康（就是鍋爐堅固）第一是不要受涼，家裏有老年人，總是囑孩子們睡眠要蓋好肚子，肚子不受涼可以保護胃是對的，殊不知脚上受了涼同樣會影響胃的消化。我們平時提倡洗冷水澡少穿衣服，其目的在鍛鍊身體，使身體不怕受涼，胃亦就不容易受到影響了，如果平時鍛鍊不够，就得小心不要受涼，尤其睡覺的時候，要蓋好被子，保護這人體的鍋爐——胃。

第二是少吃冰水生冷和不容易消化的東西、西瓜、香瓜，和不熟的果子，這些不僅皮上細菌特別多，裏面苦澀的汁水，會損傷危害胃的消化力量；豬肉和肥的牛羊鷄鴨肉，都很難消化；油大的葷菜點心，及油炸的東西，最好不要多吃，如果吃慣了，則不在此限。據說乾隆皇胃口特別好，喜歡吃油炸的食物，所以能活到九十歲，應當完全歸功於他的鍋爐好。夏天來了，少吃油葷，多吃清淡絕對正確的。

保護胃最基本的療養法，氣量要大，心境要愉快，就是精神愉快了，有了愉快精神，則胃之運動自然活潑，消化力量因之加强。精神上有抑鬱，則胃的運動必遲緩，消化就生了障碍，我們平日倘能多歡笑，多興奮，少攷慮若干沉鬱的事，和不能解決的一些死結，則精神愉快，胃口自增，如果你不相信，請試看，凡患有胃病的朋友，多半是想不開，和氣量窄的人。

岳飛

周為謀

第二章　金太祖建國稱帝　宋徽宗信任奸臣

在大宋朝的北面，有宋一代，受到四大異族的侵擾，但宋代的積弱，卻不是因為異族的侵凌使然的。

一是耶律氏，先號契丹，起於梁太祖開平元年，建號曰「遼」，傳了九主，至宋徽宗時，為天祚帝在位。

二是完顏氏，先號女眞，金太祖名阿骨打，起於宋徽宗政和五年。岳飛初生的時代，正是金太祖勃興的時代，是遼主衰敗，宋徽腐化的時代。

三是西夏，起自李繼遷，傳十二主，至南宋相安無事。

四是蒙古，姓奇渥溫氏。自元太祖鐵木眞於南宋寧宗開禧二年稱帝於斡難河，滅乃蠻部，嗣為太宗、定宗、憲宗繼之，稱帝漠北。至世祖忽必烈至元八年，改國號為元，十六年滅宋。

以上四國，威脅北、南宋最大的，就是女眞——金，與蒙古。女眞侵宋，實行「以華制華」政策，立張邦昌、劉豫，據有南宋北方及中原之地。蒙古則滅了南宋，入主中夏。北宋宋徽宗末年，是天祚帝荒淫無道，國事日非，女眞崛起之時。所謂「物必自腐而後虫生」。遼國暴政引起四鄰不滿，其內部隨時將有政治、軍事的叛亂暴發。在下首敘述女眞的崛起。

女眞為東胡的別種，姓完顏氏，臣服於遼。其地居遼之東，南接朝鮮，東瀕於日本海，依混同江（今松花江）。漢、魏間稱挹婁，後魏稱勿吉；隋、唐名未曷（兩字革旁，以下同）。唐初有黑水、粟末二大部，粟末强盛，建立了渤海國，黑水、未曷二部皆隸屬中國。渤海既滅，未曷之民居混同江西南者，遂繫籍於遼。號「熟女眞」，居於江東的不籍於遼，號「生女眞」，僅臣屬於遼。後因避遼主眞宗之諱，改「女眞」為「女直」。生女眞僻處東北，風俗鄙陋，惟人人善於騎射，鷙悍勇猛，乃是來如狂風驟雨之游牧民族。

其中一部名「完顏」部的，世居「安出虎水」之源，（女眞呼金為「安出水」）初甚微弱。於遼主洪基時代（洪基即道宗字），完顏烏古迺襲擊遼之叛臣，擒叛臣而獻遼主，始為遼之節度使。烏古迺所生九子，名劾里鉢、完顏叔、盈哥三人相繼襲位，兄弟叔侄同心戮力，擴開疆土，兵勢日强，稱雄諸部。

自由報

中華郵政台字第一二八二號執照登記爲第一類新聞紙

（第一〇四八期）

（本刊每週星期三、六出版）

每份港幣壹角・台灣零售價新台幣一元

社長李運鵬・督印黃行寶

社址：香港九龍彌敦道593—601號
廖創興銀行大廈八樓五座

LIU CHONG HING BUILDING
7th FLOOR FLAT 5
593—601 NATHAN ROAD,
KOWLOON, H.K.
TEL: K803831
電報掛號：7191

承印：景星印刷公司
地址：嘉咸街廿九號地下
台灣總經銷中心：台北市青田街五巷三號
電話：三七五〇二
台灣區直接訂戶 台郵劃撥戶
第五〇五六號張萬有（自由報會計室）
台北營業處：台北衡陽街三十號
電話：二七二〇〇
台灣分社：台北市西寧南路110號二樓
電話：三三〇三四六，台郵劃撥戶九二五二號

美國在東南亞進退維谷

·雷嘯岑·

按照當年法國退出越南的日內瓦和談協定，簽約國對柬普寨與寮國的獨立安全，負有保障責任。日內瓦協定原係英法俄三國倡導訂立的，中共亦參加了，然美國代表杜爾斯亦到塲表示了「痛苦的同意」。隨後美國鑑於日內瓦協定之不可靠，又以急就章的手法，創建「東南亞公約」這項集體防衛體系，藉以加强對東南亞地區的安全保障，繼而美國派兵到越南討伐越共，卽係履行「東南亞公約」的應有義務，而英俄法各國亦不能坐視越共之侵畧寮國，理固然也。

可是，自從越共違犯日內瓦協定，激起越戰以來，英法袖手旁觀，只說風凉話。最近法國總統龐畢度竟聲言別國不宜干預東南亞地區的問題，完全是背信寒盟的論調，蘇俄更與越共站在一邊，所謂國際條約與集體聯防組織，祇是幾個强權國家自欺欺人的魔術工具。前任美總統杜魯門認爲跟共黨國家訂立條約的價值，尚不及膽寫條約的那張紙價，實則西方各國亦係一丘之貉，無所軒輊啊！

目前對東南亞問題最感尷尬的就是美國。尼克遜政府爲着迎合國內人士的苟安反戰心理，標榜着亞洲問題應由亞洲人自己解決的「關島聲明」，在越南實行撤兵，要使越戰「越南化」，因而誘發越共進襲寮國，覬覦柬普寨的野心，而美國空軍基於駐在越南的美軍安危關係，却不能不對進入寮境的越共軍隊，實施攻擊。於是乎，蘇俄與中共皆振振有詞，指摘美國擴大越戰，無意促進東南亞和平，國內的姑息份子如參議員富爾布萊特之流，且主張國會製定法案，限制政府干預寮國戰事。所謂「尼克遜主義」也者，乃成爲動則得咎而進退維谷的失敗主義，誠不知尼克遜將何以善其後呢？

第一次世界大戰發生時，美國總統候選人威爾遜以「不參加歐戰」爲競選諾言，迨獲選入主白宮後，卽藉口德國潛艇在公海横行，攻擊美國商船，造成反德輿論而實行參戰。第二次世界大戰之初，美國民衆亦反對參戰甚力，而羅斯福總統一面發表「防疫論」的演說，指述美國不能獨善其身的理由；一面對日本故示妥協，又將日本南進的軍事情報積壓着，迨珍珠港事變發作，美國不但參戰，且以對對德作戰的首腦國自任。美國經過這兩次世界大戰之役，纔構成富强甲於全球的自由世界盟主地位。如果威爾遜羅斯福當時怵於國內人士的反戰壓力，畏首畏尾，不知創造輿論，領導輿論，而從大處遠處設想，但期自固吾圉，苟安自娛，則不特美國今日的國力渺不可見，卽欲孤立自保，亦是不可能的。

克遜入主白宮後，懾於國內輿論反戰氣氛，同時又顧慮到下屆總統的連選連任問題，乃效法老上司艾克總統的作風，擺出「和平主義者」面目，亟亟於停止越戰，一以取悅國內一般反戰份子，一則避免俄共集團說他是「戰爭販子」（這是俄共集團早就加給他的惡諡）。就他個人的政治利害說，他這種策畧是對的；若就整個自由世界安危的，以及美國國運設想，實係策之下下者。自從韓戰以來，美國政治人物經常强調着兩點理論以對世人解嘲：一謂美國若要從事戰爭，便須以蘇俄爲對手，如中韓共之流都是些「下駟」，美國不屑跟他們作戰；一則說核子大戰無論勝負，皆得毁滅數以千萬計的人類，非至萬不得已時，不可隨便引起戰釁。因此美國卽採取所謂「嚇阻政策」，跟蘇俄作原核子武器競賽，認爲祇要美國在這方面佔着上風優勢，蘇俄卽不敢挑起大戰，憑着美國的物力財力，相信蘇俄是沒法迎頭趕上的。這固然是事實。但俄帝就利用美國這種心理，只教唆它的國際間第五縱隊，以反帝反殖民政策的民族主義形式，分別向外進行局部侵畧計劃，俄帝躲在幕後支持，表面上與它無關——過去俄帝與史大林對着美人就聲明毛共與蘇俄無關，且認爲毛共并非眞正的共產黨，而美國人竟信以爲眞，稱說毛共爲「土地改良主義者」，硬要將中國大陸送給毛共佔領——現在的越戰依然是這套處術，尼克遜惑於國內反戰派的理論和主張，遂聲明美國不再介入別國的戰亂旋渦中，教亞洲人自己解決亞洲問題，而希望日本來作「接手人」，這決不是大政治家的氣概，將來定要大吃其虧，後悔莫及的。我們并非期望俄帝隨便進行核子大戰，祇認爲尼克遜這種沒有原則，不切實際的退却政策，對自由世界與美國本身，都沒有益處，結果共黨日益猖獗，美國終歸無法孤立苟安，反而促速全面大戰的進度。美軍剛從越南開始撤退，而寮國與柬普寨的共黨就加劇了，下一步泰國卽岌岌可危，菲律賓的共黨亦已逐漸抬頭，印尼和馬來西亞深感隱憂無日，正在協商聯防計劃，原因就是尼克遜的退却政策所使然。美國把自己獨力創建的「東南亞公約」視同廢紙，而呼籲主持一九六四年日內瓦和談平，保持寮國的獨立安全，這不是對牛彈琴嗎？俄帝唯恐亞洲不動亂，使它失去插手醸亂的機會；英國早已決計撤退自蘇彝士運河以東的亞洲地帶軍事防衛力量，更希望美國以全力保障西歐的安全；他們豈肯在東南亞的共禍中替美國分憂，尼克遜總統對他們磕頭，亦屬無濟於事的。蘇俄最近對尼克遜呼籲的答復是：先要美空軍停止對寮境共軍轟炸，讓寮國各黨派（共黨當然在內）組織聯合政府，却不談越寮共軍進攻的事。這與北越共黨在巴黎和談中所提條件完全一樣，美國如其答應，不但寮國和柬普寨立卽淪入共黨手中，卽越南的民心士氣亦將趨於消沉悲觀狀態，尼克遜所期待的「越戰越南化」也必歸於幻滅，而留駐越南的美軍只有一條路可走：趕快回到老家去！這樣一來，便替列寧所指示「由北京通往印度以達入巴黎」的世界革命路線，鋪下了平坦的通道基礎，這恐怕是尼克遜想像不到的後果吧？

美軍在韓國跟共黨打了幾年仗，消耗人力物力不可勝計，最後搞出一個屈辱的「板門店和談協定」，恢復南北韓舊有的卅八度界線，一塲戰爭不知所爲何來？美國所得的除却韓國增加了二十萬人駐防南韓外，就是戴上一頂紙老虎帽子。如今對越戰又復重演舊劇，假使巴黎和談有成，必係恢復南北越戰前的十七度界線，不僅數年戰爭等於白費，且替越南製造出一個醜亂的共黨機構——「越南民族陣線」，這比美軍不來越南作戰的情勢更壞，眞是來日大難，貽禍無窮啊！

美國在東南亞已陷入進退兩難的窘困境遇中，種因者固非尼克遜總統，但他負有解決這道難題的責任，這是考驗政治家的智慧和魄力了。近數十年來的美國當政人物，自羅斯福總統逝世以後，如杜魯門，艾森豪，詹遜——約翰·甘迺迪執政不久卽被刺了！——等等，都是些庸碌人才，而以艾森豪尤爲顢頇，擁有富强盛世的本錢，居於自由世界盟主地位，然在國際間兩大勢力集團的全部冷戰和局部熱戰之中，事事受挫，處處敗衂，有如牽着金飯碗向人討飯吃的情形，殊堪惋惜。尼克遜總統的才智如何，我們不敢隨便斷定，他若一意師承主司兼姻丈艾森豪的衣鉢，荏苒歲月，隨俗浮沉，目前是斷送亞洲，將來是貽患美國，可慮亦復可怕呢！

（完）

昨日與明日

研究教授名單公佈了

據台北消息：國科會補助研究教授名單禁不住輿論的壓力，終於公佈了。知識界的反應，公佈比較不公佈還要壞。

名登金榜者是那些人

本來國家提倡科學研究，優待研究人員，天經地義，絕對正確，祇是國家科學委員會補助研究人員的辦法，却不甚明高。一般人都覺得：主持人吳大猷是個好人，但不甚瞭解國情。誰應當受補助，誰應當不受補助，一定要定個公平的標準。譬如就這次名單看：台大一校就佔一〇七名之多，中興大學十多名，中興法商學院僅一名，政治大學十六名，師大僅四名，其他更少，難道祇有台大教授會研究、配研究；其他院校都不能够研究。最令人不解的：許多院長，系主任等行政人員都名登金榜。權力卽知識，難道也運用這上面來。

談毛子水教授

在這補助研究人員名單中，老叟發現有毛子水教授其人。老叟出身老北大，想當年在北平沙灘大紅樓過丘九生活時，毛子水先生還不是教授，也不叫毛子水，他的正式職名是：國立北京大學圖書館主任毛準。

在台灣，毛準的毛子水，却成了名教授，而且是國立台灣大學的權威教授，不過迄今爲止，我們還沒有拜讀過毛教授的權威著作，似乎我們也沒有發現過毛教授有什麼名著出版。所以，有些學者主張：不僅要公佈研究教授名單，還要公佈研究教授所研究的論文題目，將來還應將研究成果公之於世。我們對於台大國文教授毛子水所研究的題目，實有加以瞭解的必要。

教育部學術審委會該澈底整頓

由毛子水教授其人，我們也聯想到教育部學術審議委員會。毛教授是該會委員之一。有位在台北大專學校也是作教授的朋友曾經講過一件有關教授升等送審的事。他有位朋友的一篇論文，由教育學術審議委員會送請某委員審查，事隔一年，渺無消息，嗣經探詢，某委員就是毛子水，該教授剛好與毛很熟，就特別拜托，因而過關，否則，那一篇論文，不知何年何月纔審查竣事，結果，如無人情關照，十之八九，不及格了事。及格與否，慢無標準，有些審議委員的教授，常以「狠勁」而提高身價，據說毛子水教授之所以出名，就由於「狠勁」，所以台北大專教授們都有一個共同的感覺：想提高學術研究水準，應該澈底整頓教育部學術審議委員會，對於本身不夠資格的人，不應被聘爲學術審議委員，意圖不良懷有成見的人，更不配作學術審議委員。

·老叟

自由談

民主的起碼條件

民主政治卽是輿論政治，輿論的表示必須具有自由性，批評討論，暢所欲言，纔算是眞正的民主生活。

就輿論政治而言，美國確不愧爲貨眞價實的國家了。人民不特對於政府的庶政得失，可以隨便批評，卽對一般政治人物，自元首以及政府官員，亦不妨予以臧否而百無禁忌。所以，美國當局對於國計民生事項有所興革，事前必須博得輿論界的多數贊同，纔能够付諸實施，否則控制着政府預算和撥欵權力的國會，便不許你動彈，當局縱然多方疏通協調，毫不濟事。議員們所屬的政黨，并不能約束民意代表的言論主張，無所謂「紀律制裁」；只在大原則上，不喪失政黨立場就得了。

可是，這樣的民主政治，并非放諸四海而皆準的「獨格碼」，傳統文化，社會結構，國民教育和生產力的發展情形，息息攸關，相輔相成。祇有一點是民主政治的定律，卽人民批評政府，係言者無罪，聞者足戒的自由權，絕對不受限制。這道理很淺明，政府原係爲人民而存在的，管理衆人之事的政府措施，作爲主人翁的民衆，自然享有批判其利弊得失的權利，否則變成了人民是爲政府而存在的奴隸社會，民主云乎哉！

咱們中國號稱爲民主共和國家，開國迄今將近六十年了。然由於傳統思想習慣尚未完全革新，輿論若對政府有所批評，社會人士不免感覺驚訝，行政當局認爲難以容忍，於是乎，查封報館，[illegible]非民主現象，不一而足，毛病就在把「反對」與「反動」的性質混淆不清。談民主生活而沒有容忍精神，那就是牛頭不對馬嘴，不談也罷！

現階段的中國民主政治，尚在循序漸進中，我們固不希望立卽跟美國看齊，但人民可以批評政府這項起碼的民主生活條件，是應該具有的。

不過，在當前的國難期間，輿論上對於政府基礎和領導人的地位，却不宜有所毁損，以免因小失大。這便是我們立言的信條，堅守不渝，義無返顧也。

馬五先生

銀行放款百般刁難 舞弊案件層出不窮

立委提出質詢促財政當局 應訂統一辦法以杜弊端

（本報記者張健生台北消息）立法委員徐漢豪曾就「銀行放款弊端叢生」；「省衛生處長許子秋圖利日商事件」等問題，向行政院嚴院長提出質詢，行政院對徐委員之質詢，允以書面答覆。

「向銀行借款須付百分之七至百分之十回扣，是公開的秘密。」徐委員說：近來銀行信用合作放款舞弊案件，層出不窮，其實冰凍三尺，非一日之寒，凡與銀錢業有往來者，無不知銀行和信用合作社放款，各有各的辦法，若無人事關係，即有房地抵保，動輒以手續不合，拒絕放款，偶得許可，亦必百般刁難，使人望而生畏。數月前，台北市某一中學有校產千餘萬元，因擴充設備向素有往來之彰化銀行東門分行請求貸款五十萬元，因我有房地，由我作保，不料我的保證不夠，尚需由全體校董私人連帶保證，待保證手續辦好後，復要求我在借款憑單上簽名蓋章，我並非借款人，保證書已經簽蓋，何以又要我蓋借款憑單，銀行說是規矩，我說：這種規矩，根本違法，不近人情，但銀行人員說：「你不蓋，我就不借」，一派官架子，使人不堪忍受，然因該校需款迫切，終於我不得不徇該校之請，在借款單上簽蓋。這種床上架屋的擔保，正如所說連當舖都不如！可是相反的，如果有人事關係，則錢可多借，保人亦無條件，我有一朋友，僅値十餘萬元的一幢房屋，竟能向銀行借到二十餘萬元。內行人均謂：向銀行借款須付百分之七至百分之十回扣，而公開的秘密，無怪乎錢業無法借錢，而銀行呆帳，反年有增加。銀行存放款是調節金融之重要關鍵，不應使其長此腐敗下去，我希望財政部對各銀行的放款訂一個統一辦法，不要讓他們繼續爲非作歹！」

關於台灣省政府衛生處長許子秋進口過期失效疫苗，圖利日本商人事件，徐委員主張「澈查」。他質詢：「台灣省衛生處長許子秋於民國五十四年夏秋之間，進口未經日本政府檢定合格之兒童腦炎疫苗二十四萬份，由衛生處杜撰「預研合格」字樣貼於一人份之疫苗包裝盒上，分配給台北、桃園、新竹、苗栗四縣市衛生局使用，以二十四萬兒童爲產製疫苗之日商作試驗，當時報章騰載，輿論譁然，後由台灣省政府、省議會組織「專家會議」，作成四點結論後，方告平息。茲復經其部屬梅貽琨向台中地方法院檢舉其僞造文書，使用僞藥等罪，台北市某報將經過情形詳細登出，謂：當時之所謂「專家會議」，專家十一人中，僅有嚴智鐘一人爲細菌專家，謝清雲一人爲藥理專家，其餘均爲門外漢，是該專家會議之結論，是否可靠，不無可疑。當檢舉人赴台中地檢處出庭時，衛生處職員公然出動，以人情包圍，阻擾其出庭，雖非許子秋所指使，但核其情節，顯不簡單。現在案既屬法院，自當靜候法院決定，惟犯罪調查是一事，有無行政責任又爲一事，而此事經報紙揭載後，行政方面，竟毫無動靜。二月二十八日，報載內政部衛生司長張智康談話謂：「省衛生處長許子秋被人檢舉案，內政部尚未接獲報告，無法明瞭，俟接到省政府報告後，決依法做適當處理。」是內政部一日不接報告，就一日不作處理，我以爲此事關係太大，省府既不報告，內政部職責所在，應主動調查，並應邀集眞正於細菌學、藥物學、病理學方面有研究之專家作澈底之調查，必要時派員赴日本，向日本政府及製造廠商方面查詢，如調查結果，許子秋並無錯誤，則不但可以洗刷許子秋之冤枉，並可使全國人民增加預防注射之信心，否則應予撤職嚴辦，以正吏治。

吸收民間資金 發展生產事業

立委促限制奢侈品進口 應加重徵收各種娛樂稅

（本報記者董尚書台北消息）立法委員周樹聲向行政院嚴家淦院長就國家經濟及大陸礁層問題提出質詢：（一）關於財經配合發展經濟問題，發展生產事業，不能依賴政府投資，亦不宜依賴外債舉辦，最好吸收民間資金或華僑資金，不過吸收間民資金，先須提倡節約，不可使國民所得盡浪費在紙醉金迷之上，以亞洲國家而論，最近數年之內，經濟進步最有成績者，日本第一自不必論，除日本外，當推韓國，而韓國朴正熙總統已令全國實行節約，我國經濟情形，雖進展亦速，但有些地方，不如韓國，而奢侈之風，似超過韓國遠甚，此不能不深切注意者，蓋必先節約然後方有儲蓄，至於利用人民儲蓄，不外以下三個方向，一是銀行，而我國的銀行皆屬公營，衙門氣息甚重，其經營方式，非常板滯，尤其服務態度，常拒人於千里之外，自應詳細研究，切實改善。二是保險，外國保險公司將所收資金多半供生產事業之用，故生產與保險每每發生密切關係，而我國的保險公司，將所吸收的資金，大部份經營房地產，未能對工商事業靈活運用，尙宜由政府設法督導，俾盡最大功能。三是證券，美國人民幾乎無人不持證券，證券實爲人民的最重要財產，而我國人民持證券者却極寥寥，至我國的證券交易所，最初爲少數人所把持操縱，除極少數人發了大財以外，絕對多數無不虧折，甚至傾家蕩產者有之，迨經政府認眞管理以後，又冷落異常，有頗長時期，懨懨然毫無生氣，政府不僅應注意交易所之動態，實應對發行公司多所督導，使發行公司本身臻於健全，會計絕對公開而誠實，鼓勵人民對投資企業發生興趣與信任，須做到並非爲投機而買股票，如此不但人民在資金方面納入正軌，而工業亦可藉以繁榮。至於財經兩部需要配合，當局以在經濟上夙著成績之李部長調長財政，而以行政院副院長主持財經會報，爲最高決策機關，從此財經可以相配合，不虞掣肘，此一方針，是正確的，所以政府對於財政經濟頗多新的措施，新的改革，此種求新求進精神，値得欽佩。所望百尺竿頭，更進一步，凡事從大處着眼，舉凡一切瑣屑，繁複積壓，挑剔等擾民積弊悉予革除，法令到下層變質情形亦宜注意，政府對奢侈品之進口，應多加限制，對各種娛樂稅，應加重徵收，希能早達圓滿之成功，國家幸甚。

（二）關於大陸礁層問題：大陸礁層蘊藏的石油，依美國標準石油公司的估計，世界各地大陸礁層的石油蘊藏量，絕對超過目前全世界每年總消耗量百倍以上，因之美國於一九四五年由杜魯門總統發表宣言，略謂「美國政府對毗連於美國海岸大陸礁層地下和海底，以及公海底下的天然資源，均屬美國所有，並須服從其管轄」等語，接着墨西哥、巴拿馬、阿根廷、智利、秘魯、巴西、伊朗、澳大利亞、巴基斯坦、菲律賓、韓國等國政府（尚有其他國家）皆於數年之內，先後由其最高行政首長發表聲明，亦有逕規定於其憲法之內者，皆是主張其沿海海底資源的主權，行政院於民國五十八年七月發表聲明，謂「中華民國政府對於鄰接中華民國海岸之領海以外之海床及底下所有的天然資源，均得行使主權之權利」，此一聲明，自是重要，切合時宜，並聞經濟部已令石油公司與美國某一公司合作，派船探勘，經探測結果，證明台灣北方海域，蘊藏石油，極爲豐富，不過地域廣大，選擇不易，而台灣海峽之探測，比較詳細，但希望亦不大，此事關係重大，務望迅速推動，俾早成功，所有詳細情形，亟盼先予說明。

喬治桑外傳

一二九　張大萬

這時，卞太太碰出中風發財，裘太太立刻提起警告，誰打白板就要包了。恰巧，喬治桑也起了一手斷么，三相逢，門前清，平和的大牌，聽坎五萬。隨手抓了一張白板，考慮了片刻，打了出去，說，好，我包妳。」

卞太太喊聲「碰」，拿出三張白板開槓。說時遲，那時快，槓上碰到一張一索。卞太太聽一九索對碰，和出一副全么對，大三元，槓頭開花，三萬和的大辣子。由喬治桑全包。

喬治桑面不改色，付了籌碼。

「卞太太，妳眞行，白板不開槓，一樣聽和嘛。硬是開槓讓桑先生吃包子。桑先生這下眞整慘了！」裘太太說的是事實，倒不是誠心挑撥。

「眞不好意思，我打牌有個牌氣，見碰要碰，見槓要槓，我只想到開槓有槓頭開花的希望，却未想到桑先生要吃包子。」卞太太和了大辣子，喜上眉梢，躊躇滿志溢於言表。

「算不了什麼，我打牌常常吃包子，又不是第一次。打麻將是與衆同樂，卞太太和出大三元能高興，我也就高興了。」喬治桑很瀟灑，包了大牌，面不改色。

「哎呀，不來了，你打牌是爲了討好別人，這個邏輯我可不懂。我們打的是十三張，又不是台灣的十六張，你吃包子是活該，可不許你亂出銃，讓城門失火池魚遭殃。」裘太太半開玩笑地向喬治桑提出抗議。

「我倒認爲桑先生的牌打得相當好，現在麻將不能打扣張，打牌是輸牌不輸理，包牌並沒有什麼稀奇。」華太太是新孀，說話不多，這次却發表了她的高見。

「華太太說得對，我完全同意。」喬治桑說完，喊聲碰，和了一副小和。

「我現在才知道，桑博士是小兒科。你剛剛包了一副大三元，現在和屁和有什麼用。」現在看牌的裘白瓊對喬治桑有微詞。

「你懂什麼，包了大牌必須和兩牌，手風才不會倒下去。有女客在座，什麼屁和不屁和的，眞不雅。廣東人叫鷄和要文雅多了。」喬治桑不願自居爲「小兒科」，故說出一番理論。大凡打牌的人都喜歡別人稱他爲「大作家」，認爲如此才夠氣派，「小兒科」者，變成黃鼠狼泥鰍，小手小腳矣。

「好了，好了，我不和你辯論，打牌講究狠勁，大家拚命做牌才有意思，才有藝術氣氛。」裘白瓊不甘示弱，似乎也有他的道理。

喬治桑打牌有個習慣，喜歡哼皮簧。現在，低低唱起「秋胡戲妻」來。「……大嫂好比花開放，卑人好比採花郎，桑園之內無人望，作一個織女配牛郎……」

「桑先生，你對於平劇倒很有研究？」卞太太問喬治桑。

「從前也玩過一陣子，現在荒疏已久了。」喬治桑說完，端起茶杯喝了一口茶。

「我最喜歡平劇，過去在上海聽，梅蘭芳、程硯秋一來，我一定去聽，可惜現在聽不到好戲了。」卞太太夾着一支香烟，蘭花指翹得很優美，很像戲台上花旦的手勢。

「對了，我想起來了，我在上海申社票房過見過妳，妳的青衣學梅派，唱得很不錯。」喬治桑忽然提起往事。

「桑先生，你的記性眞好，我以前在上海常到申社玩。我唱過一次義務戲，是三堂會審。玩票眞不簡單，花錢還在其次，唱完了，眞正累死人。」卞太太提起當年往事，談鋒很健。

「妳早不說，早知道妳的拿手戲是三堂會審，今天我不會替妳排三娘教子了。」裘白瓊一語雙關，指的是牌局。

「三堂會審我也學過，」喬治桑炫耀他無所不能的才華。

「桑先生也會這齣戲？」

「我學的是小生。唱並不難，難的是幾種笑法，我學來學去覺得學不好，所以這齣戲我始終沒有露過面。」喬治桑談戲也好像很內行的樣子。

（未完）

台北傳奇錄

（三六）

陳光棣

「凡是沒有吃過共產黨苦頭的人，都會先上他們的當」！劉二爺惋惜的說：「共匪盤據了大陸不到半年，就在韓國發動了戰爭，繼之是越南戰爭，你看看，這一連串的錯誤，造成了多大的災害」！

「羅斯福地下有知，看到美國子弟在越南戰場上流血，一定很難過」。

「所以說：有的人犯了錯誤，不過是影響自己的成敗，有的人犯了錯誤，可就關乎整個人類的命運了」。

「眞是可怕」！

「妳看看，我現在就犯了錯誤」！

「怎麼，沒有哇」！

「爲了一個小話題，扯了這麼遠，都是因爲一時的衝動，容易衝動就是錯誤」。

「這也不算錯誤，我還眞想聽聽這些事情」。

「姓錢的小夥子眞是無妄之災，明天我還要去看看他！他的父母急的不得了」。

「何必再去招惹他」？劉太太感情很複雜。

「不知道爲什麼，我總覺得有點歉意」。劉二爺一拍大腿：「還有撞了人就跑的那小子，我一定要去找他，這年月的人，怎麼這樣不講道德」！

「這種人眞可惡」！劉太太鼓着嘴：「你怎麼不通知派出所」？

「我有我的處理方式」：「走吧，時候不早啦，也不要再燒菜啦，咱們去照顧照顧老師吧」！

「眞的，都快十二點了，我眞是笨，把燒菜的事都忘光了，好吧，出去吃一頓也好」。

步成材離開了劉家，先掏出鈔票來數了數，不多不少整整的兩千元，他先到滷味店切了一大包滷味，再買上兩瓶紹興酒，然後搭着計程車到了馬寡婦家。

「喂！」步成材敲着門：「開門，開門」！

馬寡婦開條門縫先罵人：「幹什麼這麼急吼吼的，報喪哪」！

「請妳喝酒」！步成材擠進去：「妳看看，這是滷菜，有燻鷄，妳最喜歡吃的」。

「你到那兒去打悶棍，搶來的錢哪」？

「別胡說，今天老頭子孝敬了兩千塊錢，正好咱們兩個人樂嗬樂嗬」！

「你作夢！誰跟你樂嗬樂嗬」？

兩個人，喝着酒吃着菜，嘰嘰喳喳的商量着壞主意，首先決定散佈流言，劉二太太和錢慕辰有一手，而劉二爺僱凶手打算撞死錢慕辰；錢家的人揚言要報復；劉二爺作股票又蝕光了老本，如此這般，可以造成人們的錯覺，之後，才是找個好日子，由步成材下手，至於如何把劉二爺的財物弄到手，馬寡婦也有了錦囊妙計，不過她不肯告訴步成材，理由是天機不可洩露。

從張韻淑嗜賭說起

·文匯樓主·

台北杭州南路火窟雙屍命案主角張韻淑與武漢大旅社姚家薦命案一干人犯，在刑求到底不供不休的壓力下，均定了罪，均不一定有罪，羈押很多年，有老死在獄中，有的受不了折磨而死，眞是慘極人間。

據說張韻淑為嗜賭而遭此橫禍，姚家薦也是因賭而活不下去，連累了這麼多的人。姚案主犯是一個黃姓警官，平日太兇的關係，可以營救他的親友都裹足不前。姚案的自殺與他殺迄今未弄清楚，就司法界來說，是一個灰點，望清白的學人部長查良鑑能把該案澄清。

兩件兇案，歸根究底都壞在賭。抗戰期間第九戰區司令長官兼湖南省政府主席薛岳，曾下令「賭博者死」因打麻將而被處死刑的相當多，偶聽之下似嫌過嚴，但用死刑去戒賭又未嘗不是對的。張韻淑因嗜賭險遭殺身之禍，姚家薦自己殺自己是為了賭博，且連累了二十幾個人，於今感到薛岳主張似乎未錯。

我們今天想談賭博之為害，并非討論張案或姚案，有關他們是否殺人，或刑求逼供承認殺人，都不在本篇討論之內，樓主雖不舉雙手[illegible]持薛岳「賭博者死」，但主張要嚴[illegible]賭，因賭博的人習慣上沒有品格，久賭神仙輸，輸了必打壞主意，乃無疑問，樓主有幼年總角交某君，房地衣物幾乎賭光，有一天驀然駕臨舍間，囑求樓主打一張五千元新台幣借條，說是在太太面前過關用的，第二天原條退還，至於葫蘆賣的甚麼藥，也未加深究，只認為從小在一齊長大的朋友，不會出甚麼亂子，未料條子拿去後即不再見，等一個時間果有一位不速之客，似還帶了兩個打手型的人物，與電影銀幕上化裝的壞人沒有兩樣，進門就問某某人在不在？樓主雖未做過虧心事，猝不及防，到很怕鬼敲門，經詢明後始知來龍去脈，打官司最怕陷入死角，人世間有黑天寃枉的事，秀才遇到兵有理說不清了，遇到流氓有憑有據，經過幾分鐘的思索，用新台幣五千元，上了人生最寶貴的一課，當作檢到莫大便宜，心情反平靜下來。

有關賭博的傾家蕩產，及賭與嫖烟毒酒四位一體，盡人皆知，毋庸多贅，樓主積三十年創業經驗，為官創業好賭的人不可用，居家處世好賭的朋友不可交，選對象好賭的小姐敬而遠之，好賭的太太最好能像從前習慣，列為七出之一，如果不相信，張韻淑就是一面最好的鏡子。

傳記春秋

黃公度之得意與殺身（下）

諸葛文侯

就是說某部隊紀律廢敗，騷擾民間，或謂某部隊訓練疏懈，毫無作戰能力，再則報告某些部隊長官生活腐爛，嫖賭吃喝樣樣齊。這類通訊文字公開散佈，在黃公度的意思，認為祇是有則改之，無則加勉的參考資料，上峯並不視為獎懲根據，實則無關宏旨的。但各個部隊長官認為關係重大，因為「通訊社」的正副社長就是最高統帥李、白，他們當然看到這類文字，即間接影響部隊長官的前程，豈可等閒視之乎！然恍於制度關係，又不能如一般報紙的辦法，請求更正，滿腹怨氣，皆叢集於黃公度一人之身，敢怒而不敢言。此外尚有一事，使桂軍大將廖磊憤憤不平。當廖氏率部駐防柳州，兼任當地警備司令時，曾破獲在柳州潛伏着的一個外來的特務機構，這件事係黃公度主持，但始終未給廖氏知道，廖認為如此重大而與軍事暨治安攸關的事情，竟不讓他聞悉，未免太可惡了。黃公度專橫跋扈如斯，是可忍，孰不可忍？這些就是黃氏招禍的主要因素，他把廣西的高級將領盡得罪了！

由於黃氏平日對人接物的反常態度與作風，一般政客官僚，對他更多反感，甚至於在他直接指握之下的黨政方面工作人員，亦皆面諛腹非，諸多怨望，但他自己覺得問心無愧，滿不在乎。到了民國二十五年秋間，兩廣自主問題宣告消除，國家統一局面實現，李宗仁白崇禧表示一致對外禦侮時，桂省內部一些人士，仍不贊成歸順中央，黃公度亦係其中之一分子，然未便立異，他請假到香港暫住。當時中央方面有鄭介民劉健羣二人，曾在廣州約晤黃氏，請他赴南京工作，他未同意。繼而桂省破獲了幾個共黨地下組織，捉拿若干人犯，這些共產黨徒在審訊時，皆異口同聲否認自己是共黨，詭稱為「托派」，且與黃公度秘書何作柏有聯絡，足資證明。李宗仁震怒，即將何作柏逮捕究問，黃公度不便說甚末，聽候依法處理，然因此而黃氏的托派嫌疑更重了。同時為此案拘究的文武中下級幹部亦有數十人，始終找不到證據，首要份子何作柏，由其太太請求潘宜之說情，旋予省釋了，但本案依然未解決，於是，宗仁乃命住在香港的黃公度回來料理一切。黃氏於民國二十六年春回到桂林，未幾，「七、七」事變發作，李、白對中央表示全力抗戰，桂軍率先北上効命。這時桂軍高級將領一致向李、白表示，托派份子黃公度居心叵測，倘任其仍在桂林担負政治職位，將來何不知發生等意外事情，若不予以懲處，他們即不放心北上抗戰，大有不辦黃公度即不願出征之勢，而平素對黃氏不滿，又係李、白左右的親信政客如邱昌渭、潘宜之等，亦乘機報復，主張嚴究黃氏，免貽大患。宗仁為安定內部人心，乃將黃氏繫獄，組織軍法會審，親自訊問。黃在應訊時，態度從容，首先說道：「本人平日喜讀金聖歎批註的小說，其中常有『不亦快哉』的評語。今天我能在自己長官面前，陳述我在廣西服務的經過事實，眞是不亦快哉。」繼續供說道：「本人最大的缺失，就是作事太過慎密，未能將自己綰領的業務計劃，使我的幹部全盤瞭解，以致產生許多錯誤的作風，敗壞事情。」此時陪審員潘宜之揚聲插言曰：「公度，你這話太不成體統了！祇有李、白兩位長官，才有我輩這些幹部，你怎末可以擁有幹部呢？聽你此言，就可見你雄心勃勃，頗有大志啊！」宗仁聞潘言，臉色突變，若有所思，對黃氏往後的陳述，亦不樂傾聽了。旋以「勾結共諜，圖謀叛亂」的罪讞，將黃氏槍斃了事。黃死後，所有因本案被拘究的人，一律釋放，照樣任用，且多升級晉秩的，如果黃氏眞有勾結共諜謀叛的事實，這般從犯豈能毫無處分，而信任如故嗎？

黃公度的本質原不適宜於搞政治，而其作風又只是學習共產黨那套章法，跟中國傳統文化與習俗格格不入，其失敗乃勢所必至，理有固然，但以叛國罪名而終膺顯戮，可謂不虞之禍。這證明政治生活原係陰險卑劣的勾當，沒有是非可言，今天是功臣，明天就變成罪犯，成王敗寇，歷史早有定論，如黃公度者，何足道哉！（完）

成語選粹 (23)

李國良輯

靑天白日

韓愈答崔羣書：「靑天白日，奴隸亦知其淸明。」朱子全書諸子：「若孟子則如靑天白日，無垢可洗，無可棄。」—世以「靑天白日」喻淸明之象。

老子（三）

·張起鈞·

老子覺得人人都追求幸福，但怎樣眞正的幸福？怎樣才能追求眞正的幸福？卻很少人知道。

一般人往往把一生的幸福寄託在物質上。以為物質上如果能得到充分的滿足便是幸福。事實上，物質所能供給只是感官的享受。而感官的滿足，容易麻木。眼睛看久了，便感覺厭煩；嘴巴吃多了，便感覺噁心；耳朵聽慣了，便感覺陳舊；於是只得在物質上變換花樣，層層翻新。同是一件衣服，有高領、有短袖、有彩裙、有旗袍；同是一種食物，有生炒、有油炸，還要加上醬油、味精、辣醬、香菜；同是一種住室，有亭台樓閣、有洋房花園、有專門的設計；同是一種交通，有慢車快車、有柴油車、還有飛機。雖然都是衣食住行的滿足，而滿足的方式卻變幻無窮：新還要更新，香還要更香，快還要更快，舒服還要更舒服，永遠的變換，永遠的追求，可是卻永遠的得不到滿足。等到感官的刺激到達了某個程度，感覺便完全麻木了，所以他說：「五色令人目盲，五音令人耳聾，五味令人口爽。」跑進了五光十色的商場，只令人頭暈；聽到鼓樂喧天的鳴奏，只令人振耳欲聾；吃慣山珍海味，只令人倒盡胃口。

老子深深的感觸到這點，因此他覺得向外追求，永遠得不到滿足，唯有向內追求，才是幸福的法門。就拿貧富來說，它們的關係是相對的。一個不知足的富翁，比一個知足的乞丐還要窮。所以他認為你如果知道滿足，你便永遠不會感覺匱乏，這完全是一個心理的作用。老子所追求的眞正幸福，就在於這個方寸的心中。你必須保持這顆心的平息無波，不為外物所干擾；那末外界的刺激與你的心絕緣，你便無憂無慮，心廣體胖，恬然自得其樂了。

然而怎樣才能保持這顆心，不為外物所干擾呢？要達到這種功夫，必須對外界的一切有透徹的認識，尤其把握住事物演變的關鍵。

老子覺得一般人看事物都是膚淺的表面的、單線的；而沒有看進事物深的一層，另一面、以及相反相成的道理。他說：「別人回答你一聲『唯』，與敷衍的『阿』，其間究竟相差多少？同樣，人們常常提到的善與惡，其間究竟有什麼分別呢？」非但「唯」、「阿」、「善」、「惡」是如此，世間上一切的事物都是如此。究竟怎樣才算「高」，怎樣才算「下」，怎樣才算「長」、「短」、「前」、「後」、「難」、「易」，誰都無法肯定的答覆，因為這些都是憑感受來判斷的。而人們對外物的感受，都是相對性的。

這些相對性的事物，給予人們的第一個印象，它們的關係是相反的。「高」就是絕對的「高」，「下」就是絕對的「下」，它們是完全不同的，所以大家都一股勁的趨高避下。如果我們稍進一步分析，便發現它們的關係是對立的。沒有「下」，就顯不出「高」；唯其愈「下」，便顯得愈「高」。如果我們再透過智慧來看這些相對性的事物，非但是「相反」，而且是「相成」；非但是「對立」，而且是「互變」的。

他說：「禍兮福之所倚，福兮禍之所伏」。在表面上看，禍就是禍，福就是福。如果用智慧來理解，禍的本身也含有福的因子；而福的本身也含有禍的因子，所謂「失敗為成功之母」，所謂「多難興邦」。（四）

安徽十三傑

巨變歷險記！

丁博士非常感激這最後一次車的長官，更感激的是他向博士垂涕以告余程萬眞的投降盧漢了。丁博士眞的要去看他！不管去給他送十萬大頭。假若丁博士要逃的話，這位長官還願意幫忙脫險。他對丁博士說他決不畏死，去管丁博士的頭，他願意保護丁博士。丁博士不能不信，但丁博士又不願信。他除了感激這位長官外，他還是決定去冒險犯難。不入虎穴，焉得虎子，丁博士還是去了，丁博士還是到了宜良。

這是夜裏十二點半了。十二月的天氣還是很冷的。滿天星斗，照着丁博士，望着丁博士，悄悄的到了廿六軍軍部余程萬和彭佐熙軍長副軍長所在的地方。這是一所小學，洋式大門，有衛兵把門口。余軍長彭副軍長就在對面的樓上。從門外可以清楚的看見余軍長的房間和彭副軍長的房間。如豆的燈光，都還沒有熄。但站在下邊冷得很。傳令兵去了，但總不見回來。丁博士乾在大門外，在寒夜，在冷風刺骨的天氣中，走來走去，走去走來，在等待，在急急的等待，但還是沒有消息。丁博士在想，長官之言，恐怕中矣？那才眞是死無葬身之地……可憐的丁博士，已入了虎穴，只有與虎搏鬥了！是不是皇天不負苦心人，是不是天無絕人之路，忽然聽見余軍長的門在響，接着就是余軍長的聲音，余軍長很親切的聲音：「博士！博士……對不住對不住……請請請……隨着就是樓梯聲……余軍長下來了，他很親切的握手，拉着上樓。在樓梯上又碰見彭副軍長。彭副軍長態度更親切。

深入虎穴

（一一零）　胡慶普

丁博士先到余軍長的房間，後到彭副軍長的房間。與余軍長先談個大概。余軍長先安丁博士的心，他笑着說：我余程萬決不要盧漢的十萬大頭。但對於再攻昆明，但期期以爲不可。關於不可的理由，余軍長自有他的一套。他說大勢已去了，再無挽回之餘地了。士兵沒法再驅向前線。彈藥的補給，金錢的補給，在在都是問題。現在向那里去要子彈？向那里去要錢？但丁博士還是期期不捨的苦勸苦說。最後他請明天再談。丁博士後又到彭副軍長的小屋。室之所以小，因只能容納一張小牀一個小櫈一張小桌。燃的洋燭。燈光搖曳作姿；令人神往。「休息吧！明天再談」？丁博士睡在彭副軍長的一個房間。

這已經是下雨點的樣子了。除了天上的星星，再也沒有一點點的光亮。好可怕，好陰森啊！丁博士在念天地之悠悠，感謝余軍長彭副軍長的友誼，他累了一天幾乎又一夜，精神雖然好，但已經是不支了。他在夢寐之中，他還計劃着再攻昆明。這是可能的，這是必要的不入虎穴，焉得虎子！現在入了虎穴，還怕虎子得不到嗎……。

紅樓人物　賈探春

蕭綾錦

紅樓夢中列有姓名的女子，上下數十人。賈探春便是其中的翹楚。她閨房佈置，因性喜闊朗，所以三間屋子並不曾隔斷。當地放着一張花梨大理石大案，案上堆着各種名人法帖，並數十方寶硯，各色筆筒，筆海內插的筆，如樹林一般；那一邊設着斗大一個汝窰花囊，插着滿滿的一囊水晶球的白菊。當中掛着米襄陽烟雨圖，左右掛着一副對聯，乃是顏魯公墨跡。案上設着大鼎，左邊紫檀架上放着一個大官窰的大盤，盤內盛着數十個嬌黃玲瓏大佛手；右邊洋漆架上懸着一個白玉比目磬，旁邊掛着小槌。看她房裏的佈置，便知道她是一位高雅豪爽，有見識有氣魄的才女。她的文學，雖然趕不上林史薛三人，但是書法頗佳，她曾替寶玉代書，用向父親塞責的楷書。她非常聰明，她有見識，她洞悉家庭驕奢腐敗，必趨崩潰，所以於助理家事的時候，想出許多興利除弊的方法，專把寶玉鳳姐的事作法，不枉私；不畏勢。王熙鳳機靈萬分，能幹手腕，而又好勝要強，但對於這位三姑娘，卻要退讓三分。她告訴平兒說：……三姑娘心裏，事事明白，不過言語謹愼，她又比我知書識字，更利害一層了。……倘或她要駁我的事，你可別分辯，你只越恭敬，越說駁的是纔好。她認爲探春賈環是一個娘肚子裏跑出天懸地隔的兩個人來。又林姑娘和寶姑娘倒好，偏又都是親戚，又不好管咱們家務事，況且一個是美人燈兒，風吹吹就壞了；一個是拿定了主意，不干己事不張口，一問三搖頭不知。這樣的評語，確很恰當。鳳姐平日，除了奉承老太太和敷衍王夫人外，任何人都不放在眼裏，她是居尊好強，獨於三姑娘面前，甘拜下風，可見探春的才能，足已折服她的心理。寧榮兩府，賈母賈赦賈珍以下，都是糊塗虫，只知安享尊榮，盡情享樂，好像尼祿皇帝，羅馬大火焚焚的時候，還在奏琴取樂。賈家的人們，亦復如是，不知燕巢飛幕，傾覆即在目前了。惟有探春眼光深銳，內心隱憂。可惜她是一個姑娘，無法發展她的才能，而匡救這個行將傾覆的家庭了。

探春說倒不如小戶人家，雖然寒素些，倒是天天娘兒們歡天喜地，大家快樂，我們這樣人家，人都看着我們，不知千金萬金，何等快樂，殊不知這裏說不出的煩難更利害。又說咱們倒是一家子親骨肉呢，一個個不像烏眼鷄似的，恨不得你吃了我；我吃了你。她雖是一位年輕的千金小姐，却深悉人與人的煩難，和大家庭的黑暗。紅樓夢實是一部醒世小說，作者用客觀的態度，刻劃出各人的苦惱；無論富貴窮通，總不能逃出這個人間苦海。抄檢大觀園時，她非常氣憤傷心，知道一家的失敗，完全是自殺自滅，這是一種醜行，是敗落的先聲。王善保家的，依恃邢夫人的陪房地位，居然作威作福，使探春無法忍受，只得給以一掌，她這一掌，不但替自己出氣，還給晴雯這些人很大的快慰，鳳姐亦爲稱心。這一節目，顯示探春的勇敢果決，表明王夫人的無知，更決了司棋的命運，又刻劃出迎春的庸懦。惜繡春囊一物，引出多少寫作材料啊！她知道家道不祥，後繼無人，雖然日日愁悶，但獨木不能支大廈，何况她在家庭的地位，不能算是一木呢？縱然私心憂慮，亦無法挽救頹局，迄至一敗塗地不可收拾了。

探春和寶釵寶玉黛玉，同在大觀園中居住，對於寶黛兩人的關係和各人的性情，非常明瞭，她不能參加意見，亦無法諫阻他們姻事的進行，她是未出閣的姑娘，亦不便有所表示，結果寶姐姐變成了二嫂子，她心裏不以爲然。當他們舉行婚禮的時候，她不去參加熱鬧，博賈母王夫人的歡心，而悄悄的走向瀟湘館去，黛玉氣絕的時候，只有探春紫鵑在旁。她明白眞理，同情可憐人。不然瀕死的孤女，還有人去看望嗎？單憑這一行動，已經表示了探春高貴的品格了。姊妹們星散之後，大觀園冷落之日，寶釵寶玉結婚了，這時的探春，應該和寶釵相依，時相過從，談詩論事，消閒歲月，更爲親密纔對，但探春對於百計營求的二嫂子，早存鄙視的意思了，她的心目中，好像寶姐姐回家去住了，二哥哥亦沒有成家。她從沒有和寶釵交談細論，反較從前更爲疏遠。她將要遠嫁的時候，嘔了趙姨娘的氣，她傷心掉淚，坐了一回，悶悶的走到寶玉這邊來，寶玉趁便問了一點黛玉臨死的情形，亦就走開了，她將要起身只向寶玉告辭，對於寶釵毫無表示。不知係作者疏忽？還是探春爲黛玉而恨寶釵呢？探春不特剛毅果決，識見高超，而且溫柔和順，待人接物，處處中肯，所以長輩疼她，平輩愛她，丫頭們又都敬畏她。她非常好勝要強，但最使她傷心的，她的生母是愚蠢得可憐的趙姨娘，出身微賤，又不安份，時時給她氣惱。封建時代，主子奴才，地位懸殊，趙國基要跟賈環上學，精明能幹的三姑娘，怎肯認趙國基作舅舅呢。

生活漫談

藥用黑芝蔴，據近世營養家化驗報告，其中所含有的脂肪質，蛋白質，鈣質，磷質，及少量的鐵質，吃了可以潤燥補腎，營養強壯，神農本草，隨息居食譜，及本草綱目，都有記載，中醫用以入藥歷史亦很悠久。黑芝蔴納入豬小腸清燉，可補中益氣，滑潤大便；製成糊，可以潤燥利尿，黑芝蔴與炒米粉和糖拌爲兒童點心能通暢大便。婦人頭髮灰白，和男子中年白髮，可用黑芝蔴與何首烏各半，每晚一飯碗，半年後白髮轉灰，灰的復黑，舊時日本婦女愛梳雲髻，力避白髮，梳粧時，均用黑芝蔴製成的油，據考據可以防止白髮。

長沙人寶清甜蓮子紅棗桂元糯米稀飯，火車到長沙的時候，旅客很少不吃一碗的，其實這種很長頭銜的糯米稀飯，夏天吃了，確對人體有助。所謂清甜，就是用荷葉熬水，荷葉內含維生素及荷蓮鹼很多，可消暑，化熱，治血淋，補脾虛。蓮子爲滋養強壯劑，治慢性腸炎及神經衰弱，遺精失眠等有效。紅棗甘溫，益氣，滋脾，潤肺，生津液，悅顏色，通九竅，和百藥之效，有粘液酸爲鎮咳藥及緩和諸藥之刺激，其作用類似甘草。桂元能治健忘之神經性心悸亢進，神經弱引起之失眠，爲滋養強壯藥，久食可增進智慧。糯米縮小便，止盜汗，補脾肺，堅大便，有這麼多營養品煮成的飯，家庭能常常吃，必少服藥。

介紹幾種清淡食物

酸辣湯，是用木耳，鷄蛋，豬血，製成的酸辣湯，神農本草只載木耳，未分出黑白，其功用大體相同，白木耳之被人視爲寶貝者，乃物以少爲貴，其成份化驗的結果，並沒有一般形容的那麼好，和黑木耳一樣，治肺熱，補腦強心，益氣和血。鷄蛋的營養成份，不必多介紹，只看一點，先將鷄蛋留在一定的溫度裏，二十一天可跑出小鷄，而鷄出世就能和老鷄吃同樣的飼料，其先天的營養可以推想。至於猪血，著者想假國父孫中山先生在建國大綱裏一段話，說明猪血的價值，「吾住在粵垣，曾見有西人鄙中國人飯猪血，以爲粗惡野蠻者，而今醫學衛生家研究而得者則猪血含鐵質獨多，爲補身之無上品，凡病後一切血薄症之人，往時多以血所涵之鐵，爲有機體之鐵，較之無機體之煉化鐵劑，尤爲適宜人之身體，故猪血之爲食品，有病之人食之固可以補身，而無病之人食之亦可以益體，而中國人食之，不特不爲粗惡野蠻，且極合於科學衛生」，猪血之有益，等於孫中山先生發了證明書。臟物之中有殊品，大家爲甚麼不吃呢？

經濟化痰飲料，香蕉功能甘凉，潤腸，清痰火，用香蕉皮熬火畧加黑糖治傷風咳嗽。（客家人傳方）老人，小孩，肸人，最易痰聚湧塞，引起氣管炎及腸胃病，再嚴重一點的話，發生痰核，痰塊，痰瘤，痰毒等症，（也稱作慢性淋巴腺發炎）中醫治這類的病，多用猴子棗，眞馬寶，川貝母之類，非薪水階級的人所能負担，著者根據曾經編著醫書材料及實驗所得，提供一個經濟化痰的飲料：白天用靑果五個泡茶（靑果就是橄欖）當茶飲，晚飯後用海蜇頭三兩，馬蹄三兩（連皮搗碎），蘿蔔子三錢，萊服子三錢，一同熬水，（六百公撮煎到二百公撮），海蜇頭快煎到二百公撮時投下滬飲，不僅可以化痰爲水，且可使濃痰從大便拉出，小兒的用量酌減，如果遇到小孩子不喜歡吃藥，可以海蜇頭半磅，洗淨煮成熱湯，因海蜇遇熱就化爲水，吃時加蜂蜜及麻油少許，香滑可口，有痰多飲，沒有痰的話每週服二到四次，有益身心。

凡烟酒大帶吃得多的朋友，喉頭最易痰聲隆隆，在辦公室或者車船不好意思吐痰，有一部份痰湧到喉頭被壓迫進入食道，帶入胃裏，是很不衛生的，服靑果等或者海蜇，馬蹄等可化除，遇有頑痰，可加蘿蔔子，萊服子，患有哮喘的人，更多注意，在未喘前先化痰，可堵住輕微的哮喘不來，哮喘嚴重的話，那必須去請教醫生了。

第二章

金太祖建國稱帝
宋徽宗信任奸臣

劾里鉢所生十一子，唯第二子阿骨打沉毅有大志，劾里鉢臨終時對他三子盈哥說道：「汝之長兄烏雅東柔善，若辦集契丹事，阿骨打能之」，言畢逝世。

後盈哥傳位於烏雅東，兄終弟及，又傳位於阿骨打。阿骨打在位時期，値遼主延禧荒淫之時，不恤國政，每遣使臣向女眞索取名鷹海東青，女眞發甲馬侵占東北鄰近五部獲奇禽異獸以獻，不勝其擾，諸邊帥又徵求寶物，勒索無厭。女眞忍無可忍，乘機激勵士衆人民，一舉叛遼，集諸部兵馬二千五百人，於宋徽宗政和四年十月，一舉攻克遼之江州，擊敗遼軍於出河店，大勝遼軍。

宋徽宗政和五年正月一日，女眞完顏骨打乃正式稱帝，（金太祖）國號「金」。因爲遼以賓鐵爲號，取其堅硬，賓鐵雖堅，終必敗壞。阿骨打正强盛，屢敗遼兵，故以「金」爲不朽之物，而且其色白（白金），完顏亦尙白色，因取「金」爲國號。

於是建號立國，以其弟吳乞買爲諳班勃烈，（太弟）從兄撒改弟 也，爲國論勃極烈（皇兄）。金初設官甚簡，長官皆稱「勃極烈」，儲君號諳班勃極烈；忽魯卽國相，設左右二相。

又在同年同月，遼主遣使持國書曉諭金主阿骨打，投降，而金主阿骨打也要遼主向他投降，二國互爭雄長。

同年九月，金兵攻陷遼之黃龍府，（卽後來岳飛所稱「直搗黃龍府」之所）遼主下詔御駕親征，統領大軍號稱七十萬，渡過松花江，兩軍展開一場驚天動地的大會戰，正在打得難分難解之際，遼國的軍隊忽然開始動搖。原來遼國的後方發生了一次大叛亂，有一位將帥在上京叛變，佔據上京，發動政變。緊報傳到前方，遼主大驚，趕快傳令各軍收軍後退。金兵那裏罷休，乘勢追擊，一直追殺到護步答岡，將遼國軍隊殺得大敗。遼國這「紙老虎」竟爲之拆穿。

宋徽宗政和六年四月，金人又攻佔遼國東京州縣。先有一渤海人高永昌者，殺死遼東京留守蕭保先，入據遼陽，自號「大渤國皇帝」，遼主命蕭韓家奴、張琳二將討伐。高永昌便向金求援，共圖謀遼。但金主阿骨打是一個有雄才大畧的人，野心勃勃，只許高永昌東京附近之地，不得稱大號，如能歸欵，可授以王爵。高永昌不從其議。

岳飛　周燕謀

（五）

自由報

（第一○四九期）

（半旬刊每星期三、六版）

社長李鵬運・督印黃行寶

社址：香港九龍彌敦道593—601號 廖創興銀行大廈八樓五座

LIU CHONG HING BUILDING 7th FLOOR FLAT 5
593—601 NATHAN ROAD, KOWLOON, H.K.
TEL: K303831
電報掛號：7191

發展科學不能由少數人把持操縱

——從研究教授問題說起

·雷嘯岑·

中華民國政府創設的科學發展委員會，於去年十一月通過了一大批的「研究教授」人選，卻不肯把名單公佈出來，屢經輿論羣聲詰責，延到本年三月間，纔在報上刊出了一百七十二名的及格人士。筆者固不是學人，與研究教授事件無關。以中國知識份子而兼納稅人的立場，卻有權利批評這樁重大的文教措施。

按照該會法定的研究教授應該具備的條件，須有七年的學術研究資歷，且在近兩年內有著作發表者，纔算夠格。可是，我看榜上有名者袞袞諸公，有些人即不足以語此。例如在近三四十年來除卻編了一本初中公民課本（按：這本課本後因文字不通，內容惡劣，經國立編譯館明令廢止在案）之外，并無其他的學術性著作問世的先生，不特赫然躍居人文社會科學組研究教授之列，而且又是資格審查委員會的主任委員，這種自私自利而以下駟評判上駟人才的作風，是號稱爲學人的應有行爲嗎？不特此也，該會對於「國防研究院」——總統兼院長——所提的研究教授候選人，竟以聲請期限已過的理由，拒絕審查，殊堪驚詫！表面看來，該會好像辦事很認眞而科學化，一點也不馬虎；然該會的教授資格審查委員十一名卻全體及第，自己審定自己，何以昭大信於社會耶？不特此也，該會原來規定的研究教授資格中，列有「教學成績卓著」一項，因立法機關有所異議，即改爲「講座教授」了。這是文字遊戲，表現該會辦事并不認眞，更談不上科學精神，旨在因人設事，決非爲事擇人。孔子謂「古之學者爲己，今之學者爲人」，乃是就爲學之道而言，看看這次國家科學發展委員會處理「研究教授」問題的情形，似不愧爲「古之學者」——可惜他們不是爲着增進自己的學問，而是爭取自己的利益，孔聖人有知，必將喟然而歎曰：非吾徒也，小子鳴鼓而攻之！

過去政府設有「長期發展科學委員會」，它所羅致的科學人才究竟是那些人，始終秘而不宣，不悉其葫蘆裏賣的甚末藥？祇知該會規定每位學人的待遇爲按月最低台幣三千元，最高六千元。這項「國科會」核定的研究教授待遇，增加爲最低六千元，最高一萬二千元。我們很想明瞭「長科會」聘任的學人，與現在「國科會」核定的研究教授人選，是一而二呢？抑係二而一？應請該會將前後兩種名單一體公佈，藉明眞象，以釋羣疑。所謂研究教授者，顧名思義，應以平日埋頭鑽研學問，傳道授業，不預外務爲先決條件。然這次入選的研究教授中，卻有在學校担任行政事務如院長系主任之類的，似此「寧濫毋缺」的搞法，則今日僅在台灣各個大專學校作教職員，且有七年以上的研究工夫，又有著作刊行者，爲數亦不下千人，然他們多在擯棄向隅之列，連副教授亦無份，這大概是他們的「人事關係」不夠，或者派系因緣缺乏吧！

發展科學是關係國家生命，人民生活和社會生計的大事業，既不宜潦草從事，更不能任由少數人把持操縱，上下其手，掮着學人的招牌，爲所欲爲，甚至對最高當局尊崇地位悍然抹煞不顧。

「國科會」對國防研究院提名的一個研究教授候選人，亦束之高閣，難道這便是所謂學人立身行己的應有風格嗎？若以此爲表現民主精神，那便是胡扯，民主政治是要講理性的，決不是矯情作狀。當民國十六年國民革命政府奠都南京時，怵於全國教育界除卻革命策源地廣州一隅而外，多由少數特權份子把持着，構成「學閥」惡勢力，窒息文教生機，因而提出「打倒學閥」的口號，繼之以行動——筆者亦爲此役中的一名小卒——而文教界氣象乃爲之一新，如號稱「東南學閥」的黃炎培之流，即銷聲匿迹，不復爲患了！咱們革命到今日，萬不能將時代齒輪向後倒退，又讓學閥的僵屍復活，假藉地位權力，營私舞弊，肆忌憚。

政府當局近來盛倡革新庶政之說，這是適合時代要求的事。要想革新庶政，千言萬語，人才第一。革新的方案縱多，構想也切合事實，若不得其人而切實施行，仍屬空談而已。

我們認爲革新庶政的基本工作，須從教育入手，希望政府於教育界的人事進退，改取新的政策，注意於通才與專才的器使。譬如大學教授應使專才承其乏，而大學校長的職責是在處理行政事宜，卻非通才不可。執此義以衡量現時教育界的人事狀況，有些國立大學校長與教育行政首長即有調整革新之必要。他們雖然學有專長，以之担任教師則可，作校長或教育行政首長，卻非所宜，因爲他們缺乏通才的素質，一副獃子的專才頭腦，并無處理行政事宜的智能，試觀過去以科學專家出任政務官的人士，濫竽政壇多年而政多端，成績毫無的事實，即其顯著的例證。再看國立大學校長中，凡屬理工科出身的，對校務多搞得一團糟，甚且措置乖方，笑話百出，而以台北某國立最高學府之暮氣沉沉，及其附屬機構之腐敗現象，尤爲有口皆「悲」，令人聞之喪氣，見之愴懷。若夫國家科學發展委員會的職責，固屬專門性質，然日常會務仍係普通行政事項，實際負責主持會務的人，亦非通才即難勝任愉快。他們處理日常事務之所以捉襟見肘，百端叢脞，非不爲也，是不能也。西方著名的科學家如愛因斯坦等，從未涉足於行政機構，幹過一官半職，否則美國的原子彈即沒法優先發明，獲得二次世界大戰勝利，而躍居世界盟主地位。這便是通才與專才的職務分類關係所在，器使得宜，則有人盡其才的效用可期，不可不察也。

政治上的派系觀念，適所以阻遏人才，敗壞政務，一無是處，然其流弊常係及身而止。文化教育界的小圈子主義如果盛行，貽害即不堪設想。曠觀史乘，每逢國運迍邅，時勢艱危之際，知識界的派系門戶之見即越深，爲之首倡者，又多屬當日之所謂學人，宋代的洛、蜀派系，明代的東林，復社門爭，都是當時著名的學人領導起來的，結果除了傾覆社稷，貽譏後世外，一無可取。目前吾國教育界的派系觀念，不亞於洛、蜀與東林，復社情形，而其作祟的程度，視政府在大陸時期尤甚，我們冷眼旁觀，不禁怵目驚心，繞室彷徨，切望政府當局注意及此，予以消弭，而其方法即在調整人事，打破門戶之見，對於聲名狼藉的派系人物，屏諸四夷，永不錄用，雖矯枉過正，亦所不惜。值茲國難嚴重階段，咱們全體國民一心一德，羣策羣力，以期光復中原，還我河山，猶恐不克濟事；若再許容不顧死活的派系份子，竊據國家名器，植黨營私，害政敗俗，且又禍延後代，實不勝其慄慄危懼，我們乃敢不憚直率陳詞如此，但求心所之安，毀譽不暇計及也。

（完）

昨日與明日

莊嚴的表示

——向本港黃埔同學會致敬——

甲午戰後，我們忍痛割台，引起多少流血飲恨的壯烈事蹟。尤其台灣的志士爲了不甘降敵，眞是前赴後擁的與敵搏鬥！可歌可泣的殺身成仁；而更有不少志士，離家背井，遠赴祖國從事匡復工作。

抗戰的口號喊響了，全國軍民八年浴血的抗戰，終於煎雪國恥，獲得勝利，而把失去的台灣故土光復。那時全國上下是如何的歡欣鼓舞，尤其台灣的同胞，經過五十年的寄人籬下，受人宰割，一旦回到祖國的懷抱中，心中是如何的高興。猶記當年一省上下熱烈歡迎國軍接收的瘋狂熱情，大家不分老少熱烈的學國語，一致拒絕日本話。情緒是多麼高漲，其後雖因接收人員的措置失當，小有不快，但隨即政府遷來台灣，銳意革新，從事建設。造成今天台灣家給人足的作風，八年浴血，也更有無數的辛酸。而這件事可引爲唯一的安慰。

不料近些年來竟有野心家策動少數喪心病狂之徒，妄稱什麼「台獨運動」。試問在二十世紀七十年代的今天，台灣怎麼構成獨立國的條件。何況四週都是險惡的勢力在覬伺。因此明眼人全知道這是那幕後策動者的不擇手段的陰惡陰謀，如其聽任這種陰謀推行，試問如何對得起八年浴血抗戰的將士，如何對得起當年喋血抗敵的台灣志士。

但令人遺憾的是我們政府竟然爲了某種顧慮，而不便對這一事件採取明顯應有的措施，或表示明顯應有的立場。甚至諱莫如深，不敢提起。我們也知道政府有許多牽一髮動全身的考慮，所謂投鼠忌器是也；但過分的軟弱，不僅使同胞沮喪，並且更助長覬伺者的兇焰邪念。

現在本港的黃埔同學會說話了，他們發宣言對這事表示嚴正的態度，尤其對幕後的策動者予以義正詞嚴的指責。這一宣言究竟能有什麼作用，很難估計，但至少是告訴世人：「無謂秦無人」，中國還有血氣的男兒。何況是付出血的代價的黃埔同學呢。我們謹於此致無限的敬意。

·成公·

自由談

談民意代表休職法

馬五先生

報載：中華民國立法機關有人倡議訂立一項「民意代表休職法」，以濟時勢之窮，這是頗可玩味的問題。

民選的民意代表原係有任期的，屆時依法改選，得連任，無所謂「休致」也。

可是，現有的中央級三種民意代表，任期早已屆滿了，因爲國難嚴重的關係，事實上無從進行改選事宜，而由大法官決議延長任期，以待政府恢復中原後，再由全民予以改選。這是非常措施，固屬非得已，然亦有其不容忽視的潛在困難，即各個民意代表任職已逾廿年，兩鬢皆白，行年多在六旬高齡以上了，再經若干歲月後，勢必凋零殆盡，碩果僅存者寥寥無幾，將有開會不成之日，如何得了呢？民意代表既無法向原來的選民聲明辭職，改選又不可能，救弊補偏，則由國家頒訂「休職法」，似屬可行。但有兩大問題必須同時設法解決。

一爲經由立法機關訂定「休職法」付諸實施，乃係違憲的，必須召集臨時國民代表大會，將此項法制列入憲法「臨時條款」中，纔說得過去。二爲聲請休職後的民意代表缺額，應如何補充？既不能由大陸上的各省市選民投票選舉，又不可僅就台澎金馬的各界民衆或地方議會從事改選工作。唯一補救之策，仍須由臨時國民代表大會創制，授權總統遴選後進的全國青壯年人士承其乏，庶幾乎可以維持其全國性的民意代表本質。

凡是適合休職年齡的民意代表，由政府給予一次休職金，其數額至少要使他能够頤養天年，不愁開門七件事。果若是，我想許多人皆樂於休致，在下就是雙手贊成，求之不得的一個啦！在我個人的意念中，作了二十多年的民意代表，自愧無補國計民生，實在有些厭倦，此後餘生能够安享來日苦少的清閒生活，不亦快哉！

這是區區私人不成熟的意見，聊向讀者擺擺龍門陣而已，對不對，無關宏旨。

我總認爲范文正所謂「先天下之憂而憂，後天下之樂而樂」說法，失之夸大，不切實際，你要憂國憂民，別人并不需要你來憂，那不是自作多情嗎？

「美亞報告」引起廣泛注視
我應乘機展開攻勢
改善中美外交關係
沉着謹愼以肆應當前局勢

（本來記者張健生台北通信）美國參議院國內安全小組委員會，於本年二月十五日公佈第二次世界大戰結束前夕有關美國對華外交政策及共諜問題的歷史文件兩卷，立即在全世界引起了廣泛的注意，特別是中華民國國民對「美亞報告」異常重視，輿論、政黨、國會都有反應，茲將立法委員對這項問題所提的質詢及行政院嚴院長等答復，報導如下：

立法委員謝仁釗質詢主張：「外交部應該將美亞報告全文翻譯贈送每一代表，人手一冊，讓人們都知道大陸的淪陷，是這批美國外交官所造成的外交失策，多麼可怕，更希望美國國會議員也人手一冊，認淸這種事件的嚴重性，美國不能重蹈覆轍，否則，東南亞都將斷送了。」

外交部政務次長楊西崑表示：「完全同意謝委員的寶貴意見。這不僅我國對此有興趣的人士需要人手一本，特別是負責或注意遠東或亞洲政策的美國人士，也應人手一本。」

劉振東委員質詢：「美亞報告」的發表，爲我國外交一大喜訊，數十年的冤枉，得以昭雪；數十年的是非，從此確定。有人主張我們應當乘機展開外交攻勢。處此重要外交關頭，我們欣幸之餘，應當抱持沉着謹愼態度，靜候中、美外交進一步的改善與更佳的發展。須知有些美國職業外交家之罪惡，不但殘破我國家，更且破壞美國之利益，但二十餘年來，彼等張爲幻，歪曲事實，在美國造成許多惡因惡果，而且矇蔽美國許多民衆，以致有親匪媚匪的姑息份子，如果我們於欣幸之際，稍涉矜張孟浪，必將召致姑息份子的反感，而發生不良之後果。「美亞報告」是美國國會的官文書，發表以後，自能澄淸是非，促進中美邦交，吾人應有遠見，應有偉大襟懷，更應有沉着態度，應師法我偉大的 總統。二十年前，美國國務院發表的「白皮書」，中外譁然，但我 總統態度沉着，處之以靜，僅說：「我政府對此白皮書保留發表意見之權利。」因此平安渡過難關，使中美關係，未再惡化。今天我們有此喜訊，我們的態度，也同樣要沉靜，以期待中美外交之進一步改善。中美外交，不止關係復國戡亂，更關係將來復國後之建國，我們必須將中美外交辦好，因此我們必須沉着，必須有遠見。（外交部用書面答復）

立法委員郭登敖質詢提出許多有關外交問題，他指出：「尼克森總統提出七十年代的外交政策咨文後，全世界的政治家，都在分析策劃，當然我們不能說美國將要從全世界撤退，而變成一個孤立主義的國家，可是國際上許多重大問題，可能會遷延更多的時日，因此我們反攻復國的大業，也會受其影響，而變成長期奮鬥的工作，這種可能性是很大的。我覺得行政院應就這一觀點對施政方針作詳細的考慮。一個國家要用長期奮鬥的方法，達到它復國的目的，必須重視經濟同政治的措施。第二次世界大戰後的西德同日本，因爲經濟建設的成功，不但在西方陣營內要回霸權，蘇聯也向他們頻送秋波。行政院最近逐漸重視經濟建設工作，而且有許多迅速的措施，我覺得這就是對七十年代動盪局勢最好的對策之一。其次在一個長期奮鬥的時期，很重要的是國內外國民的團結。政府年來在這方面已有很多的努力，但是仍然有許多不够的地方，也是事實。我覺得我們不能諱疾忌醫，要自我檢討，政府要切實負起團結海內外同胞的責任，方能經得起長時間的考驗，不知嚴院長曾經考慮過這個問題否？」

嚴院長答說：「我很欽佩郭委員提到的「長期」「長期奮鬥」的兩個字，要解決七十年代的問題，最好也能以長期的看法來看。郭委員在這裏提到政治經濟兩方面，我也認爲很對，但也有許多進展，有許多問題値得研究。關於政治方面，郭委員曾引用徐中齊委員所提的許多小問題，使人家誤解，累積的結果就成了大的不滿，我們不能因爲問題大而懼怕，也不能因爲問題小而忽略，無論甚麼問題，都要針對事實去做。我們中華民國最關心的，無疑的還是我們自己的前途……世界的變化對我有利，不必沾沾自喜；對我不利，也不必恐慌，只要自己站得住，就可以奮鬥出結果來。」

澄淸國際對我誤解
阻遏姑息主義陰謀
立委促請政府忠告美國
痛定思痛不要再蹈覆轍

立法委員鄧公玄主張：「我國似亦應將美方所有之有關資料加以整理，列爲詳實而客觀之類似「美亞報告」文件，如此證，則足使全世界人士徹底明瞭我國當時遭遇之困難與苦衷，之同情，以遏阻國際姑息主義之陰謀。不知政府以爲如何？是否有此打算否？」

外交部長魏道明答詢：「關於「美亞報告」發表之後，的確供給了我們很多的寶貴資料，使我們能正確的了解匪竊據大陸以前的一段史實。美國由於一些少數官員，企圖影響其本國的政策，破壞盟國間的合作，終於爲世界帶來了一連串的禍害，這是史無前例的。我國雖無類似的文件，但是戰前戰後一般重要文件，正在積極整理中，一俟整理就緒，再考慮發表的問題。」

立法委員何適說：「美亞報告揭露了二十年前美國對華錯誤政策的種種內幕，這正是美國當年姑息貽禍的佐證，經過二十年來無數次的教訓，美國朋友似乎應該痛定思痛，不要重蹈覆轍，然而從最近美國對匪的態度來看，卻使人意外的驚奇，美國一連串的行動，如放寬對匪禁運的限制，要減少第七艦隊在台灣海峽的巡邏，以及恢復美匪在華沙的大使級會議，這些都是在共匪之前退縮，甚而至是在共匪之前討好的作法。……本來，友邦的外交行動，我國是無權干涉的，可是美國的對匪行動，其對象爲我國的叛國僞政權，我們站在中華民國合法政府的立場，對於美國姑息共匪，是有權表示意見的，我希望外交當局，向美國政府歷陳利害，提出有力的忠告。」

外交部長魏道明答詢：「何委員對姑息主義之關切，大家都有同感；對共匪的侵略擴張的基本政策不變的看法，我們也完全一致。這些年來，共匪這種政策只是更加強暴，更加激進。姑息的論調也不是今天才有的，可以說是隨着共匪侵略而來的，共匪的擴張愈甚，姑息的氣氛也愈濃厚。由此看來，姑息不但不能絲毫改變匪的政策，反而助長其氣燄，加深世局的危機。我們對於這種姑息主義，一向是堅決反對的。」

立委吳望擐質詢指出：「我們看到美國參議會公布的「美亞文件」，指出當時毛匪如何欺騙美國人甚爲詳細，若干少數職業外交家和太平洋學會勾結共產黨徒，而造成亞洲禍亂，大陸失陷，韓戰、越戰的發生等，如此慘痛的教訓，因之請問嚴院長、外交部長，對於此一文件和尼克森總統最近國會咨文的看法如何？」

外交部政務次長楊西崑答詢：「關於美亞文件，誠如吳委員所指出，是一個重要的文件，在這兩巨冊文件前言的最後一段，美國參院國內安全小組的主席伊斯特倫特別提到：這樣重要和有關國家利益的文件，居然從收藏國家機密的檔案中，流落到不應持有此等文件之人的手中，由於這一事實之發生，不僅可怕，而且使人震驚。他又一再提到這一美亞故事，應使美國所有官員，尤其是從事外交的人員，都要熟記在心，從過去的錯誤中得到教訓。我同時要向各位委員保證，外交部對這一文件，更是特別重視，希望此一文件能在中美之間；特別是涉及中華民國利益的部分，大家來共同研究，以免重犯該一文件中所指美國所犯的錯誤。」

立法委員董微質詢說：「我們青年黨在當前的情形下，一定擁護政府，配合政府，共爲反共大業奮鬥到底。」

按董委員是中國青年黨中央執行委員，又是「國家論壇」雜誌的發行人兼主編，他在口頭質詢時指出：「施政方針第三章外交與新聞，第一條：『維護聯合國及其他國際組織之關係，鞏固我在聯合國暨其他國際組織之合法地位與權益。』最近美國與匪恢復『華沙會議』，本席認爲對我國可能會發生不利影響，尤其在尼克森的軟弱外交政策下，本席非常躭憂今年我在聯合國的地位問題，請問嚴院長對本席見解以爲然否？『鞏固我在聯合國暨其他國際組織之合法地位與權益』，今後我們究應如何維護，如何鞏固我合法地位與權益？希望嚴院長予以說明。」

董委員認爲：「國家與個人恆有相似之處，所以機運亦會有順有逆，自革命成功後，中經軍閥應亂，對日戰爭，剿匪戰爭，以迄轉進台灣止，可說經過許多坎坷，幸賴我英明的領袖 蔣總統的堅忍不拔之意志，不掘不撓的精神，以及不變應萬變的方法來領導，一切艱難都能轉危爲安，現在更輔以嚴院長精密的思考能力與靈巧的政治運用，深信今後我們的國運必日益昌隆。」

嚴院長答復說：「家淦非常同意董委員所說各黨合作的高見。」「政治革新問題，家淦在書面與口頭報告中皆曾提到，董委員曾舉出法國大革命時之口號『自由、平等、博愛』，我們三民主義已都包含在內了，所以董委員此一意見在原則上是不成問題的。董委員曾特別提到黨與黨之間應當平等，我們的政策就是如此，事實上，不祇黨與黨要平等，就是無黨無派人士，政府對其權利義務，也是平等看待的。現在我們是在最艱苦的時期，對於某種問題雖然有看法的不同，但對大的原則，大家都是一致的，都是合作的。」

喬治桑外傳　一三〇

張大萬

牌局在十二點左右結束，喬治桑只輸了二千多元，拿出了五十元美金。華太太輸的更少，還不到一千元。卞太太和裴太太兩家贏。在吃粥的時候，卞太太逼着喬治桑定約會時間，她要做東道請大夥兒到夜總會跳舞。喬治桑爲了要表示他是一個忙人，他答應先用電話連絡；以裴家做連絡中心。

喬治桑打完牌回家，已經是午夜一時。他用鑰匙開了門，沒有驚動雅麗絲和下女阿翠，自己躡手躡脚地用暖水瓶冲了一杯茶，只喝了半杯便就寢了。

頭一天打了牌，第二天早上十點鐘才起床，他看見雅麗絲新做了頭髮，容光煥發，喜氣洋洋。

「昨晚你幾點鐘回來的，我怎麼一點不知道？」雅麗絲問喬治桑。

「妳和阿翠都睡了，我沒有驚動妳們。」

「你爲什麼不叫醒我，讓我替你弄點吃的。」

「我在裴家吃過稀飯才回家的，所以不餓」喬治桑說完以後，瞄了雅麗絲一下。「妳早上去做過頭髮了？」

「嗯，今天是蘿莉生日，你不是說要請他在小南國吃飯嗎？」雅麗絲從側面回答了喬治桑的問話。

「『女爲悅己者容』這句話眞不錯。」喬治桑面上綻出笑容。

「包死，你又來了。人家生日，又是你請客，難道你喜歡我蓬頭垢面去赴宴？」雅麗絲向喬治桑撒嬌。

「我沒有說妳不該去做頭髮呀，女兒打扮得越漂亮，做爸爸的豈不是越有面子？」喬治桑現在說話處處要顯出其父女之情，他最怕的是雅麗絲發生誤會。（未完）

台北傳奇錄（三七）

·陳光棣·

兩個人計議停當，分頭進行。馬寡婦第一步是先造謠言，所以第二天起了個絕早，趕到劉二爺家附近的菜市場，不大會兒的功夫，大洋馬、小辣椒、廣播電台幾位太太就到齊了，馬寡婦很技巧的和她們在菜攤旁邊碰了面，先有意無意的透點口風，說是劉太太最害怕和她見面。這一來可提起了太太們的興趣。首先是大洋馬問東問西，接着是廣播電台急切想知道劉太太結婚以前是不是處女，馬寡婦有問必答，說到緊要關頭，最後；馬寡婦們的幾個腦袋都擠到一塊兒，太太們聽的很入神，都非常有把握的宣稱劉二爺的機器有毛病不能人道。太太們忙不及待的想趕回去報告給自己的朋友，馬寡婦更滿意，她知道這些義務宣傳員，比花錢僱來的都能完成任務。

大洋馬這些女太太們，果然不讓馬寡婦失望，很快的，全弄堂裏的人，便都拿劉二爺的事情，當作閒談的資料了。步成材趕緊把這種發展的情形，告訴了馬寡婦，兩個人都同意等錢慕良出了醫院再說。

劉二爺輾轉的找到了撞人的摩托車騎士的家裏，騎士姓黎，是個油漆工人，全家五口住在一間木板房裏，三個孩子穿的破破爛爛，都是營養不良的樣子，劉二爺的同情心油然而生。姓黎的承認撞了人，害怕吃官司；他本人一坐牢，家裏的人就要餓飯；又說逃走了以後，總覺得心神恍惚坐立不安，央求劉二爺想個兩全的辦法。最後說定了由姓黎的負担錢慕良的醫藥費，有多少湊多少，不够的數字由劉二爺借給他，再分幾個月歸還，姓黎的非常感激，第二天就跑到醫院裏結了賬。錢慕良傷勢也痊癒了，思前想後，對於劉二爺由衷的佩服。

馬寡婦聽到錢慕良出了醫院，就催着步成材趕緊進行，兩個人又認眞的商量了一些細節。這之間；步成材向馬寡婦攤了牌，他暗示這件事不管作的怎樣天衣無縫，他本人都要担很大風險，誰放着好好的日子不過去捣螞蜂窩呢？還不是貪圖點什麼！馬寡婦也很四海，既然有大魚可釣，就是犧牲點兒魚食也算不了什麼，于是大大方方的滿足了步成材的歪念頭。

金恆貴自從被劉二爺用話點破了之後，有好幾天的功夫不敢去糾纏金紅，每次碰到劉二爺也感到有點兒渾身不自在，實在沉不住氣了，才去和他姐姐大洋馬合計，還是大洋馬名堂多，說是請劉二爺吃頓飯就堵住嘴了。金恆貴一想這辦法很對，回家和太太一說，太太也贊成，太太以爲前些日子桂先生的事情，多虧了劉二爺幫忙，早該請請人家才够意思。

（未完）

文滙樓剳記

悤悤雜誌與王洪鈞

· 文匯樓主 ·

悤悤對台北教育部文化局長過不去，指責王洪鈞自絕於國人等，搜羅資料發行專號。王洪鈞應該批評則屬事實，而批評到百無一是也嫌過份，尤其把自己牽扯進去；這是對「心理作戰」尚欠研究。王洪鈞是吃「心戰」飯的人，看透悤悤雜誌社沒有高人指點，故不還手，且認還了手。有利必有害，有火必有烟，據圈內人的看法，今後文化局必不斷的改進，以平息各種各型對文化局及其個人的攻擊，因之連想到輿論與火候有關連，悤悤雜誌在台灣來說，算是一張乾淨刊物，火候還未達理想境界，乃無可否認的事實，樓主本：「看棋不語眞君子」，否則王洪鈞不下台亦得下台。

所謂「火候」焉者，乃日積月累而成，非一蹴可達，它能將石塌變成金字塔，它能將遙遠的國度一鏟一鋤挖成運河聯繫起來，凡此均屬「火候」範圍。西國人有句格言：「堅毅及胆量通常致勝」。不過話又說回來，講是很容易，做確不太簡單，以自由報來說，爲各黨（合法政黨）領導人物們所創辦，垂二十年歷史，中華民國知名學人未在自由報寫過文章的很少，於今外型還是巴掌那麼大，內容也只是不黃不黑不紅不灰而已，但有一點，自由報代表「公理與正義」，則爲中外政壇和同業間所公認，自由報留海外及居台灣百餘教授們引爲自慰者亦在此。

去年我們批評國會議員兼地下律師挖政府牆角會引起軒然小波，又一次批評私立某學院院長競選，未料觸及執政黨若干決策，前者自由報堅持到底，後者爲顧到國家民族利益，接受了××局建議，支持續發展，香港印好了的四萬七千八百份報紙全部銷毀，××局囑人問賠償條件，李社長的答覆，「銷毀報紙是自由報的事，與你們毫無關係，如果妄取一文則不値一文了：」自由報同仁還有一個自約，就是「自由報同仁不准和正被批評的人接觸。」某地下律師曾挽我們一向最崇拜的立法委員王××緩和這件事，報社對王××面子實際是給了，但一杯茶謝絕討饒，更不願和被批評的人見面，以保持潔身自愛和與論界的尊嚴，今既事過境遷樓主僅代表自由報同仁向王××致誠摯之歉意。

最近據私立××學院內部傳出消息，謂×××院長曾付出自由報銷毀報份損失費新台幣五萬元，×××主任經手等情，這顯然有人狐假虎威從中混水摸魚，此項消息果眞確實，希望該學院加以澄清，本報也將行文司法部調查局請求協助偵察，因寫「悤悤雜誌社與王洪鈞」借花獻佛，順便說幾句自已的事：，藉向讀者與那期的作者們有個交代。

海外回國投資數額
美金一億六千萬元
以化學及塑膠工業佔多
次爲運輸旅業電子工業

（本報通信員錢覽台北消息）調查僑外資投資廠商三百十六家，民國五十七年底實收資本額爲新臺幣陸拾三億陸千萬餘元，約値美金一億陸千萬元。其中僑資本額爲新臺幣拾一億伍千萬餘元，約値美金貳千八百萬餘元，佔實收資本總額百分之十八。外資資本額爲新臺幣貳拾億零貳千萬餘元，約値美金伍千萬餘元，佔實收資本總額百分之三十一；而國人配合資本額爲新臺幣三拾一億八千萬元，約値美金柒千玖百萬餘元，佔實收總資本額之一半，故國人所配合之資本相當龐大。因此，僑外資來臺投資，不但輸入大量資本，加速國內經濟發展，社會繁榮；同時，亦有助於誘導國內資金投入生產，加速資本形成。

在調查三百十六家僑外資廠商中，就投資事業別而言，以化學及塑膠工業爲最多，共六十六家；其次是機械及金屬製品業，共六十一家；再次則爲紡織業與電機及電子工業，前者有四十八家，後者有四十二家。如再就投資額大小而言，以紡織業爲最大，有新臺幣十八億元；其次是塑膠及化學工業，有新臺幣十三億元；再其次則爲運輸及旅宿業，電機及電子工業，各爲新臺幣五、陸億元。可見，僑外資投資以塑膠及化學工業與紡織工業爲主。

僑資來源方面與分配方向：（一）非律賓：回國投資的比例最大，約佔僑資總額的百分之三十。其資本額爲新臺幣三億五千餘萬元，約値美金八百七十餘萬元。其主要投資事格，以運輸及旅宿業及金融與營造業爲主，兩者共投資約美金六百五十萬元；其他，除木材、紙及非金屬礦物製造業有部份投資外，來臺投資事業別並不普遍，可說是重點式。（二）香港：回國投資的比例次之，約佔僑資總投資額的百分之二十七。其資本額爲新臺幣三億零九百萬元，約値美金七百七十萬元。其主要投資事業，以紡織爲主，投資額爲新臺幣一億餘元，約値美金二百陸十萬元；其次爲木材及非金屬礦物製造業、塑膠及化學工業，投資額各爲新臺幣四千餘萬元，其投資的範圍較其他地區爲廣，普遍各行業多少有點涉及。（三）日本：回國投資的比例算第三，約佔僑資額的百分之十五。其資本額爲新臺幣一億八千萬元，約値美金四百二十萬元。其主要投資事業與香港相同，爲紡織業，投資額爲新臺幣九千六百萬元，約佔其回國投資額之半數；其他以機械及金屬製品業、運輸及旅宿業爲主，各爲新臺幣二千餘萬元，亦可稱爲重點式的投資。（四）泰國：回國投資比例，約佔僑資總額百分之九，其投資額爲新臺幣一億元，約値美金二百五十萬元。其主要投資事業，以運輸及旅宿業、飲食品製造業爲主，投資額各新臺幣三千餘萬元，其投資範圍較爲狹窄，集中在某二種行業上。（五）美國：回國投資比例，約佔僑資投資總額百分之五。其投資額爲新臺幣五千八百萬元，約値美金一百四十餘萬元，其投資主要集中在紡織業上面。

外資來源與分配方向：（一）美國：來臺投資的比例最大，約佔外資投資額的百分之五十三，一半強，其資本額爲新臺幣十億元，約値美金二千五百萬元。其主要投資事業，以塑膠及化學工業爲主，其投資額爲新臺幣四億九千萬元，其次爲金融及營造業、電機及電子工業，兩者共投資約新臺幣三億元。其投資範圍非常廣泛，且金額亦較大。（二）日本：來臺投資的比例約佔外資投資額百分之三十。其資本額爲新臺幣陸億二千萬元，約値美金一千五百萬元。其主要投資事業，以紡織業爲第一，投資額爲新臺幣二億五千萬元；其次爲塑膠及化學工業，投資額爲新臺幣一億四千萬元；再其次爲電機及電子工業，投資額爲新台幣一億一千萬餘元。其投資方向大部份亦集中在上述三方面。（三）巴拿馬：來台投資額約佔外資投資額的百分之十。投資額爲新台幣二億餘元，統値美金五百二十萬元，全部集中在化學工業方面。從僑外資來台投資分配之業別，來看，其投資之重點，大部份在塑膠及化學工業（亦卽塑膠加工或洗潔劑之民生工業）及應用大量勞工之紡織、電器及電子工業。

老子

· 張起鈞 ·

這些現象不是很明顯的說明了這個關係嗎？同樣，「飽暖思淫慾」，「宴安鴆毒」，這是經驗的教訓，還不能發我們的深省嗎？

看清這些現象，領取這種教訓後，我們便不致於轉入人慾的大漩渦中，隨波逐流了。相反的，我們卻能洞悉潮水的升降有數，以把握人生的樞機。

你要跳得高，必須用力往下踏。你要成功，先得接受失敗的勇氣。你希望別人尊敬你，你先得尊敬別人，這是從好的方面看。如果從壞的方面看，你要別人提拔你，你得多獻殷勤。你要打敗對方，還是先讓他勝利，使他因驕傲而自取滅亡。你要追求異性嗎？你得先表示爲愛而犧牲，然後對方就爲你而犧牲了。你不放下餌，又怎能希望魚兒上鈎。老子告訴我們：這種相反的道理，在好的方面，固然勸我們努力向上，不可自滿；但壞的方面，絕非叫我們學習陰謀的手段，欺詐的方法，而是使我們認清事實，「害人之心不可有，防人之心不可無。」認清了這個事實以後，我們該採取什麼態度呢？

當然我們不能站在強的方面，按照「正復爲奇，善復爲妖」的互變道理，強可能變弱，因爲強中有弱的因子。所謂「堅則毀矣，銳則挫矣」。最堅硬的東西，最容易折斷；而最柔弱的東西，卻最有韌性。在自然界，堅木易折，柔條難斷；在人世間，剛強的人多敗，軟弱的人反能得保天年。所以老子提出他的弱道哲學，勸我們自處虛弱。所謂自處虛弱，並非眞正虛弱，而是強在骨子裏。像水一樣，表面上看去，它是柔弱的東西，你要它圓就圓，要它方就方，你要它高就高，要它下就下。可是當你把這種外力去掉以後，它又回復到原有的狀態。它能適合於任何環境，這就是它強的地方。這是指消極方面的作用。至於積極方面，它有耐性，一滴滴的水珠，可以滴穿堅硬的石頭；同時它又有極度的堅性，大水來時，可以沖垮任何的銅牆鐵壁。

老子勸我們向水學習，水性趨下不爭，我們處世也應該不爭。所謂「不爭」並非自我墮落，毫無鬥志。事實上，爭只是逞氣、逞力，完全吃力不討好的事。爭名逐利，結果必定是名利雙失。因爲萬事的發展都有它的順序，「爭」只是憑着個人的力量去打斷自然的順序，這無異螳臂擋車了。相反的，不爭卻能得到更大的勝利。一個偉大的作家無須斤斤於那些虛名小利，他埋頭於自己的理想，結果成就了偉大的作品，這豈是那些整天追逐的人所能爭得到的嗎？所以老子反覆告訴我們：「夫唯不爭，故天下莫能與之爭。」

不爭是弱道的一面。另一面是爲公。老子反覆的說：「不敢爲天下先，故能成器長」，「非以其無私邪，故能成其私」，「聖人不積，既以爲人己愈有，既以與人己愈多」。他說了那麼多的「成器長」，「成其私」，「己愈有」，「己愈多」，而他眞正的目的不在這兒，儘管事實上，爲人就等於爲己，而且老子也極力闡明這個道理，但只是一種勸人的法門。正如宗教家用「惡有惡報」去向人行善，老子的苦心就在這兒，不了解老子爲公的積極一面，也就不了解老子不爭的消極一面。

在楊朱篇中，我們曾說過楊朱是把隱者的思想，加以積極的意義，自楊朱以後，便產生了道家的人物。道家是從隱者思想衍生出來的。然而道家與隱者的不同，就在他們旨趣的不同。隱者無言，是爲了自我，而道家說了半天的自我，卻爲了別人，他們不像孔墨一樣，口口聲聲爲人；他們只說了許多消極的話，他們的消極，並非眞正消極，而是含有積極的精神。我們只要照他們的話做去，不積極自然積極，這就是他們的旨趣。

（完）

安徽十三傑

成語選粹

(24)

李國良輯

百折不撓

蔡邕喬太尉碑：「有百折不撓臨大節而不可奪之風。」「百折不撓」言氣節剛毅屢遭頓挫而不屈其志也。

諸葛亮狂想曲

（九八）

· 劉玄 ·

丞相在出師表上有鞠躬盡瘁，死而後已的句子，不想死而未已，恐非丞相始料所及。」琴童忽然提起出師表，倒使諸葛亮發生了無限感觸：一個有才能的人，卽使死後也不得清閒，眞是從那裏說起？

「我的事，你不要讓外人知道。」諸葛亮知道琴童嘴快，故有此叮嚀。他別的不怕，就怕龍岡五虎將，關、張、趙、馬、黃等得到消息，又要擠進來當「委員」，這是一個研究機構，五虎將刀馬固然嫻熟，卻配合不上。

諸葛亮與星君談話過久，正命琴童煑咖啡來喝，想提提神，忽然關平來見，無疑的是打聽消息的。諸葛亮接見關平，未等關平口開，便告訴他，星君已答應來參加磨刀大典，關平聽了大喜，坐不移時，卽告辭而去。

諸葛亮送走關平，命琴童將自著「八卦變化綱要」取來，坐在書桌旁邊，細細閱讀。

看官，你道諸葛亮爲何忽然要看「八卦變化綱要」呢？原來諸葛亮在做漢丞相時，卽對天文學感覺興趣，在三國時代要數他爲首。他與周郎聯盟，合力破曹，多虧他借東風的一下絕招，可爲明證。可是，他的天文學，係由陰陽八卦而來，換句話說，是中華文化的一套，對於西方近代的太空科學卻毫無研究。現在他準備出任「宇宙發展委員會」主委一職，深感職責重大，所以拿出自著「八卦變化綱要」，蓋亦溫故知新之意。

諸葛亮是能深思熟慮的人，不愧爲一位偉大謀畧家，但要他担任「宇宙發展委員會主任委員，就未免有硬拿鴨子上架之嫌了。諸葛亮想：眞倒霉，在陽世已經鞠躬盡瘁，原想到了天庭總可做一個快樂神仙了，眼看馬上又要案牘勞形，眞不知要忙到什麼時候爲止。

「八卦變化論」是他的著作，他很快就翻閱了一遍。他自知這是一本純理論的書，如要拿出來作實際用途，恐怕不够。有一點諸葛亮想不通，佛法無邊，像如來，觀音大士，釋迦牟尼，他們都是很了不起的，爲什麼玉帝不要他們之中一位來負責「宇宙發展委員會」？卻偏偏揀中了他？他緊皺雙眉，一語不發。

「丞相，你是不是有什麼心事？」琴童乖巧，在旁照料諸葛亮多年，先後只看到他皺過三次眉。第一次當劉備第三次來促他出山的時候。他雖萬分不願，但因劉備誠意邀他，無法推卻。第二次是用空城計的時候，他知道漢宮興敗在此一舉。第三次是他設七星壇求壽，被魏延誤撞進來的時候，他知道陽壽已够。自到天庭後，這還是第一次琴童看見諸葛亮皺眉。

「沒有什麼心事，你休來囉囌。」諸葛亮輕聲向琴童 喝，但顯無慍意。

巨變歷險記！

通過匪區（二）

胡慶蓉

第二天一早同余軍長彭副軍長又接着談。對於再攻昆明，他們要再考慮，事關重大，必須從長計議。他們決定暫行撤退到開遠，再撤退到蒙自。對於八軍，他們一致贊同建立聯繫，在共同擁護中華民國國民政府之下切實合作。這已經是了不起的成就了，彼此用的密電本，他們也給一份，交丁博士轉湯堯副總司令李彌軍長曹天戈副軍長。

八軍也決定今天離開板橋前往呈貢轉建水石屏。余軍長彭副軍長開一趟專車送丁博士返板橋復命，在車到呈貢的時候，八軍的部隊已離開板橋到達呈貢附近了。丁博士帶同隨員，即設法與八軍匯合。前哨在李彌軍長曹天戈副軍長之下，副總司令湯堯隨同業已越過呈貢了。天下的事就有那麼湊巧，在丁博士到達呈貢城，就有一架飛機，盯住丁博士不放，在上邊盤旋，依依不忍離去的樣，且越飛越低，簡直要快到頭頂的樣子，丁博士明辨這是中央的飛機，必有什麼任務叫轉達。果然從高頭落下來一個包包，打開來看，原來是中央的兩封信，一封是上寫着雲南省政府主席李彌，一封是雲南綏靖主任余程萬，裏邊諒必是他們二位的委任狀。現在停留在呈貢關上的是八軍的孫晉賢師長，在用過飯之後，這兩封信就由丁博士帶結李主席和余主任，緊追慢追，追到晚八九點才追上李主席，這是在一個村莊上。他在牲口房已經睡着了，但他還是很興奮的要聽丁博士的報告。第二天早上又遇見湯副總司令，湯很幽默。他說軍人打敗戰就是喪家之狗。對於丁博士要同喪家之狗在一塊深表詫異，更無任感服。李主席，其爲人也以國民政府看家之狗自居。在行進的時候，他並且不斷的講故事，有一個是前清慈禧太后召的某一個大武官。但此人胸無點墨，在答話的時候很有趣味。太后問他的名字，不說是什麼大名，而說是什麼大號。太后問：你的「大號」呢？啓禀皇太后，不敢，臣的大號已經吹斷了……

……行行復行行，到達了海城。這已經是夜晚的時候了。但穿過去，並沒有停留。弟兄們，披星戴月，倒也走得起勁。最難的是抬電台的人，這重得很，還要常常的換。到徽江湖旁的徽江城，大家才停下來。誰結余程萬送委任狀，誰去同余聯繫，是要討論的問題。還是推舉了丁博士。丁博士依然負起責任來，答應前往。這不同前了。這一次要沿徽江湖，通過敵人所佔的地方，才能到達鐵路，前往開遠蒙自。在這鐵路之前，還要經過很大的平原，經過很大的山。這是很危險的，還簡直是玩命，是送命……但丁博士還是去了……

「禪與老莊」自序

吳怡

當筆者寫完「禪與老莊」一書後，才發現自己不是禪和老莊的忠實信徒，因爲筆者犯了禪道兩家的大忌——談得太多了。

然而促成本書的問世，却有不能自已的動機，不得不談；所以筆者寧願吃禪師的棒喝，被老莊譏爲「言者不知」，却在畫「龍」類「蛇」之後，又補上了這篇「添脚」的自序。

禪，本是中國的土產，可是今天它在西方的吃香，却遠勝過中國，日本鈴木大拙在美國傳禪，曾被譽爲東方的聖人，由這點可以看出美國人士對禪學的醉心。因此有許多學者認爲西方人士已了解東方文化的偉大。當然這只是樂觀一面的看法，而在樂觀的背後，却參無限的深憂，因爲西方人士所接觸的禪，多半來自於日本，而日本從中國所輸入的禪，已是中國禪的末流。今天日本學者在美國傳禪，爲了適應西方人士的心理，又都把日本禪再加以西化。我們不能說日本學者對於禪學沒有貢獻；例如他們把禪道普遍化，影響到生活各方面，像插花、茶道、禪畫、箭術、武士道等，但這些只是禪的意境的運用，比起慧能禪那種雄厚的純樸境界來，顯然已經走了樣，變了色。

尤其是西方人士今天之所以瘋狂的愛上了禪，乃是由於他們對自己宗教的失望，對機械文明的厭倦，而形成的一種不滿的心理，固然高明之士，能借禪的提昇力量，超拔時流，以謀新的發展，例如默燈著有「禪思的種子」，高漢著有「禪的天主敎義」，都是用禪去淨化他們的思想，但這種傑出的人才畢竟有限，多的是淺見之輩，徒拾牙慧，拳打脚踢，走入了狂禪，等而下之的，更以髒爲淨，以亂爲高，變相爲嬉皮之流，雖然嬉皮的形成，原因很多，但美國有許多學者的類似嬉皮，却早已爲有識之士所不齒。

事實上，中國的禪宗是和儒道兩家有着不可分的關係，正像花、葉、莖是三位一體的，不可能把花枝剪下來，而求芳香永固。日本從中國接枝過去的禪學已有偏枯的現象，但幸好日本人對我國的儒道兩家並不陌生，所以還能異地開花。可是今天的美國對於儒道兩家毫無根基，因此這株禪的花朶在他手中也只是作一二日的賞玩而已，又豈能接枝開花，淨化他們的園地。

也許有人會反駁說：老莊思想到魏晉時期，曾變爲空虛的淸談，當代名士那種藐視禮教，縱情聲色的作風，與今日嬉皮的頹靡又有何不同？禪學思想到了宋代末年，也只是在話頭上弄巧，方法上鬥奇，而不講究心性上的實證工夫。那種只會「麻三斤」，「乾屎橛」的狂禪，與今日嬉皮的令人噁心，有何差別？當然我們不否認魏晉的名士，宋末的狂禪，在中國道統上都是一些老嬉皮，（諒也不致於像今日小嬉皮那樣面目可憎），但由於我國歷史悠久，文化蘊積雄厚，即使有這些小瘢，也不足以構成大患，這是我們祖宗積德所致；同時由於我們已病過：「病病，是以不病」（老子語），因此我們也有免疫之能。可是今天西方上的嬉皮之患，却並不如此樂觀。尤其是美國，歷史短，經驗淺，祖宗積德薄，又未曾患過大病，只要一個流行性感冒，已把他們鬧得天翻地覆，何況這個山雨欲來的文化的大刦？這也正是有識人士所引以爲深憂的。

筆者才疏學淺，不敢對此問題妄下斷語。至於本書之作，一方面固然希望從老莊的影響禪宗，以說明禪學有中國文化的深厚淵源；一方面却希望在禪和老莊思想淨化了西方人心之後，再輸入儒家思想，爲他們失落的下一代，紮個根。當然這一理想不是筆者的才力所能企及，但如果這册子小書有拋　引玉之功，則筆者即使因多言而吃棒喝，也能甘之如飴了。

最後，還必須一提的是：本書原爲筆者在研究所中的一篇論文。早在七年前，南師懷瑾教授於文化研究所曾講授而道一科。後四年，吳師德生（經熊）博士回國講學，於中華學術院也受授禪學一科，筆者親蒙敎誨，因此本書之作，得兩位老師的指導和鼓勵甚鉅，現在也謹以此書，獻上筆者對他們的一點最高敬意。

國醫與國藥

自己治病簡法

陳果夫遺著

序言

生了病總離不了治病與養病兩個階段，治病的時間愈長，養病也就需要較長時間，才能恢復其未病時之健康，但是生了肺病就麻煩了，一方面要治病，一方面也要養病，治與養往往分不開的。試想像我這樣生了三十八年的肺病，怎樣可使我忍耐得住呢？假使我沒有我自己要做的事，或者我自己提起我的興趣，移轉我的想念，使我每天有數少時忘記我是生病的時候，那末我的病恐怕沒有好轉的時機了。所以我認爲忘病在治病與養病之間，也是很重要的一個條件。

我平常在身體比較好的時候，爲公家做事，很容易忘記自己是個病人。等到一旦臥病不能爲公家做事時，就往往要想到自己要做的事。雖然我自己要做的事，也不是爲我自己的。但是興趣好像容易在病中提得起來，所以我在白鶴林養病的時候，完成「中國教育改革之途徑」一書，寫完了「理想的前途」四篇，合其他十六篇成了一本小册，做了四分之三的歌，完成四十四個歌的「鶴林歌集」，又請一位江同志記錄成了一部「機關組織論」；在八個月病中，總算還做些工作，不致成爲社會上祗吃不做，有害無益的蠹蟲，或者與普通一般生肺病的人一樣。此次在上海生病，雖然有一部分是自己疏忽的關係，但以大部分因爲有些醫生思想不成熟，用藥未合理，或過份小心，自己恐怖，以致病日嚴重，拖延至今，不能恢復，不過仍想在病中做些事，一則想消解氣悶，一則想忘記生病，祇是體力究竟不如以前，年紀也比較老些了，有些想做而要多用腦筋的不能做，每天看到醫學的幼稚，醫生想不出好方法，以及一般生病人，生了小病的恐怖情形，才想到最好能使人不生病不請醫生不吃藥。我過去寫過一本「衞生之道」，還想將來再充實一些，旣而又想到何不乘此機會，先寫一本使人不用醫藥自己用方法治病或則自己用藥治病不必請教醫生的書，來酬謝爲我生病而努力協助之親友同志們，亦可爲社會一般人增加常識，或許能藉此漸漸引導把現在醫生的知識，變爲一般人的常識，豈不更好。因此自從這次吐血完全停止之後，開始託爲我看護之姨妹朱仁整理抄錄我多年聚積之有效藥方，加以審核註解，又要每天助我看護之朱月琴小姐，紀錄我多年經驗之不用醫藥自己治病簡法一二則，經過相當時間，自己治病簡法先積有三十則，這些稿子帶到臺中來，又不知怎樣爲新聞記者所知，發了一段新聞，說我到這裏，已在研究養生之道。其實不然，我看了此消息，適當熱度已退，可以每天做一小時以內的工作，才將此稿檢出來，除了藥方部分衞生之道增訂部份以及其他有利于病人的延醫服藥種種經驗談部分，均倘待考慮研究外，其不用醫藥自己治病簡法部份，是我多年經驗所得，但是沒有多少，日前交祝麟同志閱看，祝同志認爲可先發印，我想寫好一種印一種，用陸續貢獻的辦法也好，不過個人經驗有限，知識也不足，是否有裨於人倘不可知。

中國醫生太少，好的醫生尤少，像我這樣生了病尚感困難，其他的人可想而知。使今後大家不生病當然最好，即使有病，自己有些治病的知識，可以自己治療，不用請教醫生，更不必用藥物來治，豈不更好？照現在中國情形，實在應該每個人要有醫藥衞生的主要知識，那末民族不致再貧病衰敗下去，否則一面受外來侵略戰爭減少人口，另一面還要疾病增加死亡，即使我們號稱有四萬萬幾千萬人口，也是容易滅亡的。這不是我過份焦慮，實在事實是如此，我是中國衞生教育社的社員，又是民族健康運動創導人之一，責無旁貸，所以敢於病中獻拙，無非盡我所知而已，或許拋磚引玉，不久可以得到高明完善能夠普及的著作，使一般人的醫藥衞生知識日進無已，將來普通的病，不必延醫服藥，即能恢復健康，這是我的期望，也許是大家的期望吧！

中華民國卅七年十二月廿五日於臺中病榻上

（一）

第二章　金太祖建國稱帝　宋徽宗信任奸臣

金主阿骨打大怒，遣大將幹魯，率軍先攻高永昌，不期與遼將張琳之軍遭遇，大敗遼將張琳高永昌大懼。金將幹魯遂攻陷瀋州（瀋陽）。高永昌只好拒金，兩軍戰於活水，高永昌大敗，退至遼陽城，再與金兵決戰，又敗下陣來，高永昌被金將所殺。於是遼國的東京州所屬州縣及繫於遼之女眞，皆降於金，因此金兵大盛。

遼主聞東京失陷大驚，乃以耶律淳爲都元帥，募遼東人民爲兵，得二萬五千人，使遼人報怨女眞，故名此軍爲「怨軍」。以渤海人郭藥師（漢人）爲統領。耶律淳倡議和金，遣耶律奴前赴金議和。金主要索多端，和議難成。最後得金主復書，迫遼主以兄禮事金，册封如漢家禮儀，方可達成和議，否則免談。

遼王不允。時遼國大飢，竟發生人吃人的慘象；各地盜賊蠭起，掠民充糧。樞密使蕭奉先等，勸遼主暫從金人之議。乃册金主是爲「東懷國皇帝」。金主不悅，對册使說道：「什麼叫做東懷國？我國明號大金，應稱大金國便了。且册書中並無兄事明文，不能遵約」。

金主當下將册書擲還不受。據史實如此，但有可議者：金主既要求遼主以兄事金，而又何必受遼之册封？由此足知金人文化尙不如遼，不知册封爲何。故既要遼册封，而又不受「東懷國」之封號，這是金主無識，只知野蠻。

原來「東懷國」三字。分明是遼主戲弄金主的，取小邦懷德之義。以爲金人不識漢文，可以混過，可是金人中有通漢文者，以爲未明言兄事大金，和議遂告破裂。

宋徽宗是一個酷愛藝術、文學、書法之君，不善聞政治。在徽宗一代，由權奸蔡京、童貫上下其手，狼狽爲奸。童貫承蔡之意，每圖邊釁爲功。大宋喪師辱國，挑起邊釁，禍亂無窮。北宋之所以亡，就亡在蔡、童二奸之手。

當金、遼和議絕裂之際，蔡京早有聯金圖遼之議，聞報金遼絕裂，遂決意聯金攻遼，企圖光復燕雲十六州。命武義大夫馬政航海至金，與金主面議圖　之計。金主遣李善慶等奉國書及白珠等物與宋使馬政同至汴京。徽宗詔命蔡京接見，共商圖遼大計。李善慶等不加可否，留十餘日辭歸。徽宗命馬政持詔，及還賜禮物，與李慶善渡海報聘。行至登州，馬政忽奉詔停止入金。

岳飛　周燕謀

（六）

自由報

中華郵政台字第一一二八二號執照登記爲第一類新聞紙

中華民國內政部登記證內版台誌字第〇三一一號

（第一〇五〇期）

（半週刊每星期三、六出版）
每份港幣壹角，台灣零售價新台幣式元
社長李運鵬．督印黃行甯
社址：香港九龍彌敦道593—601號
廖創興銀行大廈八樓五座
LIU CHONG HING BUILDING
7th FLOOR FLAT 5
593—601 NATHAN ROAD,
KOWLOON, H.K.
TEL：K303831
電報掛號：7191
承印：景星印刷公司
地址：嘉咸街廿九號地下
台灣連絡中心：台北青田街五巷三號
電話：三七五〇二二
台灣區直接訂戶　台郵劃撥戶
第五〇五六號張萬有（自由報發行室）
台北營業處：台北衡陽街三十號
電話：二七二〇〇
台灣分社：台北市西寧南路110號二樓
電話：三三〇三四六．台郵劃撥戶九二五二號

論十大錯誤的研究教授案

少數「合肥」多數瘦　一枝「常熟」百枝荒

・周公言・

凡屬讀過高中文化基本教材的十七左右歲的男女青年，都會知道孔子曰：「丘也聞有國有家者，不患寡而患不均，不患貧而患不安。蓋均無貧，和無寡，安無傾。」國父中山先生雖未在演講本民生主義中引用這幾句話，却在手著本文言文三民主義中講到。他說：「自工業革命以來，……富者日富，貧者日貧，……孔子曰不患寡而患不均，是今日歐美文明先進之國，……民生問題則日陷于苦境。」因此，國父爲了要解決中國的民生問題，特提倡平均地權，節制資本辦法，以求平均社會財富，消弭階級鬥爭于無形。自政府撤退來台，實行三七五減租，公地放領，頒佈「實施耕者有其田條例」，改進直接稅，加强保險制度與配給制度，修正俸給辦法及退休條例，千辛萬苦，無非求均，求平，求無傾。不料今竟有人在三民主義反共鬥爭的旗幟之下，中華文化復興運動高唱入雲之際，大唱其教授待遇階級制，而且有洪道其人者，在中央日報副刊撰文附和，寧非咄咄怪事！（有人說洪道即提倡教授階級制者之化名，自唱自和，演獨脚戲，我想不會如此無聊吧？）

然而怪事年年有，今年特別「大」，不管教育界反對，民意機關不贊成，研究教授（包括副教授及講座教授）名單公然在光天化日之下發出「平地一聲雷」，震動文化界人士耳鼓的巨響了。

大家可看，自從研究教授名單公佈，引起學術界文化界及新聞界的一致憤慨！各大學教授休息室裏，校車上面，各種座談會席上，各種餐會，酒會，茶會之前後，都在議論紛紛，各報紙或登啟事，或登讀者投書，或撰社論，均痛加斥責，各雜誌亦不斷地作公正嚴厲之批評，爲什麼產生這樣惡果呢？因有下列十大不可原諒的錯誤。

（一）普通教授月薪僅有三千餘元，副教授僅有二千餘元，今研究教授，忽然提高至月入一萬二千元，研究副教授八千元，在數千教授、副教授、講師生活清寒，工作艱苦之下，突然將最少數之一百七十二人增薪三倍至四倍，這是盤古開天以來，駭人聽聞的事情，其錯誤一也。

（二）聞當初吳大猷先生倡言，設置研究教授之目的，在招攬留美專家（或稱留美學人）回國服務，如今所發表之一百七十二名受益者，多爲「留國學人」（恕我獨創新名詞），致使已回國者憤憤不平，欲回國者遲遲其行，不回國者更振振有詞，將欲迎之，反以拒之，徒然浪費公帑，招致怨誹，其錯誤二也。

（三）查所發表之一百七十二名受益者，多已在公私立大學兼課不少，今規定凡受益者不得兼課，因此有二問題發生：（1）奉公守法者，將所兼鐘點一律辭掉，使各公私大學（如中原、輔仁、東吳、淡、台北醫、高雄醫及海、陸、空各軍校等）頓時有課（尤其是數理工醫）無人授，校長、教務主任和勤學學生，頓時陷於停課，停學習研討之恐慌狀態，（2）投機取巧者，名辭而實不辭，於是花樣百出，弊竇叢生：有的鐘點費爲演講費或車費或指導費，有的率性改爲在家授課（道聞來學，不聞往教呵！），鐘點費改送「束修」（孔子云：自行束修以上，吾未嘗無誨焉呀！）將來遭到檢舉（將來一定有人密告，可以斷言）。還可說我未拿鐘點費呵！敗壞風氣，莫此爲甚：其錯誤三也。

（四）各私立大學，教授待遇，除極少數學校外，大多與公立大學相差不遠。今研究教授案將私校教授一律摒諸于千里之外，彼等同爲納稅人，同爲國家辛苦育才，而不能享受同等權利，偏袒偏枯，其錯誤四也。

（五）聞國科會審查委員自創一套新決辦法，即一人可以同時投四票或零票，如果要表示「人情味」的話，遇上至親好友或「高脚」，便投他四票，要是討厭的人便敬他一張零票。再加聯絡串通，捧過一人並不難，打擊一人亦很容易。如此操縱把持，還美其名爲秘密投票，將何以服衆，其錯誤五也。

（六）本年三月十四日所公佈之研究教授名單（千喚萬呼始出來）中，多有兼任學校行政職務者，彼等既忙于上課，又忙于辦公，亦忙于應酬，試問何能安心去研究？又有何時間去研究？將來不是草草交卷，就難免雇用「槍手」。果不幸而言中，則聯致槍手，研究槍手「分薪」，寵主「成名」，未來之事，何堪聞問！其錯誤六也。

（七）依照國科會原來規定，此次科學研究範圍，應以已往對此問題有研究者爲範圍，換言之，即爲以往研究之繼續。但此次所發表之名單中，竟有十餘年來從未出版一書者，於是衆議沸騰，認爲「私情」超過了「規定」，其錯誤七也。

（八）管子云：「法不平，令不全，是亦奪柄失位之道也。」（任法篇）政府爲了平均公教人員待遇，曾一再修正薪給法令，規定同階者同待遇（如簡任與簡任比較，教授與教授比較），並三令五申，禁止有變相加薪之補助。今徒爲了最少數人之利益，增加薪給，既引起公私大專教師之憤恨，亦引起全國中小學教師與一般軍公人員之不滿，國科會以「錢」亂法，使政府以「財」買恨，其錯誤八也。

（九）查一百七十二名受惠者，聞台大一校佔一百零七名之多，超過總額之半。國立師範大學，師生人數超過台大之半數，僅獲四名而已。中興大學法商學院師生人數超過台大三分之一，僅獲一名而已。其他公立文武大學，亦未獲得公平之分配額。少數「合肥」，多數瘦，一枝「常熟」百枝荒，其錯誤九也。

（十）最大不幸的是，聞某年共匪在香港召開檢討對台工作會議，公認對于農、工方面製造階級鬥爭，業已黔驢技窮，惟期在青年界教育界滲透，並製造糾紛。本來台灣教育界大家安貧樂道，風平浪靜，但此次研究教授名單公佈後，馬上無風生波，由統一而趨于分裂。在名稱上已有研究教授不研究教授之對立，在薪給上有窮教授與富教授之對立，自無階級中製造階級，在無鬥爭中製造鬥爭，引起內部分化，徒爲敵人張目，其錯誤十也。

有此十大錯誤，故輿論譁然，教育界騷然！倘不當機立斷，改絃更張，則擾亂教師情緒，動搖教育界人心，影響教學精神，減低反攻信心，未來隱憂，何堪設想，今日亡羊補牢，惟有：

（1）請政府宣佈研究教授辦法，暫以一年爲試辦期，以後根據各方意見，加以合理之改革，以平公憤。

（2）馬上宣佈研究教授校名及題目與過去研究成績，以釋羣疑。

（3）請設法使各審查委員退出研究教授名單，由公家另支車馬費或審查費，多多益善，以示公私分明，「主客」有別。

（4）請吳大猷先生另訂招攬專家回國辦法，如任教授，其薪津應與「留國」教授平等，但可在科學會或各院部會另支研究費或補助費，以免破壞薪給法令。

（5）在三年之內，逐漸廢止由公款開支之各種研究補助費及研究教授辦法，將所有此類款項，平均增加教授（包括副教授、講師等）薪給，以期同智識等級，享受同一待遇，打倒不平等，實現平等！

五十九年三月廿二日于台北

昨日與明日

向蔣經國先生進一言

偶閱蔣經國先生所著「風雨中的寧靜」一書，其中夜航海峽有感一文，有以下幾句話：「我見政治家的風度與胸懷：『我的理智往往約束不了感情，故時處感情用事，深恐其非不明，善惡莫辨，以致不知何事之應爲與何事之不應爲。……我最爲惶恐與憂心之事，莫過於他人知我錯失，而不肯予我直言實說者。……他人對我恭維之辭，儘是人情客氣話，千萬不可耳與習化，自陷迷津。蓋悅耳之言，乃爲自大之根；小則阻我進步，大則使我墮落於失敗之陷阱，不可不知之耶！』」

蔣經國先生這一番言語，雖然警惕自己，也是爲在政治上居高位者的座右銘。因爲在政治上居高位者，所聽的都是悅耳恭維之言，所見的都是卑躬屈膝的諂媚面孔，久而久之，自己便被「奉承」而迷失了「本我」，不知自己究竟是怎麼回事了。以爲官越大，懂得越多，一切都勝過他人，他人都不如自己，自己作什麼都是對的。對於周圍一切，甚至茫無所知，到最後，誠如經國先生所說，便落得：「是非不明，善惡莫辨」的地步，誤自己事小，誤國家事大，這該是多麼嚴重的事。

清代中興名臣曾國藩在建立政治風氣方面，很有些表現。他很重視僚屬的品格，痛恨好大言，少條理之輩，重用踐履篤實之士，他的做官以常接見僚屬爲第一要義，目的在於瞭解僚屬，考察僚屬，因爲僚屬替長官辦事，如果對僚屬毫無認識，怎可委以重任。但長官對於僚屬常犯有所蔽的毛病，以爲最順從，最諂媚的人，就是很能幹的人，因而，造成宵小當道，賢良隱退的政治頹風，用時髦的言詞說：這就叫做人才的反淘汰。

經國先生身負國家重任，政治地位的崇高已到：「他人知有過失而不敢直言，所聽到的都是恭維悅耳之言」的地步，能夠時時自己警惕，這樣謙恭，我們瞻望國家前途，不勝欣幸。不過今日時艱事危，政治風氣有待革新之處尚多，因而我們希望經國先生多同知識階級對政治權力上毫無所求的大學教授們接觸，同他們常談談，多聽聽民間的意見，多瞭解民間的情況，相信對政治的革新，是有裨益的。

・千城・

自由談

民族性與文化思想

每一種民族，都有其固定的特性，這種特性之所以構成，是由該民族所處的地理環境，氣候，以及生活習慣等項因素累積而然的。

例如俄國人，他們生活在荒蠻寒苦的地域中，在俄羅斯的國家形式尚未建構以前，長期受到外來民族的侵陵壓迫，有若奴隸牛馬然。因而他們的民族性乃以陰鷙猜忌爲主要成分，對任何人皆不相信，對任何事皆講控制，無所謂同情心，更沒有是非公道的觀念，一切唯爭奪權力是務，成王敗寇，義所應爾。

馬克斯自幼即在德國過着窮困生活，且因此嘗到被愛人悔婚的痛苦滋味。迨壯年時，由於仇視現實的關係，經常備受政府與社會各界人士的壓制歧視，到要亡命避難。直到晚年流落英倫之際，兒子死了，連買個小棺材的錢亦沒有，夫妻在一棟破屋的樓上，瞧着兒子的僵屍，相對飲泣，幸而有一法國的亡命客，基於同情心，贈給他一個英鎊，纔能夠將死去的兒子送到荒野埋葬掉。所以，馬克斯的人生觀，完全是以憤世嫉俗爲出發點，他藉着英國工業革命後的初期資本主義發展情況，撰寫「資本論」進而發表「共產主義宣言」，更是基於仇恨心情，發洩胸中的積恨宿怨而已。

列寧和馬克斯的身世相同，他接受馬克斯的恨世學說，在俄國試行，恰恰跟俄人的民族性相適合，一試就成功。這證明馬克斯斷定共產主義須在資本主義最發達的社會纔可實現之說，並不正確。二次大戰時，俄共軍隊被希特勒打從落花流水，莫斯科首都亦危在旦夕，史大林決計遷都到古比雪夫了。此在其他的國家，一定發生內部革命，人民必起而推翻共黨政權。可是，俄共政權始終無恙，這亦證明俄國的民族性與共產主義的本質沆瀣一氣，對於猜忌，壓迫，甘之如飴，滿不在乎，而共黨內部的權力鬥爭，永無止境，亦就毫不足怪了。

共產黨人自號爲社會主義者，社會主義的種類很多，而英法學人提倡社會主義學說的如歐文……等，亦比馬克斯爲早。社會主義者皆以正義公道爲思想基礎，對人類具有強烈的同情心。祇有共產主義者——特別是俄式共產黨人，纔以仇恨爲主旨，決不相信人，專講權力控制，結果唯有趨於暴力政治之一途。所以，凡屬嚮往俄式社會主義而生的人，自然而然地構成俄共對人處事的那套意識與作風，所謂「勢所必至，理有固然」，可慨也矣！

馮玉先生

曾文水庫工程艱鉅
立委力促愼重從事
水庫範圍縮小何增加經費
壩址選在地震帶是否適當

（本報記者台北航訊）立法委員趙佩對有關曾文水庫的問題提出質詢：政府經濟建設，繼石門水庫之後，正在興建中的曾文水庫，為水利工程中最大者，工程艱鉅，經費龐大，其目的在改善與擴充嘉南平原三分之二面積耕地之灌溉，並有發電給水防洪等作用。水庫位置的選擇與地質和地形的關係最為重要，曾文水庫選擇在嘉義縣柳營潭壩址，距關子嶺不遠，此一地帶一般認為台灣地震帶，大型的水利工程建築在地震帶上，是否影響水庫的壽命！

趙委員於質詢時指出：曾文水庫全部工程經費先估計為新台幣四十九億餘元，後以六十億餘元定案，增加十二億多，開工程計劃改變，水庫範圍縮小，大壩高度亦減低，何以經費增加如此之多？水庫完成後之效益，據工程局預計收益，本比例為一點六比一，但有的專家說水庫投下去的資本，僅能收回百分之七十，其餘百分之三十尚無着落，是否屬實？

——現有組織，工程局之上設有曾文水庫興建委員會，似嫌重疊，而工程局組織規程，職員人數達三百四十六人，額外人員尚未計算在內。工程管理費高達佔該局預算百分之二十，在施工階段所需之監工人員，是否冗員太多，浪費公帑？

——水庫工程設計，由日本工營株式會社承包，另有中國技術服務社襄助辦理，又聘有美國墾務局專家數人作技術顧問，工程經費中一部向日方貸款美金四千四百萬元，而重大機具又須向美國購買。工程實施原由榮工處承包，現正作導水壓道工程，旋聞招國際標，完工後是否仍由榮工處承包，以上種種施工情況複雜，究係何故？

——水利建設係有關國計民生之百年大計，秦時李冰父子在四川灌縣所辦之都江堰水利，二千餘年來，民到於今仍受其賜，我們舉辦一項經濟建設，事前計劃須十分精確周密，絕不可以一切有意無意的樂觀的看法，有所疏忽，石門水庫前車之鑒不遠，應愼重從事！

經濟部政次張研田答詢說：「趙委員對曾文水庫的指示，我們非常感激，因為曾文水庫關係南部很多農民的生活，以及今後農業方面的發展至鉅，所以對曾文水庫的計劃和執行都是非常的愼重。趙委員說曾文水庫用人太多，對於這種現象，我們已指示曾文水庫精簡過一次，趙委員指示後，我們當再轉知曾文水庫興建委員會對不必要人員，再予裁減。曾文水庫未興建前，曾請中外專家教授做了很長時間可行性的研究，除工程、地質已預先計劃外，對於該水庫的經濟效益也曾作過多次調查研究，乃至於水庫附近的水土保持問題，都會予以審愼研究。由於興建水庫是向日本貸款，故有日本技術人員參加工作，我們惟恐其經驗不足，又向美國墾務局聘請專家協助。現在曾文水庫已完成的工程有導水隧道，至於大壩工程現尚未開始。對於趙委員的意見，除現有專家外，當另請專家再予縝密檢討，以昭愼重，因為曾文水庫關係國計民生，我們一定會審愼進行。現在台灣省政府正進行精算工作，對於不必要的費用將會予以核減。」

立委張子揚高瞻遠矚
對衛生人事有所主張
副署長二人應明定中醫一人
立法須根據國情防閉門造車

（本報通信員柳權台北消息：）來自國會報導，立法委員張子揚對蔣秘書長有關楊委員寶琳主張副署長二人中由懂中醫一人担任的答覆，本人不太滿意。蔣秘書長並引用公務人員服務法第三條規定，認為主管人應以具有領導能力者担任，並強調該條文並未規定首長應由專業人員担任。這種說法，則一般機關首長，應由通才人員領導，但衛生署雖是行政機構，但亦係專業機構，現任之衛生司張司長，即係有名的西醫專家，我想蔣秘書長也不會否認，既現任衛生行政主管，可由專家担任，為何衛生署的副署長二人中即不能有一懂中藥專家担任？請蔣秘書長回覆。我認為由一位懂中醫的人担任，不但不影響行政的整體，且能使中西醫藥融會貫通。這是本人的看法，此外，尚有兩點意見：

一、行院衛生署副署長二人中，應明定其中一人由懂中醫者担任。理由有三。（一）目前中醫師人數比西醫還多，而且服用中藥的人亦多，既然有此事實存在，衛生署成立後，應有一位懂得中醫的人來担任副署長，將來負責對中醫藥方面研究與改進。（二）醫師法與正在本院審議中的藥物商管理法，都是採取中西醫併列的，並發有中醫執照。法律上既已有中西醫分別的事實，衛生署也應該有一位懂得中醫藥的人出任副署長，以便管理中醫事務。（三）過去衛生部內設有中醫委員會，管理中醫業務，由此證明將「中醫」字樣規定在本法中，事實上有此需要。衛生署副署長二人中置中醫一人，主要是採中西醫分工合作方式，以促進中醫走向科學化的研究與發展。

二、立法需要根據國情需要，並參酌世界各國的趨勢，況且，現在醫學進步，一日千里，我們絕不能閉門造車，亦不能盲目抄襲。為使本法將來能成為一部最進步且符合時代需要的組織法，故於審議之前希望行政院提供一些必要參考資料，俾供審查本法參考。（一）現行全國衛生機構的實際分佈情形如何？（二）現在全國西醫人數共有多少？其資歷如何？（三）目前全國有多少衛生教育機關？這些教育機關每年能為國家培植多少衛生方面的人才？所培植的人才總數是否足敷實際需要？（四）全國中醫診所有若干，有執照的中醫師有多少？（五）醫事團體的組織如何？（六）全國藥商共有多少？中西藥商各多少？（七）公私立醫院各有若干？醫師人數與目前人口總數比率如何？（八）現在英、美、日、德及菲律賓、韓國等國之衛生機關的組織體系如何？俾作立法之參考。

三、考試院自去年實施職位分類以後一的歸級情形如何？希望把歸級的資料送來一參考。惟迄未見到，請曹次長說明一下。

李文健
出任本報副社長
展開台灣區業務

（本報消息）本報為拓展台灣區業務起見，現聘任李文健先生（賢沆）為副社長，李氏湖南攸縣人，中央政工幹校第七期政治科畢業，年力既富，學驗亦豐，曾任經理廠長等職，兩年來常在本報為文，李文健此次被聘為中華民國唯一政論性報紙副社長，客觀上認為乃政工幹校光榮云。

招商局額外開支大
虧損千餘萬元
交長張繼正答記者詢問

（本報記者張健生台北航訊）交通部長張繼正說：我國電話裝置費比較高；招商局五十八年營運所以虧損達一千多萬元。他是三月十三日在行政院新聞局例行記者招待會答復本報記者詢問時說的。

本報記者所提問題計有：一、台灣鐵路局的員工，自五十一年起按照交通事業人員任用條例取得各級資位，但至今未按照交通事業人員待遇支薪，與台航公司同一任用辦法相比較，則鐵路局員工極表不平，工作情緒亦低落，由於待遇菲薄，不但人才難求，常常發生事故，嚴重影響行車安全，據悉省議會及省政府均要求中央准予比照台航，但中央尚未批准，不知有無此情事？鐵路局員工待遇應否按交通事業人員待遇支薪？二、監察院交通委員會批評：航業發展中心與交通研究所的業務有重疊之現象；觀光事業委員會和觀光開發公司有重疊之現象；電話裝置費是世界上收費最高者，請問：這樣的批評是不是正確？是不是公道？三、據說：招商局五十八年預算虧損六百多萬元，實際帳上虧損達一千二百萬元，有無此事？又招商局利用日本造船優惠分期付款辦法，去年和今年各造二條船，這四條船又藉口在日本港口營運而租給日商，此一措施，是否符合我國航業及國家利益？

交通部長張繼正答詢說：台灣鐵路局員工待遇業經行政院人事行政局按照交通事業人員待遇調整，不過，其中僅有少數員工的待遇比較低些。

他認為航業發展中心跟交通研究所的業務並不完全一樣，觀光事業委員會和觀光開發公司並無重疊現象，蓋觀光事業委員會是幕僚單位，決定政策，而觀光開發公司與開發銀行的性質相同；至於電話裝置費的問題，各方都有批評，起初世銀亦認我國電話裝置費太高，後來知道我國電信事業之發展財源係來自裝置費，現在反而希望不要減少裝置費！

張部長對招商局虧損一千二百萬元一節，指為營業外支出超過預算所致。招商局所造之船租於日商，租金收入較自營為優。

喬治桑外傳（一三一）

張大華

「昨天晚上又輸了罷？」雅麗絲換了話題。

「妳眞是鬼靈精，怎麼又被妳猜着了？」

「不是猜，是斷定。」

「妳憑什麼斷定我會輸？」

「你想想着，你想打牌，讓人家約搭子陪你，你好意思贏？何況我是知道你的脾氣的，有女客在座，你向來是談笑風生送鈔票。昨天三位都是女客，你那有不輸之理？」雅麗絲向喬治桑說明她的論點。

「哈哈，眞是知父莫若女。」

「輸了多少？」

「不多，兩千多兩銀子」。

「兩千多兩銀子？」雅麗絲睜大了眼睛望着喬治桑。

「妳眞傻，我的意思不過是兩千多台幣而已，現在那有使用銀子的。」喬治桑在談話中，偶爾來點小噱頭來增加談話的歡樂氣氛，這是他一貫的手法。

「說眞的，銀子的好處是貨眞價實，沒有貶值的危險。但一個出門能帶多少銀子呢？兩千兩銀子，好重啊！大力士也帶不動。現在大家用紙幣，携帶方便，所以消費量也就與前大不相同了。」雅麗絲憑她的直覺談貨幣，倒也不無道理。

「我是沒有用過銀子的，我聽老一輩告訴我，那時有錢的人喜歡將銀子埋藏在地下。你大概聽說過此地無銀三百兩的笑話。」喬治桑與雅麗絲閒談，足見他心情輕鬆。

「哦對了，妳約蘿蔔蔡吃飯是什麼時候？」

「明天晚上，地點在小南國，假使你沒有空，我一個人赴約也不要緊。」

「我請準女壻吃飯，豈有不到之理。」

「包死，你不要在別人面前談什麼準女壻不準女壻的，眞不好意思，我和他不過是比較熟悉的朋友而已。」雅麗絲到底是中國女孩子，聽喬治桑提起準女壻，有點羞澀之態。

台北傳奇錄（三八）

·陳光棣·

金恆貴到了劉二爺家說明來意，劉二爺滿口答應當晚來喝一杯，金恆貴又請了兩位陪客，一位是步成材，一位是小同鄉何校長。步成材碰到這種機會，眞是喜出望外，他知道劉二爺平常是不喝酒的，要是碰上有人請客就從來不服輸，不留量，幾乎十次有九次醉着回家，有一兩次醉的上不了樓梯，還是由他扶上去的，假如今天晚上喝醉酒離開金家，再由樓梯上滾下來，不是很入情入理嗎？于是忙不迭的去通知馬寡婦，事情來的太快了，馬寡婦有點猶豫，認為操之過急，可能忙中有錯，步成材說：「不要緊，我是吃了秤陀鐵了心啦！他媽的個刷子，反正是那麼囘子事」！

劉二爺年青的時候，酒量很好，就是二鍋頭的話，也能喝上兩三斤，如今可是不成了，一瓶紹興酒下肚，就搞的頭昏腦脹，因此每當出門去應酬，總是先吃點東西，免得喝空心酒容易上頭，這次金恆貴請吃晚飯，劉二爺先在家裏吃了個木瓜，木瓜是鹹性的水菓，有中和胃酸的效用，就是多喝兩杯也不致於醉酒。

劉二爺到了金恆貴家，客人已經都到齊了，馬上推推拉拉的安排好了席次，劉二爺坐首席，右邊是何校長，左邊是大洋馬，金恆貴夫婦因為要在廚房裏作菜，暫時由步成材代理主人。

「劉二爺是海量，您可得多喝幾杯」！大洋馬又問何校長：「您哪，怎麼樣」？

「我是烟酒不沾」！何校長陪着笑臉。

「是不是太太不許喝酒啊」？

「我就一個人在台灣」！何校長有點不自然。

「眞的呀？」大洋馬很感興趣的說。

「家裏的人都留在大陸」。何校長悽惻的說。

「我兄弟一直沒有跟我提過」。大洋馬假作同情的抱怨着：「早知道，給您找個老伴兒。」

「謝謝，我一個人挺好」！

「您的學校有多少學生啊」？

「兩三千人，私立學校很難辦」。何校長感嘆着。

「喝酒！喝酒！」步成材一揚脖子灌了一杯：「我是先於為敬」！緊接着，大家你來我往的就敬起酒來。劉二爺不服老，一再乾杯，大洋馬一個勁兒敬何校長，金恆貴專找着步成材划拳。步成材心不在焉，不住的輸拳，不停的喝酒，他本來滿腦門子心事，原是打算少喝酒的，又轉而一想，多喝些酒也好，喝的暈暈惚惚的反而胆子壯，免得到了時候下不了毒手，再說高高興興的喝個痛快，也免得別人起疑心。

（未完）

文匯樓別記

淨化新聞傳播有感

・文匯樓主・

中國國民黨中央評議委員陳立夫今天强調：爲復興中國文化，我們必須去除倫理建設的大敵，淨化新聞傳播內容，從根救起我國固有道德智能，以挽救社會頹風。

陳立夫昨天在中央評議委員第三次會議中提出「爲去除倫理建設之大敵以復興國文化案」。

在報言報，報紙在淨化後，讀者黎齊優秀自在意料之中，但報行數量減了，照樓主卅年吃報飯的經驗，報紙淨化與發財不能共存，儻若一個人才高，財富就不會再來，如出一轍，立夫先生就是最好的例證。

中國歷朝代的文豪、詩人、政治家、軍事家等，多貧無立錐，可證明樓主並非胡說八道，李白的「人生得意須盡歡，莫使金樽空對月」這種今朝有酒今朝醉的作風，非窮措大而何？杜甫，窮得不成話，看官們如果不相信，黃山谷有詩爲證：「我雖貧至骨，猶勝杜陵老，儘君上岳陽，一飯從人討。」陶淵明與李白、杜甫、黃山谷相較，乃五斗米折腰，陶的「感子漂母惠，愧我非韓才」，韓信如果地下有知的話，一定會質問陶潛：「你們鬧窮，何必將本人牽入現醜？」

至於朱洪武窮到在家鄉（鳳陽）偸雞摸鴨子私宰牛畜，不乾不淨的事太多了。漢高祖劉邦係屠狗輩，出身法警，更有正史記載，其餘可以推想了。

中國歷代大功立大業歷史人物固多如此，其實外國亦莫不然，與世界史永垂不朽的美國總統林肯，死後家裏沒有一點財產，弄得林太太生活都成問題，還有一位貴到九五之尊的英皇查理斯二世，債台高築，逼得沒有辦法，弄到將留在美國賓城一塊地，以一萬五千英鎊的代價，賣給普通商人威廉。他如英國名小說家高爾斯華綏、希臘大哲學家蘇格拉底。美國的大文豪雅連等，都是經常斷炊的朋友，尤其法國著名小說家巴爾扎克，常被債權人逼得不敢應聲開門。

奧國的大音樂家莫扎特，英國路透社的創始人路透氏，他們的窮簡直使人不能置信，滴水成冰的嚴寒之夜，沒有錢買炭生火取暖，前者把毛毯裹在身上工作，後者將破羊毛襪包起手禦寒，但他們的事業與名作就是這樣完成的。柏拉圖認爲「飢餓就是藝術之師，需要是發明之母」一點都未錯了。淨化新聞傳播事業，須要上列這一類型的人與堅苦卓絕的精神才能辦得到，行得通，根據樓主經驗，困苦貧窮，乃是最良好的學習，忍耐和就是最偉大的力量，上帝給我們一份困難時，同一時間也贈給我們一份智慧，讀立夫先生提案有感，兼以此爲本報海內海外同仁共勉。

魏晉清談

李漢珠

任何一個國家的民族氣質，往往深受某一時代的政治風氣的影響，從而發生若干的變化。例如中國的秦代推行極權統治，曾使當時人民懾伏；是漢武帝獨尊儒學，後漢光武帝興學校，形成一種儒雅的風尚，當時舉國上下就自然……之世，宦官擅權，朝政紊亂，時事日非，一科，人民亦相率以節義自勵。在此期間，尊崇名士，尤重孝廉，赴義犯難，以與邪惡政治相抗，引起黨錮之禍。魏晉之際，獨外戚宦官之士，因避禍而退隱山林，他們對於兩漢的過分崇儒學經，發生了反動的心理，乃轉而嚮往於黃老的清淨無爲之學，文人學者們遂棄……來的結果，大家以談玄理爲務，於是斷入於所謂清談，是對於名教而言。自從清談之風披靡當代以後，上自朝廷大臣，下至草莽處士，無一不以廢棄法度禮節，拂除俗慮和互相激勵，互相標榜，此時舉國上下，幾乎無人肯以國計民生爲慮，於是八王之亂起，國本爲發動搖，終至五胡亂華，晉室南遷。

西晉滅亡以後，五胡諸國，競起迭興，北方有十六國的盛衰更迭，南方建立東晉，後遂演成南北朝之局，其間歷時約三百年之久。在此期間，北方雖有五胡諸族的雜居，南方則只有漢族。南北的國情與民風不同，其結果也各有趨向，自是當然的結果。兩漢崇尚儒，爲儒家主義，而此儒學思想之士，在兩漢間發生重大的變化；始則延攬申商的法術，後則揭取老莊的無爲思想，此時有一番不振之勢。當時因有漢末以來政治上的紛亂，百姓流離失所，不堪逸嘯息，於是天下讀書人均興起厭世的思想，或縱酒忘憂，或嘯傲山林，以至兩漢所培養成功而足以支配天下人心的儒家思想，及魏晉而忽然凋落。此因漢代學者，一意從事訓詁之學，委其一生歲月以窮盡一經，白首未能通其大意，到了魏的曹操，一旦見到沛然瓦解，之士沛然爲背道，遂使一代思潮皆傾向於刑名主義。這是儒家凋落的第一個原因。其次兩漢代所謂「明經」初不必有經世之才，所而「孝廉」的選舉，亦不一定是有孝行的人，這樣也會使天下人士賤學術，輕德行，從而渴望純任自然，優游宰藏的境界。因此晉武帝一旦提倡曠達，天下之士即趨趨於無爲一路，這是儒家凋落的第二個原因。後漢之世，外戚宦官遞秉朝政，因黨錮之禍而慘遭殺戮的讀書人爲數極多，旋以漢末大亂，三國分立，跟着又是八王、五胡的紛擾，以致殺人如麻，血湧川原，屍堆丘山，這也足令天下讀書人感慨人生如朝露，從自然生死不移其注意力於長生不死的玄虛思像。這是儒家凋落的第三個原因。有了上述儒家凋落的三種原因，何晏兩人，都以一代碩儒而去咀嚼老莊的旨趣。晉的詩人阮籍、嵇康則又有一世重望而鼓吹虛無的風流。自是以來，又有阮、稽以外的名列「竹林七賢」之徒起而破壞禮法，輕蔑名教，崇尚放達，一致他們清談的思想內容，有些是本能論者，而他們的清談不僅爲舉世所歡迎，他們的行爲亦爲天下所景仰，是於清談之士繼起，歷魏晉而至南朝，遺響餘音，累世不絕。

清談亦稱清言，清談又稱玄談或約言。東漢的處士橫議，放言高論，譏評時政的得失，當時叫做清議。清談招致了黨錮之禍，曹操曾屢以清談如蛇蝎；於是從清談一變者爲不著邊際，那時清說理的清談。談的人，被稱爲談士或談客，又稱清客。這些人平居無事，手裏拿着麈尾，作爲拂塵一類的用具，一面清談，一面左右搖動着麈尾，談到與會淋漓之際，便麈尾亂揮，增加談話的情趣。倘問那樣的清談，所談的內容究竟是些什麼？可舉王導和殷浩兩人清談爲例。王導開頭就說要和殷浩「析理」，可見清談亦即是談理。談理有主有客，談勝了算是理勝，談輸了算是理屈。再則談到有「主題」，叫做「談宗」。某人建立一個談宗，另外的人就設法去破它。誰能在言論上取得上頭，誰就算勝了理，這理便算是某人的理。王夷甫勝了理叫做「王理」，支道林勝了理，叫做「支理」。有時雙方談論得不到結論，就算雙方沒有勝負。這一種清談的風氣，到了魏齊王芳的正始年間（西元二百四十年到二百四十八年）已經發達到了最高峰，當時的清談，被一般人稱爲「正始之音」。正始之音亦即「玄談之晉」。因爲當時的清談家把周易，老子和莊子三書合起來稱爲「三玄之存」，而「正始之音」的內容，大體上不出三玄之學的範圍。

中國哲學在先秦爲諸子的「道術」時代，而黃老之術興起於戰國末期，而黃老之言盛行於漢初。魏晉則入玄學發達時代，而老莊之學興盛於正始以後。漢初盛言黃老而黃老學盛，其說謂之道論。魏晉盛言老莊而莊學盛，其說謂之「玄言」。漢承秦火之後，文、景、曹參、汲黯等人提倡黃老式的清淨無爲，猶得以休養生聚獲致小康的局面；到了魏晉之世，天下禍亂相繼，何晏、王弼、稽康、阮籍之徒清談老莊的玄虛，竟以放達浮誇召來了意外的「戎禍」。范寧會說：「王弼、何晏之罪，浮於桀、紂」；顧炎武也說：「王、何演說老莊，以致國亡教淪，羌戎互僭」。在玄學思想上，老子始發玄義。韓非解老，已有「聖人觀其玄虛」之語。魏晉之際，所謂玄學，本指老莊之學。惟王弼注易與老子，未嘗注莊子，何晏且有「爲莊驅，放玄虛」之語，似是貴老而不貴莊，但在稽康與阮籍的言論裏面，乃老莊並稱，如稽康所謂「讀老莊，重增其放」。阮籍亦作通易、通老、達莊三論，再致玄學之學術名詞。始見於晉書陸雲傳，自晉宋以後，凡南朝之精通老莊的學者，而謂之通玄言及玄理者，謂之「精三玄」、易」。當時精三玄的人多名列儒林，兼明經術。歷朝儒、玄合流的玄風，至隋末唐初纔漸漸衰微下去。繼之又以佛學爲玄學，所以唐代的法相宗又有「玄宗」之名。

佛學很早便與玄學結緣。佛學傳入中土，爲時頗早。漢武帝時，張騫使大夏，已聞有天竺佛教。哀帝時，大月氏王使者伊存口授浮屠經於秦景憲，但在中土尚未得到信仰。直到漢明帝遣蔡愔等出使天竺，得經像及僧二人歸來，立白馬寺，佛教始行於中土。在魏晉以前，中國人猶不得隨便出家。到了晉時，佛圖澄、鳩摩羅什兩大法師門下，方有很多華夏名僧助譯經論。佛學乃大爲昌盛傳播，魏晉學者也多比附玄理，談玄、佛合流，故又有「玄素學」的名稱。惟在魏晉之間，不論玄學與佛學，均以南方或南朝最爲流行。北朝則自魏太武帝誅禁沙門開始，齊文宣帝又禁絕老，周武帝更有廢毀佛道之舉，因此北朝玄風亦不如南朝之盛。

（未完）

生活漫談

家有吵夜郎

馬騰雲

「天皇皇，地皇皇，我家有個吵夜郎，行路君子唸一次，一睡睡到大天亮。」這是因家有夜間啼哭不休的小孩子，上列的一段咒文，用紅紙寫好，貼在馬路牆壁，由行路的人唸一遍，就可治好小孩子的夜啼，這種荒謬愚不可及的流傳，眞是會笑掉人的大牙。中國社會之大，大到無奇不有。

假定你們家裏有吵夜郎的話，你不妨將吵夜的孩子加以檢查肛門，用水和肥皂洗滌，可能立刻就不再吵。

如果再吵的話再洗一次，以含有薄荷劑的便藥少少抹一點，用藥棉薄薄的塡在肛門中間，可阻止蟯（虫旁、以下同）蟲的活動，這是治標的辦法。因爲小孩最易感染蟯蟲，蟯蟲多半在夜間爬出來，而且成羣結隊的，擁在肛門週圍皺壁上產卵，有時女孩子的陰部，特別發癢，癢得非常痛苦，以致妨礙睡眠，孩子會很不安在床上翻來覆去，亂哭亂鬧，尤其女孩子陰部被蟯蟲爬進後，會引起發炎，發生疼痛，不得不注意。

蟯蟲是一種約一厘米長，白色圓形小蟲，寄生在小腸的下部和大腸裏，它在腸內壽命不長，僅廿五到卅天，在最後幾天時，蟯蟲的活動最劇烈，爬在肛門週圍死亡，也有一部份是死在腸內的，服藥和防治蟯蟲的辦法，請參閱拙著「生活漫談」「胡蘿卜汁可治肛門癢」。

小孩子們，有嚼手指甲，或者有把指放在口裏的習慣，那麼大人應該制止他們這些不良習慣，因爲手指及指甲縫最易藏蟯蟲卵。

生活漫談首集業已出版（係自由報獨家連載）每本特價新台幣拾伍元，生活漫談合集（台北各大報歷年連載）業已出版，三百餘頁每本新台幣貳拾元，台北郵政劃撥五〇五六張萬有（自由報會計室）面購台北衡陽路三十號後進：郵票通用請直寄台北忠孝路三段廿一巷二弄二號自由報台灣業務拓展中心，注意生活漫談首集與合集，香港價目每本港幣二元五角，東南亞國家每本美金一元，歐美國家每本美金一元五角（寄費在內）

諸葛亮狂想曲

（九九）　・劉玄・

「丞相此言差矣，」琴童因隨諸葛亮多年，說話很直率，他常常一開口先用「差矣」來罵住諸葛亮。「說大人則藐之」，琴童倒能深切體會。

「你有什麼話說？」果然「差矣」發生了效力，諸葛亮不禁要請教琴童了。

「我追隨丞相多年，多蒙丞相厚愛，視我如子姪，四書上不是有說「象憂亦憂，象喜亦喜」麼，我看見丞相皺眉的神色，所以理應關心，所以我才問丞相。」琴童竟說出中華文化的大道理，雖比喻不類，諸葛亮還其誠，也不怪他。

諸葛亮顏色溫和：「好罷，你試猜猜看。」

「依我看來，丞相一定是爲了宇宙發展委員會之事，是也不是？」琴童很有說話的技巧，他懂得徐徐引入正題。

「爲什麼？」

「因爲丞相很久很久沒有翻過這本書了，丞相忽然要看「八卦變化論」，不是爲了「宇宙發展委員會」還會爲了什麼呢？」琴童確實了不起，他的察力不亞於福爾摩斯。

諸葛亮點了點頭。

「丞相要發現這本書很難作爲實際用途，所以才翻翻看的，」琴童一邊說一邊在留心諸葛亮的表情。

「總算被你猜中了，我也實在告訴你，有很多仙家，將來都要延攬到中央機構當委員，這是運用智囊決定，大家負責，我不會如此擔憂。我所不解的是，爲什麼太白星君要揀中我來負此重責？有他才獨到的見解，可時也有他之見解？」「因與語，而不語，失人」此才道破他自己的疑點中原故。」

「哦，丞相原來爲此煩惱，我倒知道其間，」琴童知能解開。

「你到說說看」諸葛亮想不到他的疑。

「玉帝是道家，當然不曾請如其任宇宙發展委員會主任委員。丞相，你精研易經八卦，又賦性恬淡，無疑你是道家的傳統，當然你就容易得玉帝垂青了。」琴童說儒、釋、道時，選擇這三者指來強調其語氣。

諸葛亮聽了，用鵝毛扇在空中一連比劃了三下，這是他最得意時的表情。然後接着說：「你的話很有道理，對我有很大的啟發性，將來在延聘委員時，我將注意儘量使道家佔最大的比重。」

他出任「宇宙發展委員會」主任委員的道理經琴童道破，諸葛亮了解太白星君推薦是，諸葛亮心裏歡喜，信非虛語，他因浸潤中華文化日久，並未當面稱讚琴童，以免失尊長威嚴。

（未完）

與余程萬聯繫，湯堯副總司令，李彌軍長，曹天戈副軍長一致勸請丁博士繼續努力，繼續前往開遠。是在江城他們決定的。是在到金城當天晚上。表面

巨變歷險記

上的理由在於余作再攻昆明，骨子裏則在於怕余程萬率隊叛變，怕他投降盧漢。

丁博士也並沒有推辭。但去不是一句話所能夠實現的。一加研究，問題可就多了。主要在江城與開遠之間，已成了匪區，尤其金城到鐵路的一段。出徵江城不遠，就是徵江湖，路旁着湖，湖旁就是赤化了的區域，通過這個長的區域，危險實在非常之大，簡直可以說不堪設想。如何通過，是帶着部隊還是

隻身北上（十二）

胡嚴著

隻身前往，再不然坐船。坐船蕩舟湖上，海闊天空，那再好沒有。帶部隊，目標太大，且有打戰的危險。陷在湖邊，前進不得，後退不能，那是非常狼狽的。湯李曹三公都不主張。隻身前往，沒有照顧，湯李曹三公也過意不去，於是派彭副參謀長隨同。另一方面，叫地方上準備船坐。地方是答應了。

丁博士身上還帶了十塊大頭。中央的信縫在丁博士的衣服裏邊。

丁博士以爲有船坐，又有彭副參謀長隨行，可保萬無一失。在第二天一早，部隊南下的時候，丁博士偕同彭副參謀長就北上了。丁博士以爲有船可坐，又帶上他的皮大衣，又帶上他的美國行軍被，從江城到徵江湖邊，有一段步行的路，由並不高，但是起伏無定，怕人發覺注意，儘量的走田埂，揀道路而不由。走了三個鐘點，累得滿頭大汗，總算到了湖邊。船呢？……湖邊是到了，但船沒見……丁博士以爲船會到的，坐在那裏等，坐在地上等……但無論怎樣等，總不見船到……那麼，怎樣辦？轉回去？前進？經詳細的考慮，轉是不能轉的了，部隊已經開拔很遠，追是追不上的了，前進縱然是死路，縱然是死路一條，也只是走上前去，從死裏逃生。

好！丁博士就作成一個做生意人的模樣，在附近村子上，找了兩個籮擔，一條扁擔。夾雜在來來回回的人裏邊，想濫竽充數，不爲人注意，在人不注意的情況下，能夠混得過去，但一個書生，和一個普通的老百姓，舉止是不一樣的，很難掩蓋得住，簡直無法掩蓋。

在剛剛離開湖邊不遠，到了頭一個村子，丁博士已爲人所注意，已經有人在釘。在他後邊，在他左邊，在他右邊，跟着他不放。丁博士心知有異，仍疾趨而過，但進去一個村裏了。這村很奇怪，好像一個大院，進去就不容易出去，如同進了迷魂陣，八卦陣裏邊，突然跟蹤的人，一個一個的離去，剩下只有一個了。離去的人幹什麼？是不是去搬兵？是不是邀人？是不是……？從他們的面部表情上，其沒有好意，一望而知。但也只有前進，只有前進……已落在匪的手中了……

文天祥命相與夢話

漢平

文天祥字宋瑞，又字履善，號文山，南宋江西吉水人。生得體貌豐偉，美皙如玉，秀目長眉，顧盼燁然。爲童子時，見學宮所祠鄉賢歐陽修、楊邦乂、胡銓諸人像，皆謚忠節，不禁欣然羨慕歎道：「設不俎豆其間，非丈夫也。」

寶祐丙辰，年二十一歲舉進士，對策集英殿。時理宗在位，政事浸怠，天祥以「法天不息」爲對，著萬餘言，一揮而就，理宗親擢爲第一。考官王應麟奏道：「是卷古誼若龜鑑，忠肝如鐵石。臣敢爲得人慶」。後歷仕湖南提刑，改知贛州。

宋恭帝德祐元年四十歲，元兵入寇。天祥應詔勤王，拜右丞相。次年丙子，年四十一，奉旨赴元軍請和，被元軍拘留，至鎮江，夜半逃往眞州，乘海舟泛至溫州（浙江永嘉縣），聞益王未立，乃上表勸進，召天祥至福州，拜爲左丞相。

宋端宗景炎丁丑，年四十二歲，受任都督，至江西，與元兵戰於空坑，不幸大敗，收拾殘兵，奔往循州（廣東省惠陽縣東北），駐兵南嶺。南嶺地勢險要，周圍百里，四面環山，其中平原，只有一條路可通。天祥在此整軍。次年，天祥年四十三，加封少保信國公，進屯潮陽，移屯海豐。同年十二月二十日，元將張弘範提兵掩至，天祥被俘。押赴燕京拘留，歷時四年，多方利誘使降，天祥終不改其志節，不屈被害。臨刑之日，天祥作「正氣歌」一首以見志。從容對獄卒道：「我的事已完畢了！」於是南向而拜後被害。以示不忘宋主。元世祖嘆爲「眞男子」。時爲壬午十二月初九日，年四十有七歲，遺有文山集二十卷。

文天祥之生卒年月日時如左：

南宋理宗端平三年五月初二日子時生。

元世祖至元十九年十二月初九日卒，時不詳。

其八字爲丙申、甲午、丁巳、庚子。

「三命指迷賦」說：「文章明敏兮，定須火盛；威剛武烈兮，乃是金多」。按天祥命造，日主的丁屬火，月枝的午藏丁，亦屬火。年幹的丙亦屬火。日枝的巳藏丙亦屬火。合起來就有了四火。時幹的庚屬金，年枝的申與日枝的巳中各藏庚，具屬金，合起來就有三金了。火多則盛，金多則剛。「指迷賦謂「文章明敏，威武剛烈」，豈不是正合嗎？金剛火盛，金能成器，火又見功，可以說是最好的命。然而誕生的時候，適在芒種節後，赤帝司權，與三秋的白帝司權又有不同。此時火正當令，金猶藏形，火旺金衰，不能妥協，必須藉水以制火，使火氣稍降，金質稍升，始可歸於和平，而免一偏倚之弊，恰好年枝在申，時枝的子，命宮的亥，各具藏水用神，得所，嚮福殊多，故能鞠躬盡瘁，取義成仁，豈是尋常狀元宰相所可相提並論！

文信國公二十八歲丙運，小限爲丁酉，二月朔，禮部開榜，中正奏名，其弟文壁與天祥同登科第，至大廷對策，理宗皇帝親擢爲第一。臨軒唱名，爲五月二十四日，時其弟革齋先生正臥病客邸。二十八日，革齋棄世，天府治喪，榜下士資送，路費粗給，兄弟即日扶護還里，一喜一憂，眞是天壤之別。因火旺金衰之命，只宜辰酉，最忌丙丁之故。

自二十五歲旨差，主管建昌軍，仙都觀，至二十六歲，除湖南運判，皆申酉金運之關係，雖經過丁火，而歲見水金，故循序漸進，尚不差池。及至三十一歲，除湖南提刑。四十一歲，拜右丞相，兼樞密使，都督諸路軍馬。四十二歲，攻打贛吉兵敗。凡此數年，都在戊土運中，與用神的水極端反對。是以干戈鼎沸，挫折頻遭。

四十三歲戊運，歲值戊寅，九月曾太夫人卒。十二月十五日，移兵屯海豐。爲元兵追及，兵敗被俘。當時曾圖自殺，服子而不死，見了元軍元帥張弘範抗節不屈，弘範待以客禮，仍不屈，其後乃囚入獄。至四十七歲，仍在戊運，歲値壬午。十二月初九日就義成仁。因戊午合火，壬丁化木，午午刑刃之故也。是歲春，公自作贊，擬終命的時候放在衣帶間。敍云：「吾位居宰相，不能救社稷，正天下，軍敗國辱，爲囚虜，其當死久矣！頃被執以來，欲引決而無間，今天與之機，謹南向百拜以死」。其贊云：「孔曰成仁，孟曰取義。惟其義盡，所以仁至。讀聖賢書，所學何事？而今而後，庶幾無愧！」宋丞相文天祥絕筆。

（完）

國醫與國藥

自己治病簡法

陳果夫遺著

一、鼻子傷風

有許多人鼻子很不健全，一遇到冷氣就容易傷風，相傳的治療方法是很多，均不易見功效。我有一個方法卻很有效驗，就是在沒有傷風的時候，每天早晨起來用左右兩手食指與中指，夾着鼻子磨擦三四十下，不要間斷，繼續三個月工夫，就可以使鼻子此後不再傷風。這是我發明的方法，我祇磨擦了三個月，一直到現在有五年不傷風了，其他效法的人亦都有效。

二、頭眩

容易頭眩，大半是血壓高，或貧血的人，但是發頭眩症，往往是因太勞動，身體太熱所引起，所以一覺得頭眩，立刻應該休息，而且應減少身體衣服，或被褥的溫度，就會逐漸平下來。

三、灰沙入目

凡遇灰沙入目時，千萬不可用手擦眼，最好立刻將眼閉着，另想別的心思，越想得開越好，時間稍久，其灰沙自然而然的流出了，此法余曾試驗有效，但移轉思想頗爲不易也。

四、牙齒痛

牙齒毛病只有兩種原因最容易發生，一是多吃糖食，尤其在睡眠之前吃甜的東西，致牙齒壞爛，一是吃東西冷熱太不調勻，或吃極冷或吃極熱，致牙牀神經受刺激而腫痛。所以對付常常患牙齒痛的方法，祇要減少甜食，睡前吃了甜食應即嗽口，不可使糖分留在牙縫裏，以及吃溫的飲食，絕對不食太冷太熱的東西，就可以少發，或在修補之後可以從此不發。我在民國十五年，連吃了一個多月甜食後睡覺，壞了兩齒，後來曉得這個原因，吃後嗽口，就不繼續壞下去，民國二十年亦因吃得太冷太熱，致牙牀常常發腫，後來明白了這個道理，也就不再發了。

五、扁桃腺炎

生扁桃腺的人，常常要發病的原因，往往是爲了衣服穿得太多，尤其是下面褲子及襪子穿得多了，再加工作吃力，更易發病，所以祇要減少衣服不使過熱，即可不發。

六、魚骨哽喉

魚骨哽喉有時刺入肌肉，不易除去，也有好了之後，因爲心理作用，仍覺有物留着，此種現象一如手中持物，留意的時候絕不會放掉，不着意時才會鬆手。所以若人的注意力換了方向有十分鐘之久，就會漸漸解除。譬如用畫符咒方法能使魚骨下咽，也就是這個原因。我有一次被人迫着以符咒騙人，我畫了數百個陳果夫于水碗中，俟水溫使哽喉之人服下，霍然而愈，此即移轉注意力之功也。

七、胃腸水多

腸胃裏停了水，是消化不良症，此症往往是由于缺少運動而起，這種情形只要多多走動，或者跑樓梯上下數十次即愈，余於民國六年用此法治愈多人。

八、停食

胃裏停了食，頂好不要再吃粘硬的食物，只能吃些流質，甚至可以停止食物一兩天，只吃開水，每次吃開水後，用手按摩胃部硬處，或痛處，使之流動消散，使胃中積滯，漸漸被水冲洗淨了，即能痊癒。還有要知道是那種東西吃壞的，必須要過若干天不能吃它，這樣在最近時期，不致再吃壞停食，我有時停了食，用此方法比吃藥還容易痊好。

九、胃酸太多

胃酸太多的人可不必吃藥，只要胃部保持溫暖，少吃水份及生冷的東西，如能繼續吃些不難消化而硬的東西，再多作運動，有若干天即可痊癒。

（二）

第二章　金太祖建國稱帝　宋徽宗信任奸臣

命平海軍校呼慶，從金使李善慶歸金。宋使呼慶辭歸時，金主與語道：「歸見皇帝，果欲結好同盟，當示國書；若仍用詔命，我不使受，休怪我却還來使。」

宋使呼慶唯唯而還。至童貫入朝，力主蔡京之議，請再遣使齎書。中書舍人吳時獨上書諫阻。又有一布衣安堯臣者，亦諫止圖遼。吳時且言「不應敗宋遼之盟」。吳時，安堯臣各上一疏，詞意剴切。

徽宗連接二疏，正在兩難。忽有二御醫自高麗歸，亦以圖遼爲非計。原來高麗通好中國，因其主有疾，來中國求醫，遂遣御醫往治，治癒辭歸。臨行時，高麗朝廷請御醫轉致宋朝廷道：「聞天子將與女眞圖契丹，恐非良策。苟存契丹，尚足爲中國捍邊。女眞虎狼之國也，不宜與交，請傳達貴國天子，須嚴防女眞爲是。」

二御醫歸朝。奏聞徽宗。徽宗乃以吳時及安堯臣二人所言，不爲無見，欲將聯金伐遼之計擱置，並將擢安堯臣爲承務郎，藉通言路。而蔡京、童貫二人力主前議，謂「天與不取，反受其害。」

有學士王黼，時已拜少宰，與蔡京、童貫勾結，附和蔡、童之主張，斥吳時、安堯臣二人爲腐儒，並以安堯臣爲一布衣，有越俎進言之罪，不得給授郎官。三奸上下其手，併力奏請圖遼之議。徽宗遂信蔡京、童貫之議可行，因遣右文殿修撰趙良嗣，以藉市馬爲名，再出使金國，重申前約。

此時遼國使者蕭習泥至金續議册封之禮，金主不滿遼國册禮，納宋使之約，兵出遼國上京，列宋、遼二使於軍中。遼主方在胡土白山圍獵，聞金兵入寇，即命耶律白斯不等，率精兵三千，馳援上京。金主至上京城下，先諭守兵速降。留守撻不野不從。金主下令攻城，且對宋、遼二使道：「汝等且看我用兵，以卜去就」。言罷，親自擊桴鼓助威。金兵猛撲，不避石矢，自辰至午，酣戰不已。時金將闍母等鼓勇先登，部衆齊上，遂克外城。撻不野無計可施，只好出降，耶律白斯不等，將至上京，聞城已失守，戰不自退。

金主入城犒勞士衆，置酒歡宴。趙良嗣等捧觴上壽，競呼萬歲。越日金主留兵屯上京，自偕趙良嗣等還國。趙良嗣因對金主道：「燕本漢地，理應歸還中國。今願與貴國合力攻遼，貴國可取中京大定府，敝國願取燕京析京府。南北夾攻，均可得志。」

自由報

（第一〇五一期）

半週刊每星期三、六出版

社長李鵬運　督印黃行寶

社址：香港九龍彌敦道593—601號 廖創興銀行大廈八樓五座

LIU CHONG HING BUILDING
7th FLOOR FLAT 5
593—601 NATHAN ROAD,
KOWLOON, H.K.
TEL: K303831

電報掛號：7191

台灣通訊處中心：台北市青田街五巷三號 電話：三七五〇二

第五〇五六號張萬有（自由報合計室）
台北營業處：台北衡陽街三十號
電話：二七二〇〇
台灣分社：台北市西寧南路110號二樓
電話：三三〇三四六，台郵劃撥戶九二五二號

五十年來文化政策的檢討

·李霜青·

總理在「支那革命實見記序」一文中勗勉著者當「揭吾黨得失利鈍之迹，以示天下」。「不徒叙述吾黨得意之事而已，必詳舉其困厄與失敗之原因，俾吾黨之士得以自儆，抑亦將使天下之人，恤其孤厄而爲之助焉」。緬懷遺教，執政黨五十年來文化政策之得失，正應加以檢討。

總裁指示：二十世紀是三民主義的世紀。是以中國思潮已融匯於三民主義，世界思想也必以三民主義爲歸趨。我 總理立承先啓後救國救民之大志，創造三民主義、五權憲法之宏規，蓋所以繼承堯舜禹湯文武周公孔子之一貫道統，及「集中外之精華，去一切流弊」，深知中國文化自三代以後，政府委去養民教民之責，故乃進步甚慢。而近三百年來，正值西方科學突飛猛進，反觀中國，「自滿清入關以後，不但道德睡了覺，連知識也睡了覺」（民族主義）。我 總理以高瞻遠矚之智，乃主張「恢復固有道德」「恢復固有政治哲學」「恢復固有發明能力」。「恢復一切國粹之後，還要迎頭趕上西方科學」。（同上）

現在，我們要指出：同盟會老同志中，第一個違反 總理意志的是陳獨秀，他是新文化運動與中國共產黨雙胞胎的父親。他的科學思想，本是由 總理的「上李鴻章書」一脈而來。他的民主思想，本是由 總理的「駁保皇黨」思想一脈而來。他提倡的白話文，本是由本黨同志民國成立前爲推翻滿清在蘇州一帶辦白話報而引起。但到了民國七年，他以偏激拂忤的性格，主張「文學革命」，要「打倒舊文學」，要「消滅漢字」，錢玄同、黎錦熙、胡適符合其說，主張「漢字羅馬化」，其後，林語堂則在「漢字改革問題」一文中，提倡「漢字拉丁化」。陳秀獨在民國八年進而倡導「非忠」「非孝」「打倒孔家店」，該年并開始宣傳馬克斯主義。民國十年，在太湖成立共產黨。此時，惟我 總理著「孫文學說」指出「中學文學之不當廢」。發表「詩學偶談」指出中國詩詞文學之美（民國七年）。更在「民族主義」中倡導恢復忠孝仁愛信義和平之固有道德。并於「民生主義」中批評馬克斯主義之不當。期以遏止陳獨秀等謬說之流傳（民國十三年）。

新文化運動份子，既是共產黨的孿生兄弟，同爲陳獨秀所倡導。所以，他們的思想與所作所爲，莫不聲息相同。北伐時期，一部份新文化運動份子與共產黨同時加入北伐行列。直到共產黨陰謀叛亂暴露，才驚醒了這些人的好夢。而陳獨秀組成共產黨時，胡適正對總理的「知難行易學說」唱反調說：「知難行亦不易」。其後，國語統一會：先後利用教育部長王世杰來操縱教育，在民國二十三年，他們公佈了第一批簡體字，來達到破壞「中國文字六書原理」的目的，進而過渡到他們所主張的「拼音代漢字」。幸經戴季陶先生發覺，指出推行簡體字乃自毀中國文字，其害甚於亡國。維全國學者的反對方使其計未售。而此時，中國共產黨與林語堂的「西風」雜誌，則爲推行簡體字的大本營。教科書中，更以白話文爲主流，大售胡適派自大劍的「行善不朽，作惡也不朽」的邪論。錢玄同、黎錦熙則於民國二十四年，利用教育部派他們制訂注音符號字模之便，乘機偷把平上去入四聲廢掉，改爲陰平、陽平、上聲、去聲，使中原正音不復存在，青少年無法接受數千年詩詞之美。因主張廢棄古文，乃造成「無火焚書」，如今青年一代已讀不懂古書，對古聖賢之學，已莫能明其義蘊。毛匪澤東繼起提倡白話文，推行其「秧歌」與「一杯水主義」的無恥文藝，藉以吸引青少年上當入彀。大陸淪陷後，毛匪公然重用黎錦熙推行簡體字，及實行「漢字拉丁化」主義。我自由中國也恰於其時，由羅家倫提倡簡體字，胡適則支持之。幸有一批真知中國文字之學者挺身反對，其計乃未得售。接著，由美國費正清連絡在台灣的新文化運動份子，製造中西文化論戰，由費正清在美國罵中國文字，中國文化，中國政府，罵執政黨的主義。幸經執政黨理論家連絡學界人士，予以揭發及反駁，乃使其奸計敗露。

現在，「消滅中國文學」的陰謀，正在自由中國的台灣進行，其步驟是：簡體字之提倡——減少中國文字——注音符號代漢字——羅馬拼音字代漢字。首先，是某將軍被利用來提倡簡體字。林語堂則倡議減少中國文字，只保留小學生程度夠用的三千多字。王玉川則主張以注音符號代替部份漢字。單以提倡簡字而論，只能達到破壞中國文字的「六書精神」的目的。減少中國文字爲三千左右，則將使下一代讀不通任何一本古今學術書籍。以注音代部份漢字，將使下一代不認識原有漢字。中國文化將均一刀斬斷不爲下一代所知了。以羅馬拼音字代漢字，乃是自亡文化的無知之論。試想：如果我們向英美國家建議，用國際音標代替英文，他們不嗤之以鼻才怪呢。因爲，國際音標是幫助識字之用的工具。注音符號與羅馬拼音字之功用，也只在幫助認識中國字而已。而且，有些外國人對我國英語教學，先學國際音標，再學音標，再學拼音，認爲是無異讓學生多學習了一種文字，那未免是徒增紛擾。而我們竟主張用注音符號或羅馬拼音字來代替文字，豈不令外國人要笑掉大牙。但這種自甘毀滅中國文字的可笑之論，却竟然能在中國國土上不脛而走，且有報紙代爲騰傳呢。

可怪地，代爲傳播這種詆毀哲學，詆毀中國文化、文字之言論的，竟是執政黨的有關宣傳機構；且形成「一面倒」，凡有反駁林語堂之文，一概不登。幸而，本黨理論家張鐵君、任卓宣先生等，皆自辦有雜誌（學園、政治評論），予林氏以學理上之駁斥。而學界刊物如「陽明」「文化旗」「中華雜誌」，亦均予以分別抨擊。

五十年來，執政黨在文化政策上，似乎未切實遵照 總理與 總裁的昭示。有些作法，正如一句俗語說：「搬石頭 自己的腳」。真令人覺得矛盾可笑。這正是值得我們痛定思痛，加以檢討的時候了。

現在，日本科學已很發達，其國內皓首窮經之士，依然很受人尊重。不像我國今日對研究國學之士，便斥爲「守舊」「落伍」「不合時宜」。美國大學今日聘請「中國文化」「宋史」的教授，竟求之日本，而不求之中國。日本兒童對書法與詩詞寫作，均普遍講求，其戰後最暢銷之書，竟是唐詩三百首，日本諾貝爾獎金的文學家川端康成，自云幼時熟讀唐詩三百首，獲益非淺。反觀我國兒童，於書法則不知執筆者甚多，於詩詞韻律皆已懵然不曉。圍棋本是中國人發明的，今日中國圍棋神童則赴日本學習。五十年後，中國的文學天才兒童，眞須赴日學詩詞了。看看我們的國粹之喪失，高呼「月亮是外國的圓」的新文化運動份子，能說毫無責任？當我喪失國粹之後，就怪不得日本要以東方文化的盟主國自居了。高呼「科學」「民主」，就要「非忠」「非孝」「打倒孔家店」「消滅漢字」。而「不忠」「不孝」「不尊孔孟」「不識六書」之後，科學仍未發達，反而使舉國人心迷失了自己，這不是咄咄怪事麼？

正本清源，我們應走 總理所昭示的「恢復國粹」「迎頭趕上歐美科學」雙齊下的老路。更應遵照 總理遺教來糾正新文化運動的偏差。只有這樣才是收拾大陸民心的正道，才足以「把中華民族從根救起來，向世界文化迎頭趕上去」（ 總理語）。

自由談

人類的好奇心

人類皆有一種好奇的天性，對於隨時習聞習見的事物，縱屬奇特，亦復漠不關心，不以爲異。如果是官府特加禁制，不許公開談論的某項事情，內容分明極其尋常，而人們却格外注意，千方百計地要想知道究竟是怎末回事？所以，心理學家指出：假使有人在市街上，對着乾淨的墻壁間凝神注視，似有所發覺然，片刻後，即有往來的行人，相率以好奇心情，佇立圍觀不已。實則仍係沒有甚末異樣的一塊墻壁呢！

這種好奇心理，在政治問題上更見突出。滿漢末葉，清廷嚴禁士林購閱從海外輸入的「中國魂」、「醒世鐘」和「新民叢報」等類刊物，指爲傳播大逆不道的革命思想，違者依法嚴究。當時我在小學讀書，幷不知「革命」二字作何解釋，但由於官府嚴令查禁之故，急向書賈秘密購買該刊物，夜間在寢室內的油燈下私自閱覽，樂此不疲。迨到省城讀中學後，即不期然而然的對滿清王朝抱有反感了。實則上述刊物盡係保皇黨康有爲梁啓超諸人所撰寫，根本就是不贊成革命而主張君主立憲的，只因對慈禧太后有不滿的言論，官府視爲大逆不道，特加查禁，反而替康梁等人作了義務宣傳，增長了他們的身價與聲光，而清祚亦從此加速了危亡的進度，不啻爲叛逆張目，愚不可及也。

等由准此，一般辦報的人，要想報紙的銷路激增，唯一有效方法，就企望本報被官府查禁——如停刊若干時期，或禁止進口，或全部沒收之類的處分——報紙便容易發展了。這種情形，在過去的北洋軍閥政治環境中屢見不鮮。許多原不足道的報紙與其主持人，皆藉此名成利就，成爲時代的幸運兒。推究其因，乃人類好奇心理所致，而官府之顢頇愚昧，厥功亦不在禹下！

馬五先生

昨日與明日

自從規定師大畢業生要服役五年之後，社會各方面人士，紛紛指出其不可。事實上，師大歷年畢業生出國留學的數目極爲渺少。但這一規定，卻使投考師大的學生有如預簽賣身契約五年之感，在這日趨工業化的社會中，時間愈來愈敏銳，行止愈來愈多變，請問誰肯先把五年的行動自由預先「廉價」（因爲事實上，師大的公費數目極爲有限，同時還喪失許多得獎學金的機會。因此在壞學生還可說有幾個錢的補助，而成績好的學生，則較之同程度的其他大學生吃虧極多極多）出賣。因此預料將給師大帶來毀滅性的打擊。

相約不考

果不出預料，現在已有許多事實出現了。

挽救師大

第一、在台灣大專升學率最高的，公然是北一女。每年台大所招學生不過一千多名，而北一女一校即包辦四百多名，甚至連其夜間部及補校的升學率都在百分之九十以上。北一女的學生塡升學志願，一向是以台大爲第一志願，而第二志願便是師大。現在根據許多教師的報導，他們應屆畢業生，已經紛紛相約不報名師大了。北一女如此，其他好的學校一定也有類似情形。

申請退學

第二、據聞師大理學院一二年級的學生，已有十八名，由家長具名，正式向學校申請退學，情願補償所受各項費用（實際並沒多少錢），學校無法處理，已呈請上峯指示。並且據說這十八人只是此項嘗試的前鋒，還有許多成績好，而有志深造的也都在醞釀，只看這十八人的結果如何，便將採取決定。

試問這不是對師範大學毀滅打擊麼？好的根本不來考，已有的好學生又想退學，試問這怎麼得了？若在其他學校，還可聽其自生自滅，不必管他，但師大的畢業生却是一律要任充中學教員的，那將來台灣的教育前途還堪問聞嗎。

後果堪虞

因此又風聞師大許多教授在醞釀表示，將來大專聯考錄取學生時，師大一定要維持既往的水準的學生。這當然不失爲潔身自好，保持營譽的一法，但假如成績好的學生都紛紛不塡師大志願，你還能硬派在師大不成。差額有限還不要緊，假如差額很多，那就情形嚴重，而將造成另外的大問題了。這一連串的問題，綜論起來，不就正是「天下本無事，庸人自擾之」嗎？

·成公·

中印緬文協主席陶鎔
綜談前訪問印度經緯
受毛打擊後印朝野幡然覺悟
並析彼邦與國際間復雜關係

（本報通信員柳一權來自台北國會消息）立法委員陶鎔，曾就他去年訪問印度的經過，作了詳細報告，茲摘錄如下：

爲謀改善印度及緬甸和我中華民國間之關係，使之能臻於友好而達成建交之目的。故有中、印、緬文化經濟協會之籌組，自民國五十三年四月四日成立以來，即本此目標，運用各種方式努力工作。幸機運轉向於我有利，由於民國五十一年春中共匪部攻打印度之後，印度朝野幡然覺悟，認清中共匪帮赤化印度之陰謀，不可再與共匪爲友，並展開普遍之反共匪運動。隨之印度國會議員、新聞記者及學者專家，逐年應邀來我國訪問者，迄今已逾百人，我中印緬文化經濟協會除參與接待來華訪問之印人外，並聘伊等爲榮譽會員，藉此保持經常連繫，並促成印人在新德里成立「印中文化經濟協會」。和我方中印緬文化經濟協會作推進兩國間友好關係之橋樑工作，進行情況甚爲良好。過去本人組團二次赴印訪問之成功，可謂得力於此。今將訪印之行摘要報告於後：

鎔感於在印度與我國無邦交之情況下，欲去印度，除參加國際性之會議外，頗爲不易，乃就聯合國教育科學文化組織之決議，以一九六八年十月二日至一九六九年十月二日爲國際紀念甘地年，在印度舉辦慶祝甘地百年誕辰紀念之時，組團去印度參加甘地百年誕辰慶典，首先以中、印、緬文化經濟協會去函請印中文化經濟協會負責人暨印度國會議員與記者曾來華訪問者，向其政府外交部洽商給予鎔等簽證入印，一方面函請我國政府外交、教育、經濟三部與僑務和蒙藏兩委員會各遴派幹員一人參加組團，此外有大陸災胞救濟總會及中國佛教會亦願有代表人員參加。當時計劃於民國五十七年（一九六八年）九月末去印者共有十一人。旋因印度外交部因恐懼中共匪偽組織向其提出抗議責難，故僅允給予鎔與杜陽春和張子明三人簽證入境。致五十七年九月十七日至十月十四日赴印參與甘地百年誕辰慶典者僅爲三人。但鎔等到印後受到印度朝野之重視與友善之接待，並有我國在印華僑同胞及藏胞之熱烈歡迎。印方報章雜誌大副刊出鎔等照片，記者紛紛來訪並登載消息。可謂此行不虛，頗有代價。關於第一次訪問印度經過情形，鎔返國後曾在本院外交委員會有所報告。現將第二次訪問印度經過簡要報告於後：

一九六九年（民國五十八年）十月二日是甘地誕辰屆滿一百年的日子。印度政府爲擴大慶祝活動，特將日期延長至一九七〇年二月二十日。本人在未去印度之前，在我國台北即發動二十一個民間團體籌備，並於民國五十八年九月二十五日假中山堂光復廳舉行甘地先生百年誕辰紀念大會。表示對甘地先生之崇敬與響應聯合國教組織之決議。此項紀念大會之活動情形告知印方甘地百年誕辰紀念委員會後，印方至爲興奮與歡迎。本人並函印度甘地百年誕辰紀念委員會榮譽秘書長狄克博士，說明我方將組團來印參加甘地百年誕辰紀念慶祝活動，並開寄名單。隨之査艮釗先生、教育部推派人與外交部推薦之王漢中先生，中國國民黨中央二、五組推薦之吳香蘭女士，僑務委員會推薦之馬行公先生及中印緬文化經濟協會理事杜陽春先生等六人接到印度甘地百年誕辰紀念委員會榮譽秘書狄瓦克博士寄來邀請函去印度參加甘地百年誕辰紀念慶典。鎔等六人即從速準備去印事宜。十二月一日鎔先到曼谷，因應世界反共聯盟第三次會議及亞盟第十五次會議泰國籌備會主席普拉波將軍邀請參加十二月三日至七日之二種會議。十二月九日偕同査艮釗、王漢中、吳香蘭、杜陽春與馬行公先生去印京新德里，十日由印度甘地百年誕辰紀念委員會予以排定我等訪印團之活動日程。

國大黨分裂成兩派
雙方展開敵對宣傳
決爭取下屆議員選舉勝利
以取得多數議席控制內閣

一、印度政黨——國大黨分裂與印度政局：印度國會中之第一大政黨國大黨，自成立到現在將近六十年的歷史，在印度國會中一直是佔絕大多數黨，而成爲印度的執政黨，同時因爲在國會中無其他足以抗衡之政黨，故形成日久衰老，缺少新生力量，近數年來由於印度遭受國內外壓力致困擾日多，故逼成國大黨必須振作，改變作風，以適應新形勢新需要。因之使國大黨內部發生變化，由於黨中重要幹部見解的不同，而引起糾紛，並進而分化成兩大壁壘，時至一九六九年五月前印度總統胡生博士不幸因病逝世後，須另選舉新總統繼任，執政之國大黨中央工作委員會決定由黨提該黨之中央委員並任國會下院議長之芮迪爲總統候選人。但現任印度內閣總理之甘地夫人雖爲國大黨黨員，而不支持芮迪競選總統，另支持勞工出身無黨派之現任副總統的吉里先生競選總統。結果芮迪失敗未獲當選總統，由吉里先生當選總統。如此國大黨保守派可稱之爲穩健派，對甘地夫人行爲認爲違反黨紀，應由黨中央予以制裁。國大黨原任主席倪功林伯格即召集國大黨工作委員會委員到過半數開會，決議將甘地夫人開除國大黨籍。並發動印國會議員對甘地夫人任內閣總理舉行信任投票。但國會下院議員投票結果在下議院議員五二五人中，甘地夫人得票在三五八票，佔大多數，其中有印社會黨與共產黨投票支持甘地夫人，致甘地夫人仍繼任總理職。同時國大黨在國會之議員中擁護甘地夫人者亦另組國大黨中央指導委員會，並開會決議罷免原任主席之倪加林伯格。如此國大黨已分裂成兩大派，半年以來雙方展開敵對攻擊宣傳，並分別於一九六九年十二月二十五日在甘地家鄉及孟買兩地各開全國黨員代表大會，作相互責罵，並決議打倒對方，改組國大黨。關於印度內閣人事之變更，雙方決定在一九七二年三月印國會下議員改選時，以爭取選舉之勝利，以取得多數國會議席，握控制下屆內閣，掌握印度政府，此爲現階段印度政局之大事。

現時國大黨以倪加林伯格爲首之保守派和以甘地夫人爲首之激進派，在活動競選下屆國會議員上，進行至爲積極。據瞭解，印度政情之人士言，支持現任總理之甘地夫人方面之人士，其活動方法較爲靈活，則將來之國會議員選舉，此派可能得票較多，但亦不是絕對的多數票，所以組閣執政時，有聯合其他左翼政黨，如社會黨或者甚至共產黨共同組成聯合政府之可能。

二、印度國際上之關係：由於印度有一百二十二萬一千八百八十英哩之土地，面積佔世界第七位，和五億之人口，居世界第二位（第一位爲中國），再加有蘊藏豐富之資源，因此印度現時雖未建成工業國家，而仍爲世人所重視，居有重要地位。

過去，印度的五千年歷史，幾乎一半時期是在外人統治之下，如最早希臘之馬其頓人、與中古之波斯人、近古之蒙古人和晚近百餘年來之英國人，皆曾入據印度。所以印度與歐洲及亞洲關係密切。又加印度位於歐洲和亞洲交通上之中間地帶，更構成印度和國際上發生密切之關係。印度在第二次世界大戰結束後，在一九四八年從英國統治下獲得獨立，二十一年來理應建設成相當富强之國家，惟因人民種族、語言、文字及風俗習慣與宗教信仰之複雜，難於形成一個有力整體，再加政治上中央政府權力薄弱，地方各省幾成各自爲政。所以困難重重，要建設必須尋求外援或借款。

故印度自獨立以後，曾向美、英、蘇俄之貸款，並得美、英與蘇俄之經援。在此情況下印度政治自然不免受到美、蘇之影響。但是蘇俄以邊境和印度相接，及發展其共產侵略野心，對印運用其威脅利誘之手段，致造成印度對外政策雖是標榜中立路線，實則受到蘇俄之壓力最大，若干年來，蘇俄在印握有極深厚之影響力。美國一則對印無領土野心，又因東南亞公約組織，美國與巴基斯坦同爲會員國，而巴基斯坦又與印度爲克什米爾問題時有爭執，所以印度對美不甚接近，美國對印之影響力亦微。至於中共毛匪偽組織自一九六二年以兵力攻擊印度後，激起印度全國之反抗，印人至今仇視毛共之心理未減。毛匪份子在印轉入地下活動，及在中印邊境策動印土共叛亂，企圖顛覆印度現政府，尤爲印度朝野人士所痛恨。

至於印度對中華民國之態度，在中國大陸陷入毛匪之魔掌後，當尼赫魯任四度總理時，其投機親毛匪偽政權之態度，甚爲明顯，在聯合國中積極作支持共匪入聯合國之勾當。對我中華民國是極端不利，但自民國一九六二年春毛匪部隊攻打印度之後，一反親毛匪而仇毛匪，現在已日漸轉向與我中華民國友好。再加中、印、緬文化經濟協會成立六年以來，致力於改善中印人民間之關係，彼此瞭解日多，雙方之關係已在極友好之發展中。

依詞集

以小見大

公漁

最近在台視「以小見大」的節目裏，先後看到現場觀衆對一些問題，答得很不理想，例如對一首王維詩「獨坐幽　裏」和「種瓜得瓜，種豆得豆」成語等，極簡單的課題，都交了白卷。王維這首詩，選入唐詩三百首五言絕句中，從前七八歲小兒，皆能琅琅上口，而令竟連許多衣冠濟楚的紳士淑女們，竟瞠目不知所對，而種瓜得瓜，竟有一位觀者說是「種熱水爐」，引起主持人儀銘一陣嘲笑。

人各有所長，何况這又是極細微的事，算不了什麽，但由小見大，我們不能無感。在近數十年來，由於許多不學有術的人，蔑棄中國文化，再加上少數胸懷叵測者從中操縱，蓄意破壞，於是全國國民，文學意識，益趨冷淡，其原因是大家只懂白話，不通文言，學殖荒落，胸中茅塞不開。大中學生國文程度，一落千丈。結果使到中國人讀不通中國文，大家讀經、史、子、集四部書，要靠白話繙譯才懂，這眞是古今中外所沒有的奇聞。以這樣的教育，而要高談復興中國文化，何異癡人說夢。

喬治桑外傳　一三二

張大萬

「我最懂女孩子心理，我知道妳對羅薊蔡的印象，所以才用準女婿來稱呼他的。」喬治桑的觀察大致不錯，雅麗絲不再說話。

這是很難得的一天，喬治桑沒有踏出大門一步，在家看電視，一直看到十一點鐘才睡。在他算是「早寢」。

第二天他起身很早，九點鐘已經吃過早餐，在十點鐘左右，接到裴白瑰的電話，請他去打小牌，他回絕了。雅麗絲在旁聽了很高興。因爲她知道喬治桑請羅薊蔡吃飯是有誠意的。

「裴先生約你去打牌，你爲什麼回絕了？」雅麗絲遞報紙給他的時候，漫不經意地問。

「今晚不是要請客嗎？」喬治桑所謂自然指的是羅薊蔡了。

「說老實話，我已經約好蔡先生，總希望你能去，免得我失信。但你是我的包死，我又不敢勁强你。」

「那裏的話，在公事方面我是妳的包死，請蔡先生吃飯是社交，我既然答應了，我不會讓妳失信的。」

「包死，你待我眞好，我覺得你實在是拿我當親生女兒看待。」

「晚上我們怎樣去法？」喬治桑將報紙隨便翻了一下，移開報紙問雅麗絲。

「羅薊蔡說，他應該先來拜會你，然後一起去小南園。」

台北傳奇錄（三九）

·陳光棣·

金恆貴的太太爲了表示感謝劉二爺，也破例的喝了不少酒。喝到最後，何校長怕劉二爺身體頂不住，總算連說帶勸的結束了這喝酒比賽的場面。大家都一溜歪斜的離開了飯桌。步成材推說頭痛先告辭了，剩下其餘的客人湊在一起閑扯淡。

步成材趕回家裏，換了一套顏色比較深的夏威夷襯衫，又換上一雙拖鞋，裝作很優閑的神氣往外就走。

「你又上那兒去」？劉大姑奶奶擋着去路：「你死在外面就算啦」！

「家裏太熱，我到外面涼快涼快。」

「誰叫你天生來的沒出息！家裏裝不起冷氣機，就得忍着點」！劉大姑奶奶氣敦敦的拿着把芭蕉扇搖個不停：「大寶病啦，你也不管管，就知道一天到晚出去閒盪」！

「大寶病啦」！步成材跑到臥室摸摸孩子頭：「趕緊到醫院去看看吧！我去叫計程車」。

步成材往外跑着心裏直罵「她媽這丫頭，眞不是好人養的，偏偏在這麼時候生病」！他一看手錶，剛好是八點半鐘，他一想好在時候還不算晚，估計着這時劉二爺他們正在談的起勁，少說着還要一個鐘點才能收場，劉二爺回到家門口總需要十分鐘，算起來還有大約七十分鐘的時間，帶着孩子去看病，前後用不了三刻鐘，再一想送孩子去一趟醫院，反而更可以轉移別人的注意力，這可眞是歪打正着。他把計程車喊到家門口，飛快的跑上樓，看到太太和大寶已經都換好了衣服，坐在沙發上等着，步成材說一聲「快來吧，車子在樓下等」，兀自往樓下就跑，沒頭沒腦的鑽進車廂又用手往前一指，司機就駕着車子絕塵的開走了。步成材坐在車子裏，被晚風一吹，感到一陣無比的舒暢，這時也沒有閑情看馬路上的女人了，只不住咀的喊「快」！「快」！計程車察的一聲停在醫院門口，步成材長長的喘了一口氣，剛跨出車門，才發現糟了，原來匆忙中忘記了帶上太太和大寶，覺得好像有誰在他的領口裏放上一塊冰從頭涼到脚跟。他又想抽自己兩個大咀巴子：「媽的，快！開回去，原來的地方」！司機咧了咧咀，又調轉車頭往回開，一路遇到紅燈，步成材急的眼睛直冒火。計程車開回弄堂口，母女兩個人正在直着頭子東張西望。

「你怎麼搞的，我就從來沒看到過像你這種草包，眞是倒了八輩子霉，嫁給你這塊廢物點心」！劉大姑奶奶指着步成材的鼻子罵着：「還不快把孩子抱上車去，你楞着幹什麼」？步成材吓的大氣都不敢出，忙手忙脚的把大寶夾進了車廂。

（未完）

眞革命與假革命之利害

·文滙樓主·

文滙樓剳記

民國十五年國民革命軍北伐之役，凡是由廣東出發的部隊，紀律皆相當優良，確實表現着國父孫先生所說「武力與民衆結合一致」的軍事教育精神，因而到處博得民衆贊助，能以少許戰勝多許，使北洋軍閥的強大武力成為不堪一擊的強弩之末。馬五先生當年在浙東，就瞧到一種「武力與民衆結合一致」而令人十分感動的事實。

當時從福建方面北伐的東路軍，於十五年冬臘農曆除夕前後，進展至浙東一帶，適遇大雪紛飛，遍地積雪盈尺，道路與池塘沼澤莫辨，行軍極感困難，稍不留意，即陷入泥田或池沼中，輜重運輸尤艱苦。地方民衆覩狀，相率不分晝夜，携稻草為革命軍鋪成馳道，藉資遵循前進，而置除夕與元旦的歡樂於度外。革命軍乃能長驅直下衢州，進佔杭州，迅達上海。嗣後，清黨之役，共黨在上海所組織的雄厚武力——工人糾察隊，就是由東路軍劉峙將軍所率部隊協同杜月笙的「共濟會」予以剷除的，民心向背關係之重大，於此可見一斑矣。

迨北伐軍進入中原後，部隊擴充太快，由原有的七個軍，增加到四十四個軍，舊有的軍閥殘餘份子以及地方土匪，皆乘機揭出革命旗號，軍紀乃大為隳敗，例如安徽柏文蔚所領的第卅三軍更糟。他這支「革命軍」是臨時招收皖北各地土匪，湊合起來的，有師長岳湘如者，原係淮上綠林豪傑，揹着革命軍旗幟，每攻佔縣城或繁庶市鎮後，即將當地的富戶殷商列名傳來，用繩索吊起，他纔以革命將領的身份，對那些被綁吊着的人士侃侃而言曰：「夷你媽媽的！你們不要以為我是綁票的土匪行為，成是實行孫總理中山先生遺教的三民主義信徒。孫總理早說過，『革命就是發財的事業』（按國父孫公在生時，在海外對華僑演說中，曾有這樣一句話，旨在鼓勵華僑們贊助革命也。）所以，我今天指定你們某也捐助軍費一萬元，某也五千元，某也三千元。答應的馬上鬆吊，趕快回去把錢送來；不答應的，等於心願吊死為止！」在這種酷刑勒索之下，諸受害人唯有送錢贖命，如數繳納而已。至於投靠革命陣營的北洋軍閥殘餘份子，初尚怵於本身的生存關係，未敢如岳某之公然刦掠民財，嗣見岳某雖不改其土匪的本來面目，亦行所無事，慢慢地故態復萌，亦無所謂軍紀了。如此這般，革命武力與民衆又趨入對立狀態。

還有北洋政府的一般政客官僚，瞧着北伐軍勢如破竹，即將統一全國了，大家改穿一套中山裝，人表示着「三民主義信徒」模樣，先要求加入國民黨，然後一變而成為革命政府的官吏，所謂「軍事北伐，政治南伐」的民謠，即因此產生的。甚至有些軍閥頭目，也做了國民黨中委，再辦入黨手續（×××即是如此）。吸收軍隊與黨員並無一定的考核選擇，來者不拒，對最高領袖命令陽奉陰違，這是中國政治不上軌道，以致構成神州陸沉之禍的基本原因之一，然乎否乎？唯有讓後世史家裁判了。

魏晉清談（續）

李漢珠

總之，魏晉清談的內容，實兼有老莊及釋氏的思想在內。流風所被，尚玄想而不切實際，結果正如陶弘景詩所謂「夷甫（王衍字）任放誕，平叔（何晏字）坐論空；豈悟昭陽殿，遂作單于宮！」可謂慨乎其言之！

史稱何晏、王弼等祖述老莊，主張：「天地萬物皆以無為本」。何晏曾寫「道德論」，今已不傳，惟在魏晉人其他著作中，略知何晏的主張，仍不外老子「有生於無」的餘義而已。

魏晉之間，對於清談有大影響的人第一位是何晏。何晏字平叔，南陽人，生年不詳，卒於魏嘉平元年，少時即以才氣知名當代，因為曹操曾納其母為夫人，所以何晏從小生長深宮，及長，累官侍中尚書，[illegible]他與夏侯玄等人鼓為清談。士大夫翕然，追從一時風氣。後與曹爽等陰謀造反，為司馬懿所殺。他生平好老莊之學，著述頗多，唯迄今只有「論語集解」傳世。此書以老莊之意解釋孔子學說，甚受傳統儒家的反對。

對於清談發生影響力的第二人是王弼。王弼字輔嗣，山陽人，生於魏文帝黃初七年，卒於魏嘉平元年，年二十四歲。少即知名，好黃老之學，通辯能言，為尚書郎，性喜遊宴，解音律，喜投壺，頗以所長驕人，故時為士大夫所惡。嘉平元年秋，以癘疾亡。弼所注的易經及老子，盛行於後世。當時何晏以為「聖人無喜怒哀樂」，其論頗精，附和者衆，惟王弼持相反的意見。他以為聖人的喜怒哀樂之情與常人同，惟聖人之情能應物而無累於物，今以其無累於物，便以為不復應物，顯非真理。王弼所謂聖人能以情從理，亦即從莊子應帝王篇所說：「應而不藏，勝物不傷」之意，與宋儒程明道所言「物來順應，廓然大公」之意極為相合。

對於魏晉清談第三位發生影響力的人物是嵇康。嵇康字叔夜，譙國人，竹林七賢之一。生於魏文帝黃初四年，卒於魏景元三年，年四十歲。嵇康早孤，有奇才，美詞氣，豪邁不羣，有風儀，而土木形骸，不自藻飾，恬靜寡慾，食垢匿瑕，博覽羣書，無不通曉。長好老莊之學，與魏宗室婚，拜中散大夫。常修養性服食之事，彈琴詠詩，自足於懷。與山濤、阮籍、阮咸、王戎、向秀、劉伶之徒為竹林之遊，世號「竹林七賢」。濤為吏部尚書，欲舉康自代，康作絕交書拒之。呂安與康善，後安以事下獄，辭牽及康，因收之下獄，被殺。臨刑，神色自若，援琴而歌曰：「袁孝尼嘗從吾學廣陵散，吾每靳而不與，廣陵散從此絕矣！」聞者莫不哀泣。康善清談，又能屬文，撰上古以來高士，為之傳贊；又作養生論、太師箴、聲無哀樂篇，傳於世。

對於魏晉清談第四位發生影響力的人是阮籍。阮籍字嗣宗，陳留人，竹林七賢之一，生於漢獻帝建安十五年，卒於魏景元四年，年五十四歲。阮籍容貌傑，志氣宏放，博覽羣書，尤好老莊之學，嗜酒，能嘯，善彈琴，為人曠達不羈。嫂歸寧，籍與之別，或譏其非禮，籍說：「禮豈為吾設哉！」鄰家有少婦，當爐沽酒，籍常醉臥伊側，伊夫察之，不疑有他。司馬懿命為從事郎中，封關內侯，徙散騎常侍。時天下多故，籍不問世事，以酣飲為常。司馬昭初欲為子炎求婚籍女，籍沈醉六十日，不得言而止。後拜東平相，乘驢到郡，法令清簡，昭引為大將軍從事郎中，貯酒三百斛，求為步兵校尉。兵家女有才色，未嫁而卒，籍與女家不相識，逕往哭之，盡哀始返。性至孝，母喪，飲酒二斗，吐血數升。籍能為青白眼，見俗之士，以白眼對之。嘗作詠懷詩八十餘篇，為世所重。又著達生論及大人先生傳。

上述何晏、王弼、嵇康、阮籍四人，都是魏晉清談人物中的佼佼者。他如為莊子作注的向秀、郭象以及竹林七賢中之山濤、王戎、劉伶、阮咸等人，均以行為曠達而名重一時。七賢而後，天下言風流者以王衍、樂廣為最著名，其次如王澄、謝鯤輩，亦肆意放達，甚或裸體相向。凡此種種反常行動，在思想的根抵上無一非淵源於老莊自然主義的人生觀點。

魏晉之際，是中華民族文化在歷史上一個大轉變的時代。魏晉以前的文化是純粹的漢民族的本位的文化；魏晉以後的文化，則大受外來思想的影響。這一時代的清談流行，很足以反映思想界的大勢。清談的原本意義，應是清淨談論的意思，如後漢書鄭太傳所謂：「孔公緒清談高論，噓枯吹生。」可見清談原是未可厚非的一件事。但在魏晉之際所流行的清談，卻是無視法度禮節，排斥世事務，而專以談論虛玄為主。所謂清談，起於魏晉正始中，何晏、王弼祖述老莊，立論以為天地萬物皆以無為本，無也者，開物成務，無往而不存者也。阮籍亦素有高名，口談浮虛，不遵禮法。籍嘗作大人先生傳，謂世之禮法君子，如蝨之處褌。其後王衍、樂廣慕之，俱宅心事外，名重於時。天下言風流者，以王、樂為稱首，後進莫不競為浮誕，遂成風俗。學者以老莊為宗而黜六經，談者以虛蕩為辯而賤名檢，行身者以放濁為通而狹節信，仕進者以苟得為貴而鄙居正，當官者以望空為高而笑勤恪。其時未嘗無言斥其非者，如劉頌屢言治道，傅咸每糾邪正，世反謂之俗吏。裴頠（危旁）又著『崇有論』以正之，江惇亦著『通道崇檢論』以矯之。卞壼斥王澄、謝鯤，謂背禮傷教，中朝傾覆，實由於此。范寧亦謂王弼、何晏二人之罪，浮於桀、紂。[illegible]熊遠、陳頵（君旁）各有疏論，莫不大聲疾呼，而習尚已成，江河日下，[illegible]……梁陳五經之外，仍不廢老莊（未完）

政治現形記（三八）

李桀

第十二回　投機性成，賣友求榮徒取辱　作官心切，趨炎附勢亦落空

武氏告訴他們：回去集合兩個工會的會員數百人，先行包圍那座私立中學，割斷電線，禁止出入，然後尋出徐耀先飽以老拳——可不要傷害生命，再用大隊人馬把徐看管起來，不許他走動，連大小便亦只能就地解決，使其吃盡苦頭再說。如果治安機關來干涉，當由武氏負責處理云云。那兩個工會的負責人，都是些下層，素來不怕鬧事，既有武立人在幕後撐腰，又由武氏付給一筆用費，他們當然樂於從事。徐耀先被這羣「爛仔」遵照武立人的指示，修理了大半天，無可奈何，到晚間，由一名小職員爬牆出去報警，旋有大隊憲兵警察前來彈壓，並捉去七八個工會會員，把徐耀先救出，送到他的住宅休養。

第二天北平報紙刊出這項新聞，武立人即潛入北平，他是晉人，當時北洋「安福系」首領王揖唐亦在北平，乃立即訪王氏，以同鄉的身份，說明自己多年來慘淡經營的一所私立中學，因內戰關係，竟被一個受深重赤化的幹部發動同學，徐氏[illegible]工，實在太沒道理，特來報告鄉前輩，乞加維護，勿使純潔的教育事業，成為政爭的殉葬品。王揖唐聽罷，甚表同情，立即拿起電話給閻錫山，說憲警干預私立學校糾紛，殊屬不合。閻答言：「我不知此事，馬上令飭憲兵司令部將在押人員釋放，請揖翁放心可也。」於是，被拘捕的工會人士得恢復自由，而學校仍由武立人另派人主持之。徐耀先枉作小人，慘遭凌辱，只好自認晦氣，而一般舊時的同學和同事，對徐耀先之為人，無不表示唾棄，認為可鄙之至！

未幾，汪閻的政權宣告垮台了，徐耀先投機官的希望完全落空，流落北地，無路可走，他南行到了上海，找周佛海談話，並向武立人陪不是，聲明自己係受改組派利用，致有北平搶佔私立中學那回事，請武氏念在同學之誼，予以原諒。武立人認為他既已認錯，也就不予計較，且介紹他到黨務機關工作，由某市黨部委員而任至中央黨部秘書，徐氏投機性成，拼命巴結武立人，更要求參加武氏所屬的派系——小派系，旋得派系領袖的提拔，出任省級行政官吏，成為該派系的忠實幹部，政治前途欣欣向榮了。

等到對日抗戰之役發作，徐耀先隨着中樞轉徙到重慶服務數年，他以原有派系人物在政治上並不得意，遂其投機故技，又跳槽到別一聲勢煊赫的政治小集團了。

原屬小派系的人，雖然都說他是無恥小人，羞與為伍，但亦未便公開對他，唯抱持「看你橫行到幾時」的心情，靜候報復機會而已。

迨中日戰爭結束復員後，徐耀先仗着新參加的派系領袖竭力推薦，內定為中央黨部某部部長，只待中常會通過就行了。徐耀先得悉內幕消息，大為高興，他生就一副官僚本質，儼然以部長自居，四出向朋友物色副部長人選，俾得迅速上台。他認為自己有所屬派系的領袖支持，萬無一失了。他不待中常會正式通過，就以中央大員的姿態，北上平津觀察，竟在他北上招搖期間，中常會開會提出任命徐耀先為某部部長案，便有出席委員數人提出其他陪選人，用投票方式來決定，詎投票結果，徐耀先得票最少，宣告落選了！他聞訊急忙跑回南京求救，但新當選的部長已經定期就職，徐耀先哭笑不得，又怕朋友譏誚，只好託病躲在家中，長留笑柄於人間，從此他在仕途中逐漸沒落，變成政海渣滓了。（下續完）

諸葛亮狂想曲（一〇〇）

·劉玄·

「我想你只是揣測之詞，玉帝統馭宇宙，不會重道輕釋，這點我最清楚。」諸葛亮最謹慎，他在天庭不僅儒、釋、道的朋友都有，而且還和那些打過交道，屬於八面玲瓏，深恐琴童言無忌，惹出是非，所以才言不由衷，亦屬無可厚非。

琴童聽了，那敢再事饒舌，只好唯唯連聲。

鞠躬退出，諸葛亮知道答應了太白星君担任「宇宙發展委員會」主任委員以後，玉帝不久即將簡命下頒，從此再無打坐參禪、彈鋼琴、喝咖啡的時間了。他生性恬淡，想到此處，反而有點惘然。

琴童入稟，劉約翰求見。諸葛亮點頭示可，琴童遂引劉約翰進入客廳。

「好幾天不見了，你近來好吧？」諸葛亮見了劉約翰，因為是熟人，與他隨便寒暄。

「謝謝你，託福。只是天庭學英文的人越來越多，所以很忙。」劉約翰本來在天庭很難有立足點，自從教過諸葛亮英文以後，身價十倍。所謂「一登龍門」，此之謂歟？

「那很好。上次你說有很多仙子學英文，她們是不是還繼續在學？」諸葛亮記性很好，劉約翰對他說的話，他都能記得。

「就是嘛，葡萄仙子從前唱黎錦暉編的國語歌曲，每次在蟠桃大會獻唱，都受王母娘娘讚賞，可是唱來唱去老是那幾支歌，王母娘娘也聽厭了。最近因為跟我學英文，順便就學了幾支英文歌，王母娘娘聽了特別高興，賞賜很多。因此，其他仙子也就學英文了。」劉約翰[illegible]

「英文歌？是不是也和中文歌一樣唱法？」諸葛亮沒有聽過英文歌，所以要問。

「英文歌和中文歌一樣，照着曲譜唱就是了，可惜我不會唱，否則我可以唱一段給你聽。」劉約翰對音樂是外行。

「但風格不一樣。」

「我不過隨便問一下，我是好靜的人，並不喜歡唱歌。」諸葛亮說完，命琴童備咖啡待客。

劉約翰喝了一口咖啡，慢騰騰地說道：「我有一件事請教你，不知該不該問？」

「什麼事？但說無妨。」諸葛亮拿劉約翰當自己人，和他說話很客氣。

「聽說你很快就要做官了，不知消息確不確？」劉約翰聲音壓得很低，好像怕別人聽見似的。

「你是聽那個說的？」諸葛亮覺得有點奇怪，天庭的消息也不能保密。（未完）

巨變歷險記！

丁博士沿徽江湖前進，首先被困在一個村子裏，他對於釘住他的一位，他忽然的，很快的，如閃電一般，計上心頭，把担子給予釘住的人，這正是他心之所願，不過把他的皮大衣拿了下來，這我屢次敘述過，是丁博士的「老友」，從北平一直形影不離。這皮大衣對丁博士效勞之處太多了，應該供起來。這，丁博士當時那裏想到直覺的拋下扁担拋下被子拿起皮大衣就走，惟一釘住他的，現在也不釘了，忙着把東西拿回家去。就在這呼吸之間，疾趨而過，幸好，天保佑，出了迷魂陣似的院子，追隨丁博士照顧丁博士的彭副參謀長早已不見了。出這個村子，有一條路背着湖走，丁博士不走，丁博士還是沿着湖走。這是沒路的。他就跳到田裏走。原以為人不注意，可以脫身。但並不然，在離開村子不遠的時候，已有一位手裏拿着大刀，趕上前來。他狠狠的向着丁博士，强奪丁

「割鬚棄袍」（一一三）

胡慶蓉

博士的皮大衣。丁博士還是非常之快，很快的又將皮大衣送給這位殺氣騰騰的人…這又很靈。這人奪到皮大衣就又回去了。這人在臨別的剎那，狠狠的對丁博士說：不要動…不要動…動就打死你……

但丁博士並不理會這些話。等到這人遠了，他就又起來，躲在叢林裏，躲在棵棵下，也就躲在山石旁，但還是前進，前進…，勇敢的前進，深怕那類似的惡人再追上來，吸引在一個地方，作地方上的「俘虜」。徽江湖在徽江縣城的前面，這湖可不是什麼大且湖小且湖，而是汪洋浩瀚的小海，遠達數十里。一眼望去，水呈深藍色，可以說是深黑色。同丁博士去法國途中在印度洋看見的水的情形，殊無二致。水不可愛，而是可怕。普通湖水都是很安靜的，甚至有水平如鏡的時候，而徽江湖的水就不然。徽江湖的水同印度洋的水一樣，一天到晚的在動，平常總可以望見波浪起伏，波浪縱橫，越到頭上，波浪就越大。稍之日驚濤駭浪，也就不小了。兩邊都是山，但山並不高，而且是童山，濯濯的樣子，遠遠的就可以望見。徽江湖的形狀是長方形，是從南到北，當然也是從北到南。東西並不大寬，從這一邊可以望到那一邊。

丁博士一直在走，一直在跑，從一大早，一直到晚，一直到太陽快落的時候，才剛剛走完。很多地方，路旁湖，有如台灣蘇花公路的險，但並沒有公路，只是羊腸小徑，常常要翻越。也不知道那裏來的那麼大的勇氣，那麼大的魄力，丁博士總在不停的走不停的跑。早上喝的水，老早老早就輕光了，他不得不常常的到湖邊用手捧着湖水喝水，雖然湖水並不鹹，故所以喝起來並不難喝。但肚子因需要水，尤需要飯。飢腸轆轆，越走越感到痛苦……

秦會之食神同窠

命相与夢話

秦檜字會之，江蘇江寧人。宋政和五年乙未，年二十六，登進士第，補密州教授，繼中詞學兼科，歷大學學正。靖康元年丙午，金兵攻汴京，遣使向宋求割三鎮，秦檜乃「上兵機四事」，不報。不久，除為御史中丞。閏十一月，金人陷汴京，徽、欽二帝被金人擄去。靖康二年丁未，年三十八，金人將秦檜擄入金營。三月，金人立張邦昌僞楚帝之後，邦昌請金人還回張叔夜及秦檜。金人不許。金人擄二帝時，秦檜與張叔夜、司馬朴，從至燕山、又徙韓州。徽宗聞康王即位，作書與粘罕，與約和議，使檜潤色之。秦檜又以賄賂達粘罕。不久金主吳乞買即使秦檜賜其弟撻賴為任用。撻賴南侵攻山陽，秦檜亦隨軍而南。因秦檜為金人所收買。乘機縱歸。

高宗建炎四年庚戌，年四十二，十一月甲辰，秦檜與其妻王氏及婢一家歸宋。其自稱為潛逃而歸。其實乃為金人故縱回宋者。丙午入見高宗，丁未拜禮部尚書，賜以金帛。羣臣多疑秦檜乃金人放回，惟宰相范宗尹與知樞密院李回二人與秦檜善，二人共保之，盡破羣臣疑，力薦其忠。未見帝之前一日，帝見宰相。秦檜即倡言：「如欲天下無事，南自南，北自北。」首倡「兩個中國」之謬論，其奏帝之議，竟與撻賴求和書條件如出一人。高宗竟為其所惑，大喜道：「朕得之喜而不寐，蓋聞二帝母后消息，又得一佳士也」。南宋朝廷之始，採取且守且和政策。自秦檜用事，則與金人解仇議和。因秦檜在金營首倡和議，故撻賴乃縱之回宋也。自紹興元年辛亥（四十二）至二十四年甲戌（六十五）官至左僕射平章事，又兼樞密使，封秦檜為魏國公，相高宗十九年之久，力主和議，排斥主戰派，陷岳飛父子等，阻止恢復，一時忠臣良將，誅鋤略盡，和議遂成。秦檜自北南歸執政二十八年，性陰險柔佞，如崖阱深阻。察事之卒，佈滿京城。晚年殘忍尤甚。紹興二十五年乙亥十月丙申卒，年六十六，贈申王，謚「忠獻」。至宋寧宗時，始追奪王爵，改謚「謬醜」。「通會」卷五載宋秦檜之造：庚午、己丑、己卯、壬午。稱為「食神同窠」。卷八又載此八字，傳註「秦檜老賊」四字，均未說明原理。察「子平大全」載有五行俱是格，甲子年金，戊辰月木，丁巳日土，丁未時水。註云：「此格不管官殺；只取五行俱全，自有生生不絕之義，代代無窮之理，是亦罕有矣。」

愚按：就其八字復按之，只有木、金、土、水四行，並無火，遂以胎元未納火合之，五行乃足，今觀秦檜之造，庚午年納晉土，丑月納晉，己卯日納晉水，壬時納晉木，胎元庚辰晉金。合之亦為五有，否則豈能登科拜相，擅赫一時？然其大名列入宋史姦臣傳，其賦命亦必有特殊之處。在不嫌詞費，試詳言之。

查得日元乙之乙，在正五行屬木，生居暮冬，雪積枝殘，生幹再見庚金，猶如摧枯拉朽。其所以能文章，為巧宦者，賴有日支卯木，値臨官為詞館也。其所以舉棋不定，倡和誤國，封制君父，亡値空亡，午値孤虛，而丑午相害，午午自刑。其所以心勞力拙，謀殺忠良，博得千古遺臭者，此乃命宮乙酉合庚化金，衝卯破祿之故。胎元湊合，五行俱足，竟至絕嗣，生生不絕，代代無窮，豈足可恃！或又說：命就如斯，運有何說？答曰：運有之。

三十七歲癸運丙午，金兵攻汴京，遣使索割三鎮，上「兵機四事」。一言金人要請無厭，乞止許燕山一路。二言金人狙詐，守禦不可緩。三乞集百官詳議，擇其當者。四乞館金使於外，不可令入門，及引上殿。以上四條均不報。除職方員外郎。閏十一月，金人陷汴京，徽、欽二帝入金營，秦檜與妻王氏亦入金營。以上三事，乃秦檜生平得意之事，然亦水、木之效也。及至四十一歲庚戌，秦檜與妻王氏及婢女一家航海歸行在，繼而除參知政事，拜右僕射兼樞密院事。自金歸宋，思想頓變，禍伏於此。四十九歲修徽宗實錄，書成，秦檜代宰國書。五十一歲庚申，金人毀盟，分四路入侵。岳飛郾城大敗金兵，兀朮大傷。九月，矯詔岳飛還行在。五十二歲辛酉，兀朮再舉南侵，封秦檜冀國公。兀朮再和。十月下岳飛、張憲、岳雲於獄，十二月殺岳飛父子及張憲。凡此種種，皆為已運會丑為金，午運會午自刑，及庚戌、辛亥、庚申、辛酉、太歲戕介日元乙木之故。

五十四歲後，乙運化金，未運衝丑，忽又封公賜宅，忽而妻婦子孫加恩，不過徒增罪惡而已。

六十一歲庚午，秦檜上朝，殿司小校施全，剌秦檜不中，被磔於市。此又庚金尅木，午遙刑午之明證。因在未運，是以幸免於死。

六十六歲，一病喪命者，大運在丙，與年幹庚戰。太歲乙亥，小限庚辰，會命宮乙酉，生時壬午，自刑備至，因無可逃避也。

（完）

國醫與國藥

自己治病簡法

陳果夫遺著

十、胃呆

有些胃呆症因吃得太多太好的緣故，此種病只要有半年時間少吃，並吃得差些，不餓不進食，不必飽，每次均不過食量之七八成，那末就會漸漸地痊癒了。

十一、餓痛

因餓而肚子發痛時，如立刻吃東西，最好先要吃一點有油之物，如白脫油麵包，才能易于止痛，我有幾次用此法甚有效，若不用乜去，則必待大便後始能恢復也。

此。

十二、胃下垂

胃因一時食量過多，或食後坐着不動，往往容易下垂，這種病不是吃藥可以治好的，祇要每餐飯後背靠壁蹲着五分鐘，如繼續有半年或三個月以上工夫，就會好，有幾個朋友患此病者，均用此法治好。

十三、腸子吸收力弱

有些消化力薄弱的人，小腸不能吸收營養，以致面白肌瘦，不能多進飲食，這是少走路的關係。如果經常無機會走路，祇要每天早晨在牀上用右足大趾磨擦左足踝骨一百次，再用左足大趾磨擦右足踝一百次，如是而有三個月以上，即能大見功効，有半年以上，即能表現營養優良，達到身體健康的程度，頗有幾個朋友得益于此。

十四、水瀉

肚子凍了患水瀉症，初起時祇要褲子穿得厚些，肚子部份暖些就可以在半天或一天之內復原。

十五、痔瘡

生了痔瘡解大便時往往要流血，而一般人解大便習慣在早晨的居多，如果流過血後，就去辦公或做別的事，痔瘡就會一天天地重起來。要想減輕的話，祇要把大便的時間改在晚上，大便以後就休息；如能有更多的時間依息，痔瘡必然慢慢好起來，這是一位何先生對我講的經驗，我勸告許多人試驗，沒有不成功的。

十六、坐骨神經痛

有些人背後坐骨處不小心吹了風，就要發生神經痛，如果這痛處是竄來竄去有定向的，那就是風被關住在裏面了，要它出來最好的方法，就是走路能夠比平常走路加一倍二倍，大約一個星期就會好的。我在病後生過此病，醫治一月無效，後來想得此方法，每天走一里路至二里路，不到一星期就痊癒了。

十七、風濕

睡眠地點不好，使臂上或背上吹了風，往往受風處就酸痛，甚至不能舉動，這種病在初發生時很容易治好，只要在痛處特別加暖（應比其他各處加暖二倍以上）、多吃開水後睡覺，使特別加暖的部分出透了汗，這樣有一二次或二三次即可痊癒，我有一次左臂被左邊門縫透過的風吹了，酸痛得不能穿衣服，醫治二十餘天未見功効，後來才想到此方法，惟因我的心臟尚強，故每次服阿司匹靈一片痊癒。

還有一種年齡大的人，受了風，長久未好，如果驗出來是貧血，那末應該補血，血補足之後，酸處也自然痊好，這是偶然在中國醫書中看到的一種說法，內人患臂酸痛，大約有兩年之久，後知其貧血，決用補血方法治療，漸漸就不覺酸痛了。

十八、乳水不通

女子身體好，乳水濃厚者，喂小孩應注意乳水不通，此種不通無非乳孔中因遇寒氣結了衣絲，所以塞住不通。此可用米泔水洗，就可以把每個乳孔中的衣絲帶了出來；否則亦可用針把每個小乳孔挑通，千萬不可恐懼或硬弄，如果日久作膿那就麻煩了，此方余在驗方新編中看來，告人用米泔水洗均有效。

（三）

第二章　金太祖建國稱帝　宋徽宗信任奸臣

金主道：「此事如約，但汝主曾輸遼歲幣，他日還地，歲幣當與我。」

趙良嗣一面允諾。金主遂付趙良嗣國書，約定金兵自平地松林趨古北口，宋兵從白溝夾攻，否則不能如約。並遣勃董（一作貝勒）偕趙良嗣申述己意。宋徽宗允約，復遣馬政報聘，且覆國書云：

大宋皇帝，致書於大金皇帝：遠承信介，特示函書，致討契丹，當如來約。已差童貫勒兵相應，彼此兵不得過關，歲幣之同於遼。仍約毋聽契丹講和，特此覆告。」

馬政持書至金，金主等稱如約，協議遂成。至馬政返報於朝廷，徽宗詔命童貫整軍待發。獨鄭居中以為未可。特見蔡京語道：「公為大臣，不能守兩國盟約，致釀事端，恐非妙策。」

蔡京答道：「皇上厭歲幣五十萬，所以主張此議」。

鄭居中道：「公未聞漢朝和親用兵的耗費麼？漢嘗歲給單于一億九十萬，西域一千八百八十萬，與本朝相較，孰多孰少？今乃貪功啟釁，徒使百萬生靈肝腦塗地。首禍為公，後悔何及」！鄭居中雖非忠良，但此論公允之至。不能因人廢言。在此一提。蔡京默然不答，但心中總以為可行，這完全是「利令智昏」。蔡京以圖遼伐邊為功故也。而且此時勢已如騎虎，不能再下，仍與童貫決定興兵。徽宗命童貫為兩河宣撫使，蔡攸為副使，勒兵十五萬，出巡北邊，遙應金人。命黼就三省經撫房，專治邊事，不關樞密，且搜全國丁伕，計口出算，得錢六千二百萬，充作兵費。王黼並貽書童貫道：「太師此行，黼願盡死力」。童貫偕蔡攸出師。

朝中有一朝散郎宋昭，奏請誅王黼、童貫、趙良嗣等，仍遵遼約，毋構兵端。疏上後，即被蔡京忌刻，詔革宋昭之名，竄置海南。

童貫提兵十五萬，浩浩蕩蕩，甚是威風，兵抵高陽關，途中遇着遼使，見了童貫語道：「奉天賜皇帝新命，願與中朝仍修盟好，寧免歲幣，毋輕加兵」。童貫此時趾高氣揚，那裏肯許。遼使不得要領，只好回朝覆命。

（八）

岳飛

周燕謀

自由報

（第一〇五二期）

（半週刊每星期三、六出版）

每份港幣壹角・台灣零售價新台幣弍元

社長李運鵬・督印黃行奮

社址：香港九龍彌敦道593—601號 廖創興銀行大廈八樓五座

LIU CHONG HING BUILDING
7th FLOOR FLAT 5
593—601 NATHAN ROAD,
KOWLOON, H.K.
TEL: K303831
電報掛號：7191

承印：景星印刷公司

地址：[illegible]

台灣通訊處：[illegible]

電話：三七五〇二

台灣區總代理：[illegible]

台北營業處：台北衡陽路十二號 電話：二七二〇〇

台灣分社：台北市西寧南路110號二樓 電話：三三〇四六・郵政劃撥台北二五六九九號

中華民國內政部登記證內警台報字第〇三一號
中華民國僑務委員會登記證僑台新字第五二三號
中國郵政台字第一二八二號執照登記為第一類新聞紙

科學不能革新政治

·丁作韶·

年來最常見的是「政治革新」，最愛護的是「政治革新」。如何革新法？更是大家熱烈討論的題目。如何革新法？固然是智者見智，仁者見仁，但歸納起來，總都是千篇一律的到科學上來。大有吾道一以貫之，其科學乎？在政府方面，固然以科學貫穿一切指導一切統治一切，即在社會與論界，也都在步政府的後塵，天天大談其科學，有所謂一系列的觀念論者，對於科學的神聖萬能更是推崇不遺餘力。

又有某報，在他的社論，論台省六十年度施政綱要，還是歸到「用科學精神與方法革新政治」。

但我却以為科學不能革新政治。科學，即民國初年五四運動前後所喊的賽先生，在歐美即所謂賽因斯，西楊斯（法文），他的起源，他的發展，完全是從物出發，完全在物上，完全歸到物上。是科學者，物之學也，物學也。在實際上，科學也無不以物為對象。物理學，在現在大學裏邊，成為共同的基本科目，就是一說明。化學也，水利也，機械也，航空也，天文也，地理也，造船也，電也……又那一項不是以物為對象。故科學者，物學也。

固然，人文方面的學問，社會方面的學問，也紛紛以科學命名，但他們研究的對象也無不以物為對象。但不能用到政治上，更不能用到政治革新上。政治這個領域，應該是另外的一個領域。

從希臘哲人起，從亞里士多德，大家就知道什麼是政治。我們中國對政治的認識更遠超過希臘，超過任何的國家。政者正也，治是管理，對於當前這個人類的大團體，對於當前這個人類的小團體（國家）公共利益所在作一個總的決定，並督導着全體公務人員全體民衆齊心合力的異途同歸的向這個總的決定邁進，這不是科學所能的範疇，也不是科學的對象，更非科學所解決。政治革新，應從政治中求之，絕不能從科學中求之。否則的話，將治絲益紛將治絲益亂。結果，政治不但沒有革新，反而益亂了。所痛心的腐敗滯鈍的現象，不但沒有減少，反而更顯著着腐敗滯鈍了。

最顯著的例子，就是半年大家嚷嚷最厲害的所謂三卡以及最近又在推行的所謂職位分類。這兩手，在政府看來，是革新政治的兩個科學方法。在政府看來，人事革新是政治革新的起點，也是政治革新的重要措施。試問收到了什麼效果？可以說，徒滋紛擾外，打擊仕心外，再沒有什麼效果。試問三卡卡住了誰？二卡又卡住了什麼？三卡又能卡住了誰。二卡三卡固久已具文，連問也不問了，就一卡——簽到，坐辦公室到了現在也成了名存實亡了。因為不滿意卡，教育部的每位要員憤而死亡。職位分類，行起來更困難。簡直沒法子去分。若硬去分，就會有些事沒人做，工作人於停頓狀態。

原來三卡與職位分類都是工廠對付工人的，工廠都是用的機器，工廠都是連貫作業的，每一個到工的時間下工的時間，每一個都要守住他的機器，每一個工作項目工作時間工作程序，無不有明白的分界，一點不多，一點不少，故行起來，無不水到渠成，都是銜接的。這絕對是科學方法，也是科學精神的務員。但對付機器工人的一套，拿來對付公務員。公務員不是工人，公務員更不是機器。今以對付工人的，對付機器的，對付機器工人的，對付工人機器的來對付公務員，在公務員看來這是一個莫大的侮辱，這是對於公務員的人格的一種毀損。中國人罵人最厲害的是「你是什麼東西」？「你簡直不是東西」！把公務員都看成「東西」，這公務員喪失了他的尊嚴，喪失了他的自尊，誰還願意幹！特別是在今天物價飛漲待遇菲薄之下，屋漏又逢連夜雨之下，情緒低劣，消極不幹還是好事，可能造成仇視，惹出亂子來。

「徒法不足以自行」，這是孟子的名言。在專制時代封建時代民主時代並沒有二致。此法就是政府的一切規劃。徒法不足以自行，就要靠人來行。如何使人能服服貼貼的心情自願的竭盡他的心力去為政府做事為國家作事，此孟子所謂以德服人，這才能革新政治，這政治才能革新。總之，科學不能革新政治，革新政治應從政治中求之。這一點愚見，實關係重大，希望社會賢達進而教之。尤其執行的諸公！更希望能改變觀念，就人論人，就事論事，急起直追，改弦更張。亡羊補牢，猶未為晚。否則，國運前途，將不堪設想。言念及此，無任焦灼徬徨之至！

昨日與明日

陳立夫氏提案 萬勿不了了之

國民黨十屆二中全會業已閉幕，照例的總有許多冠冕堂皇的議案。這些議案之是否眞有價值，尚待事實的證明，但有一個極有價值，值得注意的議案，便是陳立夫先生所提的「為去除倫理建設之大敵以復興吾國文化案」。主張遏止奢靡淫佚之風，化大衆傳播，以敦倫理，而興文化。這提案表面看來，似乎是老生常談，一番空論。但深入一點來看，則正是切中時弊的根本要圖。一國上下的精神若都腐化，唯務聲色狗馬之是求，我們不相信這個國家還能振作有所作為。尤其令人痛心的，是陳氏所指的：「他人飽暖思淫慾，情猶可原，吾人貧窮學淫慾，不亦自速其亡乎」？我們想像陳氏所言走筆至此，當已欲哭無淚，感慨萬端矣。

為今之道，亟應擺脫中外商人的操縱，糾正崇洋媚外者之盲從，力挽此物慾橫流的頹風，而恢復我傳統基本重德，振作上進的美德。此不惟為我自救自立之根本，終能照明全世之希望，且為使此混亂沉淪，如以往史相比，只有戰國時代依稀近似。在戰國，魯國雖弱雖小，但其卓越之文化傳統之智慧，終於使中國兩千年來，得有健全而合理的成就。今天自由中國，處境雖不強大，但却代表人類最悠久最卓越的傳統中國文化。我們在此混亂紛爭的世界中，不與人比力比財，人以其勢，吾以吾德。我們不僅代表着最好的文化，並且要發揚我們傳統文化的美德，作國際間的精神領導，使舉世在黑暗混濁中，感到確實有我們這一寸之地，露出了期待已久的光明，看見了世界未來的希望。

國民黨主政六十年，而眞能列為有頭腦有操守之可敬的政治家，陳氏為極少數之一。陳氏當年大權在握炙手可熱，下台後兩袖清風生活無着，只此一點即可見其清操。政治容有得失功過，而於作人之道可稱無愧。尤其難得者，當年全國上下奢談「進步」（？），高唱打倒孔家店之際，陳氏始終能認識我國傳統文化之價值，固有道德之重要，而熱心推行維護。現在回國後又有此拔本塞源的重要的提議，卓識遠見，令人欽佩。唯據報載提案經全場熱烈鼓掌後，決議「送中央常務委員會研究辦理」。這使我們不禁有點躭心。在「議而不決，決而不行」的風氣瀰漫下，一經決議「送交某機關研究辦理」，通常便束之高閣不了了之。但願陳氏這提案不是這樣不了了之才好。

·成公·

自由談

分清敵我

最近看過了兩本美國參議院出版的書籍：一是「太平洋學會調查報告」，一是顧貝克教授所寫「美亞報告——中國災難之序文」，對於美國一般左傾份子和民主黨政客接受國際共諜的誘惑，互相勾串以出賣中華民國的內容，相當地瞭解了在這些存心出賣盟邦而為共黨作倀的人士中，以拉鐵摩爾和費正清二人最為出色當行。

拉鐵摩爾因被國會指摘而銷聲匿跡以後，業已稍加斂迹了，唯有費正清依然仇視中華民國如故，包庇中共親共反台的漢奸售「台獨」份子，變本加厲，無所不用其極。費氏是美國人，他在美國有其言論自由的法定人權，咱們可以置之不理，但在本國文化界有些與費正清一鼻孔出氣，且有言行表示的所謂學者教授，政府何以視若等閒，聽其坐享國家俸祿而不究問呢？本國人在國內外如有親共媚共言論者，政府一律視為叛國之徒，決不姑寬，義所應爾，然對這些具有高級共諜嫌疑人物，乃竟寬容若是，難道怵於他們暗中受到「美好」的贊助支持，即不無投鼠忌器之顧慮嗎？別的事可以看在友邦的面上，不妨優容忍耐，唯有關係國家民族生死存亡的問題，却非認眞徹究不可！

民主政治精神固然需要「寬容」——要條件，但涉及叛亂的言行，即已不在此項範疇之內。民主社會的人民儘可以批評政府，反對政府的措施，却不容「反動」，這是常識。可是，像吾輩這些死硬的反共非共份子，憑着「恨鐵不成鋼」的良心血性，偶爾對國計民生問題，以及行政顯貴人物有所批判指摘時，每招致意外的歧視或打擊，而對於公然為共黨張目助勢或暗通聲氣的叛逆之流，又寬大為懷，還給他們以祿位，眞是大惑不解了。

我們決不否認政治上的「容忍」精神，但須有合理的界說，「反對」與「反動」不能混為一談，特權份子與一般人士一例看待，竊鉤者誅，竊國者侯的泯滅是非公道的奇怪現象，無論在任何政體之下，都不容許存在，否則天下即非大亂不可。

我們有充足的理由，要求政府認眞分清敵我，明辨忠奸，纔是反共復國的根本大計。

馬五先生

為新派數學的淵源質疑而吶喊

·林夏·

近年來所謂新派數學，由於吠日吠聲之若鶩的結果，不旋踵全省大中小學搞成清一色的改變。這種史無前例的新學派，胡為而來哉？」傳說是從美國輸入，也有說是自蘇俄傳入美國，再由美國販入本省，惟後者諱莫如深，議論紛紜。[illegible]多。蓋新派數學所斤斤於標榜而鼓吹的「數理與哲學相結合」，但進一步探討，其[illegible]迄無定議。於是我從其本體的特性觀察，[illegible]人亦惟參入唯物辯證法的思維內容而已。[illegible]產生於「實而不在，在而不實」的那種「共相」與「殊相」之分歧與凝化的邏輯法則而來。誠如[illegible]說的：「思想的前進，如同大風中的船一樣，」[illegible]說：「一個兒顛在這邊，一個兒傾在那邊。」「[illegible]辯證的演繹用到質體上，自然界也成了一個可辯證的東西，一切科學像都應當用這個方法去」一顯明提倡新派數學的人們倒是種了這方面的毒。正是「始作俑者，其無後乎」？

再就其最後所求的得數未必是一個觀點來看，顯然這是辯證邏輯所有「同異律」法則中所謂「非甲非甲」[illegible]

[illegible]

（以下轉第二版）

為新派數學的淵源質疑而吶喊

林夏

（上接第一版）唯物辯證法是以先有目的後有理論之腳頭顛倒式，以毫無規律的動變來找尋適於其目的的理論；列寧叫囂的：「為達到目的，不道德也是道德」，便是最好的說明。從來他們卻專門運用馬克斯所謂：「存在決定意識」的濫調為之轉化人類的理性。要知存在是瞬息萬變的動態，怎能依以為決定人類意識的依據？可是他們即以此利用先入為主的錯覺觀念，再加以巴普洛夫的交替制約或稱條件反射，使之成為頑固性的習慣，如此，乃可使人自蹈迷途而不自覺了。現在巴氏的交替制約所導演的行為主義心理學，已經搞的神出鬼沒，幾乎任你如何聰明睿智一經陷入即無以自拔。我於廿年前報導匪俄陰謀之成因而撰著「策略的策略」，有人問我：其本質何如？我的回答是：他們以一套莫明其妙的方法，把你搞的糊裏糊塗，讓你自動伸出鼻子來，任由他牽着跑。現在這套新派數學，骨子裏就是翻版唯物辯證法以成的策略的策略；莫說我國數學專家們陷入歧途而不自覺，即在美國第一流的數學專家，一樣還是難保不落圈套。何況美國人未必個個是反共的，不說美共如何在美國表現得荒誕不經，即以舉腳輕重的傅爾布萊德而論，其言論即頗值懷疑，他幾乎對共黨所叫囂的都認為是對的，凡是反共措施都是不對的，為一十足的共黨應聲蟲。所以新派數學縱是由美國所輸入的，又誰能保證沒有與共黨同路的色彩？總之，因此而毀滅找尋眞理之法則的純正派數學，就是大逆不道。我認為要把原有為數學而教學的方法拋得一乾二淨，是有其再檢討的必要。否則，美國杜克大學的萊因博士論巴普洛夫學說搞成交替制約以免害人類說：「共產黨將精神力量引入邪途，不啻如虎添翼。如果眞被他們運用自如，其破壞力量，將比氫彈更厲害啊！」那麼我可以說，共產黨利用唯物辯證法配合交替制約所泡製的新數派學代替了人類尋求眞理的數學法，腐蝕了人類追求惟一眞理的願望，其禍害等於將世界驅入末日，共黨這點意識滲透的手法，就足於赤化世界人類，就等於發放千百枚氫彈在扼殺全人類，將見自由世界就此沒落，而頻於萬劫不復之域。茲寧大，「行不得也哥哥」，深望領導數學界的權威專家們愼重效顰，不然，覆巢之下，豈有完卵？數典忘祖，諂，有我雖或不如你們，唯物辯證思維及交替制約法足以濟人性毒化心理的研究，也許你沒有我精神投資多？為國家民族、世界、人類的前途計，尚望勇於改錯而懸崖勒馬，目前迷途未遠，回頭是岸！（完）

除去倫理建設大敵 淨化新聞傳播內容

從根救起固有道德以挽頹風

陳立夫向中央評議委會提案

（本報通訊員柳一權台北消息）中國國民黨中央評議委員陳立夫強調：為復興中華文化，我們必須去除倫理建設的大敵，淨化新聞傳播內容，從根救起我國固有道德智能，以挽救社會頹風。

陳立夫在中央評議委員第三次會議中提出「為去除倫理建設之大敵以復興吾國文化案」。

該案說明：中華文化復興運動，自總裁倡導以來，已逾兩載，各方羣起響應，咸以倫理民主科學三者為基礎，發為宏論，見諸實行，對於共匪之毀滅吾國文化之暴行，予以致命之打擊，使大陸人民對於我反攻復國益增其信心，期能早日實現。此一運動顯然已收初步之效果，惟觀察吾國社會情況隱憂堪虞，良以吾國固有之道德風尚，久被國人所忽視，此國父之所以欲將其從根救起，而歐美社會道德墮落之風，由電影書刊電視節目傳播而來，吾人不察以為來自富強之國者，無一不值得效尤，商人更惟利是圖，利用國人好奇之心理，罔顧播惡於衆之罪過，原不足苛責，惟主管文化事業者多數為本黨同志，亦竟視若無睹，此誠大惑不解者也，立夫歸自海外，目睹領導自由世界之富強大國日趨墮落，其領導者雖力圖挽救，無奈病根已深，收拾殊感困難，考其原因為：（一）忽視倫理之重要性，（二）富強後之任性縱慾，（三）德本財末之倒置。茲詳述之如下，以作吾人之警惕焉：

倫理為人與人之關係及其相處之正確道理，故又稱之曰人倫，古人歸納之為君（長官），臣（部屬），父（母），子（女），（夫婦），兄（姊），弟（妹），朋友五大類，包括公與私的關係在內，故又稱為五倫，而以君仁臣敬，父慈子孝，夫婦和順，兄友弟恭，朋友信義，為道德實行之準則，而為人人所應遵守者也，有此則人人具備集體生活之條件，有團結互愛之基礎，無個人主義產生之可能，因之社會有秩序，家庭享和樂，國家致安寧，所謂德治禮治者，即指國中極大多數之人民，均知自愛，國家雖有法律，而竟無所用之謂，非指國家不必有法也，惟認法治為萬能者，則又舍本而逐末矣，一國及至「上無道揆，下無法守，朝不信道，工不信度，君子犯義，小人犯刑」時，則「國之所存者幸也」，以吾國政治，以正人倫為先，教育以明人倫為尚，故曰「政者正也」，又曰「修道之謂教」，明乎此，則知吾國之教育內容，實具有宗教之實質，教之力，以協助社會秩序之維持，一旦科學進展過速，宗教信仰日減，社會道德隨之低落，危機四伏矣。吾國祖先，眼光遠大，認清「明德」為人人之責，「修身」為萬事之先，蓋無論家也，社會也，國也，天下也，其組成份子莫非人，不亦舍本而逐末乎，國父深明此點，昭示吾人從根救起吾國固有之道德智能，稱之謂救國救世之要務，且歸納為「忠孝仁愛信義和平」八德，俾易能明，總統提示倫理為復興中華文化基礎之首要，其義亦同。夫倫理之破壞建設在德，倫理之破壞在於本，在仁，仁之本為孝，百善孝為首，「萬惡淫為首」，先」者，其義亦在此，若重財而輕德，是謂本末倒置，若觸淫而絕色以致家破而亂倫，此自然之理也，今日吾友邦所犯之錯誤，即在於此。試觀彼邦社會以商業為中心，重財輕德，勢所必然，為發展商業計，新聞事業十分發達，廣告，為吸引觀衆注意其，輒以美女為材料，並充滿了黃色新聞，隱善揚惡，罔顧道德，書刊內容之誨淫誨盜者到處銷售而無禁，電影及電視節目，非充份具有性感刺激者則不受歡迎，誨淫誨盜之歌舞已視為家常便飯，商人圖其利，青年則受其毒深，吸毒成癮，其甚者則為「嬉皮」，誤解「無為」，仍以享白食玩白色為稱，凡此怪象，恬不知恥，是以一己之私利，非一以達到縱慾之結果，其盜窃之手段，以達其慾，且蓋至如洗，則展其窃盜，是故首富之國盜窃奪之風日熾，基督之邦，少年犯罪之經常日增，無他，一經公開縱慾，女子裸露解放，男女奔放無禁，而其名日前進，而實建築在「率性與修道」五字之上，宗教家之苦口婆心節食，為士大夫訓者亦在此，教育家以安樂道在此，絕色以後，一旦倫常被毀，禮義廉恥之四維，其基礎首先被動搖者為家庭制度，夫婦之一倫原為五倫之造端，既可隨時離異，其直接受害者為子女之事，既無人教養，將來之事有將來乎，父母各為個人之自由與享受，分手而走，子女目覩身受父母之不慈，父母子女之間，已無情愛之可言，則尚有父子之一倫存在耶，孝道淪亡，誰之過歟，查少年犯罪者，大都為失去母愛之人，事實俱在，然庸詭辯，及男女之貞一觀念一失，而至人盡可夫與人盡可妻之境地，子女雖知誰為其母，而不知誰為其父，兄弟之倫隨之而亂，若再惟金是拜，人與人間之情感，所存無幾，則朋友之一倫僅存利害之關係，毫無道義之可言，君臣一倫原屬于公的關係，僅賴法律與金錢為之維繫，何處引誘力大，即可隨時他去，毫無公忠觀念之可言，其人格卑劣者，亦可出賣國家秘密文件至一千數百件之多（見美亞報告），根本無上仁下敬公忠體國之義，如此則五倫盡喪，道德無存，社會秩序混亂，安內不遑其尚能攘外乎，苟非其國家基礎深厚，其危險已達極點矣。眞如孟子所云：「飽食煖衣，逸居而無教則近於……聖人有憂之使契為司徒教以人倫……」一旦人與人間既無情愛之可言，人惟為金錢所奴役，於是教師可以要求加薪而罷教，置學生課業於不顧，護士可以要求加薪而罷工，置病人之死活於不顧，清潔夫可以要求加薪而罷工，置全城陷於污穢而不顧，其他如交通、郵政、運輸工人可以要求加薪而罷工，置全國交通癱瘓於不顧，眞所謂「上下交爭利，而國危矣」，古人以「為富不仁」作後人之警惕，可謂有遠見者矣。

吾人若口頭高唱復興文化崇尚倫理，而所作所為一任敗德毀倫之事日益滋長，不亦背道而馳耶！他國之長，不知效，他國之短，盡量效尤。例如報紙滿篇黃色新聞，殺人越貨之方法記載惟恐不詳，外來富于肉感之電影，任其映放，電視節目一任僅掩三點幾乎裸體之舞女盡情表現其淫態，各大飯店充滿了男女情歌狂舞，以為如此，可以吸收觀光之客，殊不知他人來此者，為觀察吾國之文化特點，此類表現矣，已早習見而厭倦之，吾人若欲犧牲青年德性以換取外匯，不亦飲鴆止渴乎，美國政府指定專家研究青年犯罪之原因，其結論為電視電影之誨淫誨盜為其主因，他人因後知後覺，挽救已感太遲，吾人有先知先覺之祖先教訓，何以不預為防止，而甘蹈人之覆轍耶，他人「飽暖思淫欲」，情猶可原，吾人「貧窮學淫欲」，不亦自速其亡乎，抗戰時期吾國上下堅苦卓絕乃能獲勝利之果，反攻復國，任務艱鉅，尤應奮發淬勵以竟全功，蓋今日已不能閉門以教子弟，書報刊物廣播電視，已打入每一家庭，一切一切都是教育，若不從正面注意，其害將至無窮。今晨恭聆 總裁之訓示，感慨萬端，謹以所見直告同志，以求正于負責諸公，並祈從速設法挽救頹風，黨國幸甚！

陳立夫的提案，經大會秘書處宣讀後，獲得全場熱烈鼓掌，並決議送中央常務委員會研究辦理。

喬治桑外傳

一三三　張大萬

「他幾點鐘來？」

「等我的電話。」

「請他下午五點鐘來好了，上午我不出去，午飯後，我想去理一次髮。」喬治桑說罷，用手摸了一下頭髮。

自從喬治桑發現雅麗絲是親生女兒以後，他已不像以前那樣講求修飾，衣着也很隨便。

喬治桑理髮一向在華麗大飯店附設的理髮部，在台北算是第一流的。

喬治桑一進門，三號理髮師立刻上前去。招呼他坐在像電椅的理髮椅上。

三號理髮師將白綢圍巾圍在他頸子上，在他頭上立刻動起手來，另外有一個修指甲女郎，坐在他身旁替他修指甲。

三號理髮師、修指甲女郎和喬治桑是熟人，談談說說並不寂寞。

理完髮，三號理髮師取出一瓶染頭藥劑，喬治桑搖搖手，表示毋需。

「桑先生，今天不要染髮？」

三號理髮師帶着詫異的眼兒。

「人老了，有點白頭髮也好。」

「桑先生，你一點不顯老，染了頭髮更年輕。」修指甲女郎也贊成他染髮。

「你們不知道，我常染頭髮，惹起太太疑心。太太說，年紀大了，染頭髮冒充年輕，沒有意思。我想：太太的話有道理，所以不再染髮。」喬治桑為了避免與他們辯論，臨時撒了一個謊。其實，他為了晚上要請羅蔔蔡吃飯，他覺得有幾莖白髮，要顯得老成持重些。

三號理髮師聽他提出太座，不再勁強他。

他理完髮，吹風，刮鬍子等一共花了差不多有一個鐘頭，一看腕錶才四點鐘，他心想回去還早，不如到華麗大飯店樓下吃一杯咖啡再走。

喬治桑剛一落坐，一眼看到裘白瓊帶着一個舞女坐在角落裏。裘白瓊倒很大方，立刻站起招呼喬治桑。

台北傳奇錄

（四〇）

・陳光棣・

計程車又開到醫院，步成材去掛號，大姑奶帶着大寶直接去找醫院的院長喬鑄鋼大夫，喬大夫在大寶的前胸後背連摸帶敲，不住的搖頭搖腦，之後是問病情，開藥方，藥方上寫的藥名字龍飛鳳舞，除了他自己認識之外，沒有第二個人能夠看的懂。藥方遞進了藥劑室，護士小姐看了看藥方上的暗號，就從瓶子裏倒出三粒阿斯匹林，若干公分的蘇打粉，第一種藥是治感冒用的（實際上治感冒還沒有特效藥，一些治感冒的藥，只是幫着患者減輕痛苦。）第二種藥是幫助消化的，反正小孩子有了病，大多是腸胃不好，腸胃不好，吃蘇打大體上沒有錯。護士小姐把阿斯匹林研成末，用粉紅紙包成三小包，蘇打粉裝到小瓶子裏又冲上一些白開水，鄭重的加上標 寫上用法，從小窗口塞了出來，這小窗口的妙用，就是免得病人的家屬看到護士在裏面搗鬼。誰要以為小窗口的作用是為了預防搶案，那就大錯特錯了。劉大姑奶付了一百二十塊錢的藥費，又滿意的謝了謝喬鑄鋼大夫，然後瞪了步成材一眼，便拉着大寶走出了醫院，步成材跟在後面，恭聆太太的訓誨。

「都是你，一天到晚死在外面，不然大寶怎麼會感冒」！劉大姑奶奶發着牢騷。

「孩子感冒了妳也怨我」？步成材為了找計程車，頸頸伸的長長的，好像長頸鹿。

「你說，不怨你怨誰」？

「快點回家吧，好給孩子吃藥」！步子材急的像熱鍋上的螞蟻。

「回去？我還想去給孩子買點水菓，買完了蹓蹥着回家」！

「天哪！孩子怎麼走的動」。步成材一聽太太要 馬路，恨不得一下子跪在馬路上，看病已經花去五十多分鐘，再一躭誤可怎麼好呢？

「媽！我想睡覺，咱們回家吧」。大寶央求着。

「乖乖，妳想睡覺哇？眞好，咱們就趕緊回去」。劉大姑奶體貼的說，又繃着臉衝着步成材：「你還不叫車子，呆頭呆腦的看手錶幹什麼」？

「是，是」！步成材心裏已直誇獎自己的女兒是「好人養的」。

步成材指揮着車子停在家門口，一口氣背着大寶進了臥室，扭頭就往外走，劉大姑奶奶也不理他，好在步成材這種在家裏呆不住的毛病，她老早就司空見慣了。

步成材跑到洋台上往金恆貴家裏一看，眞是高興的要喊出聲來，想不到劉二爺正向大洋馬道別，遠遠望去劉二爺臉上紅撲撲的，充滿了醉意，何枝長首先出來，金家夫婦送到門前。步成材三步併作二步，到了對面劉二爺住的那幢寓，直上了三樓。（未完）

文滙樓別記

張起鈞贏過林海峯

・文匯樓主・

老子哲學權威張起鈞曾贏過林海峯的棋，但林海峯未贏過張起鈞。張起鈞的棋直到現在還未上段，這一事實夠得上「別記」了吧。

林海峯輸了一棋給張起鈞，地點在台中，時間已經十幾年了，張起鈞贏到林海峯一棋後，就不再和林交手，以保持光榮勝利記錄，每逢酬應場合，從頭說來，增加不少話題。

黎東方教授說：「張起鈞是老子權威，可是他下起棋來，一點都不合乎老子的道理，老子說「不敢爲天下先」他下棋時處處都搶我的先，老子是要爲弱居下的，可是他自己活了還不算，非要把我的棋制於死地，完全顯示出軍國主義侵略作風，違反了老子「兵者不祥」的原則，怎麼還能夠教老子這門課呢？我看師大的「老子」還是讓我來教吧！」

侯璠教授（國立台灣師範大學夜間部主任）他和中國民社黨主席張君勱先生，有異曲同功之妙，張君勱不懂政治而對政治非常熱中，侯對下棋是外科，自稱三十年如一日，就是說三十年前的棋甚麼樣子，現在還保持甚麼樣子，一般的人是不進則退，侯呢與衆不同，做到不進不退，其實還不止此，他又說：「我的圍棋比吳清源，林海峯高很多的地方就是快，他們每下一子思考很久，我從不要多想，表現出駕輕就熟的本能。」

侯教授告訴張起鈞的公子張萬同說：「板田的棋下的太慢了，兩天才贏三目棋，我跟你爸爸下棋，一會功夫就贏好幾十目」雖然是笑話，據說侯璠的棋距離笑話並不太遠，如果將政治也當作下棋來耍，那就遭了。

有人說這次的研究教授，主其事者不公平而又外行，是值得研究的一個問題，樓主站在息事寧人立場表示反對，張起鈞能夠贏林海峯的棋，因沒有資格不夠摸一個研究教授當當，也不算太過份；所迴異者張起鈞贏棋是開玩笑性質開玩笑，祖父輩做出孩子們的事，林海峯還在童年；研究教授不是不知如何善其後。正在熱烈辯論之際，馳譽國際之ＸＸＸ博士出了一個謎語「俄國人酒尿」，打現代所謂「名教授」之一，第一個打出者爲曹敏教授，引起全場哄堂。嚴肅的氣氛又回到嘻嘻哈哈。

魏晉清談（完）

李漢珠

且又增佛義，晉人虛僞之習，依然未改，且又甚焉。風氣所趨，積重難返。直到隋平陳之後，始掃除之。蓋關陝樸厚，本無此風，魏周以來，初未漸染，陳人之遷於長安者，又已衰微不振，故不禁而自消滅也。」

以上二十二史劄記所言，有關清談流行及其所發生的影響，敍述頗爲詳盡，總之，漢末士大夫因過於看重名節，其弊或流爲一介偏固，故降及魏晉，由反動而生出輕視禮法，置法度於不顧之風氣。至因佛敎東來，在當時人們心理上注入一種特異的人生觀，遂廢棄經學訓詁而流行老莊虛無之說，遂至排斥六經，日以淸談爲務。加以當時政權移動的急激，士大夫在精神上無所適從，於是有些人托名於淸談以遠禍。如史稱：「王衍弟澄及阮咸與咸之從子修、胡毋輔之、謝鯤、畢卓等，皆以放任爲達，裸醉不以爲非，比舍郞釀熟，卓夜至甕間盜飲，爲守者所縛。旦視之，畢吏部也。」樂廣聞而笑之曰：「名敎中自有樂土，何必乃爾！」彼等行爲上之醜態，便可看出當時的世風了。如此流風，浸潤社會人心，上自朝廷大臣，下至草莽處士，大抵皆卑名敎，崇放達；即或不然，亦止努力完成一身的事務，更不知國家爲何物。故當八王之亂起，晉室危殆的時候，求一能急公好義或爲國家人民憂慮者竟不可得。到了晉室南渡之後，大江以南仍是老莊流行，淸談旺盛，其弊害雖不若西晉之烈，但以尾鳴高，有高談玄理者尙所在多不減。梁時既講老莊並講佛教，如梁書云：邵陵王綸爲揚州刺史，講大品經，使馬樞講維摩老子，同日發題，道俗聽者二千人。王謂衆曰：「馬學士論議必使屈伏，不得空具主客」於是各起辯端，樞轉變無窮，論者咸服。」這是淸談講佛經的一個例子。論者嘗謂印度的佛理和中國的淸談相結而形成了中國的禪宗，就在這個時候了。

總之，對於魏晉之間的淸談，對世道人心以及國家政治的推行上發生了若干不良的作用，固是事實；但就中國整個文化進展上看，正因有魏晉的淸談，纔開始啓了下述幾種風氣：

一、淸談推動了後世講學之風。晉室南渡以後，聚徒講學之事大盛，較之漢代講經在方法上更趨向於能自發問及討論，未始非前一期的淸談開其端緒。

二、淸談影響了文學上的創作風格。魏晉以後的文章，大體不受約束，隨意發揮至性眞情，可說完全受了淸談的影響。

三、淸談形成了思想的奔放與生活的自由。人們從淸談中一方面大量接受了外來的思想，一方面對於傳統的文化作一徹底的討論與認識，在這一點上可以說淸談在文化的發展上是盡到了繼往開來的任務。（完）

搜異錄

韋皐奇貴

周遊

唐西川節度韋皐，在不得志時，曾遭受張延賞的冷落。原來他的岳丈，即西川節度使張延賞，正紅極一時，炙手可熱。初以女妻韋皐，繼而惡其功業不成，厭薄之情日甚。韋皐鬱鬱不得志，時入張延賞幕府，與賓友從游，且時其忿。延賞知之益表不滿，一日延賞對韋皐道：「幕僚無非時奇，延賞向敬憚之，韋郞無事，不必戀到。」其輕視韋皐如此。

韋皐之妻尙賢慧，闢舍自居，不入幕府。一日謂皐道：「男兒當有四方之志，郞如何厭棄如此，不知欷然度日！妾辭家事君，荒閑一間茅舍，亦君之居處炊爨，糲黎，簞食瓢飲，亦君之食，何必忍愧強以爲安？實爲有血氣者所笑！」

韋皐乃入幕府向岳丈辭行，延賞遺帛五十疋，夫人以爲太薄，但不敢言少。時延賞府有女巫，見韋皐入西院，向夫人道：「綠衣人爲誰？」夫人道：「韋郞是也。」女巫道：「此人貴不可極，發，不久亦鎭此。宜殊遇之。」夫人問女巫何以知之。女巫道：「貴人之所行，必有陰吏。相國之侍者不過一二十人而已；如韋郞者，乃有百餘人之多。」夫人聞之大喜，密與延賞語之。延賞不樂道：「吾贈堺薄，請厚贈之可以，何必假托巫妖以相調？」

韋皐行月餘至岐州，不久朱此（水旁，以下同）作亂，隴州有朱此舊部五百人，爲兵馬使牛雲光統率，雲光陰謀響應朱此叛亂，因事有備，未得逞，遂率其衆奔朱此，在途中遇到朱此以僞詔除韋皐爲御史中丞，因復與之同還隴州。韋皐受其詔命，乃對牛雲光道：「吾已受詔，還有何疑？汝等納器械，以明不相詐。」雲光等遂納器械。翌日韋皐大饗士卒，伏甲士數百人，盡誅牛雲光部衆，設壇與諸將士盟誓勤王，朱此尙不知韋皐動向，遣人許以鳳翔節度使。韋皐斬其來使，不受叛僞詔命。朝廷聞之，人心皆奮，乃除韋皐爲隴州刺史奉義軍節度使。及駕還宮，乃授韋皐兵部尙書西川節度使。張延賞聞之，將自抉其眼，以懲不知人之過。然女巫之言，亦爲奇矣。

成語選粹（25）

李國良輯

推心置腹

後漢書光武帝紀：「降者更相語曰：「蕭王推赤心置人腹中，安得不投死乎！」」「推心置腹」言待人以誠也。

生活漫談

蚌益肝潤腸利酒濕

・馬騰雲

這是一個用蚌治病的故事；往日有一位農家女，因工作時不愼，曾經跌落水，以後則漸感精神欠佳，兼以飲食減少，每見促氣嘔作病徵。數月以後，女之面部且有微腫，腹部漸見隆起，診治服藥無效。鄉婦長舌，有好事者，竟謂女有身孕，父母雖然極力辯正，因相信她是好女兒，況當日環境，男女交遊不易，尤以鄉村更甚。女曾許配於鄰鄉，而未出嫁，女有身孕的謠言，鬧於夫家，夫婿方面，以面子關係，遂問女的父母，女含冤憤甚，乃奔出門外投塘自殺，雖獲救回，但多事鄉人，早已團團圍集於女家門外，議論紛紛。是時，適有一位江湖醫者路經其門，問明事故，乃入屋看女，並謂女不是懷孕，而是患上水蠱症。遂命女的父母設法採集十數隻肥大的「蚌」，放在大瓦罐裏，加入少許清水，用慢火熬之，待水滾時，蚌本身所含的水份亦出，約煎一點多鐘，將蚌水乘熱飲用，至極飽爲度，病可望愈。女如言飲後，嘔吐大作，並瀉出污水及膠質惡物甚多，腹腫亦漸消，飲用數次，病果然痊癒云。此乃廣州附近鄉村的故事，並謂事件發生於清朝道光年間。這是一篇用「蚌」治水蠱的故事，用蚌治水蠱，民間亦有傳方，蚌對水蠱也可能有良好治療效果，因蚌可以促進人體內的排水機能，水蠱之症，每因排水機能失靈而起，中醫認爲排水機能與肝有關，蚌入肝，能清熱行濕，通暢水道，尤其是「蚌淚」（即解蚌裏面所含的水份，中藥名爲蚌淚）更能清熱除濕，有解蠱毒及清理酒積藥石之毒的效果。蚌爲介類軟體動物，產於淡水中，大者每隻數斤，肉類鮮美，且富營養，它的肉，含有水份六八、二，蛋白質一、五，脂肢〇、一，無機鹽類〇、三，含水炭素〇、四，中醫謂蚌色蒼入肝，蚌中之水，名蚌淚，它有清熱行濕治雀目夜盲之效。蚌肉性涼能潤腸，鄉村人家常食之，食時多用豆類或芋頭火頭菜之類同煲，很少用作滾湯，能清熱止渴，故食蚌肉後無口渴情況發生。食蚌還可以預防酒風，好飲酒的人，若恐年老酒風發作，常食蚌是很適宜的，如果用來治酒風症，必須用原隻蚌「每次二三斤也無妨」煲水飲，飲後總有一二次下瀉，酒的積聚濕毒，可能由此消除，有酒患者不妨試之。

食蚌肉以徽菜食法最入時，冬天吃蚌肉，交春不食，交春前響雷也不食，吃蚌的方法，先以木棒將蚌肉纖維破壞，然後加瘦肉雞湯同煲，佐料有蒜、葱、酒、胡椒粉，須否醬油聽由食者自便，抗戰殉國名將戴安瀾將軍嗜食蚌肉，徽菜名叫「河漂肉」，戴將軍不僅嗜食，且擅烹調，當謂「河漂肉」是天下第一菜。

諸葛亮狂想曲（一〇一）

・劉玄・

現在天庭各方盛傳玉帝要成立「宇宙發展委員會」，囑太白星君推薦主持人選，星君最賞識的人是你，因此大家都說你將出山了。」劉約翰聽來的是天庭馬路新聞，但這一馬路新聞都有其可靠性。

「事情倒不是空穴來風，可是，你是知道的，我最愛淸閒，那裏會再出來做官。」諸葛亮話說得很含蓄，旣不承認又不否認。

「我聽說『宇宙發展委員會』是一個很重要的機構，和美國太空總署一樣重要。美國太空總署單是女秘書就用了好幾十位。主管還有專用飛機經費有好幾百億美元哩。」劉約翰說話也和美國人一樣，非常俗氣。

「宇宙發展委員會只是一個研究機構，規模當然不能與美國的太空總署相比。」諸葛亮過去聽劉約翰談美國種種談的很多。在他的想法：美國的原子彈比他火燒籐甲兵厲害多矣。以此類推，太空總署的規模料必龐大也。

「話不是這樣說，人間的科學家頭腦到底不比天庭。譬如：太白星君能煉成迷你老虎，珍珠蟠桃，人間科學家就毫無辦法。」劉約翰舉出事例以證明仙家的道法不容忽視。

「這倒是眞的，假使我不是親眼目覩，連我也難以相信。」諸葛亮自從見過迷你老虎，珍珠蟠桃，便進一步佩服太白星君。

「依我愚見，你能出任天庭要職，龍岡會友都將沾光不少。」劉約翰雖係龍岡灰孫子輩，三句不離本行，也要談到龍岡。

「這倒沒有什麼，我和龍岡的關係，天庭都知道。太白星君對我的厚愛，更是衆所週知，我做官不做官都是一樣。」諸葛亮是君子，不了解天庭下層的勢利眼。

「龍岡的劉皇叔、二將軍、三將軍他們當然無所謂，其他就不同了。拿我來說罷，如果不是你請我教英文，葡萄仙子等怎麼會請我教英文呢？張素梅沾你的光更大，纔說請他教鋼琴的也不少。」劉約翰分明還想再沾沾諸葛亮的光。不言而喻，他也是贊成諸葛亮做官的。

「假使我當眞做了宇宙發展委員會」的主任委員，你想要甚麼？」諸葛亮也學會了美國人單刀直入的談話方法。

「我想『宇宙發展委員會』是一研究機構，如果有什麼英文文件，我倒可以担任翻譯。」劉約翰毛遂自薦，但他的要求還算合理。

「你的要求還算合理，假使有此需要，我可以考慮。不過，你替我再想想看，龍岡的幾位朋友怎樣安置呢？」諸葛亮是戀舊的，忽然想起龍岡一般朋友。

「皇叔與你有君臣之義，你無法考慮，至於二將軍、三將軍等，他們都是軍事人材，宇宙發展委員會恐怕難以延攬罷。」

（未完）

巨變歷險記！

丁博士沿徽江湖畔前進，有時候要翻山，有時候要越嶺，有時候到懸崖峭壁，直線下垂，有時候却又必須穿過村莊走在村子裏。這最可怕，假如又被人跟蹤…？但因爲沒有別的路可走，也只有冒險了。在經過村子裏，要裝出若無其事的樣子，這就太不容易了。一天在走，一天在跑，實在已到了筋疲力盡。加上早上吃的飯早已消化淨盡了，又沒有別的東西加上去，眞是飢腸轆轆，肚子直叫。雖然徽江湖的水有的是，但水是不能充飢的。所以越走越沒氣力。怕有追的人，就儘量的避免走大路，儘量的走小路，走沒人走的路，走村外，走沒人的地方裏，走人少的地方。很多次，走在田裏，裝成在田裏做工的樣子。

茫茫蒼穹（一一四）

胡慶蕃

徽江湖恐怕有六七十里長，從早上天剛亮的時候，一直到下午天快黑了太陽快落了，才走到頭。知道徽江縣城就在前邊，通開遠蒙自鐵道就在右邊，但因爲沒來過，也不敢一定。在轉灣的地方，就是一個大的村莊。遠遠的是可以望見的，而且有很多的人在村子上，鷄犬之聲相聞，吵雜之聲也彷彿聽得見。丁博士還是他的老辦法，儘量避免與人接觸，儘量與地方「打成一片」，使人不覺得是一個陌生的人，在人的不注意中通過。他還是繞着走。走在村旁的森林裏，但還是兩度遇見了人。遇見了人，丁博士也還是他的老辦法，儘量的撂開，儘量的避免講話。同一位共產黨的工作人員幾乎碰一個滿懷，但還是邀天之福闖過去了。

越過這個村子，又沿着湖走，天幕快垂下來了，但徽江湖的水却仍波濤起伏，白浪滔天，越靠近岸，這浪越高。後浪逐前浪，不斷發出巨聲。又經過一個村子，還是沒敢進去，在湖邊上，看見一個草菴子，心想或者可以找見什麼可吃的，也就去了。實在腿也要求休息。腿實在不願意走了，腿實在走不動了，脚更是苦，脚板心都起泡了，特別肚子裏沒東西，實在行不得也……一切逼着要與人接近，要東西吃，並且問路。

於是搜索身上看還有沒有的了作證的痕跡，無論如何不能叫人認出來。於此發現袋子裏還有一個象牙圖章。這是他最心愛的，但也不能不割愛了。是不是帶着玉葬花的心情，崇禎皇帝砍殺公主的心情，將這圖章埋起來了。他心裏在想：總有一天會再來的，會再來將這個圖章取去……天已黑了，不容再停留了。遂又强打精神，起來再走。這眞是茫茫蒼穹，那里是安身之所。

這是一個很好的晴天，到了夜裏，碧空萬里，月明星稀，到底那里去？怎樣走法？只知道向右，向火車經過的方向。肚飢得很……走……身也寒起來。但還是走……走……走，但越走越感到肚飢，越走越覺得混身寒，頭也發暈起來，漸漸不支的樣子了！……

未來的世局與中華民族的前途

何浩若

一、一九七〇年元日合衆國際社所報導的一則新聞

首先我要報告諸位的是今年元日日合衆國際社所報導的一則新聞。這條新聞是印尼萬隆大學亞地米哈教授所發表的一個研究報告。亞地米哈教授研究印尼第三大城萬隆的經濟情况。把一九六九年的工商業作了一番詳細的統計。他的結論是萬隆有人口約一百萬人。這一百萬人之中，未取得印尼國籍的華僑爲四萬〇一百九十三人，已取得印尼國籍的華裔公民爲五萬〇八十三人，兩共九萬〇二百七十六人，不到全人口十分之一。在一九六九年萬隆市政府共發各種營業執照七千八百八十六張，發給華僑的營業執照爲三千五百六十四張，發給華裔公民的營業執照爲三千〇十五張。兩共六千五百七十九張，佔全部營業百分之八十以上。萬隆九十多萬的印尼人及其他民族僅領得營業執照一千三百〇七張，不到百分之十三。亞地米哈教授並且說，不論是在宗教教育和婚姻問題上，華僑與華裔公民都和印尼人處得很好，把華僑同化ＡＳＳＩＭＩＬＡＴＥ於印尼社會。亞地米哈教授所發表的統計數字列表說明如次：

萬隆人口與所領營業執照比較表

一、印尼第三大城市萬隆約有人口一〇〇〇、〇〇〇人

二、未取得印尼國籍的華僑，四〇、一九三人

三、已取得印尼國籍的華裔公民，五〇、〇八三人

四、華僑及華裔公民約佔全人口百分之十，九〇、二七六人

五、一九六九年萬隆共發營業執照，七、八八六張

六、華僑共領營業執照，三、五六四張

七、華裔公民共領營業執照，三、〇一五張

八、兩共六五七九張，約佔百分之八十三

九、其餘九十萬印尼人及其他民族共領營業執照，一、三〇七張

上面這則新聞是合衆國際社在民國五十九年元旦所送給中華民國最佳的新年禮物。亞地米哈教授對華僑與華裔公民的成就表示了最高的敬意，而且說華僑願意與印尼合作同化。在這裏讓我們全體一致表示對我們海外僑胞的崇高敬意。我所引爲遺憾的是台灣所有報紙除去英文中國郵報以外對這條報導一字不登。他們絕不是怕這條新聞原作者推崇華僑的成就，讚美華僑願意和印尼合作同化是希望誠心與華僑打成一片來反對盤據大陸的共匪的。

二、從這一則新聞想到前香港總督葛量洪對未來世局的預言

甲、幾個推測未來世局的預言

打開日本海禁的美國人默修伯里曾經說過：「强有力的事實所昭示我們的傾向，非常不需要智者就可以前知。」他曾準確的預言到俄羅斯人和美國人將於二十世紀代表獨裁與自由兩大勢力的敵對力量發生規模最大的戰爭來決定世界的前途。又有一個英國歷史學家在一九二一年所作的預言說：未來的世界只有三個國家最有前途，這三個國家就是美國、蘇俄和中國。但是這些預言雖然都準確並非不實，最確切的是葛量洪的預言。他說「二十一世紀將屬於中國人」。

乙、葛量洪說：『二十一世紀將屬於中國人』

葛量洪做過三任香港總督，對中國的情形十分了解。他退休以後訪問美國。紐約工商界的企業家歡迎他講演。他開始便說：「十九世紀屬於我們英國人，二十世紀屬於你們美國人，二十一世紀將屬於他們中國人了。」英國人自稱十九世紀英國的國旗永遠見得着太陽。說十九世紀屬於英國人，美國的聽衆能了解的。說二十世紀屬於美國人，他們更能了解。但是大家都不了解何以二十一世紀將屬於中國人。當時有人問葛量洪是不是中國共產黨。葛量洪肯定的說中國共產黨一定會失敗的。他講的是整個中華民族。他詳細解釋他的看法。他說到二十一世紀到來的時候，這一個世界上將有十萬萬中國人。這十萬萬中國人的刻苦耐勞努力奮鬥的精神遠勝過英國人和美國人。他以海外移民爲例，說明中國人在清朝和民國初年從未獲得政府保護，出國的時候連護照都沒有。他們沒有移民的計劃，也沒有足夠的川資，隻身到海外去謀生，克勤克儉在若干年後能掌握着當地的經濟。他說英國的僑民在香港、馬來西亞、泰國、越南、菲律賓等地，有殖民的制度，有最惠的條約，有軍事的支援，但是也不能取得像中國僑民在當地所佔的地位。他說到英國何以能在十九世紀稱霸，是因爲十九世紀的動力是蒸汽，發動的原料是煤。英國在十九世紀產煤最豐，有「黑英國」之稱。而美國在二十世紀已進入電氣時代，主要的原料是石油，而美國的汽油產量最豐富。二十一世紀將爲原子時代。原子動力的資源是鈾。鈾的產量以中國的新疆和拉達克最多。根據這些理由，葛量洪認爲二十一世紀將屬於中國人。當時的聽衆同意他的說法。他這一篇講演，曾載入美國國會的紀錄。

（上）

國醫與國藥

自己治病簡法

陳果夫遺著

果甚好。

十九、神經病

有些患神經病者，多懷疑自己不能作主，好像失掉了控制力。這種神經病當然最好儘可能使他滿足慾望，但不容易達到時，那末祇要使他能得到安慰的機會，或者使他有一種信仰，得到主宰就會漸漸好起來，所以治療此種病人，可以勸他信仰宗教，均有效果，余曾治過一位神經病者，效果甚好。

二十、感冒

衣服穿少了，或者吹了風受了感冒，覺得有些怕冷的時候，就應該趕快的使他發熱，把寒氣趕出來，越快越不傷身體。趕寒氣有藥則用藥，如果沒有藥，祇要用一樣開水就可治療。飲水之前，人應該先睡在床上，吃了一碗開水，把被蓋好，每隔五分鐘吃一杯，吃三杯之後，一定全身出汗，如果熱度退下來不覺得冷了，再好好地睡一覺，醒來之後，如覺肚餓，就在床上吃一碗粥，吃了粥後，不出汗就沒有寒氣了。但還要隔十幾分鐘，把汗濕了的衣服換了，才能起床，起來後最好在廿四小時內不要吃飯，吃些容易消化的東西，就可完全恢復了。這個方法是我在民國廿一年想出來，我自己試了幾次，都有效，到廿六年我們從鎭江退到揚州的上一天，我的隨從醫生感冒了，他怕不能動身，我就用這個方法把他治好，後來在白鶴林的時候，有一個親戚第二天要動身，出門上一天感冒了，非常着急，我亦用此方法，不過第三碗用的是午時茶，效力更大，所以迅速的恢復了。

廿一、喉痛及感冒

每年立冬以後天氣冷而燥，或者在天氣突然變冷變熱時，人們就容易發喉痛及感冒等症，如果我們能夠懂得調節水分的方法，那末這些毛病就不會發生了。像從前有些地方的人，每天早晨起床時，先吃一碗熱的米湯，晚上睡覺之前，也吃些東西；又像從前北方官場遇客來客去之時，均以熱茶及熱手巾敬客，這都是調節水分的好方法。尤其在牀上或火爐間走出來，身體內外均燥之時，走到冷而水份多的地方，身體因燥立刻吸收水，那末就造我感冒，肚子裏無水份外間又乾燥，則喉頭就要感痛，所以要減少此種病痛，非自己注意水份調節不可。

廿二、氣管炎

肺部不強的人，穿西裝患氣管炎時，往往不易治好，如果改換中裝，或改善西裝內部襯衣，則氣管炎可不藥而愈的，因爲西裝的缺點，就是在氣管部份的保暖不夠，若外國人已成習慣，當然不要緊，中國人之素無此習慣者，不能不注意及此。余久未穿西裝，但于民國廿三年曾穿了幾件西式毛線衫在中山裝內，那時患氣管炎未見痊，後來于脫衣時發現此理，乃做了幾塊毛線打的東西加在缺口，三天就把氣管炎治好了。還有患氣管炎咳嗽，痰不能出，上牀咳嗽更甚，不能安眠者，應該自己注意褥子是否太熱，如果太熱，把褥子減薄，即易安眠，能安眠則醒後痰即能吐出矣。某年我的叔叔，咳嗽甚久，醫生無法，余往研究，知其用新鴨絨褥子，當即勸其更換褥子，鴨絨褥子換去後，晚間即能安眠，次日積痰能吐出，數日咳嗽即止而癒。

廿三、白癜瘋

白癜瘋初起甚小時，可勿用藥，即用擴大鏡在太陽光中對準焦點，燒約十分鐘，即可脫皮愈。民國十八年立夫弟面部生一小白癜如黃豆大，在蘇州及上海醫院中詢問醫生，均謂無法可治，詢其原因，則謂缺乏色素或有微生物，余乃與之研究，一日同出，見有擴大鏡，購得一片歸來，先以照像匣中之黑紙，剪一小洞，如白癜瘋大小，罩住皮膚，僅露出白癜，然後以擴大鏡，對準焦點照射，不過十餘分鐘，越日脫皮而癒。此爲初次試驗，後他人仿着，小白癜瘋均可癒，其大者，因不敢試，且其光亦不易對準焦點也。（四）

中華民國內政部登記證內警台報字第〇三一號
中華民國郵政登記證第一二八二號執照登記爲第一類新聞紙

自由報

（第一〇五三期）

（半週刊每星期三、六出版）
每份港幣壹角・台灣零售價新台幣式元
社長李運鵬・督印黃行薔
社址：香港九龍彌敦道593—601號
廖創興銀行大厦八樓五座
LIU CHONG HING BUILDING
7th FLOOR FLAT '5
593—601 NATHAN ROAD,
KOWLOON, H.K.
TEL：K303831
電報掛號：7191
承印：業星印刷公司
地址：嘉咸街廿九號地下
台灣連絡中心：台北市田街五巷三號
電話：三七五〇二二
台灣區直接訂戶　合郵劃撥戶
第五〇五六號張萬有（自由報會計室）
台北營業處：台北衡陽街三十號
電話：二七二〇〇
台灣分社：台北市西寧南路110號二樓
電話：三三〇三四六，台郵新撥戶九二五二號

首須改革的惡劣政風
——形式化的開會主義

・雷嘯岑・

中華民國執政黨最近舉行中全會議，強調革新政治風氣，特別注重於司法界的政風改革問題，原屬言之有物，不落恆蹊。近二十年來台灣司法界信譽之糟，世所共喻，亟加整飭，固其宜也。但筆者從全盤的政治前途設想，認爲今日急切需要改革的政風，更有甚於此者，那就是一切行政機構之形式化的開會主義！

政府播遷台灣後，各個行政單位，上自中央的院、部、會，下至區鄉鎮公所，皆盛行開會主義，事無鉅細，一是皆以會議爲本。除却星期日例假以外，無論走入任何一個大小衙門去訪晤幹部人物，接洽事情，所得到的回答，不是「正在開會」，就說往別處開會去了。」有一位中央部長階層的政務官告訴我：他每一週的六天時間內，必須親自出席的會議即在十二次以上，此外還要派代表參加的會議，更僕難數。政務官的主要職責，是要執行國家政策，悉心研究其利弊得失所在，督導并指揮各級幹部實心任事，尚而往有功。若他每天參加二三次會議，每次要消耗二三個小時的工夫，經常精疲力竭，疲於奔命，試問還有幾許時間和精力，以策劃本身所負的任務呢？

但中國官場中人的普遍惡習，總喜歡混費時間，多說廢話，每人都有若娛樂場所表演技藝的江湖術士之流，每人都要「惜筷一段」，表現他的非凡才華，說過以後，誰也不把它當作一回事，問題原封未動，依然由主管者自行處理，因而流行着「議而不決，決而不行，行而不通」的評語，這是咱們政界「古已有之」的陳年痼疾，無法醫治了。迨近廿年來，會議玩藝，比過去在大陸上的情形更熱烈，而其實質則每況愈下，眞正不折不扣的形式化了。大小會議的名目繁多，不勝枚舉，參加會議的成員亦各色俱全，本來是之蔴絲豆穀的問題，爲愼重處理計，搖一次電話即可解決的，亦必張皇幽渺，召集所謂「有關單位」大開會議，紀錄盈尺，負責無人，主管機關反而平添一些困擾，顧慮更多了。我且舉出一例，以概其餘。海外的報刊要在台灣銷行，依照法定的體制和職權，原係內政部的主管業務，內政部祇要遵循中樞政策與法令，儘可自行核處。可是，實際上非經過五六個「有關單位」正式會議通過就不行，何以故？因爲海外的報刊內銷後，要收報費，涉及了外匯問題，又以報刊的言論思想和政治態度，與治安攸關，於是乎本來與文化事業毫不相干的機關，亦以「有關單位」的名義，既要參加內政部的審核會議，每個單位又推派一些與文化報刊事業毫不相干的單位代表，在會議時對於報刊之應否內銷問題，根本莫名其妙，會議的作用乃等於零。然各個行政機關樂此不疲，爲的是製造會議紀錄，表現「工作成績」。至於問題如何解決，最後亦有一種法寶，即向政府最高當局請示！事情如果行不通，可將責任推到上峯去；事情辦成了，或者辦好了，當然是自身的功勞，這是見功不見過的上上之策。如此這般的厲行形式化開會主義，政風焉有不敗之理！所以，我早就指出現階段的行政人員，是以「開會爲服務之本，請示爲負責之本，推人爲快樂之本」，生於其心，害於其政，戾氣所鍾，國事蜩螗，所謂行政效率，壓根兒就無從說起了！

開會主義之所以流於形式化，亦非偶然的，考其原因，不外幾點：一爲權責混淆，體制凌亂，行政機關法定的主管業務，每有徒擁虛名，無從過問的情形，或者隨便割裂，政出多門，而監督、設計和決策的機構，又常干涉實際的行政事宜，對於行政首長的功過得失，只看細帳而忽視總帳。還有依憲法行使「質詢權」的代議士，對行政首長的質詢事項，漫無標準和份際，興之所至，不顧一切，受之者深感窘辱難堪，視爲畏途，而責任心更降低了，這是眞正的民主憲政國家罕見的現象。二爲人事制度不健全。行政首長，負監督所屬員司的責任，却沒有進退黜陟員司的權力，既有所謂「人事凍結令」，又有「文官保障法」，層層束縛，處處障礙。若干年前，曾有一位在任的部長對我說：他發覺該部駐外的業務單位主持人有非法瀆職情事，未便張揚，乃將該員調部服務，旨在消弭後患。詎該員根據文官保障法向銓敘機關申訴，而銓敘機關即出面干涉，謂該員縱有非法瀆職行爲，在未經法院判決確定之前，亦不應予以調職處分云。至於教育部有位常務次長，因爲開除了一個不盡職的工友而遭受殺身的威脅，只好辭職告退以避禍的奇聞怪事，早已膾炙人口，家喻戶曉了。三爲派系主義猖獗，影響行政上的功過考核，徇私害公，朋比袒護，以致是非不明，賞罰失當。凡無派系淵源而實心任事，俛奉職者，多沉淪下位，蹭蹬涼涼，而泄泄沓沓，或胡行妄爲之輩，每得蜚黃騰達，彈冠相慶。所以，我們隨時看到優秀戰士和政工幹部的頒獎消息，却未聞行政人員有考績升降的措施。

由於上述各項因素之交織作用，各級行政人員雖屬才智幹練之士，亦復顧忌多端，不易有所作爲。尤其是有抱負、有魄力的政務人才，必有他的個性，直尺枉尋、跋前疐後的官僚作風，他是不屑幹的，非不能也，是不爲也，進退行藏，完全以能否施展抱負爲依歸，合則留，不合則去，爲着眞理是非，既不怕得罪，亦不顧尸位干祿，依違立朝。然在上述各項因素支配之下，勇於負責而敢作敢爲的政務官，絕對難以立足，上焉者急流勇退，敬謝不敏，次焉者焦頭爛額，鍛羽而歸。於是乎，一般行政官吏基於息事寧人的心情，相率採取「混差事主義」，認爲多做多錯，少做少錯，不做不錯。加之以離鄉別井，流徙外方，一旦失業，將成餓莩的心理作用，遇事更不敢多負責任。可是，既然担任官職，又不能如養老院的生活，飽食終日，無所用心，總得表示一些成績，以便對政府最高當局和社會民衆有所交代，唯一的妙計就是經常開會不歇，表面上非常，朝乾夕惕，儼然百廢俱舉，有聲有色，甚末「會議紀錄」啦，「工作報告」啦，對上呈遞，對外宣傳，實際是浪費人力財力，一事無成，但外人不容易究問底細。若夫達官顯宦們在議會報告施政方針，或對羣衆發表政策演說時，亦有一套公式化的論調，即聲言「政府對於反共復國的計劃和準備，早已完成，只待機來臨，吹起反攻的號角，則蕩共匪，不成問題」；又謂「政府對於發展經濟事業，成效卓著，去年比前年增加了百分之幾點幾的生產額，增收了百分之幾的外匯額」，說來冠冕堂皇，統計數字充口而出，誰也不會去核對的。這與開會主義一脈相承，異曲同工，依然不離「混差事」的官僚主義範疇，猗歟盛哉！

職是之故，我認爲若要改革政風，藉以適應非常時期的要求，首先就應該廢除政界形式化的開會主義。此弊不除，則所謂「政治反攻」與「團結海內外人心」等說法，皆屬無補實際的空談。欲除此弊，又必須從根本上着手，簡化法令，釐定職權，建立人事制度，眞正實行分層負責，「用人行政」的全權。綜核名實，信賞必罰，是非嚴明，虛僞不齒，議親議貴，天下爲公，尤其對於越級請示以期卸責的官僚，必須立予懲究，樹之風聲，凡沒有個性的官僚主義者，決不可讓他竊高位，據要津；形式化的開會主義，就是沒有個性的官僚作風；官僚不去，政風不清，舉直措枉，民乃大悅，謀國者其三思之！

（完）

昨日與明日

俗語說「量淺易盈」，西方的諺語也說「小的水壺容易熱」。這種人反應雖是靈敏，而實不夠沉着，缺乏遠見。因此不僅不能成就自己，難以成大器；同時對他人的影響而言，也往往會因其輕率多變，不識大體，而會帶來災禍。

我們的東鄰日本，很不幸就正表現着這種作風，往者不論，只就近三十年的歷史來看吧：三十年前，也就是正在二次世界大戰的前期，日本抱着「八紘一宇」的夢想，高倡「大東亞共榮圈」，趾高氣揚，眞是驕橫不可一世。及後一經戰敗，麥帥進佔東京，舉國上下卑躬折節，事奉維護，極諂媚恭順之能事，最妙的是社會上那股氣燄萬丈的軍國思想也一掃而無存（至少是消聲匿跡，凉藏起來了），甚至美國要武裝日本，却遭到日本人民的反對。

但是曾幾何時，由於經濟發展的迅速（這都是由於美國的蓄意培植，特別是在韓戰，越戰期間），淺見，量小的日本人又逐漸驕傲起來了，便可見處處在對東南亞各國露意存優越的態度，便可思過半矣。適逢其會尼克森上台後，爲了退出亞洲，而大力支持日本，把日本捧起來，在尼克森固是想找個替死鬼而已，但在日本却就藉着梯子上天了。美國才答應把琉球還交還日本，日本馬上就氣燄高漲起來，甚至表示南韓和台灣如有事故，日本不能坐視，這簡直就是往昔軍國主義的面孔又擺出來了，試看這種轉變有多麼快？

給日本的忠告

日本是否眞個强大起來，而又可肆行侵略重溫故夢呢？這恐怕是少數日本人的自我陶醉吧。我們且不從道義上抨擊日本人這種惡劣動向，只從事實上來說，今天日本表面雖是經濟繁榮，科學技術發達，好像很俱備近代强國的條件。但是內部的不安，社會的動盪，實在是自顧都不暇，只看最近的事實吧。大阪博覽會是日本全國上下拚命掙面子的得意之舉，要向世界誇耀日本的成就，那就愈當愈出彩，就在開幕的那天，便有左傾份子示威遊行，弄得情形很不愉快；接着發生劫機事件，等到事件剛剛解決不到三天，而又發生地下鐵道的瓦斯管大爆炸，造成戰後最嚴重的損失，而爆炸的地點，就正在大阪，明眼的讀者却能相信這些災禍是孤立的嗎？當然不是，不僅是有聯帶關係的，並且還都是打擊日本的聲譽，製造暴亂顛覆的機者也，試問這是多麼嚴重的內部危機。當國者竟不此警惕，却妄想恢復軍國主義，肆行侵略，那不是自己跟自己開玩笑嗎？

昔賈誼論治安策說：「夫抱火厝之積薪之下，而寢其上，火未及然，因謂之安。」日本「方今之勢何以異此」？我們誠摯的希望日本有眼識之士，能高瞻遠矚，一方自顧燃眉之急，以免蕭牆之禍，一方能以道義爲本，維護世界和平。然後才是立已立人之正道。

・成公・

自由談

人類社會每逢發生與大衆生活攸關的某種運動時，有人熱烈贊成，也有人拚命反對，古今同然，毫無例外。現在甚囂塵上的復興中國文化運動，輿論上當然不免有正反兩種意見表示，眞理愈辯愈明，最後取決於大多數人的同情實施，蔚成時代風氣。

可是，這次的復興中國文化運動，係由蔣總統首倡，而經社會大衆羣聲響應的。一些蔑視中國固有文化，崇拜西方文明的自命新人物，未便作直線式的反對，而以堂堂之陣，正正之旗，從事辯論，乃挖空心思，絞盡腦汁，揑造一種口號來宣傳，企圖蠱惑人心，譁衆欺世。他們狂叫的口號，就說「復興文化不是復古」，用「復古」二字形容復興中國固有文化是在開倒車，是不合時代進化律的落伍之談，藉以麻醉一般青年子弟——特別是知識份子的心靈，間接使他們覺得大陸上毛共「反四舊」的紅衛兵之亂，纔是進步的文化運動。其計甚毒，其心可誅！

復興文化之必要

復興中國文化是否復古運動呢？只看蔣總統強調現階段的中國人必須重倫理，科學與民主精神的言論思想，即知其不然了。倫理與民本主義是中國文化固有的，但到現在式微了。科學思想在中國固有文化中幷非絕無，而是缺乏系統的研究與發明。所以，總統纔指出這三項義理作復興文化運動的主要目標，此係進步的正確主張，至爲顯著也。

中國文化的中心思想是王道精神，而以忠孝仁愛信義和平爲公私生活的主臬。試問這與時代進化律有甚末矛盾或抵觸之處呢？相反地，正由於物質文明畸形發展之故，西方學者盛倡功利主義之說，人類爲着滿足享受慾的關係，爲目的不擇手段，爾詐我虞，肆行鬥爭，因而戰亂不息，罔知所屆，更需要提倡中國文化精神以濟其窮，庶可使人類避免同歸於盡的浩劫，這能說是「復古」的落伍思想嗎？美國的科學進步與物質文明，可謂登峯造極了。然其國內險象環生，危機四伏，種族衝突日有所聞，青年子弟吸毒盛行，男女嬉猺到處可見，唯物史觀的左傾思潮日益氾濫。這便是功利主義與倫理相對主義的結晶體，反證人類專賴物質文明以求生存，禍必及身，而中國文化思想對人類的重要性，卻有如寶樹之長綠了。

馮丑先生

復興文化振興中醫
台北籌設研究中心
蒐集審定藥方幷編定藥典
集中專家研析中藥的化學構造

【本報訊】（本報台北消息）復興文化聲中，中醫界日前有一盛大座談會，討論振興中醫問題，開會情形台北各報均有刊載，惟中華日報刊布較詳，特將原文刊出，藉供關心人士參考。

中華文化復興委員會於九日下午二時半在台北自由之家舉行復興中國醫藥座談會，出席者有杜聰明、李煥燊、吳惠平、張智康、許子秋、鄭品聰、王耀東、梁永章、那琦等四十餘人，會中除研討中國醫學史及中國藥學史的編訂，中國藥典的編訂，驗方的公開與審訂，中藥的提煉與革新及設立中國醫藥研究發展中心。

會議由文復會副會長陳立夫及秘書長谷鳳翔聯合主持，中國醫學會理事長吳海峯担任主席。

陳立夫致詞時，勉勵中國醫藥學家共同合作，把握時機，一步一步地做去，不要講空話。

谷鳳翔說！只有政府與社會團體、醫藥界通力合作，先人傳下來的這項國寶——中國醫藥，才不致丟失，才能發揚光大。

座談會依次研討中國醫學史及中國藥學史的編訂，中國藥典的編訂，驗方的公開與審訂，中藥的提煉與革新，及設立中國醫藥研究發展中心等提案。

有關中國醫學史及中國藥學史的編訂，會中推選李煥燊、杜聰明、何人豪、李樹猷等，負責籌組編纂委員會，預定在兩年內，完成這兩部書。

有關中國藥典的編訂，座談會決定建議政府，在即將成立的衛生署內設立中華藥典整編委員會，分為中、西兩部，將中藥部列入中華藥典。

有關驗方的公開與審訂，中國醫藥學家們一致表示：中國立中國醫藥研究所，中華民國醫藥學會、及各級中醫職業團體，負責搜集、審查、實驗中醫藥方。

有關中藥的提煉與革新，與會人士認為：今後應加强注意中藥的濃縮與科學的問題。

許鴻源指出：中藥科學化，須從下列幾方面着手：（一）原植物的統一及標準化，（二）本草學的研究，（三）泡製，（四）劑形的改進。

中國藥學會會長杜聰明主張：創設國立中醫藥研究中心，分兩個步驟使中醫藥科學化。

他說：首先要改造現有國立中國醫藥研究所，集中生藥研究專家，創設現代化研究設備，研究中藥的化學分析、化學構造、及藥理學作用，招收大學藥系畢業生，授予碩士及博士課程，培養國內各藥學師資人材。

其次，要充實國立中醫研究所的經費，使眞正能從事於研究工作。

座談會最後決議：由中國醫藥研究所、中國醫藥學院、及台大藥學研究所聯合辦理中藥提煉與革新有關事宜。

座談會同時通過由李煥燊担任召集人，即刻召開會議，迅速籌設中國醫藥研究發展中心。

中國鍼灸學會理事長吳惠平，在會中籲請文復會設立鍼灸研究機構，推廣鍼灸醫術；並請教育當局設立鍼灸專門學校。」

記者以國醫座談會結論走訪某不願透露姓名權威人士，請其發表感想。據稱：中華民族能繁衍千年，中國醫藥自然有其貢獻，未可一筆抹煞。有些江湖郎中，唯利是圖，當然敗壞了中醫的聲譽，論者卻不可一概而論。

過去反對中醫的，既不懂中醫，又沒有研究西醫，只是直覺的認為西醫是科學的，中國固有的都是不科學的，既然提倡科學救國，就應該打倒中醫，才能配作現代人。於是一犬吠日，百犬吠聲，而當時主政的又是些留學生，遂得中醫走頭無路，日漸沒落。殊不知中醫的理論基礎是講陰陽，五行生尅金、木、水、火、土，來對付心、肝、脾、肺、腎的疾病，也能講出一套道理來，自圓其說。歷史上盡人皆知的華佗、孫思邈、藥王、傅青主……等均以儒學通醫濟世活人，又焉能否定他們不是名醫？近年那些反對中醫最力的人士，多半都已仰臥台北市郊殊公墳裏，已經絲毫沒有影響力。現在由復興中華文化運動委員會推動振興中醫，又有副會長陳立夫先生親出領導，振興中醫誠然是千載難逢的良機。但中醫界人士也應該痛澈覺悟，深自檢討過去本身缺點，齊心協力，改弦更張。該人士又說：我們大家都知道中醫的缺點是「固步自封」、「同業間的嫉妬」，互相破壞。偶有心得，秘而不宣，惟恐人知。自我宣傳，不顧事實。許多人認為中醫善於自我宣傳，任何病都表示有辦法，等病人死了，把責任一推，說病家不信醫，不合作，病人該死，不是他的醫道不行。西醫就沒有互相傾軋不合作的毛病，西醫認為自己不能治好的病人，立即介紹其他的專科醫師，遇到沒有辦法醫治的絕症，坦白告訴病人的家屬或親友，絕對不叫病家化冤枉錢。

台中成立了一家中國醫院，但課程卻是西醫的，中醫課程請不到足以勝任的教師，聽說該院有一位四川籍教師對藥物研究頗為努力，天天領導學生爬山找藥材，效法神農嘗百草以療疾，在本草以外他已發現數百種草木可以醫病，並且編了一本中國藥物的書籍，類此種政府合社會，尤其中醫界人士，應該拿出力量來支持他完成這一偉大工作

日本教育人士主張
必須提倡品德教育
挽救日大專教育破產危機
立委延國符談「訪日觀感」

（本報台北消息）立法委員延國符曾就他去年「訪日」觀感提出報告，他說：這次我被邀參加中日文化訪問團，於去年十一月四日飛往日本，一共停留了二十多天。此行主要目的，是要看日本和尚釋隆道所修建的徐福、關帝和觀音三大廟宇，並參加這三大廟宇落成典禮。這三個廟都具備了中國古香古色的式樣，其修建工人，完全是由台灣請去的，建築材料也是由台灣運去的，由於這廟的建築，使日本和歌縣那智山地區成為名勝區，遊覽的人，每年不下幾百萬。

其中，徐福廟是紀念兩千多年前，秦始皇時代的徐福，他奉命率領三千童男女和許多水軍船伕，乘大船結隊駕向東方蓬萊仙島，求取長生不老的仙藥，終於到達日本那智山海岸，登陸後，歷遍九州，進駐神戶、大阪、奈良等地，他是將中國文物禮制最先傳到日本的中國哲人。同時也影響了日本統一開國和早期文化之發揚。

在日本停留期間，有八天的招待參觀訪問，以後就是自由活動，曾順便考察日本的教育情形，參觀過東京田園調布八幡小學。該校校長特別着重學生的品德教育，時常提及 蔣總統對日本以德報怨的寬大政策，並講解我國倫理道德的優良傳統，使學生們重視倫常品格。

在奈良我曾參觀了帝塚山女子大學，和該校教務長、教授數人會談，知道日本學潮尚未蔓延至女子大學，無論中小學校或是女子大學、教授、校長們均認有提倡品德教育之必要。唯有如此，才能挽救日本現在大專教育破產的危機。我在東京時曾看見學生結隊遊行，抗議佐藤首相赴美，這是佐藤為了收回琉球，故意玩弄這種示威運動，表演給美國人看的。雖然如願以償，但此種玩火把戲，恐怕他要自食惡果，我們應注意他今後對中共的拉攏情勢之演變，早提高警覺。

喬治桑外傳　一三四

張大夏

「這是桃麗小姐，這是桑先生。」

「你不是在家打牌嗎？」喬治桑坐下來問裘白瓊。

「打牌是我太太的事。我約你打牌，你沒有空，恰巧華太太來了，正好湊齊。所以，我就跑出來了。」裘白瓊向喬治桑說，桃麗在旁邊一語不發。

「桑兄，你要不要一起去玩？」裘白瓊啜了一口咖啡，偏過頭來問喬治桑。

「不，我眞的有應酬。」

「等會先去跳幾節茶舞再走好不好？」

「五點鐘有客人到我家來。」裘白瓊聽後聳了聳肩，表示無法再邀他們同遊。

「白瓊兄，我眞佩服你，你一刻不停。」

「人生以享樂為目的，趁着還能玩的時候，多玩玩，等到老了，再玩也玩不動了。」

喬治桑默然不語，他想像裘白瓊這樣的人渾渾噩噩，無憂愁，也算不虛此生了。

喬治桑喝了一杯咖啡，一看腕錶已將近五點，他揑手打了一個響子，意思是要付咖啡帳。裘白瓊連忙制止，喬治桑不再與他客氣，遂起身告辭。

喬治桑回家一進門就聽到雅麗絲在與客人談話，走進客廳，一眼便見到一個高高大大的年青小夥子。

「這是羅蔔蔡，這是我的包死」桑博士。」雅麗絲連忙站起來替他們介紹。

「久仰，久仰，我是桑紹孔，常聽雅麗絲談起你。」喬治桑無形中以長輩自居，報的是中國姓名，以示莊重之意。同時很親熱地與羅蔔蔡握手。

「桑博士，你好，我年紀輕，經驗不够。以後還希望老前輩多指教。」羅蔔蔡邊說邊遞上自已的名片。名片小得出奇，這自然是模倣美國人。美國人喜歡用小名片，不像我國在民國初年做官的人，用大名片。喬治桑接過一看，上面印着「蔡能偉」三個字，下面印有地址和電話號碼，並不像本省一般人用的名片，印上一大堆頭銜。

「羅蔔在晉隆洋行做事，已經有五六年了。」雅麗絲進一步向喬治桑介紹羅蔔蔡。

「五六十年？蔡先生貴庚是？」喬治桑眼中露出訝異之色。

書法之末路

公漁

依調集

前些時，在讀友畫刊上，見到一位江西籍書法家寫的一首絕句。他把第三句末尾一個「偏」寫成「偏」，落句：「馬蹄今又入誰家」的蹄字寫成啼，馬只能鳴，能嘶，沒有聽說能啼哭的；有之，自這位書家始。

于右老的草書，先從魏碑下過工夫，使筆勢縱肆，才又致力孫過庭書譜，所以，他的結構雖也有些自創，但大致還不會離譜。其最大原因是，髯公係通人，文章詩歌都有了極好的基礎，絕對不會寫別字，貽笑大方。

這幾年來，盛行右老的標準草書，少數學他的人，只是依樣畫葫蘆，好處沒有學到，所有的牽筆、拙筆、敗筆，倒全部學會了，加之文理不通，任鈔一篇詩文，學力太差，無法鑑別錯別字連篇，照樣混充書家，眞是可笑可嘆！

中國書法，秀麗雄奇，各極其美，而今竟墜落到這種地步，不僅貽羞古人，倘右老地下有知，亦當十分不快，寄語這些標準草書家，今後最好斂跡一些，即令不肯藏拙，也應該於鈔錄時請教通人一下，以免丟人現眼為妙。

台北傳奇錄

陳光棣

（四一）

劉家的房門關的緊緊的，對面賴家正在花喇花喇的洗牌，步成材掩在樓梯口，先選好了一個有利的位置，然後用力的推了兩下，覺得這位置很順手，從下面走上來的人，又絕對看不到這裏有人躲着。步成材又按着預訂步驟摘下了走廊上的電燈泡，再跑到樓下垃圾箱檢了幾塊西瓜皮，散佈在二樓到三樓的樓梯上，一切停當，他站在二樓走廊從臨街的窗戶往外張望，好像伙，眞是時候，劉二爺正在不慌不忙的往家裏走，步成材心想這下子行了，老小子平常不把人當人，現在可就要你好看。步成材藏在已經選好的位置，在黑暗裏，頭髮根直發硬，咀直發乾，心也彭彭的直跳，說不出是害怕是緊張，冥冥中好像有兩隻大眼睛在盯着他，一隻小貓從他頭上跳過去，嚇的他一顆心差點從咀裏跳出來。脚步聲越來越近，步成材側着耳朶聽着，上了一樓，走到二樓，人影到了三樓，步成材把心一橫，閉起眼睛猛力的一推，接着就是一陣碗盤被打碎了的稀哩花啦的聲音。

「這是誰呀！他奶奶！閉着眼睛走路哇是怎麼着」！老邱一面大叫，一面找人，步成材在混亂中竄下樓梯，一脚踹在西瓜皮上，站不穩脚步，又一頭撞到老邱腰桿上，把老邱攩的哎呀一聲坐在樓梯上，這時兩家的房門都打開了，馬上光線强烈起來，只見滿地的湯麵和破碗，步成材和老邱擠在一起，坐在樓梯上直喘氣。兩個人混身粘滿了麵條。

「怎麼回事啊」？賴家的牌手在問。步成材驚慌的說不出話來。

「都是他！」老邱再一細看；「噢！是你呀，好哇！你這一撞不要緊啊俺的腰桿差點兒撞斷了」！老邱說着站起來，朝着大夥兒說：「我馬上回去，你們打不了一圈牌，俺的麵條就送到咧」！打牌的朋友們嘻嘻哈哈的關上房門，又從新戰鬥起來。

老邱蹲在樓梯上檢破碗，步成材站在一旁像段呆木頭。劉二爺左手攏着四個蘋菓，右手拿着一瓶魚肝油上了樓梯，老邱馬上訴苦：「劉二爺，你老人家看看，你們姑爺，眞是，俺老遠的端了來，幾碗麵是不值錢哪俺的氣力可是白費咧」！

「老邱，對不起你，麵算我的。」劉二爺曉得步成材冒失，一定是把老邱撞倒了：「你還不幫着檢一檢」！步成材這才還了魂，衝着老邱又鞠躬又作揖。老邱都嚷着就走了。

「你這晚還來幹什麼」？劉二爺想不通。

「大寶病啦，我來說一聲」！步成材擠出了兩句話。

「什麼？不要緊吧？」劉二爺很着急。

（未完）

男女之間在美國

·張起鈞·

在古老的東方住慣了的人，一旦到了美國，有件看着最不順眼的事，就是有關男女的習俗了。這不是東方人清高聖潔，沒有這些烏氣八糟的把戲，而是彼此的觀念風尚大有距離。在東方，談到男女問題總是偏乎保守，甚至還多多少少的傾向於禁慾。固然食色性也，人所難免，但總有些罪惡或骯髒的感覺，只好躲躲藏藏，怎可公然出口？而女子更是羞羞怖怖不敢觸及；還那裏談得到「要求」和「暴露」？可是在這只喊節育，不講禁慾的美國，便大不同了。

儘管美國有的是清教徒，也不無衛道；但在廣大人羣的心目中，却都理直氣壯的，認爲男女之事乃是人生當然的「享受」。尤其女子在這方面，有時還表現得更大膽，更熱烈，眞個作到了「平等」。每當陽光煦和，風光明媚之時，不論走到郊原，海灘，還是校園，草圃，都可看到一對對的情侶，徜徉纏綿，溜存嬉戲；任憑路人過往，絕無半點忸怩。最使東方人看了稱奇的，乃是女子竟往扮演了主動角色。我們時常看到一些男孩子帶理不理的躺在草地上，女孩子則坐在旁邊，百般恩愛，萬種風情的撫摩親吻，眞叫東方人感到是陰陽顚倒了，何況還是在光天化日，衆目昭睽之下？

在這種風氣下，美國的女孩子無不開通灑脫。說好些是活潑大方，說壞些簡直是跡近輕佻挑逗。尤其在裝束方面，不僅不怕「冶容誨淫」，更不會像阿剌伯的女人帶着面紗怕人看；反之却講的是性感，要的是暴露。所以短褲（SHORTS），短裙、上空裝、三點裝……無一不是要把古代東方所要遮掩的，暴露出來；古代東方所要冲淡的—而來強調、暗示出來。游泳池邊，海灘沙上，固是玉體橫陳，春色無邊；就是室內閒居，也喜歡只穿三點，來　去。而脫了衣服，曝晒肌膚，就更是大家所篤好的了。多少人到夏威夷來就爲的是晒太陽。我在那裏教書時，住在夏大附近的一座公寓大樓。樓中滿住着夏大的學生。每當天氣晴和、陽光普照時，看吧！前前後後的陽台上，儘是穿着奶罩、小褲、　在那裏晒的。你從身邊走過，很覺不好意思；而她却還冲着你笑笑，打個招乎。記得在華盛頓大學時，有一天學生舉辦嘉年華會，我當然要去看看。不想走到一個棚子裏，主持節目的竟是一位赤身裸體，只蓋三點的女郎。我正在驚異措諤時，這女郎竟迎面走來，熱烈招待。定睛一看，原來是我班上的學生。那時我是初次到美國，這樣的敬師場面，實在沒見過，眞是尷尬到了極點。

（上）

搜異錄

乾陁國與妬婦津

周遊

段成式「諸皐記」中另一奇聞，是乾陁國一。其國國王乾陁天生神勇，足智多謀，外號伽當，鄰近諸國，所向皆降。一得當征討至天竺國，得上細絹二條，自留一條，一條與妃子，妃子即穿着上身。王見絹正在妃子乳上，有鬱金香手印跡，王見而大驚，道：「卿幸勿着此絹！因此手跡之服，不可以穿着。」妃子道：「此絹乃是王之所賜，爲何不可穿着？」王追咎保管官服之官。藏臣同奏道：「絹上手跡，原本如此，非臣保管不良之咎。」國王欲知究竟，命人訪問天竺國商人。商人道：「南天竺國有個國王娑陁婆恨王，有細絹，並重叠積之，手染鬱金，拓於絹上，千萬重手印悉透。丈夫穿着，手印當背；婦女穿着，手印當乳。」國王聞此大怒，拔身試之，果然如此。於是國王下令左右以此劍斬娑陁婆恨王之手足。使者到了南天竺國索取娑陁婆恨王手足。娑陁婆恨王與羣臣會商道：「我國雖有姓王名娑陁婆恨者，原無罪也。但以金爲王手足，設於殿上，統領教習，皆臣下也。」使者回奏國王，國王大怒，發象兵南討天竺國，其國將王藏於地窟中，鑄金人來迎請伽當王。王知其爲僞，且自恃神勇，欲將金人手足折斷，娑陁婆恨王於地窟手足也無故自落。（此故事實亦寓言也）

×　×　×

「妒婦津」出自「酉陽雜俎」，按其地在山東臨濟縣南。「酉陽雜俎」記載，晉太始中，有劉伯玉妻段氏，字明光，性情妒忌已極。劉伯玉曾在其妻面前誦洛神賦，對段氏說道：「娶這樣神女，還有什麼遺憾呢？」我其妻馬上反口詰問道：「君爲何以美水神而輕我呢？我死後何愁不爲水神。」當夜其妻投津溺死。死後七日，託夢告其夫伯玉說：「君本願神，今我已爲神了。」伯玉驚醒，原是一夢。然妻生前善妒，因此悟而覺之，遂終身不渡水。有婦人渡此津者，須污其衣毀其粧，然後敢濟。不然的話，風波暴發；如爲醜婦，雖濃粧艷抹，其神亦不妒。因此，婦女渡津如無風浪者，以爲自己醜，不致使水神怒，故醜婦忌諱不已，亦因此自毀其容，以塞笑他人者亦有之。所以山東人說：「要娶美婦，立在津口，婦立水旁，美醜自彰」。因爲你看到津旁時，是否風波暴發，故知其美醜，不待近觀了。我看天下妒婦太多了，但皆不如劉伯玉之妻妒的如此長久。妒婦津至今尚有名，但不知段明光還妒不妒否？

說曹操

李漁叔

一、前言

（一）

曹孟德是中國歷史上一個成功的人物，他的定評雖只是「亂世之奸雄。」但綜合他一生行事，可怕的地方固屬很多，而可愛之處亦復不少。他有着過人的軍事政治天才，和極高的統馭能力，同時對於文章、詩詞、書法，以及各種技藝，均有精到的造詣。（下文當專章述及。）像這樣一個文武兼備的人才，屈指古今，能有幾個。可惜的是，他生長兵間，不離鞍馬殺伐，心性有時不免過於狠毒了一點。有一部最不可靠的小說，就是三國演義。從來用半文言寫歷史小說，三國演義算是頗成功的一部。敘次是那樣緊湊熱鬧，火熾，他的首尾絕不鬆懈。其描寫人物，傳神阿堵，尤能入木三分，甚至敘述戰爭，添枝加葉，還着實有些軍畧上的價值。

可是這部書的主旨，前後只出色寫兩個人，一是前將軍漢壽亭侯關羽，一是丞相武鄉侯諸葛亮。而糟蹋得最厲害的則是這位曹公。從寫作的技術上講，算是部分成功，但有許多地方，却完全違背了史實，而近於捏造。例如平劇裏面的「捉放曹」，「鳳儀亭」都是根據演義編的，陳公臺和呂伯奢皆實有其人，不過陳公臺並非中年縣令，而貂蟬亦無他書依據，皆出杜撰，這樣一拼湊渲染，文章倒是生動了，無奈與事實不符何？

平劇與各地方戲，凡是演「三國」的，都能吸引觀衆，也都無不是根據演義編成。在劇中飾演曹操，形貌裝飾皆沒有兩樣，一律用白粉塗滿面部，語音濃重，復威武中透出奸險模樣，十分可怖，使人一見即無好感，實則他的形態並不是這樣的，我們看曹瞞傳和世說新語兩段：

「太祖（指操）爲人佻易，無威重。倡優在側，常以日達夕。被服輕綃，身自佩小鞶囊，以盛手巾細物。時或冠　帽以見賓客。每與人談論戲弄，言論盡無所隱，及歡悅大笑，至以頭沒杯案中，肴膳皆沾汚巾幘，其輕易如此。」曹瞞傳

是一種沒有邊沿的小帽，「歡悅大笑，以頭沒杯」，活畫出一副天眞而輕佻的神態，有一次，他接見外國使者，命人假扮自己，而自己倒反執刀侍立。

「魏武將見匈奴使，自以形陋不足雄遠國，使崔季珪代，自捉刀立床頭，既畢，令間諜問曰：『魏王何如？』匈奴使曰：『魏王雅望非常，然床頭捉刀人，此乃英雄也。』魏王聞之，追殺此使。」第十四說新語容止

現在代人作文章的，叫做捉刀人，出典就在這裏。崔季珪即是崔琰，魏志有傳。後來也死在曹手，後文另述。從這些地方看來，曹公的形象，大概可以想見了。

以下我擬將曹孟德的生平大事及其有關人物，（敵友恩怨）作一系統之敘述，所引的資料，以袁宏後漢紀，陳壽三國志，裴松之三國志注中所引的曹瞞傳，英雄記，魏畧，暨漢魏百三家中的魏武帝集及其他文學史記傳載爲主。至於三國演義所增添甚至胡綸的一些故事，皆不採用。意思就是想令讀者，能够在這裏看出這裏這一代奸雄曹孟德的眞面目。

二、家世及其少年時期

三國志魏志卷一武帝操傳稱：「太祖武皇帝（曹丕篡漢後尊稱操爲太祖武皇帝。）沛國譙人也。姓曹諱操字孟德，漢相國參之後。」裴松之注：「太祖一名吉利，小字阿瞞。」阿瞞兩字極爲世人所知，大概也是演義屢屢提到的緣故。按沛郡後漢稱做沛國，在今安徽宿縣西北。譙郡即今安徽亳縣治，所以曹孟德是地道的安徽人，可是曹參之後，則不甚可靠了，王沈的魏書還說他的先世出於黃帝，大概那時顯達的人，都喜歡攀上古代帝王將相，做自己的祖先，自然曹家亦不例外。

（一）

安徽十三傑

談命運（上）

命相与夢話

馬腾雲

台灣曾發現一件同年同月同日同時生的兩個人，南轅北轍，互不相識，而遭遇的坎坷曲折，及其案情，竟大同小異，均各被判處輕刑，祇是他們拒絕透露自己的姓名，無法作詳盡的介紹，他們也不願意人去多研究。美國也有一位孿生兄弟，因爲竊盜，同時被捕，被判同樣的刑期。因之連想到中國社會類似事件很多，我們舉一件比較引人注目的來說，大明開國皇帝朱元璋，他生於元代天曆元年九月十八日未時，另一位被後人供爲財神的沈萬三與朱元璋恰爲同年同月同日同時生人。朱元璋籍貫鳳陽，沈萬三是蘇州，朱早年做過牧童、傭工、和尙。沈早年做傭工、船夫、漁民，其遭遇職業又這樣的吻合，待朱元璋登峯造極九五之尊時，沈萬三亦點石成金富甲天下了。沈沒有朱貴，朱沒有沈富，朱建金陵城，發軍餉，常向沈貸欵，以證明天子無財，不能澤萬民，不能辦一事，蓋大學十章重在理財是有道理的。在中國野史上這件饒富風趣耐人尋味的問題，恐將傳之永遠。

根據美國警方記錄，不論強刼偷盜及其他一切罪行，孿生子常是一雙搭擋，而孿生子犯罪後破案工作比較容易，因爲警方偵察時多了一個目標，換句話就是多了一條線索。今日非寫偵探小說，仍將話歸正題，研究同年同月同日同時的事，確有很多無法理解，若干出乎常理的吻合，除歸於造物的主和命運外，很難說出所以然來。著者一位業師係中國名心理家，他曾說：「孿生兄弟或姊妹，最理想的職業是演員、歌星、和做新聞記者，比較容易成名，眞所謂事半功倍，但不要做犯罪的勾當，因爲他們的很難逃脫，犯了罪則心理常有同樣傾向，故被捕時往往成雙」，台灣最近被判輕刑的素不相識的兩個人，和美國一對孿生兄弟的案件，都是這樣的巧合，在命理上是値得研究的一個問題，究竟命定之說，是怎麼一回事，據近代大儒錢穆先生說：「命運之說，時辰錯了。

（未完）

諸葛亮狂想曲

（一二〇）

劉玄

劉約翰這番話，使諸葛亮發生感慨。想當年，關、張、趙、馬、黃五虎將在三國時代何等威風，現在天庭，連他本人主持的機構都無法請他們帮忙。豈非天意乎？

諸葛亮想來想去，既然已經答應太白星君出任「宇宙發展委員會」主任委員，在情在理都必須找劉備一談。遂問劉約翰道：「你沒有事需要和我談罷？我想出去一趟。」

劉約翰遂起身告辭。

諸葛亮知道下午三時劉備一定在龍岡會所，命琴童準備雲車，不一刻工夫即來到龍岡會所，劉備正在辦公，遂入總會長辦公室。

桌上放有紅色、黃色、藍色三種卷宗夾子。紅色代表急要。黃色代表機密。藍色代表普通公事。諸葛亮明知龍岡會所在天庭根本就沒有什麼要緊事，但却不便直說。

「先生來了，請坐。」劉備有時稱諸葛亮爲先生，有時稱丞相，足見對諸葛亮禮遇之隆。

「主公先請處理要公，亮在此暫候無妨。」諸葛亮見了劉備，仍然恪守君臣分際，比目下一般市儈型人物，一旦得志，便飛揚浮躁不可同日而語矣。

「我的公事已經處理完畢。」劉備說罷，用紅木小槌，輕輕敲了案上一座小鐘，只聽得噹的一聲，立刻爾芳秘書便走了進來，將幾個公文夾拿去。同時，躬身向諸葛亮問安後方始退出。

「先生駕到有何見教？」

「劉備對諸葛亮說話最客氣，三國時代，他能使諸葛亮爲他效命，他的謙恭下士自然是一項重要因素。

「啓禀主公，前幾天亮往太白星君處，請其參加磨刀大典，星君又談起「宇宙發展委員會」之事，情意懇摯，亮無法推辭，爲此決定不下，特來與主公商量。」諸葛亮事實上已經答應了太白星君，但說話頗爲含蓄，留有極大彈性，可見政治性談話與普通不同也。

「這是一件好事，我很替你高興。我前些日子就主張你就，怎比投閒置散好多了。」劉備生性爽直，說話心口如一，不像曹操、周瑜等喜用權術。

「現在只等玉帝簡命下頒，亮即着手組織。該會係一研究機構，亮恐無法延攬二將軍、三將軍，因此感覺不安。」諸葛亮右手拿了鵝毛扇，却未搖動，這是肅穆的表示。

「這，你倒不必過慮。二弟他已以聖帝自居，香火之盛，雖觀音亦不及他。請他當主任委員，他都不會幹，委員更不必談了。至於三弟，你是知道他的脾氣的，任何文職他都不肯幹的。二弟、三弟如果聽到你將出任天庭要職，只會爲你高興，絕不會使你爲難，你放心可也。」到底劉備與關張是結義兄弟，很了解二人的個性。

「主公言得極是，不知主公再有何吩咐，只要能辦到，亮自當從命。」諸葛亮這番話，有花招之嫌。能辦到的他自當從命，換句話說，辦不到的就礙難從命了。

巨變歷險記！

義薄雲天 (一一五)

胡履齊

就在丁博士快不支的時候忽然殺出一個程咬金來。就在他快不支時候，突然看見有個彪形大漢走近他的身旁。但出乎意料的，此人並沒有厲聲喊叫，也沒有令人猜疑的地方。這已經是夜裏九十點鐘的時候了，如火的月光在上邊照耀着，可以辯別出此人的面龐此人的表情，顯然不是什麼匪諜，而是一個老老實實的老百姓。他從火車站方向來，他要回到他家，他說他的家並不遠。他一聽丁博士的口音，他就說丁博士是北方人，直魯豫的人，他說他原先在東北當兵，他也到過北平天津。他看見丁博士，如同看見多年不見的老朋友一樣。力請丁博士到他府上吃飯過夜。到了這個時候，到了快倒下去的時候，就是刀山火海也要去跳，何況這位老兄沒有絲毫的狡猾醜相。丁博士欣然答應，欣然追隨，欣然就道。

這是一個標準的農家。他還有父母，還有個沒出嫁的大妹妹。他是已經結婚了，並且有四個孩子。有一個小屋，他讓丁博士進去。給了丁博士一床很破的棉被。能有一個放腳的地方，能有一個睡的地方，丁博士就心滿意足了。他同丁博士談盧漢談李彌談余程萬，不曉得他從那里得到的消息，對於李去那里余去那里，他都了如指掌。對於丁博士是何如人，他銳利的眼光，他也看出了。但他不說，他也不問。他倒忙着叫他大妹妹趕快趕快造飯，他可愛的妹妹也像有什麼貴賓來了似的，非常認眞的去做。她準備了一鍋飯一鍋湯。這湯，丁博士還淸淸楚楚的記得，是蛋湯，倒不是我們普通的蛋湯，將雞蛋打散，卽所謂蛋花湯，而是將雞蛋整個的擱在油裏炸，然後再放在湯裏燉。湯稠稠的，有一種特別的美味。丁博士太餓了，也太累了，他要求要在廚房，就在鍋門口，坐在草上吃。雖然事隔二十年，這蛋湯的味道還掛在嘴上。恐怕一生，這是吃飯最有興趣的一次。飯一盌一盌的下，湯一盌一盌的喝，眞不知道吃了幾盌，喝了幾盌……。

丁博士對於大妹妹有說不出的感激。大妹妹沒有離開過家鄉，恐怕不知道京戲裏邊的紅鬃烈馬一齣，大妹妹簡直就是窮邊的小丫頭。但天下事，就有那麼湊巧，這大妹妹就愛上了丁博士。丁博士的身份是宜良小學教員。他並且向他提出證明。原來丁博士初次見到余程萬在宜良的時候，他就在廁所裏撿到了一張葛學詩的委任狀似的文件，葛學詩被派爲宜良小學教員。他吃飽了喝足了談。對於這門親事，丁博士又答應了。他並且將他帶來的十塊大頭拿出三塊，作爲訂禮。晚上又同她令兄談了很久。她令堂老爺也都很滿意這門親事，說這是天作之合，千里姻緣一線牽，誰曰不然！

未來的世局與中華民族的前途 (下)

何浩若

丙、美國國防研究院對葛量洪講演的看法

美國國防研究院基於研究發展的精神，對於未來世局的發展是十分注意的。該院有訪問團的組織，每屆研究員都要分組訪問世界各地區作實地的考察。一九六六年美國國防研究院的訪問團訪問泰國印尼馬來西亞越南及其他東南亞國家以後來到了臺灣，訪問了中華民國的國防研究院。由於中美兩國傳統的友誼，兩國的國防研究院的師生舉行了一次懇切的座談會。在私人談話中他們也曾談到葛量洪的講演和他們這次在東南亞各國所看到華僑的情形。美國國防研究院的訪問團正式向我們提出了一個問題，他們問我們回到大陸去以後，對亞洲各鄰邦的政策怎樣。這個問題當時是由筆者作答的。筆者告訴他們中華民國的政策是遵循孫中山先生的遺敎的。孫中山先生的民權主義是人不壓迫人，民族主義是民族不壓迫民族，民生主義是階級不壓迫階級。我們對於民族問題的政策，不僅國內各民族一律平等，對於我們的鄰邦更要以平等的地位和平共處。在談話的時候筆者坦白的告訴他們，我們不同意葛量洪的說法，二十一世紀不應當屬於中國人而應當屬於全人類。我說强國爭霸的侵略時代已經過去了。世界各民族應當對人類未來的和平與自由來一個競爭，看那一個民族貢獻最大。爲了將來人類的和平與自由，我中華民族一定要首先打倒危害人類和平與自由的中國共產黨。關於這一點，我們是希望和愛好和平與自由的美國合作的。

三、核子武器與未來世局的轉變

甲、原子彈變更了現代國家的戰略地位

我們雖然不同意葛量洪二十一世紀屬於中國人的說法，但是我們絕不否認中華民族在當前世局中的重要性。未來的人類如何才能避免核子大戰獲得永久的和平與自由，也有待中華民族的努力。我們在這裏可以補充葛量洪所列舉的理由，說明在今天紛爭的世局中，中華民族不僅舉足輕重而且是解決紛爭的關鍵。核子武器變更了現代國家的戰略地位。在這一轉變中，不論世局怎樣演進，中國已經成爲世界最大的强國之一，而且無法改變他的地位和重要性。

現代武器的發明和國際局勢有着密切的關係的。當葛量洪說「十九世紀屬於我們英國人」的時候，我們不能不承認英國在十九世紀的末年和二十世紀初期的海上霸權。那時候海上作戰的主要武器是主力艦。第一次世界大戰以後把英美日的海軍定爲五五三的比率。正因爲如此，日本才甘冒大不韙來偷襲美國的珍珠港，偷襲成功了。可是第二次世界大戰，因爲飛機的發展，海戰的主要武器已經不是主力艦而是航空母艦。因爲這一轉變，日本算是枉費心機，終於在中途島一戰一敗塗地。但是日本投降，不是受了航空母艦的威脅而是因爲廣島長崎的核子彈。核子武器發明斷送了日本再度成爲強國的命運。從此疆域狹小的國家如英國和日本，在未來的戰爭中，已經失去了作戰的地位，更談不上是世界的強國了。

乙、構成核子時代強國的條件

在核子戰爭中構成強國條件首先是疆域廣大和人口衆多。這必須有幾百萬平方公里的土地和幾萬萬人口才能經得起核子武器的考驗。這一個廣大的疆域還需要有良好的地理位置和豐富的天然資源。單祇這些條件還不夠。這一個人口衆多疆域廣大的國家必須有長足進步的科學技術和工業能力，同時還須有長足的軍事設備。因爲人類的智慧相差有限，祇要有前面的兩個條件，其他都是時間問題。根據社會進步的原則，落後的國家遲早會工業化的。至於科學技術的發展，假以時日總可以造出同樣的洲際飛彈。構成原子時代強國的條件最難能可貴的還是前兩項，必須要有幾百萬平方公里的土地和幾萬萬人口。而且這廣大的疆域還須有良好的地理位置和豐富的天然資源。這一條件是天賦。今天人類已經進化到一個民族無法強變爲侵略和佔領另一民族的疆土。假如一個國家有幾多的人口而沒有適宜的廣大疆域，在核子戰爭中便要受天然的限制。這一限制，不像科學進步和軍事設備一樣，可以拿時間來解決的。

丙、那幾個國家將是未來世局中的強國

拿這些條件來衡量現在世界上所有的一百三十多個國家，祇有極少數的國家能合標準。美國是合乎標準的。蘇聯是合乎標準的。中國有七萬萬人口，比美國蘇聯多了三倍。以疆域而論，中國有一千一百四十一萬八千一百二十四平方公里，佔亞洲四分之一和全世界陸地十二分之一的面積，爲世界第二大國。至於位置的優良和資源的豐富更有優越的條件。中國的儲量在二〇〇億KWH以上，超過了美國和蘇聯產能量的總和。不論中國現在的科學技術和軍事設備如何，這些都可以拿時間來解決問題的。第二次世界大戰以後，因爲上述的條件，中國在總統領導之下，已經成爲世界四强之一。在國際上共匪叛亂以後，毛匪挾持着這一偉大國家，聯合國之中華民族，同時反美反蘇，也爲美國和蘇聯所極端重視。中華民族在未來世局中所佔的地位已經確定了而且無法改變他的地位和重要性。

四、這一代的中國青年對於新世紀的任責

當二十一世紀到來的時候，這個世界將要變成怎樣，我們不知道。再將時間縮短一點，十年二十年以後的世局將如何轉變，我們無法預知，不敢斷言。但是我們知道人類的需要。人類需要和平，人類不需要獨裁與奴役，更不需要核子戰爭。毛匪澤東是好戰的，他在「列寧萬歲」的小冊子裏說他「將不惜犧牲全世界三分之二來完成共產黨的世界革命」。他並且說：「要在人類文明的廢墟上重建光芒萬丈，十倍百倍於資本主義的文明。」我們相信愛好和平自由的中華民族不會讓毛匪澤東這樣做的，而且必將起而推翻共匪的暴政。我們相信就當前的局勢而論美蘇和中共匪幫的三角對峙，不論怎樣勾心鬥角終無法獲得妥協。美蘇之間無法和平共存，中共無法和蘇聯妥協，中共更不會和美國妥協。唯一打開這一僵局的辦法，就是推翻毛匪的暴政然後促進蘇聯與中國重建和平。我們認爲世界的關鍵在亞洲，亞洲的關鍵在中國。我們對人類有信心。

我們確信人類所需要的是和平與自由，人類遲早必將推翻共匪的暴政。這一代的中國青年的責任將是要在蔣總統領導之下，燃起中國大陸革命的戰火，以革命戰爭來撲滅毛匪的暴政。然後與愛好和平與自由的民主國家重建世界和平，來實現孫中山先生人不壓迫人，階級不壓迫階級，民族不壓迫民族的理想社會。

(全文完)

國醫與國藥

自己治病簡法

陳果夫遺著

廿四、癬

皮膚初生癬時，不必擦藥，只要把自己的吐液不斷的擦，繼續擦一天即能脫皮而癒。余於民國十三年八月到杭州，手背上生一塊癬，約一小錢大，甚癢，晚間擬購藥擦，因藥房已閉門，不願因此小病敲門購藥，乃以吐液擦上，晚間無事，繼續的擦，第二天下雨，初到不外出，又無客來，索與用舌舐，如此者舐到傍晚不癢始止，第三天早晨脫皮卽癒，嗣後有親朋戚友患此者能信而有恆照法實行的莫不有效。

廿五、失眠

失眠有種種原因，如果是一種思想矛盾的失眠症，那末比較困難，其他多可以研究他的原因來對症治療的；像晚間工作太遲，成了習慣而失眠，那末就應該改變生活方式，使晚間工作移早晨或午間，就可以安眠；如果因爲被褥太熱失調而失眠，應該隨時調整被褥的冷熱；如果因爲用腦和用力不平衡而失眠，祇要多做一點用力的工作，這樣亦可治好的。所有關於失眠症的治法，總說起來，不過四個方法；一個是運動，一個是靜坐，一個是喝酒，一個是吃安眠藥。無非是使身體中的循環系統及神經系統，弱者變强，强者變弱，全部平衡而已。我因爲身體不好，容易受天氣熱燥濕的感應而失眠，所以晚上調整被褥的冷熱很忙。調整適當之後，沒有不能安眠的。

廿六皮膚病

洗澡是可以淸潔身體的，但是有許多人因洗澡水不淸潔，而生皮膚病，生了之後，自己還不知道。還有洗澡不必天天洗，最合理的洗澡時期，爲暴冷暴熱之後，因爲暴冷暴熱，身體突然漲縮，表皮不能隨內皮肌肉漲縮的，所以就要蛻脫，在蛻脫時，必感皮膚癢，及時洗澡，可將表皮洗去，則不致因癢而抓破皮成爲皮膚病。這是我的經驗，而且我認爲遇皮膚癢，最好轉移注意力使兩手不抓，這樣也可以減少皮膚病的來源或擴大。

廿七、笑的形態可以治好哭的形態所保留的病

有些外感的病，因憂慮畏懼以致外物沾滯不能去掉，成了一種病，假使你能懂得形態變化可以治病的道理，那末就可以一個相反的形態治療。譬如由哭而笑，可以使沾滯之物去掉的。我有一個弟弟，鼻子裏吸入了三顆硬飯粒，不能出來，因此難過而哭，愈哭愈難過，最初以紙捻使其打嚏，仍不能出來，後來我自己以紙捻入鼻，打了一個怪聲之嚏，在座的人都笑了起來，弟弟亦大笑。這一笑，竟把飯粒趕了出來。

廿八、女子子宮病

近年來女子痛經不能生育，及月經不調等證甚多，無論中醫西醫都說是衣着關係，比吃冷食的關係尤大。女子以穿短褲薄襪爲時髦，而不知中國女子向來無此習慣，而且自來穿長褲之外，還要加上長裙。家中未必生火爐，平時又無郊外運動習慣，自然容易生這種毛病。所以患此種病的女子祇要改裝爲長褲厚襪，下部穿暖，就能自己治好，或能預防此種病痛了。

二十九、呃逆

呃逆係橫膈膜受刺激而起，如果不是由于服利尿劑或其他藥物，及生其他實症，而係起于飲食不合適者，相傳可以用喝水治好。惟喝水方法平常係由近身邊之碗邊喝用，但有呃逆症者，則向遠身邊之碗邊喝用，其喝水之形態，勢必彎腰低頭，當然與平常大不相同，影響到橫膈膜之形態變動，故能治愈，吳迪大夫謂親試多人均有效。

三十、老年筋骨酸痛

老年人常有遇到天氣變化的時候，發生筋骨酸痛，多數人認爲發節氣，如果你明白爲發風變冷要發節氣，那末祇要留心，將要天冷或發風的時候，預先準備被褥，晚上稍感寒，立卽加上去，尤其褥子最要緊，老年人如能照這樣做，每年一定不會發筋骨酸痛的病。

(完)

自由報

中華民國內政部登記證內版台報字第〇三一號
中華民國郵政登記認爲第一類新聞紙
中國郵政台字第一二八二號執照登記爲第一類新聞紙

（第一〇五四期）

（半週刊每逢星期三、六出版）

每份售價新台幣弍元　每份售價港幣壹角

社長李運鵬

社址：香港九龍彌敦道593—601號廖創興大廈八樓五座

LIU CHONG HING BUILDING
7th FLOOR FLAT '5
593—601 NATHAN ROAD,
KOWLOON, H.K.
TEL: K303831
電報掛號：7191

承印：景星印刷公司
地址：嘉咸街廿九號地下
台灣通訊中心：台北市青田街五巷三號
電話：三七五〇二二

司法功能與人權保障

·查良鑑·

司法的功能與人權的保障，兩者間關係最爲密切。昔時，孟得斯鳩提倡三權分立，主張司法之獨立，其根本思想即係淵源於人權的保障。我國政府體制，根據　國父孫中山先生五權憲法之理論，以五權分立爲根本，司法爲五權之一，與行政、立法、考試、監察四權分立而獨立行使其職權。根據我國憲法及其他法律，我國人民享有人人平等的各種基本權利，是十分明確的。由於司法機關，職掌國家法律之適用與執行，凡人民享有基本上的一切權利，有賴於司法之功能加以維護。因此司法之功能與人權之保障，實屬休戚相關，有健全之司法，始能貫徹人權之保障。談到司法保障人權之範圍與作用，至爲廣泛，不能一一枚舉。即就世界人權宣言而論，其宣言之基本人權與司法有所關連者，亦不在少數。本人願就世界人權宣言的重要內容，來說明我國司法功能與人權保障的關係。

一、人民在法律上之平等地位，世界人權宣言第六條宣稱：「人人於任何所在，被承認爲法律上主體之權利」。第七條復宣稱：「人人在法律上悉屬平等，且應一體享受法律之平等保護，人人有權享受平等保護，以防止違反本宣言之任何歧視及煽動此種歧視之任何行爲」。這兩條宣言，爲法律適用之大前提。按照我國民法之規定，人之權利能力，始於出生，終於死亡。權利能力及行爲能力，不得拋棄。在刑法上并有專條處罰使人爲奴隸或使人居於類似奴隸之罪名，此等規定，與宣言第六條之要求，完全相符。又我國憲法第七條明文規定：「中華民國人民，無分男女、宗教、種族、階級、黨派，在法律上一律平等」。對全國人民賦予法律上之平等權利，在法律上之前，人人平等。

二、人民請求人權保護之權利，世界人權宣言第八條宣稱「人人於其憲法或法律所賦予之基本權利被侵害時，有權享受國家管轄法庭之有效救濟」。此一宣言，是說明人民請求人權保護之權利。我國憲法第十六條規定：「人民有請願、訴願及訴訟之權」。倘人民之基本權利因行政上的處分而受侵害時，可依請願、訴願、行政訴訟之途徑，請求救濟；人民之基本權利受他人之侵害時，民事方面被害人可向法院逕行起訴，請求回復原狀，損害賠償；刑事方面可向司法機關告訴，請求檢察官偵查起訴，或犯罪被害人向法院提起自訴，請求依法懲罰犯罪的人，藉以保護其人權。

三、罪刑法定主義之原則，世界人權宣言第十一條（二）項宣稱：「任何人在刑事上之行爲或不行爲，於其發生時，依國家或國際法律均構成罪行者，應不爲罪。刑罰不得重於犯罪時法律之規定」。此一宣言是說明刑法上罰刑法定主義之原則，罪刑法定主義爲近代刑法上的一大原則，所以防止法官之專擅，其根本實基於人權之思想。依據罪刑法定主義，除了法律有所規定之行爲外，不得加以處罰，刑罰不得超過法定範圍。法律不溯及既往，此等原則，均根據罪刑法定主義所產生。又由罪刑法定主義，刑法不但被視爲保護善良人民之大憲章，并且被公認爲保障犯罪人之大憲章，此與人權保障之作用，至爲重要。我國刑法第一條規定「行爲之處罰，以行爲時之法律有明文規定者爲限」，明白表示罪刑法定主義，我國司法機關適用法律，科處刑罰，悉遵此項原則辦理，旨在保障人權。

四、身體自由之權利，世界人權宣言第九條宣稱：「任何人不容加以無理逮捕、拘禁或放逐」。關於人民身體自由之保障，我國憲法第八條所規定，人民之逮捕、拘禁、審問、處罰由司法機關依法定程序爲之。對於非司法機關，不依法定程序之逮捕，可依提審法的規定，請求司法機關予以提審，藉以保障人身自由。我國現行法制關於逮捕、拘禁人民身體之權力，原則上屬於司法機關，而司法機關執行此項權力，當然依據法定程序辦理，亦即顧及人身自由的權利。凡屬刑事程序上的強制處分，均與人權有所關連，對被告之傳喚、拘提、羈押、逮捕、身體之搜索等，在刑事訴訟法上均有詳細規定，以資保障人權，尤其對刑事被告之羈押，關係人權最鉅，關於羈押的要件、期間等，修正刑事訴訟法中更加嚴格限制，加强人權之保障。

五、人民接受獨立公開審判權利，世界人權宣言第十條宣稱：「人人於其權利與義務受判定時及刑事控告時，有權享受獨立無私法庭之絕對平等不偏且公開之聽審」。此一宣言，是說明人民接受獨立審判之權利，審判應公開并求公平的原則。我國憲法第八十條規定法官依據法律獨立審判，不受任何干涉，即係基此一原則，且更進一步於同法第八十一條規定法官爲終身職，非受刑事或懲戒處分或禁治產之宣告，不得免職，非依法律，不得停職、轉任或減俸，對司法人員于以身分上之保障，俾能獨立行使司法之神聖任務。然司法官行使其職權，其本身應具有「富貴不能淫，貧賤不能移，威武不能屈」之氣概，始終不辱使命，獨立行使審判權。至於審判之公開，爲我國法院組織中所明定，訴訟之辯論及裁判之宣示，除有妨害公共秩序或善良風俗之虞者以外，均應在公開法庭行之。因此，我國人民在審判上具有接受獨立、公開審判之權利，完全符合世界人權宣言之精神。

六、刑事被告在審判上之權利，世界人權宣言第十一條第一項宣稱：「凡受刑事控告者，在未經依法公開審判證實有罪前，應視爲無罪，審判時并須予以答辯上所需之一切保障」，此一宣言，乃刑事被告在審判上應具有之基本權利。任何人在證實有罪前，應推定其爲無罪，已成爲近代刑事訴訟法上一大原則，刑事被告在訴訟程序上受法律之保障，并具有基本上之權利。茲就其重要者，說明如下：

（一）被告之辯護權　刑事被告對其被控之事實及罪名，依法具有辯護之權利，由於刑事被告往往因不諳法律，不能自行充分行使其辯護權，因此我刑事訴訟法中規定，被告於起訴後，得隨時選任辯護人。此等辯護人原則上由熟諳法律之律師充任。且訴訟法上有強制辯護規定，最輕本刑爲三年以上有期徒刑或高等法院管轄第一審之案件，未經選任辯護人者，審判長應指定公設辯護人爲被告辯護。此等強制辯護之案件或已經指定辯護人之案件，若辯護人未經到庭辯護而逕行審判，其判決即屬於當然違背法令。由此可見對被告之辯護權，予以法律上保障，極爲明確。

（二）證據法則　被告之犯罪事實，應依證據認定，故證據法則之運用，對被告之利害關係甚大，我國刑事訴訟法原則上採用自由心證主義，亦即證據之證明力，由法院自由判斷，惟依據經驗法則，自由判斷，藉以發見真實。修正刑事訴訟法基於保障人權之精神，對於自由心證的範圍，更加適當限制，進一步維護被告之利益。再就被告之自白而言，絕對禁止迫刑取供，自白非出於強暴、脅迫、詐欺、違法羈押或其他不正之方法，且與事實相符者，始得採爲證據。法官審理案件，必須依據此等刑事訴訟上證據法則，持平衡斷，以期無枉無縱，確保人權。

（三）訴訟上救濟程序　我國刑事訴訟程序原則上採用三級三審制度，訴訟當事人對於下級法院之判決不服者，得上訴於上級法院，不但是刑事被告爲自己之利益得上訴，檢察官爲被告之利益，亦得上訴。宣告死刑或無期徒刑之案件，採職權上訴制度，原審法院對此等案件，不待上訴依職權逕送該管上級法院審判，視爲被告已提起上訴。此項上訴救濟，完全爲被告之利益設想，保障人權爲出發點。對確定之裁判，更採用非常上訴及再審制度，以糾正違法與錯誤的裁判，以免冤抑，維護人權。對無罪判決確定前或對依再審或非常上訴程序判決無罪確定前，曾受羈押或刑之執行者，并依冤獄賠償法予以賠償，則更爲保障人權所必需。

（下轉第三版）

昨日與明日

從馬可樂普教授經濟發展講演談起

美國普林斯頓大學講座教授馬可樂普本年三月廿五日曾在台北政大公共行政中心講演開發中的國家經濟發展問題，因爲經濟發展爲現代各國最熱門的一個問題，所以，馬氏講演，備受各方注意，聽講人士，非常踴躍。那天馬氏用英語，沒有翻譯，所以他的全部講辭在第二天沒有見報，祇有中央社發一簡單消息。

所見畧同

馬可樂普教授在講演中，提出對於經濟發展一些錯誤觀念，其中有一項同本報記者可謂「所見畧同」，那就是經濟成長率問題。一般計算經濟成長率都是以國內生產毛額來計算，未盡合理。經濟成長過程，常呈現時好時壞循環變動情況，短期中的選擇，標準並無一定，而且依據國內生產毛額，並沒有顧到總人口因素，也沒有顧到產品的品質，因之以單一標準，來衡量一國的經濟成長，是大有問題。

空喊口號何益

經濟成長率高，就是代表社會福利提高嗎？顯然不能這樣解釋。這一點，對我們官方，實寓有若干啓示的作用。因爲我們常常對外大力宣傳：我們經濟成長率，今年比去年提高多少？去年又比前年提高多少？農業方面的成長率提高若干？工業方面的成長率提高若干？所謂經濟成長迅速，究竟代表什麼意義呢？是個人所得增加？還是個人生活水準提高，家庭幸福增進？其實，國民所關心的還是在生活方面的改進。譬如我們天天喊經濟進步，經濟成長率顯著提高，但是我們環境衛生，並沒有怎樣改善，還到處呈現又髒又亂。鐵路公路交通工具還是供不應求，表現擠擁現象，都市自來水也常鬧水荒。經濟建設不此之圖，空喊成長口號，豈非自欺欺人。

不全是經濟問題

開發中國家經濟發展，不完全是經濟問題、政治風氣、司法風氣、行政效率以及國民觀念等等，都有相互關係，與經濟發展，都能互爲影響。譬如特權階級與特權觀念的存在，便足以構成經濟發展一個重大障礙。眼前就是一個小小例證：在打通台北重慶南路道路工程過程中，就是幾位「特權」人士拒不搬遷，據說其中有立委，也有監委，也有去了職的部長級人物，眞象是否如此，立監委倒須要「自查」一番了。

·言叟·

自由談

時事壞爛生凶頑

馬五先生

近年來，中華民國的朝野上下人士，倡復興中國文化之說，熱烈非常。中國文化的主要精神，是倫理與政治融合一體，治國平天下歸本於修身齊家，而以講究做人的道理爲基準。

可是，年來台灣社會上，經常發生與中國文化精神極端相反的事情，不一而足，如兒子勒斃父親，學生戕殺老師，職工殺害老闆，教員勾結匪同寅，……等等，以及其他藉故逞兇殺人的消息，報紙屢見不鮮。這些殺人的兇犯，十九都是知識份子，寧非對復興中國文化運動的一大諷刺嗎？

「時事壞爛生凶頑」，鄭板橋這句詩意，確有至理存焉。亂世人慾橫流，心理多不正常，加之以西方物質文明的誘惑，大家爲着追求享受而不擇手段，崇信功利主義與金錢相對主義，無所不爲，所謂四維八德，視爲迂腐之談，社會上乃充滿着乖戾之氣。救弊補偏，復興中國文化運動，實爲當務之急。但空談無補實際，對於違悖中國文化精神的凶頑行爲，必須從嚴制裁，與衆共棄，纔能够轉換惡俗，糾正人心，光是搞運動，喊口號，貼標語，而沒有實際表現，決無絲毫效用也。

漢末天下大亂，蜀漢承益州劉璋闇弱，人心疲玩，盜賊亂起之後，諸葛亮採取申韓法術，嚴明法令，確立威信，治亂用重典，不稍寬假，民風卽爲之丕變，社會秩序安寧，終蜀漢之世，物阜民康，四境清謐，頻年南討蠻夷，西伐曹魏，而內部已無驚。近年來，台灣社會的疲玩凶頑風氣，可謂甚矣。然上述那些殘酷的殺人犯，很少因正典刑的，尙何撥亂反正之可言呢？若就中國固有文化思想而論，一人子殺其父，弟子殺其師，報怨而勒死同事的凶頑之徒，決無寬容之理，鄉黨宗族人士亦可以敎他們償命抵罪的。高談復興中國文化，而讓摧毀四維八德的惡徒，偷息人間，幸稽顯戮，不亦怪哉！

俗言「不必矯枉過正」，旨在適可而止。我却認爲要想轉變一個時代的惡劣風氣，必須矯枉過正，然後乃得其正。今日的時事壞爛到極點，必須把那些沒有人性的凶犯頑夫，與夫知法犯法，肆無忌憚的貪官污吏，一律推出斬首，國運庶有否去泰來的希望，否則再喊十年的興復中國文化口號，也是枉然的！

依詞集

中國文字問題

雷公

在我的觀感中，以一個中國人而指摘文言文為不合時代潮流的落伍產物，推崇語體文有如寶；說漢字過於繁複，主張簡劃省寫者，多是些對中國文字莫名其妙，對外國文字亦一知半解之流。

語體文并非新鮮作品，中國在六七百年前就有了，如宋代人的「語錄」即其明證。語體文胎息於文言文，可以無師自通，寫來簡練暢達，詞旨明確，否則冗沓複雜，滿紙廢話，如「越開越紅的石榴花，紅得不能再紅了」之類的語句，算是難得的上乘之作呀！

至於漢字，具有「形、音、義」的本質，字字有來歷，有系統，且可以觸類旁通，便於記憶。近來「中國文字學會」在本報發表的反對簡化漢字宣言，敘述很詳明，毋待贅詞了。曾有自命學貫中西，冒充「博士」的妄人，力倡簡化漢字，他以「繼」字為例，說是見着就討厭，既然左邊有了絲，為甚末右邊還要四個絲？即此足見其對中國字的本質，根本無知無識，信口雌黃。人們用筆寫「繼」字，右邊省寫為「米」，早已約定俗成，家喻戶曉了，尚何簡化可言？但在印刷上仍作正楷，對人們又有甚末妨碍呢？為節省于寫時的繁重性，提倡簡筆字未嘗不可，却不能隨便亂來，且只是限於手寫，萬不宜將正楷體在印刷上亦廢棄掉，以免失去漢字的義法。有些數典忘祖的西化主義者，每謂漢字中某些是死字，某些是沒有必要的繁複筆劃，儘可省去。實則西洋字亦有許多無用的死字，如「GH」「CH」「T」「D」等等，多不發音，若予以省去，便不成字了。大陸上毛共搞簡筆字最努力，結果弄得一團糟，「广」代替「廠」，又代表「庵」，而「斗」「鬥」不分，「乂」「乂」「乂」混淆，極盡怪誕之象。我們一面昌言復興中國文化，一面摧毀中國文字，未免神經太不正常吧？總之：語體文可以寫，却不能鄙視文言文——而且應該珍重之。簡筆字可以用，却不宜用之於印刷品上——而且不可隨意亂用，凡對漢字沒有湛深研究的，就沒有資格談簡筆字！

國語羅馬字

有一個名叫王玉川的，主張推行國語羅馬字，理由是：「中國文字實在是世界上最難學的文字，也是最浪費時間。」羅馬字就是古代歐洲羅馬的字母，現今歐美各國通用的。國語羅馬字，則是把中國的文字，統統改用羅馬字拚音，實施漢字羅馬化。大家都知道，當羅馬帝國覆亡，所以要把羅馬字拚音，而成為自己的文字系統。我們中華民族，則自有書契以來，都用的是自己的文字，為甚麼要改為羅馬字，這種漢字拉丁化的謬見，久為國人所唾棄。想不到今天還有人重提！

「漢字不滅，中國必亡」的荒謬說法，一直還為一部分淺陋無識者所擁護，這一夥人頂喜歡搗亂，他們大概認為這表現最進步也最出風頭，本來胸無點墨的，又永遠不求進步，對於中國文字聲音訓詁之學，也沒有學識基礎太差，越是搞不通，所以他們的構想，越是覺着漢字難學，越感覺難學，首先把正楷字變成簡體字，再由注音變成羅馬字，果真這種奸計得售，而數千年深厚的中國文化，也就連根拔斷了。

（公漁）

共產黨對付基督徒手段殘酷毫無人性

共幹迫害教徒得意洋洋 咀裏還喊我們就是魔鬼

（本報台北消息）「為主受苦」作者魏恩波牧師，在他故鄉羅馬尼亞遭受到共產黨的監禁與酷刑達十四年之久，這本書是述說歐洲鐵幕教會所經歷的苦難，特摘錄書中一段俾使大家瞭解共產黨是如何以殘酷手段迫害基督信徒呵！

一位傅理加牧師，身受酷刑。火薰，刀傷不算，還加上打得半死，然後放些餓老鼠進來，叫你時刻忙着防老鼠，連覺都睡不着。他們逼他日以繼夜地寫自白書，寫了一兩個禮拜，不得逞。最後，他們把他那十四歲的兒子抓來，在他面前鞭打那位少年人，揚言要繼續打下去，直到那位牧師答應說出供給為止。他儘量支持，以致精神幾乎崩潰。到了實在無法再忍的時候，他對他兒子說：「亞歷山大，我非得把一切告訴他們不可了。再也不能忍心下去，讓你挨打了。」兒子回答說：「爸，請你不要讓孩子有一個出賣教會的父親！硬到底！如果他們殺了我，我是為耶穌死的，也是為祖國死。」共幹光起火來，拳腳交加，把孩子給打死了。牆上沾滿了鮮血。他離世的時候還不停地讚美神。我們那位可愛的傅理加弟兄，直到此情此景之後，更是置生死於度外了。

我們都被上了手銬。手銬的裏圈上有好些尖刺。除非你完全不動，否則就會弄痛。監房裏面冷得要命，凍得你直發抖，兩個手腕也就跟着被刺痛。

基督徒被倒掛起來，身子給打得搖來搖去。再就是把你關在「冷房」裏面，四壁冰封，寒氣逼人。我自己就受過這種罪。他們弄個獄警，從門上一個小洞往裏看，一覺得裏面的人快被凍死的時候，馬上叫人去「搶救」出來；等到恢復過來的時候，又把他推進去。如此一次又一次的，週而復始，不斷地折磨你，有時候甚至連冰箱都不。

還有，他們把基督徒關在僅容一人的木箱裏，沒有半點活動的餘地。然後在四周圍打進來幾十根尖釘。人在裏面不動則已，一動就碰釘子。這樣日以繼夜地站下去，一旦支持不住的時候，就要往外歪，釘子即着扎進來。

共產黨對付基督徒的手段，真是到了毫無人性，不可理喻的地步。

我親眼看到那些共幹用刑迫害基督徒的時候，那付滿臉得意洋洋的樣子，嘴裏還喊叫着說：「我們就是魔鬼！」

我們並不是與血氣爭戰，乃是與屬魔鬼的惡勢力爭戰。共產主義不是從人來的，乃是從魔鬼來的，是一種靈界的勢力；需要一種更利害的力量，屬靈的力量來對付它，那就是神的靈。

我常問那些用刑的人：「難道你們都沒了良心？」他們就搬出列寧的一句話說：「要炒蛋，就得先把蛋殼打破；要鋸木，就免不了木屑四飛。」我說：「這句列寧話我也知道。但是人，木頭是木頭，人是人，一個是活的，一個是死的，怎麼能夠相提並論。」但是，說也沒用，這批人一味盲從唯物論，除了物質以外，什麼都不認。在他們看來，人與木頭，雞蛋，都是物質而已，沒有什麼兩樣。這麼一來，難怪他們心狠手辣，害死人毫不在乎了。這批無神論者，狠心殘忍起來，真是天不怕地不怕，無人道至極點。假若一個人不信善有善報，惡有惡報的話，就根本談不到什麼人道不人道。人心裏的惡毒就洪水泛濫，肆意橫流，不受拘束。那些施酷刑的共幹說：「沒有神，沒有來生，我們要怎麼做就怎麼做。」甚至這樣說：「我不相信有神。如果有神的話，我得感謝他讓我活到現在，可以有機會大發我的狠心！」這傢伙狠得很，手段殘忍毒辣之至。

當鱷魚吃人，是相當傷感情的事。但是，你不能怪那條鱷魚。因為鱷魚究竟是鱷魚，沒有仁義道德的觀念。共產黨也是如此，他們沒有什麼道德不道德的那一套。他們巴不得心愈硬愈好。

不過，我倒跟他們學了點功課。那就是，你既然能徹底拒絕耶穌，那我也就決心徹底不給撒但留下半點餘地。

後來我在美國，曾經向參議院安全小組作證，提到那種種慘無人道的情形，就如，把基督徒綑在十字架上，一連四天四夜。然後把十字架放下來，讓幾百個囚犯在被綁的人臉上身上小便。之後，再把十字架豎起來。共幹們邊嘲笑的說：「瞧瞧你們的耶穌！多好看！還給你們帶來天上的香氣！」還有一位神父受盡了刑，弄得他幾乎發神經。被迫以人的大小便當聖餐派給信徒，後來我問他為什麼不情願死掉，免得受大家這種侮辱。他說：「請你不要論斷我！我受的比耶穌受過的還多！」聖經裏面關於地獄的描寫，以及但丁煉獄的痛苦，若比起共產黨監獄裏面的酷刑，可真差得遠。

以上這些，只不過是畧舉其一二。很多其他的，實在太可怕，太不人道，不宜多之於筆墨。況且說多了，我會受不了。這就是鐵幕裏主內肢體所遭受的苦難，如今他們仍然在走這道路！

有一位海米蘭牧師，可說是一位信心英雄當中有數的一位。監獄裏面誰要是犯了規，就得挨二十五鞭。因為人太多，看守的根本記不清誰是誰，那麼多名字搞不清，所以常常每當叫名字的時候，海牧師就自動出去替別人挨打。因此他很受人敬重，也讓主得到了彰顯和榮耀。

共產黨對信徒的種種暴行，真是罄竹難書。基督徒自我犧牲的壯舉，也是多到說不完。獄中的受苦，犧牲，不屈不撓的精神，讓那些還在自由裏的肢體們得到很大的激勵。

有一位年青女孩子，是我們地下教會的同工。她暗地裏散發福音文字，同時教孩子們認識主耶穌。終於給秘密警察發現了，決定予以逮捕。但是存心給她最大的難堪，故意拖了幾個禮拜，等到她結婚那天才下手。那天本是人生的一個大喜日子。她身穿新娘禮服。忽然一批秘密警察破門而入。她從容把手一伸，讓他們上了手銬。她朝着她愛人看，然後親了下手上的鎖鍊，說：「我感謝我天上的新郎，在我結婚的日子送給我這付手飾。我感謝祂，讓我配得上為祂受苦。」他們把她拉走。留下衆基督徒陪着新郎，相對飲泣。他們知道她這一去準是吃定苦頭的。五年後，她出來的時候，已是憔悴不堪，看起來像老了三十幾歲。這期間，她的愛人一直在等着她。她說，為了主，這一點點犧牲實在算不得什麼。何等純真，何得可愛的基督徒！

喬治桑外傳

（一三五）　張大冀

「晉隆洋行是英商一家老洋行，已有一百多年歷史，過去家父在晉隆服務，退休以後，我便是接替家父的位置。兩代加起來，確有五十多年了。」蘿蔔蔡向喬治桑細說原委。

「難得，難得，你可謂克紹箕裘也。英國人性情保守固很念舊，你的父親假使在美國洋行做事，恐怕他退休以後，你未必能接替他的辦到。」喬治桑一面仔細地打量了蘿蔔蔡一下。只見他面如傅粉，唇若塗朱，確實長得很帥。心裏暗自歡喜。這是丈人看女婿的心情，雅麗絲和蘿蔔蔡都無法了解的心情。

「老前輩沒有來的時候，我和雅麗絲說過，今晚還是由我作個東。」蘿蔔蔡到底是在英商洋行做事的人，說話彬彬有禮，沒有美式的油腔滑調。

「你不必客氣，聽說今天是你的生日，我沒有約外客，算是我替你慶祝生日。」喬治桑說話的語調，誠懇而客氣。

「我的生日是昨天，已經過了，況且是小生日，怎敢要老前輩破費？」蘿蔔蔡仍在謙辭。

「你不必再推三阻四了，桑博士請你吃飯是誠意的，下次你回請他不就結了！」雅麗絲與蘿蔔蔡不僅是情侶，而且已到了論嫁娶的階段，所以可以代作主張。

「雅麗絲說的對，下次你請我好了。」喬治桑說完，吩咐蘿蔔蔡坐一下，就回到自己的臥室換了一套晚間宴會的深色西裝。又到洗盥間梳了一下頭髮，才到客廳，說：「累死輕狗」一句我們走罷的洋文。充份顯出他人老心不老的歡愉心情。

台北傳奇錄

（四二）　·陳光棣·

「不要緊，不要緊，已經看過醫生，感冒！感冒！」步成材話沒說完就跑掉了。

劉二爺站在樓梯口，越想越覺得步成材行為古怪，一陣思潮掠過，他打了一個寒噤，抬起頭來和劉太太交換了一下眼色，劉太太究竟閱歷淺，仍然瞪着兩隻水汪汪的眼睛，兩夫妻關上房門，樓梯口又恢復了平靜。

步成材又惱又恨又害怕，匆匆忙忙的跑到馬寡婦家，把大畧的經過說了一遍，又提出下次一定不會再失手的保證。

「你說完了沒有」？馬寡婦冷冷的命令着：「還不快點回家！」

「我想跟妳多聊聊」！步成材抓着腦袋。

「誰有功夫半夜三更的跟你瞎扯淡！」馬寡婦越說越有氣：「從來沒有遇到過你這種草包男人，快點給我滾回去挺屍吧」。

馬寡婦說完了話，一叉腰一指門口，好像一把茶壺。

步成材這時候也沒有心情要貧咀，又想到明天大清早還要起來賣稀飯，只好懶洋洋的站起來往外走：「我明天再來吧」！

「你的腦筋怎麼這樣簡單！你也不想一想，這個時候你還不應該安點份，多呆在家裏裝裝蒜，有什麼事情過些日子再說，你以為你老丈人是傻子嗎」？馬寡婦連推帶送的把步成材趕出來，順手關上了房門，看看錶剛好是午夜十二點，她拿起日記本子來寫道：「劉某人的姑爺步先生的女兒病了，半夜三更的跑來借錢……」

步成材離開了馬寡婦家，好像一隻鬥敗了的公鷄，獨自站在馬路上發呆。

「是步先生吧」？一個黑影從旁邊閃出來。

「誰？那一位」？步成材吓的一哆嗦。

「是我，姓桂！」桂先生走到跟前神秘的笑笑：「想不到這麼晚在這兒碰到」！

步成材只覺得腦袋轟的一聲，彷彿要得腦充血，幸而一陣晚風吹來，才算恢復了說話的本能：「桂先生，好久不見啦」！

「可不是？您是來看朋友？」桂先生說着話，眼睛盯着馬寡婦家。

「隨便走走，散散步」。步成材恨不得找個墻洞鑽進去。

「今天晚上我還在水菓店看到劉二爺」！桂先生打量着步成材：「改天見吧，我就住在這個紅門裏面，有功夫請過來坐坐，哈哈」。桂先生推開馬寡婦對面的小紅門，一閃身子不見了。

步成材兩條腿一發軟幾乎坐在馬路上，好不容易才掙扎着回了家，硬着頭皮開開房門，聽到太太的鼾聲，才偏手偏腳的躺在床緣上。

（未完）

男女之間在美國

·張起鈞

心靈是一貫的，性格是完整的。服飾既是講求性感暴露，行為也就難免放蕩隨便。青年男女多半都喜歡離家獨處，遠走他方。這固然是有自立的精神，但主要的動機，還是在避開父母耳目，而能男歡女愛玩個痛快。我曾很多次搭乘長途汽車。只要車一開，用不着半小時，萍水相逢的孤男單女，便一定會搭訕交談起來；遂即進入親熱多歡的狀態。並且往往都是女的先向男的攀談。在從前西方禮俗，青年男女出遊，除非關係已到相當程度，女的照例有人陪同監護，以免行動逾軌。但美國則是父母司空見慣，看着女兒去「約槳」(DATE)，絕不問他們幹什麼。其實問又有什麼用。社會的榜樣，父母的往事，不都是有力的教導麼？有一首流行的歌謠說很好：

「我愛咖啡，我愛茶。我愛男孩子、男孩子愛奴家。叫你媽媽閉了嘴。當年也有男孩子表着她。」(按：表(手旁也)，是個杜撰的字，讀(去聲，動詞，北平話，斷混一起，不肯離開的意思。又：此句意譯，以求叶韻。)

I LIKE COFFEE
I LIKE TEA
I LIKE BOYS
BOYS LIKE ME
TELL YOUR MOT
HER HOLD HER TO
NGUE
SHE HAD HER
BOYS WHENSHE
WAS YOUNG

試問這媽媽還怎麼管女兒？不僅無法管！並且也根本不想管，因為大家早就共認那是當然應有的「享受」。

風氣已經如此，而商人又來火上加油從中搗亂；於是就更加一片潦原，不可收拾了。他們為了發財，不惜用種種辦法迎合這種心理，把錢賺到口袋裏來。電影裏固然盡是女大和大腿；書刊、封面、月亮、招貼……也無不亮的是裸女色相，而各種廣告，更是一律要扯到男女風情，挑起非非之想。就拿飛機的廣告說吧、本該宣揚安全迅速……這一套，但是我們看到的，却常常是漂亮的空中小姐，用迷人的姿態說：「跟我們一起飛吧」！我真不知「跟她們一起」幹什麼？最使我印象深刻的，是電視上的牙膏廣告。那是我初到美國不久的事。一次我在電視上看到一對男女熱烈的接吻，我還以為是一幕劇哩那知接着電視就說了：「你要與愛人接吻時口齒芬芳，請用我們的牙膏」。怎麼？老子說這樣推銷的？我真怔住了。老子說：「不見可欲，使民心不亂」。而現在竟是：處處誘之以「可欲」；事事暗示到風情；那就是老僧入定心境，也要為之春情盪漾，止水生波了。尤其在這種氣氛下成長的兒童，試想將是什麼心理？(中)

司法功能與人權保障

·查良鑑

(上接第一版)

七、殘酷刑之禁止　世界人權宣言第五條稱：「任何人不容加以酷刑，或施以殘忍不人道或侮慢之待遇或處罰」。此一宣言，說明殘酷刑之應于禁止。我國刑法嚴禁迫刑取供，對於意圖取供而施強暴脅迫者，明定罪刑，以資保障人權，就自由刑之執行方面而言，矯正重於懲罰，對於徒刑，拘役之執行，以使受刑人改悔向上，適於社會生活為目的。關於監所內人犯之處遇，聯合國基於保障人權之思想，於一九五五年聯合國第一屆防止犯罪暨罪犯處遇會議上亦通過「在監人處遇標準規則」，以為在監人處遇之基準，建議世界各國採用。我國行刑上處遇完全基於人道精神而實施。在處遇上絕對維護受刑人法律上地位，嚴格禁止違反人道之措施。就重罪者而言，在監所房舍建築設備方面，對陳舊不合行刑羈押之要求者，于以遷建或擴張，使新房舍各項設備合乎近代要求，加強監所內醫藥衛生設備，注意人犯的保健，在教化的工作上，基於科學分類及累進處遇制度，注意受刑人謀生技能之授于，對少年犯特別辦理受刑人學力甄試教育，俾能在監內受一般學課教育。且在各地監獄內舉辦受刑人實用技藝訓練，令各地監獄與當地各中等以上職業學校合辦受刑人實用訓練班，訓練受刑人現代工商業技能，以授予出獄後謀生技能。在違規人犯之處罰方面，尤其注意人權問題，絕對禁止體罰，戒具之使用必須依據法令，不使用減食等違反人道之懲罰方法。總之，今日行刑措施，基於保障人權之根本準則，在積極方面，嚴格禁止違反人道之處理，維護受刑人法律上地位，以重人權。在消極方面，從行刑之社會防衛作用，拘禁人犯，隔離人犯，予以矯治感化，防止再犯，可間接保護社會善良人民之權益，廣義的保障基本人權。

綜上所述，我國現行法制及司法上各項措施，完全與世界人權宣言之要求及精神相符，如何將之發揚光大，以促進人權保障，不但司法本身應力求進步，今後更應促進社會各方面的注意，共同努力於人權之維護。

命相与夢話

談命運(下)

馬騰雲

則不可能應驗。反過來說，如果日干一時辰未錯，吉兇禍福一定會應驗的，一代文豪胡適博士迴避談這些，即有人問，他也王顧左右而言他。民國三十六年著者由武漢乘民航機飛上海，坐位恰與胡博士同為首排坐椅，在旅程中有緣暢談國事，胡博士不斷感嘆的說：「國家命運」和「數」，絃外之言，一切都歸於命運，胡博士於不知不覺中變成為命定論的人物，這會出乎一般意料之外。宋代學人蘇東坡一生毀譽參半，謂「生辰月夜在磨宮」(見東坡志林)蘇東坡雖具經世大才，但官階祇相當於高等法院院長，難怪其有一首發牢騷的詩：「人皆望子能聰明，我被聰明誤一生，但願吾兒愚且魯，無災無難到公卿」。又讀聶雲台著「耕心齋隨筆」其中有一段關於星命論的實例：日昨與譚延闓先生談及業命之理，先生謂星命之說，殊為難解，謂為渺茫，而有奇中，問曰：聞文勤公有一命批悉驗，有之乎，先生曰然，先文勤公生甫三歲，先王父(祖父)投業館於外，歲奉所入纔十餘串，適有友善星命，即請其為文勤公批一命，此紙尚存，距批命時已百年矣，其言某年進學，中舉，中進士皆驗，惟點翰林則判為得知縣，此其差誤，為七品也。厥後某年在淅，某年當在陝亦奇驗。又言六十八歲歸田則又驗。言七十二歲壽，並批註若有陰德，壽延一紀，厥後七十二歲果大病，幾不起，癒後以八十四歲高年終，又奇驗」。譚延闓先生兩位女公子皆在台灣，故陳副總統就是譚延老的佳婿，上列記述不難查詢，聶雲台為國內知名學人，自不會胡說八道。

著者於民國四十一年由國外第一次返抵國門，造訪江南袁樹珊老先生，聆教命理兼詢國運，其解說：「星命與數同理，就最高元首幹枝研究，國運一定可以扭轉，帶領我們回去的為蔣總統，斷然無疑，蔣公陰功壘積，仁者必壽。」另有一段關於命運的事也頗值一談，「秋燈叢話」云：乾隆那年王總鎮赴任河南，經洞庭湖遇大風所阻，船舶岸十餘日，鬱悶無聊，而附近又無村落，某日忽有一位長者光臨，道貌岸然，銀鬚飄逸，王總鎮請教後留其便餐，長者豪飲不醉，王總鎮因有同嗜，朝夕相談，結為知音，後論及五行術，長者謂王，如蒙不棄，願陳鄙見，王欣然出其命造，長者細為推算休咎，以及起居瑣事，推到五十八歲，王有墜焉之危，隨擱筆不再向下寫了，王問：「我祿位將終於此嗎？長者答：此乃天數，修德可以讓之，囑注意修德莫大於恕人，君其留意，語畢飄然而去，風亦轉順，王令隨從張帆兼程。後歷年遭遇皆符合長者所批，奉為錦囊，寢食必帶，某日在任內獲盜一批，經細心訊鞠，凡可恕者，盡皆釋放，後心曠神怡若有所得，一次行軍策馬走山路，忽感心血上衝，儼若中毒，被侍從扶下，移時漸蘇醒，而所乘之馬，則往來馳驟，長斷數聲而死，王總鎮恍然大悟，取出長者所批命造，正是五十八歲，不爽晷刻，王因積有陰德，活到七十八歲去世。

近一世紀盛行達爾文「物競天擇，優勝劣敗」之說，自日本明治維新，此理益彰，對台省就有很大影響力，德國第一次世界大戰的威廉，第二次世界大戰的希特勒，均恃其科學、兵種，財力無一不優，而挑起大戰，可是優也未必勝，劣也不見徒敗，用威廉希特勒，東條，墨索里尼的悲慘命運可以印證，還有老子的「佳兵不祥」「物極必反」哲理，比較靠得住。有關於命定之說，究竟可棄與否，讀曾國藩「求闕齋日記」裏說，「古來聖哲名儒之所以彪炳宇宙者，無非由於文學事功，然文學資質居其七分，人力不過三分，事功則運氣居其七分，人力不過三分」，今日社會其所以你謅我詐，擾擾困惑者，多由於不知命，「不知命無以為君子」，這句話是孔聖人說的。譚延闓先生是前清翰林，締造民國大功臣，曾國藩是清代了不起的政治家，他們同為歷史傳人，一言一語，有其不可抹滅的嚴肅份量，可惜港台靠命運混飯吃的朋友太多了，有些簡直「魚」「魯」不辨，「胥」「賢」難分，謂能替人算出吉凶，豈非天大笑話。

說曹操

李漁叔

曹孟德的祖父中常侍曹騰，是一個宦官，父親曹嵩却是騰的養子，魏志載：「嵩嗣官至太尉，莫能審其本末。」是說曹嵩的來歷不明。曹瞞傳和郭頒世語，都說：「嵩，夏侯氏之子，夏侯惇之叔父，太祖(操)於惇為從父兄弟。」陳琳曾代袁紹作檄文討伐他，說是：

「司空曹操，祖父中常侍騰，與左官(心旁)，徐璜並作妖孽。父嵩，乞匄攜養，因贓假位，與金輦璧，輸貨權門，竊盜鼎司，傾覆重器。操贅閹遺醜，本無懿德，僄狡鋒協，好亂樂禍。」

昭明文選李善注引魏志：「紹敗，琳歸曹公。曹公曰：『卿昔為本初移書，但可罪狀孤而已，何乃上及父祖耶？』琳謝罪曰：『矢在絃上，不可不發。』曹公愛其才而不責之。」陳壽三國志魏志但只說：「琳謝罪，太祖愛其才而不咎。」「箭在絃上」，雖屬俊語，但恐陳孔璋不敢如此作答，仍以陳壽三國志所記為較合。

曹嵩後來避董卓之難，在瑯邪為陶謙所害。司馬彪續後漢書載：嵩字巨高，質性敦慎，所在忠孝，靈帝擢拜大司農，代崔烈為太尉。」世語對嵩之死有一段紀載：

「嵩在泰山華縣，太祖令泰山太守應劭送家詣袞州。劭兵未至，陶謙密遣數千騎掩捕，嵩家以為劭迎，不設備。謙兵至，殺太祖弟德於門中。嵩懼，穿後垣先出其妾，妾肥不能出，嵩逃於廁，與妾俱被害，闔門皆死，劭懼棄官赴袁紹。」

後來孟德於漢初四年，領兵征討陶謙，史稱其復讎東伐，所過多所殘戮。孫盛謂：「伐罪弔民，古之令軌，罪謙之由而殘其屬部，過矣。」云云，實係迂論，因為孟德誓報父仇，犯了凶性，還講什麼伐罪弔民呢。

講到孟德少年時代，曹瞞傳有這樣一段：

「太祖少好飛鷹走狗，游蕩無度，其叔父數言之於嵩，太祖患之。後逢叔父於路，乃陽(佯)敗面喎口，叔父怪而問其故？太祖曰：『卒(猝)中惡風。』叔父以告嵩，嵩驚愕呼太祖，太祖口貌如故。嵩問曰：『叔父言汝中風，已差(瘥，痊愈也)乎？』太祖曰：『初不中風，但失愛於叔父，故見罔耳。』嵩乃疑焉。自後叔父有所告，嵩終不復信，太祖於是益得肆意矣。」從這些地方可以看出他用權詐的本性。他在未成名之前，曾受過梁國橋玄，和南陽何顒的器重。橋玄字公祖，曾官太尉，以清節著稱，何顒字伯求，是一個俠義之士，憂憤死。這兩人後漢書均有傳，何顒(後漢書第七十九)只記下數語：「初，見曹操，歎曰：『漢家將亡，安天下者，必此人也。』」操以是嘉之。(二)

安徽十三傑

諸葛亮狂想曲

(一〇三)　劉玄

「我對於天文學是外行，我認為龍岡朋友中，你如果要找人幫忙，只有龐統、姜維可以考慮。」劉備提出龐統，姜維很有見地，他能在三個稱雄，非偶然也。

「主公意見與亮不謀而合，龐士元早在亮考慮之中，不過，姜伯約已是南天門的門官，亮去請他幫忙，是否有些不便？」諸葛亮用鵝毛扇在他的右膝上劃圈子，這是他思考的習慣。

「你可以向太白星君試提龐、姜二人，星君自會考慮。」劉備對於提拔他的部下，很有方法。

劉備與諸葛亮正在談話，侍從端過二杯人參茶，劉備啜了一口，向諸葛亮說：「我現在喝人參茶喝上了癮，每天早晚總得喝上三五杯，否則就沒有精神辦公，你說糟不糟？」

「人參茶有調乾振元之效，喝了對身體有益，主公喜歡喝人參茶有什麼不好？」諸葛亮覺得劉備為人參茶發感慨很奇怪。

「你有所不知，我喝的人參茶一向由二弟供應，因為我喝的多，他送的少，又不好意思向他要，故而有點傷腦筋。」劉備與諸葛亮無話不談，才向他挖苦水，換了別人他是不會說的。

「主公不必為此担心，等亮就任『宇宙發展委員會』主任委員職務以後，多供應主公一些人參茶，大概不會有問題。」原來在人世做官的，常年有人送火腿，吃也吃不完，在天庭則有送人參茶的習慣。

「這真要謝謝你了。」接着劉備又喝了一大口，其意若曰，今後人參茶不虞匱乏，放心食用可也。

諸葛亮見話已談完，就想起身告辭。

「你再等一會兒，我還有兩個問題請教你。」劉備說完，開了抽屜，拿出一個藍色卷宗，問諸葛亮道：「八仙的藍采和要求在磨刀大典表演吹笛子，另外則有葡萄仙子、桃花仙子等要求表演歌舞。我想不答應，又恐怕得罪了天庭各仙，如果答應又恐怕二弟不悅，為此躊躇不決。你看應該怎麼辦？」諸葛孔明是劉備的軍師，軍國大計都取決於他，這些雞毛蒜皮事兒，自可迎刃而解。

「此事並不難解決。」諸葛亮用左手撥了一下灰白色的鬍子，繼續說，「八仙與葡萄仙子等在天庭交遊廣闊，人緣極佳，既然自動要求，我們用不着開罪他們。至於二將軍那邊，主公只要……」諸葛亮故作神秘，湊近劉備耳邊低聲說，「主公可告訴二將軍，他們都是仰慕二將軍忠義，特來捧場的，不便拒。」

劉備聽了連連點頭，立即在兩件公文上龍飛鳳舞，批了「可」字。又用小木槌敲了一下怡上小鐘，襄秘書進來，交給了他。諸葛亮這次君臣交談獲有結論，十分愉快。不便多耽擱時間，遂起身告辭。

立委徐中齊强烈質詢
認爲鍾部長强詞奪理
密告靠不住天眞孩子被誣陷
以耳竟代目請學校拿出證據

（本報通信員柳一權台北消息）立法委員徐中齊質詢稱：關於錢思亮非法取消學生許東湖保送資格一案。鍾部長的答復大意，是說許東湖被人密告非法取得保送資格，所以要予甄試，因爲未參加甄試，所以根據該校直升條例第七條取消資格。（1）查政府處理密告案件，爲防止濫告，一定先行查明密告內容。教育部和台大當局所派的調查人員，是否業經查明密告者李一元王昌黎陳東海的身份，鍾部長迄未提出證據作明確的答復。（2）據說密告內容，第一條是「小學初中成績太差，高中成績是收買的」，第二條是「延聘所有任課老師在家任教，變相加分」。許東湖小學初中成績均列前茅，已呈送文件爲證，足見密告不實。許東湖家住清水，如何能「延聘所有任課老師」，遠在數十里「在家任教」，何況他家道中落，兄弟衆多，也請不起許多老師「在家任教」，足見亦屬不實。即令說他在家有補習的地方補習，也應該向房東查問，向同居同學查明，最低限度也應向一中校長、教導調查。教育部和台大的調查人員，一樣也未做到，這豈非戕害學生。

許東湖是省立台中一中保送直升台大的，教育當局若認爲學校非法，究竟是鍾部長應該拿出證據來，予以指明和確定。至於許東湖未會參加甄試的問題，台大直升條例第七條明定：「如無故不到或成績不及格者，即取消升學資格」。許東湖患有「肝炎」，經公立醫院證明屬實，是事實，考期之日颱風路斷更是事實，顯然並非「無故」，台大當局以「無故」故作「有故」，不是違法失職麼？鍾部長的答復說：「僅由其母來校稱許生因病不能來校應試，但並未提出任何證明」。但據許生之母說，「我着拿衛生局證明，冒風雨到台大爲東湖請假，學校不接受證明書。」台大當局承認許生之母爲許生請假，依常情判斷，他遠迢迢冒颱風雨爲子請假，能會不拿着衛生局已經開出的證明書麼？即令許生之母說出「因病」二字，台大當局也應該查明「因病」是否屬實，再行處理，遽爾取消資格，這不是太武斷麼？何況「許生之母」又再提出書面申請，台大當局均相應不理，不給予再甄試的機會，於情也是不合理的。鍾部長的答復又說：「該生因患肝炎發高燒不能來校考試，但該校如何能於本校甄試之前一日，參加該校之畢業考試，亦是武斷之語。許東湖肝炎發高燒，經診斷書爲急性，因住台中路近，所以抱病參加畢業考試，正因「抱病考試」之故，所以病情轉劇，不能參加甄試，這是自然現象，且有證據可憑，如何能說爲該生過錯，不是强詞奪理是什麼？

至於許東湖物理成績，一中所報前後不一致一節，台大當局應向一中查問，何能將責任怪到學生頭上，請鍾部長問明台大當局，再予合理的答復。鍾部長對於本席質詢案第二項「任用非人、危害國家」一節」口頭沒有答復，也沒有書面的答復。

巨變歷險記！

在垂死的掙扎中，遇到了這一位義薄雲天的好人，眞是叫丁博士不知如何的感激。他的大妹妹以後沒能再見，丁博士也深引以爲遺憾。

翻山越嶺（一一六）

胡慶[illegible]

據這位好人的報告，所有丁博士要經過的湖區，是已經完全赤化的了。從他村上再往東，到達開遠的火車站，也是完全的赤化區，所有口子，都有人在把守，聽說李彌的部隊下來的人不在少數，他們正戒備嚴密，再則，從他的村子到火車站，大多是山嶺地帶，要抄小路，要爬山越嶺，要穿過叢林，頗不容易。聆聽之下，丁博士的要求他，務必作他的嚮導，帶着他，走到火車站。大妹妹同丁博士也好像一見鍾情似的，對於丁博士的安全，表示異常關懷，她也堅請她哥哥帶了博士到火車站。對於她的家庭情況都告訴了丁博士。他這個村子位於邊江湖的邊上，他除了這一所房子外，還有很多的田，生活是不成問題的。大妹妹人極寶在，雖然談不上沉魚落雁之容，閉月羞花之貌，但不塗胭脂自來紅的咀唇，含情脈脈的眸子，都給了丁博士很深的印象。此時此地不是談情說愛的時候，在丁博士腦中盤旋的，是如何能夠逃出匪區，與余程萬李彌聯絡上。一頓飽飯，精神慢慢的恢復起來了，原來飢腸轆轆，六神無主，現在六神是有主了。在丁博士用飯的時候，大妹妹在旁邊看，從她的眼睛裏，浮出莫大的同情心。丁博士一碗一碗的吃，她一碗一碗的盛。她很奇怪他怎麼能吃這麼多？……

走累了的人，最好的接着走，一歇，還歇出事來。丁博士跑了一天，實在太累了。腳一歇，簡直抬不起來了。大妹妹又忙着給燒洗腳水。累了的腳，用熱水熨熨，當然更舒服。洗了腳，睡覺，睡的更舒服。

第二天，這位好人果然決心去送丁博士。這位好哥哥，一身非常破舊的衣服，破的程度，縱令拿鶉衣百結也不足以形容。他穿了說這樣保險。他並且送丁博士一件破衫子套在外面，儘量的避免人注意。他頭先走，他後頭跟，彼此經常維持約一百公尺的樣子。能繞過的村子，儘量的繞，決不走進去。不能繞的，也就若無其事的，從從容容的通過。看守的人看了博士，都當作是鄰近村子上的人，望一望，不留難，就讓過去了。說來一帆風順。

但到後一段路，就不容易了。這一段路，走的路線，完全是「山線」，簡直無路可言。好人腰裏帶一把廉刀，隨時劈荊斬棘，劈開一條路！常常跌倒。跌倒了，再起來；跌倒了，再起來！是不是皇天不負苦心人，終於到了火車站的山邊！……這山就在火車站的後面，遠遠的可以望見河底下的一條河，也彷彿望見河那邊的火車站。翻山越嶺困難，從山嶺上下來尤難。特別這麼山，對着火車站的，非常陡。下到底下來，這……但總算下來了，還不能不爲丁博士擔憂。

寧波人最懂吃田螺

生活漫談

·馬騰雲·

寧波人對田螺，吃法最精，田螺的尖端剪掉一點，泡洗淨後加醬油，紹酒、白糖、胡椒粉炒，快到熟時略加蔥屑韮菜，辛香可口，奇鮮無比，吃時用筷頭稍挿，一吸入口。安徽、山東、河南區域炒田螺是去殼的，有句歌訣：「田螺炒韮菜，胡椒加在外」四川人的麻辣田螺，湖南人的豆豉炒田螺，加大蒜和辣椒，各有其特殊風味，今併將田螺藥用及營養價值略介紹：

田螺有多種，以生於淡水者而言，大體分三種：田螺、塘螺、石螺。田螺生於禾田間，最大個，殼最薄；塘螺生於池沼間，比田螺細一些，殼也厚一些；石螺（俗名海螺，好多俗人稱淡水爲海的）生於淡水河，殼最厚，比塘螺還細一些。現在所要談的是石螺（學名螺絲），池塘裏也會有得出產的，但在藥用上，以產於淡水河者爲佳，必要時，用塘螺代用亦可。螺類的性質都屬於「寒」，而且不容易消化，故「寒底」或有胃病的人，食用螺肉宜留意。螺肉含有水份，及豐富的蛋白質，其他還有脂肪，灰份等。食用時，最好配以薑葱蒜頭之類，以防備牠的寒性，鄉間的人食牠，一定加入這種東西的，還有加入些辣椒，食時更美味。螺肉，有很好的利尿作用，若因排水機能障礙而引致的「腫脹」病，或兼有黃疸病而屬於熱性者，石螺有很好的治療功能。泡製方法是用石螺約二斤，洗淨連殼放入瓦罐裏，加一些陳皮和老薑，用多量的水，猛火煮之二三小時，空腹乘熱飲下，飲後以有微汗出爲佳，繼而小便必大利，腫脹亦漸漸消除。這種泡製方法，不只可治熱性的腫脹病，而且可以治初期的淋病；若染有梅毒，而仍在前尿道炎階段者，可用牠來熬水飲，自可收效。用石螺（塘螺代替亦可）治黃疸病，民間又有一種泡製方法：揀石螺二三斤，用清水養牠三天，待牠全部吐出污穢的東西，於是用不草燒一大堆熱灰，把螺連殼放進熱灰裏煨一小時左右，取出用水洗淨，挑取其肉，放在鑊裏加入一些薑片炒焦，然後用清水四碗，煎取一碗，飲時加入一些燒酒更佳，這樣的方法治療黃疸病，是最安全而有效的。鄉人要避免螺的寒氣而常用這種方法泡製，因爲飲酒過多而發生疾患，老年人最多，俗語名爲「酒風」，病狀多見於下肢，民間也有採用治「酒風」的方法是用石螺約二斤，生挑去其肉約半斤，用鹽水把其肉洗淨，熱鑊把螺水炒乾，放進燉盅裏，以好酒代水，燉三幾小時，飲用其汁，對「酒風」疾患有很好的治療功能。平常多吃亦能清除胃腸熱毒，夏日用螺煮粥，可以收清熱利尿之效，但須加些薑絲以避寒氣。

台大經常發生竊案
清查結果皆非外人
學風日下這問題太嚴重了

彭明敏以前的叛亂和現在逃出台灣，都是國際上的重大新聞，彭明敏是錢思亮敦聘的台大教授，他的同路人據聞尚有許多潛伏台大之中，顯有用人不當的責任，如何可以馬虎了之。

台大是國立大學，屬於教育部監督指揮，希望鍾部長負起監督責任，查辦錢思亮用人不當的失職行爲，不要因爲錢校長一度是鍾部長的上司，彭明敏一度是鍾部長的同事，而怠忽職守。關於不敢公佈「研究教授」名單問題，教育界與論界都紛紛有不平之鳴，鍾部長代表錢校長答復說：「此項提名，原非易事，滄海遺珠，自所難免」又說「確曾盡其最大努力，求取公平」。既然「求取公平」，何以台大教授傅樂成未被提名，會引起教授們普遍的不平，錢校長是提名人之一，而審查的人又多是錢校長旗下的台大教授，錢校長如果眞的宅心公平，何以不站出來主張公佈名單，教育部主管全國公私教育，也應該站出來促成公佈名單，躲躲藏藏，更增加社會的懷疑態度，是更爲不利的。關於「學風日下，領導無方」一節，鍾部長代表答復時，把「台大十一至十五宿舍，經常發生盜竊案件，清查結果，大都不是外人」一段，避而不提，是無心遺漏呢？還是怕公佈出來，會給人以「學風日下」的話柄呢。鍾部長答復說：「台大合唱團……男生爲黑色西服，女生爲白色禮服……連獲三次冠軍」，據說雷震等合唱團，組成份子也有台大學生，他們長髮異服，鍾部長難道在電視裏沒有看到麼？爲甚麼不提。鍾部長代答又說：「業有三百餘名僑生，經輔導後，行爲有顯著進步」。現在台大學生中，功課最差的，大都還是僑生（少數例外）出事最多的，大都也是僑生，足見「顯著進步」之說，全是自欺之詞，孔子說「有教無類」，爲什麼錢校長不能把大部份的僑生教好。台大的學風日下，是一般教育人士的公論，有些教授們說，「錢校長是做官的，是學自然科學的，不是學教育行政的，所以辦不好教育，」教育部不是高唱學以致用麼？爲什麼要讓錢校長學非所用，爲什麼不選聘學教育行政的德望皆高人士，出來改善台大教育。爲着「知恥」「知病」，錢校長應該自議行止，爲着「求新」「求行」，教育部應該負起讓錢校長應進應退的責任，躬自延宕，並非全面革新政治之道。請嚴院長轉飭鍾部長再予明確的答復。

大學尺牘

手鈔本的「老子注」

·陳之邁·

起鈞吾兄：在台得數度暢叙，快樂之極？我的曾祖父，名澧，字蘭甫，著有「東塾讀書記」，「聲律通考」等書，是清代很負盛名的學者（請參看「中國人名大辭典」，「辭海」「辭源」等書）。我近年來曾廣爲收集他的遺著，頗有收穫，「老子注」一本，是手鈔本，雖非他精意之作，但以他的學術地位，似乎也值得介紹，精研老子之學，環宇所宗，茲以此鈔本寄上，敬請斟酌有無予以介紹及如何介紹之處，這是手鈔本，自然相當珍貴，至祈妥封掛號寄還。兄如予以鈔錄或影印，均無不可。這裏沒有版權問題可言也。兄如肯爲介紹，自然希望先讀爲快，不在話下。林語堂先生來日講學，手持大著「中國哲學史話」，推崇備至。林先生與兄似尚不相識，甚盼能一談也。拙著「中國的書法」（英文）一書，頗爲評者稱道，書評中竟有（GREAT）NOBLE（EPOCH—MAKING）等字樣。現將有澳、英、美三種版本，此爲對洋人介紹之作，在國內不登大雅之堂也。匆請

著安

弟　陳之邁上　五六、一、廿二

自由報

中華民國內政部登記證內版臺誌字第〇三一一號
中華郵政臺字第一二八二號執照登記爲第一類新聞紙

（第一〇五一期）

（半週刊每星期三、六出版）
每份港幣壹角．台灣零售價新台幣貳元

督印黃行運．騰李長社
社址：香港九龍彌敦道593—601號
廖創興銀行大廈八樓五座
LIU CHONG HING BUILDING
7th FLOOR FLAT '5
593—601 NATHAN ROAD,
KOWLOON, H.K.
TEL: K303831
電報掛號：7191

承印：景星印刷公司
地址：嘉咸街廿九號地下
台灣通訊中心：台北市南昌街五巷三號
電話：二〇二二七
台灣區直接訂戶：台北郵政劃撥第五〇五六號（自由報曾計室）
台北營業處：台北衡陽街三十號
電話：二一二七二〇〇
台灣分社：台北市西寧南路110號二樓
電話：六四〇三三〇三　台北郵政劃撥第二九五二號

也談「研究教授」問題

·黃谷子·

最近幾個月來，曾不知在多少個不同的場合，我都遭遇了不知多少朋友不約而同地提到同樣一個問題：

「老兄，你對於研究教授的看法如何？」

「老兄，研究教授的名單公布了，你的看法如何？」

「老兄，你一向主持公道，不落人後，爲何有關研究教授的問題，却一句話都不說？」

說老實話，對於「研究教授」這問題，我不是沒看法，只是不屑於一談，所以一直沒有說什麼。看了這烏烟瘴氣的樣子，心裏已經很不舒服了，還有什麼好說？說，又有什麼好處？

有許多朋友一再鼓勵我也說幾句話，看他們意之誠，好像眞的是：「斯人不出，奈天下蒼生何？」我也就只好臉上貼金了：「余豈好『說』哉？勢不得已也。」首先我要將我個人對於「研究教授」這一制度的看法說出來。

我與社會上一般人士的看法容或不同，我認爲「研究教授」制度之建立並非全無必要；我們必須承認，在今日的大學裏，有許多教授的確是在作研究，相反地，却也有許多教授從來不作研究，甚至連如何作研究的方法都不懂，這是事實，這是不容否認的事實。前一些教授對於教育視作「磨血」事業（湖南明德學校長胡子靖先生語），貢獻當然也就很多；後一些教授把教育當作糊口的工具，誤盡天下蒼生也就不管。這些不同的教授當然應該有所區分，前一些教授給予他較優的禮遇，使他們在物質上獲得慰藉和鼓舞，給予他較高的待遇，使他在物質上有不虞匱乏之時；後一些教授既是濫竽充數，不將他們趕出學宮之外，已是皇恩浩蕩了，給予他較低的待遇，讓他吃不飽也餓不死，自然也不爲過。這個道理應該是說得通的，我們沒有理由硬將這些不同教授的貢獻和成績一視同仁，更沒有理由硬將二者的待遇拉在同一水平線上，一定要如此做，那就是一種頭重脚輕的平等」，這不是眞平等，而是假平等。因此，關於研究教授這一制度之建立，在原則上，我是十分同意的。

不過，這一制度在目前的我國有否建立的必要呢？我個人認爲似乎並無必要！何則？我們當須承認，我們中國人，尤其是今天的中國人，似乎大多數都犯了一個毛病，那便是過份的重「感情」，而忽略了「公道」二字的意義；因爲重感情，於是循私舞弊，因私廢公等等的毛病叢出不窮，而忽略公道的結果，乃私人利益超過一切之上，國家的名器固可毫不重視，國庫的公帑也可毫不愛惜，因此原本是甚良意美的一個制度，却被這種「人」的因素破壞無遺。現在便以研究教授這一制度爲例，我在前面已經說過，其建立如有必要，雖然在原則上是絕無問題，但在我國却絕對行不通，因爲這一制度的成敗並不完全繫諸原則之是否正確，而尤其與「人」的因素密切相關，何則？首先且說「提名推薦」，提名推薦便已不公平，該提名推薦的不受提名推薦，不該提名推薦的却提名推薦了，一般學校都將提名推薦權授諸院長及系主任，而一般的院長及系主任却無才無學，當提名推薦時，「感情」用事，不講「公道」，說是名額有限，「滄海遺珠」，固然可以推卸責任。而很明顯的，如果提名推薦不當，則不知如何解釋？「好的開始是成功的一半」，此提名推薦在前，已經失敗了一半，後一半即使做得再好，其好也就有限了！其次，再說「審查」的問題，各校將提名推薦的名單送到國科會後，國科會便加以審查，誰合格，誰不合格？誰該聘，誰不該聘？於是也就決定了。怎麼審查的？怎麼決定的？外間的說法很多，而國科會也一直未對外發表過，個人不願輕信，也不願臆斷，因此，其究竟公平到什麼程度？不公平到什麼程度？都不得而知；但是若從若干蛛絲馬跡去仔細觀察，則其爲不公平，當是十分駭人聽聞的！現在研究教授的名單發表了，誰是的？誰不是的？誰已受聘？誰未受聘？誰拒受聘（如薩孟武先生和林本先生，讓我們爲他二人的高風亮節而鼓掌）？大家都有目共覩。且請走到大學的教授休息室，國會的休息室，甚至有人的地方去聽聽，何處而非人言嘖嘖？有人在自由報上舉例指名道姓地說某某人不學無術，混什麼研究教授；也有人則比較含蓄地只說某人，甚至不舉其人之姓名，不應僅憑「關係」而享此榮譽；有人則說，被聘爲研究教授的若非在任的院長及系主任，便是退職的院長及系主任，這些話都是眞的。據我個人的瞭解，其惡劣實尙不止此，我親耳聽到某校商學院的同學說，其前任院長只配到初級商職去教書，其現任院長若是無點名冊，堂上不會有學生一個兩個；我還聽到與大諸學院兩位教授同我說：「某校某學院院長某人，過去在我們學校，教授升等論文都未通過，現在可不得了了！」他們都是國科會所認定的「高級教授」，是如何審查的？根據什麼？我們相信國科會是講科學精神的，你固曾「大胆的假設」了，不知是否能「小心的求證」一下？當然，這個「求證」的確是可不容易的！至少目前社會上的每一個人，不管是有識者，還是無識者，都有如此共同的看法！

至於說此一制度是否該維持其存在？抑或是否該及早廢棄？個人以爲我國現在既然是民主政治，又何妨將採用民主的方式來討論一下？我們無須否認，反對此一制度的可能是少數的人，但贊成此一制度的也可能是更少數的人，雙方都各具理由，都是存心將今天的大學教育辦上軌道去，然則又何妨向兩電視公司租用一兩個小時來從事一次公開的辯論？讓全體納稅人來作仲裁，也是對全體納稅人作個交代。否則我建議立法院邀請正反雙方到立院列席，從事辯論，讓立委們來主持公道，也是可以的。總之，像這樣大的問題一定要有妥善而合理的解決，絕不可一面則怨憤塡膺謾罵洩忿，一面則「笑罵由你笑罵，好官我自爲之」，不理不睬，我行我素！

（附及一言：本人亦忝爲國立某大學之教授，去年各校辦理研究教授提名推薦之際，亦辱承校長厚愛，予以提名，然個人以德薄能鮮、才疏學淺婉謝之故，乃未受推薦。）

昨日與明日

不能玩弄數字魔術

有感一位教授向劉大中博士質疑

原則上，無人不贊成賦稅改革，所以，當行政院賦稅改革委員會創立時，甚博國人的歡迎和期待，不料主持人劉大中的構想，不符實際，加重低所得者的負担，引起了廣泛的反感，尤以知識階級，大學教授們，對劉反感更甚。

一般人的普遍意見是：劉大中所設計的現行所得稅法，規定的免稅額、寬減額、扣除額等都失之過低。學者專家對此討論很多，納稅人更多反感。劉先生也知道了這種反應意見，乃在報端發表「加强所得稅制的說明與解釋」，顯然是對反對意見的答覆和解釋。不過，這種解釋和答覆，並沒有令人滿意。一般納稅人的意見，不管你怎樣講，反正我繳的稅，已增加幾倍了。專家學者就此更有較爲科學的核計。

中興大學法商學院陳文龍教授在本年三月十四日經濟日報上曾發表一篇專論，標題：「與劉大中先生談所得稅」，很科學地，仿照賦改會列舉方式，加以統計分析。陳教授把有十五類納稅人在新法下增加了負担。新稅法所設定的九元扣除額，對於三五、〇〇〇元以下各級所得五口之家，四五、〇〇〇元以下各級所得六口及其以上之家，二八、〇〇〇元以下各級所得的四口之家，二二、〇〇〇元以下的各級所得的三口之家，都不發生作用，而新稅率提高到百分之十八後，向有淨所得三萬元的納稅人，却有負担倍增的感受。劉大中所作：「低所得人民的稅負已減輕」的判斷，是不無疑問的。

至於每人寬減額六千元，的確太低了，試問：一個中學生每年需要多少教育費？如果讀私立大學，每年祇學費也不止此數，更不要談食宿等費。

納稅乃國民的天職，國民無人反對納稅，但祇要求公平合理。政府官吏和替政府辦事的人，不能一味玩弄數字魔術，來欺騙老百姓。明明增稅了，反而說減輕稅負。如果說：國內經濟發展，國民所得提高，國家財政需款，勢須增加國民租稅負担，那人民也就無話可講，何必玩弄那一套數字魔術呢？國民雖然沒有劉大中博士那樣高深數字智識，但自己納稅是多是少，自己是明白的。計量經濟學博士可以休矣。

鄭義·

自由談

相形見絀

最近日本所謂「赤軍派」的過激份子，在東京郊區羽田機場刼持飛機往北韓的事變發生後半小時內，日政府交通、內政兩部長暨內閣秘書長，一齊趕到了出事地點，共謀對策，旋由交通部次長赴北韓與刼機暴徒談判釋放乘客，自己敢作「人質」，隨同暴徒們前往北韓，然後乘原機飛回東京。他對着在機場歡迎的政府官員和民衆，說他此行任務，只說是「我做了一椿職份內應做的事」，毫無矜伐的詞色。

美國阿波羅十三號探月球的太空船發生了故障，全球人士都很焦急，美國人更着急。「中國電視公司」爲要搶先取得探月太空船回航地球的確實消息，藉以隨時傳播給社會大衆收聽，曾於四月十五日上午十時，分別致電紐約與華盛頓兩處專管這項情報的機構，請其不時供給資料，不到兩小時，即得到了對方的回電照辦。

從這兩項情形中，就知道別國公務人員辦事之迅速而勇於負責，以及行政效率之高，殊堪稱讚。假使這些事變發生在咱們國內，不特達官人們不會那樣的熱心應變，恪盡職責，更不會對別國要求供給新聞消息的電報，作那末迅速的肯完答復。照例是先之以發佈卸責文過的官式聲明，繼之以開會請示的官僚作風，此推彼諉，得過且過。

咱們政府官員和一切公共機關的拿手傑作，就是過事發表一套美麗的談話或講演，措詞圓到而冠冕堂皇，無懈可擊，內容却空空洞洞等於沒說。到了實在不能不作決定時，即向上峯請示，殆如川諺所謂「輸贏皆有糖吃」，責任一點不必負。至於以高官之身，冒險犯難，爲着保持國家榮譽，不顧安危，挺身甘作「人質」，馳往敵國，營救飛機與駕駛員安全回來這種入地獄的精神，在咱們的達官貴人看來，那是上海人說的：「談阿弗要談」！

「改革政風」、「分層負責」、「提高行政效率」這些令人悅耳中聽的言論主張，甚囂塵上已歷若干年，成了宣傳濫調，事實上止於宣傳而已，宣傳就是工作成績，即盡了革故鼎新之能事呀！笑罵由人，好官自爲，這纔是「病入膏肓」的痼疾。古人有言：「若藥弗瞑眩，厥疾弗瘳」，要想消除官僚主義的沉痾，非用猛劑不可，光是說教訓話，絲毫不發生效力，因爲大家習於無恥了，奈之何哉！

馬五先生

輿論精華

中國與所謂中國問題專家

柯貝克

從歷史上說，自一八九九年起，七十年來，美國一直尊重着中國眞正的民主原則和代表人民的政府。大多數美國人了解，中國是一個偉大盟邦，尤以第二次世界大戰時爲然。我們美國人感謝自由中國的友人。

我們的政策並非經常錯誤，但在一九四五年却有轉變。美國最通曉遠東事務的專家之一、韓貝克，在第二次世界大戰以前曾担任國務院的重要職務，據他說，「就在一九四五年，美國政府對中國採取了與傳統原則不符的行動，在中國國民政府和共產黨的衝突中，開始了演變成干涉的途徑；在此以後，美國政府施用壓力，那種壓力並非爲對付共產黨，而是符合共產黨利益的，對共產黨沒有不利，事實上是不利於國民政府。」

麥克阿瑟將軍說過：「中國大陸之淪於中共，乃是一百年來美國外交的最大悲劇。」每一年都有新的證據證明他的話是對的。

一個人可能犯錯誤，一生中可能犯許多次錯誤。第二次世界大戰期間，我們的所謂中國問題專家就犯了錯誤，因爲他們不瞭解人性。我們受有良好的教育，但有一些天眞幼稚。這些年靑的專家不幸被賦予我們政府決策方面有影響力的重要職位。

（上）

大同公司假出口冒退稅案
延擱經年迄未執行
影響政風損害威信
立委力促政院應嚴查責任

（本報通訊員柳一權台北消息）據來自國會報導：立法委員徐中齊為彰化大同公司冒退稅及大漏稅案損害國庫數億巨欵執行公務人員有枉法受賄之嫌對行政院提出質詢，全文如下：

台籍友人見示一首台灣文壇流行的打油詩，題目是：「革新政治聲中看政府處理彰化大同公司漏稅巨案」。詩曰：

賄錢十萬便通神，上億當然更忘身，
要為國家惜財力，莫教公庫肥私人。

查彰化大同公司五十一年假出口冒退貨物稅案，及五十七年該公司本身漏稅案，先後達兩億餘元，自政府違法撤銷罰鍰強制執行案後，影響其他十四家公司之漏稅冒退稅案件，共達數億元之鉅。假若公庫以如此鉅欵來增加軍公人員待遇，則受惠者何止數十萬人，假若公庫以如此鉅欵製造軍火反攻大陸，其數量亦如山積，即使公庫以如此鉅欵建設台灣，起碼可增加一個水庫，如今因少數從事公務人員之阻撓，數年無法執行，肥了私人，瘦了公庫，使法律命令的尊嚴，打了一折八扣，無怪乎台籍人士誤解「全面革新政治」之道，不過如此而已。

奸商的算盤，打得最為精密，只要拿出漏稅冒退稅罰鍰價欵的四分之一，則違法枉令奔走維護的人士，每人便可分到幾百萬元，即使最後仍要執行，只要拖延個三年兩載，奸商掌握巨欵的利潤，便可達到數千萬萬元，以之分賞違法維護的人士，每人也可得到幾十萬至幾百萬元，重賞之下，必有勇夫，所以奸商的孝子賢孫，便代出不窮了！

比年以來，政府的法條命令，一碰到達官貴人的干涉，便多方曲解，儘量拖延，務必使法令形同具文而後已，一般人祇認為達官貴人的干涉，不妨給點面子，殊不知達官貴人之後，實有「孔方兄」在作祟，「錢」可以變更法令，可以將「是」成「非」，革新政治，尚有望乎？

由於本案關係到「正」「邪」的消長，關係到「賞」「罰」的不明，關係到國家政策和行政、司法、立法、監察、四院的責任與聲譽，不得不提出嚴正的質詢。

壹、行政的責任和聲譽

（一）行政院認為監察院糾正彰化大同公司假出口冒退稅案有理由，所以下令恢復強制執行，迄今經年，未見公佈執行的結果，坐令奸商握巨欵而享厚利，如此「因循」「延宕」，何以「樹立優良政風」？嚴院長應該追究部屬延宕命令的責任，查明是否有「孔方兄」作祟。

（二）彰化大同公司假出口冒退稅案，前此曾有撤銷強制執行之行為，其撤銷之原因，歸「功」於財政部和財政廳有關官吏之「呈」「簽」「批」「轉」，如今行政院下令恢復該案的強制執行，證明財政部、廳、承辦官吏有了行政上的錯誤，有了損害公庫收入的責任，財政部、廳都屬於行政院直接間接指揮監督，嚴院長應該追究其行政責任，交付調查機關，查明是否有「孔方兄」在作祟。

（三）調查局於五十七年再破獲彰化大同公司營業額達二億元之大漏稅案，彰化地方法院為此扣押其六千萬元之財產，但財稅機關迄未向其徵收逃漏稅額，亦未送請法院處罰，顯然有意重開過去笑話，嚴院長應該追究該財稅官員的行政責任，並查問是否又是「孔方兄」作祟。

（四）本年三月五日彰化稅捐處會同地方法院及警察調查局人員前往彰化大同公司接收被查封之財產，但到場後竟臨時撤退，致彰化稅捐處不但沒有接收到財產，反而替大同公司代償抵押借欵一千數百萬元，如此賠了夫人又折兵的敗仗，顯然是受到權貴的干擾，嚴院長對上項的干擾事實，也應該查明有否「孔方兄」在作祟。

（五）中央信託局早年貸給彰化大同公司六千萬元，是以支票兩張另覓兩家舖保作押，及五十七年逃稅兩億元案發後，中信局查對質押品，該公司願以成品半成品作押，據聞又貸欵八千五百萬元，訂有「動產佔有契約」為憑，迨行政院下令恢復強制執行後，該公司竟以「所負中信局保稅及進口機器與日商機器抵押權欵額甚鉅」為理由，向法院聲請停止強制執行，足見中信局承辦單位負責人，顯有圖利該公司之嫌，嚴院長更應該追究上項的行政和刑事責任，並查明幕後有否「孔方兄」在作祟。

賄案一再變更拖延
有傳卸任部長涉入
若干民意代表亦受到包圍
應查明有否孔方兄在作祟

貳、司法的責任和聲譽

彰化大同公司的冒退稅和大漏稅案，一再的變更拖延不能強制執行，及該公司負責人蕭伯煌柏舟兄弟鉅欵行賄案，經過一減二減三減四減之後，變為緩刑或罰金了事，對於法治和稅政，皆有嚴重的妨害。由於監察院一再彈劾一再糾正案件的公布，使台灣百姓們均有「獄未平也，不可以戰」的感覺，因而影響到人心士氣，影響反攻大業。據說尚有一位卸任部長，也牽涉到這件「損害國庫」案件之內。司法行政部現在還隸屬行政院，嚴院長應該運用指揮監督的權力，查明法條有否被人曲解徇私的行政責任，查明有否「孔方兄」在作祟。

叁、立法監察的責任和聲譽

報載：「彰化大同公司冒退稅及大漏稅案，……外傳受中央與地方民意代表若干人之包圍，致未依法辦理」云云。所謂中央民意代表，立監委員們當然包括在內，對於立監兩院的聲譽，顯有不良的影響。

立法委員的責任，是根據國策制定法律，監督政府的財政，保障法令的效力。監察委員的責任，是風聞言事，評彈貪官污吏，為政府去害羣之馬。在彰化大同公司冒退稅和大漏稅案中，立監委員竟也有少數為奸商張目的提案，這是立監兩院的恥辱，也是國家的不幸，希望嚴院長也飭令調查機關查明，是否有「孔方兄」在作祟。

總統訓示國人說，要「嚴明賞罰」，要「知恥」「知病」，要「求新」「求行」，在彰化大同公司冒退稅和大漏稅案中，公務人員有許多出了毛病，民意代表也有少數在自取恥辱，嚴院長應該本着「求新」「求行」的訓示，對「病」對「恥」，開一次刀。

但是，政府官員，民意代表也不乏廉潔自守，勇於負責之士，發覺大同公司案不應撤銷執行之公務員吳國仁、陳章一等和不畏權勢毅然提出彈劾案的監察委員吳大宇、陶百川等，便是例證。國家的正氣之不墜，賴有此耳。希望嚴院長的正派的公務員，依照「嚴明賞罰」的訓示，予以獎勵，對於守正不阿的民意代表，也以副總統的身份，報請褒揚。

是否可行？敬請嚴院長明賜答復。

依詞集

保險，不保險了

歐陽瑞

本報頃收到一封來自祖國的「讀者投書」指出台北九家人壽保險公司，有四家財務狀況皆不健全，其中以某權貴經營的××保險公司，問題最為嚴重，謂去年秋天屆滿五年期約，應該支付的保險費，竟然沒有方法支付等情。

上邊的一些話，果眞確實，這就太不成體統了。據說台北有關部正從事帮同努力用紙包火的工作，由中央再保險公司派員前往整頓。保險生意與銀行錢莊業務雷同，信用一旦動搖，不須衆人推，牆自己會倒，台北第八信用合作社，沉痛教訓，就是最好的例子，這比任何騙局都來得可怕。

在該「讀者投書」裏末謂：「自由報在『人』的心目中是『眞理』與『正義』的標幟，採取發行本位經營政策，不向大額廣告費低頭，台灣全省各機關各階層到處都有自由報，希望能代表投保人講幾句話……」本報除急函駐台人員注意報導眞象外，連想到尹仲容在未死前，堅決反對大量開放保險公司登記，乃正確看法。保險公司雖在中央銀行繳有保證金，但保險公司吸收投保人的保費，超過保證金遠矣！在爾諂我詐的工業社會，政府稍為疏忽管制，就會發生毛病，而直接受到犧牲的是投保人，逼得投保人非講話不可。

喬治桑外傳　一三六

張大萬

在桑家大門口，喬治桑坐上蘿蔔蔡自己開來的雪佛蘭汽車。旵很識趣，自己坐在後廂，却命雅麗絲坐蘿蔔蔡的駕駛坐位旁邊。小南園離桑家不遠，不一會工夫便到了。

三人找了一個小方桌坐下，茶房遞上菜牌，喬治桑是老上海，一口氣點了：醉轉彎、　子、豆苗蝦仁、紅燒頭尾、炸圈子，扣三絲幾樣江浙菜。然後問雅麗絲和蘿蔔蔡，你們還要吃些什麼？

蘿蔔蔡微笑着說：「够了，够了，老前輩點的都是這兒的名菜。」

「上次我和媽媽來，她點了一樣青蟹，很好吃。」雅麗絲對於她的媽媽特別有好感，從她這幾句話當中可以看出。

「好的，再加淸蒸青蟹。」喬治桑請客向來很大方。

「菜太多恐怕吃不下罷。」蘿蔔蔡喝了一口熱茶，同時又敬了一支「好彩」美國烟給喬治桑。

「不多不多，吃不完剩下無所謂。」喬治桑說完，揮手叫茶房去準備菜餚。

「要不要喝點酒？」喬治桑問蘿蔔蔡。

「我不大會喝酒，如果老前輩要喝，我陪幾杯。」蘿蔔蔡口口聲聲老前輩，執禮甚恭，喬治桑聽了很舒服。

「來一瓶紹興酒如何？」喬治桑徵求蘿蔔蔡的意見。

「好。」蘿蔔蔡表示同意。

喝酒的菜醉轉彎，　子來了，喬治桑先舉杯敬蘿蔔蔡，然後是雅麗絲。蘿蔔蔡回敬了喬治桑。

「聽雅麗絲說，老前輩不久想回美國，為什麼不在台灣待下去？」蘿蔔蔡打開話匣子。

「中國人常說落葉歸根，我本來是計劃在台灣常住的。可是，在台灣我找不到什麼事業適合我辦的。有些工業所需資金太大，我沒有那樣大的財力。有些事業做起來又沒有什麼把握。所以，我打算回美國將事情結束一下。」喬治桑說的只是一部份理由。他與雅麗絲的母親之間一段秘密，自然不便明說。

「老前輩太客氣了，請問老前輩在美國辦的事業是那一類？」蘿蔔蔡說話的時候替雅麗絲揀了一塊青蟹。

「哦，在拉斯維加，和幾個美國朋友合股開了一家夜總會。談不上什麼事業。」喬治桑對蘿蔔蔡當自家人，所以說話沒有大吹法螺。

「表演事業在美國是很大的企業」蘿蔔蔡順便恭維喬治桑一番。

「雅麗絲是我的乾女兒，她對她的母親很孝順，我走了請你多多照顧她。」喬治桑的暗示，蘿蔔那會不懂。

台北傳奇錄（四三）

・陳光棣・

劉二爺一夜沒睡好，照例的清晨四點鐘起了床，拿起釣魚竿來走到弄堂裏。聽到有人喊了一聲劉伯伯，劉二爺走近了一看，原來是住在對門的賴家小姐賴慧敏。

「賴小姐」！劉二爺急忙招呼着：「妳怎麼起來的這樣早啊」？

「馬上就要考大學啦，緊張的睡不着，乾脆出來轉轉」。賴慧敏苦惱的說。

「聽我太太說，妳的成績挺好，怕什麼」？

「不瞞您說，我實在對于文科有興趣，不想爸爸媽媽偏要我考甲組，眞是煩死人」。賴慧敏莫可奈何的說：「劉伯伯，我跟您去散散步好不好」？

「妳不是要準備功課嗎」？

「反正我也考不上」！

「別氣餒！作什麼事情，都要有信心」。

「考上甲組，我也不打算念」！

「這又何必呢？假如妳眞的對理工科沒有興趣，為什麼不好好的跟家裏人商量商量」？

「沒有用！說破了咀也不行，爸爸媽媽什麼事都依着我，就是這件事情沒有商量的餘地」。

「那天考試」？

「還有三天」。賴慧敏接過了劉二爺的魚竿：「我的報名單，都是媽媽替我塡的」。

「妳一定能考的取，打起精神來！」

「謝謝您」！賴慧敏改變了話題：「您太太人可眞好，我們兩個很談的來」。

「她的好處是能面對現實」。劉二爺平靜的說：「為了別人犧牲自己，眞是了不起」。

「你們沒有吵過咀嗎」？賴慧敏好奇的問。

「吵咀，為什麼」？

「我不知道，好像年齡懸殊的婚姻……」賴慧敏看着劉二爺：「您可別生氣，這是我們年青人的想法」。

「事在人為，生活是一種藝術，只要你處理的好，兩個人就永遠互相尊敬」。

「您太太就非常尊敬您」！

「我們都是一樣」劉二爺滿意的說。

兩個人走到清水河邊上，天已經亮了，賴小姐坐在劉二爺旁邊呆呆的出神。

「劉伯伯，我想了好幾次。」

「想什麼」？

「想自殺」！

「什麼，不要胡說，像妳這樣的小姐，都要自殺，還有誰願意活下去」？劉二爺大吃一驚。

「假如我要考不上大學，還有什麼臉見人」？

（未完）

從天文台報慶說起

·文匯樓主·

民國五十八年十一月七日，爲天文台報創刊三十三年紀慶及陳孝威將軍從事國民外交工作三十週年紀念。張曉峯、鄭彥棻、張寶樹、高信、連震東、郭澄、梁永章、李崇詩、林挺生、辜振甫、戴慶齡、王永慶等十二名賢，聯名柬邀黨政首長與工商領袖，先期於十一月五日下午六時，在台北市自由之家聯集誌慶。到有孫哲生、謝冠生兩院長及台灣警備總司令劉玉章、海軍總司令劉廣凱、前參軍總司令徐煥昇上將等一百餘人，冠蓋滿堂，裙履接踵，賜詩贈詞，金聲玉振，光被四表，誠盛舉也。陳氏則報告三十年國民外交四大成果。葉公超先生以政務委員兼十年外交當局身份，被邀作證，語重心長，發人深省。可以構成國民外交史之一頁，誠中興之史乘，報慶之佳話也。

樓主於民國四十三年到民國四十六年在國外服務會見，建議副總統陳誠，行政院長俞鴻鈞等有關首長應該派陳孝威將軍爲中華民國駐東南亞國家巡迴大使，目的雖未達，受到各方重視則爲事實。樓主週前接陳孝威函復叙及國民外交事謂「××吾兄鈞鑒，頃奉手教，誦至再，爲之盪氣迴腸者累日。弟辦報卅有四年，旨在救國，不在賺錢，初以爲立一大功或奇功，縱不能廟堂千秋，求其次亦可鐘鳴鼎食，與國同休。今者因緣時會，以國民外交建四大奇功，昭昭在人耳目，今竟不克自我生存，非弟之過也。」

從「功名看氣魄」角度衡量陳孝威，正老當益壯，雄心未已。英國保守黨魁希斯勳爵，繼邱吉爾故首相遺愛與陳聯繫甚密，假定本年度大選獲勝，入主唐寧街十號相府時，陳孝威必被邀爲上賓殆無疑問，渠三十年前對大不列顛之戰，不無苦勞，一般的看法，英國民族一向有故家喬木之風，對天文台報必不會淡然視之。

樓主與陳孝威將軍雖友善，惟個性作風，截然兩途，他愛和文武百官打交道，覯冠蓋雲集爲樂。樓主民國四十一年，樓主第一次回國未久，突有着卡其布侍從人員乘吉普車到處尋找，照當時習慣，凶多吉少，一般料有三點可能：一、湖南報人多與程潛和平運動有關。二、CC失勢陳辭修當權爲之指揮。三、在海外辦報言論自由。後證明都不是，原來是陳誠在東北失敗後，人人皆曰可殺。惟樓主獨排衆議，以「論陳辭修功過」爲題，洋洋數千言，在湖南中華時報發表，指出：「最高領袖蔣總統正率領全國軍隊與共黨作殊死戰，幾百萬武裝健兒，不是消極剿共，而是積極燃燒着建國理想，陳辭修爲執行此項理想最努力的一人……」。又謂「國事至此，中華民國軍人，人人無功可言，惟陳辭修者可告無罪也，因他有爲有守，以身許國，不愧爲國民革命一員健將。」陳辭修因感謝當年俠義盛情，欲召一晤，樓主表示很淡然，謂俠義精神乃報人應有風度。詳見前篇。

又去年與今年行政院僑務委員會委員長高信、中央黨部第三組主任馬樹禮、第四組主任陳裕清，先後柬邀樓主，有多至三到五次者，論公與私理應報到，何況尚有薦可能，結果咸請自由報台灣區負責人代表出席，他們也從未以此見責樓主。謹借本文一角，向三位僑報主管兼致歉意。

談胡適的治學方法（一）

李辰冬

自從胡適之先生提出「大胆假設，小心求證」是科學方法後，這兩句話成了中國學術界的口頭禪，也好像成了金科玉律而從不爲人懷疑的眞理。實際上，不僅不是科學方法，而且要誤導或阻止文史研究的發展，所以我在「[illegible]」創刊號發表的「科學方法與文學研究」中略作分辯。現在再將這個問題作一討論，否則，讀者可能認爲我在胡言亂語，故作驚人之談。

近讀英國倫敦大學名譽退職教授邢格的「科學概念簡史」，讀到他批評培根的一段話時，不覺豁然灌頂，茅塞頓開，我知道胡先生的病徵所在了。他這段話大意是：

培根的研究過程是先收集事實，而將這些事實經過邏輯的精磨細鍊再得結論。但事實是無窮的複雜，無窮的複雜，不得不經過選擇。怎樣選擇呢？就得根據先哲，自認爲沒有錯誤的先哲所走的路子來選擇，這裏就有主觀的成分存在了。培根的方法可分三步：首先是選擇事實；其次，用起來；最後，再來證實這種假設是否正確。很顯然，他的心目中時時刻刻擺着一個科學家在那裏，所以他的判斷也就是前科學家的一部分。固然，他勸告我們要破除四種偶像：一是洞窟偶像，二是種族偶像，三是市場偶像，四是劇場偶像，但他自己是否受第五種偶像「學院偶像」的束縛呢？崇拜心理使他陷入錯誤的判斷。就由這一點阻止了他進入天國（P・264－267）。

這不就是批評胡先生麼？當我第一次同他說詩經是尹吉一個人的作品時，他衝口而出說「不可能，前人沒有講過」，因爲古人沒有講過。」初聽這句話時，我只是想「古人沒有講過，難道現在人就不能講麼？」並不知道這裏有深厚的根源。現在回頭想想，胡先生的考證都是根據前人的說法而加以證實。如紅樓夢作者曹雪芹的考證是依據袁枚的「隨園詩話」（見胡適文存第三集五八六頁）；鏡花緣作者李汝珍的考證是依據錢玄同，他說「很少人能說李松石是誰的。前幾年，錢玄同先生告訴我李松石是一個音韻家，是北京大興人，著有一部李氏音鑑。後來我依他的指示，尋得了李氏音鑑，在那部書的本文和序裏鈎出了一些事跡。」（見前書第二集四〇〇頁）；兒女英雄傳作者文康的考證是依據馬從善的序。（見前書第三集四九七頁）他像培根一樣，時時刻刻擺着前哲來引路，所以判斷也就是前哲的一部分。可是這裏發生了一個問題，胡先生依據袁枚的說法而考證出紅樓夢的作者是曹雪芹；潘重規先生依據另一位前哲的說法而考證出紅樓夢是反清復明。當潘先生的「民族血淚鑄成的紅樓夢」發表，胡先生見到後非常生氣，說是我化了這麼大的氣力證明紅樓夢是曹雪芹所寫，想不到幾十年後竟有人還在考證是反清復明！胡先生「大胆假設，小心求證」；潘先生也是「大胆假設，小心求證」，所得的結果恰恰相反，到底是誰對誰不對呢？當然，我並不是贊成潘先生的說法；但只憑胡先生的方法是不能說服潘先生的。由此可知胡先生的科學方法發生了問題。

然什是科學方法呢？席奧巴德在他的「科學的哲學導言」說：

科學通常都是以制定實驗的通則作開始，作爲直接觀察的結果，然後再以一系列的適當學理名詞來解釋這些通則。這些通則，我們心目中最熟習的是那些現象學上的簡單物理定律，如波義爾定律，化學的組合律，定律如倍比律，社會科學的如供求律。定律這個名詞好像有點兒霸道，但也只有這個名詞才能分清通則與非通則的區別。（P６８）

大英百科全書在「科學」條也說：

各種不同的活動與學科，都要經過系統而無偏見的觀察；受過訓練的腦子對這些觀察作一正常的檢查後就作出分類；從那些分類又歸納出一些通則，稱之爲法則，或定律；這些定律可以進一步作新的應用；然當新的實驗與舊定律不適宜時，可作修正；這些修正又可進一步用到新的實驗，如此繼續不已。這種連鎖的活動都是牢牢地由科學方法而完成的。

「大英百科全書」「科學史」的撰稿者署名C S I 也就是上邊所提到的CHARLES SINGER。他同席奧巴德的說法相同。可見他們科學家對科學方法的看法是一致的。科學方法的步驟是先觀察原始材料，然後分類，其次求定律，最後再用之於實驗。大英百科全書在「科學方法」一條所講的大都類此。

科學是由原理法則來領導前進，所以打開任何科學書籍，到處都充滿了原理法則。如活動量定律，因果律，能量不滅律，質量不滅律，物質不滅律，矛盾律，冷却定律，定比定律，效果律，不容間位律，除中律，氣體反應定律，大數律，同一律，慣性定律，質量作用律，槓桿定律，運動定律，自然齊一律，分壓律，幅射定律，反作用定律，反射定律，折射定律，感覺定律，萬有引力定律等等，無往而不是定律，都是定律來領導科學的發展。所以邢格教授認爲牛頓才是第一個領導科學走入正軌的人。（上書二九二頁）

胡先生認爲這些原理定律都是假設，這裏就大有問題了。他在「實驗主義」一文說：

（未完）

說曹操（三）

李漁叔

而有關橋玄的故事就多了。魏書說：「太尉橋玄，世名知人，覩太祖而異之曰：『吾見天下名士多矣，未有若君者也！君善自持，吾老矣，願以妻子爲託。』由是聲名益重。」後漢書橋玄傳則是：「初，曹操微時，人莫知者，嘗往候玄，玄見而異焉。謂曰：『今天下將亂，安生民者其在君乎。』」世語又說：「玄謂太祖曰：『君未有名，可交許子將。』太祖乃造子將，子將納焉，由是知名。」

子將就是汝南許劭，後漢書卷九十八許劭傳稱，劭與許靖俱有高名，好共覈論鄉黨人物，每月更其品題，故汝南俗有月旦評。至於許劭評孟德的話，各書所記略異。孫盛異同雜語云：「太祖……嘗問許子將：『我何如人？』子將不答，固問之，子將曰：『子治世之能臣，亂世之姦雄。』太祖大笑。」許劭傳云：「曹操微時，常卑辭厚禮，求爲己目，劭鄙其人而不肯對，操乃伺隙脅劭，劭不得已曰：『君清平之姦賊，亂世之英雄。』操大悅而去。」

[illegible]述。

孟德二十歲被舉爲孝廉，做過洛陽北部尉，遷頓丘令。他在做北部尉的時候，很有威名。曾經造五色棒十餘枚，懸在衙門左右，有犯禁的，不避豪强，都棒殺之。有一個小黃門（宦官）蹇碩的叔父犯禁夜行，也被他捉住打死，所以當時姦猾斂跡。（曹瞞傳）據他後來誥誡曹植的話：「吾昔爲頓丘令，年二十三，思此時所行，無悔於今，則其作尉時，不會超過二十二三歲。

裴松之魏志注引四體書勢序稱：「梁鵠公爲北部尉。」曹瞞傳稱：「爲尚書右丞司馬建公所舉。」梁鵠事無可考證，建公名防，就是司馬懿的父親。按曹瞞傳，曹孟德進爵爲王的時候，建公還在，孟德特地召他至鄴，和他歡宴，席間問建公道：「孤今日可復作尉否？」建公答：「昔舉大王時，適可作尉耳。」孟德大笑。在頓丘令之後，被政府徵召爲議郎，因受從妹夫宋奇的連累而免官，後以能明古學又徵拜議郎，屢次上書切諫，靈帝不能用。

黃巾起時，拜騎都尉，討潁川賊，遷濟南相，又授東郡太守不就，這時天下已大亂，遂稱疾還鄉。

三、討伐董卓與平定黃巾

東漢桓帝昏亂，靈帝繼立，更加昏暗，宦官當權，賄賂公行，大小官職，定價出賣。貪酷之風盛行，民不聊生，相率爲亂。中平元年二月，鉅鹿人張角自稱黃天，其弟張寶聚衆至三十六萬，皆頭戴黃巾，故稱黃巾賊，聲勢浩大，雖經盧植、朱、皇甫嵩等，疊次破賊，就在這一年的十月，斬了張角張梁，隨卽又斬了張寶，但是黃巾餘賊仍舊猖獗如故。

（未完）

安徽十三傑

諸葛亮狂想曲（四〇一）

劉玄

諸葛亮遂起身告辭。劉備起身相送，諸葛亮連忙說：「主公請留步。」以示不敢當之意。

劉備默坐想了片刻，用木槌撞了一下桌上小鐘。照例龐秘書聞聲進來。

「你去請二將軍到會所來一行。」劉備囑咐龐芳。

「是，是，」龐芳躬身退下。

大約過了半個時辰，龐芳又進來稟道：「二將軍來了。」

關羽素性驕傲，在天庭不肯輕易出來，但他對於劉備仍然執禮甚恭，一聽劉備召喚，立刻便到。後人讚他忠義千秋洵非虛語。關羽穿着虎皮靴，步伐沉重，震得地板很響。他見了劉備，唱個肥喏，問道：「大哥找我有何指示？」

「也沒有什麼要緊事，找你來閒聊聊。你請坐。」劉備說罷，又用木槌撞了小鐘。「龐秘書，你吩咐下去，任何人求見，就說我不在。還有，再泡兩碗人蔘茶來。」看樣子劉大哥、關二弟是要好好聊一陣子了。

「剛才諸葛先生來過，」劉備徐徐引起話題。

「哦，這次磨刀大典，我命小兒託他代請太白星君，星君已經答應，我很感激他。」關羽摸了一把深灰色的鬍子。劉備也有鬍子，但用了染鬚藥，漆黑光亮。光從鬍子上判斷，關羽似乎比劉備更老。

「難得諸葛先生與我桃園弟兄情深義重，他對於我們的事，一向很熱心的。」劉備順口稱讚諸葛亮。

「大哥，你對他太好了。他不過是一個窮書生，如果不是你三顧茅廬，他還不是老死牖下，那裏會成爲歷史的不朽偶像？」關羽說完。又摸了一把鬍子，這似乎是關羽的習慣，他因爲不抽烟，手沒有放處，所以愛摸鬍子。他有美髯公的雅號，每晚臨睡都用錦囊保護鬍子，可見他對鬍子的珍惜也。

「諸葛先生到了天庭還閒不下來。也是天生的勞碌命。」劉備故意嘆了一口氣。

「却是爲何？」關羽的丹鳳眼帶着疑惑的神色。

「二弟，你有所不知，玉帝準備成立「宇宙發展委員會」想請諸葛先生主持其事。」

「這宇宙發展委員會自然是研究天文的，諸葛先生最擅長。玉帝是否請他當會長？」關羽是受中華古文化薰陶的人物，過去連「會長」都不知道是什麼，因爲他自己當了龍岡會長以後，腦子裏才有「會長」。

「聽說主持人不叫會長，叫主任委員。」劉備啜了一口人蔘茶。

「主任委員與丞相那個名份大？」關羽提出丞相，請劉備作一比較。

「性質不一樣，丞相是學理政治、軍事、財政的，宇宙發展委員會則是一研究機構。」劉備在這方面比關羽懂得多。

巨變歷險記！

這位好人，翻山越嶺，劈荊斬棘，把丁博士送到鐵路邊，看着丁博士過江他才離開，眞太令丁博士感激了。下山，過河，就是車站，在河的這邊，完全是赤區，在河南的那邊，還是自由區。丁博士過江，就在車站住下。站長招待異常慇勤。丁博士想到他的皮大衣，他從北平出來一直沒有離開的老友，這一次與他分離，他心有不忍，於是異想天開，寫信給被刼去地方的區長，請幫忙找回來。信是寫了，並派專人送去，他沒想這暴露了他的身份，又暴露了他在的地方。這與人以可乘之隙，幾乎惹出大禍來，他沒有注意。車站就成了丁博士的辦公處，借用車站的電話同余軍長、彭副軍長聯繫，是時，余軍長已經退到蒙自，而彭副軍長則遠在開遠。彭副軍長聽到丁博士又從李軍長曹副軍長方面穿過匪區平安到達鐵路線上，他非常興奮，即請丁博士趕快乘便車前來開遠以圖良晤。同在蒙自的余軍長通話也還是很淸楚。他聽到丁博士

押交盧漢

（一一七）　胡慶蓉

此來帶有中央政府委派他作雲南綏靖主任的信，他的措詞，表現出不悅的樣子。他對於這個頭銜，表示非常不願接受的樣子。大勢已到了這步田地，豈加官晉爵所能挽回？為什麼不在盧漢叛變前給他雲南綏靖主任而到了這個時候給？這個時候，大勢已去，已無挽回之可能。接受雲南綏靖主任，既與大局無補，就不如不接之為愈，但還是請丁博士前來共商國是。

就在這個時候，出其不意的時候，突來四五十根槍，硬要把丁博士拉出去，聲聲要交給盧主席。原來盧主席曾懸賞十萬大頭捉拿丁博士。任何人，能將丁博士交給盧主席的，都可以得到十萬大頭的賞賜，也就是今天台灣所說的獎金。這位好人，也向丁博士試探過。他也說盧主席要緝拿一個什麼丁博士作韶。但他對於他面前的這個葛學詩先生，這位宜良小學的教員，他並沒有什麼懷疑。據通緝令上說，特徵丁博士作韶是一個小個子，是常帶着鏡子，而且是有棱角的鏡子，而且是金絲的，到那里常攜着一件皮大衣。鏡子了，大衣也沒有了，特別過去也從沒有見過丁博士，故對於葛學詩沒有絲毫懷疑。加上大妹愛上了葛學詩，更不願意對他懷疑。

話又說回來，這幾十根槍，這幾十個人，全是從河那邊偷渡過來的。是區長那邊派來的。對於丁博士倒還客氣，並沒有綁他，也沒有勒他，只叫他跟着走。眞是天保佑，就在這千鈞一髮之秋，趕來了廿六軍田副軍長的部隊。他們並沒有火拼，只作了和平談判。廿六軍要將丁博士交給他。他說這是他的防區，對方都是土共，看見正式國軍到來，知不是敵手，也就倉皇逃遁，將丁博士作韶帶下。丁博士又轉入廿六軍手中。

亡國之言

公漁

最近看到一本小冊子，是王玉川所寫的「中華民族的任務」。匆匆閱竟，為之駭然！

王玉川一開頭就說中華民族是不是優秀民族？這要看能不能完成兩種任務，其一就是要中華民族自己站起來，可以跟世界上任何一個民族相比而無愧。其二是領導世界各民族共同進入大同世界。而達成這任務，則是要第一步提倡白話文，第二步推行注音字母，第三步推行國語羅馬字。他譏諷「我們中華民族有時候眞是愚蠢得可笑，放着國語羅馬字這麼好的東西不用，簡直是拿着金飯碗討飯。」

我們中華民族，算不算優秀，一直到現在，在王玉川的眼睛裏，還是一個問題，至少是要「留觀後效」。而如果我們不推行羅馬國語字，就算是愚蠢可笑，老是停留在討飯的階段。這人的神經是否健全，且不去管他，但看他那一副搗毀中國文字的咀臉，準知道他是不懷好意的。「漢字不滅，中國必亡」，這種十分惡毒而具體的陰謀與計畫，雖早已有人揭破，但冤魂不散，仍復再見於今日，亡國之言，社會有識人士，務須設法予以有效防止才好。

命相與夢話

趙子昂陰陽聯合

漢平

書法家趙孟頫，字子昂，又號松雪道人，為宋太祖十一世孫。因賜第湖州，遂為浙江湖州人。（即今浙江吳興縣）幼時聰明，有過目成誦之穎，為文倚馬可待。宋咸淳丁卯，年十四歲，以父蔭而得補官。辛未年十八歲，試中國子監，調為眞州司戶參軍。宋亡之後，家居亦力學不懈。元世祖至元廿四年，三十四歲，程鉅夫奉詔搜訪遺逸，以子昂入見。元世祖見子昂才氣英邁，宛如神仙中人，不禁大喜。授兵部郎中，旋出佐濟南府，累官至翰林學士承旨。元至治壬戌六月辛巳卒，享年六十九，追封魏國公，諡「文敏」。遺著有「尚書註」、「琴原」、「樂原」。深得呂律不傳之妙，又作「松雪齋集」。子昂的詩文淸邃奇逸，讀之使人有飄飄出塵之感。尤其書法，篆、分隸、眞、行、書、草等書，無不冠絕古今，遂以書法名滿天下。子昂的繪畫，亦為奇佳，山、水、木、花、竹、人、馬，尤為精絕。史家楊載稱：「孟頫之才，頗為書、畫所掩，知其書、畫者，不知其文章；知其文章者，不知其經濟之學。」這種評論，十分切當。

按子昂命造為：甲寅、甲戌、己酉、己巳。「子平大全」說：「凡看八字，先明從化，從化不成，方論其他。」又云：「天幹化合者，秀氣也。地支合局者，福德也。」漢年按趙文敏之造：日幹之己，與月的甲，可謂「陰陽聯合」。時幹之己與年幹的甲，又「陰陽聯合」。此不僅日、時二幹之己不能作正五行土言：即年、月二幹之甲，亦不能作正五行木言。因二己二甲，同化為土了。既化為土，辨吉凶，論休咎，皆當以化氣五行之土為標準。若再以泥正五行之土木言，眞是沽醬而索豆值，失之千里了。此化土於霜降節之後，黃帝雖已司權，土王事，再加以寅生土，酉巳化土，而寅巳各，戌酉各具藏，辛比鄰而居，相親再同化為水。此即秀氣充足，福德之造。雖命宮丁亥，暗中引壬，化木尅土，得丑字喜神，從中斡旋。小瑕大醇，何足為病。

宋仁宗與左右論子昂：「子昂有人所不及者數事：帝王苗裔一也。狀貌昳麗二也。博學多聞三也。操履德正四也。文詞高古五也。書畫絕倫六也。旁通佛老之旨，造詣玄微七也。」漢年按：七事雖然多美，尤不足為子昂多。惟大兵之後，十室九空，桑哥暴斂，民不聊生。子昂獨能力勸奉御徹里公，密奏朝廷，蠲除錢粮，誅戮桑哥。未久出為同知濟南府，則獨署府事。凡有民事，隨時決斷，輕則諭解，以便民為先。且以振興學校為先務。夜出巡邏，聽到讀書聲，輒削柱為記，翌日贈酒以勞其勤。如能為詞章者，必加褒勉，與之聲譽，或授以法度，使慕高古。凡此種種，較以上七美有過之而無不及，故當時有民歌子產，人詠召公之譽。然推子昂之本原，實因八字四合有以致之，否則不過如留夢炎之流，在宋雖狀元及第，位至宰輔，何嘗能些須為國而計民生？

子昂十二歲亥運，歲值乙丑喪父，此亥遙衝巳，丑遙刑戌之故。

十八歲丙運，歲值辛未，試中國子監，調眞州司戶參軍，此乃丙辛化水潤土之故，未戌相刑，尚無大害。

三十四歲　亥十一月，程鉅夫奉詔搜訪江南遺逸二十餘人，子昂居首選，世祖一見，稱子昂為神仙中人，使坐於右丞葉李公之上。自布衣擢奉訓大夫。

三十六歲戊子，至六十八歲辛酉，自兵部郎中拜集賢學士，進朝列大夫，出為同知濟南路總管府事，進拜翰林學士承旨，知制誥，兼修國史，至謁告致仕。如此三十餘年，家齊國治，順理成章。此皆為戊、寅、己、卯、庚、辰等運與甲己化土格不相背謬有以致之，不盡關於人力也。

六十九歲巳運，歲值壬戌溘然逝世，此乃丁化土破土之故，豈止巳寅戌丑傷格損貴已哉，平生自警詩云：「齒豁頭童六十三，一生事事總堪慚；唯餘筆硯情猶在，留與人間作笑談」。（完）

男女之間在美國（下）

・張起鈞

商人們不僅佈滿了誘惑性的廣告，並且更具體的提供種種便利男女的設備。他們算是看準了這條路子，硬是要在裏面找錢。有關的固是順理成章公然服務；風馬牛不相及的，也是挖空心思，想出門道來迎合。例如火車，這本是把旅客送到就了的事了；而普勒曼（PULLMAN）臥車便有種種兩人一間的設計，關上門與世隔絕無人干擾，且還都自備浴廁，這顯然不是怕旅客鬧肚子吧。又如看電影，美國有一種開車進去，在車內坐着看的露天影場（DRIVE－IN THEATER），表面上似乎全是為了汽車的方便，實際却是醉翁之意不在酒，誰還眞到那裏去看電影！電影剛開演時，車中還都一對對的坐在那裏看，等演到中間時，看吧，前前後後的車中都看不到人了。原來男男女女的頭，都已倒在車窗之下了。那是在看電影嗎！這就用不着往下說了。

在這種風氣下，男男女女自是盡情歡樂，玩個痛快；但就在這歡樂痛快下，却給社會帶來無限的隱憂。「飲食」、「男女」雖是人的本性，而其引起的後果則是迥然不同。求「食」的努力使人奮發有為增益智能，因而有所成就。男女的歡愛則荒時廢業沉緬喪志，而帶來完全相反的後果。因為「造物」的旨趣本就是要養精蓄銳來傳衍下一代，有些動物甚至只在傳種任務完成後，本身即歸消逝。這原是天理之自然，無從違拒！但也正因為犧牲如此重大，造物乃不得不賦予節制的妙用。在動物都有發春期的自然節制；而在人種則彝羞恥之心和聖賢苦心安排的禮俗。現在大胆放肆（打破羞恥），不顧一切（推翻禮俗）使得堤防潰決放浪無歸。個人的敗德廢業，社會的荒淫墮落，且不去談。但其使整個女界蒙受不利，以致影響種族的問題，却不容我們忽視。

純就性別立場來論，女子不容否認的是弱者。男子播過種就算；而女子則要負起懷胎生育和撫養嬰兒的責任。加之女子的生理心理也與男子不同，因此才有種種禮俗，使得男子不致佔了女子的便宜而不分担其應有的責任。用句現在名詞，這實是一套社會安全措施。假如女子不管這套，任性放縱，表面上好像解放平等了，實際則是成了大家的娛樂對象，而却誰也不管她的問題。眞是：「士之耽兮，猶可說也。女之耽兮，不可說也」了。再看男子那邊，既是人盡可妻，隨處「享受」，那又為什麼一定要娶妻受室負起家累？我曾問過一位青年教授：帶着女友出去，只要買個熱狗給她就行了，為什麼要花錢來養家？何況女友還可生張熟魏隨時換口味。」我聽了眞有點不寒而慄。當然，要結婚的還大有人在，但由於并不都像那位青年教授，過份注重歡樂「享受」以致忽略了生兒育女的責任，則是不容否認的事實。「造物」的用意，是要人們勇於承受犧牲傳種延代而已。今天「聰明」的人們却逆取了前者：而拚掉後者；這眞是違反了天理自然，我們縱不說亡國滅種那些危言聳聽的話，但將嚴重的影響到民族健康，則毫無疑義。有識之士當會有鑒於此，不能聽任這樣的歡樂放縱下去。這實已不是美國一國的問題，不見全世界都在向着這方面走嗎？（完）

第三章　童太尉喪師辱國　金太祖攻陷燕京

遼國本為天祚帝在位，遂使突然冒出一個「天錫皇帝」來，在此應有一條「補筆」。

原來遼主正在鴛鴦濼會獵，不料金人斜也提兵攻入遼中京，遼兵棄城遁走。遼主聞報大驚，即率衛士五千人西走雲中。遼主早已患有「恐金病」，因恐金兵追至，蒼忙之中，連傳國璽印竟至失落桑乾河中。金人斜也復越青嶺，令副將粘沒喝一枝出瓢嶺，兩路會合，往攻遼主行宮。遼主計無可施，乃以輕騎奔夾山。金兵乘勝攻西京，擊敗大同府援軍，奪取了西京。金主又派別將婁室分徇東勝諸州，生擒遼將阿疎。一面遣使至宋，請速出師攻燕京。

遼主走入夾山之時，曾留下了南府宰相張琳，參政李處溫，與都元帥耶律淳同守燕京，（即遼之南京）自遼主天祚入了夾山之後，號令不通，國失其主。（夾山就是今之綏遠五原縣西北）。此時李處溫與族弟李處能及子李奭，外聯怨軍，內結都統蕭幹，謀立耶律淳為帝。張琳不能阻，遂與諸大臣耶律大石、左弓、虞仲文、曹勇義、康公弼等，集蕃、漢諸軍，趨至耶律淳府，引唐朝靈武故事，勸淳即位。耶律淳不從。李奭竟持入赭袍披在耶律淳身上，令百官就列階前，拜舞三呼萬歲，黃袍加身，飛來帝福。耶律淳再三推讓，終不得辭，乃南面而稱尊號。遙降遼主延禧為湘陰王，自稱「天錫皇帝」。建元天福，以妻蕭氏為德妃，加李處溫為太尉，張琳為太師，改怨軍為常勝軍，軍事大權委諸耶律大石。旋聞宋軍來攻燕京，因遣使議和，童貫不許。遼使回報和議無望，乃命達什統軍，抵禦宋師，以蕭幹為副。此即遼「天錫皇帝」之由來。

童貫召知雄州和詵計議，偏張皇榜，曉諭燕民，旗上大書「弔民伐罪」四大字。且懸重賞購敵，謂能獻燕京者，除為節度使。反遭燕民竊笑，燕民無一響應，幷無簞食壺漿來迎王師。

宋都督种師道（宋旁，以下同）師道奉命出征，宋都督命諸將進兵。中師道入諫道：「今日出師，譬如盜入鄰家，即不能救，又欲與盜分贓，太師何以為可行麼？」童貫批道：「天子有命，何人敢違？汝何得妄言惑衆！如有違令，當正軍法。」中師道默然而出。[illegible]（九）

岳飛

周燕謀

中華民國內政部登記證內版台字第〇三一號
中華民國僑務委員會登記證僑台社新字第三二三號
中國郵政台字第一二八二號執照登記爲第一類新聞紙類

自由報

（第一〇五六期）
（半週刊每星期三、六出版）
每份港幣壹角・台灣零售價新台幣弍元
社長李運鵬・督印黃行寶
社址：香港九龍彌敦道593—601號廖創興銀行大廈八樓五座
LIU CHONG HING BUILDING
7th FLOOR FLAT 5
593—601 NATHAN ROAD,
KOWLOON, H.K.
TEL: K303831
電報掛號：7191
承印：景星印刷公司
地址：嘉咸街廿九號地下
台灣通訊中心：台北青田街五巷三號
電話：三七五〇二二
台灣郵政劃撥儲金帳戶（自由報社帳戶）第五〇五號
台北營業處：台北西寧南路一一〇號
電話：二〇〇七二一
台灣分社：台北市西寧南路110號二樓
電話：三三〇三四六 台北郵政信箱二九五二號

論治亂國用重典

——當前刑事政策之檢討

墨孔章

按周禮有「三典」之說，一、治新國用輕典二、治平國用中典三、治亂國用重典，可說是刑事政策的基本原則，數千年來，垂爲世訓，而治亂國用重典一語，最爲世人所樂道，乃主張嚴刑峻法者之一種理論上的有力根據。我國於八年抗戰之餘，共黨叛亂，大陸沉淪，而政府播遷台灣，整個國家社會一直處於動亂之中，人心陷溺，道德崩潰，於是犯罪事件，遂日激增，在這種情形之下，自非嚴刑峻法，不足以救時弊而挽國運，所謂治亂國用重典是當然的，也是必然的。政府有鑒於此，曾於普通刑法之外，先後頒行若干加重處刑的刑事特別法；以適應時代之迫切需要，雖說「法令者治之具而非制治清濁之源」，但無可否認，那些刑事特別法確實發揮了很大的作用和效果，否則自由中國的安寧秩序，何堪設想，還能有今日之繁榮進步麼。所以在政策上治亂國用重典的原則是絕對正確的，而刑事特別法卻有繼續加強的必要。

姑以殺人罪爲例，在今日台灣，最使人驚心悚目的，要算殺人事件了，尤其若干殺人案，并非起因於什麼深仇大恨，往往因口舌之爭，動輒置人於死，而殺人犯，且不限於販夫走卒，市井無賴之類，竟有時出於知識份子，公然行兇於堂堂黌舍之間，眞是不可思議，殺人是戕害人的生命之行爲，其惡性重大，除叛亂罪外，遠較一般犯罪爲甚。昔漢高祖破秦，約法三章，首稱「殺人者死」因之「殺人償命」是我國社會上最流行的一句話，幾爲婦孺皆知，今日時代是進步了，人類社會生活也早由野蠻進於文明，但那種原始的野蠻的殺人行爲，反而司空見慣，寧非咄咄怪事！由於社會文明的進步，法律思想也隨着進步，從前的報復主義，漸進而感化主義，所謂「殺人者死」以及「殺人償命」的觀念，已不是絕對的，而是相對的，我國刑法第二百七十一條規定「殺人者處死刑，無期徒刑，或十年以上有期徒刑」換言之，對於殺人犯得斟酌情形，處以三種不同的刑罰，而事實上現時的殺人犯經過三級三審，最後被處死刑者，在比例上爲數不多，有若干殺人罪，不過被處幾年徒刑而已。這未嘗不是造成殺風的原因之一，則有關殺人罪的處罰問題，是否需要制訂刑事特別法，以補刑法之不足，或修正其有關條文，似不無考慮的餘地。

談到殺人罪不禁聯想到傷害罪，論其犯罪的手段，大致相同，僅係程度與結果之差，況傷害罪有時可被視爲殺人未遂，然而除重傷害（即使人成爲殘廢之傷害罪）外，依刑法第二百七十七條規定，係處以「三年以下有期徒刑，拘役，或一千元（指銀元，規定銀元一元折合新台幣三元）以下罰金」但法院對於傷害事件，大都處以罰金了事，往往一個人被打成遍體鱗傷，頭破血流，只要沒有死亡，沒有殘廢，就算是輕傷害，鮮有不處罰金了事者，造成那些好勇鬥狠的人，肆無忌憚，無形中助長了社會上暴戾的氣燄，甚至有所謂「職業打手」窮兇極惡，欺壓善良，台灣的「流氓」就是這樣形成的，這不僅是立法方面不容忽視的問題，而在司法方面似乎也應予以重視。

任何犯罪，都有其傳染性和連環性，尤以烟毒、賭博、妨害風化等等的犯罪爲然。且大都以「流氓」爲其主要的媒介，自戡亂時期肅清烟毒條例實施後，因其處刑從重，現時的烟毒案似稍斂跡，至於賭博、娼寮及其他色情場所仍比比皆是，加以「流氓」混跡其間，或幕後操縱，或公開保鏢，互爲表裏，爲害最烈，那麼要想杜絕烟毒、賭博、遏止色情氾濫，勢非從肅清「流氓」着手不可。又「流氓」不務正業，生活糜爛，當其走投無路，勢必淪爲竊盜，而賭窟、娼寮，包括一切色情場所，就是竊盜的淵藪，今日台灣竊盜的猖獗，幾乎使每一個人，每一家庭都隨時可能受到彼輩的威脅，幸好治安機關對於防盜工作，乃至從根本上查禁烟毒、賭博、掃蕩色情場所等等已採行若干積極而有效的措施，對於取締「流氓」也有台灣省戒嚴時期取締流氓辦法之實施，誠不失爲一大德政。

台灣社會竊盜雖多，但搶刼或搶奪案，卻很少見，這是最值得讚揚的一面，較諸有些國家一到夜晚不敢單獨在街上行走的情形，誠未可同日而語，推原其故，能說不是實施「重典」的效果嗎？例如政府除頒行懲治盜匪條例的刑事特別法外，又台灣宣佈爲戒嚴區域，倘有人觸犯搶刼或搶奪的罪名，縱非軍人，也適用陸海空軍刑法論處，按該法第八十三條，暨八十四條規定「搶奪財物者，處死刑，無期徒刑或十年以上有期徒刑」，「結夥搶刼者，不分首從，一律處死刑」，在這種重典嚇阻之下，那些不法肖小，當其企圖取得他人財物而蠢蠢欲動之時，寧可去偸偸摸摸的犯一個比較輕微的竊罪，而不敢公然的搶刼或搶奪了。不過去年在北投有一個未滿十六歲的劉姓小孩，爲了涉嫌一件二元五角錢的搶刼案，雖經一再減刑，仍被法院判處有期徒刑六年，似乎超出情理之外，但在法律上是無可奈何的，這是所謂「罪刑法定主義」之一大漏洞。

陸海空軍刑法，也是一種刑事特別法，乃軍法之重要法典，政府爲維護優良而嚴肅之軍紀，對於軍人瀆職罪，較諸一般文職公務員瀆職罪的處罰當然要特別加重，該法第卅八條規定，尅扣軍餉在五千元（指銀元，折合新台幣一萬五千元）以上者，處死刑，千元以上五千元未滿者，處十年以上有期徒刑，五百元以上千元未滿者，處三年以上有期徒刑，未滿五百元者，處三年以下有期徒刑。又該法第四十一條規定，購買軍火或其他軍用物品浮報價目者，也是按照上開條文所定之標準從重處罰，查該法係於民國廿六年七月十九日修正公布施行，正值國家開始抗戰之際，其立法主旨，未可厚非，茲所應說明的，即迄今歷時卅餘年，社會經濟與物價指數，有劇烈變動，那麼在卅餘年以前，侵害國家法益，達銀元五千元，和現時的新台幣一萬五千元相較，其經濟價值，顯然相差太遠，但若觸犯該項罪名，仍沿用該條文處以死刑，或無期徒刑，等而下之，也按照上開比例，類推處罰，其有失公允，一望而知，然而該條文歷時卅餘年，未知修正，令人不解。

其次，再就戡亂時期貪污治罪條例來說，除該條例第九條規定「犯本條例之罪，而其所得財物在三千元（銀元）以下者，適用有輕處罰之刑法或其他法律」外，所有超過銀元三千元即新台幣九千元之貪污瀆職事件，并不似軍法列舉其非法圖利之數字，及處罰之標準，完全聽由法院之自由裁量，所以身爲公務員者，無論其貪污數額爲一萬（新台幣）兩萬、拾萬、八萬、或更多的數額，有被處以數年之有期徒刑，無期徒刑，乃至死刑的可能。輕重得失，繫於法官一念之間，往往有非法圖利的數額，相差懸殊，而處刑則不相上下，相形之下顯難持平。前者丁作韶先生爲文，主張廢除該條例，蓋係有感而發，然而際茲戡亂時期，政府爲澄清吏治，整飭紀綱，不得不嚴懲貪污而制訂該條例，輕言廢除，似有未可，而問題是在該項刑事特別法的運用上，應如何充分發揮其高度功能。以配合政治革新，俾早日光復大陸，則國家幸甚。

以上不過舉其犖犖大者，畧加論列，其餘如少年犯，如詐欺犯，如車禍事件（業務過失犯）等等，都是日趨嚴重的犯罪問題，雖其構成因素很多，但在刑事政策上未能適時的予以補救，要爲主因。總之，法律是社會的產物，不但不能與社會脫節，尤須隨時注意其適應性，不偏不倚，對症下藥，如果朝令夕改，固屬不可，而一成不變尤爲不可。我國現行法律，原則上是採取「重典」主義的，但在應用上却往往失之輕縱，而有時又「重」的不近情理，偏差過甚，謂爲毫無政策可也，「與其殺不辜，寧失不經」這是古人的名言，却深合乎現代民主法治之精神，像那些主張寧可冤殺一百，不許漏網一人的想法和作法，就未免太落伍了。所可異者，每見有同一法院，對於同一被告，就同一事實，而爲「有罪」和「無罪」完全相反的判決，雖說見仁見智，各有不同，但人民的行爲，究竟何所適從，頗値疑慮，更談不到什麼政策問題了，還有在同一刑事案中之不同被告，所犯之罪名相同，情節相同，俱無前科，而有的被判「緩刑」，有的則不准「緩刑」，法律尊嚴，蕩然無存，這只能算是個人政策，恐怕不是國家的刑事政策吧！

自由談

談行政體系

國家的行政體系，憲法上有原則性的規定，不能隨便變更的。但在非常時期，爲着適應事實需要，按照憲法臨時條款，總統有權對行政機構加以調整。不過，調整的範圍只限於機構之損益，而體系不預焉。

就現有行政體系而言，司法行政部究以隸屬行政院爲宜呢？抑以置諸司法院管轄之下爲合理？這問題已經聚訟了若干年，迄未得到明確的結論，實在令人迷惘莫解。一般號稱爲法學專家的人，平日對於關係法制上的小小問題，紛紛議論主張甚多，唯有於司法行政部應該誰屬的重大事項，卻噤若寒蟬，存而不論，不亦怪哉！還有主計業務，過去政府在大陸時，從訓政時期到憲政實施之際，主計處始終是直接隸屬中央政府的。這因爲它是掌理整個中樞行政機關的主計事項，無論就法理或事實設想，皆以隸屬中央政府爲宜。然現在的中央主計處，卻是行政院所屬機構之一，是不啻行政院管理了其他四院的主計業務，豈乎可呢！

最近台北報紙消息：政府擬另設「政務官懲戒委員會」，專門處理政務大員的違法失職問題。理由是舊有「公務員懲戒委員會」只管理簡任一級以下的官吏懲戒事宜，而政務官盡是高階層的大員，自非另案辦理不可。懲戒違法失職的官員而講究階級問題，這在軍法上有其必要，因爲軍人是講階級服從的。所以，當年國府組織軍事法庭審理「西安事變」主犯時，特派二級上將李烈鈞（協和）爲審判長，旋查悉主犯張學良亦是二級上將，國府乃連夜再頒明令，晉升李協和爲一級上將，藉符體制。懲戒文官卻不應有此限制，否則法院的推事檢查官多是委任職，他們亦就不能審理達官貴人的民刑案件了，寧非奇談！政務官懲戒委員會如果設立，該會委員人選除卻副總統與五院院長外，即沒有適當資歷的人堪以勝任了。若教現任或曾任官的人承其乏，那不但與上述的階級論相違背，且有官官相衛，或自己審議自己是否違法失職之嫌，殊不足以奠立政府信譽，徒亂人意而已。

國家在非常時期，政府行政事務和機構，可以依法作緊急處置，但行政體系卻不宜輕予更易，夫是之謂法治主義！

馬五先生

昨日與明日

整頓黨營事業的意義

——執政黨本身革新

執政黨的中國國民黨，在最近所舉行的十屆二中全會裏，曾將黨中央組織作局部修正，其中比較重要的是增設「文化經濟事業管理委員會」，它的職責爲：「掌理本黨投資文化及經濟事業之管理及其發展，並兼負輔導黨員事業之責」，據關係方面人士透露：新設置的文化經濟事業管理委員會，將以積極整頓黨營事業，籌措黨的經費爲首要任務。

積幣由來已久

凡屬國民黨員或者關心黨營事業的人，對於這一消息，無不注意。因爲自從遷台以來，執政黨所經營的文化和經濟事業，從報紙、雜誌、書局到工廠、金融性質的保險公司，範圍甚廣，規模宏大，可是這些事業機構有一共通之點，就是經營效率不高，有些，甚至可以說經營效率甚低，很少建立起健全的財務會計制度，缺乏成本觀念。它們本身都具有獨佔或半獨佔性質，照理都應當賺大錢，結果，有些不但不能賺大錢，連小錢也沒賺到，甚至還有虧短的，非經營不善而何。

整頓勢不容緩

以往黨營事業都由黨中央財務委員會主管，黨營事業經營不善，財務委員會不能辭其咎。最好的黨營事業是處於三不管地帶，因爲它們不是公營，行政機關既不能管，監察院也不能察，立法院也不能問，如果黨營事業人員舞弊，因爲它們不是公務人員，也不能受公務人員貪污罪的懲處。以往也曾出過漏洞，甚至報紙消息也很少見，結果，一般小黨員乾瞪眼，毫無辦法。這次執政黨中央深感「黨官」的無能，很明智的決定：別設黨營事業管理機構，並將積極從事整頓，博得黨內人士的喝采，革新先從黨中央本身做起，表示黨中央對革新工作的果敢實踐精神，不負總裁之期望，更希望得到具體的成果，更預祝整頓黨營事業工作之圓滿完成任務。

・老記・

盡力推行司法革新
仍須接受輿論批評
立委聽取司法行政報告後
要求司法部改進審檢業務

（本報記者張健生台北航訊）立法院司法委員會溫士源委員等多人，對司法行政部長查良鑑之「施政概況報告」，表示滿意。這是查部長的榮耀。

立法委員曹俊說：「近年來，很少法官受到懲戒，在司法行政部大力推動司法革新之中，顯見已有改善。但仍須對社會輿論及批評，有雅量接受，盡力革新，使老百姓信賴司法與法律。」按：自實施司法行政部所屬法院及監所人員獎懲案件處理辦法及人事責任制度等暫行辦法以來，五十八年元月一日起至十二月三十一日止重要獎懲案件，與五十七年同一時期相較，已有顯著的差別，計有：記大功者，五十七年六件，五十八年廿件，增加三倍以上。記大過以上者，五十七年五十四件，五十八年則有六十四件，增加百分之十九。

立法委員溫士源說：「改進審檢業務，爲司法行政部的業務重點。」「提高檢察行政效率，最主要的是使檢察官主動去偵察。……今後檢察官必須主動偵察，以期防患於未然。」

司法行政部長查良鑑於四月九日列席立法院司法委員會本會期第二次會議報告施政，因爲內容平實，頗獲與會委員的讚揚。

查氏說：我們深切體認，法治是民主政治的基礎，司法又是法治建設的首要，而司法的革新是全面革新的中心環節，司法的進步是整體進步的重要保證。基於這一個觀念，我們認真檢討，切實研究司法革新的具體有效辦法，分爲改進審檢業務及健全人事制度兩方面，使人與事相輔相成，達成革新的效果。

司法工作在保障人民權益，維護社會安寧秩序，使國家社會在安定中求進步，間接關係國計民生，我們爲了達到這個目標，認爲改進審判、檢察業務實爲當務之急。

司法行政部爲提高審檢辦案效能，特訂頒「高等以下各級法院提高辦案正確性辦法」，自五十八年四月開始實施，至五十八年十二月底止，據統計：第一審民事案件之正確性，上半年爲百分之八〇點八六，下半年增至百分之八〇點〇九；第二審民事案件上半年爲百分之七一點八七，下半年增至百分之七一點九四。刑事部份，第一審上半年爲百分之七〇點四〇，下半年增至百分之七一點五九；第二審上半年爲百分之六〇點八三，下半年增至百分之六二點四五。已見績效。

查部長認爲：法律是人民生活的規範，貴在切合時代，發揮維護秩序的功能，而尤其重要者，必須便民利民。司法行政部鑒於若干民、刑事程序等有關法規或因手續繁雜，人民不易瞭解，或因不合時宜，未能配合現代社會生活，如經檢討修正。如强制執行法修正案，業已呈行政院審議。如民事訴訟法修正公布已逾兩年，其中部份規定似難適應實際需要。其他有關民、刑法規定，亦作普遍檢討。

當前的刑事政策是：妥速辦理刑事案件，不放過壞人，不寃枉好人。廣泛而深入研究犯罪原因提供防制對策。對於違反國家社會重大利益之案件從速重懲辦，如貪汙瀆職、兇殺、妨害風化、烟毒、竊盜及僞藥等案件是。司法行政部爲貫徹中央對於重大刑事案件嚴密偵破，提前審理，從重量刑之決策，近年來對於此等案件之處理，力求妥速，並已收到相當效果。

由於現代刑事政策，預防重於處罰，而處罰之目的在感化，亦不在報復，標本兼治，自根本上解決犯罪問題。司法行政部鑑及近年來走私犯罪問題之趨於嚴重，不但直接影響國家稅收，間接影響國內工商業之正常發展，故擇定走私犯罪問題爲研究專題。又鑑於目前應有前後一貫之完整刑事政策，故另以「當前之刑事政策」爲題，作專題研究。

司法革新當務之急
整飭風紀樹立威信
應拿出勇氣決心嚴懲黃牛

如何健全人事，維護優良司法風氣？司法行政部將首先改進司法官考試的方法，即品行不良者不予錄取。本年司法官之考試，司法行政部已洽請考試院於本年九月間舉行，屆時將分爲二試，第一試爲筆試，第二試爲口試，筆試成績不及格者，不得參加口試，同時並着重品德條件，凡行爲不良列有紀錄之人，將不予錄取。已函請考試院修訂考試法第五條增列：凡曾犯不名譽之罪者，不得應司法官考試，以重審查。其次是加强司法官之考試訓練，及陶冶其完美的人格，最重要的是求每個法官必須有高尚的節操，養成安貧樂道，清廉自持，勤政爲民的習慣，於担任審判，檢察工作時，認事用法方能公正持平。

關於司法黃牛，假藉司法人員名義，招搖撞騙，影響司法信譽至大。現由高檢處擬訂：「台灣高等法院檢察處及所屬各處調度司法警察查辦司法黃牛辦法」一種，通令實施。自五十八年一月實施以來，至本年一月底止，共偵辦司法黃牛案件處分不起訴外，實際起訴件數四十四件，起訴人數五十九人，判刑人數四十九人。此種檢肅措施之加强實施，對優良司法風氣之維護，俾益很大。

立法委員們會就制度問題、司法風紀及司法行政諸問題，分別提出質詢。

李公權委員質詢指出：據駐美大使周書楷報告說：美國青年吸毒者約佔十分之一，美國學校請警察前往巡察，其情殊爲嚴重。不知我國歷年來吸毒犯的案件及人數有多少？有無此項資料？六十年度國家總預算內列有最高法院將增加兩個法庭、十名推事的經費，則最高法院將有十個法庭五十名推事，台灣人口不過一千四百萬人，如果回到大陸上去，豈非要有幾百個法庭才能應付嗎？究竟我國的最高法院制度與其他國家的制度有何不同？儘管最高法院人少事多，但最高法院推事兼課的風氣很盛，普通一般大學教授上課八小時，而兼課教授多至十八小時。最高法院推事以待遇太低而兼課，因而影響辦案效率，增加推事，待遇太低，非兼課之理由。希望查部長以學者專家的立場，對此事作一說明。

關於司法風氣的問題：曹委員質詢說：司法爲老百姓生命財產之依賴和保障，如法院裁判不公正而使老百姓失去信賴，這是可慮的事。因此如何使老百姓生信心，乃當前司法急務。司法黃牛是依附法院而生存的，且司法黃牛非皆係閒雜之人，亦有不肖司法人員與律師，亦有作此不法之事，故應取締司法黃牛。現在取締黃牛沒有無名之輩，而大黃牛……拿出最大的勇氣和決心，嚴懲大黃牛。

喬治桑外傳　一三七

張大夏

「還不用老前輩担心。假使她想做事，我可以介紹她進隆洋行做事，假使她要嫁人，以她的條件嫁一個金龜婿是沒有問題的。」蘿蔔蔡的話說得也很技巧。

「怎麼你們談話扯到我頭上來了？我要做事不見得非進你的洋行不可。我並不急於嫁人。況且，我嫁人不是專挑有錢的，什麼金龜婿不金龜婿，好難聽。」雅麗絲對蘿蔔蔡表示抗議，却並無慍色。

「我看蘿蔔人不錯，能得他照顧妳是很幸福的。」喬治桑這句話蘿蔔蔡聽了最受用。雅麗絲也不再說話。

小南園一餐飯，使喬治桑，蘿蔔蔡的友情大爲增進。喬治桑付完了帳，蘿蔔蔡提議去逛夜總會。

「雅麗絲，妳陪蘿蔔去玩一下，我先回家好了。」喬治桑已不再稱呼蘿蔔蔡爲蔡先生，直呼他的洋名以示親切之意。

「包死，要去大家一塊去。要不然大家都回家，喝咖啡聊天。」雅麗絲很識趣，覺得一起吃飯，撇下了喬治桑一個人不大好。

「老前輩爲什麼不去？」蘿蔔蔡指的自然是夜總會。

「不是爲了什麼，夜總會的表演，耍盤子，走鋼絲，玩來玩去就是那幾套，我沒有什麼興趣觀賞。」

「你不知道，包死在拉斯維加多年，什麼玩藝兒沒見過，這兒夜總會的表演，他當然不會發生興趣的。」雅麗絲這幾句話算是捧喬治桑。

「拉斯維加是美國著名的賭城，金吾不禁，聲色犬馬樣樣俱全。不過，在那兒住久了，反而喜歡清靜。我倒覺得，在台灣的清靜生活很不錯。」喬治桑到底讀過幾天書，不像有些小夥子到美國去跑一次，便吹得天花亂墜。

「走罷，回家喝咖啡聊天去。」雅麗絲站了起來，喬治桑、蘿蔔蔡都沒有表示異議。雅麗絲先生換了便服，忙着煮咖啡。喬治桑和蘿蔔蔡在客廳裏閒談。

「蘿蔔蔡，你覺得雅麗絲怎樣？」喬治桑點起一支香烟，坐在沙發裏，很悠閒的樣子。

「她很能幹，我們相處得也不錯。」蘿蔔蔡已在社會上做事，說話很有分寸。

「那你就快追，以免夜長夢多。你不是遭遇了困難？」喬治桑已經決定短期內回美國，他所最關心的是雅麗絲婚姻大事。（未完）

台灣教育點滴

薩孟武獨標清高

前台大法學院長薩孟武，列名研究教授之內；他寫了一封信給國科會婉辭不要。可惜這則消息，祇冷冷的排在中央日報一個冷角落，找不着步武的人。在消息發布的當天，台大法學院貼出一張手寫標語：薩孟武先生清高，是我們的榮譽。另用粉筆寫在好幾個厠所的牆壁上：薩前院長知恥，有種。

沈剛伯捱悶棍

傳聞：剛交卸下台，台大文學院長沈剛伯，在得到研究教授後，在文學院某一教室的黑板上，寫了一些不三不四的話，並且將他當年續弦的歪事，也密密麻麻的寫了上去。據說沈先生這回並沒申請，祇是錢思亮校長想起他校長因公請假，總是偏勞沈院長代行，所以特地將沈先生硬保上去，不料想反而給沈先生捱上悶棍。

徐可標門庭若市

國科會執行秘書徐可標，原祇是在一間中學校教英文，由於朱家驊的賞識，轉業出任庚子賠款會做職員。徐中英文都不差，吳大猷極爲借重；這回搞研究教授的人，便紛紛奔走徐寓。徐是一個深念友情的人，就放不下臉來謝絕光臨，因此在那一晌的徐公館，一陣陣子提重禮的人更是川流不息。

政大是權勢教授

政大所爭到的名額，全屬担任職務的人，諸者稱之曰權勢教授；其中教務處、文法商三個院長、各研究所所長，竟然找不出那一位有成名的著作。劉季洪校長天天向一些老牌教授解釋澄清。好在他們得不到的教授，並沒發生什麼牢騷，祇不過有些校外教授却冷嘲熱諷個不休；累得那些得到的教授，都不敢在辦公處久留，可見得知恥的心思，還是人心的所同。

台北傳奇錄（四四）

陳光棣

「這是什麼話？每年有成千上萬的畢業生考不進大學，還不是再接再厲，補習一年從新再考，這又算的了什麼？」

「考不上大學，人家都看不起。」

「妳管別人幹什麼？這是自己的事情，何況考試無常，考上大學的，也不見得都好樣的，與其念個不理想的學校，還不如多耽擱一年。」

「假如我要考乙組也許有把握。」賴慧敏幽怨的說。「可是又報的甲組！」

「不要總想它，也不要患得患失，只要是盡了力，就會心安理得，一件事情總是翻來覆去的想，那還有個完嗎？我們勸妳早些回家，好好睡一覺，休息休息，也許精神一振作，心情就會好起來。」劉二爺說着收起了釣魚竿。

「您爲什麼喜歡釣魚呀？」賴慧敏揉起一塊石頭丟進河水裏。

「好處可多啦！」劉二爺得意的說：「首先這是最好的消遣。」

「最好的消遣？」賴慧敏不明白：「散步不也是最好的消遣嗎？」

「散步？那不費鞋嗎？」

「看電影呢？」

「費錢！」

「下圍棋呢？」

「又費時間，又不自由，碰到輸不起的人，爲了一步棋，爭的面紅耳赤，還外帶着傷神。」

「打麻將呢？」

「賭錢！更不行啦，又要傷神又要輸錢，划不來！」

「也有贏錢的人。」賴慧敏有點不服氣。

「世界上只有賭場老板能夠借着賭博贏錢。」

「爲什麼？」

「很簡單，因爲他們根本不賭！」

「那麼釣魚呢？」

「又不費鞋，又不費錢，又不傷神，又不惹氣，還能經常有收穫！」

「什麼收穫？」

「釣到魚，心情舒暢，百慮全消，何況釣到魚，還能拿回家下酒，妳說，還有什麼消遣比釣魚還好？」

「您真會說笑話，我覺得釣魚最浪費時間，您在家裏看看書，不是更好嗎？」

「中國人的時間大部份都浪費掉啦，說起來，你們青年人的時間最寶貴，比如妳吧，妳是個很用功的學生，日常生活非常規律，妳好好細想想，妳一天的時間，是不是都能夠好好的利用嗎？」劉二爺站起來：「走吧，咱們慢慢的往家走，到了前面，看到了沒有？我請妳在那家豆漿店吃燒餅油條。」

「好，謝謝您！」「現在覺得輕鬆多啦！」賴慧敏開朗的說：「劉伯伯，跟你在一起，好像就忘了發愁」。

寄望於王世杰的後任

·文匯樓主·

文匯樓別記

中央研究院院長王世杰先生，渡過八十大壽，而在二中全會閉幕之後辭職了。王氏辭職的消息，近年來，時有傳聞，尤其有關費正清的事情，牽聯到中央研究院，更增加了耳語的新聞性。不過傳聞自是傳聞，攻擊也自行攻擊，並無礙於王氏之坐鎭南港的事實；而現在則眞是辭職照准了。從此王氏無官一身輕，大可優遊歲月，盡其天年，而補償四十年來的辛勞。就一八十老翁言，我們實應為之賀，不必多論。

今天我們所關心的，乃是王氏去職後的繼任人選，及其今後的作法。由於中央研究院院長一職，不容久懸，本文與讀者見面時，可能新任人選業已發表，因此我們對院長人選方面似乎不必多所辭費。何況台北的報紙已透露錢思亮、吳大猷，閻振興的風聲，不管繼任究是誰何，我們下面有點淺見，提供新任的參考。

中央研究院院長，是國內最高的學術研究機構，同時也是自成立以來最少受到外來因素干擾的一個機關。國內的教育文化事業，自民國廿六年以後為了配合時勢須要，無不逐漸加深的受到政治因素的影響，惟獨中央研究院能超然例外，可以我行我素，按照自己的方針自行作其研究工作，這眞可以說是近代中國文教界中的天之驕子了。但不幸中央研究院未能利用此優厚環境，給學術界帶來可貴的聲光，反之却利用學術尊嚴的空隙，與世隔絕，成為某些人士把持控制的王國，甚至還有某些部門，直把研究封鎖在象牙之塔內。

學術之可貴，在其能指導人生，裨益羣體。三十年來不僅中國遭遇了天翻地覆的奇變，整個世界也都在鼎沸震盪中，請問面對這三十年的巨變，中央研究院的工作有什麼配合安排，更不要談指導人生解決問題了。而有些部門始終是固守在考證之中，甚至有人譏諷為「在破銅爛鐵中找天地」（例如吳相湘教授即曾在北大同學會中指責過），近來雖配合潮流，而有近代史的研究，但又因經費來源的問題，以致主客易勢，被人指責為美國人搜集材料，以供其評蔑中國的研究——這固然都是些指責的話，我們不便遽下評斷，但中央研究院之徒擁高位，而並未對世界學術界有何價值的貢獻，對國內學術界未發生什麼作用，則是不可否認的事實。

因此，我們希望今後中央研究院，應該稍稍改作風，不能總是蹲在象牙之塔內，自我陶醉。學術縱不能急功近利，而去應付現實，但是學術的大經大本則不能不顧。猶憶中國哲學會第五屆年會，曾有正式決議案，建議中央研究院注意哲學思想的研究，以重學術的事業，其意至善，亟值參考。而院內某些一向被人指為把持的人，也應自我檢討，趁此院長更易時，能夠日新又新，有所改進，至少不要再給人口實，而有類似高院恩怨之類的譏傳。

談胡適的治學方法（二）

李辰冬

這種新哲學（實驗主義）完全是近代科學發達的結果。十九世紀乃是科學史上最光榮的時代，不但科學的範圍更擴大了，器械更完備了，方法更精密了；最重要的是科學的基本觀念都經過了一番自覺的評判，受了一番根本的大變遷。這些世界科學基本觀念之中，有兩個重要的變遷，都同實驗主義有絕大的關係。第一，是科學律例的態度的變遷。從前崇拜科學的人，大概有一種迷信，以為科學的律例都是一定不變的天經地義。他們以為天地萬物都有永久不變的『天理』，這些天理發現之後，便成了科學定律。但是這種『天經地義』的態度，近幾十年來漸漸的變更了。科學家漸漸的覺得這種天經地義的迷信態度很可以阻礙科學的進步；況且他們研究科學的歷史，知道科學上許多發明都是運用『假設』的效果；因此他們漸漸的覺悟，知道現在所有的科學律例不過是一些最適用的假設，不過是現在公認為解釋自然現象最方便的假設。

胡先生的「大胆假設，小心求證」，就是從這種實驗主義而來的。但他們這篇文章裏所提的三位學者，一是皮耳士，二是維廉詹姆士，三是杜威，都是哲學家而不是科學家。不僅邢格的「科學觀念簡史」沒有提到他們，就是最新出版也會在倫敦大學當過物理學教授的班拿耳所著四厚冊「科學史」（SCIENCE IN HISTORY）裏也僅提到一點。他們都是西洋哲學史上的重要人物，而在科學史裏提都不提，可知在科學家的眼裏他們不是科學家。不僅科學史沒有他們的地位，就是我上邊提到的席奧巴德的「科學的哲學導言」也沒提他們。還有士爾敏的「科學的哲學」裏也不提。美國出版的富蘭克的「科學的哲學」提到皮耳士與維廉詹姆士，但只以哲學家來看他們，並沒有說他們所提倡的實驗主義，就是近代科學發達的結果。「我們講科學方法，到底應該跟科學家學習？還是跟哲學家學習呢？何況維廉詹姆士研究心理也是在建立原理法則，從他的「心理學原理」一書名稱就可看出。我不知道是胡先生根本沒有看過這本書，只見另有一本叫PSYCHOLOGY，就望文生義而譯前者為「大心理學」，後者為「小心理學」呢？還是認為PRINCIPLE這個字與他的主張不合，就含糊其辭而譯為「大」呢？

好在科學方法不是空談理論而在解決問題，胡先生提出的科學方法是「大胆假設，小心求證」。我提出的是「依據原始資料，死守原理法則」，且看一首詩的解法，就立可辨出是誰非了。我要解釋的一首詩就是詩經裏的葛覃篇。一提起詩經，恐怕要引起許多人的畏懼，不知要多末艱深與困難；實際上，一點也不艱深與困難，只是你不守原理法則，你解你的，我解我的，以致好像沒有是處似的。原詩是：

葛之覃兮，施于中谷，維葉萋萋。黃鳥于飛，集于灌木，其鳴喈喈。

葛之覃兮，施于中谷，維葉莫莫。是刈是濩，為絺為綌，服之無斁。

言告師氏，言告言歸。薄汙我私，薄澣我衣。害澣害否？歸寧父母。

我在「科學方法與文學研究」裏曾說，「如遇文物制度上的名稱如艮人、庶士、小子、師氏，一定要依據當代的文物制度來解釋，不得憑後世行出的意義」，這是一條解釋詩經的法則，我們來遵守法則，必須遵守詩經中師氏到底是什麼。詩經中用「師氏」的，除此篇外，還有十月之交篇，「皇父卿士，番維司徒，家伯維宰，仲允膳夫，棸子內史，蹶維趣馬，楀維師氏」，司徒、冢宰、膳夫、內史、趣馬、師氏與卿士並列，則師氏也一定是朝廷官職，不是毛傳解釋的女師。雲漢篇說「鞫哉庶正，疚哉冢宰，趣馬師氏，膳夫左右」，又將師氏與庶正、冢宰、趣馬、膳夫等官職並列，師氏之不為女師，更為顯明。金文中用師氏的，有毛公鼎「王射，有嗣冢師氏，小子合射」，令鼎「有嗣小子、師氏、虎臣」，還有尙書顧命「惟四月哉生魄，王（成王）不懌……乃同太保奭、芮伯、彤伯、畢公、衛侯、毛公、師氏、虎臣、御事」，又將師氏與小子，虎臣、太保等並列，則師氏之不為女師，更可證明。周官地官「師氏掌以詔王」，注：「虎門，路寢門也，王日視朝於路門之外，畫虎焉，以明勇猛，於守宜也。」可知師氏是武將的官職。又說「凡祭祀、賓客、會同、喪紀，軍旅，王舉則從」，怎麼可以是「女師」呢？師氏既是武將，此詩「言告師氏」，告師氏是什麼呢？就是告的師氏所轄的虎臣一類人物。其次，我們再以文物制度來看此詩「薄澣我衣」的「衣」，是那一種衣服呢？詩經中用「衣字」的共二十一篇，就是邶風柏舟，綠衣，碩人，大車，東方未明，山有樞，出其東門，……（未完）

說曹操（四）

李漁叔

這時在甘肅（隴西）涼州地方，起來一股新的力量，就是臨洮董卓。卓為人凶狠成性。暴虐不仁。初期以材武見稱，但剿辦黃巾，却因打了敗仗而判罪。後來因緣時會，作了并州牧。適逢靈帝崩，少帝即位，國舅大將軍何進與司隸袁紹謀誅宦官（即太監，又稱閹人，有小黃門，中常侍等名稱，都能左右天子，貪污弄權，流毒社會），何太后不允，進遂下令叫董卓帶兵入京，意思是想藉此威脅太后，不料董卓還沒有到，何進反被中常侍張讓段珪所殺，少帝和陳留王被刼走小平津。尙書盧植和司隸校尉袁紹，先後盡斬諸閹人，張讓段珪等惶怖投河死。等到董卓到來，局勢已經大變。

董卓趁此機會，收編了何進的兄弟何苗的部隊，又使呂布殺了執金吾丁原，而編并其軍。卓初入洛陽，馬步軍不過三千，到這時大事擴充，聲勢益壯。軍政大權，盡歸掌握。不僅盧植皇甫嵩一班名臣，全要仰其鼻息，就是四世三公的袁紹，亦遠避其鋒，橫刀長揖而去。

照理董卓應該有一番大大的作為，誰想他行為越發凶狂，首先害了少帝，并殺何太后，而立陳留王為帝（是為獻帝）。自為相國太師，號稱尙父，弟兄子侄皆握兵權，「侍妾懷抱中子皆封侯（見卓傳）」屠戮大臣，法令苛酷，殺人如戲。史稱：「因被誣而寃死者以千計……又誅殺降人數百於坐中，斷舌斬手足，或鑿眼，或以鑊（大鍋）煑之，未死偃轉案間，會者皆戰慄亡失匕箸，而卓飲食自若。」

曹孟德時已被徵為典軍校尉，正在京都，據魏志：「卓表太祖為驍騎校尉，欲與計事，太祖乃變易姓名，間行東歸。」平劇裏所演的捉放曹，正在這時，事出演義，但也有相當根據。按魏書載：

「太祖以卓終必覆敗，遂不就拜，逃歸鄉里，從數騎過故人成皐呂伯奢，伯奢不在，其子與賓客共刼太祖，取馬及物，太祖手刃，擊殺數人。」

又世語所載，微有不同：

「太祖過伯奢，伯奢出行，五子皆在，備賓主禮。太祖自以背卓命，疑其圖己，手劍夜殺八人而去。」

還有孫盛雜記說是：

「太祖聞其食器聲，以為圖己，遂夜殺之。既而悽愴曰：『寧我負人，無人負我。』遂行。」

三種記載，大同小異，當屬可信。不過呂伯奢因他出不曾死，中牟縣令既非陳宮，更不會棄官同行，魏志對這事也有紀載：

「太祖……出關過中牟為亭長所疑，執諸縣邑中，或竊識之，為請得解。」

又世語：

「中牟疑是亡人，見拘於縣，時椽亦已被卓書，惟功曹心知是太祖，以世方亂，不宜拘天下豪儁，因白令釋之。」

兩相對照，大可看出當日實情，孟德係被亭長所執，亭長等於現在的鄉鎭長之類，世語所說的「椽」和「功曹」，都是縣衙裏面的佐治人員，「椽已被卓書」，是說縣椽已經接到董卓的文書，而向縣令進言，開釋孟德的，則是功曹。至於陳宮，後漢書和魏志都沒有傳，他的事蹟，附見魏志卷七呂布傳，容後文另述。（未完）

安徽十三傑

諸葛亮狂想曲（一〇五）

·劉玄·

「諸葛先生有沒有接受這一職務？」關羽問。

「本來他是不肯接受的，經不起太白星君再三央說，他抝不過情面，只好答應了。」

「諸葛先生，倒是老脾氣，任何人請你做官，非三顧茅廬不可。」關羽不苟言笑，現在也幽了諸葛一默。

「他有鞠躬盡瘁死而後已的精神，自然不能小出以獨世好了。」劉備却將關羽的幽默歸入正經。

「既然宇宙發展委員會這一重要位置，玉帝請諸葛先生來主持，是一件好事。」關羽的口氣，顯然沒有反對之意。

「諸葛先生剛才來這兒，和我商議該會的人事。他們要不要請龍岡家伍弟兄幫忙？」劉備說話抆巧不差，我就求關羽答覆。

「大哥你是知道的，我所擅長的只是家戰陣之事，何况我現在已是天庭的武聖，宇宙發展委員會我是幫不了忙的。」關羽自視甚高，不願在宇宙發展委員會濫竽充數。

「龍岡弟兄對他只有精神上的支持，我已經告訴諸葛亮，至三弟、四弟，都煩你和他們打招呼。」劉備也懂得江湖上一客不煩二主，乾脆都託付了關羽。

「我想三弟，四弟都不會有意見，我可以關照他們。」關羽是五虎將的魁首，他對張飛、趙雲說話比劉備更靈光。

「這樣很好。磨刀大典已經籌備就緒，一切辦事人員都照二弟所擬的名單。不過，八仙中的藍采和想在典禮中表演吹笛子，另有葡萄仙子等要表演歌舞，不知你的意見如何？」劉備知道這些事應該先讓關羽知道。

「藍采？他是不是眞要吹笛子，葡萄仙子的歌舞，我在蟠桃大會上看她表演過，輕歌妙舞，確實不錯。我想有她在大典中獻藝以娛嘉賓，未始不可，至於藍采和，婉言謝絕可也。」關羽這番話殊出劉備意料。

「磨刀大典是龍岡盛會，人家來捧場不好拒絕。藍采和是八仙之一，喜慶堂會離不了他，他既然自告奮勇要求表演，想必也有兩手。」劉備處世一向圓通，他的話入情入理，關羽再無話可說。

「那就請大哥決定罷。」關羽對於磨刀大典的餘興節目並不固執己見，使劉備如釋重負。尤其是，他不主張桃園弟兄參加「宇宙發展委員會」，更減少了諸葛亮人事安排的麻煩，劉備越發高興。

磨刀大典經過一段時期的籌備，一切已經就緒。開幕的那一天，因為有餘興節目，天庭大小各仙蜂湧而至好不熱鬧。因為上次諸葛亮開演奏會時，劉約翰招待太白星君很能稱職，所以這次也是由他出馬。

（未完）

前門去虎。後門進狼

（一一八）　胡鑾傳

巨變歷險記！

匪區來那了博士的武裝走了，遂又轉入廿六軍的掌握。真所謂前門去虎後門進狼。

原來廿六軍長被俘後，就有投降盧漢的消息。自從余軍長被俘，消息更不脛而走。在宜良的途中，丁博士就有這樣的感覺。及至見了余程萬軍長，更有這種感覺。這豈不是什麼消息意外的事實了。丁博士非不知，但故意裝作不知，仍希望於無可如何之中，能夠把廿六軍拉回來，同八軍合作，共商大計。廿六軍當時有田師、有梁師，有田師。在徽威語鐵路一帶的是田師。據說事實上已經投降盧漢，並已經接受盧漢的改編。

丁博士脫離了共軍的掌握，方以為脫了危險，殊不料土共走了後又換了廿六軍的弟兄。他們為首的旅向丁博士報告，謂係奉師長之命，要將丁博士護送到昆明。他說盧主席方面有請。話聽來倒不刺耳，但即押解之別名。果成事實，則此生休矣。遂要求與師長見面，但遭來人拒絕。於此，丁博士也只好跟着前護後擁，倒也威武。並不是到遠處，就是在路上，迄入一個車皮裏邊。這車看來是一輛裝貨的車，除中間兩個門而外，別的風雨不透。丁博士上去，算是遊廣上坐，看守的人一層一層坐在外邊，都默默無言。他們對於這一位從匪區擲向的書生，似有無限的同情。但上邊的命令，亦屬無可如何！也有人議論，拿了丁博士的頭去換盧漢的十萬大頭，太不名譽，太不道德了！積善之家必有餘慶，積不善之家必有餘殃。丁博士成功，也是極端難應的事。丁博士天的芳要，以吃了一頓飽飯，不早就以為可以擺脫匪區，那裏又知道…………給他脫離的機會。

車向那開？這對丁博士十萬分重要。但坐在裝貨的車皮裏，什麼也看不見，什麼也聽不見。丁博士現在坐的就是黑屋子。是不是車開？這他可以感覺得到？開到那里？他就沒法子知道了。他禱告上蒼，千萬別去昆明。是不是上蒼在同情他，車並沒向昆明開，開到開遠去。這並沒人告訴，是他自己體會出來的。

在快到開遠的前面站，田師長才揭開他的真面目。他親自到丁博士的車裏，向丁博士宣布，是去開遠，是去廿六軍軍部。他之所以這樣做，是對丁博士的考驗。丁博士是不怕考驗的。他見了彭副軍長，並沒提這件事。田師長仍然陪着進入開遠的軍部。彭副軍長還在，並沒有動。但在準備動了。……

劉伯溫帝業輔弼

命相与夢話

漢平

劉基字伯溫，浙江青田人，生穎悟，讀書十行俱下（如唐太宗）。泰定甲子，年十四歲方入學，入庠部學習舉業，為文奇氣，決疑義，見闊，出人意表。凡天文、兵法諸書，過目洞識其要。丙寅年十六歲，得舉於鄉。至順庚午年授江西高安縣丞，為政有廉能之聲，後為江西行省大臣所賞識，遂辟為職官，後因與幕官議事不合，遂投劾而去。乃隱居力學，從此明道更深造。後從浙江儒學副提舉，為行省考試官，因直言監察御史失職，為臣諫所阻，遂棄官不做，隱歸田里。

元至正庚子，年五十歲，明太祖朱元璋武定括蒼（浙江麗水縣東南）遣使聘伯溫於金陵。乃陳時務十八策，太祖建「禮賢館」處以之。後輔洪武滅陳友諒，擒張士誠，降方國珍，北定中原，輿成帝業，授太史令，累遷御史中丞，明初諸大典制，均出其手，遂封誠意伯。

洪武四年辛亥，年六十一，以弘文館學士致仕，因伯溫性情剛直，嫉惡如仇，為胡惟庸所忌，遂憂憤而死。時為四月乙巳，年六十五歲，明正德中，追謚「文成」。伯溫博通經史，尤精象律之學，遺有「郁離子」、「寫情集」、「覆瓿集」、「犁眉公集」等著述行世。

讀誠意伯公文集及年譜，知伯溫生於元至大四年六月十五日，後年按其仰止情殷，謹就其學識經歷，擬作其時生辰八字，應為：辛亥、乙未、乙卯、壬午。謹按：日元之乙為陰，在五行屬木，古人以花卉喻之，當此小暑節後，炎傾烈日，槐動蕉風，生意滿園，極可想見。而幸以月幹乙木及亥年，未月，卯日，三支藏木，羅榮蓋長，更盛於尋常，無如無土以培之，無金以斲伐之，直是野草閒花而已，豈能分紅白間？恰好時支之午，中藏己土，年幹之辛，特立屬金，栽培有素，翦裁見功，非僅解語忘憂，尤應春華秋實，是以忽為山人隱士，忽為君子大人，以覩淵明和靖，亦有過之。

命相家或云：天降二乙，地支亥卯未三合，格成曲直，用土培之則可，豈能用金以斲伐之？請再按四柱無金，始為曲直。今年幹明見辛金，則非曲直，既不是曲直，而又木象森森，豈可不藉金斲裁，芟其繁蕪，歸於簡當？似此得土培木，得金制木，用神完備，不同尋常，總之非命「辰」，則不能憑闘壽永，而亦不致夭斷再續，有四氏之多，如非日枝卯祿，則不能勝辛金，又不能以二男濟美，壽近稀齡。如不是午時藏土，必不能天資穎異，凡經史子集，文兵法諸書，過目洞識其要。指迷賦云：「祿生旺分，則分節鉞」、「長生乃延壽之星」，良有以也。

伯溫十四歲癸運甲子，小限乙寅，入郡庠。十六歲仍行癸運，丙寅，小限丁丑，舉於鄉。二十歲巳運庚午，小限癸酉，登進士第，授江西高安縣丞，有廉直聲。江西行省大臣素知伯溫，遂辟為職官，以讜直聞，因與幕官議事不合，遂投劾而去。隱居力學，從此其道益明。就以三者觀之，可見巳上，丑土，庚金，及巳中藏金，均有裨於繫求也。及至辛運，為儒家副提舉。庚運為浙東都司。藉金益金，亦嘗牛刀小試。

五十歲寅運藏土，庚子幹枝金貴，是能應太祖之聘，親赴建康，條陳時務，自此一鳴驚人。接行巳丑二運，金土連環，是以謀議機密，預言必中，規定律令，建築新宮，自太史令而拜御史台中丞，復又晉封誠意伯。是見土能生金，金能制木，效用特殊。

六十二歲交入戊運，經過壬子，癸丑，甲寅等年，水木為害，因此發生談洋地事，為胡惟庸所訐，致令引咎自責，憂憤成疾，延至六十五歲乙卯，與日主幹枝犯此，故一病不起。當誠意伯疾篤時，即以天文書授子劉璉道：「勿令後人習也」。又對次子劉璟道：「夫為政寬猛如循環，當今之務，在修德省刑，祈天永命，諸形勝要害之地，宜與京師聲息連絡。我欲為遺表，惟庸在，無益也。惟庸敗，上必思我，有所問，以是密奏之」。居一月而死，時為四月十六日。

（完）

輿論精華

中國與所謂中國問題專家（下）

‧柯貝克‧

（續上期）現在，在他們造成錯誤的二十五年——足足四分之一世紀以後，經年累月所積起的大量證據顯示，共產制度在第一個十年和第二個十年，在大陸上業已失敗。這些專家們在這麼多證據前，回顧他們的年青時代和早期專業時，他們還堅持他們未犯錯誤，以為作了正確判斷。他們拒絕挺身而出，坦白說明他們那是錯誤的，或他們支持了錯誤的一方。總之，他們不承認過去造成的悲劇性錯誤。二十五年以前，這些專家告訴美國人說：毛澤東武裝的共產黨是前進的、現代的、民主的。現在，中華民國政府在　蔣總統領導下，遷移到台灣來已二十年以上，我們發現它已向世界表明確實是現代的——民主而效率，在另一方面，已確切證明毛澤東政權是封建的——極權而腐敗，而且還有許多證據證明它是亞洲的一股惡勢力，威脅世界和平。我一直在等待這些人在年老時承認他們年青的錯誤。那些在第二次世界大戰期間自命為中國問題專家的人，當時是熱忱的理想主義者，他們是傳教士的子弟，在中國長大，他們真的關切中國的問題。他們因為受了大學教育，認為比中國人更懂得如何可使中國得到最大的好處。他們大多數都曾深研社會主義和馬克思主義作品，受了其中若干詭譎的毒素。所以他們認為，中國革命最好照共黨的理論而不照國民黨的理論來完成。

我認為，過去五十年或超過五十年中，美國十分重視職業性專家。因為我們是不以武力作為推行國策工具的國家，所以重視專家。我們也不是一個相信勒索威脅的國家。我國歷史上若干最顯赫的人都是職業外交家，第二次世界大戰時，我們在亞洲有一羣尚屬年青的外交官，他們在亞洲長大，有些是傳教士的子弟，全都受了良好教育，能說流利的本地語言，非常熟悉中國的習俗和傳統。但不幸他們在遠東的時間太久，所以忘記了他們自己的國家的最大利益，假使可以說他們有過瞭解的話，他們也不懂得共黨理論對亞洲安全的陰毒影響。他們從錯誤的觀點來看中國的社會、經濟和政治問題。國務院的韓貝克博士有一次對柯爾柏格說：「當我看見國務院將派赴中國的那些人時，我全身發抖。」這些年青的外交人員提出他們所認為對中國最有利的錯誤報告，他們的動機可能是對的，但他們也應當想一想，怎樣才能最有利於美國的安全。我們要說明，我的目的不是懷疑他們的動機，他們顯然是就他們所觀察到的提出報告，不過這些年青人缺乏判斷力和眼光，這一點應受嚴厲批評。

不斷中傷　蔣總統和國民黨，這是一回事，未能明晰預見國民政府力量委縮後共產極權主義將趁虛而入，就完全是另一回事。

我記得在一九二〇年和一九三〇年時代，我還是小孩子，好萊塢攝製了「德利和海盜」一類相當愚昧的東方電影，一個叫做傳曼初博士的壞人，留着長辮，穿着長袍，袖子裏藏有一把淬毒的匕首，極力想刺殺一個無辜的美國人，他通常受到德利‧陳查禮或陳查禮長子跟蹤。一九四〇年代，情形剛相反——而且真人真事。真實的壞人是眼睛明亮，能言善辯的美國外交人員，極力想以比傳曼初想像中的匕首更毒的打字機和鋼筆，毒害　蔣總統政府中的某個中國官員。

中共反對孔子學說以及其他傳統的寶藏。孫中山先生的觀念與原則，和北平首腦們的社會主義理論之間，有一道大的鴻溝。孫中山相信儒家的和諧與四海皆兄弟的寶貴道理，而中共首腦們卻以一種甚至使其他國家的共黨也覺得驚駭的殘忍手段，毀壞中國的家庭。中國人是一個古老而高度成熟的民族，你們的歷史充滿了燦爛的文化成就，那都是產生於和平與安定的氣氛之中。另一方面，大陸上毛澤東的文化革命使中國歷史過程倒退了一百年。

每當我想到　蔣總統，我就想到「聖喬治和龍」那個盎格魯薩克森的民間傳說。聖喬治出外鬥龍，歷經艱險，由於上帝和正義在他一邊，他終於打敗了龍。自由中國的許多美國友人承認今日的情形正復相似。大陸今日正有一條代表毛澤東政權的赤龍。信服上帝和有正義在他這一邊的　蔣總統，將打倒那條龍。我是一個具有二十多年經驗的歷史學家，懂得如何把事實和人物適當地配合在歷史上。我瞭解要達到史實的客觀評價，歷史學家需經長時間的研究。歷史學家證明時代中國和世界的關係。（摘自台北教友生活）

第二章　童太尉喪師辱國　金太祖攻陷燕京

前軍統制楊可世已抵白溝，只見遼兵鼓噪而來，其勢猶如狂風驟雨，銳不可當。楊可世已先畏懼，士氣不振，一接觸不久，便告敗退，遼兵直衝宋軍陣中，宋軍大亂。幸虧種師道先有準備，下令軍士各持巨梃，嚴防敵兵衝鋒，方將遼兵銳氣阻竭。遼兵雖猛，却被巨梃格去。遼兵不得志，方始退去。種師道亦收兵回雄州。

辛興宗到了范村，亦被遼兵擊敗，踉蹌逃歸。宋朝師出無名，焉有不敗之理。童貫聞兩路皆敗，甚覺難堪。正當納悶，忽聞遼使又至，即召入見。遼使對童貫理直氣壯說道：「女真背叛本朝，南朝大國亦應嫉視方為古禮。本朝擬倚大國為後援，以伐不臣乃是。然貴國卻貪圖眼前一時小利，棄好百年，結豺狼為鄰，貽他日之禍患。須知救興恤鄰，古今通義，尚望大國，統籌大局，毋忘古禮，毋貽後患」。遼使義正詞嚴，童貫不能答對，只得支吾以對，說「當奏明朝庭，再行覆告。」遼使仍未得結果而回。

種師道相機進言道：「請太尉和遼，為國家後世貽福」。童貫不納。不僅此也，童貫反密令朝臣劾奏種師道「通虜阻兵」。王黼又從中袒護童貫，降種師道為左衛將軍，勒令致仕。起用河陽節度使劉延慶代之。不數日忽奉徽宗詔命，代童貫暫且班師。童貫與蔡攸乃相偕班師還朝。

遼國此時正是內亂外患交至。宋軍剛退，內朝又發生了大問題。天錫帝耶律淳就在此時病故，蕭幹等奉蕭氏為皇太后，主軍國大政，遙立天祚帝次子秦王為帝，改元德興。天祚有六子，秦王定為其第二子。至是由蕭幹專柄。

宋朝聞報遼國政變，遙立新主。王黼又入奏徽宗，重申圖遼，命童貫蔡攸整軍再出。遼之常勝軍統帥郭藥師留守涿州，聞宋軍又至，召集諸將語道：「天祚失國，朝政不綱，宋兵又復壓境，燕京以南，必歸中國。男兒欲取功名，何必戀戀宗邦，不思權變耶！」諸將道：「唯統帥之命是從」。郭藥師遂率所部八千人及涿、易二州版圖，向童貫投降。童貫大喜，立即表奏朝廷，詔授郭藥師為恩州節度使，令所部歸劉延慶節制。郭藥師遼人反復無常，日後又以此言降金。

童貫劉延慶提兵進發，以郭藥師為前驅，以十萬之衆，渡越白溝。劉延慶之軍素無紀律，藥師入諫延慶道：「今大軍行，不設備，若遇敵伏，首尾不相應，豈不潰敗？」

（十）

自由報

（第一〇五七期）

（半月刊每逢星期三、六出版）

社長李運鴻・督印黃行實

社址：香港九龍彌敦道593—601號 廣東銀行大廈八樓五座

LIU CHONG HING BUILDING
7th FLOOR FLAT '5
593—601 NATHAN ROAD,
KOWLOON, H.K.
TEL: K303831

電報掛號：7191

檢討我國留學生的利弊得失

・雷嘯岑・

吾國之有公費出洋留學生，以滿清同治年間曾國藩奏派容閎等赴西洋學習科技為濫觴。越光緒朝，經甲午中日戰爭與庚子八國聯軍入寇兩役，屢受挫敗之辱，朝野士大夫倡行新政，高談洋務，志切富國強兵，乃大力鼓勵知識份子放洋留學，除飭各省學校增設「游學預備科」，選拔優秀青年，練習洋文後，由政府資遣出國留學外，并獎掖自費留學生。計自清末至民國初期，以赴日本留學的人士最多，佔着全體留洋學生百分之八十以上的數額；繼而美國率先將「庚子賠欵」作為在華經營文化事業的基金，在北京郊區清華園創設清華大學，逐年遴送畢業生赴美深造，復因第一次世界大戰期間，我民族工業萌芽，輕工業應運而興，私人斥資送子弟出洋留學者，亦多嚮往未曾受到戰禍摧殘的美國，同時尚有所謂「留法勤工儉學生」，但人數視留美的為少；民國十年以後，蘇俄政府為着進行世界革命運動，特設「孫文大學」於莫斯科，於是，若干知識青年前往俄國遊學的亦時有所聞。至於留學英、德、意大利各國的知識份子，為數不如留日、美、俄三國之衆，對吾國近代安危治亂的關係并不深。

綜觀吾國林林總總的留學生歸來後，由於本國受着國際帝國主義者不平等條約的束縛，產業落後，社會生計艱困，加以軍閥割據，內亂不息之故，大都用非所學，只有留美生詹天佑在鐵路工程上得展才學，卓有建樹外，其他的留學生無論是學甚末的，一律從事政治活動，無形之中，對國家民族前途，影響殊為深鉅。從滿清末造到民國十年期間，留日學生遍佈於軍事政治兩方面，而且多據要津，民初各省都督以及師旅長，十九皆係日本留學回來的。這些從日本只在初級軍事教育機構，專為養成排連長人才，等於吾國的「講武堂」或陸軍中學，半年聯隊生活，一年受課，就畢業了的人才，在日本，若不進入陸軍大學深造，絕對不能充當將官之任的。然在吾國，乃一躍而作都督、督軍，比比皆是，中國軍務之始終落後不進步，這是主要原因吧？若夫留日學生搞政治的，對國家却不無貢獻。民國肇建時期的大經大法，如行政制度　法律體系與法院組織等等，都是經留學生之手草擬的，雖非完全出自心裁，而多屬剿襲日本的成規，但以日本文化和其國情每與吾國相融合，并無格格不入之弊，尤以民刑商法為然，而法院組織系統以及司法獨立精神，在民國十五年以前，頗著績效，這是無可否認的事實。民國初期的國會參衆兩院議員中，凡屬嶄露頭角，有所表現的，留日學生亦首屈一指，例如北洋政府時代的「天壇憲法草案」，內容相當充實而完備，主持其事者即係留日學生林長民、湯漪、楊永泰一般人。天壇憲法雖未見諸實施，拿來跟現行憲法比較觀察，確有其優點，乃為識者所公認。

日本帝國主義政府乘第一次世界大戰機會，對我提出「二十一條件」的要求後，又於「巴黎和會」中橫蠻不講理，拒絕交還其強佔我領土——青島等地區，因而激起全國人民的反日高潮，而日本帝國主義政府對我國的威脅侵略行動且變本加厲，無所不用其極，干涉內政，出兵阻遏我國民革命運動，更使中國人民痛心疾首，引為奇恥大辱，留日學生在中國政治上的信譽，洎是乃大受損害，漸趨消沉了。此時美國政府本其海、約翰的「門戶開放」政策，對日本侵略中國的暴行，處處表示異議，博得中國朝野人士的好感，而留美學生畢業回國者日多，在文化教育和政治界，遂漸取代了舊有留日學生的地地。迨「九一八」事變發生，留日學生更不見重於時，過着蹭蹬凉凉的生活，然留美學生則如日方升，鴻運高照了。大約從民國八年以來，直到現在的四十年間，留美學生遍佈於政治、經濟、文化、教育各界，尤以文教和財經界的勢力最雄厚，時勢造英雄，固其宜也。若論他們對國家民族的貢獻，從好的方面說，對中國文化思想上的啟蒙運動不無微勢，從壞的方面設想，則破壞多於建設，模仿多於創造，皮毛大過實質。由於他們儘量販運西方功利主義和倫理相對主義的結果，使中國固有文化思想漸由退潮而式微，却又未能創進新的文化精神，除却有意無意地增強國人追求物質的享受慾以外，就是造成文教界壁壘的派系壁壘，把持壟斷，門戶森嚴，試看最近「國家科學發展委員會」對所謂「研究教授」的搞法，即思過半矣。一般留美學生，狃於美式生活習慣，祇知道別國是怎樣的，却不問本國應該怎樣因而對於美共的同路人費正清之流，至今還緊緊勾搭，罔顧自己國家的利害？像陳立夫先生這樣的留美學生，始終認為中國固有文化思想優於西方，指摘西方文化思想是舍本而逐末的「逆勢」發展，可算是鳳毛麟角的佼佼者了。留美學生中當然亦有若干在學術上很有成就，而思想上熱愛祖國的，但他們處於「積威約之勢」的環境中，曳尾泥途，有如留英高材生嚴復，回國來鬱鬱不得志，祇好以譯書吃鴉片烟終其生。現時國家處於危急存亡之秋，千呼萬喚地號召留美學生回來共赴國難，然應之者寥若晨星，政府雖特示優遇，投以崇高的職位，他們還是以「客卿」姿態，視台灣為觀光的傳舍，小住為佳，遊覽幾天又回到美國之家去了。有人說，四十年來的留美學生，對本國的貢獻僅是白紙一張，其然，豈其然歟？

在留學東西洋各國的全體人士中，有一項特殊現象值得指出，即他們對其曾經留學的外國，總是始終親信推崇不遑，認為別國的月亮亦美麗過中國——留美學生多如此。唯有留日學生不然，他們十分之九都對日本沒有好感，日本人每引為遺憾，說中國留日學生跟留英美德法俄各國的大異其趣，表示惶惑不解，却不反省自己經常對中國肆行侵略，因而激起中國留日學生的反感這項癥結所在。到了今天，大多數的日本人在內心還是對中國人抱持着優越感，而中國留日學生亦就對日本懷有戒心，以視一般留美學生的「唯美主義」思想，迴不相侔。

考稽近百年來東西洋留學生對國家的貢獻史迹，可說是得不償失。這證明咱們的留學政策殊不健全，而政府對於留學生的任使方法，亦大有問題。像現階段一窩蜂似的以留學美國為榮梯利媒的偏差情形，即非糾正不可。美國的科學固然很發達，她的文化思想却頗為幼稚，咱們出國留學的青年子弟，亦非盡是攻習科學的，何必留美，然後為學呢？光有科學知識而缺乏健全的文化思想，依然是蹈着過去百年來的留學生覆轍，對國家民族前途殊少裨益。即就培育科技人才而言，西德的科學教育并不亞於美國，而其文化基礎更見深厚，將來復興歐洲文化者，德國人必佔主位無疑，值得咱們學習觀摩的。關於如何改訂留學政策，固非片言可盡，但有一項先決條件不應該忽視，即凡屬中國文字不通的，無論他是學習那種學科，一律不應出國留學，這是起碼的要求，教育當局其識之！

（完）

昨日與明日

國民黨不諱疾忌醫

國民黨十屆二中全會，性質上仍不過是該黨中央委員一年一度的例會，並無何特殊之處。但就其所擬具的幾大議題以觀，此次會議，實有其讓人覺得耳目一新之處。其不否認政治、司法風氣的腐敗，而亟圖改善；不否認農村經濟的積敝，而亟圖挽救，這都充分的表現出振衰啟敝的勇氣和決心，不過避現實，不諱疾忌醫，這是頗值得頌揚的。

加強農村建設

台灣政治風氣的敗壞，由來已久，尤以貪瀆之風盛行，最為人所詬病，不過這似乎是所有進步中國家的通病，短期內勢將很難有何顯著的改善。蓋此中涉及普遍社會的病態與人性的弱點等種種因素在內，有其客觀上的困難，恐非徒特政策性的適應之所能奏效的。至於謀求改善之道，這是執政黨的責任，有決心從事這種努力，已屬難得，因不必寄望過高，妄事苛求其立竿見影也。例是加強農村經濟建設一案，不管此次全會所研議的結論，是治標性的從事現行各種有關農業方面的政策之改進；抑或治本性的改絃更張，另行擬訂出一套新方案以因應今後的需要，在短期內都將會有顯而可見的成效。蓋農村經濟的蕭條，無非是既往經濟發展與有關政策累積的結果，關鍵在政府的決策者居多，處理起來自不至於像改善政治風氣那樣的棘手。

景象完全改

十八年前，實施台灣土地改革，曾幾何時，一向守法篤實安分於本位工作的農村百姓，顯現得愁眉苦臉，甚而怨咒四起了。由於農民所得的急劇降低，導致了土地抵押流當件數驟增，農田地價日趨下跌，虧損農會與年加多，幾年之內，景象完全改觀，再從一些統計數字上，更可以看出全面的變化。

民國四十二年，政府公布施行耕者有其田政策時的農業人口，佔總人口的百分之五二點四，到五十七年已降為百份之四十四。就產業結構而言，農業部門所佔國內生產淨額的比重，也由百分之三十八降二三點二。此一事實代表着多層的意義，我們不擬論列。我們所關心的，只是從這些數字中，已反映出農村的衰微，而農民收入偏低，生活困苦，已到相當嚴重的地步。最令人不解的是有些政府官員，不圖設法補救，却仍舊在粉飾門面，自以為是的斷言農家中有摩托車、電視機就是經濟繁榮的表徵，就是生活水準提高的證明。一般的農民，他們都是老實善良的，他們絕少有參政的機會。他們選出的民意代表，沒有幾個肯為他們的喉舌，因此他們無法向這些官員提出質詢，更不能有效的要求政府關切他們的利益，甚至理應為他們謀福利的農會，水利會等組織，也在幫倒忙。所幸執政的國民黨，已發覺到這個病症，而着手醫治，因此我們要說國民黨不諱疾忌醫，聊表頌揚之意，益對此次全會寄予無限的希望。

・長風・

自由談

暴徒劫持飛機的事變，肇端於美國，脅迫美境起飛的客機改道飛往共產政權的古巴，行所無事；繼之即有日本暴徒效尤，規機前往北韓，亦得如願以償。巴西恐佈份子綁架外交使節作人質，勒釋在囚的同黨罪犯而成功後，中南美各地區的共黨暴徒馬上跟進，瓜地拉馬竟發生戕害外國大使的凶殘情事，震驚全球。這些駭人聽聞的暴行，統統是共產黨徒幹的。史大林說過：「共產黨人都是特殊材料造成的」，這話一點不假。誰若對共黨講民主生活，談和平共存，誰就是壽星翁嫌命長——自尋死路！

美國人士總認為：民主生活係對付共產主義的抗毒素；又說貧窮是培育共產主義的溫床。這類反共理論并不正確，何以見得呢？近卅年來，世界上反共最成功的國家只有西班牙。但佛朗哥領導的政府是極權獨裁制，決不容許共黨合法存在，斬草除根，毫無妥協餘地，而西國長期安定如常。反觀美國，前以民主作風幫助古巴卡斯楚奪取政權，後以民主作風幫中共的毛共佔領大陸，現在本國內的共黨及同路人亦日益猖獗了。日本在二次大戰前，共黨份子絕迹，戰後二十年來，由於沒有軍事費用之故，財富的增殖比戰前優裕多多，然因仿效美式民主生活，於今共黨勢力囂張，所謂「赤軍派」恐怖份子，公然從東京劫機前往北韓。還有印尼很貧窮，蘇哈托以軍事獨裁政府實行反共，亦很成功。這就證明美國人士的反共

國際共禍愈烈

思想和方法，完全與事實不符，徒然自誤誤人而已。

共產黨原是暴力集團，以鬥爭為生存發展的法則，無人性，無理性，他們只對力量低頭，甚末民主不民主，法治不法治，都不在其考慮之列。韓戰時在板門店談判期間，美國首席代表某少將說過：跟共黨談判問題，必須一手持着巨棒，否則一切都是廢話。這是深切瞭解共黨本質的扼要之言，可惜美國一般政治人物的智慧不及此，而美國的軍人又須接受文人指導，此即戰後二十年來，美國領導自由世界反共，而共禍乃愈演愈烈之所以然也。

我敢肯定的說：美國領導自由世界反共的思想與作風如不修正，結果揚湯止沸，禍必及身。不信，等着瞧罷！

馬五先生

人壽保險經營失當 少數公司瀕臨危機

所收保費早逾行庫存欵額 被保險人血汗錢將付東流

（本報台北消息）台灣人壽保險業，六年前經財政部開放准予設立後，國內那些商業鉅子或長袖善舞的人們即競相籌設保險公司。迄今全省共有九家，六年來，有的公司因收入的龐大保費，巧爲運用而獲利不少，但其中也有少數幾家因營運失敗，而導致頻臨倒閉之危，若非主管機關採取挽救措施與封鎖新聞發佈，則今日台灣人壽保險業，數家走向關門之路，被保險人所受損害，與台北市幾個信用合作社經營不善損及存欵戶更爲嚴重。因爲這九家人壽保險公司，歷年所收保費，已超過全國所有金融機關存欵總額以上，投保人上至達官鉅富，下至農民與販夫走卒，將來影響之大，不言可喻。

台灣的報紙，或因少數人情及本身利益，對此全國讀者有關的新聞，竟隻字不提，尤以自稱爲全國第一大報的某報，在去年印某一期特刊時，九家保險公司湊集新台幣五萬元廣告費，作爲不再刊登此一新聞的條件，其他同業如何未見新聞披露，讀者也不難推知。

最近本報收到讀者投書數封，指出九家人壽保險公司，半數以上財務狀況皆不健全，其中尤以某要人所經營的國光保險公司，更是虧損鉅大，去年秋屆滿五年期約應支付的保費，竟無法兌付，財政部因礙於某要人的「情面」，命令中央再保險公司全部代爲墊付，在表面上，由再保公司派員前往國光公司整頓，半年來因投保人的消息傳出，財政部再不願負太大責任，已於廿一日下令國光人壽保險公司停止營業。據云：再保公司所墊付之欵，業已超過國光公司規定存繳中央銀行之保證金，而國光公司現有之不動產，即使全部變賣，亦難償付應支保費百分之五十，該公司未來如何？除了吃定了投保人之外，某要人絕不會出售其國內外私有財產來清理的，屆時還不是投保人倒楣了事，國家的法令又面臨了一次嚴重的考驗。

台北縣長因案受懲 休職十月即告復職

有人印小冊揭示瀆職鐵案 剪集海內外報刊洋洋大觀

（本報北縣通訊）民選縣長蘇清波因在其前屆縣長任內違法處理土地一案，被中央公務員懲戒委員會處以十個月「休職」處分，迄四月卅日期滿，將告復職，台北某報地方版已用不少版面，兩次爲蘇清波捧場，復職之日，勢必更有熱鬧場面。

可是，正爲蘇清波宣傳復職之時，偏有好事者，以「正義出版社」名義，印一小冊書名爲「民選縣市長第一號貪犯——蘇清波瀆職鐵案」，到處寄發。這本小冊子所謂「鐵案」，就是該冊子扉頁上所揭示的：「蘇案在海內外報章、雜誌連篇累牘，眞是鐵案如山。」眞的，該小冊子所剪集的海內外報章雜誌，都六七萬言，眞是洋洋大觀。

該小冊所選載的本報部份有：五十八年六月二十九日本報記者特稿，及五十八年七月二十三日馬五先生所撰的本報「自由談」。前者標題爲「蘇清波案的來龍去脈」，後者爲「吾爲此懼」。特稿據編集該小冊子的看法，認爲「香港自由報所評述，而爲各報所未會直接指出的，是最末的一段」。這最末的一段是：

「按農會法及台灣省各級農會暫行辦法規定「農會爲法人」；「農會之主管機關」在縣市爲縣市政府」。台北縣長蘇清波爲該縣農會之主管，竟違反公務員服務法第十七條、第六條、第十三條之禁止規定。例如蘇縣長以主管身份執行職務時，凡涉及本身或家族（縣長太太）之利害事件，應行迴避而不迴避；蘇縣長不但未依法迴避，而且假借職務上的機會，以主管身份，直接圖利本身及其太太與他人；蘇清波縣長利用職務上的權力而爲營利事業，不僅爲法所不許，且公務員服務法第十三條第一項至第四項明文規定應先予撤職，並依刑法第一三一條之圖利罪處斷。由於蘇清波「神通廣大」，僅僅受到「休職」十個月的懲戒處分，焉能謂爲「適法」？」

該小冊子又說：「自由報確盡了言責，在蘇清波未被提名第二任縣長前，對於本案也會不止一次，加以報導評擊。在該報最重要的第一版「昨日與明日」專欄，會向政府有所呼籲，可惜該報一時找不到了！」因此沒有像的刊載的前述兩台剪載出來。

馬五先生自由談的「吾爲此懼」，亦將台中市長張啓仲與蘇案比較，認爲「時人對於公懲會的決議即屬最後定讞問題，認爲不無缺失，應有救濟之策，以彰公道。如今又有上述兩項出現，影響所及，將莫名其妙的懲戒方法使一般公務員漠視法律的尊嚴，大不必法，小不必廉，而以賭運氣，走邪路爲服務的原則，法治云乎哉，人治而已矣，吾爲此懼！」

蘇案處分休職後，因蘇不服，會數次發表批評公懲會及台灣省政府處理不當的怪論，且曾與公懲會打筆墨官司，上書司法院說其不應受懲戒。自說問心無愧。故台北某知名大報曾以「無愧堂」三字爲題在其方塊文章中，加以幽默一番。因此，該小冊子在第一篇引言，以「革新政治必須從蘇清波案起」爲題，最後建議在蘇清波復職後，把台北縣政府改爲「無愧堂」。

此一小冊子，確花費了一些精神，各大報及雜誌所刊有關蘇案的新聞、社論、短評、內幕文章，大概遺漏不多。而幾篇漫畫也翻印出來了。可惜乎，此種有關政風的東西，不易流傳，而且「正義出版社」，怕是沒有登記的，否則，似不敢公然發行。海內外的報紙雜誌，對於中央的政治革新，究竟誰盡到「言責」？有此一小冊子，便是一種「鐵證」。

蘇清波之復職，的確問心無愧乎？朝野人士對此一小冊子當有所感慨矣！否則，則豈僅是台北縣政府爲「無愧堂」耶？

（丁吾）

依洞集

國光保險公司危機

易傳

保險業在國外，其資金之雄厚，往往超過銀行，從來不會發生問題。台灣保險業，由於工業發達之故，近年來亦呈現一片好景，社會大衆對保險業亦逐漸樹立信念，這是一種很好的現象。不料國光保險公司，因將所收保費轉投資於其他企業，負債累累，被財部勒令清理。據說，該公司需要增資五千四百萬始能恢復正常業務。這一消息立刻引起台灣各界的注視。假使該公司財務情況繼續惡化下去，對於金融界顯有嚴重影響。

國光保險公司的常務董事會有黃龍鳳鴻及葉克寇兩位最爲人矚目。黃龍鳳鴻是某院長的太太，而葉克寇則是他的兒子。在台灣，最高民意代表，經營副業，幾乎是一項公開的事實。某院長在幕後經營國光保險公司似乎也並不值得太驚小怪。但偏偏就是這家保險公司發生問題。難怪有人說，做官的人不宜經商，倒不是什麼「官箴」問題，而是開會太忙，無法兼顧，難免虧掉老本也。

台灣一般行政官吏，在法律規定是絕不許經商業的，至於立法委員及國大代表，有官吏之實而無官吏之名，多年來，因牽涉貪污而身繫囹圄的立法委員及國大代表已數見不鮮。鑒於國光保險公司問題之發生，我們認爲有製訂法律條例，嚴禁最高民意代表經營商業之必要。爲了防止投機取巧，他們的直系親屬亦應受此限制。

精研法律的人或許會說，當了最高民意代表，他的家屬經營商業有何不可？照目前最高民意代表的待遇，絕對可以仰俯蓄而有餘。所謂「官僚資本」一直是中華民國的詬病，根絕爲宜！

喬治桑外傳 一三八

張大萬

「不瞞老前輩說，雅麗絲什麼都好，就是性情有點捉摸不定，很難侍候……」蘿蔔蔡壓低了嗓門輕輕向喬治桑說，意思自然是怕被雅麗絲聽到。

「你要知道，她是從小失去父愛的人，你一切要多順着她，只要她能了解你是眞心在愛她，一切也就好辦了。」喬治桑的聲音也很低。

「謝謝老前輩指示，」蘿蔔蔡眼中露出感激之色。

雅麗絲這時端了兩杯咖啡出來。

「這一杯只放了一塊糖，加了白蘭地，包死，是你的。這一杯大半杯牛奶加了小半杯咖啡，放了三塊糖，啾，是你的。」雅麗絲深知喬治桑和蘿蔔蔡各人喝咖啡的習慣。

「爲什麼你喝咖啡要放這樣多的牛奶和糖？」喬治桑一邊用小茶匙調着咖啡，一邊問蘿蔔蔡。

「咖啡喝多了，我不容易睡着……」蘿蔔蔡話還未說完，雅麗絲插嘴道：「他還是小孩子，那裏懂得吃咖啡。」蘿蔔蔡聽了，知道她說這話沒有惡意，笑了笑。

「話不是這樣說，我知道有些人生性不能吃刺激性的東西。在美國，我有一個洋朋友，已經六十好幾了，一點咖啡都不能喝。」喬治桑怕蘿蔔蔡受窘，所以說出一位洋朋友來替他解嘲。

「媽媽最愛喝咖啡，咖啡是她的重要飲料，每天不能缺少。」雅麗絲又提起她的母親。

「她是不是喜歡喝雀巢牌？」喬治桑記性好，一時說溜了嘴。

「是呀，包死，你怎麼知道的？」雅麗絲感覺有點奇怪。

「年紀大幾歲的人，喝咖啡大都喜歡老牌子，我不過是瞎猜罷了。」喬治桑機警，用話遮掩，幸而未露出破綻。

「媽媽的一個朋友，李阿姨，酒和咖啡一點都不能吃，有一次却「喝」醉了，你們猜猜看是什麼道理？」雅麗絲滿面稚氣，模樣很可愛。

「猜不着，」蘿蔔蔡說。

「你是笨瓜，當然猜不到，我要包死猜。」大凡女孩子能當着別人面罵你笨瓜，證明她對你的感情已不尋常，所謂打情罵俏，此之謂也。

「是不是被人灌醉的？」喬治桑這一猜，雅麗絲搖了搖頭。

「不是的李阿姨最喜歡吃甜食，有一次在夜總會看到火燒冰淇淋，吃多了幾塊，那裏知道火燒冰淇淋裏面有白蘭地酒，所以喝醉了！」雅麗絲說出李阿姨醉酒眞象。

「這倒眞是第一次聽見，在外國常有喝酒比賽，那是看誰的酒量大。如果是比賽酒量小，妳的李阿姨大概可以穩得冠軍了。」喬治桑說話很風趣，幾句話引得蘿蔔蔡、雅麗絲哈哈大笑。

「你們知道古今中外酒量最差的是誰？」喬治桑最會扯淡，提出了問題，雅麗絲、蘿蔔蔡瞠目不知所對。

「是楊貴妃，」喬治桑揭開了謎底。

「爲什麼？」雅麗絲睜大的眼睛問。

「是戲台上的楊貴妃，在「貴妃醉酒」這齣戲中，她用木頭做的實心酒杯，不是喝了酩酊大醉嗎？」

台北傳奇錄（四五）

·陳光棟·

「我勸妳一句話，以後有什麼心事，就多找我談談，妳記着，老年人都當過年青人，年青人可是沒有當上老年人。」

「劉伯伯，許多老年人都不了解年青人，您說是不是？」賴慧敏希望得到肯定的答案。

「這也不能一概而論」。劉二爺補充着說：「這個問題不是三言兩語，可以說的清楚，以後有的是時間，歡迎妳隨時到我家來談談」。

「我眞想常到您家談談，又怕不大方便」。

「有什麼不方便？我們兩口子隨時歡迎」。

「劉伯伯，我要先回去啦！家裏的牌局一散，我媽媽一定會找我」。賴慧敏看着手錶。

「好吧，妳先走，我慢慢的踱着，祝妳金榜題名！」

「再見，劉伯伯！」賴慧敏回到家的時候，滿房子烏烟瘴氣，幾個打牌的人，還在拚命的鏖戰，每個人的臉上，都掛着一層陰森的鬼氣。賴太太一付大牌沒有胡出來，正不停的嘰哩咕嚕的罵着，賴慧敏對家裏這種情形，老早就司空見慣了，仍和往常一樣回到臥室裏，把門關的緊緊的。

大專聯考的這一天終於來了，六七萬青年學子懷着相同的緊張心情，來參加這一年一度的慘烈戰鬥，連帶着二三十萬考生的家們也屬着轉來轉去，直搞的雞飛狗跳墻，此外還有和考生有關係的百萬親戚朋友們，也總亂子跟着瞎起鬨。總之到了這一天，眞比逢年過節還要熱鬧，八十年前科舉考試熱烈情形，和如今大專聯考的盛況一比，可算是小巫見大巫了。

賴慧敏清晨起來，就感到頭重腳輕，一陣疊肢，强打着精神，收拾好了應該攜帶的文具和參考書籍再洗臉、梳頭、換衣服。賴先生、賴太太忙的團團轉。

「我說，你借的車子幾點鐘到咱們家？」賴太太扯直嗓子在問賴先生。

「七點鐘準到」。賴先生正在替女兒擦皮鞋。

「車子要是來晚了，我可饒不了你」！賴太太咬牙切齒的說。

「妳放心吧，絕對不會躭誤了」！賴先生提出保證。

「媽！」「媽！」賴小妹也是大嗓門：「我房間的電燈壞啦！螺絲起子在什麼地方？」

「孩子！太危險，你別管啦，叫你爸爸去」賴太太衝着賴先生：「你去」！賴先生發着牢騷：「怎麼，我就危險啦？打牌的時候，妳就想不起我來啦」！

（未完）

立委質詢教育問題 指教長內舉不避親
任用親戚同鄉有違法規 部內雜亂無章暮氣沉沉

（本報記者張健生台北航訊）立法委員王述先就當前教育的問題，向行政院提出質詢。他描述「今日的教育部」說：「今部次長：才識缺乏，手忙腳亂。新貴們：經驗毫無，雜亂無章。中級：一推二拖，暮氣沉沉。資深有才者：牢騷滿腹，離心離德。素有修養者：隨遇而安，得過且過。」

王委員列舉事例指責鍾皎光部長的答詢「並非事實」。他說：「教育部事務科長侯煌昌，雖屬外甥至戚，但係前任部長任內到差的」。經查顯非事實。當鍾部長任交大工學院長時，侯煌昌是該院的事務主任，已有違反人事法規前例，去年六月，中央決定鍾氏擢升部長後，始以次長身份，簽報侯為次長室秘書，閻部長任內並未到差，及去年七月一日鍾氏接任部長後，始隨同到差，另行發表為事務科長，有教育部去年七月一日起薪冊可證。事務科職司採購報銷，鍾部長竟以外甥充任，難道竟無腐敗麼？教育部內人士，近已紛紛責難事務科新人已達六分之五，報銷多出常軌，印刷費毛病更多，致會計核賬，大感為難。」

該質詢更進一步指責「鍾部長答復質詢說：『接任後到職之廣東籍人員，僅有孫宕越、陳瑞鵬、傅維三人。』亦非事實。請問事務科粵籍職員鄭瑞霖是何人任用的？教育部新任人員，除政次秘書外，部內六個司長，新任有廖傳准、姚友元四位司長。事務各科六位職員，新任有鄉瑞霖、羅棟等五位職員，蕉嶺鍾永琅之妻，用為研考處職員，外甥媳侯煌昌之妻，為國立編譯館職員，上述十餘位新官，實與鍾部長非親即故。至於教育部舊人第一批提升者，也大都是其同鄉，陳鐵持升為專職司副司長，李鼎元升為高教司副司長，翁偉湛升為研考處副處長（部長兼處長），鍾永琅調政次室辦公。謂非任用同鄉私人，其誰能信。鍾部長任職十月而部內人心煥散，了無政績，今日之教育行政，固應如斯耶？」

王委員認為鍾部長「學非所用」。他說：「教育部答詢案說：鍾部長『歷任中山大學、中央大學、台灣大學、交通大學教授系主任，院長及教務長，並曾任教育部政務次長，對學校教育及教育行政，均有相當經驗』云云，如以教學經驗言，固屬相當，但並不能否定『學非所用』的事實。查學校教育與教育行政，究屬兩事，鍾部長教育行政經驗缺乏，已成公論，如謂學校教育的經歷好，似以仍任教職為宜。」

談胡適的治學方法（三）

李辰冬

唐風揚之水唐風無衣，秦風無衣，終南，素冠，蜉蝣，七月，東山，九，斯干，大東，綠衣，豐與此詩。只要把這些衣字作一檢討，就知道衣是指官服，並不是通常說的衣服。終南篇「錦衣狐裘」，「黻衣繡裳」，是國王所穿的衣服。碩人與丰篇「衣錦 衣」是貴族女子結婚時禮服。 衣篇「 衣之宜兮」，是大夫們所穿的黑色官服。綠衣篇「綠兮衣兮」的「綠」，鄭箋「當為緣」，緣，也是一種大夫們的黑色制服。絲衣篇「絲衣其紑」，是祭祀時的禮服。唐風揚之水篇「素衣朱 」，素冠篇「庶見素衣兮」的「素衣」，是武士的制服。唐風揚之水篇「豈曰無衣，六兮」，「豈曰無衣，六兮」是六級，七級的官服。九罭篇「袞衣繡裳」，也是大夫的官服。斯干篇是歌頌衛武公的，詩言「載衣之裳」，「載衣之裼」的衣當指官服。其餘蜉蝣篇「衣裳楚楚」，「采采衣服」，「白衣如雪」，大車篇「毳衣如 」「毳衣如 」的「衣」都是借用辭。由以上的檢討，可知詩經中凡言「衣」都是指官服，所以七月篇說「九月授衣」可見衣是官家賜給的。又說「無衣無褐」，衣與褐對稱，褐是平民所穿的衣服，則衣當是官服了。秦風無衣篇說「豈曰無衣，與子同袍」，「豈曰無衣，與子同澤（鄭作）」，「豈曰無衣，與子同裳」，又可見衣與袍，與裳不同。此詩言「薄汙我私，薄澣我衣」，衣與私對稱，私，當指自己平時的衣服，而衣則指官服。衣與私的意義不同，汙與澣的意義也不同。汙，毛傳「煩也」，即煩，用力揉搓的意思。澣是輕輕洗一洗。為什麼有這種區別呢？因為衣是絲質，上邊織有花紋，用力揉搓就易損壞。薄通迫，急忙的意思。「薄汙我私，薄澣我衣。害澣害否，歸寧父母」，就是快一點把我穿的衣服洗出來，快一點把我的官服漂一漂，為什麼有的只揉一揉而不用力揉搓呢？因為要回家安慰父母。上言「言告師氏，言告言歸」，下言「薄汙我私，薄澣我衣」，可知「言告師氏」而要回家省親的是一位武士一類人物。

詩經研究還有一條法則，就是「凡遇植物名稱，不僅要解釋它的形狀、用途，而且要解釋它是甚麼時候生，甚麼時候長，甚麼時候開花結果，這樣，我們就由此追究出詩的季節而將寫詩的先後次第排列出來」。現在就將這條法則用在葛覃上。詩言「維葉萋萋，維葉莫莫」，萋萋，茂盛；莫莫，就是一片，說的鳥雅雅，都是現在兩個形容詞，所以表現葛熱的現象。詩又言「是 是 」。植物名實圖攷（卷二十二）於葛條說「凡採葛，夏月葛成，嫩而短者留之。」採葛既在夏月，那麼，夏月是陰曆六月，這首詩一定寫在六月。寫詩的月份曉得了，詩中人的身份知道了，那麼，是那一位有武士身份的人於六月間要回家省親呢？從六月篇的研究，我們知道尹吉甫（六月篇有「文武吉甫」，「吉甫燕喜」，吉甫就是尹吉甫。）於宣王五年六月西征，六年六月始回到衛國，他是從宣王三年起，就與衛武公的孫女，衛釐侯的曾孫女，惠孫（即擊鼓篇的「孫子仲」）的女兒談戀愛，然因雙方家長的反對，到宣王六年六月的時候還不能結婚。尹吉甫的身份是武士，他是宣王六年六月回 ，這首詩是否他寫呢？這時就用胡先生所說的假設求證了。我們從詩經的同類作品中來找，果然找到了線索。

素冠篇說「庶見素冠兮，棘人欒欒兮，勞心專專（心旁）！」「庶見素衣兮，我心傷悲兮，聊與子同歸兮！」「庶見素畢（韋旁）兮，我心蘊結兮，聊與子如一兮！」素冠、素衣、素畢（韋旁）是周時武士的制服。庶是幸的意思。棘人，瘦人；欒欒，瘦貌；專（心旁），憂貌。首章的意思，是幸而遇到戴素冠的人呀！瘦人瘦得不得了呀，因為憂愁得不得了呀！二章的意思，是幸而遇到穿素衣的人呀！我心裏非常悲傷呀，聊且一同與你同回家吧！三章的意思是幸而遇到打素畢（韋旁）人兒呀！我的憂愁結成一個乞答（上從疒）聊且與你像一個人吧！他們兩個整整有一年沒有見面，彼此都十分相念，因為雙方家長的反對，不僅想念，更增加他們的憂愁，所以都變瘦了。這首詩是女的迎接尹吉甫的話，可是他們並不是夫妻，所以言詩「聊與子同歸兮！」「聊與子如一兮！」女的把兮吉甫迎到她自己的家，怎麼知道呢？有九或（四從上）一詩為證。九或（四從上）篇說「九或（四從上）之魚，尊（魚旁）方（魚旁）。我覯之子，袞衣繡裳。」「鴻飛遵渚，公歸無所，於女信處。」「鴻飛遵陸，公歸不復，於女信宿。」「是以有袞衣兮，無以我公歸兮，無使我心悲兮！」這首詩是尹吉甫與女友戀愛詩篇，有一個極大的證據。（未完）

說曹操（五）

李漁叔

孟德還至陳留，於中平六年（還是靈帝的最後年號）散家財起義兵聲討董卓，到第二年漢獻帝初平元年，各路討卓兵俱起，推袁紹為盟主，以孟德為奮武將軍。各路兵馬分屯河內，洛陽等地。董卓這方面，將天子徙都長安，自己留屯洛陽。諸鎮懼怕董卓勢強，都不敢先進。只有孟德領軍西行，陳留太守張邈派部將衛茲分兵相隨。在滎陽初接戰，甚是不利，魏志說是：

「太祖到滎陽汴水，遇卓將徐榮與戰不利，士卒死傷甚多，太祖為流矢所中，所乘馬被創，從弟洪以馬與太祖，得夜遁去。」

從弟洪是指曹洪，我們再看魏志曹洪傳：「太祖起義兵討董卓至滎陽，為卓將徐榮所敗，太祖失馬，賊追甚急，洪下以馬授太祖，太祖辭讓，洪曰：『天下可無洪，不可無君。』遂步從到汴水，水深不得渡，洪循水得船，與太祖俱濟，還奔 。」

曹洪後來被曹丕（已篡漢稱魏帝）挾嫌誣陷下獄當死，羣臣並救莫能得。魏畧記，卞太后（丕之生母）怒責丕說是「梁沛之間，非子廉（曹洪的別字）無以有今日。」可知此事屬實，而當時情勢確是十分危急。

各鎮兵既不敢進攻，將領中復發生內亂，兗州太守劉岱和東郡太守橋瑁兩人失和，瑁被岱所殺。袁紹和冀州牧韓馥，又打算要立劉虞為帝，因此頓兵不前。孟德拒不同意。魏書載其答袁紹云：

「董卓之罪，暴於四海，吾等合大衆，興義兵，而遠近莫不響應，此以義動故也。今幼主微弱，制於姦臣，未有昌邑亡國之釁，而一旦改易，天下其孰安之？諸君北面，我自西向。」慷慨陳辭，「我自西向」尤見斬截。這時的曹孟德一切言行，動與義合，見事明白，忠勇英勇，兼而有之。

這樣一直到第三年的四月，司徒王允和呂布共殺董卓，才告結束。呂布之殺卓確係王允策反的。直接原因是董卓曾因小忿，拔手戟擲布。又卓使布守中閤，布與卓的侍婢私通，恐事發覺，心不自安，故易為王允所說動。這些都見於魏志卷七呂布傳，私通侍婢，也正是小說歌妓貂蟬的依據，但布傳稱，殺卓後，才進封溫侯，與王允共秉朝政的。

我們記得黃巾賊作亂，是中平元年二月的事，至董卓之死，已是初平三年，前後共歷九年，而賊勢未衰。這一年董卓舊將李傕郭汜又殺了王允擊敗呂布，局面更亂。青州黃巾衆百萬乘機入兗州，殺了任城相鄭遂和兗州刺史劉岱。此時曹孟德正在東郡太守任內，有一個濟北相鮑信，最傾心於他，就率領州吏萬潛等到東郡迎接孟德領兗州牧，共討黃巾，這才是孟德成立基業的起點，然而最初也是極其艱苦的。據魏書載：

「太祖以賊（指黃巾）恃勝而驕，欲設奇兵挑擊之於壽張，（山東縣名，屬兗州府）先與信出行戰地，後步兵未至，而卒與賊遇，遂接戰，信殊死戰以救太祖，太祖僅得潰圍出，信遂沒，時年四十一。」

又：

「太祖將步騎千餘人，行視戰地，卒抵賊營，戰不利，死者數百人，引還。賊尋前進，黃巾為賊久，數乘勝，兵皆精悍，太祖舊兵少，新兵不習練，舉軍皆懼，太祖被甲嬰冑，親巡將士，明勸賞罰，衆乃復奮。……賊移書太祖曰：『漢行已盡，黃家當立，天之大運，非君才力所能存也。』太祖見檄書呵罵之，數開示降路，晝夜會戰，戰輒擒獲，賊退走。」就在此時不久，竟將黃巾剿平，魏志太祖傳稱：

「追黃巾至濟北，乞降，冬，受降卒三十餘萬，男女百餘萬口，收其精銳者，號為青州兵。」

黃巾賊自數年中，被公孫瓚陶謙俘斬甚衆。通鑑漢紀載，青州黃巾衆三十餘萬寇渤海，為瓚逆擊斬首三萬餘級，又因其渡河半濟大破之，死者數萬，並收得生口七萬餘人。再經孟德此次追擊，以及投降收編，總算全部平定了。（未完）

安徽十三傑

諸葛亮狂想曲（一〇六）

·劉玄·

為了藍采和要登台表演笛子，八仙都趕來捧場，下午三點鐘舉行典禮，八仙在二點多鐘就來了。

經過劉備與磨刀大典各組辦事人員商議後決定，磨刀大典先舉行，然後才是餘興節目。理由是，磨刀大典本身枯燥乏味，如果排在後面恐怕來賓抽籤撤退，使關羽面子上不好看。但這一理由卻不能明白告訴關羽。

太白星君是由諸葛亮準時伴同入場，當然是坐在正中的貴賓席上。也和以前一樣，劉約翰坐在他的足旁，以便隨時答復星君的垂詢。

張素梅穿了像台灣民族舞蹈的宮裝，在場散發節目單。送到星君面前，深深一鞠躬，以示尊敬大仙之意。

「妳不是上次演奏狂想曲的那位小姐嗎？」星君面帶微笑，問張素梅。

張素梅笑了笑，沒有回答。

「就是她，星君的記憶力真好。」劉約翰在旁插嘴，順便恭維了星君一下。

「很好，很好。今天妳為什麼沒有參加表演？」星君這次提出問題來，張素梅不便馬上就走開。

「藍采和、葡萄仙子等前輩都來表演，我怎敢獻醜。」張素梅以前輩稱呼藍和、葡萄仙子，深符中華文化敬老尊賢之旨。

張素梅走後，劉約翰仰着頭，輕輕稟告星君道：「張素梅本來也想參加表演的，是諸葛先生執意不肯。」

星君一聽，立刻理會，點了點頭。

三點鐘一到，台上鼓樂聲大作，有二十名小校，戎裝登台，長槍大戟好不威風。

總會長劉備登台致開幕詞，大意說，磨刀大典每年舉行的意義，是發揚龍岡傳統的忠義精神。劉備致詞以後，立刻引起台下熱烈鼓掌，他們所欣賞的倒不是演說的內容，而是它的簡短。

劉備致詞畢，退至後面，關羽大踏步走至台前，只說了四個字「典禮開始」。周倉手捧青龍偃月刀，刀頭用紅綢裏着，由關羽解開紅綢，其形式畧同與近代的剪彩儀式。

紅綢解開以後，由劉備領頭，依次是張飛、趙雲、馬超、黃忠，每人用淨瓶在刀上灑了幾滴水。然後由周倉在磐石上比劃了幾下，即算禮成。在儀式進行中，鼓樂幾番吹奏，倒也相當熱鬧。

「磨刀大典我還是第一次看到，這完全是一種形式，並沒有真正在磨嘛。」太白星君默默看過大典，立刻講評。

「意義不在磨刀而在發揚龍岡傳統精神。」劉約翰恭敬作答。

「這點我知道，諸葛先生已經告訴過我。」星君摸了摸他的大鬍子。他的鬍子好白，面孔好紅。劉約翰看在眼裏，不覺連想到聖誕老人。

命相與夢話

陸秀夫孤忠難回天

·漢平·

陸秀夫，字君實，南宋江蘇鹽城人。爲南宋末大忠臣。至明朝萬曆四十七年始諡「忠烈」。距南宋的亡國已經三百四十年了。

宋理宗嘉熙庚子生三歲，由鹽城從家遷鎮江。幼年從鄉人孟先生學。孟氏弟子百餘人，獨對秀說：「此兒非凡兒也」！理宗寶祐丙辰，年十九歲登進士第。景定庚申，年二十三歲，李庭芝鎮淮南，辟入其幕中。恭帝德祐乙亥，年三十八歲，時元人強大，邊事緊急，幕中諸僚屬相率亡去，獨秀夫數人不去。李庭芝薦爲司農寺丞，纍擢至宗正少卿，兼權起居舍人。丙子正月，年三十九歲，以禮部侍郎爲使見元人請和，秀夫不就。二王走溫州，秀夫追從。益王昰立於福州，遷端明殿學士，簽樞密院事。當時宋君臣播遷海濱，庶政疏略，秀夫仍儼然正笏，立如治朝。益王以驚疾殂，群臣皆欲散去，秀夫道：「度宗皇帝一子尚在，我等如何處置？古人有一旅中興者，今百官有司具備，士卒尚有數萬，天若未絕，豈不可爲國嗎？」於是與衆臣共立衛王昺爲帝，以秀夫爲左丞相，與張世傑同秉政。此時張世傑駐兵厓山。（地屬廣東省新會縣，厓山在海中，亦名厓門，宋高宗紹興間，立寨，以扼島獦大洋之危。）秀夫外措軍餉，內調工役，一切運作，悉出秀夫之手。雖顛沛流離間，仍日寫大學章句以勸講。帝昺祥興二年己卯二月癸未，厓山陷落，秀夫以爲難不可免，驅妻子先投海中，最後負王赴海而死，南宋至此斷亡。

據秀夫年譜（蔣逸雲著）載：忠烈公于宋理宗嘉熙二年十月八日寅時生。謹按其八字爲戊戌，癸亥，己酉，丙寅。查得日幹之己屬土，年幹之戊亦屬土，年枝之戊，時枝的寅與命宮的辰中，又各藏戊。且具屬土，共有五土。時幹的丙屬火，命宮的丙亦屬火；年枝的戊藏丁，時枝的寅藏丙，又皆屬火，共有四火。土多則厚，非木不足以疏通。火多則炎，非土不足以交濟。恰好命宮之辰中藏水、木，與月枝所藏水、木同聲相應，同氣相求，再益以月幹癸水，時枝寅木從中協助，一面疏土，一面濟火，因此其爲用神有賴，氣象堂皇，是很顯然。是以正國忘家，捐軀竭命，豈止文章英邁，器識超羣而已。

十五歲壬子運，歲值壬子，應鄉舉得貢，補大學牒，火需水濟，此乃明證。

十八歲乙運，歲值乙卯，鄉試第一。十九歲仍行乙運，歲值丙辰，成進士，與文天祥同榜。土賴木疏，此明證又一例。

二十三歲庚申至三十五歲壬申，公皆隨李庭芝參贊軍機，賓主交歡，尚稱安適。因經過丙、丑、寅三運，既不時純水，又不是純木，故只隨遇而安。

三十六歲癸酉，李庭芝投閒置散，秀夫乃出幕。

三十七歲甲戌，元丞相伯顏大舉入寇，七月帝崩，太子嘉國公㬎即位，封兄爲吉王，弟昺爲信王。庭芝爲淮東制置使，秀夫爲參議官。

三十八歲己亥，宋帝㬎德祐元年，秀夫除爲司農寺丞，纍擢至宗正少卿，兼權起居舍人。伯顏入臨安，恭帝及皇后全氏北去，益王、廣王同走溫州。

三十九歲丙子，秀夫至溫州，奉益王爲都元帥。五月即位於福州，改元景炎。秀夫爲直學院。同年六月，秀夫罷直學院，謫居於潮州，奉益王爲都元帥。七月揚州陷落，李庭芝死。十一月，張世傑奉帝航至泉州，旋走潮州，再次惠州。

四十歲丁丑，秀夫致陳文龍書，文龍絕食死。九月，帝遷潮州之淺灣，秀夫簽樞密院事。

四十一歲戊寅，二月，元兵陷潮州。三月，帝崩於碙州，秀夫立衛王爲帝，此時帝僅八歲六個月。旋走厓山，每日書大學章句勸講。文天祥兵敗，上表自劾，朝廷下詔勉諭。閏十一月，文天祥被俘。十二月，秀夫著「三帝信錄」。

四十二歲己卯，二月六日癸未，厓山陷落，秀夫負帝投海。凡此七年，顛沛流離，日無寧時，因由丁火燥土，卯木所致。實則國運已危，無從挽救，然秀夫之孤忠大節，亦可與日月同光了。

文天祥與秀夫同著有弔秀夫詩及陸樞密秀夫，字君實。自維揚幕入朝，京師陷，永嘉推戴。及駐厓山，凡朝廷事，皆秉秀夫潤色綱紀之。厓山陷，與全家赴水死。哀哉！詩云：文彩珊瑚鈎，淑氣含公鼎；炯炯一心在，天水相與永。

天祥與秀夫，同爲南宋末年兩大忠臣，與日月同光，雖然命運乖舛，然亦可謂不朽了。

巨變歷險記

促余程萬就職（一一九）

胡慶蓉

丁博士第二次到開遠，情形與第一次大不相同。第一次到開遠，有軍樂隊歡迎，站上人熙熙攘攘，充滿生氣，這一次到來，站上人冷清清的，零亂，骯髒，牛溲馬勃，遍地皆是，門壁戶窗，破壞無遺，完全是劫後現象。所有的廿六軍軍部，正在上搬家，所有的桌椅板櫈，都準備搬到蒙自。余程萬軍長已經到了蒙自，彭副軍長也在準備前往。

他很高興又與丁博士見面。他很感慨的述說撤家的情形。我能往，敵亦能往。開遠站不住的話，蒙自又何能站得住呢？余軍長，對於盧漢，他承認同盧漢一定有密約，雖內容不詳，但不再作敵對的行動，則可以斷言。改編廿六軍的部隊爲盧漢的部隊，也可能有，尚未見諸實行。這不是余不願意，而是廿六軍全軍將士不願意，尤其彭副軍長不予支持。

同彭副軍長在鐵路線區司令公館吃的飯，這位線區司令人非常幽默，也非常豪爽。他的公館非常堂皇，但一看就知道差不多已經撤空了。但他說他要最後走，「非敢後也，馬不進也」！這恐怕是謙讓話，因爲還是隨着彭副軍長的車走最後一趟的車。丁博士總算運氣不壞，到開遠，雖趕上了四副軍長的專車，又登上了彭副軍長的專車。

正講，這專車也還只是雜湊的一些車皮，除了裝置傢俱外，並沒有多少人。車從宜良到開遠，山地多；從開遠到蒙自，平地多。看起來田很瘦，莊稼並不肥。相對默默，每一個人都心事重重。到了蒙自，與余軍長見面，是在城外萬保邦的房子裏。這就是廿六軍的新軍部了。萬保邦的房子，在蒙自很馳名。這是一座西式的小洋房，共分兩層，還有一個三樓小閣樓。他們什麼秘密的集會就在這個小樓房，軍需，總務，……參謀室，副官室，分佈在他的左右上下。萬保邦的公館，距離飛機場非常近，蒙自的城外公園，蒙自的省立中學，都在他的附近，在他的前面。

余軍長對於丁博士的冒險犯難，能穿過匪區，把中央的命令帶到蒙自來交他，表示非常欽佩。但對於雲南省綏靖主任一職，堅辭不就。這又不能不令人懷疑他同盧漢一定有什麼秘約。余軍長對於新的官銜，能做事不能做事，不在乎什麼官職，都不感興趣。他的乾脆的話，大敵當前，委幾個大官，當什麼主任，當什麼官，都解決不了問題。話雖還是這樣說，在丁博士的敦促之下，余軍長還沒有舉行任何的儀式，也沒有任何的談話，就當了雲南綏靖主任，宣示中外。也就是給中央一個電報。蒙自依然戰雲密佈，現在成了雲南綏靖公署，雲南的最前線，也安在萬公館。彭副軍長的辦公室，也安在萬公館。

搜異錄

弱女智殺巨蟒

匡謬

福建閩縣之西北山麓，有巨洞，深藏巨蟒，每出食人。蟒長數丈，粗可數圍，鄉近深以爲患，官吏亦被巨蟒所吞食。巨蟒生有千年，頗富靈異，常令人托夢於人，欲得女十二三歲人爲食。縣吏投以牛羊，仍不得免。縣吏無法可施，遂出懸賞徵求童女，以千金一人，一面以罪犯童女送入洞口，蛇出吞食之，至八月朝，將童女送祭洞口，每年如此，時已歷九載，吞食童女九個。

某年未至八月，縣吏先預募童女祭蟒，未得童女。長樂縣有李誕者，生有六女，迄無一男，其小女名叫李寄，生得智慧過人，而且孝順。以巨蟒爲患，自願應募祭蟒。父母憐之不許。寄女道：「父母無子，惟生六女，雖有如無；兒雖無緹縈濟父母之功，既不能供養雙親，徒耗父母衣食，生不如死。今賣兒之身，既可供養父母，更得爲地方除害，豈不爲美事！」父母悲傷，終不忍其去。寄女一日潛至縣衙請行。請求壯士二人，獵犬數隻，米飯數石，糖飴數罐以備。巨蟒既得糖味而出，先令將飴飯投於洞口。巨蟒出食，飽食飴飯。蟒頭大如囷，目如巨鏡。女縱二獵犬撲之，劍士揮刀殺之。巨蟒負創，蟒痛急，全身竄出，死於洞口。寄女全部擁出，命人葬之。寄女緩步而歸，得其九女骷髏。越王聞此奇女，聘寄女爲妃，擢其父爲長樂縣令，母及五姊，皆各有賞賜。從此，閩東無巨蟒害人，其事蹟至今，仍有歌謠相傳云。（完）

自由詩壇

奉讀夢機崑陽酬唱之作依韻感和

黃永武

滿城燈火走香車。儘唱新聲噪老鴉。世運凌遲騰碩果。故經高閣作匏瓜。豈無好友能攻玉。合有奇文勝看花。轉恐中州春事遠。殷勤枝上探青芽。

臘月夜讀書懷

婁貢樂

歲臘燈前問筆耕。生涯奈苦計分明。士傷旅泊如飄絮。家樂殘宵似病醒。廣厦簾遮酬舞夜。寒街風送賣漿聲。何因怕聽鷓鴣語。恐阻鄉關夢裏行。

吹和熙元春興之作

黃慶萱

杜鵑似火柳如絲。照水繁櫻萬萬枝。一葉夷猶江上曲。千鶯宛轉夢中詩。濕經每負春光媚。耽寂初驚景物滋。合倩童生窺舍圃。山嵐溪月有真機。

秋夜夢伯兄寄小金門

張夢機

歷檐霜氣欲侵裘。濃霧霏霏未肯休。雁叫驚回千里夢。燈殘留伴一分愁。危礀戍老東溟月。姜被宵寒半榻秋。幾度空灘蟠石上。怕聽潮語說淹留。

第三章

童太尉喪師辱國　金太祖攻陷燕京

劉延慶不納忠諫，任令士兵擾民。兵抵良鄉，遼蕭幹提兵邀擊，宋軍方與接觸，便告潰散。遼兵大殺一陣，死傷甚衆。至是劉延慶乃收拾殘兵，閉壘不出。

郭藥師又復獻計道：「蕭幹之兵不過萬人，今悉力拒我，燕山必然空虛，願得騎兵五千，倍道掩擊，必操左券。惟請公次子光世策兵應援，萬不可誤。」郭藥師此計甚爲可行。劉延慶許之，遂命大將高世宣、楊可世與藥師共引兵六千，乘夜渡盧溝，兼程而進。到了黎明，遼常勝軍偏帥甄五臣已獲知軍情，急率五千騎兵入燕京。郭藥師引兵繼至，城中已有戒備，宋軍猛攻數次，得入外城，遂遣使促蕭皇后投降。

遼國方面已大有準備。蕭皇后已密知蕭幹，蕭幹已率精兵三千還燕京參戰。郭藥師已與遼軍大戰，知遼已有備，只望待劉光世來援，不意渺無動靜。遼將甄五臣又從城內殺出。郭藥師只進得燕京外城，一見遼兵從內城殺出，前後受敵，只好同劉可世一同棄馬，縱城奔回。可世宣戰死於燕城中。劉延慶進駐盧溝，被蕭幹截阻餉道，擒了護糧官王淵及漢兵二人，用布蔽目，拘留帳中。夜半卻假意語道：「我軍三倍宋軍，明晨當兵分三路出擊宋營。以精銳衝宋軍中堅，左右兩翼爲援，舉火爲號，殺他個片甲不回。」說完，又陰放一人出帳回歸。劉延慶撫識，果然中計，遙見火起，以爲遼兵三路來了，緊急下令燒營急遁，士兵自相踐踏，死亡過半。蕭幹即縱兵追至涿水，方收兵回營。

童貫經此兩次失利，圖燕無功，恐皇帝詰責。於是密劃一策，遣王瓌如金，請金主夾攻燕京。金主亦遣使蒲家奴至宋營，責宋出兵失期。宋朝復遣趙良嗣往金，金主晏責趙良嗣道：「汝國約攻燕京，至今尚未成功，反要我兵相助。試想一燕京不能攻得，尚想得十餘州麼？我今發兵攻燕，必然得手，取應歸我有。不過前已有約，滅燕以後，當分給燕京及薊、景、檀、順、涿、易六州」。

趙良嗣道：「原約許以燕山前後十七州，今乃許六州，未免背約？貴國不可自失信義？」

金主道：「前約雖許十七州，但十七州若爲汝國所取，我當照許。今除涿、易二州自降汝國外，汝國取得一州否？」金主厲色直問，趙良嗣無詞以對。

趙良嗣道：「[illegible]」

（十二）

自由報

中華民國內政部登記證內版台誌字第○三一一號
中華郵政台字第一二八二號執照登記為第一類新聞紙類

（第一〇五八期）

（每逢星期三、六出版）

每份售價港幣壹角，台灣每份售價新台幣壹元五角

社長李運鵬．督印黃行憲

社址：香港九龍彌敦道593—601號
廖創興銀行大廈八樓五座

LIU CHONG HING BUILDING
7th FLOOR FLAT 5
593—601 NATHAN ROAD,
KOWLOON, H.K.
TEL：K303831
電報掛號：7191

承印：景星印刷公司
地址：嘉咸街廿九號地下
台灣通訊中心：台北市青田街五巷三號
電話：三五〇五三二
台灣區直接訂戶　郵撥台北第五〇六五號（自由報台灣發行處）
台北營業處：台北市新生南路三段十號
電話：二七一二〇〇
台南分社：台南市西門路110號二樓
電話：二三〇四六　台南郵撥戶第九二二號

科學不能解決政治問題

．丁作韶．

科學不能革新政治，吾已在本報為文論及。願再就科學不能解決政治問題申論之。

科學不能解決政治問題，從年來美國總統尼克森的種種表現上看得最清楚。

誰不說美國是科學最發達的國家，誰又能不承認登月小艇太空艙等是科學的最大傑作空前傑作，但登陸月球成功了，月球的巖石拿下來了，但這並沒有解決美國的政治問題，更沒有解決世界的政治問題。年來美國內部的政治問題，層出不窮，如黑人的蜂起，組織「幫會」，到處殺人放火，美國靠科學解決了嗎？金恩博士的被刺，羅伯比甘迺第之被刺，美國靠科學解決了嗎？年來的嬉痞運動，罷學風潮，美國靠科學解決了嗎？

這是對內來說，若論對外，國際的政治問題，美國更沒有靠科學解決！最有力的說明，是尼克森乘阿姆斯壯等太空人登陸月球成功回來地球上的日子前往亞歐兩洲訪問，好像法國拿破崙乘戰勝餘威回到巴黎經過凱旋門的樣子。現在回想回想，美國的月球登陸成功又幫助了尼克森多少？可以說一點沒有！美國登陸月球成功，誠足以自豪，長程數十萬哩，歷時五六日，飄越月球，飛到月球，並且登上去，計算的幾乎一分不差，但科學畢竟是科學，科學並沒有改變國際的政治局勢，並沒有解決國際的政治問題。

是科學有科學的領域，政治有政治的領域，絕不可以把科學當作萬靈散百齡機，認為他可以解決政治問題。在我們的台灣，當局諸公，不少人把科學當作可以解決政治問題。但按事實際，略加觀察，科學能決了那些政治問題？奇怪的，科學雖然不能解決政治問題，但卻自以為是，這無非掩耳盜鈴，明眼人，一看便知。試想想，台灣有那些政治問題？有那些政治問題是科學解決的？有那些政治問題科學可以解決？這不但是對國內而言，尤其是對國際而言。反攻大陸，無疑義是台灣的最大政治問題，但科學能解決嗎？科學能解決什麼？中美協防條約，無疑義是台灣對國際的政治問題，這科學又能解決了什麼？

原來科學家的對象是物，政治的對象是人，以對物的方法來對人，是絕對行不通的。科學的方法應該是科學的方法，政治的方法應該是政治的方法，科學的精神應該是科學的精神，政治的精神應該是政治的精神，科學的方法代替不了政治的方法，科學的精神代替不了政治的精神。以科學的精神代替政治的精神，以科學的方法代替政治的方法，那就完全錯了，那就是大錯特錯。此路是走不通的。

我很奇怪大家在高唱復興中華文化，大家在讚揚中華文化的偉人，對於五經四書，三墳五典，八索九垢，視為珍寶，因為有人主張中華文化代替西洋文化。我在這裡不能不回憶清末民初的梁任公啟超先生，和中西文化及其哲學的作者梁漱溟先生。他們老早就主張中華文化代替西洋文化。我倒不這樣主張，我不主張誰比誰高，更不主張誰代替誰，我主張並存並行不悖。

不可否認的我們在政治方面要說特別的發達，西洋在科學方面特別的發達。彼此應該截長補短，互相為用。現在一面倒的現象是不對的，什麼都倒在科學方面，什麼唯科學是賴是不對的。尤其在科學不能解決政治問題，科學與政治分際非常清楚的今日，應該在中華文化中求得政治問題的解決，在我看只有在中華文化方面才能求政治問題的解決。我不能說，也不應該說政治問題的解決方案完全在中華文化，但我敢說，大體上可以得到。

中庸，大學，不是有人奉為政治寶典嗎？為什麼在實際上不去運用呢？在中庸上，哀公問政，孔子不是有一篇很好的答復嗎。孔子一開頭就抓住了政治的主體政治的客體，抓住了政治的方法，抓住了政治的精神，抓住了政治的目標，抓住了政治的整體，抓住了政治的全豹。他一開頭，就說：「為政在人」。這人就是政治的主體，政治的客體，政治的方法，政治的精神，政治的目標，政治的整體，政治的全豹。這「人」字，自來的解釋是狹義的，自來的解釋作為在台上的人政府中人有權有勢的人，這錯了。「在「人」解釋為靠台上的人靠政府中人靠有權有勢的人靠能幹的官吏，那就更錯了。若說「為政」，就是做官，解釋的更錯。「國以民為本」與為政在人是相通的。「天視自我民視，天聽自我民聽」，把人的重要的地位更提高的無以復加。

那麼政治問題就是人與人的關係問題，國與國的關係問題。法國的著名公法學家狄驥先生對於國家他有非常透澈的分析，他把國家也作為人，國家與國家的關係也還是人與人的關係。政治不是單單大家的事情，政治是大家的關係，人與人的關係。單單管理大家的事情不是政治，政治要進一步劃分人的關係，確定人的關係，協調人的關係，維護人的關係，維持人的關係，使交相為用，各不相害。

為政之道，那是說不清道不完的。孔子是「聖之時者」，時很重要。為政要因人制宜，也要因時制宜。時與地是以因人為本的。孔子答復哀公，「凡為天下國家有九經」，君臣也，父子也，夫婦也，兄弟也……柔遠人也，來百工也。對於官吏，主張「忠信重祿」，尤具卓見。

今日政府官吏，使人已經感到呆滯遲鈍。若常此下去，政治根本就沒有人去做了，這還談什麼政治？誰又去為政？解決這個問題，應從政府同官吏的關係中求之。政府應該自問對官吏忠不忠，對官吏信不信，祿是不是重了？從這個途徑解決政治問題，政治問題方能得到解決。官吏，即今之公務員，工作非常辛苦，需要上邊關心他們關懷他們照顧他們，為他們着想，為他們設想？政府忠於官吏，官吏必然忠於國家。信對於官吏尤其重要。孔子有足食足兵民信之矣的說法。兵不足並沒有關係，食不足也沒有關係，信最重要。這對官吏來講，同樣的重要。政府應該檢查一下是不是有不信的地方？祿呢？夠嗎？能談得上重嗎？若不在這上面設法，專去藉重科學，想從科學上找出方法來，找出精神來，很可能是南轅北轍，治絲益棼。

總之，政治自成一個領域，政治有政治的辦法，政治有政治的精神，在政治領域中，本着政治的精神，用政治的方法，才能解決政治的問題？中國文化對於政治特別的有研究，解決中國的政治問題，應從中國文化中求之。否則若從科學中求之，科學中是尋不出來的。年來尼克森總統依靠科學絲毫解決不了美國的政治問題，為什麼還效尤他？政治才能解決政治問題，政治問題之解決應從政治中求之。質之高明，不知以為何如？

昨日與明日

為李國鼎明快作風喝采

本年四月二十一日台北中央日報出現一條由財政部長李國鼎具名的：「財政部公告」型式的廣告，係中華民國五十九年四月二十日發出，發文號（五九）台財錢第一二七一六號，原文：「一、查國光人壽保險公司現有資產已不足清償債務，為保護要保人被保險人或受益人之權利，爰依保險法第一四九條之規定着令停業。二、特此公告。」我們所以全文引抄，因為這在我國財政金融史上，將保險公司停業，還是第一次，代表的意義非比尋常，應為後世留一完整的可資參攷的資料。

本報在數月前就會促請財政當局注意保險公司的業務經營。保險原是社會安全制度的一環，可是，這種良好制度，推行到中國來，卻走了樣。依照業務性質，保險業屬於金融事業，雖然不是完全壟斷，卻是寡頭壟斷，並非像出售油、鹽、罐頭食品的小雜貨店，人人都可創立經營。政府對於保險公司的開設，採取嚴格限制主義，自從民國五十年一度開放保險事業後，以後就不准再設立了。不用說，能夠創立保險公司的，都是「資財」，「權勢」兼具的有力人物；能夠設立的就享受特權。它可以說是經營無本生意，業務營運資金都是吸收無數投保人的金錢，吸收時說得天花亂墜，真要發生意外，需要賠償時，儘管機會少之又少，卻是百端刁難。如果某保險公司慷慨賠欵，投保人還要登報銘謝，這就足以證明：保險公司賠欵事不易。

本來，保險公司利用他人的資金來作生意，應當有賺無虧，結果，國光人壽保險公司卻虧了，而且虧損得很嚴重，顯然經營不善，最大關鍵是：新式企業仍採古老的家族經營方式。國光人壽公司可以說是黃家班，董事長黃龍鳳鳴，是現任立法院黃國書院長的配偶，常務董事兼協理的葉克寬是黃國書長公子，黃國書本人也是黃家一位常務董事，另一常董黃遠竹也是黃家一家人，二十世紀的企業經營，還採家族經營方式，縱屬無弊，也是偏私，落到今天這個下場，誰怨誰來。

問題：保險事業乃係整個金融體系的一環，今國光一家垮了，不僅影響無數投保人的權益，也危及了整個金融體系的安全。我們對於財長李國鼎，不畏權勢，毅然將國光人壽停業的明智迅速果敢作風，不禁喝采。現在財部已凍結公司主要負責人財產，責令一週內提出償債辦法，我們希望：財部應堅定立場，妥善解決未了各項問題，維護人民權益和國家金融制度，決不能讓它一倒了之，對於其他不健全的保險公司，更要密切注意。

．言叟．

自由談

輿論的力量觀

人亦有言：民主政治即係輿論政治。輿論經常是反映民眾的意見，其表達方式，不外兩種，一為報紙評論，一為議會檢討。在英美法各個先進的民主國家中，輿論的力量最強大，政府一切重要的行政措施，若不博得輿論上的贊同，即很難實現。因為議會控住政府的經濟荷包，代議士不能違背民意而隨便核撥行政經費，否則民眾藉着選票的權力，可以翻掉代議士，乃至於使政府當權者為之垮台。所以，美國現任總統尼克森原是反共最力的人物，但由於輿論上多不贊成美軍對越共作戰之故，他就祇好把越戰降級，提倡談判，同時分期減少原在越南作戰的駐軍。尼克遜這項措施，在他的內心上未必樂意做，而是受到了輿論的壓力，不得不然，這便是輿論力量偉大的明證。

同樣的輿論，如果是在民主憲政之治不健全的國家，就會變質為面目全非的情況。報紙儘管批評庶政的得失，議員儘管檢討審議國計民生的政策和問題，然政府當局不妨漠然置之，我行我素，甚至不許輿論上說二話。這樣，所謂輿論也者就不發生絲毫作用，只是廢話一堆而已。好似荒貨一樣，擺在街頭，有行無市，誰也不屑一顧，輿論的力量乃等於零了！

可是，報紙既不能沒有，代議士亦不能取消，那怎末辦呢？基於「適者生存」的進化律，報紙上的言論和政治新聞，一例八股化，官文書化，而以儘量刊載黃色黑色的社會新聞為能事。代議士則以避重就輕主義為立言的準繩，談談毛細問題，拍拍蒼蠅蚊蟻，表示自己并未放棄職責，尸位素餐。如此這般的搞法，表面上依然朝野上下顯示着一片和諧安詳的太平景象，善哉善哉！

真正的民主生活，是要吵吵鬧鬧的。試看美國的情形，思過半矣。沒有輿論上的是非爭議，就不能表現大多數人民的意志，即此可知民主政治的首要條件，便係「言論自由」。大家動嘴不動手，講理性，尚寬容，構成公是公非的大幸福為職志的。這問題說來很平易，做起來卻不簡單，此民主政治之所以要從一點一滴創進也。

馮王先生

美國當前最大危機是什麼

國內就業問題嚴重 人才也已開始外流

政府機構的人事早已凍結

（本報特約撰述丘穎哲美國航訊）美國爲今日自由世界的盟主，其外交政策的趨向，舉足輕重；而外交家的承諾，則往往因時而異。但是一個民主國家，切皆以民意爲依歸；所以我們要推斷美國的外交，必先要瞭解美國的內情。這樣才不會被因事制宜的宣言所瞞蔽。

如果我問住在美國以外的任何一個人，今日美國內部最大的危機是什麼？我相信可能的回答是下面這幾項——種族紛爭、暴亂、反越戰、青少年的反常等等。我猜想很少人會體會到嚴重的就業問題，已發生在美國。

這個問題的發生，可說是最近兩年間的事，從一九六八年美元貶值開始，就業情況便急轉直下，高級知識分子，尤其是領有碩士博士學位的，更難找到工作。舉一個例來說，在三、四年前，凡是在研究院裏攻讀的學生，在畢業前一年，就已透過學校裏的就業輔導處，找到工作。有時甚至工作已定，而一年以後論文仍未寫完，於是只好挾着「論文」，離校而去，一面工作，一面寫。這樣一拖，便是一、兩年以至三、四年後，才把學位完成。當一個人突然失業，或者想找新的工作，各學術團體的定期會議，總設有特別的地方，讓「人求事」及「事求人」兩者有充分的機會接觸。因此，開會除了學術的交流和社交的結集以外，又多發揮了一個作用。以往在會場中，「事求人」多於「人求事」。但從一九六八年夏天起，出現了相反的現象。以後愈來愈糟，到一九六九年四月，化學會開春季會議時，求職的人，將近六百，而空缺只有數十；求職的人中，印度人甚多。據說美國太空署在去年一下裁員數千，而工業機構，不是採保守態度，便是裁員，於是這些人只好湧入學校去教書。哥羅拉多州一個山城裏的一間小學院，有一個空缺，申請的人將近一百，其他學校的空位，更可想像。在一九六八年的夏天，一位渥太華大學的教授來美演講，在午餐時，大家談到就業問題，他說美國的人才，已開始外流，加拿大一個學院需要一位教員，而申請的人，在三百以上，其中有一半是居住在美國的。在一九六八年，一個剛要畢業的研究生，要寫一、兩百封信才能找到工作。到一九七〇年，美國學生能找到工作的，都大叫艱難；而找不到工作的，則不敢畢業。據我所知，目前各大石油公司，已開始收縮；小的公司，便紛紛合併；連每年例行到學校去發掘新人的政策，都已暫停。至於政府機關，從一九六八年起，早已實行人事凍結，近年來經費更緊，前途益未可樂觀。爲何美國目前的就業問題會這樣嚴重？我相信，每個人都會想到是越戰的影響。其實越戰只是一個近因，只是加速了這個問題的發生。其他的許多遠因和潛在的因素，更是我們所不能忽視的。現在僅就我個人所見，擇其較重要的幾項，爲讀者略陳於下：

國際市場競爭 美貨優勢減弱

第一、美國商品在國際市場上的優勢已逐漸減弱——我們都知道，美國是一個在第二次世界大戰後迅速發展的國家。當戰爭結束的時候，各國瘡痍滿目，工商業都陷於癱瘓狀態。於是在國際商場中，美國的產品就佔着重要的角色。這樣，工商業便跟着繁榮，而所需的人才也日漸增加。由於自由競爭的結果，人才得到重用，因而社會也就欣欣向榮。但是戰後數年，西德、日本以及其他工業先進的國家，都逐漸復原，他們不但能自給自足，而且能在國際市場上與美貨競爭。在此期間，原來工業比較落後的國家，都紛紛建立他們自己的工業，這些年來，在輕工業方面，不但各國能自給自足，同時，他們的產品且已行銷到美國。在此間的外國貨；最大的特點就是便宜；在品質上，也能和美國競爭。日本貨在世界市場上，一向以便宜及不經用見稱；但近年來產品的精美，令消費者刮目相向，而日本的照相機更是遠近馳名，其他民生用品行銷到美國的，也種類繁多，無孔不入。到最近幾年，日本製的汽車已開始打入美國市場，TOYOTA牌子的汽車居然在去年德州博覽會中展出，街上也偶然看到有人駕駛着這個牌子的車。西德的VOLKSWAGON在美國早就非常行銷。最近法國的噴射戰鬥機，價錢只有美製的一半，而性能、效率却較優，因而暢銷各地。又近年來，亞洲地區的產品，也愈來愈多，台灣、香港、韓國出產的毛線衣，在許多商店中都可以看到，早期在紐約的大百貨公司看到的只是小量比較貴重的手工藝品，而現在在各地看到的則是大批的，適合於日常穿着的製品。這些製品可說是物美價廉，難怪他們能在美國市場上佔得一席。在這種情形之下，美國本土的工、商業自不能像他們以前那樣擴張了。本土的工、商業不再擴張，就業的機會自然受到影響。

美國工業擴張 逐漸移至海外

第二，美國工業擴張已由本土逐漸移至海外——關於這一點，我曾在「美國石油工業的新趨勢」一文中提到。最近這種趨向更是明顯。不但美國工業界如此，其他的工業國家也是如此。舉一個例來說，非洲尼日利亞的內戰，一經結束，數週之內，各大石油公司就紛紛和該國簽訂合約，在原來比亞法拉控制下的地區，開採石油。據說尼國政府有一個規定，外國公司每僱用一外國人就得僱用四個尼國人。這樣，尼國人的就業機會，可說是大大的增加了。至於剛果，西方國家在那裏的投資更多。據說，有一個貧窮的小鎮，因爲有礦藏，於是各國都在那裏設廠提煉。其地經濟，驟告繁榮，而民生也就逐漸富裕，汽車、洋房、愈來愈多，超級市場的建築已完全現代化。（剛到紐約市的人，對於那裏的髒與亂，一定會感到非常失望。古老的大城，往往如此，將來要看最現代化的都市，大概要到非洲去吧？）至於美國工業界在歐、亞各地投資設廠，國人可就台灣的情形，推斷出來，這裏不再贅述了。但是爲何美國工業在海外擴張而不在本國擴張？此中主要的原因有三：（一）本土的工業已擴展至超過本國所需。（二）要爭取國際市場，美國貨品成本必須降低，而本土內人工太高，而且工資逐年增加，工人對福利的要求也是愈來愈多，甚至動輒罷工。在此種情形之下，到海外設廠，可以利用那裏便宜的人力。（三）在外設廠，可以利用當地的原料，製品就地銷售，免去運輸的麻煩，亦爲減低成本之妙法。尤其礦藏方面，美國原是個存量豐的國家，但是由於工業發達，開採迅速，存量逐漸減低，開採不但困難，而成本也大大提高，在此種情勢之下，除了向外發展，別無他途。與其把沉重的礦物原料運回本土，不如就地提取，乾脆得多。非洲各地，礦藏不但豐富，而且都未經採掘，西方的工業國家，自然要到那裏去投資了。在這趨勢之下，美國本土的就業機會，也就大大的降低了。

由於空氣污染 工廠被迫停工

第三、由於環境的污染問題，工業界受到很大的壓力——由於人口的激劇增加，工業的不斷擴張，美國各大城市的空氣，其污濁的程度，已經不容忽視。河流及湖沼，都成了濁水溝、污水池。近年來，由於在海岸附近採油，原油意外的洩出，更傷害了沿海的生物。現在人民及政府都紛紛採取行動，對工業界不斷的施以壓力，要他們在製造的過程中，減少對環境的污染。最近，霍斯敦城有一個小工廠，因爲無法減少他們對空氣的污染而被迫停工，數千員工同時失業。其餘各地市民控訴工廠染污環境的事件，時常有之。以目前科學發達的程度，要維持環境的清潔，在技術上的問題並不嚴重，問題的重心是在於經濟。爲了保護未來環境清潔，工業界必須多化本錢，有計劃的控制製造的程度，同時注意廢物的處置，甚至要將有害的廢物改爲無害，然後才能丟棄。至於已經污染的河流、湖沼，就只有靠政府的力量來清潔了。最近，美國南加羅林納州的一個城鎮，因爲地廣人稀，被德國的一間塑膠公司看中了，和該地政府簽訂合約，要在該處建立一個分廠。該城原屬荒涼，人民貧瘠，政府本希望工業界能帶來更多的就業機會，促進地方的繁榮。誰知消息一經傳出，市民紛紛遊行示威，表示反對。他們的理由是工業界會污染他們的環境，戕害他們的生命。一位老婦人說，她在德國萊茵河畔住了十年，深知該河污染的經過，不願再看同樣的事件發生。提到萊茵河，想起以前讀德文時，老師常提及德國人以「萊茵爲父，多腦爲母」。許多詩人和藝術家都曾爲他們寫下傳世的作品。前數年，一位友人赴德，我特別寫信去問萊茵河的情形；她說只是一條污水而已。因此，目前一般工業界都只得將一部分資本，用在解決環境污染的問題上去。在這種壓力之下，工業界亦不敢隨便擴張。將來政府對於這方面的法令將會愈來愈多。例如：汽油公司必須製造燃燒後不產生毒氣的燃料；汽車公司必須有安全的設備，不讓毒氣排到外面等等。工業界的負担將會有增無已。

（下轉第三版）

喬治桑外傳　一三九

張大萬

「包死，你眞會說笑話，對了，蘿蔔，我忘記告訴你，包死以前還是上海的名票呢。」

「老前輩對平劇很有研究？」蘿蔔蔡聽到雅麗絲的介紹問喬治桑。

「過去在上海玩過一陣子，談不上什麼研究。」

「說來慚愧，我們這一代年青人，不會說唱，連聽都聽不懂了。」蘿蔔蔡不敢在魯班面前弄大斧，他對平劇確實一竅不通。

「我也聽不懂，照這樣下去，你看平劇會不會沒落？」雅麗絲向喬治桑請教。

「現在歐美各國認爲平劇是一種獨特的歌劇，他們很感興趣，譬如：平劇的臉譜，他們就認爲很有雕刻的藝術意味。因此，平劇一時還不至於沒落。」喬治桑爲了愛好平劇，在他的血液中才多少保留了一點中華文化的氣質，尚未澈頭澈尾的西化，其故在此。

喬治桑、蘿蔔蔡、雅麗絲三人聊得很起勁。最重要的一點，由喬治桑從中穿挿，蘿蔔蔡、雅麗絲兩人彼此增加了很多了解。在喬治桑的內心感覺，以前他對不起雅麗絲的媽媽，現在他能多多照顧雅麗絲，也算是補贖前愆了。

在十一點多鐘的時候，蘿蔔蔡起身告辭，喬治桑命雅麗絲送他出門。然而，他吁了一口氣，自言自語道：「但願能了却自己的心願。」

雅麗絲與蘿蔔蔡已經不是普通的友誼，她送他出門，喁喁私語，差不多花了十幾分鐘時間才回到客廳裏。

「蘿蔔走了？」

「嗯，」雅麗絲看了一下腕表接着說：「現在已經十一點多了，你還不休息？」

「不，現在我還不倦，我們再聊會兒，好不好？」喬治桑是個老夜貓子，到了夜晚，精神特別好。

「好，讓我再替你倒一杯茶來，」雅麗絲說完，立刻已替喬治桑泡了一杯茶。

「蘿蔔背後對我的批評如何？」喬治桑啜了一口新泡好的茶，問雅麗絲。

「哎呀，你眞會多心，你是我的『包死』，又是長輩他怎敢批評你。」

「不是這個意思，我是問他對我的觀感。」

「很好嘛，他說你學問好，爲人好，說話風趣，沒有老氣橫秋之態。總之很好，很好。」雅麗絲說話的速度很快。這一點倒有點像美國妞兒。

「眞的？老實說，我對蘿蔔的印象也不錯。」

台北傳奇錄　（四六）

・陳光棣・

「把你的鳥咀閉上」！賴太太威風凜凜的說：「叫你作點事，是抬舉你，別給臉不要臉」！

「爸爸，你的襪子借給我一雙好不好？」賴小弟光着脚板從房間跑出來。

「你自己的襪子哪」賴先生到處找螺絲起子：「爲什麼穿我的」？

「你就給孩子拿一雙嘛這麼一件小事也要我操心」！賴太太皺着眉：「韋嫂！開飯！」

「媽！我想去看早場的電影」。賴小妹坐在飯桌前面。

「胡說，等一會咱們全家都要陪着姐姐去考試，後天再去看電影！喂，我說，我新買的那一副耳環子哪」？賴太太問滿頭大汗的賴先生。

「今天陪考，還帶什麼耳環子？」

「帶不帶干你屁事，要你囉哩囉索，我問你耳環子在什麼地方？」

「我怎麼知道」！賴先生數着鈔票：「你們誰拿了我的錢」？

「還不是媽媽！」賴小妹搭着腔。

「絕不是妳媽媽，要是她的話，就全給我拿走啦，一分錢也不會剩」。賴先生有把握的說。

「我想起來啦，今天我還要去上會，喂！把拉鍊給我拉上」！賴太太到處找賴先生：「快，快」！

「天哪，妳不會找別人嘛！」

「你沒有看到都在忙着嗎？」

「把慧敏的草帽找出來！」賴太太照着鏡子衛着正在拉拉鍊的賴先生下命令。

「她已經都準備好了，還等着妳！」賴先生要借機會振振乾綱：「像妳，一天到晚坐在牌桌子上」！

「你怎麼不早點刮鬍子？我說，韋嫂呀！多開幾聽罐頭！」賴太太洒着香水。

「有幾樣小菜就好啦，誰又能吃多少哪？」賴先生翻箱倒櫃的找扇子。

「瞧你這個笨勁兒的，連把扇子都找不着，我說，咱們一會要多帶點可樂去，還有水菓，鹹麵包，你趕快去準備，對了，還要帶一座電風扇」！

「什麼？帶電風扇？到那兒找揷頭啊？」

「好啦，電風扇先不談吧，至少可樂要帶上四打。」

「坐在牌桌子上怎麼樣？」

「家裏搞的亂糟糟」！

「誰讓你沒出息，不能多請佣人！」賴太太理直氣壯。

「誰家的主婦不是自己動手」！

「你少廢話，趕快打電話催車子，喂，等等，我那把檀香木的扇子哪？在梳粧台找找！還有……」

（未完）

美國當前最大危機是什麼
國內就業問題嚴重 人才也已開始外流 政府機構的人事早已凍結

（上接第二版）

人才供過於求 發生人浮於事

第四、人才的培育，供過於求——這個現象的產生，可以說是多方面的。概括來說，可分為下面三點：（一）是社會安定，教育發達的結果——人才過剩，在歐洲早就已經發生了。德國、英國、瑞士等地，高級智識分子過多，因此就業非常困難。因為這些工業先進的國家，不但教育發達，人民的求知慾也強；但是由於地理環境的限制，沒有發展的餘地。至於他們所需要的勞工，則要由西班牙和意大利輸入。美國自二次大戰結束以後，工商業發展迅速，在此期間，所需人才甚多，除了將歐洲大部分過剩的人才延聘過來，同時還以其無限的發展機會，吸引了大批優秀分子，造成其所謂人才外流的現象。在外流最盛的期間，據稱每日有四千歐洲人來美。雖然如此，高級智識分子的供應，仍是不夠。於是本土內很多學校擴展設立研究所，研究所愈來愈多，畢業生增至一年十萬之數，即使工商業繼續擴建，恐怕遲早也要爆滿；一旦保持現狀，不再擴張，那末，就業問題就顯得非常嚴重。（二）是經濟不景氣，影響研究工作——要安置一個有博士學位的人，不是一件容易的事。這些人外號『頭腦』（BRAIM），他們是以用腦為主，用手為次的人。他們的助手是另外一批以用手為主，用腦為次的人。這就是所謂技術工人。除了發明、創造、改良及研究一般事物的原理、原則需要『頭腦』之外，普通的日常工作，技術工人即可應付。任何研究工作都是花錢的事。一般學術的研究是『只問耕耘，不問收穫』，重點在明白道理，這些道理，可能在短期內能够應用，也可能只是紙上談兵。至於工業研究，則以賺錢為目的，因為一個博士人員的工資很高，研究所需的設備很多，除非有充分的經濟基礎，工業界是不談研究的。美國工業界研究之盛，主要是由於財力豐富所致。有些研究，費時十餘年，耗資幾十億，仍不能應用到生產上，在經濟充裕的時候，這種研究還可維持下去；到經濟不景氣時，工業界第一步就是把研究經費緊縮，長期沒有賺錢的研究一律停止，已經研究成功的，就由技術工人處理了。這樣一來，『頭腦』就無用武之地了。至於學校及其他公、私營機構所做的學術研究，近年來由於經費不足，很多都中斷了。在這樣的情形之下，裁員的現象將逐漸產生，而新人便更難找一個位置了。記得以前一位印度同學，他讀完碩士，就放棄已得的獎學金，束裝回國，據他說，印度有許多洋博士，因為沒有適當的研究工作，大都掛着顧問的銜頭，領點政府的津貼，遊遊蕩蕩，非常可惜。

由此可見，人才的培養，如果不配合當前的需要，其結果是很可慮的。不管一個國家是如何富有，研究工作都不能完全靠政府的力量來支持，工商業成長與壯大，是研究工作的基礎。在此，我趁機敘述一下美國工業界訓練人才的情形。原來一個剛會拿到博士學位的人，只懂基本原理，還未真正成為人才，各大企業，都沒有特別課程，讓新來的人瞭解問題的歷史及問題的重心。所以進入一個工業機構的第一、二年仍是在受特別教育。第三、四年才開始將所學逐漸發揮，一方面也還在培養自己獨立研究的能力，爭取經驗，一直要到第五年左右，做人、處事、研究各方面都已比較成熟，才能真正的挑起大樑。十年樹木，百年樹人，要成一個真正有用的人，不是容易的事啊！（三）是人口增加迅速，發生人浮於事的現象——當哥倫布發現新大陸的時候，美洲原是一片荒涼之土，而歐洲與亞洲的精華地區，卻已有人滿之患。於是各地的人紛紛而來，開拓這新的天地。近年來，除了本土人口的繁殖以外，再加上移民，遂使美洲的精華地區亦已住滿了人。數週前，夏威夷已通過一新法令，成為美國第一個以墮胎為合法的州。人口的壓力，於此可見。最近電視新聞會廣播三藩市華埠的情形，這個原以勤儉、和平與環境幽美著稱的華僑社會，近年因為每年有八千名左右的難民移來，華埠的情形已大為改觀。工資之低廉，還屬其次，許多人既無一技之長，又不懂英語，幾乎不能離華埠而去，情況至為淒涼。近來還有大批的匈牙利人回國，他們大多數是十餘年前革命時逃出來的，回國的原因很多，而就業的困難，無疑是主要的原因之一。今日科學發達，生育雖然可以控制，但是人口的壓力依然存在。目前除了非洲還有許多地方可以發展，其他地廣人稀之處，不是冰天雪地，就是炎熱如火。所以今後世界各國，對非洲的注視，是可以想見的。

軍事費用龐大 政府增加稅負

第五、龐大的軍費與鉅額的太空經費，使美國政府不勝負担——這裏不談韓戰和越戰的影響，因為這一點大家都瞭然。近年來，美國國會不斷削減軍費，因二次大戰以後，英軍不斷從各地撤回，美軍逐漸分担了自由世界各地的防務，加以核子武器的研究、儲備、製造，都是很花錢的事。再加上太空飛行，登陸月球等等……所耗金錢，實在不能想像。為了收支平衡，政府不能不多征稅，抽稅的花樣愈來愈多，對於通貨膨脹不無影響。今年尼克遜政府更將石油工業的油礦枯竭減稅率由百分之二十七改為百分之二十一。各石油公司因此受到很大的打擊，大公司裁員，小公司合併。今後工業界只就應付政府抽稅一項，顯已不是一件簡單的事了。目前許多人預料即使越戰結束，美國的軍費，也不會減少。因為美國政府正在計劃在全美各地建立龐大的反飛彈系統，這個計劃，仍未經國會通過，因所需經費太多之故。華府最近宣佈一九六九年之美國支差額，已達最高赤字——六十九億八千五百美元。

參加韓戰越戰 經濟深受影響

第六、由於時代的演變，許多賺錢的花樣，現已不再流行——關於這一點，可舉的例子很多，最顯著的一例可以說是電影行業。在二次大戰剛結束時，美國影片可說獨霸世界市場，好萊塢成為世界影都，電影事業逐漸興起，西德、英國、法國，及東南亞各地的影片，都有其不同的特色，而能與美國片競爭。後來電視逐漸普遍，在美國本土，看電影的人早就很少了。世界各地的人，也一天一天地跟着這個趨勢走。今日的美國電影事業，已陷入沒落之境。不夜天的好萊塢已失去了往日的光彩，許多明星因為拍片的機會不够，入不敷出，只好去請領政府的失業補助費。昔日的片塲，如今亦只能靠遊客觀光，賺來一點外快。甚至如美高梅公司，近日也正在大拍賣其珍貴的道具，準備縮小其業務經營呢。其餘類似的例子很多，在此也不必一一細說了。

一直寫到這裏，作者都沒有提到韓戰及越戰的影響，並不是因為這些戰爭的影響不大，而是因為我們飽受戰禍的中國人對於這些影響知之已深。可無庸多言。這些戰爭，雖然不在美國本土進行，但其影響早已及於美國的外交和政治；如今更及於經濟了。近日來，越戰不但沒有大大的轉機，而戰爭似已伸延至寮國境內，將來美國究竟還會在亞洲參與多少軍事行動，似乎要取決於美國內部之政治與經濟的平衡。

失業和就業問題的發生，是一個國家最嚴重的現象。失業與就業是一個問題的兩面，失業問題的發生，是就業問題的開始，就業問題的艱難，是失業問題的嚴重，那末，失業和就業兩者間的關係，是一而二，二而一的東西。美國一向以重視人才見稱。各公、私營機構，在其成長、壯大的過程中，處處都建立起優良的人事制度。因此而知『人盡其才』與『美國的富强』，互為因果。今若此，誠值得吾人加以嚴重的注視。

末了，我希望國人能認清今日美國失業和就業問題的嚴重，同時還要推斷由此可能發生的影響！生在二十世紀的今日，國與國間，息息相關，我們必須放眼遠觀，見微知著，才能知所適從！

（完）

說曹操（六）

李漁叔

四、擁衛漢帝．挾天子以令諸侯

東漢末葉帝王，最糟的就是桓帝和靈帝，他們雖還不算十分暴虐，但是昏暗的程度，足以亡國而有餘。自從權奸梁冀被誅滅以後，國家軍政大權，全部落到了宦官的手下。這些閹官，出身大都是市井小人，毫無知識，一旦得勢，為所欲為。當時最失掉人心的事，就是把許多負有一時重望的正人君子，隨意殘害屠殺，或是終身禁錮，如李膺、陳蕃、范滂、劉陶、李雲等，皆橫遭殺害。尤其不堪的，是無故將那些重臣名士，動輒交給黃門宦官，嚴刑審訊。其中極有名氣的范滂，曾經舉過孝廉和光祿四行（光祿寺係官署，所舉四行為敦厚、質樸、遜讓、節儉。），為海內人望所歸，竟因開罪宦官，觸怒桓帝，令中常侍王甫審訊，用三木囊頭（後漢書范滂傳章懷注：「三木囊頭，係項及手足皆有械，更以物蒙覆其頭」。）的重刑，備受楚毒。結果仍遭殺戮，這種拷打士大夫的嚴酷刑法，與後來明朝東廠太監，用廷杖等酷刑，杖死楊漣、左光斗等，完全如出一轍，尤為士類所切齒痛恨。我們看那「望門投止」逃命的張儉，他被宦官仇覽到處搜捕。據張儉的本傳稱：凡儉「所經歷伏重誅者以十數，宗親並殄滅，郡縣為之殘破。」范曄作後漢書黨錮列傳，深致嘆恨，而在張儉傳後作論，說是：「張儉見怒時王，顛沛假命，天下聞其風者，莫不憐其壯志，而爭為之主，至乃捐城委爵，破族屠身，蓋數十百所，豈不賢哉。」這還是一個人的關係，竟至拖累如此之多，何況當時清流黨人，得罪閹宦的，不可勝計，而甘願犧牲身家性命，掩護這些正人君子的，也隨在多有，其情況的嚴重，就可想而知了。加之宦官既在內擅作威福，他們的子侄姻親，又並出為府縣長官，儘量敲剝民衆，毫無忌憚。到了靈帝末年，公開賣官鬻爵，後宮美人，動輒數以四五千計。靈帝紀曾載：「於西園弄狗，著進賢冠，帶綬。」進賢冠是漢代文職人員的官帽，帶綬，就是作官的印綬，狗戴冠帽和掛印綬，實是古今未有之奇聞。（按前漢昌邑王賀曾令狗戴方山冠，龔遂說是：「王之左右，皆狗而冠。」）續漢志說：「靈帝寵用便嬖子弟，轉相汲引，賣關內侯值五百萬，令長（府縣長官）强者貪如豺狼，弱者略不類物，實狗而冠也。」「略不類物」，就是說全不像東西，這寥寥幾句話，卻也道盡當時朝政。像這樣一個局面，豈能維持長久，不亡何待。等到黃巾賊起，隨處響應，實是政府和那些不肖官吏所逼成的。

董卓在最初應何進之召，將誅宦官，曾上表章說是：

「天下所以有逆不止者，各由黃門常侍張讓等，侮慢天常，操擅王命，父子兄弟，並據州郡，一書出門，便獲千金。京畿諸郡數百萬膏腴美田，皆屬讓等，至使怨氣上蒸，妖賊蜂起。臣前奉詔討於扶羅，將士飢乏，不肯渡河，皆言欲詣京師，先誅閹豎，以除民害……臣聞揚湯止沸，不如滅火去薪，及溺呼船，悔之無及。」

諸葛亮狂想曲（一〇七）

·劉玄·

磨刀大典本身儀式，不消半小時已經完畢，緊接着便是餘興節目開始。開鑼戲是黃雲大仙魔術。

上文已經表過，黃雲大仙是黃鼠狼精，過去北方農村社會大家喜歡供拜狐仙，他可以魚目混珠到處偷佔狐仙的香火，現在混的很狼狽，在天庭屈於蹩腳小仙。但他具狐狸般精靈，學了會下幾把圍棋，拍上關羽馬屁。他有自知之明，有放屁的習慣，幾個屁放出來既響且臭，如果與關聖帝對奕，放出毒瓦斯豈非是大不敬。總算他想得週密，他在鹿角大仙那裏討來麝香，盛入錦囊，懸於肛門之旁，以解惡臭。因此，黃雲大仙到處不但毛無氣味，而且令人有異香撲鼻之感。

黃雲大仙為了要討好關羽，不僅是不眠不休担任磨刀大典的總務副主任，而且自告奮勇，表演大套魔術。

黃雲大仙登台，不像現在我們在台灣看到的魔術師穿西式大禮服，而是道冠道袍，純料像個茅山道士。

黃雲大仙也和一般魔術師一樣，有兩個道童做他的助手。第一套魔術，是由一個道童拿了一個空鳥籠，只見黃雲大仙，左手用一面小小的黑色七星三角旗，覆在空鳥籠上面，而右手拿的不是魔棒、手槍，而是一把寶劍。口中唸唸有詞，喝聲「着」，三角旗拿開，鳥籠裏出現了一對門鷄（很像馬來亞產品）。

「他應該變兩隻老鼠，好顯出自己的偉大。」呂洞賓最喜歡挖苦人，在台下冷冷說了這句話。

「你就是愛損人，說來說去，他也是和我們一樣苦修出來的，何必挖苦他。」鐵拐李替黃雲大仙不平。

「你總是臂膀往外彎，我隨便說說又有什麼關係。」呂言下頗有責備鐵拐李之意。

「嘴生在你嘴上，你愛怎樣說就怎樣說，不要一來就打我官腔。」鐵拐李說完，熱烈鼓掌，其意思曰：你看不起黃雲大仙，我偏捧他，你豈奈我何？

天庭根本就是神話世界，他們的魔術自與人世間不同。

黃雲大仙命兩個道童捧出一面金盤，在天庭金盤是不值錢的，屬於普通建築材料。不像人世間為了金盤，會鬧出驚人貪汚案子。

金盤空空如也，大家看了不知黃雲大仙搞什麼花樣。

這時黃雲大仙口中唸唸有詞，用寶劍在空中連劃好幾個圈子，隱隱聽到笙歌細樂之聲，只見一隊小仙女，總共是七個，每個都不滿一尺高，乘着彩雲冉冉降入金盤，在金盤中載歌載舞。

這一節目引起塲內如雷掌聲，黃雲大仙頻頻向台下鞠躬致謝。其得意之狀不在話下。

「這屬於旁門左道，他剪紙人用邪術把它們活躍起來的。」星君在自言自語，其實是在向劉約翰講解。

巨變歷險記！

於此不能不感謝廿六軍的彭佐熙副軍長，事隔廿年，在今天的台灣，彭副軍長還扳大姆指頭說：我們廿六軍不出賣丁博士，不要盧漢的十萬大頭。彭副軍長廣東人，爲人耿介，輔佐余程萬。進攻昆明，解救余程萬，就是他的計劃。對於丁博士竭力促成，他也非常贊同，並願不敢再嘗試了。特別他同盧漢確有秘約，解昆明之圍，不過其中條件之一，還有接受改編。他的彭副軍長就不贊同，他們師長也大都不願。田師長則是願意的。他命令士兵將丁博士押往開遠，確有要得十萬大頭的意思。由於彭副軍長再三反對，田也無可如何。丁博士得以不解交盧漢，事非天數，從蒙自回到昆明，他被關在軍中，不多一個鐘點，丁博士被擠在軍中，丁博士也都公事公辦，不同了，丁博士滿話。丁博士也沒注意——已不可能往蒙自，他心想這一次必定要送給

「看鎗斃丁作詔」！（一二〇）

胡慶蓉

盧漢了……。

這一次仍然沒造成。但槍斃丁作韶博士的消息傳遍了到處。並且繪形繪聲。昆明確有一個丁作韶博士被槍斃了。他是一個小個子，帶着近視眼鏡。五花大綁，背着斬條。槍斃的那一天，眞是萬人空巷。這個丁博士，頭總是低着，人不能就近看，人要遠遠的看。就是丁博士。他說很像丁博士，真的被盧漢槍斃了，十萬的獎金也被人領去了？十萬大頭又是誰得的？價不得其詳。

丁博士如再世……論者自己死了呢？他也常在念着。死了一個丁博士，但不是真的丁博士，而是一位假博士。這位假博士居然能替真博士去死，眞値得眞博士感激。此與抗戰後北平金碧輝司令之槍斃如出一轍。金司令乃前清肅親王之女，以恢復滿清爲職志，因爲藉日本的勢力，有漢奸的嫌疑，而被槍斃的。但究竟金司令死了沒有？槍斃的是不是金司令？與昆明槍斃的是不是丁作韶，至今還是一個謎。但金司令沒有再出現，丁博士倒還在人間，丁博士至今還在念念不忘那位代他死的博士。

在盧漢，他倒是很得意了。八軍廿六軍攻打昆明，確切已經快下了，盧本人都已準備逃了，東西都已經裝車了。放余程萬李彌出來，昆明之圍即刻解除，八軍雖不同意，還落了一個心腹之患，看見余程萬的廿六軍撤向蒙自方面，一個敵人撤了，他也撤了。他也可以自豪！

「看槍斃丁作韶」！「看槍斃丁作韶」！昆明的報販在沿街高聲叫賣，不知有多少人爲着丁博士之死流下了眼淚。丁博士亦可以息了，嗚呼哀哉！嗚呼哀哉！……

蠶女神話異說

匡謬

太古神話中，有關蠶女之傳說，民間口碑至今不絕，「搜神記」中搜載，堪人玩味。

太古時候，有某酋長遠征在外，家中只剩一女及牡馬一匹，由其女豢養之。人馬窮居日久，不意竟生感情。其女因思親迫切，一日戲對馬說道：「爾能迎得父還，吾當嫁汝」。馬點首承諾，遂脫韁而去。酋長一見家中豢馬突至，甚表驚愕，因攜乘之，馬不待指揮，竟向家中奔馳長鳴。

酋長自忖道：「此馬無故長鳴奔馳，我家必有事故」。遂任馬馳騁，一日至家，詢及小女，並無事故發生。酋長以此馬頗通人性，乃厚加豢養，不料馬竟不食草料，每見其女過，輒喜怒奮擊。酋長心知有異，私問其女，女具前情相告。酋長恐家醜外洩，令女勿言，且莫近馬。於是伏弓弩射殺之，將馬皮曬於庭中。

一日父又遠征，女與鄰女遊戲於馬皮之上，女故以足蹈馬皮怒言道：「汝乃畜生，而妄想娶人爲妻耶！今招此屠剝，何如自苦！」言猶未已，忽然馬皮蹶然捲起，女飛去。鄰女惶懼，不及援救，奔告其父，酋長馳還，四處搜尋，數日之後，發現女及馬皮掛於樹上，不一時則見女及馬皮盡化爲蠶，蠶竟吐絲樹上。其蠶綸理厚大，異於常蠶。鄰近婦女取其蠶而養之，收穫多於常蠶數倍，因名其樹爲「桑」。百姓由是相與播種之。

今言桑蠶者，乃古蠶之餘類。禮：「天官」：「辰，爲馬」。蠶書說：「月當大火，則浴其種。」是蠶與馬同氣。周禮說：「教人職掌，禁原蠶者」。注云：「物莫能兩大，禁原蠶者，爲其傷馬也」。

按照漢代之禮，皇后親採桑祀蠶神，寓氏公主、菀窳婦人，公主者，爲女之尊稱也。菀窳婦人即先蠶之女，故今日民間稱蠶爲女兒者，是古代遺風猶存之證。

「神女傳」中的「蠶女」者，如唐人孫顏之類似「條又說：

「高辛帝的時代，蜀地未立長君，無人統轄。蠶女的父親被鄰族掠去，過了一年仍不放回，惟其所乘之馬猶在。女念父親隔絕，廢寢忘食，母親因而誓衆說：「有人救得其父回者，以此女妻之。」部下無人應命。惟其所乘之馬，聞言驚躍振衝，盡斷羈絆而去。不數日，其父乘馬而歸。自此馬嘶鳴不食，父母以誓衆的話相告。

帝道：「誓於人而不誓於馬。豈有人而偶非類乎？」馬不肯食，每見女過，其必怒目奮擊。父怒射殺之，曬其皮於庭。女過馬側，馬皮忽然捲起其女飛去。旬日，得皮於桑樹上，女化爲蠶，食桑葉，吐絲成繭，以衣被於人間。父母悔恨之，念女不已。一日，忽見其女乘流雲駕此馬，自空冉冉而降，對父母說道：「太上以我孝能致身，心不忘義，授以九宮仙嬪之任，長生於天矣，不復相憶也。」言罷，駕馬冲虛而去。今家在什邡、綿竹、德陽三縣界。每歲祈蠶者，四方雲集，皆獲靈應。以上三縣之地，蠶神宮觀林立，廟塑蠶女之像，身披馬皮，謂之馬頭娘。

以上兩則神話故事，說明蠶桑之發明，人與馬大有關係。蠶本中國特產，歐洲是從中國傳去的。學者認爲蠶與馬，是由於形相之聯想而來。如荀子所云「身女子而馬首」，廣東新語說：「蠶首類馬，故名蠶駒」，都是寫蠶馬相似。而蠶神話又在盤古未傳入漢族之前已有了。如「黃帝斬蚩尤，蠶神獻絲，乃稱織絲之功」。

蠶馬的神話，最早見於張儼的「太古蠶馬記」。搜神記亦有蠶馬記載。「搜神記」爲晉人干寶所撰，張儼同時爲晉人，二人同時同地。如槃瓠的轉變爲盤古，也在三國時代發生。最早則見於三國徐整的「五運歷年記」，都與干寶、張儼同時。這一點神話倒值得研究玩味。

（完）

台灣教育點滴

台灣省務峯訊：台灣省教育廳自奉行實施九年國民教育以來，雖然爲時只有一年多，幾乎在台灣省內各鄉鎮，都掛起了國民中學的牌子，嚴格地說起來實在也不是很容易的事，但不好的事也甚多。最近如基隆某校老師猥褻十幾個小學生，嘉義某私立學校女老師被殺，曾文中學老師連殺同事，這些問題，應該說事先可以防止的，平素老師的品行，生活情形不難可以看出來，不至於讓老師去褻猥十幾個小女學生，也不會讓女老師去與一個莽漢發生畸戀，而至發生兇殺，更不應該用一個神經不正常的老師來連續逞兇於同事間，由這些不配爲人師表的人來破壞清高教育的聲譽。學區的制度似乎有欠徹底，在三月十七日嘉義縣教育局馮局長會報時稱，以嘉戰地區而言，市區的學校，正於畸形發展，近市區的學校有人滿之患，然偏僻的鄉鎮很難增班，我們教育當局應該深加調查與嚴格規畫，最值得改善的地方就是現在的教職人員的待遇太差，尤其是惡補取締後，用人沒有按編制聘够，多少留下空缺，將空缺人員的工作增加在現任們的身上，待遇雖然也分配給他們，可是一個人的精神是有限的，如果長期以往，對學生當會受到很大影響，同時教職員們仍然感覺身心力倦。以上的問題，足可使失去九年國教的推動力，尚望教育當局有鑒及此，則教育前途是幸。

龍建民

自由詩壇

偶成

羅　尚

春城吹角亦吹簫。細景空濛想六橋。
入夜京華絲竹肉。乘時人物眼眉腰。
恩波又比西湖闊。日數爭知蜀道遙。
雲雨往江江往海。離魂誰作楚詞招。

贈仁青

羅　尚

講席。四壁列圖書。省識絃歌樂。諸生闘戰陣餘。小巷春紅發。東城有道居。于山文體妙。流譽滿行都。抽身

北基道中

張仁青

吟鞭遙指過纖橋。春暖人間柳絮飄。
一霎濃雲掩殘照。基隆河上雨瀟瀟。

排攻擊演習竹林午憩作

張嗣君

炎氛沉鼓角。枕戟臥雲根。偶援風聲語。閒看嶂峰奔。兵從攻後勁。棋向敗時翻。不盡還鄉意。惟餘夢寒溫。

雨中登望湖亭見石門矗立若城

顏崑陽

望盡高亭煙雨生。石門飛霧立重城。
若携春酒暖人意。定向斜風一笛橫。

第三章　童太尉喪師辱國　金太祖攻陷燕京

金主勃然怒道：「汝國若不發兵，難道我不能滅遼麼？今汝國攻燕不下，看我遣兵往攻，能取得否？」

趙良嗣欲再言，金主起身道：「六州以外，寸土不與」。金主即拂袖入內。趙良嗣苦口無功而退。金主使李靖偕趙良嗣歸，僅許山前六州與宋。徽宗復遣趙良嗣再入金，命於山前六州以外，求與營、平、灤三州。趙良嗣尚未到達，而金兵已分三路兵伐遼國之燕京。

遼國聞金兵分三路壓境，蕭后上表金主：求立秦王定，願爲附庸。金主不許。表上五次，仍不許。於是蕭后乃遣兵扼守居庸關。金兵到了關下，遼兵正想抵禦，忽然關上崖石崩墜，壓死守兵數十人，此乃不祥之兆，士氣爲之大喪，人衆譁然，四方逃散，不戰自亂，向南奔走。金兵越關南進。遼國統軍都監高六等送款降金。金主聞燕京降順，親提衛軍至燕。由南門而進。遼國大小官員皆降，只有蕭后及蕭幹乘夜逃走，從古北口竄入天德。於是遼國五京皆爲金所有。大宋攻遼如此之難，金人攻遼如此之易；人爲耶！天命歟！童貫實爲昏邪之罪魁。

第四章　童貫通金求六州　徽宗無心謀國事

從宋、金攻遼的情勢所得着的考驗，金人已經知道大宋是一隻「紙老虎」，無用已極。所以金人才有此狂妄猖獗，後來之大舉侵宋，莫不是種因在此。遼國之亡，而無後繼之憂。宋朝廷之顢頇無能，小人用事，已至無可救藥了。

趙良嗣再見金主阿骨打乞平、營、三州，金主那裏肯許，趙良嗣往返兩次，徒勞無功。而且金要求租稅歸金。趙良嗣說：「有土地始有租稅，土地歸我，爲何租稅反而歸金」。金將粘沒喝在旁厲聲道：「若不納租稅，當還我涿、易二州」。結果趙良嗣允歲給租糧二十萬石。金主遣使至宋，金使者往返數次，始訂定條約，這也可以說是不平等條約之一種。

一、宋給遼歲幣四十萬納與金。
二、每歲加給燕京代稅錢一百萬。
三、兩國彼此賀正旦生辰，置榷場交易。

（一年爲有用連及山宋前燕、六京十六宣。檀一西後，四及州所諸北帶爲（四二月和）（四時金山據由有歸山）

自由報

（第一〇五九期）

（半周刊每星期三、六出版）

社址：香港九龍彌敦道593—601號
劉創興銀行大廈八樓五座
LIU CHONG HING BUILDING
7th FLOOR FLAT '5
593—601 NATHAN ROAD,
KOWLOON, H.K.
TEL: K303831
電報掛號：7191

美亞報告外一章
算一算美國的舊帳（上）

張知本

編者按：此為作者五十四年九月三十日之講演，作者歷舉事實，指出美國措施之不當。並概乎而言「世界上凡是反共最力，或與匪鬥爭意志堅强者，共匪則採離間之法，釀成其內部的裂痕，利用矛盾，造出幾個謠言，而美國也就居然相信」。今美亞報告發表後，不啻爲此文之佐證：因請張氏整理後交本報發表，文章內容一仍五年前之原語，以明作者之遠見，按張氏民國元年即出任司法部長，爲法學界之泰斗，平素爲文，多係有關憲法及司法者，今觀茲文可知氏對國際問題亦饒具卓見，一如其論法也。

在民國五十二年十月二十六日時適值越南醞釀政變，美國不明實情，竟然顢頇從事，當時我曾於光復大陸設計委員會第十八次綜合會議中說：「美國對越南吳廷琰總統處置不當，其理由：（一）在法律上，越南是一個獨立的國家，民主國家之地位，是基於平等互惠的原則，不得干涉其內政，（二）在事實上美國不瞭解越南國情，更不便加以干涉，蓋吳廷琰未掌握政權以前，越南佛教徒，與天主教徒，基督教徒互不相容，而各教會均私有武力，以販賣鴉片作爲軍隊之主要給養，藉武力爲政爭之工具，作威作福，魚肉百姓，輕視官署命令，形成無政府狀態，自吳廷琰總統於四十四年十月二十日執政後，下令解散各教徒軍隊，政令因而統一，勵精圖治，成爲反共最堅强之國家，共匪無孔不入，乃利用佛教徒軍隊被解散之嫌隙，煽動歹徒起而反抗，未幾美國誤信共產黨所造「吳氏違犯人民信仰自由，實施獨裁政治」之謠言，起而干涉，實乃大錯特錯」。

過去，吳廷琰總統於五十二年十一月一日不幸遇害，而本人於同年十二月十六日以傷療養家中，親友訪問時，談起越南政局，我又說越南亂，美國人在法律上，則違反平等互惠之原則，而在事實上則不懂越南國情，均不能擅自干涉其內政，因此他的行爲和措施是不對的，我們大家都知道吳廷琰總統是一位意志堅强反共最力的越南領袖，如此一來不僅中了共產黨的離間計，而且天下大亂了。何以故呢？請看吳廷琰總統遇害後，依越南憲法應由其副總統阮玉書繼任，事實不是如此。今日領導自由世界的人物，其明智程度，且不及我國的一個軍閥，段祺瑞被時人認爲北洋軍閥之一，這是衆所週知的。當陝西省軍陳樹藩與省主席李根源爭權時，李是雲南人，曾任黎元洪總統的國務總理，陳是段系的幹部，其彼此間之關係，不言自喻。一次，陳樹藩藉故將李根源關起來的時候，乃上呈文給執政段祺瑞說：「李根源如何如何的壞，我已將他關起來了，主席職務不宜久懸，擬請執政派我兼任」。結果段祺瑞看了呈文之後，還很識大體的批示：「此風不可長」拒絕陳之請求，由此足徵一個軍閥尚且體認到此種「取而代之」的行爲，是不對的。環顧今日世界局勢，正面臨着此種事實的考驗，越南戰爭，即其明證，「取而代之」的端緒不可開。論語憲問章載：「陳成子弒簡公，孔子沐浴而朝，告於哀公曰，陳恆弒其君請討之」。何以孔子要如此的建議呢？當是基於此一政治上的大道理，如果人人都存着「彼可取而代之」的意念，則天下永無寧日。

吳廷琰總統遇害後由兇手繼任，距不到一百天越南戰爭再度爆發，而推翻人者復被人推翻，正可說「以暴易暴兮，不知其非矣」。且吳氏遇害後，不過二十天，即在甘迺迪總統自己的身上發生大禍，那末依照越南繼任總統之先例，其美國總統職務豈不應由歐斯卡接替嗎？事實上仍依法由其副總統詹森繼任，由此可知這是古今中外政治上的一大原則，任何人都不能違反的。

世界上凡是反共最力或與匪鬥爭意志最堅强者，共匪則採離間之法，釀成其內部的裂痕，利用矛盾，造出幾個謠言，而美國也就居然相信。例如：

（一）中國政府經過八年對日抗戰，獲得最後的勝利，結果共產黨誣衊以「腐敗無能」等名詞，而美國也就誤信萬惡的共匪爲土地改革者，叫垮了整個大陸，淪陷五億同胞於水水。

（二）埃及法魯克王本是反共最力之士，共產黨造謠說他，什麼「荒淫無度」！因爲埃及的國情不同，有如我國古時帝王的三宮六院一樣，國情不同，如何能與之强爲比擬，結果美國就相信流言，由納塞掌握埃及政權，而助長親共者之氣燄。

（三）韓國李承晚總統，被尊稱爲韓國的國父，其對國家之功勛，人民之景仰，可以想見，他的反共情緒，最爲激昂，以中華民國一萬二千位反共義士來台爲例，可以說得到了他很大的助力，結果共產黨造謠以其兄弟貪汚之罪名，而哄垮了他，造成韓國分崩離析之政局。

（四）古巴總統巴蒂斯，亦是一位反共最力的世界領袖之一，共產黨造謠說他「專制獨裁」，人民失去自由爲題，而促使其下台，現在爲卡斯楚親共派，遂導致古巴事件之發生。

（五）寮國政局，以當時的情勢，不適宜組織聯合政府，無奈在共產黨煽動之下，竟然組成了，在中國人來說，是三歲幼童都懂的道理，知道絕對行不通的，美國不瞭解寮國實情，妄加干涉，遂造成今日寮國不穩定之政局。

以上所述，僅就彰明昭著者言之，由於越南總統吳廷琰被誣爲違反信仰自由之罪名後，遂造成「取而代之」的政治局面，迄今不及一年，其政府有六次改組之事實：第一次在五十二年十一月一日，越南總統吳廷琰政府被推翻，其繼任職的爲楊文明（軍事執政團主席）由阮玉書任總理。第二次在五十三年一月三十日，越南再度發生政變，第一軍長阮慶取代楊文明爲軍事革命委員會主席。第三次在同年二十二日，越南軍事革命委員會改選，阮慶連任主席，楊文明改任最高顧問。第五次在同年八月二十七日，越南軍事革命委員會推選楊文明，阮慶及陳善謙組織三人委員會，共同處理越局。九月八日，楊文明當選爲越南三人執政團主席，並任國家元首。第六次在同年九月十三日，越南再度發生政變，前內政部長林文發率領叛軍控制西貢，總理阮慶旋即敉平叛亂，重新執政。長此下去，將不知伊於胡底！（以上爲本人於五十三年九月二十五日對光復會同人第二十次綜合會時隨便談話，此後數月以來越南又發生了第七次政變，即五十三年十二月二十四日，阮慶政權被推翻，由越南高級國家委員會主席潘克丑就任國家元首。第八次政變於五十四年二月十九日，由范玉藻上校策劃推潘輝括總理，似此政變等於兒戲，倘復成何體統。此間先後由報章得悉美國參議員陶德一封公開信及美國前駐義大利大使魯斯夫人的公道話，美國前任駐越南大使諾爾丁和前任駐越軍事顧問團長威廉斯的報導，他們均以居要職，且對越南戰爭，均有深切的體認或實際經驗，多認爲自己國家對越南戰爭，起初時處理之失當，而與本人在一年多以前所引述古今中外之事例，咸相符合，足徵此一政治上的大道理，是顛撲不破的。特將美國重要人士之言論，分誌於後，藉供關心世局者研究之參考）

一、美國議員陶德一封公開的信！煽色腥主義（方村）

直接殺死吳廷琰總統兄弟增加越局困難的是越南的叛軍，但是美國參議員陶德說：間接操刀的却是美國新聞界的煽色腥主義。

陶德曾寫信給調查越南革命前局勢的聯合國代表團，表示他對所謂越南佛教危機的看法，參議院內部安全小組委員會最近公佈了這封信，陶德在信裏面說，吳廷琰政府的毀滅，是美國大衆誤以爲越南佛教徒受到殘酷迫害所造成，而造成這種誤解的則是美國的報紙，因爲現在事實已證明，所謂無辜佛教徒受殘酷迫害的說法，若非捏造，即屬誇張，他說，一些美國報紙，「又一次」把「與美國大衆有重大關係的一項國外局勢」，「可悲的」給了錯誤的報導。（未完）

昨日與明日
應該澈底整頓保險公司

由於國光人壽保險公司經營不善，被財部勒令停業清理以後，引起人們對於保險事業前途的關切。最妙的，國光被停業後，該公司董事長黃龍鳳鳴（立法院黃院長國書夫人）具狀向監察院控訴財政部李國鼎部長枉法失職，摧殘民營企業。同時，監院也收到一位陳姓老百姓的請願書，指陳國光公司蓄意惡性倒閉，財部沒有及早糾正，顯屬失職。就在這個當兒，有位國光保戶，三輪車夫的太太，將畢生辛苦積蓄投保儲蓄險，到期領不到錢，一急而上吊死亡。戲演越熱鬧，還夾雜着小市民的辛酸悲苦。

台灣在幹什麼，都是一窩風，大家都以爲：開保險公司是個發財的買賣，自從民國五十年間政府開放准許民間申請設立保險公司後，有財有勢的都對準這一目標進行，新的保險公司就如雨後春筍一般地紛紛出現，到現在人壽保險十家，產物保險十五家，共計二十五，五十七年十月，又將原中信局再保險處改組擴大而成立了中央再保險公司。以台灣一地而設立這樣多家保險公司，其業務競爭之劇烈，可以想像。由於當初認保險公司爲發財機構的觀念錯誤，經營者之缺乏專門知識與經驗以及若干主其事者之生活奢華，開支浪費，終於造成業務不振，甚至虧損的局面，可謂咎由自取，於人何尤。

問題是：保險公司如倒閉，投保人的權益，該怎麼辦？就整個國家財金政策着眼，保險公司係屬金融制度的一環，爲維持國家金融安定，政府必須健全整個金融制度，不能允許任何保險公司拆爛汚。就人民利益着眼，保險制度係屬社會安全制度的一個支柱。保戶向公司投保，保戶就變爲公司的債權人，公司就是保戶的債務人。公司應根據契約，負債務之責。應該賠償的，照額賠償，政府應嚴加監督，以保障人民權益。所以，對於國光人壽問題，我們願再提出幾點意見：一、政府應嚴守立場，對國光清理工作，認眞執行，不畏權勢，不要虎頭蛇尾。二、對於保戶權益，應妥爲維護，責令負責人才十足履行債務，不能讓老百姓受損。三、對其他保險公司應加强檢查監督，要特別注意它們投資和開支情況。四、監察院能夠澈查一下，向人民作一交代，也好。

· 張松 ·

自由談
不得要領的革新論

時人談革新庶政的道理，洋洋灑灑，其說無窮；論革新庶政的方法，聚訟紛紜，莫衷一是。應有盡有；實則都是舍本逐末，倒因爲果的空話而已。

無論是任何一種政治制度和法規，它本身并沒有好壞可言，利弊得失完全是「人」的關係，與其侈言革新庶政，不如只講革新一般執行庶政的人事，纔是探本之論。

俗言「用人行政」，未聞有「行政用人」之說，本末先後，燎然有別也。革新庶政的目的，是在貫徹政令，提高行政效率，表現福國利民的成績，這不是很簡單明瞭的問題嗎？網羅賢能之士，因才使器，陳力就列，繼之以公正嚴明的賞罰，親議貴，舉仇舉親，一是皆以天下爲公的精神出之，政治自然優良，行政效率決無低劣之理。

古今來居於統治地位者，總說人才難得，這實係文過飾非的遁詞，絕對不合邏輯。人才隨時隨地皆有，何嘗難得呢？祇緣一般的統治者，僅憑私人好惡以求才用才，幸而得到了一二賢能之士，又不能讓他克展抱負，行尙而往有功，今天信任他，明天又厭惡他；信任并非基於客觀的事實，厭惡亦是主觀的感情作用；這樣即很難使賢者在位，能者在朝，剩下來的紆青紫，鐘鳴鼎食之輩，盡是些熱中功名利祿，而以邀寵固位爲急務的官僚份子。他們志在作官，遇事依違婀，因循敷衍，對上報喜不報憂，對下裝模作樣，對民衆專說冠冕堂皇、不着邊際的廢話。這樣的用人行政方法，庶政必然叢脞，更談不到行政效率了。

丁作韶先生認爲「科學不能革新政治」，可謂深中肯綮的見解。離開了「人」的關係，即無政治可言。官僚主義者能夠討得主子的歡心，能夠博取同寅的好感，也能夠淆惑人民的視聽，就是不能夠改革政治，提高行政效率，否則無異於搬石頭來壓自己的脚，樂意嗎？

只要糾正用人的主觀偏見，改變駕馭人才的方法，讓那些「中朝大官老於事」的官僚份子退休享福，不復阻塞賢路，縱然不使用「三卡制」，而庶政必可革新，包管錯不了！

馮五先生

國光人壽公司停業 黃國書可能丟院長

立法院長及副院長繼任人 傳倪文亞等將被提名競選

（本報台北記者通訊）據政壇消息靈通人士透露：立法院院長黃國書可能因其經營之國光人壽保險公司停業而失去「院長」的寶座。是故盛傳現任副院長倪文亞可能「更上一層樓」而被提名爲院長候選人，台籍立法委員鄭品聰或劉闊才均有被提名爲副院長候選人的希望。

國光人壽保險公司因資金週轉失靈，據說負債八千餘萬元。財政部經呈奉行政院之命令根據保險法第一五三條之規定於四月二十日飭令其停業。保險法第一五三條規定：「保險公司資產不足清償債務時，其董事長、常務董事、總經理或經理均應負連帶無限之清償責任。」因此，該公司董事長黃龍鳳鳴、常務董事黃國書、葉克寇、黃遠竹、何傳、劉金約、呂義賓等七人，以及總經理柯文寶之財產，均將被凍結。財政部此一措施，旨在保證國光人壽保險公司停業以後，對要保人、被保險人之利益將有合理的「保險」。

政府於五十年間開放保險事業，國光人壽保險公司因人和而優先獲准創設，該公司於五十一年成立，實收股金新台幣二千六百萬元，較其他人壽保險公司初創時期實收股金一千萬元雄厚多多。該公司董事長黃龍鳳鳴，是常務董事黃國書的太太，黃國書長子葉克寇是任常務董事兼協理另一位常務董事黃遠竹是黃國書的侄子，是某報派駐東京的記者，不常在台灣。總經理柯文寶是黃之親家。其他三位常務董事中以何傳、劉金約較爲著名，爲實業界鉅子。觀此，可知國光人壽保險公司係一家族組織的公司，由於資金運用有欠妥善，由於財務管理不當造成今日失敗之主因。

該公司轉投資生產事業，報載約有十個單位。其中以國光光學、國光製紙、國康油廠、亞洲戲院，以及台灣旅行社五單位爲主。國光光學公司設於台北縣土城鄉，係中日技術合作，投資計新台幣二千七百萬元左右，以製造望遠鏡、顯微鏡出口爲目標，就常情言，這是極有前途的事業，由於日商不太「合作」，且有意圖掌握全權，致發生設計與實際距離甚遠，技術及業務等均有問題，致開工不久即難以維持，幾年來，實際上已陷停工，黃國書爲此，會與股東老板——日商，鬧得很不愉快，因爲自己是外行，終無能力挽回失敗的命運。最近，有外商擬承購，估價約在八十萬美元左右，折合新台幣在三千萬元以上。其次是國光製紙公司亦設於台北縣土城鄉，由於經營管理不佳，財務支出亦多多浪費，致生產盈利不足以抵銷支出，故價讓給何傳經營，獲利頗厚。

該公司雖爲人壽保險公司，但其投資在高雄經營之亞洲戲院竟未投保火險，當亞洲戲院遭遇回祿之災後，損失頗鉅，致使國光人壽保險公司受到很大的打擊。國康油廠在中部，以生產油類、肥料爲主，因同業競爭激烈，業務狀況並不如理想。至台灣旅行社，不久之前曾發生「偸渡」事件，影響業務收入對於國光人壽保險公司投資損益不大。

財部設立監理小組 工作三月仍無結果

擬定處理準則付諸實施 處理負責人資產償債務

三個月前，財政部設監理小組，由中央再保險公司副總經理李保謙來監理，爲期三個月，結果仍無效，終於成爲壽險業開放十餘年間，第一家被財政部正式公告停業的人壽保險公司。財政部公告停業的命令自四月二十三正式生效，並限國光人壽保險公司在一週內提出償債計劃。

四月廿七日，據財政部表示，該公司迄未提出具體償債計劃，僅於二十三日提出停業處理計劃四點：

一、重要董監人員一律辭退改選。

二、目前保有契約交由同業公司分別承受。

三、帳務整理工作即日進行，並由監理人及邀請同業派幹員詳查。

四、繼續出售投資事業並再儘力設法增資。

財政部即根據前述四點處理計劃，擬訂「國光人壽保險股份有限公司停業後處理準則」一種，經決定付諸實施。該處理準則如後：

一、國光人壽保險公司資產不足清償債務，全體負責人應依照保險法、公司法及其他有關法令之規定，負責妥爲處理資產，清償債務，尤應確保全體要保人、被保人及受益人之權利。在該公司未經依法變更登記換發營業執照前，任何人均不得解除職務，或移轉財產，意圖逃避責任。

二、該公司於處理資產時，應先徵得監理人之同意，其所得全部價款，除爲解除該財產上設定之担保物權者外，其餘均應專戶存儲，憑監理人及該公司負責人之印鑑動用，其動用計劃，應先報部核准。

三、該公司非經監理人同意，不得對外設定新負債。

四、該公司應於兩個月內處理所有轉投資事業及財產，以獲得現金，清償債務。到期不能處理者，應即公開標售。

五、停業期間，所有保險契約應付之保險費，該公司應暫停收受要保人得暫緩給付，該公司不得依保險法第一一六條規定催告。

六、該公司對停業期間所必須支出之費用，應儘量撙節，於一週內編列預算，報部核准後支付。

七、該公司現有保險契約，如該公司與人壽保險同業協議無條件承受者，准予即行通知要保人，換訂新約，如涉及責任準備金之移轉，應先報部核准後辦理。

八、該公司一切業務、財務、帳務等應即全部交由監理人，該公司指定專人負責及全體職員應全力合作，受監理人之指揮，協助監理人辦理上項整理工作，俾於二個月內整理完畢。必要時，監理人並得聘請會計師，精算師協助辦理，其必要費用，由該公司負担。

九、該公司全體董事及監察人應儘力設法增資，以改善該公司之財務情況。

十、本準則如有未盡事項，得隨時由財政部依行政監督職權處理之。

據此間報載：國光人壽保險公司在公告停業的前一天，財政部主任秘書王昭民代表李國鼎部長在「嘉新大樓」藍天餐廳舉行餐會，招待本省保險業鉅子，共同商討如何來解決國光人壽保險公司的問題。當時，王昭民說國光人壽保險公司「經營不善」而發生財務週轉不靈云。據傳，此語甫出，國光人壽保險公司實際負責人即席表示異議。該公司並非因經營不善而致使財務失靈，五千多萬元的債務也沒有什麼嚴重，在這種情況下，餐會不歡而散，沒有結果。翌日，財政部正式公告國光人壽停業。

國光公司女董事長 曾向監院指控 財部處理不當

因此，國光人壽保險公司董事長黃龍鳳鳴於四月廿四日向監察院呈遞訴狀，指控財政部處理不當的理由有：財政部派遣調查該公司資財負債情形的人，不是合格的核計人員；在當時之該公司正在調查進行增資中。

國光人壽保險公司之「垮台」，有人說是「垮台」在同業間之惡性競爭。此外，尙有兩家人壽保險公司，亦面臨「垮台」的邊緣，如果主管當局不及時作有效處置，極有可能步國光之後，成爲第二第三。這是「題外話」，暫且不提。

財政部對於今日台灣人壽保險公司之經營，採放任態度。早在五十七年十二月十三日，監察院財政委員會第二八〇次會議提出一項極重的調查報告：台灣保險業有無詐騙保險費，值得研究。（該調查報告刊於本報第九二〇期，五十八年一月一日）尤其是五十七年二月間，行政院公布施行之保險法施行細則，監察院調查報告抨擊保險法施行細則等於保障「詐騙」之不法行爲爲合法。例如，投保十年期滿福樂壽險之金額新台幣十萬元，每年須繳納保險費新台幣九千六百五十元，第一年之準備金應爲七千五百七十五元，保險公司之營業費等爲二千零七十五元。唯事實上，保險公司借用準備金達六千五百二十五元，佔準備金七千五百七十五元總額之八六・一五％，保險公司實際上之準備金爲一千零五十元，佔準備金總額一・八五％。人壽保險公司借用被保險人之準備金，漫無限制，不知主管當局究何事？

財政委員會曾推監察委員熊在渭、與大宇、王文光等三人，組織專案小組，進行研究調查，至現在，未見監察院將研究調查結果公諸社會，是否有「隱情」，尙無所悉。

立法院長黃國書在政治上可說是「一帆風順」，自三十九年底當選立法院副院長之後，不久，張故院長因健康關係而辭去院長職務，復又當選院長，前後達二十年之久，但是，他在其他事業方面並不如此順利。例如，黃氏兼台灣合會儲蓄公司董事長時，曾被檢舉「違法失職」，經監察院派員調查屬實提案糾正，這是民國五十二年五月間的事。在當時，黃國書已離開台灣合會儲蓄公司董事長職務而創設國光人壽保險公司。

這是國光人壽保險公司在開創時期時並不「吉利」。同，該股款屬於非「志願」，「籌募而來，當時的傳單滿天飛。總之，黃國書若不「好自爲之」，其政治生命可能很快的便結束。他之家屬在今春申請赴日觀光，據說便未蒙有關方面的同意而未能成行，是耶！非耶！黃氏及其家屬當較外人更明白。

依調集

陳立夫的讜論

易儔

在這次國民黨召開的二中全會，陳立夫先生用書面提出淨化傳播事業案，經報章揭載以後，頗引起海內外輿論界的重視。

陳立夫是中華文化復興運動的實際負責人，這位黨國元老，過去利用旅居美國的時間，完成了「四書道貫」巨著，由此可見他的抱負和旨趣。但他的提案是否能有效實施，鑒於目前傳播事業，大家唯利是圖，恐有疑問。

因爲淨化的結果等於不賺錢，在工業社會要人嚴於義利之辨，放棄賺錢機會，實在不是一件容易的事。

自由報是一塊乾淨土

在香港發行的自由報，二十年來一直嚴格遵守反黃色，反黑色的立場。質言之，它是一張淨化的報紙。然而，它的經濟情況是艱窘的，有時爲了立論過於坦率，也常有被扣留的危險。可見淨化的傳播業事不僅不能受大衆歡迎，而且也不爲政府所喜悅。淨化云乎哉？

於是，工業社會的物質文明，使人羣趨感官享受，而傳播事業更增加的物慾思想的汎濫，這其間互爲因果的關係不是三言兩語所能論述的。

文化警鐘發人深省

陳立夫先生的提案畢竟是文化的警鐘！以美國爲例，有識之士已經指出，它的精神染污遠比空氣染污嚴重。中華文化的實藏，早已變成花菓飄零的景象，如不好好護持，將來恐怕連影子都難找了。電視、報紙、雜誌，這些已經荒蕪的園地，盡被電影明星、歌星所佔據，這是做效美國加强精神染污的行爲。民族的自暴自棄比個人更爲嚴重！

喬治桑外傳 一四〇

張大夢

「他人還忠厚，否則，我早已不跟他往來了。」雅麗絲有愛吃零食的習慣，她很少喝茶，繼而也學抽一兩支香烟。現在則在嗍瓜子。

「我要告訴妳，美國的社會情形，女孩子一到三十歲，便很難嫁出去，註定做老處女。所以……」

喬治桑話還未說完，雅麗絲立刻接口道：「婚姻事我向來不强求，做老處女沒有什麼不好，我倒可以永遠陪伴着媽媽。」

「話不是這樣說，美滿的婚姻是人生最大的幸福，女孩子總是應該找歸宿的。我看羅蘭的人很不錯，妳應該當機立斷，不要錯過機會。」喬治桑說話的態度很莊重。

「包死，我要問你，你爲什麼要關心我的婚事？」雅麗絲爲了要表示她在說正經話，所以暫時停止嗍瓜子。

「難道我不該關心？」

「你關心我，我自然感激，我是問你爲什麼？」

「人總是有感情的，我們相處日久，我年紀比妳大得多，發生的自然不是男女的感情，而是父女的感情。雅麗絲，我不知道妳願不願拿我當父親看待？」喬治桑說這話時，他的內心深處，有一種異樣的感覺。他只有默禱上主，他是如何迫切需要雅麗絲拿他當父親喲！他本來就是她的生父，但有無法明言之苦。

「我是拿你當父親看待的，我只有母愛，沒有父愛，你能給我父愛，我當然萬分感激你。我常常這樣想：假使你眞是我的父親該有多好，我可以向你撒嬌，向你要索，你可以帶我到美國去玩，你可以買很多東西給我……不像現在的我，年紀輕輕的就很老於世故了。」雅麗絲的一番話，本於人類的天性，喬治桑聽了，心中有說不出的喜悅，眼睛覺得有點溫潤。

李國鼎做到「政者正也」

·文匯樓主·

文匯樓別記

李國鼎部長對台北國光人壽保險公司的斷然處置，不畏權勢，不怕報復，得到民間的普遍讚美，「政者正也」，李國鼎算做到了。

以猛虎洗臉的方式對付國光人壽保險公司，也卽等於太歲頭上動土，誰也知道國光的後台是當今立法院長黃國書。民主國家的議員，除非使男變女，或女變男做不到的事，其餘沒有辦不通的事，黃國書發動反擊自在意料之中。

國光的牆雖倒，衆人並未推，報載因投保而得不到保險費，有的自殺，有的吊頸，有的血壓高，有的心臟病復發而導致死亡。這些悲慘的事實歸納起來，統屬於弱者的行爲，乃缺乏現代知識使然。貝波爾有句名言：「商業的本質是行騙」。何況國光並未行騙，只是將投保的錢投資到光華工廠、台灣旅行社、高雄亞洲電影院等而失敗了。這只怪大家的運氣太壞，國光沒有甚麼太大的責任。

照法律規定，國光不能投資上列各項事業，最現代的亞洲電影院因未保險而蒙受驚人的火災損害等情，這也是不明眞象之言，不瞭解錢能通神的道理，國光早看穿投保人的危險性，亞洲電影院再去作危險性的投保人，豈非明知故犯，自己和自己開玩笑嗎？亞洲之不投保，正是國光珍惜顧客血汗來的錢。

顧客指責國光的少爺們，花天酒地將投保人的錢揮霍無度。這些指責似是而又非，把投保人的錢用在花天酒地，直接可以週濟窮人，間接等於繁榮社會，有甚麼不可以呢？國光的後台既然是黃國書先生，俗語說：「跑得了和尚，跑不了寺」，別說國光股東們多的是不動產，只轉移到外國的黃金美鈔，超過[illegible]萬元保險金，拿不到而自己上吊，這是經不起時代考驗，自己該死，也可說不識大體。國光將責任推到李國鼎身上，非完全沒有理由，無奈無毒不丈夫，死幾個投保人有甚麼關係，何況新聞可以封鎖的，財政部根據調查資料，國光經濟情況非常惡劣，其爲害社會遠較台北第八信用合作社爲甚，亦見仁見智問題。在國光的心目中台北九家人壽保險公司半數以上的經濟情況都相當惡劣，爲甚麼光對國光下手呢？青年會社會服務標榜「我爲人人」受到會員們熱烈支持，國光今形同「人人爲我」也別開生面。

香港自由報很久以前，就看到這些毛病，曾以「保不保險越保越險」爲題，促投保人謹愼小心，勿抱着如意算盤，呼籲政府有關部門注意這些惡性詐欺行爲，人們痛苦，就是比常人早知機幾年或幾十年的事，在「報喜不報憂」的環境下，報紙進口被扣已成家常便飯，有時受到銷毀處分。但眞理與正義是永恆的，我們的意見事後檢討也很少有錯誤。

談胡適的治學方法（四）

李辰冬

就是焦氏易林（卷二）說的「鴻飛在陸，公出不復，仲氏任止，伯氏客宿。」這段卦文不僅是重復九戒（四從下）篇的詩文，而且提出了兩個人的名字。仲氏，就是燕燕篇「仲氏任只」的仲氏」，我們敢證出她就是與尹吉甫戀愛，結婚，後來仳離的對象。伯氏，就是詩經中常常提到的「伯尹」，是仲氏對尹吉甫的稱。這樣講來，不會是巧合吧？胡先生將易林的作者斷給後漢時的崔篆，崔篆是涿縣安平人，正離尹吉甫的家鄉復關不遠，都在現今河北省，那麼，在崔漢的時候，尹吉甫與仲氏戀愛的故事還很流傳，不然，易林裏怎麼會有那麼多的詩經故事，而這些故事都與尹吉甫有關呢？九戒（四從上）就是仲氏留宿尹吉甫的詩。尹吉甫本係衛國的貴人，他隨衛人出征嚴允，才與宣王發生關係，因爲功績，在宣王六年初春征淮夷的時候，升他爲「尹氏」，這時，他在周室才正式有官職，「我覯之子，袞衣繡裳，」「是以有袞衣兮」的袞衣，是這樣來的。他與仲氏戀愛，是衛藩侯等所反對的，他怕在仲氏家住久了，碰到藩侯回來，所以女的安慰他說「公歸無所，於女信處」，「公歸不復，於女信宿」，公不會回來的，你再住一夜吧！然仲氏的家終究不是尹吉甫的家，他的家在復關，所以又產生葛覃這首詩。到此，我們知道葛覃這首詩是對誰寫的了，就是對仲氏。詩言「葛之覃兮，施於中谷，維葉莫莫，」是刈是濩，爲希（系旁）爲谷（系旁），服之無斁」，是眞「爲希（系旁）爲谷（系旁）」呢？還是虛辭呢？綠衣篇說「希（系旁）兮谷（系旁）兮，淒其以風。我思古人，實獲我心。」古人，卽故人。這是仲氏與尹吉甫仳離後，他想念她的詩。秋風里還穿着她做的，以資想念。

既爲仲氏所做，那麼葛覃這首詩的整個心理背景也都了解了。尹吉甫宣王六年六月回到衛國後，先住在衛國的都城沬邑仲氏的家里，看見仲氏給他做，以葛覃與黃鳥起興來歌這首詩，「爲絺爲谷」的是仲氏，「服之無斁」的是尹吉甫自己。尹吉甫從宣王五年正月，就西征嚴允的，離家有一年零六個月之久，況且自己又作上了周室的官，多麼榮耀，急於想回去安慰父母，並也讓父母看看自己的官服，所以說「害澣害否，歸寧父母」的，「歸寧父母」不僅是使父母安心，而且也有眩耀的意思。詩經研究還有一條最嚴重的原理，就是「文學是情感的表現，」三百篇既是文學作品，一定得追究出他的情感由何而來，不得僅僅解釋字句就算了事。」到此，我們把葛覃篇的整個情感背景追求出來了。

以上我「依據原始資料，死守原理法則」，將葛覃篇作一正解釋，希望讀者指正的是：依據詩經的一字一句來解釋三百篇是不是應該；其次，我所立出的詩經研究法則是否正確；再其次，依據這些法則來解釋葛覃篇有否錯誤？全面的知才是眞知，研究詩經，一定要建立許許多多法則，再根據這些法則把三百篇全面解通，才算眞通。支離破碎，一點一面的研究，絕對不能了解詩經。上面不過舉個例罷了。

自從詩序說「葛覃，后妃之化也。后妃在父母家，則志在女功之事，躬儉節用，服澣濯之衣，尊敬師傅，則可以歸安父母，化天下以婦道也。」兩千年來，關於這首詩的假設求證，都不出這個範圍，朱熹要打破詩序的圍，然而仍在說「蓋后妃既成希（系旁）谷（系旁）而賦其事，追敘初夏之時，葛葉方盛，而有黃鳥鳴於其上也。」到了清代的崔述，也提倡「篤信經文」，這是可喜的消息，也是一種詩經研究的大革命，所以胡先生譽他爲「科學家的崔東壁」。可是他又推出了一個新的偶像，就是朱熹。他在「讀詩偶識序」說：

至十歲後，始閱朱子詩傳，亦不知何爲詩柄。又數年後，始見詩序，亦不知其可寶貴者何在。以故，余於國風惟知體會經文，卽詞以求其意，如讀唐宋人詩然者，了然絕無新舊漢、宋之念存於胸中，惟合詩意者則從之，不合者則違之。但朱傳之合者多，衛序之合者少耳。嗟夫！安得世有篤信經文之人，而與之暢論斯旨乎？

「篤信經文」是對的；然要知道古今制度不同，因而文字的意義也就不同，要用許許多多方法回到作者的時代來了解他的文字，才能得出正確的意義。師氏明明是一種朝廷官職，而他依據毛傳解爲「女師」，怎能了解這首詩呢？試問以什麼標準來判斷「合詩意」與「不合詩意」呢？

說曹操（七）

李漁叔

四、擁衛漢帝·挾天子以令諸侯

這些話，皆足代表當日軍民之一致呼聲。至董卓本人早就是主張推翻漢室的。我們看魏志袁紹本傳：

「董卓呼紹，議欲廢帝立陳留王，是時，紹叔父隗爲太傅，紹僞許之曰：『此大事，出當與太傅議。』卓曰：『劉氏種，不足復遺。』紹不應，橫刀長揖而去。」

還有獻帝春秋，也曾載董卓對袁紹說過：

「卿不見靈帝乎，念此，令人憤毒。」

一

這恐怕也是當時一些上層階級人士的想法。在前漢末季，王莽篡位後，一時人心思漢，久久不衰，原因是西漢後代數君，如元、成兩帝，雖非令主，但亦無甚失德，哀，平坐困外家，極堪憐憫，而由於王莽巧取豪奪，更增加天下人民的同情，所以一致思漢，於今東漢經過桓靈兩朝暴政，大家對劉氏感到厭棄，「劉氏種不足復遺」，雖是出自賊臣之口，說的太過，但人心向背，不難從此探索。

然而漢室雖疊經喪亂，一直到董卓廢立，獻帝陳留王劉協以九歲小兒繼承王位，依然發生偶像作用。不久董卓被誅，他的部將李傕郭汜樊稠一批亂黨，又殺了王允，擊走呂布，而將這個後漢末代皇帝劫擄在自己手裏，李郭兩人，本來形同盜匪，沆瀣一氣，這時忽然互相仇殺，焚燒宮室，殺掠人民。獻帝興平元年史載：

「是歲穀一斛五十萬，豆麥一斛二十萬，人相食啖，白骨委積。」

至建安元年的情形是：

「是歲宮室燒盡，百官披荊棘依牆壁間，州郡各擁疆兵，而委輸不至，羣僚飢乏，尚書郎以下，自出樵採，或飢死牆壁間，或爲士兵所殺。」

這等慘象，似亦是歷史上很少見到的一幕。但其時海內仍舊一致公認漢家正統，照樣遵奉正朔。從政治觀點上來看，究竟這個奄奄一息，行將幻滅的漢家殘局，有不有利用的價值呢？

善於揣摩時勢，具有眼光的政治家和策士，多能看得十分透澈，而棋高一着的控制了全局。我們現在，如果就那時候的政局分析，則很快的會發現兩個問題：

第一：各鎮諸侯（包括刺史、州牧、太守等官），多無出衆的才華，又無大志及足夠的力量，劃地自守則有餘，經營天下則不足。

第二、各州牧太守等，都是漢朝的舊臣，或是嚮拔累世，如袁家的四世三公，即可代表這一批人，他們的心目中仍是極端尊崇漢家的嫡嗣，絕不敢僭越。

在前述的情勢下，趁朝綱紊亂，天子蒙塵之際，果能擁衛漢帝，掃清亂賊，再延國祚，重整乾坤，這是中國傳統的齊桓晉文最高政治手法，不僅可以博得大多數人的推崇與讚美，而名垂青史；即退一步說，也可以成爲一個「挾天子以令諸侯」的局面。

此刻有三個人都想到這一着，一是曹操，二是孫策，三是袁紹（劉備此時毛無力量，只是寄人籬下）可說是英雄所見略同，其餘皆不足以語此。三人中論人才要推曹孟德與孫伯符，論力量與資望則以袁本初爲最。可是孫伯符年少過於慓悍，而地區較遠，不無形格勢禁之嫌。袁本初則是志大才疏，當機不斷，正犯了兵家「遲疑與不爲，甚於錯誤」的大忌。我們先看孫郎的舉動。魏志說：

「孫策聞公（指曹公）與紹相持，乃謀襲許未發，爲刺客所殺。」

後漢紀卷二十九亦云：

「孫策欲襲許，迎乘輿，（天子的大駕叫做乘輿）部署未發，爲許貢客所害。」

又吳志孫策傳亦有同樣的紀載，而九州春秋紀的稍詳：

安徽十三傑

諸葛亮狂想曲（一〇八）

·劉玄·

「這屬於旁門左道，他是剪紙人用邪術把它們活躍起來的。」星吾在自言自語，其實是在向劉約翰講解。

「不過這倒是很新鮮的玩意，好在他是表演魔術，雖係邪術也無傷大雅。」劉約翰只看過西洋魔術，現在看到如此新奇玩藝，覺得其妙無比，故不太同意星君的見解。

「我不過這樣說說而已，變戲法本身就是邪術，沒有什麼值得多談的。呂洞賓不敢惹鐵拐李，他知道鐵拐李脾氣不好，常常直言頂撞他，使他吃不完兜着走。」

黃雲大仙在登台之前，袖裏已懸好從鹿角大仙那裏討來的麝香錦囊，所以滿台都有氤氳之氣，不管他的表演是否精彩，向不致惹人反感。

第三個節目是空中飛人，這不像馬戲班盪韆鞦，而是由黃雲大仙劍作法，使兩個道童進入催眠狀態，滿場飛舞。

第四個節目是，滿堂富貴。他命道童搬來四隻大花盤，分別用紅綢蓋住，經他作法以後，取下紅綢，居然開出四盤鮮艷的牡丹花。

關羽坐在第一排劉備的身旁，欣賞他的棋友黃雲大仙爲他表演的餘興節目。第一第二第三節目的演出，關羽只輕輕的拍了幾下手，當他看到第四個節目的時候，他立刻大鼓掌，因關羽喜「滿堂富貴」迷信，他認爲「滿堂富貴」是一個好彩頭。

第五節目叫身首異處，由黃雲大仙用寶劍將自己的人頭割下拿在手中，然後像玩童玩皮球似的將人頭放出空中，人頭飛越飛高，還能在空中說話，最後人頭又回到他的頸子上。

劉備偷偷看看關羽的表情，只見他深鎖臥蠶眉，有些不豫之色，劉備知道這一表演實觸關羽之忌，因他當年受呂蒙、潘璋等暗算，將他的頭送到曹操口氣，將阿瞞嚇出病來。但知道不便說明。

演完畢，關羽沒有拍手，劉備也不致拍手。黃雲大仙表演節目告一段落，照例是休息時間，走廊上擠滿了大小各仙，紛紛閒談。

「哼，這種表演太稀鬆平常了，俺老孫只要拔一根猴毛要變七十二變，這倒不是俺老孫吹牛。」自從上次請孫悟空吃過何仙姑的桃乾杏脯以後，他對何仙姑很有好感。現在又站在何仙姑身旁大吹法螺。

「這還用說，你的法術天庭誰不知曉，黃雲大仙那能及你。」何仙姑邊說邊從身邊掏出一把桃乾杏脯給孫悟空。

孫悟空接過桃乾杏脯也不言謝，一口吃下去，腮邊立刻鼓起兩個大包。

「聽說大聖一個觔斗能翻十萬八千里，是不是眞的？」何仙姑是女流之輩，喜歡問長問短。

（未完）

巨變歷險記！

丁博士促余就雲南省綏靖主任，余覺是成功了。他能不能負起保衛雲南的全部責任倒成了大問題。但無論如何，保衛雲南總算負責有人。

這快到民國三十八年底了。李彌的雲南省主席職，原約定就在民國卅九年的元旦就，並約定在有北平之稱的建水。

建水與蒙自實在是鄰縣。但建水蒙自間的交通業已中斷。火車只留作軍用。決定經過半壁山，前往建水。這半壁山，地勢非常險要。這山也是名符其實。高聳雲霄，以其如壁立，故稱之曰半壁山。此地在普雄之下，離普雄約一小時的路程。余軍長彭副軍長都勸丁博士別去，但丁博士不肯，堅持要去，並堅持在陽曆前到。彭副軍長派一連人隨同前往。後加到一營，又加到一團。團長就在普雄，現在台南當居的羅伯剛。建水方面八軍，也派人來迎，一共兩團，一個是白團，一個是李團。普雄這邊的向前推，建水那邊的向前進。約定在半壁山會師。

被阻半壁山（二十二）

胡[illegible]著

是在一個早晨天不亮出發的，原希望一帆風順，順利到達。不料到了半壁山前面，路阻住不通了。不得已開火，兵分三路，一路登右邊的山，一路登左邊的山，還有一路居中。丁博士就在中路保護之下。槍是先向着中路丁博士這個方向響。機關槍，非常密集。丁博士伏在壕溝中，聽當前的槍聲，聽左右的槍聲。右左向前壓，中路也前壓，但對方也不弱。如是堅持至下午三四點鐘。天快黑了，依然勝負不分，對方沒退意。於是羅團決定一舉撤退。一舉撤退，就是全部撤退，一舉者，決一舉全部撤退，幸無傷亡。丁博士躺在戰壕上邊蓋着草掩護。一天在緊張中，寢而不安，食亦難咽。撤回到普雄附近。但明天還要去。

明天還是不能通過，從建水來的兩團人也已經到了前線助陣。兩邊夾擊，而匪即放棄抵抗矣。丁博士到建水，已經日落西山的時候了。他很感謝羅團白團李團。他住在李彌軍長孫晉賢等住的一座公館，情形與蒙自的萬保郵公館彷彿。也是一座小洋房，分樓上樓下，這座樓並不在城外而在城內，被周圍的房子圍困的圍住。吃的是建水特產之一，什麼燒烤的豆腐塊。李軍長曹副軍長聽到丁博士到，也都非常興奮。李軍長當約丁博士到他的寓所吃飯。

對於丁博士促就雲南省政府主席職，李軍長連連說應該應該！就職之日子佈告中外。對於雲南前途，沒有悲觀的理由，他說：「亡羊補牢，未為晚也」。若余程萬的合作，前途尚大有可為。如何合作，就是當前最重要的問題。余程萬這邊的情形，李主席還是非常的隔膜，聽丁博士詳細報告後，認為有與余主任會面共商大計之必要。席還沒坐暖，又要同李主席前往蒙自。

商弘載三元閣老

命相與夢話

漢平

商輅字弘載，明淳安人。宣德乙卯年二十二歲，鄉試為第一。乙丑年三十二歲，會試、殿試皆第一。終明代之世，三試皆第一的，只有商輅一人而已，其頭悟才識可知。殿試觀為第一之後，即除為修撰，與劉儼等十人，進入學東閣。

商弘載生得丰姿環偉，帝親簡為之歲書。丁卯年三十四歲，此時 王監國，命入內閣參與機務。景泰庚午，年三十七歲迎上皇於居庸，進為學士，景泰丁丑，年四十四歲，因忤石亨之徒，又諷言官朋比為奸，誣之下獄，斥為平民。

至明成化丁亥，年五十四歲，召至京師，命以故官入閣。弘載首陳八事，帝甚佳納之，進為兵部尚書，再進戶部尚書。編纂「宋元通鑑綱目」完成，改兼文淵閣大學士。皇太子立，加太子少保，進吏部尚書。不久，又進謹身殿大學士。

商輅為人，平粹簡重，寬厚有容，臨大事，決大議，有毅然不能奪之氣魄。至明成化丙午年卒，享年七十三歲，追贈太傅，諡文毅，遺有「商文毅疏稿略」，「蕉山筆塵」，「通鑑綱目」續編，「商文毅公集」於世。

商文毅公之造為：甲午、丁卯、己巳、辛未。「通會」券九載評說：「商輅三元閣老名臣」。漢平按弘載八字，非同尋常，因天幹之甲、丁、己、辛，乃木、火、土、金；以甲木而生丁火，丁火復生己土，己土復生辛金；生生不已，相愛相親。這是何等氣象？地枝午、卯、巳、未、既與南方會為一氣，又會東方半局，這是何等規模？「巫咸經」云：「四柱遞互相親，多生喜慶。」此之謂也。可惜四柱缺水，雖然格局奇華。則不免為火炎土燥之弊；雖然三試第一，官至尚書，亦不免宵小播弄，憂患頻遭。然則終能奉身而退，克享高年者，仍為遞互相生而相親之功。

二十二歲巳運，歲值乙卯，鄉試第一。三十二歲午運，歲值乙丑，會試殿試皆第一。從此以後，進學林閣，遐邇咸欽，皆見乙卯乙丑納音金水，都有裨燥土之故也。

三十四歲丁卯至四十三歲丙子，入內閣參機務，進侍讀學士，無煩無惱，優哉游哉！這是辛、未二運或運逢喜神，或歲逢喜神，參伍錯綜，故所以偏饒佳趣也。

四十四歲壬運，歲值丁丑，壬丁化木，丑未遙衝，故為石亨所算，以致下獄罷職。

五十四歲癸運，歲值丁亥至六十三歲酉運，歲值丙申，命以故官入閣，弘載上疏辭謝。帝道：「先帝已知卿之冤，今幸勿辭。」於是首陳勤學、納諫、儲將、防邊、省冗官、設社倉、崇先聖號、廣造士法等八事。帝嘉納之，進吏部尚書，兼文淵閣大學士，加太子少保。當此十年，竟能得非常之寵，獲不次之恩，都是由於癸酉二運水金得勢有以致之。

六十四歲甲運，歲值丁酉，汪直公，遂力求去。七十三歲戌運，歲值丙午，公卒以故里。足見火燥土燥之造，甲丁固忌，戌丙尤差所致。（完）

搜異錄

槃瓠招親奇談

匡謬

太古時代，高辛氏有犬戎之寇，帝患暴橫，而屢征不勝。於是乃召示天下：有能得犬戎吳將軍頭者，償以千金，賜邑萬家，再以女嫁之。羣下無人應召，獨帝有畜犬，名叫槃瓠，毛分五采，壯碩異於常犬。

這槃瓠的來歷也很傳奇。據古書上的記載：高辛氏有一老僕婦，居於王宮，因患有耳疾，醫者為之調治，在頭上挑出一蟲，其大如蠶，老婦將虫放在瓠離之下，上蓋以盤，數日之後，虫化為犬，帝遂豢於宮中。

帝召示之後，槃瓠遂銜了犬戎吳將軍之頭於帝前。羣臣怪異，眞乃吳將軍的頭。帝大喜。但以槃瓠乃是畜類，不可妻之以女，又無封爵於犬之制，議論不果。帝女聞之，以為皇帝下命，不可失信，願請嫁之。帝不得已 乃以女嫁槃瓠。槃瓠得女，負女走入南山，住於石室之中。其地險絕，人跡罕。於是女解去衣裳，為僕豎之繼，著獨立之衣。帝思女情切，遣使臣尋求，則遇風暴，使者不得進。經過三年，女生六男六女。槃瓠死後，六男六女相配為夫婦，織績廠皮，染以草實，好五色服，製衣皆有尾。其女後歸見帝，述說前情，於是迎六男六女以歸。但服色奇異，言語異音，好入山崖，不喜平曠。帝順其意，賜以名山廣澤，其後滋蔓，號曰蠻夷。

關於槃瓠神話，為苗、猺、僮、狼等南方異族始祖，傳到漢族中，則變形為：

首生盤古，垂死化身，氣成風雲，聲為雷霆。左眼為日，右眼為月，四肢五體，五四極五獄，血液為江河，筋脈為地理，肌肉為田土，汗流為雨澤，身之諸虫，因風所感，化為黎。

又葛洪的「枕中記」也說：

盤古氏，天地萬物之始祖。然則生物始於盤古。昔盤古之死也。頭為四嶽，目為日月，脂膏為江海，毛髮為草木。秦漢俗說：盤古頭東嶽，腹為中嶽，左臂為南嶽，右臂為北嶽，足為西嶽。先儒說：泣為江河，氣為風，聲為雷，目瞳為電。古說喜為晴，怒為電。吳楚間說：盤古氏夫妻，陰陽之始也。今南海有盤古墓，亘三百餘里，俗之為後人追葬盤古之地。

以上的奇異傳說，學者以為是人與狗的關係，漢族與異族的婚媾的關係而成。苗、猺、僮、狼四族，太古時代可能是犬圖騰之故也。本文旨在搜異而錄之，不及考據而已。

自由詩壇

小閣

李漁叔

小閣簾深茗 溫。薄寒猶是隔重門，
崩 似訝城狐出。猛雨惟愁幕燕翻。
國論拊心餘一嘆。儒脩奪氣欲無言。
殘春枉是傷飄泊。偏向黃昏上古原。

天姻行答味菘蘭陵王詞

羅尚

湘帆九轉繞衡嶽。七十二峯矗高倬。
禹碑神柄鎮火維。靈氣鍾人珠在握。
後傳管領魏元君。羣眞翱翔乘綵雲。
上清有女安鬱嬪。楊曦受稟論天姻。
親結其禍四十載。雙攜南閩紅桑海。
舊斑仙侶緣樓逢。共討文辭散珠。
雲和法曲蘭陵王。龍綃書字芙蓉光。
引商刻羽雜流徵。才淺和作詩數行。
伯鸞德曜烟霞錮。芝草黃精景長駐。
抽琴命操欲無倫。十萬蓬山貯部。

秋思

張夢機

霜風作意醸宵清。吹散暝陰放月明。
聞說江山助文藻。何須詩力與天爭。

第四章

童貫通金求六州　徽宗無心謀國事

此項條約，根本不是兩相情願，完全由金人作成。趙良嗣帶了條約回到雄州，為了推御責任，自己不敢承認。乃向朝廷奏請，自在雄州待命。

奸佞王黼料難與爭，力勸徽宗從金之議。命趙良嗣再至金邦允約。金主亦遣使臣楊璞奉了誓書以及讓給燕京六州版圖入宋。徽宗命童貫、蔡攸赴燕京交割。

知宋朝廷派人去接收的六州、燕京，所有職官人民玉帛，全被金人一掃而空，所有地方，皆為空城。交割了當，金兵旋師。宋朝廷連年動衆二十萬，耗費人民血汗不下數億，所得的是幾座空城而已。最重大的問題，每年尚須付租稅一百四十萬。大宋已暴露了弱點，紙老虎已被戳穿，既訂約之後，又不遵守，租稅不納，以為金人可騙。卒因租稅不納，金人乃藉此南寇，喪師辱國，造成北宋的結束。

童貫接收了燕京六州之空城後，上表蒙騙徽宗說：「燕京老幼，伏道迎謁，焚香稱壽」。一篇鬼話。徽宗信以為眞，特下赦詔，佈告燕雲六州，可是無民目睹，不過自我解嘲。又拜王安平為慶遠軍節度使，兼河北、河東、燕山路宣撫使，知燕山府。拜郭藥師為檢校少保同知府事。又召郭藥師入朝，格外優待，賜第府及姬妾，貴族大臣互設盛宴。徽宗又召郭藥師於後園延春殿，郭藥師且拜且泣。道：「臣在虜中，聞趙皇如在天上，不意今日得覲龍顏，實乃臣之萬幸也。」徽宗大喜，極加褒獎，並諭捍守燕京。郭藥師忙答道：「願効死力」。徽宗又令他追取遼天祚帝。郭藥師變色辭道：「天祚帝乃臣故主，臣不敢受命。請陛下另派他人」。言畢淚泣。徽宗許為忠臣。即解所御珠袍及二金盧賜之。郭藥師拜領出殿，即將金盤剖分部衆，對衆人道：「此非吾之功，乃汝等之功也，吾豈敢獨享賜！」部衆感奮。越日又加少傅，遣之還鎮。

童貫、蔡攸返京覆命，徽宗進封童貫為徐豫國公。蔡攸晉封少師。趙良嗣為延康殿學士。晉王黼為太傅，總治三省事，特賜玉帶。鄭居中為太保。居中自陳無功，不願受命，未幾入朝遇疾，數日而終，機做鄭康國第二。

宋徽宗早已無心政治，而又不善於攬政治。他酷愛美術、書法、詞章等文藝，甚至入迷。

周燕謀

自由報

（第一〇六〇期）

（半周刊每星期三、六出版）

督印兼發行人：李長運

社址：香港九龍彌敦道593—601號 廖創興銀行大廈八樓五座

LIU CHONG HING BUILDING
7th FLOOR FLAT 5
593—601 NATHAN ROAD,
KOWLOON, H.K.
TEL: K303831
電報掛號：7191

承印：景星印刷公司
地址：嘉咸街廿號地下
台灣連絡中心：台北市雷田街五巷三號
電話：三七五〇二
台灣區直接訂戶 台郵劃撥戶
第五〇五六號張萬有（自由報會計室）
台北營業處：台北衡陽街三十號
電話：二七二〇〇
台灣分社：台北市西寧南路110號二樓
電話：三三〇三四六，台郵劃撥戶九二五二號

美亞報告外一章
—算一算美國的舊帳（下）

張知本

這位共和黨參議員不是揭穿這件「可悲」事情的第一人，遠在吳廷琰政府被推翻之前，「時代」雜誌就已勇敢地譴責過駐西貢的美國記者的偏執與煽色腥表現，它自己一位駐越記者，爲了此事，還辭職抗議。

但是第一個把這件事與歷史教訓聯繫在一起的卻是陶德先生。當他說美國報紙，「又一次」作了錯誤的國際報導時，他可能想到六十幾年前美西戰爭前夕赫斯特與普立茲掀起第一次巨大煽色腥主義狂潮的往事。他可能同意大多數歷史家的看法：如果不是這兩人的報大肆作誇張，捏造，和煽動的報導，美國也許不會激動得去打那次不名譽的殖民主義戰爭。

當然，陶德參議員在寫這封信時，更可能記起十六年前，美國新聞界的煽色腥主義者，在報導戰後中國局勢時是怎樣大肆撒謊和危言聳聽，使「美國大家有重大關係的一項國務院政策」遭受曲解，終於影響到那批撰寫那件不名譽的「白皮書」的人物。

煽色腥主義，雖然能對社會，國家和世界造下無法補救的損害，但它對於新聞界永遠是一個難以抗拒的誘惑。因爲它是老問題最古老，最有效的銷售報紙的大法寶；它是影響計劃最便宜，最鋒銳的驅取名聲的好武器。

最可嘆者：煽色腥主義學習起來又是如此容易，它比任何其他「美國的」東西蔓延得更快和更廣。

二、美國前駐義大利大使魯斯夫人的公道話：

美國前駐義大利大使魯斯夫人，曾爲南越吳廷儒夫人申辯，稱其爲努力謀阻止其國家淪入共黨之手之「戰鬥女性」盟友。魯斯夫人在「國民評論」周刊撰文，指摘吳夫人旅美之行，被當作「我國之愿敵」對待。伊問道：「甘迺迪總統對此美貌女子猶以閉門羹，而下令爲南共狄托之來訪磨光白宮之銅製門柄」。伊憶述共黨佔領中國事稱：「吳夫人訪美之宗旨，乃在說服其美國聽衆，謂其國家現在贏得反共戰爭，惟若伊及其家族遭傷害，且被趕至左翼狼穴，則反共戰爭勢必失敗。南越政府現所遭遇者，似乎極類於蔣介石元帥夫婦在中國所遭遇—美國國務院曾使彼等被擯退，而被毛澤東寄踏中國大陸。

魯斯夫人指出吳夫人在美受挪揄事時稱：「其已因美國新聞西貢發出之電訊所影響：而對伊存有成見的電視對談者與演講聽衆竟向伊提出大批無禮甚或侮辱性問題，此乃向傑出之外國人物（且爲盟友）提出此等問題之首次」。

論及南越佛教徒引火自焚時，魯斯夫人稱：「在美國，如有二名天主教神父自焚抗議政府未能供應某教區學童以免費汽車，或一名新教徒自焚表示反對最高法院禁止在公立學校佈道，則吾人必視之爲宗教狂人。」魯斯夫人認爲美國新聞界報導佛教徒自焚事之重演，此正爲吳夫人對和尙自我殉教所採之看法」。

南越第一夫人曾在洛杉磯告一千一百多名年青共和黨人士稱：美國不能容許南越如中國於一九四九年一樣落入共黨之手。吳廷儒夫人稱：「二十年前所加諸中國之事，不能在越重演：……至少此盟國確實大加努力以改善其本身」。此與吳廷琰總統弟弟在希爾頓酒店向洛杉磯共和黨人士發表演說。

三、美國前任駐南越大使諾爾丁別具隻眼的看法：

前美國駐南越大使諾爾丁謂：南越對越共戰爭之轉趨劣勢，大部份由於吳廷琰總統所領導之政權，於去秋被推翻所致。諾爾丁曾發表演說稱：「此後吾人即失却動力：而此種動力必須—而吾人相信必會—再次獲得者。」

渠謂：「美國政府之若干行動，協助推翻吳廷琰政府而余本人認爲此乃一項大錯」。渠並未特別說明該種行動爲何。

諾爾丁反駁戴高樂總統所提出使南越中立之建議，指爲「一種抽象之建議」。渠謂：「此種建議，等於將南越交與河內（北越首都）而河內則又會將其交與中共」。諾爾丁乃現任美國國務院出席總統府對美國情報效率評價委員會之一位代表。

四、美前任駐越軍事顧問團團長威廉斯指出，共黨間諜潛伏美越軍總部內，一切作戰機密均爲越共獲悉。

這位美國前駐南越軍事顧問團團長稱：美國在南越之政策已產生若干「災禍性」之後果。渠並謂共黨已滲透美國及南越在西貢之軍事總部，渠指示此爲共黨目前在南越軍事成功之一個因素。

渠退休之威廉斯中將，一九五五年至一九六〇年負責訓練南越軍隊。渠更進一步指示：與其謂軍事上之錯誤阻碍在該國擊敗共黨，毋寧謂外交上之錯誤阻碍擊敗共黨。

威廉斯在接受「美國新聞與世界報導」之訪問，認爲吳廷琰總統之被殺害，乃爲自豬灣（古巴）失敗之役後，國際戰場最顯著之錯誤……

渠引述在艾森豪政府最後數年間，美國文人顧問與吳廷琰政府間之糾紛，以及文人顧問與軍事官員間之糾紛。渠稱：「所有此等磨擦，影響南越內部之安全……此種情形使越共能日趨滋長坐大，並獲得更多之信心。」

威廉斯繼續稱：共黨曾滲透渠本人在南越之軍事援助顧問團總部，渠稱：「余固知之，並與之鬥爭。」渠又謂：「渠等（指越共）滲透南越陸軍總部，余不以爲在西貢有一個美國或南越政府之機構，未被越共滲入者」。

威廉斯更指出：「現在南越軍隊之所以時常中伏，或進行圍剿而一無所獲者，有一個明顯之原因，厥爲渠等之作戰計劃，在下達到執行掃蕩任務之南越連長以前，即已爲越共所悉」。

法國巴黎保守之「費加羅報」亦爲著論稱：越共對西貢附近美國空軍基地之襲擊，可能係東京灣事件之還擊行動。該報並稱：此次襲擊，主旨首在向華盛頓提出警告，現時華府方面正將對南越問題及暫時執政之西貢新領袖，予以重新考慮。

十六年前由於共匪的滲透顛覆，以詐術竊取政權。他最爲陰險的手法，是利用民主自由的武器來打擊反共最力者，例如民主自由國家所倡導的民主自由，共匪則捏造事實，謂其「專制獨裁」，人民失去「信仰自由」爲題（如古巴，越南，）而煽動歹徒全面叛亂。假若民主自由國家主張和平反共，共匪則偽造謠言，謂其「腐敗無能」，「荒淫無度」，（如中國、埃及）而利用退伍軍人或失意政客攫取政權，民主自由國家的領袖們，應痛定思痛，不能輕信謠言再蹈覆轍。

孟子曰：「無是非之心，非人也」，所謂「是」知其善而以爲是：「非」知其惡而以爲非又說：「是非之心，智之端也」，由此可知明是非之重要了。國父 孫中山先生於廣州與師北伐時，在桂林訓勉軍人開宗明義便說：「別是非，明利害，識時務，知彼己」，爲國民革命軍成功之最大保證，此一訓示不僅軍人應奉爲圭臬，各界人士應作爲立身行事之南針。今天我們處在反共抗俄的戰鬥中，面臨着整個世界人類禍福存亡的重要關頭，鑑往知來，時加警惕，過去由於世人不明是非，而失去中國大陸，致使整個世界呈現着紛亂，迷惘的狀態，今後我們必須實踐先哲明訓，將大陸從我們手中收復，如此才對歷史的使命有所交待。

現在美國總統尼克森援助越南剿共，能爲杜魯門、艾森豪、甘迺迪諸人所應爲而不敢爲之事，其毅力有足多者，然不作澈底解決問題之遠謀，（請讀戰國時「圍魏救趙」之歷史）仍囿於誘導敵人和談之幻夢（請勿蹈韓戰之覆轍）譬如醫者不探究病源而根治之，僅爲頭痛醫頭脚痛醫脚之措施，則厥疾其將弗瘳，此領導自由世界者所應深思熟慮者也。至美國所謂「强敎大會」竟有人强調美軍撤退越南，其謬妄與中國大陸淪陷前少數自命知識份子主張與共匪和談，如出一轍，語云：「前事不忘，後事之師」美國明達之士，寧不知所警惕耶？

（續完）

昨日與明日
天主教的開明作風

天主教的教宗保祿六世，在上月廿九日正式下令，放寬天主教法令對不同教派婚姻的限制；他在一項二千五百萬字的通諭中，准許各地教徒同相派通婚，毋須神職人員主持婚禮。據教庭方面宣稱，此項決定乃是天主教會爲了團結基督教，而對其他教派所採取的具體步驟。

教宗這一決定，可說是配合時代進步的開明作風，我們站在無宗教（不隸屬於任何宗教）的立場，非常欣慰而要由衷的爲這種邁向開明的精神致敬。

天主教在西羅馬帝國滅亡後，實際上已取代了統治歐洲的大權，西方人的精神固是由其領導，而政治方面也一樣要接受指導，帝王即位都要由教皇加冕，比起東方的「沙門不拜王者」猶要遠爲過之。以是形成定于一尊的局面。但是「天下大勢，合久必分」，由於社會的進展，人民思想的複雜，於是才破了這定于一尊的局面。已分而強求其合，已異而強求其同，勢必扞格不快，甚至引起衝突，宗教戰爭的往事猶在史乘。今天當然不能再向這方面走。

開明的天主教會當局，早已認淸此點，而採取了配合時代的辦法，尤以自大公會議以來，放棄一尊的觀念，承認其他教派的存在。可說是一革命性的進展。教宗甚至不惜紆尊破例，親赴伊斯坦堡，訪晤東正教主，現在又放寬尺度，准許教徒，與非天主教徒結婚，這一連串的開明措施，不僅不是減低天主教的聲望，反之正表現了教會當局的氣度偉大，尤其從我們一般人看來，正是配合時代，走向人類大同的步驟，値得我們喝采。

今天世界局勢如此混亂，大家無不認爲基本的原因乃是自然科學突飛猛進，而道德，宗教未能有配合的發展。現在天主教能有這樣一連串的開明措施，明眼人一看，當知是一種追上時代，革新作風的作法，我們希望其他的宗教也能步踵這種精神，革新改進，以使道德宗教能發生嶄新的領導人類的力量，以使科學不再造成畸形發展的禍患，而使世界重趨於安定和平，康樂有義。

·成公·

自由談
談發展經濟事業

報載消息：台灣主持經濟發展事業的費驊氏說，十年以後，台灣全省的國民總收入，將達到四千多億元台幣云云，言下頗有得色，迹近自我陶醉。我聞之感觸甚多，不敢喝采也。

首先我就有一種杞憂：假使再過十年，咱們政府尙未回到大陸去，那末，台灣的國民總收入每年縱然達到幾萬億元的台幣，還是偏安一隅的局面，對大陸上呻吟憔悴。於共產暴政之下的同胞，何以自解呢？發展經濟固然是增强反共救國的實力，但非專靠經濟力量即可奏光復中原之功。美國人士所謂「貧窮是培育共產主義之溫床」的反共理論幷不正確，西班牙？印尼和非洲一些反共最堅定的國家，便係鐵證，政治措施纔是主要因素。

再說經濟發展的本質，關係更大，如果稍具規模的工商企業，盡是與別人合作經營的，所有資本、器材和技術，皆仰賴於外人，此與國父的民生主義遺教不相胎合，主權幷非操之在我，後患堪虞。我們試看現時台灣各大報紙和電視台上的廣告，百分之八十以上都是外商的，而以日本商家最多。換言之，沒有這些日美的商業廣告，台灣的報紙和電視公司卽很難維持下去，這是多麼嚴重的經濟危機，不悉主管經合會業務的先生們，注意及此否？

台灣是島國，撇開政治軍事問題不談，專就經濟事業而言，島國應以發展航業爲首務，日本、丹麥就是好榜樣。然我們二十年來，對航業卻鮮有建樹，一家「主權操之在我」而具有現代規模的造船公司，部分國會議員硬要把它摧毀掉。民營的航業奄奄無氣息，公營的招商局只是坐吃山空，悲莫悲於無知，尙何言哉！

利用外資以發展本國工商企業，原是民生主義和「實業計劃」所提示的方針，幷不錯誤，但須做到「利用」二字的實質，主權必須操之在我，萬不可將「利用」變成「依賴」，被別人捏住自身的經濟命脈，這是發展經濟的先決條件，非如此，卽無異於殖民地的經濟生活，越發展就越糟糕。今後的世界形勢，用飛機、大砲和原子彈的武力以佔領別國土地，這類舊帝國主義的史事，不會重演了，但藉經濟力量東別國爲附庸的新帝國主義，一定出現，我希望談發展經濟事業的先生們，澄清頭腦愼思明辨，好自爲之，幸甚！

馬五先生

大台北瓦斯要加價　部份議員表示反對

供氣未達預估數成本提高　重複增用戶負担最不合理

（本報記者張健生台北特稿）民營的大台北區瓦斯公司要求提高煤氣供應價格案，業經台北市政府初審意見函送台北市議會審議。

按照規定，煤氣供應價格，應由台北市政府會同大台北區瓦斯公司協商訂定標準計算公式，送請台北市議會審議通過後報請經濟部核定之。台北市議會部份議員支持加價，部份議員則反對加價。

大台北區瓦斯公司之煤氣供應價格由現在每度售價二元四角九分漲至每度三元二角五分，增漲三〇·五〇%，因此，對台北市政府初審之每度售價為二元七角九分表示異議。

由於該公司經營管理並不妥善，由於該公司長期計劃未有效地執行，由於財務預測不太精確，因此，該公司五十年十月所提出「瓦斯供應價格計算公式及成本分析表」報請台北市政府核轉市議會審議，預估至五十八年供應煤氣用戶為四萬戶，唯據台北市政府文書載：實際上完成萬二千戶供氣。未達預估四萬戶供氣的經營計劃，而供氣設備則為四萬戶，因而發生供氣設備未達到百分之百的運用程度，所以每單位供應成本相對提高，尤其該公司重複增加煤氣用戶的負担，最不合理。

例如，該公司固定資產中所列購置三燈至一百燈的瓦斯錶有四萬個，成本會計賬有下列三種不同的購置價格：

一、新台幣三三、七〇〇、〇〇〇元。

二、新台幣三五、二八二、〇〇〇元。

三、新台幣四〇、八九一、七五一·五四元。

先後三種購置價格，相差達七百十九萬餘元，計增二一·九三四%。

此外，煤氣用戶須負担該公司瓦斯錶購置成本的利息新台幣一、三五九、八八八元，要負担瓦斯錶折舊費新台幣二、〇〇五、〇〇〇元，要負担瓦斯錶修護費新台幣六三五、〇〇〇元，這三項費用合計新台幣四、一九九、九七四元，再列入煤氣成本內，要煤氣用戶負担一四·〇四%的所謂「合理利潤」。其次是煤氣用戶付出每個瓦斯錶平均押金一、〇五〇元，租金二一、八〇元至十元等費用。四萬個瓦斯錶如全部租用，則該公司每年可收租金新台幣一千三百四十四萬元至一千八百七十二萬元不等，又可收押錶金四千二百萬元。這種獨佔事業所獲利潤可與專賣事業媲美。

大台北區瓦斯公司在人事費用方面不無浪費之處。該公司全年人事費用由原列之七、三七八、〇〇〇元，增至一一、七八六、〇〇〇元，計增五九·六五%，約增四、四〇八、〇〇〇元。人事費用增至一一、七八六、〇〇〇元佔煤氣成本總額九二、九一八、〇〇〇元的百分之十二點六八。如董事長吳火獅的辦公費由每月八千五百元增至每月一萬五千元，如常務董事車馬費由每月一千元增至二千元，如董事、監察人車馬費由每月八百元增至一千元，如總經理月薪由八千五百元增至一萬二千元，如副總經理月薪由一萬元增至一萬二千元，如秘書月薪由四千五百元增至八千元，如工程師月薪由四千元增至七千元，如業務專員和副工程師月薪由三千元增至四千五百元，如業務員和工務員月薪由二千元增至三千元，如業務工和工務工月薪由一千五百元增至二千元，如工友月薪由一千元增至一千五百元。

該公司共有員工二五一人，煤氣用戶一萬二千戶，平均每一員工管理煤氣用戶四十八戶，與中國石油公司苗栗天然氣營業所每一員工管理二百五十戶相比較，相差達三分之二。

根據該公司已公開之財務報表資料統計，其固定資產購置總值有三個數字：

一、五十五年十月該公司送審之成本分析表二六二、二七六、〇〇〇元，固定資產有：鋼筋水泥二樓一棟，瓦斯槽一座，高、中、低壓管三、低壓支管線，三燈至一百燈瓦斯錶四萬個，保養儀器及工具各種一套等八項。

二、五十七年八月該公司資產表列固定總值為二八九、〇〇〇、〇〇〇元，與五十五年十月表列二六二、二七六、〇〇〇元相比較，增加二七、二一四、〇〇〇元，增加一〇·三%。之後，又提高為三二、二九五、九四七·四八元，與五十五年十月表列增加七〇·六八%。

三、五十七年十月表列總值三三四、七四六、八〇〇元，增加二七%。

該公司一方面提高固定資產購置成本，一方面把固定資產折舊率年限減低而提高折舊率，這種雙管齊下的目的，增加煤氣用戶負担。例如，使用房屋，鋼筋水泥樓房若作生產工廠使用，按「財物分類標準」規定使用年限為四十五年，若作辦公使用，其使用年限為六十年，然而該公司的鋼筋水泥樓房使用年限僅三十五年；又如瓦斯槽使用年的問題，該公司「簡報資料」說：「市營煤氣公司在市區所設三個瓦斯槽」、「於今年五十餘年，從無發生危險」，但該公司之瓦斯槽使用年限為二十五年，不是五十餘年，觀此可知該公司之用心矣。

關於煤氣價格：中國石油公司曹灃營業所之煤氣，每單位熱量為八、九〇〇卡路里，每度售一元四角，竹南及頭份由合作社經營之煤氣，每單位熱量為八、九〇〇卡路，每度售一元三角，新竹自來水廠經營之煤氣，混合熱量為八、〇〇〇卡路里，每度售一元五角（不收瓦斯錶祖金），大台北區瓦斯公司之煤氣熱量為四、五〇〇卡路里至五、〇〇〇卡路里，每度售二元四角九分，現在要加價別每度三元二角五角。

因此，行政院輔導會正在籌設煤氣公司，俾使此一公用事業為社會大衆謀福利。

按：大台北區瓦斯公司創辦人為吳三連，現任董事長為吳火獅。

台北醫學院出毛病　似應歸咎主管官員

花錢轉系近年價錢大漲　涉嫌造學籍案關刑責

（本報記者董尚書台北消息）在一般就讀大專學生羣中，屬於醫業世家之學生，每多談起：「家長原意命考『私立台北醫學院』，祇獲低分，就可被錄取牙科，或藥劑系，一年讀滿，早幾年花上十萬到十五萬元台幣，包准轉入醫學系。近年已漲到二十萬元以外了，貨眞價實，手續簡單」。不料這一不成新聞的新聞，現在竟成為各報競相刊載的公開事實了，台北醫學院，自開辦以來，不僅詐取學生不樂之捐，而且涉嫌偽造學籍，案關刑責，治安機關調查已進入高潮。記者就此訪問某一熟悉教育現況人士，據談：「私立大專院校幾是惡性競爭，比價出賣，報載台北醫學院種種不法情事之發生，似應歸咎於部份主管官員，貪瀆勾串之所致。例如這所私立台北醫學院，社會人士多誤認係教育部官員集資創辦，因該院專任、兼任教授，任何科系，以聘部方官員為優先，而普通共同科目課程，幾全為該部官員獨佔。所謂其中黑暗內幕，以及黑牌學籍，在那些官員『運籌帷幄』下，也或在『大事化小』、『小事化無』之中，『早操必勝』矣」。某人士很感嘆的說：「黑店老闆，賺的是大錢，若輩分殘羹的官兒們，祇是拍賣了國家的綱紀，教育界的正氣。至於斯文的人格，名教的本分，在他們來說，是不值幾許的……」。這裏且將某報刊載消息，照錄如后：

調查私立台北醫學院向學生收取不樂之捐的治安單位，在從事核對六大箱帳本的工作中，頃在重大發現，辦案人員在帳冊中已獲有關涉嫌偽造學籍的重要資料及可靠證據，據悉日內將有具體的行動。從收取不樂之捐的不法部份，而轉向涉嫌偽造學籍的刑責，使全案進入高潮。台北醫學院的各有關人員，將在短期內，分別接受約談。

據了解：治安單位是在核對六大箱帳冊中，發現該醫學院在銀行中所設的專戶，有大批的款項，轉移到一位負實際責任的董事戶頭中，而轉移的款項，又有不少的數目，運用到幾個活動學籍對象的私人帳戶中，從這個現象來研判，使辦案人員對涉嫌偽造學籍的部份已有進一步的了解。

據悉：治安單位的辦案人員，在從事研判後，即刻向有關單位調卷，發現有數名的台北醫學院學生，是屬「黑牌」，這些學生有的是未經大專聯考而進入該校就讀，有的是從他校插班進來的，而他們的學籍，都是「來路不明」。

據了解內情人士透露：這些「黑牌」學生，又分等級，在台北醫學院四十九年成立的初期，想辦法「入學」比較容易，價錢約在六萬元左右；可是到最近幾年，情況大不相同，因台北醫學院近年來也拒絕一切的人情，不再接受此類「樂捐」，所以未經聯考入學的學生，只限於早年立校之初，而目前這些學生都已畢業當醫生去了。次一等的是在其他學校被退學的學生，利用插班的名義，考試，便可成為該校學生，大概每個學生要花七萬至十萬，則另謀別法解決了。有些「黑牌」學生，在讀書的七年中，原無學籍，可是在畢業時，都有一張文憑，此中玄機，不言而喻。

至於該院收取學生「樂捐」部份：計收扣教授研究費部份，掃變造插班學生的學籍部份，以及未經聯考而入學的學生，其學籍涉嫌偽造的部份，據悉：治安單位將從「樂捐」的部份著手，一一予以清查。

喬治桑外傳　一四一

張大年

「好，我眞感謝妳，妳知道我混了大半輩子並無一男半女。我是一個基督徒，倒並不在乎死後沒有人到我墳前燒化錢紙。而是年紀大了，覺得人生的空虛不能塡補是一種憾事。雅麗絲，我眞感激妳！」喬治桑由口袋中取出手帕，擦的一下眼睛，雅麗絲看在眼中也深愛感動。

「要不要我替你拿一把熱手巾擦把臉？」

喬治桑搖了搖頭。

「我可以告訴妳，我已經是望六之年了，半世紀的人生，回憶起來像是一剎那！『寄蜉蝣於天地，渺滄海之一粟，』眞是一點不差。」喬治桑略有中國舊文學根底，在感懷身世時，往往喜歡掉文。平常有些酸味，目前情形自有不同。

「你不要感傷，有我這樣一個女兒，你不是很幸福嗎？」雅麗絲露出調皮的表情，一句話使喬治桑微笑。這是天倫之樂的微笑！

「妳說的對，有妳這樣一個女兒，我是幸福的。可是，我要在我回美國前，看到我的女兒找到歸宿，我才能放心。」喬治桑又將話題隱隱拉回到蘿蔔蔡的身上。

「這並不急嘛，你幾時要走？」

「至遲年底。」

「還有半年呢。」雅麗絲屈指數了一下月份。

「半年？時間過得好快啊，一瞬眼就到了。我不是一個不開明的父親，妳想：妳和蘿蔔認識已經好幾年了，儘拖下去，有什麼好處呢？」

「是不是，蘿蔔央你出來做媒的？」雅麗絲也和一般女孩子一樣，疑心很重。

「不是，他和我初次見面，怎會央我做媒？」

「我不妨告訴你，媽媽是一面鏡子，我覺得男人太可怕了。我不是說蘿蔔不好，而是我不敢決定。」

喬治桑聽了雅麗絲的話，他知道她的心理不正常。但怪誰呢？——罪孽深重——他不禁深自咎責。

「天下的男人不是都沒有良心的，你千萬不要因為媽媽的痛苦經驗而影響妳的心理健康。」喬治桑本想大大罵那個害她媽媽的男人一大頓。但不能這樣，這是自己罵自己。

喬治桑自從發現雅麗絲的家庭秘密以後，立刻對她產生了濃厚的父女情感。但在閒談當中，難免要談到她的母親，以及那個「負心的人」。有時，他要附和雅麗絲罵那個「負心的人」，其實也就是自己罵自己，自己罵自己眞比禿子罵葫蘆還難受。

喬治桑罵過「負心人」以後，談話的興緻大減，冷場有幾分鐘。時間將近午夜十二點，這時電話鈴忽然響了起來。

雅麗絲是喬治桑雇用的私人秘書，有搶先聽電話的習慣，這回又是她拿起聽筒：「喂，桑公館，你找誰說話？」

喬治桑只聽見雅麗絲這樣問對方，却聽不到對方是誰。

「請等一等，我看看桑先生回來沒有？」

雅麗絲用一隻手搗住話機，回過頭來問喬治桑：「是一個女人打來的，找你。」

「妳問她姓什麼？」喬治桑心裏想：小雲早已睡了，此外再牽絲扳籐的人，到底是誰呢？」

依詞集

龜貴能相聯嗎

歐陽瑞

龜貴相聯，這是我國社會吃龜飯的人引以為驕傲的口頭話，意思就是綠燈戶的妓女，往往能嫁一個地位很高而有權勢之輩，有地位有權勢的人，甘願做龜頭（綠燈戶老闆俗稱）的門下婿，當然是龜貴相聯了。

台北有某時醫，雖未吃過龜飯，而與吃龜飯有點淵源，來掛者，吃龜飯的人是靠女人性器賺錢，某時醫者乃靠男人的性器起家（指壯陽春藥），於今已成百萬富翁，自其發跡，有口皆「悲」。台北官方某大報曾不斷的對其正義和無情的抨擊，俗語：「滿街貼佈告，還沒有知識的人因為標語而受到刺激服用「一補丸」，亦人不識字的，能去飲鴆，再加以大幅廣告，將該藥宣傳得天花亂墜，這是人情之常，不足為奇。資深的國醫說：「經營春藥乃救人不見血的行業」，近日國醫界正面臨呼之欲出階段，這樣花樣新鮮，在台北已不脛而走，果眞確實，今後的國醫界將有好戲看了！不過話又說回來，於後，社會上也不無冬烘之論，本不足道，而不以為怪。至於品德、能力、學識、資望等，乃有名言，組國的主管衙門那一位將被釐來推薦，容後再論。

說曹操（八）

李漁叔

四、擁衛漢帝・挾天子以令諸侯

「策聞曹公北征柳城，悉起江南之衆，自號大司馬，將北襲許。恃其勇，行不設備，故及於難。」但都不及魏志郭嘉傳說得最明白，也可見郭嘉料事如見：

「孫策轉鬥千里，盡有江東，聞太祖與袁紹相持於官渡，將渡江，北襲許，衆聞皆懼，嘉料之曰：『策新併江東，所誅皆英豪雄傑，能得人死力者也。然策輕而無備，雖有百萬之衆，無異獨行於中原者也。若刺客伏起，一人之敵耳。以吾觀之，必死於匹夫之手。』策臨江未濟，果爲許貢客所殺。」

孫策之死，足以暫釋孟德東顧之憂，儻令伯符尚存，則於官渡鏖兵之時，領江南之衆，直搗許都，孟德腹背受敵，縱不全軍潰敗，亦至少將會變成另一局面。

其次再看袁紹這一邊，他此刻領冀州牧，有精兵十餘萬，連帶長子譚爲青州（山東）中子熙爲幽州（河北）外甥高幹爲幷州（山西）共有軍隊數十萬，正在志得意滿之際，獻帝紀卷二十八記云：

「沮授說紹曰：『公累世輔弼，世濟忠義，今朝廷播越，宗廟毀壞，觀諸州郡，外託義兵，內懷相滅，未有存主邺民者也，今且州域粗定，宜迎大駕，安宮鄴都，挾天子而令諸侯，畜士馬以討不庭，誰能禦之。』紹悅，將從之。」

這應該是一個很正確的看法，想不到郭圖等竟破壞他：

「郭圖淳于瓊曰：『漢室陵遲，爲日久矣！今欲興之，不亦難乎。且今英雄據有州郡，動衆萬計，所謂秦失其鹿，先得者王，今迎天子以自近，動輒表聞，從之則權輕，違之則拒命，非計之善也。』」

這些話從表面看，似乎也頗有理由，但仔細想來，實在是不值一駁，漢室之亂，全與諸侯共起亡秦，逐鹿得鹿的情勢，完全不同，而且一旦勤王，握得實權，又怎會有什麼「從則權輕，違則拒命」的顧慮？

可是袁紹最後竟不採用沮授的計劃，原因是他一生做事狐疑不決，每每失掉先機，其次是他這時已懷有鬼胎，自己想作皇帝，典畧載：

「紹會使主簿耿苞密白曰：『赤德將盡，袁爲黃胤，宜順天意。』紹以苞密白事，示軍府將吏，議者咸以苞爲妖妄宜誅，紹乃殺苞以自解。」

還有魏志太祖傳說：

「紹又嘗得一玉印，於太祖坐中舉向其肘，太祖由是笑而惡焉。」

與魏書：「太祖大笑（對紹大笑）曰：『吾不聽汝也』……由是益不直紹，圖誅滅之。」前後對勘，袁紹的野心若揭。曹公議迎漢帝之初，也有人破壞，說是：「山東未定，韓暹楊奉，親與天子還京，北連張陽，未可卒制。」這亦是片面的理由，而司馬荀彧勸曹公之言，則極爲中肯，他說：

「今車駕旋　，義士有存本之思，百姓懷感舊之哀，誠因此時，奉主上以從民望，大順也。秉至公以服雄傑，大略也。扶弘義以致英俊，大德也。天下雖有逆節，必不能爲累明矣。韓暹楊奉其敢爲害？若不時定，四方生心，後雖慮之，無能及也。」操從之。

果然，孟德的軍隊才到洛陽，韓暹就逃走了。楊奉也是一戰而定。這時是漢獻帝建安元年八月，曹公名正言順，控制全局，綜攬軍國重務，刑賞爵祿，高下在心。凡是前代人臣的榮譽，如封藩建國，九錫，百官總己以聽。劍履上殿，入朝不趨，贊拜不名等，無不樣樣如法泡製。而東漢的殘局，竟亦隨之安定而延長，一直到建安二十五年春正月，孟德卒後，子曹丕方宣布篡漢立魏，自爲天子。而在孟德的一生中，始終以周文王自居，是不肯自爲天子的。

（未完）

安徽十三傑

談胡適的治學方法（五）

▲李辰冬▼

既沒有客觀的標準，只有以主觀來決定了。最後他以僖公二十一年左傳的成風須句與三十二年的文嬴三帥爲證，而得一結論說「蓋緣先王以此等詩爲教，耳濡目染，是以其時婦人習爲當然。此二南所以爲王化之基，惜乎先儒之論，皆未及此也。故余畧其小者弗論而取其大者有關於名教者論之」，這不又回到詩序的說法麼？他反對詩序遵從朱說，而最後又回到詩序！

中華文史論叢第五輯（中華書局出版）發表一篇平心先生的「詩經新解」，他想建立「科學的詩經學」，這倒是一件很有意義的企圖，然我們檢討一下他的方法與結論，就知道能否建立了。

第一、他知道用歸納法將詩經中的「師氏」作納歸而證以尚書，金文，得一結論說「分明是統帥師旅的武官」。這個他對了。

第二、他知道科學先立原則，於是他說「詩經中凡言葛，不是象徵已婚的婦女，就是暗射某種依附關係」；但我們檢討詩經中用「葛」字的十篇詩，如樛木、旄丘、葛藟、采葛、南山、葛屨、大東、葛生、旱麓，與葛覃，既發現不出，「象徵已婚的婦女」，又看不出「暗射某種依附關係」，我把這詩篇的名稱列在上邊，請讀自己去檢討。因爲他大前提錯了，他要用「庾言隱語」來解釋葛覃這首詩，所以說「葛覃之葛，實隱指一個貴婦，而中谷則隱指她的丈夫。「葛之覃兮，施于谷中」，即以「葛藟蔓延於中谷，隱喻多年依附於她的顯貴丈夫」。上面既講葛是象徵已婚的婦女，現在又說，依附於她的顯貴丈夫」？到底是誰依附？又說「葉與妻妻（草頭）亦爲雙關詞，葉諧攝，妻（草頭）諧妻，意謂她嫁給那位貴族，多歷年所，成爲丈夫的內助。但是不幸，讒人的誣罔把她的幸福打斷了，那「集於灌木」喈喈而鳴的黃鳥，就像「止于樊」的「營營青蠅」向她的丈夫進讒，使她蒙受不白之寃」。說「莫莫，也是雙關詞，諧母。」又說「私之本義爲臣，即古之奴隸，這裏專指婢妾」。無一而不雙關，無一而不假借，無一而不象徵，使詩篇整個變成了謎語！詩經裏確實有廋言隱喻」，然運用這些廋語隱喻時，一定要受其他法則的限制，才能得出正確的結果。比如說「葉諧攝，妻（草頭）諧妻，莫（草頭）諧母」，一定得把詩經裏全部的葉，妻（草頭），莫作一檢討，看看是否都是如此，才能下一結論。即令有例外的原因，不能望文生義，也不能依詩立訓；否則，就跡近胡扯了。

到此，我們可得一個結論：科學方法不是「大胆假設，小心求證」；因爲假設，求證並不是科學方法的全過程。科學方法是先將全部原始材料反復地作詳細的觀察，然後作分類，從分類中再定出原理法則，最後將這些原理法則解釋原始資料，換言之，就是求證。原理法則定的愈週密愈好，愈能解釋愈好。比如作詩經研究，一定得把三百零五篇作全面的觀察，不能支離破碎，只作一個字，一句詩，或一篇詩的觀察；然後作出分類，看看那些是關於地理的，那些是關於人物的，那些是關於歷史的，那些是關於文物制度的，那些是關於社會的，那些是關於經濟的，那些是關於文法聲韻的，那些是關於興的等等，分得愈詳細愈好；然後再定出原理法則，就是怎樣解釋地理，來解釋人物，來解釋文物制度，來解釋歷史，來解釋社會現象等等，最後，死守這些原理法則來解釋詩篇，如遇山川地理名稱，一定要把山川形勢，地理環境，周時在什麼地方，今現在什麼地方，甚至地理與地理之間的關係也得弄清楚。如遇人物，他是什麼時候人物，他是什麼地方人，他與其他人物的關係都得弄清楚。如遇文物制度，必須把這種制度考查清楚，它給詩篇中人物的影響是什麼。總之，既然定了原理法則，就必須遵守這些原理法則來解釋。解不通時，或原理法則不適宜時，可以修正原理法則；然修正後還得依據原理法則來應用，不能高興時就用，不高興時就不用。科學方法是絕對理智的，冷靜的，不能加一點主觀或情感的成分進去。在觀察分類，求原理法則的時候，實驗原理法則的時候，在在需要假設，求證，但它只能依附於科學方法的程序中，而不能單獨獨立，假如獨立地來假設求證，就容易產生片面的假設，盲目的假設，或受傳統束縛的假設；雖說求得一些證據，但它的結論必定是片面的或是靠不住的。

有些哲學家把原理法則當作假設，倒也不無道理；但要知道這樣假設是從原始材料中作觀察，做分類，求原則找法則而完成的，並不是雞零狗碎，不顧原始材料而就在假設求證。現在好多學者動不動就說：我是「大胆假設，小心求證」，或說，我所用的是科學方法，我把各家學說兼攏來，是則取之，非則去之，毫無成見」，就是不懂什麼叫科學方法而產生的現象。（完）

諸葛亮狂想曲（一〇九）

・劉玄・

「說起來眞氣人，當年我跟玄奘取經，一個師父與八戒沙僧先走十天半月，我只要翻一個觔斗就能趕上。最近玉帝要我追蹤美國太空船，不知要翻多少觔斗才能勉強跟上，玉帝不知人類科學的進步，還說我老了，筋骨不及當年，妳說氣不氣人？」何仙姑一席話竟引起孫悟空大發牢騷。

除了這邊何仙姑與孫悟空閒談外，孝天全也和張飛談得很投機。孝天全和孫悟空一樣，吃過張飛的餅乾，因此也對張飛發生好感。

「黃雲大仙的底子三將軍知道不知道？」孝天全睇着一對三角眼問張飛。

「我倒不太清楚。」張飛粗中有細，說完立刻送了幾塊狗餅乾到孝天全的手中。

「他是專門偷雞的，在天庭誰也不怕，最怕我。」孝天全一面嚼着餅乾，面有得意之色。

「黃雲大仙……黃……哦，我知道了。他是二哥的棋友，我們還是不要拆穿他的底牌罷。」張飛已經了解，可是他是最講義氣的，關羽的朋友，他不敢得罪。

「不瞞三將軍說，他這次登台表演，事先曾徵求我的同意，我也是看在二將軍的面上才答應他的請求的。」孝天全一來要表示他的權威，二來也是討好桃園弟兄之意。

「黃雲大仙爲二哥的磨刀大典盡了很多的力，又爲他表演助興，怎算是够朋友的。」張飛也順便稱讚黃雲大仙一番。

「黃雲大仙經過多少修煉，性情確有很多改變，據說他已經有幾百年不吃雞了。」孝天全說完，合起他的小手唸了一聲佛。可見他追隨二郎神日久，已深具佛性。

走廊上各仙談論紛紜，大廳中也另有接觸。

原來藍采和初次登台表演笛技，既怕演出失敗，又怕觀衆離座。最重要的是太白星君，他是主要貴賓，只要他不離座，別人就不會走。

八仙經商議結果，推定呂洞賓去找諸葛亮向星君婉陳。不料諸葛亮託言星君是他請到的，再由他勸星君留下，似乎有違禮節。呂洞賓只好走到星君前爲他的藍老弟台說幾句話。

呂洞賓見了星君打一稽首，行了道家之禮。

「小仙呂洞賓敬請星君道安。」呂洞賓執弟子禮甚恭。

「不必客氣，你找我有什麼事？」太白星君老氣橫秋，儼然以長輩自居。

「藍采和第一次表演笛技，擬請星君指教。」呂洞賓曾三戲白牡丹，可見他是很會說話的人，他用最禮貌的方式提出請求，亦算難爲他了。

巨變歷險記！

蒙自會議（二二）

胡慶蓉

丁博士要去建水，但李彌就雲南省主席職，並請他來蒙自共商大計，被阻于牛壁山，經一天的戰鬥，未能將去路打通，最後不得已一舉撤退，又退回普雄。

第二天又再度出發，建水派來的兩團也同時到達，在夾擊之下，且兵分三路，中央突破，左右迂迴，路最後總算打通了。謝謝廿六軍，他們的弟兄們回到原防地，於是隨同八軍的人馬前往建水。

這確切是一次勝利的歸來，過牛壁山，建水的大城門樓已經在望。一路上雖然還有山，但已經同平原差不多。雖然不是浩浩乎無垠的平沙，倒是浩浩乎無垠的山丘。這是下午的時間，快到天黑了。太陽從雲裏露出來，光線直射建水的城牆，直射建水的城樓。士兵們日夜奔波，由昆明而板橋，而呈貢，而海城，而徵江，而石屏，而建水，馬不停蹄，又出來接丁博士，實在也夠累的了。

是時李彌將軍住在建水的一家商人家，山上的樓房，住的人，除李將軍外，還有孫普賢師長。孫師長是八軍的領袖師長，人極富豪邁氣。同意丁博士撤軍到滇緬泰馬新的計劃，更贊同與廿六軍聯合一致前往滇緬泰馬新。在他看，並不宜遲，遲則撤不出去矣。與丁博士共同推動李彌將軍前往蒙自與余程萬將軍面晤。應該很佩服丁博士的精神，也應該佩服李彌將軍的精神，他們見了面就決定前往蒙自與余程萬會晤，並即命令準備火車，吃過晚飯，即行前往。

李彌將軍就雲南省政府主席職，同余程萬將軍就雲南綏靖主任，都沒有舉行任何的儀式。除呈報國民政府外，並發通電，電文是丁博士擬的，號召全體雲南人民奮起從事反共大業，對於如何保存大陸的疆土，如何保存大陸的基地，是李主席與丁博士共同籌劃的。在他看來，要把這僅餘的廿六軍與八軍儘量的保存在大陸之內大陸之上，撤退容易，回來就不容易了。與余主任共同磋商，殊有必要。

李主席見了丁博士就問余主任，丁博士據實報告。他對於余主任的消極態度非常關心，從任何一方面去看，要快快去看余主任，確立他的反共意志，確定他的合作決心。他非常感謝丁博士的請求，前往蒙自與余主任見面。

車是一列專車，一列火車，從蒙自出發已經快天黑了。車到車站，總有部隊歡迎，有時還要下來談。所以到蒙自的時候，已經是下午兩點的時候了。但余主任彭副軍長都還在車站鵠候。火車進站，軍樂大作，一同到余主任辦公地點，共進宵夜後，就各自去休息了。

第二天舉行會議，主要是李主席余主任丁博士。對於當前的局勢，與應有的努力，無不有詳盡的檢討。即不能立刻再攻昆明，但要向這方面準備。

命相與夢話

明太祖奇骨貫頂

漢平

明太祖，姓朱氏，名元璋，字國瑞。先世爲沛人，徙江東句容朱家巷；至宋代大父母再徙於淮，家於泗州。即今安徽省泗縣。父朱世珍，始徙濠州之鍾離，故治在今安徽省鳳陽縣東二十里之太平鄉。母親陳氏生有四子，太祖老么。及長大，生得姿貌雄傑奇骨貫頂，志意廓然，人莫能測其高深。

元至正甲申，旱蝗大飢厲疫，民食缺乏，太祖方十七歲，父母乃兄相繼而亡，家貧不能爲葬，里人劉繼祖捐地下葬，即今之鳳陽陵山也。

太祖孤無所依，乃入皇覺寺爲僧。皇覺寺在鳳陽東南二里，後改名「龍興寺」。爲僧不到一月，寺中缺食，太祖乃遊食於合肥，歷光、固、汝、潁諸州，道途病倒，冥冥中輒見兩紫衣人俱來，護視備至，病癒後紫衣人不見。坎坷三年，仍還皇覺寺。

時元朝政治已趨腐敗，漢民思動，一時羣雄並起。定遠人郭子興，家甚富饒，爲人任俠好倘，喜賓客。見天下方亂，大散其家財，與豪傑相結，集有少壯數千人，襲據濠州。元將徹里不花不敢進攻，日掠良民邀賞。

至正十二年壬辰，太祖時年二十五，謀避兵亂，禱卜於神，結果去留皆不吉。不禁自歎道：「得毋當舉大事乎？」再卜之，大吉。於是大喜，以閏三月甲戌朔入濠州，抵城門，守門士兵疑太祖爲間諜，遂擒去見郭子興，子興奇其狀貌，與太祖交談，大悅，遂留帳下爲十夫長，數從戰有功，子興大喜。其次妻慧眼識英雄，指太祖道：「此異人也」，秋九月，遂以所撫馬公女嫁太祖，此即太祖高皇后是也。

開始與郭子興同起事者，有孫德崖等四人，太祖繼與德崖相齟齬，太祖屢調解之。

十三年癸巳，年二十六，太祖收里中青年，得七百人，郭子興署爲鎮撫。時彭趙所部暴橫，子興懦弱，太祖知其難成大事，乃以兵屬他將，獨與徐達、湯和、費聚等，南略定遠，復下徐州。

十四年甲午，太祖二十七歲。元兵攻打州，太祖設伏兵擊敗之。十五年乙未，年二十八，郭子興用太祖之計，攻拔和州，乃搜軍中所掠婦女，縱還民家，百姓大悅。同年三月，郭子興死。時潁州劉福通迎立欒城韓山童之子林兒於亳，國號「宋」，建元龍鳳，檄郭子興之子郭天叙爲都元帥，張天祐與太祖爲左右元帥。四月，常遇春、廖永安等以水軍千艘來附。太祖遂決計渡江，一鼓攻拔牛渚，再戰克太平，太祖遂自領元帥。

十六年丙申，年二十九歲，破采石，克集慶，降其衆三萬六千，封吳國公。自是力克江陰，下，降諸暨。中原大亂，太祖所過不殺，收才俊，由是人心日附。

二十年庚子，年三十三歲，徵劉基、宋濂，以劉基留幄濂，謀機密，宋爲提舉，遣子朱標受經學。自此而後，滅陳友諒，稱吳王；滅張士誠，克燕京，十五載而成帝業。建都應天爲南京，時年四十一歲，元至正二十八年，洪武紀元戊申。洪武二年己酉，至三十年丁丑，纂修元史，築寧海諸城，重土愛民，頗多善政。惟求治太急，疾惡太嚴，誅戮功臣株連尤衆。科舉以八股取士，亦始於此。

三十一年戊寅閏五月初十日乙酉，崩於西宮，享壽七十一歲，葬於孝陵，廟號太祖，諡高皇帝，年號洪武。

元天曆元年九月十八日未時生。明洪武三十一年閏五月初十日？時卒。

其造爲：戊辰、壬戌、丁丑、丁未。「三命通會」卷六引古歌說：「四鎮之星福自強，更看權殺在何方。數重貴祿兼生旺，不作公侯便作王」。註云：如明太祖戊辰，壬戌，丁丑，丁未，土居四季，辰戌丑未順，陰陽貴全，所以爲天子創業。同卷又引「千里馬」云：「四庫全備，龍變化，逢大海，爲九五之尊。」又引「寶鑑賦」云：「辰戌丑未俱順行，帝王君無疑」。「理愚歌」云：「四庫在時爲四貴，位班上據權衡。」

漢年按明太祖之造，日主之丁，與月幹之壬，互相連合同化爲木，自不待言。時幹之丁，引壬化木，堪資臂助，不得誤以妒合論。古書一陽二陰，一陰二陽，作化氣論者，比比皆是，可惜讀者不加深察而已。

或云丁壬化木，非亥、卯、未月不化，其次寅月亦化。今誕生霜降節後，何得以化木言？殊不知陰陽會合，水乳交融，其氣質必起變化，不復再具本來之面目了。「滴天髓」云：「化得眞者只論化，化神還有幾般話」。又「假化之人亦可貴，孤兒異姓能出類」。觀此可見化氣無論得時失令，全眞全假，半眞半假，以及眞中之假，假中之眞，皆當以七氣言也。何況明太祖之造，生年戊辰，納音爲大林之木，生月壬戌，命宮癸亥，納音爲大海之水。生日丁丑，納音固爲澗下之水，生時丁未，納音又爲天河之水，得此大林之木，固可助化木之聲勢。得此納音四水，尤可爲化木的奧援。再益以辰戌丑未的四土，栽者培之，有不喬木參天，林林總總的道理麼？因此乘時應運，豪傑景從，崛起布衣，奄奠海宇。西漢以後，歷史所未有。

二十四歲前，忽而父母俱喪，昆仲並折，孤無依，忽而入寺爲僧，游食四方，備，道路受病，艱辛歷者，都是甲子運，納音屬金剋木之故。

及至二十五歲壬辰，乃謀避兵，遂入濠州，見郭子興，起兵濠州，元將不敢逼。子興見太祖姿貌雄傑，遂以撫女嫁之。

二十六歲癸巳，太祖見子興懦弱，不足與共大事，乃與徐達、湯和等南略定遠，復下徐州。是年張士誠據高郵，自稱誠王。

二十七歲甲午，元兵大至，攻打州，太祖設伏擊敗之。然度元兵勢盛，且再至，乃還所獲戰馬，遣婦老具牛酒謝元將道：「守城乃是防備盜賊，將軍何以捨丘盜而戮良民呢？」元將不知其情乃引去。因此城得以全。

二十八歲乙未春正月，子興用太祖計拔和州，乃搜軍中所掠婦女，放回民家。三月郭子興死，羣下迎林兒立，太祖爲副元帥。太祖以羽毛未豐，乃暫倚之。常自言道：「大丈夫寧能受制於人耶！」然因林兒勢大，暫倚賴之，乃用其年號以令軍中。夏四月，常遇春來歸。五月，巢湖廖永安等以水軍千艘來附。太祖大喜，往撫其衆，遂定計渡江。拔牛渚，下太平，置太平興國翼元帥府，自領元帥事。秋九月，郭天叙、張天祐攻集慶，皆戰死。於是子興部衆悉歸太祖。

二十九歲丙申，破采石，克集慶，降其衆三萬六千人。兵皆疑懼不能保命，太祖釋驍健者五百人入衛，解甲酣寢達旦，於是衆心始安。改集慶爲應天府（即今南京）。秋七月，爲吳國公。

三十歲丁酉，取寧國，克江陰，下常熟、池州、揚州。

三十一歲戊戌，又克源等地，時中原大亂，江南鞭長莫及，因此太祖次第略定江表，所過不殺，收召才俊，由此人心日附。

三十二歲己亥，謀取浙東，克諸暨等郁，兵到城下，望風即降。

三十三歲庚子三月，徵劉基、宋濂。五月，陳友諒自稱皇帝，國號漢，盡有江西湖廣等地。約張士誠攻應天，應天大震。閏五月，太祖大敗陳友諒，復太平，下安慶，以宋濂爲提舉，遣子受經學。劉伯溫留帷幄，預機密謀議。如是九載，屈仲五見，智勇兼施。固因賦命激昂，亦由流年協助有以致之，非乙丑二運納音屬金之能力也。

三十四歲交入丙運，歲值辛丑，敗友諒於江州，友諒奔武昌。

三十五歲壬寅春正月，友諒丞相以江西投降。

三十六歲癸卯，秋七月，與陳友諒戰於鄱陽湖，友諒驍將張定邊直犯太祖船，船擱於沙不能動，正在危急萬分，常遇春從旁射中定邊，俞通海復從後來援，船驟進水湖，太祖乃得脫險。八月，陳友諒中流矢死。九月張士誠自稱英王。

三十七歲甲辰，太祖即王位，立子朱標爲世子。二月下武昌、辰州、衡州。

三十八歲乙巳，正月下寶慶，平湘湖。冬十月，討張士誠。時士誠所據，南至紹興，北有通泰、高郵、淮安、濠、泗；又北至濟寧。

三十九歲交入寅運，歲值丙午，張士誠敗，淮東遂平。太祖入濠州省墓。秋八月，改築應天城，作新宮於鍾山之陽。

四十歲丁未，三月始設文武科取士。九月，徐達克平江，擒張士誠，吳地遂平。

四十一歲戊申正月初四日，即皇帝位，八月乙亥元亡。

四十二歲己酉二月始修元史，八月元史成。

四十三歲庚戌二月，追封郭子興爲陽王。四月，元帝崩於應昌。如此十載，料敵制勝，戡亂權強，竟能抵定四方，蕩濟天下，雖謂人事，實由丙寅二運，俱爲化木喜神有以致之也。

四十四至五十三歲，設科取士，平定四川及高麗、暹羅、琉球入貢，誠爲美事，然如誠意伯的致仕，宋濂之戍於茂州道卒，燕王棣之北平，汪廣洋貶廣州賜死，胡惟庸謀反伏誅。種種現象皆來，都不安宏，可見丁卯二運，雖與化木有情，其實在效能，則遜於前運丙寅甚多。五十四至七十一，戶部侍郎郭桓，吏部尚書余熂，吉安侯陸仲亨，韓國公李善長，江夏侯周德興，靖寧侯葉昇，涼國公藍玉，懷慶侯張翼，普定侯陳桓，景川侯曹震，舳艫侯朱壽，東莞伯何榮，吏部尚書詹徽，傅有德，定遠侯王弼，宋國公馮勝，駙馬都尉歐陽倫，有賜死者，有伏誅者，種種拂逆，固已紛至沓來，益以壬戌年馬皇后崩，己巳年周王有罪，庚午年潭王梓自焚，壬申年皇太子薨，骨肉傷亡，尤不免中傷感感。此無他，戊辰已巳四運皆與丁壬化木格不盡妥協。然能在福建等濱海地區練兵防倭，築有寧海臨安等五十九城，此乃千秋不朽之盛業。苦非造化奇特，豈能答此？七十一歲正行已運，衝犯金宮之亥，歲值戊寅，限逢癸丑，又爲化才忌神，是以崩於西宮。然而武定禍亂，文致太平，太祖實身而有之。

（完）

第四章

童貫通金求六州　徽宗無心謀國事

一切軍國大政，悉以蔡京、童貫之言是聽。此二奸佞恆以開邊謀功，欺騙朝廷。此次聯金圖遼，得不償失，復因此出兵敗績，暴露大宋弱點。取得燕京六州空城，歲納租稅一百四十萬，豈非得不償失！徽宗不知底細，只醉心道教文藝。更有甚者，由於昇平日久，趨於奢侈淫佚浮華，成爲世風。以上所述，不過岳飛時代背景一面——外面。下面再述本朝的裏面。然後讀者方知岳飛所生的時代背景之全貌。

以上爲宋、金接觸（政和五年至宣和二年）五六年間兩國大事。

宣和四年，「萬壽山」落成改名「艮嶽」，遂將朱千里運回之大石，再在至萬歲山頂，兀然峙立。又因新得燕地，乃特賜嘉名，故名「昭功敷慶神運石」。

各位讀者注意！這萬歲山的經營，開始於政和七年，至宣和四年乃成。經過六易寒暑，工役至千萬人，耗費人民血汗不可勝計。地址在上清寶籙宮東隅，周圍十餘里。初名「萬歲山」，嗣因山位於國都的艮位，因改名「艮嶽」，有看不完的亭臺樓閣，賞盡的花鳥動植物，述不盡的靡麗紛華。徽宗自撰「艮嶽記」宏文，以記其盛。此章洋洋洒洒千餘言，不啻把「萬歲山」繪出輪廓，而且也說明了佳趣。筆者因不敢放過，將它原文照錄，以餉讀者。

爾乃按圖度地庀徒僝（人旁）工，累土積石，設洞庭、湖口、絲谿、仇池之深淵，與泗濱、林慮、靈璧、芙蓉之諸山。最奇特異瑤琨之石，即姑蘇、武林、明越之壤，荊、楚、江、湘、南粵之野。移枇杷、橙、柚、橘、柑、榔、栝、荔枝之木，金蛾、玉羞、虎耳、鳳尾、素馨、渠那、茉莉、含笑之草，不以土地之殊，風氣之異，悉生成長養於雕欄曲檻，而穿石出罅，岡連阜屬，東西相望，前後相續。左山而右水，沿溪而傍隴，連綿彌滿，吞山懷谷。其東則高峯峙立，其下植梅以萬數，綠萼承跌，芬芳馥郁，結構山根，號「綠萼華堂」。又旁有承嵐崑雲之亭，有屋內方外圓如半月，是名書館。又有八仙館，屋圓如規。又有紫石之巖，祈眞之磴，攬秀之軒，龍吟之堂。其南則壽山嵯峨，兩峯並峙，列嶂如屏。瀑布下入雁池，池水清泚漣漪，鳧鴈浮泳水面，棲息石間，不可勝計。其上亭曰「雍雍」，北直「絳霄樓」，峯巒特起，千疊萬複，不知其幾千里，而方廣二十里。其西則參朮、杞菊、黃精、芎藭，被山彌塢，中號藥寮。

（未完）

自由報

（第一○六一期）

（半週刊每星期三、六出版）

社長李運鵬・督印黃行霄

社址：香港九龍彌敦道593—601號 廖創興銀行大廈八樓五座

LIU CHONG HING BUILDING
7th FLOOR FLAT 5
593—601 NATHAN ROAD,
KOWLOON, H.K.
TEL: K303831
電報掛號：7191

承印：景星印刷公司

專門製造敵人的美國對外政策

・雷嘯岑・

美國經過了兩次世界大戰，而本土并未受到鋒鏑摧殘，因之富強甲於全球，雄覗萬邦，一躍而居於自由國家的盟主地位。在二次大戰後，美國若能以其珍視民主自由的立國精神，盡其力之所及，保障并促進世界人類的民主自由生活，到今天，全人類縱然尚未能實現世界大同的永久和平秩序，至少至少，決不致釀成現階段這種危機四伏、險象環生的一半自由與一半奴隸的動亂情況，殆可斷言的。不幸，我們細心檢討美國在戰後廿年的對外政策，專門在製造反民主自由的敵人，而使世界人類連同美國自身，將有同罹浩劫的可能，實在令人難以索解，且為之慄慄危懼。謂余不信，請看事實：

當二次大戰將告結束，德國向美英表示無條件投降之際，艾森豪統率的大軍已到達距柏林不遠的易伯河岸。是時蘇俄軍隊尚在巴爾幹半島馳騁中。英首相邱吉爾急電請美總統杜魯門，立飭艾森豪部隊速渡易伯河，進佔柏林全市，無法平分佔領利益。然美方拘泥於波茨坦協定，拒不接納邱氏建議，坐視俄軍從容收拾東歐，再佔據了東柏林大片疆域，幾致掩護東歐遍易伯河，馳入西柏林，終於構成東西柏林互相敵對的形勢，而歐洲從此多事。迨蘇俄勢力威脅西歐日亟，美國又不得不補苴罅漏，耗費大量人力物力，倡組「北大西洋公約」的集體防禦體系，藉以自衛，早知如此，何必當初呢？不特此也，在俄軍進入捷克伊始，捷克布拉格由美軍佔領着，英首相邱吉爾曾致電美總統杜魯門，主張美國勿撤出捷克，而華府依然不同意，好像故意要讓蘇俄勢力迅速膨脹，造成與美國平分世界霸權的勁敵而後快，不亦怪哉！所以，洎後雖有波茨坦人民大規模的反俄暴動，以及匈牙利全民抗俄帝運動，美國皆噤若寒蟬，且發明美國對東歐這些事變并不知情。俄帝向歐洲擴張陰謀，受到了「馬歇爾計劃」的阻力後，適可而止，矛頭轉向東方，利用在中國的第五縱隊——毛共，積極醱亂，皆在實踐列寧的巴庫宣言所示「從中國經印度以達巴黎」的世界革命捷徑，而美國唯恐俄帝的陰謀不得逞，更千方百計地贊助毛共奪取中國政權，而用盡種種方法以打擊反共的中華民國政府，其中經過情形，世所周知，毋待敘述。迨韓戰發生，毛共秉承俄帝之命，傾全力入韓參戰，視「美帝」為死敵，然美國不特拒卻台灣中華民國政府出兵協力討共的志願，且將一場數十萬大軍慘烈鬥爭的戰役，詭稱為「警察行動」，既禁止美軍空軍進襲鴨綠江邊的毛共軍事基地，更將主張戰必求勝，一鼓摧毀敵人主力的韓戰統帥麥克阿瑟將軍撤職，自甘蒙着「紙老虎」惡名，與敵人締結屈辱的和談協定，卻不知在韓戰場死傷二十萬名以上的美國青年子弟，以及消耗數十百億美國納稅人的財力，究竟所為何來？於是乎，越戰瞬告發生了，然美國既不能強，又不能弱，一面派軍入越南參戰，同時重蹈韓戰覆轍，採取「不求戰勝」政策，竟將努力反共，頗著績效的越南總統吳廷琰置之死地，而使親痛仇快，貽禍至今為烈。俄帝勢力從此瀰漫了歐亞兩大洲，迫得富強甲於全球的美國，只有招架被打的份兒，卻無還手反撲之力，可哀孰甚，可哂又孰甚哉！

中東區域原係西方列強的勢力範圍，俄帝沒有插足之餘地，但自埃及的納塞政權出現後，俄帝乘機介入，居然可以左右中東局勢了。究其所以然，又是得力於美國的間接贊助。當埃及親西方的納吉勃總統在任時，洞悉納塞糾合一般青年軍官，有預謀反叛的情況後，曾與我國駐開羅大使何鳳山密談，請何氏就商於美國駐埃及使節，希望華府給以三個師的現代化裝備，彼如能穩定埃及政局，決無他虞。華府國務院初則表示可，繼則以歐洲某盟邦不同意的理由，勾銷原議。未幾，納吉勃政府即被納塞取代，對西方表示敵意，而挾俄帝以自重了。往後英法兩國與埃及交戰，打到了蘇彝士運河的塞得港，旦夕可下開羅了，然美國唯恐左傾親俄的納塞政權垮台，竟以停止對英法供應石油的高壓手段，勒令英法退兵，讓納塞跟俄帝進一步勾結，而中東事務，從此更非英法美所能過問，完全聽受俄帝的教唆擺佈了。

古巴是美國的後門，二次大戰的巴帝斯達政府外交路線是親美的，行的亦是民主憲政制度，然美國指說巴帝斯達政府貪污不民主，多方設法贊助流亡美國和墨西哥之間的卡斯楚，組織游擊隊奪取古巴政權，實行共產主義，托庇於俄帝而以美國為仇敵，更在南美各國進行顛覆活動。於是乎，美洲這片乾淨土亦被俄帝勢力滲透，動盪不安了。

他如南斯拉夫的狄托政權，原係不折不扣的共產極權主義晶體，由於狄托為着俄帝在東歐的「九國情報局」問題，與俄酋史大林意見齟齬，宣稱退出，而美國和其親密的盟邦英國，乃如發現寶藏然，對狄托予以無條件的軍經援助，且譽之為「狄托主義」，更藉此作其姑息中國毛共政權的唯一理由，說毛共亦將變成狄托第二，如今毛共與俄帝亦反目了，試問狄托與毛共政權之存在，對自由世界又有甚末裨益呢？他們行的是奴役人民的共產主義，在思想上與俄共沆瀣一氣，無所軒輊，美英企望他們由反目而相斫，彼此火拼起來，好讓美英坐收漁人之利，這樣癡思幻想的惰性觀念，除卻被共產主義者視為幼稚無常識的天方夜談而外，沒有實際的意義可言也。

美國這個富強甲於全球的泱泱大國，眞奇怪，一方面厭惡共產極權主義，號召自由國家竭力反共；一方面又大力培育、贊助國際間的共產黨奪取政權，以反對「美帝」。當自己擁有絕對優勢的原子武力時，對共產國家的軍事侵略擴張行為，畏首畏尾，不求戰勝，等到共產國家在美國姑息培育之下，亦擁有原子武力後，又惶惶不可終日，不惜耗費天文數字的財力，以進行原核子武器競賽。美國在反共運動的過程中，曲突徙薪的策略不知採取，而樂於焦頭爛額，眞所謂「不到黃河心不死」耶？

美國為其對外政策解嘲的理由不外兩項：一是要避免毀滅性極大的核子戰爭，不為天下先。然戰爭行為不是單方面可以決定的，亦非仁義道德思想所能約束。共產主義者決不從事沒有把握的戰爭，他們只是向實力低頭，一旦認為自己的力量可以一戰了，你縱然向他磕頭告饒亦無用，他是先下手為強。至於核武器毀滅性一層，他們根本無所容心，為着實現世界革命縱然把地球上的人類毀滅掉大半數，他們亦無所謂。二是如要戰爭即以蘇俄為對手，其餘的各個共產政權都屬下駟，勝之不武，不屑較量。眞俄帝就利用美國這種心理，專用蠶食方法，教唆世界各地區的第五縱隊釀亂奪權，進行局部戰爭，它卻隱居幕後，暗中支援，表面上置身事外，佯作第三者。過去對毛共在中國叛亂行為，對中韓共進攻南韓的戰爭，都施展這套魔術；現在對越、寮之戰，對中東事變，亦復如是。美國想以擒賊擒王的方法，一舉而摧毀共產世界的總部，俄帝卻以各個擊破的戰畧，逐漸在剪除美國的羽翼，搗毀美國樊籬，實施其所謂「以鄉村包圍城市」的「人民戰爭」策畧。俄帝雖始終與美國談和平，啗笑臉，隨時跟華府白宮用「熱線」通話，表示親睦，而其世界革命計劃亦儘可實現。美國若孤立在四方八面被共產勢力包圍的環境中，便如一隻大象，全身皆被老鼠狂齧着，寧有倖理乎？

綜觀二次大戰後的國際形勢演變過程，事實昭然可覩。假使美英盟軍當年聽從邱吉爾的主張，捷足佔領了全柏林市，美軍亦不撤出捷克首都，則西歐方面至今七曾無驚，致為着北大西洋集體聯防事宜，法國決不跟美國大鬧別扭，自壞長城。假使美國對中國的毛共不予大力培植，而以打擊反共的中華民國政府為能事，則亞洲形勢必然安定如常。繼而韓戰發生了，假如美國不聽從英國工黨艾德里首相的姑息意見，讓盟軍統帥麥克阿瑟將軍戰勝攻取，摧毀中韓共的軍事實力及其基地，則越戰必不會有，中南半島何致鬧成今天這樣烽火連天的景象呢？假使美國接納埃及納吉勃政府的要求，給以三個師的軍械，親俄的納塞政權即不可能出現；納塞政權出現以後，假使美國不為納塞撐腰，壓迫英法聯軍停止進攻埃及，則俄帝對中東地區決無染指的可能，中東仍是自由世界的重鎮。

（下轉第二版）

昨日與明日

美國的隱患

・何如・

美國俄亥俄州立大學，最近在罷課示威反對美軍進入柬埔寨剿共的騷動中，與維持秩序的民兵大起衝突，致有學生四名被擊斃，震驚了國內外人士的視聽，吁可慨也。

青年學生拋卻讀書求智的寶貴光陰，從事政治運動，這在五十多年前，咱們中國即已開始出現，逐漸釀成社會流行病，結果是害多於利十百倍，不特妨碍了文化教育的正常發展，且被共產黨乘機誘惑利用，得以擴大叛亂，而使大陸上六億人民陷於奴役生活，罔知所屆。所謂「學生運動」也者，中國人具有痛苦經驗與深刻教訓，看看美國近年來一般青年學生好作政治運動的情形，不禁為友邦前途懍懍危懼。因為他們憑其極端的個人主義之自由思想，一面盲從左傾份子和共產黨徒反對越戰，主張美軍撤退越南的宣傳，隨時示威游行，罷課抗議；一面濫用自由人權，或要求學生治校，動則竊佔學校辦公室，或主張男女學生不必區分宿舍，隨意寢處；此外還有吃迷幻藥、扎嗎啡針，以及朝夕蓬首垢面，混身污穢的「嬉皮」頹廢行為，不一而足。青年原係國家未來的主人翁，知識青年更是國家的命脈所在，竟相率荒廢學業，而以鬧事戕身為急務，且認為這是天賦的人權。美國縱然富強甲於全球，然一般青年人胡鬧墮落若是，試問再靠甚末力量來維持國家的生存發展呢？

陳立夫先生談復興中國文化問題，認為西方文化專講「盡物之性」的物理學，而漠視「盡人之性」的人理學，因而功利主義盛行，人們但求滿足物質享受慾，而以人格修養為迂闊頑固的象徵，實為「逆勢」的文明進化現象，卻不知「盡人之性」的修己安人的功能為何事。美國今日的情況，正患此病，若不設法扭轉這種逆勢發展的文化思想，使倫理與民主、科學平流共進，我很耽心美國將要適應馬克斯的預言！資本主義最發達的國家，共產主義卽最容易實現。這就是今日美國的一大隱患，危乎殆哉！

自由談

談政治派系

馮五先生

政治上的派系形成，有自然而然的，亦有故意製造的。同是派系作用，而對國計民生的利害得失，判若霄壤，不能相提併論。

凡屬有才智有作為的政治人物，事業心即很強烈，而其良心血性，亦甚充沛，公忠體國，正色立朝，相期「致君於堯舜」，遇事守正不阿，對人誠信無欺。流風所播，一些志同道合的朝野人士，無論知與不知，翕然共鳴，聲應氣求，或樂於為用，或表示欣遲。彼此知無不言，言無不盡，一是皆以國計民生為本，而置個人的休戚榮辱於度外。這類人士在日常的公私生活上，必然接觸較多，過從頻繁，方以類聚，物以羣分，於是乎自然而然的形成一種派系色采，在政治上可以發生相當的影響力，實際卻沒有派系的組織，完全是基於政治理想和朋友道義的結合，絕無不可告人的秘密勾當存在。這樣的派系，對國家有益無損，不特未可厚非，而且希望它發揚光大。

若夫故意製造的政治派系，出發點完全相反，它是以小我的功名富貴為職志，沒有理想，也無所謂道義，只是憑藉政治權力，呼朋引類，而以官位或金錢相號召，專顧私人利害，所識窮乏者得我，卻不管國計民生，因而排他性最強烈，對於小派系以外的人，視為非我族類，拒之千里。暗中組織嚴密，表面上卻不承認有派系存在，其行暗索，見不得天日，祇要有一顯貴的政治人物保鏢就行了，研究教授閙劇的演出即其一例。這樣的派系，對國家有百害而無一利，福國利民談不上，禍國殃民則有餘，稍有政治抱負和良心血性未泯滅的人，莫不避之若浼，羞與為伍的。

自然而然的政治派系，是由天下為公的精神孳生的，人為的派系則異是，它是天下為私的產物。所以，嚼觀歷代治亂興亡的史迹，政治上的派系固不能免，只看它的性質如何，就可以察知其治亂興亡之所由來矣。

談吳炳鍾教授

—觀認識世界夏令音樂營後—

邦復

首先我必須聲明，在寫此文時不僅未得吳教授同意，而且可能會挨他的「官腔」，「胡鬧！胡鬧！不成體統！居然把我當作『明星』來『玩』！」

我因翻譯影片蘇利文劇場，一次林肯的第二次就職演講詞我把原意都誤解了。而幸而我向他求教，他不僅指出我翻譯錯誤所在，而且說明為什麼錯誤，的確，因我英文造詣太淺，原文上文法不可原諒的錯誤，我竟然耗不置疑，以致於把全文的意義都曲解了。

經過這次請教，使我獲益匪淺，自後不斷地討教下，我才了解傳言吳教授精通多國語言並不是「一般性的恭維」。

但學養是一回事，人格又是一回事，最近一次我聽見吳教授扯高嗓門，如同在電視螢幕前一樣穩重，用咬字清晰的聲音說：

「不行，這是原則問題，我反對！」盧導播在旁解釋，我才了解是關於這個節目廣告的問題，吳教授說：「我製作這個節目，完全是為觀衆服務，我不能讓觀衆看了一半突然插進廣告來！」

由認識友邦到認識世界，喜愛這個節目的都是高知識水準的觀衆，人人都折服於他淵博的知識與乾淨俐落的談吐。多年來他不斷地把我們的眼界拓展到世界的每一個角落，把我們的常識充實到作為現代人必備的基礎上。由於認識友邦範圍太狹窄，幾經他據理力爭才改為認識世界。

相信沒有人能否認，在今日電視台中，水準最高的節目，不僅祇是「認識世界」，而且其他的現場節目簡直望塵莫及。同時我敢說在全世界，以一個人唱獨腳戲，以最低微的代價，能做出這種不亞於任何高水準節目的，恐怕也是「認識世界」這一個節目而已。只是在國內知識份子不值錢，曲高和寡的情況下，吳教授當然比不上「花草流」了。

這個節目擁有的觀衆不在少數，但製作費去年僅八百元新台幣一次，最近沾了歌影星的光，上昇至一千元。但吳教授為了做這個節目，寫信到全世界索取資料，郵資所費已不止此數。加以要化費不少心血整理，要合乎國情，要配合環境。時間、精力的投資，實在無法估計。最重要的是學術、知識。但是賠了錢，他仍然天天忙着，一個人挖空心思。設法把世界上最好的東西介紹給國人。

有次我說：「我所知比不上您十分之一，但您收入，却比不上我二分之一！」他忙說：「別談錢；別談錢，我最怕聽這些！」

難怪眞正有崇高理想的偉人永遠困於物質，因為錢被掌握在專談錢的人的手裏。

也許我是個獨善我身的人，雖然不同意他的話，但我却欽佩他的襟懷，他說：（上）

專門製造敵人的美國對外政策

（上接第一版）

假使美國不打擊古巴的巴蒂斯達政府，贊助共產份子卡斯楚奪取政權，而南美各國至今亦在泛美主義的體制之下，唯美國的馬首是瞻，不致問題。總之：戰後二十年來的美國對外政策，專門給俄共集團張目助勢，唯恐共產黨在世界上不能發展，從而隔時加以支持，然美國又採取反共的國策，教別的自由國家一體反共。似此觀念紛歧，思想混淆，步伐凌亂，言行矛盾，毫無原則的領導方法，宜乎在全面冷戰或局部熱戰之中，美國總是處處吃虧，擁着核子武器的絕對優勢而不能乘機利用，知修正「嚇阻政策」與「圍堵政策」，結果坐失時機，讓敵人從容趕上，只是吃到了「自我嚇阻」的苦頭而已。中國諺語有云：「拿着金盤討飯吃」，美國有焉。美國在過去的兩次世界大戰中，佔有地理關係的庇蔭，本土未受戰火災臨，所以能在被動作戰的態勢下，以逸待勞，憑其富裕的物力財力，起而應戰，獲得最後勝利。如今洲際飛彈產生，美國本土乃有先遭襲擊之虞，若再狃於「應戰」的故智，而昧於孫子兵法所謂「先為不可勝」，殆無異束手待斃。美國如果垮台，一切自由國家決無倖存之理，言念及此，為之憂心忡忡，不遑寧處也。（完）

對國光人壽停業案 監委主張徹底調查

公司瀕臨破產始令其停業 財政部亦顯然有失職之處

（本報記者張健生台北航訊）關於國光人壽保險公司因資產不足清償債務，財政部於四月二十日下令停業案，監察院決定推派監察委員王文光和金越光二人進行調查。監察院財政委員會第三〇一次會議討論國光人壽保險公司董事長黃龍鳳鳴控訴；暨高雄市民陳唯一之請願書後，作此決定的。

據請願書指出：國光人壽保險公司係立法院院長黃國書家族之公司，以其妻黃龍鳳鳴為董事長，其親生子葉克寇為常務董事兼副總經理，黃國書本人則為常務董事主持該公司業務，一方面吸收大衆存款，一方面從事轉投資其他事業，負債達一億元以上。

並謂：國光人壽保險公司於三年前財務已不健全，證券管理委員會竟然不察，准許其股票公開上市，貽害大衆，顯有違法失職。財政部於數年前已發現該公司違反保險法經營其他業務，負債甚鉅，竟不及早令其糾正，直到現在該公司頻臨倒閉破產之際，始令其停業，致使一般債權人及被保險人受益人之權利全部遭受損失，是財政部亦顯有失職之處，應請一併查究云云。

所謂違反保險法經營其他業務的問題：按照保險法第一三八條第二項規定：「保險業不得兼營本法以外之業務」。同法第一四六條規定：「保險業資金及各種責任準備金之運用以左列各款為限：一、存放銀行或金庫，但責任準備金以存放主管機關指定之銀行或金庫為限。二、對公債及庫券之投資。三、在證券市場購買生產事業之股票及公司債。四、對不動產之投資。但土地另有法律規定者，從其規定。五、以人壽保險單為抵押之放款。六、以担保確實之有價證券及不動產，為抵押之放款。（以經營人壽保險業為限）」而國光人壽保險公司公然違背上述規定，直接投資經營生產事業，財政部依保險法第一四八條規定，派員檢查其營業及資產負債或令其於限期內報告營業狀況，如查有違背法令，財政部應隨時令其依法改正，如不改正，應令其停業或解散，財政部未嚴格執行。

監察院財政委員會委員，在討論陳唯一請願書及黃龍鳳鳴之控告財政部長李國鼎違法失職，而後復又撤回控告李國鼎違法失職等三案時，發言的監委人們都一致抨擊黃龍鳳鳴之出爾反爾的態度與行為，簡直在鬧兒戲。

首先發言的曹啓文委員，他說：國光人壽保險公司董事長黃龍鳳鳴控告李部長利用職權，指派人員監理，於法無據，顯然違法失職，後又要求撤回原控訴案，這種出爾反爾的態度，監察院不受理其撤回之請求，應不予以理會，該公司把錢匯往外國，負責人且要出國，這些情形，政府有無盡到監督的責任，應交由原三人小組委員熊在渭、吳大宇、王文光等進行調查。

金越光委員則認為：監察院應調查保險業者流弊，監察委員職司風憲，風聞尚且可以調查，況國光人壽保險公司對社會影響如斯之大。黃龍鳳鳴是否與財政部取得諒解而撤回原控訴，李部長違法失職一案，竟以監察院開玩笑，是故陳唯一之請願案應徹查。

鄭景福委員也主張加強調查國光人壽保險公司停業案。他說：國光人壽每月收入保費相當可觀，到期便拿不出來了，故財政部下令停業。該公司控告李國鼎，有人說是不智，因而黃龍鳳鳴要求撤回。事實上該公司連帳冊都拿不出來。

依洞集

為政的竅要

・雷公・

管理衆人之事的政治業務，關係國計民生，經緯萬端，繁頤殊甚，要想搞好，似乎很不容易。然若識其竅要所在，執簡以馭繁，也就并非難事。

為政的竅要就是用人，得其人，則衆擎易舉，百廢俱興；不得其人，則庶政叢脞，一事無成・甚且弄成天下大亂的結果。這是常識，誰也能知能言的，問題只在用人的方法如何？

古今來的統治人物，沒有不是居心求治的，也沒有不想任用賢才以共濟時艱的，然事實上總是治世少而亂世多，根本原因即係用人不得其法，未能使天下英才盡為我用，實現「人人為我」的績效，相反地構成了「我為人人」的情形，此其所以居上位者皆有才難之歎也。

凡是有為之士，必有他的抱負，有抱負的人即有個性，這是必然的結論。既然付之以政治上的任務，就讓他本其職權發展抱負，信託而勿疑，只教他在一定的期間內拿成績來看，其餘不必計較，而且替他解消公務上一些無謂的困擾和阻礙。這樣，即使受之者深感知遇，力圖報倘，縱然不是磐磐大才，也會勇於負責，不致毫無表現的。試看歷史上有案可稽的政治人才，都是些遇事有所不為，個性孤僻的寒謂之士，合則留，不合則去，依違立順，如脂如韋的「也是錯」(YES MAN)，決不屑為的。

假使用人而不敢深信，既懷疑他的忠誠是否可靠，處處提防，又耽心他的才幹未必勝任，事事干預，且好諉過遺咎，聽到左右一些浸潤之譖，膚受之愬，即信諾，即認為其人不堪倚畀了。以這種心情駕馭政治人物，結果是才智之士無從發展抱負，望望然去之，只有那些苟合而來的庸才或奴才們，揣摩上意，阿諛逢迎，但期邀寵固位，不知國計民生為何事，唯唯諾諾，敷衍塞責，不求有功，但期無過的官僚主義，以「差事」為目的。諸如此類的政治作為者，亦不過是荀子「臣道篇」所謂「態臣」與「篡臣」而已。所謂態臣「內不足使一民，外不足使距難，百姓不親，諸侯不信；然而巧敏佞說，善取寵乎上。」所謂篡臣者：「上不忠乎君，下善取譽乎民，不恤公道通義，朋黨比周，以環主圖私為務」。荀卿認為「用篡臣者危，用態臣者亡」。若天下焉者，耳，不足道也。

用人之道不能取法乎上，則一著失錯，全局皆非，政治沒有不糟糕的！

喬治桑外傳　一四二

張大夏

「請問妳貴姓？？」雅麗絲又搗住了話機。

「是一個姓皮的。」

那來是皮的？喬治桑一邊納罕一邊走過接電話。

「喂，那一位？」

「喂，桑先生嗎？你猜我是誰？」對方磁性略帶沙啞的聲音，喬治桑一聽就知道是誰了。

「哦，卞太太，妳好。」

「上次在裘家打牌，你說過請我去跳舞的，為什麼黃牛了？」

「哦，是的，絕不黃牛，這幾天實在是窮忙，改一天我一定奉邀。」

「不要再推三阻四罷，究竟是那一天？我請妳也可以。」

「這，怎好讓妳請，自然是由我請。後天好不好？不過，後天是星期六，妳是不是有牌局？」

「好，一言為定就是後天好了。在什麼地方？」

「華麗大飯店好不好？我想順便約裘白瓊夫婦一起去。」

「既然是你請客，你愛請誰，我都不管。」

「這樣好了，後天晚上七點鐘，我到妳家裏來接妳。」

「你有我的地址？」

「有，有，我記在記事簿上。」

「那你為什麼連一個電話都不打給我？」

「實在因為忙，對不起，對不起。」

「再見。」

「再見。」

喬治桑接完電話，坐到沙發裏，點了一支香烟。喬治桑的烟癮很大，一支連一支，在英文術語叫做「連鎖抽法」。

「那個女的打來的？半夜三更打電話，恐怕不是什麼好女人。」在以前，雅麗絲對喬治桑說話絕不敢這樣，現在她已以大女兒自居了，所以說話也無忌憚了。

「是一位太太，是卞，卞莊刺虎的卞，不是姓皮。」

「大概上海人，她的國語說不好，所以我聽錯了。」

「一點不錯，是上海人。」

「既然是人家的太太，為什麼半夜打電話給你？」

「她已經和他的先生離開了，是一個『低屋希』。」「低屋希」者，英文離婚者之意，喬治桑用了一個英文字。

「我敢斷定她不是良家婦女出身。」雅麗絲顯然對打電話來的女人沒有好感。

「以前是舞女，也不算是出身不好。」喬治桑被雅麗絲整得有點尷尬，只好如此說。

「我猜的不錯罷。她打電話給你，是不是要你請客？」

「妳剛才不是聽到了？」

「這種女人最……」雅麗絲本來想用一個『賤』字，後來覺得不妥當，接着又說：「從來沒有打電話給男朋友，要人家請客。我的媽媽常常告訴我，女孩子最要緊的便是尊嚴。」

「妳的媽媽和妳都是千金小姐，當然不同了。」

「妳怎知道我的媽媽是千金小姐？」

「妳說過嘛，難道妳忘了？」

「包死，不是我嘮叨，你在外交朋友總要揀有品德的交。像卞太太這種女人，少來往為妙。」雅麗絲簡直是教訓口吻，但喬治桑知道她是一番好意，所以並不怪她。

美國最近的學潮

· 文匯樓主 ·

文匯樓別記

就在尼克森總統，我武維揚，揮兵入東埔寨的時候，美國內的學潮又進入如火如荼的高峯，明眼人全會知道這是共產黨徒開闢的第二戰場，用來牽掣和打擊美國在東南亞的行動，平衡尼克森的勝利成就。

儘管美國的學科技術發達，有錢有武器，但在反共經驗方面，却遠比我們落後，早在好多年前，我們的政府官員，我們的很多學者，就指告美國人，他們的學潮，必是共產黨在幕後操縱策動，但是美國人，特別是自命開明民主的人士，堅不相信，並且反誣我們的忠言，是有成見，到底是不是成見？甚至是否有心騙美國，拖他下水？事實自有良好的答辯。

美國今天的學潮，從我們有經驗的人來看，其來龍去脈，簡直與我們大陸淪陷前的學潮如出一轍，所不同的，是美國學潮鬧得更加無法無天，甚至佔領學校，迫脅校長，而美國政府的應付，則是手忙脚亂，不知要點而已，我們回憶在大陸時，所遭受的痛苦經驗，不禁為之耽憂。

這些天，學潮的突然昇高，當然是為了尼克森總統的突然出兵柬埔寨。尼氏這一壯舉實可與當年杜魯門總統，決定出兵制裁北韓侵略媲美。這不僅出乎共黨意料之外；就是民主國家事前也未會料及。這正是兵法所說：「出其不意、攻其不備。」當然贏得主動，佔了上風，使得共黨尷尬失利，甚為狼狽。為了要彌補這一劣勢，勢必要另闢蹊徑，轉移世局的焦點。於是乃有俄亥俄州肯特大學四名學生死亡的「傑作出現」。

我們稱此慘案為「傑作」者，第一、憑我們的經驗此慘案之發生，不一定會如表面的那樣簡單；很可能是共黨計劃造成的，甚至可能是共黨工作人員，混在其中，故意亂槍打死的。第二、既有了這四個倒楣鬼，共黨的「學運」工作，便有戲好唱了。這正是煽動羣衆，喚起青年學子的同情好題目。當我們想到「沈崇事件」時，眞是不寒而慄。果然在筆者署稿時，各大學因此事美國引起燎原之火，而採取停課關閉的已達一百餘所，而其兇鋒火燄還正在蔓延，不知伊於胡底。

在面臨這一空前廣大的學潮時，我借箸代籌，向美國們政府提供幾點參考的意見。

第一、立場一定要堅定，共黨慣會利用心理攻勢，造成嚴重緊張的氣氛，使對方為之氣餒；因而自亂脚步，希望尼克森的政府，有泰山崩於前而不動的鎮定。老子說：「飄風不終朝，驟雨不終日」。只要政府堅定不移，風潮自會如狂風暴雨之不能持久。

第二、要明認這是東亞南戰爭的第二戰場，而面對事實認眞處理，不可再諱疾忌醫，認為學潮自學潮，而採取孤立的對付辦法，須知那將永遠找不到要點，得不到解決。

第三、應該虛心求教，向富有此類經驗的中國政府和中國學人請教。中國自一九一七年，即在蔣總統領導下從事反共，迄今已逾五十年，對於共產黨的一切伎倆，無不瞭如指掌，此一眞理已漸為世人所承認。據聞最近即有某反共國家，派遣官員正式來台學習反共鬥爭經驗，美國還派員列席觀察，因此又何不舉一反三，向中國學習學習應付學潮的經驗呢？

國父的偉大軼聞（上）

諸葛文倓

人物春秋

幼時常常看到國父孫公給人寫的條屏，總不外「天下為公」、「博愛」這些語句，認為太簡單而通俗化了。迨成人以後，飫聞民黨長老們談及孫公的許多軼聞遺事，纔領悟到他一生立身行己之道，事無鉅細，確確實實地表現着天下為公與博愛精神，言行一致，毫無假借。茲就記憶所及，孫公平日對人接物的大公至誠風格，以資佐證。至其對國家民族的豐功偉績，史籍有錄，毋須贅述了。

民元孫公就任臨時總統後，廣東都督胡漢民受命為總統府秘書長，遺缺須由粵省議會推舉，而逐鹿的人不少，相持莫決。適孫公胞兄孫眉自檀香山歸來，即有人聳恿他競選粵督，教他先赴南京向孫公說明，孫眉亦樂從之。趕到南京進行。然孫公認為乃兄不是政治人才，勸他仍回檀島去經營農場，勿預政事，一面電告粵省議會，切勿推舉乃兄，中有「毋誤粵局」之語，意極堅決。終孫公有生一日，亦未為乃兄在政界安插過一官半職，但乃兄對孫公的革命運動，却幫助甚多也。

民元組織臨時政府之初，宋教仁原係主張黃興為大總統最力者，黃堅辭，謂非孫公莫屬。旋孫公就任，銓選中樞各部總長，即提宋氏為內閣首席部——內務部總長，嗣以參議院未通過，乃改提立憲派湯壽潛。又湯鄉銘在歐洲留學時，曾加入同盟會，繼而畏禍悔盟，乘孫公在巴黎客舍之際，瞰其外出，潛入臥室中，私竊孫公皮篋內所藏歐洲同盟會會員名冊，向清廷公使告密贖罪，實為革命叛徒。迨南京臨時政府成立，孫公以湯氏係海軍專才，為事擇人，不念舊惡，擢任為海軍部次長。

民國七年孫公辭去西南護國軍大元帥，離粵赴滬，策劃再革命運動，時有若干潦倒滬上的革命黨人，每向孫公獻議，謂某省某地有民軍若干人馬可以招致效力，乞給以名義與糧費，即負責使其來歸。孫公多如所請，實則並無其事，騙局而已。左右幹部知其然也，每向孫公進言，並謂：「先生的錢來的不容易，常常受騙，殊不值得。」孫公却謂：「他們騙我十次，只要有一次兌現，我的革命事業即夠本了。我們搞革命運動，如果沒有人上門來行騙，革命是永難成功的！」

陳炯明舉兵叛亂後，孫公自香港乘海輪赴上海，住頭等艙內。輪船解纜航行半小時後，照例查驗三等艙旅客的船票，有一白俄人混在船上，無錢購票，涕泣乞憐，茶房告以孫大總統在頭等艙，汝不妨向其求助。白俄如囑即見孫公，孫公操英語說明苦況，孫公命隨從副官馬湘給予港幣五百元，馬於篋內取紙幣時，誤將千元票面一張作為百元擲予之。抵滬後，馬氏發覺錯誤，大駭，急報租界巡捕房乞偵查白俄人的下落，越二日，捕房通知已將該人查到，據言款已用去，請示孫公如何處理？孫公告語捕房：款既用去不必深究了？

陳炯明垮台後，孫公入粵就任非常總統，積極籌畫北伐事宜，且試與北洋政府首腦段祺瑞，東三省巡閱使張作霖連衡，共討曹錕吳佩孚等軍閥，段張先後派代表徐樹錚許世英來粵就商大計。維時粵省各地方財賦皆被各色駐軍截收，革命政府一切政費，當恃廣州市的收入維持，常感拮据，省財政廳與市府間，為省財務問題，均有巧婦難為無米之炊的煩惱。時廖仲愷任省長兼財政廳長，廣州市長係孫哲生先生。廖與大本營秘書長胡漢民晉謁孫公談政務，廖對廣州市的理財方法略有微詞，孫公即謂：「這事由我來處理罷」。越日，孫公語孫市長云：「近年來，段祺瑞張作霖皆派遣高級幹部來粵訪問，我方亦應該派一有份量的人前去分別答聘，我再三考慮，只有派你去最適當。此行任務重要，且須歷訪關內外，非短時間能完事，你的市長職務，勢難兼顧，可即辭去，及早出發北上，並於上海民智書局取帶「三民主義」講演專刊數千冊，順便分發北方各界人士，以廣宣傳」。哲生如命辭去市長離粵後，廖省長請公遴員接替，孫公囑胡漢民轉告廖：「廣州市係省府直轄機構，應由省府保薦繼任人選，以一事權」，廖乃保林雲陔承其乏焉。假此大公無私而又絲毫不着痕跡的領導作風，雖當時大儒士聞悉，亦未有不感奮欣崇，而為之效死勿去者！

陳炯明叛後，隱居惠州，受到全國人的唾罵，黨元老吳稚暉向孫為陳求恕，請示條件何在？孫公謂：「祇要陳能自知過錯，寫一悔過書，即仍回粵軍司令兼粵省長原職，信任如故，別無條件。」吳大喜，急馳赴惠州懇囑陳遵辦，且持毛筆挽陳手，希速寫，而陳却之，終成千古罪人，抑鬱以死。

（未完）

說曹操（九）

李漁叔

五、官渡之戰

時間：東漢建安五年夏四月開始

地點：河南省中牟縣東北地方官渡。

官渡之戰，是袁曹生死之戰。雙方佔領的地區和兵力大致如左：

袁紹於建安二年，由漢獻帝派將作大匠，孔融持節拜為大將軍，兼督冀、青、幽、并等四州。那時冀州最大，包括今之河北、山西二省及河南黃河以北，遼寧遼河以西之地。兼有青、幽、并三州，則是山東、山西、陝西、奉天等省，都在範圍以內。如此廣大的地區，除自領冀州牧外，以長子袁譚主青州，仲子袁熙主幽州，外甥高幹主并州。可謂勢盛兵強，戰事初起，用審配逢紀統軍事，田豐荀諶許攸為謀主，顏良文醜為將軍，簡精騎十萬，騎萬匹。

孟德這邊，僅有河南之地。謀臣有郭嘉荀彧荀攸程昱，部將有張遼曹洪曹仁徐晃等。（關公此時亦在軍中）三國志魏志太祖本傳說：

「時公兵不滿萬，傷者十二三。」

兩相比較，曹勢是劣，極為明顯。但魏志注所引「兵不滿萬」，是不可靠的。裴松之魏志注說：「魏武初起兵，已有衆五千，自後百戰百勝，敗者十二三而已。但一破黃巾，受降三十餘萬，餘所吞併，不可悉記，雖征戰損傷，未應如此之少也。」

還有荀彧曾於曹軍攻徐州時說過：「將軍攻之不拔，略之無獲，不出十日，則十萬之衆，未戰而自困耳。」那時已有十萬之衆，所以裴松之也可以證明「官渡之役，不得云兵不滿萬也」。我們試想兵不滿萬，而且傷者十二三，拿來抵敵袁紹十萬精兵，又相持至六七個月之久，無論曹公如何善戰，也是支撐不下的。究竟確數如何，不得而知，不過袁強曹弱，則在當日，為不爭的事實。

袁曹終必出於一戰，亦是事勢之所必然，其原因可從下列兩點分析之。

第一是袁曹早有交誼，積不相能。袁紹的家世顯赫，四世三公。孟德雖遠不相及，但其父曹嵩亦曾官至太尉，都是貴盛宦遊子弟。三國志袁紹傳云：「紹有姿貌威容，能折節下士，太祖少與交焉。」當董卓擅權時，孟德名位尚淺，後來起兵之際，紹又為諸侯盟主，自然受過紹的庇護不少，所以袁紹曾說：

「曹操當死數矣，我輒救存之，今乃背恩挾天子以令我乎。」（袁紹傳）

大略可見袁於曹有恩。在袁紹破滅後，都已定，孟德還曾「臨祀紹墓」，哭之流涕，慰勞紹妻，還其家人寶物……這雖是貓哭耗子的行為，也還看出兩人一點舊誼。

（未完）

安徽十三傑

諸葛亮狂想曲（一二〇）

· 劉玄 ·

「哦，我對於音樂，劍術都是外行。藍采和的笛子我從沒有聽他吹過，我倒要聽一聽。你幾時表演舞劍？」星君的話等於答應了請求，但他是老辣之輩，却不肯輕易放過呂洞賓。

「星君肯欣賞藍采和演奏，洞賓等同感榮幸。洞賓道根淺薄，此劍只為斬妖驅魔，根本談不上劍術。」呂洞賓幾句話不卑不亢，深有詞令之妙。

「我知道你是不肯隨便露一手給人家的。好了，等一會再談。」星君揮了揮手，呂洞賓退下，立刻趨到後台找到了藍采和。藍采和拿了一根笛子，正在輕輕試吹。一見呂洞賓到來，連忙問呂洞賓：「太白星君走了沒有？」

「我已經向星君提出請求，他已經答應留下來欣賞你的表演。」呂洞賓拿藍采和當小弟，從來不和他耍花樣。

「那好極了，可是我心裏有點着慌，再怕演奏失常。」藍采和那次登台難免怯。

黃雲大仙在蟠桃大典的餘興節目中，變了幾套戲法，在天庭各仙的心目中，雖屬稀鬆平常，在人間却不易看到。天庭也和人間一樣，這種表演很難博得一致讚美，好在黃雲大仙很謙虛，他自願唱開鑼戲，大家對他也就不好意思苛求了。

黃雲大仙謝幕以後，接着上演的是桃花仙子的歌舞節目，桃花仙子的舞裝，薄如蟬翼，肌膚隱約可見，好在天庭並無妨害風化之說，所以不曾遭到締。

桃花仙子先唱了幾折古典歌曲，由笙簫笛管伴奏，每曲歌罷，掌聲稀鬆。這也難怪，各仙每年都參加蟠桃大會，這種歌曲早已聽過不知多少遍了。

幾支古典歌曲唱完，換上張素梅用鋼琴伴奏，桃花仙子改穿西式禮服出場，邊唱邊扭唱了一曲流行歌曲。

「這個是不是西方歌曲？我還第一次聽到。」太白星君向身邊劉約翰垂詢。

「是的，她唱的是目前人間最流行的「阿哥哥」舞曲。」劉約翰是桃花仙子的英文老師，聽到太白星君詢及歌曲內容，那敢待慢，連忙畢恭畢敬的報告。

「哦，「阿哥哥」？中國民間的山歌民謠都是哥哥妹妹的，這自然是西洋山歌民謠了。」太白星君的智慧極高，可惜他對西洋文化一竅不通，他問的話雖然好笑，但劉約翰却不敢笑出聲。

「星君說的很對，「阿哥哥」是西洋小調，但「阿哥哥」是一種曲牌名，和「風入松」「柳搖金」是相同的。」劉約翰生前雖沒有受過中華文化薰陶，到了天庭，由於和諸葛亮等時相過從，反而略諳中華文化的皮毛。

「音調很別緻，很好。」太白星君世故很深，他向來不隨便批評人，所以在天庭人緣最佳。

巨變歷險記

成了一條狗（一二三）

胡慶蓉

雲南省政府主席李彌與雲南省綏靖主任余程萬在蒙自的會晤是一件極不容易的事。他們都很感謝丁博士的奔波冒險。他們在會議的時候，對於丁博士莫不竭力推崇。在他們會議的時候，國民政府參謀總長顧祝同也到了。國民政府陸軍副總司令湯堯並且携着四五十萬的大頭到了蒙自。一時蒙自成爲國民政府在大陸的軍事政治中心並且是最後的政治軍事重心。

會議就在蒙自的省立中學會議室舉行。參加的除李彌余程萬顧祝同湯堯丁作韶外，還有彭副軍長，曹副軍長及廿六軍以及八軍各師長。由李彌主席。李彌以富幽默感著稱，無論在任何壞的環境下，他都能保持着他的幽默。他首先以狗自居。他說他是國民政府的一隻看家狗，不管國民政府到什麼樣的境地，他這條狗一定看到底。現在打狗的力量趕狗的力量日益增加，沒有關係，有關係的是大家能不能團結能不能合作。這話是說給余主任聽的，余主任始終持消極的態度，始終保持緘默。湯副總司令他爲人也很幽默。他說：我們軍人本來並不是狗，我們軍人本來是一條游龍，一條神龍，有呼風喚雨之能，可以改變一個局勢。其在平時，也像一條虎，泰山儼儼，民具爾瞻，及至兵敗脫荒而逃，那就是狗了，那就是喪家之狗了，……大家對於自己所處的地位都認識的非常清，只有撤軍之一途。問題是向那裏撤？撤到那裏？

彭副軍長最實際。他正式提出來撤到滇緬寮邊區，亦即所謂三角地帶，他在第二次大戰期中，曾同呂國銓師長羅伯剛團長等戰在這個區域，因而他對這區域很熟，彭副軍長小小的個頭，人也很有趣。他對於這里的一些蟲一些鳥一些獸，如數家珍，如盤上珠，說得令人神往。丁博士則主張事猶可爲，應該採取以進爲退的政策。他力主再攻昆明。他說敵人距離蒙自可能比距離昆明還要近。今日之昆明，外無援軍，不難一鼓而下。湯副總司令帶來的大頭，可以犒賞士兵，重賞之下，不患無勇夫。彈還是足夠用的。有蒙自的機場，接濟不虞匱乏。

丁博士的調兒或未免說的過高，大家都表示欽佩，但大家都有礙難之處。最後的決定是廿六軍八軍集中待命。這很顯然是準備撤退的樣子。顧總長沒發表什麼意見，大有唯八軍廿六軍馬首是瞻的樣子。能再攻昆明，當然最好中央保留最後的大陸上的一個省份。萬一昆明攻不下來，退滇西轉入滇緬泰寮邊區也是好的。湯副總司令過去跟着八軍，這次又跟着八軍，將來也不免跟着八軍。他更是唯八軍的馬首是瞻。他很奇怪丁博士這條龍現在也跟着狗打轉，他開了……！博士……你現在也是一條狗了。

………

男女之間在東京

王德亮

拜讀老子哲學權威張超鈞先生「男女之間在美國」一文後，深感有趣，聯想到日本男女之間的事，就筆者過去在東京所見所聞，拉雜談述。

中日戰爭之前的日本女性，較爲保守，日本投降後，盟軍進駐日本，由於日本人過厭了戰時的窮困生活，各謀出路，形成崇洋的心理，駐日美國大兵不但是英俊的小生，而且有美鈔的號召力，所以很多的日本小姐及寡婦甘願和美軍交朋友，還有的同居，造成了社會問題，好的結果是美軍交上女朋友，美鈔自然會流在日本社會中，對繁榮社會有很大的幫助，壞的結果是美軍紀律森嚴，駐軍不准結婚，在男貪女愛的情形下，難免播出愛情的種子，於是混血兒生子越來越多，其中除了少數的小姐把私生子帶回娘家扶養外，多半棄嬰路邊，日本的慈善機關團體便擔起收養棄嬰兒從幼年開始扶養，供給上學，到能立足在社會上生存，化了很多的血汗精神培養，這批黃頭髮的男女一個個都長得聰明伶俐，只可惜未見老娘，算年齡今年已經二十多歲了。其中當然還有別的國家的血統。

盟軍進駐日本看，駐日美軍逐漸撤回，日本政府深自慶幸，但卻給了美日情侶的無情的打擊，歡喜變成悲局，雙方未有正式婚姻關係，自然不准偷帶回美，在別的時候，除了男女當事人啼哭下，依戀難捨，就是美軍高級長官及送行的人也都爲之心酸傷心同情。

這批日本小姐後果不同，有的赴美尋找郎夫妻團圓，有的當了公眾人員，有的當了女店員、舞女、酒吧女、服務生，每個人都有生活出路，現在她們的年齡已是四十多歲，五十多歲了。

和妻是小說上的名詞，但在日本投降後有了和妻的趣聞。

中日戰爭至第二次世界大戰，日本軍閥加強征兵，於是青年壯丁越來越少，但外國戰爭，無情的炮火，死了無數的日本兵，勝利後被遣回國的日軍，回家團圓的雖多，但死在戰場上也不少，造成了日本寡婦悲痛人間，環境好的寡婦生活沒有問題，但經濟差的寡婦就不得不另謀出路，其中的一種出路就是租妻，那就是說不管你是什麼人，只要能付出雙方所談的經濟條件，就可以變成臨時夫妻，男方在雙方規定的日期內可以住在女方家中，有的是由女方供給吃，住等等。

日本女人是世界上的女性，對男最好了，有點歐美派（現在也變了）雖然是臨時夫妻，但和正式夫妻，沒有分別出兩種待遇，男的回家時，她會雙膝跪地，先脫皮鞋，再脫外衣，拿擦面手巾，敬烟倒茶，叫人受寵若驚，吃飯的時候，她會給你挑選菜肴，也會細聲細語談談家務，溫雅體貼，就是到了租期的最後一天，一分離，她還不變樣，叫人留下永久不忘的好印象。

我在東京時，一位日本朋友曾對我開玩笑說，他介紹一位漂亮的小姐給我時，可惜當時我沒接受他，引以爲憾。日本女子比較我國的女子大方，譬如到百貨公司買東西，就可以約女店員下班遊玩，如果她對你好感，就會答應你的邀請，如果她對你沒有興趣，或者她心上有人，她不會惱怒，會很有禮貌的笑容滿面婉辭，絕不會像我國的百貨公司女店員那麼冷淡。

當你走在馬路上迷了途，或者找不到要去的路，對面來了女人，不論是小姐或太太，你可以大胆問路，她絕不會拒絕答覆，她會詳細的告訴，甚至拿出筆和紙畫張地圖給你，或者她會送你走一段路，如果你胆大的話，可以先表明身份，提出做朋友的要求，她對你有緣就變成朋友，否則也會笑咪咪的婉謝，但筆者鄭重聲明，這些女孩子都是清白的，絕不是出來賺錢的女人，如果你在台灣向女子問路，她不罵你神經病就是好運氣。

在台北的舞廳到處都是，但跳舞是豪華的娛樂，費用很大，但在東京能知道門道的話，他將和電影票差不多的錢，就可以跳舞了。

日本的舞廳、夜總會自然比台灣貴的多，拿新台幣到東京跳舞眞有點划不來，但在東京有好幾家舞廳，只要自己買張門票，就可以進去。保證有正正派派，身家淸白的小姐陪你跳舞，東京有一千萬人口，未婚的女子、職業婦女、女學生的總數，比台北的人口還多，這些小姐，很多沒有男朋友，其中對跳舞有興趣的，或者想交個男朋友的，每天晚間都有很多在這種舞廳等候機會，有的三、五位小姐在一起，也有單身坐在舞池，你只要看到沒有男子同坐的小姐，不管裝束如何，你可以大胆的很有禮貌的請她跳舞，保證不會碰釘子，一定可以奉陪到散場，如果雙方投機，就可以成了朋友。

跟日本小姐交朋友，比在台北交女朋友省錢，請日本小姐遊玩，她也會準時光臨，請日本小姐吃飯也很簡單，她們吃厭了日本料理，只要請她到中國館子吃碗麵或炒飯，加上一個湯就可以了，如再加上一個菜，她就會歡天喜地，至於玩的節目隨自己的興趣而定，跳舞、看電影、上小型夜總會、喝酒、坐咖啡館均可以。郊遊在日本很流行，更會增加感情。

日本女子的貞操觀念，比我國淡薄些，婚前很多小姐已經失去貞操，換句話講，婚前女子可以有性生活，婚後絕對不准再交男朋友，日本的旅館生意興隆，未婚男女開房間的很多，到旅館不必提出身份證明，也沒人過問身份。雖然日本女人比較大方些，但眞眞處女也不少，公開的娼妓根本沒有！就是旅館裏也不會替你媒介風塵女郎。

假如你在日本想寂寞，準會交個日本小姐，如果到日本留學，交個女同學也很簡單，機會也很多。

生活漫談

桂元一碗紋銀千兩

馬騰雲

玉堂春裏王金龍，一杯香茶三百兩紋銀，於今歷史傳爲美談，吾鄉有王公子，富甲一方，民國十五年籌劃開煤礦（後由國營）攜現金百萬，到上海採辦最新式機器，王生性風流，置身於花花世界，遊長三堂子，遇花魁華芳，（上海英美烟草公司出品華芳牌香烟）用華芳抵制華成烟公司美麗牌烟，華芳之美艷可以想像，華芳端出龍眼一小碗，王公子丟盤子錢兩千銀元，合紋銀一千四百四十兩，只可惜未爲作家小說家偵悉，風流未能傳之千古。

龍眼又名桂元，係亞熱帶地方之常綠喬木，枝葉繁茂，高三四丈，果食大四分至六分許，略帶赤色或紫紅色，球圓形，表面有皺紋，乾燥則呈褐色，破之空虛，正中有類似枇杷核之種子，外部暗褐色柔韌，味甜，大者爲龍眼，小者爲人眼，最小者爲鬼眼。水份〇、八四五，乾燥渣九九、一四五，灰三、三六，葡萄糖二四、九一，蔗糖〇、二二，垤幾斯托令一〇五三，纖維素二、一八五，酸類一、二六，含淡物六、三〇九，脂肪二、四九四。補心脾，療虛羸，用作緩和滋養藥，又治神經衰弱及貧血。入胃後，與胃酸化合，成消化蛋白與澱粉之酵素，一部份在未消化時及至小腸，始漸次由腸壁吸收而達血中，能增加血液之熱量與酵素作用。凡中滿、氣壅、腸滑瀉痢之人忌食，多食易見鼻衄。

凡思慮過度，耗傷腦筋，遇事頭腦痛，怕煩喜獨處，夜則失眠，記憶力衰退，心悸怔忡，耳鳴頭暈，常服桂元，確有補腦養神，養血開胃之功，服法每日二十枚，去核及殼，取肉煮汁，分二次服，或蒸量煮濃去渣成膏，日服二次，每次半匙，開水冲之。代參膏，自剝好龍眼肉，盛磁碗內，每肉一錢，加砂糖一錢，體多火者，再加西洋參片，如糖之數，碗口糊桑皮紙數層，上刺數孔，日日在飯鍋中蒸之，蒸及百次，凡衰羸老弱，別無痰火之疾者，每以開水服一匙，大補氣血，力勝參芪，產婦臨盆服之尤妙，產後喉痛者，洋參桂元湯。疔瘡初起，未出膿者，以此治之，無不效，先取甘草末散惡處，而以桂元肉蓋之上，勿使破碎，籍色甘草末流出，最好以布裹之，或用膏藥貼之，每日加甘草末二次，如桂元肉將乾，即換去，如是三五日即愈，於手指疔毒尤宜。

第四章

童貫通金求六州　徽宗無心謀國事

又禾麻菽麥，黍豆亢（禾旁）朮（禾旁），築室若農家，故名「西莊」。有亭曰「巢雲」，高出峯岫，下視羣嶺，若在掌上。自南徂北，行岡脊兩石間，綿數里，與東山相望，水出石口，噴薄飛注如獸面，名之曰「白龍淵」。濯龍峽，蟠秀練光。跨雲亭，羅漢巖。又西半山間，樓曰「倚翠」，青松蔽密，布於前後，號「萬松嶺」。上下設兩關，出關下平地，有大方沼，中有兩洲，東爲蘆渚，亭曰「浮陽」，西爲梅渚，亭曰「雲浪」。沼水西　爲鳳池，東出爲研池，中分二館，東曰　碧，西曰　山。館有閣曰「巢鳳」，堂曰「三秀」，以奉九華玉眞安妃聖像。（謀註：安妃乃徽宗之寵妃，姓劉氏，卒於宣和三年，追尊皇后。宋徽宗之昏庸可知）東池後援棟山。下曰：「揮雲廳」，復由道磴行縈曲，捫石而上，既而山絕路隔，繼之以木棧，倚石排空，周環曲折，如蜀道之難躋攀。至介亭最高諸山，前列巨石，凡三丈餘，號「排衙」。巧怪巉巖，藤蘿蔓衍，若龍若鳳，不可殫窮。麗雲半山居右，極目蕭森居左，北俯景龍江，長波遠岸，彌十餘里。其上流注山澗，西行潺溪，爲漱玉軒，又行石間，爲「煉丹亭」，凝「觀」，「圜山亭」，下視水際，見高陽酒肆清斯閣。北岸萬竹，蒼翠蓊鬱，仰不見天。有勝筠菴，躡雲臺，消閒館，飛岑亭，無雜花異木，四面皆竹也。又支流爲山莊，爲回谿，自山谿石罅搴條下平陸，中立四顧，則巖峽洞穴，亭樓閣觀，喬木茂草，或高或下，或遠或近，一出一入，一榮一彫，四面周匝，徘徊而仰顧，若在重山大壑深谷幽崖之底，不知京邑空曠坦蕩而平夷也。（十五）

自由報

中華民國內政部登記證內警台報字第〇三一一號
中華郵政台字第一二八二號執照登記爲第一類新聞紙

（第一六〇二期）

（半週刊每星期三、六出版）
每份港幣叁角・台灣新台幣貳元
社長[illegible]・督印黃行
社址：香港九龍彌敦道593—601號
廖創興銀行大廈八樓五座
LIU CHONG HING BUILDING
7th FLOOR FLAT'5
593—601 NATHAN ROAD,
KOWLOON, H.K.
TEL: K303831
電報掛號：7191
承印：景星印刷公司
地址：嘉咸街廿九號地下
台灣通訊中心：台北市南京東路三段三號
電話：三七五〇二二
台灣區直接訂戶　台灣郵政劃撥
第五〇五六號張萬有（自由報會計室）
台北營業處：台北衡陽街三十號
電話：二七二〇〇
台灣分社：台北市西寧南路110號二樓
電話：三三〇三四六，台郵劃撥戶九二五二號

一個健全的人生觀

・周德偉・

我的哲學中沒有戰鬥哲學的地位。我無戰勝別人的意志，無向別人報復的觀念。就對人的關係而言，根本反對戰鬥，那有勝敗輸贏的觀念。我不像尼采一樣，提倡戰鬥哲學，不像索列爾，提倡遊於自然的戰鬥狀態。更反對馬克思提倡階級間的混鬥。

我只有追求眞理與明辨是非的觀念。我得到了眞理，別人沒有得到，不是我的勝利；既是眞理，別人也可得到，只是時間先後問題。

既有社會生活，就須有社會規範，道德標準、法律，罪惡等類具體觀念。換言之就是社會內，必有「公是公非」，否則社會無由生存。我掌握了「是」？別人沒有掌握到，不是我的勝利，不是別人永久失敗。既是「公是公非」，別人必能辨別，也只是時間先後問題。

在無數紛繁的因素中，無論作科學研究，無論作社會活動，都免不了錯誤。一待情報充足，錯誤就可改正，孔子曰：「過則勿憚改」，此之謂也。不可因錯誤而自卑，不可因某事，某些事，某時之不諳而自暴自滿，錯誤可隨時發生。

人有時打我一拳，我有時也不得不還他一掌，似又進入勝敗輸贏，來回報復的循環圈內，讀者絕不可於此發生誤解。孔子曰，「犯而不校」，他老先生自己也不能完全辦到，因爲他是人，他也有情緒，也有判斷。子見南子，子路不悅，子曰，予所否者，天厭之，天厭之。只因子路不悅，害得孔夫子發誓。宰予不過喜歡睡午覺，孔子就大罵說：「朽木不可雕也，糞土之牆，不可圬也」。又孔子作春秋，畫二百四十二年之事，百分之九十以上是價値判斷，而不是中立描述的事實。殺君者另有人在，只因宰相推托不討賊，孔子就大書特書「趙盾弒其君」！鄭莊公與共叔段是同胞兄弟，對兄弟應該友愛，應該愛護。莊公初置叔段於鄢審叛亂之地，然後逆母意而討之。孔子特書曰：「莊公克叔段於鄢」。「克」者，是對待敵國的形勢，然後將殺之，故孔老夫子忍不住了，只好大罵！周天子明明被臣下所逼，奔到河陽避難，孔子看不慣，乃爲天子諱，書曰「天王狩於河陽」（到河陽打獵）春秋筆法，百分之九十以上是如此，只有胡適之先生說它是斷爛朝報。二千餘年以來，直到今日，似只有胡先生一人如此說過，不是胡先生的創見，而是胡先生的成見！

以上這些引證，是價値判斷問題，是探求公是公非所引起的意見問題，或追求眞理的爭論問題，任何科學哲學的討論，均不可避免。決不是戰鬥哲學問題，更不是往返報復的問題。孔子，孟子，乃至墨子是一貫反戰的，一貫主張汎愛及兼愛的！

耶穌說，「別人打我左臉，我將右臉給他再打」。說得很漂亮，但耶穌是否無條件願意給人打，是否完全犯而不校，我沒有研究過耶穌的歷史，不敢斷言。但我所瞭解的耶教，是代表被壓迫民族，無實力反抗的的反抗宗教，且全部耶教仍以愛爲出發點，反對恨，反對壓迫，反對戰鬥，至於耶穌的生平事實，決不會被完全記載下來。耶穌生前沒有政權，誰會全力注意他！任何寫歷史的人，免不了偏見，把自己所不愛好的，或矛盾衝突的事實，均會棄或刪去了。寫耶穌史的人，決不能避免此點；凡寫偉大人物的傳記，或自傳，均避免其弱點，誇大其優點。

別人打我一拳，有時我還他一掌，最大多數常出於制度上及法律上的不得已。別人誣陷我，我不反擊或辯護，將被捉將官裏去，個人被捉將官裏去事小，公是公非顚倒，影響社會者太大。我辯護成功，不感覺勝利，悲憫對方之無恥及自私。既悲憫，就不存心報復。縱然獨立在毀譽之外。

對方不服，第二拳又打來了，我的態度仍和從前一樣，勝了，不感覺是勝利，輸了，不過是正義暫時的湮沒，也懶的報復。正義總會要抬頭的，否則這個世界會被毀滅！

對方不服第三拳又打來了。我仍是如此對待，我只愛人以德，不恨人；我的細胞中無恨的成分！

譬如別人誣我就其所得沒有報稅，打官司從行政訴訟打到法院，由高等法院結案，我獲得百分之百的勝利，法院判決說：所領用的是特別辦公費，根本無納稅之義務不必申報，自不能再予處罰。并判決道，抗告機關不得再行抗告。可是在四年過程中，我被行政機關所逼迫，預繳了三萬六千元之稅。根據法院判決，我有權要求退還。但這樣做，又來提起行政訴訟，可能又纏幾年，我不願浪費時間在這庸俗事上面，自認倒霉，到此中止，經法院查明正式的公用支出，私人担負所得稅。稍後我至多寫一封信給稅捐機關及有關機關負責人，敎訓他們守法尊重人權不受干擾，讓他們獲得反省的機會，如不反省，那就是人而無恥，自走絕路！

我是純正的個人主義者，但我的個人主義，有己，有你，有人；有己，有你們，也有人們；更有大人。（傳統典章、文物、制度）每個分子都是組成社會的單元及實體，研究或分析社會不能不從分析個別因素着手。

我獲得了眞理，至多只能獲得局部的；更歡迎人人獲得眞理，更感謝無數古人提供給我無數穩定的環境及條件，免我事事從頭思索考慮，解放我的精神，進入未知天地！

我的晚一輩，年紀輕、潛力大、處事有時我比他們成熟，是應該的，無可驕傲，也無意要晚一輩的人崇拜。年齡輕的人，來日方長，我的自然壽命有限，我將不是他們的對手，他們會勝過我。但我不自卑，只要自己自强不息，死而後已，就對後代有了交代。年輕人勝過前人也是應該的，他們所根據的張本DARTA多，應該勝過前人。但前人的貢獻，使得年輕人能據以進入未知天地，其地位也應予以正確認定，廖季平，錢玄同一類的人，是妄人，不是正人！

我是主觀學派，但眞正之主觀，應如大海之能容，應如大江之川流不息。把能掌握的客觀印象，化學意見，化爲正確的知識，提供於社會，我承認凡有理性之人均有此能力，對他們提供之意見，應儘量吸收融化成自己的主觀。我是否已完全做到，不敢自詡——但我有此胸襟！

任何人不應蔽錮自己及他人之靈明，更不應多藥并堅築藩離，杜塞別人之意見。果犯此病，那是成見——那是昧愚，不是主觀學派能隨時歡迎一切有關因素之主觀。

人在法治之下，獲得了自由，即就自己能控制之基據及因素，能自由採取行動，亦即不受別人武斷意旨之干擾，此一事態，西方稱之曰自由，獨立，孔子之言更完備，曰「己欲立而立人，己欲達而達人」？蓋願人人如我之獨立不僅自己能獨立也，即人人有自由，不僅自己有自由也！別人均有自由，較我有自由更重要，別人有自由，有益於整個社會，也有益於我。經別人從自由獲得之事物及價値，人人均可利用，我也可利用，不嘗經濟學上的自由財！

人既獲得了自由以採取行動，故對行動之後果，爲成爲敗，爲毀爲譽，應由自己負之，不怨天，不尤人。自由與責任是相對待的，沒有責任感則不能擁有自由秩序。責任之肩負，有道義的，亦有法律的。

社會必須有秩序，秩序或靠傳統規律及道義維持，或靠法律維持。道義無强制之力，故對嚴重違害社會秩序之行動須有法律制裁，何謂法律，法律須備具何等內容及條件本文不詳述。

人與人間之關係是相互的，一般而言，且是平等的，維持相互而平的關係，每人必須經得起評判而不要求姑息，社會亦不能給予任何人以姑息。姑息會產生自卑或特權，此二者同樣殘害人的心靈及社會秩序。人不僅有錯誤，嚴重的錯誤可能導至罪惡，處理罪惡，必須公平齊一之法律。管子曰，法不一不齊，則有國者之不祥，亦引西哲遲芳滋之言作結：「如社會組成所根據的原則爲姑息而非評判；爲錯誤而非罪惡，則民主政制是否能生存，大成疑問。如期待社會之成員自由而平等，則彼等必須被評判，無須被優待。」

這不祇是白紙黑字，而是字字包含眞理！

（完）

昨日與明日

對聯合國的觀感

聯合國業已變成了幾個強權國家的演說場所，對於世界人類的安危前途，不發生絲毫作用，這是家喻戶曉的事實，沒法否認的。所以，每屆大會期間，總是藉着一些無關宏旨的問題，大家嘵嘵饒咋一番，製成盈尺的紀錄以表現成績。這與咱們國內的行政機關，早晚開會不歇，工作報告書編印得完整美觀以向外散佈的作風一樣，都是湘諺所謂「扯卵談」的玩意，不値一顧也。

我們政府每逢聯大會議時，爲着應付會議中那些「扯卵談」而辯論中國代表權問題，派員竭力活動，而聯大秘書處即乘機勒索會費，我們就照繳，實在是浪費人力財力，毫無意義的白忙而已。

西德並非聯合國會員

每屆聯大會議中，都有要求毛共政權參加聯合國的呼聲，毛共置之不理，而操縱聯合國的強權國家，對毛共獻媚不已。西德并未參加聯合國，然無論自由國家或共產國家，皆不敢渺視它，因爲西德的國力堅強，有所恃而無恐。南非不理聯合國的譴責決議，照樣實行種族隔離政策。埃及不讓聯合國派遣的調處中東糾紛人員執行任務，也就行所無事。甚至於一個蕞爾新興的羅德西亞白人政權，亦對聯合國的干涉行動，當伊無介事。我們何必對聯合國的動態特加重視呢？

「扯卵談」的強權國家

所以，我在報紙上瞧着某國外交當局聲稱他們仍舊支持中華民國在聯合國的席次這類詞令，心裏就感覺這是「自作多情」的廢話，毫無興趣。我們祇要自強自立，能夠打回大陸，還我河山，你看聯合國那些「扯卵談」的強權國家及其嘍囉們，對我們的嘴臉，是否作一百八十度的轉變呢？如果自己不爭氣，抱着得過且過，俯仰由人的心思，而唯沾沾於保持聯合國的席次是務，終有自尋煩惱之日，無以自遣的。

今日的聯合國，逝强弩之末的作用亦沒有了，早晚就會關門大吉，一哄而散，不値得爲着保持那種湊熱鬧的席次問題，多費心血了。最要緊是在強化國力，而以革新政治，團結人心爲嚆矢！

・何如・

自由談

縱慾奇觀

報載：美國內華達州的裸體營內，有一對青年男女在那裏舉行裸體結婚儀式，新娘新郎以及參加典禮的親友們，一律赤露體，一絲不掛，只有在場證婚的牧師是例外。這眞是今古奇觀，而非美國人莫辦的咄咄怪事！

人的肢體有甚末好看的？實際上和一般動物差不多也。人之所以異於禽獸，即在有智慧，有理性，由野蠻生活而進於文明，用衣服掩蔽身體，便是文明進步現象。男女結婚而以赤身露體爲能事，這除了使人類由文明生活到穴居野處的初民社會外，還有甚末意義可言呢？畜類經常裸體，雌雄相遇於大街小巷中，隨便性交，肆行無忌。人而赤身露體以結婚，且教旁觀者一體照辦，恍若動物園中的獸類動態，其所以異於禽獸者幾希？無恥之恥，斯無恥矣！

美國人民由於生產力高度發展，科技進步，財富充盈，物質享受慾相應提高，大家唯縱慾任性是務，却沒有文化精神加以調劑制約，原有的一點宗教信仰，經不起縱慾觀念之衝擊，并不發生作用了。試看他們一般青年男女對於性行爲之隨便，蓬首垢身、奇裝異服之「嬉痞」流行，吃毒扎嗎啡針之普遍化——據說紐約市每天即有二十萬人吸海洛英或打針。這種情形，充分地表示着美國社會病態之深沉，已達到嚴重階段，再要發展下去，後患將不堪設想。

人類的進化生活如果祇有物質文明，而不知精神文明爲何物，即無從產生健全的文化思想，一切講功利，貪享受，自然而然的就要趨於墮落、頹廢境界，但求個人一時的享樂，不顧羣體的生存利害。於是乎，有些人飽煖思淫欲，有些人飢寒起盜心，國家沒有不危亡的。美國開國不到二百年，文化基礎很薄弱，一般羣衆的縱慾行爲如此，黑種人民的動亂情形又如彼，我不禁爲美國前途慄慄危懼啊！

馮五先生

談吳炳鍾教授

——觀認識世界夏令音樂營後——

邦　復

「我只要一年中能夠在精神上帮助一二個人，使他們能有成就，認識人生我就滿足了！」或許是他年長之故，他了解人生，了解人類。我自愧弗如，我對國內音樂、藝術、文學的落後由失望而消極，而他却永遠充滿信心與希望。一次我提到一件可恥的事：當某內衣表演時，由某公司主辦，照計到只能發五十張請帖，但該公司却遍贈親友幾達數百張「站劵」，以致會務秩序大亂，點心瓜子被搶得幾乎大打出手，令外國人瞪目張口，不知是否置身文明國家。

他聽了說：「你可知一件事？爲什麼紐約的超市場頂層都圍以玻璃窗？」我當然不知。

「原來的設計頂層是敞開的，令人觀賞街道的景色。」他娓娓道來，平靜得彷彿不值得驚訝，「但有一次幾個嬉痞之類在頂層上把嶄新的廿元鈔摺成紙箭，一張張往下射去，下面的人發現了搶成一片，連附近辦公室裏週薪三百元的高級職員都爭先恐後地……于是爲了防止再度發生這種事，頂層圍上了玻璃窗。」（恕記憶可能不全）

或許這事實能讓我稍爲安慰，但是更令我爲人類而悲哀。爲自己也具有這種人性而失望。

方才再度在認識世界中聽他把另一個世界中的消息傳到我們的家庭中，我看了覺得很慚愧，因爲我是學音樂的，我在巴西國立巴伊亞音樂院學習理論作曲，我有一個學長就是國內的大提琴家張寬容先生（確否待證明），我入校時他恰好離巴去美，假如張兄不健忘，在卡內那小山谷旁醫學院後側，那一幢灰色的建築物，張兄被他們呼爲「香格」，也有人叫他做「信」（皆爲音譯）後來我也步張兄之途去美再返國內。但是我却臨陣退却，把所學的音樂扔到一旁，並不是我不愛好音樂，而是在我個人的觀念中，我國人缺乏「音樂基礎」與「音樂理想」。

但我除了被「少年音樂會」中伯恩斯坦的精神偶爾感動外，早「失聽」已久了。而今天吳教授介紹的「夏令音樂營」一片，他沒有對國內音樂界表示一字的褒貶，但觀衆想必不難從中得到一些啓示。

吳教授這個節目更令我感動的，是這個夏令營竟是私人主辦的（恕不記得其名）他於五年前故世了，但看他生前與學生們共餐，領導着青少年們，陶冶他們的性情，還要風塵僕僕地奔走於國內，籌募資金。（相信沒有公家裝進口袋）

而我們呢？有誰有這種魄力？犧牲自己個人的物質享受，而來成就下一代，造福於國家民族？

我相信很多人看過這個節目，大家欣賞了這些少年們演奏的音樂，如此而已。吳教授呢？雖然沒有說一句話，但我猜或許他希望國內工商鉅子能慷慨解囊代替國家來造就一些社會所需的人才。果眞如此，下文雖不得而知，但我相信他這次的苦心恐怕難得「幫助一二個人」因爲答案很簡單，吳教授說：「別談錢！我最怕聽這個！」正因如此，他有心而無力。那麼有力的人呢？他們最喜歡聽錢，並不是把錢放出去，而是把錢裝進他的口袋。所以有心的人永遠無錢，有錢的人永遠無心。

四月廿三日夜（下）

液化煤氣價格偏高 偷斤減兩迄無改善

監院經濟委會舉行座談會 邀張世光胡新南列席報告

（本報記者張健生台北航訊）監察院經濟委員會就液化煤氣的供應，價格與尅克斤兩等問題，特邀請經濟部次張光世和中國石油公司總經理胡新南列席報告並答復詢問。

據彭建華給監察院的書狀指出：「立監兩院乃高級民意代表，但對全國人民所依賴之民生必需品——液化煤氣，則從未過問，其價格偏高，已超出一般人的負担。政府自倡導淨化空氣以來，只知强制禁燃生煤，但未曾攷慮人民以何種燃料代替，而所代替者人民是否能負荷？則更不予聞問。因之，應運而生之液化煤氣，乃成爲少數人奇貨可居之特權，不僅價格昂貴，而且偷斤減兩，報端時有所聞，但迄無攻善，終致迫使人民增加無理之負担，而使少數人坐獲暴利。此事立法院從未提出質問，故特函請深入調查。」

監察院經濟委員會根據此一訴狀於五月四日舉行座談會，由張光世和胡新南分別報告。

監察委員陶百川根據張、胡二人之報告乃提出下列問題：

第一是液化煤氣進口價格問題：每公斤液化煤氣進口價格，我國爲新台幣四點三九一元，日本折合台幣二點二元，韓國折合台幣一點八五元，其間差額，經濟部應以書面分析詳答。第二是液化煤氣售價有四種，一般人民購買每公斤新台幣八點五元，福利社配售價格爲七點七元，公務員配價六點五元，經濟部及中國石油公司員工用煤氣價爲二點六元，從二元六角到八元五角間之差額爲五元九角，差額太大了，政府應拿成本會計賬目。據說：公務員配價六元五角，其差額是否由政府補貼，補貼費用有無列入中央政府總預算？而福利社之七元七角，又從何而來？其間有無弊端？由此可知，煤氣一般用戶價格八元五角是不合理的。煤氣由高雄運到台北的運費，每公斤一元，但據招標的結果，只要七角五分，第三是液化煤氣之裝運和分裝小鋼瓶是否由裕台公司統籌辦理？至於尅克斤兩那是不是零售商的拿手傑作？

液化石油氣原爲中國石油副產品，自四十八年後之今日，已增產至十萬公噸。八年前，中國石油公司與裕台公司簽訂總代理合約，分銷商亦從三十多家增至目前的六四五家，用戶亦增至五十萬戶，煤氣量增加二十五倍，分銷商增加二十倍。

自從監察院注意液化石油氣問題後，經濟部立即採取行動，經數度召集中國石油公司及裕台公司共同研究，認爲必須首先解決者：

第一是液化氣的供應目前每年十萬噸，供用戶五十萬戶，供銷尚能平衡。不致因供銷失調的原因而基本上影響售價，今後發展接近飽和，蓋目前用戶已達全省戶口的五分之一，而天然氣之應用又將漸漸擴大，故供應方面中國石油公司仍將續年增加原油中滲入石油氣輸入，可增石油氣產量。此外，在苗栗縣通霄地方興建之天然氣油廠已將開工加入生產，必要時，進口成品供應。故供應無問題。

第二是如何防止尅克斤兩及減低運輸與分裝成本：目前裕台公司交予分銷商的液化石油氣，是由分銷商自備大型鋼瓶（五十公斤），從裕台公司灌裝工廠提運至分銷地，再分裝小型鋼瓶（十六公斤）送至用戶，作業方式比較保守，成本亦較高昂，鋼瓶的安全檢查亦不易貫澈，液化石油氣的運輸分裝爲極其重要的一環。爲改善此一措施，裕台公司已着手計劃以大型液化氣罐車運氣，並在臨近消費地區建立分裝工廠，直接裝入用戶使用的小型液化石油氣鋼瓶，加封後交分銷商銷售，實施後可減低分銷商的運輸分裝裝成本，對減低售價必有助益。同時可將若干少數不顧商業道德分銷商尅扣斤兩的弊端予以根除。

第三是售價問題：液化氣分銷商爲了推銷液化氣，必須加以投資，並對顧客有所服務。目前大部份分銷商每月配氣僅在十噸左右，每公斤售八元五角，與買價五元相較，差價每公斤三元五角，十噸，每月可收入三萬五千元。但如賣掉十噸平均要有六百個客戶；也就是每月至少要接電話、送貨六百次，除人工外，還要負担車輛運費、分裝費、損耗、店面租金、生財折舊、利息、稅捐等，據分銷商自己的估計，每公斤成本八元三角餘。據裕台公司根據各福利社成本估計是七元七角七分。前者可能偏高，後者恐亦偏低，眞實的成本因地點及分銷商大小而異，但可認爲在這兩數之間，所以利潤是有的。

據裕台公司記錄，目前最大的分銷商每月配氣五十噸的祇有一家，十噸至二十噸的佔百分之三十，十噸以下的佔百分之五五，爲避免造成大戶與特權階級，裕台公司擬訂辦法，來限制個別分銷商的過份擴充。

第四是裕台協調液化氣同業公會規定的最高零售價格每公斤八元五角，八年來未有改變。至於都市煤氣是公用事業，屬獨佔性，所以政府必須限制其價格及利潤。液化氣則由多家分銷商以對顧客服務來獲得利潤，所以不會有故意提高價格的現象。

據中國石油公司總經理胡新南報告：五十八年進口液化煤氣價格每噸美金六十七元（折合新台幣二千七百元左右），除加煤氣進口價格之利息外，另加費用一千六百九十一元，換言之，煤氣進口費一千六百九十一元佔進口價格總額二千七百元的六二，六三%，因此，煤氣進口成本價格不計利息在內爲每公噸四千三百九十一元，而日本進口價僅二千二百元，我國進口價較日本進口價高達一倍，因爲日本進口一億二千萬公噸，而我進口僅數百公噸，所以費用較日本高。

胡總經理說：中國石油公司之液化煤氣售價每公斤五元，實收四元三角，後又降爲四元一角五分、四元、五十七年貨物稅稅率調整後實收爲三元三角四分七。故進口液化煤氣價格與售價實收相抵，該公司每公斤要虧本一元零四分四，依此推算，中國石油公司豈不要虧本一億元嗎？因此，此項報告眞實性，使人懷疑！

喬治桑外傳 一四三

張大燕

「我是在裘家打牌認識她的，她既然要我請她，就請她跳一次舞，吃一頓飯也無所謂。」喬治桑這幾句話說得有理，雅麗絲倒不便再說什麼。

「星期六是週末，妳可以和蘿蔔約會，豈不很好？」喬治桑話雖未明說，已經等於告訴雅麗絲，他所以約卞太太只是爲了殺時間，解除寂寞而已。

「好了，好了，時間已經不早了，你早點休息罷。」在午夜一點鐘左右睡覺，以喬治桑的日常生活習慣來說，算是很早的。他上牀以後，在盤算明天的節目。以前他有無事忙的習慣，每天好像很忙，其實什麼事也沒有。現在他常常有一種空虛之感。

人在渾渾噩噩糊裏糊塗過日子時，是快樂的，一旦清醒了，反而有點茫然若失。

喬治桑自從對外交際應酬減少以後，起牀比較早。第二天差不多九點多鐘，已經坐在餐桌上吃早點。

「雅麗絲，」喬治桑因爲沒有看見雅麗絲在身邊，所以便喊她。

「李小姐出去買菜了，」進來回話的却是下女阿翠。

「她爲什麼一早去買菜？」

「她的老太太一早打電話來，中午到台北，她要到車站去接她到這裏吃午飯。哦，李小姐還關照我，叫我告訴你，中午如無應酬也在家吃午飯，她要介紹她的媽媽和你見面。」阿翠剛到桑家，國語說得很不行，現在已大有進步。

「好，我知道了，妳去忙妳的。」喬治桑支開了阿翠，獨自尋思：雅麗絲的媽媽雖然好多年不見了，燒成灰，彼此還是認識的。一見面豈不糟糕！幸而，我還沒有時下的習慣，在家裏掛自己的放大照片，否則，事情就更難辦了。

喬治桑想了一會，主意已定。

「阿翠，」

阿翠聽見主人叫她，立刻走進客廳，兩隻手濕淋淋地，顯然是在洗衣服。

「我中午恰巧有應酬，不能在家吃飯。上午也有約會，不能等李小姐回來。我留一個字條給李小姐，放在寫字枱上，妳等她回來了，告訴她一聲。」

「知道了，」阿翠點了一下頭，又回到後院去了。

喬治桑匆匆吃過早點，用英文寫了一張字條，大意是：我早上有約會，中午有應酬，妳的媽媽來，我不能奉陪至歉，茲留下台幣五百元。

台北傳奇錄（四七）

•陳光棣•

「有啦！前天就買好了兩套」！賴先生又找武俠小說。

「老東西！這件事倒辦的不錯！」賴太太讚美着：「你們看，稀飯都冷啦，快吃吧！慧敏，咪咪！」

「在這兒哪」！賴小妹說。

「好，妳快吃！小弟，快點！」賴太太就了坐，夾了一塊鹹魚放在賴小妹碗裏。

「我不吃魚！」賴小妹又檢出來。

「慧敏！快來吃啊！」

「媽！我一點都不餓！」賴慧敏早已被吵的失了魂。

「不餓也得吃一點！」賴太太一本正經的說：「大洋馬的兒子，最近每天吃一個蹄膀，外加一隻土雞！」

「他是飯桶」！賴慧敏不耐煩的說。

「孩子！吃幾個包子吧，來，趁熱」！

賴先生一口吞了個包子。

「我怎麼吃的下呀」？賴慧敏皺着眉。

「吃不下也得吃呀」！賴先生央求着。

「妳不把這盤包子吃了，怎麼會考的上大學呀！」賴太太有先見之明。

「我一點都不餓！」賴慧敏夾了個包子放在盤子裏。

「喂！我說」！賴太太銜着正吃包子的賴先生一仰頭子：「叫你準備的藥箱子哪」？

「都準備好了」！賴先生又夾上一套燒餅：「我買了八卦丹、十滴水、萬金油、鹽水針、嗎啡針、十全大補針、另外還有克補哇、精力旺啊……」

「慢着，慢着，我問你，八寶返魂丹買了沒有」？賴太太吹着擦在手上的指甲油。

「沒有」！賴先生說：「等一下就去買」！

「媽媽，你們這是幹什麼」？賴慧敏差點哭出來。

「孩子，這叫作有備無患」！賴太太壓低了調門兒：「妳忘啦，去年大表哥考大學，還請了一位特別護士哪」！

「小題大作」！賴小妹皺着鼻子。

「妳少插咀」！賴太太瞪了賴先生一眼：「孩小們這樣沒有規矩，都是你慣的！」

「媽媽，車子來啦！」賴小弟興奮的從門外衝進來。

賴慧敏提着書包和妹妹先下了樓，賴太太急急忙忙的穿鞋子：「喂，我說，你先把東西拿下去」！

賴先生提着兩只箱子大喊：「小弟，你幫我提着汽水，快！」

「媽！快點！」賴小弟抬起半打汽水來往外就跑。

好不容易全家才擠進汽車，賴小妹才發現賴先生仍然穿着一條睡褲。

「你可眞要氣死我」！賴太太怒氣冲冲：「還不趕快去換換，眞是，你的心裏竟想着什麼」？

譚天雕虫集

鄒眼

▲也談「淹久」教授

近今學術界掀起一陣微妙「雅」議，對「研究」教授的替議，實不無「著相」之嫌，愚意「研究」（RESEARCH）一詞不妨假借「眼久」，取其大家都是熟人，互相標榜。也不妨轉注爲「淹久」，義爲在這個圈子內誰泡得最久，誰的學問就最大。兩者兼而有之，互相掛相，自然性相圓融，甚爲飽學之士也無疑。何必以論言文字立教。如此，責此等教授爲「權力郎知識」，那是多餘的。

▲做官與「拍磚」之妙喻

北方有句諺語，形容做官損陰德是「一輩子做官十輩子拍磚（註）」。假如「淹久院」的人士想通了，就不會爭名利鬧笑話了。想到這裏順便拈出一聯云：「眼前無非名利客，身後儘是拍磚人」。也許其眼久員不服說：「我是基督信徒，不信輪迴因果之說」。「只有對上帝悔過，即可免下地獄」。倘然如此，淹久員大可以久久官高位顯了。至於「著作」嘛，有個「目錄」一列出題目不就OK了嗎？

（註）拍磚是一種乞丐，用磚頭拍胸甚猛，口喊哎喲，以博路人同情。

▲這裏也有一謎語

拜讀文匯樓主大文，有「俄國人撒尿」一語，答案甚謔。不才亦仿製一則，即「守財奴開眼」，「射淹久」人物一。如果答對了，只可付之掩口，不可說出。因爲道破謎底，咱們落個「口業」欠「清淨」，未免值不得。

▲話說「紐約刺客」，該當何罪？

聽說「紐約刺客」，暗算蔣副院長，是個吃自由中國奶水長大的傢伙。委實令人憎恨其忘本。其實一碗飯難免有一粒沙子。何足怪耶？最可惡的是共匪用卑鄙手段以「台獨」爲餌，利用留學生逞兇。而這種留學生一出國就變了質。那可給留學政策添了新評題。怎樣預防、善後，值得檢討。在海內外對蔣副院長千萬歡呼聲中，紐約刺客，該當何罪，不言可喻。

國父的偉大軼聞（下）

諸葛文侯

人物春秋

國父辭卸臨時總統後，應袁世凱邀請北游京師，然黃興惡袁奸慝，不欲與之晤對，孫公抵達北京，即電黃促駕，謂革命黨人素具大無畏精神，不必示人以不廣，黃如命北上。當時孫公表示，依照國際禮儀，擬赴東交民巷訪晤各國駐華使節，藉敦睦誼。詎公使團揚言孫大總統來訪，固所歡迎，惟不宜隨帶武裝衛兵，藉符「辛丑條約」之規定。孫公聞之震怒道：「東交民巷係中國領土，我在本國境內出入，要怎樣安排，是我的自由，豈可受制於外人？」越日，盛陳儀仗，携衛士若干名，昂然遝入東交民巷，而各國公使招待甚禮，不敢說甚末了。此與民國十二年廣州商團之變時，孫公對付英國兵艦示威的大無畏精神相同。當革命軍圍繳商團槍械之際，英炮艦進泊廣州白鵝潭海面，卸去炮衣，炮口對準市內，孫公即致電英倫內閣總理麥克唐納，詰問英軍意欲何爲？豈以號稱信奉社會主義的工黨政府，亦不改帝國主義面目耶？麥氏接電大慚，急飭香港總督轉令英艦連夜撤走了。

我的小同鄉人李國柱（石琴），清末游學日本即加入了同盟會，他的盟書編列第十號，可見其資格之老也。李氏原係文人，家貲富有，好弄兵。民國十二年，他在粵桂邊區招收土匪千名，編成一旅，自任旅長，自籌餉項，率領入粵革命。時粵中大本營在韶關設有陸軍編練處，孫公明令李旅長將部隊交編練處重新改編整訓，調任李氏爲大本營少將參軍，李抗不奉命，親至廣州晉謁總統孫公，談到部隊改編事宜，李憤然謂：「這是先生的亂命，我不能接受」，孫公爽然不以爲意，另談他事道別。越數日，李再來叩見，孫公語之曰：「石琴，前幾天我是以國民黨總理對同志的立場，跟你談部隊改編問題，所以對你那種的答話並不介懷，若就總統身份而言，你是犯了軍法的，明白嗎？」李謂：「我曉得先生是以同志關係相對待的，如果說到總統地位，那曹錕亦是總統嘛，我何以不去投曹，而必然要投奔先生帳下呢？」孫公欣然色喜曰：「噢，你懂得這項道理，那是我的好同志。現在我再以本黨總理身份，命令你李同志將所領部隊交回韶關編練整編，怎末樣？」李悚然答道：「謹奉命！」一場糾紛，片言而解。假使孫公當時按照軍紀，將李氏撤職究處，誰曰不宜？然他基於博愛精神，不忍使相從多年的革命黨忠貞同志陷於罪犯境地，乃恕其戇直，曉以大義，而問題圓滿解決了，以德服人，確有意想不到的效力，然非孫公不足以語此也。

民國十四年元月，孫公應北京政府執政段祺瑞邀請，北上商治國事，道經日本神戶，改乘日輪「北嶺丸」赴天津。出發時，中日人士赴碼頭歡送者甚衆，孫公立甲板上逐一握手話別，輪上已鳴鑼宣告啓航，跳板正在撤除中，忽聞遠處有一勞工裝束之人，大呼「總理」，疾馳而來，孫公立囑船員稍待，讓該人登輪一見。比至，該人操粵語自言：係在大阪作理髮師的國民黨員，聞知總理蒞臨神戶，特請假一天，前來叩謁，別無他事云云。孫公亦用粵語與之談話，懇勉慰切，並詳詢家屬生活情況，親切如小家人子弟然。是時佇立碼頭上的歡送人士，覩狀莫不感動稱讚，認爲孫公這種偉大的領袖風度，殊不可及。筆者當時亦在歡送行列中，目擊其情，永念勿忘也。

孟軻有言，「五百年必有王者興」，像孫公這樣偉大的政治領袖，千年間亦難得產生一人，眞可以震古爍今，垂範百世。號稱爲三民主義信徒者，其各勉旃！

（完）

說曹操（十）

李漁叔

安徽十三傑

五、官渡之戰

袁曹交惡，史書亦有記載：

「紹嘗得一玉印，於太祖坐中，舉向其肘，太祖由是笑而惡焉。」（三國志魏志太祖傳）

「太祖大笑曰：『吾不聽汝也。』紹復使人說太祖曰：『今袁公勢盛兵彊，二子已長，天下羣英，孰踰於此。』太祖不應，由是益不直紹，圖誅滅之。」（魏書）

這顆玉印，本傳沒有說明。吳志孫堅傳注曾記堅得漢傳國璽於洛陽井中。「山陽公載記」說是：「袁術將僭號，聞孫堅得傳國璽，乃拘堅夫人而得之。」按袁術於興平二年曾僭稱帝，建號仲氏，不久即因兵敗，而將帝號送給袁紹，則紹所得的玉印，大概就是這顆傳國璽，亦甚有可能。那時做帝王，講究符命，得到傳國璽，則是說天命有歸。袁本初兄弟都曾鬼鬼祟祟的想過皇帝癮，態度極不光明，孟德之「不直紹」，與「圖誅滅之」，大概是這個緣故。

第二是勢位相逼，兩不相下。袁紹的謀而不決，和曹孟德的多謀善斷，顯然在事業上有了甚大的距離。上文說過，擁衛漢帝，及時掌握政權，袁紹就是差了一步，而爲孟德制其機先。本來袁紹以 城（河南臨漳縣西）爲根據地，沮授一度曾請紹迎漢帝安宮 都，爲郭圖淳于瓊所阻，於今既爲孟德搶先一着，只好提出條件，要請天子移都 城（山東濮縣東）以自密近。這自然爲孟德所拒絕了。政權歸於曹氏，論擁衛功，以孟德爲大將軍，封武平侯，而以袁紹爲太尉。太尉官秩雖高，但漢制，位在大將軍之下。所以魏志說是：

「於是以袁紹爲太尉，紹恥班在公（指曹操）下，不肯受。公乃固辭，以大將軍讓紹。」

這都是直接衝突的原因，而這兩種力量已經形成，又沒有妥協的餘地，除掉訴諸武力以外，也就沒有其他的途徑可循了。在戰前以及進行當中，袁紹這一方，有最高的策畫，和一次極好的機會，可惜袁紹以遲鈍的資質，皆不知道採納與利用，以致貽機坐失，兵敗身殲，諸子悉被屠滅，偌大基業，一旦瓦解冰銷，眞堪浩歎。

袁紹的幕府中，有兩個特出的人才，第一個是田豐，其次是沮授，他們兩人的智計，不在曹營中荀彧郭嘉之下，甚或還要駕而上之。在軍事初起時，我們看田豐對袁紹的策畫：

「初，紹之南也，田豐說紹曰：『曹公善用兵，變化無方，衆雖少，未可輕也，不如以久持之。將軍據山河之固，擁四州之衆，外結英雄，內修農戰，然後簡其精銳，分爲奇兵，乘虛迭出，以擾河南。救右則擊其左，救左則擊其右，使敵疲於奔命，民不安其業，我未勞而彼已困，不及二年，可坐克也。今釋廟勝之策，而決成敗於一戰，若不如志，悔無及也。』紹不從。」（魏志袁紹傳）

（未完）

自由詩壇

海濱小集愴念師友死生契闊百感交縈用明夷詩社倡和韻以誌

高越天

多少人才　網羅。九州鑄錯淚痕多。
未歸朱鳥魂安託。久牧羝羊鬢已　。
盤谷那容瀫石隱。首陽已斷采薇歌。
失流忍讀西京賦。碧海長鯨蹉復跎。

牢落吾徒二十秋。海波貯得萬千愁。
凄迷舊雨悲黃鵠。浩蕩天風羨白鷗。
大隱俄驚朝士老。長安應有右丞囚。
生涯一島問何似。彼此還同不繫舟。

寰宇風光冶一爐。鳳城春暖百花舒。
自由好作閒情賦。宏博偕尋未見書。
白雪幾人能雅曲。長江萬里話新圖。
壺天可隱且長隱。勝似蘭成寂寞居。

鄉友相逢得古歡。春蔬美酒勸加餐。
將軍老去仍思趙。孺子英多必報韓。
譬似爛柯留鐵斧。當知植柏用泥彈。
漢家厄盡總須復。一劫岡天局未殘。

諸葛亮狂想曲（一二一）

劉玄

「難得星君欣賞，我和桃花仙子同感榮幸。」劉約翰一聽星君稱讚，當然不放棄往自己臉上貼金的機會。

桃花仙子等表演完畢，接着是葡萄仙子，和雲霞仙子等表演。因爲桃花仙子演唱西洋歌曲，意外獲得成功，她們的歌唱也都以西洋爲主，雲霞仙子還跳了一段芭蕾舞。

歌舞節目完畢，照例又是休息時間。走廊上擠滿了權威批評家。

「老實說，她們唱的歌曲，我一句也聽不懂，倒是她們穿的衣服很單薄，我倒愛看。」豬八戒和牛魔王在一塊閒聊，豬八戒說完搖了一下豬頭，蒲扇般兩隻大耳朵巴達巴達地響。

「這些實在算不了什麼，當年我在天蓬山稱王時，每日三餐都有歌舞節目助興，比這些精采多矣。」牛魔王上次沒有參加諸葛亮狂想曲演奏會，據說是爲了免貽「對牛彈琴」之譏，反而引起天庭各方紛紛議論，所以，牛魔王這次非來不可了。

牛魔王喜歡吹牛是發自本性，好在豬八戒的本領實沒有他大，只好聽他大吹特吹。牛魔王是孫悟空的手下敗將，豬八戒又不在孫悟空的眼裏，因此，孫悟空不和他們搭訕，却趨去和何仙姑說話。一來有桃髡杏脯可吃，二來他和知名的仙家在一起，不被辱沒他的身份。

「仙姑，你覺得桃花仙子的歌唱得怎樣？」孫悟空抓頭撈腮，一付猢猻像。

「很不錯嘛，你覺得怎樣？」何仙姑與桃花仙子等都是很熟的朋友，況且皆是女流，自不便隨意批評。

「好雖好，我總覺得她們所唱的西洋歌曲，有一兩支像是和尚唸經。我聽了不覺毛骨悚然。」

「你怎會毛骨悚然呢？」何仙姑一面抓一把桃乾給孫悟空吃，一面含笑問他。

「實不相瞞，」孫悟空說至此處，壓低了喉嚨說，「當年我隨唐三藏取經，惱了他，他便唸緊箍咒。剛才桃花仙子唱的西洋歌曲像極了，所以，我聽了很不自在。」

不是孫悟空提起，何仙姑倒想不到。桃花仙子歌的西洋歌曲確實很像唸經。何仙姑於是點了點頭表示同意他的說法。

「你可不能走，等一會藍采和表演吹笛子，你可千萬要捧場。」何仙姑說完，又掏了一把杏脯給他。

孫悟空接過杏脯，猴頭直點，說，「你放心好了，我來就是爲了捧藍采和的場的。老實說，此笛只應天下有，人間那得幾回聞，一藍采和吹笛子，我相信誰也沒有聽見過。我老孫決不放棄這千載一時的機會。」孫悟空吃了何仙姑的東西，愛屋及烏，所以說幾句話讓何仙姑聽了開心，猴子精靈倩而不誣也。

表演節目開始，八仙一齊出場，一邊四位站立戲台兩邊，台下立刻爆出如雷的采聲

（未完）

巨變歷險記！

雲南省政府主席李彌到了蒙自，就在蒙自住上來，就住在省立中學，沒有再回建水的樣子。每天在注意軍事的情況，尤其余主任的動靜。在他的腦子裏，余主任對於國民政府是不夠忠實的，余主任因與盧漢有密約，他覺得他能在余身邊，余不能沒有顧忌，余還不敢就變。李主席知道自己部隊不如余主任的廿六軍，不如在任何情形之下，總以取得余爲合作爲上策。

在一開頭同余接洽的時候，丁博士就喊出兩軍弟兄的口號，彼此的關係是唇齒的，有如鳥之兩翼，車之兩輪，相輔相成，而不可分離。

。丁博士並喊出兩軍弟兄生死與共的口號。如此才有前途。余主任是贊成恢復兩軍關係的，贊成建立兩軍的無線電聯絡。但在並肩作戰上，余主任始終不吐口。他個人消極，所有的廿六軍也都消極。蒙自的空氣是緊張的。常常有情報，什麼大軍到了，什麼大軍已

堅不回台

（一二四）　胡慶蓉

經過了什麼地方了，快到蒙自了。是不是大家不願意相信，還是不敢相信，大有清末坐守廣州，不戰不守不和的樣子。對於蒙自的過橋米線，大家都很感興趣。今天你請我，明天我請你，眞是應酬無虛日。過橋米線本來是雲南最普通的一種做法一種吃法，

但過橋米線雖然處處有，但好像都沒有蒙自的好。那一大盌的雞湯眞是來勁，不過要特別當心他的燙，表面上一層黃油（雞油），看不出熱來，有如瀾滄江的水，看來好寒，邊境，水平如鏡，但裏邊熱得很深得很，把米線從另一個盌裏用筷子夾到這個盌裏來，就謂之過橋，而米線也就成了過橋米線了。二塊也是大米做的，像餅絲樣，然後一塊一塊的切下來，即稍有二塊。加青菜攔鍋裏炒，看來簡單，但並不簡單。是不是台灣的國民政府有電召？還是不是李主席或余主任的意志？忽然他們決定回台述職。回台？還是

時候嗎？在這千鈞一髮之秋，危急存亡之秋，戰事的狀況瞬息萬變，如何能回台？李主席余主任更不能回台。丁博士極力反對。假如在他們回台的時候，戰事突然發生，如何應付？據丁博士想，在這危急存亡之秋，國民政府是不會要他們回台的。職有什麼述的，儘可以用電報，也不一定要回去，因爲外邊謠言紛飛，爲表明他們的心跡，回台述職也是可能的。這也不能不說是躲避現實。

回台述職，丁博士一千個不可，但還是回台述職了。就在他們回台述職的期間，發生了基本的變化，蒙自又淪於匪共之手了。李主席余主任再也不回來了，再也回不到蒙自了。但丁博士並沒有同他們一塊回台，他並且是無職可述，他在蒙自機場送別李主席余主任時，是令人感動的流淚的。

王陽明良知良能

漢平

命相與夢話

王守仁字伯安，浙江餘姚縣人，爲明代理學大家，世稱陽明先生。守仁之母娠十四月，夢有神人自雲端送子而生，因幼年名王雲，生了五年，不能言語，經異人撫之，更名爲守仁，始能言語。

明弘治己未，年二十八歲，舉進士第出身，投刑部主事。正德丙寅，三十五歲，因救言官戴銑等，而忤宦官劉瑾，身受杖刑，謫往貴陽龍場驛驛丞。劉瑾伏誅之後，守仁得復知廬陵知縣，從此累擢右僉都御史。丙子年四十五，巡撫南贛，又討平大帽山諸賊，又定宸濠之亂。辛巳年五十歲，陞南京兵部尚書，參贊機密，封新建伯。明嘉靖丁亥，年五十六，從任都監察院左都御史，兼巡撫兩廣，破斬新藤峽賊寇。不久又被奸臣所譖，被削爵位。

明代文臣用兵，從來沒有如王守仁者。守仁以一介文臣，而能定大亂，平羣賊，有儒將之風，實在難得。戊子年十一月乙卯，死於南安，年僅五十七歲。隆慶改元，始贈侯爵，議祀孔廟，謚「文成」。

陽明之學，以致良知良能爲主；謂格物致知，當自求諸於心，不當求諸事物。故陽明對於朱儒特推重陸九淵，而不崇朱熹，認爲朱熹集註或問之類，乃是中年未定之論。世稱陽明爲姚江學派。因其常築室陽明洞中，學者稱其爲陽明先生」。有「王文成公全書」遺世，其文博大昌達，詩文秀逸有致。

照陽明年譜所載，先生爲明憲宗成化八年九月三十日生，時不詳。及讀「三命會通」（卷九）乃知先生爲壬辰年，辛亥月（節過立冬）癸亥日，癸亥時生。原註僅說「王守仁尚書，封新建伯」數字而已，並未說明原理。漢年按命理，畧述如下。

陽明先生之造，日元的癸，與時幹的壬，皆屬水，年幹的壬，與日月時三支的亥，又皆屬水。再益以年枝辰藏癸水。合計共有七水。生年壬辰，納音爲長流之水，生日癸亥，生時癸亥，納音又爲大海之水，再益以生月癸亥，納音爲釵釧之金，命宮丁未，納音爲天河之水。具可見其爲天河泗吞淮，涵星映日。不僅流通萬物，而且可以沐浴羣生。「巫咸撮要」說：「象成一家，貴應極品。」又說：「納音生旺之方，用神坦然無忌」。有人以爲水多如此，而四柱無土，何貴之有？漢年以爲陽明命造之貴，正因妙在無土。若幹頭見一戊土，則全局皆壞了。因爲瀰漫洋洋之水，非寸膠可治，撮土能塡之水，假若稍稍見土，豈不是「飛天祿馬」？飛天祿馬乃是片面，象成一家，始合全體。今全體成格，遑論片面！總之象成一家之水，一生的運歲，大致以本爲上，火金次之，土乃最忌。我們看他十一歲癸運壬子，舉浙江鄉試。二十八歲丑運己未，舉進士出身，會試舉南宮第二名，觀政工部。即可知癸爲同氣，丑爲冠帶，均有特殊成績。三十五歲寅運丙寅，至三十九歲庚午，抗諫下獄，謫赴貴陽，至升爲南京刑部主事，忽榮忽辱，備歷艱辛。具可見寅運藏土之爲害。幸而中藏木火，得免於危亡。

四十歲乙運辛未，至四十五歲丙子，自吏部主事而除州馬政，升都察院御史，巡撫南贛。具可見乙運爲單純之木，不似前行的寅運了。因含蓄土質，所以從容不迫，左右逢源。

四十五歲卯運丙子至四十九歲庚辰，自巡撫南贛，以至於福建叛軍，平宸濠之亂，文臣而能轟轟烈烈，指揮若定。足以證明卯爲長生，與癸水日元有密切的關係。

五十歲丙運辛巳，升南京兵部尚書，封新建伯，遂上疏乞休。五十一歲壬午，至五十五歲辰運丙戌，退居講學，寵辱不驚。丙運屬火，因其有功。五十六歲辰運丁亥，五月命爲都察院左都御史，征廣西思田。十二月兼巡撫兩廣，具可丁火亥水與象成一家，尚有情致。五十七歲戊子，會辰爲水，乃是吉徵，可惜歲逢戊土，雜而不清，以致二豎爲魔，中道而殂。

附錄王文成公將畧

高沙夏氏曰：有明將畧，韓襄毅而後，斷推王文成。宸濠以梟雄之姿，挾藩王之重，擁衆二十萬，順流而下，直逼金陵。乃不終日而談笑平之。當其破桶岡三利時，驅三五千市人以爲兵，用一二書生以爲將，而掃數十年積寇，如拂塵然。措畫安閒，防禦周匝，只從出其不意，攻其無備八字中，變化出奇，所以爲難。宸濠之被擒之後，江彬等欲縱之鄱湖，侯上親遇戰而後奏凱。軍旅重事，幾同兒戲。文成之綸巾野服，入九華山，殆亦有所不得已也夫？

生活漫談

馬蹄清肺胃除熱痰

馬騰雲

薺（俗稱馬蹄）是民間普通的食品，台灣馬蹄並不壞，價錢賣得也便宜，可以生食，可以熱食，並能作藥用，若小兒發熱，恐怕他有出癍疹病症，或癍疹已發透，民間每用馬蹄配入元茜蘿蔔之類煮水給他飲，以協助清理癍毒。他們經常每用馬蹄燉粥給小兒吃，謂可清熱及潤澤內臟，此物栽植於水田中，約三月下種，冬月掘取。廣州泮塘、南京玄武湖出產的馬蹄，所製成馬蹄粉，其品質特佳，故遊客到廣州泮塘或南京旅行者，多購買這裏的地道產品。馬蹄含豐富的糖份，水份百分之五五、六，蛋白質一、〇，無機鹽類一、〇，粗纖維質〇、四，含水炭素一四、七。廣西桂林所產的馬蹄雖然亦有名，但品質不如泮塘及南京的良好，不過玄武湖的產量少，泮塘所產的數量，又不及桂林出產的多，是以在都市買桂林馬蹄粉易，買南京和泮塘馬蹄粉難。馬蹄的鮮汁，一般人謂它能劑胃火，瀉腎熱，故胃火不足，常常作悶反胃，或腹瀉頻頻，小便多而清白，腎氣不足，腰骨癱瘓酸痛的人，不宜常吃。倘有熱病者，吃之可以清熱明目，喉間常有一塊塊的膠胸障塞，吐出困難，胸膈因此作痛，這是熱痰作怪，多用馬蹄鮮汁可以治療之。馬蹄又有袪烟積的妙處，如吸烟太多，喉頭發痛，也可以吃用馬蹄或其鮮汁，能收潤喉清肺熱的效果。總之，馬蹄最適宜於肺胃有火的人用，若肺胃積熱，每能引致胸膈疼痛，食不下咽；且有兩脅苦痛，不時吐出酸宿之氣，甚或間到米氣食品之味作嘔，大便不通，小便赤短。這種病候，常因肺胃積熱引起，倘醫者便用苦寒之劑以清其肺胃，胃腸爲熱障礙，每每不能受納，徒然引起更辛苦之嘔吐而已，因熱脇氣，用馬蹄鮮汁可以治之。如飲馬蹄鮮汁仍嘔吐者可用生薑一些，加入馬蹄汁而後飲之，胃部自然受納，嘔止熱退，飲食恢復，病亦減退。至於夏日，爲暑氣所傷，發生暑濕下痢，或暑毒下痢，飲馬蹄鮮汁亦有很好的治療功能，假如身體素弱，受不起鮮汁的甘涼者，可用馬蹄粉燙糖食之，對病體也有很好的補助。平常吃用馬蹄粉，有預防「腸炎」的功能，用馬蹄燉湯，可以清理膀胱積熱，原個馬蹄燉熟，乘熱食之，能除虛熱，減少大便下血，煨食之，功效更佳。

第四章　童貫通金求六州　徽宗無心謀國事

又不知，郭寶會，紛麥而墳委也。眞天造地設，人謀鬼化，非人力所能爲者，此舉其梗概焉。

讀者拜讀宋徽宗的大文，已足知其極欲之能事，單是花石綱一項，已不知消費了多少人民血汗，勞民喪財不知數計。萬歲山神運石旁植立之兩檜，一因枝條天矯，名爲「朝日升龍之檜」，一因枝幹偃蹇，名爲「臥雲伏龍之檜」。具用金牌金字，懸掛樹上。徽宗愛其雅緻，親題詩一首其上。

拔翠琪樹林，雙檜植靈囿。上稍蟠木枝，下拂龍髯茂。撐拏天半分，連卷虹兩負。爲棟復爲樑，炎輔我皇構。

事有巧合，難怪後人附會。因徽宗此詩中，已隱寓了兩個字，一個「構」字，一個「檜」字。「檜」即後來之奸相秦檜。「構」即宋高宗之名（趙構）。後便以爲是詩讖。

萬歲山落成，有不少人升官發財，自不在言。尚有一些宦官，竟別出新意以爲萬歲山土木已極宏麗之能巧，只是巧禽羅列其未能盡馴，未免美中不足。適有市人薛翁善馴禽獸，知宦官之意，乃自薦於童貫，願至「艮嶽」值役養禽。童貫許之入值。薛翁即日集輿衛，盛肉及粱米，張蓋，隨處游行，用巨盤集食，羣鳥遂漸與之狎暱，一面呼鳥集食，薛翁能口技效禽言，不復畏人。

自命局所名「來儀所」。一日徽宗往遊萬歲山，開清道聲，翔禽畢集，作歡迎形狀。薛翁先用牙牌奏道：「萬歲山瑞鳥迎駕。」徽宗大喜，賜給官階，厚加償賜。又就山間闢兩複道，一通茂德帝姬宅，一通李師師家。徽宗遊幸「艮嶽」，輒乘便至兩家宴飲。嗣因萬歲峯產一生金芝，復更名「壽嶽」。惟徽宗喜怒無常，嗜好不一，土木神仙，聲色狗馬，無不中意，但往往喜新厭舊。寵用近臣也如是。如蔡京，然亦三進三退。其次信奉道教之流寵王仔昔。至政和七年，用林靈素將他排斥，與內侍馮浩進讒，即將王仔昔下獄處死。靈素得寵數年。至宣和二年春，因不禮太子，亦被斥還故里。又如童貫，蔡攸，收燕歸朝，一一加封，備極恩榮。未久又嫌其驕恣，漸有後言。王黼，梁師成共薦內侍譚稹（不劳），才召任遣。結果取童貫之職而代之。授譚稹（不劳）兩河燕山路宣撫使。譚稹（不劳）至太原，招朝，應，蔚諸州降人爲朔寧軍，威福自恣，遂又釀成宋金失和之局面。總之宋朝諸帝用人，皆無安定性，想用而不能重用，重用而不能久用。後來李綱指出此病，李綱不久即罷。即後來建炎諸將帥丞相，皆無一久任。能久用者，惟大漢奸秦檜一人。[illegible]（十六）

自由報

（第一〇六三期）

（半週刊每星期三、六出版）

每份港幣弍角、台灣每份新台幣弍元

社長李鵬運・督印黃行寶

社址：香港九龍彌敦道593—601號廖創興銀行大廈八樓五座

LIU CHONG HING BUILDING
7th FLOOR FLAT 5
593—601 NATHAN ROAD,
KOWLOON, H.K.
TEL: K303831

電報掛號：7191

承印：長星印刷公司

中西文化與人類前途（一）

・張起鈞・

（一）中國今日的文化責任

甲，「戰國」式的混亂時代

今天世界的局面，套句俗話可說是最偉大的時代，同時也是最黑暗與最混亂的時代，我們睜眼看一看，全世界沒有一處不是動亂，沒有一片是乾淨土，普通的不要講，我們且看在顛峯狀態國家的情形是如何。今天全世界最富强的不容否認的是美國，它是自由世界的盟主，以這樣富强的國家，按說應該健全康泰了，但實際上內部却是非常不安定，學潮不斷的鬧，黑人事件層出不窮，國內反戰的種種問題，各位都很清楚，用不著我來辭費。再以我們的東鄰日本來講，日本在這些年來，蓬勃直上，左右逢源，可說是最有苗頭的國家了，在經濟方面的發展，最近已經超過了許多的國家而僅次於美蘇兩國，尤其是尼克森總統有意扶植日本，而日本本身也儼然以亞洲領袖國家自居，甚至還放出「日本世紀」的口號，氣燄之盛，無以復加。但是實際情形，並不是像他們自我陶醉那樣好，國內左傾勢力之囂張，學潮之厲害，報紙都已列載不必說了，以我親身的遭遇講吧，民國五十五年六月，我從美國回來，路過東京，早稻田大學東方哲學研究所的朋友福井康順等招待我，請我在他們的大隈會館吃飯，並到學校參觀。一到學校，就看到很多人，盤據在門口用廣播器喊話，他們告訴我：那是學生鬧風潮罷課，不讓任何學生進去上課，我雖不懂日文，不知道他們講什麼，但是那種氣氛一看就知道和我們以前大陸沒有淪陷的時候鬧學潮如出一轍，而且程度還有過之而無不及。去年東京大學學生佔據學校和警察作戰，摧毀學校圖書建築，更是大家熟所知的事。這些情形，都不是祥和氣象，不能不使人引以為憂。日本最近最陶醉最得意的傑作是大阪萬國博覽會，但是開幕的一天，就有左傾份子示威搗亂，甚至還有人到各館去破壞，（按：以後接著又有刼機事件及地下鐵路煤氣爆炸連續發生。）這種情形，怎麼能說是安定和平。如果大家把這個事情認為是好的話，那就正如同賈誼在治安策所說的話，抱著柴到火上去燒，而自己在上面睡，認為火還沒有燒到上面，覺得是在上面納福，（按：「原文為夫抱火厝之積薪之下，而寢其上。火未及然，因謂之安。」）這種兩千年的智慧，今天都沒有了？現在許多所謂政治家，所謂在社會上負責任的人，對此全不覺察，反而還在火山上跳舞，大家還在做著縱横 闔，爾虞我詐的故事。日本才爬起來幾天，就說南韓、台灣發生事情，他不能坐視，這是什麼意思？難道還要重蹈軍國主義的覆轍嗎？這種混亂的情形，我們拿歷史來比，只有中國從前戰國時候，不講道義，只講武力的混亂情形差堪比擬。

乙，自由中國——今日的魯國

而在這種混亂的戰國形勢中，我們自由中國的處境，很有點像當時的魯國，魯國那時雖是小國，但它是周公的封邦，所以文化最高，也最為重要，尤其犬戎之亂以後，周的國都鎬京早經摧毀破壞，魯國便成了傳統文化唯一的代表，孔子曰：「郁郁乎文哉，吾從周」，這郁郁乎文哉的周代文化，便全力保存在魯國了。今天自由中國在這方面頗為近似，我們今天的領域雖小，但是却代表傳統的中國文化，也可以說代表世界上最古老，最優秀，最有意義的文化，尤其在共產黨實行文化革命之後，我們的地位就正好像犬戎之亂後的魯國。戰國的局面，最後在政治上，「六王畢，四海一」，統一中國的是秦國，但在文化統一中國的却是魯國，我們雖不能說魯國統一中國文化，便根據一個譬喻，而說今天的自由中國就統一世界文化，但在另一方面確也深自警惕我們具有莊嚴神聖的責任，向世界克盡我們的文化使命，我們不僅要保存和傳播世界上最悠久最寶貴的人類智慧，並且要使這智慧發生作用，從而解決今天的問題。這一神聖的任務並不因我們領域的大小而有所改變。正好像當年魯國並不因國小而影響統一中國的文化一樣。

民國四十八年，我在美國華盛頓大學執教，當時和很多美國朋友談到中國的問題，我說，我們中國今天的國勢雖微弱，處境困難，但這不影響中國文化的價値，尤其不影響某個人的是否偉大。耶穌是來自拿撒勒而不是來自羅馬，孔子來自曲阜，而不是來自咸陽，這雖是茶餘酒後的笑談，而事實也確是如此。我們如不妄自菲薄，就應該珍視自己的價值，担負起這種莊嚴的使命。

（二）復興中國文化及其反應

蔣總統恰在此時提倡復興中華文化，我們內心深深體會到這個號召的正確，意義之偉大，而大家也都紛紛起而響應這個號召，各就自己的崗位上來推動，這當然是好現象，但從一個教書人的冷眼旁觀來看，是否這許多人都能了解復興文化的眞正意義？我看不大盡然，老子道德經有幾句話：「上士聞道，勤而行之，中士聞道，若存若亡，下士聞道，大笑之」，不笑不足以為道。這話的意思用現在的話來說：就是第一等人聽到眞理，知道這是眞理，所以趕快去做；中等的人聽到眞理，覺得很有道理，但又心存疑似信不太過；下一等的人，聽到眞理，他簡直認為是老生常談，不但不寶貴，反而覺得是可笑。像這種反應不同的情形，可以說能適用到任何方面，任何事件，有關復興中國文化的問題也不例外，大家儘管嘴裏都大講復興中國文化，但心裏是否眞正心悅誠服，由衷推動，大有問題，尤其在學術界這種現象非常普遍，厠身其間看得非常清楚。

甲，反對的意見

有許多人，假使你跟他提到復興中國文化，他便不免非議，而要嗤之以鼻，有的嘴裏雖是不說，心裏也是一樣大不以為然。這就是老子所說的「下士聞道大笑之」了，他們所以非笑，主要的論據，就是認為中國傳統的文化早已落伍無用，不能適應今天的時代。何必還要守株待兔，抱殘守缺。這些人我們縱不能說他膚淺幼稚，至少也是只知其一，不知其二。我們此處無暇細論，我只貢獻各位兩個笑話，以博一粲。前些年，我一個朋友的小孩子在台灣大學唸書，少年狂妄，我們在一起吃飯，談到孔子時，他就說：「孔子！這兩千年前的東西，今天還有什麼用？」我一個父執輩，面對他這年輕狂妄的後輩，有什麼話好講，何況又是在吃飯的時候，那天正好是晴天有太陽，於是我回頭向窗外看了一下說，「咦！太陽這麼多萬年還有用！」還有一次，是在美國的時候，那時我在聖路易的華盛頓大學教書，方東美先生在密蘇里大學教書，兩地相距很近，有一位曾到過中國的陶賽教授請我和方先生一起出去郊遊，途中偶然談到這些問題，我當時說費正淸之流認為中國孔子的思想是封建時代的東西，今天已經落伍不適用，這就好像說耶穌的教化是古老猶太民族的部落教化一樣，耶穌的教化由猶大來傳，大概就是這樣，在猶大的眼中，耶穌連三十塊錢都不値，否則他為何出賣耶穌？但是讓保羅來宏揚，就是超時空的眞理了。孔子的教化，也是這樣，假如唸論語「子曰」，「子」就是孔子，「曰」就是「說」，當然就是猶大式的，正如費正淸之流所說的，落伍不合時宜了。殊不知我們中國人自孟子到王陽明，以至今天唸書有得的人，並不是這樣唸論語，而是通過論語，體會孔子超時空的眞理，發揚孔子不朽的智慧。

乙，懷疑的意見

上面這些「下士大笑」的問題，却比較簡單。今天問題最大的是所謂「中士聞道，若存若亡」，很多從事文化工作的人，工作都很熱心，但是分析他們的心情，却往往是色厲內荏，其所以熱心推動，不過自己是中國人，站在國家民族的立場，不能不這樣做而已，至少可說是信道不篤，而懷疑其價値。像這樣的人為數極多，我並不是在捕風捉影的談，實是具體有所指，此處姑舉一個我親身碰到的例子。民國五十五年我在南伊利諾州大學教書時，遇到一些同學，很熱心作國民外交的工作，把握機會向外國人宣傳中國文化，其中有一位姓陳的同學，是政大畢業，在那裏唸博士，他做的最有聲有色，大家很恭維他，有一天剛巧我和若干中國同學一起乘車到一個相當遠的地方，我在車上的座位和陳姓同學挨著。（未完）

昨日與明日

尼克森與蔣經國

事實的證明，當今美國的尼克森總統和中國行政院蔣副院長經國都是卓越的政治家，都具有大智大勇，先國後家的精神。兩人雖然生活在不同的文化背景裏，但在政治生活中之艱苦奮鬥，獲得今日崇高地位並非倖致，兩人也無不同。

不過，有一點，兩人却不相同，那就是對共產黨鬥爭的經驗和對共產黨陰謀狡計的認識，蔣經國先生却比較深一點。因而，我們覺得四月下旬尼蔣兩氏華盛頓之會，意義倍大。果然，在會議不久尼克森便宣佈進軍柬埔寨，清剿越共的老巢。這雖然不是尼克森主義的急轉彎，但含着：尼克森對於共產黨徒的中共和越共的陰謀狡計，已有更進一步的認識，就報界的推斷也未嘗不是尼蔣兩氏晤談的收穫之一。

居住海外的二千多萬華僑，無日不夢繞家山，思念故國，此次蔣副院長訪美所發表的言論中，最令僑胞感動和歡迎的，就是蔣副院長重申政府決不放棄光復大陸神聖任務的決心，這一點，對於尼克森總統，更具有重要的意義。因為所謂尼克森主義：亞洲人應自己負責解決亞洲的問題，和中華民國的國策可謂不謀而合。蔣總統早就宣示過：世界問題的中心在亞洲，亞洲問題的中心在中國。世界今天禍亂之源，就是由於毛澤東和他暴戾的共產黨徒，竊佔中國大陸。我中華民國政府能光復大陸，消滅毛匪，則世界和平即可立致，而美國青年子弟也就不必再在越南戰場上流血了。

日前，美國聯邦調查局局長胡佛在美國國會作證，指出在過去一年間，共匪在美國的情報活動業已加强，使深藏不露的情報人員進入美國，舊金山有「紅衛兵」金山灣地區有「革命聯盟」等共黨團體，連合美國黑豹等團體，對美國加緊顚覆進行破壞，於是尼克森宣佈進軍柬埔寨以後，中共和蘇俄首先發表言論攻擊，美國各大學便隨而示威抗議，顯見共黨份子已滲透美國各大學了。

蔣副院長在訪美之後，又去越南訪問，僕僕風塵，備極辛勞，海外僑胞希望多親近他的豐采，更祝福他政躬康健，在蔣總統的領導下，率同三軍，早日光復大陸。

・千公・

自由談

如何轉移風氣

凡屬移風易俗的事，決非以貼標語，喊口號，發佈宣言文告，開開大小會議的方法，即可見效的。貴在「民俱爾瞻」的朝野顯要人士，以身作則，躬行實踐，樹之風聲，虛偽不齒。昔人謂「風俗之厚薄，繫乎一二人心之所嚮而已」，確係至理名言。

譬如談節約運動罷。政府既已三令五申，諄諄告誡，且列舉若干不必要陋俗，如婚喪、誕辰與節慶之濫事餽贈，如公務人員之隨時上酒家，逛夜總會，乃至於拜年送行這類俗套，皆在禁制之列，大家就應該率先示範，言行如一，使社會大衆景然從風，轉換舊習纔是。然而，瞻觀實際情況，犯禁最多的即是一般政治人物，事證昭彰，不勝枚舉，社會大衆有目共覩，雖也不把節約運動當作一回事，試看今日都市奢靡成風，色情氾濫的景象，即知吾言為不謬了。

再說復興中國文化問題，大家津津樂道，認為當務之急。可是，對於公然唱反調，主張廢棄漢字漢文，昌言「漢字不滅，中國必亡」的國賊漢奸，乃聽其散佈刋物，妖言惑衆，而不予以究問。還有殺父殺師，肆行逆倫的高級知識份子，法院居然可以試作無罪的裁定（台灣高等法院對勒死父親的羅某，會作無罪之裁定）。這些駭人聽聞的反中國文化行為，中國歷史很少見到，這從那裏說起呢？

言行不能够一致，原係咱們的達官貴人等早已存在的痼疾，因而招致了國破家亡的惡果。我們要反共救國，恢復中原，然小之如個人節約這樣輕而易舉的事體，亦能言不能行，而大之如對反共運動關係極其深鉅的中國文化問題，又讓國賊漢奸之徒，與共匪隔海唱和，肆無忌憚。如此這般，我們究竟憑甚末能力以打倒共匪，好不愁煞人也！

馮玉先生

自由報

解決都市垃圾問題 最好傾倒公海裡去

醫藥理論家馬騰雲提建議 處理北市垃圾改用垃圾船

（本報通信員柳一權台北消息：）有關台北市的垃圾處理，及市民水渠染污等問題，市府決必要措施，積極防治水渠染污，台北市議會也密切注意此一有關大衆健康問題，惟迄未有何俱體辦法。

記者以醫藥理論家馬騰雲對公共衛生問題也頗有研究，民國三十六年他繼恒傷先生（總統府資政）任職湖南某私立最大中學董事長時，曾鼓勵學生勿搞政治，實在沒有東西學的話，實到可進步國家學習，有辦法，民國四十年到四十一年馬氏復以都市垃圾如何處理，報暨中光自由報國文，緬甸民主黨主席德欽巴盛先生，曾公開「惟對他等不搞政治」，引為憾事。記者頃就台北市垃圾處理問題請教馬氏表示高見，他以很感興趣斬釘截鐵的語句指出三點，可謂困了很久的復雜的問題，得到迎刃而解的第一：現代都市甚少有將垃圾拖到垃圾場的，如果這樣做，不久後垃圾場的垃圾又向甚麼地方拖，台北的山溝窟納垢藏污，濁水橫流，影響到市民健康，我說這話是最好的例證。第二、靠近海洋都市公海為傾倒垃圾最好的去處，祇有海能涵量亦最大，十億百億千億噸的垃圾投入，也不會影響到市民的健康。第三，新加坡、曼谷、香港等地衛生機構的垃圾船設備，可資參考，台北拖到南港的垃圾據非正式統計每天有一千車次的車輛，如果改用垃圾船後，可節省人力、財力相當可觀。也解決了爭論不能獲得解決的爭論問題。至於垃圾船的製造非常簡單，一看便知。末了馬氏希望記者能將這些意見帶給台北市政與台灣衛生當局。

南港區垃圾場附近 飲水含菌數量 兩月間增十倍

池塘裏的魚蝦絕跡

台北市各報對這個問題均甚重視，茲合報導如下：聯合報說：台北市南港區六萬餘居民的飲水安全受到威脅，因為根據中央研究院和南港自來水廠的化驗，南港自來水廠的原水（大坑溪第二水源的水）每一西西含細菌量高達兩百四十萬以上，較兩個月以前增加了十倍。

含菌量激增的原因，是台北市環境衛生清潔處於一個月以前將南港江街垃圾場遷移到南港大坑溪上游山豬窟山上所致。

從事化驗的醫學界人士指出：目前大坑溪所含的細菌均為大腸菌，如果垃圾再繼續堆積，暑天夏日發生腐化，再經雨水或山水培養，很可能產生霍亂、傷寒等傳染性病菌。萬一發現此類病例，因為污水流經的區域太廣，不容易採取隔離措施，阻止蔓延。

大坑溪從南港流入基隆河，而基隆河流經地區有南港、內湖、松山、大直、士林、北投、淡水。

化驗出大坑溪含菌量達到驚人程度的中央研究院和南港自來水廠研究人員，一致認為大坑溪受污染的程度，在目前南港自來水廠的飲用水過濾的設備下，對人體還不會造成影響，據他們表示：以前大坑溪的溪水含菌量每西西僅廿四萬的消毒處理的餘氯量每PPM（百萬分比）僅零點五，現在加強到零點八，要加強到零點八，增加到十倍會影響人體健康。

據這些專家們說，餘氯量增加，自來水的藥味也隨之增加，直到藥味過濃，不堪飲用，自來水廠才能為力祇好遷移水源。

但專家們說：垃圾場啟用才一個多月，情形就如此嚴重，如果繼續傾倒垃圾，而遇夏天炎暑，後果他們不願想像。

台北市一百多萬人口製造的垃圾，每天由密封垃圾車八百至一千車次（約一千六百噸）運往南港山區，一個多月以來，已經形成了一座垃圾山，位於垃圾處理現場下方的農田、池塘水質都呈黑色，臭不可聞，魚類絕跡。

據一位對公共衛生有研究的李昭仁醫師說：垃圾處理消毒殺蟲，對於數量不多的污物，可以產生百分之百的效果，但是對每天一千餘噸的垃圾要徹底的殺蟲消毒，不是一件容易的事情，尤其是台北市的垃圾裏面包括了死貓、狗、鼠、豬，甚至於醫院裏的標本如人體的手足、婦人生產後的胎衣污物，這些東西都是引起傳染病的最可怕因素。

李醫師並且指出，在世界各國沒有將垃圾處理場設置在山上，水流發源地的，垃圾處理最適當的辦法就是以焚化徹底加以處理以絕後患。

大坑溪水源污染問題，已引起中央級民意代表劉介宙為了南港六萬餘居民生命財產安全，已與有關方面接洽，防範此一萬一的危機發生。聯合報又著論說：

污、生活空氣污染的水源償罰則，正在進行立法程序；審核子女，社會經濟結構賠償法，適應生活上的改變，使我們在生活上也遭遇許多過去未有過的侵害；如果要適應這個環境，就必須有新的法律觀念，和新的守法精神。

在農業社會中，有一句俗話：「大路朝天，各人各走一邊」，這句話是說各人走各人的路，彼此並不干涉；但自現代交通工具發達之後，道路縱橫，交通頻繁，如果人人各走一邊，則道路法則，豈不會天下大亂。

舊生活道德觀念的適應則與新建立，都得要我們淘汰與新大家跟得上時代，因此除了水源污染、空氣污染之外，以及核子損害等等，即在每個人自己家庭內的起居生活，也因環境的不同，而必須接受新的約束。

由於地廣人稀，以前家庭與家庭之間的空間距離甚大，所以每個人在自己的家庭小天地中擊節高歌，呼喚小天地中，並不則別人；但現在隔房屋毗連，一板之隔，影響輒妨害鄰居，倘若不知節制，就難以適應現代生活。

陶希聖評論垃圾場問題

指爲有碍公衆安全 主管應負法律責任

中央日報董事長陶希聖以「南港垃圾場的法律問題」說：台北市政府環境衛生清潔處指定南港一處高地的山凹為全市垃圾堆積場。自四月份起，每日約一千輛垃圾車，將其所收集的垃圾，不經任何化學方法處理，即原車原物傾倒該場，該場日益增多的垃圾，居高臨下，向南港空中散放臭氣，堆下腐爛物質浸入地下，對自來水源，灌溉系統，及河流，皆予污染，夜間蒸發作用使穢水更加濃厚的發散臭氣，日間亦不敢開窗。其情況之嚴重，已見昨報。

該區受災最重的居民舉行里民大會，申請台北市政府環境清潔處處長蒞會聽取居民聲訴。處長推辭不到。當地居民及中研院友人頃來舍下詢問我的法律意見。我解答如下：

市政府主管單位負責人對於南港高地堆積垃圾堆，對自來水源，灌溉系統及河流以及該區空氣，發生污染之情事，應負行政上的責任。其所負行政責任如何，應由市長與行政院查問。至於法律上的責任，首先應以此主管單位負責人對於空氣水流污染問題是否預見故明知為準。

當該單位即環境清潔處選定南港高地與地主訂約，即將全市垃圾運輸堆積之時，未必預見該處垃圾堆將要發生其對空氣水流污染至如此嚴重程度。但其設計，決定，乃至令全市垃圾車將垃圾集中該場之時，應已明知大量垃圾，不經任何化學方法處理，即以原物集中一處，必將發生污染作用。

該主管單位負責人自可持執行公務之理由，以豁免其法律責任。但是比及南港居民感受空氣水流污染之害，而向該處申訴及陳述，尤其是中研院研究工作人員將自來水，加以化驗，發現其危害居民健康，並有發生疾疫之可能等事理，提出時，向市政府及該處理且不提快，改正或作有效的救助，即是明知垃圾場所加於該區居民之危害，而仍然繼續運輸堆積垃圾於該場。從此即不能再行推卸其法律責任。

主管單位負責人明知南港高地垃圾場發生下列情事而不加改正，且繼續同一行為，其所負法律責任應依下列法條判斷。（一）刑法第一百七十七條：「漏逸……其他氣體，致生公共危險者。」（二）刑法第一百八十八條：「妨害……供公衆之用水者」。

這理由是很明白的。公衆的安全是受法律的保護的。若某種設施，逸某種氣體，致生公共危險，並妨害供公衆之用水者，其主管人自應負法律責任。若主管者設施之初，未預見其公共危險作用，倘有推卸法律責任之餘地。如其所設施發生公共危險的事實，已經受害人申訴、解說、請求，而主管人依舊續行，不立即改停止並有效改正，則其應負上列法律任，毫無疑義。

我的法律意見如此，今日陳述於大衆的面前，為的是喚起環境清潔處注意。我希望他們注意這問題是嚴重的，同時這行政與法律責任只有迅速努力改正與救助，方纔可以解除。此外並無推卸的餘地。

喬治桑外傳　一四四

張大萬

請妳代表我請妳的母親看電影，吃點心。下面簽了「喬治」英文字。

喬治桑動作很快，不到九點半已經出門去了，他是避免與雅麗絲見面。

雅麗絲幾乎是前後腳回來的，一進客廳就看見桌上吃的東西還未收拾好，知道喬治桑已經起牀，便提高聲音叫「包死，包死。」

阿翠跑進來，告訴雅麗絲：「先生已經出去了。」

「妳有沒有將我吩咐你的話告訴他？」雅麗絲有點詫異。

「有嘛，他留下一個字條放在寫字枱上。」你自己去看罷。」

「你將菜先拿到廚房裏去，」雅麗絲將菜籃交給了阿翠。然後她走到寫字枱旁，拿了字條，看後，坐沙發裏沉思：她還是不明白，為什麼喬治桑不願和她的媽媽見面？他眞的有事嗎？

她看到五百元台幣，覺得喬治桑做人還是很週到的。哦，對了，她又彷彿記得她的媽媽以前的負心人也姓桑，是不是他呢？不會的，天下那有這樣巧事？

雅麗絲想了一會，也就算了，換了一套舊衣服，繫上圍裙，親自下廚燒菜。

大約在十一點鐘左右，該燒的燒，該燉的燉，都已安排妥當。她關照了阿翠，換了衣服到車站接媽媽。

台灣的鐵路業務辦得不錯，很準時，十二點一刻左右，雅麗絲已將媽媽接到桑家。

「桑先生因為中午有應酬，所以不能在家吃飯。」雅麗絲告訴她的媽媽。

「那我們也不要在家吃飯罷，」雅麗絲的媽媽，戴了一付眼鏡，穿了一件棗色薄呢旗袍，頭上隱約已有幾莖白髮，但風姿嫣然，是一位很動人的徐娘。

「沒有關係的，我已經買好菜了，桑先生人很好，拿我當親生女兒看待。他雖然一早有事出去了，還留下五百元台幣，要我請妳看電影呢。」雅麗絲說完，從自己房中拿出照相簿來給媽媽看，另外又端上一碟玫瑰爪子，一包三五牌香烟，一份當天的日報，泡上一杯茶。

「媽媽，妳在這兒喝茶抽烟，我到廚房去燒菜。」雅麗絲一蹦一跳地，活像一個小娃娃。

「看妳忙成這個樣子，隨便吃點什麼就好了，來，過來，妳的鼻子上有煤灰，讓我替妳擦一下。」雅麗絲媽媽邊說，邊從皮包裏拿出一條手帕。雅麗絲用臉湊上去，她的媽媽輕輕替她擦去鼻上的煤灰。

（未完）

台北傳奇錄（四八）

・陳光棣・

「媽媽，你別着急，時間還早的很」。賴慧敏勸解着。

「就怨媽媽！都把爸爸給支使胡塗啦」！賴小妹仗義直言。

「走吧，咱們先走，讓你爸爸隨後趕來」。賴太太命令着：「喂，我說，等一會你坐計程車來吧，快點，知道嗎？我說快點，意思就是很快，你懂嗎？」

賴先生眼看着車子開走了，才敏捷的回到家裏和女朋友通電話。誰都不知道；賴先生的表演天才是首屈一指的，在太太面前，一向是裝傻充愣，外帶着三分迷糊，等到一離開太太，可就有的是花頭了，說起來，這已經是二十年以前的事了：

那時候，賴先生——賴有為才二十幾歲，和一個好朋友叫李奇的從大陸逃到台灣來，兩個年青小伙子滿腦子空中樓閣，充滿了綺麗的美夢，無奈正當韓戰前夕，國際情勢詭話，東南亞風雨飄搖，政府各機關都在縮編，在人事凍結的情形下，要想找一個合適的工作，自然很不容易，賴有為和李奇在羅斯福路租了一間小房安身，白天到處找工作，晚上一起在馬路上當壓路機，一瞬兒四五個月過去了，還是一籌莫展。這一天賴有為先回到住處，兩腿酸痛，已渴又餓，一頭倒在床上，兩隻眼睛釘着天花板出神；父母兄弟淪陷大陸，不知生死存亡，也不曉得什麼時候才能重返家園，全家團聚，自己的工作毫無着落，展望來日一片渺茫，思前想後，眞是心慌意亂。

這時李奇興高采烈的闖進來，右手拿着半個大餅，左手一包花生米：「小子，起來！」

賴有為躺在床上哼了一聲沒動地方。

「你別總這麼多愁善感！男人應該有男人的骨氣，怕什麼，船到橋頭自然直！」李奇是個樂天派，從來不知道發愁。

「咱們帶來的錢湊到一起，還能維持兩個月，一直到今天，誰的工作都沒有頭緒，虧得你，還能這麼高興」。賴有為悲觀的嘆了一口氣。

「你算談到正題上來啦」！李奇倒了一杯白開水：「我有個好主意，你贊成不贊成」？

「說說看」！

「你想不想找個好工作？」

「這不是多餘問嗎」？

「你想不想找個太太」？

「我問你想不想」？

「窮開心，是不是」？

「不想」！

「好，免談」！

「咦！你不是說有好主意嗎」？

「當然」！

「怎麼不說哪」？

（未完）

談佛誕與浴佛節（上）

黃公偉

（一）「佛陀」的名號

世俗所謂「佛」即指釋迦佛陀之簡稱，就事而言，狹義的解釋則修道成功於菩薩境界稱之爲佛。在因位名爲菩薩，在果位名佛。廣義之解釋則代表一切佛法，佛名之總稱，釋義爲「覺」。就人而言，佛之德號有十，而佛陀乃如來十號之一。如「佛說十號經」云，卽「如來，應供，正徧知，明行足，善逝，世間解，無上士，調御大夫，天人師，佛，世尊」等，其中又合「世間解」，「無上士」爲一號，然據龍樹「大智度論」云，則合「無上士」，「調御大夫」爲一號。涅槃經，菩薩瓔珞本經，則除「世尊」而外，而舉十號，以「世尊」乃總括十德而稱。凡此十名，皆係由無量佛德中各舉第一德以爲代表，卽代表釋迦牟尼佛，與百佛千佛之佛不同。含有一佛之義。但「世尊」，「佛陀」，「如來」其義亦有差別。

如言「世尊」，梵語爲洛加那他，謂受一切人天凡聖之尊重。十號經云：「夫人凡聖，出世間，咸皆尊重，故曰世尊。」又佛陀另作佛圖，浮屠，浮圖，義爲覺者，既能自覺，復能覺他，覺行圓滿，德能覺佛陀。「如來」，梵語爲多陀阿伽陀，又稱怛他揭多，怛他名也，揭多有四義，卽來，去，知解，說法。總之，遍一切處，而無有異，其義爲「如」。不動而致，其義爲「來」。是爲「法身如來」。又金剛經云：「無所從來，亦無所去，故名如來」。故從理名如，從智名來，是爲「報身如來」。乘眞如道，來成正覺，是爲「應身如來」。隨處出現成道，爲衆生轉妙法輪，親說法義，而名如來。言其地位之崇高，則曰「世尊」。言其身悟法成正覺，則曰「佛陀」。

（二）佛陀的家世譜系

佛陀出身於印度四種姓之「刹帝利」種姓中。在四種姓中，「婆羅門」屬「祭司」，僧侶，以宗教爲主。「刹帝利」種屬國王武士，學者，以開創文化著稱。「吠舍」屬商人。「首陀」屬奴隸囚犯。均爲賤人。至爲明顯，爲了刹帝利的長者居士對印度早期文化有開拓功績，故爲社會所重，成爲當時之實力派。

佛陀的家世由來已久。他的始祖由劫初刹利，如唐道宣「釋迦氏譜」云：「大夏種姓有四不同，毗舍，首陀。刹帝利王種最爲高貴，劫初以來相繼不絕。但明佛姓，自分五別，一曰瞿曇，二曰甘蔗，三曰釋迦，四曰舍夷，五曰日種」，此其氏族根源，自劫初而下傳分五支，而佛陀居其三。如僧祐釋迦譜」引長阿含經云：「謹案劫初刹帝，肇建皇族。發源民主，造於善思，父子繼業，三十三王。自善轉聖王，第一伽毘，第十懿摩，或是兄弟支胤。聖賢迭興。容可異族別起，應天受命，長遠遙緒，難以意量也」。佛陀云次祖釋迦賢劫，初姓瞿摩，始以釋迦名。互傳至尸休羅有四子，其一名淨飯。如釋迦氏譜云：「言釋迦者」，長阿含經云：過去有王名懿摩，擯斥四子，令遠出國，奉王命北到雪山，住直林中」。又云：「初民主王號曰大人，第二王名珍寶，第三十三王名善思」。由之，佛陀六世祖爲懿摩，五世祖名優陀羅，四世祖名瞿羅，三世祖名屈浮羅，二世祖名師子頰，父名淨飯。此佛陀之先世譜系。道宣云：「師子頰有四子，一名淨飯，二名白飯，三名斛飯，四名甘露飯。淨飯有二子，長名悉達，次名難陀。白飯有二子，長名調達，次名阿難。斛飯有二子，長名摩訶男，次名阿那律。甘露飯有二子，長名婆娑，次名跋提。故佛陀親兄弟二人，堂兄弟共八人。闍那崛多譯「佛本行集經」云：「釋迦牟尼出現於世，生大刹利王家。淨飯王所生二子，一爲太子悉達多（卽佛陀），二爲難陀。白飯王二子，一名難提迦，二名婆拉利迦。斛飯王二子，一名阿難多，二名拉婆達多。甘露飯王二子，一名阿尼盧豆，二名摩訶那摩」，可知佛陀出生於貴族之家，是個大家族。其中阿難，阿那律後來都是他的弟子，阿難且侍從二十五年之久，傳佛陀原始經義，爲「五百結集」，所成之四阿含經的主編人物。（未完）

搜異錄

義犬奇談

匡謬

三國孫吳時，有襄陽紀南人李信純者，養一愛犬，名叫「黑龍」，信純愛之如珍寶，行坐相隨，飲食則分食於犬。一日於城外飲酒，喝得大醉而歸，不意在歸途倒臥於草中。適太守鄭瑕出獵，見田草叢深，命人放火焚之。信純臥處，值當順風，犬見火燒至，先以口拖其衣，信純不動。適近約數十步有一小溪，犬急奔入溪中，透水濕毛，往返滾信純臥處，臥草周圍皆濕，火不得燒其身，主人李信純得免於大難。其愛犬因運水困乏，倒斃其側。酒醒坐視四周，叢草盡焦，乃知愛犬運水救了性命，不禁爲之慟哭。此事後聞於太守，太守鄭瑕憫之道：「犬之報恩甚於人，人不知恩，豈不如犬？」下令具棺槨衣衾葬之。相傳紀南有「義犬葬」高十餘尺。

太興中，吳民華隆者，養一快犬，形影相隨，時刻不離。一日華隆至江邊伐荻，忽由草叢之中竄出一條巨蟒，將華隆纏住，不得脫身。他的愛犬見狀，奮齒咬蛇，與蟒搏鬥，卒將巨蟒咬斃。華隆僵仆，嚇昏於地。犬彷徨涕泣，走返舟中，忽爾驟奔草中，同伴怪而察知，方知華隆悶絕。同伴將華扶歸於家，仍不醒事，犬亦相伴不食，當華隆復蘇，愛犬狂躍而食，自後華隆愛之愈甚。

廬陵太守太原人龐企，字子及，因事繫獄，而非其罪，以不勝拷打，自誣服之。及獄將上，有螻蛄蟲在左右繞來繞去，龐企心異之，喟自語蟲道：「爾若有神，能救我死，吾當善報汝。」言罷投以飯食，螻蛄食飯而去，每飯必來，一日壯大數倍，如此來去，至數十日間，螻蛄蟲其大如豬。及至龐企當問斬之翌日，螻蛄夜掘壁爲一大孔，爲了破械，引之而出。

後遇赦得活，於是龐氏世世以四節祠祀螻蛄於通衢處，至今不絕。亦怪也。

說曹操

李漁叔

（十一）

五、官渡之戰

這眞是不戰而屈人之兵，我們也由此可以看到古今所謂「士」的當中，確實有奇才，而不可忽視。他們每每在軍畧上，能比尋常人透視幾層，像下棋一樣，可以先看一步或竟至數步以上。如田豐之計，自已先佔穩位置，立於不敗之地，再用鉗形的攻勢與奇襲，以坐困敵人，雖不必一定攻垮曹軍，但至少亦不至擧四州之地，敗於一旦。

沮授的計畫，則在袁紹軍一部敗挫，大將顏良文醜被斬以後，但也還不遲，按袁紹傳：「紹渡河，使文醜挑戰，太祖擊破之，斬醜。再戰擒紹大將，紹軍大震，太祖還官渡。沮授又曰：『北兵數衆，而果勁不及南，南穀虛少，而貨財不及北，南利在速戰，北利在緩搏，宜徐持久，曠以日月。』紹不從。」

文獻帝傳：

「紹將濟河，沮授諫曰：『勝負變化，不可不詳。今宜留屯延津，分兵官渡，若其克獲，還迎不晚，設其有難，衆弗可還。』紹弗從。」

這於敵我兩軍的情勢，分析得最清楚。主旨在曠日持久，以老敵師，與田豐的看法畧同。袁紹最大的失策，是把全軍渡過黃河，他沒有想到，如果戰敗，這樣龐大的一個部隊，是怎樣可以退回去的。沮授勸他把主力留屯延津，分兵前往官渡，成爲進可以戰，退可以守的局面。「設若有難，衆弗可還。」更是明明說出一旦失敗，黃河在後面，是沒有退路的。所以後來兵潰，只有袁紹和他的兒子袁譚單騎退渡河，其餘部隊，張瑶漢紀說是「紹卒凡八萬人」，全數被解決。

田、沮以外，還有一個許攸，也曾勸紹：習鑿齒漢晉春秋說：

許攸說紹曰：『公無與操相攻也。急分諸軍持之，而徑從他道迎天子，則事立濟矣。』紹不從曰：『吾要當先圍取之。』攸怒。」

這也是極簡單而乾脆的辦法，我們從袁紹那一連串的不從，完全可以看出他本人愚拙自用，命運注定了失敗。

官渡之戰，是建安五年四月揭開序幕的，而在前一年袁紹擊破了公孫讚之後，就準備進攻許都，秋冬間已呈劍拔弩張之勢。偏偏在這時，孟德無意中放走了劉玄德，等到追悔起來，玄德已經殺了徐州刺史車胄，擧兵屯沛。孟德生平最看重玄德，以爲這人如果一旦得勢，就不易制服，目下雖有大敵當前，但一想到玄德無人可制，只好冒險親征。按魏志操傳：

「公將自東征備，諸將皆曰：『與公爭天下者，袁紹也。今紹方來而棄之東，紹乘人後，若何？』公曰：『夫劉備，人傑也，今不擊，必爲後患，袁紹雖有大志而見事遲，必不動也。』郭嘉亦勸公，遂東擊備破之。」

這是險着，但也是必要之着。因爲玄德的人才。

（未完）

安徽十三傑

自由詩壇

庚戌清明重理年來所收書函都爲一篋顧此輩親朋半違離異地瞻憶前塵感由生中矣因賦七律二章

顧崑陽

幽居有酒不相邀。心至清明益寂寥。
重束珍函盈短篋。慣溫舊事過殘宵。
芳菲箭去誰能挽。久約期來夢已遙。
乍遇可能驚拭眼。風塵半老鬢初凋。

×

萍居憶昔在崇城。折柳纏綿動別聲。
凋夢長年頻作蝶。衰時永夜慣聽　。
悲書金縷終完諾。重過黃壚已隔生。
他歲存亡誰得料。但將懷宇寄餘情。

諸葛亮狂想曲（一二二）

劉玄

看官，你道却是爲何？因爲八仙在天庭一直是吉慶的象徵，他們一出場便使全場洋溢着喜樂氣氛，連表情肅穆的關羽，臉上都綻開了笑容。

八仙這一招最妙，他們一齊出場，不必表演就能獲得采聲。同時，他們都知道藍采和於初次登台，難免怯場，大家站在台上，可以替他壯壯胆子。

藍采和走到台前，橫起玉笛，先試了宮商角徵羽幾個音符。立刻引起台下一位觀衆怪聲叫好。大家定睛一看，原來是孫悟空吹起口哨。孫悟空生來是猴手猴脚，拍手拍不響，只好怪聲叫好了。

藍采和試了幾聲玉笛，先吹了一闋「水調歌頭」，這「水調歌頭」以蘇東坡塡的首詞最有名。「明月幾時有，把酒問青天」非常恰合仙家身份。

藍采和一支玉笛是仙品，吹起來音韻越不同凡響，何況又有七仙在旁和唱，使聽者如入虛無飄渺的仙境。

一曲吹罷，太白星君頻頻頷首。台上的八仙，呂洞賓與何仙姑都在注意太白星君，他們了解只要他說好，誰也不敢說一個不字，演奏也就算成功了。

「成績不錯，」何仙姑輕輕向呂洞賓說。

「果然不錯，」呂洞賓欣然同意。

藍采和接着又吹了兩個曲子，古雅典的確能發揮中國樂器的優點。無疑的，這次演奏相當成功。

藍采和吹奏笛子成功最高興的自然是八仙，他們知道從此天庭不會再說他們都是擺架子的，而各有一套眞才實學。其次是諸葛亮，藍采和參加表演，完全是諸葛亮支持的，假使演出不理想，他的龍岡弟兄前將大失面子。

太白星君參加磨刀大典，純是諸葛亮情面，他一直等到最後一個餘興節目表演畢，方始離座。諸葛亮在前，劉備在後，恭送太白星君到龍岡會所的大門口。

「勞動仙駕，實在不安。」劉備鞠躬如也，很有禮貌樣子。

「沒有什麽。磨刀大典意義很好，餘興節目也不錯。」星君也客套一番。

太白星君走到門外，忽然停頓下來，諸葛亮機警，立刻走近一步。

「我有話要和你談，你明天上午一早來一趟好不好？」星君聲音很低。

「好，我明天辰時準到。」諸葛亮聽到太白星君要約他去談話，自然非遵命不可。

太白星君只走了兩三步路，脚下立刻有彩雲幾朶，冉冉而去，就好像我們現在到大百貨公司乘坐自動電梯似的，仙風道骨畢竟不同凡響！

諸葛亮送走太白星君，因爲他與龍岡關係與其他各仙不同，不便立刻離去。遂應劉備之約，在他的辦公室閒坐一會。（未完）

巨變歷險記！

載李彌余程萬的飛機去了：……這是值得追述的一刻。這是在蒙自的機場。這是萬頭鑽動，都是來送行的。丁博士站在靠飛機最近的地方。這是一架小小的飛機。李彌余程萬就站在飛機的門口，站在飛機的裏邊，與送行的道別。李彌還是笑咪咪的，而余之面容則非常暗淡，大有生離死別的樣子。他們再三的向丁博士拉手，向丁博士吶喊：「博士！博士！還是走吧！還是跟我們一塊走吧！……這恐怕是千載難逢的機會？……就上來吧！就上來吧！……」丁博士感激的眼淚流了出來，但他還是不上去，還是向他們抬手，並祝他們一路平安，特別快去快回。

雞街會議（一二五）

胡慶蓉

機門必竟是關上了！機也終於起飛了。他們留下來的任務如何處理，就成了曹天弋（八軍副軍長與彭副軍長（廿六軍）佐熙的問題了。他們二位也有見面之必要。基於丁博士的建議，決定召開雞街會議，共同磋商。

雞街介乎蒙自與建水之間，因蒙自與建水的距離差不多是相等的。而且在火車路的線上。這個火車道是小火車道。自從昆明之戰起，這火車道的客運已經停止了。現在兩位副軍長會於雞街，決定由鐵路局分別開專車到雞街。這個時候，丁博士在蒙自，就同彭副軍長一塊前往。坐的是小火車。車廂要比台灣的車廂為小。車的軌道也比較窄。但走得來並不慢。

因為恐怕雞街沒有椅子桌子，彭副軍長在車上又帶了椅子和桌子。雞街完全是一個農村的樣子。開會的地方不啻是一個農家。雙方早上七點半開車，差不多上午十點半就到了。會議接着開始。

曹副軍長現是八軍的實際負責人，彭副軍長是現是廿六軍的實際負責人。他們雖然神交已久，但還沒有機會見面。今天他們見面都表示的非常親切。他們同丁博士討論的是撤軍的問題，即撤到什麼地方？怎樣撤法的問題。既不能再攻昆明，既不能前進，就只有後退的一途，蒙自是不能够永遠固守的。據當時的情況分析，共軍可能已經到了蒙自附近。若不準備戰鬥，就得撤，而且要快，遲則來不及矣！大家決定撤的路線，為過元江，到思茅，鎮遠，車里，佛海南嶠，轉進到滇緬泰寮邊區。這在廿六軍是熟悉的，八軍則否，八軍對這個地區茫無所知。彭副軍長並且有很詳盡的軍事地圖。這對於將來的撤退幫助極大。

會議之後，丁博士曹副軍長同車回建水。孫晉賢師長帶頭撤，丁博士又專給孫師長送地圖。孫師長得到地圖之後即揮軍「向前進」。這是一個好的榜樣，也是一個好的開始。本希望其他各師，都能追隨孫師之後，撤出蒙自建水地區，到達滇緬泰寮邊區，而事有大謬不然者，這就是廿六軍空運海南了。

嚴（嵩）太保寄食墓舍

命相与夢話

·漢平·

嚴嵩字惟中，江西分宜縣人，身長戌削，疎目聲宏。明弘治十八乙丑進士。嵩二十六歲，改庶吉士，授編修，因疾回鄉，讀書於江西鈐山，古詩文頗著聲譽。明世宗時，累官太子太師，居首輔，誣殺夏言，恃寵攬權，貪賄賂，親邪小人，凡直陳時政者，皆斥擯之，或誣殺之。其子嚴世蕃，為太常寺卿，父子狼狽為奸。楊繼盛劾嵩十大罪狀，五大奸惡，嚴嵩有寵，構殺楊繼盛。盡引私人，結為黨羽，皆居要津。帝轉而寵幸徐階，至嘉靖四十一年壬戌，年八十三，御史周應龍抗疏，極論嚴嵩父子不德，帝乃降旨致仕，將世蕃下大理獄，沒其家財，珍寶億計。嘉靖四十三年甲子八十五歲，嚴世蕃論斬伏誅。嘉靖四十五丙寅，嵩老病，生計斷絕，竟至寄食墓舍而死，年八十有七。他尚有「西使志」、「北上志」、「鈐山堂集」行世。其詩在同流輩中，獨為輩出。然數十年徒讀儒書，竟至餓死墓舍，實乃作惡多端所致歟！

嚴嵩之造為庚子年，己卯月，癸卯日，辛酉時。「通會」卷九僅說：「嚴嵩閣老，無子，世蕃其姪也。晚被大禍，皆此冤所致」。但致禍之理由並未說明。然以名，且載明史奸臣列傳。其命造亦必有研究之價值。在下略述一二，或者可以為知人論世的參考。

謹按嚴嵩之造，日元的癸，在五行屬水；年支的子，在五行又屬水；年幹的庚屬金，時幹的辛與時支的酉，又都屬金，再加以命宮辛巳，天幹屬金，地支藏金，其金多生水，水氣有餘，不可作水清金白論。今既有此種污點，只可棄而之他，恰好月支的二枝並見卯木，五行，固有木洩水氣之妙，蓋不平而使之平故也。

如論星宿，則將星，學堂，左右交拱，當此誕生之際，適在驚蟄節之後，將星若生於秋後，卯木居於死地，則就不足取了。再加以命宮的已驛馬，貴人，遙助癸水日元的聲勢，其為國實輔材，絕無疑議。「指迷賦」說：「將星文武兩相宜，祿重權高豈可知」。氣象篇說：「學堂逢驛馬，山斗文章」。

惟細按之：年枝的子，與月枝的卯刑，時枝的酉與日枝的卯相衝；命宮的已又值空亡，有始無終，秀而不實，因此貌似謙恭，心如蛇蝎。明史雖說他「詩古文辭，頗著清譽」，然究竟不其一意媚上，竊取罔利的非，況又排除異己，殘害忠良！

二十六歲已運丁丑，小限丙辰，舉進士，改庶吉士，授編修，已運墳實命宮空亡，丑合生年的子，辰限合生時的酉，而將星，學堂雙方得勢，豈止乙木洩水已哉。

三十八歲午運丁丑，小限甲辰，進侍講，署南京翰林院事，召為國子祭酒者，仍是辰遙合酉，丑遙合子的功勞，否則子午卯酉，四仲全衝，禍且不測，安有此名位歟？

四十九歲甲運戊子至八十三歲丁運壬戌，自侍郎尚書至大學士太子太保，經過甲申乙酉丙戌丁等運，木火蓋頭，因此勢焰日張，炙手可熱，間有風浪，都不足以撼動。

八十四歲癸亥，帝降旨令嵩致仕。八十五歲甲子，假子世蕃伏誅。八十六歲乙丑，嚴嵩苟延殘喘。八十七歲丙寅，嵩老病貧，竟寄食墓舍而死。這都是亥運屬氣，滿溢高危的原故，其所以尚得善終者，乃流年丙寅，小限乙卯，衝中有合，得以緩和之功。走筆至此，實有令人難以置信的事：一代翰林閣老，竟至寄食墓舍而死。老賊之在鈐山苦讀十載，不知所讀何書，或徒讀儒書歟！

生活漫談

菠菜牛肉媲美雞

馬騰雲

楊傳廣在美國鍛鍊十項全能運動的過程中，體力總是敵不上其對手強生，後經其義父關頌聲先生研究的結果，認為最大的癥結與楊的不太喜歡吃牛肉有關，後經每日改食牛排，果糾正了這種偏差。

牛肉所含的蛋白質二零點二六，水份七零點六五，脂肪六點一及維生素A、B、C等，如果將牛肉和豬肉加以比較，豬肉比牛肉差的太遠了，因含脂肪高的肉，其水份及蛋白質則較低，牛肉所含的灰份，其鈣、磷、鐵，也較其他動物肉成份為高，牛肉的蛋白質在腸胃裏消化最快，吸收率亦高，與奶類，蛋類消化率幾相等。雞蛋裏含有豐富的蛋白質，可以說盡人皆知，但蛋白質究有多少，除蛋白質外還有什麼？往往會使人祇知其然，不知所以然，因為它與我們日常生活有很深密的關係，特將其要點寫出藉供平日注意營養的人和主婦們參考。

平均一個雞蛋去掉外殼的重量約有五十克，其所含的蛋白質，是六點一六克，脂肪，七點七克，零點四零五克，鈣零點零三克，磷，零點一三九克，鐵零點零零二克，我們把它所含的成份看完，認知道每天吃一個雞蛋所得到的營養素，是相當可觀的。遜清慈禧太后宮庭咸稱其為老佛爺之尊，早晨常吃兩個荷包蛋，詳見御膳房冊記。

菠菜屬藜菜類，葉菜裏含的纖維最少，纖維質的百分數則相當高，菠菜在膳食中的主要功用，為供給礦物質及維生素，鈣，鐵質最多，鉀及維生素A、B1、B2乃優良的來源，尤其是維生素A最豐富，因綠色葉菜中本身能製造出一種在綠色的葉菜內的胡蘿蔔素，這種胡蘿蔔素維生素A前身的胡蘿蔔素，經過一種酵素的作用，亦可變為維生素A，如果在沒有菠菜的季節，用花菜類代替菠菜，其營養價值也很高，因花菜裏含維生素A、B、C，相當豐富，不過要將花菜先以鹽水稍泡，幫助殺菌，然後切成細片絲。（按這種菜係由歐美傳到中國）

菠菜牛肉蛋的做法：用四兩瘦牛肉切成細絲，半斤小菠菜洗淨切成兩節或不切，雞蛋兩個打和均勻，將牛肉切絲菠菜同混和在大碗裏，加醬油，胡椒粉，必須以烈火大油，將菠菜牛肉雞蛋倒入鍋內，快炒快翻，勿超過一分鐘為原則，將三種菜的營養成份加攏來計算，超過一隻肥雞。「快」「滾」「淡」三字，本為廚師做菜的基本原則，炒製這盤菠菜牛肉蛋，可以不要太鹹，打死鹽販子的作風，最使人倒胃口，希望要特別注意。

第五章　天祚帝途窮敗亡　岳鵬舉小試牛刀

回頭且說遼天祚帝延禧遁入夾山之後，復為金兵所襲，轉奔訛莎烈（又譯作「郭索勒」）。向夏主李乾順求援。夏主李乾順輔率兵三萬往援遼主。兵抵宜水，遭金將幹魯、婁室殺敗，匆匆逃歸。經過野谷，又遇山洪瀑發，淹沒不少人馬。因此夏兵不敢再發。遼主越覺途窮路末。金將幹離不復與降將余覩追擊遼主，追至石輦驛，金兵此時不過千人，遼兵尚有二萬餘衆。遼將以為我衆彼寡，定可獲勝，遂命副統軍蕭特烈出戰，自率妃嬪等登山遙觀。不料金將指揮騎兵殺上山來，遼主猝不及防，蒼惶遁走，遼主一動，遼兵氣墜，因此大潰，所有輜重，盡被金兵所獲。及遼主奔至四部族，蕭德妃亦從天德趨至。遼主竟將蕭德妃殺死。追降耶律淳為庶人。獨蕭幹別奔盧龍鎮，招集舊有奚人及渤海軍，自立為奚國皇帝，改元天復。在此亂世，野心家亦想過皇帝癮，不管那只曇花一現也好，當一天皇帝也罷，總算扮演皇帝一場，猶如登台演戲。按「奚」本契丹舊部，與遼世為婚姻，本姓舒嚕氏，後改蕭氏，所以契丹初興，史官或稱他為「奚契丹」。蕭幹自稱「奚帝」，當然與遼主反對。（謀註：按通鑑輯覽改蕭幹名為和勒博，在此仍依舊名為便。）

遼主方命都統耶律馬哥往討蕭幹，不料金將幹魯、幹離不等提兵踵至。遼主聞聽金兵又到，肝胆具裂，猶如羣羊遇猛虎一般，聞風落魄。急忙往應州逃遁。金將幹魯虜獲遼將耶律大石，繩綑索綁，命為嚮導，窮追遼主。途中將遼之秦王耶律定，許王耶律寧，趙王耶律烈，以及諸妃公主從臣一般近人，俱皆俘虜。惟遼延禧走在前隊，未能獲得。季子梁王雅里，及長女特里幸有太保特母哥護着，乘亂走脫。遼主盡失所從，凄惶萬狀，又恐金兵追來，乃遣人持了兔紐金印，去向金主投降。自己乃西走雲向。（謀按：旋獲使者覆書，援石晉北遷故事待遇遼主。）契丹曾虜昔出帝，降為負義侯，置黃龍府。遼主要求乞為子弟，量賜土地。幹離不不許。遼主欲奔西夏，蕭特烈諫阻不從，遂渡河西行。蕭特烈竟刼梁王雅里走西北部，擁立為帝，改元神曆。不到數月，雅里竟死。又有遼之宗室耶律朮烈隨着，又由蕭特烈等輔立，做了二十天皇帝，竟為亂兵所殺，蕭特烈亦死於亂軍之中。遼主正當大難之際，卻弄得衆叛親離，如此國君，焉有不亡之理。

蕭幹自立為奚帝之後，驅衆出盧龍嶺，破了景州，繼陷蘇州，

（十七）

自由報
中華民國內政部登記內版台報字第〇二一號
中華民國僑務委員會登記證僑台報字第〇三二號
中國郵政台字第一二八二號執照登記第一類新聞紙
（第一〇六四期）
（三六出版、逢星期三、六出版每期四開半張）
每份港幣二角 台灣零售價新台幣一元
督印・黃行 社長・李運鵬
社址：香港九龍彌敦道593—601號廖創興銀行大廈八樓五座
LIU CHONG HING BUILDING 7th FLOOR FLAT 5 593—601 NATHAN ROAD, KOWLOON, H.K.
TEL: K303831
電報掛號：7191
承印：景星印刷公司
地址：嘉咸街廿九號地下
台灣連絡中心：台北青田街五巷三號
電話：三七五〇二二
台灣區直接訂戶 台郵劃撥戶第五〇五六號張萬有（自由報會計室）
台北營業處：台北衡陽街三十號
電話：二七二〇〇
台灣分社：台北市西寧南路110號二樓
電話：三三〇三四六，台郵劃撥戶九二五二六

中西文化與人類前途（二）

·張起鈞·

於是上天下地的談出他的眞心話來了，他內心很悲悽，他說，拿中國古代的東西向人宣揚有什麼意思，祖宗好對我們有什麼幫助。在他的意思，我們復興中國文化，不過就是炫耀我們光榮祖先，實則祖先好，並不代表我們好，這就好像說：你爸爸不識字，我爸爸是文學家，文學家雖然可敬，但與我有什麼關係，這不是無聊麼？假如復興中國文化的目的竟是如此，那也就太無意義了。

丙、復興工作的誤解

大家所以存有這種心理乃是由於對文化不十分了解，我們從文化的內容來看，如所週知，文化就是生活的方式，最文明的人和最野蠻的人，生活內容本質是一樣，都是飲食男女；但是文明人的文化與野蠻人，不同的地方就是生活的方式不一樣，文化愈進步，生活的方式愈複雜，愈優美，而範圍也愈擴大。這種進步，不僅表現在個人的生活方式上，並且擴而大之形成集體的生活方式，例如禮俗，制度，文物，器用……等無不是人類文明的表現，無不是人們文化的內容。這些事情雖都是文化，但文化卻不就等於這些事情，這就好比荇菜是水菜而水菜卻不等於荇菜，這道理甚簡單，一般人不注意此理而發生錯覺，以爲這些禮俗，文物，美術器用等就代表文化的本身。因此，談到復興文化，就等於把我們古代的文物器用，制度等一齊搬出來，假如復興中國文化的工作，要是這樣作時，那充其量也不過把自由中國變成一個活的博物館，徒使觀光遊客憑弔賞玩而已，那有甚麼意義。縱使在這些東西上一一標明何年何代發明的，同時期，西洋人還是野蠻得在森林中打獵，但是儘管如此，也不過是炫耀一下過去，何補於今日的問題。正因爲有這種錯誤的作法，才使許多人誤以爲復興中國文化就是復古，而同時會有那位陳同學的感歎！

（三）文化精神與環境適應

實則生活方式，文物禮俗雖都是文化，但都是文化粗淺的外形，而文化實有其更重要的東西在；那就是背後那種鼓舞塑倫，塑造文物的原動力。說得了，就是那股勁。這原動力雖是抽象不可睹見，而那些可睹見的禮俗文物，生活方式，都由此而形成。我們無以名之，姑且名之爲「文化精神」，這「文化精神」，纔是文化中最重要的部份，纔是文化的靈魂。

由於各民族的習性不同，處境不同，和其所面臨的問題不同，於是對事物的想法，應付問題的態度，以及人生奮鬥的方向，也就漸有不同，久而久之，便形成各自不同的作風，換言之也就是各自不同的文化精神了，每一民族的文化精神，不僅形成各該民族的文化，並決定各該民族的命運，一個民族文化的精神和環境相配合，這個民族自然發揚光大，自然輝煌，譬如周朝，這個民族善耕種，對農業方面很有辦法，遷到岐山之下，正好是適於耕耘的土地，因此繁榮發展起來，因爲他這個民族的文化精神就恰適合這個環境。

反之，一個環境不能配合他的特點，一定萎縮消沉，不能發展，譬如蒙古民族（包括匈奴）以前刀矛騎射時代，他在沙漠中生活，逐水草而居，非常強悍，因此一打到多腦河，所有的民族都抵抗不了，但是要他們搬到海邊乘風破浪就不行了，同時到今天洋槍火砲時代也不行了，今天再騎着馬打仗，正是槍彈很大的目標，何況今天作戰是憑科學知識而不是憑體格強悍，所以環境與一個民族的文化精神是否配合，就決定這個民族的命運，一個民族的文化精神如果振奮旺盛，一定會發揚光大，反之，就會消沉下去，其間息息相關，如响斯應，眞是關係再密切都沒有了。而我們今天復興中華文化，就是要復興我們這已消沉下去的文化精精神。

（四）中國文化精神

甲、優越性

然則我們中華文化的精神是否值得發揚呢？太值得發揚了，剛才說過許多民族在文明肇始時，因爲環境不良，而臨特殊問題而往往形成偏頗的文化精神，但是中國文化孕育與形成是在黃河流域大平原，氣象恢宏，得其平正，同時又沒有什麼特殊的災難，也沒有特殊的問題。在這種情形之下，一切發展比較正常，因此形成的文化，大體的講都比較平正。同時我們的列祖列宗又特別聰明睿知，所以我們所形成的文化精神，就比較卓越而健全。此處說我們的祖先聰明睿知，並非是自己恭維自己，而實是付予我們祖先遺留下來的生活方式，有所體會而得來的結論。我們如以穿衣服來說吧！西洋人穿的西裝今天當然很考究，也很風行，在座的各位都是穿西裝，但是我們推想先民當初腦中的想法西裝大概是從披獸皮演變而來的，而我們中國的衣服扣子扣在旁邊，顯然不是自披獸皮直接發展，至少也是把披獸皮改過一下，腦筋比西方人要多轉一個彎。再從住來講，普通說人生有三大享受，其中之一是住洋房，但是在意念中，我總覺得洋房是從住洞發展來的，只要看到中國北方的窰洞，便可以體會到這一點。至於中國老式的房子，則既不是巢，也不是洞，是眞正在地上建築的房子；再就食來講，今天的印度緬甸是用手抓飯吃，西洋人是用刀叉，中國人是用筷子，用手抓的不必說了，且說刀叉吧，刀是野蠻人帶的東西，叉是手的樣子，一定是從手直接發展來代替，但是中國的筷子卻不是從手直接發展來的，至少總是要變一變，多費點腦筋才想出吧。還有婚姻，近代流行自由戀愛的婚姻，當然現在都講愛情，要彼此情投意合，這是大家都贊同採取的了。但若從其意義的本質來講，當然是從動物雌雄追逐演變而來的，男歡女愛也就是動物相追逐，但是我們中國男女婚姻是父母之命，媒妁之言，這種婚姻，我們不論贊同與否，而其本質都不是從動物發展來的，一個獅子絕沒有想把女兒嫁出去，一隻老虎也絕不會給自己的兒子娶個媳婦，凡此各端，都在在證明我們的祖先所遺留下來的一切，總是在腦筋裏比別人轉一個彎，多往深裏想了一層，這足反映出他們的智慧確實比一般民族要聰明睿智一點，正因爲有如此智慧高的祖聖先賢，如此好的環境，因此我們所形成的文化自始就較高明平正。

乙、適應性

就平正方面來講，其他民族文化因其偏頗而有特點，所以環境適合時，自是當行學術得令發皇高張，但是宇宙是變的，等到事過境遷，固有特點就不能再適用，於是便消沉，甚至被滅亡，我們看多少古代輝煌了不起的民族，後來一一被消滅，其原因就在此。譬如大英帝國，十九世紀是多麼的興盛，但是兩次世界大戰，儘管他還是勝利國家，但是從大英帝國變成小英王國了，這就是時代變遷，他那些固有優點不是被人取而代之（如工業先進），就是不再能發揮作用了（如航海……等），但中國文化便不然了，唯其高明平正，所以發展比較均衡，固然在某一方面不一定有特殊的表現，但是卻可以應付任何的問題，樣樣適應時代，譬如女子的時裝，最時髦的樣子往往卻是許多突出的式樣，明年便不能穿了，但有經驗的主婦，從不買那些最突出最奇怪的衣服，雖然不能趕上時髦的尖端，但今年可以穿，明年還可以穿，同樣的，中國文化就是這個道理，就是中國文化歷來缺乏突出刺激的鏡頭，好似女裝之趕上最時髦，但是卻可以應付任何的世變。我們看歷史上古今多少民族的滅亡，中國五千年來一貫強大至今，就是這個道理。假如我們是一個很好的環境，孤懸海外，像哥倫布沒有發現之前的美洲，一邊是太平洋，一邊是大西洋，沒有人去，這又不稀奇。我們中國四、五千年來，一直是在驚濤駭浪之中，所有在東亞地區文化差一點的民族，只要一且強大起來，沒有例外，都要來逐鹿中原侵略中國，佔領中華錦繡江山。「立馬吳山第一峯」，便是他們發展的終極目標。而「胡人南下牧馬」，就成了侵略中國的代名詞。我常常想，假定美國青年不了解中國歷史，只認識中國字，看到「胡人南下牧馬」，一定還認爲是騎著馬到中國渡假，殊不知「南下牧馬」就是侵略。中國從古代一直到現在，周朝的玁允（兩字均犬旁），漢的匈奴，今天的日本，俄國，只要一強大，一定侵略中國，沒有例外，我們一次徼倖，兩次徼倖，決沒有四千多年都徼倖的道理，而其所以能一一渡過危機，就是我們的文化活力強，適應性大，能應付和解決任何問題。（未完）

自由談

革新政治的講座

時代是變動不居，人類生活方式亦日新月異，而且逐漸於複雜化。管理衆人之事的官吏們，對於自身職務之必須隨着時代進化律而革故鼎新，原係應有之義，用不着特別提倡宣傳的。

年來甚囂塵上的政治革新運動，成效如何，有目共睹，不用贅說，要想獲致預期的效果，我認爲必須從改革個人的觀念着手，亦即最高當局所訓示的「知恥知病」的知識論。每個官吏如果能以「人民公僕」自居，而揚棄其「作之君，作之師」的臨民、牧民的舊觀念，遇事唯恐增加人民的困擾，處處以便民爲執行職務的準則。那末，舊有的官場習氣如推宕拖延，濫打官腔，乃至於作威作福，任意勒索這類腐敗貪瀆的風氣，自然不會產生了。

改革觀念是自發的工夫，決非文告、命令所能濟事的。例如所謂「三卡制」之施行，表面上似乎很切實，假使每個公職人員的服務觀念，依然是舊有那套官僚主義，不知病，不知恥，無論管理方法怎樣嚴密，他們還是虛應故事，率由舊章，儘有文過飾非的妙計，雖「卡」亦奚以爲？莊子「去（月旁）篋篇」的哲理大可玩味，箱篋扃鐍雖牢固，穿窬之徒要把它偸走時，他唯恐你鎖得不堅牢啊！法令鼻人執行，人不能自動自發地崇法務實，他就連法令亦可以負之以趨，奈之何哉？

人是有惰性的，要他自動自發的改革舊觀念殊不容易，有治法之外，還要有治人纔行。對日抗戰時期，行政院參事羅君強因攜帶不良少女出入娛樂場所，受到明令撤職查辦的處分，而政風一時爲之肅然振作了。今日祇要廢棄所謂「人事凍結令」，將各行政機關中卓具舊觀念舊作風的大小官員，擇尤予以斥逐，議親議貴，不稍瞻徇，政風若不煥然一新，吾斯之未能信也。革命先革心，變政先變俗，談革新政治者，請聽聽我這義務講座的課程罷！

馬五先生

昨日與明日

台北市府會之爭的透視

易僑·

台灣一向有「府會一家」的說法，而地方政府與各級議會也能和睦相處，合作無間。但此一情況，畢竟與議會政治的理想不符。民選的議員，應該代表人民督促政府，這樣才能革新庶政。基於上述的體認，最近在台北發生的府會之爭，不僅不足爲病，反是可喜的現象。

改制以後的台北市，議會是嶄新的，至於市府，仍然是在職已久的高玉樹市長。我們不敢以「中朝大官老於事，詎知感激徒「媚」」來對高市長的做事魄力，能力表示懷疑，相反的，高玉樹籌劃處理把市政辦好，是市民有目共睹的事實。

目前台北市的議員素質普遍的提高，他們對於市政的要求也更趨嚴格，自係意料中事。換句話說，新的議員比以往那份議員更了解他們應盡的職責。而市府歷年來[illegible]專案小組提出的調查報告是存心在找市府麻煩。

台北市議會在本月十三日，已將「市府涉嫌違法措施」調查報告，遲達監察院，並要求監院查明糾正。很多監委頗表重視。北市議會並已將該案移送司法部調查局依法偵查。由此可以預料的是，台北市府會之爭，在短期內似無平息之望。

老實說，台北市的稅收最多，預算也最大，引起市府病的粃政，更爲各縣市之冠。我們希望由府會之爭，能帶來市政的革新，才是台北市之福。如果相激相盪，變成了鬥意氣，爭面子，那就沒有什麼意義了。

台北市議會的議員，絕大多數是具有國民黨籍的，一旦進入議會，並不因爲對方是政府任用的官員，而放棄其言責，這一事實表現大大增強了台灣人民對國民黨的向心力。對於今後民主政治所需要的政黨政治運用，亦有裨益。

·千公

立委質詢促財政部 負起全國糧政責任
勿把糧食業務全讓粮局作 并應當籌建幾個公粮倉庫

（本報通信員柳一權台北國會消息）立委石九齡對財政部提出質詢謂：財政部主管的業務，既繁且重，在前兩任部長比較保守，難免有些施政應急待推動改新的，還都沒有實施，李部長到部只有一年多的時間，已竟把這許多急待革新而尚未推動的施政，一樣一樣的來作深入的探討，逐步的改進了，譬如：一、賦稅方面修正稅法，建立納稅資料中心，實施稅務人員職前訓練與在職訓練。二、改進關務行政，加强稽徵，同時厲行簡化手續，實施定額退稅定率退稅。三、實施國庫集中支付制度，國庫收支，能靈活調度。四、推進食鹽增產，增闢鹽場增建離子。五、改進粮食行政，確實掌握一定數量的粮食。六、加强金融事業的管理，推進銀行現代化方案等等，李部長這種認勞認怨，埋頭苦幹的精神，我國人是深為敬佩了。

我今天想就兩方面提出我的意見：一、李部長已在作的（一）關於粮食問題的。（二）關於金融問題的，另第二、李部長尚未公開提到一項，是菸酒專賣業務問題，來向李部長請教。

（一）粮食問題，台灣的粮食行政，一向是由李連春一手遮天去搞的，當然也有他的功勞與苦勞，不過不能把全國的粮食業務都讓台灣省粮食局來作，尤其是我們正是待機反攻，我們更不能把動員粮食的責任，責成李連春負責，財政部依法負全國粮政責任，應當有一個比較健全的幕僚單位，好去執行部長交付的任務，尤其現在一個更重要問題，也就是李部長所說，政府要掌握一定數量的粮食，可是政府所掌握的粮食，都委託在米商或農會的倉庫裏保存，表面看是政府掌握粮食，但實際上是政府的粮食，反而被掌握在商人手裏，在風調雨順、國泰民安的平時，或者不會有什麼問題，但是一旦發生了天災人禍，政府的粮食也就發生問題了，李連春一定會說，他們受託的都是不動產、股票、證券……作担保，可是到變時，房地產不能當粮食吃，黃金美鈔也不能當粮食吃，那時近百萬的軍公教人員，沒有米吃，財政部長，可就責無旁貸了，是不是應當籌建幾個公粮倉庫。

信用合作社變了質 炒地皮建公寓 辦人壽搞股票
拿人家錢充實自己腰包

（二）加强管理金融機構問題，我先就信用合作社提出一點意見，李部長對於信用合作社已竟成立小組，研究改進，并且已竟把信用合作社，劃歸各級政府的財政部門主管，我認為這一點更重要的，就是法的問題，譬如合作社法第一條規定，「本法所謂合作社，謂依平等原則，在互助組織的基礎上，以共同經營方式，謀社員經濟之利益與生活之改善」，同法第三條第四欵規定，「為謀金融之流通，貸欵生產上或製造上必要之資金與社員，并收受社員之存欵」，這就明顯的說，就是「信用合作社吸收社員剩餘資金，以貸欵方式，貸與需要資金使用的社員」，這才是眞正的信用合作社，但是第五條又規定「經營第三條四欵業務之合作社，經主管機關之核准，得收受非社員之存欵」，在合作社法的本身，就是矛盾的，同時流弊也就出在這一條上了，不但使合作精神完全變了質，而且使大多數的信用合作社，除了發行和外匯沒作以外，所有銀行業務他們都作了，更有一些除銀行業務外甚至炒地皮建公寓，辦人壽，操縱股票，買空賣空，完全是一羣剝削善良平民，及擾亂各種市場的非法之徒，凡是有暴利可圖的就無所不為，拿人家的錢，充實自己的腰包，實踐人人為我的口號。

我再談談在合作社法所規定的組織，資金及存欵安全保障，依合作社法第八條規定，（合作社非有七人以上，不得設立）社股同法第十六條（社股金額每股至少銀元二元，至多銀元五十元）股在同一社內必需一律），那末以十個社員，就是每股以最高額計五百元，以新台幣一千元，就可以辦一個信用合作社，也就是開一個銀行，這絕不違法，豈不荒天下之大唐，以彰化縣九個信用合作社為例，九個之中股金最多的是新台幣六十二萬，最少是二十萬，以二十萬，辦一個信用合作社，除總社以外，再設二、三分社，租三兩房子，擺上櫃檯，就上百萬上千萬收鈔票，請部長先生想想了嗎，這是不是太危險，再說他存欵安全保障，依合作社法第四條規定，「合作社之責任分左列三種」一、有限責任，謂社員以其所認股額為限，負其責任。二、保證責任，謂社員以其所認股額，及保證金額為限，負其責任，第三是無限責任，因為現在台灣還沒有無限責任的合作社，暫不講他，我們以彰化信用合作社為例，彰化第一信用合作社，股金是五十一萬三千元，而他的存欵是五千二百六十一萬元，正是他股金的一百倍，假如他發生問題，如果他是有限責任的，在這五千二百多萬的債權中，只有五十一萬有指望，假如他有保證責任，也只有加上五十一萬，是保證金額五百一十萬，其餘五千萬的債權，就無人負責了、拿鈔票往信用合作社去存，豈不等於抛到太平洋裏了嗎，北市八信、十五信的後果，可為殷鑒了，主管金融行政的財政部，有沒有責任，應該如何去補救，我有一個不成熟的意見，一個是修正合作社法第五條第一項，不許收受非社員存欵，更除同法第三條第四欵的互助組織純信用合作以外，不許經營其他任何業務，另一個如第一辦法有困難，就單獨制訂一個信用合作社法，以嚴加規定，督導管理。另外合會儲蓄公司，與農會信用部，也都吸收存欵不少，根本就沒有法的依據，合會本是日本人剝削殖民地人民的一種工具，現在我們還沿用，有人計算合會的高利盤剝，等於長期存欵利息的三倍，可謂驚人，農會信用部，也把持在少數職員手裏，弊竇叢生，也急須整頓管理，或根本改組，以保障人民的財產權利。

煙酒公賣條例 必須予以修正
健全基層配銷機構 改進業務增加公賣利益

李部長還未公開提到過的菸酒專賣業務問題，我今天也提出幾點，請李部長指教：

（一）修正專賣條例問題：現行的台灣省內菸酒專賣暫行條例，是四十二年制行的，其施行區域，只限於台灣省內，現在已包括台北市在內，當然不能適用本條例，所以必須修正，條例似乎應修正為台灣區菸酒專賣暫行條例，就可以啦。

（二）加强基層配銷機構專賣利益收入，在中央或省的總預算的收入中，都是占最大的比例，所以李部長不能不特別注意：菸酒業務的改進，希望公賣利益的增加，必須要建全基層的配銷機構，因為菸酒的無論生產策劃如何進步，無論原料選購如何精細，無論配方製造如何求新求精，而其最終目的，是在如何增加推銷，以換回這多的公賣收益，而這個繁重的任務，要靠誰去作，那就是要靠基層的配銷機構了，所以基層的配銷機構，就像是菸酒專賣的手足，實在太重要了，那這個基層配銷機構要如何加强呢？我認為首先要作兩件事，第一件要把現存的配銷所逐漸改為配銷處由公賣局收回自辦，人事上可以遴派適當人選，可以指揮靈活，能以徹底推行政策，貫徹上級命令，許多條件，是優於配銷所的。第二配銷處既然是公賣局的基層機構，應將配銷處納入正式編制，配銷處人員當然也是公賣局編制內正式員工，以便依法考核獎懲，并使其安守崗位，認眞努力。

（三）進口洋菸酒與設廠製造洋菸酒問題：進口洋菸酒，原為招待外賓，與抵制走私洋菸酒之用，但是要說招待外賓，豈以國產菸酒招待，豈不是更表示親切，與更有意義，如以中菜招待外賓，與國劇招待外賓欣賞是一樣的，至於說抵制走私洋菸酒，可是自從進口洋菸以後，市面走私洋菸酒，較前更為猖獗，以前還是偷偷摸摸的賣、與用，現在都公開的賣與用了，以往吸食國產菸酒的，現在也都改用洋菸酒了，不但未收抵制之效，反而大開方便之門，實在是未見其利，先受其害了，我們去年考察財稅業務時，我曾與幾位實際負責專賣的分局長交換意見，他們都反對進口洋菸酒的政策，這個理由最簡單，吸用菸酒的人口是有一定的，他吸用洋菸酒，就不能再吸用國產菸酒，國產菸酒自然被淘汰了。

至於設廠製造洋菸酒，則更是飲鴆止渴的政策，因為要普遍公開由零售商發售，則鄉村有零售商的都變成洋烟的消費市場，國產烟酒的銷路勢必被扼殺，我認為這實在專賣自殺政策，不知李部長以為如何，敬請參考指教。

喬治桑外傳 一四五
張大夏

在吃午飯時，雅麗絲準備的四樣菜，紅燒頭尾、蠶豆炒筍、清炒蝦仁、鹹菜百頁，都是媽媽喜歡吃的。另外燉了一隻母鷄，還有香椿芽拌豆腐。

雅麗絲的媽媽很高興，吃了兩杯半飯。

飯後，雅麗絲拖她到化粧室洗臉，將自己用的化粧品都搬了出來給媽媽用。

母女二人坐在客廳裏聊天，雅麗絲替媽媽點上一支香烟。她的媽媽抽香烟是近兩年來的事，抽得不多，一包烟可以抽三天。

「妳過得還好罷？」她媽媽用手摸了摸雅麗絲的頭髮，顯得無限溫情。

「很好嘛。媽媽妳最近在南部打牌手氣好不好？」雅麗絲知道媽媽常打牌，故有此一問。

「打小牌嘛，輸輸贏贏無所謂。」雅麗絲媽媽說的是實話，她最穩健向不打大牌。

「妳和小蔡的感情進展得怎樣了？」女兒大了，媽媽總是關心的。

「對了」我忘記告訴妳了，桑先生還請他吃過飯，他很關心我的婚姻大事。」雅麗絲這個答復有點所問非所答。

「我問妳倆的感情，不是問妳的老闆關心不關心。」雅麗絲的媽媽是老一輩的人，她不懂什麼「包死」「包活」的。故稱喬治桑為老闆。

「他對我不錯，我還要再觀察一個時期再決定。媽媽，不要談他，妳看那一家電影好，我陪你去看電影。」雅麗絲說完，將報紙的副刊遞給媽媽。

「我沒有意見，妳想看那一家就看那一家。」她的媽媽臉上現出慈祥的笑容。

「媽媽妳又來了，我請妳嘛，當然由妳決定。」雅麗絲坐在她媽媽的沙發扶手上。

她的媽媽用手扶正了眼鏡，將副刊瞧了一下，說：「去看『淚的小花』好不好？」

「淚的小花是悲劇，妳看了又要流眼淚，為什麼不換一家？」雅麗絲知道她的媽媽喜歡看悲劇，但看了又要傷心。所以才這樣說。

「那還是由妳決定好了。不過我還是愛看悲劇。什麼武俠片、新潮派、西部片我都不想看。」她的媽媽雖然表示願聽雅麗絲的意見，但很明顯的，她已經決定了範圍，其勢是非看「淚的小花」不可了。

「我沒有別的意思，我就是怕妳哭，妳既然想看淚的小花，我們就去看淚的小花好了。」雅麗絲說完，看了一下腕錶，說：「現在就走還趕得上二點四十分的一場。」

（未完）

台北傳奇錄 （四九）
·陳光棟·

「妳既然不想找太太，也就不要再說工作問題啦」！

「他媽！你這小子怎麼這樣混蛋」！賴有為光了火：「找工作和找太太，完全是兩件事，根本扯不到一起，這是什麼，咱們兩個人都快挨餓啦！你還像沒事人兒」！

「他二舅，我告訴你」！

「誰是他二舅哇」！

「找工作和找太太是一而二，二而一的事情，你只要聽我的話，包管你兩樣都能得到」！

「什麼」？

「這就是我老人家的神機妙算」！李奇認眞的說：「眼前就有現成的好機會，就看你有沒有這樣的造化」！

「究竟是怎麼回子事？快點說。」賴有為坐在床沿上。

「巷子裏面住的那一家，你知道不知道」？

「那一家呀？這樣沒頭沒腦的」！

「有汽車的那一家」！

「怎麼樣」？

「他家老頭子當年在大陸是風雲人物，現在當寓公」！

「誰都知道」！

「那老傢伙很有錢」！

「咱們去搶人家」！

「你別打岔好不好」！李奇抹了抹嘴吧：「可惜沒有兒子」！

「你去當他兒子」！

「他媽的，你怎麼搞的」！

「你說吧，我聽着」！賴有為直打呵欠。

「他只有一個女兒……」

「天哪，那個矮冬瓜」！

「別瞧是矮冬瓜，只要你能娶的到手，包管你這輩子不用再發愁」！

「什麼？我娶她」？賴有為指着鼻子。

「有什麼不好」？

「一身的脂肪」！

「你懂什麼？胖的人才有富氣」！

「我就不喜歡胖子」！

「混蛋！你他媽的還敢挑肥撿瘦！眞是不達時務」！

「你去娶她吧」！

「說眞的，我可不行，你看你，一表人材，只要稍微動點腦筋，準有希望」！

「屁話」！

「只要按着我的辦法」！

「你有什麼鬼辦法」？

「從明天起，你就開始去追她」！

「什麼」？賴有為瞪着眼：「你瘋啦？惹了亂子怎麼辦」？

「不會，那位小姐已經廿八九歲啦，還沒有人家，巴不得有個年輕小伙子……」

（未完）

文壇擷記

從學風說到閻振興

• 文匯樓主 •

當大學校長的起碼條件，是要在文教界素著清望，而又具有處理行政事務之才能，纔不致於誤人子弟，曹（足旁）丹（足旁）最高學府。

新任台灣大學校長閻振興，從高雄市港務局工程師一躍而爲成功大學校長，再躍而爲台省教育廳長，三躍而超高到特任官階的教育部長；特任官銜賦了，又拜大命出任「國家科學發展委員會」副主委，實際是集會務於一人之身，未幾復受徵辟担當台大校長。粵稽近卄年來，文教界人士在台灣大紅特紅，以閻氏首屈一指，猗歟盛哉！

可是，我們看看他在近二十年間的公職成績表，卻不知道他究竟有甚麼可以稱道的表現？只見他在教育廳長和教育部長任內的措施是一團糟，繼又在「國科會」搞出見不得天日的「研究教授」把戲，貽笑大方，若論學術著作，更是白紙一張。像他這樣的角色，莫說在海外的中國高級知識份子而又學有專長，願意爲國家効力者，所在多有，即在國內的文教界人士中，其學者視閻氏優越者不知若干。然而，衆士皆沈潛，斯人獨顯要，這除了就中國傳統人生觀的命運之說以求解答外，實在難以索解了！

普通的行政官吏不妨隨便任用，若夫師表人選，關係國家命脈的大學校長人選，似未可馬虎從事。尤其是台大的業務，比較其他的大學特別繁重，需要興革的地方甚多，非得在學術界卓著聲望，且有興利除弊的才幹與魄力的人承其乏。

樓主以想從說學風，閻振興既受命出長台大，首須明瞭今日社會敗壞情形，最嚴重者，殆爲學術界遭受若干不可收拾的地步，尤以少數學閥，假冒「胡適」「北大」招牌，用聲勢嚇人，胡作非爲，保護其「學術界紙老虎」假面具，似可忍孰不可忍。例如錢穆先生，乃北京大學校友們最敬佩之教授，試問彼能涉足中央研究院或台灣大學嗎？錢穆二十年來進台大演講的機會都沒有，其餘思過半矣！這種作風就得改進，將時代向後拖，雖亦不簡單，但究竟不太光明。

台大爲自由中國最高學府，閻振興應當注意如何培植新人，不要分出派別，使政府各部門都能於短期內不斷換取新血輪，從事反毛復國艱苦奮鬥，講老實話，閻振興長成功大學這一階段是比較成功的，如果能將這一階段成功發揚光大，移植到台灣大學，是學術界對閻振興起碼的期望，也是閻振興起步就該做到的事。

談佛誕與浴佛節（下）

黃公偉

（三）佛陀的誕生故事

釋迦牟尼，義譯能仁，寂默，出生於北印度迦毘羅國，迦毘羅維城，地在大雪山下，拘利城外，藍毘尼園，名悉達多，父名淨飯王，乃迦毘羅城主，娶摩耶夫人，生太子即佛陀。據傳說佛陀誕生之前後有許多吉祥之兆。如「佛本行集經」云：「菩薩正念從兜率（即彌史多天，欲界第四天）下託淨飯王第一大妃摩耶夫人右脇住已。是時大妃於睡眠中，見有一六牙白象，其頭朱色，七支柱地，以金裝牙，乘空而下，入於右脇。夫人夢已，明旦即告淨飯王」。是佛陀以菩薩從兜率天而投胎於摩耶夫人。投胎當時，經過占夢，護胎等隆重禮節，都從婆羅門教儀。原來當時婆羅門教正盛行，佛陀的降生也就充滿了神話式的多彩多姿。

如「釋迦譜」云：「降神母胎於右脇，所以處右所以不左。王象王來處於胞胎，身心安隱，猶如遊禪，爾時菩薩觀降胎時，兜率宮。無量無天，發諸天妙華，燒衆名香，散天妙華，隨從菩薩滿虛空中，放大光明，普照十方。以四月八日明星出時，降神母胎，於是摩耶夫人於睡眠之際，菩薩乘六牙白象，騰空而來。」婆羅門即占之曰：「大王夫人所懷太子諸善妙相，不可具議，今當爲大王略言之。大王當知今此夫人胎中之子必能先顯釋迦種族，降生之時，放大光明。諸天釋梵執侍圍繞，此相必是正覺之瑞。若不出家爲轉輪聖王，主四天下，七寶自至，千子具足。是時王聞此婆羅門言，得自慶幸」。因此自摩耶夫人懷胎後，日修行六婆羅密，不復樂於人間之味，所謂「吉人天相」，此佛陀未出生前之先天因緣。「佛本行集經」云：「爾時護明菩薩大士於夜中，當欲降神入於摩耶夫人胎時，其夜白淨飯王。」時其夜天地震動，草木華茂，種種瑞相俱由婆羅門所占出。摩耶夫人不貪異味娛樂，淨心修諸善道。又云：「爾時，菩薩爲母摩耶夫人懷孕菩薩將滿十月，垂欲生時，其時彼摩耶夫人父善覺長者（拘利城主，阿難跋迦）即遣人詣迦毘羅僧祇師云：摩耶夫人父名善智奏大王，言爲我所知，我女摩耶夫人懷藏聖胎，威德既大，若彼產出，我女命短，不久必沒。」佛陀出生，又講婆羅門名相，如「釋迦譜」云：「婆羅門即白王言，我聞大王新生太子，有諸相好奇特之瑞。既見太子，相好嚴感，歎未曾有。宣令善所生太子，大人珍異，勿生憂怖。又言雖是大王之子，乃是世間之眼。太子身色光爛，猶如眞金，有諸相好。極爲明淨。若當出家，成一切種智」。即斷爲超人，聖者。又請阿私陀仙人斷疑，仙人言：「大王太子，相好具足三十二相，若在家者年十九，爲轉輪聖王。若出家者，成一切種智，廣濟天人」。由古夢看相以推知佛陀之出生，均循「宿命論」以推斷其應世之非凡。殆即印度因果思想的表現。

佛陀之母摩耶夫人果如僧佉所言，早亡。自幼便由其姨母摩訶婆闍婆提拉所撫養成人。如「佛本行集經」云：「爾時太子已誕生，適滿七日，其太子母摩耶夫人更不能得諸天威力，復不能得太子在胎所受快樂。以力薄故，其形羸弱，遂便命終。惟是甕訶婆闍婆提是太子眞正姨母，是故堪能將息，養育太子之身」。是故佛陀出生七日即喪母，而由其姨母所育成。

（四）浴佛與浴佛節

佛陀出生於四月八日（指農曆），俗稱是爲浴佛節，蓋慶祝佛誕而立之節日。如梁僧祐「釋迦譜」云：「諸菩薩用手摩其頭，病皆除愈。十月滿足，於四月八日初出生時，夫人見彼園中有大樹名無憂，花色香鮮，枝葉分佈，極爲茂盛，即舉右手欲牽摘之，菩薩漸從右脇出。于時樹下亦生七寶七莖，蓮花大如車輪。菩薩即墮蓮花上，無扶侍者，自行七步，舉其右臂而獅子吼，我於一切天人中，最尊最勝者，無量生死，於今盡矣。此生利益一切天人，說是言已時，四天王即以天繒接太子身置几上。釋帝桓因（即玉皇大帝）手執寶蓋。大梵天王又持白拂侍立左右。陀難陀龍王於虛空中，吐清淨水，一溫一涼，灌太子身」。（即灌佛）此即浴佛儀節得由來。又「十二遊行經」云：「菩薩四月八日，明星出時生，佛身長一丈六尺，（大佛身）佛弟阿難四月十日生，身長一丈五尺」。享壽七十九歲，於二月十五日圓寂。

關於佛陀生滅年代，如梁僧祐「釋迦譜」，隋天竺法師闍那崛多「佛本行集經」，唐道宣「釋迦氏譜」等佛典均少明文記載，後世解說因有五六十種不同之異說。今傳佛滅於周敬王三十六年（公元前四八七）早於孔子八年。又據隋費長房「歷代三寶記」云：「魯春秋莊公七年夏四月辛卯夜，恆星不見，夜中星隕各南，按此即如來誕生王宮時也」。時爲周莊王十五年（公元前六八二）四月八日。記又有佛生於周襄王三十年（公元前六二二）。今考訂佛陀誕生於周靈王十五年（五五七）四月八日，即長於孔子六歲。（五五七——四八七）故與孔子、老子相前後而同時應世。

佛陀十九歲娶拘利城主覺善王之女耶輸陀羅爲妃，生一子名羅候羅，年廿九出家修道，苦修六年，至三十五歲，成道。是爲「大覺世尊」。然後遍遊四方說法化導衆生。凡四十九年，最初動化憍陳如等五氏，最後度化百歲老須跋陀羅，直接受業弟子（聲聞乘）數千人。其說法最多最久之地爲摩訶陀國之「天舍城」，吠舍國之「離城」，拘薩羅國之「舍衞城」，而於拘尸那城娑羅雙樹下最後說法，而入涅槃。這就是佛陀的一生。

說曹操

李漁叔

（二十）

五、官渡之戰

何止十倍於袁紹，假令這時放鬆一點，使他成了氣候，而在袁曹交兵之際，橫插一下，是絕對受不了的，故趕着解決他，以除心腹大患，再來對付袁紹。亦且因與袁紹素交，看透了他，應事遲緩的習性，不甚放在心上。

但在袁紹那方面，則是絕大的機會，田豐早經向袁紹提出了。按袁紹傳：

建安五年，太祖自東征備，田豐說紹襲太祖後，紹辭以子疾不許，豐舉杖擊地曰：「夫遭難遇之機，而以嬰兒之病失其會，惜哉。」

這種機會，少縱即逝，我們今日重紬歷史，實在不能不佩服田豐沮授智慧之高，眞當得起「料事如神」四字，孫盛魏氏春秋說是：「觀田豐沮授之謀，雖眞平何以過之。」自非虛語。遺憾的是袁紹不僅不聽田豐之謀，反以爲他再三懇諫，搖惑衆心，在出兵之初，即予以械繫下獄，等到兵敗後，還是不肯饒過他。而沮授亦以屢諫不從，拒絕降曹，白白的送了一條性命。

相反的方面，孟德倒是十分傾倒他們兩人，先賢行狀載：

「初，太祖聞豐不從戎，喜曰：『紹必敗矣。』及紹奔遁，復曰：『向使紹用田別駕計，尚未可知也。』」

至沮授事，袁紹傳稱：

「沮授不及紹渡，爲人所執，詣太祖，太祖厚待之，後謀還袁氏見殺。」

獻帝傳所載沮授被執後的情形更詳：

「授大呼曰：『授不降也，爲軍所執耳。』太祖與之有舊，逆謂授曰：『分野殊異，遂用圮絕，不圖今日乃相擒也。』授對曰：『冀州（指袁紹）失策，以取奔北，授智力俱困，宜其見擒耳。』太祖曰：『本初無謀，不用君計，今喪亂過紀，國家未定，當相與圖之。』授曰：『叔父母弟懸命袁氏，若蒙公靈，速死爲福。』太祖歎曰：『孤早相得，天下不足慮。』」

從問答中，可以看出曹公的愛才，絕非袁紹可比。

官渡戰役，無甚可稱，最初只是一個相持的局面，從四月開始，才在白馬（地名）開始接觸，一戰而斬了河北大將顏良，隨在延津又斬了文醜。按魏志太祖傳和蜀關羽傳，斬顏良者係關公，而小說則把誅文醜事一併加在關公頭上，史無記載，也是「想當然耳」的事情。（未完）

安徽十三傑

諸葛亮狂想曲

（一二三）

・劉玄・

「今天太白星君背光臨，實在面子不小。我想二弟尤爲興奮，此皆先生之賜也。」劉備最謙恭，尤其是對諸葛亮說話，這大概是諸葛亮肯爲他賣命原因之一。

「主公過獎，亮不敢當。星君壽逾千歲，自大典開始一直到終場毫無倦容，洵屬難能可貴。」諸葛亮順便又捧了太白星君一下，足證他和星君交非泛泛。

「劉約翰兩度接待太白星君，卓著辛勞，何不找他來談談。」當年在三國時代的劉備，儼然有君主的威儀，普通人休想見到他。現在平易近人，倒很有民主風度了。

「不知劉約翰走了不會？可煩糜秘書去叫他來。」諸葛亮羽扇輕搖，向來動腦不動腿。

劉備在案頭拿起紅木小鎚，敲了一下小鐘，糜芳立刻入見。

「你去找劉約翰來，說我和諸葛先生在此候他。」劉備是坐着對糜芳說話的，以他在龍岡地位之崇高，對於糜芳自然不必太客氣。糜芳唯唯而退。不一會工夫，糜芳引劉約翰進入總會長辦公室。

「總會長，諸葛先生。有何訓教？」劉約翰見劉備不敢露出美式文化的輕狂，倒很有中華文化的拘謹。

「不要客氣，請坐下來談談。」劉備揮手命劉約翰坐在他對面的椅子上。

「今天太白星君參加磨刀大典，還滿意吧？」諸葛亮開口先問劉約翰。

「星君很滿意。他對於儀典節目也很欣賞。」劉約翰雙手扶在膝蓋上，正襟危坐，恭謹答話。

「他對大典有何批評？」劉備所注意的是太白星君對大典的觀感。

「他對大典的意義曾一再垂詢，經我向他詳細解釋，他很感興趣。」劉約翰自我表現他的技巧很不壞。

「我看你人很能幹，我想提拔你充任本會招待組主任，不知你願不願就？」龍岡大小單位的主管，一向都是以三國時代蜀漢人物充任，現在劉備破例任用劉約翰，實屬創舉。

「謝謝總會長的栽培，我的能力薄弱恐難勝任。」劉約翰的謙卑更使劉備增加對他的好感。

「就這樣決定了，不過我要告訴你，龍岡的職位多半屬於義務性質，只支領一點車馬費，這，你不會介意吧？」劉備很有牢籠知識分子的手腕。

「這是約翰的榮譽，總會長太抬愛了。」劉約翰改口自稱約翰，是諸葛亮以眼色示意。他知道對總會長說話用「我」，有些不大恭敬。

劉備將糜芳喚進來，命他立刻辦劉約翰的任命狀。劉約翰生前是做生意買賣的，想不到了天庭都做了官了。（未完）

巨變歷險記！

蒙自陷落（一二六）

胡[illegible]

在鷄街會議之後，突然參謀總長顧祝同下達了一條命令，要廿六軍全部空運海南島。顧總參長下達這條命令，自然有他的理由，並且是遵循整個國策的。但在鷄街會議之後，在李、余聯袂回台之後，這道命令就犯了重大的錯誤。

廿六軍與第八軍是唇齒相依，是相依爲命的，唇亡則齒寒，一個死了，一個也活不了。顧總長的這個命令把這個成果破壞了。空運廿六軍到海南；等於給八軍致命的一擊。八軍的軍心士氣立刻洩了下來，不可收拾。他感到他的孤單。廿六軍空運海南，只是顧總長命令的一半，還有一半，那就是叫八去接廿六軍的防。這樣一來，廿六軍、八軍的撤軍計劃整個的被破壞了。廿六軍等着空運，固不能撤，八軍等着接防也固不能撤。於是彭副軍長天天忙他的空運，而曹副軍長則忙他的接防，命令孫晉賢師長以及其他各師全部停進，回師蒙自。

這可急壞了丁博士，他竭力阻止曹副軍長命令停止前進，當時他同曹副軍長同住在建水的府衙門。同住一間屋，曹副軍長左邊的一間，丁博士右邊的一間，中間是客廳。急得丁博士跑來跑去，跑裏跑外，曹天戈副軍長只知道抱着本本照辦不誤。軍人以服從爲天職，是沒有問題的，但在這非常而又非常的局面下，應該通權達變，顧到現實，仍維持鷄街的會議決議才是。但沒有用！

彭副軍長把鷄街的決議放在一邊，忙他的空運海南。廿六軍自然衷心的歡喜，如一個絕望的人得救一般，自然歡欣鼓舞。一下子廿六軍的軍心渙散了，雖然大敵當前，仍當作沒有聽見沒有看見，天天預備，天天準備，一心在等飛機，一天在等飛機，但飛機的數目有限，每次能飛的架次有限，在蒙自已看不見戰時的景象了，在蒙自的警戒都撤了。丁博士到街上一走，很多的舖子也都關門。他好像有預感似的，不好的日子就會到來。最緊張的就是廿六軍軍部了。大家都集中在那裏計劃空運，並且可以說通宵達旦。

曹副軍長則在那裏阻止孫晉賢師長前進，阻止他的前進。大家不前進倒沒有多大困難，但轉回頭去接廿六軍的防，那困難就大了，可以說沒有人去聽，沒有人肯聽，沒有人願意聽，誰又奈他們何？誰也沒奈他們何？這一停可不得了，這一停，停出事來了，將來再想前進也已經來不及了。將來再想前進，已經在共軍層層包圍之下，可憐數萬大軍，全部覆沒！這是後話。且說顧總長的這道命令，不但葬送了整個的八軍，整個的廿六軍，並且葬送了整個中華民國的國運。在撤沒撤的時候，在進不進的時候，共軍已經到了蒙自。在槍聲一響，蒙自就失了，共軍如入無人之境。而我不自反省，白白的葬送了雲南，白白葬送了廿六軍、第八軍，豈天亡我耶？亦人謀之不臧？

神筮管輅

匡謬

管輅字公明，後漢平原人。身通異術，善易卜休咎，爲時知名，所筮奇驗。

一日，見平原人顏超，貌主夭亡。顏超之父求管輅延救。管輅筮道：「君歸家備酒肉一斤，卯日至麥地南大桑樹下，有二人圍碁，可靜待敬以酒食，飲盡再斟。如問君，君只拜叩莫言，必有人救君」。顏超依管輅之言而往，果見兩人下棋於石上，飄然有神仙之狀。顏超默不出聲，只跪進酒肉於前。其中一人貪食，飲酒進肉，不顧其他。不一時，北邊坐者忽見有人在。怒道：「汝何故在此？」顏超只叩頭不語。南面一人道：「適纔食他酒肉，豈不講交情？」北坐一人道：「文書已定，奈何？」南邊一人道：「借文書一觀」。見顏超命當十九歲而死，於是取筆改寫道：「救汝至九十九年活命。」顏超再拜而回。

管輅對顏超說道：「北邊坐者，爲北斗星君，南面坐者，爲南斗星君。南斗主生，北斗主死。凡人受胎，皆從南斗過北斗，所有祈求，皆向北斗」。

有信都令，家中婦女驚恐，互成疾病。使人求管輅筮之。管輅對之說道：「君之北堂西面，有兩具男屍，一男持矛，一男持弓箭，頭在壁內，腳在壁外。持矛者主刺頭，因此頭重痛不能舉；持弓矢者主射胸腹，因此心中懸痛不得飲食。晝則浮游，夜擊病人，故使驚恐也」。於是令人入地深八尺，掘土室中，果見有二棺，一棺有矛，一棺有弓矢，矢已朽，弓矢皆腐敗。乃將二棺骨骸遷出二十里葬之，自是不復病痛了。

利漕人郭恩，字義博，兄弟三人，皆患足疾，求管輅筮其原故。管輅筮卦道：「卦中有君本墓，墓中有女鬼，非君伯母，當是叔母也。昔飢荒之時，有利其數升米者，被推入井中，繼投一大石，擊破其頭。孤魂冤痛，自訴於天耳！」

淳于智，字叔平，濟北廬人。性情深沉，頗富思想。少年爲書生時，能易筮，善壓勝之術。高平劉柔者，一夜睡覺被鼠咬其左手中指，劉柔深惡之。因以問於叔平，叔平筮之道：「鼠本爲殺君而不能，當爲使其反死」。乃以朱書手腕橫文後三寸許，爲「田」形，方可一寸二分，使夜寢仍露手於外。次日，則見一巨鼠僵死於場前。

上黨鮑瑗之家，多傷病貧苦，淳于智爲之筮之道：「君之居宅不利，故使君困如此。君舍東北有大桑樹，此樹有怪異。君可入市，見有一人賣新鞭者，君可購鞭一條，懸於樹上。三年之後，當暴得財富。」鮑瑗遂市，果見有賣鞭者，即購鞭懸於樹上。三年期屆，一日浚井，得錢數十萬，銅鐵器二萬餘斤。於是業用既展，病者不見。此亦怪事也。

國醫與國藥

畧論中國醫藥學術與道家之關係（上）

·南懷瑾·

吾聞論中國醫藥者，皆云淵源於道家，而言道家之學術，則云綜羅百代，博大精微，然則醫藥所宗之道家者，爲方伎神仙之道？抑爲形而上太極玄微之道？則似侗未定其界說，故有撲朔迷離之惑。如折衷其旨，宜歸於方伎神仙家之道術也，以方伎神仙家之道較爲互同。養生爲宗，以修煉內外金丹爲用，但言其術者，動輒推尊黃老，而黃帝之學，世謂其書大都出於後人之偽託，老子之學，已明白具於五千言，其間顯見爲醫藥之文者，未之見也。有之，唯黃帝靈樞素問，世並稱之謂內經，以及道家之黃庭內外景經與丹書雜學，確爲養生醫藥淵源之新本，姑不論其問世時代之遠近，信爲秦漢間之著述，當無疑義，由此可見中國醫藥之源流，其由來久遠，而昌明於周秦之際。實則無論有無文化之民族，其生老病死之過程，莫不殊途而同歸，有生老病死之人生現實存在，亦必有醫藥隨之以俱來，唯其學其術有精微粗率之別，而無有無之分也。中國醫藥，既云淵源於道家，而道家又以精微博大著稱，其學術自當別具高明，奈何近世以來，一遇西洋醫藥輸入，舉國之人，幾視其爲陳腐朽敗不經之學，將欲盡棄而勿論之耶？吾甚疑之，故喜涉獵其中，探尋其跡，乃知古之習醫學者，必以靈樞素問內難二經爲其初基，再次而研習傷寒金匱，本草脈訣，然後博通羣籍，融會諸學，方可以言醫。至若粗知本草，畧記藥性，讀湯頭脈訣或專於科方針砭者，即驟自行醫，實爲醫家之左道，人羣之危人也。晚近有研求金元四大家之學，或採醫宗金鑑之集，已可稱爲此中巨擘，既謂五運六氣之說，徒有名言，概無實義，觀摩止此，其他何足論哉。

夫靈樞素問內難之旨，先須詳知人身氣化之本，經脈血氣與天地陰陽盈虛消長之理，然後效法以養生，應用以醫世。神仙方伎，故奉之爲修煉之實典，但研讀之者，苟未識小學訓詁，不知天文物理，且乏文學之修養者，則往往被其陰陽名目之迷而益滋煩惑，反覩爲虛玄謬說矣。至若難經之五行六運之說，輒取周易八卦之理則，智者知其爲人生物理學術之最高原則，淺者反覩爲一派胡言亂統而已。何況黃庭內外景與丹書所言，龍虎水火，嬰兒女，尤跡近神妙，苟不好學而深思之，必不易知其設喻所指之眞諦也。須知內難二經等所言生老病死之變遷，併天地間物理與人生之關係，統納法則於易經，而易學之理，則本於天文地理人事物理之自然規律，其學術秉承，淵源有本，確非空言妄構，徒爲虛玄也。老子有言曰：「人法地，地法天，天法道，道法自然。」蓋謂人生存於天地之間，其生命本能現象，與天地自然規律之氣化，固有息息相關者存焉，識知天地生物盈虛消長變通之理，然後方可以言養生與醫藥，中國醫藥之學術，其根本基礎實秉此而來，則較之西洋醫學，徒以人身爲本位，以衛生醫療藥物理論等爲專科，大有不同者在焉。（未完）

自由詩壇

南下車中

沈達夫

新禾十里碧翻波。
裊裊村烟向晚多。
夢覺車窗茶尙暖。
兩三點雨過鶯歌。

讀燕子龕詩二首

沈達夫

空山流水無人迹。一卷遺詩燕子龕。
同病人間猶有我。從君哀淚汲微甘。

其二

一覺人間泯愛嗔。天涯底事獨傷神。
杜鵑聲裏家山遠。猶爲騷魂戀此身。

第五章　天祚帝途窮敗亡　岳鵬舉小試牛刀

前鋒直逼燕城，郭藥師提衆拒戰，大敗蕭幹。乘勝追越盧龍嶺，殺死遼兵大半。蕭幹敗遁，爲其部下耶律阿古哲所殺，將首級獻郭藥師。郭藥師函了首級送京，徽宗加爲太尉。

再說遼主延禧，奔走窮荒，想往西夏安下殘身，免爲「君俘」。偏偏金人利害得很，首先用政治阻止了他的去路。先貽國書至夏主，約執遼主，當割地相贈。因此夏主乾順拒絕了遼主的請求，且遣奉誓表，願以事遼之禮事金，金遂如約畀地。令粘沒喝割下寨以北，陰山以南，及乙室邪剌部，吐祿西與夏。夏與金自此通好，信使不絕。惟遼主不得往夏，再渡河東還，適耶律大石自金逃歸。見遼主，遼主怒責道：「我尙未死，汝何敢立淳」！大石答道：「陛下擁有全國，不能一次拒敵，乃棄國遠逃，就是臣立十個耶律淳，均是太祖子孫，比諸乞憐他族，豈不尙高一等」。遼主不能答對，反賜酒食，仍令隨駕。不久有烏古迪里部莫葛失，迎接遼主至部，奉承惟謹。遼主再出兵，收復東勝諸州，到了武州，與金人接戰，敗走山陰。宋徽宗欲誘致延禧，令番僧往迎，許以帝禮相待。

遼主本早欲南來，繼思宋不可恃，擬奔黨項。途次復遇金兵，恐爲所見，急棄馬竄免。窮途日暮，竟至絕糧，沿途嚼冰飲雪。到了東鄙，被金將婁室追及，活捉而去。金廢延禧爲海濱王，未幾將之殺害，用萬馬踐屍。遼緒全亡。

總計：遼自太祖阿保機稱帝，共歷八主，凡二百一十年。惟耶律大石西走可敦城，又延了三世。史稱西遼。

耶律大石爲契丹太祖阿保機之八世孫，通漢、遼文字，善騎射。天祚時登進士，曾任刺史和節度使。逃歸之後，心不自安，率其鐵騎二百人，乘夜而逃。西行至可敦城，即鄂爾渾河上源北岸，駐北庭都護府，大會七州十八部番衆，誓衆興復，得精兵萬餘。西行所至，回　受其感動，願爲附屬，且贈馬羊等物。大石又再西行，所過國家，敵者勝之，降者安之，兵行萬里，歸附者凡數國，於是軍勢日盛。行與塔什罕（即今撒馬兒罕在阿母河東）擊敗西域諸國聯軍，建都於別喇薩軍（俄屬中亞地）自立爲帝，是爲西遼德宗。德宗沒，子夷列立，是爲仁宗。仁宗沒，次子直魯古立，是爲末主。末主在位時，適鐵木眞破乃蠻，乃蠻會長太陽罕被殺，其子屈出律逃至西遼。（十八）

自由報

（第一〇六五期）

社址：香港九龍彌敦道593—601號廖創興銀行大廈八樓五座

LIU CHONG HING BUILDING
7th FLOOR FLAT '5
593—601 NATHAN ROAD,
KOWLOON, H.K.
TEL: K303834
電報掛號：7191

[illegible]

中西文化與人類前途（三）

・張起鈞・

丙，內聖外王的傳說

天下沒有無源之水，我們所以能有這種成就，正是我們文化的精神本質健全卓越所使然。其他民族的文化，譬如希伯來民族的文化或印度文化，也可說是指摩西耶穌，佛教，婆羅門教的教化，雖都很高明，但是他們的文化都是出世的文化，告訴人們如何上天堂，如何擺脫輪迴，擺脫人生的苦難，所以在宗教這方面有卓越的發揮，但在現世方面的成就顯然不能媲美，例如印度絕大多數時間是被人佔領壓迫，而猶太人儘管從埃及逃出來，還是受罪倒楣，始終寄生在別人國家之內。反觀我們中國的文化自始就是偏重在現世的發展，要把天國建築在地上，從歷史來看，歷代的列祖列宗，先聖先賢的想法可能不一樣，但是對現世方面大家是共同的，那就是韓愈所說的：「堯以是傳之舜，舜以是傳之禹，禹以是傳之湯，湯以是傳之文武周公，文武周公傳之孔子，」了，此處所謂「傳」是象徵式的說法，並不是像跑接力賽，把棒直交到手裏，而其意義是在這列朝列聖之間，有一個一貫相承的共同點！這個共同點就是所謂道統。道統是什麼呢？我在拙著中國哲學史話再版自序中解釋，道統就是以內聖外王的素養，作救人救世的奮鬥。就大言不慚的說，第一個講道統的是韓愈，第一個給道統下定義的就是張某人。是不是張某人比古人聰明，不是的，因為我有機會與西方文化希伯來文化作深切的接觸，在兩相對照之下，才體會出中國文化的特點，就好像韓愈把中國文化和印度比較以後，才感到中國有一個一貫相承的道統存在一樣。不過韓愈沒有受過近代邏輯的訓練，觀念上感覺到而他說出來，我接著前人走的路子，而能夠清楚的說出來而已。——正因為中國有這樣的文化精神，才能使中國在現世的方面有如此的成就。

丁，陶鑄聖賢開創世運

尤其值得一提的，在這種道統的氣氛下彌漫着修齊治平的教育思想，那就是一套實踐內聖外王之道的工夫。在過去只要是書香門第，讀書人家，無不是父以教子，兄以教弟，勉以修身，齊家，治國，平天下的教誨，沒有一個家庭不是為勉勵子弟，當然也有多數年輕人把這個當作耳旁風，不僅聽者藐藐，甚至言者也藐藐，但是總會有少數大智若愚的第一流人才，把這種教訓認真來做，而結果把他的奮鬥表現在這方面。我們知道歷史是人造的，人定勝天，人是決定的因素，第一流人才傾注於那方面，那方面必有成效，影響力最為偉大，英國大史學家威爾斯曾說：假使從歷史中抽出十個人，歷史會整個改觀，諸位想想，假使沒有孔子，釋迦牟尼，耶穌，亞里士多德，成吉斯汗等十人，那歷史上將是什麼樣子呢？可見人的因素多重要。至於第一流人才的才智和努力究將投向何方，卻多半是在小的時候胡里胡塗來選定的，法國有一句話，「愛情來自睡夢中」，我們人生許多事恐怕也是來自睡夢中，沒有人在三四歲或五六歲時就決定將來幹那一行，恐怕是胡里胡塗的，譬如我吧！我當初決沒有想當教授來教書，當年高中畢業後正值九一八後，而要投筆從戎，投考軍校，因為眼睛近視沒考上，而上北大，讀的是政治系，沒有想到是在教書，真是相去十萬八千里了。第一流人才走到那一方面也多半是這樣陰錯陽差胡里胡塗的，須知人才是慢慢培養，到後來有了過人的才智，有了卓越的事功表現，然後才為人稱作人才。

而這些第一流人才在小的時候不僅別人不知道是人才，自己也不知道是人才，但是第一流人才有一點是絕對不會錯的，就是他一定有一顆強烈向上的心，力爭上游不願意做人下人，不願做次一等的事，但是什麼事才是最有價值的，甚麼才是使他覺得最光榮的呢？那就要看社會風氣了。因此我們看以前德國第一流最了不起的人往往是當陸軍，今天美國第一流人才則多半是發財的百萬富翁，因為在他們那裏認為只有這種人才是最值得羨慕最受鼓勵追求的，但在中國的情形便不同了。中國在修齊治平的教育薰陶下許多第一流人才，在東漢受書香門第的教化，就為國為民，救人救世了，他的決定雖是出自朦朦懂懂，但既經決定之後的努力奮鬥，則是真的，尤其他所培養出來的聰明智慧，是第一流的，事是人辦的，歷史是人為的，第一流的人才，把他的聰明智慧貢獻出來，試問還有不能解決的問題嗎？在這方面典型的例子是范仲淹，他窮苦到飯都沒吃的，還要「先天下之憂而憂，後天下之樂而樂」。在最沒有辦法時，還問算命的，他將來能不能當宰相，因為當了宰相，可以救國救民。他當然沒有找個小事情謀生的聰明本事，但他並不以此之圖，寧願犧牲自己的福利，往救人救世的方面走，後來范仲淹當了宰相，五個兒子只有一套外出服輪著穿，罷官的時候沒有房子住，因為他根本沒有想到自己的問題，一心一意以天下國家為念。

中華民族的每一遭逢危難的時候，就有這種人出來獻身挽救，設法解決所遭遇的問題，使中國得以渡過難關，開創出新的機運。英人李約瑟就講，「中國文化，善能自我調節，甚似一種具有生命之機體，隨環境之變化而保持均衡，卒能以導『新的重大發明引起之動盪』而返於安定。」李約瑟的話是很對的，但是為什麼能這樣，當然不是李約瑟所能知道，我們可以說最主要的原因，就是在有任何問題的時候，有第一流人才絞盡腦汁，犧牲奮鬥來解決，這是非常寶貴的精神，今天要復興中華文化，就是要復興此種精神。

五、中華文化與世界問題

甲，復興真意

因此可知我們復興中國文化，並不是復古自賞，或向人炫耀，我們是要以我們祖先這種卓越的傳統智慧，和奮鬥精神，來解決我們當前的問題，不僅要解決自己的問題還要進而解決世界的問題，這不是越俎代庖，捨己耘人，也不是故作大言空論，而是在二十世紀的今天，中國的問題，已經不是能夠關著門解決的，我們的問題和世界問題已交織在一起，上午紐約的金價波動，下午台北金價就變了。那裏能孤立？世界問題不解決，中國問題得不到單獨的解決，因此要澈底解決中國問題，必須同時解決全世界的問題。

乙，今日的世界問題

或者說我們不能否認今天西方文化為世界文化的主流，歐美人士是今天世界舞台的主角。我們不過是配角而已，有什麼資格還要進而解決世界問題，這是否大言不慚，有些誇張呢？不是的，也就正因為西方文化是世界文化的主流，歐美人是舞台的主角，所以今天世界的問題，雖從顯微鏡的觀點來看是千頭萬緒，複雜多端，但總起來，從大處着眼實正是西方文化的流弊所造成的結果，西洋人誠篤信道，進取發展的精神我們不僅不能否認，我們並且還要敬佩，但是天下事過猶不及，這種精神過份的發展，使得變成有己無人，不斷的相互鬥爭，我們且看一部西方近代史，充滿了國家和國家鬥爭，民族和民族鬥爭，階級和階級鬥爭，宗教和宗教鬥爭，美國這麼開明的國家，而國內還鬧着嚴重的黑人問題，其他就更不用說了。再加上科學技術的發展，帝國主義的形成，一種強大侵略，帝國主義的鐵蹄，踏遍了世界的各個角落，使得歐美以外的國家民族，無不被壓得喘不過氣來。即以美國來說，我們是最友好的國家，但誰能否認我們今天的這個局面不是美國朋友的「好意」所造成？凡是看了美亞報告的當知一切。試問大家如此相處，世界還怎能安定和平！

（未完）

昨日與明日

直把杭州作汴州！

舊詩有：「暖風吹得遊人醉，直把杭州作汴州。」這兩句詩不啻是興亡殷鑑！

台灣亞熱帶氣候，風光明媚，是觀光勝地。年來政府及社會人士有志一同，協力發展觀光事業，從經濟及國際宣傳觀點，原屬無可厚非。但中華民國處此空前變局，台灣具有的另一重大意義是——民族復興基地。全國軍民應深切體認　總統「毋忘在莒」之昭示，勵行戰時生活，堅苦奮鬥，始能開拓復國契機。但實際情形如何呢？已故青年黨領袖左舜生在某次閒談中，曾很感慨地向筆者說：「台灣一般中上家庭，太注重生活享受了。已經有了電視機，隨時要換更大更好更新的！人口不多，卻要住很大的房子，一切佈置力求華麗。我很懷疑此時此地的中國人是否應該只追求物質享受而不顧其他？老實說，我從海外看台灣，等於是一艘復國號巨舟，所有熱愛國家民族的炎黃子孫，都應該策羣力發奮圖強，這樣才有希望。現在我所看到的社會奢靡風氣，真使我不寒而慄！」左舜生雖已逝世，他的愛國良言，仍然值得我們警惕！

物慾思想足以斷喪一個民族的生機，其可怕性並不下於共產思想毒素。物慾思想與虛無主義是比鄰，而虛無主義與共產主義又是一體之兩面。如果我們只注意反共而不設法防止物慾思想的氾濫，其危險性猶如前門拒虎，後門進狼。

有人說：「物慾思想是資本主義社會自然的產物，無法避免。」這話似是而非。中華文化正是最佳清潔劑，如能善為利用，自能有效防止物慾思想的氾濫。然而文化工作者之不能受到朝野重視，為末世紀時代的病源；但這種診斷絕非言之過甚。

・易傳

自由談

語體文的作用只是通俗，使智識淺薄的人有所認知而已。但如不斷句，則通俗的作用亦談不上，此外即無可取之處了。

談到語體文的寫作技術，可以無師自通，不學而能，但精蕪繁簡之間，迥然有別。如果識字無多，對文言文毫無根底，寫出來的語體文，一定令人不忍卒讀；反之，凡是多讀詩書，多識字義的，他所寫的語體文即自然簡練得體，而且有力，能夠引起讀者的同情共鳴。所以，小學生教練語體文以啟蒙，未始不可，到了中學和大學，必須修讀國文——即文言文，由淺入深，循序漸進，纔是文化發展的正軌，庶幾乎，一個大學畢業生卽不致於連應用文字亦寫不通啦！

年來台灣文壇上曾有「國語」與「國文」的爭論，已是多餘的事了，距最近又有人建議，要在大學內設置「語文系」，專習白話文，而將原有的國文科目改稱為「古典文學」。嗚乎噫嘻，此亡國之音也，胡為來哉？

亡國之音

大陸上的毛共政權，早已試行漢字羅馬化，稱呼中國舊的三墳五典以及一切文言文字當古典文學，台灣竟有人拾取毛共的牙慧，公然要向共匪看齊，寧非驚人傑作嗎？明儒朱舜水有言：「滅虜之策，在事事與虜相反」，咱們經常高叫反共口號，而在文化政策上却向共匪效顰學步，且有宣稱「漢字不滅，中國必亡」的妖言出現，不亦大駭怪乎！

假使各個大學校真是設置了「語文系」，我不知其將採用甚末教材？大概不外乎拿着胡適的「文學革命」，陳獨秀的「革命文學」這類粗淺作品為無上的藍本，而輔以魯迅，矛盾，趙子曰，胡風……這羣共黨人士的白話文。這些語體文究竟具有甚末精義哲理，而值得研究的呢？唯一的作用，就使一些沒法闖入大學園地的謭陋之士，藉着「語文系」的庇蔭，濫竽大學教授之列，好從事消滅中國固有文化的工作，跟大陸上的共匪媲美爭輝，却依然絕叫「反共救國」的口號，自欺欺人。這種乖戾之氣如任其扇揚，則所謂復興中國文化運動，適以自我諷刺耳。

馮五先生

台北議會指責市府 威風凜凜全憑直覺

高市長跡近蠻幹嫻熟法令 議會未找到重點擊中要害

（本報記者台北消息）府會爭執是民主政治應有現象，互相制衡，政治建設纔有進步，基本觀念要全憑理智，不可感情用事。

我們看了台北議會與市政府爭論各點，便產生一個概念，高玉樹玩政治是一個調皮的脚色，看他作為，跡近蠻幹，但他的確熟諳法令，專找法令的漏洞行事。議會滾滾諸公遠非他的敵手而又個個人些想作皇帝，自命議會是市政府的太上政府，市府不過是議會的一個附屬機關，一切均需請示而後行，不聽亂命就是大逆不道。他們根本不看法令，全憑直覺專發威風，從來不會找到要點，擊中高玉樹的要害。

最近監察院第一一六一次院會決定推派五位委員組織專案小組，調查台北市議會以「代電」要求對市府「濫權違法」「措施」予以糾彈。五位委員是：吳大宇、葉時修、陳志明、黃寶實、余俊賢等，另由審計部派遣審計一人協查。

台北市議會指市府「濫權違法」專案調查報告書，是顯示行政院頒行「台北市各級組織及實施地方自治綱要」的缺點；暴露院轄市自治法規不健全。換句話說，市議會的指責，都是制度上的缺點，法規上的不健全，以及行政裁量權的問題。因為行政法不禁止的事項，行政官署的措施縱無法依據，但不能指其「濫權違法」。市議會和監察院的行動，都不足以影響高玉樹的市長職位，這是此間政壇人士的看法。

台北市議會於本年五月十二日舉行第一屆第五次臨時大會，在第一次會議中通過「台北市議會對『市府濫權違法措施』專案調查報告告書」之處理辦理：一、有關府會權責部份，報請行政院核辦。二、有關濫權違法部份，送請監察院依法查糾。三、有關涉嫌刑事責任部份，送請司法機關偵查。

該專案調查報告書係推出副議長張建邦、議員陳瑞卿、陳重光、林榮剛、葉生進、梁紹洲、周陳阿春、陳愷、黃擊葆等九人組成小組進行調查並作成調查報告書，列舉十六案，指市府民政、財政、建設、教育、工務等五單位涉及違法或涉及濫權。

同一天的下午，台北市長高玉樹在市府簡報室舉行記者招待會，并親率前述有關各單位一級主管和各單位所屬單位二級主管在場答覆。就該專案調查報告書加以說明。因此而掀起高潮，轟動社會，成為各報社會版或市政版的「大新聞」。

本報記者首先要說明的是：台北市議會有無把該專案調查報告書分送行政院監察院和司法機關的職權？暨台北市長的職權範圍。因為這是根本問題。

按照台北市各級組織及實施地方自治綱要第三章規定，暨台北市議會組織規程的規定，台北市議會的職權，（一）議決有關人民權利義務之市單行規章，應函由市府轉報行政院備案。（二）議決市預算及審議市決算之審核報告，但不得增加支出之提議。（三）議決市財產之處分。（四）議決市政府提議事項。（五）建議市政興革事項。（六）接受人民請願。（七）其他依法律賦予之職權。如市府對市議會議決案延不執行或執行不當時，市議會得報請行政院核辦。

觀此法規可知，台北市政府不似憲法規定行政院對立法院負責，而是規定「台北市政府置市長一人，受行政院之指揮監督」，「市長由行政院依法任命之」。「市長綜理全市行政，指揮監督基層自治事項，並指揮監督台北市政府所屬機關及職員。」

因此，市議會議決把該專案調查報告書送監察院、司法機關和行政院是缺乏法理依據的。同時，也是對行政院、監察院「難堪」，如果深入觀察，以整個體制來講，這無異是揭露行政院未盡到「監督」的責任；監察院未盡到「監察」的責任。

誠如台北市長高玉樹在記者會所說：市議會並不是監察院、司法院、也不是市府上級機關——行政院，其對市府展開調查，並作成決議，乃屬多餘。

——我們知道，在市府各單位首長，在市政上是一級主管，也都是中國國民黨的黨員，是三民主義的忠實信徒，我們共同為建設三民主義現代化都市而努力。如所週知，市府各單位主管，既然都是執政黨的從政同志，而四十八位議員中，就有四十六位議員先生也是執政黨的同志，台北市改制後第一屆市議員選舉，市府各從政黨員，也曾盡力支持當選；市府曾用相當力量及經費，帮助國民黨黨員競選，而四十八位市議員有四十六位是國民黨黨員的市議會，竟對市府提出所謂「濫權違法」「實為一大憾事！」

為使讀者瞭解起見，以問答式摘錄幾條於后：問：（表示市議會專案調查報告書所提出的問題）；答（表示高玉樹或各主管在記者會所提資料及答復記者詢問）。

府會關係互相尊重 行政立法職權分明 列席議會并無明確規定

問：民主政治為法治政治，政府機關之一切行政措施，應以法律為根據。民主政治為民意政治，政府機關之一切行政行為，當以民意為依歸。

答：民主政治的府會關係，基於「互相尊重」，也就是說：行政、立法權職分明，而不是說議會同時可具有立法、司法、監察，乃至行政的權力。

民政部門

問：依「台北市各級組織及實施地方自治綱要」規定，應答覆議員質詢而不答覆，應列席議會而不列席。且前曾公開聲稱：「台灣地區之地方自治，尚非百分之百之地方自治」。輕視現行地方自治制度，有違民主政治精神。

答：應列席議會問題，查「台北市各級組織及實施地方自治綱要」，對於市府各級首長列席議會，並無明確規定。僅規定：市議會開會時，市長有向市議會提出施政報告之責，而議員有向市政府市長及各局（處）長質詢之權。市政府人員列席議會係規定在台北市議會組織規程第二十六條：「市議會開會時，市長、秘書長、各局處長及其他有關人員均得列席」，「均得列席」，並非強制規定，而與「應」列席有別。若市政府官員必須實際上無列席之必要時，自可暫不列席。質詢而不答覆問題，綱要第十二條僅規定市議員有向市政府市長及各局處長質詢之權，而並無規定對於任何質詢必須答覆之規定。台北市議會本身議事規則為市議會議事規程，對市府人員所加之限制是否有效，無煩詮釋。因之自不能認為違反自治綱要之規定。

問題，綱要十八條規定：市長之職權，（一）綜理全市「行政」。（二）署。（三）指揮監督「基層自治」事項。區長之職權綜理「區政」及交辦事項。里長之職權辦理里「公務」及交辦事項，市長暫由行政院依法任命，區長依法由市政府任命。區非法人，亦無區級議會或區民代表會之組織。故從以上三點看來，自非百分之百之地方自治。然因市有市議會，里有里民大會，及里長由里公民選舉，仍不失為民主政治。

國小教員任用與省程序不同

由教局簽報以府令發表

教育部門

問：依據國民學校法之規定，教育局為教育主管機關，有關國小教員之任免，應由主管機關掌理，但市府擅自將事權改歸市長統管，混亂行政體制。

答：台北市國民小學教員任用之程序與省府不同：院轄市政府之組織為首長制，與省政府採委員制之性質不同。院轄市行政權之行使，兼有省與縣市政府兩種特性。院轄市政府之地位，一方面為全市的最高決策機關，一方面亦係實際執行政令之機構，尤其國民教育部份，與省政府制定政策後，交由縣市執行之情況不盡相同。院轄市國民小學教員之任免、遷調、停職、復職等事項，由教育局先行簽報核定後，以府令發佈；於教育局之職權，並無影響。

工務部門

問：依建築法規定，台北市建築主管機關應為工務局，但台北市凡六樓以上樓房之建築執照，須經市長核准始可發給，市長擅自將事權改歸市長統管，影響建築管理制度，且多有失公平。

答：建築執照之核發，依法均由工務局辦理，工務局在審查過程中，為配合各部門推進市政建設，及各主管業務之需要，均需移會有關單位，如地政、民防、警察、警備等單位會簽，其有關影響市容觀瞻較大之高樓建築，乃飭工務局擇要請示，但建築執照之核發，仍屬工務局之職權。至台豐大樓申請案，因其兩高樓間，尚有四層樓建築物一棟，如兩者高度相差過多，實有影響市容，乃勸其將基礎按十樓建築，地上暫時建築六層樓，日後其鄰房改建為高樓時，仍可加高建築為十層樓，因申請人不願更改，故退回後尚未再提出申請。

台北紡織廠（忠孝路）附近地區細部計劃，係經台北市都市計劃委員會（五十七年九月三十日）第五次委員會議審查修正通過，於五十八年四月十六日公開展覽，並送請內政部核定。五十九年二月二十日始奉內政部核定，市府於同年三月十八日公布實施。市民廖欽福申請變更計劃道路案，係基於擬興建國際觀光旅館之理由向改制前台北市政府提出申請，案經核轉台北市都市計劃委員會審議結果，檢送具體興建計劃後再議，其後市府于五十八年六月廿五日，通知該申請人檢具准建國際觀光飯店有關證件，以便辦理，惟迄今未會檢送。至於台北紡織廠原址內學校保留地問題，亦係遵循主管單位意見辦理。

問：關係人民權利義務之單行規章，依法應經議會審議，但市府竟以行政命令方式逕行公告「騎樓設置標準」，構成非依法律擅課人民以新義務之違法行為。

答：市府於本年一月三十一日公佈騎樓設置標準，主要為改善台北市交通秩序，嗣以台北市議會迭次開會及來函提出意見，市府乃暫緩實施並同時請示行政院，一俟行政院核示後，市府自當遵照辦理。

台北市博愛路等舖設紅磚工程，係奉行政院五八、八、八台交六五五〇八號令改善交通安全工作方案指示，列為限一年內完成工作，市府遵照院令，如限完成。

喬治桑外傳

一四六　張大蕪

雅麗絲陪她的媽媽到了電影院，先買好了票，又去買瓜子，牛肉乾等零食。

散場以後，雅麗絲的媽媽眼睛紅紅的。

「要不要再去看第二場？」雅麗絲問。

「不要了，我想休息一下。」雅麗絲媽媽畢竟年紀大了幾歲，看了一場電影，感到有點吃力。

「那我陪妳到咖啡館吃一杯咖啡。」

母女二人走進了西門町一家咖啡館。雅麗絲要了熱咖啡，她的媽媽要了一杯檸檬茶。

「我說不要看悲劇，看妳哭得好傷心。」雅麗絲見她的媽媽流淚，未免難過。

「人是情感動物，看悲劇流淚，算不了什麼。我雖然流淚，到底是看電影，看過也就算了。」她的媽媽啜了一口檸檬茶。

「媽媽，妳今晚要不要住在我那裏？」雅麗絲改變話題，她所謂那裏，自然指的是喬治桑家。

「不用了，李阿姨那裏，我已經和她通了電話，今晚睡在她家。」

「李阿姨是她媽媽的好朋友，也是牌搭子，孀居多年，手邊略有積蓄，生活還過得去。兩個兒子都在美國就業，只有一個讀大學的小女兒在身邊。屬於美援老太太階級，很幸福的老一輩人。

「妳到李阿姨家又要打夜牌，不如睡在我那裏可以真正休息。」雅麗絲並非反對媽媽打牌，而是體恤她。

「不會打夜牌的，李阿姨叫我去吃晚飯，吃過晚飯最多打十二圈牌。」雅麗絲媽媽別無嗜好，就是愛打打小牌。接着她又說：「妳的老闆雖然待妳不錯，我住在他家到底不方便。」

雅麗絲聽了媽媽的話，想了想，覺得也有道理。

「那我現在就送妳去李阿姨家。」

「好，妳陪我去買點吃的東西帶給李阿姨。」

雅麗絲的媽媽禮貌很週到，買了一盒巧克力糖，與雅麗絲雇了計程車到李阿姨家。

李阿姨住在台北住宅區一所公寓裏，雅麗絲已經很久沒有去了。

「哎呀，妳怎樣這時候才來，三等一眞要命，又沒有地方找妳。」

「李阿姨高高的身材，比雅麗絲媽媽要胖一點。另外有兩位中年婦人，果然是三缺一。

「我不是告訴妳，我要帶女兒去看電影嘛。雅麗絲，叫李阿姨。」雅麗絲媽媽在雅麗絲小時叫她小寶的，現在她大了，她也改叫她的洋名。

「李阿姨妳好。」雅麗絲很懂禮貌。

「哎呀，好久不見了，妳越長越漂亮了。」李阿姨一見雅麗絲，稱讚不迭。

雅麗絲媽媽拿了巧克力糖，遞給李阿姨，說：「一點小意思。」

「妳買東西做什麼，妳還嫌我不夠肥？我那敢再吃這些？」李阿姨與雅麗絲媽媽是老友記，講話很隨便。

「妳又不準備競選中國小姐，肥一點怕什麼？」雅麗絲媽媽向李阿姨打趣。

「好了不要再說話了，趕快上場。」李阿姨先坐在牌桌旁，將東南西北風四張牌和了一下，擲骰子搬風。

譚天雕虫集

鄒眼

△正名篇新解

荀子云：「善名命善，惡名命惡」，並不盡然。昔朱溫代唐，那裏有「溫」？張邦昌實應號「國亡」，張獻忠應號「藏奸」。其名善其行惡，遜合於「矛盾律」。今毛澤東字潤之，何不字「殺之」。周恩來可號「仇往」，以符其實。外國亦有不雅之國名，如「匈牙利」則未免酸也。吾人名合衆國為「美國」，日人名之為「米國」。不知孰佳。日人名法國為「佛國」，俄國為「露國」，前者未免失實。因法人並不佞佛。而後者則含「朝露」之義，不能長久。其實，吾意俄羅斯可音譯為「餓國」，如從新名「蘇聯」亦不妨易譯為「速殮」也。從道德律觀點以正名，實中外不二法門也。

△學位與非學位考

士列四民之首，古有逸士，隱士，名士之目，以清高著。學士之名，始自先秦，而孟子論士則主「志士」，「義士」，「廉士」之名，荀子亦有「直士」，「慤士」、「勁士」，「善士」之目。又有「法士」，「公士」之分。凡此可知士之品質之不齊。蓋自三代而下，論學取士即有秀士，選士，造士之別，至秦漢乃立「博士」之位，魏晉清談有方士，高士之銜者，皆與學無與焉。唐宋有「進士」、明清有「貢士」，無不為席列學力之高低而設。總之古人重士非徒取其學優，抑且論其品美。後世乃以「術士」為代，於是士風大壞。前偶及「眼久」，「淹久」可以為學力，權勢可以為知識。今又甚覺「院士」之名，不見經傳，而羣以為最高學位。然則眞才實學之士不得入院者，烏得不成為「怨士」或「冤士」哉！前聞華岡言「華學」創立「哲士」，「研士」（？）之名，以代博士，不知所出。祇知國人早年有譯「博士」為「大狗頭」者，以其為舶來品也。然則「哲士」殆為「小狗頭」乎？難怪受之者深感不妥焉。由此推之，市井江湖援例以士自重，其堂堂以士懸為市招者，多之不可勝數。如看護婦名，「律師名「辯護士」，（日本），道教名「道士」，佛教有「居士」，姑不論矣。而江湖賣藝之流，亦可用「大相士」，「大力士」以為招來。烟鬼名「癮士」，誠然濟濟之多士矣。至於英人之「爵士」，「辯士」，「的士」，則以別具一格，尚不在內。嗚呼！三教九流，無往而不士，與學位爭艷相競，豈非沽[illegible]學名之甚哉！

△且談「名譽」博士

國人近今頗有以榮譽博士頭銜為樂者，於是外國政府羣以為餌，以為增進邦交，「禮品」相贈。孰開風氣之先，不得而知，此舉出於政治作用，本不足怪，可怪者一些「販夫走卒」之流，冒牌學者亦能一過博士之癮，而藉此招搖騙世取寵，不知頭銜有「名」無「實」，何足以亂眞？誠如是也，則將來蠻爾番邦，取媚上邦，必多儲此銜以誘我入轂。非洲、蒙古皆可援例一贈。則非洲博士，蒙古博士輻滿天飛，報紙也出現「慶祝」「某某榮獲非洲某大學術學名譽博士學位」廣告，豈非天下大亂乎？筆者非敢如孔子春秋之筆，不敢說「我為此懼」，然正如孔子說：「雖小道亦有可觀者焉，致遠恐泥，是以君子弗為也」。書此以為學人一笑而已。

洪承疇晚節不保

漢平

（上接第四版）駐兵寧遠，營松山，調諸鎮兵十五萬，以便戰守。按其自登進士，迄至調諸鎮大兵，經過已未戊午丁等運，藉土制水，藉火濟水，是以揚八吐氣，任重操權。四十九歲巳運辛巳，小限癸酉，十二月辛丑，兵敗被擒。五十歲巳運壬午，小限壬申，承疇雖變降清，具見巳酉丑與申酉戌之金，皆為金水有餘之命所忌者。五十一歲未，至六十八歲庚子，忙忙碌碌，應接不暇，除五十六歲戊子，妒合喪父。六十歲壬辰，衝戌喪母，其他火木等運，均與金旺水相之命情緻纏綿，是以左右逢源，官至太傅。六十九歲丑乙休，七十二歲甲辰考終，一為丑戌相刑，一為辰戌犯衝。好在大運在卯，結果安然，造化亦不大矣。

關於洪承疇降清為漢奸之事，清史有記載甚詳。汲修主人（清禮親王）談太宗的襟度有云：松山既破，擒文襄（承疇）。洪感明帝之遇，誓死不屈，日夜蓬頭跣足，罵言不休。太宗乃命諸文臣勸勉之。洪一語不發。太宗乃親至洪館，解貂裘而與之服。徐曰：「先生得無冷乎？」洪茫然。視太宗良久，歎曰：「眞命世之主也。」回叩頭請降。太宗大悅，即日賞賜無算，陳百戲作賀，諸將皆不悅曰：「洪承疇乃一羈囚，何待之重乎？」太宗曰：「吾儕所以櫛風沐雨者，究竟欲何為乎？」衆曰：「欲得中原耳！」太宗笑曰：「譬之行者，君等皆瞽目，今得一引路者，吾安得不樂」。衆乃服其識度。

洪承疇之降清，日後作清人平定中原之嚮導，大致已如上述，所謂「天命勝人事」乎？（完）

說曹操（三十）

李漁叔

五、官渡之戰

一直到這一年的冬十月，袁紹的謀士許攸前來投降，戰局方始急轉直下。許攸的來降，魏志說是：「紹謀臣許攸貪財，紹不能足，來奔。」曹瞞傳記之最詳：「公（操）聞攸來，跣出迎之，撫掌笑曰：『子卿遠來，吾事濟矣。』既入坐，謂公曰：『袁氏軍盛，何以待之，今有幾糧乎？』公曰：『尚可支一歲。』攸曰：『無是，更言之。』又曰：『可支半歲。』攸曰：『足下不欲破袁氏耶，何言不實也。』公曰：『向言戲之耳，其實可一月，為之奈何？』攸曰：『公孤軍獨守，外無救援，而糧穀以盡，此危急之日也。今袁氏輜重有萬餘乘，在故市烏巢屯，軍無嚴備，今以輕兵襲之，不意而至，焚其積聚，不過三日，袁氏自敗也。』公大喜。」

「子卿遠來，吾事濟矣。」可見曹公驚喜的神情。許攸字子遠，那時最喜稱人的別號，朋友們相呼以為敬，卿，也是一種暱稱。「子卿遠來」，應該作：「子遠，卿來，吾事濟矣。」方合。從對話中，可以看出事勢的緊急，但許攸是從敵營來的，所說的話，是否可靠，尚未可知。魏志太祖傳曾說：「公左右疑之。」只有荀攸賈詡以為可行。我們想到如果反過來這邊是袁紹，一定會狐疑不肯聽的。

想不到曹公接受了許攸的計劃，竟然自己率領步騎五千往攻烏巢，而令曹洪守住大營，曹瞞傳說：「公還精銳步騎，皆用袁軍旗幟，銜枚縛馬口，夜從間道出，人抱束薪，所歷道有問者，語之曰：『袁公恐曹操鈔略後軍，遣兵以益備。』」（未完）

安徽十三傑

處理冒退稅及漏稅兩案

迄未查明公佈 立委再提質詢

（本報記者台北航訊）彰化大同公司冒退稅及大漏稅兩案，行政機關終於採取行動。某單位已於事先邀約蕭氏兄弟談話，並作成「切結書」在案，所以彰化縣稅捐處會同彰化地院、彰化分監備分區、彰化縣警局等機關於四月二十二日執行承受工作，極為「順」利。蕭柏恒向記者表示：「假出口退稅案是對不起政府的行為」。就在時候，立法委員黃玉明等十八人，向行政院提出了一項質詢，質詢內容恰恰與十天前質詢中齊委員質詢內容相反。

徐委員於是再提質詢並自稱：「顧厚瑞『同仁』之情，感故不『深究』，但他對行政院處理彰化大同公司冒退稅及大漏稅（兩）案迄未查明公佈，却要『深究』」，所以提出再質詢：

一、彰化大同公司假出口退稅案之恢復執行，其部份機器及房屋雖經彰化稅捐處會同該公司債權人處代該公司償還押借款一千三百餘萬元，結算結果，該公司欠該處九百四十餘萬元，不能償還。該處擬就該公司之原料八千五百餘萬元之成品中取償，但因該成品已為中信局部財產，已為中信局信託占有，該處未能獲得該局同意，因此尚未了結。據聞該公司尚有不動產如土地等，有無依法執行，土地還尚欠之九百四十餘萬元，俾「增益國庫」。

二、彰化大同公司一年半前竟被調查局破獲逃稅案，達業額二億元之巨，已由法院扣押其不動產六千餘萬元，但財政機關迄今尚未移送法院處理，是否會重蹈假出口案覆轍？

三、五十二年之外，尚有十六家，據報尚已一併被復執行？或訴法院（按：彰化大同公司跟綿紡針織公司分別經法院裁決罰與不罰，家老板在國外故無故處理，其餘幾家尚在裁判中。

四、本年四月日所提質詢之各點，希望貴院能答覆。

五、上四點已飭命調查否？結果如何？以上四點關係國庫收益，關係自由中國的安危，及所謂「公是公非」，與國家「法紀」，應請查明公佈迅賜答復。

諸葛亮狂想曲（四二一）

劉玄

劉約翰自從招待太白星君，有過兩次經驗，深能體會到與天庭大小各仙相處的決竅，所以和劉備談得甚為投機。

劉備、諸葛亮，劉約翰正談話間，房門開處，進來了一位彪形黑大漢，一位少年將軍。不要說劉約翰，就是任何人一見都知道進來的是周倉、關平二將。同時也知道接着出現的必然是神話般的英雄——關羽了。

關羽進門，先向劉備、諸葛亮問好，然後坐在他固定的坐位虎皮椅上。劉約翰一見關羽，這位龍岡會的第二號人物，那敢怠慢，連忙起身近前，鞠躬請安。

「坐。」關羽是神將功架，只用一個字命劉約翰坐下，在他已算是很客氣了。

劉備遂將今天大典舉行如何成功，星君如何讚美，向關羽講說一遍。關羽微微頷首，但沒有說話。後來劉備又將劉約翰的才能誇獎一番，說他想拔他做龍岡接待組主任。劉約翰在旁，心中忐忑不安，他怕關羽同意，丟官事小，失面子事大，將來在龍岡就很難混了。

劉備說完，關羽用手撫了幾下灰白鬍子，「派他負責接待組，很適合。」

劉約翰聽了關羽這兩句話，如釋重負。

「劉約翰，」關羽忽然連名帶姓叫了一聲。

「是，二將軍有何吩咐？」劉約翰又站了起來，垂立恭候。

「你應該好好的幹，才不負總會長提拔你一番好意。」關羽在劉約翰面前稱劉備為總會長，是很有分際的。

「是，是，約翰一定盡忠盡忠，以報總會長，二將軍對約翰提拔之恩。」劉約翰好不容易與關羽對話，措詞越謹越好，否則便容易碰釘子。

關羽點了點頭，以示讚許之意。他轉過頭來向劉備說道：「大哥是不是再坐一會，我想先回去了。」

「二弟，你還是早點回府休息罷，我和諸葛先生再聊一會兒。」劉備一見諸葛亮談談說說沒個完，君臣相處如魚得水倒不是假的。

關羽之來由周倉、關平二將先進房，關羽之退，則由周倉、關平二將先出去，神將威儀，非尋常可比。

劉備與諸葛亮送關羽至房門口，劉約翰跟在後面。送走關羽，劉備坐下來，問自道：「你的運氣真好，二弟沒有反對，將來你做事要方便多了。」

「這都是仰仗總會長的洪福！」劉約翰知道若能在龍岡會所擔任一項職務，這是一種殊榮，對於劉備的提拔，當然要感激涕零了。

到了天庭以後，諸葛亮知道龍岡高而非當年蜀漢，故對於用人行政，一切採馬虎主義，不再像以前擔任漢丞相時那樣苛求了。

巨變歷險記！

蒙自失守（一一七）

胡慶蓉

共軍來攻打蒙自的時候，正是廿六軍忙着空運海南的時候，這個時候，蒙自已經等於一個不設防的城市，整個的廿六軍，空運的程序都已排好，就要去的，自然是整裝待發，沒有到的，也在整他們的裝，蒙自城一時成了小攤攤城，到處是地攤。飛機都是小飛機，載重是很有限，因而每個人所能帶走的行李也很有限，帶不走的，怎麼辦？掉了可惜，於是一窩蜂的擁到大街小巷上去擺地攤出賣。白天街上倒是熙熙攘攘，一到夜間，就變闃無人聲，黑漆漆的可怕，守城的衛兵也不大看得見了。大家都躲在家裏聊閒天，扳着指頭算他飛海南的日子。那該是多麼好啊！那該是多麼幸福啊！

為慶祝空運海南，廿六軍的劇團還在天天晚上演戲。這是平劇。在蒙自失守的那天晚上，演的正是失荊州，長板坡，過江招親。演員有一位女的，年歲不大，却百媚橫生，又肥又胖，不肥不胖。人家說：在士兵看起來，老母豬都是好的。情人眼裏出西施，這位演員很受觀衆亦即士兵的捧。好好的聲不絕於耳。究竟演的好不好，那只有天知道！他們那里知道就在劉備過江的時候，共軍已經把飛機場佔領了！戲畢竟是戲，戲嚇不住敵人。戲上的張飛，張牙舞爪，站在橋頭上，呵退了曹兵八十三萬，呵退了東吳的追兵，實際上，今天的蒙自，是再沒那淒涼的，實際上，曲未終人已散，散的那麼快……那麼倉皇……那麼狼狽……飛機場的槍聲一響，看戲的人也就風消雲散了……可憐台上的張飛登時棄甲曳兵而走，而我們那劉備皇帝，不但江不能過，連台都不能下了……那不肥不胖又肥又胖的皇娘也祇有把阿斗摔在地上去找他避難的地方。萬馬軍中的趙子龍這個時候也不知去向了……

蒙自城還是蒙自城，幸而沒有被破壞。蒙自城是一個老式的城，並不大，有四個城門，城牆環繞着，倒還完整。外邊的壕溝也還不錯。廿六軍的軍部，雲南靖綏公署在城外，飛機場在城外，省立中學，雲南省政府主席辦公的地點也在城外，還有一個公園也在城外。共軍先取飛機場，後取軍部取省中。槍聲在夜裏特別的清楚，他的威力也特別的大，他能打碎人的心弦，他能消滅人的抵抗。這是中華民國三十九年一月了，天還是很冷。丁博士曾提醒歡天喜地的廿六軍，曾提醒主張空運海南的袞袞諸公：曩昔議論未定而金兵渡河矣！今則空運未成而共軍佔領矣。但大家祇顧空運，未能採納。本來在蒙自城裏還有田樂天團在防守，但到了第二天早上，田樂天團也不見了。飛機在空中翱翔，丁博士還以為是我中央的，但細審之下，却是共方的。他是最後離開蒙自的。而他還能逃出去，眞是想不到！莫非大難之後，還有大福！隨着蒙自失守，整個的廿六軍也瓦解了。

洪承疇晚節不保

命相與夢話

漢平

洪承疇，字亨九，福建南安人。明萬曆丙辰，年二十四歲，登進士第。天啓時任浙江提學道，遷布政使參議，又遷陝西督糧參政。崇禎庚午，年三十八歲，授延綏巡撫，辛未年三十九歲，擢為陝西三邊總督。甲戌年四十二歲，監督河南，山，陝，川，湖，湘軍務，加太子保兵部尚書。乙亥年四十三歲，承疇出關討賊，時有人說他統轄太廣，勢難兼顧，於是乃以盧象昇總理江北，河南，山，陝，川，湖軍務，督理關外兵。而承疇專督關內兵。己卯年四十七歲，授蘇遼總督，是年冬，清兵寇錦州及遼遠。辛巳年四十九，承疇列營松山，屢出兵，每戰每敗，關內援兵，竟駐寧遠按兵不援，承疇欲戰則力不支，欲守則糧不濟，欲遁不敢成隊而出，與巡撫邱民仰等困於城中。副將夏成德暗中與清兵通欵，相約內應，清兵半夜樹梯登城，城破，曹變蛟，王廷臣，邱民仰皆戰死，生擒承疇。送盛京瞻養之。

明廷訛傳承疇已死，予祭十六壇，建祠於都城外，與邱民仰並列。毅宗帝將親臨祭奠，俄聞承疇已降清乃止。承疇初亦自度必死，清人百計勸之，最後不保大節。

壬午五月，清帝召見崇政殿，承疇跪於門外奏道：「臣將兵由松山援錫州，曾經數戰，冒犯虎威，聖駕一至，衆兵潰沒，臣坐守松州，糧盡絕，人皆相食。城破被擒，自分應死。蒙皇上矜憐不殺，而恩養之。今令朝見，而臣自知罪重，故不敢入。」

清帝道：「彼時我軍交戰，各為其主，朕豈介意。朕之擊敗十三萬兵，得松錦諸城，皆天也。天道好生，養人者斯合天道。朕故沾及爾，爾但念朕撫育之恩，盡心圖報可耳！」命承隸鑲黃旗漢軍。

順治元年，年五十二歲。四月，睿親王多爾袞寇明，承疇從軍至遼河，聞流寇李自成已陷京師，承疇自陳進兵之策。五月清兵擊走流寇，遂定京師。承疇奉旨，仍以太子太保兵部尚書兼都察院右副都御使原銜，入內院，佐理機務，遂為秘書院大學士。自此以後，經略湖廣，廣東，廣西，雲南，貴州，晉太傅，兼太師，春風得意。順治十八年辛丑，年六十九歲，承疇乞休，允致仕。康熙四年乙巳二月，年七十有三，予謚「文襄」。著有「平定畧要」一書。

洪承疇列載二臣傳，可能引起讀史者之疑問。我們讀洪承疇傳，不禁為洪承疇痛惜，又不禁為洪承疇惜。惜者惜其糧竭援絕，未能遠法張睢陽盡節，近法盧象昇戰死，致負毅宗建祠之盛誼。痛者痛其降清而又進策作嚮導，數典與祖。清人底定京師，仍以原官位入內院佐理機務，遂為秘書院大學士而已。及獻策平定江南，湖廣，廣西，貴州，雲南，招撫平定，至順治十八年，乞休致仕，康熙四年卒，亦不過搏得一個「貳臣列傳」而已，「文襄」云乎哉！吾痛惜是人久矣。

謹按「通會」卷九載：洪承疇閣老之造，為癸巳年，壬戌月，癸酉日，壬戌時者。今稍加研究，為知命者告。按二癸二壬，並列天幹，形式整齊，毫不雜串。「造微賦」云：「天幹連珠，朝廷擢用。」觀其忽明忽清，皆居顯位，誠為「擢用」不謬。天幹二癸二壬，在五行具屬水；地枝二戌一酉，中各藏辛，一巳中又藏庚，在五行皆屬金，再加以命宮辛酉，幹枝又復屬金。當此誕生之際，遭在寒露節後，其為水清金白，顯而易知，格局之佳，不言而喻。不料年枝的巳與月時二枝的戌各藏戊土，其力雖微，以之制水則不足，以之濁水則有餘。文子有云：「河水欲清，沙土穢之，此類是也。」登科及第，徒有大塊文章，緯武經文，不能自保晚節。王充論衡云：「國命勝人命。」漢平按「人命勝人事」，看他關內援兵，竟駐寧遠終不進援，即可知天命所在，有非人力所能挽回者。

二十四歲己運丙辰，登進士第。二十九歲未運辛酉，任浙江提學道。三十八歲戊運庚午，授延綏巡撫。三十九歲辛未，擢陝西三邊總督。四十二歲午運甲戌，監督河南山、陝、川、湖軍務，加太子太保兵部尚書。時賊據陝西二十餘萬，高迎祥最盛，自稱闖王，李自成為其屬。四十四歲丁運丙子，高迎祥誅死，李自成為闖王。四十七歲丁運己卯，授西遼總督。四十八歲庚辰，總兵祖大綬，以錦州困危告急，承疇出山海關。

（下轉第三版）

第五章　天祚帝途窮敗亡　岳鵬舉小試牛刀

周燕謀

而據其地，西遼遂亡。歷三主，共七十八年。這是岳飛少年至二十歲，在這二十年間，國際局勢的不變如此。而最重要的，就是女眞的崛起，宋徽宗朝廷挑起邊釁，金人滅遼，宋與金人通使，暴露弱點，引起金人南侵，乃無後顧之憂，宋人昧於女眞的民族野心，仍以天朝大國自我陶醉及至與之接，無不土崩瓦解。

宣和四年，公元一一二二年，岳飛二十歲。時胡人在北方猖狂，朝廷命劉合宣撫河北眞定，為河北眞定宣撫使，在河北招募「敢死士」，以備胡人。岳飛聽到消息，慨然以身許國，稟明父母，要去應募從軍報國。岳飛是個獨生子。父母慨然許諾。岳母知岳飛年少氣盛，恐將來報國不力，忘其所期望，於是就在岳飛的背上刺了「盡忠報國」四字，深入膚裏。就這是歷史上所稱的「岳母刺字」。岳母確是中國最偉大的母親。

劉合字仲偃，崇安人，進士出身，歷知眞定、建州、福州，後因故罷官。因是時河北盜起，胡人猖狂，復起知眞定。後劉合在河北力却金人。欽宗即位，召為資政殿學士。至靖康之變。汴京陷落，奉使金營殉節，謚「忠顯」，為宋室名臣。

劉合一見岳飛氣宇軒昂，大奇之，命岳飛為小隊長。這是岳飛從軍報國的開始。

此時相州匪患日熾，為首的有陶俊、賈進和率衆劫掠州縣，殺害吏民，官兵屢討失利。岳飛自請兵百人，前往剿殺。宣撫劉合壯其勇，撥步兵二百人與岳飛。岳飛先命三十人化裝商旅，進入賊區。賊人擄其入伙，編入隊中。岳飛於夜半伏百兵百人在山寨下面，自引數十人迫近賊寨大門。賊兵見官兵只數十人，欺其兵少，不經不意。賊頭陶俊高踞馬上，耀武揚威，大叫道：「何方小子，敢上吾寨送死！」岳飛更不答話，備馬迎上前去，兩馬相交，戰不數合，岳飛佯裝不敵，勒轉馬頭往山下敗走。陶俊不知是計，揮嘍兵殺下山寨。剛到山下，岳飛回馬再戰，忽然一聲鼓響，伏兵齊出。賊隊中化裝三十官兵同時閃出，一齊將陶俊擒下，其餘賊兵一見寨主被擒，不戰自亂，有的倒戈投降，有的逃遁。岳飛復殺上山寨。賈進和聞陶俊被擒，自知不敵，流竄他鄉而去。岳飛命軍士放火焚了山寨，將良民裹脅者放歸田里，回營交令。相州知府王靖，以岳飛消滅山賊有功請朝命補岳飛為承信郎。

破相州賊之後不久，父親岳和病故，噩耗傳來，岳飛趕回相州湯陰奔喪。（十九）

略論中國醫藥學術與道家之關係（下）

・南懷瑾・

國醫與國藥

人生天地之間，生活起居，不離地域，日月運行，寒暑遷改，皆與人有俯仰往來密切之影響，窮探此自然規律之來源，則須以本系星球中心之太陽為準則，古稱五行以日元為主，即此意也。而所謂五行者，謂太陽輻射能之及於地球，互為吸引排盪而生變化，其間並感受其他四大行星互相放射之作用，地球上生物與人即受行星間各種輻射能而生存，復皆藉地氣之中和而受其變化之妙用。行者，即為旋轉運行不息之意，強名為金木水火土，亦為代表顯示其現象之名辭，並非謂金即金鐵，木即林木也，如食古不化，死守成文，則劍過已遠，刻舟何用。至於九宮八卦，六壬推步，乃效法天地生物演變之一種固定法則，以卦顯其演變之現象，以宮定其變遷之部位，六壬記其次序，推步述其過程，詳知四時寒暑代謝之間，生物之成壞有序，晝夜明晴之際，精神之衰旺不同，例如七日來復，為天地氣化同人身氣血盈虧之規律，春生冬藏，為熱脹冷縮心身互用之情形，須知疾病之由來，非但為外界傳染，與飲食起居之所致，即太陽系內各星球之影響人類生存者，隨時間空間而互變，更有大且甚者。醫藥所以為養生，養之醫之而不窮究其本元在此，徒為術耳，未足以言學也。

由此研究人身之本能，法則天地造化之奧秘，其微密精細，如出一轍，古稱人身為一小天地，亦決非誇張其辭，丹書所謂：「日出沒，比精神之衰旺，月盈昃，喻氣血之盛衰。」則知精神與氣血，並為生命之中心，五藏之互相關係，有同於五行之運轉，六腑之流通，有同於天地氣機之往來，血管神經，同於江河之流注，情意暢抑，同於氣象之陰晴，奇經八脈，為本能活動氣化之徑道，丹田命門，為能量儲藏之機樞，此皆為生之學，從生命存在而可驗其狀況，並非有固定之質，不能於死後解剖可知其究竟。餘如認竅穴以針灸，為佛道兩家之特長，練神氣以長生，乃神仙方伎之專業。果其學而致用為醫藥之術，則有一針二灸三砭四湯藥之分，輔之以精神治療，如祝由符咒之神異，見之以本能力量，有推拿氣功之妙用。其他如辨藥性，須知地理地質氣象性能之互變，究物理，須知有化朽腐為神奇之妙用，總此方得言醫，豈非綜羅百代，集學術精微之大成者耶！

中國醫藥之所長既在此，而近世不知而闢之者亦正以此。於此之下，乃不能會中西醫藥之精華，而發揚光大之，徒使門戶之爭，而蒙文化之羞，不亦事有必致，理所固然者乎？須知中國醫藥，其源流由來雖久，而於東漢以後，已隨時代文化而一變，其間吸收印度與西域諸國之所長，至盛唐而別具其光芒，歷宋金元明，雖間有小變，但皆秉此餘緒，出入乘除，現代一切文明，既與西洋文物接觸，交光迴互，發揚精華，正為此一時代有心者之職責，應當急起直追，融會而貫通之，實無暇閉戶稱尊，彼此拒納也。西洋醫藥，寄精細於解剖，窮詳盡於物理，假手機械之神明，試臨床之實驗，其小心仔細，確非泛泛知玄理論之空言也。但其囿於物之理，而昧於宇宙生化之機，與人如物而忽視其氣化之精神，此則較之中國醫藥，似有遜色，若能截長補短，互相融化於一爐，苟日新而日日新之，豈僅為民族之光，進而可為人羣世界開創新之大謂自親，自仁民，而及於愛物，直致於大同之世者，實有厚望焉。

吾愧才疏學淺，有志於醫藥而限於智力所未能，今因此書編者坐索為言，乃不辭鄙陋，畧抒鄙見所及，自處論其概要並引大醫孫思邈眞人之言以證言之。如云：「凡為大醫者，須妙解陰陽祿命諸家相法，及灼龜五兆，周易六壬，並須精熟，如此乃得為大醫，若不爾者，動致顛殞。又須涉獵群書，何者？若不讀五經，不知有仁義之道，不讀三史，不知有古今之事；不讀諸子，睹事則不能默而識之，不讀內典則不知有慈悲喜捨之德。不讀莊老，不能任運體眞，則吉凶拘忌觸塗而生。至於五行休王，七曜天文，並須探賾，若能具而學之，則於醫道無所滯礙，盡善盡美矣。」苟醫能若此，則其為儒為道，實不得而分，直為聖人之智，吾不得而識其精微博大之涯際矣。

（完）

自由報

中華民國內政部登記證內警台報字第〇三一號
[illegible]
中華郵政台字第一二八二號執照登記為第一類新聞紙

（第一〇六六號）

（半週刊每星期三、六出版）
每份港幣壹角・台灣零售價新台幣弍元
社長李運鵬・督印黃行寶
社址：香港九龍彌敦道593—601號
廖創興銀行大厦八樓五座
LIU CHONG HING BUILDING
7th FLOOR FLAT '5
593—601 NATHAN ROAD,
KOWLOON, H.K.
TEL: K303831
電報掛號：7191
承印：景原印刷公司
地址：嘉咸街廿九號地下
台灣連絡中心：台北寶田街五巷三號
電話：三七五〇二二
台灣讀者直接訂戶　合郵劃撥戶
第五〇五六號張萬有（自由報會計室）
台北營業處：台北衡陽街三十號
電話：二七二〇〇
台灣分社：台北市西寧南路110號二樓
電話：三三〇三四六・台郵劃撥戶九二五二號

科學口號不能解決經濟問題

丁作韶

科學不能解決政治問題，吾已論及，吾再論科學不解決經濟問題。

中華民國自古以來卽以好客聞名世界。自然播遷到台灣，好像更好客似的，來台灣訪問的不絕於途。在台灣訪問走的，照例有一番談話，一番招待記者。他們的話雖不能說千篇一律，但進步，繁榮，似乎是少不了的。我們當局諸公，每聽到這幾個字，骨頭想都「酥」了，如進了象牙之塔一般，飄飄然不知所之。我們當局諸公，有所謂數字專家云者！更推波助浪，拿出很多的數字來，什麼國民所得，什麼綜合所得，什麼輸出，什麼輸入，什麼外匯，什麼……君不見台北來了一個第一飯店，又來了一個國賓飯店，又來了一個統一飯店，又來了一個……又來了一個……。君不見黃包車都取銷了，三輪車都取銷了，有地下道，有天橋——去台北火車站！但見汽車絡繹於途，往來不絕，車水馬龍，不足以形容。這同到了紐約到了華盛頓，倫敦，巴黎，有什麼差別……再到大街上走走，霓虹燈照耀如白晝，那是多麼美麗啊！較之世界上任何都市又有什麼遜色，讚歎盛哉！這都是科學，這都是科學的結晶，科學的表現。有所謂觀光者，更日求其漂亮，與先進國相頡頏。各報的社論，更有所謂一系列者，我也恭讀過很多很多，亦無不以科學化望政府望社會。但科學解決了台灣經濟問題嗎？科學能解決台灣的經濟問題嗎？我說科學不能解決台灣的經濟問題。

我很佩服中國國民黨中央黨部前秘書長谷鳳翔，在他前年的元旦大文，他已經看出來台灣的經濟問題所在，台灣經濟問題的癥結，那就是貧富的差距逐漸的加多加深加鉅。詳言之，富者愈富，貧者愈貧。原來台灣的社會，有中間的一層，西洋人稱之為小布爾喬亞，由於貧富的差距日大，這一層中間的有逐漸減少並且加速的減少，由趨於貧窮的一途。原來這一層是社會的安定力，現在這一層也逐漸的不安了。這太可怕了。

這種貧富差距的經濟形態，我不忍說但又不能不說是資本主義的經濟形態。因為台灣這個小地方，五分之四的面積全是山嶺不毛之地，剩下的一條，又是那麼的窄小，言礦產只有一點點黑土煤。這是我給他起的名詞，並沒有傷害它，我有一次參加過廣西大學校友會，到基隆旁邊的深澳電廠參觀過那像山一般高的，那就是煤堆，廠長是西大的一位校友，他手拿起煤來給大家看，那就是黑土。他說堆倒是不小，但不出火。回想過去北平，每到冬天燒的塊煤，放在爐子裏，如火球一般，那火力是多麼強啊！我又參觀過全瓜煤礦，七堵八堵！就這可憐的黑土也並不多啊！除了這可憐的黑土，台灣還有什麼礦產？成大礦冶系的老教授我也一一的領教過；除了黑土而外，台灣什麼礦產也沒有！沒有礦產，談什麼工業化科學化。沒有鑛，那里能工業化？那里能科學化？眞正講工業是從科學來的，科學也是從工業來的。而礦產就是科學之母，工業之老祖宗。科學化要化在礦產上，工業化要化在礦產上。沒有礦產那里能科學化又那里能工業化？硬要科學化工業化，那就是孟子所謂「不揣其本而齊其末」「方寸之木」，固「可使高於岑樓」！高於一百八十樓的摩天大樓，但這是空的！這是空架子空擺場。但由於硬要有科學化的表面，有工業化的表面，就不能不向科學化的國家工業化的國家招手，歡迎他們合作，歡迎他們來投資，歡迎他們來設廠！這與開門揖盜奚異。這就便利了帝國主義（請原諒我用這很老而不用的名詞）的經濟侵略。其結果，台灣的經濟形態是資本主義其名，實際上已經淪於殖民地次殖民地又次殖民地的經濟形態，在他們大力侵略之下，台灣的經濟問題就產生了。這種經濟形態，清末有個很好的名字，那就是買辦經濟，使富了少數的買辦，這少數的買辦就壟斷了各種的所謂「工業」所謂「科學」，造成了一人笑一路哭的經濟現象。

本年春節，成大組織了一個觀摩團，本來是要到各學校去觀摩教學的，但同時也參觀了鼎鼎大名的裕隆汽車廠，參觀了大同電氣公司，基隆造船廠。更難得的是嚴慶齡董事長非常健談，中午飯前談，飯後又談，前後不下三個鐘點。林挺生董事長他又談了不少。造船廠的董事長恕我把他的大名忘記了，他也有很詳細的報告。造船廠的董事長很乾脆的報告他的原料大部來自日本，大到什麼程度！他沒有報告？後來我問主管全局的先生，他說我有百分之九十五。但到我一看，不能否認的有百分之百。這不是原料，這是成品。是日本完全做好的一塊一塊的鋼板，到基隆造船廠就只是安裝而已。裕隆造汽車與基隆造船廠並無二致，也是百分之百的日本成品到台北廠裏裝置裝配。大同是不是這樣來？又何以可以兩樣？其他所有中日作合作的工廠，又那一家不是這樣？這樣的工業化，是什麼工業化？這樣的科學化，這又是什麼科學化？又人稱這些工業，謂之曰民族工業。民族在那裏？那裏有民族？我們台灣有什麼獲得？除了現代化的空架子空擺場，什麼進步繁榮虛名而外，除了造成少數的特殊富豪而外，還有什麼？那就是大衆的貧苦了，那就是貧富的差距了。

科學可以促進生產，但不能解決經濟問題。經濟問題，照普通的經濟學來說，分生產，流通，消費，分配。台灣今天的經濟問題，無疑義是分配問題。分配問題，科學能解決嗎？科學不能解決分配問題。今天台灣的經濟問題，最大却是分配問題。孔子有不患寡而患不均。如何均法？能不能均？這都不是科學問題，這都不是科學所能解決的。帝國主義侵略，科學如何解決，殖民地經濟次殖民地經濟，又次殖民地經濟，科學又如何解決？尤其台灣的經濟問題，絕非科學所能解決。我願特別的提一提農業。無疑義台灣的農業面臨空前的危機。其所以致此，原因非常複雜得很。這絕非科學所能解決的。近來在報章雜誌上常常看見很多有關科學改良的意見，我都以為是無補大計，可能會變得更壞。如農業工業化，就是一例。試問農業如何工業化？以現在的耕種的面積能工業化嗎？以現在的人口需要工業化嗎？這都是科學問題，這都不能解決台灣經濟問題。

有某報一系列的論新觀念，這也要新觀念，那也要新觀念。他所謂新觀念就是科學的觀念。把科學捧的神乎其神。我彷彿記得「國以民為本，民以食為天」，他認為這是老觀念，要不得的觀念，但我則以為這個觀念是萬古常新的觀念，一個國家，一個政府，一定要常常的以此為主導的觀念。其之所以重農，是有他的道理的。今日之台灣，更應該如此。特別台灣的經濟基礎在農業，而國家的主計，國民之生計也在農業。工業的東西全取銷是沒有關係的，但農業，吃食所依靠，則不可或缺。人到了沒飯吃的時候，才知道食最重要。科學發明了眞不知道有多少，但有誰發明替代米麵的東西？要國民節儉而又提倡科學化工業化現代化，這是背道而馳的。工商是獎勵消費的刺激消費的，提倡工商而叫人民節儉！眞所謂南轅北轍。如何懸崖勒馬，經濟問題能夠因人製宜因地制宜而取得解決，勿盲目的迷信科學，則國計民生前途幸甚。

昨日與明日

挖自己牆角，愚哉！

千公

有人說：人類是世界上最愚蠢的動物，專愛和自己開玩笑，過不去。搬石頭，打自己的脚，用政治的術語說：自掘墳墓。看全世界，看某一地區，都可以作如是觀。

行政院蔣副院長完成訪問越南任務，載譽歸國，曾發表談話說：在西貢看亞洲形勢，更能看出毛共的到處放火使倆，有一天這火頭會反過來吹，而使毛共自焚其身。毛澤東如此蠻幹，向全世界散佈共產主義毒素，向其他國家進行顛覆滲透，可謂與世人為敵，非自掘墳墓而何。

在美國，將本年四月二十二日定為地球日，今年四月二十二日是第一屆地球日。今天世界人類已面臨另一個危機，那就是「污染」問題，尤以經濟發展國家為甚。今天美國人已發生疑問：美國人能維持他們的進步而不致損害維持生活的環境嗎？美國目前一年的垃圾以每年三十五億噸的數量來累積着。全國七千八百萬輛小轎車，每天每車排泄污氣一點五磅，一千三百萬大型客貨車每天每車所排泄污氣，有小轎車兩倍多。這些都可以說是人類經濟進步，努力的賜與，美國今天地球日運動，目的就是要改善人類生存環境。他如一國經濟，越進步，國民精神文明，越退步，越多違法犯罪之徒，像這樣自造問題的愚蠢行為，眞是太多太多，不勝枚舉。

因而，我們也想到台北市議會檢舉台北市長高玉樹濫權違法十六案，深感高玉樹市長也是自毀前程，聰明人偏做糊塗事。人們都覺得高玉樹很有幹才，很聰明，是政壇上很有前途的人，但是古往今來的搞政治的，祇有才幹而無器識，祇有學問，無道德涵養，其結果大都得意於一時，而失敗於最後。熟悉台北政情的人們都知道高玉樹市長太注重「權」了，什麼事都要管，尤其用人的「權力」抓得緊緊的，於是地下局長，地下秘書等等奇特現象都產生了，前有弟弟楊玉城，後有姑媽周高金葉等都曾炫赫一時，最後繫身囹圄，可以說都受高市長重「權」之賜。在今民主時代，對議會關係搞得這樣糟，可見平時對議會的漠視，也可以說對民主政治缺乏基本的認識。不過，話又說回來了，假如高市長行的端，走的正，市議會也不會找出十六案，高玉樹對新聞記者說：人非聖賢，孰能無過，顯然自己承認錯了，以高市長如此聰明，而如此濫權違法，豈不自毀前程，搬石頭打自己的脚。

自由談

專講科學的弊害

美國哈德福大學校長伍德佛先生，最近在台灣訪問中談到美國各大學青年學生反戰的暴行問題，列舉出許多事實，語重心長，深中肯綮，其中最值得注意的，是指出教育政策之失敗。

他說：「二次大戰前，大學教育是以『手工藝』方式進行，但戰後隨着大學生人數的急遽增加，大學成了大量製造技術人才的工廠，一個學生不過是一張電腦資料卡，而操作工廠的是些熟悉專門智識，却對其他事務一無所知的專家」。他深深地慨歎像愛因斯坦那樣眞正具有人文精神內涵的博學之士，不可多得了！

陳立夫先生認為西方文化只講究物質生活享受，而忽視人文精神之培養，乃是「逆勢」的發展，與中國文化先求「成己」而後「成物」的順理成章思想，因果倒置，其說與伍德佛先生的見解不謀而合。立夫先生又說：所謂文化也者，若用淺明的詮釋，即是以人力求管制、協調人類的「食」「色」問題而已。美國的教育不能說不發達，可是，所有的大學校都像一座製造物品的工廠，專門培養科技人才，以期滿足物質享受慾，而對於如何做人的道理，置之度外，結果是科學越發展，人慾越橫流，諸如倫理、法制以及宗教信仰等等，皆視為迂腐不切實際之談。今日美國一般青年為着逃避兵役而吸毒品，扎毒針，鬧同性戀愛；為着發揮漫無限制的「食」「色」性能，而濫用自由人權，要求學生治校，實行男女生混居宿舍，乃至於隨便干預政治，動則罷課示威，從事暴亂，追本窮源，是由教育政策失敗之因，纔產生今天這樣紛亂失常的果。明乎此，即知美國這超級富強的國家，內部何以糟糕到現在這種情況的所以然了。

咱們目前正在大喊「科學救國」的口號，任何公職似乎都要以理工人才來主管，纔是發展科學的上策，纔能夠解救國家的厄運。虛驕之氣，盎然可掬，看看美國的現狀，眞令人憂心忡忡，未能釋然於懷也。

馬五先生

中西文化與人類前途（四）

張起鈞

再就社會文化方面來講，近代科學昌明，工藝猛進，這本是極好的現象，可以厚生利用，創造地上天堂。但一切事要能彼此配合，社會必須有均衡的發展，才能保持和諧健康。現在自然科學已進步到了登陸月球的地步，而社會科學，人文科學，以及道德宗教各方面並沒有相應的發展，而造成社會畸形的巨靈怪物。

這就如一個不成年的小孩，開着一輛飛快的大卡車跑，試問如何能不出問題。尤其令人遺憾的，道德宗教等，不僅未能配合自然科學發展，反之倒是愈漸消沉退縮，西洋的人生，一向是由宗教指導的，但在近代科學發達後，宗教已失去指導人生的力量，儘管教堂林立，進教堂的人有幾個人真正想上天堂，實際還是終日在物質享受的世界裏打圈子，而沒有一個安身立命的指導，試問如何會不造成大家精神上的空虛。

丙、對西方文化的補救

西方也非不想方法來解決，但西方文化自始就是一種偏頗的文化。一切解決糾正的辦法都是東風壓西風，東牆壓西牆，甚至於很多的地方，縱不能說是「以暴易暴」，但是毫無疑問的是「以偏濟偏」。

以政治來說，西洋中古以來都是教士和貴族有特權，於是人心不平，激起十八世紀的民主革命，而將貴族教士的特權打倒。但是新興的小市民階級，又形成經濟的特權階級而壓榨一般平民，於是又有馬克思等共產黨徒主張打倒資產階級，由無產階級專政，資產階級專制，剝削是不合理，難道無產階級就合理嗎？這不是以暴易暴，以偏濟偏是什麼？假定這種作風不改變，問題永遠不會得到完滿的解決，即會有新的辦法產生，頂多不過是把這個糾紛帶到另外一個糾紛而已。何況西方文化三百年來已發展到淋漓盡致的地步，很難再有新的大路發現。近來常常聽到西方說到：「光明來自東方。」這固然對東方是一個鼓勵，但是在這個呼聲之後，也正反映出西方文化發展已窮，而有待於外力的糾正和推動，在這種情形之下，我們雖不能以東方的光明自居，可是也不能抹煞我們五千年來歷經驚濤駭浪，解決問題的經驗和能力，因此我們有資格擔負起這新的時代考驗，尤其當仁不讓，要發揮我們內聖外王的傳統精神，去尋求世界問題的解決。我們不是食古不化，把古老的東西原封搬出來。孔子今天也要坐飛機，而不乘殷之輅。中山先生如果今天在台灣講三民主義，所講的也一定和原來的十幾講大不相同。我們所秉襲的是孔孟的精神，而不是其形跡，我們要問孔子孟子生在今天，將怎麼說，怎麼作，而不是抱着論、孟死背。

總之，我們所要復興的是這一股文化精神，而並不是諸般的陳跡。我們文化中許多事項，在面臨今天的時代中，無疑須待改進，甚至應該淘汰，但我們也不容否認，其中有許多部份，不僅值得發揚，並且還正好補正西方文化的缺點。

子、中庸之道

例如我們的文化一向是中庸的，而這中庸的精神就正好補正西方的偏頗之道。舉例來說：在人與羣體的關係方面，西方不是偏重集體而否定了個人的存在，如共產主義，法西斯主義者是；就是偏重個人而忽略了對羣體的責任，如自由主義，個人主義者是。但中國傳統的儒家精神，則是將二者融合得恰到好處，我們忠君孝親，甚至為國獻身，這不是為羣體而消滅了個人的存在，反之忠君孝親正乃是我自己作人的完成。而西洋許多對立偏頗的東西，正需要拿這種精神來糾正，或本着這種精神來融合。

丑、人文精神

再如中國文化是本乎人文精神的，儒家叫我們親親仁民，踐履天倫之樂，道家叫我們清心寡慾，恬淡自足，這些正是針對西方世界人慾橫流，人為物役的一劑清涼劑。

寅、恕道

尤其重要的，儒家叫我們講恕道，恕道從消極方面講，就是孔子所說的「己所不欲，勿施於人。」但今天我們從積極方面講，國際間想是大家都要活的，世界上不是你一人一國獨霸的，我們只有承認別人的存在，尊重別人的存在，然後才能消弭種種衝突鬥爭，而可大家和平共處。

（六）世界大同

只有大家能夠平心靜氣，相安共處，然後才能真正攜手合作，走向四海一家，天下大同的理想境界。這時我們不再把科學技術用於殺伐毀滅，反之，我們要利用科學的成果，建立人間樂土，地上天堂。這時我們也非沒有競爭，但是要把競爭轉化為體育，音樂，學術，道德的競賽。大家要以揖讓而升的君子風度，為真理而奮鬥，為善而競賽。這時我們仍有禮俗、宗教、語言、種族……種種的不同；但這「不同」不再是相對互害的對手；反之將是相生相成，和而不同的伙伴。同時正由大家保持自由和諧的殊性，才使這世界形形色色多姿多采；同時正由大家互相尊重，才使許多的異點，交織成和諧的樂章，而我們就要在這和諧的樂聲中，攜手共進，邁向大同。

青年黨促請美朝野
支持向柬埔寨進軍
柬國安危關係東南亞全局
如果淪陷美安全亦受威脅

（本報台北消息）中國青年黨中央執行委員會，為美國進軍柬埔寨事，于上週特致美國朝野一封公開信，全文如下：

尼克森總統支援柬埔寨的決定，以事實證明美國在世界維護和平，抵抗侵略的立場迄未改變。盡人皆知，柬埔寨的存亡，為整個亞洲安危所繫。如果柬埔寨不幸淪陷，則整個東南亞均將變色，最後共產黨侵略者常迫使美國以加利福尼亞岸為美國國防第一線，美國安全將大成問題。因此，尼克森總統的勇毅措施，不僅應受到全世界愛好和平自由人士普遍的崇敬，更應獲得美國朝野一致支持！但消息傳來，美國參議院及各大學喧囂不已，指責尼克森總統政策失當，甚至造成罷課，遊行示威事件，此種情況，正如中國俗語所謂：親者痛，仇者快。」我們，中華民國在野黨，中國青年黨，願站在美國朋友的立場，向美國朝野人士說幾句話。

中國青年黨是世界上具有先天反共氣質的政黨，遠在共產國際尚未對世界和平構成威脅時，本黨即已洞燭共產主義所具有的侵略特質。簡言之，共產主義亦即是戰爭主義，戰爭的終極目標是赤化世界。在我們與共產黨鬥爭，歷時長達半世紀的痛苦經驗中，深知共產黨的軍事侵略力量並不可怕，最厲害的是共產黨的統戰。它能用種種方法，迷惑個人的精神力量，迷惑個人的良知，它更擅於把握羣眾心理，使羣眾不知不覺供它利用。

以中國大陸為例：過去美國若干人士，竟相信毛澤東並非共產黨，是土地改革者！赤化大陸，毛澤東並非純恃其軍事力量，主要是使當時民心士氣發生崩潰！我們舉例，只希望美國以此為殷鑑，並非否定軍事力量在防禦共產黨侵略的重要性。像大韓民國、越南、柬埔寨，假使沒有美國軍事支援，其將無法避免悲劇的命運是必然的。

大韓民國、越南以及柬埔寨，歷經戰火而仍能屹立於自由亞洲，自是世界和平的象徵，更是人類自由的希望。美國為此所付出的代價，將永為於世人心版千秋萬世而不朽。

美國人民酷愛和平，自由的傳統，厭惡戰爭的心理，我們可表同情。但我們卻不能同意目前反對尼克森總統援柬政策的論點：（一）認此舉將使越戰升高，影響撤兵預定計劃。（二）亞洲問題讓亞洲人自行解決，美國宜置身事外，免惹麻煩。

關於（一），我們所知，美國在越南的撤兵計劃，是撤兵後能讓越南軍接防，維持越南安全，斷非聽任越共越境之意。越共對柬埔寨的突襲行動，等於明白告訴美國，美在越南撤兵之日，即柬埔寨遭受宰割之時。美國如對柬埔寨坐視不救，則撤退越南美軍，豈非向越共投降！豈是美國追求和平之意？因此，我們認為尼克森總統毅然援柬，正表明了他撤兵的決心。

關於（二），以中華民國總統為首，所有亞洲各國領袖，都一再向美國聲明過，我們不需要美國地面部隊在亞洲從事反共戰爭。但我們必須指出的是，亞洲各地所發生的戰爭都是由共產黨侵略而起，而共產黨本身實具有複雜的國際背景。越共的幕後，既有毛澤東的陰影，則柬埔寨被侵，無疑的並非一單純的偶發事件，而實含有濃厚的國際侵略意味。

從另一方面說，自由亞洲各國，並未結成像西歐的「北大西洋公約組織」，而柬埔寨恰等於西歐小國，本身根本就缺乏抵抗外來侵略的力量。亞洲的問題由亞洲人自己處理，絕不能解釋成為聽由共產黨各國擊破。當年希特勒用閃電戰，突襲歐洲荷比諸國，終於引發大戰，此一歷史故實，美國當不致健忘。以歐洲各國潛有的軍事力量，「北大西洋公約組織」尚且離不開美國的領導，亞洲各國所需要的不過是美國精神的支持和物質的援助而已。同為保衛世界和平，歐洲對美國的要求遠比亞洲為甚。

在亞洲尚未結成防禦體系以前，美國如果在亞洲完全置身事外，動亂的亞洲必將構成對世界和平的威脅，西歐防禦形同虛設。這不是理論上的問題，而是事實如此。

我們可以想像：美國國內近日動盪情況，使你們感到困擾，我們可以告訴你們，雖然遠隔太平洋，我們的焦慮絕不下於你們。鑒於美國立國的傳統精神，更鑒於美國從二次大戰到現在所標榜的道義勇氣，我們深信代表亞洲廣大人民心聲的這封信，一定能夠獲得你們共鳴。願上帝保佑美國，以及全世界愛好和平、自由的人，用正義之劍，最後必能戰勝摧殘人類文化的共產惡魔！一九七〇年五月十五日。

喬治桑外傳 一四七

張大夏

「這是周阿姨，這是鄭阿姨，是我的女兒。」雅麗絲媽媽上場時，為雅麗絲介紹兩位牌友。

「妳真好福氣，」周、鄭兩位阿姨異口同聲向雅麗絲媽媽稱讚。

雅麗絲輕輕對她的媽媽說：「媽媽，我要走了。」雅麗絲媽媽還沒有說話，李阿姨搶着說：「不要走，在這兒吃飯。我的女兒就快回來了，等一下讓她陪妳。」

「阿美，妳開一瓶可口可樂給小姐喝。」李阿姨也是一位很能幹的婦人，一面打牌，一面還能指揮下女做事。沒有等雅麗絲說話，李阿姨又說：「妳是不是有男朋友約會？假使有就便不留妳。」

李阿姨這樣一說，雅麗絲不好意思再說走了。

「妳要不要端把椅子在媽媽後面看牌？」

「她不懂打牌的，妳不必招呼她。」雅麗絲媽媽一面搓着牌，微笑着向李阿姨說。

雅麗絲獨坐無聊，坐在沙發上翻閱電影雜誌。這時阿美送上一杯可口可樂。

雅麗絲媽媽打的是小牌，桌子上說說笑笑一點也不緊張。大約在五點多鐘將近六點的時候，李阿姨的女兒回來了。

李阿姨的女兒穿了好短的迷你裙，梳着馬尾頭。照例的，她先招呼了她媽媽的客人。

「秀雯，妳回來了正好，陪陪李家姐姐。」

雅麗絲和秀雯在一起，顯得老成得多。她拉她在身旁坐下。

「好久不見了，妳長高了不少。」雅麗絲儼然是大姊的口吻。

「好久不見了，李姐姐妳好。」「秀雯雖然好久沒有見到雅麗絲，倒還記得。

女孩子在一起，嘰嘰噥噥總有話談，雅麗絲不再枯坐無聊。由電影到時裝，談得很投機。

台北傳奇錄（五〇）

陳光棣

「喂，慢點兒！」賴有為打斷了李奇：「咱們窮的連飯都沒有的吃啦，還幹這種事」。

「這就是問題的關鍵！」李奇說：「咱們總不能坐以待斃」！

「你真是卑鄙」！

「男人追求女人，有什麼卑鄙？這是最高貴的行為，你少跟我攪清」！

「追求女孩子，動機不純正，就是卑鄙」！

「我沒有功夫和你抬咀，你聽聽我的計劃！」李奇很嚴肅的說：「我還有二兩金子，你大概還有四百多塊錢，咱們湊在一起，由你去自由支配，談戀愛就是不能寒酸，成功了以後，你再加倍還我，從此咱們分道揚鑣，都忘記了有這麼一檔子事，你看這椿買賣公道不公道」？

賴有為豎着耳朵聽的出了神。

「從明天起，你打起精神來，先去修修門臉兒，也別再抽香蕉煙啦，他媽的，老遠的聞着就是一股子怪味道，我的西裝你也可以隨便穿，一句話，要排場，別叫人家看出底細來」。李奇說着點起一支香蕉牌。

「你說的就和真的一樣，事情就那麼簡單？」賴有為疑惑的說：「即使要去追人家，別人不理你，還不是等於白說」！

「只要你下了決心，山人自有妙計」！

「你有什麼屁主意」？

「你肯不肯吧」？

「我總覺得這件事有蹊蹺」！

「有什麼蹊蹺，還怕我害你」！

「那倒不是，你為什麼要這樣幫助我哪」？

「好朋友嘛！咱們有一個人有了辦法，問題就算解決了一大半，難道說兩個大小伙子，就等着去告地狀，討小錢嗎」？

賴有為一想，李奇這小子說的倒也有點道理，不管事情成不成，反正自己也沒有損失，一方面找工作，一方面泡小妞兒，倒也瀟洒風流，何況李奇這小子，天生的小氣鬼，竟然肯把金子拿出來讓自己用，就樂得的先享受一下子再說，於是兩個好朋友，商量了大半夜。

一個禮拜之後的一個晚上，當年的鹿春琳小姐——如今的賴有為太太——一個人看完了電影回家，剛一進巷子口，就碰到對面一位男士向她湊過來，咀裏說着不堪入耳的話，鹿春琳吓的花容失色，一顆心直要從咀裏跳出來，只好加快了腳步往家緊趕，那個年月的羅斯福路，可不像現在這樣繁華，一到了晚上就冷清清的，看不到個過路的人，鹿小姐越害怕，那個男士就膽子越大，竟然拉住鹿小姐的手不停的喊着：「我的胖娃娃」！

大學夜間部不是「太師府」！

·文匯樓主·

文匯樓劄記

過去台灣聯考的國文作文題：「假使教室是電影院」，曾引起各界人士議論紛紛。中華民國五十九年四月十五日在台北發行的新夏月刊第十期刊載一篇「談談淡江文理學院夜間部的人和事」，揭發黌舍秘辛，在最高學府中竟出現了電影故事「故都春夢」的像張大帥一型人物。由此可見以前大家對國文試題的指摘，未免有點大驚小怪了。樓主基於對奇文共欣賞之義，特摘錄該篇報導較爲輕鬆的一段如下：

原文云：「我們認爲電影「故都春夢」的像張大帥之流人物，弄什麼姨太太，乾女兒，還情有可原。但是身爲夜間大學的主任，把堂堂大學當作當年上海的十里洋場，廣收乾女兒，實在叫人爲今日教育心寒齒冷。我們確定能點出戚長誠的乾女兒祇少有中國小姐于某、方某某、杜某某、蘇某某、方某等數十位。眞是鶯鶯燕燕，陣容壯觀。這些乾女兒經常可以在戚主任辦公室裏出現，她們享有無上的特權。辦公室可以任意進出，乾爹二字可以在任何場合大呼大叫。而且凡是乾字號的人物，平時可以不上課，成績單上照樣七八十分。關於這樣黑夜大學裏的黑暗怪現象，教務處、訓導處的工作先生決不能稍表異議，甚至這種乾字號的人物，誰也不敢多誡，因爲偶而不識相的職員和戚主任的乾女兒多說了幾句話，就有想入非非之嫌。最後穩被戚主任叫滾蛋，據說該夜間部有幾位先生，就是因此而加上莫須有的罪名而被炒尤（魚旁）魚的，不過這種現象的產生也不能全歸咎於戚主任的寡人有疾。因爲夜間部裏女生想做戚主任的乾女兒，不在少數。平時尤其功課較差，想找點特權弄弄馬虎眼的，由於姿色太差，往往想做也挨不上做乾女兒的號。另外，在此筆者舉一個實例；在去年春天，曾經有位夜間部外文系叫做游晴美的女學生，哭哭啼啼來到夜間部，（有夜間部同仁和同學爲證），指控戚長誠主任曾對其非禮。後來經戚施用各方壓力，封鎖新聞，才將此事擺平。當然和戚主任鬧翻的人是沒有便宜可佔的。這個可憐的女同學反被戚主任加了一個大罪名，說她神經系統有問題，迫進該校夜間部心理治療中心治療。一個年輕美貌而且成績各方條件不壞的女學生，竟會誣賴一個滿口胡臭，年入六十大關的傢伙，真是不可思議。在此筆者真替游晴美小姐叫屈，我們的社會應對這種事主持公義。」

樓主謹按：昔隨園老人袁子才廣收女弟子，紅袖添香，成爲一代藝壇佳話。戚長誠亦不過是學學袁子才而已。新夏月刊把他比作「張大帥」未免誣蔑前賢，有傷中華文化溫柔敦厚之旨。戚長誠收大學生做乾女兒，目的不過是提高她們的成績，使她們在校免受校務處、訓導處欺凌，並無其他企圖。不過，自從「乾女兒」與「姨太太」、「張大帥」混爲一談以後，爲了保持學府的尊嚴，樓主希望戚長誠「有則改之，無則加勉」！

台灣教育點滴

競選空頭支票？

某私立學校負責人競選台北市議員時，爲了要那些教職員投他的票和幫他拉票，曾開出了一張支票，這張支票是「改善教師待遇」。但等到他議員到手之後，不但支票未兌現，反而在那些教職員身上刮了一筆：按：某學校發薪日，一向爲每月五日，不久前突然改爲每月二十五日發薪，[illegible]可說的利息，乃樂捐學店也。

某學校要建一幢「城區部大樓」，大部份的錢都是從教職員和學生中剝來的。那時每個教職員被硬性攤派，以一個每月收入二千元左右的職員爲例，即被攤派「樂捐」七百元左右，還有學生，少則一百元，多則十餘萬元。那時夜間部還沒有聯考，該校可自行招生，聽說他趁招生改爲正式生多至十餘萬元，其他轉學生也一直照「樂捐」不誤。

如此「學人」！

在競選時以「學人」自居的某君（有人說他是不學無術），卽連寫中國字也常寫別字。他批的公文上，字詞句之不通，爲人共知之事，連最簡的「該員」的「該」字也會寫成「[illegible]」字（將言字旁寫成了小旁），××週刊上登了一封他寫給某教授的英文短信（據說還是某教授因要登於週刊上，替他改了幾個字），在短短五六十個字中文法錯誤即有七八起之多，其文句之幼稚則遑論矣。

「樂捐」不樂！

自從台北醫學院利用醫學生「樂捐」事被揭發後，某私立學校惟恐該校類似的「樂捐」案被揭發，正忙於安撫中。該校數年前在台北建了一[illegible]

在美津貼同鄉

某君去年赴美，積着一個私立學校負責人的招牌，想混個博士回國來充場面，結果是鎩羽而歸，好不羞煞！據美國留學生告知記者，謂此公在美曾囑該院某常董在台北各銀樓搜購黑市美金支票達台幣二百餘萬元寄美，他卽以這些黑市外匯在美接濟他的同鄉在美留學生，這件事我國在美留學生多知此事。（宛里）

說曹操

李漁叔

（四十）

……聞者皆以爲然，惟自若。既至圍屯，大放火，營中驚亂，大破之，盡焚其……最可笑的是袁紹眼看曹軍攻烏巢，與援軍淳于瓊援戰時，還派了張郃、高覽二將攻曹洪大營，一方面對他的長子袁譚說道：「就彼（說曹軍）攻瓊等，吾攻拔其營，彼固無所歸矣。」

當時光，袁紹還在夢中，對於敵我之間，可說全不瞭解，像這樣單方面的如意算盤，豈是算得住的？果然張高二將聽到淳于瓊破，明知大勢已去，遂相率投降，袁紹的大軍，也隨之崩潰。只有袁紹父子僅以身免，餘衆竟因渡不過黃河，全部被殲滅，一如沮授所料。

六，曹公的戰力及其政治幹部

曹孟德自官渡一戰，以寡勝衆，以弱制強，擊潰了袁紹的主力，因而穩定了北方的局勢，而成爲最大的力量。魏志說他「鋒不可當」，「天下莫敵」，是當時實在的情形。

袁紹在失敗後的第二年發憤嘔血而死，不久，其子袁譚袁尚發生內亂，兄弟舉兵相攻，曹軍乘勢攻下鄴郡，破袁譚軍，斬之，並誅其妻子，冀州遂平。袁紹的外甥高幹以并州降，後又叛去，被捕斬首。祇留袁尚袁熙（紹的幼子）逃入遼西。於是袁紹舊日版圖，盡歸孟德掌握，孟德也正式奉詔領冀州牧。

曹軍的戰力，這時已達巔峯狀況，爲了消滅袁氏殘餘勢力，和安定邊陲起見，引起了孟德的雄心，遂自將北征烏丸（烏丸亦稱烏桓，是東胡的別種，日漸繁衍，遍布直隸和山西的塞外）大軍出盧龍塞，經過白檀，平岡（故城在熱河的平泉縣），在白狼山（熱河淩源縣西南和遼西單于蹋頓及袁尚袁熙等數萬人遭遇，孟德使張遼爲先鋒擊敵，敵軍大崩，斬蹋頓，胡漢兵投降者至二十餘萬口，尚，熙奔遼東（今遼寧東南境，遼河之東）。遼東太守公孫康斬送，熙及遼東單于速僕丸等的首級，自此，漢朝的威力，直達關外，使國家無後顧之憂。

在白狼作戰，魏志稱：「公車重在後，被甲者少，左右皆懼，公登高望虜陣不整，乃縱兵擊之。」結果竟大獲全勝。自從孟德起兵作戰以來，像這樣的奇蹟，時常發生，有時在十分險惡的狀態下，居然安全度過，或竟能扭轉戰局，反敗爲勝。而經小說家和評話添枝加葉的描寫與捏造，聳動世俗耳目，以至流傳一句話，那就是「天不滅曹」。實際則並非全出僥倖，而是應該歸功於曹公本人作戰的經驗豐富，智勇俱備。尤其是他能愛才如命，採納人言，兼聽獨斷。所以在經過各戰役中，雖然也有打敗仗的時候（如宛城之戰，赤壁之戰等），但總以戰必勝，功必取爲多。

曹公戰力之培成，一是智囊團的計劃周密，算無遺策，一是帳下的虎將們肯出死力，當者披靡。爲行文便利，先就部將張遼李典等分別述之。

研究曹公的戰力，是一個很有趣的問題，我們不必採信小說、評話、戲劇等的過份渲染或虛構，而單只就三國志魏志所記諸將事實看來，也就足夠令人神往了。司馬遷的史記，於項羽、韓信、李廣、汲黯等，均有出色的描寫，如聞其語，如見其人，那當然是最成功的手法。其後班固范曄的前後漢書也有其特色，於人物方面，亦復傳神阿堵，點染如生。至陳壽的三國志，雖筆力較遜，但還是可稱良史，如寫張遼、許褚、典韋諸人傳，亦頗虎虎有生氣。凡是中國史家以及韓愈柳宗元等，這一類的散文，即是說有關傳記文字，有一個最大的忌諱，就是寫出來不能讓他像小說，這當然是屬於文章家的義法問題，不必在此討論，而陳壽所寫的三國志列傳，除上述諸傳以外，如像諸葛武侯，關且繆傳等，都是脫出了一「說部」的習氣。（未完）

安徽十三傑

成語選粹（26）

妙語如珠

李國良輯

蘇軾詩：「好語似珠穿一一，妄心如臘退重重。」世以「妙語如珠」狀言詞（或詩文）之美。

「焚」身碎骨？

依詞集

易傳

星期六（五月九日）下午，台灣電視播出平劇節目「勾踐復國」，演出者：行政院文化局長王洪鈞。演員均爲台灣各大專學校學生。文化局安排此一節目，其意義自非一般娛樂性可比，含有復國與文化激發青年國家思想的種種作用在內。

「勾踐復國」第一幕，西施對范蠡對白有「焚身碎骨」的句子，筆者大感困惑，「粉身碎骨」是國文中慣用的詞彙，「粉骨碎身」（禪林類纂）「粉骨碎身難報此德」。猛憶年前在越南天主教徒與佛教徒發生齟齬時，若干僧侶用汽油自焚之故事矣！豈亦作碎骨粉身，言不惜生命也。至於「焚身碎骨」則未免令人非奇文？

「勾踐復國」係集合各大專學生演出，不知道王洪鈞局長有沒有看過？如果事先看過，唱詞中公然出現別字，則他連當中國文教員的資格都有問題，如何能担當復興中華文化的重任？如果王局長忙着開會、見客，事先連看都沒有看，竟担任「勾踐復國」的「演出者」，姑不論演出的成績如何，王洪鈞局長可得最佳勇氣獎！

諸葛亮狂想曲

（一二五）

·劉玄·

因此，劉約翰担任接待組主任，他不但不反對，而且盡力促成。

諸葛亮與劉備談話告一段落，起身告辭，回到住處，有琴童稟道：「剛才漢玉八卦爐發出嘶嘶音響，想必是太白星君有事找丞相。」

漢玉八卦爐是太白星君在天庭與若干知己專設的通話器，不過與人間所用電話不同，諸葛亮不在時，別人無法代聽。

諸葛亮那敢怠慢，立刻跑到八卦爐旁，與星君通話，這是道家特有的「傳心術」，諸葛亮用耳朵在八卦爐聽了片刻，已經知道太白星君的意旨，原來太白星君約他明天一早到星君仙邸談話。

諸葛亮何等機警，他早已料到必然是爲了宇宙發展委員會事。

第二天清早，諸葛亮乘坐雲車，不消片刻就到達星君仙邸。

諸葛亮在道家系統，是星君的晚輩，見了星君打一稽首問安。星君坐在雲牀上，欠身答禮。

「我很給你面子罷，我參加磨刀大典，龍岡弟兄是不是都很高興？」太白星君童顏鶴髮，聲如洪鐘，神仙中人也。

「星君仙駕光臨，龍岡弟兄同感榮幸，亮謹代表他們向星君叩謝。」諸葛亮對星君說話，態度一向很恭順。

「好，好。請坐，請用茶。」星君滿面含笑，向諸葛亮寒暄。太白星君仙邸待客的人參茶，在天庭稱爲精品。

「星君召亮前來，有何訓示？」

「我昨天覲見玉帝，帶來了你的派令。」太白星君說完，起身從雲牀旁的抽屜裏取出一個手卷交給諸葛亮，天宮的派令比人間官場考究，手卷以白玉爲軸，用黃綾精裱，諸葛亮雙手接過，展開一看，只見上面寫着：特派諸葛亮爲宇宙發展委員會主任委員，此令，玉帝除了龍飛鳳舞親筆簽署以外，另外還蓋了大印，文曰：「玉皇大帝御璽」。

諸葛亮看後，將手卷仔細捲好，放在茶几上。星君又取出用紅綢包裹的斗大金印，諸葛亮拿在手中，沉甸甸地，翻過來一看，赫然有「宇宙發展委員會之印」幾個篆文字，這個關防與人間官場不同處是，當中有一個太極圖，四週是八卦圖案。

「篆書寫得好極了，請問是誰的手筆？」

諸葛亮很懂書法，當年他手寫的出師表，被人視同拱璧，可惜失傳了。

「是李斯寫的。對了，李斯和你是同行，他做過秦丞相，因爲寫得一手好篆書，被玉帝派爲天庭鑄印局局長，所有大小官印，關防，都是經他寫好再鑄造的。」太白星君對於天庭政情瞭如指掌。

「亮是否需要覲見玉帝？請星君指示。」

「諸葛亮既然官拜主任委員，自然非往昔散淡可比了。」

巨變歷險記！

在蒙自失守之前失守之日失守之夜，丁博士是在蒙自的，他沒有住在綏靖公署，也沒有住在省中，他住的地方是蒙自縣政府。

蒙自的縣長是一位年輕的縣長。他的縣政府除了大門外，全部是老式建築。他太客氣了，他把他的後房騰一間給丁博士作臥房。窗子是木條條窗，糊着棉紙，外邊的爬藤隱約可見。院子也很乾淨。明天尚同八軍的將領一塊到各處巡視，準備廿六軍全撤之後前來接防。他們看見不設防的樣子都引以爲憂。「萬一共軍來了，如何防禦」。這問題很實際，但得不得答案。最後只有唏噓嗟嘆。

唱空城計

（一二八）

對於省中儲存的幾十萬大洋，丁博士尤其主張早早分散，以鼓勵士氣，但由於廿六軍空運海南，對這笨重的東西，已不感興趣。八軍因爲要接防在這裏，對於這幾十萬大頭，不但特別的感興趣，而且特別的關懷，甚至於可以說非常的害怕拿不到手裏，非常的害怕落於敵人之手。恨未能及早領走，迨蒙自失守，這幾十萬大頭完全落於共軍之手，實在太可惜了，也太可悲了！現在想起來，也實在對不起湯堯副總司令，對不起國民政府。但總長又何能辭其咎。

且說在蒙自失守的那一天，丁博士好像有預感，他在下午的時候曾帶同八軍的幾位師長到街上，他看見街上有家家關門閉戶的樣子。難道廿六軍軍部不知道嗎？夜裏同他們去看戲，他更非常的傷感，以爲這太不應該！他們又到一個公館，看看民間的動向。到處是暴雨欲來風滿樓的樣子。他們分手之後，丁博士就回到縣衙門。剛要就寢，就被槍聲驚動了。還以爲這是走火，沒什麼嚴重，即與廿六軍部與省中李主席辦公處聯絡，電話都不通了。還以爲這是大家睡覺沒人接的緣故。自己就和衣而睡。這時他穿的是一件美國式的黃呢軍大衣，是李彌主席在離建水的時候送給他的。這大衣穿起來很神氣也很暖。有人戲謂這簡直像拿破崙……丁博士的身材同巴黎矮人館的拿破崙比起來是一般高的。但面容就大不同，一則英雄氣概，一則書生氣習。但在爭取勝利的企圖上則並無二致。

這是閒話，丁博士假若不像拿破崙，倒像中國的諸葛亮，特別是空城計的一段。且說丁博士同張縣長早上一同出去巡視。先到東門去接前來接防的八軍。來說奇怪不奇怪，……他們奔向西門，奔向省中以及廿六軍軍部的那個方向，丁博士張縣長於歡慰之餘，也隨後跟了上來，都沿途巡視各個駐軍的地方，天天了，剩下的只是一些軍服彈等等。到了西門，眞的博士登上了城牆，登上了城門，遠望前了一大隊人馬，遠望……遠……哈！原來都是戴五星帽軍……

董其昌書畫雙絕

漢平

命相与夢話

董其昌字元宰，晚年又號思白，松江華亭人。明萬曆十七年己丑，年三十五，改庶吉士，授編修，皇長子出閣，充任講官，坐失執政之意，出爲湖廣副使，以疾告退，旋起用故官，授督湖廣學政。爲人不循情屬，爲權勢所怒，謝事歸鄉。明光宗泰昌元年庚申，年六十六，召爲太常少卿。天啓元年辛酉，年六十七，擢爲本寺卿，修神宗實錄，擢禮部右侍郎，尋又左轉，拜南京禮部尚書。閹豎用事，其昌深自遠引，遂年請告歸鄉，又召加太保致仕。明崇禎十年丁丑卒，年八十有三。謚「文敏」。其昌天才俊逸，少負重名，閹人請其書翰者，一概謝絕，然不激不隨，故得免于黨人之禍。書法超絕諸家，獨探神妙。其繪畫集宋、元諸家之長。四方金石刻，得其製作手書，以爲二絕，有人擬之米，趙孟頫，有畫禪室隨筆、容臺文集等書。

董其昌年譜之造，爲乙卯，戊寅，乙卯，庚辰。乙庚化金，既帶將星，又値亡神，似與毅宗皇帝造相同。其實毅宗帝出自天潢，其昌生於草野之造，這是一異。毅宗帝中化水，年幹見辛，暗盜洩金氣。其昌之造，年幹見乙，暗中化金，足資臂助，此爲二宗。異毅帝枝會三合木局，自亥而未而卯，次序皆逆。其昌枝會東方一氣，自寅而卯而辰，次序皆順，這是三異。毅宗帝亥居年枝。其昌亥居命宮。此乃四異。毅宗帝有未無辰，有己無戊。文敏公有辰無未，有戊無己。毅宗帝命宮値庚，文敏公命宮値丁，這又五異。有這五異，雖然是同一化金正格，而名位特殊，安危迥異。經云：「化格成象，須分衰旺；往來固要安定，配合固要中和」。謹按文敏之造，日元乙卯，生時庚辰，乙與庚合，同化爲金，誕生正月，似不及三秋當道，然得年幹乙字，位居要津。命宮丁亥，德合並見。足可爲乙庚化金之奧援，雖月幹逢戊，時地化火，亦與大體無傷。蓋往來安靜，配合中和，故能天才俊逸，貴壽兼優。不僅此也，他三十五歲，大運亥，歲値己丑，來進士，改庶吉士，即可知丑蓋壬甲，與太歲己丑，均與化金格情緒綿綿。三十五歲以後，實行甲運，授編修，充講官，以及督學湖廣，更覺甲能化土生金。

四十二歲大運戊，歲値丙申，不而嗾使生徒數百人，蜂擁鼓譟，衝破學署，其昌竟謝事告歸，具可見戊運衝辰，丙遂合辛，申遂衝寅之爲害。

六十六歲大運辛，歲値庚申。七十一歲大運乙未，歲値乙丑，或爲侍郎尚書，或告歸林下，這都是庚乙化金，氣求聲應有以致之，非辛運之功可知。及至七十七歲，實行庚運，起復故官，掌詹府事，更信庚能合乙，效力勝常。八十三歲大運巳午，歲値丁丑，午固合寅，丑復害午，恃爲忘神，因是得考終。

國醫與國藥

返老還童術答客問（上）

・馬騰雲・

問：人間果有返老還童術嗎？

答：美國於世界第二次大戰前，美國電機聯合公司芝加哥舉行過一次百年進步展覽會，有十位傑出代表發表高見說：一、將來飛機由電鈕操縱指揮，二、人類可以控制電子，三、傳染病及宇宙光線，絕跡，人的平均壽年以七十歲爲標準，（百年以前的平均壽年是三十五歲），四、未來不僅可以征服病魔，而且有控制腺的功能，五、對於太空的神秘，可以完全揭穿，六、將來的發電可以利用太陽光的熱能，七、化學上有不可思議的發明，他們一共發表了三百餘件預言，長改短，醜變美，瘦變肥，乃至返老還童。都有可能性，同時對於人體和腦的關係，也會有極大的貢獻，人類普遍的壽年爲一百歲，自不會成爲問題，當時集會的，還有七位醫學專家，他們一致指出「疾病」這個字，將來只是辭典中的名詞了，照這樣看來，人的返老還童自不會成爲問題。

問：除光陰似箭催人老外，還有甚麼東西催人老的，有無方法預防。

答：心理健康爲防止老化最重要的一課，東方人與西方人對心理健康有很大的偏差，東方人認爲血壓高，容易使人衰老，故慣於多吃蔬菜，淡飯，而西方人則反是，嗜食高單位脂肪，肉類，乳類及蛋白質等，最近蘇俄、西德醫藥家們研究出中國蔬菜很多屬生藥類，西德研究出百合可治心臟病，蘇俄研究出中國有十三種蔬菜可以治高血壓與糖尿病者。其實防止老化的心理健康最要緊，自己在心理上未老化，始終會年青的，從前有一位教授叫胡庶華者（投匪後已故）行年七十了，抗戰末葉，在王耀武司令官的宴會上鬧酒後，棲主問：「庶老憑藉甚麼表現出自己還是青年？」他當衆翻了一個斤斗，雖引起全桌人的哄堂大笑，但這種精神你不能不佩服他。還有老藝人梅蘭芳，電影明星李麗華超逾古稀之年或快到古稀之年仍能演扮少女的戲，尤其李麗華下了裝還是小姑娘模樣，凡此皆心理健康使然。（未完）

自由詩壇

憶江南

張白翎

柳絲拂水水拖藍。燕剪裁春春意酣。一棹載詩還載酒。杏花村畔醉江南。

和白翎憶江南璐韻

李拯

深杯酒醉越簃藍。蓬島春游興正酣。莫問寒梅舊消息。吳山遙隔海西南。

和白翎兄憶江南

方延豪

湖畔春漲水痕藍。午透芳菲蝶意酣。記踏清明隄上路。夢魂猶自繞江南。

第五章　天祚帝途窮敗亡・岳鵬舉小試牛刀

宋室朝廷不知金人壯大，野心勃勃，欲南侵中夏。不久罷了河北「敢死士」，因此岳飛補承信郎的朝命亦胎死腹中。岳飛在家守制，亦不加過問。

宋史稱岳和「家貧力農，節食以濟飢民。有耕者侵其地者，毅然割而與之，貸其財者不責償」。

宣和五年八月，金主阿骨打殂於軍中。阿骨打是一位非常有宏圖的開創之主，他滅了遼國，交好於燕，領軍出居庸關，殂於軍中。有子十三人，以其弟吳乞買繼位，謚爲「武元皇帝」，廟號太祖。

岳飛在鄉守喪時，有相州賊張超者，率衆數百人，打劫韓琦（忠獻）故墅。岳飛爲其佃客，聞訊後，匹馬單槍而出，一見張超大怒喝道：「草寇敢犯吾堡，乃自尋死耶！」張超自恃其勇，舞刀直取岳飛，岳飛故不與戰，彎弓搭箭，一矢射中張超咽喉，落馬而死。衆賊一見張超落馬，鳥獸散去。

韓琦字稚圭，安陽人，舉進士出身，歷仕仁宗、英宗、神宗三朝，累官至右僕射加侍中，封魏國公。琦大事不避危疑，敢言敢任，朝廷倚重。西夏反，韓琦經略陝西，卒使元昊稱臣，名震中外。與范仲俺齊名，時人並稱韓、范。曾兩次定建儲大計，社稷以安，與富弼同稱賢相，卒謚「忠獻」。

宣和七年二月，岳飛再次投軍於平定軍，爲効用士，因功擢偏校。此時正是遼國滅亡之時。

同年三月，金人來索討趙良嗣所許之二十萬石糧。本來遼國滅亡之後，金人欲恃強乘勝南下，正苦無詞可藉，偏偏宋朝廷不昭大信，許粮不納。始將金人引了進來。讀者請閱下章，便見分曉。

第六章　索燕粮金人南侵　定內禪徽宗東奔

宋金之盟未及兩月，糾紛隨之而起。宋金國遼之初約，爲彼此出兵夾攻遼國燕京，彼此之兵不得過山海關。但因無識的宦官童貫伐遼圖功，爲遼所敗，而倉惶求金履約攻遼，其實就是求救於金，亦即自行推翻前約，請金兵入關。宋朝不自圖強，攻取燕京之役，全賴金兵，因此金人已知宋軍無作戰能力，早已輕覷之，及金滅遼之後，宋朝又不善於處理外交，約許之粮，又不履約。（二十）

岳飛

周燕謀

自由報

（第一一〇六七期）

社址：香港九龍彌敦道593—601號 廖創興銀行大廈八樓五座
LIU CHONG HING BUILDING 7th FLOOR FLAT 5
593—601 NATHAN ROAD, KOWLOON, H.K.
TEL: K803831
電報掛號：7191
台灣分社：台北市西寧南路110號二樓

外交應注意的幾件事

·劉光炎·

（一）

關於外交，本人是門外漢，但是外交上許多基本問題，有許多也就是常識問題，所以本人想提出檢討檢討。

我在本文中所想提出討論的，一共只有幾點。第一，是關於外交重要性的認識。我們常聽見人說：「弱國無外交」，這話從前北洋軍閥時代，人們說得最多，現在說的人少多了，但在潛意識中仍未剷除。這一觀念，是錯誤的。國父孫先生在其所手著的「中國存亡問題」中，曾一再強調外交的重要，現代化的國民，不能不重視外交。想許多人都看過這本書，從而瞭解外交之不可不重視。

再說，這句話本身也有語病：「弱國無外交」這話，嚴格地說，是不合邏輯。因為：惟其是「弱國」，所以才更需要「外交」。優良的「外交」，是可以補國力之「弱」的；如是強國，在外交上不太注意，還不太要緊，至於弱國，卻非特別注意不可。

「弱國」特別要注意外交，在中外歷史上，都有顯著例子。在中國歷史上最顯著的，是春秋戰國時代的鄭。鄭是弱國，介於數大之間，卻能肆應裕如，不墜國格，主要原因是鄭國主政的子產，是一位卓越的外交家，能以外交的手段，補其國力之不足。

在歐西歷史上最顯著的，是維也納會議中的法國代表泰勒朗。維也納會議，是為裁御法國開的。因為拿破侖雄霸歐洲，各國俱之刺骨。拿破侖敗了，才有這個會議。論理說，在這個會議中，法國代表是「待決之囚」，是無法運用什麼「外交」了。然而泰勒朗利用當時與會的四大強國彼此間存在間隙，反而使他自己居於舉足輕重的地位，大家都想把他拉在自己這方面以自重，大家都把和對方的衝突矛盾，向他聲訴。他居然以一個「被裁決者」的身，一變而為「仲裁者」了。法國的利益，不但未受什麼損害。法國的威望，反由此獲得國際間的重視。

這兩個，都是「弱國」能用「外交」，和適當運用「外交」，可使「弱國」變「強」的實例。幸望國人，從此剷除「弱國無外」的殘存心理，大家奮發圖強，勤研外交，必有佳果。

（二）

第二點我想提出的，是外交人員所注意的範圍，應該擴大。

外交人員工作是很辛苦，但不可否認，在許多地方，他們未能克盡厥職。聽說有些外交人員，為了省錢，只是關在家中作家事，不與外界聯絡。又如在聯合國辦事的人員，有些坐享高薪，卻無所事事。對於這些人，我們不想過於切責。中國外交官的待遇，不如別國優厚是事實。但當外交官並不是一件可賴以為生的事，則在外交界成例甚多。在外國當大使的，多為富翁，即因作大使常常會賠錢。我們不能要求中國外交官自己掏腰包賠錢，我們只想提醒他們，當外交官，有許多責任要盡，絕不能閉門株守，不與外界接觸。他們要眼觀四處，耳聽八方。同時他們要把注意的範圍擴大，不要僅僅把有關外交事辦完了，便自以為盡了能事。他們應把注意力擴及政治，經濟，文化，宣傳各方面，並以同等的力量，加以推動。在大的使館中，每一類門，有專設參事，但為大使的人，仍須加重其注意力，否則「輔強主弱」，終無着落。在小的使、領館中，未有專人設置，當外交官的卻要特別盡心，以免遺誤。記得在二次大戰時，美國起初也不願介入，而且此時的美國孤立主義的聲勢，似乎格外強烈。英國派哈里法克斯勛爵為駐美大使，他的任務，主要的就在如何改變美國的觀念，使能積極的介入大戰，以挽救英國的危機。哈里法克斯抵美以後，便以大力從事這一工作，前後兩年之間，他使出了渾身的解數，用了大量的財力。在這期間，與英國大使館發生直接、間接聯繫，為推進此一宣傳（包括耳語運動在內，都是在美國被認為最具收效，且不着痕跡的一種宣傳運動）而努力的英美人士，為數超過萬人（一說，達到一萬八千人）。終於美國的觀念改變了，大戰的情勢也改變了。

除了宣傳以外，外交官可作的事太多。譬如我國的王道政治與人民所遵守的道德標準，在社會日趨動亂的歐美，已開始轉移其注意力於這些方面，我們當外交官的，此時應以絕大的力量，向駐在國的人民，作文化大使式的宣揚。他們這樣作，不可零零星星。零星的作，是無濟於事的。他們應系統地作，用幾十篇乃至上百篇的演說，把王道政治的內容與其收穫，民族道德的納蘊與其效果，向駐在國社會明白介紹。相信必能投合他們的需要——因為可以填補他們在今天倍感空虛的內心——發生廣大的宣揚影響力，為國家帶來聲譽，也為國家在國際上增加了發言的地位和份量。

（三）

第三也是最後我想提出的事：我們應恢宏外交的氣度。什麼叫做恢宏外交氣度，即是說：我們對於外交運用，應有更高的期待，不能像今天的限於維護在聯合國的代表權。老實說：每當一年一度的聯大會議前後，筆者所見我外交人員的辛勤策劃，四出奔走，乃至當天的澈底無眠，我衷心是感謝的。但認為不太值得。尤其看見報上刊載說某國願支持我代表權，心中更覺不是味道。我們是聯合國創建人之一，這多年來，我們所貢獻於聯合國者至多。我們不自動退出，聯合國是沒有理由排斥我們的。聯合國如稍有正義感，就不應允許排斥我國的議案成立。聯合國如稍有智慧，更應知道我國退出後的後果。老實說：中華民國退出了聯合國，中國還是中華民國，但在聯合國，則如失去中華民國這忠實的一個支持者之後，而讓匪偽進來，便註定是聯合國的死亡。這是最確定不移的事。

因此，我國代表權的能否保持，更應關心的應是聯合國。至在我們，當然不能說不關心，不應付。惟像目前的專注與爭取，未免有點小題大做。

筆者以為我們今天外交的氣度，應以泱泱大國之風行之。我們雖還未回到大陸，卻為七億人民的代表。而且我們終於要回到大陸，消滅匪偽的。所以我們在外交上要擺出中華民國眞正而全體的主人翁的姿態，用堂堂之鼓，正正之旗同人家辦外交，久而久之，必能受人重視從而發揮其偉大的力量，在精神摧毀了毛賊在大陸上固據的基礎。我是這主張，並沒有狂妄的意義。想當年　國父革命尚未成功，以民間革命領袖向外國交涉時，即處處代表全國，全民說話。而西方國家不久也都接受了。清廷氣燄所受打擊以此為最大。何況我們今天還有一個完整而進步的政府。我們要在外交上代表大陸人民說話，辦事，是天經地義。我們在外交上決不可妄於小成。露出偏安江左維持小康的臉嘴來！

（完）

昨日與明日

新文藝設組「創作」（？）

這一向，台北的報端，對於中文系的分組，談得很熱烈，許多愛好新文藝的人士，呼籲在中文系成立「新文藝創作組」，中文系，應不應該設立這一組，牽涉很多，自不便驟下結論。但望文生義來講，却對這一組名，不無奇特的感覺。一般的系或組，都只是標明各該學科，例如：政治系，經濟系……等是，那就是說入了這系的，就去學這門學問。即令是比較實用的，如會計，也必稱會計學系，而很少叫作算帳系，或算帳組的。現在這一組稱為「新文藝創作組」，就字面來講，不知道是這一組的師生計劃創立一種新文藝呢，還是入學的學生是指定要來創作新文藝作品。前一個可能顯然是在由飽學之士，共同磋商設計，當然非學生能力所及，也不是學生入學的目的，而後一可能則是學生入學的目的就是為了創作，寫作品了，這就不免使人感到有些惶惑了。

經驗告訴我們，除了像我們辦報的，每天非逼着寫文章（當然這也不能列於「創作」）外，眞正能有「創作」（模仿習作，不能稱為創作）都是或久歷滄桑，或飽學經史，一肚子的話不能不吐，不能不寫，然後發而為文才成有價值的創作，假如無此內蘊，而先就預定要創作，那不是徒具形式而無內容，便是要「少年無事強說愁，為覓新詩且登樓」了。

眞有話要說，眞有金玉之言要吐的，倒不必要學習什麼形式，受什麼創作訓練，他自己會找出他自己表達的方式，找出自己的創作路子，說不定還會創出一種獨特的風格，事實上，文藝作家，有幾個是文學系畢業的。（就如同講書精采動人的，有幾個是學過教學法的？）因此又何必一定要用「新文藝」創作，如其說愛好新文藝便設組創作，那麼中文系是否也要另成立許多，「詩歌創作組」，「戲曲創作組」，「詞曲創作組」，「駢儷創作組」……至少也要比照新文藝創作組，而成立「舊文藝創作組」了。

從前蔡元培辦北大，將工、農各科都分出去，只留文、理、法三院，認為這三院才是「學」的研究，而其他近乎技術，實用的不必列入大學，蔡元培這種辦法，衡以近代的發展，未免標準過高，失之太狹，但其原則大體是對的。大學所應該學的，是「學」，而「創作」縱非是「術」，但究不能列之於「學」，何況創作，尤其有價值的創作，多半要靠才分，而不是能「學」得來的。即令勉强訓練，這些缺乏專門學識，沒有人生酸辛的學生，能寫出什麼創作來。從前有一首詠剃頭的詩，譏諷只習聲律，而無內容的詩人道：「聞道剃頭好，無人不剃頭。有頭皆能剃，無剃不成頭。剃自還他剃，頭還是我頭。請看剃頭者，人亦剃其頭」。文藝創作組畢業的學生，其能不為此詩翁者鮮矣。

·成公·

自由談

知識助長罪惡

「仗義多屬屠狗輩，負心盡是讀書人」，這決非憤世疾俗的偏激之言；而係亂世社會現象的寫實語句。

亂世的社會生活多不安，人慾橫流，為目的不擇手段，比比皆然，而以士大夫階級的知識份子——特別是政界人士——最突出。他們藉着各種社會關係及其稍具智能本質，隨時乘機活動，追求個人的私慾，為着攫取富貴，有奶便是娘，對於有權有勢的闊人，諂媚逢迎，効忠伏信，無所不用其極，旁人引為肉麻可恥，他却洋洋自得，且以闊人的死士自任，滿不在乎。

一旦他所依附的權要失勢或者失敗了，當着人前大罵其舊時主子，甚至出賣主子的一切秘密事情的，就是這般過去表示忠貞不二、受恩深重的「死士」之流。古今來都無二致，只是表演工夫各有差罷了。所以，漢高祖劉邦斬丁公之事，我總認為義所應爾，未可厚非，政治上雖然不免有招降納叛的措施，但要看情形，更要有份際。否則他今天可以叛舊主，明天亦就可以背新主，所謂禮義廉恥與是非之心完全予以泯滅，就政治哲理而言，不啻是獎亂的罪惡，曾國藩說：「天下之所以大亂，由於是非不明，黑白混淆，君子愈讓，小人愈妄」，信非虛語。

若夫一般少讀詩書，安分勤業的蚩蚩者氓，他們既沒有功名富貴觀念，對人即存機詐奸險之心，甚於先天的良心血性，遇事有所不忍，助人唯力是視，試看報紙上常常刊載着一些臨難救人，拾金不昧，見義勇為的好人好事，就沒有一個是屬於士大夫階級的讀書人，這不是很顯明的例證嗎？越是知識淺陋的人，他的言行越能表現義氣——亦就是講究是非羞惡，決不含糊。

國家之治與亂，就看當國者能否懂得上述的道理，而以身教示範，轉振頹風，否則治絲益棼，禍亂相尋，永無太平景象可見也。

馬五先生

行政命令代替法律 教育措施問題最多

立委張子揚向行政院質詢 促健全制度加强立法功能

（本報記者台北航訊）立法委員張子揚「為健全制度加強立法功能」於五月廿二向行政院提出書面質詢。這項質詢不但內容充實，且極有份量，因而為行政機關所重視。

近年來，張委員很少提出類似質詢抨擊行政當局。他對批評「立法」不配合「行政」的言論表示異議；他對行政命令代替法律而導致的錯誤加以指責；他對閻振興身兼五要職和經濟部常次兼國際貿易局長汪彝定等有所批評；他對「立法受權」與「中央管事太多」諸問題，亦有善意的檢討和建議。

這位山西籍立委的質詢內容如后：

政令「朝令夕改」，使人民無所適從，是施政大忌，所以法治國家必先制定法律，政府與人民共同遵守，從事各項建設財產，制定必須慎重切合實際需要，是以立法程序經過三讀通過。有的國家立法是上下兩院，下議院通過的法律案，須經過上議院認可。立法需要嚴謹，是民主法治國家常規。現在科學發達的美國，經濟繁榮的日本，其發達繁榮的原因很多，而有健全的制度，是其主要因素。

社會突飛猛進，立法工作，把握時間，爭取時效，最為重要。現在各部會修正後的組織法，均設置法規委員會，行政院法規委員會，由政務委員主持，既有機構，又有人力，政府提出法案之前，應週密研究，所提法案，必須適應時代精神，切合國家需要，並避免本位主義，力求與其他有關法律配合；對於立法技術，亦須力求完善，這樣就可以節省立法院審議時間。立法院，除預算案因為時間所限，上下午均開審查會外，一般法案，只上午開會審查。法制內政兩委員會，為了提高立法效率，審查行政院衛生署組織條例，已上下午開會，假使時間允許，各委員會亦能上下午開會，議事效率即將提高一倍。院會如再能經常保持出席法定人數，隨時上絕對能與行政配合，且不至流於草率，希望行政院能與立法院配合，即時改進，既可收「立法授權」之效，又能避免「朝令夕改」之弊。

我政府遷台以來，政治安定，經濟繁榮，立法院完全正確，並隨時通過各項法律，為其主要因素之一。檢討過去，立法院，對於重要法案，向未耽誤時效。每年國家總預算案，不僅上下午開會審查，有時晚間亦開會審查，於五月底如期審查完畢。二十幾億台幣的特別預算，在數小時內即行通過，如尚謂立法遲緩，殊非持平之論。下午開會兩次，姑不論精力為消耗，只消耗公共汽車上時間亦為兩小時，立法委員均不像外國議員有私人秘書，中外資料都要自己搜集，法律條文亦須委員整理。至於立法需要旨是否正確？內容是否切合實際需要，更是審查的要點。中國家處此困難環境中，共體時艱，不顧亦不能放棄憲法所賦與的權責。

我們檢討政府以行政命令代替法律其結果如何？政府遷台以來，以行政命令代替法律多，未經立法程序審查，以致教育上發生問題最多。如大學、師範、專科、私立大學，以及教員聘調等問題，都很嚴重。多年來行政院統一薪俸辦法，將俸給法束之高閣，以各種方法發給津貼，有事業機構之機關人員，其他窮機關公務人員，每月只領吃不飽，餓不死的生活費用，的不公平。最近又公布研究教授特殊待遇辦法，激起教育界憤慨不平，安貧樂道之風氣因之破壞。其他行政命令導致的錯誤，不勝枚舉。

一人兼任五項要職 違反政策破壞制度

阻塞了青年人上進前途 可能是受用人圈子限制

國家設官分職，各機關組織法有明文規定，大學法第八條規定校長不得兼任他職。但清華大學校長，兼國家科學委員會副主任委員，原子能委員會主任委員，中山科學院院長，青年輔導委員會主任委員等五要職。經濟部次長，兼國際貿易局局長，副局長兼檢驗局局長。交通部電信局，正兼副，副兼正，上兼下，下兼上，違反了一人一職的政策，破壞了國家制度，也阻塞了青年人上進的前途。一個人的精力和時間有限，把一件事辦好已感不易，如再兼職，勢必誤事，結果是掛虛名，不負實際責任，負責者埋沒，掛名者居功，不公不實無勝於此者。何不將名義交與負實際責任者？既可以加重其責任，又能培養其地位，人才倍出，政府朝氣蓬勃。太空人業務操作艱難，責任重大，美國太空總署，訓練大批太空人，每次登陸月球，都調換人操作，假使美國太空人只有一二英雄能担負登陸月球任務，那美國怎能發展太空呢？我國國內外優秀科學家和知名學人甚多，外國人量才重用，而我國反不量才重用，只信賴少數人兼任職，真正科學家和學人不易出頭，原因可能是受了用人圈子的限制。

我國財經首長考察韓國歸來，對其官員負責任，實幹精神，避而不談，甚讚揚韓國立法迅速，批評我國立法遲緩，提出「立法授權」「變法」口號，和此種本位主義的報告，須加研究。有位美國人先來台灣計劃投資，因「法令限制太嚴」，改去韓國投資，後因「韓國變法太快」，又投資恐無保障」，而返回台灣投資。韓國的政治經濟制度環境，與社會背景，與我國的政治經濟制度環境，社會背景，均不相同，我們固然不可故步自封，亦未必妥適。韓國依靠借債發展經濟，靠補貼推廣外銷，付利息增加，經濟成長率已有降低趨勢，個人做無本生意難期成功，國家做無本生意豈無危險？日本發展經濟，是從基本做起，培養農民購買力，刺激生產，以國內市場為主，才有今日的經濟繁榮。日本經濟繁榮之道，值得我們借鏡。

「彈性立法」，「立法授權」，我國早已實行，如各機關組織法內的編制名額，有最低額和最高額的規定，就是「彈性立法」；辦事細則及其他有關規程，由主管院規定，就是「立法授權」，此種制度，運行靈活，尚稱便利。事實上，二十多年以來，立法院所通過的法案，百分之九十九是政府提案，委員提案極少，行政權力已充分擴張。依照中央法規制定標準法，應以法律規定之事項，不得以命令定之。而行政院常以行政命令代替法律，致使立法權縮小，獨立行使職權分立，顯與五權之精神不盡符合，難免受人批評，對歷史將如何交代？

機關疊床架屋 地方人才缺乏

財政困難影響建設

現代化國家的行政，須有共同的目的，明確的授權，確實的分工，密切的配合，嚴格的考核。製造原子彈，動員了六十萬科學家，登陸月球，動員了四十萬科學家，因其有健全的制度，匯集了衆人的智慧，而為集體的智慧。太陽神全套設備，一千五百萬件零件，由三萬家大大小小公司分別製造供應，表現了美國整體工業「團隊化」的合作精神；也反映了高度工業化現代化國家的行政效率與總體的活力。這種整體工業「團隊化」的合作精神和企業精神，我們應當迎頭趕上。

我國政治上，需要改進的重大問題，是中央管事太多，地方政府能決定事項極少，人事、財政、審計等地方政府權，早有提高的必要，而現在仍然均集中於中央，中央增設機關，擴充名額，機關疊床架屋，人員精神閒散，地方人才缺乏，財政困難，建設甚受影響；政府首長有責無權，遇事推諉不能當機立斷；民營企業，未能充分發展，社會潛力，無從發揮。為了鞏固反攻基地，拯救大陸同胞，建全地方政制，確實執行「七分政治，三分軍事」政策，「努力實現國父孫中山先生的理想，把台灣建設成為一個未來現代化的模範地區，使大陸人民在對比之下點燃他們希望之火。」即須將有關建制的法律和規程，加以修改與補充，使地方自治，與適有明確的民主法治的境界，唯有強化民主法治信念，才能從事各項建設，發揮衆人智慧，健全制度，才能達到總統昭示的全面革新，革新的目的，否則將流於對外宣傳，向上報告。

依洞集

政經應當分開嗎？

·歐陽瑞·

立法院長黃國書，究竟是官任立法院長呢？還是兼經營保險生意，已成為朝野關心的一個問題。

立法委員既可以經營工商業，立法院長是由立法委員中選出，經商可謂名正言順，除非法律有明訂，黃國書不會受限制的，何況商場就是戰場，勝敗乃兵家常事，屢敗屢戰，正足以表現出黃院長一股「革命」精神。

立法委員中反對黃國書兼營商業的理由是：立法院長做生意固無法律限制，一如醫生兼開葬儀舖，代賣冥器壽衣和棺材等，在法律上可謂沒有半點毛病，從兩端論角度看，一個人非生即死，有何不可？邏輯上說，由病到死直到入殮殯葬，更程序井然有條不紊，祗是在習慣上，這種醫生給人的印象非常惡劣。

站在輿論界的立場，認五院院長之尊，為幾個臭錢而受小市民咒罵，乃至於把投保人逼得自殺，是不應該的，奉勸黃院長在立法與保險兼顧之下，不要貽「草菅人命」之譏才好。否則「人壽保險」就很費解了。

喬治桑外傳 一四八

張大夔

大凡家裏有牌局，吃飯就比較晚，差不多將近八點鐘的時候，才開晚飯。雅麗絲吃過飯已經九點多了，她向李阿姨道了謝，輕輕告訴媽媽：「我想先走了。」

「好，妳先走罷，路上當心點。」雅麗絲已經是大人了，她的媽媽還像對小孩子似的叮嚀，這亦是母女常情。

雅麗絲回到家裏，因為時間還早，喬治桑還沒有回來，一個人坐着看電視。

下女阿翠替她倒了一杯茶。

「有沒有人打電話找我？」雅麗絲不經意地問阿翠。

「先生在晚上打過電話來，說不回來吃飯了。他又問妳和老太太是幾時出去的。我照妳的吩咐告訴他了。」阿翠說完站在一旁，等雅麗絲的指示。

「好了，妳早點去睡罷，我來等先生。」雅麗絲很體貼阿翠，因此，阿翠對她最好。

電視節目看完，喬治桑還沒有回來。雅麗絲打了一個呵欠，顯然已有倦意。

話分兩頭，且說早上喬治桑知道雅麗絲的媽媽要來，自然亟須避開。他像遊神似的逸了出來，却沒有目的地。他想了一下，闖進一家新開的「藍天鵝粵菜館」吃廣東茶。吃廣東茶有一點好處，由早上泡到中午，早餐午餐一齊解决，而且所費不多。

說來可憐，他在茶館呆到下午兩點多，買了幾本雜誌都看完了，本想去看一場電影，却生怕撞到雅麗絲母女，諸多不便。

他在茶館撥了一個電話給裘白瓊，總算由裘白瓊替他約了搭子，打牌。這樣才算安定下來。

喬治桑在裘家打完牌，回到家將近午夜。一進門，雅麗絲先開口：「你眞是貴人多忙，我的媽媽由南部來，我燒了幾樣菜，請她吃一頓飯，想請你作陪，你連這點面子都不給我，還說拿我當親生女兒看待？」雅麗絲有不豫之色。

「眞對不起，我知道妳要怪我的。牛董事長早已約好兩位日本朋友有業務要談，我不好推却。」喬治桑只好扯謊，但內心是痛苦的。

「那你明天是不是請我媽媽？」雅麗絲這一招，喬治桑倒沒有想到。

「這，這……」喬治桑囁嚅着。

「我知道了，你今天要約卞太太去跳舞，沒有空對不對？」雅麗絲記性好，她記得喬治桑與卞太太有約會。

「對了。我的脾氣妳是知道的，與人家約會向來守信。這樣吧，等妳的媽媽下次來，我一定好好請她。」喬治桑使出拖刀計，過了一關再說。

雅麗絲默然，別轉頭去攏了一下頭髮，這個小動作很明顯地是對喬治桑不滿。

喬治桑暗想：以往雅麗絲對我是很恭順的，現在情形不對了。惟婦人與小人惟難養也，遠之則怨，近之則不遜。這話眞不錯。

喬治桑肚子裏酸腐氣味，雅麗絲當然聞不到。

「妳的媽媽今晚在那裏？」喬治桑為了要打破沉默氣氛，隨意問了一句。

「在人家打牌。」雅麗絲冷冷回答。

「她打牌的技術很好罷？」其實這是一句廢話，喬治桑找不出話，只好這樣說。

「無所謂，反正她打的是小數目，輸贏不了什麼。」雅麗絲到底是一個最具身份，她也不敢過份與喬治桑頂撞，只好敷衍他幾句。

「我下午被裘白瓊拖去，也打了幾圈牌。」喬治桑自言自語。

「輸還是贏？」雅麗絲知道不理睬喬治桑是不對的，問此話是表示關切。

「今晚手風特別好，大贏而特贏，牌雖然小，倒贏了二千多元。」喬治桑說完取出五百元給雅麗絲。

「妳吃紅。」

「不要了，你今天請我媽媽還沒有用光。」雅麗絲看到錢，想起上午喬治桑還留了五百元叫我招待媽媽。

「那是我對妳的媽媽表示一點心意，這是給妳吃紅的。妳收下罷。」喬治桑站起來將五百元塞在雅麗絲的手中。

（未完）

文涯樓劄記

介紹「創業講座」

·文涯樓主·

工業社會沒有一樣事不講現實的，其實農業社會更講現實。傳家寶說：「人生於世，未有不勞心力者，或勞心而不勞力，或勞力而不勞心；若不勞心，又不勞力，乃飢殍無用之人也。」

「創業講座」者，乃楚狂人精心傑作，是指導勞心和勞力事業的一部講義，連載期間不分門別類，探擷最生情方式，想到就談，並且知無不言，言無不盡，以讀後能夠受用為原則。

比如第一篇選摘本港星島晚報一篇專訪，敘述美國電腦計算機製造權威王安先生的創業經過，詳見第四版，王是江蘇崑山人，曲折經緯，對創業打天下的人說，頗有參考價值。

自由報是中華民國僅有的一張政論性報紙，在內容上總是離不開政治，楚狂人有一次介紹一位典型的特工頭子希姆萊，身材矮小，帶着一副夾鼻眼睛，穿上軍服時，木頭木腦，儼然小學教員或錄事之輩，他和妻女們住在柏林郊外簡陋的鄉村，他的夫人佛黛女士親自燒飯洗衣，從不雇奴僕，不知者都疑希姆萊是商店小伙計，李本特洛甫是希姆萊最要好的朋友，有一次向希姆萊說：「閣下的權勢在德國坐第二把交椅，為甚麼不住大洋房呢？」希姆萊說：「我永遠是個單調的人」楚狂人這段故事於此時此地推出，自有其新的意義。

台灣各地法院門庭若市，楚狂人以「律師的立場」為題，引證衛理爵士戒訴的名言：「無論你要做甚麼，切不要訴諸法律，忍受任何難堪和壓迫，切不要將自己的精神和錢袋消耗在法庭上」他說：「中國民間也有窮死勿作賊，寃死不告狀」的名言，喜歡告狀的人常弄到傾家蕩產，身敗名裂，台灣中國醫學院涉訟，原被告坐牢的坐牢，蕩產的蕩產，就是好訟者的例證，眞是句句金玉，發人深省。

樓主有感這篇「創業講座」非常適合當前社會須要，而楚狂人本身又為傑出之事業家，赤手空拳，三起三落，一落於日本軍閥壓境，二落於大陸整個陷匪，三落於東南亞一個國家不尋常的政變，將狂人牽入。但中國自古不以成敗論英雄，末了引用楚狂人自己的話作本文結束，「強不過命，巧不過運，勝不過天，能不過錢」，想自由報廣大讀者也有同感焉。

談談胡適先生的小說研究（上）

·李辰冬·

我從初中一年級起就受胡先生的影響，一直到今天。所以他逝世的時候，我整整哭了三天。後來在台灣師範大學教室裏提到他的時候，還當學生面大哭幾次。我痛心失掉了一位大的導師！

可是科學方法的目的在求眞，我將胡先生的幾篇關於文學論文細細研究，並不見他所求得的就是眞，因而引起我的懷疑，把這個問題正式提出來作一討論，舉幾個例來看看：

第一、他在「鏡花緣的引論」（見胡適文存第二集卷二）說：

然而女學與女權，在我們這個「天朝上國」，實在不容易尋出歷史制度上的根據。李汝珍不得已只得從三千年的歷史上挑出武則天的十五年（六九○——七○五）做他的歷史背景。三千年的歷史上，女后垂簾聽政的確然不少，然而婦人不假兒子的名義獨立做女皇帝的，却只有呂后與武后兩個人。呂后是個沒有學識的婦人，她的政治也實不足道，武則天却不然，她是一個有文學天才並且有政治手腕的婦人，他的十幾年的政治，雖然受了腐儒的誣謗，究竟要算唐朝的治世，他能提倡文學，他能提倡美術，他能賞識人才，他能使一般文人政客拜倒在她的裙之下。李汝珍抓住了這一個正式的女皇帝，大膽的把正史和野史上的一切汚蔑武則天人枯的謠言都掃的乾乾淨淨。鏡花緣裏對於武則天只有褒詞而無謗語：這是李汝珍的過人卓識。

他說「鏡花緣裏對於武則天只有褒詞而無謗語」，恰恰相反，整部鏡花緣都在諷刺武則天。此書一開頭就說：「昔曹大家女誡云：『女有四行：一曰婦德，二曰婦言，三曰婦容，四曰婦功。』又說：「女有為女，婦有為婦」，而武則天偏偏就不守婦德。所以第十五回裏尹元說：「老夫自從嗣聖元年因主上被廢，武后臨朝，心中鬱悶，曾三上封章，勸其謹守婦道，迎主還朝，武后俱留中不發。嗣因讒奸當道，朝政日非，老夫勤王無計，恥食周祿，隨即掛冠而歸」。這不是對武則天的貶責麽？

再者，三月三日王母聖誕，嫦娥請百花仙子命令百花一齊開放，百花仙子說：「要使是嫦娥仙子臨凡做了女皇帝，出這無道之令，別個也不肯的」。意思就是誰下這樣的命令，誰就是無道之君；可是武后竟下了這道命令。但是武后是在酒醉之後下的，及至酒醒，「猛然想起昨日寫詔之事，連忙起來，心內著實懊悔，酒後舉動過於孟浪，倘羣花竟不開放，將來傳揚出去，這場羞愧，如何遮掩」？想不到那些「質極微賤，道行本淺，位分又卑，既乏香艷之姿，兼無濟世之用」的雜花，為保全自身性命，都去承旨。只有花中之王的牡丹就是不開。武后惱羞成怒，反用火來炙牡丹。這段寓意到底是貶責武則天呢？還是讚揚武則天呢？第十回裏唐敖說：「奈近日武后純以殺戮為事，唐家子孫誅戮殆盡，何況其餘！」這會是褒揚麽？

談到唐敖，他是書中的主人翁，更值得我們注意。他自述他的志願說：「小侄初意原想努力上進，約會幾家忠良，共為勤王之計，以復唐業。無奈功名未遂，鬢已為霜。既不能顯親揚名，又不能與邦定業，碌碌人世，殊愧老大無成，所以浪遊海外」。然他之浪遊海外並不是毫無目的，而是搜羅反抗武則天的下一代。我們看第七回裏唐敖與一位神仙的對話。唐敖說：「小子初意原想努力上進，恢復唐業，以解生靈塗炭，立功於朝。無如甫得登第，忽有意外之災。境遇如此，莫可若何！老丈何以教我」？那老者道：「處士有志未遂，甚為可惜。然塞翁失馬，安知非福，此後如棄浮幻，另結良緣，四海之大，豈無際遇？現聞百花獲譴，俱降紅塵，將來雖可團聚一方，內有名花十二，不幸飄零外洋。倘處士憫其淍零，不辭勞瘁，遍歷海外，或在名山，或在異域，將各花力加培植，俾歸福地，與羣芳同得返本還原，冥冥之中，豈無功德」？所謂十二名花就是三十八回說的陰若花、司徒嫵兒、黎紅薇、盧紫萱、廉錦楓、駱紅蕖、魏紫櫻、尹紅萸、枝蘭音、徐麗蓉、薛衡香、姚芷馨。她們都是反抗武則天失敗者流落到海外的後代，經唐敖到海外把她們連繫起來，終成推翻武則天政權的人物。開科取士，原為政府選拔人才而為政府所用，只有僞周所取的一百名才女，沒有一個為她所用，反成了推翻她的政權的人結合機會。九十六回所列的反抗者名單裏就有女進士三十五位，佔全體三分之一強。這到底是褒揚武則天呢？還是諷刺她呢？假如我們所看的沒有錯誤，與胡先生所得的結論恰恰相反，這是什麼原因呢？我有一篇「鏡花緣的價值」作為台灣世界書局出版的「鏡花緣」序文，請諸位先生參看。

第二、胡先生在「西遊記考證」（見胡適文存卷二）裏化了很長的篇幅考證玄奘，而西遊記裏所寫的唐僧並不是玄奘。玄奘確確實實是一位宗教家，對中國文化有很大的貢獻，可是西遊記裏所寫的唐僧是一位膿包、信讒言、信邪風、軟耳朶、一頭水。一頭水是沒有主見的意思。假如認為西遊記裏的唐僧就是玄奘，那就大有問題。

胡先生說：「我這篇考證本來也不必作，不過這幾百年來談西遊記的人都太聰明了，都不肯領畧那極淺近極明白的滑稽意味與玩世精神，都要妄想透過紙背去尋找那『微言大義』，遂把一部西遊記罩上了儒釋道三教的袍子。因此，我們不得不用我們的笨眼光指出西遊記有幾百年逐漸演化的歷史：指出這部書發起於民間的傳說和神話，並無『微言大義』可說：指出玩世的西遊記小說的作者是一位『放浪詩酒，復善諧謔』」（未完）

說曹操（十五）

李漁叔

曹公的戰將，應該首推張遼。他是呂布方面的降將，年二十八來歸，賜爵關內侯，他於曹公報効最多，倚畀也最深，地位當在諸將之上，他和李典曾在合肥，以敢死隊八百人，與孫權十萬衆搏戰。後來曹丕稱帝後，還曾下詔褒揚，說是「遼典以步卒八百破賊十萬，自古用兵未之有也，使賊至今奪氣……」遼傳記其於合肥之役，孫權聚衆圍遼數重，遼已突圍將麾下數十人出，因救餘衆，「復還突圍拔出餘衆，權人馬皆披靡無敢當者……」小說寫趙子龍長阪坡七進七出，似是根據此事而再加以誇張的。（趙雲傳只載：「先主為曹公所追，於當陽長阪棄妻子南走，雲身抱弱子，保護甘夫人皆得免難。」等語而已。）遼傳雖稱其武力過人，但此戰役以數百人而敵十萬衆，似亦不無誇張之處。

最豪勇而號稱虎將的，就是典韋許褚。

典韋，陳留人，形貌魁梧，膂力過人。魏志典韋傳寫他的戰功，最出色的是討呂布的那一仗：

「布身自搏戰，自旦至日[illegible]，數十合，相持急。太祖(操)募陷陣，韋先占，將應募者數千人，皆重衣兩、棄盾，但持長矛撩戟。時西南又急，韋進當之，賊弓弩亂發，矢至如雨，韋不視，謂等人曰：『虜來十步乃白之。』等人曰：『十步矣。』又曰：『五步乃白。』等人懼，疾言：『虜至矣！』韋手持十餘戟大呼起，所抵無不應手倒者。」

「等人」跟隨典韋那些人，「手持十餘戟」，大概也就是小說寫曹操戰宛城，典韋被盜去雙戟的藍本。典韋傳寫他在征張繡一役戰死的情形，十分壯烈。

「繡反，襲太祖營，太祖出戰不利，輕騎引去。韋戰於門中，賊不得入，兵遂散從他門並入。時韋校尚有十餘人，皆殊死戰，無不一當十。賊前後至稍多，韋以長戟左右擊之，一叉入輒十餘矛摧。左右死傷者畧盡，韋被數十創，短兵接戰，賊前搏，韋雙挾兩賊擊殺之，餘賊不敢前。韋復前突賊，殺數人，創重發，瞋目大罵而死。賊乃敢前取其頭傳觀之。」

小說把上文翻成白話，又增添胡車兒設計盜戟一些事，文字的聲勢，就較本傳減色多了。

許褚，譙國譙人，長八尺，腰大十圍，容貌雄毅，勇力絕人。許褚傳也出色的寫他。（未完）

安徽十三傑

諸葛亮狂想曲（一二六）

·劉玄·

「這倒暫時不必。等到適當時機，我再替你安排覲見玉帝可也。」星君說完，吸了兩下鼻烟。

「是，是。一切聽星君指示。」諸葛亮也喝了一口參茶。他最不太喜歡人參茶，可是却欣賞星君仙邸的飲料。

「事實上，你担任宇宙發展委員會，不過只管人事行政，實際工作却都落在我的頭上。玉帝秘密命我製造太空船，登陸海王星，你想海王星僅畧近於冥王星，離天庭差不多有五百年光年的旅程。即使人類科學再發達，人的生命有限，是無法到達的。海王星據說上面是另一神仙世界，他們的智慧不比天庭差哩。」太白星君負責設計登陸海王星，在人類科學家是無法想像的。

「這一工作，在天庭捨星君莫辦，亮實佩服得五體投地。」這倒不是諸葛亮對太白星君的諛詞，海王星探險確實令人驚異也。

太白星君也與上次一樣，領諸葛亮到後院參觀他所設計的太空船。這個太空船並不像美國的太陽神，而與中國古老的遊艇相似。猛一看還以為是秦淮畫舫，仔細一瞧，看出它的構造異常別緻。

星君走到太空船旁邊，用手輕輕扣了船殼一下，向諸葛亮道：「這船殼是採日月精華，山川電氣鍛鍊而成，不怕風火雷電，能歷千年不壞。」

諸葛亮走近太空船，眼中帶有訝異的神色道：「這樣小的船，怎樣能容納太空神？」

地球上稱為太空人，天庭自然稱為太空神了。

「這倒沒有問題，天宮各仙都會縮身法，昂藏七尺軀一下子會變成三寸丁穀樹皮。可是，天庭大小各仙過快樂逍遙的日子已久，大都不肯長途跋涉往海王星。」星君解答了諸葛亮的疑問順便又提出問題的癥結。

「亮願洗耳恭聽。」諸葛亮對天文最感興趣，凝神締聽太白星君說話。

「本來玉帝屬意孫悟空當太空神的。一來孫悟空能將自身變成蚊子般大小，更能化身千萬，沒有人再比他條件更好了。可是孫悟空為了當年隨唐僧取經，吃盡緊箍咒苦頭，執意不肯。」太白星君在太空船旁行了兩個方步。

「那怎麼辦呢？」諸葛亮追問星君。

「我由孫悟空想到猴子身上。」星君說到猴子，聲音特別壓低。接着說：「嗯。」星君指了指鐵籠裏關着的十幾隻猢猻。「我將他們變成人形，再傳給他們道法，使他們負起海王星探險的責任。免得要勞動天庭大小各仙。」

太白星君能煉製迷你老虎、珍珠蟠桃，將猴子變成人形自然毫無困難。

「星君準備何時發射？」諸葛亮看了一下籠裏的猴子，很感興趣的樣子。（未完）

創業講座

電腦計算機製造者
王氏實驗公司的王安（上）

楚狂人

編者按：由楚狂人主寫之「創業哲學」與「創業大學」，自即期約起定按期連載，並遵楚狂人先生囑，易名為「創業講座」。其畢生創業經驗的成和敗合盤托出，供本報讀者作創業參考，下文是楚狂人摘自星島晚報一篇報導，作創業講座的開端。

從太空探險到日常家計，電腦計算機已成為今日美國生活中不可少的一部份；而在電腦計算機的發展製造業中，一個由中國人開創經營的「王氏實驗公司」，已成為與此一巨大企業不可分的名字。王氏公司的產品從千百家公司合用的計算總匯，到小學生作算學時的計算機應用盡有。其由電線曲成W狀的王氏商標，像「勝家」縫衣機的S商標一樣流行全美及全世界，此一成就不但是留美華人中所鮮見，即在美國企業家中，也是一個公認的奇蹟。

這個由留美數學家王安氏一手創辦，最初以「家庭工業」方式開始，主要產品僅為小型案頭計算機的實驗製造所，在整個龐大的電腦工業中，似乎微不足道；但出乎意外的，當一九六七年該公司公開發售股票時，竟在證券市場上掀起了一陣空前的搶購狂潮。當時該公司股票的發售價格是十二元五角，數日間飛漲到四十餘元，成為所有投資者競相爭取好對像，負責發售的公司供不應求，有人甚至跑到王氏公司總部，直接向員工們高價收買。

此一搶購的結果是，王氏公司的資產價值在數日間達到七千九百萬元，而擁有全部股本百分之六十的王氏家族，轉眼間成為五千萬元的巨富，其四百名員工也都發了財。

從該公司產品及發展的歷史看，這一切絕非偶然。

王氏公司設計製造的案頭電腦計算機，輕便小巧，深入簡出，一般計算問題都可以解答，而使用者並不需要特別訓練。這是電腦計算機市場中的一片處女地，在電腦應用日漸普遍的趨勢下，其未來發展更毫無止境。

該公司過去六年來的營業記錄可證明一事實。一九六四年其收入為一百六十二萬餘元，去年度已達二千三百二十六萬。

目前王氏公司的股票是三十元左右，在全美股票下跌的情況下，此一數字依然在水準上，在證券市場中仍被視為「熱門」。

促成王氏公司業務不斷突飛猛進的主要原因，是他們出品的日新月異，除電腦計算機外，各種專用附屬裝備亦層出不窮，如卡片辨認機，自動打字機，無線電打字印刷機，記錄帶辨認機……等。這一系列新產品的不斷出現，使他們在激烈競爭中，得保保其不可搖憾的領導地位。

一九六九年他們兼併了規模宏大的飛利浦，韓金士公司，開始一項「財政會計服務總匯」業務，各大銀行，會計事務所，工廠等，均可將其每日流水賬輸入此一總匯，經電腦計算整理，立即可獲得一條分縷明析的清單。此一「總匯」分設於紐約、洛杉磯及芝加哥，招攬全國的業務；而王氏公司本身的分號早已遍及全美五十州及全球廿六國，記者曾在康州地產業管理委員會主席班狄氏的辦公室中看到該公司若干新產品的使用。班氏先將與投資有關的各項數字以按動電紐的方法輸入一部機器，然後撥動該機上的電話，再將聽筒按上，將所有問題送往數百哩外的總匯後，旁邊的自動打字機立刻將每年或十年二十年後的收入一切完全計算出來。全部時間不到五分鐘，解決了一個筆算需要數小時的問題。表演完畢，班氏更告訴我，某次他發現了一個王氏電腦所可能解決的問題。向公司詢問，一時無人可答；但拿到王氏面前時，王氏略加思索，就得到答案。他驚嘆王氏不但是一位出色的企業家，更是一位稀有的數學天才。

（未完）

巨變歷險記！
千鈞一髮（一二九）

胡慶蕃

共軍不是司馬懿。司馬懿老兒，人倒很可愛，兵臨城下，看見諸葛亮在門樓上彈琴，不揮兵前進，竟叫後退卅里。再司馬懿為人也好疑多，想到諸葛亮一生唯謹慎，決不做荒唐的事，他個人穩坐城門樓，必是四面八方都有了佈署，於其自投羅網，何如快快撤退之為得計。而今日之共軍則不然。今日之共軍，遠望向城門而來，是真的向城門而來，他是決不退的，他是決不撤的，他一定要進城的，他必然要進城的。是時的廿六軍，城裏城外已完全撤光，是時城門前連兩個掃地夫也沒有了，城門裏更是家家閉戶，個個關門，連人的鬼影也沒有……丁博士一個人在城門上，連捧琴的書僮也沒有……他很奇怪，他真想不出什麼，剛剛看見的接防的八軍不了呢？是夢嗎？丁博士認為並不是夢，是實在的！再沒那實在的！怎麼轉眼間都不在呢？剛才在東門，還見他們，個個跳跳躍躍的鼓勇前進，來接廿六軍的防，怎麼都不見了呢？剛才丁博士不是告訴他們快快接防，快快去西門阻止共軍進入城內，為什麼現在都不見了呢？丁博士在城門上坐也無處坐，站也站不穩，縱要摹倣諸葛亮，徒犧牲自己外，也與事無補，空城不能成計，空城計是唱不下去的。假如要學諸葛亮，要學葉名琛，除束手就縛外，恐不會有別的結果。

說時遲，那時快，共軍快……快……快快……就……就……就要進來了……是時城門大開，不是如入無人之境嗎？……回頭一看，同行的縣長及其衛士已退入城門右手萬校長（省中）的公館，丁博士也就走下城門，隨同進入萬校長公館。剛進大門，縣長的探子就報道：五星帽進城門了，進城門過來了，轉灣了，就到了……等到丁博士追上縣長一行進入二門，探子又報道：……進大門了……進大門了！……這些尖兵，搜索隊，手托着槍，作射擊狀，前進的非常快，已不容丁博士再有躲門的地方，他剛進二門，……也追到二門，呵令所有的人個個都站好，排成行。丁博士站在排尾。

隨同搜索隊前進的，倒不是別人，而是余主任余軍長的衛士。此人姓劉，名叫得標，生來大個，長得魁梧，兩目炯炯有光，充滿着殺氣，這人是余軍長派給丁博士專服侍丁博士的。他對於丁博士最為熟悉。當丁博士隨同張縣長巡視接防的時候，他還在跟着。他脫去了國軍的制服，穿上深藍色的褂袴，腰裏掛着盒子（槍），丁博士已予注意。當丁博士在城門上，他本當陪同的，但不見了他，現在隨着搜索隊出現丁博士面前，丁博士心裏想這一下子可完了。他向搜索隊報告：「這是縣長的衛隊」。衛隊一一的繳械。「這是縣長」。縣長被帶走。「這是……這是……」。到了丁博士，他報……「這是萬學詩教書的！」……

國醫與國藥
返老還童術答客問（下）

馬騰雲

問：飲食對老化有甚麼連帶關係嗎？

答：當然有連帶關係，據說慈禧太后早上吃的荷包蛋，必須是帶血第一次生的鷄蛋。四川某將軍行年八十幾仍健步如飛，他服用紫荷車一定要頭胎且明來歷。上海第一名花潘雪艷（又名華芳）即上海英美烟草股份有限公司華芳牌香烟，就是這位華芳，她每天的飲食有專門國醫指導，比如吃韭菜要吃紫芽，見青不吃，莧豆苗出土三日不吃，製童鷄汁過半磅不要，嫩豆芽非自己栽培者不食，民國十幾年華芳就不吃人工飼料的洋鷄，其吃土蜂蜜不吃洋蜂蜜是甚麼道理就不得而知了。竊國大盜袁世凱用人參、鹿茸餵鷄餵鴨，然後殺鷄鴨燉湯，謂作間接進補，湖南為魚米之鄉，女孩子的面貌沒有蘇杭女孩子好看，湖南吃辣椒過多有很大關係。

問：我是一位所謂黃臉婆，幾個孩子一生，臉並未黃，腰確粗了不少，漸漸失去丈夫的歡心，請問馬先生有沒有挽救辦法。

答：你可能已經到了「幾度梳粧成君猶不言好」的處境，挽救之道，首先須收拾「人心」，一方面注意夫婦生活之調節，一方面多學習阿娃佳娜，與李麗華他們的御夫的技術，據樓主知道的李麗華服用黑芝蔴製劑，幾十年如一日，詳細請參閱拙編「生活漫談」。

問：高血壓是怎麼來的，除打針吃藥外，有精神治療方法嗎？高血壓會不會引起衰老？

答：引起高血壓有兩個因素，一是腎部出了毛病。一是情緒過份緊張，前者可由醫生指導吃藥，後者能使情緒輕鬆，血壓自降，歐美人愛作長途旅行，即丟開緊張的現實，異地輕鬆輕鬆，我國駐非大使孫碧奇，謂「借夫人旅行，若帶着使館當進飯館」這是開玩笑的話，當然借女友旅行更感輕鬆。

問：患有肝病及胃酸過多會加速衰老嗎？

答：除相思病外，任何病都會促進衰老，治病都得找好醫診斷。

問：我從前在台北徵信新聞報、中央日報、中華日報及香港報看到你的文章很多，真是博學多才，你能告訴我，你在甚麼大學畢業嗎？在那一國留學，我可以拜你為師嗎？

答：你太過獎了，常識服務微不足道，我畢業家裏登大學，四川留學，湖南成長，養成辣椒驟子皮氣，閣下談到拜師一點，我聯想起嚕囌的詩句：「今朝學生頭點地，昨夜師母腳朝天」人之患在為人師。

問：我懷疑自己有肝硬化，由於衰老得很快，

答：肝硬化由酗酒中酒精毒所致，其次營養不良，缺乏維他命B，亦會引起這種毛病，肝硬化的初起，精神感到困頓，疲倦非常，性慾銳減等，你可到醫院去檢查，非三言兩語所能說完。

（完）

成語選粹（27）

李國良輯

良藥苦口

孔子家語六本：「良藥苦口而利於病，忠言逆耳而利於行。」世以「良藥苦口」喻忠言逆耳，受之者雖不如甘美之適口，但能療疾，猶忠言之利於行也。

自由詩壇

和白翎詞長憶江南元玉

曾今可

蘇杭京滬羈留久。
每到好春遊興酣。
廿四年前來魂繞。
客懷悵惘憶江南。

前題次韻

羅彪

吳山越水碧如藍。
金粉歌筵酒興酣。
昔日天堂今地獄，
更無消息到江南。

第六章
索燕粮金人南侵　定內禪徽宗東奔

因此宋金兩國關係惡化，引發金人之南侵及北宋之滅亡。綜合挑起金人南下之原因有四：

一、收容金之叛將。在宣和六年六月，金人以燕京六州歸宋之時，將燕京所有富室北遷，燕民流離於道，不勝其苦。路過平州（今河北盧龍縣）時，燕民告前遼平州知府張穀道：「左企弓等不能守燕，害得我等百姓流離道旁。今公仍擁巨鎮，握強兵，何不為遼盡忠，令我等重歸故土？勠圖恢復？」張穀聞衆百姓言之有理，情為之動。遂召集諸將計議，諸將亦多同情燕民之願望，且說：「如復遼不成，亦可歸宋」。張穀乃至河西岸，召左企弓等數人與會，出其不意，將之擒住，捏造十大罪狀，將左企弓數人一一絞死，屍投河中。於是仍用遼之正朔，榜諭燕民復業，燕民因此大悅。

張穀者，本為遼臣，為遼國興軍節度副使，遼主走山西，平州軍亂，張穀留撫州民，因知州事。金既滅遼，仍以張穀知平州，尋改為南京。命張穀為南京留守。此乃張穀之來歷。

張穀叛金復遼大張旗幟，尤恐金兵來討，乃遣張鈞、張敦固持書至燕山府，願以平州歸宋。宋燕山府宣撫使王安中大喜，以為飛來大功。立即奏聞朝廷。奸佞王黼亦以為奇遇，勸徽宗招納降將。凡奸佞之徒，只貪眼前之利，不計他日之患。趙良嗣進諫道：「國家新與金盟，若納降將，必失金人之歡，後患無窮。」徽宗不納趙良嗣之議，反斥良嗣，坐削五階。即詔王安中妥加安撫，並免平州三年常賦。

金人此時氣勢正盛，那甘坐視，金主即遣斡離不，闍母二將討伐，提兵攻打平州，闍母兵抵城下，見城上守備甚嚴暫行退去。張穀便捏造勝仗奏上。徽宗便信以為真，即詔建平州為泰寧軍，授張穀為節度使，犒賞甚厚。宋朝使臣將至平州，張穀出城迎接。不料為金將斡離不設下伏兵引誘之。張穀聞報還援，被伏兵擊敗，逃遁燕州。平州都統張忠嗣及張敦固開城出降。斡離不令敦固還諭城中，並遣使偕入。城中人殺死金使，推張敦固為都統，閉門固守，斡離不大怒，督衆圍城，一面兵向燕山府，向宋臣王安中索取張穀。王安中見張穀奔來，匿留不出。金人屢索不去。王安中乃挑一人貌似張穀者殺之，獻首金人。金使持頭而去。金人查知非張穀，將張穀之首擲回。（廿一）

自由報

（第一一〇六八號）

（半週刊每星期三、六出版）
每份港幣壹角・台灣零售價新台幣弍元
督印黃行寶・社長李運鵬
社址：香港九龍彌敦道593—601號
廖創興銀行大廈八樓五座
LIU CHONG HING BUILDING
7th FLOOR FLAT '5
593—601 NATHAN ROAD,
KOWLOON, H.K.
TEL: K303831
電報掛號：7191
承印：景泉印刷公司
地址：嘉咸街廿九號地下
台灣連絡中心：台北青田街五巷三號
電話：三七五〇二二
台灣區直接訂戶　合郵劃撥戶
第五〇五六號張萬有（自由報會計室）
台北營業處：台北衡陽街三十號
電話：二七二〇〇
台灣分社：台北市西寧南路110號二樓
電話：三三〇三四六，台郵劃撥戶九二五二號

經國濟民之學與文言白話之辨（上）

・余迺永・

修齊治平，經國濟民之精神，自來為學者為學做人之準則，蓋「託之空言，不如見之行事之深切著明也」。國學本乃實踐力行以謀求人類幸福之學。曾湘鄉云：「古之學者，無所謂經世之術也，學禮焉而已。周禮一經，自體國經野以至酒漿，巫卜，蟲魚，天鳥，各有專官，察其纖悉，杜氏春秋釋例，歎丘明之發凡，仲尼之權衡萬變，大率秉周舊典，故曰「周禮盡在魯矣」……然則吾國之禮所泥同者，不僅宗教，法典，儀文，習俗而已，實且舉今所謂科學歷史者而彙綜之矣，禮之為事，顧不大邪」？

吾國凡五經諸子，莫非經世治民，內聖外王之道，此等熔政治與學術于一爐之學，厥為我華夏所獨有，是以發而詩騷，亦以傷國憂民為旨趣焉。張橫渠云：「為天地立心，為生民立命，為往聖繼絕學，為萬世開太平」。易咸彖：「天地感而萬物化生，聖人感人心而天下和平，觀其所感而天地萬物之情可見矣」。又恆彖：「天地之道，恆久而不已，觀其所恆，而天地萬物之情可見矣」。易繫辭所謂「聖人之情見乎辭」。夫仁者，人也，以仁心之體現，遂改天下莫非眞情之流之有情世界，演而「先天下之憂而憂，後天下之樂而樂」。國之學如是，國安得不强，民族安得不五千年始終屹立于世界哉？

「太上有立德，其次有立功，其次有立言」。立言以立德而準，旨非立言也；示後者明理達德之方耳。文心雕龍原道篇云：「夫子繼聖，獨秀前哲，鎔鈞六經，必金聲而玉振，雕琢情性，組織詞令，木鐸起而千里應，席流珍而萬世響，寫天地之輝光，曉生民之耳目矣」。言辭之文，不過欲政令之傳遠，無怪古人云：「詩詞小道，壯夫不為」。是則國學者，一言以蔽之，曰政治，倫理，與學術一爐共冶之大人之學也。

逮乎年代烟遠，戰禍頻仍，經義晦誤，乃有東漢許愼之說文解字，與漢末因西域梵文入中土而生了韵學，並為小學一派。有淸之百年，自顧亭林倡「舍經學無理學」始，彙之受政治思想之拑制，樸學遂大放異彩矣。此又為博士之學也。

然任一學派，至乎末流，定趨錮陋，陳禮云：「今人只講訓詁考據，而不求義理，遂至終年讀評多書，而做人辦事全無長進，與不讀書者等，此風氣急宜挽回」。讀經而不究義理，浮躁之士，甚者不全觀一經，但取一二語經解，以為名士招牌，學術之大義盡失。故蘭甫歎「經學無關於世道，則經學甚輕，謂有關于世道，則世道衰亂如此，講經學者不得辭其責」。況之「經文之本明者，世人不讀，而惟於其難明者解之。既解亦歸於不讀。解經而不讀經，其心曰：「我既解之，已皓首矣，使後人讀之無疑可也」。而後之人又摹其解經，於是又解經，又不讀經，不知待何人而始讀之也」。

國學切用之精神既為小學家敗壞矣，宋學又談玄誤國，而古今經派復互相傾伐，是以滿紙謬言，無一用處之科舉制藝則區範人才，「先生教之以擒挽之死法，弟子資之於剽窃以成章，一文之成，自問不知何語」。（見嚴復救亡決論）帝王既以私利而防爭懼議，設制藝牢籠天下，民力因之日，民智因之日衰，一旦門戶開放，遂為歐西銳進之文化擊敗。

斯時也，國人之民族自信既失，而又迫切西化，五四運動因是而興。其時口號，厥為反對中國傳統文化與接受西方化文，並循之以求科學民主。胡適于民國十二年出版之北京大學國學季刊宣言中云：「有些人還以為孔教可以完全代表中國之古文化；所以他們至今還夢想孔教的復興？甚至於有人竟想鈔襲基督教的制度來光復孔教。有些人還以為古文古詩的保存就是古學的保存了；所以他們至今還想壓制語體文字的提倡與傳播。……在我們看起來，這些反動都只是舊式學者破產的鐵證；這些行為，不但不能挽救他們所憂慮的國學之淪亡，反可以增加國中少年人對於古學的藐視。如果這些舉動可以代表國學，國學還是淪亡了更好」。又舉出淸儒之「陋」，限于狹窄之研究範圍，注重功力而忽略理解，缺乏參考比較材料三點，且引章學誠之言謂「近日學者風氣，徵實太多，發揮太少，有如蠶食葉而不能抽絲」。故淸儒儘管考證，而社會絲毫未受影響，所謂打倒宋儒，時學中猶用朱熹四書集註，詩集傳，易本義諸書也」。

於是乃以科學方法與重估一切價值之疑古精神整理國故，並侃侃而謂：「我們平心靜氣的靜觀這三百年的古學發達史，再觀察眼前國內和國外的學者研究中國學術的現狀，我們不但不抱悲觀。我們深信，國學的將來，定能遠勝國學的過去；過去的成績雖然未可厚非，但將來的成績一定要更好無數倍」。

時至今日，事實之眞相又如何邪？叩諸文史系學生，即圈讀史記尚且不能，叩諸他系，即如經、史、子集分部之義，亦惘惘然無所對耳，其詢之，輒譏言相向，不惜詆毀為腐化，為不通，更甚者，叱之為誤我民族。而所謂學術界自「整理國故」，「重估一切價值」，亦浸而萎靡為四分五裂，一如梁任公所言「狹而深」之「小考據」之路矣。不獨社會無所影響，國人不論老少更對國學藐視之，如此數十年，國學之亡，不待多言，後之人欲研究國學者，或將負笈東瀛而可耳，痛哉！

夫民族之興也，必賴其文化之特萃，而後可久可大，不為天演所滅。今我中國文化之基，殆為孔教天人合一之精神也。然此我民族五千年賴以存之文化精神，何又為悠悠衆口所交相指摘乎？無他，偏激者，慕惑於西學，未經深思，譁衆好名而徒揭「打倒孔家店」，「吃人禮教」，根本動搖吾華之民族自尊自信之過也。且看陳獨秀之言：

「要擁護那德先生，便不得不反對孔教，禮法，貞節，舊倫理，舊政治。要擁護那賽先生，便不得不反對舊藝術，舊宗教。要擁護德先生，又要擁護那賽先生，便不得不反對國粹和舊文學」。

所謂德先生，即民主之譯音），賽先生即（科學之譯音），作為新文化運動之特色，亦為衡量舊思想，舊制度之兩大標準。如此有「破」無「立」以徹底剷除中國傳統予人以無限西化之希望，眞正之新文化社會則空無所有，學術精神需要與國家[illegible]之責，社會之精神需要與國家豈得不為共匪所乘，國學又豈得不為國人所鄙視。且人之始乾為學，使其受此偏激之論，以謂學國實已有甚於洪水猛獸，是即又如何能虛心踏實以研之哉！此國學人退之理也。而人情輒忌難趨易，今日可免去熟習古籍而後研練以出之文言耳，即躁進之士，文句圈點未通即可妄論聖賢，不通之甚，趨越多，道聽片詮，即亟為定論。民族自信既失，遂置而不讀，鑑今之情，實應有唐宋八大家重倡古文運動，推行淺近文言，重整文化基礎之必要。蓋使學子能在日常多予接觸文言，積漸之久，自能援受而進以閱讀古籍之能力。雖謂現今社會繁劇，然淺近之文言非澀晦難明，至小史諸系須起碼達此水平也。

新文化之特點，形式上主要以白話代文言，胡適答錢玄同書云：「白話的白，是戲台上「說白」的白，是俗語「土白」的白。故白話即俗話」。以白話而行即為文藝之最佳表現，為第一流文學，亦即「話怎樣說，便怎樣寫」之白話文學。孔孟乃漢以致淸末通用之文言，厥為死文學。孰知所謂「死」之文言，即為民族所以生存，千古不渝之文耶？梁漱溟中國文化要義謂：「中西歐文化統一分裂于近代，即在各民族語言文字為主……異族之間，彼此不相喫。由土俗文學而引生民族精神；因民族自覺而固了其傳統語文。其勢趨於分而不趨於合。後來東歐各地之紛紛民族自決者，亦悉依語言為準……假使中國當初亦走此路，……要混東西北之多族而為一大民族如今日者，其事決不可能。但中文却從取圖象符號為主，文字學行乃在形體。

（未完）

昨日與明日

不得不說的幾句話
殺人償命、欠債還錢

國光人壽保險公司對於債權人必須履行債償義務。這是社會裏每個人共通的一個看法。自從該公司被財部停業飭以整理，已有數月之久，直到現在，還提不出一個具體償債計劃，債表也提不出。已到期的保險人領不到錢，已經有人上吊自殺了，還有許多人被迫無路可走，損失若干金錢，有冤曲無處投訴。我們站在言論界的立場，不能不主持公道。殺人償命，欠債還錢，古有明訓。今講是非，國光公司負責人不能再拖延賴債不還了。

根據中華民國憲法：中華民國人民，無分男女，宗教，種族，階級，黨派在法律上一律平等（第七條）。人民的生存權，工作權及財產權，應予保障（第十五條）。因之，不論你是將軍或士兵，院長或老百姓，在法律之前，是一律平等的。每個當務董事之一的立法院長黃國書是最高民意機關的首長，是「立法」的頂峯人物，對於中華民國憲法條文應當滾瓜爛熟，對於小民所應享受的基本權利和所應享受的國家基本法律保障，必已瞭解。對於立法院長得否經營商業，法律雖無明文規定，但對於身為保險公司常董的立法院長，對於保險公司的債務，應負連帶無限淸償責任，乃是我國現行保險法第一百五十三條明文規定。國光負責人事實上是不能賴債不還的。

說老實話，國光人壽鬧到今天這個局面，主管機關的財政部不能沒有責任。李國鼎部長的明快作風，值得喝采，因為有他的決定，幾可使無數的人不再蒙受損失的危險，然而這次國光人壽經營不善，諸多違反保險法條，資產不抵負債等等情事，不自今日始，幾年以前，就早發生了，財政部何以不加糾正？何以不及早處理？難道財政部沒有報告而上峯有所顧忌，不予執行？？或是沒有正確的報告？？這又牽涉國家政治風氣和行政效率問題。監察院應當派員澈查財政部的主管官員有無違法失職情形。國家正大談政治革新，對此豈可漠然視之。

・鄭異・

自由談

美國決不會垮！

近年來，美國社會除了黑人隨時暴動之外，一般智識青年表現着頹廢情落生活，而孤立與姑息思想盛行，掀起大規模的反戰運動，游行示威，四境騷驛。因此，我很替美國的前途躭心不已，認為這個富强甲於全球的泱泱大國，可能一蹶不振，而有崩潰之虞。

最近看到美總統尼克遜和副總統安格紐對越戰的作風，我的杞憂為之消散了，何以故呢？尼克遜情願犧牲個人的政治前程，毅然決然的下令美軍進入東埔寨掃蕩越共，對於國會議員之抨擊阻遏，逆來順受，當着十餘萬人在白宮前反戰示威的行列，無所容心，只聲說他對越戰的措施，其目的與示威羣衆相同——都是為的和平。副總統安格紐公開斥責姑息份子和全國大學生的反戰思想及其言行，又指摘輿論界暨大衆傳播機構，對越戰報導與評論之偏頗不公平。詞意堅强，鏗鏘有聲，跟美國其他的若干副總統的風格，迥然有別，可謂庸庸交交（上二字均人旁）者！

所貴乎政治家者，是要有卓越的智慧和魄力，高瞻遠矚，遺大投艱，一是皆以國家利益為本，而置個人的休戚榮枯於度外。尼克遜這次的表現，實不愧為大政家。而其副手安格紐亦復卓爾不羣，相得益彰。假使尼氏是個小政客，斤斤於下屆總統連任的得失之數，隨俗浮沉，使越南淪入共黨之手，中南半島馬上變色，美軍非全部退出越南不可，東南亞即隨之不保，最後美國若不是從事一場核子大戰，要想孤立自安亦決不可能了，這關係何等重大呢！尼克遜有此一著，美國固然不會垮，自由世界前途亦是光明的。

從美國這次大規模的反戰騷動中，又證明了民主自由生活的潛力十分偉大。政府容許人民對國計民生問題，自由表示意見，確實做到「言者無罪，聞者足戒」的民主境界，使大家懷思明辨，有所取鑑，而胸中一切誤解和不平之氣，亦就宣洩無餘，自然訴諸理智了。若平日不許民衆對政治問題表示異議，只能歌功頌德，不准稍有違言，則怨氣積着一團火，人心離散，一旦爆發，勢必不可收拾。這次美國四百餘所大學校的學生罷課反戰，十餘萬人聚集華府示威，倘在民主政治不健全的國家，沒有不釀成橫決之禍的。民主之義，大矣哉！

馮正先生

實行全面革新之際
司法革新更爲重要
立委質詢指公務懲戒會
辦案將錯就錯事後謀補救

（本報通信員柳一權台北消息）李文齊立法委員說：我在立法院審查六十年度總預算案向司法院提出的一段質詢，我認爲有向各界公開發表的必要。我們預算委員會開會，按照立法院議事規則規定，是和院會一樣，會議中的發言，不得對外公開，除非得到主席許可。不過我今天的發言，是討論公是公非的問題，絕無國防外交秘密及數字，主張要公開發表，因爲眞理是愈辯愈明的，不怕公開，希望主席同意，主席如不同意，本人願意負法律之責，也要發表。

我本來在立法院發言向來不願受特別的保障，要自己負責，爲什麼今天要強調此主張呢？因爲報紙對我們的言論有許多都不登載，尤其是提到有關現代秦檜漢奸不利的活動消息更是不登載，與現代秦檜有利的事，登載確不厭其詳。現在我要請司法方面注意的，在政府實行全面革新之際，而司法的革新更爲重要。司法處理不好，很容易引起一般人民的不平，比財政權、征暴斂還要厲害，歷史上許多帝王政府的顛覆，都是由於司法的不平。我感覺今天有部份司法官太不像話，自以爲司法獨立，他們也跟着獨立，別人對他們無可奈何！

我們預算委員會是替老百姓看荷包的，對於機關任用人員隨便怎樣用法，我們不管，可是我們要化買桃子的錢，結果買了一籃爛杏子來，就不行了。現在有幾個問題要請教公務員懲戒委員會的。

第一、是新竹地政科長的案子，根據報載，監察院會提出糾舉，但所提出的東西與實不符，公懲會也跟着將錯就錯了，後來又想辦法補救。這件事的眞實性如何，我們不知道，希望有一個說明。

第二、是彰化少年輔育院的糾舉案，據說是省政府送來的東西有錯誤，他們將錯就錯了。現在又想法子補救。我認爲法律問題不能含糊，人家錯了，公務員懲戒會不能不懂法律，不能跟着錯。這個案子究竟眞像如何？也希望有所說明。

第三、是懲處孫德耕的案子，這個問題，我曾經提出質詢，各位也許沒有注意，在立院公報五十八卷第九十五期第二十七頁登載很詳細，請你們回去查看一下，這個案子的起因主要關鍵是稅法問題，稅法上有所謂「漏稅」、「免稅」、「逃稅」、「退稅」，該案在原稅單上用的什麼字樣，你們回去查查看，據我看到是用的「退」字，但是漏稅、免稅、逃稅、退稅等名詞的規定，其性質不同，應各有其界說。譬如有一個五、六歲的小孩，要他把拿他人的東西退回去、「退」者也他懂得物還原主，但是他沒有拿的東西。你叫他「退」他就不懂，他也會知道你錯了。這個意思大家都懂。「退稅」是政府將多收納稅人的欵退還納稅人。「逃稅」、「漏稅」是納稅人未繳納稅欵，何從退起？故始有罰則之規定。我不曉得我們的最高司法機關公務員懲戒委員會和少數中央民意代表連這種名詞的界說都不懂，未免幼稚得太可憐，要不然，一定別有用心，不是爲私情就是別有企圖。也許有人說，這是解釋問題，我想，今天有許多法律專家在座，關於法律條文規定得很明白，漏稅還是退稅的名辭，立法院雖不敢說高明，對其界說尚能了解清楚。其怎樣能夠强詞奪理，强說可以「比附」「援引」或者「類推解釋」」。這樣的解釋，一定要問問自己的良心，是白的還是黑的。所以我想請你們說明一下，法律名詞是不是能夠作這樣推解引用。說個笑話，你們主任委員姓馬，馬壽華，我們召集委員姓馬，馬煥文，若類推說：馬煥文就是馬壽華可以不可以，當然不可以。不只管人事的不能承認，他們的太太及子女都不能承認，否則不只亂套，且亂了宗懲戒委員會可以亂宗嗎？你們一定不肯。再就法律問題講，公務員懲戒會說：「強制執行，爲實行確定裁判之效果，非法定原因，不能停止。」這話說得不錯，且極端正確。不過，我請問一下：（一）奉命辦理事項，是不是法定原因？這一點，當然也可以歪曲說是行政原因，不是法定原因。（二）但是我再問一下，法定程序不完全，請問這是否法定原因？（三）憲法是根本大法，憲法第八條明文規定「非有法律依據程序，不得處罰。」試問「退稅」罰欵是那裏的規定？如果沒有法律條文規定，是不是違背憲法？違憲是不是法定原因？這種違背憲法的法官是什麼法官？另外，（四）司法院解字第三三八七號解釋：「糧戶欠賦未完，由經徵機關函經司法機關查封欠賦產業後所欠之稅，經豁免或停止征者，得依强制執行法第十四條提出異議之訴，如果同法第七八條第一項但書之裁定，並應停止制執行，其未提起異議之訴者，除停止期間已滿，應再行征收時，仍繼續執行外，可依照强制執行法第十六條之規定，執行處得指示其起訴或函請經征機關，經其同意後，即由執行法院撤銷强制執行。」這個條文很清楚，是用解釋來引導適用法律，强制執行可以不要。（五）再看大法官會議釋字第一一五號解釋：「政府依實施耕者有其田條例所爲之耕地征收與放領，人民僅得依行政救濟程序，不得以其權利受有損害爲理由，提起民事訴訟，請求返還土地，普通法院對此事件所爲之相反判決，不得執行。」這個解釋說得很清楚，雖然不是否定裁判的效力，但是不承認判決的效力。司法院有解釋條文，大法官也有解釋條文，依此糾正，是不是法定原因？難道說公務員懲戒委員會有創制權可以自己創造法律嗎？或者是有複決權，能夠把立法院立的法，把司法院和大法官解釋的法律條文都推翻嗎？公務員懲戒會所根據的是什麼？何法何條，請找出條文來給我看看。而且公懲會是直隸屬司法院的。置司法院於何地。

大同公司案子
牽涉極爲廣泛
爲了「孔方兄」作用
少數人爲商人張目

再說一件事，本來不想提的，是本院的醜事，因爲影射到我個人，不能不提一下。在立法院公報第五十九卷第二十九期上有一段，說大同公司的案子，有關行政、司法、立法、監察方面的職責問題，有少數人不顧廉恥，爲了「孔方兄」的作用，而自取其辱。我知道這是某一位先生寫的。我本來不願管他怎麼說，但裏面提到：立監兩院委員有少數人提案爲奸商張目。我是提出質詢案的一個人，因此不能不說明一下，因爲關係到兩院的聲譽。我不否認，有「孔方兄」作用，可能是千眞萬確，可能是事實，事實是什麼？不是他所指的人可能就是寫這篇東西的先生自己，他曾經犯過僞造文書盜竊罪前科。冒何蓋民委員的名義到電信局去申請兩部電話，賣了兩萬多元給商人，這眞臟實犯，原案還在何委員的手裏，我希望何委員把原案找出來，一方面送行政院，一方面送台北地方法院。這位先生的盜竊行爲有前科可查，決不會假。他請行政院去調查「孔方兄」作用。這眞是作賊的喊捉賊。

現在再講到與預算有關的，預算是講績效，因此，我提出的幾點，不管你們口頭說明也好，書面答覆也好，你們是法律專家、法律權威，只要有引用明確的法律條文拿出來，沒有問題，預算照案通過，否則通過很不容易，因爲這樣拖下去，不僅我們立法院承認指鹿爲馬的趙高也同你們一樣幫了現在秦檜的忙。所以爲了保障正義，爲了社會安寧，爲了替老百姓看荷包，只能讓司法獨立，決不能讓法官獨立。而嚮惕被人牽鼻子走的軟體動物。

今天主計長沒有來，請副主計長注意一下，假如這個預算通不過，主計處不能先行預付，否則，要告你違法。還有考試院秘書長也在此地，法官瀆職，假使有人告發的話，希望停付退休金，因爲聽說這些人有的快要退休了，有的想借此作選任官。凡是殘害忠貞的事，我認爲凡是有良心的人是不會同意這樣做的。

我再說一下，我今天所問的問題，你們能夠口頭答覆的口頭答覆，不能口頭答覆的，用書面答覆也可以。這一切問題能依法律明文，有了解決，是所切盼，雲霧消失，皆大歡喜，預算可照案通過。要不然，爲了良心，爲了老百姓的血汗，如果對這些殘害忠貞宵小份子採取姑息的話，通過這個預算案，我個人必反對到底。

女明星起居注

易　儔

現代工業社會，廣告競爭日益劇烈，由於電視傳播的效率高，爭奇鬥勝，各業在電視中所製作的廣告，多采多姿，足以吸引觀衆自不在話下。

日本田邊製藥，用觀衆上演歌舞雜技以娛觀衆，男女畢至少長咸集，又可獲得自一燈至五燈的現金獎，迎合世俗癖好，以收皆大歡喜之效。就廣告言廣告，是很成功的。

由於廣告製作者本身缺乏學識素養，他們所安排的廣告節目，有時趣味過於低級，實令人有不忍卒覩之感。譬如：他們隨便找一個電影女明星，先放映兩三分鐘的生活起居短片，然後由主持人就該女星的「起居注」向觀衆提出問題，以求解答。這種既非知識測驗又無娛樂性質的測驗，對於現場觀衆未免譏而近虐，坐在電視機旁也有汗毛站班之虞，實在毫無可取。

廣告有廣告學，用電影女明星「起居注」做廣告，是廣告學本身的一大諷刺。天下絕無不費腦筋的學問，如果製作廣告可以不費腦筋，則廣告也不成其爲「學」了。

中國女明星，絕大多數都是美麗的「稻草人」，容貌有餘，氣質不足。好萊塢已故艷星瑪麗蓮夢露，雖有很高的票房紀錄，但他始終以未能列入優秀演員，而深自慚疚，不像我國的女明星只要有票房紀錄，便沾沾自喜。而且都是文武崑亂不擋的全材，武俠、時裝、黃梅調樣樣都來。

電影、電視以及廣告學都是西化產品，自不應以中華文化的碼尺來衡量。但求精、求新總是題內應有之義，如果所表現出來的，盡是庸俗鄙陋，除了民族惰性再無其他更好的解釋了。

郭國基蓋棺論未定

郭國基死了，台灣光復以後，他一直以在野立場對政府說話，故有「大砲」之稱。他在南部參加立法委員選舉，以相當高的票數當選，可見「大砲」在省民心目中的地位。

郭國基很像一位民主鬥士，但他的學識素養却與他的勇氣不能成爲比例。他的言論仍然不脫落後社會的「三國演義」思想，因此，對於庶政的應興應革提不出建設性意見，內容除了謾罵別無其他。郭國基是靠刺激羣衆起家的，所以他的死談不到民主政治真正的損失。

郭國基患癌症已久，他明知自己活不長却非參加立委競選不可，足見他只有狹溢的個人英雄主義而缺乏對民主政治的認識。綜合郭的生平，老實說應是過多於功，如要評述自屬貶多於褒。基於中華文化溫柔敦厚之傳統，對於批評死者採取保留態度，誰曰不宜。

喬治桑外傳　一四九

張大萬

雅麗絲接過五百元，隨手放在沙發旁的長茶几上。

「我去替你倒杯茶。」由這句話，可見喬治桑拿出五百元已經生效了。現在是工業時代，凡事非錢莫辦，即使喬治桑與雅麗絲有父女之情，有時亦離不了錢。

喬治桑喝了一杯茶，一看腕錶，說道：「時間不早了，妳也去休息罷。」

喬治桑回到臥房，並未立刻上牀，點起一支香烟，坐在牀前沙發，獨自沉思。

他想：在台灣將近一年，都是過着自欺欺人的日子，一事無成。自從發現雅麗絲是親生骨肉以後，使他的人生觀有基本的改變。在台灣再待下去，一旦被雅麗絲的母女發現這段秘密，怎麼得了。還不如趕緊返美爲上着。

喬治桑經過了全盤考慮情況以後，返美已成定局，好在他是美籍華人身份，辦出國手續是很方便的。

喬治桑心裏在恐懼症，就怕雅麗絲的媽媽擾來，所以第二天一清早便起來，吃過早點還不到九點鐘，就告訴雅麗絲說：「我早上有事，中午不必等我吃飯了。」

今天他是吃飽出來的，自然不必再到「藍天鵝」了，他想了想，鑽進了美國圖書館，這樣消磨了一個上午。中午一個人在一家西餐館吃了一客快餐。然後才撥電話到裘家，接電話的是裘太太。

「喂，桑先生嗎？白瓊出去了，他告訴我，今天下午四點鐘在華麗大飯店咖啡廳，你可以到那邊去找他。」裘太太在北平住過一口京片子說得很不錯。

「今晚我請下太太去吃飯跳舞，白瓊兄有沒有告訴妳？」

「告訴過我的，我因爲要打牌，謝謝了。」

「那白瓊豈不成了單吊了？」

「哎呀，這還用你担心，我們那口子你是知道的，你讓他的一打妞兒也約得到。」知夫莫若妻，由裘太太的話足證非虛。

「那我準下午四點到華麗找他好了。謝謝你。」喬治桑掛斷了電話。

台灣因昇平日久，娛樂場所如雨後春筍，咖啡館到處皆見，一般人閒暇無事，都喜歡泡在咖啡館裏。

喬治桑到達華麗，正好是四點鐘，一眼看見裘白瓊獨自一人靠在沙發上閉目養神。

「喂，白瓊兄。」喬治桑走近裘白瓊身邊，輕輕呼喚他的老友記。

「哦，你來了，請坐。」裘白瓊睜着惺忪睡眼向喬治桑打招呼，懶洋洋地。

喬治桑在裘白瓊對面坐下來，叫了咖啡，先開口問裘白瓊：「你爲什麼一個人在這兒？」

「你大概和我的太太通過電話了？」裘白瓊說完，看了一下腕錶。「我約好一位白小姐，差不多快來了。」

（未完）

十大手筆與九張「窮」咀

・文匯樓主・

文匯樓別記

中國青年有一位學人語樓主謂：「外間說自由報的成功，憑十大手筆與九張窮嘴」，所指十大手筆者，乃錢穆、顧翊羣、吳經熊、雷嘯岑、熊式一、吳相湘、周世輔、沙學浚、李漁叔、張起鈞等。

講這話的人係根據自由報報面三年來文章計算的，上列學人不僅就自由報讀者眼光看是大手筆，就是以中華民國國家來說也是大手筆，都是一言可以興邦的人物。其實自由報何止十大手筆，十倍十大手筆也不止，即以原發起人來說吧，左舜生、張君勱、伍憲子、李璜、王雲五、程滄波、成舍我、許孝炎、雷嘯岑、端木愷、陳克文、蔣勻田等近廿人，誰能指出他們不是大手筆，這麼多的「國士」，致力於一張巴掌大的報，既未得自己政府支持，又不接受外來津貼，竟然長大成年了（今年十足二十歲）言之非艱，行之維艱，我們除了向上列大手筆們致崇高之敬意外，更得向自由之友黃少谷、唐縱、王新衡、王昇、謝然之、高信、馬樹禮、徐晴嵐、陳建中、馬星野、曹聖芬、陳裕清等諸先生，感謝他們前前後後帶給我們的關懷與指教。自由報假定有一天能與倫敦泰晤士報相伯仲時，這份光榮應歸功於一百位大手筆和散佈在全球的幾十萬讀者。

至於九張窮嘴雖近諷刺，但這僅是由衷而出自興奮性的語氣，其所指：一、自由談馬五先生。二、寫文匯樓別記的文匯樓主。三、寫諸葛亮狂想曲的劉玄。四、台北傳奇錄陳光棣。五、政治垃圾現形記作者李繁。六、海嘯樓談薈的諸葛文侯。七、生活漫談馬騰雲。八、台北通信員柳一樞。九、低調集易儔等。所謂窮嘴焉者就是文章寫的太尖酸，有一次中國青年黨幕僚王亂儈讀到樓主寫的「青年黨排名起波瀾」時，慨然的說：「這文章寫的太挖苦了，太刻薄了。」樓主回憶在國立政治大學新聞研究所及新聞系講學時（民國四十七年）勉學生們「寫作要辛酸，做人要厚道」，並謂：（教科書上的文章搬到報紙上登，不會有人看的……」根據好奇心理研究，九位窮嘴的底牌，讀者們一定也想知道一些，讓樓主作神龍式的介紹，防給人有個人宣傳印象，九個人中一個在民國十六年就當教教廳長了〉（正是國民黨全盛時期〉一位是現任國立清華大學歷史系教授。兩位是中央早期高等考試與研究生，在前清即所謂天子門生——翰林。一位是安徽神童，六歲能文。一位是上海中央日報和半日報總主筆。其中有一位職業通信員柳一樞，從十八歲起替上海天津幾家大報寫通訊，現又任自由報通信員，這真是「站着的羅漢站一世」，睡着的羅漢睡一生」做一輩子報館通信員的除柳一樞外，恐怕不太多吧！馬騰雲被稱為醫藥理論家，最近受聘為國立中醫研究所顧問，其實乃是一位科學郎中，憑他古今中外莊諧雜陳較深入的醫學常識，竟擁有若干萬基本讀者，他一本小冊子「生活漫談」打破過六千七百本的台北郵政劃撥預約記錄，其餘可以推想了，樓主個人，乃新聞界一員老兵，筆耕硯田，再作馮婦，沒有甚麼可以介紹的。

談談胡適先生的小說研究（中）

・李辰冬・

的大文豪做的，我們看到他的詩，曉得他確有「斬鬼」的清興，而決無金丹的道心：指出這部西遊記至多不過是一部很有趣味的滑稽小說，神話小說；他並沒有什麼微妙的意思，他至多不過有一點愛罵人的玩世主義。這點玩世主義也是很明白的，他並不隱藏，我們也不必深求。

胡先生這些話說得很花，而實際並不甚然。西遊記真的主人翁，不是唐僧而是孫悟空，作者化了七回的篇幅介紹孫悟空的出世。孫悟空是一位天地生成的後傑，而在官府時，玉皇大帝只給他一個弼馬溫的職位。他起初也不知道弼馬溫是什麼職位，及至知道這種官職是最低時，就大鬧天宮。天兵天將都是飯桶，被悟空打得大敗而歸。他不得已才封他自稱的「齊天大聖」來封位，然「只是加他空銜，有官無祿」，「有官無祿」就是現在的掛名差使，不被人瞧得起的，所以王母娘娘開蟠桃會時不邀請孫悟空。他一氣之下把蟠桃吃了一個光。玉皇大帝對他毫無辦法，才請佛法無邊的如來把他壓伏在五指山下。五百年後，好容易等到唐僧去西天取經，他一心一德幫助唐僧取經，成功後好得正果。想不到唐僧是一位讒包，信讒言，信邪風、軟耳朵、一頭水的人，惹出了許多麻煩。孫悟空是最忠誠，最勇敢，最講信義，最有才能，偏偏唐僧不信任他，咒罵他，驅逐他，而信任的是極醜的豬八戒。佛家的八戒是：一不殺生，二不偷盜，三不邪淫、四不妄語，五不飲酒，六不坐高廣大床，七不著華鬘瓔珞，八不習歌舞伎樂，而豬八戒沒有一戒，豬八戒實在是不戒，最壞，最不講信義，最無能力，而唐僧偏偏喜歡他。唐僧所喜歡的人，還有一個就是沙和尚。沙和尚就是現今說的YES MAN，人家說西就西，說東就東，最無能最無主見，只知道唯唯否否，而唐僧喜歡的也是他。

小說家創造一個人物，都有他創造這個人物的用意，絕對不是只寫着好玩，那麼，從唐僧、孫悟空、豬八戒、沙和尚這些人物的矛盾衝突看來，作者一定有他的用意。然什麼用意呢？那就是我們很感謝胡先生考證出西遊記作者是吳承恩。我們就順着吳承恩的個性、遭遇、環境、時代來看西遊記的人，而明世宗相信奸臣以致貪官污吏把持政治，西遊記所寫的與他的時代，唐僧象徵明世宗，豬八戒象徵嚴嵩，沙僧象徵一般唯唯否否的官僚，孫悟空象徵作者自己。西遊記不像胡先生所說那末簡單。我有一篇「西遊記的價值」，作為台灣世界書局出版的「西遊記」序文，請諸位先生指正，這裏不再詳述。拙著「文學新論」的第八章，解釋文學與政治社會關係的例子，所以在兩個地方都可找到。

第三、再看胡先生對於三國演義的評語。他在「三國演義序」（見胡適文存第二集卷四）裏指出這部小說：一、「拘守歷史的故事太嚴，而想像力太少，創造力太薄弱」。二、「三國演義的作者，修改者，最後寫定者，都是平凡的陋儒，不是有天才的文學家，也不是高超的思想家」。三、「三國演義最不會剪裁，他的本領在於搜羅一切竹頭木屑，破爛銅鐵，不肯遺漏一點。因爲不肯剪裁，故此書不成爲文學的作品」。這篇批評的影響很大，後來研究三國演義的人誰也不肯更進一步來追究它的價值。可是我們將三國演義與三國志詳細作一對照後，才知道胡先生的斷語也有問題。

三國演義的人物，都是取自三國志，將三國演義人物與三國志的作一比較，才知他們都變了，而且是有原則的變。凡是蜀國的人物，都是忠義，都是英雄，都是仁愛，死後大多變爲神；凡是魏吳的人物，都是奸險，都是暴虐，大都是庸材，都不得好死。曹操確實是一位英雄，而變爲奸雄；周瑜確實是一位人才，而變爲賠了夫人又折兵的庸材，這是最顯明的例子。作者在改變這些人物時，不惜用誣蔑、歪曲、改正、增加、選擇、捏造、附會種種手法而使每個人物都顯出了他的個性。三國演義一開始就是桃園三結義，而三結義的人物是劉、關、張。劉備是織蓆小兒出身，關羽是流浪漢（在歷史上查不出他的出身），張飛是賣肉的，都是平民。自從他們結拜後，三國演義的故事都歸結到他們身上。後來又加入一個躬耕南陽的布衣諸葛亮，也是平民。諸葛亮加入後，他變成了三國演義故事的中心，他死後，故事也就結束。作者的同情心，着重點都放在蜀國，所以三國演義實在是蜀漢演義，更縮小範圍來說是諸葛亮演義。三國演義的人物，固然都從三國志而來，但三國志裏的人物都是個別立傳，原是一盤散沙，到三國演義裏，就由作者的主觀將他們重新組合而成統一的、生動的、有中心的整體。因此，使胡先生不得不承認「三國演義究竟是一部絕好的通俗歷史。在幾千年的通俗教育史上，沒有一部書比得上它的魔力」。

它爲什麼能有這種「魔力」？爲什麼不追究一下它這種「魔力」的原因呢？追究的結果，才知道它是怎樣的在誇張事實，捏造事實，附會事實，歪曲事實，改正事實，補充事實而來創造它的人物，這些人物在三國志裏的個性都不十分顯明，而現在個個都是顯明的，生動的：這種創造的能力，能說他「拘守歷史太嚴」麼？他整個推翻了三國志的史實，而重新創造了一部新的歷史，新的世界，新的帝國，能說他「想像力太少，創造力太薄弱」麼？敢於推翻史事，敢於反抗時代，敢於依據自己的情感而重新創造一個完整的、動人的新天地，能說他「不是有天才的文學家」麼？於反抗當時的黑暗政治而重新創造一個光明的，富於理想的，生氣勃勃的帝國，能說他「不是高超的思想家」麼？（未完）

說曹操（十七）

李漁叔

「太祖徇淮汝，褚以衆歸，太祖見而壯之曰：『此吾樊噲也。』即日拜都尉，引入宿衛，諸從褚俠客，皆以爲虎士。」「初，褚所將爲虎士者，從征伐，太祖以爲皆壯士也。同日拜爲將。其後以功爲將軍封侯者數十人，都尉百餘人，皆劍客也。」又本傳寫他在潼關與馬超會晤情形：「太祖與（韓遂）超（馬超）等單馬會語，左右皆不得從，唯將褚。超負其力，陰欲前突太祖，素聞褚勇，疑從騎是褚，乃問太祖曰：公有虎侯安在，太祖顧指褚，褚瞋目盼之，超不敢動……軍中以褚力如虎而癡，故號曰：虎癡。是以超問虎侯，至今天下稱焉。」孟德最親信許褚，出入同行，不離左右，封典韋也是一樣。

太祖……拜韋爲都尉，引置左右，將親兵數百人，常繞大帳……性忠至謹重，常晝立侍終日，夜宿帳左右，稀歸私寢……韋好持大雙戟與長刀等，軍中爲之語曰：「帳下壯士有典君，提一雙戟八十斤。」

像這樣的劍客武士，日在左右，竭盡死力，自然是所向莫敵了。

武將中還有張遼，樂進，徐晃，李典，李通，朱靈，龐德等，都是一時之選，只有李典雖亦能戰，但起自牧令，爲一儒雅之士。

至於幕僚人才，多稱得上濟濟多士，蜀漢昭烈及東吳孫權的帳下，皆所不及。荀彧應該算是智囊團的首選，彧字文若，少舉孝廉，南陽何顒以爲王佐才。最初事袁紹，後投曹公，曹公一見大喜，將他比做張子房，這時他才二十九歲。在曹營中策畫最多，以勸迎漢帝都許爲最高計劃，史稱「曹公征伐在外，軍國事皆與彧籌之。」他的兒子荀惲爲曹公的女婿，可是荀曹雖結爲兒女姻親，親信貴重無比。（未完）

安徽十三傑

諸葛亮狂想曲（一二七）

劉玄

「我要選一個黃道吉日，齋戒沐浴三天，然後也能發射。」星君用道法作大空探險，與美國純特科學的方法不同。

「海王星離天庭有五百光年，來往的時間是不是嫌長了一點？」天庭的時間雖與人間不同，但五百光年畢竟是一個長時間。故諸葛亮要問。

「我要將縮地法用在大空方面，同時還要用時光倒流法。」神仙都會縮地法，至於時光倒流法諸葛亮還是第一次聽到「時光倒流？」諸葛亮暗自沉吟。

「登陸海王星最大的困難便是時光倒流。你大概聽到過無始無終的說法，成仙成佛的目的是要達到無始無終之境，也就是超空間、超時間。」大白星君以道法來從事大空探險，玄而又玄自非塵世科學家所能望其項背。

諸葛亮略有所悟，又問大白星君：「這些猴子……」星君未等他說完，立刻說道：「佛家說萬物都有佛性，則其具有人性是毫無問題的了。我能將猴子變化成人，似乎你有些懷疑，是不是？」

諸葛亮這才留意到鐵籠子旁有一所小洋房。大白星君用手一拍，立刻從房子裏走出兩個小人來。身材只有一尺多長，舉動與常人無異。

「過來，見見諸葛先生。」大白星君對兩個小人下命令。

「諸葛先生你好。」兩個小人走到諸葛亮面前致候。

大白星君一揮手，兩個小人退去。

「怎麼樣？你能不能看出他們是猴子？」大白星君面現得意之色。

「一點看不出，星君道法高妙，亮實在佩服之至。」

諸葛亮說話時又向小人看了一眼。

「時光經過倒流以後，大約也要經過七七四十九天的時間才能到達目的地。這七七四十九天，不是你所想像的一個多月時間，而是「山中方一日，世上已千年」的仙家歲月。所以連孫悟空、哪吒都不敢乘坐我所製造的大空船，認其過於危險。」大白星君侃侃而談，諸葛亮不住點頭。

「登陸海王星實在是大空發展最偉大的計劃，假使這一計劃能夠成功，星君認爲有怎樣的意義呢？」諸葛亮垂手而立，執弟子禮甚恭。

「據我看來登陸海王星成功，至少具有下列意義：（一）人類的大空探險將變成微不足道。他們科學再發達，絕不可能辦到時光倒流。他們也就休想到達像海王星這樣遙遠的星球。另一意義是：玉帝爲了地球人類大放人造衛星，宸衷至感不安。登陸海王星成功，將使天庭在大空競賽方面遙遙領先，以事實證明天上人間究竟不同。天庭大小各仙的心情也就不會緊張了。」（未完）

巨變歷險記！

一言九鼎（一三〇）

胡慶蓉

「萬學詩教書的」！這一句話救了丁博士。「萬學詩教書的」。劉衛士報出來非常乾脆，非常響亮。使人聽到就會相信，使人聽到沒有可以懷疑，當他說的時候，他也並不望丁博士，他只望着搜索隊領班的，好像在請示他如何的處置。領班的是不是在想：「教書的有什麼出息？教書的有什麼關係」？……他的手一揮，說道：「隨他」……「隨他」！丁博士就自由了。目送縣長的衛士一一被繳了械，目送衛士同縣長被押解到縣府，目送……，也一一的被押解出去。丁博士一直到今天，廿年後的今天，還記憶猶新，對於劉衛士的救助，猶無任的感激。劉衛士的一言，眞可稱得上一言九鼎。丁博士在千鈞一髮之際，得劉衛士之一言，也是由來有自的。

是不是說過？現在再說一遍，亦殊有必要。這是在到宜良會晤余程萬軍長彭佐熙副軍長的時候，在小學的厠所裏毛坑旁破紙中揀了一份萬學詩的派任書，派萬學詩為宜良小學的教員。這派任書不知道怎樣流落到厠所？……丁博士本來要拿作……之用的，他不曉那裏來的靈機，竟揀起來放在袋子裏，今天成了救命符……這，他拿給劉衛士看過，他同劉衛士談過。不料劉衛士就記在心裏，在今天要用着的時候，吐口而出。劉衛士，山東，丁博士河南，雖然是兩省，但是不分家。丁博士同他，他同丁博士都處得非常相得，特別丁博士待人，尤其是下邊的人，他是沒有那麼再客氣的，同誰都是弟弟兄兄。聞博士之名者，往往以為是什麼了不起的人物，但一同他接觸，就會感到並沒有什麼不得了，甚至於連最普通的人都不如。而博士之可愛處也就在此。他就學於康有為在上海天游學院，他就學於梁任公在河南開封，他們二公的謙恭，他很受感動。是不是因為丁博士可愛，劉衛士救了他。

話又說回來，搜索隊帶衛士們帶縣長出去了，丁博士的次一步驟，萬校長即速的如閃電般就到了他的腦筋，他立刻對丁博士說：「你要走！你要就走！……你這樣的一個人，誰也不能保護」！……「是！是是」！「就走！就走！就走」！……。萬校長給他加了一件長衫。他穿上，他就溜了出去。出萬校長的大門，兩步地就是城牆。丁博士即沿着城牆前進。這個時候，才不過天剛亮不久，什麼人也沒有，什麼動靜也沒有。他從西門溜到南門，火車站方面的門，還是什麼人也沒有，什麼動靜也沒有……他本想從城牆上跳下去，後來看看城門在微微的開着，以為有隙可乘，有空可鑽，就疾趨而過。到火車站附近，還是什麼人沒有，什麼動靜沒有……

本可沿着火車道前往鷄街的，但因為恐怕人來追，恐怕人追上，遂捨鐵路線，向右側，靠近山的方面走。打算能由這方面再轉到鷄街。

（未完）

創業講座

編者按：由楚狂人主寫之「創業哲學」與「創業大學」，自即期起約定按期連載，並遵楚狂人先生囑，易名為「創業講座」。其畢生創業經驗的成和敗合盤托出，供本報讀者作創業參考，下文是楚狂人摘自星島晚報一篇報導，作創業講座的開端。

電腦計算機製造者

王氏實驗公司的王安（下）

楚狂人

不久以前，我在王氏公司總部會見了這位令人驚嘆的人物。該公司總部在離波士頓不遠的杜思泊市市郊，不知名，此城因王氏公司而知名，到市區問路時，似乎感到人們對我這個中國人也特別客氣，公司的場地似乎比市區更大，上面是一排排新建的屋宇，和一望無際的車海。

辦公處內部看來略現擠擁，這顯然是廠房建築趕不上業務發展的結果，人們緊張工作的情形，仍充滿着「家庭工業」的精神，更引人注意的，是接待室中坐滿了前來求職應試的人。這一切，都代表着一個新興企業欣欣向榮之氣。

王氏辦公的地方也只是一間並不華麗的工作室，但和他的平整短髮，黑色西服與赭色的健康嚴肅面孔十分調和，他的風度完全是一位實事求是絕無繁文縟節的科學家。見面後沒有浪費任何時間於寒暄，他就開始回答我的問題。

他原籍江蘇崑山，畢業於上海交通大學。抗戰期間曾在資源委員會工作，由桂林而重慶，一九四四年經印度來到美國，來美後，入哈佛大學研究院攻讀實用物理，一九四八年獲博士學位。之後又在該校研究所作了三年研究，其主題就是關於電腦的設計應用。

一九五一年當他的研究已具體化時，美國工業界對電腦的發展尚未正式開始。他以拓荒者的精神，投資數百元獨立經營，最初僅為各大工廠設計製造各種自動控制裝備和試驗零件。試驗成功被採用後，開始接受定貨。一九五五年正式成立公司，一九六四年在現址購地八十餘畝建廠。同年其案頭計算機發展成功，立刻轟動市場。一九六七年公開發售股票時，遂造成搶購的狂潮。

大量生產開始後，業務飛躍擴展，目前員工已有千餘人。五年間曾三度增建廠房，本年建築完成，整個公司面積將從五萬呎增至十四萬方呎。

其市場百分之七十在美國大陸，百分之三十在海外。遠東分公司有中華民國、香港、菲律賓，此外並在台灣設有工廠，與日本的生產合作已在進行中。

與他的事業同時發展的，是他的幸福家庭。他有三位男公子，最大的十九歲，正與王氏公司同年，現在布朗大學就讀。

談到電腦計算機的前途，他像對自己的孩子一樣充滿信心。他指出電腦的作用是為人作枯燥費時的計算工作，亦不會控制人類或使人腦因而懶散退化，但將促成科學文明更快速的進步。

對他自己的成功，他不願發抒任何感想。他的談話，正像他所設計的電腦計算機一樣，精確，實用，實事求是。這一切，也正是他成功的因素。

（完）

長壽經驗問答

國醫與國藥

馬騰雲

問：壽為命定怎樣能够延呢？

答：一百年前人的平均壽年是卅五歲；二次大戰後，人的平均壽年變成為五十歲；現在人的平均壽年為六十歲了。只戰前戰後卅年之間，與五千年作一比較，人的平均壽年幾乎增加一倍，所謂命者，誰的命呢？都道不出所以然，科學的進步和醫藥發達促成人類壽命普遍增進，這個鐵的事實誰也無法推翻。

問：人的天年（就是自然年齡）究應該是多少歲？

答：人的天年是一百五十歲，這是根據動物學統計的數字，每種動物的成年期用七去乘算，就是它應當得的天年，人是廿歲左右成年，故人的天年是一百五十歲。編者如果是江湖朋友，可引用：「人間喜我談造化，鬼神畏我洩天機」的術語，不知著者認為馬半仙也。

問：張岳軍先生認為人生七十剛開始，馬先生有何感想？

答：估計在一九七五年，人的平均年齡可能為七十歲，這和蕭伯納說的：「三百歲是人的成熟年齡」，均為先見之明，由於「青春荷爾蒙」的發現，詳見「生活漫談」，人活到三百歲是很可能的，再有二十年不死，就會在這世界上多吞兩三百年的希望。

問：馬先生所指的「青春荷爾蒙」被發現可否略舉事實加以說明。

答：英國的生物學家威格史瓦斯博士遠在二十七年前，用一種蛾子作實驗，他把這種蛾的幼蟲頭部切除之後，而發現「青春荷爾蒙」是從蛾的頭腦分泌出來，主管這種荷爾蒙分泌的一個小團腺乃位於昆蟲腦後，英美專家們正將此項研究工作，日以繼夜的探討，史瓦斯博士早將此書寫成發行。

問：威格史瓦斯博士發現「青春荷爾蒙」後，最近有何新發展，這是欲延年益壽的朋友共同須要知道的事。

答：威格史瓦斯「青春荷爾蒙」發現後，引起全球科學家，醫藥家等普遍注意，一九五八年美國哈佛大學生物系主任羅爾威廉博士宣佈在人體內發現「青春荷爾蒙」驚聞於世，一九六八年威廉博士又謂馬上可寫出青春荷爾蒙的化學結構式來，假定這種結構式寫成功後，用人工可製作「青春荷爾蒙」，不僅人的衰老問題，勢將成為歷史上的陳跡，三百歲可能還不算是高壽。

問：威格史瓦斯的話正確性如何，他的發現只在美國「科學雜誌」報導一兩次後，就未再見下聞了，是研究失敗了呢？還是根本沒有這回事。

答：羅爾威廉博士肯定的證明威格史瓦斯博士學說的正確性，且由蠶蛹內提製成功，甚麼時候才能大量製造應市，雖和五十年前看登陸月球的神奇，但於最短期內必可供應，這是不成為問題的問題。

問：中國北方十幾省，到了春天，都以「蠶蛹作菜蔬」，是不就因為蠶蛹內含有青春荷爾蒙呢？

答：假定有的話可能是一種巧合，不過中醫的理論確從經驗中來，只是理論不送還經驗中去，所傳「祖傳秘方」是也。

問：長壽之道除注意醫藥衛生外還有甚麼？

答：環境衛生關係人的壽年很大，例：一、浴日光，二、暢空氣，三、慎飲食，四、重整潔，五、勤勞動，六、善休息，七、適環境，八、正思慮，九、調七情，十、節嗜慾，只要持之以恆，效果自見。

問：人的青年壯年老年怎樣劃分？

答：一歲到十五歲為童年時期，十五到二十歲為少年時期，二十到三十歲為少壯時期，三十到六十歲叫作長大時期，六十到七十歲為暮年時期，七十到九十歲屬老耄之年了。

問：「青春荷爾蒙」果能使人長生不老，全世界人類會不會瘋狂搶購呢？

答：恐不可能，因藥商把顧主都騙怕了，不管醫藥廣告宣傳得怎樣動人，顧主總會抱有懷疑，但人們受益後，發明家受人類永遠推崇，愛迪生泰羅等即其一例。

問：長壽的大敵是甚麼？

答：長壽的大敵是煩惱，詳見「道家營養食譜」裏幾項經過道家所說的話，因非三言兩語而能盡述，故從略。

問：據馬先生曾在台北各大報發表的文章有八珍糕與乾隆皇帝長壽有關聯，這話可靠嗎？

答：從八珍糕的成分分析，八味皆屬增進健康中藥，一生不斷食用，自與高壽有關，八珍糕製法及其配料，乃從御膳房記錄抄出，當然可靠。詳見「生活漫談」。

問：長壽經驗談是馬先生的經驗談呢？還是根據各家經驗談？

答：乃集港台各報各家經驗談，就其有道理，有根據的說法附誌這本小冊子，編者兼代全體受益人向各作者道謝。（完）

第六章

索燕粮金人南侵　定內禪徽宗東奔

定要張穀眞首級，否則攻燕。王安中恐懼異常，奏請殺張穀送金，以免兵端。徽宗不得已准奏。王安中遂縊死張穀，將首級及二子送金。

宋朝廷之舉措，已引起其他降將之不滿。相率泣下，兔死狐悲之念油然而生。如郭藥師所說：「金人索張穀，即與張穀之首，若索藥師，亦將藥師之首與金麼？」於是藥師陰起異圖，訛言百出。王安中大懼，力請罷職。詔召為上清寶籙宮使，別召蔡靖知燕山府事。收金之降將，此其一。

宋朝廷聞金新主登位，遣使往賀，並求燕山後諸州。金主以新即大位，不宜拒宋，頗有允意。不久粘沒喝自雲中馳還，力阻不許。金主乃為之折衝，許以武、朔二州與宋。但仍要求趙良嗣所許之糧二十萬石。譚稹答道：「良嗣口許，豈足為據。」拒絕納粮。金人遂怒宋人無信。此其金人南侵之第二因。

不久金將闍母攻陷平州，斬張敦固，移兵攻燕。宋廷以譚稹措置失當，仍起童貫領樞密院事，出為兩河燕山宣撫使。好像非奸佞童貫不能葬送華夏河山。正是所謂「君子道消，小人道長」之時也。當遼天祚出亡時，徽宗遣使迎納之，以「皇弟」之禮待之，築室千間，女樂三百人，以示優待。旋又派童貫為兩河燕山路宣撫使，準備迎敵。後因天祚以宋不可入遂止。但此事已為金人所知。此其三。

四、不納燕京代稅與金，以為宋人無信，積很愈深。

五、宋之虛實已為金人洞悉，紙老虎已被揭穿。

有以上五因，金人於是積極南侵，已成箭在弦上。

宣和七年十月，童貫受命前往受地，至太原與粘罕討價還價之後，不得尺寸土地，金人分二路南侵。

宣和七年十月金主吳乞買，決意南侵之後，即以斜也為都元帥，坐鎮京師。粘罕（即粘沒喝）為左副元帥，偕右監軍谷神，右都監耶律余睹自雲中趨太原。斡離不為六路都統，率南京路都統闍母，及漢軍都統劉彥宗，從平州入燕山，兩路分道南侵。粘罕路金兵直陷朔州（今山西朔縣），代州（今山西代縣），兵指太原。斡離不一路自平州攻陷檀州（河北密雲縣）兵下三河。（謀按：三河為黃河，淮河，洛河為三河。此指前者）東西兩路皆以汴京（河南開封）為目標。童貫聞報大驚失色，想藉赴闕而奏為口實，乘機溜之大吉。知太原府張孝純勸阻道：「金人敗盟，相公當會集諸路兵將，盡力支持。若相公一去，人心動搖，萬一河東有失，河北復非我有了！」童貫無恥的回答說道：「我受命宣撫，並無守土之責；必欲留我，試問置守土之官何用？」童貫根本就是奸佞小人，寡廉鮮恥，那有什麼國家存在。平素只能投機取巧，貪圖功，眞正大難來臨，倉惶如喪家之狗。（廿二）

自由報

中華民國內政部登記證內警台報字第〇三一號
中華民國僑務委員會登記證僑新字第三二二號
中國郵政台字第一二八二號執照登記爲第一類新聞紙

（第一〇六九期）

（半週刊每星期三、六出版）
每份港幣壹角・台灣零售價新台幣弍元
社長李運鵬・督印黃行舊
社址：香港九龍彌敦道593—601號
廖創興銀行大廈八樓五座
LIU CHONG HING BUILDING
7th FLOOR FLAT 5
593—601 NATHAN ROAD,
KOWLOON, H.K.
TEL: K303831
電報掛號：7191
承印：景星印刷公司
地址：嘉咸街廿九號地下
台灣聯絡中心：台北青田街五巷三號
電話：三七五〇二二
台郵匯直接訂戶　台郵劃撥戶
第五〇五六號張萬有（自由報會計室）
台北營業處：台北衡陽街三十號
電話：二七二〇〇
台灣分社：台北市西寧南路110號二樓
電話：三三〇三四六，台郵劃撥戶九二五二號

經國濟民之學與文言白話之辨（中）

·余迺永·

語言文字寖淺分別並行，初不以文字依附語言，而語言轉可收攝於文字。二者愈得維繫不甚相遠，今古之間既不甚難通，時間距離恍忽爲之縮短。而字義寄於字形，異族異地不礙相通，（故遠如朝鮮，日本，安南等處，亦嘗採中國文字，流傳中國典籍。）其結果，遂使種族隔閡爲之洞穿，語言限制爲之超越。久而久之，一切同化渾忘，三四萬萬之衆，明明由東西南北各族之所合，却竟共一歷史記憶，莫不自以爲黃帝子孫。

中國幅員廣大，方言歧雜，賴書同文爲大一統，自先秦兩漢而制定法式，故千載文章，今讀之猶清麗可喜，反之，卽以口語爲文之所謂「活文學」，異地異代而必「死」，何則，蓋方言俗語百里之外不行，百年之後不曉也。說苑善說篇云：「春秋時，楚令尹鄂君子晳泛舟，越人擁楫而歌，歌辭曰：「濫兮抃草，濫予昌枑，澤予昌州，州𩜱州焉乎秦胥胥，縵予乎昭澶秦踰，滲惿隨河湖」。子晳曰：「吾不知越歌，子試爲我楚說之」。於是乃召越譯，乃楚說之曰：「今夕何夕兮，搴舟中流；今日何日兮，得與王子同舟。蒙羞被好兮，不訾詬恥。心幾頑而不絕兮，知得王子。山有木兮木有枝，心悅君兮君不知」。越人之言，異地之楚人不懂者，乃使用越語之故，則異時之越人讀之亦莫明也。吾人不見西方數百年前之沙士比亞文學亦已成古文乎，此使用口語入文之故也。且西文爲拼音符號，依語言而變，與吾國之字形表義，絕然爲兩大字系，而必用於吾國者，猶植樹之不先攷地宜，必無滋長之理。今日雖設國語推普及全國，卽此不斷變更之「活」語言，異時又將奈何哉？有識謂吾人可將方言詞彙編纂成冊，則俗語之疑難者莫不迎刃而解，且文學亦因之而更形豐富拓大也。此言誠談何容易，卽令能成此絕無可能之事，卽應文閱讀之訓釋也，巨倍於前，文學革命若以提倡白話，不外以文言義深而已，今反又制此新文言，以暴易暴，又何益耶？且攻擊古文必蔑斥雅書讀書，以斲喪學子才志，不知所謂爾雅者，正用以訓釋周秦典籍之口語耶？故至秦文定制，文體與口語異途，方言之害小有更作，文學遂能經歷發展也。今日再通行方言，無處再行習通數百十本爾雅，始能讀文，此變相之新文言，難易之擇，中人可知也。

又五四所謂反對文言之粉飾琢磨，實則散文本主致用，文句之琢磨不過求其精警，無關粉飾，彼等另有會心，強天下人之口同己而已。卽以新文學而論，是否會說卽會寫耶？且看梁實秋先生「五四與文藝」一文云：「白話而求其能適當的抒寫作者的思想情緒，則其白話便非我們日常應用的白話；凡是會說話的人就可以寫文章，寫出文章就可以成爲文學作品……「言文一致」是不可能的，我們祇能求其相差不太遠。用白話創作文藝是很對的，但不是一般人口頭說的白話。有時候，引車賣漿者流口裏所說的白話，一字不易的記載下來，也滿有趣味，但那祇是在作者手裏偶爾要形容某一類型性格而引用的一種技巧，並不能成爲文藝創作的正常的工具」。可見，凡文學作品必須藝術之剪裁，非關文言白話之體。

舉五十年來新文化下產生之純文學小說、戲劇、詩詞四者而言之傳記小說與演說、講學，筆記皆有所承，據胡適中國新文藝運動史所引宋臨濟德山和尚徒弟禪林聽講，忽不用古文，以白話記載老師生辣痛快之言，卽爲語錄體白話散文之祖；白話小說卽淵源更深，「其實那個時代寫白話詩文的許多新作家，沒有不是從舊小說裏學來的白話做起點的（見同書）。是則新文化對文言之根本革命者，祇新詩與新劇而已。新劇本以西洋形式用中國文字書寫之劇本，五十年來，京劇等之民間藝術，業已息微。新詩雖亦推倒舊詩，實則所謂推倒，祇乃年青一代因不懂舊詩，故不論形式與精神俱盡失中國文字韻節之優美而已。

大體有古今，詩無新舊，非定於形式。而新詩盲目排斥審音協律敷詞謀之詩，弗知本身使用者殆爲講求韻律之中國文字，是以無字不與中國文字之特質相抵觸，而內容之荒誕，則更匪夷所思耳。

新詩初期，因五四詩人國學之修養精神尚在，以平白文字寫就之新詩，未嘗非清琰可愛之小品，形式之破壞，亦僅次要而已。古詩中非有一字至十數字與田園詩人淺近之文句乎？五十年而反致於斯者！無他，尋源於文學革命者偏頗幼稚，認一切固有文化皆死無救之理論影響而已。由於極端歐化，本體又缺乏之國學修養，遂至不倫不類，邯鄲學步；而不學者反相稱頌，自料潮流，無怪始作俑者嘆「十幾年來，當日我們一班朋友鄭重提倡的新文學內容，漸漸受一班新的批評者的指摘，而我們一班朋友也漸漸被人喚作落伍的維多利亞時代的最後代表者了」。

一代有一代之文學，世有繁衍，本爲佳象。顧文化之進，在「故」而「新」，不可測，而過去之累積永無窮期；復又存積不已，文化因之日新而富，世變不離其宗。故歷來文學，代有新創而並行不悖，相輔相成，故雅俗無棄，各道其適，且文之體，各有所宜，「書奏宜雅，議論宜理，詩賦欲麗，銘誄尚實」；文藝者，不過文體一種而已。中國自來學術以經濟禮民爲重，文藝向非所重，胡氏則謂非白話文學，如古文，如八股，如筆記小說皆不足與於第一流文學之列，孰知策論之文，本非文學，胡氏有見於此，乃動輒肆詆舊學妖孽，桐城謬種，由，未始非昔日留學生由西方強烈個人主義支配下（胡氏引易卜生因要做一個真正之人，故拋妻棄子而走）對西歐文化之衝擊強烈回應，而產生此一徹底之反傳統思想，此種誘因，遂與中國固有文化成勢不兩立之敵矣。

文學之簡易祇乃文體一種，更與經世議論尚趨簡理之文不同。必賴豐富之文辭；啟發幽遠之思，必賴於文詞瑰奇，故白話文學縱力求簡易，文學心靈亦已無法滿足而不得不力求曲折。如能虛心吸收中國文學寶庫，擷會西洋文學，未始非文學史之更進一步，奈何白話文受五四運動之影響，學子視吾文化之典籍爲甚於洪水猛獸，是則不學無術，發爲不通不論之怪文，當爲極自然之事矣。昔日五四諸人動言文言爲貴族文學，蓋以爲淵博非常人家所能。今之新文言又如何乎？非獨外人不能欣賞，作者過後亦不知所云。凡事破舊立新，必待建設者，始得言爲革命。以暴易暴，徒混亂學子視聽，莫辨是非而翕然相從，擾亂而已。且文學爲物，非論義文學，和尋常文字，曲高和寡，豈可茅茨之所不蔽華屋乎？科學勝所急化，趨美，淵源既失，白話文無法肩負全體大用。實用之文學，隔閡不通，連篇白字，則中國不獨爲民族國家之統一計，必以爲著應華文而爲拼音語文，中文卽供考古者憑弔，步南洋諸國之後塵而已矣。（胡適中國新文學運動小史第四章：「我們中國新文學運動的中心理論只有兩個，一個是我們要建立一種「活的文學」，一個是我們要建立一種「人的文學」。前一個理論是文字工具的革新，後一種是文學內容的革新」。所謂文學工具，卽以拼音羅馬字代替漢文漢字的「繁難死文字」；故同書結論乃云：「如果因爲白話文學的奠定和古文學的權威崩潰，音標文字在那不很遙遠的將來能夠代替了那方塊的漢字做了中國四萬萬人的教育工具和文學工具，那才可以說是中國文學革命的更大收穫了」。胡氏個人所提倡之白話文須革命，故白話文不過新文化之序幕而已，眞正之革命乃將中國文字整個拖棄之運動，其結果自然中國文化，民族與國家之命亦爲其革去，此今日言新文藝者所不可不知，於國家民族大難當前，亦不必爲任何人諱言也。（未完）

昨日與明日

中國的郵政，一向口碑載道，具有優良的傳統，尤其自大陸播遷來台後，地區縮小，人材集中，愈加精益求精，尤其在許珂局長任內時，創闢了許多新的節目，既使郵局業務擴展，而又服務社會，使人稱便，例如添設「限時專送」，增加「郵購」……等是。由於許多想得到的，都已作了，因此近些年來，便很少看到什麼重要的改進與創闢。

最近台灣方面的郵局，添設「郵遞區號」制，將台灣各地編列號碼，籲請寄信的人，註明地址、區號。由於用戶不大習慣，郵局大力宣傳，全面推行，這種精神，我們非常欽佩。

不急之務

這種郵區編號投遞，顯然是學自美國。我們見賢思齊誰曰不宜，查美國地域遼廣，與我全國面積相彷，而其經常投郵區域，遠超乎中國之上，（因爲我國蒙藏、康青等區，信件非常稀少），分發郵件，當非易事，尤其美國爲一後起民族，缺乏歷史背景，其城鎮地名皆由人杜撰加命，而非自然形成，既是由人硬想的，想來想去總是那幾個老名子，因此美國的地名所在雷同，卽以林肯的故鄉「春田」來說：地圖上找的得到的春田竟有九個之多，而筆者也過三個（伊利諾州春田，俄亥俄州春田，密蘇里州春田），想這些同名之累，實在給郵局帶來無限的麻煩，用戶稍有書寫不清卽令投遞錯誤，因此才有「ZIP CODE」的創設而將窮鄉僻壤皆編爲號，郵局見號一目了然，投者受者，兩稱便利。

但是台灣的情形不同了。地域一共只有那麼大，縣市鄉鎮的名一齊排攏也不過三百多個，並且還絕無同名者，（根據「台灣郵區郵遞區號一覽表」），不要說台北，高雄這些大地名，不會錯，就是偏僻的小鎮，「牡丹」，「瑞穗」……等地，又誰不知在那裏，因此編不編號，實沒有多大關係，反而給用戶增加許多不習慣的麻煩，如其此舉只是爲了模仿美國，實屬不大必要。至少也非當務之急，不如以此精神財力，改進其他方面的事體。

·元開

自由談

憲政研討會的正業

中華民國國民代表會設置的「憲政研討委員會」，原係根據國大會議通過的行使兩權案——創制、複決權——而然的。顧名思義，該會的職責應該集中全力，從事於兩權攸關的法制之研討，得到結論後，依照憲法臨時條欵規定，簽置提議，諮請總統召集臨時國大代表會議，公決施行。

可是，憲政研討委員會成立迄今，閱時四載有餘了，雖然分別組織了若干小組委員會，經常開會工作，可說是文不對題，勞而無功，何以見得呢？因爲各個小組委員會所討論的問題，都在創制、複決的範疇以外，如怎樣促進經濟發展事業，如何改革賦稅法則，如何興辦水利，如何革新司法教育政策，以及檢討美國的亞洲政策……等等，盡是些行政事務，乃立法院和監察院應該過問的，與國大代表無關，縱有良好意見，亦對政府不發生拘束力，充其量是送交有關單位「參考」而已，這不是浪費人力物力和時間嗎？

憲政研討會的正業，是要聚精會神於創制新法案，複決舊法案這兩大任務，分門別類，悉心研討其利弊得失所在，詢謀僉同，然後公開徵詢社會，徵求人民大衆的意見，再作定論，準備實施。這兩項任務并不輕鬆，必須對國家現行的法制規章有深入的研究和瞭解，又有現代知識，更要諳悉民情好惡，纔能夠得出切實可行的答案，獲致福國利民的效用。特別是複決舊法案一事，尤爲當務之急，許多煩民病民的惡法（如作過三年立法委員，卽成爲當然律師會計師，如司法行政部不隸屬司法院之類）雖然知其利少而弊多，然政府既未自動加以修訂，立法機關亦漠然不以爲意，人民疾首蹙額，渴望改進久矣。國大代表是民衆選出的，既擁有創制、複決權力，卽應該爲人民謀幸福，除疾苦，庶幾無愧職守。老實講，已作了廿餘年的國大代表，除却每屆大會選舉一次總統以外，究竟對選民有甚末貢獻？對社會又有甚末交代呢？來日苦少去日多，似應乘此機會有所建白纔好。所以，憲政研討會再不宜放棄正業，而沾沾無補實際的空談清議也。

馬五先生

大同公司假退稅案
牽涉之廣嘆為觀止
公司財產已不足繳付罰欵
負責人翻雲覆雨神通廣大

（本報記者張建生台北消息）彰化大同實業公司五十年九月五日起至五十一年五月十九日止，連續假出口冒退貨稅，案發於五十二年二月廿一日以迄於今，達七年三個多月，為此案而受牽連者，包括海關人員、司法官、治安人員，不下百人。與本案有關之機關中央有行政、立法、司法、監察等四院，及財政部、海關、中信局、華南與彰化兩銀行。省方有省議會、財政廳、社會處、警務處、彰化縣稅捐處與警察局、警備總部與中部地區司令部，公務員懲戒委員會與高等法院、台中高分院與地院、彰化地院等政府機關及中信局，華南與彰化兩家銀行。參與本案之國大代表、立監委員、省議員及政府各級機關官吏多達百餘人。該公司法定代理人之「神通廣大」，嘆為觀止！

彰化地方有識之士咸認為：政治學上的「權能政治」，該公司運用得天衣無縫，孝子賢孫「呼之即來，揮之即去。」亦充分暴露「商人有權，政府無能」的政風。且有「逃稅公司」之雅號，因其不知廉恥為何物，故對不雅之尊號亦無所謂！整個行政、立法、司法與監察制度，被一個商人搞得如此烏烟瘴氣，怎不令人嘆息！

彰化大同實業公司的原料及半成品等，為中央信託局依契約所估有。該公司銀行存款，國外應收賬款及海關應退稅款與進口尼龍絲原料等動產，均抵押於各行庫與信託機關。該公司廠房之土地，非屬大同實業公司所有，而係該公司向他人租用，部份為蕭氏兄弟私人所有，依法不能併予查封拍賣或承受。另有廠房二棟以及土地機器等不動產與動產，因五十七年十月間查獲新漏稅案，經彰化地方法院於同年十一月二十三日受理執行，假扣押標的總估值約九千萬元。目前該公司已無財產可供假出口冒退貨物稅罰鍰不足受償之差額九百餘萬元。

今年四月廿二日彰化縣稅捐處承受該公司財產價值二千七百二十四萬二千零五十四元，扣除代償優先債權一千三百五十四萬六千一百九十二元八角五分，承受餘額一千三百六十九萬五千八百六十一元一角五分，不足受償罰鍰總額二千三百餘萬元，致發生差額即未清償罰鍰為九百四十四萬一千零六十三元，如除去另行查封廠房機關之估值三百四十九萬餘元，尚不足五百九十四萬四千四百一十元，經彰化地方法院今年五月廿一日先就該公司現置於該處承受廠房之非承受機器相當價值之財產予以查封在案。

該案高潮迭起，內情複雜，尤其立法委員徐中齊在「復何委員蓋民致本人公開函」中有謂：「報載蕭氏有行賄二百萬元鉅款之事實」。果爾，則該案何時結束，恐怕是無法預測之謎。

最近，忽又再起另一高潮，該公司法定代理人蕭柏煌分別在台港兩地各報刊登大幅廣告，列舉「司法當局」「台中高分院裁罰本公司（彰化大同實業公司）屬於「枉法裁判」，要求監察委員陶百川公開答覆。論者謂：若每一訴訟當事人不訴諸法定程序而訴諸社會公衆情緒，則將天下大亂。新聞記者撰寫要聞動輒得咎，而該公司蕭某發表攻訐政府之廣告，竟暢行無阻，此例已開，後患無窮。

彰化大同實業公司在刊登的廣告中辯護說：「『退稅貨物』與『免稅貨物』不同。」行為之處罰，以行為時之法律有明文規定者為限。該公司冒退貨物稅之犯罪行為發生於民國五十年九月五日至五十一年五月十九日，按照當時有效之貨物稅條例第八條第二項規定：完納貨物稅之貨物於出口時退還其稅款；完納貨物稅之貨物由產製廠商直接報運出口者免征貨物稅。同條例第十一條第一項十款規定：報運國外免稅貨物，私自內銷漏稅者，沒入其貨物並處比照所漏稅額二倍以上十倍以下之罰鍰，其觸犯刑事部份應依刑法處斷。同一條文就完納貨物稅之退稅貨物與免稅貨物並列。

雖向銀行貸欵付稅
拖延不辦洽領手續
拍賣大同公司原料與成品
均未獲得中央信託局同意

最令人驚訝的是，該公司廣告中竟說：「因為行為時之貨物稅條例尚無現行貨物稅條例第十四條所稱『免稅貨物』與第十五條所稱『退稅貨物』，而不能裁罰本公司」云云。但，貨物稅條例自民國四十一年五月二日立法院修正全文十七條之後，至五十一年八月十三日止，前後共修正三次，但對前列所述之第八條第十一條兩條條文未修改一個字。換句話說，免稅貨物與退稅貨物早在該公司犯罪前十年即有明文規定之罰鍰，並非五十一年八月十四日修正時加入。

在廣告中又自詡說：「本公司前曾自動以公文申請彰化縣稅捐處將寄存在海關原料拍賣抵充罰鍰」，這種「擁護政府法令及政策之表現」，經財政廳長杜均衡報告書證明為虛言。

杜均衡報告書指證：彰化大同實業公司五十九年一月十六日呈願將存放台北關之尼龍絲原料十四萬五千公斤（時值約一千萬元以上）抵充罰鍰。嗣基隆地方法院五十九年三月七日以戴隆執甲字第四九八五號通知訂於三月十三日執行，卒因依關稅法第五十五條規定，該項尼龍絲如予拍賣，關稅應優先受償，對本案之執行並無實益云云。

杜均衡廳長報告書第九頁載：財政部五十八年十二月二十三日令復財政廳按照法院同月十一日函辦理承受。財政廳正邀辦間，「彰化大同實業公司復聲稱正向四家銀行洽商貸款中，請稍緩兩週，一俟獲得貸款，將一次清繳罰鍰，經財政廳商承財政部同意暫緩繳款承受」，（事實上不但如此，杜廳長在答復陶百川委員查詢時表示並承認為該公司貸款曾要華南、彰化銀行等准其貸款。）但「至五十九年一月九日，該公司雖已洽妥彰化及華南兩銀行同意貸款並辦妥手續，但延不洽領貸款繳罰」云。財政廳被玩於股掌究為何來？據監察院接獲陳報係該公司在台方面之代理人及代言人阻其繳款，以為罰款一繳前功盡棄，以後亦無文章可做。

彰化縣稅捐處五十八年六月十四日聲請彰化地方法院強制執行，而中央信託局理事會於同月二十七日通過准彰化大同實業公司要求與其辦理原料，成品信託估有，同年八月十二日，中信局向彰化縣政府辦理信託估有登記。中信局若與該公司沒有「親密關係」，何以如此迅速而又順利簽訂契約？中央信託局甘冒「瓜田李下」之嫌而願為該公司原料、成品之估有人，則又為甚麼？誠如杜廳長報告書載：彰化稅捐處及法院屢次想拍賣大同實業公司之原料及成品，但未荷中央信託局同意。中央信託局並無欵項貸欵放給彰化大同實業公司，而僅為其保稅。中央信託局已握有本票及兩家殷實公司之雙重保證，且該局對所有保稅公司從未於取得已有保證外，尚再派員估有保稅公司全部動產，但對該大同實業公司則另眼相看，且保額僅六千餘萬元，所估動產則達八千二百二十萬元，彰化大同實業竟欣然接受中央信託局估有。杜廳長報告書載：財政部五十八年十一月十三日令開：中央信託局不再為彰化大同實業公司保稅；已令海關停止受理該公司申請稅捐記帳。儘管財政部一再令飭中央信託局協助彰化縣稅捐拍賣其一部份估有物，但該局竟一再拒絕。據杜廳長報告書三十六頁載：中央信託局五十九年五月十二日函復彰化縣稅捐處：「此項進口物料辦理信託估有之目的，乃在加強本局（中信局）債權之保障，此等進口原料已加工出口外銷中沖，並經海關沖銷記帳稅捐者，因該項物料既已出口外銷，實際上已不存在，故即自動解除信託估有，至尚未經該公司加工出口部份，則因本局仍對海關記帳稅捐負有保證責任，目前尚未便解除信託估有」。據陶百川委員指證：「中信局保稅額近已減剩一千餘萬元，自無理由反對拍賣保稅額以外之動產」。

看了以上的種種報導，真使人如墜五里霧中，莫知所以。

市民申購土地
竟然拖上八年
申請人謂想吊胃口索紅包

（本報記者朱武州台南航訊）市民依法申購市有地，一拖竟拖上八載有餘，迭經爭取，其間公文批示，最長有積壓六年者，最短亦兩月有奇，此故意刁難、極盡磨折老百姓為能事，據土地申請人文內指稱：莫非想「吊胃口，索紅包」嗎？

市民傅邱盛招早年承租台南市桶盤淺段五二－－三○號內五二－－三八四號市地六三、○八一坪，建屋自住。民五十二年六月間起，先後接奉市府通知承購，唯參加議價時，發覺該筆土地只有五五、三五八坪，較租約之面積短少七、七二三坪，至乏人問津，承租人縱依約訂坪數承購，則吃虧達萬元以上，而且歷年溢收租欵，亦不聞問，乃至無從承購，并非不願承購，而凡市府通知：「發生面積誤差部份，應毋庸議。」這樣子的顢頇作風，似乎「法」在他們手中，可以隨便運用，亦視同具文。

由於公文輾轉積壓達八年之久，地價幅度調整數次，錯咎之責，應係財政科長馬譜所為，但涉及失職一案，將承辦人郭輝煌寬上兩次大過外，對於實際玩法之馬譜，卻輕予放掉。爾後申請人數度陳情省府，復由財政廳公產室辦理，結果財政廳以官樣文章署以，查本案前經省府派員調查後令飭貴府嚴予糾正在案，作為不了了之，其承購土地事，仍無下文。

廠後該科承辦股長黃有源暗示他的同鄉轉示申請人丈夫，要申請人送紅包於萬元乃可獲准，但傅某不吃這一套，所以惹來一身麻煩，不知將來這個馬譜科長利用職權，還要搞出些什麼名堂呢？

今天時局如此艱難，老百姓申訴不平，做官的人不立刻自慚其督責無方，不立刻盡其力之所及，為申訴人調查其怨憤之所在，而立予補救。反而以踢皮球互為推拖，搪塞與敷衍，那這種官就根本要不得。

依洞集

讀書人的慚德

李磐

「仗義多屬屠狗輩，負心盡是讀書人」，這是據亂世的社會現象，非所語於昇平世也。

亂世人慾橫流，風俗澆漓，人與人相處，功利思想盛行，無所謂正義公道，清議固蕩然無存，輿論亦多激越偏差，是非混淆，黑白不分，而以工業社會中的一般知識份子為尤甚。朋友往來，不知道義為何物；父子相依，沒有慈孝的意念；兄弟之間，形同路人；君（長官）與臣（僚屬）但講利害關係，而漠視誠信之道；至於夫婦的結合離異，一是持以利慾虛榮為本，今天同榻共枕，明天分道揚鑣，視為理有固然。中國固有文化的倫常思想，大家唾棄不顧了。

可是，在少讀詩書，或者根本就不識詩書的所謂「粗人」之中，由於未曾接受現代功利主義的洗禮，依然保持着先天的人性善良氣質，而其生活方式亦不以鬥爭為前提，立身行己，常能表現一些正義感。例如你在都市間行走不識路途，向那些衣冠楚楚的讀書人請教，他們不是置之不理，就是昂然答以「不知道」；若詢諸「粗人」，他不管知與不知，必然和悅相告，絕無疾言厲色的表示。台灣每年皆有表揚好人好事的創作，試將歷年來受到表揚人士綜計審覈，其中多是少讀詩書或并未讀過書的男女老幼，幾曾見有高級知識份子呢？

對人處事最沒有一點正義感和是非觀念的，殆無過於吃政治飯的高級份子，政治地位越顯要，他的良心血性就越稀薄。明明是黑色的東西，為着私慾關係，或揣摩上司的好惡所在，可以昧良寡恥說不是黑的。明明是曾共患難的莫逆之交，或在貧賤時受過對方提携贊助的恩人，遇着別人有危難之際，深怕連累了自己的前程，裝作素昧生平，避之唯恐不及。至於為私慾而賣友求榮，通敵叛主，為升官發財而出賣人格，糟塌宴撃等醜惡行為，更屬家常便飯。這在昇平之世，必為社會大衆所唾棄，至少亦會受到輿論指摘的。在亂世卻被視為幹練之才，為不可多得的賢良能吏，古今一揆，毫無二致。即在日常交際場中，跟一般所謂愚夫愚婦言談時，總感覺眞誠有味，令人可親，唯有對多知多識的讀書人——尤其是政治界的高級知識份子——談話，一派矯揉造作的虛偽詞色，眞是語言無味，而目可憎，思之可以作三日嘔呢！

咱們現在盛倡恢復中國文化之說，若要達成預期的效果，不必高談甚末大道理，每個讀書人少做負心之事，少說昧良的話，而不讓屠狗輩獨專仗義之美，就得了！

喬治桑外傳　一五○

張大夏

「我當然是先和你的太太通過電話的，否則怎麼找得到你呢？」喬治桑在咖啡裏放了糖，用小茶匙攪了幾下，接着說：「你約的是那一位白小姐，我有沒有看過？」

「是台語明星白妮，不知道你有沒有見過。」裘白瓊道出白妮姓名，喬治桑雖未見過，但姓名卻不陌生。

「是不是以前做過舞女叫什麼……紫娟的，聽說她的花樣不少。」喬治桑隨手翻出白妮的底牌，表示他也是聲色場中的識途老馬。

「正是此人。過去在上海講究花舞雙棲，現在她影舞雙棲有何不可？她在伴舞時叫紫娟，現在叫白妮，蓋亦絢爛，極歸於平淡之意。」

「你為什麼想起來約她？」喬治桑問的話並無多大意義。

「她的舞跳得不錯，今晚目的是跳舞，當然要約舞藝好的。」裘白瓊在舞言舞，回答極得體。

「卞太太……」裘白瓊今晚請的主客是留蘭香糖，自然不能不關切。

（未完）

文匯樓別記

學校武打成何體統

· 文匯樓主 ·

從前馬玉崑（清末名將）帶兵，凡遇軍民衝突互毆事件，他要先看看他的部下是打輸了，還是打贏了。要是被老百姓打贏了，不問曲直，加倍重罰，反之要是打贏了，縱是理屈，也必優容寬貸。因為他是提倡尚武精神，試問連老百姓都打不過，還打什麼仗，他雖有縱兵之嫌，終因是責任是在練兵衛國，講的是打，因此社會就不太苛責。但是在文而不講打的學校中，便不可這樣辦了，更何況是培養師資的學校？

但不幸在自由中國中，唯一培養師資的最高學府，師範大學，近年來，竟是打風高熾，時有武打的鏡頭出現。首先引起社會譁然的，就是前年有兩位教授，在教員休息室中，居然動手打鬥起來。挨打受傷的某教授，還至醫所驗傷，要告對方，一時成為轟動社會，街談巷議的新聞，許多報章的標題，更極盡挖苦、諷刺之能事，使得許多在師大服務的學人，同蒙其羞，抬不起頭來。（據傳聞，打鬥時，還有學生在休息室外，圍觀喝采，那如所傳屬實，那就更不成話了）。

這種不幸事件的發生，就是學校秩序混亂的警報。所謂：「國家將興，必有禎祥；國家將亡，必有妖孽」，如其當局精明幹練，善為疏導，自也可化妖為祥，消患於未形。然而此風竟未能戢，以致不僅上行下效，職員們毆鬥時有續聞，甚至愈演愈烈，竟於去歲產生校警在校長辦公室，公然毆打校長。開教育界未有之奇聞，創教育史上未有之紀錄。孫校長一輩子研究教育，一輩子獻身教育，而於垂老之年，罹此奇辱，亦可謂慘矣。

學校經此奇變，打風仍未能息，前天（五月十九日）又有工友周劍成者，執刀殺傷庶務組職員張福生氏，張氏手被砍傷，到醫院醫治，縫了三針才好，警員既可打校長，工友又何不可殺職員，但担心的是這樣的打鬥毆殺下去，學校將怎麼得了。數千學子在這種培養師資的師範大學，在這種打風中「薰陶」，遺禍曷可勝言。

「虎兕出於柙，龜玉毀於櫝中」，孫校長當然不能辭其咎。其實孫校長本人並不壞，據樓主與師大許多教授們的接觸，知道他們對孫校長的學問都很稱讚，認為是一個很有學問的好教授，但是沒想到好教授却未能同時成為好校長，以致才有許多每況愈下的事情出現，影響孫校長個人的令譽甚大。據聞孫本人也對此感到倦而，甚為厭倦，曾數次請辭。但教育部鍾部長不僅與孫氏是梅縣小同鄉，且誼屬親戚，令弟，焉有不強力挽留之理？（日前中國時報對此內幕報導甚詳）以致外間誤會孫氏戀棧。實非知孫氏之言。

天下事，往往是會以訛傳訛的，正因為外面人對孫氏誤會戀棧，所以風聞有若干人士，為了愛護師大前途，同時也是愛孫校長以「德」，而在秘密進行策動簽名呈請政府給孫校長休息的機會，而另請賢能有魄力的人來整頓師大，以挽救師範教育的前途，聽說文件已經是五份，分呈蔣總統、嚴副總統、蔣院長、中央黨部，及教育部，在教育界多事之秋，樓主希望這是一個不可靠的謠傳。

談談胡適先生的小說研究（下）

· 李辰冬 ·

以文學藝術眼光看來能將高超的思想形相化，具體化才是成功的作家。劉備關羽、諸葛亮等個代表了我國人理想中的帝王、軍人、宰相的風範，而啟發了人類向上的心靈，這種思想不算是高超呢？小說家目的在創造人物，他的一切人物，一切佈局都為這些人物所設，作者恰當地表現了他的人物，人物才能生活在讀者的心靈上栩栩如生。羅貫中創造了這麼多的生動人物，假如他「不會剪裁」，怎麼可以辦得到呢？作者恰當地表現了他的情感，而使讀者在他的作品裏也得到同樣的情感，那就是成功的表現。「搜羅一切竹頭木屑，破爛銅鐵」正顯出他表現手法的高明。胡先生既承認三國演義具有「沒有一部書比得上它的魔力」，那麼，有魔力的書「不成為文學作品」，什麼是文學作品呢？我有一篇「三國演義的價值」，講得更為詳細，請諸先生參看。這篇文章也是作為世界書局出版的「三國演義」序。

胡先生是我最敬仰的人，我絕無吹毛求疵之意來找他的毛病，可是我順着他所指示的道路來作進一步追究時，發現了與他所說的完全不同，使我對他所提倡的科學方法產生了疑問；但我不敢說他不對。有一年他從美國回到台灣，我還提出這個問題。我問：「胡先生，文學是情感的表現，你所提倡的科學方法若用到研究文學時，是否還需要加點什麼進去才能適合？否則，我研究鏡花緣、西遊記與三國演義的結果，怎麼與你所得的結果完全不同呢」？胡先生把他所用歷史的與考證的兩種方法重述一遍，並沒有解答我的疑問。可是那時我也說不出他的毛病到底出在什麼地方。後來經過很久的研究才找出這問題的癥結，原來研究一部作品從頭到尾細讀一遍，看看能不能從作品的本身找出幾條了解它的法則，然後再細細追究這些法則能不能對作品有深刻的了解。而胡先生不走這條路，而僅是考證作者，了解作者，對作品的了解十分重要，上邊會經談過；然考證作者是了解作品的準備工作，並不是最後的目的；然胡先生以把它當成目的了，以致說出一句簡直不能使人相信的話。幾年前，台灣廣播電台為廣播全部紅樓夢，整整花了一年的準備，在正式廣播的頭一天，為引起聽眾注意，約了幾位他們認為的紅樓夢專家，如胡先生、李宗侗先生、邱楠先生以及兄弟我，開一個座談會，目的在為電台捧場，而胡先生第一句就說「紅樓夢是無價值」。記者着了慌，忙忙說：「胡先生，你這一講，我們明天還播不播？」胡先生不好意思，只好改口說：「我只講講紅樓夢的考證，至於價值問題請李先生講好了。」記者就問：「紅樓夢既無價值，胡先生為什麼要考證它的作者呢？」胡先生回答說：「我只是對考證發生興趣，對紅樓夢不發生興趣」。現在的大中學校對紅樓夢公開研讀，都知道是胡先生的提倡，但今胡先生突然說「紅樓夢毫無價值」！假如不是我親自聽到，我不敢相信胡先生是會講這樣話的。曹雪芹之所以流傳就由於紅樓夢，假如紅樓夢毫無價值，為甚麼要知道它的作者呢？據說，這句話胡先生不只說過一次。由此可知，他對鏡花緣、西遊記與三國演義並未細心去讀，只是拿到一點考證，就來批判，以致引起錯誤。

（完）

安徽十三傑

說曹操

李漁叔

（十八）

而荀彧的本傳說他因勸止曹操進爵國公，和接受九錫的典禮，違忤了曹操的意旨，於建安十七年以憂死，年五十。另據魏氏春秋說：「太祖饋彧食，發之，乃空器也，於是飲藥而卒。」

這就是說荀彧是自盡的，原來荀彧本人是漢室舊臣之後，他也竭力扶持孟德，也就是想匡扶漢室，他一心以為曹孟德是會恪守臣節的，於今由少數佞臣獻媚曹氏，請明廷予以九錫。這九錫之禮，非同小可，前代人臣膺受此禮，就是篡逆的先聲。所以他以為應當：「秉忠貞之誠，守退讓之實，君子愛人以德，不宜如此。」（見荀彧傳）誰知孟德問他，不宜如此，接受，正是試試他究竟是心存漢室，還是效忠本人，而他這樣對答，就明說出他的本心來了。荀彧究竟是智謀之士，知道這一違忤曹氏，如不自殺，終於難免誅戮，於是就服毒自盡了。

其次是荀攸，他是荀彧的姪兒，幼聰慧有奇智，孟德徵他為汝南太守，與語大悅，稱為非常人，以為軍師。史稱「常謀帷幄，時人及子弟，莫知其所言。」又稱凡畫奇策十二，只有鍾繇知道。後來從征孫權，半道卒。曹公言則流涕，可見信遇」

謀士中，尤為孟德所賞遇的，是郭嘉，字奉孝。他是荀彧推薦的，於召見談話後說：「使孤（操自稱）成大業者，必此人也。」即表為司空軍祭酒。他在軍中策劃最多，尤以擒呂布，料孫策之死，預策袁譚袁尚兄弟之爭，及以輕兵破單于蹋頓等，料事準確，無一錯着，可惜自遼東還後，年三十八即卒。孟德對他之死，最為痛惜，曾與荀彧書，說是「奉孝見時事，兵事，過絕於人。」又說：

「郭奉孝年不滿四十，相與周旋十二年，阻險艱難，皆共罹之。又以其通達，見世事無所疑滯，欲以後事屬之，何意卒爾失之，悲痛傷心。」

而在赤壁戰敗後，說過一句最痛心的話：「郭奉孝在，不使孤至此。」還曾連串的說出：

「哀哉奉孝！痛哉奉孝！惜哉奉孝！」

這是何等的痛悼，也由此益見郭嘉之才。

還有一個賈詡，也頗值得一提。這人在少年時，不為人所知，只有漢陽閻忠看出他有良平之奇。最初他和董卓及李傕郭汜一班匪人混在一起，而且從攻掠長安，流毒京畿，也是出於賈詡之謀。不久又往依張繡，於官渡之戰，勸張繡歸曹，遂獲重用。

他於破袁紹，以及謀伐江東，離間韓遂馬超，都是算無遺策，也可看出他智慧特高，光芒四射，尤其是善於自處，魏志稱他：

「策謀深長，闔門自守，退無私交，男女嫁娶，不結高門，天下之論智計者歸之。」

在曹公晚歲，後嗣未定，曹丕猜忌殘賊成性，子建疏闊無謀，當時朝士，無所適從，動輒得咎，如丁儀兄弟和楊脩等，都是以才華傑出之士，身遭殺戮，甚至丁氏滿門男口皆被曹丕所滅。賈詡竟在這時免禍。他和程昱一樣，見機最早，以智自全，程昱不僅為孟德所專信，本身也不是純粹幕僚，且曾做到都督袞州事，而在孟德得志後，即自表歸兵，闔門不出。

（未完）

自由詩壇

和白翎詞長憶江南原韻

黃立懋

隄前楊柳映波藍。人醉春風酒半酣。獨有碧潭垂釣客。年年猶憶自江南。

和白翎兄憶江南韻

汪承棠

水天相映色皆藍。楊柳桃花春正酣。栽滿扁舟詩與酒。何妨一醉到江南。

諸葛亮狂想曲（一二八）

· 劉玄 ·

太白星君說至此，忽然壓低聲音在諸葛亮耳邊說道，「你大概聽過三十三天之說，其實除了天庭這一天界，其他各天都是謎。登陸海王星成功，我們可以在那裏設立觀察站，以窺測其他各天界的情形。當然最重要的是要知道其他天界有無仙佛存在。」

「據亮所知，人類世界連唐明皇在內包括現代太空人，眞正踏上月球的，寥寥可數。據說，月球上荒涼一片，不見人影，請問星君，嫦娥難道不住在上面嗎？」諸葛亮熟悉嫦娥奔月故事，想了解其中奧秘。

「你問得很有趣味，我老實告訴你，嫦娥是仙體，豈是肉眼凡胎所能看得見的。何況，她在天庭的時間多在月球的時間少。她自從上次唐明皇遊月宮，與她見過一面以後，引起世間很多閒話，不要說是太空人，就是太空仙也不肯隨便顯露色相的。」太白星君是天庭的百科全書，任何問題都難不倒他。

太白星君雖然健談，諸葛亮覺得與他談話時間已經不少，遂起身告辭，星君也不留他。

諸葛亮回到住處，一進門便看到座上常客劉約翰。

「諸葛先生是不是從太白星君那裏來？」劉約翰早已是諸葛亮的親近，說話很隨便，否則諸葛亮是不肯洩露天機的。

「你怎麼知道的？是不是聽琴童告知你的？」

「正是琴童告知我的。」

「其實星君也沒有什麼要緊的事找我，他不過告知我關於登陸海王星的計劃而已。」這時，琴童捧出兩杯咖啡，諸葛亮喝了一口。

「登陸海王星？這怎麼可能呢？」劉約翰端起咖啡杯，却不曾喝又放了下來。因為，在他的想像中，這簡直是不可思議的，所以很驚奇。

於是諸葛亮將所見所聞說了一遍。

「難怪太白星君在玉帝身邊這樣被重視，他的道法確實無人可及。」劉約翰本來認為美國太空人登陸月球很了不起，現在才了解太白星君道法之高妙。

「有一點我還是不明白，什麼叫做『時光倒流』？」劉約翰求知慾很強。

「『時光倒流』者即是對時間的一種挑戰，譬如：現在離三國時代已久，星君能設法讓我回到草船借箭那一段時期。」諸葛亮羽扇輕搖，似乎已了解「時光倒流」的玄妙。

劉約翰聽後，想了一下，還是不能明白，但也不好再問。

「張素梅近來還好吧？」諸葛亮知道劉約翰是個標準俗人，毫無道根，所以改變了話題。

「張素梅她最近的情況很好，天廷中學鋼琴的越來越多，連伯牙，鍾子期，王昭君等都在向她請教。鋼琴音符複雜，不像七絃古琴那樣單調，所以學鋼琴已變成天廷一時的習尚了。」

（未完）

巨變歷險記

仁者言（一三一）

胡慶蓉

看山跑似馬，這是很小時候就聽說的一句話。這話是說山不要看的近，但實際上往往很遠，像馬跑一般，稍縱卽逝，而且越跑越遠。也就是說對着山走，路越走越遠。

可憐丁博士迷是迷出蒙自了，但往那裏去？又成了眼前很大很大的問題，但也不成問題。據他當時的想法，廿六軍撤出蒙自，下一個目標必是鷄街、箇舊、老街、越南鐵道，再不然就是建水、石屏、思茅、車里、佛海、南嶠……。而八軍呢，路線已經劃好了，必定沿着原來的路線繼續向石屏……車里……方面撤退。一度停頓之後，步調可能加速。於是決定向鷄街方向走去。原來蒙自通鷄街的大道就是火車道，與火車道平行的就是人行道。坐火車前往鷄街，最方便不過，最直接不過，卽沿着人行道前進，也並無不利。這兩條道路都在平原上，正所謂「周道如砥，其直如矢」。但因爲怕共軍緊追上來，爲防萬一，丁博士決定採取右手邊的山道。眞所謂看山跑似馬，路越走還越遠。雖然沒有進入山裏邊，但傍着山走，還是很遠很遠。因爲儘量的避免大道，改走小道，又不去問人，又怕問人，路更走得遠了，路更越走越遠。他還是那個老主意老辦法，避免問人，避免與人接談，這寃枉路就走多了。山路實在不好走，看着是東，未必是東。等到轉了很多彎子後，連自己也就迷了。

這樣從天亮就走，一直走到天要黑了，還沒有走到鷄街，甚至於又有回到蒙自的樣子。這時候，餓極了，也渴極了，腳也走腫了，實在拖不動了，走不動了，看見前面是一個稀稀的莊村，看見村子頭上是一個小戶人家，就是虎穴也只有進去。進去再說？……進去了一座小小的房，恐怕再沒有那座小的房……門還沒有打開，博士的頭高，要低着頭彎着腰才可以進去。進去一對着門，就是一口鍋。鍋前臥着一條狗，一條非常馴服的狗，旁邊坐着一位老的。他說他的眼不好，不能起來照顧。但在丁博士央求之下，他還是起來了。起來了，丁博士要飯。這是很粗很粗的糙米，但不管怎樣的粗怎樣的糙的人吃起來，是再沒那香的。他還存的有點花生米，也拿出來給丁博士吃。這，丁博士吃起來的更香。他無以爲報，他就把他僅存的三塊半開送給老先生。老先生看來很滿意。他說他的眼不好，他不能走路，但丁博士還是央求他送到鷄街。他起來不肯，最後還是答應了。丁博士尚存的有錢，但實際上還是沒有了。他本來還有一百半開，都留在縣府沒能取出來。晚上睡在狗窩裏，只鋪了點草。第二天一早就隨同老先生去鷄街。途中兩度爲地方的土共所截，兩次都被老先生呵阻了。「這位是葛先生，教書的，不得無禮」！老先生說。

盧象昇仗節不撓

命相與夢話

漢平

盧象昇，字建斗，又號九台，一字斗瞻，江蘇宜興人，生于張渚鎭之鎭發積，萬曆戊午年十九，補校官弟子。天啟辛酉二十二歲，鄉試中式，壬戌年二十三，會試中式。歷大名、廣平，順德兵備。政績著卓，進按察使。善射，通將略，善治軍。山西賊入畿輔，象昇連戰破賊。以右僉都御史撫治鄖陽，與總督分道擊賊，連戰皆捷。漢南賊寇爲之憑平，威名爲賊所憚，進兵部侍郎，賜尚方劍。李自成之勢力正盛，象昇大破之。不久京師告警，召入衛京師。改總督宣撫山西，大興屯利。時宰臣楊嗣昌，中官高起潛立和議，與象昇議不相合，遇事制掣肘。象昇雖督天下兵，實際不到二萬人馬。崇禎十一年戊庚十二月寅子日未時，戰於濤清賈莊，身戰至炮盡矢窮，奮身鬥死。時年僅三十九歲。明謚「忠烈」，清謚「忠肅」。有「忠肅集」遺世。

盧象昇之造：生於明神宗萬曆二十八年三月初四亥時。明毅宗崇禎十一年十二月未時卒。八字爲：庚子，庚辰，丁未，辛亥。

漢平謹按日主之丁，在五行屬火，雖是進化，但究竟不如盛夏赤帝司權之得令時，幹又得時辛金，年月二幹並見庚金。人只知火能尅金，而不知金强火弱，火反爲金所抑。幸月枝的辰與日枝的未各藏乙木，命宮的寅與時枝的亥各藏甲木，而時枝的亥又爲丁火日立的貴人得此爲正式之用神，不僅火得木生，轉弱爲强，可以抗金，卽貴人會合，化懿爲生，更多神益。「指迷賦」云：「丙丁有貴，遇酉亥必顯榮。」這是合丙丁約亥統而言之。其實亥之於丁較酉之於丙效力尤大。因此祇行能堅，柔誠克俗，遇時坎坷，恃仗節以無撓，殉義從容，捐身而不悔。

十九歲壬運戊午，小限寅中，補校官弟子。二十二歲仍在壬運，辛酉小限丁巳，中鄉試舉人。二十三歲壬戌，小限丙辰，中會試進士。二十五歲仍行午運，甲子，小限甲寅，授戶部主事。其可見壬化木，午爲日祿，都是丁火日主的喜神。至癸運，歲逢木火，未運中藏木火，是以歷員外郎，遷大名府，陞右副都御史，巡撫鄖陽，上賜劍督與同衛，命督天下援兵，實不滿二萬，盧象昇伏地痛哭，奏辭不許，繼又誤聽奸言，分兵他讓。至十二月十二日未時，炮盡矢窮，奮身鬥死於濤清賈莊。此非甲運之木不能資生丁火，實因甲運之木，反尅太歲戊寅之土。凡殉難於乙丑月，庚子日，癸未時，丑會子亥而助癸水，故爲害尤烈也。卒後，明謚忠烈，並建有專祠於宜興城內之東閣橋下，以昭矜式，春秋致祭。

生活漫談

茭筍除煩熱清酒患

馬騰雲

一位居留上海長時間的人說：冬天的時候，上海也相當冷，有些貧苦的人，抵受不了寒氣的侵襲，每每吞食「硫」，以禦寒冷，有些人還用燒酒送服硫磺，因爲內部的溫度，如此則身體不致戰慄震動，兩手才能工作。可是吞吃的硫磺過多，到了春夏天，濕氣旺盛的季節，硫磺毒發作了，每年都有些死亡的記錄。有謂吃硫磺多，一到天暖生吃茭筍可以解之，但不如吃「茭筍」解硫磺之毒有著效。吃過多硫磺的人，他們自己明白，必多吃茭筍，因爲生吃其效力更佳。談處有一些婦女，尤其以花界中人，爲保持面貌滑嫩青春，經過醫生的指導，常常吃「適量」的「信石」製劑，因爲信石雖然是烈性毒藥，如配劑則可以補血，但吃得時間長了，體內難免中毒，因此也能死亡，故吃信石劑的人也常吃茭筍。是以茭筍除作蔬菜食用之外，還有很好的解信石毒功能。茭筍（俗名腰筍）爲水草類之多年生草本，高者數尺，葉細長而尖如小竹葉，形狀有些似甘蔗的尾部，剝去長葉，將整個蒸熟，配合[illegible]便，任何食法皆適宜。它所含的營養成份爲水份四三·七，鹽類○·二，粗纖維一·三。本草謂能利大小便，止熱痢，除目黃，止渴，祛熱，但性寒而滑，胃腸有寒滯，貧血及遺精者亦當戒之。茭筍還可以解酒毒，據一位名醫說：他有一位朋友，嗜杯中物，十年如一日，無酒則不快，其後病起來，全身浮腫，個個醫生都說他是酒患，但沒有一個醫得好他，偶然有一個場合裏，有人介紹他用茭筍來清除酒毒，酒毒消除，浮腫然後痊癒。但好酒之人，泡製茭筍必須加燒酒，這是用燒酒作引路去清除酒毒的「以毒攻毒方法」，乃教他用茭筍五六斤一次，燒酒三四斤，其餘加入多量的清水，燉五六小時後，取汁乘熱飲之，飲後可能有幾次下瀉，連飲數次，但瀉得具體輕鬆，於隔兩三日一次，浮腫漸消，多年酒患，用茭筍竟能治癒。

成語選粹（28）

手不釋卷

李國良輯

三國志呂蒙傳注引江表傳：「孫權謂呂蒙及蔣欽曰：『光武當兵馬之務，手不釋卷；孟德亦自謂老而好學，卿何獨不自勉勖也？』」「手不釋卷」謂勤學也。

搜異錄

女媧娘娘，是最美麗的女神，紂王一見不禁魂消。因此才派遣了許多神怪下凡去打他的江山。女媧究竟有多美，請看「

女媧「人首蛇身」

匡謬

淮南子」所說：「往古之時，四極廢，九州裂，天不兼覆，地不周載，火濫（火旁）炎而不滅，水浩洋而不息；猛虎食顓民，鷙攫老弱。於是女媧煉五色以補蒼天，斷鰲足以立四極。」女媧並不是美人，她却是一個可畏的「人首蛇身」的怪異女人，玄中記說她「女媧蛇軀」，漢武梁祠所刻石壁畫，也可以爲「人首蛇身」之證。

女媧煉石補天的神話傳說，在民間很有勢力。但神怪異說多有根據。關於女媧的身份，頗多撲朔迷離，有說她是伏羲的妻子，亦有說乃其妹。「路史」稱她爲「皇母」，易經引世紀稱女媧爲女皇，外紀又稱她爲女帝，淮南子稱她爲「陰帝」，列子說她是「古天子」，山海經說是「女媧神女而帝者」。女媧娘娘更上一層樓，做女皇帝。其實豈有此事。也不過是後人尊號而已。

總之女媧娘娘是中國最早的女神。以「人首蛇身」看來，可能是洪荒時代的圖騰，爲母系社會之象徵，故稱其爲「女而帝者」。也許大致不離譜。

關於紂王「瀆神」的事，古書上也有記載，「封神」作者許仲琳並未造謠，許多神怪奇異均有根據。墨子天志篇云：「紂越厥夷居，不肯事上帝。棄厥神祇不祀。」同書明鬼篇說：「昔殷紂王，貴爲天子，富有天下。上詬天侮鬼。」武王伐紂平話說：「紂王詣玉女觀行香，見一簇女中，有一人容貌出衆。紂王思懷女人說：『於宮中無一人似玉女之容儀』。紂王如此三日，在殿上觀玉女。」紂王回朝之後，思玉女情切，費仲奏道：「我王出榜於朝堂外，令世間有室女者，盡皆來進。其中必有玉女之貌。」因此女媧方使了妲己來進，敗壞紂王江山。女媧娘娘却有此一招。古時紂王也活該倒運。不祀天敬鬼，也是無道，故神權時代就有此力量。雖是談怪搜異，却倒也找到歷史上的根據。

第六章

索燕粮金人南侵　定內禪徽宗東奔

趙孝純以守土有責，遂誓登城，加强固守。金兵攻打不得逞，方告退去。

不數日，金兵已入河東，燕山路又遭兵禍。斡離不等攻燕山府，知府蔡靖與郭藥師計議，以郭藥師出兵迎敵，

趙孝純怎能阻止他的去留。童貫整頓行裝徑行。趙孝純長歎道：「平日太師作不少威福，今乃臨敵畏縮，捧頭鼠竄，有何面目再見天子呢？」童貫徑行還朝。

蔡靖守城。然郭藥師早蓄異志，因蔡靖坦誠相待，不忍急發。只待見風轉舵，他知道宋朝廷不可恃。因此勉强命令張仁劉舜仁二將，率四萬五千迎戰河北金兵。但金兵猶如狂風掃落葉一般，銳不可當。郭藥師料不能勝，不戰先怯，被金兵驅殺一陣，敗歸燕山。金兵追至城下，郭藥師便將蔡靖挾持投降金人去了。

斡離不既得郭藥師，燕山州縣當然歸命。於是用郭藥師爲嚮導，長驅南下，直逼大河。警報好似雪片紛飛至大宋朝廷。宋靖宗急忙命內侍梁方平（又是一位宦官）統帥禁軍。往扼黎陽。此人出身內侍，根本不通武略，無異投食虎狼。他在黎陽眼見金兵日迫，只會朝夕報警，向汴京乞援，此外別無辦法。徽宗此時手忙腳亂，不知如何是好，最後決定只有東走。命太子桓爲開封府牧，以資坐鎭，又下「罪己」之詔。（已經晚矣）罷行幸諸局。並集四方勤王之師來汴會師。

在此已見中央集權之失了。太常少卿李綱，以事機緊急，應當機立斷，乃刺臂血上書，請假皇太子以位號，俾應事變。徽宗乃下詔禪位太子，而自稱「教主道君太上皇帝」。太子趙桓卽位，改元靖康，是爲欽宗，正是一位可憐皇帝。

欽宗卽位於危難之間，草草禮成。命少宰李邦彥爲龍德宮使，進蔡攸爲太保，吳敏爲門下侍郎兼龍德宮副使。皇后鄭氏爲「道君太上皇后」，遷居寧德宮，稱寧德太后。授李綱爲兵部侍郎，耿南仲爲簽書樞密院事。遣給事中李　赴金軍報告內禪，且請修好，尚在白日做夢。

金將斡離不恐深入不利卽欲北歸。不料郭藥師上前請道：「南朝無備，何不進兵」。此人一語，動搖了大宋河山。斡離不從了郭藥師之議，進陷信德府，驅軍而南，虜氛爲之益熾。大學生爲平國人之憤，率諸生慷慨陳詞上書，書略云：

今日之事，蔡京壞亂於前，梁師成陰賊於內。李彥斂怨於西北。

（廿三）

自由報

（第二〇七〇期）

（週刊每星期三、六出版）

社長李蓮聰・督印黃行寶

社址：香港九龍彌敦道593—601號
廖創興銀行大廈八樓五座

LIU CHONG HING BUILDING
7th FLOOR FLAT '5
593—601 NATHAN ROAD,
KOWLOON, H.K.
TEL: K303831
電報掛號：7191

承印：景泉印刷公司

台灣通訊中心：台北市青田街五巷二號

文藝與文化復興（上）

文以載道、文以明理，非以播惡。藝以成德、藝以養性，非以誨淫。

陳立夫

一個學自然科學和工程的大如本人者，根本不配來談文藝；尤其今天在諸位專家之前，更是胆大妄為。為應老友陳紀瀅（水芳）先生之邀，姑且把採鑛者發掘所得，說些外行話，以求教於諸位先生。

一、一切為民生，民生之保障在道德

國父昭示我們說：「古今一切人類之所以要努力，就是因為要求生存，人類要有不間斷的生存，社會才有不停的進化。所以社會進化的定律，是人類求生存。人類求生存才是社會進化的原因。」又說：「民生為社會進化的重心，社會進化又為歷史的重心，歸結到歷史的重心是民生，不是物質。」因此，國父發明了「民生史觀」，而否定了人完全受物質環境支配的說法，而認為物質是應該受人支配的。他又將人類與動物的進化原則之不同點指示出來，使人類有了異於禽獸的自尊心。他說：「物種以競爭為原則，人類則以互助為原則，社會國家者，互助之體也，道德仁義者，互助之用也。人類順此原則則昌，不順此原則則亡。」這是說明了道德仁義是民生的保障，掌握了人類存亡之鎖鑰，其重要性可想而知了。因為我們現代青年容易瞭解起見，為道、德、仁、義四字下了如下之定義：

「道」是人類共生、共存、共進化之原理；「德」是此一原理之見諸實行；「仁」為德之基，是人類互愛、互助之存心；「義」是此一存心之見諸行動。

由於國父的啟示，加以上面的定義，我們對於道德的觀念改變了，不再說他陳腐；因為我們要繼續生存，對於古人所昭示的許多道理，亦就明白多了，舉例如下：

（一）「立人之極，曰仁與義。」

（二）「仁者，人也。」

（三）「人之所以異於禽獸者，為知義也。」

（四）「道也者，不可須臾離也，可離非道也。」

（五）「德者、本也，財者、末也。」

（六）「天生蒸民，有物有則，民之秉彝，好是懿德。」

為了生存，為了共同生存，為了不役於物，為了異於禽獸，我們不能須臾離開仁、義、道、德，不能不重視道德，實踐仁義。溫故固然可以知新，溫新亦可以知故。鑒於國父與我國古聖人之言，而益信真理之無分東、西，無分古、今，是永恆存在的。

二、文，文明與文化

人類為了共同生存的需要，而有一切創造和發明，無論在精神方面，或物質方面的成就，都稱之為「文明」，及其影響到人類生活時，就稱之為「文化」，其不受到影響的稱之為「化外」。其經過之程序有七：「誠則形，形則著，著則明，明則動，動則變，變則化」（中庸）。萬物從秉受了宇宙間的能（ENERGY）開始，自己獲得了生命的中心，稱之曰「誠」（誠者，自成也。誠者，物之終始，不誠無物）。凝集而成「形」，而顯「著」，而彰「明」，而自「動」，而「變」易，而物「化」。物之由成形以至於解體，事之由存在以至於不存在，廣義言之，都可稱為「生命之過程」。由誠而至明，稱之曰文明。由明而至化稱之曰文化。這是非常清楚的。然而何以要在「明」與「化」二字之上加一「文」字呢？古人也講得十分明白，「文」就是「人為的」意思，他的對面就是「質」，「質」是指「天然的」意思。天然的部份超過了人為的部份，稱之為「野」，所以說「質勝文則野」。人為的部份超過了天然的部份，稱之謂「史」，所以說：「文勝質則史」。換言之，人類有了史，才從野蠻進入了文明，這就是史前、史後之分。史是人們紀錄人類的一切成就，其能遺留下來，那全靠人類造出文字。文字是百分之百人為的創造，故稱之曰文字。文字對於人類生活發生普遍而最具體的作用者，首在於「禮」，進而及於「法」。今少數人不察，以為天然的都是好，人為的都是不好，高唱「回到自然」，「回到公開的社會」。這就是去文留質，回到野蠻，而不知文明若不具有人為的部份，那還有什麼文明可言呢？不過太過多了人為部份，勢必引起反感。例如說：「由道而德，由德而禮，由禮而法」，人為的成份，一步比一步增多。當然，人類的個人自由為了集體條件以及社會秩序的要求，勢必受了相當限制。在誤解自由及個人主義極度發展的社會中，法律自然漸漸被看成了他們桎梏，道德當然更成了具文，社會秩序就無法維持了。我們祖先老實告訴大家，因「文」而產生的「禮」，是為民生的需要，而具有約束個人、節制個人行為的作用。所以說：「博我以文，約我以禮」。又說：「禮以節衆」。為了不單獨着重外表的行為規範的禮，同時應注重內在情緒的調和，乃又配以樂，所以說：「樂以和衆」。同時認為全講法治，而不講道德禮義，是舍本逐末，難以治人的。所謂、禮治者，即指我國極大多數的人民，均知自愛，國家雖有法律，而竟無所用之謂；並非指國家不必有法。惟認法律為萬能者，則又大錯而特錯了。總之，過猶不及，太過「文」或太過「質」，都有缺點，所以以人來說：「文質彬彬，然後君子」。又說：「禮之用，和為貴」「禮，與其奢也，寧儉」。使人為部份與自然部份配合得宜，才最合理想，這就是「中」；使多數人能夠適用，這就是「庸」。

三、我國文字之藝術化與科學化

講到文，應先講文字。世界諸文字中最藝術化與科學化者，莫過於我國文字，他是集人類一切文字構造及方法之大成——六書，而其極大多數字為形聲字。故每一字為一幅畫，分之合之均極美觀，而可懸諸壁上以供觀賞，此為任何文字所未具有之優點。其分類則以天、地、人、物為對象，極合科學分類方法。例如日、月、星、辰、風、雨、雷、光等之於天；水、火、木、金、土、石等之於地；耳、目、口、鼻、舌、心、毛、骨、手、足、父、母、子、女等之於人；馬、牛、犬、虎、豕、鳥、魚、蟲等之於物。試觀世界任何文字有無凡金屬均有金旁，鳥類均有鳥旁，光類均有光旁，與眼有關者均有目旁否？其餘均可以類推。見其形而知其屬類，讀其聲則知其意義。苟非我祖先之智慧超羣，遂漸改進，曷克臻此？在文法方面，無冠詞及性別之複雜如德文者；無時態及數式之複雜如英文者；無一至十數字不全如法文者；其他優點，不勝枚舉。以如此之藝術化及科學化之文字以構成文章，不藝而自藝矣。少數人不察，惟洋是崇，或竟欲使之「羅馬化」或「簡體化」，而不思隨時代之進化，予以充實，不知在教法方面予以改善。至於簡體字，不妨納入草書之中，則省時、省事之目的已達，固不必毀壞正體字以求便民。以吾國幅員之廣，人口之衆，苟無先民遠大眼光，使之「車同軌、書同文、行同倫」，則統一之局，如何能保？破壞文字之統一企圖者，可以休矣！

（未完）

昨日與明日

何必舍近求遠？

若干年來，隨時見有中華民國的各個行政機構，派員赴歐美國家——特別是美國——去考察政治經濟和交通方面的建設情形，回來提出報告，敘述得頭頭是道，振振有詞。事實上，考察歸考察，迎頭趕上卻離題甚遠，這不僅是能力問題，環境與內在條件的關係亦很重要。結果派員出國考察這回事，乃成了無裨實際的官樣文章，徒然浪費財力而已。

政府如果真要取法別人的建設實況以資改進，不得不派員出國考察，我認為大可不必遠去歐美，勞而無功，香港近在咫尺，且係華人社會而具有現代化建設規模的都市，何不派遣適才適任的人員，到這外國管理下的地區悉心考察，引為圭臬呢？

自一九四九年以來，香港以原有六十萬居民的狹隘都市，到今天已容納了四百萬人。當地不特沒有生活資源的生產物可以開發，連居民不可一日或缺的飲料水、米糧、蔬菜等，亦須仰給外來的供應。至其褊小的天然環境，使民衆的住、行問題大感困苦，而治安之維持，衛生事宜之改進，比較普通都市更艱難百倍。可是，管理衆人之事的政府，計劃周詳，知所先後，二十年間的改進工夫，住的問題粗告解決，飲料亦差堪自給，交通情形雖不免擁擠，然秩序井然，車禍殊不多見，電力尤充裕無缺，咱們國內商家為逃稅而具備着兩種帳簿的怪象，香港絕無其事。這些艱困的建設過程，不值得咱們的官吏考察研究，藉資借鏡嗎？

香港居民百分九十五以上都是中國人，在國內的社會中，有許多不良習慣為隨地吐痰，娛樂場所黃牛充斥，乞丐或孩童們糾纏外來游客索錢，或強售土產物品等情事，在香港即很少發現，這原因何在，亦大有考察研究的必要吧！

上述各項建設事業，耗費自然鉅大，然當地政府每年還得繳交英倫政府幾十億港幣，這些錢是那裏來的？大部分皆是居民納稅而來，賦稅雖繁重，人民尚未感到無法生存的痛苦，這又是使用甚末法術所致呢？一言以蔽之曰：那是依照「藏富於民」的原則，有計劃有步驟地從事建設。例如人民斥資在偏僻地區建築房舍，政府即無條件為之開闢馬路，供應水電，決無需索留難之處。等到住宅日多，交通、水電皆齊備了，地價自然高漲，地租隨之激增，政府的收入額，視當初為人民闢道路，供水電費何止倍蓰，這更值得我國的行政官吏特別留心考察研究啊！

所以，咱們若要派員出國考察，事實求是，即不必舍近而求遠，香港乃是最適當的去處也。

何如

自由談

發展科學之道

時至今日而倡言發展科學，只覺得有些落後，斷斷乎沒有人反對的了。不過，發展科學不是隨便可以倖致的，必須遵循着一定的軌範，配合各種條件，按步就班的努力進行，庶幾可望有成。開拓科技專家就業與研究學術的環境等，都是必要的措施，缺一不可的。至於讓科學人才，創進工業基礎，阻滯科學研究前途，行政業務極其繁頤，而且賦有藝術性的，凡對自然科學有成就的人，他的心情和生活習慣，即與仕途格格不入，只有冒牌的假科學人物，纔對作官感到興趣。真的科學人才即或願意從政，想藉政治地位以期施展其所學，造福人羣，若沒有其他的條件相配合，亦是枉然。四十多年前，丁文江以純科學家受江蘇督軍孫傳芳特達之知，出任上海市政督辦，結果一籌莫展，鎩羽而去。若夫地質學家翁文灝一行作吏，成就毫無，徒然將其蜚聲國際間的「北京地質研究所」亦弄垮了。這是糟塌了科學人才，對國家沒有益處。

人類要享受物質文明生活，固然非發展自然科學不為功。但人類的生存價值，決不是只為着物質生活的享受，精神文明尤其重要，所謂精神文明即是一般社會科學。現代物質文明最發達的國家，首推美國，從電氣化的日常用品，乃至於原核子武器等，莫不超越全球。可是，由於偏重物質文明而漠視精神文明之故，一般民衆沒有倫理道德觀念，一般智識青年以頹廢墮落（如吃迷幻藥，扎嗎啡針）為時髦，大學生要求男女共宿舍，主張學生治校，曾是第一夫人的孀婦，攜帶子女出國參加自己再醮的典禮，然後送回老家來，恬不為怪。凡此種種弊害，蓋係只圖物質享受的應有結果。

孔子云：「質勝文則野，文勝質則史」，史也者，文化精神之謂也。今日美國是「質勝文」，宜乎全社會充滿着鄙野氣氛，經常亂嚷嚷，固有的一點宗教精神亦式微了。咱們算是「文勝質」的國家，應發展科學，却不可視科學為萬能，而忽略人文生活的重要性。高談發展科學者，其三思之！

馮五先生

文教界的奇聞

[illegible]

諸葛文侯

中華民國文教界有一種奇特的現象，令人莫名詫異，即在學術界沒有地位而又并無著作的人，居然主管學術審議，核定研究教授以及各大學博士、碩士資格這些文教宏業，雖經輿論不斷指摘，立法委員正式向行政院提出質詢，他依舊好官自為，睥睨一世，不亦怪哉！筆者與這位文教界大亨素昧生平，絕無私人恩怨可言，基於正義公道的心情，不能默爾而息也。

現任教育部「學術審議委員會主委」兼國家科學發展委員會「研究教授審核委員會」主委兩要職的某先生，論理，他應該是學術界的泰斗而為士林所仰望的儒宗，著作縱不等身，亦必有傳世之作問世，然二者皆付之闕如。或者他在文教界多所建樹，績業斐然，有如蔡元培先生一流人物，公爾忘私，堪以領導羣倫，博得社會大衆的崇敬，然他殊不足以語此。再則他能以清高的資質，為國家主持文教方面的發展事宜，日尚有功，成效卓著，亦不失其為優良的行政人才。可是，他在這方面的表現更糟，可謂一無是處！

「研究教授」之役，弄得有口皆「悲」，輿論譁然，已是世所周知的笑柄了。假如我是處在某先生的地位上，主持「研究教授」的去取這回事，最低限度，我自己決不願意入選，以免貽人口實，說是自己選拔自己。這在對中國固有文化有領畧的人，亦會表現這點做人的風格的，為着每月增加幾千元台幣收入，而作此「見利忘義」的勾當，所得者甚小，所失者却太大，何必呢！若以「研究教授」這項榮銜為可貴，未忍割愛，非爭取不可，那更是俗不堪耐的陋之見。百多名的「研究教授」之中，縱能佔得一席地，又有甚末光榮可說嗎？蔡元培先生并無研究教授或博士頭銜，但在文教界的聲譽崇隆，許多洋博士洋碩士皆望風景從，自慚形穢，實至則名歸，空頭銜何足道哉！唯通人乃能脫俗，如某先生的立身行己之道，可以襲取崑劇「販馬記」的一句名詞作評曰：「欠通呀，欠通」！

據說：某先生在「學術審議委員會」的作風，對於博士、碩士論文，凡是用文言文寫的，根本就不屑閱覽；用白話文寫的，雖有受審資格，但塞在床下或廢紙堆中，經過一年半載後，尚未寓目，須有人事關係，多方拜託，纔可望博得他的青盼。至其審議標準，既有文言文與白話文的成見在胸，此中即已失公允的衡文守則，不知埋沒若干績學之士。這樣辦法與玩政治何殊，跟發展文化教育的宗旨，相去遠矣！

就學術問題設想，「研究教授」和博士、碩士獲雋的，不特要公佈名單，尤應將其所據以及第的著作或論文，公開發表，俾衆周知，示大信於天下，以資激勸。過去科舉時代，自舉人以上的各項科甲及第的「闈墨」，皆印成專帙，散發社會各界人士觀摩，良有以也。可是，某先生持核定的「研究教授」著作，和博士、碩士論文的結果，皆秘而不宣，好像是見不得天日似的，真令人莫測高深。

綜觀上述事實，我們認為政府主管機關應該有所警覺，把某先生主持的兩項關於學術審核業務，必須特加整飭，銳意改進纔是吧？

經國濟民之學與文言白話之辨（下）

・余迺永・

神州陷匪，舉肘異族，伏思救亡之法，捨惟復興文化無他途。然文化之興也，非定關乎國族者，十五世紀文藝復興之意大利即殷鑑也。是今日所謂文化復興者，厥在謀求國族之獨立自由為標的。西哲里格爾有云：「國家者，乃普遍意志與全體意志之合一體，個人惟在此普遍意志中，乃能發揮其自由」。又「惟有能組織國家之民族，乃能列于世界歷史中」。又云「凡一切精神之實在性（SPIRITNAL REALITY）惟在國家之中，乃能保有之」。文化本乃為國家民族所保有，今日國家衰亡，自應重整文化，以維國家民族於不墜，質言之，則以我華夏之文化，始足以用保我華夏也。何則？蓋一人有一人之處事態度，一國有一國之處事態度，由是構成各國特立獨存之文化，故文化為國族之本位，文化亡，國族未有不亡者。

文化之基也，繫緒語文。故吾人既以復興文化為挽救國家民族之道，即必自推行國文教育始也。然積五十年之凋敝，國學典籍已非一般學人所能通曉，今後維賴研讀國文者速擇古聖賢之微言適用於今日者，語譯譴輸於吾民殆為第一要義。然此又非影響國文之發展與吾人專研之方向乎？是又有不得已者也。

吾人當國族存亡之秋，國文學者對吾文化之低落，實乃責無旁卸。嚴復云：「超俗之士，厭制藝則治古文詞，惡試律則為古今體，鄙摺卷者則爭碑版篆隸之上游，薄講章者則標漢學考據之赤幟。於是此追秦漢，彼尚八家，歸、方、姚、劉、惲、魏、方、龔、唐祖李宋杜，祧蘇董，七子優孟，天家鼓吹；魏碑晉帖，南北派分，東漢刻石，北齊寫經；戴、阮、秦、王，直闖許鄭，深衣幾幅，明堂兩個，鐘鼎校銘，珪琮著考，秦權漢日，穰穰滿家。諸如此倫，不可殫述，然吾得一言以蔽之曰無用。非真無用也，凡此皆富強而後，物阜民康，以為怡情遣興之用，而非今日救弱救貧之切用也」。

語釋古籍之功，非獨可使先聖精義傳之民衆，且于今世界文化交流日亟之際，使吾民洞悉己文化之長，然後再取外族之精粹補苴而不失我文化之本來面目，實更切要。即撇開此民族文化之論調不言，為世界之和平幸福計，吾文化猶應置諸四海，橫于天地。此非吾人夜郎自大之言，蓋今日之世界接觸頻繁，已無地域之限，而文化精神之長期交流，以歷史眼光觀之，不論和戰與否，俱有大同之日。於文化之精義而言，世界文化無出中華文化之右，實乃世界人類共同幸福之基礎，試觀自來倨傲之英人羅素（RUSSELL）「中國之問題」書中云：

「吾人文化之特長為科學方法，中國人之特長為人生究竟之正當觀念。」「中國人所發明人生之道，實行之者數千年，苟為全世界所採納，則全世界當較今日為樂」。「吾人深信自己之文化與人生之道，遠勝于他族，然苟遇一民族如中國者，以為吾人對彼最慈善之舉，莫若使彼盡効吾人之所為，此則大過矣。以予觀之，平均之中國人雖甚貧窮，但較平均之英國人，更快樂」。「其在中國，人生之樂無往而不在，斯中國之文化為予所讚美之一大原因也。」「好動之西洋人處如此之社會，幾失其常度，而不知向日所為之目的何在。及夫為時漸久，乃知中國人生之美滿可貴，故居中國最久之外人，即為最愛中國之人。」可知吾胞之血液中，實有倫理原素，此或乃孔孟之倫理人人俱能實行，潛修既久而為一自然生活矣。（引用俄人克斯爾林之言（KYSERLING）故「中國道德教訓方法，合該為各國模倣」。

極端西化者，往往炫惑於西方之極度文明，孰知文化與文明本自不同，倫理精神與科學，一在人情，一在事功，相輔而不相悖。試觀歐西由于極度文明之結果，初期向外掠奪，演成利己殺人，寡廉鮮恥（見嚴幾道與熊純如書札節鈔，錄五十九）急速殘忍之帝國主義，如此長期忽略人性，遂至人年青人以墮落，頹廢，總橫流，藩籬盡撤，無所林向，即表現於人文科學者，如野獸派，達達，普普等之藝術，莫非暴露人類原始獸性，擺脫傳統教養，已至直情徑行，禽獸所行之道。國之將亡，必有朕兆，禍福必先知之，吾今若全盤西化，則數十年後，步歐美後塵，同趨毀滅而已。人之謂人，非謂二足而無毛也。國父講演「大亞洲主義」（總理全集二頁）云：「歐洲的文化，……還有一種文化，好過霸道的文化，這種文化的本質，是仁義道德……自歐洲的物質文明發達，霸道大行之後，世界各國之道德，便天天退步。……近來歐美學者，稍為留心東洋文化，也漸漸知道東洋的物質文明雖然不如西方，但是東洋的道德，便比西方高得多」。[illegible]之甚，必為天演所滅。蓋人初以去私存公後能首出庶物，戰勝自然，是故人治之功也。人治所以平物競，物競平，民獲息肩之所，休養生聚，各長子孫，直是以往，小邑自信以有限之地產，供無窮之滋生，不足則爭，爭則干戈又起矣。是物競於人治之天成，而戰亂又伏於人治之後。今日世界人口不斷擴張，而直情徑行，不修其德，其竟必至爭亂；惟是核子武器威力之大，則天下不戰則已，一戰則天下生民，莫非[illegible]士。我文化兆人道大端，實為救此混沌世界之道也。

孟子曰：「生於憂患，死於安樂」。今吾族所處者，可謂五千年未有之大劫，唯以文化教育之覺醒，以文化教育之重整入手，即未始非天將降大任於我民族[illegible]世界，[illegible]推行我中華文化，[illegible]不充之不足以保天下，苟不充之不足以保吾國之地矣。（完）

本港權威報著論分析
我國將迅速援東埔寨
雙方互換大使接近完成階段
軍事或非軍事援助很快決定

本港消息：據一家銷數相當大的快報著論分析，台北將軍援東埔寨。

原文謂：「東埔寨現正積極展開一項爭取亞洲國家援助的外交行動，金邊的一個高級代表團，業已啟程飛赴星加坡，接着便將分赴吉隆坡、台北和漢城訪問，以便與馬來西亞、中華民國、大韓民國等商訂具體建交的事宜，據金邊的一位高級外交官員說：我們極願與各方建立外交關係，尤其是那些願意援助我們對抗北越及越共作戰的國家。關於中、東兩國建交的進行，該官方人士暗示，雙方互換大使的談判，正式在曼谷進行中，並已接近完成階段，不久即可發表公報。照此推測，當金邊代表團抵達台北之日，亦即為中東建交順利實現之時。

東埔寨為了爭取外界援助而急於與各亞洲國家建交，其立塲鮮明，無待解釋，中華民國所能給予東埔寨的援助如何，也許台北已作審慎的計議，外交部發言人魏煜孫對中東問題，起初發表談話，謂「台北正考慮予東埔寨非軍事性的援助」。隨後透過中央社將「非軍事性」四字刪去，這說明了台北將軍援東國。

我們知道，中華民國所給予亞非國家的援助，都是技術性、經濟性而非軍事性的，而這些受援國家，除南越以外，國內也都沒有抗共戰爭的發生，自然也無給予「軍援」的必要。可是今天東埔寨的情況卻不然，它正要和入侵共軍作一塲生死戰，但以本身條件的不足，[illegible]得各自由國家的[illegible]援助。在這種情況下，假如我們的對東援助祇能以「非軍事性」為限，[illegible]意義嗎？[illegible]剿共進行中，農耕隊的工作不容易展開，就算給予他們若干水泥和食米，對剿共軍事必即有顯著效果。東埔寨好像是個患有「急症」的病人，需要儘速動手術，台北果能於此緊要關頭，予以某種程度上的軍援，對這個急症病人，多少總有點幫助。

不過，我方軍事發言人在談及[illegible]電傳說中共[illegible]兩師共軍入東埔[illegible]，不敢斷言[illegible]此提出一個「是」與「否」的答案，祇是以模稜兩可的語氣，說是這種情況亦有可能。在我們看來，這種說法，實在毫無意義，更[illegible]志氣，滅自己威風，[illegible]非一師兩師軍事家所[illegible]根據這一個多月來的事實發展，[illegible]東自己的說話在內，中共根本沒有派兵入東埔寨，我們也[illegible]把外國記者的道聽途說看得太過重要，[illegible]毛澤東笑掉了大牙。[illegible]我們[illegible]於台北官方人士，故不能不在此附論及之。

喬治桑外傳 一五一

張大萬

「我已經和她聯絡好了，她在五時左右來這兒。」裘白瓊用牙齒咬住一枝濾嘴香烟，斜昂着頭，一派吊兒郎當的架子。

「那怕不大好罷，第一次約人家出來，是不是我應該親自去接一下，比較禮貌些？」喬治桑在國外日久，對於男女之間的社交儀節看得比較重。

「你少來這一套洋規矩了。我安排的事不會錯。這次請客是留蘭香糖主動的，她分明對你有點意思，你樂得以逸待勞坐等熱包子打狗。我把白妮先約來，讓她和你坐在一起，這種安排，對你大有幫助。」裘白瓊不愧是風月場中能手，狗屁倒灶的事兒，到了他的嘴裏居然說的頭頭是道。

「什麼叫肉包子打狗，真不雅，你我自己朋友，隨口說說還無所謂，讓下太太聽到多不好意思。」喬治桑正襟而坐，儼然是一副紳士模樣。

「你不知道，留蘭香糖說話向來口沒遮攔。」裘白瓊說到此處，壓低了喉嚨，「她人生得很漂亮，就是有點十三點脾氣，她的婚姻破裂，多少也與此有關。」

喬治桑知道裘白瓊了解下太太比較深刻，聽了只好不做聲。

大約是四點三刻左右，香風一陣，面前站定了一位俏佳人。穿一條迷你裙，露出線條勻稱的大腿，上身穿一件大紅大綠帶有強烈色彩的男式花襯衫，繫一條好大的領帶。

裘白瓊一看見白妮，立刻起立迎接，滿面春風地說：「我來替你介紹：這位是美國僑領桑博士，這位是頂頂大名，電影界紅星白妮小姐。」

「我叫白妮，桑博士請指教。」[illegible]

「妳和桑博士一塊兒坐，我昨晚打夜牌，腰有點酸，[illegible]坐可以舒服點。」裘白瓊隨口編了一個藉口，倒也天衣無縫。

電影明星天生是伶牙俐齒，到了社交場合，[illegible]「桑博士到台灣多久了？」白妮一落座，立即與喬治桑寒暄。

大同電風扇吹不垮高玉樹

·文匯樓主·

六月五日的台北報上消息：台北市政府發表談話，題目是用「錢多少都可，話非說不行」。原文云：「台北市政府對於議會二讀會中，刪減市長（四）日特支費一事，發表聲明。」

文滙樓別記

市府的聲明全文如下：「報載，台北市長特支費，市議會林挺生議長起初主張刪減，近忽變更態度，慮逆人情，要恢復原案，不予刪減，最後於大會中突又提出一件告密信宣讀，交付表決，結果刪至年額四十八萬元一節，其中處理經過，雖免予市民以不良印象，市府不得不向外界有所說明。

此項特支費，去年原僅列四十八萬元，今年開始編列預算，議會要求議會經費及議員待遇與出席等費，應比照省議會省議員，每人每月六千四百元，（內研究費二、四〇〇元，爲民服務費一、八〇〇元，民情調查費一、二〇〇元，大會交通費一、〇〇〇元）雖較市府一級主管待遇爲高，但市府尊重議會要求，以顧念議員辛勞，勉予同意，如數編列，故今年編列市長特支費時，亦考慮比照省主席特支費用等編列，市府並無意主張此一費用非多少不可，此爲事實真象，應予說明，以正視聽。」

同日以下午晚報又登出消息：高市長「借題發揮」，林議員「大談吃飯」。原文云：「台北市長高玉樹今天說，市議會如不刪去市府預算中的第二預備金，則市府在修水溝、舖設人行道方面，將感方便，從而對於市政建設有幫助。

高市長是在建成區公所聽到市議員林義盛的建議後，提出上項表示的。

今天上午，高市長前往建成區巡視，在區長周慶順的簡報中，林義盛會就建成區的小型水溝之修建，行人道的舖設，向高市長提出建議。高市長認爲林議員所提建議可以採納，不過，他補充說，據說：市議會已將市府六十年度預算中的第二預備金刪除，如不刪除，則市府在修水溝，舖行人道方面，將感極大便利，否則，就得再等下年度的預算了。

在高市長「借題發揮」之前，林義盛議員發表一項「妙論」。他說：建成區極爲落後，但「各方來建成區吃飯的人很多」。他認爲如能對這些到建成區吃飯的人予以抽稅，做爲建成區的建設費用，必可使建成區早日走上現代化之路。林議員講完了這一番話後，在座的市府官員，發出一陣哄笑。」

府會之間的交惡不自今日起，幾乎每天都在鬧精神戰，而高玉樹市長給市民的印象，有獅樣的勇猛，有狐樣的精滑，能攻能守，在執政黨裏，還找不出這麼一塊料材，遺憾的是，高不明白統治一個大國家，都像烹小鮮，一個府大人，更該如此，不要太過火了。搞政治一定要讀「老子」的書，書上會給你解決很多不能解決的問題。

民主政治，照西方人的習慣是由平凡的人民集會決定不平凡的事情，市政府不能以林挺生在政治上非自己對手，心理上就目無全牛，假定有這種想法，奉勸馬上「更正」。不錯，「大同電風扇吹不垮高玉樹」。但爲政之道，得人治事，二者並重，一牛，這不是一個地方官於被割去一牛，這不是一個地方官應有的態度，何况高玉樹對選民開出的支票，兌現的少，未兌現的多。

看到高市長的「借題發揮」，證明了高的精滑又不像是狐狸了，換句話，就是欠缺政治家的風度，照習慣高雅的風度，乃象徵豐富的涵養，歐美人將好的風度，認爲甚於美麗的外衣非無由也。

荀子哲學簡論（一）

周世輔

一、引言

荀子名況字卿，因避諱稱孫卿。趙國人，年五十，始遊學於齊，田駢等皆已死。齊襄王時荀卿三爲祭酒。齊人或讒荀卿，乃適楚，而春申君以爲蘭陵令。春申君死而荀卿廢，因家蘭陵。李斯嘗爲弟子，已而相秦。荀卿嫉濁世之政，亡國亂君相屬，不遂大道，而營於巫祝，信禨祥，鄙儒小拘，如莊周等，又滑稽亂俗，於是推儒墨道德之行事興壞，序列著數萬言而卒，因葬於蘭陵。（摘自史記孟荀列傳）

據「漢志」載，計有「孫卿子」三十三篇，「宋史」「藝文志」計有「荀卿子」二十卷，今存二十卷，計三十二篇。這裏分爲宇宙論、人性論、知行論與智識論、道德觀、政治觀、經濟思想、教育思想及對各家哲學的批評等，下面分別述之。

二、荀子的宇宙論 ——自然哲學

荀子對於宇宙問題的見解，可分爲自然主義與戡天主義，內中自然主義與無神論有關，戡天主義與制天命說有關。

（一）無神論與自然主義——道家論天，崇尚自然主義，屬於無神論。儒家論天，有時屬於有神論，有時屬於無神論。如說「獲罪於天」，「天喪予」，以含「有神論」的意味，如說「天何言哉，四時行焉，百物生焉，天何言哉？」似含「無神論」的意味。荀子雖屬儒家，其論天則有無神論及自然主義的見解。

天論篇云：「列星隨旋，日月遞炤，四時代御，陰陽大化，風雨博施，萬物各得其和以生，各得其養以成，不見其事而見其功，夫是之謂神。皆知其所以成，莫知其無形，夫是之謂天。」這裏所講的「天」，屬於自然主義的「天」，所講的「神」，屬於無神論的「神」，或稱神秘的「妙神」。

因荀子主無神論和自然主義，所以他不把災異與神怪連在一起，卻認爲天變乃自然界不常見之事，可怪不可畏。天論篇云：「星隊（墜）木鳴，國人皆恐，曰：是何也？曰：無何也，是天地之變，陰陽之化，物之罕至者也，怪之可也，而畏之非也。夫日月之有蝕，風雨之不時，怪星之黨見（解作頻見之意，一作儻見或甚見。），是無世而不常有之。上明而政平，則是雖並世起無傷也。上闇而政險，則是雖無一至者無益也。」可見荀子已粗具自然科學眼光，與陰陽家所說的災異大有區別。他認爲災異與人事無關，與政治無關，是自然而然的，是無法的。

天旱而求雨，雨以爲是由於求神而得，荀子不以爲然。天論篇云：「雩（求雨）而雨，何也？曰：無何也，猶不雩而雨也。日月食而救之，天旱而雩，卜筮然後決大事，非以爲得求也，以文之也（文飾）。故君子以爲文，小人以爲神。以爲文則吉，以爲神則凶。」荀子主無神論，並認爲信神則凶，不信神則吉，與所謂「國之興聽於民，國之滅聽於神」同其意義。

（二）制天命與戡天主義——孔門重視天命，如說「死生有命，富貴在天。」故主張順天。墨子尊天而非命，雖反對命運猶重視天志（天意），亦主張順天。獨荀子從無神論的立場，而主張戡天。

天論篇云：「大天而思之，孰與物畜而制之？從天而頌之，孰與制天命而用之？望時而待之，孰與應時而使之？因物而多之，孰與騁能而化之？思物而物之，孰與理物而勿失之也？願於物之所以生，孰與有物之所以成？故錯人而思天，則失萬物之情。」上面這種戡天主義，類似英國培根的征服自然論，如果國人能早予發揚，可能在中國產生了自然科學。

曾國藩說：「盡其在我，聽其在天。」荀子則以爲應敬其在己者，而不應慕其在天者。他說：「若夫心意修，德行厚，智慮明，生于今而志乎古，則足其在我者也。故君子敬其在己者，而不慕其在天者，是以日進也。小人錯其在己者，而慕其在天者，所以日退也。故君子之所以日進，與小人之所以日退，一也，君子小人之所以相縣（懸）者在此耳。」所謂「敬其在己者」，可視爲只重視人事，只「盡其在我」；所謂「不慕其在天者」，可視爲不重視天命，不「聽其在天」。這就儒家思想論，頗含有革命的精神。

三、荀子的人性論 ——性惡說

荀子有一種震動古今而且遭受嚴厲批評的學說，就是性惡說，但據著者的看法，他雖講性惡說，但認爲人性是進化的，故又可稱爲進化的人性論。

（未完）

說曹操

（十九）

李漁叔

許攸在曹袁兩軍對壘時，棄袁歸曹。曹軍的獲勝，關鍵全在此人，因爲他洩露了袁軍的秘密，教令曹軍攻擊對方屯糧之地，因而瓦解了軍心。可是他立下如此大功，後來竟不知道他的下落了。魏志只在卷十二崔琰傳內，帶過一筆，說是：

「太祖性忌，有所不堪者，魯國孔融，南陽許攸，婁圭，皆以恃舊不虔見誅。」

原來他是被殺的，他的罪名，只是「恃舊不虔」四字，也太簡略了。再看魏略，則頗記被誅始末：

「紹破走，及後得冀州，攸有功焉。攸自恃勳勞，時與太祖相戲，每在席，不自限齊，至呼太祖小字曰：『某甲，卿不得我，不得冀州也。』太祖笑曰：『汝言是也。』然內嫌之。其後從行至鄴東門，顧謂左右曰：『此家非得我，則不得出入此門也。』人有白者，遂見收之。」

呼小字某甲，就是叫孟德的小名阿瞞。在袁紹破後，孟德的功名益盛，許攸雖是老友，但也應當有點分寸，這樣就未免太任性了。

再其次是劉華（日旁）和董昭，劉華是經過汝南許劭月旦過的，說他有佐世之才。孟德也極看重他，投以心腹之任，遇有疑事，卽以函問他，至一夜之間達數十次。爲人巧詐，與董昭的謟佞是一個類型，孟德的加九錫以及魏公魏王的名號，都是董昭創的，是清一色的曹黨。

此外曹家的將領，有曹仁、曹洪、曹休等，皆能獨立作戰。夏侯家則有夏侯惇、夏侯淵、夏侯尚等，魏志說他們以「親舊肺腑，貴重於時。」夏侯淵只是一勇之夫，魏志武帝傳，載淵「與劉備戰於陽平，爲備所殺。」淵的本傳也說是「分兵助張，爲劉備所襲，淵遂戰死。」張郃傳則說是「短兵接刃，淵遂沒。」並不如三國演義所說，被老將黃忠用拖刀計陣斬的。戲劇小說的定軍山，各書皆無根據，想來是純出臆造了。至於夏侯尚，在平劇中，只是一小醜式的三四流腳色，而魏志本傳完全不同，他係夏侯淵的姪男是不錯的，他做過軍司馬，但亦曾任五官將文學（曹丕曾充五官中郎將的簡稱，文學是當時的官名，約如秘書之類）遷黃門侍郎。後來官位漸顯，封平陵鄉侯，官征南將軍，領荊州刺史，都督南方諸軍事。他的兒子夏侯太初（名玄），也是一代名士，文武兼資，曾任征西將軍，都督雍涼州軍事，後爲司馬師害死。

至於曹氏的政治幹部，始終負重責大任的，爲鍾繇、華歆、王朗三人。鍾繇在曹氏的地位，頗像沛公的蕭何一樣，他老是留守關中，雖亦間常出去作戰，但不如蕭何的時候爲多，地位至相國、太傅，久典刑獄。曹丕篡漢，還是作大理及廷尉，長理法曹。和華歆王朗皆以前朝老臣，寵錫殊禮，曹丕曾目這三人爲一代偉人。並說：「後世難繼。」

（未完）

安徽十三傑

諸葛亮狂想曲（一二九）

·劉玄·

這都是諸葛亮先生之功也。」劉約翰報告了張素梅現況，順便又捧了諸葛亮的場，但諸葛亮聽了卻不是味兒，覺得他自己沒有提倡國樂，有違中華文化之旨。

「鋼琴音色雖然宏麗，但有金鼓殺伐之象，究不若七絃琴之溫柔敦厚也。」諸葛亮說罷，嘆了一口氣，似有無限感慨。

「先生語重心長，我極表同感。但中國七絃琴已經沒落，無分人間天上。反過來說，鋼琴在樂器中卻已奠定了它的世界地位。」劉約翰用小茶匙攪拌着咖啡，態度閒適。

「我深知命運、氣數玄妙之理。譬如：當年我設七星壇求壽，本來算定有百分之百的把握，不料魏延闖進來，踏滅了一盞燈，竟致功虧一簣。我雖鞠躬盡瘁，仍然無法完成一統的漢業，這是「氣數」，非人力所能挽回。」諸葛亮忽然發出思古之幽情，足見杜工部詩：「出師未捷身先死，長使英雄淚滿襟。」並非隨意揣測之詞。

劉約翰看見諸葛亮的鬍子又白了不少，天庭歲月雖與人間不同，但蟠桃三千年一熟，除了大仙大佛，一般普通仙家還是要老的，不過老的時間很慢而已。

劉約翰與諸葛亮已有深厚的友情，覺得像這樣聊下去，諸葛亮會有很多感傷，以改變話題爲宜。遂開口道：「剛才先生說，星君能將獼猴變化爲人形。我聽了非常有興趣。據說莊子在夢中曾化爲蝴蝶，栩栩如生，亦幻亦眞。我想請星君將我當作試驗品，變作蝴蝶，讓我體驗一下萬物同體的境界。不知先生以爲如何？」劉約翰看着諸葛亮，靜候他答覆。

「你的想法很有意思。生命是最神妙的，誰是我？我是誰？在佛家的解釋與儒家顯有很大的區別。你有意自己去體驗一下這種妙境，我很贊成，不過，星君肯不肯作此試驗，我却沒有把握。」諸葛亮是很有學問的人，隨便說幾句話都有至理存焉。

「所以必須先生代向星君懇求了。」劉約翰眼中帶有期待之色。

諸葛亮沉吟了一下，說，「好罷，鑒於你有此誠意，我姑且試一試。」他走至漢玉八卦爐旁，用傳心術與太白星君通了音訊。

「怎麼樣？」劉約翰很急切地問諸葛亮。

「我和星君約定，明天早上八點鐘到他那裏。並且告訴他帶你一同去。」諸葛亮將通訊情形告訴了劉約翰。

「謝謝諸葛先生，明天一早我再來，跟先生一起去。」劉約翰說完鞠躬告退。

第二天早上七點多鐘，劉約翰卽到了諸葛亮的住處，等到七點五十分，諸葛亮偕劉約翰坐上他的雲車，一同出發。

劉約翰雖然與諸葛亮相識日久，坐他的雲車還是第一次，這雲車是木頭做的，不用機械却能凌空行走如飛，劉約翰暗暗稱奇。

巨變歷險記！

爬山洞（三）

胡慶蓉

半開，我好像說過，是雲南當時的貨幣，故有雲南半開之稱。在名義上是大洋的一半，半開者，一個分成兩半也。這是雲南通用的貨幣。走路，旅行非帶半開不可。本來丁博士是有的，但沒有拿出來。要是拿出來，多給老先生幾個，那該是多麼好！至今丁博士尚耿耿於懷者，就是他騙了老先生，他許了老先生，他要再給老先生二十塊，等老先生送他到鷄街的時候。但到了鷄街，他並沒有能夠兌現，枉使老先生空希望一陣。老先生送丁博士到鷄街，他還帶着他的酒瓶。他原希望能收到丁博士的錢買酒喝喝，但他現在是失望了！……

老先生送丁博士到鷄街，眞可謂仁至義盡。沒有老先生送丁博士，丁博士是萬難出去的。從老先生這個村子到鷄街，經過無數的小山，轉來轉去，沒有老先生解圍，更難脫手。一起又一起的，都是地方的惡少，地方的土共，在蒙自失守之後，他們專門攔截流落的官兵。

他們藏在山裏，看丁博士經過，呼喝一聲，四面八方，蜂擁而上，將丁博士圍得水洩不通，堅持要把丁博士留下，交付人民解決。兩次都被老先生義正詞嚴的予以擊退。對於萬擧詩的證明，這些年輕人都認爲不可靠。他們非要把丁博士留下不可。老先生兩次都苦口婆心的予以說服了。老先生可謂仁者矣！仁言利薄，誰曰不宜。

到了鷄街我僞稱我去車站打聽消息，把老先生放在鷄街大門前。丁博士到了車站，他就沒再回了。車站的站長，對於丁博士的突然蒞臨，感到無限的驚訝。在這以前，丁博士的專車，丁博士同李彌的專車，丁博士同副軍長的車，同彭副軍長的專車，同……的專車，常常來回，站上的人員對於丁博士都不陌生。曩昔，恭迭恭迎如儀者，今則冷冰冰的帶着不睬的樣子。不過，還好，他們告訴丁博士：「共軍下午可以到達鷄街，請快快的離」，「鷄街的廿六軍全部撤了」！

丁博士也很知趣，即刻出站，……沿着鐵道前進。出站還要鑽很多的鐵絲網。在這時候，什麼也不能顧了，什麼也顧不得了。鑽就鑽，伏下身去，一道一道的鑽。最後一道，是車道上的大門。從此就漸漸的上坡。前邊就是長達幾公里最長的一個山洞。從這前往就是個舊，雲南出錫的地方。因爲無路，只有山洞，也只有鑽了。這倒不是鑽，這眞正的是爬。洞長，進口不遠，就漸漸的黑了，以後越深越黑，越黑越深，到一個時候，呼吸都感到吃力，感到困難。黑漆漆的，張眼望不見東西，像狗一樣，俯下身去，兩個手摸着地向前爬。恐怕火車出來了，不敢站在道上。靠又不敢太貼近，恐怕有什麼……。不知道多長的時間，終於爬出去了。恐怕在裏面已有三四個鐘點。出洞口，又是個車站。又那裏去呢？……

（未完）

明毅宗自縊煤山

命相与夢話

漢平

明毅宗乃光宗第五子，姓朱名由檢，母賢妃劉氏早喪。天啟二年壬戌，年十二歲封信王。天啟六年十七歲，十一月出居信邸，八月，熹宗病篤，召王入宮受遺命。丁巳即皇帝位，大赦天下，以明年戊辰爲崇禎紀元。至十九歲，帝乃沈機獨斷，剷除奸逆，誅魏忠賢，以及其黨羽崔呈秀之尸，慨然有爲。但無奈流寇李自成、張獻忠又爲禍於內，流寇橫行，民不安枕。又有孔有德、耿仲明、尚可喜、洪承疇之降清；盧象昇、朱國良、陳長謨、張可大戰死；太監張彝憲、李奇茂等只知催偪民，賢相徐光啓天不假年，誤官朱可久言不見信，干戈鼎沸，險象環生。延至十七年甲申，三月乙巳，李自成直犯京師，京營兵潰。丙午日晡外城陷落，是夜皇后周氏崩。丁未昧爽，內城又陷，帝崩於萬壽山。南都諡思宗烈皇帝，後改諡「毅宗」，清諡「懷宗端皇帝」。毅宗之造：

明神宗萬曆三十八年十二月二十四日卯時生。崇禎十七年三月十九日丁未自縊卒，八字爲：辛亥、庚寅、乙未、己卯。「三命通會」僅云「毅宗帝造八字」，「明崇禎英丙運失國」九字而已。漢平按帝造：日幹之乙與月幹之庚，並肩而立，陰陽聯合，未從化金，月枝寅戌甲，日枝的未藏己，相近相親，共同化土，與乙日庚月之化金，也是唇齒相依，非惟金得土生，且可上下交孚，更兼時幹的己，根中引丙，化土生金，與夫命宮庚子，幹爲橋系之將助，枝爲日主的貴人，格局清奇，規模偉大，故能以行列第五之人，而承膺大寶，否則雖爲天潢貴冑，亦不免有向隅之歎。所措的年幹的辛，暗中引丙，化水滅金，一年枝亥，時枝卯，又會寅月生木，其如本局。林林總總，氣象森森，雖然木畏金剋，然使得乙庚失令之化金，斷難剋多數之盛木。文子有云：「金之勢勝木，一刃不能殘一林。」此之謂也。不幸此月枝的寅，雖爲乙庚化金的恩物，其如適値亡神，時枝的卯雖爲日主之將星，其如劫會木侮金。帝雖優勤，勵精圖治，其如朝廷之官，門戶紛爭，慢何！或者有人說，十八歲大運癸亥，位，而又沈機獨斷，剷除奸逆，其故安在？以上的說法，不過遇辛亥大運之乎，使貴人陥日主之將星，於選日之俗說，而藉宜用之也。

十九歲至三十一歲，仍在子運，雖經過戊辰、己巳、庚午等犯忌流年，貴人之權力尚未全衰，即洪承疇亦尚降賊，慨然有爲。誅魏忠賢、崔呈秀之戶，故能十二歲交入丁運，歲値辛未，天幹化水，地枝會木，忌神得勢，故清兵犯闕，地枝西來衝卯，故張彝憲請催逋負一千七百餘萬，以致民不聊生。雖有范淑泰直諫，亦旅順，而大學士徐光啓亦死。

二十九歲正行亥運，主申，戊能火化爲忌神，申來衝寅，尤非佳兆，即不論戊王肝膽，其弊已不勝言，而盧象昇戰死於鉅鹿，及至三十三歲年，實行癸運，歲値王之丙，太歲之丙與大運歲枝的午，又與生月以清兵竟克松山，洪承疇降清，大勢已去。

三十五歲仍行丙運，歲値甲申，小限丙寅，不僅二丙合辛，助紂爲虐，即寅申衝擊，亦足以使寅庚化金的根本動搖。雖有甲字化土亦難挽頹勢。尤其可怪的是，三月乙巳，李自成犯京師，京營兵潰。丙午日日晡城陷，是夕皇后周氏亦崩，丁未昧爽，內城陷，帝復崩於萬壽山。查此三日，幹爲乙丙丁，枝爲巳午未，火勢炎炎，如焚如燬，致使乙庚化金的正格完全消滅，孟子曰：「莫非命也」，豈不信歟！（完）

國醫與國藥

發揚中醫是國家的光榮（上）

吳惠平

國際鍼灸學會第十屆大會，於中華民國四十八年五月在法國巴黎召開，惠會60 BOULEARD DE LATOUR-MAUBOURG 席會議，承各國代表對中醫鍼灸備極重視，在個人來說，固然是一件非常光榮的事，但對於宣揚國粹，增進國家的榮譽，旅歐華僑均稱有莫大的貢獻。

民國四十八年二月，我國駐法大使館陳公使雄飛，獲悉國際鍼灸學會第十屆大會，即將召開一連四天會議，曾急電報告外交部，說明鍼灸在歐洲方面之盛況，以及外交方面之重要，與匪正在滲透，希我國從速派代表爭取出席等等。外交部即將此大使館電文轉致內政部，內政部長田炯錦，於民國四十八年十二月四日，通知中國鍼灸學會稱：「一、關於法國鍼灸學會召開第十屆國際鍼灸學會大會事，據悉共匪已接受邀請參加。二、希迅即聯繫申請入會，爭取邀請。並將辦理情形隨時具報。」中國鍼灸學會即日舉行理監事聯席會議，推定惠平擔任代表，爭取出席。

當我準備出席此項會議之際，即洞悉共匪有陰謀，故我深切地感覺到此行任務重大，惶恐之餘，乃抱定了犧牲決心，爭取此一會議出席權。並力謀掌握機會，將我國固有良好的中醫鍼灸學術，在此會議中能受國際醫界重視，以達永保無失，乃爲我積極準備的唯一目標。

我的法國學生臘味愛醫師，他是一位堅強的反共者，將我著作，鍼灸學等一類的書籍，譯成法文，在彼國作爲教本。因此，我到達巴黎，極受歡迎。當此一消息傳至匪區，匪帮代表，知難而退，未去巴黎。我那次帶往拙作鍼灸基礎學，生理學與風濕病專著等一千冊，分送與會卅五國代表，大會主席台前分別懸有我與德拉裂會長之作品經穴掛圖，並推我與德拉裂擔任大會主席，惠平在四天會議中被邀請發表多次演講，故曾獲得大會發給我榮譽狀及金質獎章，會中決定我與德拉裂聯袂擔任國際鍼灸學會第十屆會長，在職權上的劃分是德拉裂負責歐洲方面會務，而我則負責亞洲地區的會務，中醫鍼灸學術之所以能獲得國際人士之重視，並非惠平有所發明，乃有賴於我中華民族世代祖先所遺之寶貴醫學，以及吾道同仁不斷精心研究之所致。我負責國際鍼灸學會亞洲區會務後，在民國五十一年十月在台北市中山堂主持過一次國際鍼灸大會，十五個國家地區的代表，對大會頗多貢獻。

成語選粹（29）

中流砥柱

李國良輯

丁鶴年自詠詩：「長淮橫潰浪非輕，坐見中流砥柱傾。」水經河注：「砥柱，山名也，昔禹治洪水，山陵當水者鑿之，故破山以通河，河水分流包山而過，山見水中若柱然，故曰砥柱。」世因謂人之獨立不撓者曰「中流砥柱」。

自由詩壇

和白翎兄憶江南原韻

羅倚

柳搖金線離波豔，花發紅香蝶夢酣。海上廿年淹滯客，筆尖描出好江南。

和白翎兄憶江南原韻

莫嘯

一簇春水綠於藍，瘦對西湖酒半酣。亂世功名天外老，小窗風雨夢江南。

和白翎詞長憶江南韻

曾啓倫

酒載閩江水蔚藍，客中回首興初酣；杜陵與我同心事，春日盟鷗舍北南。

第六章

索燕粮金人南侵　定內禪徽宗東奔

朱勔聚於東南。王黼、童貫又從而結怨於遼、金，創開邊隙，使天下大勢，危如絲髮。此六賊者，異名同罪，伏願陛下禽此六賊，肆諸市朝，傳首四方，以謝天下。」

當時民間有一種謠言說：「城門閉，言路開；城門開，言路閉」（城門閉即守，城門開即降之意）。欽宗知輿情所在，對於以上六人實難庇護，便詔李彥賜死，朱勔放歸田里，並貶王黼於永州，（湖南陵零）。李綱、吳敏力請斬王黼，以平衆怒。是時王黼、蔡京等一干奸佞，早已準備應變，收拾行裝，美女玉帛，挾之南行去了。開封府尹聶昌，激於義憤，暗使武士追王黼於雍邱（河南杞縣）殺之，以其奸首歸報，託言爲盜所殺。太上皇徽宗也打算東奔。在此時此地來說，欽宗已算從諫如流，懲惡勸善，頗快人意。無奈人心已去，狂瀾已倒。

金兵猛進，兵抵黃河濱，守橋士兵望見金兵旗幟，急焚橋遠遁。金兵取小舟渡河，騎、步卒渡了五日，不見南軍蹤影。金兵皆大笑道：「南朝可謂無人之甚。若用二千人守河，我等安敢渡河哉！」金兵渡畢，遂攻進滑州。守臣何灌望風奔潰。警報傳入朝廷，太上皇急命東行，命蔡攸爲上皇行宮使，宇文粹中爲副，奉上皇出京。童貫率勝捷軍而去。所謂「勝捷軍」者，爲童貫在陝西時，招募青年子弟作爲親軍，爲數萬人，賜名「勝捷軍」，其實是「常敗軍」。隨上皇東行，其名爲護駕，其實爲童貫自衞。上皇渡過浮橋，衞士企望悲號。童貫惟恐兵行不速，爲寇所追，遂命勝捷軍射退衞士，向亳州進發。

上皇既東去，京城只有欽宗，此時議守，議戰，議和，議論紛紛。究竟如何是好，請看下章分曉。

筆者不禁歎息，貪小利而忘大禍，得一國失一國，納降將而失虎狼之；獻張瑴之頭，令降將解體，禍患已兆。諾糧而不納，又失大信於金，此時不謀守禦，日觀芝而醉酒，沉緬不治。天變儆於上，人異現於下，昏嬉如此，是欲不亡，豈可得哉！兩河既失，徽宗御責其子，故亡北宋者，宋徽宗是也。

（廿四）

自由報

（第二〇一七期）

（版三逢星期三、六出版每份半）

社長李運鵬·督印黃行寶

社址：香港九龍彌敦道593—601號
廖創興銀行大廈八樓五座
LIU CHONG HING BUILDING
7th FLOOR FLAT 5
593—601 NATHAN ROAD,
KOWLOON, H.K.
TEL: K803831
電報掛號：7191

承印：景星印刷公司
地址：嘉咸街廿九號地下
台灣通訊中心：台北市青田街三巷三號
電話：三七五〇二二
台灣區直接訂戶　合郵劃撥戶
第五〇五六號張萬有（自由報台計室）
台北營業處：台北衡陽街三十號
電話：二七二〇〇
台灣分社：台北市西寧南路110號二樓
電話：三三〇三四六，台郵劃撥戶九二五二號

文藝與文化復興

文以載道、文以明理，非以播惡。藝以成德、藝以養性，非以誨淫。

（下）

陳立夫

四、文以載道，文以明理，非以播惡

事物之進化，往往由簡而繁，再由繁而簡。我國文字已經過上述兩階段，故古文不易爲現代一般青年所瞭解，古書必須經過重行一番註釋，殆無疑義。以其所知及其所不知，原爲教學應採行之方法。文字既爲人類所創造，自以供人類之使用。其表達於詩，則爲言志；表達於書，則爲道事；表達於禮、樂，則爲載道；表達於易，則爲道陰陽，以明數理象（即今日之自然科學）；表達於春秋，則爲正名與定分。文字原不過一種工具，本身無所謂善惡，全視其用之目的如何耳。若欲爭論文字之作用，不如轉而注重人之作用。人若無高尚之意志，則安能望其文章之能載道，其能不以文播惡者，亦幸矣。我祖先所以在格物致知之後，緊接著要誠意、正心，有其前者，則文足以明理；有其後者，則文足以載道。兩者俱備，是謂修身。個人之修重在誠、仁、中三者，其目的爲適應集體所要求之條件。因之，用之於家則齊，用之於國則治，用之於天下則平。至誠之人其文章必能動人；至仁之人，其文章必能感人；至中之人，其文章必能服人。要之，文章而爲民生，其本身亦必生動，並可傳之於後世。

五、藝以成德，藝以養性，非以誨淫

古人爲藝，而不爲藝而藝。禮、樂、射、御、書、數，均所爲藝。禮樂即今之德育，射御即今之體育，書數則今之智育。德爲共生存、共進化的原理之應用，與係爲羣而施，無德之羣，猶如一盤散沙，故曰：「禮以節衆，樂以和衆」。射與御平時用以鍛鍊身體，戰時用以使用武器，抗敵衛國。書本身是藝，用以說理，數用以計算，二者俱佳，則無論文、理、法、工等學科，均能勝任。六藝俱全，是爲成學。惟古人認定藝之大前提仍爲道德，故曰：「志於道，據於德，依於仁，游於藝」。藝仍爲一種方法，使人由「知之」進而「好之」，再由「好之」進而「樂之」，故曰：「游於藝」，言其樂也。例如戲劇包括詩詞、歌唱、舞蹈、音樂、美術、表情等，無論其情節如何複雜，其結論仍不外乎教忠（對國而言）、教孝（對家而言）、教節（對己而言）、教義（對人而言）。人能對國、對家、對己、對人均得其教，則藝之目的已達，藝之作用（游樂）亦成。若再以歷史事實作爲教材，則一石而投中三鳥矣。故曰：「藝以養性，藝以成德」。若以藝爲商人圖富之工具，則品下矣；若更以藝誨淫，是爲播惡於衆，其罪更不可。

六、歷史不毀滅，文化必須愛護

再談歷史，文能勝質，始有歷史，前已言之。毀人之歷史即可毀人之文化。余在國外時，見人欲購一犬必先考其系譜。如其三代祖先均曾得比賽優獎，則此犬之身價十倍。賽馬場之馬，如出諸傑出之世系，則信其必大有作爲，其價值驚人，最高者竟逾百萬美元之多。乳場之牛，亦必有優良純種爲先選，此品種與歷史之可貴也。再看美國歷史雖短，其愛護歷史之心理，極爲普遍，華盛頓、傑弗遜、林肯等先人之遺物以及其片紙隻字，亦必爲之珍藏，設館陳列，供人瞻仰。惟獨我國若干士人，竟視本國歷史文化如敝屣，詆毀，懷疑之，破壞之，無所不用其極。似乎認自己有光榮之歷史爲可恥，有偉大之祖先爲不[illegible]眞使人欲哭無淚。余無以名之，名曰「受了帝國主義文化侵略者之洗禮」而已。

文化侵略者對於所侵略的國家，首先要毀滅其歷史文化，使其人民不明白或懷疑其自己的光榮歷史，說道古書是僞造的，祇個古人是不存在的，祖先是不應追祀的，有他們指定的才是應該祈禱的。對於不光榮的部份史實，則擴大宣傳，使他們抬不起頭來，如果他們能詆罵祖先，定可得到名譽學位。弄到自己承認沒有什麼歷史，爲一劣等民族，然後他們就能用達爾文弱肉強食，優勝劣敗的天演論，來施展侵略，使人心悅誠服，甘作奴隸。我起先對於這些陰謀，還不瞭解，等到民國廿六年到了教育部以後，才恍然大悟。那時候沿江、沿海都被日軍佔據了，所有大學都往後撤，我一一爲之安頓下來。我發現這些大學大都像外國租界，這個完全採德國學制，那個完全採法國學制，其他不是採美國制，便是採英國制，但是採中國學制的又在那裏？課程五花八門毫無標準，有關中國歷史的部門爲最缺乏，學政治或經濟的不讀中國政治或經濟制度史，讀農的不讀中國農業史，中國文史更是變成了一門功課了。我於是下了決心，請了專家訂定大學課程標準，分「必修」及「選修」兩種，把中國人應知中國各部的歷史材料放入必修科，無教材的則獎勵寫作，使中國的大學像一座中國的大學，我排除了一切的障礙，收回了文化的租界。後來我盡力推行國民教育，使每一保有一所小學，在星期天學校房子空著，我計劃把它利用作一座教室，變爲成年人的補習教育，擬用電影、幻燈片、留聲機唱片，以歷史的材料來教作人之道（即今稱爲生活教育），並從當時營養衛生及其他必需的常識教起，同時可以灌輸三民主義。爲了要向美國請求撥借些小型電影機及幻燈放映機，遂把這個計劃告知當時正要回國的美國駐華新聞處長費正清君，托其向美國幫忙，不料這位思想左傾，後來處心積慮幫助共匪要推翻我們政府的哈佛教授，非但不幫忙，竟在哈佛大學發動倒陳運動，誣指我以統制思想之罪。我知道我這一個向農民施教的大規模文教運動，是共匪所最害怕的，於是其同路人（至少如此看法）費正清，就帮他們來這一手。後來我離開了教育部，這個計劃也就吹了。這是一件極可惜的事，我今天才開始把他宣佈出來。

我們幸有聰明睿智之　國父，揭穿了他們的陰謀，來證明這種弱肉強食的學說，祗能適用於物理進化，而不適用於人類進化。而且我們有不少的方面比他們優，誰勝誰敗，尚在不可知之數，有待時間來證明。少數不知不覺爲文化侵略者所利用的受洗者，應該早些覺悟，不可專爲自身標奇立異，譁衆取寵著想，而置民族自信之喪失於不顧。廿五年以前，我記得在教育部任內，被中國工程師學會推爲會長。我對於素所尊敬的顧頡剛先生，曾經作了一件極有意義的事。他是一位極有名的歷史學教授，忽發奇想，寫一篇文章說，大禹是個蟲，沒有那麼一個人。他的理由是很欠缺的，但是他名氣很大，居然有人相信他。我就感到非常喪氣。

（下、轉三版）

昨日與明日

從閻振興談到教育部

閻振興應好自爲之

閻振興已就任台大校長了，今日台大，在自由中國，有如當年的北大。想當年，北大校長蔡元培一代鴻儒，有爲有守，最使人敬佩的還是蔡先生的學人氣質、丰度，以及在政治上的表現，「權」與「利」方面，從不爲天下先。今後台大的進步或退步，完全要看閻校長的領導才能，國內輿論一致的看法，以閻氏之才，全力以赴，可能還有些成就，像目前這樣身兼四、五個要職，將來必弄個一事無成，一塌糊塗的局面，個人成敗事小，耽誤國家事大。何去何從？閻校長應當仔細考慮一番了。

教育部藏垢納污

台北醫學院發生學籍舞弊案，牽涉已離職的教育部高等教育司已離職的一位姓熊的專員，現已被法院拘押審訊。以前在閻振興部長任內，也發生過類似案件，現在還有位前教部某科長因舞弊被判徒刑，正在牢獄之中。就中央各部會來講，教育部向來被認爲最清白的地方，歷任教長，直到逝世的梅貽琦博士，都是一代學人，士林共仰。不意梅氏去職，教部越來越離譜。從前一片乾淨處所而今變爲藏垢納污之地，其誰之咎乎？不僅教育部本身要加以檢討，全國知識份子也應當加以檢討。

誰在「阻街」

有權勢者豈可如此濫用權勢！

在大台北市，市民對高玉樹市長的施政，一般是毀多譽少。最值得讚美的應該是打通阻塞道路和拓寬馬路的工作了。打通重慶南路關係南區的交通和市容，工程已進行半年多了，有一段顯已經舖好了，但從愛國西路到南海路的一段有三棟宿舍，硬是「不拆」，致使打通工作的完成，遙遙無期。據悉這三棟台灣銀行和教育廳的宿舍，住的權勢人物，拆除大隊惹他們不起。有人說：其中一戶是「立字號」，一戶是「監」字號，另一戶是已過時的部長夫人，確否待證。依本記看來，不管是誰，也不能攔路阻街呀。請市政府將三家住戶大名公佈出來，讓大台北一百六十多萬市民瞭解一下：這三位權勢人士究竟是誰，問問他們：有何理由阻街攔路。

．本記．

自由談

氣數攸關

就整個國際形勢而言，對世界前途最具爆炸性，極容易引發美俄兩大強權國家進行核子大戰的地區，并不在東南亞而在中東，這是誰都瞭解的事實。

然美國一般號稱爲反戰份子的參議員以及所謂鴿派人士如大學教授等等，對美國根據國際協定的義務，派軍參預越南反共戰役，猛烈反對，既已迫使前任總統詹遜黯然去職，現又大力攻訐尼克遜總統下令掃蕩越東邊境的越共游擊隊，指爲可能觸發全面大戰，聲言要用國會權力，停止白宮對越戰的經費支付。一副愛好和平、防範戰爭的詞色，盎然可掬，而具有輿論權威的「紐約時報」與「華盛頓郵報」，亦一致讚揚，隨聲附和，認爲尼克遜總統是好戰主義者？

可是，這些自命爲愛好和平，專事譁衆取寵的政客們，眼見以色列與阿拉伯國家從事激烈戰爭，且明知蘇俄在幕後以全力支援埃及作戰的危險關頭，却聯名函致白宮，主張美國應以新式飛機大砲供應以色列，而不復以避免全面大戰的理由，要求白宮斡旋和談了。美國如果加強對以色列的軍援，中東戰事必然趨於激化，美俄兩國欲罷不能，進而釀成直接衝突，殆意料中事。

即此可知美國一般反對越戰的人物，盡是些僞君子之流，假藉「和平主義」的口實，沽名釣譽，而不悉正義公道爲何物，更不問國家利益究安在，只是基於自己的私慾，爲着爭取美籍猶太裔民的選票，即使國家陷於全面核子大戰的危地，亦非所惜。最可怪是紐約時報與華盛頓郵報的專欄作家，平日對於東南亞局勢的觀察分析，無微不至，認定美軍若將北越的共黨勢力打垮，中共即將實行參戰，而俄共亦必棄嫌修好，與中共併肩作戰，對抗美國，說來活靈活現，振振有詞。然關於中東，以、阿戰爭對世界和平的危險性，乃故作癡呆，絕無論列了。

我素來，瞧不起在美國擁有最高權威的參議員們的言論主張，他們的政治知識實在幼稚淺陋已極。卅餘年前，他們對我國剿共戰役，多所指摘，嘵嘵咋，我在南京「和平日報」就寫過一篇「美國輿論并非金科玉律」的專欄文字，加以駁斥。至於現時在美國很得勢的所謂左傾學人，他們對於遠東問題的知識，更不如一般參議員，自鄶以下，無足論矣。

我們如果相信人類生活眞是有「氣運」之說，那末，目前美國七十幾位參議員，要求白宮加強對以色列的軍事援助，實係促成世界人類浩劫有力因素，所謂氣數攸關，非人力所能轉换也。

馬五先生

合作科長强迫貸欵 彭局長袒護受彈劾

經監委金越光等調查結果 認爲高市長失職稽延公文

（本報記者張健生台北通訊）監察院委員金越光、郭學禮將依法提案糾彈台北市政府社會局長彭德。

劉盛財等爲台北市政府社會局主管合作業務之合作科長，利用職權向台北市各信用合作社强迫貸欵和涉嫌索賄，經市議員張宗明於台北市議會首屆第一大會臨時動議：「組織專案小組進行調查」，經林挺生議長指定舒子寬、李福長等五人爲專案小組委員。今年三月六日，該小組提出調查報告於市議會第一次臨時大會，並由大會決議，有關涉及袒護拖延失職主管部份，送請監察院查究。

監察委員金越光等調查結果，認爲市長高玉樹稽延公文二十五天，秘書長余鍾驌稽延公文五十二天，有違公務員服務法第七條之規定，核與台北市政府公文處理規則之規定不合。而社會局長彭德負有直接監督之責，竟姑息縱容，一再庇護，延不執行市政府調整劉盛財職務命令之情事。顯與公務員服務法第二條：「長官就其監督範圍以內所發命令，屬官有服從之義務」及第一條：「公務員執行職務，應力求切實，不得畏難規避互相推諉或無故稽延」之規定，不無違背，殊難辭違法失察之咎。

台北市政府社會局長彭德怎樣庇護劉盛財？據監察院調查報告指出：市府安全處五十八年七月二日提出調查報告，劉盛財等九員確有强迫貸欵、收取禮券等不法情事，[illegible]鍾驌簽：「擬交人事處依法辦理」。在彭德簽名後之第十一天，劉盛財向彭德書面報告，認密告各節，絕無强迫貸欵及勒索財物情事；信用合作社出具證明，證明劉盛財無越軌貸欵情事，如有此[illegible]，理應自負其[illegible]之責任等情。翌日，彭德在劉盛財之報告批「派員視察查報」。同月十九日，市府社會局視察黃若虛簽報調查情形，略以：「劉科長盛財向第四信用合作社理事主席陳春金借欵一萬二千元一節，係基於[illegible]，絕無强迫借與[illegible]又：陳（春金）無代表資格競選理事主席，劉（盛財）向其勒索一萬元及五十七年元節送禮券一千元等項，[illegible]絕無其事。」同一天，逕經彭德局長批：「與[illegible]」函送人事處處理。

就在這一天，市府人事處簽：「劉盛財等不法行爲，嚴重違反政令及公務員服務法，其行政責任應嚴予議處外，至於劉員等藉主管事務借欵之行爲，有無構成刑責」，先會秘書處法制室核簽；據法制室簽復：「强行索借或强行需索，係不法行爲，倘有具體證據，應構成貪污或瀆職罪嫌。」同年八月一日，市府人事處第一次簽：（一）劉盛財等九員，擬依瀆職罪嫌，移送台北地檢處偵辦。（二）在行政上，劉盛財等七員擬依公務員服務法第六條觸犯前段：「公務員不得假借權力，以圖本身或他人之利益。」移送公務員懲戒委員會審議。（三）雇員花智盛、許錦錯兩員，擬即依行政院停免復職辦法第十二條：「雇用人員違法失職情節重大者，由各機關自行解雇」之規定，予以解雇。（四）劉盛財等七員擬令飭社會局、財政局分別調整其職務。

同年八月五日，市府人事處第二次簽：……涉嫌刑事或懲戒部份，擬具兩案，甲案：劉盛財等九員，擬依瀆職罪嫌移送台北地檢處偵辦。乙案：劉盛財等七員擬依觸犯公務員服務法：「公務員不得假借權力，以圖本身或他人之利益」之規定，移請公務員懲戒委員會審議。」請擇一核示。市府安全處意「似以乙案移付懲戒爲宜」。秘書長余鍾驌原簽：「擬照安全處所簽意見處理」。復又條諭：「本件奉市長指示，可會知彭局長後送核」。市府社會局長彭德簽：「（1）劉科長部份請再派員調查，並根據事實處理。（2）其餘部份同意」。

因此，九月八日，秘書長余鍾驌簽：「本案有關劉科長部份擬照彭局長簽見，再行派員（擬交吳主任）複查後併案處理」，市長高玉樹批「如擬」。

市府視察室主任吳雷山將案交由視察鍾發能複查，經於同年十月二日，提出複查報告，其意見爲：「本案安全處調查報告所列有關劉盛財各項，係根據該處派員五十七年十一月廿二日向第四信用合作社副理李進福、理事李發得等調查時所作「訪談摘要」而來。至於劉盛財所補送之證明，是事後劉盛財親到四信合作社向李進福等所索取，內容與原調查情形頗有出入。而經親訪該社李進福，據告：安全處黃先生（五十七年）十一月廿二日之「訪談摘要」，係經其本人親自閱覽，然後簽字。足證該項「訪談摘要」當非空言，依照調查案件『筆錄重在初供』之原則，該項最初所作並經訪談人簽認之『訪談摘要』，自較事後之證明爲可採」。於是由余秘書長簽名，但十月廿七日，余氏則另條囑：「吳主任雷山速面報」。

監委調查報告指出 劉盛財太荒唐
向合作社索欵購小包車 結婚舖張大發喜東

在同一天，市府社會局長彭德第二次飭該局安全室主任胡鴻章調查劉盛財有無向四信理事主席陳香金借欵？據陳告：係私人借給。胡鴻章口頭報告彭局長。同年十月卅一日，彭德簽呈謂：「接台北市第四信用合作社申請書稱：「報載合作業務主管利用職權貸欵，涉及劉盛財科長向該社貸欵數萬元一節，經查並無其事。」似與事實有出入，請派員澈查。」同日，余秘書長僅簽名，至十一月四日，余秘書長乃在原呈上再簽：「擬交人事處併案辦理」。

五十八年十一月十七日，市府人事處第三次簽：「本案奉批交視察室派員複查，據查報以劉科長事後向第四信合作社副理李進福索取證明，爲不可採信。且鍾視察親訪李進福時面稱：『安全處訪談摘要，經親閱後簽字』，足以爲證，因而劉科長似仍有瀆職之嫌，是否仍照本處八月五日所簽意見，擇一處理。」

同年十二月九日，市府人事處第四次簽：（上畧）「複查情形，劉盛財似仍有瀆職之嫌，是否仍照本處八月五日所簽意見，擇一處理。」同月二十四日，請核示。高市長室機要秘書饒穎奇將案交人事處並面示改簽以：「劉科長部份，因社會局彭局長有意見，可從行政處分處理，其餘照該處原簽辦理。」

同月三十日，市府人事處第五次改簽：「（上畧）三、查視察室複查結論與安全處調查結論相同，咸認劉盛財涉有瀆職之嫌，惟既據社會局引述第四信用合作社證明並無其事，在法律責任上似屬可以採信，故本案擬作如左之處理：（1）劉盛財可否從行政責任懲處，予以記大過或記過，請示。（2）其餘人員擬請就本處八月五日所簽意見，擇一處理。」本年一月六日，余秘書長簽：「所簽（1）擬准。（2）擬送懲戒。」同月八日，高市長批：「如擬」。交人事處辦理。該處叙函公務員懲戒委員會稿呈判，余秘書長簽：「先會安全處」。但安全處不同意人事處改簽的意見，乃簽註：「本案關於劉科長部份，因本處（安全處）所查與視察室複查結果，兩者均相一致，而函稿中所稱：『……經第四信用合作社具呈否認其事……』及人事處原簽：『……惟既採社會局引述第四信用合作社證明並無其事，在法律上似屬可以採信』等語，以此簡單一語，遂而根本推翻前述兩單位愼重調查之事實，似不無可議之處，故本處對此意見，未便同意。」市府人事處將安全處不同意的意見，於本年一月二十日簽請核示，送余秘書長簽核：「（1）劉員一併移付懲戒，或（2）照原案。」惟劉員應由彭局長考慮調整其職務。」市長批「如擬」。

調查報告認彭德對劉盛財「姑息」、「庇護」；監委周百鍊抨擊劉盛財「太荒唐」，結婚時大發喜東，未幾，新婚夫婦又告勞燕分飛。案發後，劉某復向信合社索欵購買「小包車」。按：劉某係彭德引薦進入市府工作。現經法院初審判刑十二年。（完）

依瀾集

敬向吳大猷先生進言

·周公輔·

昨夜（六月廿二日）聽廣播：吳大猷先生回來了，而且在機場發表了談話：「可是，在今天（六月四日）的中央日報、聯合報，沒有這一條新聞。有廣播爲證，吳大猷該是「萬定」回來了，謹佈肝膽，用進數言。

一、請即公佈所謂「研究教授」類的研究題目，越詳細越好。「公平」，千萬「該辯」不得；何況，不公便私，罪過罪過！

二、請徹查這批研究教授們的「教授資格」；就是查他們有沒有教育部發的「教授證書」？他們填的著作，有幾種？都是多少有一種？

三、請徹查「講座教授」靠在他那所學校教了幾門課？教的什麼課？所教的課，編了講義沒有？寫過一門課的著作沒有？

四、請詳查一「講座教授」與「研究教授」輩，有沒有在兼行政職務？有沒有兼公職，必須花費時間而且當然有公費可領的公職？

五、請徹服化身（[illegible]），找幾所有研究教授與講座教授的學校學生們談談，頂好來一回「民意調查」。

吳先生學者，長篇大論，恐沒空看；僅僅這幾行字，也許坐馬桶時便[illegible]，不是奇的事件，在吳地方看當無傷大雅。

喬治桑外傳　一五二

張大夏

「差不多快一年了。白小姐要吃點什麼？」喬治桑回答了白妮，隨即替白妮要了一份鮮橘汁。

挨肩而坐，喬治桑打量了白妮一下。只見她梳了一個高高的髮髻，髮髻上圍了幾串珠子。戴一付同色珠耳環。眼皮劃有眼線。並塗有眼膏。眼睫毛好長，自然是假的。她最動人處，是有兩個像老明星蝴蝶的酒渦。至於牙齒的整潔白自不在話下，可惜無法分辨眞假。

「最近白小姐拍了什麼片子？」喬治桑首先問白妮拍片之事，亦算是言簡意精。

「拍了一部『太太的眼淚』是一部文藝悲劇片。」白妮一本正經回答喬治桑。

喬治桑知道文藝悲劇片不易製作，過去一部『養女湖』就曾鬧過笑話，但不便煞風景，人家賣生薑，自己在旁叫不辣。

「白小姐，你演的自然是那位流眼淚的太太，也就是那位可憐的女主角了？」喬治桑說完，代白妮拿了吸管放在她的杯子裏。

「謝謝，」她啜了一口橘汁，說：「不是，你猜錯了，我演的是那個使太太流眼淚的交際花。在我們電影界術語叫反派角色。我是第二女主角。」所謂第二女主角，老實說：也就是重要配角，喬治桑那會不懂。

「反派角色最難演，足見白小姐是一位了不起的演員。」喬治桑深諳逢迎之術，當面捧人家向塲準不會錯。

「桑博士，你眞會說話，謝謝你。」白妮說完，從烟盒裏拿去一枝三五烟敬喬治桑，又敬了裘白瓊一枝。

「白妮演風騷潑辣的女人很有幾手，」裘白瓊這時插了嘴。

「裘大哥，你總是喜歡開玩笑，當心我去告訴大嫂。」白妮稱裘白瓊爲大哥，又提到裘太太，足見她和裘白瓊是很熟的朋友。

台北傳奇錄（五一）

·陳光棟·

這一下可把鹿小姐嚇壞了，只好扯直了嗓子喊「救命」！賴有爲在這緊要關頭一個箭步衝上來，趕走了那位輕薄的男士，咀裏還不住的說着狠話。這時鹿春琳小姐好像是一個不會游泳的人掉在大海裏面，就想抓到點東西，那怕是一根海草都可以，正在這麼個節骨眼兒，出現了一表人材威風凜凜的賴有爲，在一個受了驚的少女的感受上，自然是非常微妙的。她順從的准許賴先生送她回家，從此兩個人就成了朋友，鹿老夫婦也覺得賴有爲儀表不俗，也有意無意之間促成兩個人的友誼，反而是賴有爲不願意使友誼再進一步，有一天向李奇說了實話：「喂！李奇，我眞不願意這樣下去，老實說我一點都不愛她，偏偏她又那麼誠心誠意，我一直感到心不安」！

「你混蛋」！李奇瞪着眼。

「你怎麼罵人哪？」賴有爲一拍桌子站起來。

「你眞是漿糊鍋裏爽皮球」！李奇諷刺的說。

「怎麼」？

「說你混蛋，你還有氣」！李奇又開了揉碎了的把賴有爲教訓了一頓，結論是「我在你身上入了股，投了資的，他媽的，到了時候，我要是不能收回成本，你小子就提防着點」！

過了沒有多久，賴有爲就結婚了。李奇收回了二兩黃金，不是約定的四兩，原因是李奇不肯多要，從此兩個好朋友分了手，李奇七搞八搞的去了巴西的聖保羅，以後兩個人也就斷絕了連繫。

廿年以後今天的賴有爲賴先生，已經變成了一個老於世故，肥腫禿頭的中年人，也是我們這個弄堂裏面「怕老婆委員會」的「主任委員」。

再說賴先生和女朋友通過電話以後，趕緊換好了衣服直奔大女兒的考場。一路上人潮洶湧，車水馬龍，眞比過年過節大拜拜還要熱鬧。賴先生坐着計程車好不容易才到了試場門口，看到賴小弟滿頭大汗的東張西望。

「爸爸，快點兒，媽媽急死啦」！賴小弟拉着賴先生就跑。

「時間還早的很，急什麼？你們總是這樣沉不住氣」！賴先生喘吁吁的和一位撑着洋傘的太太攜個滿懷。

「媽媽說啦，姐姐要是考不上大學，就怨你」！賴小弟認眞的說。

「這是什麼話？怎麼考不取怨我」！賴先生心裏直打鼓：「他們在什麼地方啊！怎麼總是這樣拐彎抹角的」！

「再一轉彎就到啦」！賴小弟擦着汗說着話，猛的一抬頭，看到賴太太正在橫眉立目的掐着腰站着，一霎時感到舌頭失去了作用。（未完）

文匯樓別記

留美學生應該暫停

·文匯樓主·

去年日本有些左傾的青年學生，掀起學潮，表示反美親共言行，我教育行政機關曾宣佈暫行停止赴日留學生的出國，爲的是害怕本國留日青年受到該國左傾學生的思想傳染病，杜漸防微，用心良苦。但我認爲這項措施的方向弄錯了。目前應該停止亂人申請或公家考試赴美留學的工作纔對，何以見得呢？

左傾親共思想在日本文化界的根基偏向薄弱，一般眞正的學者教授們，十九都守正不阿，有所不爲，少數政治界的官僚政客如藤山愛一郎、松村謙三之流，雖然爲著做官而表現左傾親共的咀臉，在國內和國外皆不發生甚大作用。至於青年學生們有反戰及美運動，那只是少數人受了共產黨的誘惑收買，衝動一時，有若山洪暴發，不崇朝即告消歇了。總而言之：日本的文化思想還保持着健康的，並未被共產主義滲透。試看最近日首相佐藤榮作於訪美回國後，發表反抗共黨侵略的言論，而日共與左傾政黨以及親共的學生團體默不作聲，即思過半矣。

若夫美國的文化界卻不然，由於過去數十年來，深受着美國遊士派的思想浸潤，認爲羅伯納所謂「知識份子先要紅自己的旗幟」的說法，是開明進步的社會主義，相信不疑，是因而對蘇俄實行的共產暴政，心嚮往之。迨中國大陸上的毛共政權出現，更覺得共產主義就是均貧富的社會主義，到今天的文教界乃充滿着左傾親共思想的人物和言論界的姑息主義，普遍流行，而以最著名的參議院爲尤甚。不特此也，美國學術界的共黨份子及其同路人如費正清、拉鐵摩爾、斯卡拉皮諾之流，利用民間財團和政府機構的基金，積極收買中國留學生，爲之介紹學校，取得獎學金，使慢慢地把這些中國學生引導趨入左傾親共的歧路上，尤其特別注意於中國一般黨政要人的子弟，讓這些青年無形之中，影響他們的家長，馴至於接受紅自己的旗幟的社會觀感。試看若干年來，咱們中央最高學術機構與美共同路人費正清等勾結，朋比作惡，經常接受美金補助而美其名曰「交換學術」，雖遭受輿論攻擊指摘而肆無忌憚的情形，即知吾言爲不謬也。

我國人不惕然於上述事實對國家民族前途的危險性，依然一窩風似的以派遣青年學子赴美留學爲急務，政府資送留學生亦以美國爲第一目標。這不但對文化思想有貽誤青年學子之虞，即就留學政策而言亦失之偏頗不倫實際。留學東西洋的青年學子弟中，何以搞「台獨」惡作劇，公然行衊祖國政治大員的，都是留美學生？是出在美國，還不値得我國警惕嗎？

爲國家民族的利害設想，我認爲立即停止青年學子赴美留學大有必要——至少可以停止二十年再說。德法英日各國的科學教育並不落後，爲甚末一定非留美不可呢？

文藝與文化 復興

（上接第一版）

我想雖道離孔子一千幾百年的大禹，孔子對他尙且非常讚美的人，反不及四千年後的顧頡剛先生的文獻爲更可靠，何況孔子一向重視證據，無可靠的文獻，他不寫作的呢！我於是向頡剛去找他，請他考據禹的生日是何月何日，以備提出工程師會，拿這一個日子作爲工程師節。他考據了以後，寫了一封信給我，說某年六月六日是大禹的生日。

我就根據他的信提出工程師聯合年會，經全體會員一致通過，我隨即宣佈，從是日起大禹不再是個蟲了，因爲蟲的生日是無法知道的，這是顧頡剛先生負責考據出來的，有信爲證，大家皆哄堂大笑，我就救了顧頡剛先生。現在每年六月六日所舉行的工程師節就是這樣來的。至今還有少數人，以甲骨文來修訂歷史的證據，其求眞的精神，固然可佩，其只信古物不信古人的辦法，其所得是否可償所失，尙待研討。歷史毀了，我們還有什麼來自信，我們固然不必倚賴祖先，靠自己努力，但是毀滅祖先，是否可以換取他人的尊敬，還是絕對不可能的事。

七、文藝工作者的責任

我們不能不承認自己的文化有病，有待醫治，但是，你如果對病人說他的病毫無希望，這無異速其死。你應該告訴他說：「幸虧你的元本不差，趕快吃藥和靜養，定會復元」。國父告訴我們，將固有的道德智能從根救起，就是說元本不差，而且也確不錯；將西方的物質科學迎頭趕上，這就是說趕快吃藥，這是就現成有的藥。自信就是生命，怎樣以文藝的力量，協助恢復自信，怎樣以文藝的鼓吹，加速從根救起，怎樣以文藝促使迎頭趕上，是文化復興運動中，文藝界的重大責任啊！（完）

說曹操

（二〇）

李漁叔

三人中，論人格當以鍾繇爲最優，他們終身効忠曹氏，鍾繇除在政治方面的成就以外，還是一位超羣軼倫的大書法家。王羲之論書說：「鍾張信爲絕倫，其餘不足觀。」孫過庭書譜說：「自古之善書者漢魏有鍾張之絕，晉末稱二王之妙。」又說：「元常專工於隸書。」元常就是鍾繇的別號，於此可見歷代俱受書法家的推崇，地位極高。

華歆字子魚，自少即有高名，他和北海丙原管寧游學，三人交誼很好，時人把他三人合成一條龍，華歆算是龍頭，丙原爲龍腹，管寧爲龍尾。裴松之魏書注似乎有點給丙原管寧叫屈，說是「管幼安含德高蹈，弗當爲尾。」不知這頭尾腹的安排，是最早的事，那時華子魚還是好好的一個士。

在三國志魏志華歆的傳裏，看不出有何劣蹟。他當爲江東孫策的上客，號稱「華獨步」，孫策死後，他就被徵聘歸朝，史稱他的俸賜以振施親戚故舊，家無擔石之儲。華嶠譜敘說他淡於財欲，終不殖產業。魏書還曾記載他於曹丕篡位時，曾有不怡之色，曹丕大不高興，似乎還是一個忠臣

劇。於今我們看平劇逍遙津那齣戲，戲裏面扮演華歆那一付窮兇極惡的咀臉，都恨不得走上去摑他幾記耳光，而華子魚這個人，其他也就不必再提了。

請到王朗，更不値一敘。他曾官會稽太守，就是孫策的降虜。魏志朗傳雖說：「孫策以其儒雅，詰讓而不害。」而獻帝春秋所寫就不堪了。孫策派人與他問答的情形，大略如下：

「策令使者詰朗曰：『問逆賊：……大軍征討，幸免梟夷，……具云降，庶以欺詐，用全首領………順捕得以狀對。』」王朗的答辭大概是說：「前見征討，畏死苟免……朗愚淺駑怯，畏威自驚，又無良介，不早自歸於破亡之中，然後委命下隸，身輕罪重，死有餘辜，申豆（月旁）就鞅，蹴足入絆，叱咤聽聲，東西是命。」一派告哀乞憐之辭，或是邀孫郎報免的原因。他歸漢後，一直効忠曹氏，與鍾繇俱爲理刑之官，封蘭陵侯。演義說他被諸葛武侯罵死。罵詞有：「蒼髯老賊，皓首匹夫」等語，尤爲膾炙人口。並記有：「王朗聽罷，氣滿胸膛，大叫一聲，撞死馬下。」寫得熱鬧極了，也痛快極了，但仍然是捏造的。

王朗還是一代儒宗，他著有易、春秋、孝經、周官傳。他的兒子王肅，也是一代大儒，善賈逵馬融之學，而不好鄭氏（鄭玄康成），他的經說經解，與鄭氏分爲兩派。（未完）

安徽十三傑

荀子哲學簡論（二）

周世輔

（一）性惡說——告子認爲性無善無不善，公都子引他人之言曰：「有性善有性不善」，又曰：「性可以爲善，可以爲不善。」孟子獨排衆議，認爲性無不善。荀子則倡性惡說以駁孟子。他說：「人之性惡，其善者僞也。今人之性，生而有好利焉，順是故爭奪生，而辭讓亡焉；生而有疾惡焉，順是故殘賊生，而忠善亡焉；生而有耳目之欲，有好聲色焉，順是故淫亂生，而禮義文理亡焉。然則從人之性，順人之情，必出於爭奪，合於犯分亂理，而歸於暴。故必將有師法之化，禮義之道，然後出於辭讓，合于文理，而歸於治。由此觀之，然則人之性惡明矣，其善者僞也。故枸木必將待檃（木腳）括烝矯然後直，鈍金必將待礱厲然後利。今人之性惡，必將待師法然後正，得禮義然後治。」他眼目中的「性」，祇是慾望，祇是利已心，祇是仇恨心，故倡性惡說。

孟子認爲人性具四善端：一爲惻隱之心，仁也；二爲羞惡之心，義也；三爲辭讓之心，禮也；四爲是非之心，智也。據此，他提倡性善說。荀子認爲人性具有三惡端（以惡端名詞配善端）：一爲好利之心，妨害辭讓；二爲疾惡之心，妨害忠善；三爲好聲色之心，妨害禮義文理。據此，他提倡性惡說。究竟那一說對呢？著者以爲人性中既具有善端，亦具有惡端。善端可稱爲理性，惡端可稱爲獸性。孟荀各據一隅，故有性善性惡之爭。

孟子性善，故認爲仁義禮智根于心，即天然的，先天的；荀子主性惡，故認爲禮義辭讓起於僞，即人爲的，後天的。又孟子性善，故認爲「牛山之木嘗美矣」，以美木譬人性；荀子主性惡，故認爲「枸木必待檃（木腳）括烝矯然後直」，以曲木譬人性。

荀子以性惡說駁性善說，並論性與僞之別。他稱：「孟子曰：人之學者，其性善。曰：是不然，是不及知人之性，而不察乎人之性僞之分者也。凡性者，天之就也，不可學，不可事。禮義者，聖人之所生也，人之所學而能，所事而成者也。不可學，不可事，而在人者，謂之性；可學而能，可事而成之在人者，謂之僞，是性僞之分也。」所謂「人之學者其性善」，是指孟子，爲人之有學適所以成其天然之善性，非所以矯正其惡性。荀子則以爲人之有學，適所以矯正天然之惡性，非所以順應其善性。他先假定禮義出于聖人，出于人爲，出于「僞」，而後說人性中無禮義因素。故說道禮義者爲君子，縱性情者爲小人。

（二）進化的人性論——荀子一面講性惡，另一面講萬物與人的進化。他在王制篇稱：「水火有氣而無生，草木有生而無知，禽獸有知而無義，人有氣有生有知，亦且有義，故最爲天下貴也。力不如牛，走不如馬，而牛馬爲用，何也？曰：人能羣，彼不能羣也。人何以能羣？曰：分。分何以能行？曰：義。故義以分則和，和則一，一則多力，多力則彊，彊則勝物。」如參照管子的見解來講，所謂「分」，含有分君臣上下，分尊卑貴賤，分公私義利，分父子兄弟夫婦之意，故能分則能分工合作，同心戮力，以戰勝萬物。反過來說：「人生不能無羣，羣而無分則爭，爭則亂，亂則離，離則弱，弱則不能勝物。」亞里斯多德以爲物質只有存在，植物有存在還有生命，動物有存在有生命還有感覺，人有存在有生命有感覺還有理性，與荀子的看法相似，同屬于進化的人性論。亞氏說：「人是有理性的動物」。（未完）

諸葛亮狂想曲

（一三〇）

·劉玄·

須臾來到星君仙邸，鶴童說：「我家星君已在禪房等候。」遂領諸葛亮、劉約翰逕到禪房。

劉約翰一進禪房，立刻覺得異香滿室，瑞靄紛紛，好一派仙家氣象。

諸葛亮見了星君打一稽首，很像唱借東風時拜壇的姿勢。劉約翰不敢行鞠躬禮，也倣效諸葛亮打一稽首，但姿勢生硬多矣。

「你是第一次來，歡迎，歡迎，請坐。」星君踞坐禪房床，揮手命劉約翰坐在他的身旁大理石鼓凳上。

鶴童獻上人參茶，由諸葛亮在旁介紹，此茶與衆不同，劉約翰道了謝，低頭喝了一口人參茶。

「你們找我有什麼事？」星君因爲煉丹忙，不願多躭擱時間，所以單刀直入問二人來意。

諸葛亮很委婉地將劉約翰的意圖向星君稟告。

星君聽後，頻頻含笑點頭，說：「很有趣，很有趣。你們知道仙家變化不同人間，不要說變動物，連植物也能變。不要說別個，就拿孫行者來說，當年他隨唐僧到西域取經，就曾變過：老虎、馬、牛、蒼蠅、蚊子、石頭、松樹……可是，劉約翰你是俗子凡胎，你不能自己變，需要我作法替你變。這情形就不同了。」

諸葛亮、劉約翰默坐靜聽，那敢插咀。

星君接着說道：「我知道在人間，逢到生病動手術開刀，醫院一定要病家本人或親屬簽字，我爲你作法也需同樣的保證，你明白嗎？」

「我願意簽字。」劉約翰立刻表示他的誠意。

「爲什麼要這種手續？」諸葛亮精細，他向星君提起疑問。

「你有所不知，我如果將劉約翰變爲蝴蝶，萬一到時法術失靈，無法還原，劉約翰就不再是劉約翰了，此其一。在天庭由於王母喜愛鳳凰，各種鳥雀均受到保護，假使劉約翰變成蝴蝶，不幸被鳥雀吃掉，化爲鳥糞，我的法術再高，卻無法將鳥糞再變成劉約翰也。」星君的解答很明白，諸葛亮毋須再問。

「你得認眞攷慮一下。」諸葛亮這話是對劉約翰說的。

劉約翰暗想：變蝴蝶是爲了好奇心，萬一眞被鳥雀吃掉，豈不糟糕？因此，沉吟半响說不出話來。

星君見此情形，當然懂得，不等劉約翰開口，搶先說道：「我看你不必變蝴蝶，我讓你變一條金魚如何？」他用手指了一下金魚缸。「這缸裏一共養了七尾金魚，牠們都是很溫和的動物，我將你變成金魚，放在魚缸裏，非常安全的。是不是你可以同意變金魚而不變蝴蝶？」

巨變歷險記！

藏在巖洞！

（一三三）　胡慶蓉

丁博士決定奔向普雄。從前筆者曾多次談到普雄。這是往來蒙自建水間必經之地。普雄，丁博士曾住過。這裏有位鎮長，對丁博士非常友善。丁博士此次前往，就是投奔這位先生。

從洞口車站走到普雄，可不是一件容易的事。一來這條路丁博士沒走過，二來這條路不好走。從洞口到普雄，完全山路。洞口車站就在高高的山上。洞口外，有一個小小的平台，也就是車站所在地。車站的房子非常小。對着車站，右手邊，有一個指路牌，他指的就是普雄。拾級而登，面前就是一峯一峯的山，從山峯上望山，從山上望山，山並不太高，但走起來，仍然非常不容易。從前說過，山路最不好走，曲折迴環，常常會走錯。丁博士也不例外，他常常走到沒路的地方。常常走到沒路的地方，常常折回來。常常走到沒路的地方，常常的失望。但他有鍥而不舍的精神。常常是峯迴路轉，到了疑無路的時候，不覺柳暗花明，又一邨卽在目前。

那就是普雄，丁博士自言自語的說。那就是普雄！那就是普雄！……是的！是的！……一個茫茫大海的孤舟，看見了他的目標，該是如何的振奮啊！丁博士從洞口出發來普雄的時候已經是筋疲力盡的時候了。他的兩條腿實在是走不動了！走不動，還要走，走走……該是如何的可憐啊！從洞口到普雄，並不太遠，卻是遙遙得很，一山之隔，無殊千里迢迢。在丁博士舉止維艱，步履維艱的時候，看見了普雄，精神不覺爲之一振。仍賈餘勇慢慢的慢慢的向前挨！……一路上見了人來，見了人去，隨時躲避。蒙自的消息，雞街的消息，不會不到人耳朵裏。再遇到截留的人如何得了！在到普雄的時候，天已經快黑了，但還沒十分黑，丁博士故意的拖……拖……拖……拖到天黑，在人看不清楚的時候，才偷偷的進去，才偷偷溜進去。普雄只一條街。丁博士認識鎮長的公館。他就一直進到他家中。鎮長對丁博士非常有禮貌。正要給丁博士準備飯吃，緊急報告來了：「追兵到！共軍到！……他們都手拿着火把，遠遠的已經可以看得見了。快要到了！快要到了！……快……快……」。鎮長趕忙把丁博士藏在巖洞裏。

普雄有一間小廟，共分兩層，上層供奉着神，上層丁博士並曾去過，並曾燒過香，求過神保佑。這廟的旁邊就是巖洞。山洞是通的，這巖洞不通，也沒有廣西桂林七星巖的偉大，實在講起來，小得很，僅可以容下丁博士。鎮長把丁博士放在裏邊，在口上堆上柴草。在鎮長看起來，這是非常一個好的避難地方。特別他在廟的附近，沒有人出入。鎮長把丁博士放在裏邊，他還是常常去看，常常的向丁博士報告消息。快……快……快進來了！快……快……快進來了……！

戚繼光立功邊防

命相与夢話

漢平

戚繼光字元敬，號南塘，晚年又號孟諸，安徽定遠人。生於濟寧六十里之魯村，世襲登州指揮僉事。繼光幼年倜儻，負奇氣，好讀書，通經史大義。嘉靖中爲衛指揮，累遷都指揮僉事，備倭寇於山東，歷浙江參將，因破新東倭。倭犯江西、福建等地，繼光身先搏擊，戰功赫赫，晉升福建總督，人號「戚家軍」，以平巨寇，威震南方。明隆慶丁卯年四十歲，寇平，拜都督同知，總理薊州、昌平、保定三鎮練兵事。初至鎮，卽議建敵台一千二百所。每台住兵百人，縝宜二千里之長。台與台聲氣相通。又建立「車營制」、「拒馬器」，節制精明，鎧甲利兵，薊門軍容遂爲諸鎮之冠。萬曆癸酉，年四十有六，俺答已通貢，而土蠻徒居遼地，控弦十餘萬，常爲邊患。董狐狸及其長子，同犯喜峯口、界嶺等處，繼光擊敗之。狐狸乃款關請貢，廷議許之，歲償。明年春，董狐狸之弟長禿，復入寇，繼光活擒之，狐狸親屬三百人叩關請死罪，乞赦長禿。繼光遣將盡受降，宥遠許羅拜設誓，乃釋長禿，許通貢如故。繼光在鎮十六年，邊防守備，薊門安然，後繼之將，守其成法，數十年無患，亦賴當國大臣徐階、高拱、張居正等先後倚任之。居正死後半年，給事中張鼎思，說繼光不宜於北，朝廷更改之廣東，因此戚繼光悒悒不得志，勉強赴任，踰一年，乃告病歸鄉而卒。諡「武毅」。繼光更歷南北，並著聲譽，在南戰功特盛，北則專主守勢。遺有「紀效新書」、「練兵紀實」、「武備新書」、「止止堂集」於世。

戚繼光之造，戊子、癸亥、己巳、乙亥。「三命通會」中只「戚繼光都督將」七字。漢平頗扶所知，敘述一二。查得日元之己在五行屬土，生於十月，天寒氣暗，固不比存季夏，皇帝司權之爲水，月時二枝的亥水，又名核壬，水多土濕，更不宜。就此看來，毫無佳趣。其實日枝的己中藏丙火，命宮的午中藏丁火，生年戊子，生時乙亥，納音又都屬火。有此四火，固可濟彼四水，得此四火，何況年幹明見戊土，日枝的已中藏戊土，命宮的幹，戊固屬土，命宮的枝，午又藏土。得此四土，同爲己土日元的臂助，地大物博，極可想見，但是以水多土濕而少之哉！不僅如此，月時二亥，驛馬雙排，年枝的子，貴人特立，形勢雄偉，氣宇軒昂，所以他能颺發電舉，爲國干城，運籌帷幄，建功百世，豈偶然哉！

十七歲乙運甲辰，襲職襲官，兵戎劍門，二十二歲丑運己酉，中山東武舉鄉試，二十六歲丙運癸丑，都指揮僉事，備倭山東，二十八歲乙卯，改僉浙江都司。二十九歲丙辰，詔爲參將，分守寧紹台三郡，雲程發軔，牛刀小試。此乃木運洩水，制水之效。三十歲丙運値丁酉，公改台金嚴三郡，至浙江時，見衛所軍不習於戰，而金華、義烏俗稱慓悍，請召募三千人，教以武術，長短迭用。由此繼光之軍特別精良。又以南方多藪澤，不利馳驟（草頭），乃因地形而自製陣法，審步伐便利。一切戰艦火器兵械，求精更置。於是「戚家軍」名揚天下。此無他，歲運丙火，火能生土，思想新欵，時機奏合之故也。

三十三歲庚申，倭大掠桃渚圻頭，繼光急趨寧海，扼桃渚，敗之於龍山，追至雁門嶺，寇遁去，乘虛攻台州，繼光手斬寇魁，其餘賊兵陵江盡死，圻頭倭復趨台州，繼光邀擊於仙居，亦殲之。前後九戰皆捷，俘獲一千有奇，燒死溺斃者無數。還浙後，連晉三等。

三十四歲辛酉，倭大舉犯福寧、連江諸倭，攻陷壽寧、政和、寧德。從廣東南澳來者，與福清、長樂諸倭，則攻陷元鍾、大田、古田、莆（草頭）田。此時寧德已陷，距城十里有橫嶼，四面皆水，路途險隘，倭寇結巢大營於其中，官軍不敢擊，相守踰年，閩中緊急萬分，胡宗憲檄繼光剿之，先擊橫嶼賊，令士兵人各持草一束，塡濠而進，大破其巢，斬首二千六百級，乘勝追至福清，擊敗牛田賊，覆其巢，餘賊走興化，繼光急追之，夜約四鼓，追抵賊柵，連克六十營，斬首數千級，平明入城，興化百姓始知，牛酒慰勞不絕。繼光旋師還浙。但興化不久，新賊復至，復破興化城，據平海衛等處。初興化告急時，帝命俞大猷爲福建總兵官，繼光爲副。

三十五歲壬戌四月，公又將浙江兵，譚綸令將中軍，顯將左軍，俞大猷右軍，三軍合攻平海，繼光先登，斬首二百級而還，被賊所掠者三千人。譚綸上功，繼光居首，左右二軍次之。繼光先以平橫嶼之功，進署都督僉事，至是一戰之功，乃進都督同知，世蔭千戶，遂代俞大猷爲總兵官。

三十六歲癸亥，餘黨復糾新黨萬餘，圍仙游三日，繼光擊敗之，破城又追賊敗之於王倉坪，斬首數百級，其餘賊衆半墜崖而死，殘部奔漳浦蔡丕嶺，繼光分兵五哨，身持短兵緣崖而上，俘斬數百人而去。踰年，賊復犯福寧，繼光督參將李超等擊敗之。乘勝追至永寧，斬首三百，遂與俞大猷擊平餘黨。以上四年，功在平倭，其所以戰無不勝，攻無不克者，固由繼光號令嚴，賞罰信，士無敢不用命，有以致之。然當運合亥，丁火生土，亦莫不有重大關係。

自四十歲丁卯至五十歲壬午，命以都督同知，總理薊州昌平保定三鎮練兵事，總兵以下，悉受節制，是以又平朶顏、董狐狸之亂，並創敵台一千二百座，精堅雄壯，延二千里，聲勢連接，於是進位左都督，加太子少保，史稱公在鎮十六年，邊備修飭，薊門宴然。此因繼元聲威額畧有以致之，然卯不得丁，壬十得戊，蓋頭助日之功則不可沒。

五十六歲癸未，張居正已歿，給事中張鼎思，謂繼光不宜於北，當國者遂改之廣東，鎮守都督南粵諸事。悒悒不得志，勉強赴任，踰年卽謝病。給事中張希臯復劾之，竟遭罷歸。御史傅光宅疏薦，反而奪俸，至六十歲亥丁，一代名將遂告卒於鄉。凡此種種，其弊不屬已運，持經過流年爲害，而三亥自刑，已亥相衝之故。公之造，土塞喜火，故南方戰功特盛，北則主守而已。

國醫與國藥

發揚中醫是國家的光榮（下）

吳惠平

在台北會議中決定下次國際鍼灸大會在日本召開，旋於民國五十四年舉行東京會議時，日本鍼灸學會有少數人士，竟不顧道義，與共匪私相勾結，企圖排擠我國代表於會外，幸經惠平事先知悉，努力策劃擊敗共匪之陰謀，達到我國代表出席會議之目的，贏得日本朝野對我國之尊敬，中國國民黨中央委員會曾頒發一份代電：「同志計劃此一會議擘劃週詳，肆應適切，獲致勝利成果，應予嘉獎。」世界各國的鍼灸醫師及港九等地區的中醫藥界人士，均知惠平是積極反共的，因此引起共匪的統戰份子，施展陰謀，企圖對惠平陷害未逞，殊不知巴黎會議是我政府命令所爭取參加，在台北時秉外交部的指示，到達巴黎後，一切由我駐法使館指導進行，那是與共匪鬥爭的一次輝煌事績。我當然感謝中醫鍼灸界頗多鼓勵，但嫉妒者亦在所難免。

中華文化復興運動推行委員會於五十九年四月九日下午二時三十分，假台北市自由之家舉行如何復興中國醫藥座談會，由文復會副會長陳立夫先生及秘書長谷鳳翔主持，會中討論五點綱要：

（一）中國醫學史及中國藥學史之編訂。

（二）中國藥典之編訂。

（三）驗方的公開。

（四）中藥的提煉與革新。

（五）設立中國醫藥研究發展中心。

惠平前往出席該次座談會議時，見五點提綱中未有提及鍼灸之事，因此，卽請增加鍼灸，秘奧的公開與鍼灸取穴的審訂，一併討論。

中國醫藥研究發展中心於五十九年五月十六日下午二時三十分，假台北市國際大飯店四樓舉行，由國立中國醫藥研究所所長李煥燊先生主持，會中議決成立內、外、婦、兒、鍼灸、眼耳鼻喉、方劑、傷科推拿學等各科研究委員會，計有十六個之多。

中國醫藥，自從陳立夫先生發表「我對於中西醫藥的看法」以來。我國朝野對中醫中藥從新重視，立法院法制內政兩委員會，於五十九年五月七日在該院第五會議室舉行第十一次聯席會議時，通過審查行政院衛生署組織法草案，規定衛生署設副署長二人，其中一人必須由中醫師担任。並通過設立中醫藥委員會，設主任委員一人，委員八至十四人，就富有中醫藥學識者聘任之。

中國醫藥在行政管理上以及學術研究方面已經有了地位，今後應請政府撥給足夠的研究經費之外，我們中醫藥界的同道們，必須和衷共濟，加强團結，平心靜氣，互助互勵，採用科學方法，使中國醫藥放出異彩於國際之上來救己救人，勿負於立夫先生之苦心和期望，以及各界人士對中醫藥界的榮譽，也才是國家的光榮！

（完）

第七章　李綱主戰遏金兵　陳東上書斥奸臣

且說金兵渡河之後，直抵汴京。宋廷舉朝皆驚。白時中、李邦彥等勸欽宗出襄、鄧（今河南襄城、鄧縣）。唯李綱再三勸阻，沉痛泣奏道：「上皇挈宗社以授陛下，委之而去不可也！」欽宗默然無語。惟白、李二相又强調京城之不可守。李綱道：「天下城池，豈有如都城之堅固麼？且宗廟社稷，百官萬兵所在，舍此而去何所？今日之計，惟有整飭軍馬，團結人心，相與堅守，以待勤王師之一途！」欽宗道：「孰可與守？」李綱道：「宰臣若白時中、李邦彥輩，雖不知兵，然藉其位號，撫將士以抗賊鋒，乃其職責所在也。」白時中勃然而問道：「李綱莫非能將兵出戰否？」李綱道：「陛下若不以臣庸懦，倘使治兵，願以死報。」於是欽宗便以李綱爲尚書右丞東京留守。李綱復言不可去之義。適內侍忽報中宮已行，欽宗愀然變色，倉卒下御座說：「朕不能留矣。」李綱痛哭求留駕，同時燕王、越王亦以固守爲然。李綱再奏道：「陛下已許臣留，奈何復欲成行？試思六軍親屬均在都城，萬一中道散歸，何人保護聖駕？且虜騎已近，倘偵知乘輿未遠，驅逐疾追，陛下將如何禦敵？這豈不是欲安反危嗎？」欽宗始有所感悟。卽召中宮還都，親御宣德樓，宣諭大軍，軍士皆拜伏門下，三呼萬歲。隨命李綱爲行營使，許便宜從事。李綱速治守備，善修戰具，草草告竣。此時金兵已抵汴京西北，據了牟駝岡，奪去戰馬二萬匹。

宰相白時中畏懼大難而辭官，李邦彥爲太宰，張邦昌爲少宰。欽宗召集羣臣商議和戰。李邦彥力主和議。欽宗從李邦彥議，命員外郎鄭望之，防禦使高世則出使金軍。途遇金使吳孝民正來議和，遂相偕與還。李邦彥立榜於河東、河北兩岸，書曰：「准敕有擅用兵者，依軍法。」那知吳孝民未曾入城，金兵已搶先攻城。幸而李綱甚有能爲，將蔡京家園山石疊城門，堅不可破。到了夜半，潛募敢死士千人，從城而下，殺入金營，斫殺酋長十餘人，金兵百餘人。金將斡離不知宋有備，也疑懼起來。勒兵暫止行動。翌日金使入見欽宗，責擅納降將張覺，要宋交出童貫、譚稹等人。欽宗道：「這是先朝的事，朕未曾開罪鄰邦。」金使又問：「既是先朝事，不必再計，但應重立誓書修好，須遣親王宰相赴我軍議和」。

李綱是一顆赤心爲君，以爲李棁懦怯，安在此危一舉，力請自往。欽宗不許，而命同知樞密院事李棁，偕金使吳孝民同行。（廿五）

自由報

（第二〇七二期）

社長李鵬運‧督印兼發行

社址：香港九龍彌敦道593—601號

LIU CHONG HING BUILDING
7th FLOOR FLAT '5
593—601 NATHAN ROAD,
KOWLOON, H.K.
TEL: K303831

電報掛號：7191

台北營業處：台北衡陽街三十號
電話：二七二〇〇

台灣分社：台北市西寧南路110號二樓

論語所記的孝與仁

張知本

聖人，人倫之至也；仁也者，人也。

孔子之道就是教人如何做人，最終的目的教人做聖人，縱然做不到聖人，最低限度也要做一個好人。

論語的編章次第，雖無一定標準，然第一章記孔子講「學」的話，學者，所以學爲人也；逸居而無教，則近於禽獸；所以做「人」，須要「學」。第二章便記有子講「爲人」的話，孔門四科的人，未列有子，爲何將他的話列爲第二章呢？因爲他說的是「孝」與「仁」。做人的起點是「孝」，擴而充之，則爲「仁」。

論語中講「孝」「仁」的事例很多，共有「孝」字十七個；「仁」字一百零八個。（臨時檢查所得數字，是否無誤，應請各位覆查。）可見孔子教人做人的道理，不外乎「孝」與「仁」。「仁」字應該是我們中國人都認識的，我們從前讀三字經，開宗明義便說：「人之初，性本善……。」後來小孩子認方塊字，「人、手、足、刀、尺……。」也是先從「人」字入手，認識「人」字以後，家長和老師便隨時爲子弟及學生講做人的道理，并以身作則，可是現在認識「人」字的人很多，知道做「人」的道理的却很少。

古人做字「11」表示立，「几」表示「行」，後人根據「仁人者人也」的解釋，認「二人以上之謂仁」，而將「人」字的「丿」撇，「㇏」捺聯繫起來，表示「互助」之意。

孫中山先生講民生原理說：「物種以競爭爲原則；人類則以互助爲原則，社會國家者；互助之體也；道德仁義者，互助之用也。人類順此原則……以求達到人類進化之目的。」

人與非人之界限如何？

（一）以道德爲標準者：

孟子曰：「……無惻隱之心，非人也；無羞惡之心，非人也；無是非之心，非人也。惻隱之心，仁之端也；羞惡之心，義之端也；辭讓之心，禮之端也；是非之心，智之端也。人之有是四端也，猶其有四體也……。」

（二）以經濟爲標準者：

經濟以慾望高低爲論斷，例如：饑思食、渴思飲、寒思暖、倦思息，禽獸異於人者幾希；惟人之慾望甚高，於食、飲、暖、息之工具，均思精益求精，故能做成今日之物質文明，至於求眞、求善、求美之慾望；則更進高尚矣。

（三）以法律爲標準者：

法律以行使權利和履行義務者；分爲自然人與法人；自然人是生來即具有人類之形體與精神，而爲法律上之當然人格者，法人則是具有人格之社會組織體。所謂有人格之社會組織體，即該組織體能與其設立人或其社員脫離；而有獨立享有權利履行義務之資格。雖然法人不是人體；但其享有權利與履行義務；一與自然人無異。

宗教家教人最終的目的是做神，這是在不可知之數的；很難實現。孔子曰：「未能事人；焉能事鬼！」「未知生；焉知死。」孔子是要在人類社會創立天堂；不必於人類社會以外去覓天堂；要把人的尊嚴做成神的尊嚴，不必於人以外去求神。共產黨是逼迫人都做禽獸；互相殘殺；滅絕倫理；與禽獸奚擇焉，甚至爲禽獸所不爲。

數年前，美國經過詳細的調查和精確的統計，證明少年犯罪者；日益增加，而我國在美華僑之少年無一犯罪者，究其原因；固屬很多；若從根本上觀察；則是美國國民採小家庭制；養自私自利之心理；華僑的家教育；所承襲我國固有的文化傳統；其子弟在家庭習於孝悌之義；推而廣之，則敬老尊賢；循分守法；自無犯罪之可言也。

我們生在二十世紀六十年代的今天；科學昌明；一日千里，假使用於正途；誠屬人類之福；而共產匪徒則利用核子武力，威脅世界人類，幾欲毀滅宇宙，美學者葛思謂：「世界動亂，由於社會科學趕不上自然，」不爲無見。

余則以爲人生哲學，關係世運者尤巨，際自由世界的政治家，均能以「孝」治天下，本立而道生，不獨親其親，不獨子其子，以達到民吾同胞，物吾同與之境界；則大同之治可期；而天下一家之言爲不虛也。

我對「家之禮讚」的說明

李宗黃

我一向相信國家基礎建築在社會之上，社會基礎建築在家庭之上，家庭基礎建築在個人之上，要想國家健全，必先求社會健全，要想社會健全，必先求家庭健全，要想家庭健全，必先求個人健全，此即古人所謂「國之本在家，家之本在身」，「自天子以至庶人，一是皆以修身爲本」的道理。

因此在四十餘年前，由於五個孩子相繼出世，爲了要想使他們成爲家庭中社會上健全的份子，即遵照 國父「應擴大家族爲國族」與認定「格致、誠正、修齊、治平」爲中國政治知識中獨有的寶貝應恢復中國固有道德之遺訓，並響應 總統於北伐完成，全國統一所倡導之新生活運動，以「禮、義、廉、恥」爲精神信條，「整齊、清潔、簡單、樸素、迅速、確實」爲行動信條之號召，創造了獨特的家庭教育計劃，設立家庭同樂會之組織，來推行有計劃的家庭教育與新生活家庭的風範。

師法 國父建國大綱，軍政、訓政、憲政三時期之規定，頭三年爲父母督率子女自治時期，次三年爲父母子女會合自治時期，後三年爲父母子女共同自治時期，也就是憲政時期，父母僅保有最後決定權。并確定我國傳統文化「格致、誠正、修齊、治平」爲我們家庭的總目標，以「革命、國術、藝術、法治、平民」五化教育爲達到目標之津樑。以「孝弟忠信、禮義廉恥」爲我們家庭最高無上的道德，以孝、弟、忠、誠、勤、儉爲我們的家規。親戚朋友知道來廣參觀的，都稱我們爲新生活家庭。最後由我與已故繼配梁瑞萱夫人，根據十四年的經驗，共作了一本書，名曰「新生活家庭」，承新生活運動總會要去出版，作爲他們的叢書。在試行當中，我想運用音樂的力量，也就是「樂教」，來陶冶孩子們的身心性情，特別作了一首李氏家歌，歌詞是：

國之本兮　積家而成　份子強健兮　本
固邦寧　合父母昆季兮　陶治身心性情　敘
天倫之樂兮　相勗修齊治平　光曦西之世冑
兮　闡民族之繁榮　光曦西之世冑兮　闡民
族之繁榮

當時曾請了譜國歌之大音樂家程懋筠先生譜曲，每週或兩週在家中或郊外開家庭同樂會時，全家合唱，其樂融融。可惜共匪叛亂，全家離散，竟將歌譜遺失，實爲一大憾事。

（未完）

昨日與明日

根除靡靡之音

在抗戰時，全國充滿着雄偉壯美的歌聲，歌聲響處，無不慷慨激昂，使人振奮，鼓舞。來到台灣後，時移世易，這些歌聲不再聽到，代之而起的是些，既不美好又無意義的靡靡之音，而其內容更復千篇一律的，不是男歡女愛，便是女怨男傷，好像除了低價的男女之慾外，人間不復再有他事。

起先這些靡靡之音，只流行在歌廳酒肆之中，從不登大雅之堂，除了少數腦滿腸肥的逐臭大多外，對一般人不會有多大影響，但是自從有了電視之後，便把這些靡靡之音逐日按時的包送到家，尤其在今天電視普遍的情形下，幾乎使絕大多數的純潔少年，在校學童，都受到不良音樂的惡劣影響。荀子認爲樂的作用是在「足以感動人之善心，使邪污之氣，無由得接焉」而現在簡直是「流辟邪散狄成滌濫之音作，而民淫亂」了，假如再聽其發展下去，這毒流弊將不勝言，因此我們要決心設法根除，不能再空口呼籲。

組訓輔導

根除之道，我們不能單憑一紙命令，只作消極的禁止播唱。反之我們要能正本清源，作徹底的解決，因此我們建議政府，把經營者組織起來，一方曉以教育大義，一方使其簽訂公約，彼此相約經營的淨化。同時還要進一步追尋這些靡靡之音的來源，而把那無知不學或別有用心作曲家組織起來，用適當的方式，施以訓練，一方曉以教育文化的大義，使知其流毒惡果之嚴重，一方施以文學，藝術之訓練以提高其作曲編歌之境界，使知男女物慾之外，還大有可歌可詠之題材，既在這種訓練下，斷絕靡靡之音的來源，並輔導此輩人士逐漸轉向，創造高尚好聽而有意義的曲和詞。

創製良樂

尤其重要的，我們要能積極的供應許多眞歌美樂，眞樂充足，自然會取代流行地位，而把靡靡之音淘汰，因此我們應從各方面鼓勵具有深厚音樂訓練，和文學造詣極佳的人士，甚至敦請有學問有思想的大師來從事作曲和編歌，以創製良好有意義的歌曲，誠能如此，則化民成教之效將十百倍於學校之教育。其成就豈僅音樂一端而已哉。

於歌星，唱手之流，倒不是問題的要點，他們是可憐虫，編什麼歌，唱什麼歌而已，縱令現在這批已染惡習，且不能適應，自必有新人應運而生，實不在我們考慮之內。

影劇工作亦然

根除靡靡之音如此，淨化影劇的工作，亦可比照上項辦法辦理。

・成公

自由談

中國文字問題

現代一般知識份子的國文程度普遍低落，已爲不可掩飾的事實，一些剛從大專學校訓育出來的青年人，寫不成一則詞意暢達的應用文字，固不稀奇，即有些已告成熟而從事寫作職業的文人（不能稱爲文化人），亦不例外。最近偶閱台灣報紙，在一張晚報上刊載的短評題目爲「防患爲然」，初覺迷惘，繼看內容，纔知道是把防患「未」然的不通詞句寫成防患「爲」然的不通詞句了！這證明近半個世紀以來，吾國學校教育之失敗，對國家民族前途，造成了一種沉重的隱患，而復興中華文化運動，允屬切中時弊的要務，誰曰不宜？

夷考現代知識份子的國文程度低落原因，肇端於四十多年前的所謂新文化運動，大家以「因噎廢食」的出鋒頭主義，一意孤行，力倡白話文，而指舊有的詩書史籍和文集爲「死文學」，爲不值一顧的落伍產品，這正好迎合一般人的惰性觀念。因爲寫讀文言文，必須對國學費些研究工夫纔行，識字無多的淺學之士，寫出來的文字，令人不忍卒讀，白話文却可以粗製濫造，隨便藏拙。文言文之通與不通、一目了然，白話文即無所謂通與不通的標準，你說「二桃殺三士」，我說「兩個桃子殺死了三個讀書人」，或說「兩枚紅桃斃死了幾個穿長衫袍掛的知識份子」，并無軒輊可言，何必多費精神以研讀古籍呢？何況民國肇建以來，若干根本就不識中國字的洋學生，憑着中國人的面目，即可位列顯要，名成利就，而眞正苦讀詩書，學有根抵的士大夫，每多沉淪草野，餓寒一生，學與不學，毫無關係。

由於上述那位新聞記者所寫「防患爲然」的題目，使我聯想到現在小學生將「和」字唸成「漢」字音的故事。在吾國舊都北平的東方有一二縣——如女傭、奶媽最多的三河縣的土話，是把「我和你」說成「我漢你」。大概民初提倡語體文，政府設置註音字母委員會，訂製注音符號之際，曾有平東一帶的人士參預其役，他就以本縣的土音，將「和」字註爲「漢」字音了，相沿迄今，不知誤盡了多少青少年子弟！「爲」字在有些地方可讀成「未」音，那位寫家對本國文字的義蘊少所研究，只是基於註音符號的習慣，乃把「未然」寫成「爲然」了。

中國人不談復興固有文化則已，否則現時侈言簡體字，高談廢除文言文，甚至主張漢字拉丁化的各項說法，都是喪國脈，數典忘祖的亡國之音，是間接替國際帝國主義者鋪設文化侵略的坦途，非摒諸四夷，不與同中國不可！若夫現行教育政策之急須重新檢討，加以改革，更不待言也。

馮正先生

政院改組傳說紛紜 多屬揣測可能不大

（本報通信員柳一權台北消息：）港台報紙盛傳此間行政院長將由蔣經國先生出任，內閣名單報紙上亦似有所報導，據記者探悉，多屬揣測之論，實際可能性不多。一、蔣經國先生是一位腳踏實地的政治人物，他一向注意實踐從理論中來，理論仍回到實踐中去，從新贛南直到現在，很少跨過大步，在目前情況，好像不大可能有何變動。二、內政部、財政部不可能動，傳說趙聚鈺出長經濟部，張寶樹出長教育部，也不過想其然也，因國民黨員率多瞭解要做大事勿作大官，趙所主持的輔導會，對社會經濟已發生季候作用，不可能突然放棄這樣重要的一環，而去辦理等因奉此的事。何況輔導會即將擴大改組的決定。教育部長鍾皎光自接長教育部以來，雖然沒有建樹，但，鍾是一個不折不扣的讀書人為士林所公認，不以讀書人領導教育而易之以黨人可能性不會太大。三、司法行政部長，查良鑑，他是近代有名的兩個半法學家之一，總統於一年前作此嚴肅決定，命令其接長司法部，幹司法不是搞社會運動，往日的錯誤我們不願剖析，因為共黨報紙有轉載自由報挑撥是非的習慣，但對查良鑑逐步整理司法剝繭抽絲的辦法是正確的，如果再能加一點勇氣和魄力，可能會更符合各方面的要求。至於行政院的局部人事變動非不可能，例如人事行政局長和考試院老是唱對台戲即其一例。四、外交部長魏道明雖有必換的傳說，截至目前為止，尚無何動搖跡象，沈錡出長外交的消息早成過去。一度傳說沈昌煥有重作馮婦的可能，三個月前，記者與沈在咖啡客座小敘時，經其本人分析謂不可能，又有一說魏道明如果下來的話，可能調駐巴西大使沈怡過渡，此說完全無稽，就外交三沈來說沈、和沈昌煥出頭是遲早問題。台北目前盛傳蔣彥士有出長外交部消息，確否待證。

官方新生報主持正義 揭發偽藥禍害百補丸

受害人程少卿函本報訴隱衷 希能將真相披露使大家知道

編者先生：

我們讀到貴報有篇低調集題為「貴報能夠相聯嗎？」深佩服貴報正氣凜然，採發行本位，不受廣告利用，站在讀者利益一般服務精神，因知那篇文章所指是誰，我也是購他製造的春藥被害人之一，於今有難言之隱，特將台北新生報登出的「偽藥的禍害」「百補丸與我」原文寄上，希望能轉載一次為盼，我們這些讀者暨作貴報後盾恭祝

文安

自由報讀者程少卿叩　六月六日

「偽藥的禍害百補丸與我」

岳峯

說起來，那是四十七、四十八年的事。我戍守在金門，經常在「正氣中華報」，看到「××百補丸」的廣告，說什麼「專治腎虧、陽萎、早洩、耳鳴、頭昏、夢遺……」說什麼「一服見效，三服斷根……」說什麼「優待前線戰士，八折犧牲……」多麼動聽而誘惑啊。這還不算，還有每天不同的「銘謝啟事」，有姓名、有地址、多麼真實，教誰都會相信不疑。

「有病亂求醫」是有病人的通性。我有「夢遺」的老毛病，那經得起廣告的誘惑。為了牢靠點，我先寫了一封信給那位製藥的×大醫師，敘述自己的病歷及病情，問他是否需要經過診斷才能服用。

很快接到×大醫師的回信。大意說：「來函所述，病情尚微，即速服用本舖監製「××百補丸」，保證一服有效，三服斷根。本醫師治癒此種病症無數，貴同志請安心服用，無需診斷……」

我很高興，抱着十二萬分的信心，一下子借支了兩個月的薪水，郵寄上五百四十元，郵購三瓶（每瓶二百元，八折計算）決心試用。約十天，藥寄了下來，開始服用。

兩瓶快吃完了，並沒有一點感覺，病情還是老樣子，懷疑是藥不對症，趕緊寫信給×大醫師詢問。過了幾天，接到他的回信，略云：

「貴同志的病，可能是年月過久，一服二服難以見效。根據本人治療經驗，無不藥到病除，貴同志再多服二服（瓶）看看……」

照他來信的說法，再看看他廣告的說法，我的病情總不及十分之一，竟不能「二服見效」，別說一服了。

好吧，信任醫生是病人的美德。就自己的病重，又寄上了一百八十元，再郵購兩瓶，準備繼續服用。仍抱住充分的信心，因為，×大醫師是國內赫赫有名的「典試委員」及「醫師公會理事」，總不會騙害人，虧損醫德？三瓶、四瓶，服了下去，病情仍沒有半點起色，好似每天吃了一粒糖球，除了在口中有點甜味的感覺外，下到肚裏全沒有一點感覺，不由得對×大醫師懷疑起來。於是，寫了一封質詢的信。

一個星期後，才接到他的回信：「貴同志的病情，當真無效的話，那你來信所述的病情，一定不夠詳細，敝醫師未親自診斷，很難確定原因何在？如不適本舖監製之「××百補丸」，確是治療腎虧、陽萎、夢遺、遺精等靈丹，不必懷疑！貴同志有機會返台時，請臨本診所，當免費診斷，另處藥劑治療……」

現在他推翻了前言，需要經過診斷方能治療。到底是大醫師呀！他可以另處劑治療，你要是錢花得不過穩，他有辦法教你繼續掏腰包！

我總算沒有傻到底，把前後的信一分析，認定了這是騙人的，立即寫了一封長信加以斥責。很快接到他的回信，變理直氣壯的：「貴同志來信言重了。念同志戍守前線，勞苦功高，本人不加計較，仍本一往敬軍勞軍的初衷，願為前方將士竭誠服務！貴同志不妨再看看服用本「××百補丸」的「銘謝啟事」，足證言之不虛。貴同志可以深信矣！若貴同志藉意處止，否則，來信討論，恕醫務繁忙，不再置答……」

說起倒是冠冕堂皇，醫有道理，滿肚子自己想想，也深恐冤枉了人家，照他說的，我把一堆舊報紙翻了出來，前後不同的「銘謝啟事」，只不過三人的「輪流」的出現。一位是楊梅的林先生，一位是士林的謝先生，一位是基隆的陳先生。

我照着報上的地址、姓名，分別寫了三封信，詢問服用「××百補丸」，治療的經過；說明自己準備服用該丸，治療陳疾。

一個星期後，先接到楊梅林先生的來信，大意說：「先生戍守前線，勞苦功高，鄙人若不直言，於心不忍，鄙人陳疾如故，仍在病魔糾纏中。「銘謝」之事，一言難盡，說也無益，還是不說的好。惟忠言勸先生，「百補丸」不服為妙，留着買藥錢買營養品吧！」

接着是士林謝先生的來信，說得更妙：「蒙先生不棄，來函垂詢，驚魂交加，無法言狀！後方之安危，繫於前方將士之辛勞，我等後方人民慰勞我前方將士之貢獻，敢不以真心相告，聊表敬意於萬一！本人與×大醫師之間，有瓜葛，不是一二句話可以說清；「銘謝」一事，情非得已！以先生之明，自能意會一二。「百補」丸補補心理病而已！先生待遇菲薄，若為治病，這是勿服為上，留着有錢的人去服吧！言不盡意，請原諒……」

最後基隆的也來了。只不過是在我寫去的那封信，上面蓋着「原址查無此人」的郵戳，但總算也有了結果。

於今我方明白，所謂「銘謝」也者，原來如此。我真高興，沾了「前線將士」的光，受到後方同胞的愛戴，均以赤誠相告。不然，我這冤枉錢還有得花呢！

這次我真寫了一封耐正意識的責信，附上林、謝二先生的來信，請他立刻答覆！一星期、二星期、三星期過去了，都沒有回音。想必他所說的「不再置答」。我再去信詢問他不回覆的理由，他更利害，簽上了「拒收」二字，郵局給原封退了回來。不用說，他看也不看嘛！我更火了。改用一角一張「軍郵明信片」（那時郵資尚未調整），用油印印上「××百補丸」「假藥害人」的事實。一天寄上一張。你不看嗎？我教郵途中別人看；你不回信嗎？我不怕你不回信，我教郵差先生，來回的送，看你有時間沒有時間簽「拒收」。甚至有一天，我讓明信片滿天飛，看你×大醫師有好看不好看？

奇怪得很，一張明信片也沒有退回來。我正在疑問是何道理？突地（第六天）接到他寄來的「限時掛號」。除了在承認他的錯處，表示歉外，並哀求到此為止，勿再擴大。言明不再在報上登廣告及「銘謝啟事」。隨信退還八百元的匯票，說明分文不取我的郵購藥款，表示他的誠意與悔改。

第二天我打開「正氣中華」報，我真高興！高興的不是有八百元的匯票，而是真的看不到了「××百補丸」的廣告和銘謝啟事……。

喬治桑外傳　一五二

張大華

在咖啡館閒聊，男女雜坐最易打發時間，喬治桑、裘白瓊、白妮三人說說笑笑，不覺已到了五點鐘。卞太太進來的時候，是裘白瓊先看到的，他站起來用手向她招了招，綽號留蘭香的卞太太，看見喬治桑和裘白瓊，很大方地先伸出手來和他們握了一下手。

「這位是白小姐，這位是劉小姐。」裘白瓊為兩位女賓介紹。他不用卞太太而用劉小姐，是裘白瓊的聰明處。

卞太太只向白妮點了一下頭，並沒有和她握手。

卞太太一坐下來，先問身邊的裘白瓊：「你的太太為什麼沒有來？」然後又問對面的喬治桑，「我還以為桑先生會帶你的女秘書李小姐來呢！」

卞太太出手第一招，自以為有一石二鳥之妙。她在向白妮暗示：這兩個男人，一個是有太太的，一個有女秘書。可是，她遇見的不是兩隻呆鳥，而是兩隻老狐狸。

「我的太太本來要來的，她又上了牌桌子了。桑先生已經約了妳，當然不便再帶他的「爬脫勒」來。」裘白瓊落落大方，可見他是一塊老薑，不能當豆腐吃。「爬脫勒」者，英文遊伴之謂也。

卞太太聽了，只好笑一下，不再說話。

「妳要吃點什麼？」裘白瓊替了冷飲單給卞太太。

「什錦水菓，」卞太太掏出粉盒，在臉上撲粉。

喬治桑坐在她的對面，正好作劉禎平視。他從她的眼角看出她的年紀已不算太小。卞太太穿的是一件長背心，下面是喇叭褲。時髦則時髦矣，可惜與她的年齡有點不相配。但喬治桑是熟悉西洋社交禮貌的，他當然不會公開對女性評頭評足。

「劉小姐，等會我們到那裏吃飯？」喬治桑很禮貌地遞了一枝香烟給卞太太。他因為剛才裘白瓊稱呼她為劉小姐，所以也不叫她卞太太。

「哎呀，你應該問白小姐嘛，我是很隨便的。」卞太太吸了一口烟，不知有意還是無意，將烟一大半噴在喬治桑的臉上。

「我沒有意見，你們大家決定好了。」白妮在這種情形下，自然也要客氣一番。

「還是妳說：妳今天是主客，不要客氣。」喬治桑這一句話，畫龍點睛，卞太太聽了最高興，有眉飛色舞之態。

「喬治桑，你也太性急了，現在時間還早，你既然準備請客，還怕錢化不掉？」裘白瓊好整以暇不愧是玩樂場中老將。

台北傳奇錄

（五二）

陳光棣

「你到什麼地方去啦」？賴太太咬着牙。

「我不是很快的就趕來了嗎？」賴先生看到兩個女兒並排的坐在樓梯上。

「孩子們的事，你就不知道用點腦筋」！賴太太正宮調的嗓子響徹雲霄：「咱們來的這麼晚，想找個坐的地方都沒有」！

賴先生定神一看，可不是嘛，到處都坐滿了人，走廊上，樓旁邊，樹底下，夾道裏，嚇！操場上都坐滿了人，再看看自己家裏的人能佔據兩階樓梯已經算是滿不錯了，樓梯旁邊要是沒有一間廁所的話，這種位子真可以算作包廂呢。

「你愣着幹什麼，還不把箱子打開！」賴太太大喊一聲，威風八面。

「媽媽，妳別嚷行不行？妳瞧瞧，人家都在看我們，多不好意思」！賴小姐鼓着咀說。

「妳少多咀！」賴太太也還是放低了調門兒：「我不是叫妳替姐姐搧扇子嗎？」

「她不要」！賴小妹指指臨陣磨槍的賴慧敏。

「克補哪？」賴太太問賴先生！「趕快把克補找出來。給孩子補補原氣」。

賴先生找到克補，又倒了半杯冷開水遞給女兒，賴慧敏怕費唇舌，乖乖的吞下去。

「對啦，這就有力氣啦！再給孩子開一瓶可口可樂」。

賴慧敏又喝了一口可口可樂。

「精力旺哪」？賴太太很內行的說：「這東西最有用，我要是吃一粒，可以坐在牌桌上兩個通宵。還能夠和大牌……」

賴太太正說的高興，忽然響起了嘹亮的鐘聲，馬上就引起另一陣騷動。

「敲預備鐘啦！走吧」！盤據在廁所門口的一個家族擁簇着奔向考場。

「這麼晚纔敲鐘，我的錶都過了十分鐘啦！」一位胖家長高舉着腕錶。

「我的錶可是正好」！一位瘦家長搭了腔。

「別叫啦！誰的錶都不作數」！一位不胖不瘦的家長滿臉不屑的神氣。

「他算老幾？我又沒有跟他說」！胖家長不服氣。

「狗拿耗子！」瘦家長也反唇相譏。

「真是無聊」！不胖不瘦的家長更不退讓。

「你說誰無聊」？胖子的臉變成了豬肝。

「別吵啦，人家都進了考場，你們要打架到別處去打，趕緊讓開路，叫我們過去」！後面一位像是電線桿子的先生半惱怒半央求的說。（未完）

張烱一日揮霍千金

・文匯樓主・

文匯樓別記

採訪新聞有一個原則，「狗咬人不是新聞，人咬狗才算新聞」。張烱一日揮霍千金，既構成新聞，於今仍值得一記。

湖南近代賢人之一的張烱先生（星舫），曾做過 國父中山先生的秘書，北伐成功後，當過湖南教育廳廳長，抗戰勝利任職湖南省黨部主任委員，大陸淪陷來台。被聘爲總統府 國策顧問，雖去世已久，他的誠以待人，儉以律己，及爲黨爲國奮鬥的革命事跡，迄仍留在同志們的心坎中，正所謂精神不死。

他住在台北羅斯福路三段，每逢總統府或中央黨部月會，不僅不以小汽車代步，連一元新台幣的公共汽車票亦捨不得乘，走去再走回，節省下來的錢，多用在救濟窮苦同志身上。至於張烱一日揮霍千金的事嗎？看官們別急，待樓主從頭道來。

中國西南最大的報紙，中華時報社長李廼鵬，於四十一年由國外歸來，當然先去謁見星老，星老高興得熱淚奪眶而出。他對李的印象是：一、擁護領袖，且發言總裁在那裏，那裏就是中華民國司令台。在緬甸，泰國，香港辦報爲文，此調始終不變。二、在湖南獨排衆議，堅決擁向傳作義者齊，做到了「正其誼，不計其利，明其道，不計其功」。三、湖南中央日報社長曾被李當洋酒，換來的社長，甚麼東西？湖南警備司令部將軍，次日向新聞界發表嚴正聲明，否則祇有開殺或要向李運鵬賠齊。四、在星老心目中的李運鵬不僅是黨員的楷模，這樣的同志實在太少了。他硬性約定次日中午請李吃飯，並邀萬亦（癡）作陪。萬現任國立編譯館編譯，李和萬在忖想，到中華路小吃最多化五六十元新台幣足够，也就接受星老的安排了。

未料星老到總統府領了國策顧問全月薪給，中飯後堅持到浴室洗澡，擦背、搥腿、修腳全套，洗完看電影，看完電影再吃晚飯，一日揮霍全月薪給，這在星老八十年的歲月裏，從來沒有此項紀錄，他說這樣招待一個九死一生，忠貞不移的同志，心理上非常舒適，後來總欲黨國元老狄膺等連名簽呈總裁安插李運鵬主持一家黨營事業，但被李謝絕了，他告訴星老說：「我到台灣復國是不可能的，還是讓我到國外去和敵人週旋吧！求成全我一生不作官，不吃黨飯，」李離開台灣未及一年，曼谷中國日報、世界日報相繼誕生了，星老的愉快情緒，另文叙述。樓主想到今日少數黨官，驕傲無理與貪污腐敗作風，由於觸景生情，連想到很多年前一段往事。

荀子哲學簡論（三）

周世輔

這從進化的人性論看，可列于性善說；荀子認爲人是知禮義的動物，故自「天生之」一言，亦似乎與亞里斯多德之說沒有區別。

國父說：「……人類由動物之有知識能互助者進化而成。」「當其蒙昧，力不如獅虎，牛馬，走不如犬兔，濟不如魚介，飛不如諸禽，而獨得自保者，能互助故合群以禦強，有知識故能趨利而避害也。」（大光年題詞）這段理論與荀子所說「能群」，「能分」，「能知義」，「能勝物」，正復相同。國父的人性論，可稱爲互助的人性論，不便稱爲性惡論，故荀子亦可稱爲互助的人性論者。

荀子在非相篇又稱：「人之所以爲人者，何已也？曰：以其有辨也。」又稱：「人之所以爲人者，非特以二足而無毛也，以其有辨也。今夫狌狌（猩猩）形笑，亦二足而無毛也，然而君子啜其羹，食其胾。故人之所以爲人，非特以二足而無毛也，以其有辨也。夫禽獸有父子，而無父子之親，有牝牡而無男女之別，故人道莫不有辨，辨莫大于分，分莫大于禮。」這是說人的特點在有辨有分，人與禽獸的區別，不在形體，而在精神（心性）。自智方面看，人生而有分辨之知，爲禽獸所無；自道德方面看，人生而有義，爲禽獸則無。合起來說，就是「有知亦且有義」；或則說人與禽獸較，人是有理性的動物，人是知禮義的動物。孟子認爲人與非人的區別，在仁義禮智（四端）的有無，荀子認爲人與非人（禽獸）的區別，在禮義分辨，不在形體。故荀子的性惡說與孟子的性善說，立場雖異，其論證則不無相通之處。

總之荀子的性惡，多爲憤世疾俗辭，或爲所感而發，他的理論，雖以反對孟子性善說爲對象，但字裏行間，有時亦不免與孟子的見解相通。荀學專家陳大齊先生著「孟子性善說與荀子性惡說不相抵觸」（載孔孟學報十三期），認爲「兩家的人性學說不但不相反對，且竟不約而同，甚至兩相符順，並行而不悖。」當時請教陳先生，當時引「人能羣」，「有知亦有義」等語，指出荀子的性惡論中含有性善思想，陳先生答以値得研究。前年閱讀陳先生在孔孟學報中發表的大著，更知兩家學說亦有相反相成之處。惟據陳先生的意見，他認爲孟子以「知」爲善，並將「知」置于性之內，故主性善；荀子亦以「知」爲善，但將「知」置于性之外，故主性惡。（見陳著荀子學說）

四、荀子的知行論與智識論

西洋人多講智識論，中國人多講知行論，荀子則兼而有之。

（一）關于知行論者——中國學者對于知行問題，有知行先後之爭，有知行難易之爭，有知行輕重之爭；有能知是否能行之爭；而大多數都是重行主義者，或稱力行主義者。

荀子法行篇載：「公輸不能加于繩，聖人不能加于禮。禮者，衆人法而不知，聖人法而知之。」便含有知難行易之意，單就衆人「法而不知」言，與孔子所謂「民可使由之，不可使知之」同義，亦與國父所謂「不知亦能行」之說同義。勸學篇云：「君子博學而參省乎己，則知明而行無過矣。」與程子所謂「知之深則行之必至」同義，亦含有「能知必能行」之意。荀子認爲「心知道，然後可道，可道，然後能守道以禁非道。」這又是一個知行問題。陳大齊先生解釋是：「認識（知）與踐履（行），二者不可缺一。認識得確當是知明；踐履得篤實是行修。」（同上）這是荀子的知先行後與知行並顧修養工夫。

勸學篇云：「故不登高山，不知天之高也；不臨深谿，不知地之厚也；不聞先王之遺言，不知學問之大也。」這裏有行而後知之意，亦有鼓勵力行實踐之意。

勸學篇云：「吾嘗終日而思矣，不如須臾之所學也；吾嘗跂而望矣，不如登高之博見也。」這又講辦思不如力學，空望不如行動，這亦是注重實踐力行的明徵。儒效篇云：「不聞不若聞之，聞之不若見之，見之不若知之，知之不若行之，學至于行之而止矣。」這是說學問以實踐力行爲依歸。

修身篇云：「故蹞（足旁）步不休，跛鼈千里，累土而不輟，丘山崇成，……一進一退，一左一右，六驥不致，彼人之才性之與六驥足，豈若跛鼈之與六驥足哉？然而跛鼈致之，六驥不致，是無他故也，或爲之，或不爲爾。」這種重視實踐力行的見解，與西洋人所謂龜兔競行相同。故又云：「道雖邇，不行不至；事雖小，不爲不成。」儒效篇亦云：「積土而爲山，積水而爲海，旦暮積謂之歲。」這說明不行無成功之望，行之則指日可期。

總之，荀子在知行論方面，有「能知必能行」與「不知亦能行」的見解，亦有「知先行後」的見解，但以力行主義爲本。

（二）關于智識論者——就智識起源問題言，理性論者以爲有些智識起源于先天的理性；經驗論者以爲智識完全起源於後天的經驗，根本否認先天智識。如孟子講良知良能，屬于理性主義，洛克謂「人生如白紙」，屬于經驗主義。

國父說：「智何自生，有其來源，約言之，厥有三種：（一）由于天生者，（二）由于力學者，（三）由于經驗者。中國古時亦有生而知之，學而知之，困而知之之說，與此畧同」（見軍人精神教育）按所謂「天生」或「生而知之」，屬于理性論；所謂「力學」與「經驗」，或「學而知之」與「困而知之」，屬于經驗論。合而言之，國父乃是理性與經驗並顧，先天與後天並重的。

荀子主性惡，力主學，早已被人列爲力行主義者，經驗主義者，如說「木受繩則直，金就礪則利。」（詳勸學性惡諸篇），但他有時亦于無意之間，流露了一種理性論的主張。如解蔽篇云：「人生而有知，知而有志（指記憶言）；志也者臧也（同藏），然而有所謂虛，不以所已臧，害所將受，謂之虛（雖有志而藏，不害于有所志而藏）。」又云：「心生而有知，知而有異；異也者同時兼知之，同時兼知之，兩也，然而有所謂一。」單就生而有知言，他的理論，好像理性主義者朱熹所說：「凡人心之靈，莫不有知。」及「人自有生，即有知識」。荀子又說：「……禽獸有知而無義，人有氣有生有知亦且有義，故最爲天下貴也。」由此可知荀子固可稱經驗主義者，但有時亦流露了理性論的主張，稱之爲重經驗而未忽視理性的理驗並顧論者亦未嘗不可。這與國父的理性與經驗並顧，先天與後天並重大致相同。

五、荀子的道德觀

荀子的道德哲學，包括甚廣，這裏只講誠與修身，中庸主義等。

（一）誠與修身——荀子在不苟篇中曾說：「君子養心，莫善于誠。致誠則無它事矣。惟仁之爲守，惟義之爲行。誠心守仁則形，形則神，神則能化矣。誠心行義則理，理則明，明則能變矣。」這與中庸所謂「誠則形，形則著，著則明，明則動，動則變，變則化，惟天下至誠爲能化。」其意思非常接近。

大學以誠意爲政治的先決條件，中庸以「誠」爲行九經的前提。荀子不苟篇云：「善之爲道者，不誠則不獨，不獨則不形，形則雖作於心，見于色，出于言，民猶未從也，雖從必疑。天地爲大矣，不誠則不能化萬物，聖人爲知矣，不誠則不能化萬民。父子爲親矣，不誠則疏。」

（未完）

譚天雕虫集

・鄒眼・

▲華胄子孫智慧第一

紀政小姐以田徑賽優勝，橫掃歐美，網羅了所有的冠軍，揚名世界體壇，確爲自由中國增光，近今我國參加日本之珠算比賽，韓國心算比賽，我國選手俱大獲全勝。心算神童年方六歲，能與電腦比賽而勝電腦，其速度有令人難以想像者，證明我國天才兒童之智力非碧眼兒所及。洵當善加培育以備國家科學發展之用。

▲學店教「育」又演緋聞

四十年前某大學學生贈某校長某巨公打油詩一首云：「一身豬狗態，兩眼官勢錢，三長吹拍騙，四維禮義廉」。蓋憤其爲官無恥也。茲該巨公近已謝世，繼之而起者竟有某私立學店（院）少東深承其衣砵。雖乳臭未乾，冒牌學者，而頗長金錢勢力之權術。利用當年李宗仁的幕僚某「屎學」家，專以結納黨政軍權貴爲辦學店之資本。凡要人之隨從秘書，與辦學有關之單位要員皆引爲教授。去年某君有一班課即爲某立委教授所吞併。卽是一例。其城中部大樓亦係由勒索教職員，學生百萬元所造成。化爲私產。今也該小兒科院長又且躍登政壇爲冠冕人物。而其逼死繼母一忤逆案，竟淹沒無聞，此無義又無廉無恥之徒，不其某前輩校長之「後來居上」者耶？近傳該院某屎學家以緋聞演出，鬧師生桃色糾紛。（三四月號夏聲月刊）尤爲突出之表現，原來該店專以招收交際花，歌星，舞星，影星爲號召，凡色藝雙全之士，均可交「費」入學。以備大用。近水樓台，能不先得月乎。嗚呼教「育」，是眞教「育」也矣。

▲張燕卿病故東瀛

據東京通訊：張燕卿已於舊年前病故扶桑，張氏爲清末名士張文襄公（之洞）幼子，留學德日，頗著才學。祇以「九一八」時爲日本軍人所羅致，投身僞滿溥儀幕下與鄭孝胥等共事宣統。至「七七」後又任華北新民會長，與繆斌同爲王揖唐王克政之助手。至遭國人共棄。日本投降後王揖唐繆斌伏誅，張氏亡命日本迄今。晚景困窮，身後蕭索。聞得岸信介，商啓予等之捐助，始能終殮。聞岸信介氏曾於「僞滿」爲張氏之部下云。

諸葛亮狂想曲

（一三一）　・劉玄・

劉約翰聽了十分歡喜，立刻說，「好極了，我同意。」

星君聽後，立刻從禪床旁茶几的抽屜裏，取出一疊用黃裱紙印好的表格，抽了一張遞給劉約翰。

劉約翰接過一看，只見上面印着：「××茲願變爲×××，爲期××日，請太白星君作法，倘有意外，與作法人無涉，特立此據爲憑。塡表人×××，見證人×××○」

「你自己塡好，見證人就請葛葛先生好了。」星君對劉約翰的吩咐，倒也簡單明瞭。

「諸葛先生，你看變幾天？」劉約翰問諸葛亮。

「做金魚也許很快樂，我想一天太少，一月太長，這樣吧，讓你過三天金魚生活如何？」太白星君一來與諸葛亮有深厚的友誼，二來他對劉約翰的印象不壞，所以才肯答應劉約翰的請求。

劉約翰沒有立刻答話，他站起來走進魚缸，俯首向缸裏仔細看了一下。

這是一個很精美的金魚缸，相當大，是透明的，卻非玻璃，缸裏佈滿水，彩色金魚長的既肥且大，游來游去，似乎很快樂的樣。

「這些金魚不知星君養了多少年了？」劉約翰回過頭來問太白星君。

「有好幾百年了，在表面上你也許看不出來，事實上牠們都在修煉，將來都會變成人形的。」太白星君眯縫着眼，很得意的樣子。

「怎麼？牠們將來會變成人形？」劉約翰帶有驚異神色。

「這有什麼了不起，黃雲大仙大概你總認識罷。」太白星君很聰明，他舉出黃雲大仙，讓黃雲大仙舉一反三。

太白星君見劉約翰不講話，知道他已經明瞭，又接着說，「這些金魚想變成人形，恐怕還需要幾百年工夫，現在我將你變成金魚，很快便能做到，這是人身之可貴處，你明白嗎？」

劉約翰連連點頭。

「請問星君何時作法？」諸葛亮雖然能製造木牛流馬，但讓人變魚卻從來沒有看見過，好奇之心油然而生。

「哈哈，這太容易了，只需要一秒鐘就能變成。我不知道劉約翰是否要將私事料理一下？」星君兩隻手拍了二下，然後兩隻手又向外一伸，很像電影上老巫師的架勢。

「我現在除了教英文以外，僅在龍岡担任了職務，這，我想可以託請葛先生代請三天假，也就行了。倒是，我要請教星君，變金魚是不是有痛苦？」劉約翰是性急的人，他既想變金魚，恨不得馬上就變。

「痛苦？做人才有痛苦，變魚那有痛苦？不過，我不知道你是不是一個很健康的人？

巨變歷險記！

爬過鷄街的大隧道，就是一個車站。

出鷄街不遠就是大隧道，出隧道就是車站，隧道之長可知。在裏邊爬着走，常常感到空氣不够，呼吸困難。

能爬出來，實在令丁博士感到高興。當他爬進隧道的時候，他並不知道隧道有多麽長，更不知道裏邊是個什麽樣子。但既然進去，也就只有前進。相信不管多麽長，總有出口的地方，總有出去的時候。想到哥崙布發現美洲，不管隧道是多麽的長，總有出口的地方，出口的時候。在海洋之上，在驚濤駭浪之中，自有他的危險，但空氣是流暢的，有時候還會風平浪靜，風和日曬，不若隧道裏邊的苦悶。抗戰時期重慶大隧道的慘禍，至今尤令人聞之色變。丁博士也是大隧道中人，幸而沒有深入。他當時站在中央公園方面的出口，但也已經感到壓迫。空氣對人太重要了！現在鷄街的大隧道，空氣給丁博士的壓迫也是很大的。很多次想退回去，但因爲確信有出口的地方，出口的時候，

何去何從？（一三四）

胡慶蓉

還是忍耐下去！忍耐，忍耐……，終於忍耐到出口。進去的時候，是在早上的七點左右，到出來已經是下午兩點多了。……

從洞出來，頭昏昏的，好像失去知覺似的。眼前一片黑暗，好像失明似的。兩手都磨破了，兩脚也無力。坐在洞口，好像死了的人，又躺下去，躺在地上，更像死了的人。因爲肚裏只有昨天晚上在老人家吃的那點粗飯，今天又走了一早上，又鑽了半天洞，肚子裏還會有東西……肚子裏沒東西，肚子更缺水，勉强爬到車站，找個水喝。這時候的車站，連一個人影子都沒有。但水還是有的。抓住水龍頭，打開水龍頭，就向肚子裏吸，向肚子裏灌，不知道灌了多少，肚子都鼓起來了。水不能止餓，但水也有相當止餓的作用。喝了一肚子的水，精神稍稍的恢復，但還是要躺下，還是要吃東西。這個時候，什麽也顧不得了，又勉强起來找東西吃。爬到廚房，他很失望，他什麽也找不到，又到了辦公室，到處去找，也什麽沒找到，最後還是在睡覺的房吧？找到了餅乾一類的東西，管他什麽，只顧向肚裏塡，塡塡……。雖沒有能够吃飽，但肚裏有了點東西，精神多少就又來了。下午四點了，站上還不見有人。不能老在這里，還是走吧！走吧！……但那里走呢？走向那里？

這一方面是箇舊，雲南出錫的地方。丁博士在這里參觀過，講過演，地方紳士熟的也不少。去箇舊，沿着鐵道前進就可以了。另一方面是普雄，這也是丁博士住過的地方。何去何從？丁博士很費心的斟酌。他估計彭副軍長和他的廿六軍已離開箇舊，箇舊不去的好。還是繼續普雄吧……。丁博士估計八軍必在依照原定計劃向建水、石屏、元江……方面撤退中，可望與他們會合。

乾隆帝允文允武

命相與夢話

漢平

清乾隆帝，乃是「允文允武，克長克君」之主，自順、康、雍、乾，皆爲明君。帝姓愛新覺羅氏，諱弘曆，卽廟號淸「高宗」，年號乾隆，廟號反爲年號所掩，淸代諸帝皆如此。明代以前各代帝王，皆稱「廟號」。

乾隆於雍正十年壬子年二十二日，世宗賜號「長春居士」，後嘗自號「信天主人」，七十歲以後，自稱「古稀天子」，又自稱「十全老人」。帝爲雍正第四子，按其初次序爲第五，生於雍親王藩邸，母王府格格鈕祜祿氏，卽孝聖憲皇后。至康熙壬寅年十二歲，三月，聖祖命養於宮中，雍正元年癸卯，年十三歲，八月，世宗密建皇儲，緘其名於乾淸宮的「正大光明」扁之後。十二年癸丑，年二十三歲，二月，封和碩寶親王。十三年乙卯五月，命入値辦理苗疆事務處，八月遺詔立爲皇太子，嗣大統，九月初三日，卽位於太和殿，時年二十五歲。明年丙辰，紀元乾隆。年二十六歲七月，擊定苗疆。十二年丁卯，年三十七歲，二月，大金川叛。十四年己巳正月，平大金川。十五年庚午年四十歲，西藏叛亂，不久悉平。十六年辛未，年四十一，緬甸內屬。十八年癸酉，年四十三歲，五月，準部亂，二十年乙亥，年四十五，準部平。二十四年己卯，年四十九歲，擊平回部。三十一年丙戌，五十六歲，五月，緬甸叛，三十六年辛卯，年六十一歲，小金川叛，四十一年丙申，年六十六歲，二月平小金川。是年緬甸滅暹羅。五十一年丙午，年七十六，十二月，暹羅國復，仍內屬清。五十三年戊申，年七十八，正月平台灣，五月安南黎氏滅。六月緬甸仍內屬，七月廓爾喀寇後藏。五十四年己酉，年七十九歲，六月，安南阮氏仍內屬，尋其王入覲。五十七年壬子，年八十二歲，六月，擊降廓爾喀，遂內屬。在位南巡六次，西巡一次，幸五台山五次，歲乙卯卽位，六十年旣滿，明年嘉慶元年丙辰，年八十六歲，正月朔日，御太和殿內禪，遂稱太上皇，退居寧壽宮，仍訓政，四年己未正月初三日辰刻，崩於養心殿。享壽八十有九。九月葬裕陵。有「日知薈說」，「御製樂善堂集」，「御製詩文集」，命文臣纂四庫全書提要，「簡明目錄」，「一統志」等書，文德武功，爲有淸諸帝之冠，諡「純」。有子十七人，女十人。

淸皇室四譜載：高宗純皇帝，乃康熙五十年八月十三日子時生。漢平按其八字爲辛卯、丁酉、庚午、丙子。生年辛卯，納音屬木，生月丁酉，納音爲火，生日庚午，納音屬土，生時丙子，納音屬水，命宮乙未，納音屬金。又適會謂五行俱足，又以支會子卯酉，謂爲四柱純全，皆以位至王侯許之。不僅如此，查日幹的庚，年幹的辛，在五行屬金，月幹的酉，在五行屬金。合計起來就有三金了。月幹透丁火，日枝又値時幹丙火，合計又有三火，又有午火，三火煉三金，大器鑄成，聲名必貴。此乃以正五行的金、火爲言。庚帝旺於酉，辛臨官於酉，丙帝臨於午，丁臨官於午，二者交互爲用，膺福最優。此乃以帝旺官爲言。庚丙爲陽，午子亦爲陽，以午枝的陽火，尅陽幹的庚金；以子枝的陽水，尅陽幹的丙火，兩下尅上，各得其平。辛丁爲陰，酉卯亦爲陰，以辛幹的辛金，尅陰枝的卯木，以丁幹的陰火，尅陰枝的酉金，兩上尅下，亦各得其平。既平則治，治則安。這是以幹枝陰陽爲言。

年枝卯木，爲月枝酉金所制；月枝酉金爲日枝午火所制；日枝午火爲時枝子水所制。自年而月，自月而日，自日而時，貴賤攸分，秩序不紊。這是以四柱次第爲言。

木無土而木不生，火無土不榮，水無土不高，金非土不成。所以辛卯年納音之木，丁酉月納音之火，丙子時納音之水，乙未宮納音的金，皆不能脫離庚午日元納音的土，而謀獨立。因是巍巍穆穆，無爲而治。這是以納音五行爲言。

命造有如此特徵，卽使不論五行足俱，四柱純全，亦當允文允武，克長克君了。

十二歲申運壬寅，三月聖祖命養自宮中。十三歲，世宗密建皇儲，緘其名於乾淸宮正大光明扁額後。二十三歲未運癸丑，封和碩寶親王。二十五歲乙卯五月，命入値辦理苗疆事務。八月，遺詔立爲皇太子，嗣大統，九月初三日，卽皇帝位於太和殿。二十六歲丙辰七月，擊定苗疆。以此看來，具見申運臨官，未運貴人，都有助於日主的庚金。二十七歲甲運丁巳，至八十五歲丑運乙卯，大都銳經精術，留意典墳，政治不在武功，優游多從文德。間有大小金川準回二部，及西藏等處稍有反動，旋卽平息。此無他故，乃命宮乙未與日主庚午，緊緊抱合，任他卯酉相衝，均不能搖撼毫毛。

細按高宗在位六十年，南巡六次，西巡一次，五幸五台山。八十六歲丙辰，卽嘉慶元年正月朔，御太和殿內禪，遂稱太上皇帝，退居寧壽宮，仍訓政。

由此看來；「十全老人」的命造中正和平，故一生不經坎坷，與尋常的升沉起復不定，大起大落的人大不相同，八十九歲戊運，歲値己未，正月初三辰時，崩於養心殿。雖云「秋收冬藏」，新陳代謝，任何人物不能避免。然其允文允武，克長克君；在位六十年，八方賓服，四海攸同；金馬朱鳶，並隷版圖之內。白狼元兔，咸歸覆幬之中，天下熙寧。雖堯舜禹湯，莫能過也。

國醫與國藥

中西醫對痲疹的爭論

本港中國國醫學院院長譚寶鈞，應聯合國香港協會之邀請在大會堂九樓講述「中醫對痲疹的療法」，頗爲盡致，並建議與港大醫學院兒科教授意蘭飛博士分別用中藥與外來抗生素治療痲疹，以事實證明中西醫學之各有效能，立論殊屬公允，玆特摘錄其原講詞如下：自從香港大學醫學院兒科教授意蘭飛博士在報章發表有關「中醫未有抗生素，無法醫治痲疹」之言論後，幾爲一般市民茶餘酒後的談論資料，同時，中醫藥界在報章上與電台上亦據理展開答辯，駁斥其非，學術愈辯愈明，在辯論下才能找出眞理，今天鄙人拜聯合國香港協會馬文輝秘書長邀請在本講座講述「中醫對痲疹之療治」。是否中醫不用外來的抗生素，就不能醫治痲疹？本人在未講之前，先要講一兩句話，我很懷疑意蘭飛教授在報上所發表「中醫未有抗生素，無法醫治痲疹」的話，有無傳聞失眞，或繙譯詞句上有所出入，以其身爲醫學教育者，斷無忘却痲疹病史，及西洋醫學發明抗生素有多少年代，蓋抗生素之發生，充其量不過三十餘年，而中國有四千餘年之歷史，且在抗生素未發明之前，人口已是數以億計，試查任何中國人之病史，幾乎很少人未經患過痲疹，當初未有外來抗生素，又何嘗不是中醫中藥所治癒乎；如謂中醫無抗生素，則未能醫理痲疹，何以中國人仍能大量生存。事實勝於雄辯，尤其是意蘭飛教授對於中醫中藥未有作深入之研究，焉知中藥未有抗生素？而西方醫學未有發明抗生素之前，治癒痲疹，又憑何種特效藥物？意蘭飛教授試想念此，將作何解釋？同時，抗生素係起了某一種治病作用之名詞，且一般西方醫學者，皆認爲痲疹係一種濾過性病。而抗生素非治痲疹之特效藥，只係痲疹在某一時期或某種併發症。可用類似所謂抗生素之藥耳。苟體虛氣弱，而痲疹初期透發矣，或透發不出，抗生素似非對症治療之藥，因此，中醫治痲疹之法多端，固不能執一方一法以爲治也。同時一種疾病之演變，到了末期，或屬不治之症，有先爲中醫醫治，亦有先爲西醫醫治，如此則不能盡歸咎於某一種醫學之不善，苟痲疹偶有逆症，或嚴重併發症，經過中醫或西醫醫治而死亡，盡歸咎於中醫，則每日公立醫院中，自始至終經過西醫醫治之疾病而死亡者，不知多少。恐西醫不能盡負其死亡之責，且亦不能謂此乃西洋醫學之不能治病也，中西醫學總各有其優點，亦各有其缺點，不能如俗語所謂：「一竹竿打盡一船人」，此種見解，本人站在公正立場而言，未敢贊同也。我以爲意蘭飛教授在報章刊載所發表「中醫無抗生素，不能醫治痲疹」係屬傳聞失實，或繙譯詞句有所出入，苟果不出所料，我建議意蘭飛教授應繕函送交民政司署請代爲譯妥中文，再送各報社發表，以釋羣疑。若報章刊載未有錯誤，我建議意蘭飛教授與鄙人共同署名上函醫務衞生署長，請求選擇十名新染痲疹病兒，未有嚴重或不治併發症狀態，指定在某一公立醫院分別由本人與意蘭飛教授各醫治五名，並邀請醫務衞生署派醫務人員二人，民政署民選議員二人，民政署主任二人，中醫公會派員二人，西醫公會派員二人，作爲見證，試觀中醫是否不用外來之抗生素只用中藥，能否治癒痲疹？及意蘭飛教授用抗生素治痲疹之效能又如何？如此則兩種不同醫學教育者，可以用事實答覆，以資證明中西醫學之功效，而對全港市民有所交代也。

第七章　李綱主戰遏金兵　陳東上書斥奸臣

到了金營，只見金將幹離不南面高踞，兩旁衛士殺氣騰騰，不覺心驚膽戰，慌忙再拜下帳，膝行而前。（筆者亦爲之醜陋肉麻（膝行乃是投降使者之禮，李梲眞沒骨頭，被李綱言中。

金將幹離不厲聲道：「汝家京城，旦夕可破。我爲少帝情面，欲存趙氏宗社，停兵不攻。汝須知我大恩，速自改悔，遵我條約數款。」說畢，即由一紙，擲付李梲道：「這便是議和條約。」李梲只曉得冷汗直冒，不敢哼一聲，只是奉了一紙也視而不見，不辨又命蕭三寶奴，耶律中、王汭三人與李梲同往，金人一面議和，一面又來攻城，談談打打，打打談談，以示威嚇。使得宋朝廷大臣們忐忑不安，不知如何是好。

翌日，金兵又攻打天津、景陽二門。李綱親自督戰，仍募敢死士數百人，縋城而下，以何權爲統領，自卯至酉，與金兵奮戰數百合，斬殺金兵千計，以身作則數創，大吒而死。金兵攻之不破，又復退走。

李綱入內議事，見欽宗與李邦彥正議和約，案上一紙，正是金人所提條款：

一、金五百萬兩，銀五千萬兩，牛馬一萬頭，緞一萬匹。

二、金主爲伯父，宋自稱爲姪。

三、歸還燕雲逃亡入宋境的人民。

四、割中山（河北定縣）、太原、河間（河北間縣）三鎮之地與金。

五、宋以宰相、親王入質於金。

李綱觀畢五條，惻然道：「金人無饜，要求無已，如何可從，倘若京城失陷，如何是好？」欽宗說：「據說來。」李綱道：「目前之計，且遣辯士與之磋商，遷延時日，俟四方勤王之師雲集都下，不怕金虜不退。」李邦彥道：「金虜狡詐兇狠，急令我遣使，現在都城不保，留三鎮又有何用？」張邦昌亦附和李邦彥議。其實那是什麽和議，分明就是無條件投降。欽宗道：「聊且出兵試之。」李、張二人竟與沈晦偕金使赴金營，照金人條款，一一如約。李綱聞知，長歎不已，和議告成，盡括民間金銀，只得金二十萬，銀四百萬兩，民間已爲之一空，尚遠不及金人勒索之數。只好請求陸續措繳，其他各條，一一照辦。最重要之一條，就是要親王爲質，欽宗命康王趙構爲質，以少宰張邦昌爲計議使，（廿六）

（第二○七三期）

社長李蓮蓬．督印黃行舊

社址：香港九龍彌敦道593─601號 創興銀行大廈八樓五座

LIU CHONG HING BUILDING
7th FLOOR FLAT 5
593—601 NATHAN ROAD,
KOWLOON, H.K.
TEL: K303831
電報掛號：7191

承印：景星印刷公司

電話：二七二○○

台灣分社：台北市西寧南路110號二樓

從趙高亡秦說到防諜問題

雷嘯岑

戰爭是政治的手段，政治是戰爭的延續。人類自有集團生活方式，即有政治行為，因政治作用而發生戰爭，殆為不可避免的必然現象，無論是國際間或國內，皆不例外。戰爭的勝負之數，武力是末，間諜的關係極大。第一次世界大戰結束後，西方史家分析雙方用力最深鉅的不是鏖殺對陣，而是間諜工作，勝負因素即基於此。再看吾國對日抗戰復員後的剿匪戡亂事實，國軍四百萬的陸海空部隊，兵精械足，竟未克翦除數十萬烏合之衆的流寇共匪，終致釀成神州陸沉之禍，很明顯的是敗於共諜之手，而兵力不與焉。

古代的間諜傑作

間諜的作用古已有之，於今尤烈。我國「孫子兵法」上即有「用間篇」，他把間諜分成五類，其中「生間」與「死間」兩類的作用更深刻。秦始皇統一六國後，不許民間有兵器，實行極權專制主義，連人民的知識思想亦嚴密控制着，中央政府經常擁有强大的武力，民間更厲行連保連坐法，其情況視今日共匪在大陸上的暴政絕無遜色。然秦祚不旋踵而亡了。實際亡秦的力量，既非陳勝、吳廣，亦不是項羽、劉邦，而係表面上始終忠於秦室的大官趙高，也就是孫子兵法上所謂「死間」也。清代名儒趙翼所著「餘叢考」紀述：根據史記索隱所說，趙高原係趙國諸公子，痛趙為秦所滅，誓必復仇，乃自宮以求入秦庭，施展亡秦之計。當年張良在博浪沙中對始皇行刺不遂，始皇下令全國大索十日亦未獲，即係趙高將張良秘藏在自己家裏，予以掩護之故。

趙高在秦庭得到始皇寵信後，第一步就是誘慫秦皇，把能力高强的大將蒙恬殺掉，以繼起無人，軍心乃為之渙散了。他隨侍始皇出巡，始皇在旅途忽然抱病而亡，究竟得的甚麼病，死況如何，史無可考，這是否如俄共魔王史大林之死得不明不白，頗成疑問。趙高知道始皇去世後，太子扶蘇當然要繼位，[illegible]將始皇的死訊保密，[illegible]賜太子扶蘇自盡，然後正式發表，扶立始皇幼子胡亥[illegible]。這時始皇的屍已經腐臭了！[illegible]

[illegible]趙高[illegible]以指鹿為馬的技倆[illegible]陳勝吳廣[illegible]然動盪不安[illegible]流，即是苦於徭役[illegible]。

如果不是趙高故意教唆秦帝胡亥施行苛虐的政令，項羽、劉邦亦就沒法覆秦宗室。然趙高為報國復仇的間諜任務，即如願以償了。他對秦帝是表面的忠貞份子，對趙國卻是真正的功臣烈士！

[illegible]可之流[illegible]方法之周密，[illegible]指[illegible]人物，可與他媲[illegible]「死間」[illegible]多，祇存有無[illegible]其為害亦甚烈且[illegible]

做間諜的基本條件

就趙高在秦庭的[illegible]表現，可說是[illegible]始皇的[illegible]雄[illegible]之苦衷，亦未能覺察趙的奸謀，這是由於一般統治階級的領袖人物，都具有好諛受諂的天性，很不喜歡聽受逆耳之言，自以為是，意念不合的主張，而以極權獨裁主義者為尤甚。趙高就利用君主的這種弱點，逐迎長進，唯力是鑽，藉以博得寵信而堅定不移，然後設法打擊、剷除那些正色立朝而有所不為的忠義人士，使任何人不能有所異議，只有他獨是被君主深信為赤膽忠肝的股肱之臣。所以在趙高誅害大將蒙恬，逼使太子扶蘇自殺，對始皇的死訊秘不宣佈這類非常事變發作之際，朝中竟沒人過問，有所檢討。因此之故，凡是作間諜的基本條件，必須經常對當權人物表示着赴湯蹈患的死硬態度，以期進而得寵結好，發揮間諜作用。例如在國前任中央銀行行務委員兼經濟研究所所長冀朝鼎，原係高級共諜，但他潛伏在我政府機構中的時候，隨時表現着忠於國民黨、愛護中華民國的言行，但他在上海的共黨報紙上，發揮了很大的間諜作用。民國卅九年他在上海的共黨報紙上，發表過一篇托表功的文章，題目是「我怎樣搞垮國民黨的財政金融？」內容說他每有關於財經事項的惡毒建議，即對我政府大不利的辦法，即先說服要員貝某，由貝氏影響中央決策人士予以採納施行。如對日抗戰結束時，財政部扣發人民定購的黃金二成，以及頒訂法幣一元折抵淪陷區偽幣二百元這兩大虐民禍國的政令，即係央行採納「冀所長」的意見而決定的。還有邵力子、張治中、劉斐等共諜，當其在我政府中顯赫騰達之際，無論對黨國，對領袖，他們那副雙料忠貞的嘴臉，比任何一個國民黨人持有過之而無不及，特別是張治中與劉斐，更表演得超羣絕倫。張氏對領袖經常高呼萬歲口號的情形，乃世所周知的事實，劉氏對着部隊將領談話，動則謂「你們忠誠地遵照委員長的指示，努力實行就得了，不必浪費腦經，多所思考」，實則他職司軍令，暗中把軍情隨時密告共黨的。張氏於政府大力戡亂時，一意主和，對人說是奉命行事的，結果他首先攜家北上投共。邵氏於卅八年一月在總統召集的高級文武幹部會議中，諱言「打人家不過就得投降，這有甚末客氣呢！」一羣共諜的真面目，此時乃告畢露了。像冀朝鼎、邵力子、張治中、劉斐等，都是孫子兵法所謂「生間」之流，固不及「死間」趙高的作用之大，但其貽禍亦就夠受哩！

防範間諜的有效方法

台灣街頭多見「人人皆有防諜責任」的標語，這對普通的共黨特工份子，或許有些用處，然對於趙高式的間諜人物，卻不發生絲毫效力，因為這類「生間」或「死間」之輩，他在政治上必有相當地位，平日呼籲別人防諜的詞色特別認眞，作賊喊捉賊，理固然也。若想有效地杜防重要的間諜份子，基本上是在用人方面特別注意，不可為着私慾而掉以輕心，對於高級幹部的建議和服務情節，須用高度的智慧來觀察分析，且不忘「防諜」的心計。次則廣開言路，讓輿論界對政治人物實施摘奸發伏的自由權力，言者無罪，聞者足戒，然後採用美國國會議員對特種問題舉行「聽證會」的辦法，通知當事人出席答復，從事質證辯論，不惜打破沙鍋問到底。如此這般的防諜，庶幾有裨實際而不致流於表面空談。

趙高式的大間諜，一定是從大處落墨以實施奸謀，凡是對政府好像很有裨益，而對人民只是增加困擾的政策性措施，如前述冠扣人民購儲的黃金，將淪陷區偽幣二百元抵成法幣一元這種政令，政府所得有限，而對人民的信用破壞殆盡，又使廣大淪陷區的物價為之飛漲，稍有常識的人，亦認為這是利少害多的政策，千萬使不得的。萬事不忘，從事之師，我們已經吃過了高級共諜的苦頭，非隨時提高警覺不可！

台灣社會是安定的，也相當繁榮，然在安定繁榮的環境中，間諜卻容易潛蹤，安不忘危的重要事情，我認為杜防「生間」「死間」份子之潛伏作祟，殆屬未可忽視的大問題。

（完）

昨日與明日

教育部怎如此糟？

台北醫院學籍舞弊行賄案發生以後，已有該院前任董事長胡水旺因舞弊被法院扣押訊辦，已離職的教育部高教司專員熊宗廉和秘書高明因受賄也被法院羈押。據台北有關方面傳出消息：涉嫌此案的教部官員不僅限於已離職的兩位，還有教部現職高級官員若干人。此訊傳出不久，本月十二日台北各晚報便刊出教部簡任一級督學萬子霖和周或文被調查局約談的消息，外間還盛傳：此一案情的發展，不只是只有萬周兩督學涉嫌而已。我們不禁深感：教部官員何以涉嫌舞弊如此之多？原本清清白白的機關，何以搞得如此之糟？誰應負責？現任教長鍾皎光？還是以前教長閻振興？

國內學術界人士年來都有同感，就是：教育部這個衙門太老了，科員政治的結果，部次長的更動，對於教育行政效率和教育行政風氣並未發生多少改進的效果。所謂人事安定與對公務員的保障，祇是保障那些弄權舞弊的不肖官吏而已。自從開放設立五年制專修科以後，風風雨雨，閒話最多。像台北醫學院學籍舞弊案，已被查證，故為社會人士所週知；除該院以外，是否都完全清清白白，誰也保證。我們祇有深慨世風之日下，而教育風氣如此之糟，竟從領導全國教育的教育部而來，天下豈眞無聞乎？教育應如何整飭官箴？行政院長和上峯部長不能再拖延因循了。

除高教司外，最令教授們不滿的還有教育部學術審議委員會這一單位，它對大專教員的升等任教百般刁難摩折，有人情的，將論文送與容易過關的委員審查；沒有人情的則送到最嚴苛的委員處所，甚至故意洩息，讓送審者獲悉審議委員的姓名，方便拜託，審查時間，往往拖到二、三年之久，而審議，常失公正，優劣難分。最妙的，無數的教育部官員和他們的眷屬，在各大專學校兼課，一開始便是副教授或教授，難道他們都合格？他們都有合格的論文？我們請求司法行政部調查局派員深入該會調查一下，將歷年大專教員著作送審升等情況，作一瞭解，以釋羣疑，而杜積弊。

・老者

自由談

愧不敢當

日本的文學界系斗川端康成，近在台灣舉行的「亞洲作家會議」中發表專題講話，盛稱中國固有文化之優美而博大，對日本影響甚為深鉅，他認為十八世紀的日本大詩人芭蕉，是受到杜甫的詩教影響；而日本名著文學作品「源氏物語」，乃係脫胎於白居易的長恨歌；他當場唸出了杜甫幾首慨時哀亂的詩句，而推其義蘊，最後對目前我國的復興中國文化運動，表示贊許之意。另有越南作家等文士，亦對吾國古代詩歌，大為讚美。

我們在不以外國朋友推崇吾國的舊有文學而竊竊自喜，引為驕傲，卻該起一種『禮失而求諸野』的衝心情，近五十年來，由於一般淺學之士提倡新文化運動，主張全盤西化主義，把本國固有的詩書禮樂為陳腐的死文學，喊出一把線裝書丟到茅廁裏」的口號，尤其對於舊有的韻文與詩詞，認為不值一顧，而以「的，嗎，呢，呀」的語體為上乘。因此之故，現時大多數的青年知識份子，能寫出通順的應用文字者，殊不多見，根本就識字甚少，缺之寫作資源，更談不到欣賞歷代著名文學家的文藝作品。

反觀東鄰日本，一面在科學與法制上，皆行西化，同時對固有文化存精去蕪，發揚光大，決不妄自菲薄。川端康成之所以獲得諾貝爾文藝獎金的榮譽，是憑着他那種東方文化精神的生活體驗而創作的文藝結晶品所致的。現代中國的所謂新文化運動者，對舊的文藝固然棄之如遺，曾土苴之不若，新的文藝亦幼稚拙陋，難登大雅之堂，只好讓印度和日本的兩位文學家──泰戈爾，川端康成──成為亞洲的文壇祭酒了，我們能不汗顏嗎？

吾國許多舊有古籍和繪畫，在國內已渺少不可見，然在日本的文庫中卻琳瑯滿目。前幾年，大陸上毛共文化機構刊行的「王荊公全集」，據其自述，中有若干殘缺的詩文，國內根本尋不到，是從日本「深澤文庫」藏的宋版中，影印而來的，即此可知吾國固有文物之浩劫為何如也。有人說，將來中國人要想研究舊有的書畫與詩詞，勢非向日本或歐洲的漢學家請教不可了！這決非笑談，而是真確的事實，君不見現在咱們大倡「復興中國文化運動」之秋，尚有不少的西化主義者，建議實行簡體字，要求大專學校增設「語文系」，而將國文改稱「古典文學」──這是拾取大陸上毛共的牙慧──台灣某一官辦報紙，扭栽文言文的文藝作品，更有人提漢字羅馬化，這些妖風戾氣表現乎？所以，我對於川端康成在「亞洲作家會議」讚譽中國舊有文學的言論，祇有慚愧而已。

馬五先生

「大學校長不得兼任他職」
閻振興應遵守法令
迅辭六個重要兼職

（本報特稿）一人一職是天經地義，政府當局公開講了無數次，如果只講不做，怎能得到人民的信任。守法也是天經地義，政府當局公開講了無數次，如果自己公然不守法，怎能責備人民不守法。

全面革新是國民黨十全大會所決定的正確政策，黨政當局公開講了無數次。厲行一人一職與厲行守法當然包括在全面革新之中。在此全面革新聲中，居然有不肖官吏貪權貪位，一身兼二專職，三專職乃至七專職，公然違反政策，使政府威信遭受重大的損失。

昔秦國富强能夠滅亡六國，統一天下，主要得力於商鞅倡導守法，其事實具載於史冊，無待贅述。現在我們必須向商鞅學習，向商鞅看齊，方能端正衰敗的學風與政風。

國父提倡知行合一學說， 總統更重視行的哲學，無奈言者諄諄，聽者邈邈，竟有不肖官吏言行不符，並不實踐 國父遺教與 總統訓示，教育界學術界領導人物竟亦如此，對全國青年有不良的影響。筆者謹以至誠，提出下列意見：

一、政府每一官員應即嚴格普遍實行一人一職，不得有任何例外，可由人事行政局負責辦理，並由考試院嚴格考核。

二、各級政府必須人人守法，時時守法，處處守法，以為人民表率，由政府與社會共同負責推行。

三、目前第一件要做的事，是台大校長閻振興應遵守大學法第八條，大學校長不得兼任他職之規定，立即辭去下列重要的職位，對全國國民，作守法的示範：

（一）國立清華大學校長

（二）中正研究院院長

（三）行政院青年輔導會主任委員

（四）行政院原子能委員會主任委員

（五）國家安全會議科學發展指導委員會副主任委員

（六）行政院科學發展委員會副主任委員

我們要讓有好品德、有眞學問的，但不會奔走鑽營的純正科學家分別擔任這六個職位，使人才輩出，這是政府起用人才，延攬人才，培養人才最有效的方法。筆者深信國內人才雖缺乏，尚不致必須衆士皆沉潛，閻君獨顯要。黃鍾毀棄，瓦釜雷鳴，實在是國家的大不幸。

四、立法委員張子揚關於閻振興一身兼五要職之質詢（見五九年六月十日，自由報第一〇六七期），義正辭嚴，理由充實，反映民意，故能獲得社會輿論的稱頌，閻振興實有採納的責任，否則立法院的威信完全喪失了。附帶說明兩點：

（一）文匯樓主著「從學風說到閻振興」的短評（載於自由報第一〇六四期，五九年五月三十日）與張子揚委員的上述質詢，都極有份量，引起海外教育界學術界的密切注意。

（二）政府最近發表閻振興出任台大校長，而不先令其辭去所兼六要職，是行政院自己不遵守大學法，顯然是一重大錯失。亡羊補牢，猶未為晚，請行政院從速補救，讓閻振興辭去所兼六專職，以一新愛國僑胞的觀感。

（一九七〇年六月十五日張國維於香港）

修復颱風損毀堤防
未照預定計劃執行
郭雨新力促檢查施工情形
指水利局常藉故稽延工程

（本報通信員柳一權台北消息）來自中興新村報導，省議員郭雨新質詢云：近閱報載，省主席關懷去年颱風災害復舊情形，而指示建設廳轉飭水利局，對去年秋後遭受颱風冲毀堤防，應予尅期修復，並限於六月底颱風季節來臨前全部完成。是政府之德政，亦是人民之福音。現在雖所限期間僅半個月，試問所有應修復之工程，是否能如期完成，建廳主管當局是否遵照省主席之指示，確實檢查各項復舊工程之施工情形，是否按照工作進度如期驗收，如有未按工程進度完成者，是否予以查辦，使人疑問重重，未審能詳予說明乎？

本席認為水利局歷年來對水利工程預算之執行，常有藉故延緩執行，以致若干急待修復之防洪工程，均未能如期完成，導致嚴重災害，實不容忽視。舉例言之，本省北部之蘭陽地區，為首當其衝之颱風侵襲之區，其急待修復之堤防甚多，而水利當局視若無覩，如紅柴林堤防，雖經歷年來之修復，仍有長達九七五公尺之堤防急待搶修，況且該縣早已籌妥配合款，然而水利局幾經地方爭取，尚未策劃修復，其他有待修復之堤防，不勝枚舉。居心何在？誠屬使人費解？

再就該局對預算之執行而言，依本省五十七年度地方總決算審核報告中列明，該局於是年度決算，列颱風災害搶修及復原四九、七〇八、五六二・三〇元，其實現數僅二六、九二五・八〇元，而轉入下年度之權責發生數達四九、六八一、六三六・五〇元，由此可見該局對颱風災害搶修及復原工程，幾乎未能在預定計劃期間執行，試問建設主管當局是否均有切實之檢查，其執行情形如何，能否能將五十七年起所列預算之執行情形，列表向本會提出報告，以供檢討，而謀改進。

政府為促進本省各地農田水利會互相合作，於是設置聯合建設基金。當時計劃之財源，係由政府提供資金伍億元、農復會撥款伍億元，並由各農田水利會繳存伍億元，共計十五億元。惟經本會組織專案赴各地考察結果，政府及農復會並未提供資金，據所提出該項基金之運用概況：截至五十九年三月底止，各農田水利會共繳存基金計三七〇、〇一一、〇五五・七五元，孳息收入共計一四四、四四〇、八二六・二三元，合計五一四、四五一、八八一・九八元。試問政府與農復會何以不能提供資金，殊屬使人費解？

至於該項基金之運用，依台灣省各地農田水利會聯合建設基金設置管理辦法第八條之規定，不論緊急搶修、災害重建、新建等工程，均須經過水利局核定，且視該項基金管理委員會為其附屬機關，以致濫用職權，運用不當，而發生偏差。未悉其用意何在？誠屬使人費解。本席認為要求該項基金，能擴大利用，發揮互助合作之精神，是否應該重新檢討，修改組織規程，同時將該項基金，改為民辦官督，以免受無謂之干擾，未知高見如何？

安全設備不良
礦場災變頻傳
安全檢查敷衍塞責
工礦當局視若無覩

工礦安全何在？

近年來礦場災變頻傳，其發生原因幾屬瓦斯爆炸，而引致瓦斯爆炸之重要原因，顯然是由於礦場安全措施簡陋之故。惟據報導，礦場負責人均稱為「瓦斯突出」，礦工深入地層工作，辛苦備嘗，固以所得之低薄工資，聊以充飢禦寒。但其為促進經濟發展，為礦主賺取更大利益，而礦主忽視礦區之安全措施，安顧礦工之安全，昧於良心，誠屬於可誅。然負責礦場之檢查人員，何以未能嚴格檢查，責令改善，而以敷衍塞責之態度，視礦工之性命如草芥，試問主管工礦當局其視若無覩？抑為礦主之酒肉香塞昏乎？

根據統計，本省礦場發生突變，自四十五年到五十七年，在十三年間，礦工受傷者達十七萬九千七百廿五人，殘廢者共六千七百九十一人，而死亡者有二千三百四十人，如與世界各國礦工死亡千人率比較，台灣為二・五三人；較之日本、英、法等國，幾達二至三倍，考其原因均為安全設備不良所引致。既有積年來之統計數字，而礦場之安全設備、礦工福利、衛生保健、礦工教育等何以不依照法令規章，謀求改進，幾不使人存疑乎？

至於礦工工資，工作時間，亦有澈底檢討之必要，由於台灣現有礦場大都沿用日本所遺留之包工制度，此一制度在業者而言，對於管理及招攬工人，確有甚多方便。但以煤業經營及工人生活而言，則為極大損失。因包工制度既含有商業性質，而包工頭唯利是圖，礦工以血汗及性命所換來之工資，為包工從中剝削，影響礦工生活及其工作情緒。如遇有礦場欠發工資時，包工甚至從中玩弄手脚，以高利貸或以現金拆扣換取工人工資卡，剝削工人利益。本席認為應澈底廢除包工制度，建立礦場與礦工發生直接僱傭關係，未審高見如何？

有關電費負担之檢討：

本省電力之發展，在東南亞各地，可謂僅次於日本，依據經合會分析，五十八年第一季發電量達二、五六五百萬度，較去年同期增加一三・五%，對工業增產貢獻甚大。但是當前電費負担，由於偏高，不獨增加工業成本，抑且加重人民負担，是誠值得檢討。按本省電源之開發，雖有良好之遠景。但是由於該公司因電路設備不夠良好，使電費在輸送中途所遭受之損失，仍然可觀，依據估計，目前因電路不良之損失率，高達百分之十，豈容忽視乎？

為期電費負担減輕，更期促進本省經濟之高度發展，深望有關當局密切注意電路之維護與不斷改善，同時希望首先減免電費者，諸如：

（一）當前農村經濟日形萎縮，農業之成長率已逐漸降低，而農田灌溉用電，其電費負担，除應繳基本電費外，每度電費幾達一元，農民實不勝負担。現在中央為謀解決當前農村經濟難題，而須訂農村經濟建設綱領，本席認為應配合此一目標，而減免農業用電之電費負担，未審高見如何？

（二）其次為各鄉鎮負担公設路燈接護費及電費問題，查各鄉鎮人口日漸增加，增設路燈乃必然趨勢，而所裝設路燈之接護費及電費，均須由各鄉鎮負担。在較繁榮之市鎮尚能勉力負担，其屬偏僻貧瘠鄉村，實屬乏力負荷。本席認為路燈係公共設施，而電力公司係屬公用事業，對於貧瘠鄉村所增設之路燈及電費，應予減免，未審以為然否？

喬治桑外傳　一五三

張大華

喬治桑聽了裘白璣的一番話，覺得不無道理，不便再急吼吼地討論吃飯問題，於是轉變話題，問卡太太：「最近手氣好不好？」

「自從上次和你們打過一場以後，接連輸了好幾場，我的牌打得不好，只有和你們打還勉强可以應付。」卡太太說完，在什錦水菓盤裏挑了一片蘋菓細細嚼着。

「我的牌打得呀呀嗚，桑博士却是好手。上次在我家打小牌，他是誠心讓妳贏的。」裘白璣今天要擾喬治桑一頓，所以要捧他一下，此滬語所謂「落檻」是也。

「你不要聽他的，我的牌一向打不好，也是常輸將軍。」喬治桑知道別的可以吹，吹打牌却沒有什麼意思。

「所以，我說嗎，我們還是跳舞比較好，男人打牌容易生痔瘡，女人打牌……」卡太太說溜了嘴，一時竟想不出適當語句。

「女人打牌容易月經不調。」冷不防裘白璣在旁上了一盤大菜。

「你不要亂說，更年期的女人有什麼調不調的。」卡太太向裘白璣叱責，但並未認眞發牌氣。

喬治桑在一旁看在眼裏，心裏想：難怪裘白璣說她有點十三點！

「桑先生，你有沒有痔瘡？」卡太太意有未盡，問喬治桑這話，顯然是表示關切，但喬治桑却有點受寵若驚。

「以前是有的，前幾年在美國治好的。」喬治桑只好據實作答。

（未完）

台北傳奇錄（五三）

陳光棣

大家一窩蜂的擁向試場門口，在那裏擠滿了男女考生，已經在陸續的走入試場，這些考生們；經過了日以繼夜的死記和硬背，腦子裏裝滿了公式、定律、辭彙、文法、長時期的疲勞，加上臨場的緊張氣氛，於是有的面如菜色，有的面無人色，有的面無血色，有的面如土色，只有生來就是一張蒼白面孔的考生，看起來才勉強算是面不改色。這些考生們的心境也是冷暖自知的；有的滿懷信心，有的提心吊膽，有的患得患失，有的是碰碰運氣，明年再來。總之考生們面對着這場慘烈的升學競爭，精神上所受的壓力是空前的，雖則每一個人都已疲憊不堪，但仍要苦撐着最後的體力奮勇搏鬥，因為這是人生旅途上最艱苦的一場戰爭，假如誰能在戰爭裏得到勝利，誰就能給家庭帶來快樂和榮譽，更能贏得親戚朋友們虛情假意的讚揚和祝福，假如有誰在戰場上因為實力不足或馬失前蹄而敗下陣來，誰的家庭就愁雲密佈，陰風慘慘，三親六故們也免不了假門假式的同情和安慰。所以使得每一個考生，在心理上都有着無比的負担，誠惶誠恐的在試場裏流汗。實力也就大打折扣了。

其實考大學能一戰成功的固然可喜，而能厲兵秣馬繼續奮鬥的也沒有什麼屈辱，本來考試無常，再加以粥少僧多，有人在考場上失敗是必然的，但失敗是成功之母，塞翁失馬，又焉知非福呢？無奈我們這個社會，是瞎起鬨的社會，最錯誤的觀念，是不明是非的就認準某一兩所學校作為志願學校，至於那所學校的校風如何？師資如何？教學的情形又如何？就一概不管了。反正都考那所學校，咱們也要考那所學校，您說說：這是不是瞎起鬨？當年在大陸上考大學，選擇學校的固然也有，但大多的學生，都是選擇那所學校的那一系，某學校某一系辦的最好，而某一系又是考生的志趣所在，自然就報考某校的某一系了。因為每一所學校有每一所學校的特點，不能混為一談的。說句老實話，世俗眼光裏所崇拜的學校裏也不乏污爛學系，一般人不太崇拜的學校裏，也經常有些學系是很紮實的。其實所謂學校好壞都在其次，主要的還看學生本身是不是肯用功鑽研，假如你學的玩藝兒地道，功夫深，火候足，便是不折不扣的學有專長，到了社會上一定能出人頭地。儘管你讀的是所謂好學校，而你鬼混了四年以後，也騙到一張文憑當作敲門磚，縱然敲開了職業的大門，我敢担保，你一定會一事無成，到頭來窩窩囊囊的混一輩子，因為你腦子裏裝的都是稻草，當然爭不過有眞才實學的人。再者，到了社會上，人家只問你人品如何？學識如何？工作道德如何？也沒有人管你是不是大專聯考的「狀元」。

文匯樓別記

介紹「一笑記」連載

·文匯樓主·

上週末中央級民意代表李洛九教授夫婦，邀宴司法行政部查良鑑博士夫婦於重慶南路復興園，作陪者有熊式一博士、政論家雷嘯岑、國學泰斗李漁叔、老莊哲學權威前華盛大學哲學教授張起鈞、吳惠平醫學博士，自由報法律顧問墨文藻大律師及樓主等。

查部長旣爲主客，當然座位被列首席，查以風趣著稱，卽席講一段坐首席的故事，引起全桌大笑，他說：「有三個客人常搶坐在首席上的，全桌無可奈何。一是瞎子，瞎子坐首席的理由因「目中無人」；二是矮子，矮子坐首席的理由是「不是常人」常晉長；三是駝子，駝子坐首席的理由視在座的，「爾皆直輩」直者侄晉」。

熊式一博士一向希望自由報的文匯樓主每期能寫一段笑話，必可增加報紙銷路，今日的報章雜誌內容應該設法使其有百分之五十的風趣性，偏門冷門的文章，讓專家出專門書籍去考證，報紙最好能少討論……在一個多和的處境下，好像就這樣成了定案。

樓主年邁不僅對爬格子的生活感到非常厭倦，舍間油瓶倒了都不願去扶，苦笑的經驗很多，眞笑的資料實在太少，乃轉推薦錢一劍先生，錢公春秋雖高，較樓主好者，爲孤家寡人，三年來在本報後台打雜，冒充過馬五先生，也代替過文匯樓主，爲馬騰雲捉過很多次刀，有時還唱唱低調，在「昨日報的」裏會引起軒然大波的文章都出自錢一劍手筆，可能辦報與官場沒有兩樣，換句話，就是也難脫俗能采（足旁）的就采（足旁），總以絕對不讓人才隨便冒出爲原則，總之大概都是學會了名教授毛子水先生的招數，錢一劍主在這裏特別聲明的，錢一劍除常餽樓主幾餐小菜飯外，連雞卵大的小西瓜也未孝敬過一個，祇有感「天下人才須共用，古今治事在「鐵仙鶴」也好（外門一毛不拔）一雙十牌牙刷也好（一毛不拔），但錢的筆鋒很利，則屬百分之百的事實。有一次他批評中國青年黨中央黨部幾老，其中一老氣得噴出血來，錢則自稱診熱病非下涼藥不可，今天這副藥中有八錢生石膏、五錢犀牛角、一兩三錢大黃，保證青年黨的疑難雜症，從今起可妙手回春，果未出所料，執政黨看到青年黨鬧的太不成話了，派陶希聖先生出馬扮演魯仲連，硬性促成青年黨的團結。

「一笑記」連載自下期起開始，錢一劍未說台下鞠躬，竟允上台「現醜」，包括中外古今能博人一笑的故事，均將在該欄絡續推出，希望廣大讀者捧場，錢一劍先生憑其神來之筆與過腦不忘的記憶，每期能引發千萬讀者一笑，亦非易事，樓主僅代表本報同人先向錢一劍先生致誠摯謝意，用爲介紹並祝成功。

我對「家之禮讚」的說明（續）

李宗黃

近年來　總統倡導推行中華文化復興運動，親任中華文化復興運動委員會會長，在手著　國父一百晉一誕辰中山樓中華文化堂落成紀念文中會謂：「我中華文化之基礎，一爲倫理，二爲民主，三爲科學，」又謂：「　國父發明三民主義，以繼承我中華民族之道統爲己任，乃使我五千年民族文化歷久而彌新，皆我中華文化之精華，盡擷於此也。」是以　國父謂：「有道德始有國家，有道德始成世界」，此卽民族倫理道德，「一是皆以修身爲本」之秉彝也。

中華文化復興運動推行綱要中推行要項亦規定「積極推行新生活運動，使國民生活在固有文化四維八德之薰陶下，走向現代化與合理化……。並頒行「國民生活須知」，要把它普遍的推行，尤其要推行到最基本的家庭與個人，不禁使我回憶起四十餘年前我創造的家庭教育，實在就是一種最具體最基本的中華文化復興運動，果能進一步使之成爲家庭制度化，作普遍的推行，其效尤宏。

同時我想起這首失去曲譜的家歌，完全符合中華文化復興運動的精神，因此特別函請在香港任教授的大音樂家黃友棣先生另爲作曲，承黃先生慨然允諾，並主張改名爲「家之禮讚」，着重樂教，用意深遠。我又聯想到與其一家來唱，不如千家萬家來唱，與其千家萬家來唱，不如全中國每一家庭都來歡唱。特別決定把「光隴西之世胄兮」改爲「光炎黃之世胄兮」，黃先生極爲贊成，並介紹我邀請中央廣播公司國樂隊播唱，極爲莊嚴和樂，令人欣感於無涯。希望有關當局及有心人士，採及封（草頭）菲，在不久之將來，能風行於社會家庭，對中華文化復興運動，發生一點基本動力。（完）

荀子哲學簡論（四）

周世輔

君上爲尊矣，不誠則卑。夫誠者，君子之所守也，而政事之本也。」這與大學八目以修身爲本，中庸九經以修身爲首，所見略同。君道篇載：「請問爲國？」荀子答曰：「聞修身，未聞爲國也。君者儀也，儀正而景正……」這是說能修身方能爲政，不能修身不必談政治事。

（二）孝弟忠信與禮義——荀子在道德方面重視孝弟忠信仁義與禮義。他在議兵篇強調仁義之師，臣道篇強調忠與仁，王制篇主張與孝弟，子道篇提倡入孝，出弟。他在彊國篇云：「凡姦人之所以起者，以上之下不貴義，不敬義也。……凡爲天下之要，義爲本，而信次之。古者禹湯本義務信而天下治。桀紂棄義倍信而天下亂。故爲人上者，必將愼禮義，務忠信，而後可。」由此可知他對于孝弟忠信禮義等德目，是非常重視的。

（三）論勇的種類——國父在軍人教育中分勇爲大勇與小勇；又分小勇爲匹夫之勇、血氣之勇及無知之勇三種。荀子榮辱篇稱：「有狗彘之勇者、有賈盜之勇者、有小人之勇者，有士君子之勇者。爭飲食、無廉恥，不知是非、不辟（同避）死傷，不畏衆人彊，牟牟（心旁）然（愛慾之貌）唯飲食之見，是狗彘之勇也。爲事利，爭貨財、無辭讓，果敢而振，猛貪而戾，牟牟（心旁）然唯利之見，是賈盜之勇也。輕死而暴，是小人之勇也。義之所在，不傾于權，不顧其利，舉國而與之，不爲改視，重死持義而不撓（不撓曲以苟身），是士君子之勇也。」這裏所說的狗彘之勇，賈盜之勇，就是小勇；這裏所說的士君子之勇，就是大勇，可見荀子是重大勇而輕小勇的。

（四）中庸主義——孔門講中庸，荀子亦講中庸。

儒效篇云：「先生之道……比中者行之。偈謂中？曰：『禮義是也。』」荀子重視「中」，且以爲循乎禮義而行，卽是循「中道而行」。故說禮能「斷長續短，損有餘，益不足」，以求合乎中道。

禮論篇曰：「三年之喪何也？曰：稱情而立文……故先王聖人爲之立中制節。」這裏反對墨子之短喪，認爲墨子之短喪薄葬，不合乎「立中制節。」從荀子的解蔽篇，亦可以看出他反對走極端。「墨子蔽于用而不知文，宋子蔽于欲而不知得，愼子蔽于法而不知賢，申子蔽于勢而不知知，惠子蔽于辭而不知實，莊子蔽于天而不知人。」他反對走極端，亦可說是反對「偏而不中」。故又說：「凡人之患，于一曲，而闇於大理。」

天論篇云：「愼子有見于後無見于先；老子有見于詘（屈）無見于信（伸）；墨子有見于齊無見于畸；宋子有見于少無見于多。」這也是對于「偏而不中」的一種批評。

以上就是「禮義」「三年之喪」及偏激學術而講「中」，下面又就道修養而講「中」。

修身篇云：「君子……怒不過奪，喜不過予。」這是說不要應喜怒的情感而違反中庸之道。又云：「欲過之而動不及，心止之也。」這是說心要使之止于中，以避免太過與不及。（未完）

說曹操

李漁叔

七、曹操與劉先主關公之敵友關係（廿一）

在歷史記載上看到曹劉兩家關係，的確是一件十分有趣的事情。他們兩人一見卽發生好感，眞是英雄識英雄，尤其可以看出曹孟德一生愛才，只要被他發現了，便特別加以愛護，與不次的拔擢。甚至於到了不顧利害的程度，這些都可以從他對劉先主玄德和關公的身上看出來。

三國志魏志及華陽國志均載先主劉備於建安元年來投曹公，這一年也就是孟德迎衞漢帝定都許昌的開始，到了十月間先主就來了。先主在沒有來以前，還曾被孟德表薦天子，爲鎮東將軍封宜城亭侯。也就是這一年內的事。按先主那時正作徐州牧，和袁術呂布兩人發生爭戰，蜀志載：

「先主領徐州，袁術來攻，先主拒之於盱眙淮陰，曹公表先主爲鎮東將軍，封宜城亭侯……先主與術相持經月。呂布乘虛襲下邳，守將曹豹反迎布，布虜先主妻子……先主遣關羽守下邳，自還小沛。復合兵得萬餘人，呂布惡之，出兵攻先主，先主敗走歸曹公。曹公厚遇之，以爲豫州牧。」

這是第一次的投奔，但隨卽被派出去東擊呂布，給予軍糧和添置兵馬，還派了夏侯惇隨往助戰，可是那次仍然吃了敗仗，先主的妻兒又被虜去送與呂布。其後曹孟德自出東征。「英雄記」載：「建安三年十月，曹公自征布，備於梁國界中與曹公相遇，遂隨公俱東征。」

先主和呂布在這時期中，有許多恩怨，據英雄記：

「布見備，甚敬之，謂備曰：『我與卿同邊地人也。布見關東起兵欲誅董卓，布殺卓東出，關東諸將無安布者，皆欲殺布耳。』請備於帳中坐婦床上，令婦向拜，酌酒飲食，名備爲弟。備見布語言無常，外然之，而內不悅。」

又同書記先主在小沛與呂布戰敗後的情形：

「備軍在廣陵，飢餓困敗，吏士大小自相啖食，欲還小沛，使吏請降布，布令備還州，并勢擊術（袁術）且刺史車馬童僕，發遣備妻子部曲家屬於泗水上，祖道相樂。」

由以上兩段描述中，大致可見呂布對先主頗有傾心結納之意，而因他本身反覆無常，在人格上有了問題，所以不爲先主接納，而歷次的戰爭，又加深了兩人間的嫌隙。

魏志及蜀志載孟德擒斬呂布的經過，均甚簡單，魏志武帝傳：

「九月，公（曹公）東征布，冬十月，屠彭城，進至下邳，布自將騎，逆擊大破之……用荀攸郭嘉計，決泗沂水以灌城月餘，布將宋憲魏續等，執陳宮舉城降，生擒布宮，皆殺之。」

（未完）

安徽十三傑

諸葛亮狂想曲（一三二）

·劉玄·

假使你的身體不健康，我勸你還是不要冒這個險，譬如：你如果有輕微的心臟病或肺病，變了金魚以後，身體小了抵抗力也差了，恐怕便經不起了。」太白星君說的是實話，劉約翰自然懂得。

「報告星君，我的身體一向健康，從來沒有生過病。過去只是胃不大好，經華陀割治後現已痊愈。」華陀是中國有名的外科名醫，能動腦部大手術，割治胃疾自然毫無問題也。

「如此甚好，」星君說罷，拿出黃裱保證書，請劉約翰與諸葛亮簽了字，然後收起來。

太白星君命劉約翰跪在錦墊上，囑他閉目默念數目字，這和外科醫生動手術開刀的情形毫無區別。

太白星君披上一件八卦披袍，兩手作勢捏訣，口中唸唸有詞。諸葛亮在旁注視，只見劉約翰額上沁出汗珠，跪在地上搖搖晃晃，無疑已進入催眠狀態。

突然太白星君大喝一聲、如虎嘯龍吟，震得房屋都在動搖，然後兩手向前平伸，似乎用了很大氣力。這情況猶如武俠小說所說的推出掌風。說時遲，那時快，諸葛亮那裏看得到劉約翰的影子，錦墊上赫然出現一條五彩金魚，潑剌剌地在錦墊上翻跳不止。星君唸了一聲佛，連忙用雙手捧起金魚放入金魚缸中。一面用手招呼諸葛亮，「你走過來看看。」

諸葛亮走近一瞧，劉約翰，不，那條五彩金魚正在水中優哉遊哉的游泳着，一點看不出是由人變的。

「你看，缸裏一共七條金魚，現在是八條。原來七條，兩條是紅色的，兩條是黑色的，三條是白色的，只有這條是彩色的。我因爲年紀大了，怕三天後認不出那條是劉約翰，假使變錯了豈不糟糕？」

諸葛亮聽了不覺暗暗佩服星君的精細。

太白星君與諸葛亮在金魚缸邊徘徊了片刻，重又分賓主坐下。諸葛亮看到平生從未見過的奇蹟，神經受到極大震撼，沉默下來不知話應從何處說起。

「對了，我有一件事忘記對你談起，」宇宙發展委員會的成立，因爲事先沒有經一百零八羅漢的同意，他們都在叫囂，昨天玉帝找我去，就是爲了此事。」星君脫了八卦披，神態閒適，好像剛才並沒有發生過什麼事的樣子，可見他道行之深。

「一百零八羅漢？他們怎敢對玉帝旨意叫囂？」諸葛亮急速地連搖了三下鵝毛扇，這是不安的表情。

「你有所不知，一百零八羅漢在天庭非仙非佛，而又不能將他們列入凡夫俗子之流，所以玉帝遂命令他們組織了「羅漢堂」，天庭事無大小都必需經他們同意。這次成立「宇宙發展委員會」事先疏忽，沒有讓他們知道，所以他們便鼓噪起來。」星君說明原委，同時搖了兩下頭，作無可奈何狀。

二郎神與梅山七怪（上）

·匡謬·

我對中國神怪小說中的神奇人物，最初是抱着奇異與疑惑的態度，後來漸漸轉入追根求證的實行。後來才發現中國神怪小說中的神仙妖怪之原形。原來那些神怪，個個多少都有點來歷，並非作者憑空虛構，毫無蹤影。而且在追蹤考證之下，發覺神怪人物的創作，比當今文藝創作的人物更為難能。其中最為難得的奇人，一如「西遊記」的孫悟空，二如「封神演義」的楊戩與哪吒。曾經寫過孫悟空與七十二變的拙文，及「李靖與哪吒」的小文。一個是中、印合璧的神猴，一個是肉球產生的人物。在封神之中，楊戩是「有尸無魂」，哪吒是有魂無尸，乃是蓮花荷葉化身。現在先說二郎神楊戩，以及於二郎神與「梅山七怪」的關係。以後再說「肉球」化身的哪吒。

上篇談過「梅山七怪」，未得全貌現身。二篇二郎神楊戩的原始材料中，我們又可以窺見「七怪」的原形，使其原形畢露。

二郎神楊戩的創作很不簡單，來頭不小。他牽涉到中國歷史人物，名人筆記，以及中國各地治水有功的水神。現在先瞧瞧封神榜上的二郎神楊戩之後，再看此馬的來頭奇異事象。封神第四十四回說：「玉泉山金霞洞玉鼎眞人的門下，姓楊名戩，奉師之命，特來師叔左右聽命。楊戩練過九轉玄功，七十二變化，無窮妙道，肉身成聖，封清源妙道眞君，帶哮天犬助陣，立功甚多，以收服「梅山七怪」為最著名。」

以上介紹楊戩下山一段文字，完全有根有據。牽連頗廣。現在我們先從源頭往下探索。因為他的神位是「二郎神」及「清源妙道眞君」，這是宗教界為他封的，其中以佛教的色采最重。他的神位之號，就出自「三教搜神大全」。但「二郎神」的出世，却在中國各地水神之上。中國人對於治水有功的人，除了大禹之外，各地治水或在水中救人除怪有功的人，都封為「二郎神」，因此中國各地都有二郎神廟。現在先將各地的二郎神分別介紹之後，然後再歸到封神榜上的二郎神身上。

一是李冰父子最早。四川灌口二郎廟，即是發祥地。朱熹語錄中提到：「蜀中灌口二郎神廟，當為李冰開離堆立箱，今來許多靈怪，乃是他第二個兒子。」在「西遊記」中，作者就明指為「灌口二郎」，足見「西遊記」作者直取四川灌口二郎之材料。下面還有二郎的神話故事。灌口二郎廟在四川灌縣西五里玉壘關，祀二郎神，神像顯赫，戎裝佩劍，面有目三隻；大殿之後祀李夫婦。一家人同享一廟香火，在中國亦屬罕見。這固然是中國人崇德報功的結果。中國人的「神」也是來自人間，與西洋的「神」來路不同。

李冰父子的功在那裏呢？就是治理灌縣的「都江堰」的水利。灌縣是在成都西北部，城在岷、沱二江的分流處，介於西北山地入平原之間，依山築城，古稱灌口鎮，元置灌州，明降為縣，屬成都府，清、民仍為縣。這條江，又稱南北二江，本屬岷江，發源於岷山山脈的羊膊嶺，終年積雪，夏至雪落，水漫山而下，漸匯為河流，水勢洶湧，自高而下，聲如萬馬奔騰，[illegible]直流灌口，繞經成都、新津、眉山、樂山、青神，[illegible]，由宜賓注入長江。[illegible]江」李冰父子為築一大工程，這工程即在二千年前完成，名曰「都江堰」，名聞中外。李冰為秦昭王時人，據堰碑記載：[illegible]所謂「都江堰」主要工程是將岷江上游來自萬山奔流之水，以離堆以分水勢，隔成內外二江，外江即岷江正流，用以洩山洪；內江下游灌江，用以灌溉成都平原的沃野千里，即禹貢所謂「岷山導江，東別為沱」。其方法是：用巨石在江中砌成一座石壁（石旁），稱為魚咀，形似魚口，上流進入魚咀就分向南北二江，然後再分若干支流。李冰用六字妙訣「深淘灘，低作堰」治之，堤岸亦如河堤，用鈎石成之，靜水則用馬（木旁）叉木。今日看來簡單，在二千年前不能不說是偉大工程。成都沃野千里，稱「天府之國」者，即此水利之功也。四川數十縣除去水災，而利用水以灌田園，使成為富庶之區，人民受惠無窮。故李冰父子享受人間香火固宜。

立廟既久之後，難免神話流傳，而且修廟本身就充滿了神話色彩，佛教傳入中土之後，「神話」更「神化」了。因此將李冰父子之大工程，視為神人所為。凡岷、灌二江經流之處，多有「二郎廟」，都有李冰父子的神話。而且李冰的第二個兒子——二郎繼承父志，仍舊治理灌口之水，而且二郎青出於藍，後來居上，立功更大，神話遂漸漸注入二郎一人身上，頓添了不少神話流傳。（未完）

巨變歷險記！

轉悲為喜

（一三五）　胡慶蓉

普雄鎮長將丁博士藏在洞裏，怕共產軍找到，其用心是可感的。但因為洞不大，洞門口又堆上柴，在裏邊呼吸很困難。肚子又餓，漸感不支。但丁博士還是勉強掙扎，天本來就已經黑了，現在在洞裏更感到黑。洞在大街的背面，街上的聲音是聽得見的。

鎮長不斷的派人去探，都說是共軍。鎮長去看丁博士，總也說是共軍。倘眞的是共軍，怎麼辦？於其等待共軍到離不開，何如早走之為愈！但丁博士實在走不動了，死也只好死在普雄。人的力量是有限的，人的精神也是有限的，力量精神到了限度，那也只好聽天由命。天，丁博士是不信的，但到了力量已盡精神已盡的這一刻，宗教的信仰油然而生。他有意無意的在禱祈上帝給他一個妥善的安排。

外邊的聲音漸漸的大起來，丁博士自言自語的說：共軍到了嗎？共軍到了！共軍到了……嘈雜的聲音越來越近越來越近。想來人必是很多的？想都在爭着到各家吃飯。一月的天氣，在普雄還相當的冷。

不見人來，丁博士心知有異，人的聲音已經到洞外邊了，人的聲音可以清楚的辨出來，丁博士斷定來的不是共軍，而是自己方面的隊伍。是誰？只要是八軍或者廿六軍的隊伍，不管那一部份，對丁博士都保持着良好的情感。丁博士的精神為之一振。

鎮長不大會也到了，他高興的說不出話來了，他忙忙跑到洞口，一方面說：好了！不怕啦！咱們自己的隊……一方面用力把洞口的障礙物除去，請丁博士出來，快快的出來。丁博士靜聽之餘，自然萬分高興。眞所謂峯迴路轉疑無路的時候，柳暗花明又一邨。但因為坐的太久，丁博士已經感覺起來困難。但他還是掙扎起來了。

鎮長請丁博士回到他府上，同時請到了部隊長。此人非他，田團長是也。田團長是最後退出來的。但遠在丁博士之前就離開蒙自了。從蒙自，丁博士走了兩天才到普雄，田團長也是兩天。丁博士已經夠累的了，田團長更累。過去無緣與丁博士一見，田團長很客氣的說：過去無緣與博士一塊，博士往來的都是主席主任軍長副軍長，現在能遇到一塊，眞所謂道天之福！望以後多多指教。倘能有機會給博士服務，更心甘情願。對於田團長的表示，丁博士異常感激。就同他們一塊，是丁博士求之不得的，自然萬分歡迎。

在鎮長的公館的這頓晚餐，丁博士至今記憶猶新。這頓晚餐並沒有山珍海味，雖然不過是粗飯，但飢者易為食，渴者易為飲，味道却是無窮盡的。田團長告訴丁博士他的計劃，他的願望，但因為前途荊棘，誰又能肯定他的怎樣。田團長太辛苦了，他為撤下來的部隊忙，同時也為地方百姓忙。大家都相信廿六軍、第八軍只有撤退之一途了。撤退外，再沒有更好的辦法。

成語選粹（30）

登峯造極

李國良輯

顧炎武與人書：「君文之病在於有韓歐，有此蹊徑於胸中，便終身不能脫依傍二字，斷不能登峯造極。」但以「登峯造極」喻造詣之高深。

國醫與國藥

中國4560個偏方前言

一、四千五百六十個偏方是很多年前抄得，早擬印出普遍贈送，祇因編者係筆耕為人，心有餘而力不足，最近決定隨齎書贈送，以資限制。

二、所列偏方不一定條條合用，但確有很高參考價值，編者七年前患肝病就是偏方治好，詳見「生活漫談」首集，即其一例。

三、編者研究中國醫藥垂廿餘年，頗得力於四千五百六十個偏方，年前發現有一種中藥可根治糖尿病，經予初患病人臨床實驗，獲有功效，後又請教研究所李煥燊先生，也以為然，待化驗藥的性能後，暨將公式研究出來，絕對公諸社會或作爭取諾貝爾獎金之用。

四、編者不替人診病，已一再聲明，希患者勿枉駕，有感研究醫藥如學開車，初學的人三天就敢在大街橫衝直闖，過三五個月後雖背巷也不敢走了。台灣有不少「江湖之叢」，靠亂衝亦會成功，那祇是「騙」局有收穫，而非對醫藥有何心得。

五、四千五百六十個偏方，專供對中國醫藥有興趣者作研究之用，非經正式醫師指導，切勿以身隨便亂試，文字份量如有錯誤，可函香港自由報轉馬騰雲查詢。

六、港台讀者索四千五百六十個偏方函件若雪片飛來，以看出中國文化復興乃人心基本趨向，惟編者限於個人財力，無法普遍將書印贈，如有願廣結善緣讀者，欲翻印四千五百六十個偏方，可函香港九龍彌敦道601號廖創興銀行大廈八樓五座馬騰雲或台北忠孝路三段21巷二弄二號自由報業務拓展中心，轉馬騰雲洽辦。

七、編者為優待自由報熱心讀者起見，凡購買馬騰雲編著名書滿額新台幣二百元以上者，皆贈中國四千五百六十個偏方一本，包括幾年前舊主顧皆有權享受，恕不面洽，用函提供證件即可。

八、馬騰雲所編各書目錄正在趕印中，索目錄的人寫好回信信封，封面註明索目錄，貼好郵票，待出版後立即寄出。

·馬騰雲·

自由詩壇

春夏之際雜詩

羅尚

一枰殊未了殘棋，指揮回天或可期。暴虎以身雖不悔，顯名能有幾婁離。

其二

奈當日出孰知非，怨李恩牛到式微。終是五千文物事，周天師地一星飛。

其三

六國山河在草萊，定知誰是合從才。秦兵已下齊剛壽，東道諸侯不自哀。

第七章　李綱主戰遏金兵　陳東上書斥奸臣

構係徽宗第九子，係韋賢妃所生。臨行之時，請欽宗御批「無變割地議」。欽宗不肯照署，但說「不忘」二字。張邦昌與康王流淚而行。

當和議垂成之際，秦鳳經略使种（禾旁）師道領軍入京勤王。統制官馬忠自京西募兵入衛。四方勤王之師亦先後開到。欽宗詔命打開安上門迎之入朝。按种師道是員老將，聞他勤王之師到來，官民私相慶賀道：「好了好了，老种來了」！師道謁見欽宗，欽宗問道：「今日事出萬難，老將軍意欲如何？」師道乃宋室宿將，久歷戰陣，富有戰鬥經驗。欽宗屢次催促出兵攻金，他希望乃弟師中能夠趕至協助，預計春分可到，因奏請在春分發動反攻。時距春分只有八日，因京師危急，只好提前趕到。師道初至，不知新主如何，但對欽宗答道：「女眞不知兵，寧有孤軍深入而能久持不敗之理？」欽宗道：「已與金人議和了。」師道：「臣只知治兵，不知他事」。欽宗道：「都中正缺一統帥，卿來還有何言？」遂命為同知樞密院事，充京畿、河北、河東宣撫使，統領四方勤王之師及前後各軍。

數日之間，姚古之子姚平仲亦領熙河兵到來勤王，詔命他為都統制。金斡離不因金幣未足，仍駐城下，日日要索，且遣兵入城屠掠，幸勤王之師漸集，稍殺噶氛。

李綱見四方勤王之師到來，因獻議道：「金人貪婪無厭，凶悖日甚，勢非用兵不可。且虜兵六萬，而吾勤王之師集城下者，已二十餘萬。彼以孤軍深入重地，猶虎自投陷阱中。我不必與角一旦之力，但扼守河津，絕其餉道，分兵復畿北諸邑，而以重兵臨敵營，堅壁固守。俟彼食盡力疲，然後以一檄取誓書，復三鎮，縱其北歸，半渡而擊之，此必勝之策也。」

李綱之策，如能篤實行之，實可擊敗金人。欽宗頗有所動，欲以金人一戰。种師道亦贊成李綱之計劃，欽宗遂詔令各路軍馬約日舉事。不料都統姚平仲急欲立功，無令私自夜襲，率步騎一萬人出城劫敵，直往斡離不中寨殺入。不意衝了進去，却是一座空營，乃知中計。急下令退回。金軍伏兵齊出，斡離不親率大軍四方殺來。姚平仲拚命奪路走脫。自恐回營被誅，竟爾遁去。李綱聞訊，急率諸將出援，至幕天坡，金兵殺來，急令軍士用神臂弓射住，金兵乃退回。

李綱收兵入城，[illegible]（廿七）

自由報

第二〇七四期

（每星期三、六出版）

社長李蓮鵬·督印黃行寶

社址：香港九龍彌敦道593—601號廖創興銀行大廈八樓F座

LIU CHONG HING BUILDING
7th FLOOR FLAT 'F'
593—601 NATHAN ROAD,
KOWLOON, H.K.
TEL: K303831

電報掛號：7191

承印：景星印刷公司
地址：嘉咸街廿九號地下
台灣連絡中心：台北青田街五巷三號
電話：三七五〇二二
台灣區直接訂戶 台郵劃撥戶第五〇五六號張萬有（自由報會計室）
台北營業處：台北衡陽街三十號
電話：二七二〇〇
台灣分社：台北市西寧南路110號二樓
電話：三三〇三四六，台郵劃撥戶九二五二號

科學與發展科學之途

·關輔德·

現代科學之誕生至今不過三百年，計始於伽利略實驗物體降落時之加速度現象，爲其濫觴。此後人利用數字以了解自然界，先及於物理化學現象，次及於生物及心理現象。當斯時也，科學之解釋係屬歸納性質，先對各別事實，作觀察實驗以求得一般性之法則。科學法則之求得，約包括三步驟，（一）觀察有意義的事實。（二）提出假設，運用實驗以證明假設是否正確，果屬正確，即可解釋此事實。（三）由此假設演繹其他結果，其結果正確與否，不難藉觀察以測定之。此種步驟即所謂科學方法是也。科學方法並無神秘之處，不過依照一定程序，對一問題或一種疑問，尋求一解答而已。試舉一例以說明假設實驗之如何運用。在醫學上對黃熱病病因之研究，有假設其爲傳染者，結果並非如此。又有假設其爲老鼠傳染者，結果亦證明不確。新的假設，認其由蚊虫傳染。如是按之實驗方式，將受試者分爲實驗組與控制組兩組，作一比較研究。結果實驗組幾均染有黃熱病，而控制組則無一染此症者。證據顯然，黃熱病是由蚊虫傳染無疑。其他如瘧疾病因之發現，亦係仿照同樣假設實驗而達成。

科學方法之主要工具爲計量（MEASUREMENT），而各科學門類因使用計量程度有深淺之分，故依慣例，科學又分純粹科學與應用科學二類。事實上每項純粹科學知識，遲早均有其實用意義。有的係直接性的，有的係間接性的。即如物理上的原子分裂論，可謂純粹科學性的理論。但運用此理論而造出原子彈。科學上不乏此種模式。純粹科學之目的，即在了解宇宙。應用科學之目的，在推測與控制宇宙。科學之目的即爲發現眞理，而眞理之發現有賴於對自然事物之知識。而知識之獲得，有賴於對事物獲得之經驗。自然現象之經驗，供給科學家以事實。而科學家之目的即爲發現，積累，解釋各事物間的事實與關係。經驗、知識、與了解，三者是互相關聯的。經驗乃其首，了解乃其末。了解不僅止於知識，知識乃了解第二步驟。透過思考歷程，活用經驗，賦意義可以重新解釋，新意義因而發現。其結果即爲知識。此知識再予以擴大，組織，與系統化，其結果即爲了解。

科學家並不以理論的發現，假設的證實，複雜現象的解釋等的完成，即感到滿意。並進而投射其結論於新情境，觀其是否有效。因此對新情境提出其推測主張。推測基於了解。了解又構成跳板，再以了解爲基石，對未知的（THE UNKNOWN）又作一種推測。推測轉而對了解提供其測驗與實證。科學的另一目的爲控制。科學欲達成其所期之目的，必須對決定現象之條件，能加以控制。利用已知之了解，控制因素之運用，因而測驗實證了解之是否可靠。控制與推測視爲科學一般目的時，二者是不可分的。作任何推測，無論其推測如何簡單，亦必須對其決定因素，加以控制。

在談到發展科學之道時，不能不對科學之發生予以闡釋，科學之發生不外（一）原於探討（INGUIRY）心理，或對舊信仰懷疑。或對熟習事物不能了解，因而欲究其理，乃承認問題之存在。所謂爲知識而求知識，爲眞理而求眞理是也。諸如純粹科學研究之內容多屬之。其研究之極致，不在其有無實用價值，而只在眞理之發現。（二）原於需要。人類之文明，不過是其適應環境的成就的總和而已。人類智慧的運用，不過如何控制宇宙。基於此，乃有科學的探求。但其需要，有屬於內在或外在的，有屬於現實的或想像的。屬於外在的或現實的需要，乃即應用科學門類所包括之內容。

此學本身固無國界。但科學發展應是現實的與地道的，應注意發展者自身的環境與條件。正如投資者須顧到投資環境，同一道理。否則盲目移植，必未能收效或收效甚希矣。現我政府正發展科學，設有國家科學委員會一機構。其發展計劃，約分爲提倡科學教育，改善科學教法，培養科技人材，提高科學研究人員待遇（如設置研究教授與研究教授，客座教授等），以及國內外研究機構之合作協調聯繫等等，擘劃周詳，計劃。茲對於科學人材培養一點，略抒拙見。按之原計劃，其培養重點，爲甄選人材出國進修，一爲延聘學人回國擔任研究教授與研究講教授。資送人材出國進修，仍應注重實際科技知識，不應重視學位的獲得。據悉日本派遣人員出國，多注重實用知識之研求，並不注重學位，可資借鏡。蓋讀學位時因應付考試之規定，須讀第二、第三外國語及準備不相干之科目，實是浪費時間人力，並就實際情況而言，讀過之第二外國語，並通過考試後，還是拋之九霄雲外，於實際研究並無裨益。至延聘學人回國研究講學，一方面提高研究實質，一方面灌注新知識，計實至善。但如此長此分批輪番下去，何時爲止。此項學術新人，多是七八年前台灣各大學畢業生，留教授指導出來的原料。借用環境未能多加改進，留教授未能迴頭返上，致造出此種重大差距。促進科學發展之途，即在改善現行研究環境，廣成研究風氣，不能僅靠回國學人的輪值。這批新學人，多數亦無久留意。無可諱言，現場的科學工作人員，因困於物質條件或因實驗研究室缺乏或因儀器設備不週，更以待遇低薄，超授兼課過多，並未能發揮其全部潛能。以致研究之無何表現。此種情形需要大力扭轉，否則僅靠少數回國學人，而絕大多數之科學工作人員，反袖然視之，其發展前途恐仍難樂觀。總之，欲求科學之發展，其研究環境研究氣氛，研究精神，必首先注意養成。至科學問題如何發掘，當前研究的問題，應着重何方面，向太空抑向海底，加重純粹科學的研究，抑注重應用科學的研究，向自然科學發展，抑偏社會科學，或保持學門類的均衡發展。凡此均須集中智慧，擬策努力先行釐訂科學發展政策，來一個計劃科學，亦未始不可。至科學研究方法，根據方法論之所示，多已瞭然。即使對新問題之解決，亦很少須全改變過去研究方法程式。即爲鼓勵世界的研究發現，亦不過將已有的方法略加變更而已。這乃爲研究學者所盡曉，無須贅述。問題的性質，決定研究的方法。不同的問題，要求不同的解答。不同的解答，需用不同的方法。對問題先有充分的了解，自可發見解決的方法。總之科學的發展，其關鍵並不在方法之探索，而在其他方面如何調適。

昨日與明日

孟瑤快語

近些年，台灣的文壇上，有所謂白話文言之爭，又有所謂新文藝與國學之爭，在這些煌煌大文，時賢高論中，我們如冷眼旁觀可以得到一個大概的統計，即：凡搞新文藝的多半贊成白話，而搞白話，搞國語的也往往都贊成新文藝設組獨立。反之不贊成新文藝設組的，也往往是不搞新文藝，不算白話的老師宿儒，這固然是由於習之，好之，而愛之，贊之的表現，但在旁觀者的觀感，總不免會要問問，這究是眞理之爭，還是意氣之爭。

名的。有一段時間，孟瑤的小說風靡一時，成爲新文藝作家中頂尖的人物，如按前述的壁壘，應該是高呼新文藝萬歲的了，那知，孟瑤女士，不僅平心靜氣，作中肯之論，並且還甘冒不韙，大胆的說出一般人不敢說的話，她一開始就說：

「在原則上，我是不贊成分組的，唯一的理由，也是最重要的，由於新文藝的本身貧弱……如此貧弱的小生命，顯然沒有自立門戶的能力」。

她甚至不計本身的利害，不顧友朋的怨怒，而率直無隱的說：

「我們不能說目前沒有好作品，但能咀嚼，夠推敲，耐分析的畢竟不多。能躋身不朽作品之材的，或者還沒有產生。以他們來留作一標準讀物，不僅低了新文藝應有成就的水準，同時推出了學生對文學應有的品味與鑑賞。這兩種現象夠多可怕」。

試看這是何等的快人快語。尤其這幾十年的豪氣，振衣領袖的胸襟，竟出之於一位女作家，能使鬚眉愧色。

無私之言

最近孟瑤女士（揚宗珍教授）在中央日報副刊（六月十九日）發表了一篇有關的文章。如所週知，孟瑤是以寫新文藝成

值得讚揚

筆者代表本報撰寫評論，原在論事，絕至談人。但年來，一則被例面寫「爲與延填鴨來」；今又破例，撰寫此文，即因吳氏，及孟瑤兩位均能破除私人情感，不計本身利害，而出而伏義直言，倡說大家胸中要說的老實話。其事雖微，其意見也未必就我定論，但其精神都是值得表揚。大家只有都能本着這種精神發言，然後才能坐下來討論是非，追求眞理。

·成公·

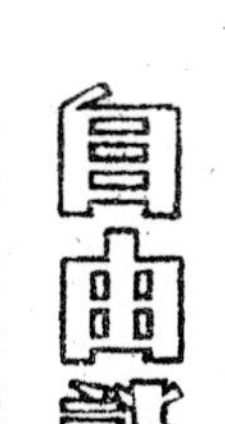

談台灣電視節目

台灣社會人士對於當地電視台的廣播節目，近來頗有議論；有的認爲電視公司只注重營利而忘却教育意義；有的指摘每天的節目中所安排的方言——閩南語——戲藝太多，有悖推行國語的教育政策；有些報紙則替電視公司辯護，認爲商人以營利爲目的未可厚非，多傳播此地方戲劇亦無傷大雅。究竟孰是孰非，殊難定論。

我以海外僑民立場，年來在台灣陸陸續續收看電視節目後，對於現有兩座電視台——「台灣電視公司」「中國電視公司」——每天傳播的各項節目，覺得應該改良的地方實在不少。誠然，經商的目的是牟利第一，但電視業與一般商務不同，它對社會人心和風俗習慣的影響甚大，決不宜祇顧賺錢而漠視其應有的文教責任，何況「台視」「中視」兩公司的資本，半數以上都出之公家，並非純粹的民營企業，上述社會人士的批評，允屬持之有故，言之成理，不能否認的。

就兩座電視台的日常節目比較觀察，「台視」似較勝一籌。我最近客游台北時，在同日裏（六月十四日）收看了這兩個電視台播出的「國語話劇」。「台視」的劇名「小松樹」，表演一個考取留美學生出國前夕，他對父母聲言學成之後，不想再回來，乃父聞之大不懌，於兒子臨行之際，取了兩撮泥土教他帶在身旁，一撮是廿年前從大陸上取來的，一撮是台灣的，說故國的泥土亦比外國好，叮囑兒子千萬不要忘記祖國，更不要忘記在大陸上受苦難的同胞。這意義很深刻而切中時弊，對青年學生是一種良好的教材，從娛樂中予以灌輸，自有效用。「中視」的劇名我忘記了，內容是將平劇「蘇三起解」易爲話劇，別無異樣，只最後由解差「崇公道」坐在王金龍的「八府巡按」法堂上，宣判王、蘇二人當堂結婚即閉幕。這眞是低級而兼下流的作品，不特毫無社教意味，即專講娛樂作用，亦祇能引導觀衆心理趨於下流無賴的境界，成甚末玩藝呢？

台灣有「文化局」，關於電影、電視的劇本與節目負有監督審查之職責，何以放任不問？尤其是兩家電視公司的資本，公股佔有一半，更不應該聽由智識淺陋的商人們，憑其庸俗的眼光，將電視節目看成北平「天橋」雜耍場上江湖賣藝人的謀生技能，既屬有虧職守，也是對觀衆的一大侮辱，我不知職掌國家文教事宜的各級官員作何感想？

鳶五先生

農業成長發生停滯 而使農村經濟萎縮

郭雨新促請降低農產成本 就農藥政策提出三點意見

（本報通信員柳一權台北消息：來自中興新村報導，省議員郭雨新對農林提出質詢說：）

最近朝野各方面，對於農村經濟，已予重視。國民黨二中全會且通過：「現階段農村經濟建設綱領」，以確立加速農業現代化，增加農業經營收益，促進鄉村都市化等三大目標。並在基本措施上，列舉十個要項：諸如改善農業生產結構，擴大農場經營規模，推行農業機械作業，提高生產技術，降低肥料施用成本，減輕農民負担，合理調節農產價格，改善農業金融及投資，健全農民組織，增進農民福利等。顯示執政黨為大多數人優先謀求福利，為農村經濟建設而採取有效措施，誠屬使人歡欣鼓舞。

政府在台灣，實施農地改革，已有相當成就，然而近年來農業發展，何以存在若干問題，其原因不外乎：第一政府之糧食政策，使用種種方法，控制糧食產銷過程，使農產品之市場法則，不能發生調節價格之正常作用。第二農戶之單位生產面積過小，乃致農家人多田少，耕作勞動報酬，低於社會工資水平。第三因單位耕田面積太小，無法提高農業生產之固定資本投資，吸住較多之農民勞工，影響農業生產報酬率。而執行單位又復泥於舊觀念，為確保糧食而掩蔽農業工業化及農業生產投資之改革。現在執政黨為建立現代化農業政策，而決定農村經濟建設綱領。試問農糧主管機關將如何確定實施步驟，如何擬訂具體方案付諸實施？

大家知道，日本地狹人稠，而人民亦是以稻米為主食，且為台灣餘米外銷之主要市場，孰料兩三年來，日本產米，竟由不足轉為剩餘，甚至由輸入變為輸出。其原因在於日本政府所採取有關挽救農業危機之措施，所產生之效果。在五年前，日本政府之對策，是訂定農業基本法，一得面設法挽救農業所方與工業所得相差之距離以及農業所得中稻作所得落後之偏差。另一方面不再執於土地改革當時，保護自農之利益，而在進業一步要求農業之現代，提高農業生產水準，消除都市與農耕化生活水準之偏差，農業生產與消費合理化，保障農民得以安定之優越生活環境。自農業基本法公佈後，代理耕作公司與農業機械化、科學化、乃至工業化，遂應運而生。凡此種種，對於台灣農業，仍然有值得借鏡之處。未審農糧主管當局之看法如何？

台灣近年來工業突飛猛進，然而農村生產在台灣經濟上仍為最重要之一環。由於農業之成長率發生停滯，而使農村經濟萎縮，已引起朝野之重視，並決心改善農業結構，為維持農業之正常發展，政府正謀求降低耕作成本，提高農民收入，確屬極英明之措施。其因素有耕作成本，其因素有肥料、人工、農藥、農具材料、稅捐、土地投資等等，其中除肥料約佔成本二四%，影響最大，幸而政府已決定大幅降低肥料價格，是農民之大福音。但是農藥對於成本之影響亦甚嚴重，依據分析農藥佔農業成本達一五%，為降低農業生產成本，未審農林管當局是否加以局主檢討，而謀改進。本席就農藥政策、管理、產銷、推廣使用上與農藥成本有關者，提出幾點意見；

（一）農藥進口關稅分為兩稅制，對新推廣農藥因尚未列入稅則，（需付關稅一〇%），原推廣之農藥為五%，此種稅差殊不合理。本席認為既經推廣之農藥，對農業產生即發揮力量，制其使用，如以較高之關稅限之原則。為降低農業生產成本農林主管當局是否轉請財政部准予一律按五%課征關稅。

（二）現行使用之農藥，大部份皆可在台灣自行進口原料加工，對已有加工登記證之產品，應即禁止外國小包裝之成品進口。至於小部份不能在台加工者，亦應以大包裝進口分裝，既可節省包裝差額，復可杜絕假冒外貨商品，欺騙農民。

（三）農藥工業為一種新工業，以小規模方式經營，自難嚴格控制生產、技術、設備。而目前製造農藥之小工廠與地下工廠甚多，於旺銷季節，即以不合理方法生產，欺騙農民，從中牟取重利。以巴拉松為例，在市面出售者近二千種。故應予以管制，並以政府之力量，輔導小廠合併經營，既可節省生產運輸，節理費用，且為管制變質或偽劣之農藥，以維護國民健康。

明目張胆濫墾盜伐 不法之徒破壞森林

處罰過輕無法起嚇阻作用 林務主管機關亦不採措施

森林可以覆蓋表土，涵養水源，對於防洪及灌溉具有莫大之功效。尤其台灣山嶺重重，地形陡峻，又為颱風必經之道，如無森林覆蓋，表土容易冲失，淤塞河川，造成水患，損及國民之性命財產，其影響至為深重。

大家知道，破壞森林，既侵犯國家資源，且危及國民生命財產，為法律所不容，在一船人之想法中，應是無人敢輕於觸犯。然而事實令人不可思議，有許多不法之徒，明目張胆濫墾盜伐，甚有為達到目的，動輒放火燒山，恐嚇並毆打林務管理人員。所以演成嚴重問題，主要是因有罪處罰過輕，對不法之徒，無法起嚇阻作用，終於愈演愈烈。以梨山地區為例，近年來政府為發展觀光事業，而取銷入山之管制，由於該地區土地肥沃，且具有高海拔之溫帶氣候，極適宜栽植蘋果、梨、水蜜桃及蔬果等作物，收穫豐富，不法之徒眼見有厚利可圖，於是羣起濫墾。

根據資料分析，光復後國有林濫墾面積為四萬六千餘頃公頃，每年平均約二千公頃。而梨山地區在五十七年被濫墾者僅七公頃餘，至五十八年底增至三二五公頃，平均每月達廿六公頃，約佔全省每月平均數一六%強。然於五十八年十二月底公告後，一個月之間，被濫墾者驟升為七〇一公頃，其蔓延之迅速，殊不容忽視。至於由梨山至大禹嶺之間，沿合歡溪兩岸之國有林，目者測所其及出一千二百餘公頃青翠森林，被燒墾之面積竟達二七九公頃。舉凡平而所能窺測之林地，即使坡度高達六十度以上者亦難倖免，如此大好青山，變成焦土，其忍卒視乎？

又聞濫墾羣民，自公然在濫墾地區，興建房屋，星羅棋佈，婦孺出入，雞犬相聞，儼然成為村落。執法人員縱使不敢過問，而林務主管機關亦不敢採取斷然之措施，而任繼續濫墾盜伐，則誠使人費解？

最近林務局長大聲疾呼，加強取締，從嚴處罰。是表示該局所施行政權力以及法律約束力，無法制止莠民之濫墾行為。本席認為梨山地區客有幕後人物之操縱，有恃無恐所引致，但依報載，嘉義縣竹崎警察分局偵破鉅大盜伐林班案件，據初步查出在梅山附近九個林班，被盜伐杉木價值四百餘萬元，約等於二百輛大卡車之運量，似此鉅大盜伐案，當地林務人員其亦視若無覩乎？如非事先與工作人員勾結，安能搬運下山，其不使人存疑乎？未審林務主管當局是否有作深入之調查，請答復。

大雪山林業公司成立以來，弊端頻傳，可謂一波未平，後浪繼起，聞之使人嘆息！頃據投書指出，該公司在東勢中科區興建之勞工住宅，有官商勾結，串通舞弊情事，是否事實，實有澄清之必要，因就所提出之質疑，請教於羅總經理，以正視聽。

（一）查營繕工程之招標發包，依照規定應具甲級之營造廠商三家參加投標，惟據指出主管人員竟摒棄低標，而擅自以高標發交不合格之丙級營造商獨家承攬，未審是否事實？

（二）又指出在工程進行中，承包商諸多違約，而主管人員復串通承包商依既成之違約事實，擅自修改設計圖及合約書，使勞工住宅之高度普遍降低五〇公分，並變更內部設備，言之鑿鑿，於驗收時，是否注意及之。

（三）至於工料，則以承包商已與主管人員串通一氣，承包商有恃無恐，而大事偷工減料。依據指出，所使用之鋼筋、水泥、紅磚、瓦片等，不僅偷工減料，且屬不合格之劣品，致使破裂不堪，未審有所聞否？

（四）又指出，所核定之勞工住宅，均以優惠價格配售木料，而所配售之木料，全為承包商資運，復利用公有材料為非員工興建住宅等等，且經提出檢舉，是否依法處理？

喬治桑外傳　一五四

張大騄

「不要談這些，聽了倒胃口，談點別的好不好？」裘白瓊覺得談話越來越不雅，應該打斷留蘭香的話頭。

「好，不談，不談。」卞太太倒能從善如流，這也許是她的優點。

「桑先生，你在美國有沒有到過好萊塢？」白妮是拍電影的，三句不離本行。

「去過好幾次。沒有到過的，總以為那裏明星多，是一個了不起的地方。其實美國女明星在銀幕下大半都很醜。」喬治桑從美國來，自然說的是老實話。

「在美國拍電影是不是比香港、台灣好？」白妮關心美國電影界的情況，提出問題向喬治桑請教。

「已經成名的當然好，沒有成名的處境還不是慘兮兮的。」喬治桑並沒有將美國說得天花亂墜，比一般騙少女出國，其實是人口販子要好多了。

卞太太現在在吃水菓，喬治桑和卞太太的談話，到此也告一段落，冷場有兩三分鐘。

喬治桑看了一下腕錶，說：「現在已經七點半鐘了，到那裏吃飯，決定一下好不好？」

卞太太和白妮仍然不肯表示意見。最後還是裘白瓊開腔：「這兒樓上夜總會『鑽石廳』的菜很不錯，我們就在這兒連吃帶跳豈不很好？假使博士覺得請客要表示誠意，可以開香檳招待。」裘白瓊建議吃飯跳舞在一個地方，確實可以省錢，但開香檳就所費不貲了。

喬治桑知道裘白瓊在慷他人之慨，却不便露出小家氣派，很坦氣地說：「只要你們高興，我今晚請喝香檳。」

「又不是什麼聖誕節、新年、開什麼香檳？裘先生真會開玩笑。」卞太太是上海老舞女，她只懂那時舞場規矩。其實這句話很露馬脚，幸而白妮沒有覺得。

兩男兩女在咖啡座一直泡到快八點鐘，才坐電梯到了鑽石廳。每人按各人口味點了菜，協商結果要了冰啤酒。

音樂台上如泣如訴奏起勃羅斯舞曲，喬治桑很禮貌地請卞太太下池。裘白瓊則邀白妮成為一對。

一曲舞罷，卞太太用小手帕對臉上搖着。

「你的舞名不虛傳，跳的是標準步子，我已經很多年沒有碰到這樣好的對手了。」卞太太對喬治桑大為讚美。

「那裏，那裏，我的舞已經落伍了。」舞藝高強的人也和武藝高強的人一樣，是很謙虛的。

（未完）

台北傳奇錄　（五四）

·陳光棟·

即使是暫時的「狀元」，假如你不學無術，你在社會上也是照樣的吃癟！我們這個社會就是莫名其妙，君主專制已經結束了七十年，而「御醫」「御廚」「貢緞」一類「官廷秘方」之類還仍然能夠使人肅然起敬！至於科學考試老早就停止了，「狀元」云云居然還一直陰魂不散，這實在不容易使人諒解，難怪社會改革運動提倡不起來，這些落伍的觀念都形成了進步的障礙。

廢話說的太多了，還是言歸正傳吧。

且說每年參加大專聯考的幾萬考生，都是在家長們這種出於愛護或熱心干擾之下，完成了這驚魂動魄的戰鬥任務。家長們「陪考」的熱潮，也是最近十幾年來才造成的風氣，先是九年國校義務教育沒有實行之前，小朋友們考初中家長陪考，以後發展到了中，考大學家長也要陪考，發展到今天，有少數投考研究所的大男人，也有家長陪考了！誰家的父母不望子成龍，望女成鳳呢？但要適可而止，過猶不及，有時反而會得到相反的效果。

賴慧敏的學業成績本來很好，在正常的情形之下，一定能考上學校的，無奈從頭志願那天開始，一直到考完了最後一科為止，精神上總感到重重的壓力，說不出是委屈，還是鬱悶，進了考場，滿腦子一片淒風，想到自己假如投考的是文學院多好，偏偏又是自不情願念的理學院，假如考不取怎麼辦？于是升起一股悠悠的怨恨和恐懼。她總算掙扎着考完了最後的科目，也用盡了所有的精力。

賴太太陪着女兒考了兩天，據說輕了好幾磅，老了好幾歲，家裏第一件事就是約集牌搭子，牌搭子們事實上老早就進入了備戰狀態，所以一幺喝就湊齊了。賴太太坐在牌桌上不停的訴苦，牌搭子們也異口同聲的說生兒育女不容易，最後的結論是：「都怨他們男人！不然怎麼會懷孕，真是」！

大專聯考終于放榜了，賴慧敏就只差一分沒有考取某校的物理系，說實在的，這一分叫作運氣不好，比如國文或是英文作文的考試成績三十七分和三十八分之間究竟有什麼區別呢，給分的先生們又是憑着什麼標準多給一分或少給一分呢？可是這一分之差對考生來說，可以算是決定終生的一分。所以任何形式的考試，都無法作到絕對公平合理，這也真是莫可奈何的事。

賴慧敏感到無限的懊惱和無盡的空虛。她坐在書桌前面，好像一個木頭。賴太太不停的罵賴先生：「你個死王八，孩子沒有考取，你非要負責任不可！」

「怎麼，我負什麼責任」？賴先生面臨狂風暴雨，毫無懼色。

（未完）

文匯樓別記

獸性的人類生活

·文匯樓主·

最近美國有兩名自稱為「團結的新世界裸體隊士兵」的青年女郎，一絲不掛的在舊金山鬧區遊行，她們裸體遊行的目的，據說是要破除六千年來隱存在人類心中的性犯罪心理。這就是認為男女們可以隨時隨地實行性交，肆無忌憚，和禽獸一樣，纔算是進化的生活。果如所言，世界上最進化的動物，應該是狗之類，人類祇係屬於下等動物之列而已。

人之所以異於禽獸者，即是具有智慧，由穴居野處，茹毛飲血，文身裸體，兩性亂交，進而創作服裝，制定共同規律，訂出生活禮儀，培養廉恥心理，從野蠻進化於文明，纔使人類發展到今日這種高等文化水準的優越生活境界。人而無恥，則無所不為，像今日美國男女青年為要實行亂交的性生活，女的赤身露體於鬧市廣衆之前，男的要求在學校男女混居宿舍，又隨便吸毒劑，扎嗎啡針；或男女囚首垢面，穿着妖服怪衣，招搖過市，而自命為進步解放。這是由文明而回到野蠻，由人類而降為獸類，相率以無恥為生活方式，還算是人嗎？似此胡行妄為，破壞社會秩序和善良風俗，在任何國家之內，都是不能容許的，只在美國毫無所謂，認為此係自由權利，人皆有之。個人自由主義發展到這步田地，為害實勝於洪水猛獸。如果讓其的生存前途哀，我對民主政治的涵義大生疑問，難道無恥，無賴與無義，即是民主社會生活的極致嗎？答案如果是，那我就要揚棄一貫的民主主義思想，轉而嚮往極權獨裁制了！

美國的文化基礎很脆弱，又沒有民族思想，過去賴以維繫人心的宗教精神，由於征服太空，登陸月球之故，證明上帝並不存在，宗教精神亦失去作用了。現在一般青年男女的思想言行，與共產主義的理論與作風完全符合，美國儘管擁有核武器的優越力量，將來亡美國者並不需要外來的武力，但憑美國這般青年的思想行為就行了！

台灣警政機關近來厲行取締奇形怪狀的妖人式男女青年，可謂深得為政之道，殊堪稱讚。如果讓其模仿美國青年的嬉痞作風，為所欲為，那還成何體統呢？別國人的良好習慣，中國人雖派遣千萬個留學生出國學習若干年，依然本性難移，毫無所得，唯有外國人的壞事惡習，聞風響應，無師自通，尤其是目前大家崇拜美國的風氣盛行，嬉痞之風若不從嚴制止，像舊金山那類裸體女郎的惡作劇，亦就難免不發生，防微杜漸，不亦宜乎！

成語選粹（31）

李國良輯

花言巧語

朱子語類：「巧言即今花言巧語，如今世舉子弄筆端做文字者是也。」俗謂「花言巧語」謂徒鋪張粉飾而無實際之言語也。

荀子哲學簡論（五）

周世輔

荀子反對偏而不中，故主張「兼陳萬物而中懸衡焉。」（解蔽篇）希望做到不偏于遠，亦不偏于近，不偏于古，亦不偏于今。並認為「惠施，鄧析之好辯，非禮義之中也。」（不苟篇）亞里斯多德講中庸，荀子亦講中庸，故有人說荀子類似亞里斯多德。

六、荀子的政治觀

荀子的性惡說與孟子的性善說相反，但他的政治觀則多與孟子的見解相似。這裏且述其論王霸與民本思想及賢能政治等主張。

（一）論霸王——孟子論霸王，荀子亦論霸王。

荀子大略篇：「君人者隆禮尊賢而王，重法愛民而霸，好利多詐而危。」孟子用二分法謂王霸，荀子則用三分法論王霸。

王制篇云：「王奪之人，霸奪之與，彊奪之地。（人謂賢人。與謂與國也），奪之人者臣諸侯，奪之與者友諸侯，奪之地者敵諸侯。臣諸侯者王，友諸侯者霸，敵諸侯者危。」三者之中，以「王」為首，以霸為次，不如孟子之輕「霸」。

霸道主義者有何措施？「辟田野，實倉廩，便備用，……存亡繼絕，衛弱禁暴，而無兼併之心，則諸侯親之矣。……是知霸道者也。」這裏講霸道，講到存亡繼絕，衛弱禁暴，倒與國父在民族主義中所講「濟弱扶傾」相同。類似管仲之言論和齊桓措施，與孟子之所謂「以力假仁者霸」稍有出入。良以孟子用二分法講王道與霸道，荀子用三分法講「臣諸侯者王，友諸侯者霸，敵諸侯者危。」故對于霸的看法，稍有不同。

王道主義者有何措施呢「仁眇天下（眇、盡也、盡天下皆懷其仁），義眇天下，威眇天下。仁眇天下，故天下莫不親也，義眇天下，故天下莫不貴也，威眇天下，故天下莫敢敵也。以不敵之威，輔服人之道，故不戰而勝，不攻而得，甲兵不勞而天下服，是知王道者也。」荀子論霸道優于孟子，而論王道，則接近道家政治思想，亦與孟子所謂「仁者無敵」相似。

荀子在王霸篇又論王道與霸道之區別說：「故用國者義立而王，信立而霸，權謀立而亡。三者明主之所謹擇也。」並以湯武尚義，五伯尚信以證之。這也是用三分法以言王道與霸道的區別。

孟子論王霸，用二分法，重王而輕霸，荀子論王霸，用三分法，重王而不輕霸。

（二）民本思想——國父在三民主義演講中強調中國的民本思想，以孟子「民為貴」說，作為民權主義的思想淵源，雖未提及荀子，但荀子亦有民本思想。大略篇云：「天之生民，非為君也；天之立君，以為民也。故古者列地建國，非以貴諸侯而已，列官職，差爵祿，非以貴大夫而已。主道知人，臣道知事。」所謂「立君為民」，就是荀子的民本主義。

國父在民權主義中，讚揚孟子的「聞誅一夫紂也，未聞弒君也。」認為這是中國固有的民權思想，但荀子亦有與孟子相同的理論。正論篇云：「世俗之為說者曰：『紂桀有天下，湯武弒篡而奪之。』是不然；無罪之民，誅暴國之君，若誅獨夫。若是則可謂能用天下之謂王。湯武非取天下也，修其道，行其義，興天下之同利，除天下之同害，而天下歸之也。紂桀非去天下也，反湯禹之德，亂禮義之分，禽獸之行積其凶，全其惡，而天下去之也。天下歸之之謂王，天下去之之謂亡。故紂桀無天下，而湯武不弒君，由此效之也。湯武者，民之父母也，紂桀，民之怨賊也。今世俗之為說者，以紂桀為君，而以湯武為弒；然則是誅民之父母，而歸民之怨賊也，不祥莫大焉！」他這樣的罵紂桀，可說是較孟子所謂「聞誅一夫紂也，未聞弒君也」更為澈底。他這樣講民本主義，與孟子所謂「民為貴」說，更有力量。

（三）賢能政治——國父在民權主義中發明權能區分說，著者以為其立論基礎，乃在于中國政治學上所講的賢能政治，如「選賢與能」及「賢者在位，能者在職」等學說。荀子在君道篇論亂世有云：「亂世則不然，刑罰怒罪，爵賞愈德，以族論罪，以世舉賢……先祖當賢，後世子孫必顯，行如桀紂，列從必尊，此以世舉賢也。以族論罪，以世舉賢，雖欲無亂，得乎哉？」這是就反面指出不能選賢舉能，而以世襲者為賢，則危亂立至，惡果難逃，朝無幸（同倖）位，民無幸生，尚賢使能，而等位不遺。」按孟子曾提倡尊賢使能，俊傑在位；墨子亦提倡尚賢，反對貴族世襲，大概戰國時代，學者都主張量材使用，論功行賞，而打擊世襲制度，故荀子亦有「尚賢使能，等位不遺」的呼籲。（未完）

說曹操

李漁叔

七、曹操與劉先主關公之敵友關係（廿二）

至魏志呂布傳則紀述甚詳：「布與其麾下登白門樓，兵圍急，乃下降，遂生縛布，布曰：『縛太急，小緩之。』太祖曰：『縛虎不得不急也。』布請曰：『明公所患，不過於布，今已服矣，天下不足憂。明公將步，令布將騎，則天下不足定也。』太祖有疑色。劉備進曰：『明公不見布之事丁建陽及董太師乎？』太祖頷之。布因指備曰：『是兒最叵信者。』於是縊殺布。」華陽國志所記相同，只有：「是兒最叵信者」，為「大耳兒最叵信者也。」一句略異。資治通鑑從魏志，小說則從華陽國志。

這時，正是進言的機會，故而先主不肯放過，乘機假手除掉這樣一個惡人。可是英雄記則另是一樣說法，先從呂布說話開始：

「布謂太祖曰：『布待諸將厚也，諸將臨急皆叛布耳。』太祖曰：『卿背妻，愛諸將婦，何以為厚。』布默然。」

卿是指的呂布，「背妻愛諸將婦」，大概是當時呂布淫亂無行的事實，然據獻帝春秋，則是主張殺呂布的不是先主，而是曹公的主簿王必。

「布問太祖：『明公何瘦？』太祖曰：『君何以識孤。』布曰：『昔在洛，會溫氏園。』太祖曰：『然，孤忘之矣。所以很瘦，不早相得故也。』布曰：『齊桓捨射鉤，使管仲相，今使布竭股肱之力，為公前驅可乎？』布縛急，謂劉備：『玄德，卿為坐客，我為執虜，不能一言以相寬乎？』太祖笑曰：『何不相語，而訴明使君乎？』意欲活之，命使寬縛。主簿王必趨進曰：『布勁虜也，其衆近在外，不可寬也。』太祖曰：『本欲相緩，主簿復不聽，如之何？』」

此刻呂布做了階下囚，生死操在孟德掌握中，他的宛轉哀鳴，全本求生之念。「明公何瘦？」出諸俘虜之口，倒也新鮮。「所以很瘦，不早相得故也。」孟德的答辭，亦巧妙極了。那意思即是說我那瘦的原因，還不是為了你嗎？「何不相語，而訴明使君」，明使君指的劉玄德，是說為甚麼不直接和我說，而求劉使君呢？意思已經有些活動了，想不到王主簿那樣一說，呂奉先就沒有活路了。

我們看上面的對話，都十分簡短有力，雖在極緊張的氣氛中，仍然有條不紊而各人的精神意態，一一躍出紙上。這是一種經過鍛鍊的文句，也是活生生的語言，沒有直接用白話記下來的那種粗獷而庸俗的缺點，至於保存原來說話的神態，則有着更佳的效果。由此可知文章和語言確是兩回事情，那些主張白話是活語言，文言是死文學，若非別有用心，則完全根本不懂文學，那種落伍的思想與作法，在現今看來，除掉搗毀中國文化，和憑空加重下一代青年的負担外，是一無足取的。

（未完）

安徽十三傑

諸葛亮狂想曲（一三三）

·劉玄·

「不錯，「羅漢堂」亮也聽說過，怎不見一百零八羅漢個個都很難纏罷？」諸葛亮的想法很對，羅漢以百計必是良莠不齊。

「像善羅漢、慈羅漢、呆羅漢、笨羅漢、蠢羅漢，他們都很安份，容易打交道，其中以金羅漢、銀羅漢、鐵羅漢、刁羅漢、花羅漢、莽羅漢、醜羅漢等就很難應付了。」諸葛亮對羅漢堂的行情實在搞不清，現在聽星君說出很多名目，大感興趣，遂追問星君道：「亮願聞其詳。」

「金羅漢銀羅漢是羅漢中頂兒尖兒的人物，他們除了享用應有的香火金羅漢每天要吃一大塊電金，銀羅漢每天要吞幾十斤的銀子，作為營養。至於鐵羅漢擅於硬碰硬，他練就金剛不壞身，天庭大小各仙都要忌憚他幾分。刁羅漢的刁鑽，花羅漢的好色，莽羅漢的粗獷，醜羅漢的厚皮，在天庭都是令人扎手頭痛的。」星君向來對天庭各仙不搶加批評，現在毫無保留地娓娓道來，蓋碍於諸葛亮是自己人不致外洩也。

「金羅漢、銀羅漢、花羅漢，亮還第一次聽到，眞是奇聞。」諸葛亮微蹙雙眉，有厭惡之色。

「好在天庭的金銀等於廢銅爛鐵，如果他們在人世為官不犯貪污罪才怪哩。至於花羅漢常和天魔女開無遮大會參歡喜禪，也不算淫慾，這也是做神仙的好處。」太白星君對人世情況知道的很多，談的頭頭是道。

太白星君與諸葛亮論羅漢暫且不表，現在再說劉約翰變金魚以後的情形。

劉約翰變了金魚以後，在缸裏游來游去，妾（口旁）喋於荇藻之間，與原來的金魚絲毫沒有差別。

諸葛亮站在金魚缸邊，心中忽然遐想：劉約翰明明是個人，能和他在一起說說笑笑，現在卻澈頭澈尾變成了一條金魚。他再也看不到劉約翰了。不知道在金魚眼睛裏看到他又是怎樣的情形？

諸葛亮站了一會，告別太白星君，臨走時向星君說：「亮要告辭了，三天後再來。」

諸葛亮說三天後再來，自然是想親眼目睹劉約翰變回原來的人形，太白星君懂得他的意思，點了一下頭說：「好你去罷。我這裏存有很多金魚飼料，劉約翰不會挨餓。每天都由鶴童換水，環境清潔衛生也無問題。你放心好了。」

不說諸葛亮鞠躬而退，且說劉約翰變成金魚以後，在錦墊上，好像在熾熱沙漠上似的難受。口乾舌焦，五內如焚，幸而星君很快地就用雙手將他捧入金魚缸，好一個清涼世界，他覺得眞是再舒服都沒有了。魚水之樂眞有無比的奇妙。

他游到水晶缸邊緣，向外邊一看，糢糊中能辨別巨無霸似的諸葛亮身影，但他聽不到他向星君說話的聲音。

巨變歷險記！

望山興嘆（一三六）

胡慶蓉

出普雄，過老街，前邊就是磨（石旁）盤山，一彎水，瓦渣，就進入眞正的山區。

田團在普雄，沒有敢停留，第二天一早就離開了。田團長極力鎮定，極力把部隊維持一個沒事的樣子。但不可能；部隊還跟了很多逃難的人。這大半是軍眷，扶老攜幼，厥狀至慘。走路不是容易的事，特別是小孩老人。為父母的，若是背着抱着更是難行。他們已經走了兩天了，他們已經感到十分疲倦了。又吃不好，又睡不好，早上起來，那有心修飾，披頭散髮，囚首垢面，在在皆是；但又奈之何哉！也只有望之興嘆而已。但這才不過是個小小的關頭而已，困難還在後邊。第一就是爬山。山，丁博士河南人，生於漢高祖的地方，生於豐沛蕭碭（石旁）附近的河南夏邑，一片平原，毫沒有觀念。在他小的時候，讀小學課本，到「人」、「手足」、「山水田」、「狗牛羊」、「日月星」、「我你他」……到「山」字，曾向他的老師，也就是他的長兄丁作貞先生，提出問題。他問老師「何謂山」？「山是個什麼樣子」？老師他也沒見過，但又不能不答。他說「山者比地高之謂也。比地高的，即謂之山」。丁博士不認為這種答覆滿意，他接着問：「二爺的墳比地高，亦得謂之山乎」？老師左右看了一下，又想一想，他說：「大概山要比二爺的墳高些」。後來讀幼學瓊林，讀到五岳，中曰嵩山，西曰華山，南曰衡山，東曰泰山。丁博士又問老師何謂岳？老師曰：「岳，不是一個「丘」字一個「山」合成的嗎？山在丘之下，當然岳比山要大要高」。因而老師給岳下了一個定義：「岳者大山也」。五岳就是五個大山。但究竟大到什麼程度，老師沒有印象，丁博士更沒印象。後來抗戰軍興，丁博士協助馮玉祥，在泰山住了一段時間。抗戰中間，他在三民主義青年中央團部任宣傳處指導組長，於撤退武漢途中，又在衡山湖南洪橋住了一段時間，也登過衡山，登華山嵩山是抗戰勝利從成都回北平的途中。且每次登一山，都到極頂，都看日出。由於孔子生於山東，泰山就在他家鄉，所以他對泰山特別吹的利害。有登泰山小天下之說。他又有不登泰山，不知天下之大的說法。但丁博士的經歷，以之與今天的雲南邊境的山來比，實在都瞠乎其後。

磨盤山是山的名字，大家一望而知。但一彎水，瓦渣，也都是山的名字。從普雄，老街過去，第一個遇到的是磨盤山，其次是一彎水，再其次是瓦渣。從早上八點左右出發，從磨盤山根出發，一直往上爬，直爬到下午天快黑的時候，才爬到一彎水。從這裏往下望，好不怕人！眞是一眼望不到底。往上望，對面的瓦渣，左邊的……右邊的……，無不與天齊……好像人整個的被山包圍着，看不出那裏是路，那里是出路……

二郎神與梅山七怪（中）

．匡謬．

從神話故事中，我們攷察李冰的「二郎」（無名），大有後來居上之勢，更久年代，竟有取而代之的地位，其父李冰反而掩沒了。清人劉沅的「李公父子治水記」說：「二郎固有道者，承公家學，而年正英，留，獨喜馳獵之事，其友七人實助之。奉父命斬蛟，其友[illegible]山七聖」。這神話直給封神二郎神繪了一幅圖畫。行獵之犬與蠻犬同行的，故二郎神又有哮天犬的怪犬神狗出現。「都江堰功小傳」亦說：「二郎為李冰仲子，喜馳獵之事，與其友七人斬蛟，又假飾美人就婚孽龍，以入祠勸酒」。再以「史記」為證說：「蜀守李冰，鑿離堆，障水之害，川二江成都之中」。「獨醒雜誌」亦說：「永康城外有崇德廟，乃祀蜀守李公父子也。太守名冰為孽，太守捕之，鎖孽龍於離堆之下，有功於蜀人，至今德之，祀祭甚盛，江鄉人亦祠之，號曰「灌口二郎」。」

時代愈久，治水患有功的人越多，後來漸漸普及到其他各地，其地方雖不同，人亦各異，但其神話傳大同小異。中國人以水患為水中有蛟龍作怪，故水灑歸罪於蛟龍，治水郎斬蛟服龍，之。由於斬蛟服龍，由此而增加了不少色彩。也許其時治水使者也運用了神話，使人征服水患。立廟為崇德報功，又頻添了不少神話色彩。除了李二郎之外，其他各地也出現了許多治水，斬蛟之神話。斬蛟治水的人，地不同，然神話却大同小異。下面再舉出幾人來證實二郎神材料的來源非一。

楊煜為二郎神之說：楊煜是河南的「二郎神」。河南府志說：「河南二郎廟，在府城西關，祀灌州刺史楊煜，楊煜築堤，以息水患，故民為立廟」。這楊煜是繼李冰父子為灌州刺史，大楷也在灌州修築過都江堰。楊煜乃隨代人，曾任灌州刺史。以後歷任灌州刺史者，多為二郎神。

趙昱二郎神說：趙昱的神話更多。他治水立功的地方也是在四川岷江流域的嘉州（今四川樂山縣）。據「龍城錄」載稱：「趙昱字仲明，與兄[illegible]青城山道士李鈺，隋煬帝拜嘉州太守。是時，為潭中有老蛟為害，昱持刀入水，左手持蛟頭，右手執刀，奮波而出。州人祀為神，隋煬帝賜神勇大將軍，廟食江口」。為嘉州（樂山）同在岷江上，又是太守治水（斬蛟）而成神，入水斬蛟又與李二郎相同。

不僅此也，而且趙昱的神話故事，在「三教搜神大全」中的文字，才真正被封神作者採取了。請看「三教搜神大全」說：「姓趙名昱，從道士李鈺隱青城山，煬帝知其賢，起為嘉州太守。郡左有清源二河，內為[illegible]為蛟，春夏為害，其水泛漲，漂淹傷民。昱大怒。時五月間，設舟七百艘，甲士千餘人，夾江鼓噪，聲震天地，昱持劍入水，有頃，其赤巖奔吼如雷。昱右手持刀，左手執蛟首，奮波而出，時有佐昱入水者七人，即七聖也。公斬蛟時，年二十六歲。隋末天下大亂，棄官隱去，不知所終。後因嘉州水漲，蜀人見青霧中有乘白馬者，引數人，鷹犬彈弓獵者，自波面而過，乃昱也。民感其德，立廟灌江口奉祀焉。俗曰「灌口二郎」。太祖封神勇大將軍，明皇幸蜀，加封赤城王。宋眞宗朝，益州大亂，帝遣張乘泳入蜀治之，公詣祠下求助於神，果應驗，奏請於朝，追號曰「清源妙道眞君」。」封神作者便完全採取這項材料，只借歷史上一個楊戩的名字。我們看二郎神楊戩的形狀：年紀約二十餘歲，三隻眼，手打三尖刀，帶了哮天犬。這不是獵狩的行狀嗎？而且封神上的楊戩正是封「清源妙道眞君」，更足以見得封神作者的苦心，二郎神是揉合了許多水神而成的二郎神楊戩的證據，可謂甚為確鑿。

為什麼趙昱也在灌口呢？繼李冰之後，乃李二郎，繼李二郎之後又有趙昱，因為灌口之水患，經常有的，而且常堆經過數年就有堤壞，大水每年總有的，所以歷代的嘉州太守都以治灌口之水為要務。因此隋代的嘉州太守也成為二郎神了。（未完）

生活漫談

牛肚牛筋價廉物美

馬騰雲

我國以牛要祭神，用牛肉作食品，已有很久的歷史。本草綱目，說牛肉能補脾胃，理虛弱，為最普通的滋養強壯劑。一個人的脾胃是很重要的，脾胃健壯，則五臟安定，百病的侵犯也不易，這是指人體的營養充份和正常，身體自然健碩，自能抑病延年。本草又謂黃牛肉能補土固中，益氣止渴，功與[illegible]異，故久病脾虛，氣陷下陷致呼吸喘促，面消唇白，甚或皮膚發生黃腫，大便常常泄瀉，肢體不時冰冷，頭昏目眩，這是脾虛病狀自然沒有，健康亦有改進，但燉時切勿加入藥物，才免「弄巧反拙」。可是「外感傳裏」，或「肺有風寒」的病者，食用牛肉或燉牛肉汁也不適宜，胃腸有「濕熱」者，亦少食為佳。牛肉所含的營養甚豐富，據分析牠的淨瘦肉含有水份七○．六五，蛋白質二○．六六，脂肪六．一七，及維生素A、B、D等。牛肉內服固然可以治虛損，而外用可以驅風」，如有風濕痛之病，用瘦肉煮酒敷之也很有效。俗語有一種風痛，名為「死人風」，可用淨瘦牛肉四兩，松針（俗稱松毛）一小束，燒酒十餘兩，一同慢火煎之，取其酒一方面飲用，一方面搽在發痛的骨節肉上按摩之，有很好的治療效果，這個方法，患有骨節痛風病者，不妨試之。至於牛肚（牛胃），本草謂牠能補中益氣，益脾胃，至於牛筋多用做燉湯給小兒飲，營養既豐富，又可預防胃腸積熱，以免發生熱痰；就是那種的病症也可以減少，且胃腸沒有積熱的孩子，他除去牠的黑衣，其黑衣有積的效力更好。不可道種黑衣不是污穢的東西，食之並無影響衛生。用牛肚（連黑衣）燉燒酒，可以治婦人頭暈頭風，因為女人的「頭病」多與「肝胃」有關，胃氣停滯則肝氣不和而內動，頭部則發生諸多病症，用牛肚以燒酒代水耐燉之，飲用其汁，則胃氣暢行，從而肝氣亦正常，於是頭病便痊癒了。

在中國內地各省，牛肉便宜豬肉貴，每一塊銀元可買豬肉五斤，牛肉呢？可以買到十一斤，而台灣牛肉則比豬肉貴，因此我們吃牛肉也得想一個變通辦法，牛腸每斤三元，價比青菜，吃法與牛筋同，其次就是吃牛肚，牛筋，一副牛蹄四隻十五元，燉熟後可析出一斤半的淨筋，如果用組織療法的角度衡量牛筋，強筋健步，乃無疑問，用牛蹄製作牛筋，實患可口，紅燒牛筋，涼拌牛筋，清燉牛筋，牛筋燒青菜，燒蘿蔔，燒筍，各有其特殊風味，何必一定要吃上肉呢？

第七章

李綱主戰遏金兵　陳東上書斥奸臣

此乃兵家出其不意的奇襲；如再不勝，可待夕使數千人分道往攻，但求擾敵，不必勝敵。吾料不出十日，虜必遁去。」此計甚妙，李綱稱為善策。次日奏聞欽宗，欽宗默然無語，李邦彥等謂昨已失敗，何可再舉？遂將師道之策擱置不行。此乃伴食宰相，不知大計。此時斡離不又遣使前來責宋違約，因此和議亦堅。欽宗亦係庸主，毫無定見。李邦彥和派乃又得勢，遂納李邦彥之議，罷黜李綱職，免親征行營使，並遣宇文虛中至金謝罪。虛中方出宣德門，軍民雜集呼喊，喧聲四起。內廷急命吳敏往查究竟，移時而返。原來是太學生陳東等上書，再起用李綱，書略云：

李綱奮身不顧，以身任天下之重，所謂社稷之臣也。李邦彥、白時中、張邦昌、李稅之徒，庸謬不才，忌嫉賢能，動為身謀，不恤國計，所謂社稷之賊也。

陛下拔綱，中外相慶，而邦昌等如仇讎，恐其成功，因緣詛敗。且邦彥等必欲割地，曾不知無三關四鎮，是棄河北也。棄河北，朝廷能復都大梁乎？又不知邦昌等能保金人不復敗盟否也？邦彥等不顧國家長久之計，徒欲訊李綱謀，以快私憤。李綱命一傳，兵民騷，至於流涕，咸謂不日為虜擒矣。罷綱非特墮邦彥計中，又墮虜計中也。乞復用李綱而斥邦彥，且以閫外付中師道，社稷存亡，在此一舉，伏乞賞鑒。

欽宗無奈，乃復李綱之官，兼京城防禦使。民衆始歡呼而散。

且說金將斡離不，自慶又勝一陣，氣勢更甚。乃召康王、張邦昌前來問話，責以兵違約，大肆咆哮。張邦昌駭怕已極。康王獨挺立不動，神色自若。（廿八）

周燕謀

自由報
中國郵政台字第一二八二號執照登記為第一類新聞紙
（第二○七五號）
（半週刊每星期三、六出版）
社長李運鵬・督印黃行寶
社址：香港九龍彌敦道593—601號五座八樓大陸銀行大廈
LIU CHONG HING BUILDING
7th FLOOR FLAT '5
593—601 NATHAN ROAD,
KOWLOON, H.K.
TEL: K303831
電報掛號：7191
承印：景星印刷公司
地址：嘉咸街廿九號地下
台灣通訊中心：台北市青田街五巷三號
台北營業處：台北市衡陽路三十號
電話：二七二○○
台灣分社：台北市西寧南路110號二樓

改革政風的有效措施

・李桀・

年來朝野上下咸言革新政風，甚囂塵上，旨在提高行政效率，以期獲致福國利民的成果，其說甚是，其志可嘉，然其績效殊不可必，怎見得呢？

我認爲由今之道，不變今之法，所謂「革新政風」，充其量只是一些皮毛上的改革，有如隔靴搔癢，無裨實際。政風之所以不良，自有其相習成風的因素，必須探悉其窾要，洞見其癥結，然後對症下藥，加以醫治，庶可望達到預期的目的。有人說，現在各級行政機構的腐敗風氣，是大小官員們積二十年來的習慣所使然的，除非以壯士斷腕的勇氣，把各個衙門的人員全體解散，重新組織，即不容易革故鼎新，其實亦不然。當局祇要有決心，將下列各項弊端作合理的改革整飭就行了。

行政機關不是議會，亦非民衆團體，處理政務固無須乎取得全體職員大多數的同意，纔可付諸實施。機關首長對其法定職守，有最後裁定之權，對其所屬員司，有考核功過，黜陟任免之權，各級員司負有分層盡職與獻替可否之責，這是中外同然的行政體制。可是，現時我國的行政機關情形，却大異其趣。機關首長多不願，也不敢行使應有職權，各級員司則負責而不分層，或分層而不負責，爲甚末？即因行政首長對其機關的人事進退，以及功過賞罰，沒有自由處理之權，基於「人事凍結令」與「文官保障法」這兩樣法寶，除却政務官以外，一般大小員司皆構成「鐵飯盆」的地位，因而對於掌理的職務，可以獨持私見，爲所欲爲，而置機關首長的意旨於不顧。舊時行政機關所謂「科員政治」也者，是指各級主官怠於職守，把日常大小政務皆交給科員們擬辦，層層蓋章，遞呈上峯決定而已。今也不然，一個科員或科長，對某項政事如果堅持己見，雖最高首長亦無可如何。有教育部常務次長某辦理的專科學校，曾將學生畢業證書，依法送到教部審核，而主管科即任意扣留不發還，某雖以次長身份招呼亦無效。至於各個行政機關首長，對所屬職員的工作勤惰考核，以及所擬定的賞罰，亦只是參考資料而已，不算最後決定，也就是否定了該機關首長應有的職權。這樣一來，首長即不願多負責，而員司却專橫跋扈，目無紀綱，但體制上又遇事須以首長名義行之，上下既不協調，同寅亦不協恭，各懷心事，共信無存，行政效率乃低劣到無以復加，一件例行公事，亦擱置一年半載沒有下文，可說是必然的現象了！

法制凌亂

凡是行政機關的組織體系，層次井然，職分明確，超位擅權，非所許可。如中央各部的「部務會議」，原係諮詢性質，邀會人士限於各單位的主管員司，主持會務的常是政務次長，部務會議的決定事項，部長可以採擇施行，亦是以分別去取，另作最後裁定。但現時中央各部的部務會議，無形之中變成了該部的「立法院」，在處理政務時，部長亦受其約束，而在開會時又人多口雜，漫無限制。試以教育部爲例證：各司司長與全體督學參事都是部務會議的成員，主管各項政務問題的是各司司長的意見應該具有權威性，義所應爾，實際却大謬不然。蓋督學、參事的人數衆多他們平時不管實際業務，在會議中討論問題時，各人皆獨抒己見，侃侃而談，且佔有絕大多數的表決權，如果他們不同意的事項，司長認爲該辦亦不行，因爲各司的重要公文皆得送交督學，參事室會章呀！政府在大陸時期，我曾任中央某部的首席參事多年，除却法規問題外，對各司公文，從無「會章」同意這種份子的玩藝。若夫督學的職責，顧名思義，是在督察各級學校的辦理情況，使沒有干預各司日常業務的職責。由於這些不合體制的作風，不特影響行政效率，且滋生許多流弊，如最近發生的台北醫學院的學籍賄賂案，即牽涉到督學身上。像台北醫學院學籍案，以及過去的僞造河南大學學生名冊案，考試槍手案，非法核許留學生出國案都是，而尚待發覺的，亦復不少，以致教育部在社會的聲譽，可謂有口皆「悲」，基本原因即係法制凌亂，政出多門，結果弊竇叢生，莫可究詰！

怎樣改革？

首先就要使各個行政機關首長勇於任事，樂於負責，而其要訣即在賦予各機關首長以用人行政的全權，解除所謂「人事凍結令」，詮定「文官保障法」的範疇，不宜成爲一般不稱職守之官吏的護符。凡屬考績不及格的，有違法失職情事的，該機關首長即可自由予以黜退，無所瞻徇。同時減少政務官的兼職，免其經常奔走騷汗以參加若干不必要的會議，把精力集中於其所主管的業務，教他無從藉詞搪塞，規避責任。

關於「部務會議」之類的性質和規章，亦應妥加整飭，重新釐訂，如督學，參事這些不管日常政務的人，對部務會議，由一名代表輪流參加足矣。至於公文會章一事，更須嚴格限制，參事的職責在撰擬或審核法令，督學在督察學務，各個業務單位的公文，他們決不宜越職會章，多管閒事，尤其是教育，財經各部，有些惡例，流弊必多，此中事實，不勝枚舉，大家明知故昧，假裝癡聾，烏乎可呢！

總統早已訓示文武百官，行政事宜要做到「新，速，實，簡」，我認爲「簡」字最關重要。簡之爲言，不是簡畧，也非簡省，更不是簡易，而是執簡以馭繁的「簡要」與「簡便」之義。法令繁複，程序紛紜，職權分割，責任不專，即無簡要與簡便可言，既不簡要，則說不上「新」，更談不到「速」，而「實」呢，完全是落空的幻想了！稍有行政經驗的人，必知吾言爲不謬，現時各個高級機關特設置着「設計考核委員會」，誠不解委員會何以見不及此，而又高呼改革政風的用意安在也。

目前各級行政官署特表現着「亂，遲，嘘，繁」的政風，主要因素並非受到國家大經大法的限制，而是各機關自己胡搞出來的，如教育部之遇事交由督學，參事室會章，即其最著的例證。法律規定，子法與母法相違背者無效，然各級官署每自作主張訂單行法規，常與母法的精神不符合，作用是自遂己非，藉以卸責爭權，目的在困擾人民，乘機要索不法利得，這類事實，我可以提出許多來，且願負法律責任，誠是何可道也，言之醜也。各機關原有其法定的主管業務，祇要遵循政府的政策，實事求是，合法盡職，即應自由處理的。可是，大家私自頒訂單行法規，竟有所謂「有關單位」的制約，事無鉅細，動則召集有關單位開會，發言盈庭，結論難得，曠時誤事，莫甚於此！遇事既要通過有關單位，政府又何必設官分職呢？畫蛇添足，徒亂人意，這種惡作劇不革除，行政效率即永無提高之望。

簡化法制，集中權責，限制政務官兼職，禁止各機關亂頒單行法規，改革政風之道，盡於是矣，當局者其慎思明辨而篤行之，國家幸甚，人民幸甚！

××

昨日與明日

爲九年義務教育獻一言

教育的目的乃在培養一個理想的人，使其智識與能力不趨於偏差；且教育的理想不能單從一種哲學裏導引出來，而應從民族或國民生活中產生出來；其目標更在求人類生活達於至善。是故教育是指導國民從舊社會瓦解中建設新社會的唯一方法，尤其是指導青少年適應新社會生活的唯一道路，它的目標不僅顧到個人，且兼及國家與社會的需求。

國民義務教育現已由六年延至九年，這是一項可喜的現象；九年義務教育的目的旨在提高國民素質，根本目的也在人力的發展。但我們要知道，中小學這兩個階段都是基本教育，而不是普通教育。基礎不固，則萬事無成。而今，據訪問之結果，我們普遍發現九年教育並未抬高學生的素質，相反的是學生的素質愈趨低落。綜歸其因並不是教師的素質差，而學生本身根本就不能吸收課程上的進度，且有些學校的器材亦不甚完備。此情怎不令人憤然呢？然教育當局現又有從國中實施職業訓練的構想，此與任務恐非國中所能勝任吧！

基此，我們衷心的向教育當局獻一言：首先要能使國中學生之課程負担有勝任之感，就應於小學中予以適當的補充教化，且對國中之訓練器材能臻於完備；其二對於國中學生之出路問題，絕不能完全施予職業教育，應尋求個人的興趣與性向令其有上進之路，否則若干年後次級職業人才將有人滿之患，能否專才及一面倒的情勢是不堪慮的；也就是說強調職業教育不應阻礙教育過程的往上發展，否則不免流於孤立化。

最後，我們衷心的懇求教育當局，愼重的爲國中教育做適當且深入的探討研究，以挽救這羣幼小的心靈能接受新時代的陶冶。則國家幸甚！民族幸甚！

・林順益・

自由談

日本人的反美動態

戰後日本在美國羽翼之下，工商企業迅速復興，又叨着韓戰之光，大發其戰爭財，經濟力量激增，人民生活安定繁榮，獨步亞洲，幸運極了。

日本復興工作之所以如此順利完成，最主要的因素就是沒有軍備費用消耗，託庇於美國的「核子傘」，高枕無憂，其樂只且。可是，一些青年學生和無聊政客，乃跟着共黨的屁股後頭，隨時從事反美運動，對「美日安全互助協約」，反對尤烈，這眞是「詩屋佬嫌命長」！自尋死路！

日本的地緣政治環境，脆弱達於極點，蘇俄毛共鷹瞵虎視於其旁，如果沒有美日安全互助協約的保障，俄毛共旦夕即可吞噬蓬瀛三島，不費吹灰之力。假使日本投入了共產陣營，敵視美國，而美國儲備在太平洋岸各基地的飛彈，亦容易將蓬瀛三島毀滅。所以，日本在現階段的生存大道，只有按照現有的外交策畧，利用國際兩大強權國家的冷戰僵持局勢，在美國的「核子傘」掩護中，一面增強自衛能力，改善民衆生活，同時以其優越的經濟力量和科技潛能，誠心誠意協助東南亞自由國家的生產事業，消弭舊有的惡感與宿怨，慢慢地養成互信心情，進而奠立共信關係，則日本在亞洲的領導地位，自然實至名歸，莫之與京。

日本共產黨唯恐天下不亂，它要反美日安全互助協約，使日本由孤危環境而趨於動亂不安，以使國際共黨勢力乘虛而入，奴役日本人民。這是共產主義者所謂世界革命的應有策畧，無怪其然。顧一般青年學生不明此義，竟被共黨牽着鼻子而中風狂走，不惜自掘墳墓，何其無知之甚也！若夫，殺失意的官僚政客，爲着滿足私慾而僞裝前進份子，藉觀共黨臉以期譁衆取寵，獵取官位，圖領國家利益，原不足責。因爲他們都是些尸居餘氣的小丈夫，慾望大過知識，根本就沒有理想可言，共黨如果控制了日本，這些傢伙即是首先遭受清算的階級敵人，毫無疑問的。

十餘年前我在日本旅行時，遇見大學時代的講師蘆田均（戰後任日本首相，已去世），對着橫濱商業學校學生講演美國原子武器儲存日本問題，他大發議論道：「我們自己沒有自衛能力，又不接受朋友的實力保護，這不是一個馬鹿思想嗎？」學生們一致鼓掌贊同。可見一個國家的生存發展，需要若干睿智的老成人，隨時指導青年人，均衡政路。青年子弟思想不成熟，性好衝動，光是用警察力量來對付，那是下乘之策也。

師大教授成立聯誼會

為改進校務提出建議

發言踴躍廣泛交換興革意見

（本報特稿）本報讀者李之藩君頃投函本報，對師大所發生種種糾紛，有所指陳，他的原函說：自由報第一〇六九期刊載文匯樓主所寫的「學校武打成何體統」一文。僅叙述師大三次打鬥的經過，並未講到打鬥的原因。這原因是孫亢曾校長的措施，有下列三種缺點：

第一、前年政府公佈六十五歲以上不得担任學術性行政職務之辦法，因此去年夏間黃君璧辭去美術學系主任，田培林辭去教育學院院長及兼教育研究所主任，林本辭去教育學系主任，任泰辭去英語研究所主任，林一民辭去理學院院長，除任泰為六十六歲外其餘均七十歲。他們遵守政府法令，令人欽佩。可是批准他們辭職的孫校長，本人已七十高齡，以教育學者的身份自兼理學院長，殊不應該（如找不到人，可呈請教育部留任林一民為理學院長一年），他又聘請六十八歲的崔載陽為三民主義研究所主任，置政府法令於不顧。

第二、區區校警俞同洲為何敢到校長辦公室毆打孫校長並毀損公物？當然不對，應加嚴懲。據俞告人，他之打孫校長乃因孫氏分配宿舍不公正，在分配新建完成的教職員宿舍時，孫校長手令房屋調配委員會，保留八戶由他分配，獲得分配者包括校長室主任秘書黃振球，庶務主任杜源芳，註冊主任方炎明……根據師大教職員宿舍調配辦法，他們都是不符合規定的，依法不得分配，孫氏竟予分配。另有若干教授與副教授符合規定，反而分配不到宿舍。

第三、另有處理不當的一件事是，因原有的小禮堂僅能容納四五百人。前由省政府撥出六百萬元，建新大禮堂兼體育館，指定為全校師生利用。但孫校長撥予教育學院體育系專用，其他各系學生都不得在新建體育館內打球。紀念週仍然在小禮堂舉行。

去年夏天孫校長自知幹不下去，確曾堅決辭職，因梅縣小同鄉兼至親鍾皎光由政務次長升任教育部長，胞弟孫宕越出任教育部政務次長，二人協力保駕，於是轉危為安。塞翁失馬安知非福，安知非禍，即在保駕成功之後不久，發生了孫校長被校警毆辱的不幸事件。這種奇恥大辱，孫氏安然承受，不但在師大校史上及中國教育史上留下大汚點，且使全校師生及一萬四千位畢業校友難堪。今年校慶六月五日下午舉行酒會三百位教授中出席者不足十分之一，台北區畢業校友逾二千人，出席者亦不足百分之一，情況冷落，創歷年人數最少的紀錄。

今年三月間國科會公佈研究教授副教授名單，師大十四位申請人中只有四人及格。因而全校教授認為國科會太不公平，且嚴重的損害師大的崇高地位。林本教授在聯合報發表論文「從研究教授談到教授待遇普遍提高。」為師大僅四名鳴不平，（台大為一〇七人），但孫校長怕得罪國科會，竟無一言，這是使全校師生與畢業校友最傷心不過的事。

為了改進校務，提供積極意見，有體育學教授陳海光，中國文學教授方遠堯，陳汁濤，三民主義教授唐子宗，教育學教授潘成義，化學教授許葆圻，數學教授蔡英藩等人領銜發起組織教授聯誼會，先後簽名者達二百二十六人，其中包括教育學教授（考試院副院長）楊亮功，歷史系主任李符，國文專修科主任周何，中等教育輔導委員會主任委員李祖壽，教育系主任雷國鼎，數學系主任康洪元，化學系主任朱施民，國文系主任李日剛，前訓導長張中寧，前歷史系主任朱雲影，家政系主任楊希賢，美術系主任袁樞貞，前教育系主任林本，音樂系主任戴粹倫，國文研究主任林尹，前美術系主任黃君璧，前總務長焦嘉誥，英語系主任張芳杰，工業教育系主任許振聲等人（依簽名先後次序排列）及其他重要教授多人。

六月十四日在禮堂開發起人成立大會，出席會議者計有教授葉守乾、唐子宗、方遠堯、陳汁藻、王志義、余書麟、焦嘉誥、唐傳基、阮雋釗、陳伯尹、潘成義、盧紹稷、汪中、謝振權、邱燮友、張起鈞、方祖燊、余培林、晁介嶺、陳大絡等九十餘人。由方達堯報告成立經過，說明「本會宗旨，係仰體總統訓示，改革教育，集中力量，努力準備反攻。」然後大會推選唐子宗教授為主席，教授江應龍、葉守乾、朱際鎰、盧紹稷、王志義等二十餘人，先後發言，廣泛交換師大亟應興革事項向學校建議。意見極為寶貴，當即推選葉守乾、方遠堯、朱際鎰、王志義、蔡英藩、江應龍、謝振權、晁介嶺等教授積極策劃會務進行。

徐中齊質詢大同公司案

刊登廣告詆毀司法應予駁斥以正視聽

承認受誘犯法亦應追查

（台北消息）立法委員徐中齊因彰化大同實業公司代理人蕭柏煌刊登大幅廣告詆毀司法當局違法未聞駁斥以正視聽曾向行政院提出質詢摘錄如下：

大同實業公司代理人蕭柏煌，從上月起，每日以數萬鉅款廣告費，接連在台北台中及香港等地各報紙刊登大幅廣告，表面上陽稱「悔悟」，「擁護政府法令及政策」，而實質上對政府法令及政策，歪加曲解及攻訐，以混淆社會人士之視聽；博取社會之同情。揆其用心，無非（一）顯示其財力之豪闊，俾維護者倍力再予維護。（二）阻延政府對假出口逃稅案尚欠罰鍰之執行，及對五十七年另一逃稅案之追訴。（三）多方耗用資金，使政府執行接收落空。（四）強調員工失業等社會問題，以延宕工廠之轉移。（五）以違法違反慣例等詞句，企圖爭取有利之反應。至其所稱「自動以公文申請彰化縣稅捐處，將寄存海關原料拍賣抵充罰鍰」，早經基隆地院查明依法不能拍賣，無非又係該公司之一種虛偽表演。其實該公司其他工廠中尚存有大量原料及成品，稅捐處何以不將其拍賣一部份，以抵償罰鍰？

在上項廣告之中，大同實業公司代理人承認其冒退稅事件，為「受某報關行之誘惑」，被誘而犯法之人，固不能逃其犯法之責任，而誘人犯法之「某報關行」，亦不應任其逍遙法外，比年以來冒退稅漏稅者，比比皆是，對於國庫之收入，影響至深且鉅，倘不能收殺雞儆猴之效，後果何堪設想！

大同實業公司代理人於廣告中，一則曰「本公司為表示誠心悔悟」，再則曰「請邦人君子明察本公司悔悟之誠」，揆諸事實，證為虛語。

（一）該公司冒退稅為五十三年之事，果眞誠心悔悟，何能於五十七年再發生漏稅營業額二億元之鉅大案件。

（二）該公司代理人等，於冒退稅案發之後，有向治安人員行賄二百萬元情事，雖經再四減輕，從輕發落，然其鉅款行賄於案發之後之行為，適足證其所謂「誠心悔悟」為虛語。

（三）典獄者對於「誠心悔悟」之涵義，以犯者之安甘服刑為依歸，該公司代理人一再以各種手段攻訐司法當局，至於不惜刊登大幅廣告以混淆視聽，已違安甘服刑之義，「誠心悔悟」之態度，竟如是耶！

行政院、財政部及司法行政部在五十六年最後決定依貨物稅條例第一項第十款處罰假出口逃稅案件後，稅捐處即遵令將大同實業公司案及錦宗針織公司案送請法院裁罰。大同被處罰一千三百萬元，現尚在恢復執行中，錦宗公司案最近則經台灣高等法院裁定不罰。此項不罰之裁定，顯係違反行政院及司法行政部本於司法監督職權所為之命令。法官對此命令是否有權抗不遵辦？行政院已否就此一重大之監督問題加以檢討？如果法官可以不受司法監督命令之拘束，行政院或司法行政部以後是否仍將頒發此項等於廢紙之命令？

大同實業公司巨幅廣告之重點，一再以錦宗公司冒退稅案輕罰為詞，認為事例完全相同，而輕重有失公允，執法者固可就法律範圍之內，以自由心證衡量裁定之輕重及當否，雖然過於畸輕畸重，難免斷人口實，更難令人心服！值茲「革新司法」高唱入雲之際，我行政及司法當局應就（一）錦宗公司冒退稅案是否與大同實業公司事例完全相同？（二）主辦錦宗公司案之司法人員，是否有徇情枉法之情事？亟應加以檢討說明，以正社會之視聽，加以修正補救，以增國庫之收入。

總之，大同實業公司代理人之巨幅廣告，雖屬強詞奪理，而社會人心，在聽其一面辭之後，難免對政府，對司法發生慣於違法之懷疑態度，倘再視若無睹，不加駁斥，則「政府違法」、「司法違法」之觀念，必將深植於人心，對於政府之「威信」，政策之領導，國家之「法紀」與治安，均將有不良之後果，即令能封鎖廣告，亦非正本清源之道，心所謂危，謹提請嚴院長予以重視，予以澄清，國家幸甚。

徐中齊復何蓋民函

徐委員並復何蓋民委員一封函件，作為質詢案的附件，原文如下：

蓋民委員兄勛右：本人以文字非　台端所長，辭難達意，槍手代筆，往往失真，不欲多計較，故於五月八日答復　台端書於黃委員玉明等質詢案後之公開函中（該案已有五人聲明係協簽，二人當場退出），備說明「只作福國利民之主張，絕無誣辱同仁之意念」，至於所謂「協簽」一一台名，中裝電話一一台銜，本人因從不代人簽章，故告以「從未收受任何人之孔方兄」，「如欲深究，自表歡迎」。及閱　台端五月十四日質詢案所附致本人函件，始知既不遵照友好之勸告，且仍自喋喋，逞其血口，是以不得不再加申說，略表微忱。

台端質詢案之終結意念，無非以「減少國庫收入」「減免彰化大同實業公司罰欵」為依歸，而口口聲聲以民意代表立場為言，本人愚鈍，不敢苟同，　台端強不同以為同，竟一再以「誣辱同仁」相挑撥，「民意代表同志之立場」固如是耶？

大同公司漏稅案中，　台端以本人質詢有「立監委員竟也有少數為奸商張目的提案」之語，認為「傷同仁傳統之和氣」，遂致遷怒，至於口不擇言，本人質案所云乃根據報載「外傳中央……民意代表若干人之包圍」而發，並未提及任何同仁姓名，前文業經叙明矣，凡「提案」與「質詢案」性質有所不同，　台端在院日久，想亦耳熟能別也？

歐美民主國家議員在議會爭辯，不但面紅耳赤，甚至有頭破血流者，幾曾傷及國會之聲譽，良以見仁見智，間或不同，為公為私，人各有志耳！報載蕭氏有行賄二百萬元鉅欵之事實，是以案中有「查明是否有孔方兄作祟」之語，是否二字本屬疑問詞句，　台端倘眞胸懷坦蕩，又何苦一再自穢行藏，四月廿八日大華晚報第一版方塊文有「越描越黑」之句，足為鑑戒。

弟本「與人為善」之義，平昔從不揭人隱私，而且助人亦不求人知，例如：　台端前因茶案詐財案，被提公訴，質繫實犯，騰載報章，本人從無間言，及　台端脫罪之前後，有人提資料指某某顯要為鄉親枉法，本人反勸其不必多事，幾曾向　台端片語示惠？又如：有人提供資料，謂有關某某為某某學院出售學籍，每名學生十萬元，歷年達數十名之多，不但列舉姓名住址，並列其聯考座號及分數，本人顧念同仁關係，力勸平息。何嘗向其邀功示惠。即以私德而論，有人書面告以有關某某，「張胆盜嫂，帷薄不修」，傳單飛揚，（高要人）人言嘖嘖，至於棄官不就，畏罪潛逃，凡此種種本人無不從中勸解，化乖戾為祥和。又幾曾向其沾恩示惠。　台端若遇此事，恐將「噬」之唯恐不及矣！

至於　台端誣本人「開本院質詢反噬之惡例」，是必　台端先曾「噬」人，否則「反」字從何說起！　台端又誣稱本人對人表白「一事非出自本意」，僅簽名於外人之書托，本人絕無是語，想係　台端杜撰。大丈夫行事要磊磊落落，自反而不縮，雖千萬人吾往矣。區區文責，當然自負，不似　台端憑杜撰而誣人也。諸希珍重，自求多福！專復，順候

臺祺

喬治桑外傳

一五五　張大夏

在華麗大飯店夜總會，卞太太每隻舞都要黏着喬治桑下池，好在白妮只不過是裘白玫約來湊熱鬧的，她當然不計較這些。

在跳勃羅斯時，綽號留蘭香糖的卞太太，在喬治桑耳邊輕輕地說：「白小姐和你是什麼關係？」

「她是老裘的朋友，我今天還是第一次碰見她。怎麼樣？」喬治桑抱着卞太太的腰，滑行了兩步。

「我不過隨便問問。」卞太太是跳舞的行家，與喬治桑談話決不會亂了步伐。

過了片刻，還是卞太太先找話說：「你是不是很忙？」

喬治桑這次將卞太太拉了一個距離，面對面說：「就是雜事多，有時也很空。」

「明天我請你到我家吃便飯好不好？」

「現在還不能答復妳，明天先通電話再說。」

音樂戛然而止，喬治桑很禮貌地替卞太太拉了坐椅，這是西洋禮貌。

「你們為什麼不跳舞？」喬治桑看見裘白玫和白妮在擺「測字攤」，故有此一問。

「看你們表演嘛。」裘白玫嘴裏含着一支香烟，一付玩世不恭的樣子。

「不要開玩笑了，我不過是會跳罷了，那裏敢表演。」喬治桑雖然這樣說，臉上却有得意的表情。

「桑先生，你的舞跳得眞好，倒不是裘大哥瞎捧你。」白妮也在附和裘白玫。

「桑先生當年在維也納得過跳舞香檳，妳想他的舞跳得好不好。」裘白玫進一步介紹喬治桑的舞藝，這話是對白妮和卞太太兩個說的。

「怪不得哩，我不知跳過多少人，還沒有遇到像桑先生這樣好的舞。」這話如果出於男士之口還無所謂，卞太太這樣說，當然露出了馬脚。但她自己還未覺得。

喬治桑是飽經世故的人，聽在耳裏心中暗想：這女人眞有點十三點，難怪會離婚。「保持距離，以策安全」為妙。

他在想心思，當然默不出聲。

「怎麼不說話，是不是在想什麼？」裘白玫很會察言觀色。

「沒有。」喬治桑淡淡地回答了一句。

這時，音樂台上奏起「阿哥哥」，有四個彈「琵琶」的青年，蹦蹦跳跳好不起勁。另有一個頭髮蓄得好長的大男孩，直着嗓門窮喊。

文涵樓劄記

談民族尊嚴

·文涵樓主·

報載：台灣省議員某君，對於台省各商店招牌取用外國名稱，甚不謂然，指爲沒有民族意識，令人瞧着痛心。此乃不可多得的空谷跫音也，應該大書特書！

在台灣各個都市中的商店和醫院名稱，以日本式的最多，如「山葉茶室」、「神田酒館」、「河合餐室」、「林齒科醫院」……等等。不一而足，還有在招牌上乾脆就是寫日本文字的。其次係美國式，如「華盛頓餐廳」、「紐約鐘表行」、「艾森豪拍賣行」、「芝加哥商店」等，亦所在多有，甚至於中國人開設的「書報閱覽室」，招牌上僅寫着READING ROOM而沒有中國字。

所以，凡是初到台灣的觀光客，入其境，恍若置身在舊時上海租界內，感覺殖民地的色彩殊濃厚。我曾經遊歷過東西洋若干國土，除却中國人開設的「中國酒家」或「中華料理」這一種市招偶見而外，找不出本國商家而用外國名詞的招牌了。

台省府主管首長對議員前項質詢的答覆，認爲商人這種作風固屬不合，但苦於沒有法令依據可資取締云云。我若是台省議員，便要質詢道：官府平時幹出一些擾民病民的事情，又有甚末法令根據嗎？相反地，在法令上規定得明明白白的手續程序，官府却刁難推宕，甚且反其道而行之，這又是怎末解釋呢？吾國官府的拿手傑作，每以命令變更法律，對於商人妄用外國名義或名詞作市招這種洋奴式的玩藝，一道命令就可以禁止的，難道亦需要訂定法案，送交立法機關完成立法程序不成麼？「遁詞知其所窮」，此之謂也。台灣較大的「民族工業」如汽車廠、造船廠、電氣公司等，百分之九十五的成品（並非原料）和技術，都靠外國供給，看不出「民族工業」的影子，實與國父「民生主義」所示「吸收外資，其權必須操之在我」的原則相違悖，加以一般商家招牌之外國化，咱們談民族主義，寧非自我諷刺乎？

可是，這也難怪。咱們的政治要人，經常每以能說洋話爲幹練，不講份際，不顧體制，洋洋自得，恬不爲怪，市儈們之崇洋媚洋，罔識民族大義，何足道哉！十年前，馬五先生到日本東京參加「國際筆會」年會，開幕典禮的主席即係日本筆會會長川端康先生，他用本國語言致詞，另由舌人譯爲英語。繼而日本外務大臣藤山愛一郎代表政府致歡迎詞，講的是英語，且大談其文學問題。第二天東京報紙上即指斥藤山失態，且譏諷他對着世界的作家而侈談文學，是班門弄斧呢！川端的主席作風，是民族思想體系的表現，不失其爲地主國的身份。這次在台灣舉行的「亞洲作家會議」開幕情形，是否亦保持着民族思想的份際，太史公有云：「搢紳先生難言之矣」，噫嘻！

荀子哲學簡論（六）

周世輔

七、荀子的經濟思想

儒家談經濟，多主張節用與輕稅，荀子除此之外，還主張「遂欲」。

（一）教養兼施——朱熹提倡天理，去人欲。戴東原反對去人欲，主張遂人之欲，即提倡遂欲主義。國父講民生主義，就人民生活而講，也是主張遂人之欲。荀子禮論篇云：「禮起於何也？曰：人生而有欲，欲而不得，則不能無求，求而無度量分界，則不能不爭，爭則亂，亂則窮。先王惡其亂也，故制禮義以分之，以養人之欲，給人之求，使欲必不窮乎物，物必不屈於欲，兩者相持而長，是禮之所起也。故禮者養也。」禮何由起，起于分，起于「養人之欲與給人之求」，不是起于去欲或禁欲。

養人之欲可分那幾種呢？禮論篇接着說：「芻豢稻粱，五味調香，所以養口也；椒蘭芬苾，所以養鼻也；雕琢刻鏤，黼黻文章，所以養目也；琴瑟竽笙，所以養耳也；疏房……越席，床笫几筵，所以養體也。」這是就五官四體言，要養人之欲與給人之求。

大畧篇云：「不富無以養民情，不教無以理民性，故家五畝宅，百畝田，務其業而勿奪其時，所以富之也。立大學，設庠序，修六禮，明十教，所以道之也（指教育言）。詩曰：『飲之食之，教之誨之。』王事具矣。」就民生主義言，這是說養與教兩個問題，與國父的主張相同。國父亦常說中國古代政治是教養兼施的，荀子遵襲的政治主張，就是主張教養兼施。

荀子生於墨子之後，他提倡「養人之欲與給人之求」，乃在反對墨子的尚儉與短喪薄葬，因此，他重視三年之喪，在禮論篇强調三年之喪不可縮短。

（二）節用裕民——王制篇認爲「君者善羣者也。羣道當則萬物皆得其宜，六畜皆得其長，羣生皆得其命。故養長時則六畜育，殺生時則草木殖，政令時則百姓一，賢良服。聖王之制也：草木榮華滋碩之時，則斧斤不入山林，不夭其生，不絕其長也。黿鼉魚鼈鰌鱣（別字均魚旁）孕別之時，罔罟毒藥不入澤，不夭其生，不絕其長也。春耕夏耘，秋收冬藏，四者不失時，故五穀不絕，而百姓有餘食也。汙池淵沼川澤謹其時禁，故魚鼈優多，而百姓有餘用也。斬伐養長不失其時，故山林不童，而百姓有餘材也。」所謂有餘食，有餘用，有餘材，均就民生主義而言，這與孟子所謂「數罟不入洿池，魚鼈不可勝食，材木不可勝用，王道之始也」，同屬以民生問題爲中心的經濟思想，同是裕民之道。

荀子的經濟思想，一面講裕民，一面講節用。他在富國篇說：「足國之道，節用裕民，而善臧其餘，節用以禮，裕民以政。彼裕民，故多餘，裕民則民富，民富則田肥以易，（易謂耕墾平易）田肥以易，則出實百倍。（言出穀百倍）上以法取焉，而下以禮節用之。餘若丘山，不時焚燒，無所臧之。夫君子奚患乎無餘？不知節用裕民則民貧，民貧則田瘠以穢，則出實不半。上雖好取侵奪，猶將寡獲也。而或以無禮節用之，則必有貪利糾譎（言旁）之名，而且有空虛窮乏之實矣。（糾，察也。譎（言旁），發人罪也。）此無它故焉，不知節用裕民也。」節用就是節省消費，就政府而言是免除浪費；裕民就人民而言，是充裕生活，就政府言，是開源。都與國計民生有關。

富國篇又云：「故野縣鄙者，財之本也；垣窌倉廩者，財之末也。百姓時和，事業得叙者，貨之源也；等賦府庫者，貨之流也。故明主必謹養其和，節其流，開其源，而時斟酌焉。」天論篇亦云：「彊本而節用，則天不能貧。」陳大齊先生認爲「荀子書中說及節用處所較多。荀子之重視裕民似尤甚于節用。」（見陳著荀子學說）也就是積極方面的開源重于消極方面的節流。

（三）輕稅便商——王制篇講到王者的政治實施，主張以輕稅便商爲主旨。荀子說：「王者之等賦政事，財萬物，所以養萬民也。（等賦是說賦稅有等財與裁同。）田野什一，關市幾而不征，（幾，呵察也。但呵察姦人，而不征稅），山林澤梁，以時禁發而不稅。相地而衰政，（相，視也；衰，差也。）理道之遠近而致貢，通流財物，粟米無有滯留，使相歸移也，四海之內若一家。故近者不隱其能，遠者不疾其勞，夫是之謂人師，是王者之法也。」國父在上李鴻章書中，論貨暢其流，謂「商不見保，則貨物不流，則財源不聚。」又謂「籌富國者當以商務收其效，不然徒以聚斂爲工，捐納爲計，吾未見其能富也。」荀子所謂流通財物，與國父所說「貨暢其流」的意思相同，是主張輕稅，也是主張便商。

荀子在富國篇亦云：「下貧則上貧，下富則上富。」故「田野荒而倉廩實，百姓虛而府庫滿，夫是之謂國蹶。」這與孔子所謂「百姓不足君孰與足」同義，也是提倡輕稅主義。

說曹操

李漁叔

（三十）

呂布是反覆的小人，背義無信，而又驕勇絕倫，號爲飛將（見魏志呂布傳），誰也不能掌握他。曹公斬布，永絕後患，是合理的措施。進言的人，不管是劉玄德也罷，王必也罷，但玄德公這時最適孟德的丐求（兩字目旁），是眞實不虛的。他是第二次來到許昌都城，按華陽國志劉先主志：

「先主從公（曹公）還許，爲左將軍，公禮之甚重，出則同輿，坐則同席，又拜關羽張飛皆中郎將。」

國志是晉朝常璩作，「出則同輿，坐則同席」八字與陳壽三國志蜀志先主傳所記無異，當然是較爲可靠的。還有兩件事値得一提：

「程昱說公曰：觀劉備有雄才，而甚得衆心，終不爲人下，不如早圖之。公曰：方今收英雄時也，殺一人而失天下之心，不可。」（三國志魏志武帝傳）

「先主與公獵，羽欲於獵中殺公，先主爲天下惜，不聽。」（華陽國志劉先主志）

以曹公勢力之雄厚，殺之亦並非難事。至於會獵中，如欲殺曹，則曹雖有勇將隨從，而以關公之神勇，能刺上將於萬衆之中，而擊殺孟德，應該成功的希望較多，何況更易於得手，想不到他兩人猶相惜，以一個恐怕「殺一人而失天下之心」，一個又「爲天下惜」。我們今天以局外人衡量當日的情勢，那種不顧一切的作法，是絕對不可冒昧的一試的，曹劉兩公的持重與遠見，自非尋常人可及。

可是，先主在曹公的賞識下，越是厚待越是戒懼不安，像一頭鳥一樣，無時不想逃出樊籠，破空飛去。如煑酒論英雄和「閉門種菜」兩個最有名的故事，都是在這段時期中發生的。

煑酒論英雄，是小說所記，而且還有青梅佐酒的事，也是添上去的。但蘇子瞻曾有「且掇青梅嘗煑酒」的詩句，又似非全屬無稽。這時正是先主與董承秘密通謀誅曹的前夕，孟德當然還不曾知道，可是先主本身懷着鬼胎，也就格外敏感，而處處自疑了。蜀志先主傳：

「是時曹公從容謂先主曰：『今天下英雄，惟使君與操耳。本初之徒，不足數也。』先主方食，失匕箸。」

華陽國志較多數句，而意思方足。文如下：

「公從容謂先主曰：『天下英雄，惟使君與操，本初之徒，不足數也』先主方食失匕箸。會天震雷，先主曰：『聖人雲迅雷風烈必變，良有以也。一震之威，乃至於此。』公亦悔失言。」

先主驟聞孟德所言，很懷疑已發覺了他和董承們的密謀，而先拿話穩住對方，再來套問眞相，所以震懼失次，而在和孟德對奕其食時，不知不覺把手中所持的筷子，掉落地上了。幸虧恰遇霹雷，方纔勉强掩飾過去。

在這種情況下，已經再難拖下去了，華陽國志在前段下緊接着寫道：

（未完）

安徽十三傑

諸葛亮狂想曲（一三四）

·劉玄·

他看見魚缸旁邊吊着一堆餵魚的小蟲，饞涎欲滴，不由張開小咀游上前去咬了一口，其味鮮美已極。然後他又留意在缸內其他的七位遊伴。他發現有四條是雌的，三條是雄的，他畢竟具有人類的靈性，立刻滿心歡喜，他來了不多不少正好配成四對。

內中有一條雌魚，立刻變成他追逐的對象。在現在「劉約翰魚」的心目中，這條魚比西施王嬙更美，而且在魚缸中談情說愛比美國海灘上追妞兒更方便。

在南極，企鵝求偶要去找很多很多的彩色石子，才能獲得雌鳥的青盼，在人間談戀愛的花費更大。以美國來說，鑽戒和貂皮大衣，是結交異性必需的條件。可憐劉約翰自從到了天庭，因爲既無地位又無香火，像雲霞仙子、葡萄仙子等根本沒有把他放在眼裏。他自己也有自知之明，在天庭想與仙子接近簡直是癩蝦蟆想吃天鵝肉。

現在不同了，天香國色就在眼前，而且是赤裸裸一絲不掛，只要尾巴一擺，就能追上。他看中的那條雌魚，是黑色的。是眞正的黑美人！他現在才了解，爲什麼魚和美人不能分開，魚是美人，美人也是魚，魚和美人連在一起不是「魚美人」便是「美人魚」。

很快地，劉約翰在缸裏便討了一位「魚太太」，如膠如漆片刻也不能分離。他眞懊悔，不該向星君請求只變三天金魚，時間長一點豈不更好。

劉約翰是俗子凡胎，無謂變成什麼，都無法六根清淨。不像太白星君，能夠超然物外，神遊太虛。這是仙凡之別，無法改變的。

自從玉帝命太白星君負責執行海王星太空探險計劃以後，星君忙得幾乎連煉丹的時間都沒有了。猴子變成侏儒以後，不但要賦予他們人性，還要給他們「道法」，所謂「道法」是比科學更高的玄學。海王星太空探險計劃，在太白星君亦算是一種大胆的嘗試。如果成功，他在天庭將享有無上的光榮，如果失敗，他的聲望便將一落千丈了。故此，星君對於此一計劃的每一細節都不敢馬虎。好在，他的每一想法都等於人世數以萬計科學家的思想結晶。再加上他所獨有的「縮地法」和「時間倒流法」其玄妙節深淘非凡人所能想像。

再說諸葛亮回到住處，一進門就聞到滿室氤氳異香撲鼻，他又猜到一半，果然客廳坐的不是別位，正是關羽棋友，黃雲大仙。黃雲大仙一見諸葛亮，連忙起身鞠躬致敬，說，「小仙特來拜見丞相，」雙手遞上關羽寫的介紹名片。

諸葛亮滿面春風，連說，「失迎，失迎」，很客氣的招呼黃雲大仙坐下，然後接過關羽的名片，只見銜頭是：漢壽亭侯，龍岡會會長兩行小字，正中是關羽，下面是，雲長。背後寫了幾句介紹詞，大意是，茲介紹敝友黃雲大仙趨謁，敬請賜教爲荷。此上諸葛先生。

巨變歷險記！

過建水官廳就進入了山區。面前的山看來並不高，但一到了一盌水的地方，向周圍一望，才知道山是多麼的高。

昔李白有一首詩，起頭的一句是：「君不見黃河之水天上來」！這是說黃河之水是自高處來的，什麼高處？高到什麼程度？他的答復是「天上」。天，在中國的文字裏，是至高無上的代名詞。天上也就是至高無上的地方。君不見黃河之水天上來者，也就是君不見黃河之水自那高處來的意思。黃河發源於西藏的高山，西藏的高山，如喜馬拉雅，其著者也。西藏，丁博士去過，喜馬拉雅山他也走過，至於黃河經過的各省，尤其河南山東，他更是走過。站在鄭州新鄉中間的鐵橋西望黃河，確有天上來的樣子。現在丁博士面前的山！一盌水，並不是最高的山而是最低的山，站在一盌水望四週的山，可以套李白的名句而曰「君不見雲南之山天上去」。這是「去」字用得非常貼切，山就彷彿是雲梯，彷彿是天梯

「難於上青天」（一三七）

胡慶蓉

，一層一層的，引着你的目眼漸漸的到了天上。極目所之，最遠的地方，山就是同天齊的。山彷彿貼着天，山與天合，天衣無縫似的。什麼時候能走到啊？怎麼走到啊？會使你發生恐懼。實際上，等於你到了那與天齊的地方，你就要感覺到這與天齊的地方，又與一盌水一樣，變成了最低的地方。以此類推。山高高，山高，形容山區也是非常貼切的。任到一個地方，任站一個地方，你都會覺得被山團起來，你都會覺得你在山之中，四面都是高出雲霄的山。一盌水就是一個例子。這個例子，在今後，天天有，處處有。

爬山等於上青天，但爬山却又難於上青天，在中國人的腦筋中，上天是不可能的，故所以小時候，老爹爹罵丁博士，總是「你能，你總不能上天」！現在丁博士確實在上天了。丁博士上天，同部隊一樣，是用爬的辦法。走山路，路在山上。這路，不是馬路，不是大路，而是羊腸小徑，有時候會小到你看不見，會小到沒有，在山上，路只是代表人走的地方，與我們在通都大邑所說的路迥然不同。這路都是直的，很少轉彎，像貴州桐梓吊死巖（改為錦詩巖）那樣。吊死巖的路是經修整的大馬路，經創設的大路，纔有七十二灣七十二盤之說。這樣的路，在今後丁博士的行程上是沒有的。今後，丁博士的「長征」所經過的路盡是直直的山路。普通人走這麼一個經驗，走平路不累人，走山路累人，尤其走直直的山路累人。山假如有坡，有相當的坡度還好，假如坡度沒有，或坡度很小，那就必須用手抓着一旁的東西，或用手抓着地或石頭等等。我們不說上山而說爬山是有道理的，爬更是累人。爬當然要休息，而且要常休息。不然，腿酸，腰痛，……的毛病，都會一一的到來。

二郎神與梅山七怪（下）

·匡謬·

搜異錄

四川嘉州太守的急務就是治理灌口的「都江堰」。因都江堰水利成功了，則全州安寧而富足。由於嘉州諸縣每年均賴都江堰的水來灌溉，來調劑。這是最關重要的民生問題。所以歷代嘉州太守，多有成為二郎神者。

杭州二郎神：浙江杭州也有二郎神，姓鄧名遐字應遠，陳郡人，自幼勇力過人，氣蓋當時，時人以樊噲呼之，桓溫時以為參軍，屢征戰有功，歷官將軍、太守，號為名將。因襄陽城北，水中有蛟，數出害人，與鄧遐持劍入水，與蛟搏鬥，蛟繞其足，遐斬蛟數段而出，從此患息。鄉人德之，為之立祠，以其嘗為二郎將，故尊為「二郎神」。

杭州二郎神為何又在襄陽立功？恐是在襄陽治水之故。以上見「杭州府志」，廟在杭州清忠里二郎廟。總之脫離不了斬蛟的神話。蓋中國人以水漲乃蛟之作怪。蛟出水息，故凡平水患者即附帶斬蛟神話。

另外尚有「竹王二郎」之說。華陽國志載：「有竹王者，興於遯水，有一女子浣於濱，有三節大竹流於女子足間，推之不肯去，聞之有聲，取之歸，破之得一男兒，長大有武才，遂雄夷狄，氏以竹爲姓，字店棠，奉命兒夜郎侯，因斬竹王，署將柯郡，以吳漸為太守，後移濮阻城，感竹王非血氣所生，求立後嗣，漸表封其三子列侯，死配食父祠，今竹王，二郎神是也。」

根據蘇雪林氏研究竹王二郎，在「九歌少司命」一文中所說，竹王有三子，大郎即夜郎，三郎即「山海經」中的「三天子都」，二郎即非血氣所生的竹王二郎。此種「非血氣所生」一點材料，却被封神作者採去了。楊戩就是非血氣所生，稱「有尸無魂」。此即二郎神也。

封神作者搜集了許多水神的神話特點，再加上一個眞正的歷史人物——楊戩。這楊戩是宋代人，爲徽宗時的宦官。因爲水神的姓名不統一，他便以有神話流傳的楊戩之名名之來創作此人。他爲什麼看中了楊戩呢？當然有其原因。原因就出在陸游的「老學庵筆記」中一則神話。宋史卷四百六十八說：「楊戩少事從掖庭，主掌後苑。政和四年，領彰化軍節度使，歷鎮安、清河、鎮東三鎮，由檢校少保至太師。宣和三年戩死，贈太師吳國公。」

楊戩為什麼會被封神拉出來為神將，尚有一大原因，也就是楊戩（宦官）當時被東京人呼為「二郎神」之故。關於此事，胡適之與黃芝岡二氏曾經考究過。黃芝岡所著「中國水神的演變」一書，將此事說穿了。而楊戩被時人呼爲「二郎神」在宋史却沒有記載。我們再看陸游的「老學庵筆記」說：「中貴楊戩，於後堂中作一大池，環以廡廊，每浴時，設浴具及澡豆之屬於上，乃盡屏人，躍入池中游泳，率移時而出，人莫得窺。人謂其善浴於池耳。一日戩獨寢堂中，有盜入室，忽見牀上乃一蝦蟆，大可一牀，兩目如金，光彩照人，盜者爲之驚仆，而蝦蟆已復變爲人，乃楊戩也。起坐握劍，問曰：『念汝迫窮，以此賜汝，切勿爲人言所見也。』盜不敢受，拜而出，後以他事繫開封獄，自道如此。」

由此看來，楊戩善游泳，時人又呼之爲「二郎神」，因此封神作者就抓到此一歷史人物，與中國歷代水神揉合起來，創作了此一神怪人物。

我們不能不佩服作者的苦心，上窮碧落，搜集如此之多的材料來揉合一個人物。二郎神楊戩的後面，却包括了如此之多的神話的演變，封神作者所看的書實在不少。七人佐之入水斬蛟，乃改作七怪，七怪死後封爲「七聖」，都是採自水神故事。至於九轉玄功，七十二變化，封「清源妙道眞君」等等，都是採自「灌口故事」的神話，各有所本。除此之外，我們可以窺見封神中若干神仙妖怪，都有根據，以後各期再分別道來，二郎神就到此爲止。（完）

國醫與國藥

催眠術研究

馬騰雲

問：甚麼叫作催眠術？

答：催眠術者，使人感受性強，而易於感應暗示之方法，導人以睡眠狀態，也即雜念減少狀態，是為之催眠術。

問：催眠術研究是否有後就能催眠？

答：還得化費一個時間研究，先用小動物依法作實驗，然後漸漸可入門，編者將催眠術用到對共黨心理作戰，頗有收穫，中共心戰部西南區負責人蕭孝（山旁）榮發動甚大力量，才使我主持的海外陣營離亂，於今自己人還在傳播着蕭所散佈的中傷流言，以打擊自己。

問：催眠術有何用途？

答：催眠術可用在醫療上，現代的「超級心理戰術」即為心理學、傳心術、催眠術混合組成，蘇俄用之久矣，美國與我國尚未十分寄予注意。

問：除上列用途外還有別用嗎？

答：催眠術用途頗廣，各種事業無不與催眠術有關，此術可左右人之精神，凡人為的事，莫不以精神為主，任何事業家、政治家的成功，皆靠一股精神推動，催眠術者為左右精神之術，活潑精神，鎮靜精神，皆可操之在己，用於善行，超過普通人幾倍之速力，向於惡的方面，則遏阻之，隨心所欲，是為催眠術之最大用途。

問：催眠術可否適用於精神修養上？

答：不僅可用於精神修養，且可療病驅癖，健全身心，用於宗教及教育上，則有偉大之效果，他如哲學及科學之研究亦佔重大之位置。

問：我國對催眠術似未見有人推行何故？

答：可能尚未注意到催眠術的廣大用途，進步國家對催眠術之研究，已日新月異，研究到最高境界時，有成為千里眼之現象，幾可與若干宗教看齊。

問：馬先生對催眠術有研究嗎？是否已經上段？

答：還談不上有研究，不過民國四十七年曾應國立政治大學新聞研究所暨司法部調查局（李源溥局長任內），邀去講演超級心理戰術，講演皆歷四小時之久，聽者不厭，即往有催眠術成份也。

問：各電台為甚麼不廣播催眠術？

答：英美國家很多年前有催眠術節目，後竟有呼呼入睡者，警方認為對治安有礙，乃下令禁播催眠術。

問：中國催眠術專家為誰，可否見告？

答：鮑芳洲博士已故，其餘不便介紹。

依洞集

胡水旺案有感

歐陽瑞

台北醫學院胡水旺案由司法部調查局偵破後，移送台北地檢處依法辦理，短期內將告一段落，帶給市民的印象，公平而且合理，我們謹向辦案人員歌功。

從胡水旺案看來，法律之前人人平等已無疑問，因胡有財有勢，與教育部官員鈎得緊緊的，貪瀆之事對面尚嫌不密，那裏會有把柄給人，其實俗語有：「要得人不知，除非己莫爲。」不過台北某私立學院非法出賣學籍，全稿在整理求證中，其方法之奧妙，遠勝過胡水旺，如果用在科學發展，可凌駕美國與俄國之上，可惜走的是最下流，最無恥的路線，我們主張要嚴辦，教育部和司法部萬不可效法鄭板橋的「難得糊塗」，必須毋枉毋縱，務期水落石出，這是杜絕「台獨」思想的基本招數，亦收拾人心最佳方法，比胡水旺案還重要，否則，等於法律之前分出三六九等。

有人說：某私立學院祇夜間部主任就身兼十三要職，作護身符，他的位子比「馬奇諾防線」還堅固，如果這話當眞，我們爲下一代而流淚，同時爲反共復國而悲傷，一個國家如果缺乏了正氣，還有甚麼希望呢？導正以邪，莫非數乎？

第七章 李綱主戰遏金兵 陳東上書斥奸臣

（此時尚有骨氣後來軟了）康王退下，斡離不私語王汭道：「我覩此宋朝親王，恐是將門子孫，來此假冒，否則如何有此大膽？你且往宋京，詰他何故毀約，並要他另換親王爲質」。欽宗不得已乃以徽宗第五子肅王樞代替換康王爲質。並詔割三鎭。王汭返報斡離不，斡離不接見肅王，乃將康王、張邦昌放還。斡離不以宋廷復用李綱，戒備森嚴，遂不等金幣數足，便撤退了大軍，將肅王劫之而去。

朝廷雖然復起用李綱，可是下詔伏闕上書。王時雍且欲盡誅太學生，於是士民又復大譁。欽宗又遣聶昌宣諭：令靜心求學，毋干政治。且言將用楊龜山爲國子祭監酒，今後如有所陳，亦可由楊龜山代奏。諸太學生道：「龜山先生來到，尚有何說！我等自然奉命承教了。」

讀者以爲楊龜山爲何如人？即有宋一代之大學者之一，爲程門高足。時字龜山，南劍州人氏，與謝良佐、游酢、呂大臨三人同爲程伊川兄弟得意門人，先師事程顥，後師程灝。宣和元年，蔡京聞其名，薦爲祕書郎。不久進邇英殿說書。至京師危急，楊時請黜內侍，修戰備。欽宗命爲右諫議大夫兼侍講。此次太學生等請留李綱，朝議以爲暴動。時楊龜山乃上言：「諸生忠事朝廷，非有他意。但擇老成碩望士人，命爲監督，自不至軼出範圍」。欽宗卽命楊時爲國子監祭酒。並除元祐黨籍學術諸禁令。追封范仲淹、司馬光、張商英等人。

金兵退後，汴京之危已解。此時，無定見的欽宗又復悔和議失策，將立和之臣免職，並保太原、河間、中山三鎭，決定不依約交割三鎭與金。於是命中師道駐兵滄州，姚古出援河間、中山。是時太原知府張孝純仍死守太原，金兵久圍莫能下。朝廷既以暫保三鎭之心，乃詔中師中與姚古合力救太原。不幸的是師中兵敗而死，姚古一戰而潰，駐守滄州的中師道也因病辭職。欽宗乃命李綱爲西河宣撫使，指揮此邊軍事。

依宋朝體制而言，宣撫使有指揮轄地諸將之權，但此時外屯諸將直接受朝廷指揮，事皆專達。李綱之宣撫使僅負虛名，對於軍事計劃不能有所決定。而且劉屯兵遼州（山西遼縣），又違命先進，至爲金兵所敗。宋廷佈署如此乖張，徒使有心無力的李綱。（廿九）

周燕謀

自由報

（第一〇七六期）

（半週刊每星期三、六出版）

每份港幣二角・台灣新台幣一元

督印兼發行人：李雲騰　社長

社址：香港九龍彌敦道593—601號 劉創興銀行大廈八樓五座

LIU CHONG HING BUILDING
7th FLOOR FLAT'5
593—601 NATHAN ROAD,
KOWLOON, H.K.
TEL: K303831

電報掛號：7191

承印：景星印刷公司
地址：嘉咸街19號地下

台灣連絡中心：台北市青田街五巷三號
電話：三七五〇二二

台灣區直接訂戶　台郵劃撥戶
第五〇五六號張萬有（自由報會計室）

台北營業處：台北衡陽街三十號
電話：二七二〇〇

台灣分社：台北市西寧南路110號二樓
電話：三三〇三四六，台郵劃撥戶九二五二號

畧論中國詩體流變與唐詩之特質（上）

李漁叔

台灣電視公司，「生活的藝術」節目製作人沈君光秀，於本年庚戌詩人節，屬漁講中國詩體流變與唐詩之特質。對中國詩歌之演進，應可畧陳梗概，惟時間僅限七八分鐘，過於短促，不能道其十之一二。既畢事覺有骨鯁在喉，須吐之為快。乃畧申愚意，並整理其辭，以就正於當世學人。庚戌端午後十日墨堂寫記。

吾國歌詩自詩三百篇及楚辭以後，繼之即有五七言詩之興起，近人王國維觀堂曾言：「四言敝而有楚辭，楚辭敝而有五言，五言敝而有七言。」此自合乎詩體進化之理，蓋五言詩起於秦漢歌謠，稍後傅以六義，飾以雅詞，其風遂盛，而疆域亦益廣。西漢之世，先傳李陵蘇武諸篇，及卓文君白頭吟，班婕妤怨歌行，復有古詩十九首，論者以為直承國風，應為嫡嗣。卓班二篇，後人多疑其偽，按文君之作，有相如答書云：「誦子嘉吟，而回余故步。」當即指此詩。明季王夫之船山稱為「樂府絕唱，天才欲比文園之賦心。」文園指司馬相如，乃謂文君天才，以詩雖屬短章，可與相如作辭賦之才情相比。婕妤怨歌行則前代評價更高，鍾嶸詩品謂：「其源出於李陵，團扇短章，辭旨清捷，怨深文綺，得匹婦之致。」船山至譽為：「漢人詩有高過國風者，此類是也。」極推挹備至。

其他姑暫勿置論，惟古詩十九首及蘇武李陵贈答諸篇，為吾國五言詩之祖，諸作皆一片神行，全運單行之氣，絕不用古人古事相陪襯，而情深語摯，自然超妙，眞可謂一字千金。六朝齊梁以還，諸詞家評選品錄悉當。徐陵玉臺新詠，首標枚乘之名，昭明太子蕭統所纂文選，以十九首選列於蘇李之上，雖未指明為何人何代之作，而依其排列之位置以觀，至少以其中之一部分，在蘇李之前。鍾嶸仲偉則稱：古詩（十九首）眇邈，人世難詳，推其文體，固是炎漢之製，非衰周之倡。」既非周末之作，以屬初漢甚明。至劉彥和文心雕龍明詩篇，雖曾謂：「成帝品錄三百餘篇，朝章國典，亦云周備，而辭人遺翰，莫見五言，所以李陵班婕妤見疑於後代。」然繼云：古詩佳麗，或稱枚叔，其孤竹一篇，則傅毅之詞，比采而推，兩漢之作乎。」其後李善作文選注推衍其意，謂古詩蓋不知作者，而辭兼東都，似已堪為論定。杜甫少陵詩云：「李陵蘇武是吾師。」韓愈退之亦云：「五言始漢時，蘇武起更號。」以上諸人，無論年代較近，所聞較眞，即以學力識見言，亦非後人所易及。

章樵以後，漸多致疑，宋明異論蠭起，但始存其說，並不為辭人所重，逮及清末以至民國二三十年間，學風詭異，競以推翻舊說為能，愈離奇生造者，愈為人所崇慕，然諱世取寵之輩，務求速售其說，而無學以濟之，茫無所見，不得不出於稗販，如近人陳鍾凡中國韻文通論，鄭振鐸中國文學史，劉大杰中國文學發達史，皆力持卓班蘇李諸作為偽之說，而指古詩十九首必出於漢末建安，既不肯用客觀之態度，作邃密之考證，進而深思其故，輒於前代製作，草率論斷，推翻無數名家詞客之舊說，了無遜辭，徒令謬誤相乘，生出無數葛藤，愧讀者耳目。

諸人所說，率多强詞奪理，其較有理致者，約之可為下列三端。

一、漢書李陵傳載陵贈蘇武詩：「徑萬里兮渡沙漠」一首五句，獨是楚辭，而非五言，則蘇李詩出於後人擬作，五言不起於李明矣。

二、漢初以十月為歲首，古詩十九首明月皎夜光」一篇，有「玉衡指孟冬」句，漢之孟冬，今之七月，故篇中乃有秋蟬促織之辭，以自為作者係漢初人之證，然考于光華評注引方氏集成說，疑孟字乃秋字之誤，若是，則此詩非西京之作，可以斷言。

三、蘇李贈別長安詩有「俯觀江漢流」及「山海隔中州」等句，兩人離別，何由到此。至陵詩於當日情事，尤多不切。如云：「嘉會難再遇，三載為千秋。」按蘇李留匈奴，在天漢初年，其別則在始元五年，兩人同居何止十餘年，僅言三載，其語意乖違，灼然易見。況蘇四詩全不與李相涉乎？

以上各節，嘗畧加辨析於次：「徑萬里兮渡沙漠」一首，乃陵與武別時所歌而非詩。按古歌詩迥然各別，如滄浪接輿飯牛之歌，皆長短句而非四言，豈可執此以謂當時無四言詩乎？依此，又豈能斷言李陵不能為五言詩，且決定五言不起於蘇李。其次，十九首中兩漢人之詩雜出，昔人言之已詳，如必欲將玉衡指孟冬之冬字改為秋以泯其跡，則為此說者，未細審此句只有一冬字為最妙，蓋言一歲將終，觸景興懷而成句耳。倘作秋（或春、夏）字，即神味頓失，此必吟人始通其意，不善詩者，未必解也。至三項乃雜引章樵蘇軾（坡公早年對蘇李詩懷疑，晚乃更易其說。）及清朱彝尊等舊說而成。「俯觀江漢流」二句，乃蘇武作，清沈德潛謂為別友詩，不必皆為陵作，然縱令係別陵詩，句中江漢浮雲，皆詩之排比，藉以發興，並不必身踐其地始可言之，又蘇武在匈奴凡十九年，初時被逐至海上牧羊，後雖放回，並不與陵同居一處，其間或有三載聚晤，本人之言當可據信。又詩云：「一日不見如三秋兮，」則三載為千秋，亦屬喻詞，有何不可。至言：「陵詩於當日情事不切」，「蘇詩全不與李相涉」，則似不甚解詩者之所言。王船山古詩評選，書李陵詩後云：「不以當時片心一語入詩，而千古以還，非陵武離別之際，誰足以當此淒心熱魄者，或猶疑其贋鼎，然則有目者多，有睛者少。」語甚峻厲，罵倒一切耳食之輩，直謂之有目無珠，皆耐吾人再三尋繹。

抑尤有不値一駁，而仍為後世評詩家所津津樂道者，蓋漢惠帝名盈，當時對盈字皆須避諱。明顧炎武日知錄，以為：「漢人於諱字已祧不諱，而在七世之內必諱……若李陵詩『獨有盈觴酒』，枚乘詩『盈盈一水間』，二人皆在武昭之世而不避諱，可知為後人擬作，而不出於西京。」並按宋洪邁容齋隨筆卷十四論李陵詩云：「盈字正惠帝諱，漢法觸君諱者有罪，不應陵敢用之。」為炎武立論之依據。夫盈字於文不諱，明周嬰撰巵林，曾詳考之。謂：「西京著述，漢帝之名昭，往往布流，而盈字最多。」歷舉韋孟，王褒等及散見同時諸子史者為證。且推以謂高祖邦，文帝恒，景帝啓，武帝徹，昭帝弗陵，宣帝詢，元帝奭，成帝驁等字，亦皆見於當世載籍。抑不僅武昭之世不避盈字，即文帝時賈誼奏疏中亦屢用「調劑盈虛」，「怨毒盈於世」等，公文書且不諱，況於詩乎。近世古直層冰於以上考列尤多，此皆臨文不諱之確證，一一皆可覆按，則「七世之內必諱」，「漢法觸君諱者有罪」，又果足信乎？更有令人不解者，洪邁以李陵為詩不敢觸諱，曾不思李陵作此，乃在居匈奴時，史稱其老母妻子，均被殺戮，怨毒在心，觸一前朝帝諱，何為不敢。且身在異邦，縱令作詩觸諱有罪，而萬里以外，漢法雖嚴，亦不能安據律繩之，是洪顧所言，毋抑過於迂闊不達事理乎？

上述陳鍾凡鄭振鐸劉大杰等，有一共通之觀點，乃謂五言詩斷不可能起於炎漢之盛時，而必在建安前後之叔季，其說可為重行商榷於下：

第一、以蘇李卓班及文選玉台新詠選錄之古詩，凡被指目為屬於西京者皆偽，則西漢無五言詩，自必非將五言起原，延至炎漢之叔季不可。此雖不出於全屬無稽之臆說，無如有利之證據過薄，非將劉彥和鍾仲偉所言，予以斷章取義，故意纏夾，或逕行武斷，絕無確證可以推翻六朝與唐人之舊說，使人心服。（未完）

昨日與明日

台北中正路易名

台北的中正路自七月一日起更名為忠孝路，一條路的更易名稱事小，而更名所含的意義，則値得一述。

原來台北市的街道組織計劃，有四條橫的幹線乃是以忠孝，仁愛，信義，和平，分別命名的，構想雖好，但實際的情況則甚不一致，仁愛路是台北市，最有氣魄、最美觀的林園大道，信義路，也歷盡艱辛，拓寬修好，成為煥然一新的現代大道。和平東路原有規模便極夠條件，不久即將拓寬、改善，更好自在意中。只有為人德之首的忠孝路，卻是彎曲狹窄，不成規模，於今蔣總統指示將中正路改為忠孝路，以成全壁而壯規模。

中正路之取名本是對蔣總統的崇敬，而蔣統卻寧願放棄此一榮譽而主動的成全都市的規模，由此足見蔣總統胸懷的謙冲，又足見一個眞正偉大的人物並不介意這些形式上的點綴，他所注意的當只是豐功偉業，留名青史，目的在民，目的在國的大事，只有庸俗之輩，他們既無能力輔佐領袖，立德立功，因此便只有以形式上的點綴來表示其擁護領袖的「忠誠」（？）這些古今中外任何事業，任何團體，皆無從例外的。即拿台北這條中正路的掌故來說吧，這條路經過火車站，為最主要的動脈。路線很長，所以依照一般規定分為幾段，但在十多年前不知那位先生忽然別具隻眼，提出高見，認為中正路不可分段，而硬將十幾里長的一條大道，一齊「不分畛域」（？）一齊叫作中正路，流弊所及，凡是說一個「中正路××號」的地址，大家多半都不知道這個住戶在什麼地方。對於人民及住戶之不便莫此為甚。而這種想法，我們無以名之，可稱為庸俗的想法。

現在由中正路易名這一事來看，可以充分的證明蔣總統並不欣賞這種想法，而蔣統的偉大更不是可用這種想法來揣度和附會的。道路之命名事小，但由小推大，舉一反三，在許多大關大節的地方，我們也希望沒有（或減消）類似的想法存在，那不僅使蔣總統的偉大不受霧影隔障之虞，並將大有益於政治的推進。

寧公

自由談

對英國憲政的觀感

二次大戰後，世界許多國家的君主制都被推翻，偶有存在的，其權力亦大為削弱，無復舊有威勢了。唯有英國的君主制安然如昔，毫無問題，原因是眞正實行「虛君制」所使然也。

英王平日將事全盤交由內閣處理，垂拱而治，即對民衆發表一篇演說，亦由內閣代為撰寫，臨時按照原稿唸唸而已。關於政府官員的進退黜陟，自內閣總理以次，一任兩大政黨憑選舉交替執政，自由決定，君主絕不過問。像這樣的「九五之尊」，實在沒有尊榮感可言，但對國家卻具有莫大的安定力。

政治權力是最容易中毒，也很遭忌的。統治主如其享有生殺予奪之權，威加海內，為所欲為，勢必招致社會大衆的不平與不滿，而革命思想油然滋生，人人皆抱有「彼可取而代也」的心理，國家即無長治久安之可能。如英國這種虛君制，權威是象徵性，誰也不視為是了不起的殊榮，無所忌恨，因而得以消弭野心家為着爭奪統治權位的公開或秘密活動，國家前途，實利賴之。可是，英國人的虛君憲政生活，并非倖致的，在幾個世紀之前，他們經過了艱苦的革命流血鬥爭，得來不易，纔奠定今日被稱為「憲政之祖」的聲譽。

人類進化到了原子世紀，戡天縮地，皆優為之，過去一般專制君主所恃為肆行極權主義口實的上帝之命，現在亦證明是「扯卵談」的玩藝了，誰還承認有所謂「天子」這回事呢？所以，凡是聰明的統治人物，一定要走超民主政治路線——要誠心誠意地向民主生活看齊，纔是利己利人的上智思想。眞專制固然要不得，偽民主亦不可以，人民的眼睛雪亮，其誰欺乎？

英國兩大政黨交互執政的情形，亦比美國的兩黨政治來得高明，這與民衆教育很有關係。英國的選民在投票，皆能夠根據客觀事實需要，不受兩黨政客的宣傳影響，投下自己的良心票。例如二次大戰剛告停止之際，邱吉爾首相勳業蓋世，勞苦功高，而選民卻投票請他下野節勞，教工黨來担任復興之責。這不特在咱們東方國家做不到，即在號稱為最民主的美國亦不可能。美國兩黨的競選題材，總是談外交問題，英國兩黨競選只談內政，如這次保守黨之所以得到意外的勝利，就因為指出工黨將再實行英鎊貶值之說，打動了選民的心理。談外交可以胡扯，談內政即騙不了人民。

我羨慕英國的君主立憲制，也欣佩英國人民自由行使民權的理智抉擇，乃述其感想於此。

馮五先生

更正

本報由第1070期起至1074期止誤將千位數之「一」字誤植為「二」字特此更正。——編者——

最高法院增加法庭及推事
立院審查經費預算
有人表示反對意見
決交司法委會作專案檢討

（本報記者張健生台北消息）依照中華民國憲法規定，立法院與隸屬於司法院的最高法院，可以說各不相「干」。一爲國家最高立法機關，一爲國家掌理民事刑事訴訟審判之機關。立法院對司法院無質詢之權，司法院對立法院既不負責，也無提案之權。但立法院可運用審查預算之權來影響司法院之施政，這是民主國家的通例。

立法院審議六十年度中央政府總預算歲出部份，司法院管轄的最高法院所列增加兩個法庭的經費預算，立法委員們認爲有商討之必要，且有人表示反對增加兩庭及增加推事十八人的主張。其理由是最高法院有八庭和推事四十人，增加以後法庭共爲十庭推事五十八人。根據最高法院所提資料：美國最高法院推事九人，澳洲七人，日本十五人，菲律賓九人，越南七人，均較我國最高法院推事爲少。現在台灣一省如此，假定以人口計算，將來反攻大陸以後，最高法院的編制勢必千人以上。立法院未通過此項預算，乃決定交由該院司法委員會專案檢討後再議。

最高法院提出增加員額之理由。

（一）台灣人口增加社會繁榮，逐年案件有增無減，例如三十九年最高法院全年收受民刑案件僅有八五九件，但至五十八年全年收案則達一〇、四八三件，其增加之數已達十二倍，而現在辦案之推事較之三十九年僅增一倍，其他行政人員增加比率更不到百分之三十，且以現有民刑庭庭數八庭，每庭推事四人共三十二人計之，（庭長充任審判長，審核全庭裁判文件，不另分案）每人每年平均辦案約在三百餘起，每月平均約三十餘起，以三審上訴案件之內容繁雜，實達心力交瘁狀態，較之一、二審法官辦案標準，尚有超過，故照歷年案件增加之數字，與現有庭數對照觀之，勢非再增四庭，不足以資因應。

（二）推事辦案件數，原有一定之標準。收案既年有增加，如庭推員額不變，有推事辦理，勢必積案增多，拖延結案期間，殊非便民之道。

（三）世界各國最高法院，美國係採聯邦制度，各州皆有三級審判機關，通常案件，悉由各州三級審判機關解決，日本最高裁判所法官編制連所長在內雖僅十五人，而調院辦事法官不下數十人，且其法院編制係採四級三審制度，故第三審上訴案件，決無我國之多。非律賓法律限制上訴綦嚴，民事案件得利益約合台幣百餘萬元以上始得上訴三審，均與我國現制有別，每一法官承辦件數少，而辦結期間較長，實不能與我國最高法院每一推事承辦案件之多，限期之短比擬。故在制度未變更，訟源未疏減前，祇有增加員額之一途。

立法委員鄧徽濤在預算委員會發言，他認爲最高法院人員已經很多，現在還要增加究竟原因在那裏[illegible]：政府決心懲辦貪污，司法行政部也很有決心如此做，可是許多法官犯了貪污罪，在第一審判決很重，到第二審判決很重，到[illegible]

他說：社會上認爲第三審一再而三的發回更審，結果，判決刑期減到最輕，而進入監獄執行的時間更少。如彰化大同公司走私案的某一被告初審二審的判決是一年多的，但經最高法院再三發還更審以後，判決只有四個月，易科罰金，所以一天的監獄也不須坐了。類似這種案件，因發還更審次數太多，所以影響高院審判甚大。一個殺死父親的案子，第一審判死刑，第二審亦判死刑，可是最高法院一再發回更審，於是第二審法院根據最高法院的意思判決無罪，引起社會的不平，還勞動立法委員提出質詢，檢察官再提起上訴，後來經過一番程序，仍判較輕之刑。

更審案件之多
各方表示不滿
究竟是誰判決不當
抑或推事不負責任

鄧委員對這些案件詳細考慮結果，覺得法律有問題，檢察官有問題，最高法院也有問題。

「第一、究竟是最高法院判決不當？抑或是高等法院判決不當？導致發還更審的案件如是之多，是值得研究的。從司法院統計資料指出：最高法院民事案件發還更審的案件佔百分之三三點三，刑事案發還更審的案件佔百分之四五。發還的案件並不是少數，各方面表示很多不滿，是推事不負責任。

「第二、法官的選擇，有很大關係，因爲法官的選擇不當，不特會影響到最高法院，而且會影響到最高法院法官的聲譽，最好司法院不必干涉，放心讓陳樸生院長自己去選擇，相信他會選到很好的人。

「第三、今天最高法院增加員額的原因，如果是法律上的毛病，必須研究出來予以改革。這個（增加員額）案子，可以停一停，待詳細檢討，得到結果，然後決定。如果法律上對這些問題不能澈底解決，即使增加一庭兩庭，增加再多人員也沒有用，徒然使中國最高法院人數成爲世界之冠而已！」

預算委員會等聯席審查會議決定了三項原則：一：該項預算支出予以減列。二、專案審查。三、照列。於是立法院司法委員會以座談會方式邀請專家學者交換意見，不依照憲法第六十七條規定邀請政府人員及社會有關係人員到會備詢，旨在對被邀請的人士表示尊敬。

立法院司法委員會就「我國最高法院審級制度與訴訟程序問題」，分別邀請律師富伯平、王善祥、李志鵬、及東吳大學校長端木愷、台大法律系教授汪褘成、周治平、政大法律研究所長張彝鼎，中興大學法律研究所長蔡蔭恩、中國文化學院法律系教授胡經明等學者專家，暨司法院副院長謝瀛洲、司法行政部長查良鑑、最高法院院長陳樸生、最高檢察長王建今等政府首長，發表意見。綜合其發言要點如下：

對最高法院增員額
查良鑑提五點意見
法官人數多見解難一致
端木愷主提高法官素質

關於審級制度問題：我國審級制度由四級三審制改爲三級三審制。最高法院的職權不是純粹的法律審，包括事實審在內，因而造成案件特多，若事實審與法律審有一個明確的界限，則最高法院的案件自然而然減少了。

依我國現制，最高法院職權在糾正下級法院判決之違法，是其上訴第三審，非以判決違背法令爲理由，不得爲之。第三審法院不但要審查原審判決是否違背法令，還要調查其違背法令是否影響事實，豈不是認第三審兼辦事實審職責。

第三審判決的事實，是否已確定？訴訟法上雖規定第三審法院應以第二審判決確定之事實爲判決基礎，倘其違背法令足以影響於事實之確定，祇有發回更審之一途，第三審法院仍不得逕行調查證據，認定事實。

因之，原審判決具有此項情形者，第三審法院既無從逕行調查證據，而爲事實之認定，亦不得依未經合法調查之證據爲其認定事實之根據，自應廢棄或撤銷原審判決，將該案件發回原審法院或發交同級之他法院更爲審理（民事訴訟法第四七八條第一項，刑事訴訟法第四〇一條）。由此可見第二審判決所認定之事實尚未確定。

我國審級制度是以地方法院爲事實初審，高等法院爲事實覆審，最高法院爲法律審[illegible]事實之事實審，其目的固在力求發見眞實，期爲公平之裁判；但事實究應由何級確定，既混淆不清，且第三審法院雖有審查原審判決違背法令是否足以影響於事實之確定之權，但無認定事實之權。依五十七年度及五十八年度統計所示，最高法院以此類原因發回更審者：民事案件應踐行調查證據之程序未經踐行者，五十七年度三四四件，五十八年度四三二件。事實不明者，五十七年度二〇六件，五十八年度二五九件。判決不備理由或理由矛盾者，五十七年度二六八件，五十八年度三一五件。

在刑事案件中應於審判期日調查之證據未予調查者，五十七年度六二九件，五十八年度六四六件。事實不明者，五十七年度三九一件，五十八年度三二九件。判決不載理由或所載理由矛盾者，五十七年度三一二件，五十八年度四四七件。幾佔全年度發回更審案件總件數百分之八十，甚至百分之九十以上。觀此，則現行審級制度是否妥當，是值得愼重檢討的。

關於最高法院增加員額的問題：司法行政部長查良鑑認爲：一、各國最高法院法官人數都很少，人數若太多，有違現代國家一般立法體制。二、最高法院法官人數太多，法律見解難於一致。三：法官人數太多，必然降低法官地位之崇高性，難免影響一般社會之觀感。四、增加法官員額，是否即能配合案件數量之增加幅度尚待研究，倘能從案件所以增多的原因，在法律上根本謀求解決途徑或較妥。五、法官培養不易，增加員額，人才難以羅致，且易降低各級法院法官素質。

關於提高法官素質問題，端木愷校長表示：司法官等都應該提高素質；提高素質與待遇問題關係密切，司法官待遇低，實在太危險。一個薦任科員在部裏或地方政府能做什麼事情，一切向上請示，可是一個法官，對人民的生命、財產生殺予奪。一審法院是一位法官審判，如果基本判決太差，到二審三審的案子如何不多？如何能快？二審辦案太慢，三審發回太多，固非毫無理由，但也不能責備過甚，因基礎沒有弄好，上級法院便得費事。故應當注重下級法官的資格能力。

總之，立法院運用審查國家總預算之職權而過問司法院的行政措施，以座談會的方式來討論最高法院增加庭推的問題，在我國憲政史上尚係首次。

黃石華接長崇正會後稱
積極籌備金禧大典
開全球客屬懇親會

（本報訊）佔香港三分一人口之客屬總團體，海外近七百萬客屬人士聯絡中心，香港崇正總會廿三屆新員業經產生，因上屆元老會長張發奎、許讓成、黃華及正副理監事首長黃石華、李茂機、李立基、何壽康、何紹瓊、陳漢宗等團結同人，督辦學校，領導續建完成崇正大厦，發展會務，成績卓著，深爲該會海內外會員及同僑一致擁護，獲選蟬聯。業於五月十五日舉行新舊任交接典禮，及首次理監事會議，由該會元老監事長李茂機主持監交，並致詞訓勉，對理事長黃石華及廿二屆負責同人完成建厦發展會務，備加贊揚。希黃理事長暨廿三屆理監事等精誠團結，發展會務，維護本會崇正之光榮傳統。

繼由新任理事長黃石華致詞謂：廿三屆新員亦多係廿二屆本會「崇正」之舊人，認爲過去兩年在元老會長及愛護該會理監事團結一致努力下，會務確有極大之進展，尤其學校之成就，無論學生人數與成績，認爲空前，惟因續建完成擱延將近十載之崇正大厦遭受極少數會內別具用心者，糾結野心份子破壞與困擾，但在元老會長張發奎、許讓成、李茂機、黃華等及絕大多數正義會員同人堅決領導，支持本會合法決定交蔡仁企業公司投資承建，現續建崇正大厦行將建築告竣，歷盡艱辛，卒將會所完成，將無負本會及海內外同僑之期望，與愛護。黃氏並提出籌備金禧大典，召開全球客屬懇親大會，實現創會先賢賴際熙、胡文虎、黃茂林等建立世界客屬組織之期望，作爲廿三屆之中心工作，並希同人維護該會光榮傳統，發揚客家人「崇正精神」，認爲正義必將戰勝「邪惡」，希全體同人和衷共濟，精神團結，發展會務。

喬治桑外傳　一五六

張大夏

「要不要跳？」卞太太腳又癢了。

「對不起，我不會跳阿哥哥。」喬治桑婉言謝絕。

「哎呀，阿哥哥最容易了，你舞跳得這樣好，難道不會阿哥哥。」卞太太還在刺刺不休。

「不是不會，而是不喜歡跳。老裘，你去陪卞太太跳好不好？」喬治桑怕卞太太糾纏，薦賢自代。

「好，我陪留蘭香糖拆兩招。」裘白瓊油腔滑調，竟拿舞藝當武藝。

裘白瓊和卞太太在舞池中比手劃腳大跳阿哥哥。

「桑先生，」白妮叫喬治桑。

「嗯，白小姐是不是有話對我說。」喬治桑側轉頭，不再看跳舞，面對着白妮。

「爲什麼裘大哥叫卞太太是留蘭香糖？」白妮帶着疑惑的眼色。

「那是她的綽號。」

「她是家庭主婦怎會有綽號？」

喬治桑想了一下，在白妮面前談卞太太的底牌，不大好。遂改變話題道：「這倒不一定，譬如美國詹遜總統夫人就有「小鳥」綽號。卞太太本姓劉，叫劉蘭香，所以大家就替她起一個綽號叫留蘭香糖。」

「裘大哥叫她的綽號總不大好吧？」白妮雖然是吃表演飯的，倒很有中華文化的素養。

「他們是通家之好，開開玩笑無所謂。」喬治桑只好爲裘白瓊解釋一下。

「桑先生你不跳舞原來是要陪白小姐聊天。」卞太太一坐下來便向喬治桑質詢，這裏面畧帶酸素。

「不是的，是看你們表演。」喬治桑亦屬於言詞便捷者流，答復得很好。

「阿哥哥就是那幾下子，有什麼『演』可『表』的。」這是裘白瓊說的話。

「我覺得阿哥哥舞青春活潑，年紀大的人跳起來可以返老還童。」喬治桑趁機調侃了他們一下。

有話即長，無話即短。兩對男女在華麗大飯店夜總會玩過將近打烊的時候，由喬治桑付了帳，走出華麗大飯店。

裘白瓊建議：喬治桑送卞太太，他送白妮。

在計程車裏，卞太太又提起要約喬治桑到家吃飯，喬治桑沒有立刻答應，仍推到明天通電話後再決定。到了卞太太家，她要請他喝一杯咖啡再走，喬治桑又婉謝了。

譚天雕蟲集

鄒眼

△大「盜」之行也　天下為私

許多朋友，忙碌一生，死無葬身之地。反之，有等擅長做官，開會你來，主席我來。出力你來，拿錢我來。結果，你是轎夫，我坐轎子。出國升官都是我的事，與你無干。這公式變成定理，於是大「盜」之行也，天下為私。難怪石達開慨嘆的說：「大盜亦有道」。可惜此「盜」非彼「道」。

△省市議「圓」與國會議「圓」的新身價

在公教人員調整待遇聲中，大家猶在「待」而未「遇」之前，議「圓」諸公又搶先有了新身價。據報載北市是省議員月支六千四，提高一千八。其明細表是：「研究費」二千四，「為民服務費」一千八「民情調查費」一千二，「大會交通費」一千。此項名堂相當別緻，值得列入國史館，以勵來茲。但早一天的新聞（六月四日）又指出，中央級的首長，每月一萬零四百，（不如改為一萬一）不多。部長七千二，應該。立監委也七千二，未嘗不可。依五權憲法，立監委雖出自民選，究屬「治權」，而為官員。衆議員職分。與部長平均以重民主，合情合理。惟不知省縣市議員的六千四於法何據？至於國代也七千二，是否也有明細表，尚無所聞。總之，值茲議「圓」行情看漲之際，想到低級公教人員，焉能不想到「七錢二」。虛者實之，實者虛之，人間的圓缺，寧與「職位分類」有關，或謂有人「臥薪」，有人「嘗胆」，此而所謂「分工合作」者與。嗚呼！

△從曇花一現論生死

六月三日亡友考試委員陳國亭先生因腸癌而病逝。十六日大殮發引。他從病到死不及一年。而臨終前五天，尚提及出院後如何如何。可知他根本未料到自己命在旦夕。此真人生「無常」！兄去世後五天，即六月八日是端午節，舍下曇花盛開。戲謂友人王君夫婦，予將轉運。蓋此曇花為名貴於晚間，翌晨即萎謝。直象萬象生死之為瞬息。人間富貴榮華，奚足掛齒。如此，國亭兄命歸天國，可以無憾矣。因為他曾如曇花一樣在世間一顯秀色光輝。

△亞洲作家的「架勢」會議

六月十六日國際筆會第二屆亞洲作家會於台北，自然為自由中國帶來無上光彩。但它給人們的觀感卻不無可議之處。就是一堂盛會，我們的出席者究竟有多少真正作家？「在這裏，擺架勢的作家太多，埋頭苦寫的太少」，他們有的藉政治地位，造成文學地位，托庇於權勢，取得代表身份。要在諾貝爾獎金得主日本作家川端康成身上，分享一點作家的光榮。難免「魚目混珠」之嫌。反之，真正有成就的老作家，多不蒙一顧。所以這場會議的實質，就流於政治的架勢會議。對文學界，著作家發生的刺激，是鼓舞嗎？大家心裏有數。（參自立晚報「微言」六，十六。）

荀子哲學簡論（七）

周世輔

八、荀子的教育想思

荀子的教育思想，可分為教育之重要及效果，教育環境之重視，強調專心致志，以及君子之學與小人之學等。

（一）教育之重要及效果——荀子講性惡，是注視人的獸性及其如何防範的方法。天生之性既不是善良的，故要運用後天的教育去補救。他在勸學篇云：「木受繩則直，金就礪則利，君子博學而日參省乎己，則知明而行無過矣。故不登高山，不知天之高也，不臨深谿，不知地之厚也。不聞先王之遺言，不知學問之大也。干越（吳越）夷貉之子，生而同聲，長而異俗，教使之然也。」這是說教育有其重要性，其效果非常偉大，可以使人知明而行善。故他主張「學不可以已，青，取之於藍而青於藍，冰，水為之而寒于水。」就是說愈學愈明，愈學愈有效果。

（二）重視教育的環境——性善論者之所以重視教育環境，乃希望由適當環境以發揚其善性；性惡論者之所以重視教育環境，乃希望由適當環境抑制其惡性。荀子在勸學篇云：「蓬生麻中，不扶自直。」這是說要辦好教育要有好的環境。

孟母三遷教子，重視鄉鄰，荀子亦重視鄉鄰。他說：「故君子居必擇鄉，遊必就士，所以防邪辟而近中正也。物類之起，必有所始，榮辱之來，必象其德。肉腐出蟲，魚枯生蠹，怠慢忘身，禍災乃作。」（勸學篇）他重視環境和與所接近之人，即是重視教育之環境。

（三）強調專心致志——荀子認為求學要專一，要不斷用功，要契（金旁）而不舍，勸學篇稱：「積土成山，風雨興焉，積水成淵，蛟龍生焉；積善成德，而神明自得，聖心備焉。故不積頃（足旁）步，無以至千里，不積小流，無以成江海。騏驥一躍，不能十步，駑馬十駕，功在不舍。契（金旁）而舍之，朽木不折，契（金旁）而不舍，金石可鏤。寅（虫旁）（同蚓）無爪牙之利，筋骨之強，上食埃土，下飲黃泉，用心一也。」他以「駑馬」「蚯蚓」作例，以說明「努力」，可以克服學問向上的困難。這與中庸所講「人一能之己百之，人十能之己千之，果能此道矣，雖愚必明，雖柔必強。」有同樣意義。他說：「行衢道者不至，事兩君者不容；目不能兩視而明，耳不能兩聽而聰。」都是說為學應專一，與所謂「大道以歧路亡羊，學者以多方喪心。」的意思相同。

（四）君子之學——就學問與修養言，荀子分君子之學與小人之學。

（1）就學問言：荀子在勸學篇說：「君子之學也，入乎耳，著乎心，布乎四體，形乎動靜，端而言，蝡而動，（端讀為喘，喘微言也。蝡微動也。）一可以為法。小人之學也，入乎耳，出乎口。口耳之間，則四寸耳，曷足以美七尺之軀哉？古之學者為己，今之學者為人。君子之學也，以美其身，小人之學也，以為禽犢。」按禽犢有兩解：一為餽獻之物，一指禽獸而言。君子之學，有心得，能變化氣質，德潤其身，所謂「以美其身」。小人之學，由耳入，由口出，毫無心得，以學問當餽獻之物，送送人而已。所謂「古之學者為己，今之學者為人。」乃引自論語，不過論語未加說明，這裏加以說明而已。

（2）就修養言：荀子在修身篇說：故非我而當者，吾師也，是我而當者，吾友也。諂諛我者，吾賊也。故君子隆師而親友，以致（致猶極也。下同。）惡其賊，好善無厭，受諫而能誡，雖欲無進，得乎哉？小人反是，致亂而惡人之非己也，致不肖而欲人之賢已也。心如虎狼，行如禽獸，而又惡人之賊己也。諂諛者親，諫爭者疏，修正為笑，至忠為賊，雖欲無滅亡，得乎哉？」君子修養高，隆師親友，故趨于進步；小人修養差，親諂疏諫，故趨于滅亡。

以上是就智識學問與道德修養兩方面指出君子之學與小人之學的區別，而勸人為君子勿為小人。

（四）成人之學——除君子外，勸學論又講到一種理想人物，叫成人：「是故權利不能傾也，羣衆不能移也，天下不能蕩（蕩動）也。生乎由是，死乎由是，夫是之謂德操。德操然後能定，能定然後能應，（我能定。故能應物也。）能定能應，夫是之謂成人」。這裏所講的成人，與孟子所講的「富貴不能淫，貧賤不能移，威武不能屈」的大丈夫大致相同。

（五）慎言之教——孔子教學分四科，內有言語一科，荀子對于言語，亦有慎言之教。勸學篇云：「故禮恭而後可與言道之方，辭順而後可與言道之理，色從而後可與言道之致。（至而後援之也。）故未可與言而言，謂之傲，可與言而不言，謂之隱，不觀氣色而言，謂之瞽。故君子不傲、不隱、不瞽，謹順其身。」這裏所講謹順其身，有謹順其人之意，就是要順人而言，適時而言，不可造次。

（未完）

說曹操

李漁叔

（廿四）

「先主還沛解（解與廨同，官舍也。這時先主還在小沛，沒有脫出曹公的掌中。）公使覘之，見其方披葱，使廝人為之不端正，舉杖擊之。公曰：『大耳翁未之覺也。』其夜先主急東行，昱嘉（程昱與郭嘉）復言之，公馳使追之不及，先主遂殺徐州刺史車冑以叛，留關羽行下邳太守事，身還小沛，而董承等謀洩受誅。」

先主兩耳特大，前被呂布呼作「大耳兒」，這裏又被喚作「大耳翁」，稱翁就比較挨罵客氣多了，我想這也是文言文修辭遠勝白話處，如果說「大耳朵小子」，或是「大耳朵老頭？」就筆墨全死，毫無興會了。「未之覺也」，意思是得到探報後，由玄德那一種雍容鎮定的神情看來，還並沒有準備逃走，這也是兩人鬥智，曹公被先主輕輕瞞過。

蜀志裴松之注引「胡冲吳歷」云：

「曹公數遣親近密覘諸將有賓客酒食者，輒因事害之。備時閉門，將人種蕪菁，曹公使人窺門，既去，備謂張飛關羽曰：『吾豈種菜者乎。曹公必有疑慮，不可復留。』其夜，開後柵與飛等輕騎俱去，所得賜遺衣服悉封留之，乃往小沛，收合兵衆。」

這就是世間盛傳「煮酒論英雄」，「聞雷失箸」，「閉門種菜」一連串的故事。先主這時確是惶恐不安，到了如坐針氈的程度。因為他本人已經和董承等通謀，受獻帝衣帶詔討賊，隨時提防發覺，而被孟德殺戮。按後漢書獻帝本紀。

「五年（建安）春正月，車騎將軍董承，偏將軍王服，越騎校尉中（禾旁以下同）輯，受密詔誅曹操，事洩。壬午，曹操殺董承時，夷三族。」

又蜀志先主傳：

「曹公遣先主督朱靈路招，要（邀）擊術，未至，術病死。先主未出時，獻帝舅車騎將軍董承，辭受帝衣帶中密詔，當誅曹公。……先主……與承及長水校尉中輯，將軍吳子蘭王子服等同謀。會見使未發，事覺，承等皆伏誅。」

「會見使未發」，是說先主和董承他們同謀除操，因被派督兵邀擊袁術，故而遲遲沒有發動。也因此而先主得免和董承等一起誅死。

按照史書的說法，先主是參加密謀後，被派遣臨時他出得免，而不是閉門種菜開後柵逃走的。裴松之注曾有論及胡冲吳歷所說不實，他說：

「魏武帝遣先主統諸將，要擊袁術。郭嘉等並諫，魏武不從，其事顯然，非因種菜遁逃而去。如胡冲所云，何乖僻之甚乎？」

前兩說當以正史所記為合，但胡冲應係據傳聞而書，未嘗不可備一說，亦並無何乖僻之處。至先主離去後的情形，可閱蜀志：

「先主據下邳，靈（朱靈）等還，先主乃殺徐州刺史車冑，留關羽守下邳，而身還小沛。東海昌霸反，郡縣多叛曹公為先主，衆數萬人，遣孫乾與袁紹連和，曹公遣劉岱王忠擊之不克。」

（未完）

安徽十三傑

諸葛亮狂想曲（一三五）

劉玄

諸葛亮看後，隨手將名片放在雲几上，問黃雲大仙道：「請問閣下到此有何貴幹？」

黃雲大仙用兩隻手整理了一下衣襟，很恭敬地答道：「聽說先生出任宇宙發展委員會主任委員，我有意效供驅策。」

諸葛亮一聽，心想，關羽實在多事，他明明知道我在宇宙發展委員會並沒有用人權，却介紹黃雲大仙來，豈非存心找麻煩，但面上又不便露出不快。只好微笑一下，慢條斯理地說，「宇宙發展委員會剛剛組織成立，現在預算還沒有定，等將來有機會，我一定請你幫忙。」

黃雲大仙知道諸葛亮誤會他的來意，輕輕咳嗽了一下，用兩隻三角眼望着諸葛亮，說：「我不是要到委員會做事，而是聽說太白星君正在計劃海王星探險，我想參加這一探險行動。」

諸葛亮萬萬沒有想到天庭中連孫悟空，哪吒都不敢去的地方，黃雲大仙却有此胆量，不免向他多看了兩眼，暗想：人不可貌相，海水不可斗量信不誣也。

「你知不知道，海王星在三十三天，天界之外，距離天庭有五百萬光年？而且海王星是否有仙有怪，目前也不清楚，你敢冒這個險嗎？」諸葛亮先說出海王星的神秘難測。

「我都知道，正因為天庭大小各仙都不願意去的地方，我才要去，否則也輪不到我。」黃雲大仙的精靈不下於九尾老狐。

「好，請你將你的看法詳細說給我聽。」諸葛亮指的自然是海王星探險計劃。

黃雲大仙用手指比劃了一下，說：「第一我覺得佛家有我不入地獄，誰入地獄之說，海王星又不是地獄，我有什麼怕的。第二，海王星探險如果成功，這種成就人類永遠趕不上，天庭才能奠定其崇高的地位，我既在天庭忝列仙班，有機會自然應該替天庭效力。」黃雲大仙說出一番道理，倒也頭頭是道。

諸葛亮靜靜地聽，未發一言，這是他的深沉處。黃雲大仙忍不住又問道：「諸葛先生，你是否可以向太白星君推薦？」

「當然可以，不過我要問你，你參加海王星探險，究竟有何法力？」在人間叫智能，在天庭叫法力，諸葛亮知道海王星探險不是開玩笑的，所以要問一問黃雲大仙有什麼本事。

「天庭離海王星有五百光年的距離，我是千年……」黃雲大仙說到此處，自知說溜了咀，不好意思說出黃鼠狼，連忙改口說，「修行，已有長生不老之術，能經得起長程飛行。」

諸葛亮聽了點了一下頭。

「我既不怕水又不怕火，酷寒，高熱都能耐得住。亦還不算，在太空船失靈時，我有法寶，不怕太空船拋錨。」黃雲大仙一本正經，似乎並不是在開玩笑。

巨變歷險記！

下到紅河（一三八）

胡慶蓉

出官廳到磨（石旁）盤山山腳，還是平地，在到官廳前，有點山，但都是小山。及登上磨盤山上，就一直是往上爬，爬到一盌水，天已經快黑，不能再向前了，就在一盌水安營下寨。一盌水之名，是一個什麼來歷，不得其詳。這裏有極少的幾家人，婦女還都是纏着小腳。從他們的口中也知道一盌水的意義。一盌水表示水的可貴之意。一盌水表示難得之意。山本來都有水的，但也不盡然，一盌水就是沒有水，地方的人是到下雨的時候，儲存起來的。俗有一盌水一盌黃金也不換之說，水之價值之高，可以想見。

在這麼缺水的地方，本不應該停留的，但因迫於需要，却又不得停。這對於地方上的人來說，不啻是一個災害。除請他們原諒外，還有什麼辦法。再則對於水，儘量的少用，最好不用。

霧在一盌水已經非常之大。在天快黑的時候已有點感覺。早上起來，更是驚人！簡直成了對面不見人。及至太陽出來，光亮漸漸加强，霧也就逐漸稀少。丁博士一行，很早就向山下了。上山固不易，下山也不易。下山之不易，在於山地結實，本來就有點滑，經了一夜的雨霧之潤，上邊好像蒙了一層油似的，更加滑了，起初不小心，常常會滑倒。到了陡的地方，還有滑到深溝的危險。丁博士就有這麼幾次人要扶着他，他偏不要扶。幸而一盌水山前山後沿途樹木葱鬱，人到滑下去的時候，會有樹木把你擋住。手很吃虧，一天的爬，丁博士的手已經幾處流血了。

上山下山，與腳上穿的也很有關係。據說皮鞋最不好，布鞋最好。皮鞋的底子滑，布鞋的底子不滑。丁博士彷彿有預感似的，他早有準備了。當他到蒙自，他就接受了人家送他的一雙布鞋。後來到建水，又有人送他一雙布鞋。雲南的皮鞋，同廣西的皮鞋有同樣的特點，那就是上面帶攀，扣在腳背上，也許有人說不美觀，但却非常實用，這樣穿起來，鞋不會掉；鞋不離腳，腳不離鞋，這走山路是非常需要的。山路不但是滑，並且有很多的小石子，犀利無比，又有很多的野蒺藜之類帶刺的植物，若是刺到，更不得了。此外還有很多的小虫，吸血的小虫，吃肉的小虫……都需要鞋來保護。丁博士在開始爬山的時候，就已經穿上他帶來的布鞋了。這是建水一個朋友送給他的。布鞋爬山雖然好，但需要相當的時間，也就是說需要穿一個相當的時間，布鞋子越穿久了越軟和，越軟和，越合腳，越跟腳。

從一盌水下來，到山底下，很有幾個鐘點。都在試探着走，慢慢的走。再說一番，山太深了，如同站在百層二百層的大樓下望，簡直不敢望。假如掉下去？……假如掉下去，免不了粉身碎骨。山底下就是有名的紅河，但在大霧之下是望不見的。霧變成雲海，人在雲海裏邊走……走……走走……

林則徐名震寰球

命相與夢話

漢年

林則徐，字元撫，一字少穆，晚號「村老人」，爲福建侯官人。清嘉慶辛未，年二十七歲，舉進士，選庶吉士，累官至總督。則徐服官江南最久。及官兩廣總督，以禁烟不惜與英國人開戰。和議成，謫戍伊犁，不久又起用，官雲、貴總督，加太子太保。

洪楊軍起，召爲欽差大臣，至途中卒。時爲道光庚戌，十月丁丑，年六十四，諡「文忠」。

則徐嘗道：「西洋尚不足憂，終爲中國患者，惟俄羅斯乎？」著有「畿輔水利議」，「滇軺紀程」，「荷戈紀程」，「雲左山房詩鈔」，「四洲志」，以及政書、家書等。遺世。

「文忠年譜」，引郭伯蒼「十日話」云：「公造爲乙巳，甲申，癸酉，壬子」。

漢年按之：時幹逢壬，日幹逢癸，月幹逢甲，年幹逢乙；而壬癸甲乙，自時至年一氣呵成，毫不間斷。「造微賦」云：「天幹連珠，朝廷擢用。」這是最爲整齊，最爲完善之連珠上格。安得不朝廷擢用嗎？

不僅如此，日幹的癸，以年枝的巳爲貴人，與日枝酉合。年幹的乙，以時枝的子爲貴人，與月枝申合，且申爲癸日的學堂，子爲癸日的上甲的第，今貴人既見生星，合格正高明。指迷賦說：「學堂多合号，登上甲之第」。今貴人既見星，學堂又復多合，豈有不品節高明，榮膺甲第嗎？

但細按之：幹透癸壬，枝會申子，水勢有餘，顯而易見，必須運歲逢木洩水，逢火濟水，逢土制水，始可發抒抱負，酬答君親，大展經綸，有裨民物。若見金見水，或衝或尅，沒有不針芒刺手，茨棘傷足的。

觀他十四歲未運戊午，補弟子員。二十歲壬運甲子，舉於鄉。二十七歲午運辛未，成進士，選翰林院庶吉士。可見戊癸化火，甲木生火，巳午未會火，都有特殊的效力。自三十二歲丙子，至五十五歲己亥，始而主考觀察，陳臬開藩，調江蘇巡撫，署江督；繼而任湖廣總督，粵東欽差。雖辛巳庚辰四運，挾金、挾火、挾土，不爲純粹，除四十歲甲申，運尅歲君，陳太夫人卒。四十三歲丁亥，衝犯生年，孟養公逝世外，其他均水到渠成，指揮如意。

五十六歲庚子，特奏整飭洋務，嚴禁鴉片。英國海軍犯浙江定海，攻廣戸關。清廷恐懼，與英人議和，罷了林文忠之職，來京候處。

五十七歲辛丑，赴浙江軍營，會辦洋務，不久又發戍伊犁，途中奉命折回，在東河效力贖罪。

五十八歲壬寅，仍遣戍伊犁。

五十九歲癸卯，在伊犁。

六十歲甲辰，勘辦伊犁開墾事宜。

六十一歲乙巳，署陝西總督。

六十二歲丙午，任陝西巡撫，緝拿刀匪，開倉平糶。

六十三歲丁未，任雲、貴總督。

六十四歲戊申，剿辦永昌等處哨匪，加太子太保銜。是年鄭夫人卒。

六十五歲己酉，因病開缺，回籍調理。在這十年間，則徐忽辱忽榮，備嘗艱苦，然亦名震寰球，流芳百世。其所以如此者，蓋爲五十六歲卯運，歲値庚子，衝卯之故，及至戊運合癸，又轉否爲泰了。

六十四歲戊申斷絃。

六十五歲己酉開缺。

六十六歲庚戌，溘然長逝，這都是寅運三刑的原故。而庚戌年會申酉爲金，至剛必折，理勢然也。

（完）

國醫與國藥

長壽經驗談

馬騰雲

問：壽爲命定怎麼能夠延呢？

答：一百年前人的平均壽年是卅五歲，二次大戰後人的平均壽年變成爲五十歲，現在人的平均壽年爲六十歲了，祇戰前戰後卅年之間與五千年作一比較，人的平均壽年幾乎增加一倍，所謂命者誰的命呢？誰也道不出所以然，科學的進步和醫藥發達，促成人類壽命普遍增進，這是一個鐵的事實，誰也無法推翻。

問：人的天年（就是自然年齡）究應該是多少歲？

答：人的天年是一百五十歲，這是根據動物學統計的數字，每一種動物的成年期用七去乘算，就是它應當得的天年。人是廿歲左右，成年，故人的天年是一百五十歲，編者如果說出江湖朋友的話，可引用：「人間喜我談造化，鬼神畏我洩天機」，不知者眞認爲馬半仙也。

問：張岳軍先生認爲人生七十剛開始，馬先生有何感想？

答：估計在一九七五年，人的平均年齡可能爲七十歲，這和蕭伯納說的：「三百歲是人的成熟年齡」均爲先見之明。由於「青春荷爾蒙」的發現，詳見「生活漫談」人活到三百歲是很可能的，再有二十年不死，就會在這世界上有多看兩三百年的機會。

問：馬先生所指的「青春荷爾蒙」被發現，可否畧舉事實加以說明。

答：英國的生物學家威格史瓦斯博士遠在二十七年前，用一種蛾子作實驗，他把這種蛾的幼虫頭部切除之後，而發現「青春荷爾蒙」是從蛾的頭腦分泌出來，主管這種荷爾蒙分泌的一個小團腺，乃位於昆蟲腦後，英美專家們正將此項研究工作，日以繼夜的探討，史瓦斯博士早將此書寫成發行。

問：威格史瓦斯博士發現「青春荷爾蒙」後，最近有何新發展，這是欲延年益壽的朋友共同須要知道的事。

答：威格史瓦斯「青春荷爾蒙」發現後，引起全球科學家，醫藥家等普遍注意，一九五八年美國哈佛大學生物系主任羅爾威廉博士宣佈在人體內發現「青春荷爾蒙」驚聞於世，一九六八年威廉博士又謂馬上可寫出青春荷爾蒙的化學結構式來，假定這種結構式寫成功後，用人工可製作「青春荷爾蒙」，不僅人的衰老問題便勢將成爲歷史上的陳跡活到三百歲可能還不算是高壽。

問：威格史瓦斯的話正確性如何？他的發現祇在美國「科學雜誌」報導一兩次後，就未再見下聞了，是研究失敗了呢？還是根本沒有這回事。

答：羅爾威廉博士肯定的證明威格史瓦斯博士學說的正確性，且由蠶蛹內提製成功，甚麼時候才能大量製造應市，雖和五十年前看登陸月球同樣神奇，但於最短期內必可供應，這是不成爲問題的問題。

問：中國北方十幾省，到了春天，都以蠶蛹作菜蔬，是不就因爲蠶蛹內含有青春荷爾蒙呢？

答：假定有的話，可能是一種巧合，不過中醫的理論確從經驗中來，祇是理論不送還經驗中去，所謂「祖傳秘方」是也。

問：長壽之道除注意醫藥衛生外還有甚麼？請指教。

答：環境衛生關係人的壽命很大，例：一、浴日光，二、暢空氣、三、愼飲食、四、重整潔，五、勤勞動，六、善休息，七、適環境，八、正思慮，九、調七情，十、節性慾。祇要持之以恆，效果自見。

問：人的青年壯年老年怎樣劃分？

答：一歲到十五歲爲童年時期，十五到二十歲爲少年時期，二十到三十歲爲壯時期，三十到六十歲叫作長大時期，六十到七十歲爲暮年時期，七十到九十歲爲老耄之年了。

問：「青春荷爾蒙」果能使人長生不老，全世界人類會不會瘋狂慶祝？像民主國家慶祝二次大戰那樣熱烈。

答：恐不可能，因藥商把顧主都嚇怕了，不管醫藥廣告宣傳得怎樣動人，顧主總會抱有懷疑，但人們受益後發明家將受人類永遠推崇，愛迪生泰羅等即其一例。

問：長壽的大敵是甚麼？

答：長壽的大敵是煩惱，詳見「道家營養食譜」裏幾位道家所說的話，因非三言兩語而能盡述，故從畧。

問：馬先生曾在台北各大報發表的文章有八珍糕與乾隆皇帝長壽有關聯，這話可靠嗎？

答：從八珍糕的成份分析，八味皆屬增進健康中藥，一生不斷食用，自與高壽有關，八珍糕製法及其配料，乃從御膳房紀錄中抄出，當然可靠。詳見「生活漫談」不贅。

問：長壽經驗談是馬先生的經驗談呢？還是根據各家經驗談？

答：乃集港台各報各家經驗談，就其有道理，有根據的說法，附錄於書，編者兼代全體受益人先向各作家，醫家們謝謝。

第七章

李綱主戰遏金兵　陳東上書斥奸臣

只有負戟長歎而已。不久宋廷又詔李綱還京，以中師道代之，至令諸將分進出戰，但因缺乏統盤計劃，各路皆爲金兵所敗。援兵無法進入太原相援。太原被圍凡二百六十天，城中軍民餓死者十之八九。守臣張孝純力竭不能支，終於金兵二次南侵時城破被俘，官民死者不計其數。張孝純投降金人，後爲金臣。

此時諸州軍民，鑒於太原死傷的慘重，預料大難未艾，多紛紛渡河南徙避難，南方之日漸繁盛，蓋由於此。

第八章

胡虜兵二次南侵　岳鵬舉相州見君

宣和六年，岳飛二十二歲。是時正值中（禾旁）師中奉命援太原。岳飛在平定軍爲偏校，隸中師中麾下。師中與姚古猗角，恢復慶陽、榆次等縣，旋師中與金人戰死，岳飛亡歸相州。時金人又準備第二次南侵。

宣和七年，岳飛二十三歲。十月，金主以粘罕爲左副元帥，幹離不爲右副元帥，整軍南侵。金兵第二次南侵所持的藉口：一是宋廷許粮不納，二是宋暗連遼舊臣圖金。其實這些都是表面之藉口。眞正南侵的動機，根本就是金人出了兩位有爲的君主，滅遼之後，與宋交通，宋廷的紙老虎被金人攫穿，經過第一次南侵，已知宋廷無可戰之將兵，乃決意南侵。其所持的理由，亦是有根有據的。

關於暗中聯遼爲內應的事，又不得不回朔到肅王爲質的話題上來。

肅王代康王爲質於金，金人遣使二員，此二人即遼之降臣蕭仲恭，降金爲官，副使趙倫。宋廷將二使臣留置不遣。趙倫爲了脫身，遂新生一計，乃故意對宋廷館伴邢京（人旁，以下同）說道：「我等不得已而降金，實深恨金人，倘有機會可圖，極思恢復故土。若貴國願拔刀相助，我當回去聯絡耶律余覩，先除粘罕與幹離不兩人。二賊一除，貴國庶可高枕無憂矣」。邢京信以爲眞，即刻報告吳敏，吳敏亦以爲眞，奏請欽宗，遂將臘書付趙倫，令偕蕭仲恭回金，轉致耶律余覩，令爲內應。蕭、趙二人回金見了幹離不，獻上臘書。幹離不以爲茲事不小，即奏達金主吳乞買。金主大怒，乃決意再度南侵。

（三十）

自由報

中華民國內政部登記內版台字第〇三一一號
中華郵政台字第一八二號執照登記為第一類新聞紙

（第一〇七七期）

（半報刊每逢星期三、星期六出版）
每份港幣壹角，台灣零售價新台幣弍元

社長李運鵬·督印黃行寶
社址：香港九龍彌敦道593—601號廖創興銀行大廈八樓五座
LIU CHONG HING BUILDING 7th FLOOR FLAT 5 593—601 NATHAN ROAD, KOWLOON, H.K.
TEL: K303831
電報掛號：7191

承印：景星印刷公司
地址：嘉咸街廿九號地下
台灣區業務管理中心：台北重慶南路一段一二九號
電話：二四五七四
台灣區直接訂戶　台灣劃撥戶
第五〇五六號張萬有（自由報會計室）
台灣分社：台北市西寧南路110號二樓
電話：三三〇三四六、台郵劃撥戶九二五二號

本報重要啟事：

（一）本報台北青田街五巷三號「自由報台灣連絡中心」即日起撤銷。本報台北忠孝路三段廿一巷二弄二號「自由報業務拓展中心」即日起撤銷。本報台北衡陽路卅號「自由報台北營業處」即日起撤銷。此啟。

本報重要啟事：

（二）本報為加强台灣區業務與集中管理，特在台北重慶南路一段一二九號成立「自由報台灣區業務管理中心」，電話：二四五七四。此啟

本報專論

談今日台灣的大學師資

·沈重·

談到今日在台灣的大學師資，近來有兩種說法：一種說今日在台灣碩士博士之流太多了，各大專學校教書「人才」輩出，有供過於求之象；另一說認為雖然確有供過於求之象，但真才飽學之士太少，以致形成濫竽充數之事。筆者自大陸以迄如今在各大學教書近三十年，以今昔之觀，則認為前者的說法僅是一種皮毛之見，而後者乃為一針見血之言。

又有人說，教育部有所謂「學術審議委員會」來審查大學教授、副教授、講師以至助教之資格，今日在台灣已審查合格取得教授證書的大有人在，你能說這些人不夠資格嗎？我當然不敢說這些有了「教授」證書的人都不夠資格，但也不敢說他們全都夠格。所謂「學術審議委員會」裏的諸公，首先對他自己的「學問」就得徹底檢討一下。據所知，就有好幾位「委員」之流在某校教書被學生抓住了錯，問得面紅耳赤的離開了堂。他們以二三十年前的一兩本「著作」唬人至今，以「老資格」或「名人」自居，這樣的人怎能認真的去辨別學術的真偽高下？更有一位在國內某三流大學攻讀政治的人，因他做過教育部某部長的英文秘書，因緣在某大學混得一個教一年英文的「副教授」，後來竟以一本四十年前國外出版的論某文學家的小書加上頭尾自己印行了一本用他自己名義為作者的「著作」送審，以其在教育部的人事關係，居然也拿到了一本「教授」證書（像這情形取得資格的人不知凡幾）。相反的，有不少真正具有學術地位的名教授（因未取得他們的同意，恕我不能在此公開他們的姓名），他們因不屑被部裏那些科員來初審他們的資格，也不屑將他們的著作被送給那些「委員」去審閱，在幹了三四十年教授後，至今還未取得那本所謂「教授證書」的。還有些所謂根本沒有「學歷」的學者（如王雲五先生等），他們當然沒有拿到這本「教授證書」，事實上，他們也根本不會去送審。這些人對這本「證書」根本就不重視，僅憑他們在社會上的名聲和地位，對於送審與否，在學校與他們個人，均無此必要。

因此，我們不能以「教授證」發出了多少來衡量今日台灣大學師資的充實與否。

談到今日台灣大學師資，真令人感慨系之！記得在抗戰前的大陸，那時大學的教授們真是陣容整齊，學術空氣至為濃厚，可是那時並沒有什麼「學術審議委員會」之類的機構對大學教授資格的審查。後來，對日抗戰，政府遷川，教部才有對大學教員審查資格之事，不過抗戰時期的大學師資就已呈現退化的現象；那時因抗戰交通不便，物資缺乏，參考書不易獲得，研究環境不佳，還情有可原，但今日台灣的大學師資每況愈下，這種人為的因素，是不可原諒的。

今日，除了少數幾所公私立大學外，如台大，師大，清華，輔仁，東海，東吳等校，有些學校，尤其是那些被人稱為「學店」的私立院校，他們聘請的教授可以分為三類：（一）真正的王牌教授是用來替他們撐門面的；（二）權勢教授，這些正在或曾在政府作過大官的（作大官的不一定都可做教授），為了拉關係而把他們找來以備不時之需；（三）冒牌教授，就是不學無術濫竽充數之徒，因為這些人肯聽話，給分鬆，在「學生顧客至上」的原則下，是不可少的法寶。

像上述情形，並非筆者空言，都有事實為證，而且這些事例多得不勝枚舉，茲僅舉為家所周知的數例作為代表性的例證。

關於第一類，姑且不談，至於第二類的如某私立醫院一位英文「教授」，他不過抗戰時期在某大學外文系讀了兩年，後來因從軍担任軍中翻譯，其從軍的兩年就被算他在大學的年資，滿口洋涇濱，因為他曾在某要人之下担任聯絡工作（據說後來被美顧問告了一狀說聽不懂他的英語，以軍事通譯工作重要為由請予更換），某校為了拉關係，第一聘他為「副教授」（按他在此之前從未担任大學教職），第二年又以三級跳的方式做了「教授」並負責某夜間部英語系。這位仁兄除教一二年級英文外，竟敢教授英語語音學，而他對最簡單的一個英文字COURAGE曾數次的將O字讀成長音，還將DESCRIPTIVE一字譯為「抒情文」，笑話百出，系中引為趣談。像這種人不誤人子弟才怪！

談到第三類，如某私立學院的一位國文「教授」，他報的學歷是「江西法政專門學校畢業」，這個學校筆者最熟悉，因為我的一位近親長輩，就這這所學校「畢業」的，該校設於南昌，在湖濱公園附近一間不到三十蓆大的平房門口掛了一塊招牌（又名「章貢法政專門學校」，早於民國十九年被當時江西教育廳長陳劍修勒令停辦），我的那位親戚就曾化了一百大洋買了該校一張文憑在場面（該校之出售文憑在江西老一輩的人士中為無人不知之事），這種「文憑」當然沒有教育部的關防，可是某「教授」的這張「文憑」上竟也蓋上了部印，因為他在十數年前因與教育部某部長屬同鄉之誼，在該部任文書科長，近水樓台，自然就順理成章了。最近該校還發表他為訓導長（其實該院依照教部規定只有教務主任，訓導主任和總務主任的編制，但某院長為了抬高其個人身價於竟自封為教務長，訓導長和總務長，有該校「人事命令」和其自行出版的××團刊為證），以接替因學籍貪污案而被捕的前訓導長高××的遺缺。當這一消息在××週刊上發表時，將其介紹為「資深教授」，避而不談其學歷（根據該刊一貫作風，對該院每一新職發表時必將某人學經歷大吹大擂一番，惟獨這位「資深教授」例外，此不為他，因他曾被人檢舉偽造學歷無顏再吹也。

由上述情形，我們可以對某些學校的師資作一概略的瞭解，因而使我們聯想到今日台灣的大學師資為人詬病的癥結所在。所以這個問題如再令其發展下去，則大學教育前途將受到嚴重的污染而無疑。（完）

昨日與明日

應繼續清除教育界的敗類

台北醫學院學籍舞弊案，司法行政部調查局調查已告一段落，於七月廿二日將十五名被告，移送台北地檢處依法偵辦。這十五名被告中，有該校董事和教職員，也有政府的官員，既經依法辦理，將來必定有個水落石出。

人世間很少有絕對公平的事，在台灣，唯有大專新生入學考試，總算做到了公平競爭的地步。聯考制度雖然也有若干可議之處，但迄今還找不出另外較好的辦法來代替它。因為考試是公平競爭，大家均得其平，給社會增添不少安定力量。許多在政治上有權勢的高官子弟，硬是進不了大專的窄門。權勢對大專聯考不發生作用，就顯示出大專聯考制度的優點。不幸，權勢失效，金錢卻靈。銀彈攻破了台北醫學院的窗口，而破壞了優良的聯考制度。在中國現代教育史上，這十五名涉嫌被告，沾污了清白的一頁，是破壞制度的罪人。不管就國家民族，就教育，就杏壇那一方面說，司法行政部調查局對此案的破獲，又誠然是一大功績，值得讚揚。

國家要想進步，必須保護善良，懲罰敗類。台灣高等教育，固然有不少進步，但發展過速，所造成的流弊惡果也很多。若干私立院校忽視教育的神聖立場，將學校當作發財圖利、勾結拉攏的工具。除正式學生外，還有所謂選讀生，祇要交學費，不管是在歌廳唱歌的，在舞台唱平劇的，甚至夜總會報幕的等等，都可以搖身一變而為大學生。有點瓜葛的，不管有無學問，也都變為大學教授，甚至將飽學之士解聘，另以「大有來歷」之人補充。負責糾察的教育部官員就多在各大學兼課，還能不維護嗎？而兼課教授，祇拿十個月至十一個月的報酬，私立大專當局對於教員更盡刻削的能事。如此大專院校，主管有責的教育部豈可放手不聞不問？

黑牌學生，是否為台北醫學院一校所獨占？其他私立院校還有沒有？私立院校中學籍舞弊，接受非法樂捐的，還有其他嗎？司法行政部調查局應當本以往工作精神，繼續調查揭發不容學棍敗類侮辱斯文，沾污神聖的教育事業。

·本記

自由談

不可俯仰由人

報載：美國國會議員本年舉行期中改選時，兩黨候選人皆以東南亞問題為競選題材，此係必然的現象，毫無疑問。戰後廿餘年來，美國每屆總統改選時，兩黨人士即以遠東問題——特別是中國問題為宣傳資料。目前東南亞地區風雲緊急，美軍駐在越南的尚有卅萬人以上，正是兩黨政客大好的競選口實，可以矇騙選民而不負責任。

在美國社會中談遠東問題，不特一般人民莫明真象，就是那些經常高談闊論中、韓兩國暨越南、泰國、柬埔寨、寮國問題的國會議員如富爾布萊德之流，以及所謂遠東問題專家等，也盡係信口開河地瞎扯談而已。說好說歹都沒關係，但期能得選民「投我一票」就行了。如果不談外交而論內政，則兩黨所標榜的政綱政策，大同小異，誰也爭取不了優勝之勢；如果談論歐洲或中東的外交問題，則選民們對這些地區的事情比較瞭解，胡說八道是不行的。

若干年來，中國和東南亞反共問題，皆被美國政客們利用為政爭的口實，曉曉咋咋，淆亂是非，從未聞身受其攻訐指摘的各國當道，有所答辯，大家表現着逆來順受的「衰仔」氣概，愚甚惑焉。最近只有泰國總理乃他納表示異議，斥責美國一般姑息主義者的言論，專門是摧殘美國的忠實盟邦云云，可謂難得也矣！

美國人士對於反共的盟國，隨時頤指氣使，好作求全之毀的言論，心裏所恃的，不外是曾經給予了這些盟國若干軍經援助，因而面有德色，恍若施主對寺廟僧侶的態度，亂開教訓，肆無忌憚。實則美援所到之處，美國商品即隨之大量傾銷，至少亦把美援的代價取回了，有甚未值得驕傲的呢？若謂這些盟國賴有美援纔能够抵抗共黨侵略，即應該感謝美國的大恩大德，俯仰由人，唾面自乾，那便是胡扯。這些接受美援的盟國，實際是替美國打頭陣，假使亞洲各地區都被共黨控制了，歐洲亦就危在旦夕，美國除却甘冒毀滅的危險，從事一場核子大戰外，尚何安全繁榮生活可言呢？

人必自侮而後人侮之，咱們政府有關部門，膺受美國政客們所指摘欺凌的情形尤多，迄未聞有所申辯，忍辱含垢，卑以自牧，連泰國總理乃他納的氣魄亦不如，何其懦怯乃爾！反共運動是全球自由國家共同的利害所在，為着接受一點美援而損害國格與民族人格，我總認為不大妥當吧？

馮五先生

撤回行政院組織法起風波
立委指為出爾反爾
浪費立院審查時間
希望政院不再有類此情事

（本報記者張健生台北航訊）立法院本會期第二十五次院會准行政院撤回「行政院組織法修正草案」，但院會主席黃國書宣佈：「希望行政院此後不再有類此情事」。

立法委員張子揚、鄧翔宇、吳延環等對行政院函請撤回行政院組織法修正草案一案，「是開立法院的玩笑，是開國家的玩笑。」對於「行政立法兩院關係，亦是嚴重的傷害」。「對於依憲法規定向立法院負責的行政院，其措施是如此的出爾反爾，如何敢寄予信任！」

行政院組織法修正草案，是行政院於五十八年十二月八日函送立法院審議。經由立法院法制委員會審議完畢於今年四月間列入本會期第十五次院會議程，正擬進行二讀程序之前夕，行政院函請撤回，其理由：「茲因本院為統籌全國國民職業輔導事務，以充分發展人力起見，擬設立國民職業輔導委員會，前項本院組織法修正草案有待於重新研擬增列，經於本年六月十八日提出本院第一一七六次會議決議：『通過，由院函立法院予以撤回』紀錄在卷」。

立法委員張子揚對此加以抨擊，他說：「行政院遽爾撤回本案，依據本院（立法院）組織法第七條第二項規定：『前項議案在未經決議前，原提案者得提出修正案或撤回原案。』雖然合於規定，但事實上，行政院之撤回本案，並非因設立國民職業輔導委員會，而須對其組織法有所增列，據悉：其動機實肇因於行政院組織法第十四條之被修正。「現行行政院組織法第十四條：『行政院為處理特定事務，得於院內設各種委員會。』過去，行政院利用此一條文，增設許許多多的機構，而增設這些機構，皆各有其固定的編制與員額，立法院法制委員會認為長此發展下去，行政院組織必然一天天龐大，行政員額更會一天天擴增，將會造成公務人員膨脹，待遇菲薄的嚴重問題，後果堪虞。因此，法制委員會認為增加機構，擴充員額，乃行政院亟待改進的問題，因此決議將第十四條予以修正為：『行政院為處理特定事務，得於院內設各種委員會，其委員及所需工作人員，應就本法所定員額內調用之。』如此當會杜絕此一流弊。行政院有感於第十四條的修正，對其多所不便，因此以設立國民職業輔導會為藉口撤回本案。行政院如因本案審查後與其原提案意旨不合而撤回，此舉不僅浪費立法院之審查時間，且影響立法之立法效果，更為今後開一惡例，殊為智者所不取。

「再就立法院組織法第七條第二項而言，對於本案的解決途徑，亦非祇有撤回一途，在撤回之外尚有提出修正案的途徑，就行政院來函所言，增列國民職業輔導委員會問題，補送修正案已可解決，又何必一定要撤回本案？提案在審查期間撤回，已是罕例，現在本案提報院會後撤回，更屬少見。雖然本院組織法第七條第二項有此規定，但就行政院立場而言，亦應有所為有所不為。「如果說因國民職業輔導委員會之成立而須撤回行政院組織法修正草案之理由是真的，何以行政院增設之衛生署，卻不先修正行政院組織法，而逕先送審衛生署組織條例！準此以論，經濟部之國際貿易局，為何不先修正經濟部組織法，而卻先成立機構？工業發展局亦復如此，尤其在工業發展局組織條例審查時，審查會根據行政院補送公文書之說明，工業司合併於工業發展局，像這種牽涉到經濟部實質的變更，何以也不先送經濟部組織法修正案？卻仍先成立工業發展局，後送工業發展局組織條例呢？

政院此一舉措
影响兩院關係
立委表示深為遺憾

張子揚委員進一步指出：「將來成立之國民職業輔導委員會，其業務範圍包括內政部所主管之勞工業務，經濟部所主管之職業訓練業務等等，既然影響其他各部職權變更，又為何不先送內政部，經濟部之組織法修正案？是否與國民職業輔導委員會之組織法同時送審？以上這些問題，行政院部可以不依照法定程序辦理，而現在卻藉口成立國民職業輔導會撤回本案，我認為行政院此舉有濫用職權之嫌，不只是開立法院的玩笑，是開國家的玩笑，有失恕道！準此以觀，則過去行政院所頒布各種行政命令之不妥，更可想而知。最後，就本案而論，雖然依法立法院當准其所請，但我們要考慮以後對於行政院之提案，應否予以提前審查。否則，若審查完了，行政院又要撤回，此不僅祇影響立法院之立法效率，於行政立法之關係，亦是嚴重的傷害。」

立法委員鄧翔宇對行政院撤回行政院組織法修正草案「深表遺憾」。他認為「行政院此一措施，則充分地表示其與立法院不誠信相處的態度，也充分表現了行政院之不守法的精神，我為此深表遺憾」。「多年來行政院之組織法，一直處於不合理狀態」，鄧委員「前曾向嚴院長提出質詢，據嚴院長表示，他亦深有同感。行政院組織法修正草案經立法院同仁千呼萬喚，在第四十四會期送到立法院，經院會於第二十二次會交法制委員會審查，逾時半年，現在本案審查完竣提報院會了，行政院要求撤回本案。行政院對於本案經過多年考慮始行提出，在法制委員會審查時，行政院亦派員列席，如有意見，早應於審查時提出，何以於本案提報院會兩月後要求撤回？行政院既然認為於設立國民職業輔導委員會之先，須撤回本案加以修正，何以提送衛生署組織條例審議之先，未會計慮及此？於此可見行政院撤回本案之草率。」

「歷年來行政院之輕率措施，無所不有，近如國防部組織法，行政院竟以機密案件函送立法院審議，其後自覺不妥，復以電話通知更正為普通案。很多法律條文的錯誤更是不勝枚舉，一個法案經過各級幕僚單位的作業，復經行政院法規委員會審查，最後更經行政院院會通過，尚且發生這些錯失，書生從政豈應如是」？

立法委員吳延環評語：「於理不合，於情不當，於法有據」。立法院對於本案的處理，祇有准其撤回。不過，希望行政院以後不要再做這種「於理不合，於情不當」的事情。

創業講座
·楚狂人·

怎樣致富

古人有強不過命，巧不過運，勝不過天，能不過錢的名言，滄變到現階段，金錢萬能，誰也沒有方法推翻。

致富之道，各人有各人的看法：專利壟斷最合乎工業社會的致富方法，但必須備有足夠的條件，及某種程度的冒險，非每一個人都能做得到；遺產是坐享其成，所謂不勞而獲，但很少能守得住，和創業有同樣的艱難。

努力也是致富方法之一，所謂大富由命，小富由勤。能够克勤克儉，最起碼可以小康；倘再能假以時日，伺以時機，從中富到大富，並非絕對做不到。創業打天下，必須用出盤根措節的精神始能有濟，也才可持久。

孔夫子談致富：「生財有大道，生之者衆，食之者寡，為之者疾，用之者舒，則財恒足矣！」就是說發財要正大光明，吃飯的人要少，做事情的人要多，自然會有錢。孔夫子所指示的發財方法，台灣朋友不僅懂得，且在力行之中，商店的家庭化，即其一例。外省人就差一點，馬路上擺一個餛飩攤，往往請一個助手，他們未算出每天先得奉獻三到四十碗餛飩賺的錢給助手，多餘的才輪到自己。

孟夫子對發財的看法，與孔夫子有很大距離，他說：「得利不可再往」意思就是發大財的人，很少是規矩賺來，不相信一次就得洗手，戀棧就會出毛病，不相信的話，請看八信等合作社，就是最現實的鏡子。

揮霍與吝嗇

揮霍是創業的大忌，不要以為跳跳舞，喝喝茶，打打麻將，吃吃烟，飲飲酒，或者以為「逢場作興」玩玩女人，認為無傷大雅，其實有這種想法的人錯了。你應當知道：「聚沙成灘，滴水成河」一個小小的漏洞，會使一隻大船沉沒，「天生我材必有用，千金散盡還復來」這些放蕩不羈的酒話，創業的人遇到，應當敬鬼神而遠之。要知道沒有任何一種業務，能比得上自己省下來的錢更可靠，西諺有：「積蓄一分錢，就等於賺來一分錢」。中外古今都將節儉當作美德，是有其不變的哲理的。

但要注意，太節儉或者節儉的沒有道理，則屬於吝嗇，湖南首富李向榮，大門後置小便缸，送客時勸小解，（因湖南土地缺乏鹼性，小便價同水肥）居家則對自己女兒媳婦，供食不供穿，這種悖乎常理行為，雖積財萬萬，與窮人何異？大陸淪陷李被鬥爭，梟首示象，李向榮固由於財聚而招禍，縱不聚財雖亦未必能免禍，但共黨慘無人道的行為已事實昭然，未審一般對反共還不熱心的朋友作何感想？或者根本不敢想。

喬治桑外傳　一五七
張大萬

喬治桑回到家，用鑰匙開了大門，進了客廳，全屋子靜悄悄的，顯然雅麗絲已經入睡。他躡手躡腳到自己睡房換了睡衣，又回到客廳裏，開電冰箱沖了一杯橘子汁，然後獨自坐在沙發裏沉思。

他感覺自己改變了很多，要是在過去，遇到今晚的場合，他不會迴避下太太的挑逗，而會迎合上去。是不是自己真的老了？他想到這裏，下意識地走近客廳懸掛的一面鏡子旁，端詳了一下。鏡中的他，容光煥發，毫無老態。

他又坐下來，繼續地想：自從發現雅麗絲是自己親生骨肉以後，內心有了疚責，同時也有了煩惱。佛家所謂「煩惱即菩提」不經過這次痛苦的經驗是難以理解的。

他覺得這次來台灣，雖然在經濟方面毫無收獲，在做人方面卻有徹底的醒悟。「覺今是而昨非」信非虛語。

喬治桑東想西想，差不多到午夜兩點才上牀。但因為他的內心已有結論，雖然睡得很晚，卻睡得很好。

第二天一早喬治桑便出門去辦返美的手續。他已經決定：在手續未辦好前，不讓雅麗絲知道。同時，他也準備如何來安頓他對雅麗絲片面的父女之情。

喬治桑在積極準備返回美國，但在行期未決定前，他不想告知雅麗絲。

他住的是一所改建的日式平房，地段還不錯。他設法找到了屋主，屋主開價四十萬台幣，幾經磋商，談妥價錢是三十六萬。他寫了一封很長的信，寄給拉斯維加斯合夥人史克蘭敦。要求退股。他計算了一下，三十六萬台幣還合不到一萬美金。他應該可以將現住的房子買下來，送給雅麗絲。

喬治桑自從發現雅麗絲是自己親生女兒之後，他知道在台灣久居絕非良策，萬一被雅麗絲母女認出自己的本來面目，其可能引起的情感漣漪，必將造成種種苦惱。因此他再也不熱心去找牛興鐘談中日合作建廠事，一切社交活動也儘量減少或避免。

有一天下午，雅麗絲大概出去和羅蘭蔡看電影去了，喬治桑一人在家看英文小說。

桌上的電話鈴忽然響了起來。

「喂，那一位」，喬治桑只好放下小說拿起電話聽筒。（未完）

台北傳奇錄（五五）
·陳光棣·

「你還跟我頂咀，我問你，孩子的志願是誰填的」？賴太太氣急敗壞的說：「你為什麼就替她填一個志願」？

「是妳說的；她有把握，志願填多了也沒有用！」賴先生委屈的抓着頭皮。

「你就那麼聽我的話？就是孩子有把握，你也要防備萬一呀！你說：現在這麼不上不下的，叫我怎麼見人？我這個臉還是個臉嗎」？

賴慧敏越聽心裏越難過，站起來梳了梳頭髮到了劉家。

誰知道劉二爺家也不太平！大洋馬正在向劉太太訴苦：「您瞧瞧，我怎麼辦哪？我家蔡百順今年已沒有考取大學」！

「明年再考嘛，早一年晚一年有什麼關係。」劉太太小心的說。

「呀！您是不知道哇，我們這寶貝兒子已經連着考了五年啦，越考成績越壞，今年才考了一百多分」！大洋馬說着掉下了眼淚。

賴慧敏靦覥的入了座，用報紙遮着臉慢慢的啜冰水。

「青年人難免一時胡塗，您別着急。我看他前兩年還很老實的嗎？」劉二爺想不出再得體的安慰話來。

「就是嘛，本來這孩子在高二的時候，功課還挺好，到了高三那一年和小辣椒的兒子混在一起……」

「小辣椒？」劉二爺不知道。

「就是十二號住的宮太太嘛」！蔡太太提起了興緻：「他先生在市政府作事，為了收紅包，上個月才被法院押起來，哼！這叫作有其父必有其子！把我們百順也給帶壞啦，宮太太蠻不講理，硬說是我們孩子教壞了他們，眞虧他說的出口，您知道吧，劉二爺！」大洋馬壓低了嗓子：「小辣椒從前就是個混事的」！

「混事的」？劉二爺假裝聽不懂。

「買賣人」！大洋馬笑的怪開心。

「作什麼買賣？」劉太太是眞不懂。

「唉！大妹子，你眞傻」！大洋馬拍着劉太太肩頭咯咯的笑起來。

劉二爺怕被賴慧敏聽到不方便，所以趕快打岔：「等一下我到你家來，先和你們少爺談談，我也許可以幫點忙」。

「那可眞是求之不得」！大洋馬衝着劉二爺也算嫵媚的一笑：「只要您肯幫個忙，給我們孩子找個事情作作，那我可眞是燒了高香」！

「看情形！」劉二爺站起來作出送客的姿勢：「你先請回吧，等會兒見」。

「謝謝，謝謝！」大洋馬高興的走了。

「劉伯伯，蔡家那個大兒子是太保，您何必管他的事」？賴慧敏驚訝的看看劉太太。（未完）

古琴古箏演奏會後記（上）

唐健恒

籌備了兩個月的古琴古箏演奏會，終於照原定計劃，在本月二十一日晚舉行了。起先我是很怕辦不成功的。固然在台北彈箏的人數以百計，愛聽的更多，但彈琴的人只有二十個左右，而愛聽的人似乎也不多，這是因爲古琴音樂很不流行，而琴的音量又小，節奏又慢，所以不易欣賞，此其一。師大不在城中區，交通轉接，會使人却步，城中區的音樂演奏場所，一晚須要租金一千多，又非我所能負担，此其二。師大的禮堂，並非爲音樂會而設計，音響效果不很好，摩托在外面經過，也會影響很大，此其三。但近年古琴之式微，已到了可驚的地步，現有的唐宋以來琴書，有古琴曲約三千首，除去重複出現的，實際不同的曲譜只有六百首左右，這是極大的一個寶藏，但因琴譜是減字指法譜，古譜又不記拍子，沒有師傅是很不易自學的，所以目前全世界中外琴人能夠彈的，只是其中的八九十曲而已！除陷身於大陸的琴人數目不詳之外，台灣及海外星馬、香港、美國、日本等地，保持彈琴的琴人，約只有六十人，而其中大部份是初學的後輩，這種情形實在不能再讓它繼續下去了。很久以來，我就打算研究古琴，最近一年來，終於能夠用大部份精力校訂明以來的琴譜，將由台北藝文印書館出版；這次的古琴古箏演奏會，也是這列研究推廣工作的一部份。

由於缺乏經驗，我以爲請一班年青琴友、箏友義務演奏，租擴音器、印票，頂多二、三百可以夠用，誰知道兩個月下先，印票、印節目單，一切必須的雜物支出，竟去了一千四百元之多，使我覺得很吃力。這期間曾三次向同學借貸，演奏完第二日才有錢去清繳印刷費的最後五十元，其辛苦可知；但這些身外物的負担，比起精神體力上的負担，還是小巫哩。

令人欣慰的是，演奏會畢竟順利的開過了。但一件事並非過去就算，它應該有它的功效，有它的意義；有下列事件，似乎值得向各界朋友報導：

一、下雨天來賓也有五百人，是我們所估計的兩倍。

二、中途退席的來賓只有十個，其他人都聽到最後一曲的最後一音才有離座之意——師大禮堂是木板凳，事後不少朋友表示坐到腰酸骨痛，可是又捨不得走呢。

三、來賓之肅靜、用心，極爲難能可貴，連古琴上最輕的聲音，都可聽得清清楚楚！

四、聽衆包括各種人士，許多音樂界前輩都來了。另外有「極少出門應酬」隱居木柵鄉下的已故畫家梁鼎銘先生的夫人李若蘭女士；有下課後飛車趕來聽半場的張起鈞教授；有忙裏偸閒的電影明星上官靈鳳小姐；有來自陽明山上，剛生了小寶寶的李鄭向恒女士，她說：「我先生也要來，我也要來，結果我來了，他要留在家裏看孩子。」有在開場前兩小時即來等候的小妹妹、老先生；有背着行李、營幕而來，聽完了就要趕火車去南部的外國來賓；有修女、有護士小姐；還有來自新竹、桃園的遠客，這一切的人，跟來幫助演奏的青年朋友，做後台工作的同學，合力辦了一個愉快的晚會。在禮堂前後錄音，最少有六個人，可見古樂也是有人欣賞的。

（未完）

荀子哲學簡論（八）

周世輔

論語云：「侍于君子有三愆：言未及之而言，謂之躁；言及之而不言，謂之隱；未見顏色而言，謂之瞽。」可知荀子的愼言之教，乃來自論語。

九、對各家哲學之批評

荀子是一位思想家、教育家、哲學家，也是一位批評家，他在哲學方面（或稱在學說方面），批評了道墨法諸家，只捧孔子，子弓兩人。

非十二子篇首稱：「假今之世，飾邪說，文姦言，以梟亂天下，（梟與澆同）……使天下混然，不知是非治亂之所存者，有人矣。」有那些人呢？下面分別指出六派，每派二人，共計十二人。

（一）它囂與魏牟——荀子認爲這兩個人「縱性情，安恣睢（恣睢爲矜放之貌）禽獸行，不足以合文通治；然而其持之有故，其言之成理，足以欺惑愚衆，是它囂魏牟也。」它囂不知何代人，相傳爲楚平王孫。魏牟，即公子牟，戰國時人，屬道家，先莊子，莊子曾稱道之。他批評這些人，就是他反對道家學說的明徵。

（二）陳仲與史䲡——他以爲「忍情性，綦谿利跂（綦谿者過于深，利跂者便于走趨。）苟以分異人爲高（苟求分異，以不同于人爲高行。）不足以合大衆，明大分；然而其持之有故，其言之成理，足以欺惑愚衆，是陳仲史䲡也。」陳仲即田仲，齊人，處於陵，不食兄祿，夫婦灌園食力，屬于隱士派或田園派，或個人主義者。孟子對他曾予以無情的批評。史䲡，即史魚，孔子曾稱他說：「直哉史魚，邦有道如矢，邦無道如矢。」荀子指他們兩人故忍情性，立異鳴高，欺世盜名，不合大衆之需要。他又在不苟篇以謾罵的口吻說：「盜名不如盜貨，田仲史䲡，不如盜也。」

（三）墨翟與宋鈃（金旁）——荀子說「不知一天下，建國家之權稱。上功用，大儉約，而嫚（人旁）差等，曾不足以容辨異縣君臣；然而其持之有故，其言之成理，足以欺惑愚衆，是墨翟宋鈃（金旁）也。」宋鈃（金旁）即宋徑，孟子書中有宋徑將之楚，過宋而見孟子」等語。墨翟與宋鈃（金旁）均爲墨家領袖，他們提倡兼愛，故主張愛無等差，與孟子之主張「親親而仁民」不同。荀子認爲墨家不知齊一天下，建立國家之權稱，以分別輕重，徒然重視功利，尊尙儉約，不足以辨上下，別君臣，與孔子的「君君臣臣父父子子」的正名主義相違，亦與荀子自己之所謂人能分能辨有異，故荀子指墨學爲欺惑愚衆之學。

（四）愼到與田駢——荀子說：「尙法而無法，下修而好作（旣欲靜修又好自作自用），上則取聽於上，下則取從於俗，終日成文典，反川（系旁）察之，（反覆深察），則倜然無所歸宿，不可以經國定分；然而其持之有故，其言之成理，足以欺惑愚衆，是愼到、田駢也。」愼到與田駢，都屬法家人物，荀子認爲他們一面迎逢君主，一面從乎流俗，終日講成文法典，反覆糾察，深文苛刻，沒有歸宿，這種法家學說，實在不能經國濟世，應予以摒棄。

（五）惠施與鄧析——他說：「不法先王，不是禮義，而好治怪說，玩琦辭，甚察而不惠，辯而無用，多事而寡功，不可以爲治綱紀；然而其持之有故，其言之成理，足其欺惑愚衆，是施惠、鄧析也。」施惠與鄧析屬于名家，好詭辯，常爲荀子所攻擊。不苟篇亦云：「山淵平……卵有毛，是說之難持者也，而施惠、鄧析能之，然而君子不貴者，非禮義之中也。」

（六）子思與孟子——荀子雖屬儒家，但亦攻擊子思與孟子。他說：「畧法先王而不知其統，猶然而材劇志大，聞見雜博，案往舊說，謂之五行（五行指仁義禮智信五常言）甚僻違而無類（乖僻違戾，而不知善類，又類與法同）幽隱而無說，閉約而無解（言論幽隱閉結而不能自爲解說），案飾其辭，而祇敬之曰：『此眞先君子之言也（自敬其辭，以爲孔子之言），子思唱之，孟軻和之，世俗之溝猶瞀儒，（溝讀爲怐，怐愁也，猶即猶豫。瞀，闇也。）嚾嚾（口旁）然（喧囂之貌，指爭辯言。）不知其所非也。遂受而傳之，以爲仲尼子游爲茲，厚於後世，是則子思孟軻之罪也。」孟子道性善，法先王，荀子道性惡，法後王，兩人主張不同，學說多異。這可算是儒家的內爭。

荀子對于以上六派，一律批評，惟對孔子與子弓則極誠擁護。他認爲孔子與弓子是「無置錐之地，而王公不能與之爭名，在一大夫之位，則一君不能獨畜，一國不能獨容，成名況（比也）乎諸侯，莫不願爲臣，是聖人之不得者也。」他以傳孔道自命，仁人自居。故說：「今夫仁人也，將何務哉？上則法舜禹之制，下則法仲尼子弓之義，以務息十二子之說；如是則天下之害除，仁人之事畢，聖王之跡著矣。」孟子要距楊墨，息邪說；以傳聖道；荀子則要距十二子，息六說，以傳聖道，可見他亦有孟子之志，惟趨向不同而已。

（未完）

說曹操（廿五）

李漁叔

這時有一個大好的機會，就是曹孟德與袁紹正在官渡決戰的前夕。先主以爲孟德大敵當前，斷不敢分身前來，所以當孟德派遣劉岱王忠來攻時，毫不以爲意，獻帝春秋說：

「備謂岱等曰：使汝百人來，其無如我何，曹公自來，未可知也。」

出乎意外地，孟德竟然大胆將袁紹這一方面暫時擱下，親自帶兵東征（詳情見前述），魏書載：

「是時，公方有急於官渡，乃分留諸將屯官渡，自勒精兵征備，備初謂公與大敵連，不得東，而候騎卒（同猝）至，言曹公自來，備大驚，然猶未信，自將數十騎出望公軍，見麾旌，便棄衆而走。」

一見曹公麾旌，便棄衆而走，先主久在軍中，何至張皇失措至此。所記雖很生動，恐未免有些過甚其辭。但先主此刻羽翼未豐，雖部下號稱有數萬人，却盡屬烏合之衆。自然不堪一戰。蜀先主傳記：

「五年，曹公東征先主，先主敗績，曹公盡收其衆，虜先主妻子，並禽關羽以歸。」

又魏志：

「公遂東擊備，破之，生擒其將夏侯博，備走奔紹，獲其妻子。備將關羽屯下邳，復進攻之，羽降。」

從這裏可以看陳壽三國志的筆法，這種史筆，却是可以大加商榷的。關公屯兵下邳，並不是戰敗被擒，而且曹劉這時本無敵對行爲，同屬大漢之臣，關公爲了保護先主家小，以待其消息，也並非陣前投降，而皆用「擒」字和「降」字，似有未妥，應該是陳壽的曲筆。

這以後先主[illegible]無歸，不得已暫投袁紹，舊部漸漸集合，剛等到關公回來，孟德又派曹仁追來了，孟德一生最忌先主，一步也不肯放鬆他。先主明知袁紹[illegible]，南連荆州牧劉表，頗受劉表的禮遇，待以上賓，並補充其兵員，使屯新野，稍獲喘息的機會。那三顧草廬，聘請諸葛孔明，正是這一個時期內的事。建安五年春逃出了孟德的掌握，到現在已經是建安十二年，整整七個年頭了。

次年孟德親征劉表，適表病卒，劉琮迎降。諸葛孔明勸先主攻琮而取荆州，先主不肯，自帶領其部隊他去，劉琮的左右和荆州人紛紛前來追隨，到了當陽，已經聚集到十餘萬人，輜重數千，每日行路不過十餘里。這時已經有曉事的人向先主建議了。那人雖說得有理，而先主的答辭則更得體，據蜀志：

「或謂先主曰：『宜速行保江陵，今雖擁大衆，被甲者少，若曹公兵至，何以拒之。』先主曰：『夫濟大事，必以人爲本，今人歸吾，吾何忍棄去。』」

（未完）

諸葛亮狂想曲（一三六）

劉玄

「什麼法寶？」諸葛亮露出訝異之色。

「必要時，我可以『運氣』，使太空船產生推動的力量。」黃雲大仙口中的「運氣」，自係「放屁」之意，諸葛亮一聽，想笑出聲來，但還是忍住了。

「你所說的各種法力，天庭大小各仙都有，至於『運氣』，屬於科學內功，恐怕是你的獨特工夫。」諸葛亮對黃雲大仙的「放屁」本領，特別讚賞。

「諸葛先生，你眞是我的知己。我幾時來聽回音？」黃雲大仙天生是急性子。

「三天後請你再來一趟如何？」諸葛亮不說三天後有回音，却說三天後請他來一趟，說話很有分寸。

黃雲大仙連聲道謝，告別而去。

黃雲大仙走後，琴童過來收拾房間，輕埋怨道：「根本是一個臭的，硬充是香的，還要帶香囊，弄得一屋子的怪味。」

「不許亂說，他是二將軍的朋友，傳到二將軍那裏，他會不高興的。」諸葛亮用鵝毛扇向琴童一指，以示制止之意。

「剛才他向丞相說，他有運氣本領，運氣是不是就是放屁？」琴童直言談相，硬揭黃雲大仙的底牌。

「你是怎樣知道的？」諸葛亮雖然覺得琴童出言不雅，却不能否認他說的不是事實。

「這還不簡單，黃鼠狼精的運氣，不是放屁是什麼？」琴童一語道破，諸葛亮忍俊不置，他只好命令琴童道，「你去替我煮一壺咖啡來。」

琴童喏喏連聲，出去煮咖啡。諸葛亮尋思：劉約翰變了金魚，三天後回復原形。我是保證人，應該到場。順便問一問星君肯不肯讓黃雲大仙參加太空探險。

於是諸葛亮走近漢玉八卦爐，與太白金星約定三日後傍晚時候見面，按下不表。却說劉約翰自變成金魚以後，與缸內一條黑色雌魚結爲魚夫婦，朝歡暮樂，大有只羨金魚不羨仙之感。在第二天午刻，星君應玉帝召見，出外未歸，鶴童又在睡午覺，整個仙邸靜悄悄地一點聲息都沒有。劉約翰在金魚缸裏，正和他的魚太太嬉水爲樂，突然看見缸外來了一頭花貓。在往常，劉約翰也和一般歐美人士一樣，喜歡貓狗。但現在，他已是一條金魚，看見大花貓在缸外虎視眈眈，簡直比煞神還可怕。他想叫，叫不出聲音，他想逃，也無處可逃。大花貓一點不客氣，將貓脚爪伸進缸來到處亂撈。「夫妻本是同林鳥，大難來時各自飛，」劉約翰再也顧不了他的魚太太，自顧自逃命要緊，有一次他險些被大花貓抓到，他眞嚇死了。他這時眞懊悔不該爲了好奇要變金魚，自作自受，有什麼好說的。

正在千鈞一髮的時候，救命菩薩來了，鶴童忽然出現，劉約翰只聽得鶴童大喝一聲，大花貓便由窗戶一溜煙跑了。

巨變歷險記

仰望瓦渣司署（一三九）

胡慶蓉

從一盌水下來，在到紅河的中途，有一個小廟，非常小的小廟，同土地廟一樣的小廟，裏邊供奉着楊家將。為什麼要在這裏供奉楊家將不詳，問當地人，他們答稱楊家將曾到此地，並在這里過去與土人大戰過。在這里供奉楊家將，一是作紀念之意。

一盌水下邊是進入雲南邊區必經之道，也就是統治雲南邊區的咽喉。這地方太重要了。從建水這方面進入雲南邊區，一盌水是必經之地，非從這里進去不可，再沒有第二個地方。而從前是瓦渣大山，為瓦渣司區官署所在地。瓦渣大山就在渡口的正對面，簡直像個高與天齊的金剛擋住你的去路。一眼望去，簡直望不到邊更望不到頭。「啊！是那麼高啊」！丁博士生平第一次看見這高與天齊的大山。單單這面前的山，就會使你發生恐懼。「從那里走啊」？「從那里出去」？……在快到天頂的地方，彷彿看見了幾個白點點。土人指着告訴丁博士：那就是瓦渣土司的司署。那簡直就像是天宮！土人看他們的土司像是天神一般，土司在地方有如皇帝，有無上的權威。土人又告訴丁博士：現在他們的土司是錢禎祥。他們並且告訴丁博士：禎就是崇禎皇帝的禎，祥是吉祥的祥。錢禎祥不但是瓦渣山的土司，而且是瓦渣山以下一直到闌滄江司區一直到鎮遠車里佛海人民自衛軍，也就是反共的聯防總司令。此人甚有學識，也深明大義。丁博士聽罷，就深深地記在腦海，希望紅河能渡過，渡過紅河之後，能與錢禎祥見面，能與錢禎祥匯合，共謀反共大業。

丁博士一方面聽土人向他報告，一方面還在目不轉睛的仰望那像天宮的司署。奇怪，除了紅河的水聲，像聽到司署的鐘聲。「是的！是司署的鐘聲……好清楚啊！好響亮啊！鐺！鐺！鐺！鐺鐺鐺」！……據土人報告：這是司署在集合人。自從蒙自失守，土共蠢動，錢兼總司令要常常的動員他的民眾同土共搏鬥。據土人報告：不幾天前，幾有一場大的斷殺。要是去司署的話，想還可以看到戰鬥的痕跡。

在紅河渡口的右邊，土人指給丁博士：那是迤薩，那是瓦渣的屏障，要去瓦渣，先要到迤薩。在那里，你可以看見偉大的堡壘，大理石的墓……他前面就是古之戰場也。迤薩，何等響亮的地名啊！迤薩建築在山坡上，迤薩在渡口的右邊，也彷彿看見。一夫當關，萬夫莫敵。單單這個渡口就可以阻住你的去路。幸土共被錢兼總司令打垮了，沒有來阻住渡口。可能他們還不知道。但誰敢担保他們不來阻住去路呢？來也好，不來也好，現在有進無退。田團長在丁博士鼓勵之下，全體將士在丁博士鼓勵之下，也在抱着有進無退的決心，準備渡紅河，前往迤薩，轉去瓦渣，循着進入邊區的大道前進……

記「三偽政策」始末（上）

·諸葛文侯·

廿餘年前，我國對日抗戰結束後，關於廣大的淪陷地區善後措施，政府主管當局分別實行了「三偽政策」，即所謂「偽軍」，「偽幣」，「偽學生」是也。這三偽政策關係後來剿匪戡亂的利害得失極鉅，為中國近代史上的重要問題，如今事過境遷，不妨談談，藉供後世史家參考焉。

抗戰勝利復員之際，淪陷區——連同東三省偽滿洲國在內——的駐防軍隊，除卻靜候投降繳械的日本侵略軍之外，就是本國人組織的各色陸軍，皆係日本式的裝備，計有「滿洲國」所屬正規軍四十萬人，南京汪政權所屬正規軍二十萬人。日本宣告無條件投降伊始，偽滿「陸軍大臣」臧式毅，汪政權陸軍統帥杜錫鈞（鄂人），先後致電重慶中央政府軍法執行總監何成濬（臧式毅與何氏在日本士官同學），表示擁護國府，聽候中央命令。很顯然，這是臧、杜二人想藉此將功贖罪，避免漢奸責任。當何氏接得二人電報後，曾商同參謀總長何應欽，召集軍政、軍令、軍訓各部長暨何氏等舉行軍事會議，討論應否接納臧、杜的意見？預會人士認為國軍缺乏交通工具，一時難以派遣多數部隊前往淪陷區接防，尤其是關外，更有鞭長莫及之苦，而共黨又乘機竊發，在淪陷區肆行釀亂，後患堪虞，一致決議暫予安撫，復電飭令就地維護治安，制止共匪叛行，俟政府還都後，再行計議。唯軍政部長到會較遲，聞得決議殊不同意，說是軍費無從籌措，已有的軍事預算尚感拮据，驟增鉅額支出，更無法應付，恕難負責，事乃不諧（上述經過係何總監親自告訴我的）。臧、杜久候未得回音，而政府主管當局對於各地偽軍，又聲明不屑收容。於是乎，偽軍軍心惶悚不安，各求出路，共黨即向之大力煽誘，來者不拒，共酋林彪部隊十餘萬人，就是收編偽滿軍而成的。假使當初國府接納了偽滿軍隊輸誠，許其帶罪圖功，共匪自不容易在東北發展，即令俄軍將其擄獲的日本關東軍各項武器交給林匪等，然兵源缺乏，亦難以嘯聚多衆，且夕間即成為能征慣戰的野戰兵團，實可斷言。關內的汪記偽軍受着共匪誘惑，亦紛紛從賊，如郝鵬舉的一股，實力較強，初曾歸順國府，嗣以軍部通令緝拿漢奸，其中列有郝氏之名，而國府所派「徐州綏靖主任」，對郝又另眼看待，因而郝乃率部投共，最後被共匪消滅了。

國府初設東北行營，職權龐大，視舊時的東三省總督或巡閱使尤為崇隆，但自主任以次的文武大員，沒有東北籍素具聲望的人士在其列。進入東北的軍事長官杜聿明，為着安撫偽軍和一般抗日義勇軍的人心起見，曾設置「軍官訓練班」，招收東北籍的各色中下級軍官受訓，僅僅舉辦一期，即奉軍政部命令宣告停辦了。後來東北行營主任改組，派馬占山為副主任，明令發表後，馬氏對人說：「時機已錯過，我去亦沒有多大作用了！」東北局勢從此惡化，無可挽救了。

關於政府處理汪政權發行的偽幣問題，我民國卅六年秋間在南京老虎橋監獄，探望周佛海時，他把經過情形告訴我道：「日本宣告投降之初，重慶方面的政治要人戴笠，杜月笙，錢新之三位，首先到達上海，即跟我（周自稱，下同）商洽儲備券和法幣——為時叫作關金券——的比率問題，他們問我的意見，我說，如果法幣一元值抵儲備券二十元的話，對於淪陷區金融與物價，敢保證絕不致發生波動；最大限度若不要超過一比五十的兌換率，亦可保無虞。因為南京政權發行的儲備券數字，我很清楚，核以現存的白銀，黃金和美鈔總值，兩相折抵，相差並不大也。他們三人當時未作決定，祇說致電重慶請示。繼而我將儲備銀行所在白銀和黃金美鈔，掃數交由戴雨農點收，靜候重慶指示，旋公佈法幣一元值偽幣二百元。於是乎，上海，南京，天津一帶的物價大為騰踊，而且逐日升高，幣值即相對低落，商人競以囤聚物資為急務，市場投機風氣大作，金融乃隨之混亂，終於不可收拾，這可說是一大失策」云云。後來筆者曾向財經界人士探詢財部決定一比二百這回事，究係根據甚末標準而然？據言，係中央銀行某要員在滿口調查金融，按照武漢一隅的物價指數，電告財部決定的。但據當時潛伏我中央銀行，位居行務委員兼經濟研究所所長的老共諜冀朝鼎，於卅九年在共區發表「丑表功」的文字，他對這項法幣與偽幣比率問題，亦參預其事，且說他每有不利於國府的財經建議，即通過中行大員某以形响財經有關人士。他以中行經濟研究所長地位，對於處理偽幣問題，必然有所主張，而其意見實具有權威性，他的陰謀詭計，又容易朦蔽我方一般庸愚的財經要人啊！（未完）

成語選粹（32）

李國良輯

忠言逆耳

孔子家語六本：「良藥苦於口而利於病，忠言逆於耳而利於行。」「忠言逆耳」喻好言勸誡雖不順耳，但聽之有益。

生活漫談

家庭副業

馬騰雲

問：家庭副業全書與實用生產百科全書有何不同？

答：實用生產百科全書全集計廿九冊一千六百餘頁，家庭副業全書祇兩百頁，顯然不同。

問：家庭副業全書，真能夠用作家庭副業嗎？

答：可以，家庭副業全書擁有工藝技術約百種，在工藝函授學校每科學費都在五百元新台幣以上，本書多經驗談無師自通，學的人不必多繞路。

問：家庭副業最少資本須若干？

答：新台幣五百到一千元可行，製成後由店舖代售，書內須大資本項目不多，名符其實家庭副業。

問：有與實用生產百科全書重復的嗎？因生產百科甚為實用。

答：為幫助讀者家庭副業有幾條係摘自實用生產百科全書。

問：馬先生最好能開班授徒，用以輔導社會就業。

答：本人未負社會輔導就業職務，沒有這個必要，你化三十元就可學到很多技術，授徒者乃從前剝奪童工方法之一，這種惡劣作風落伍了。

問：三年有成學徒三年制不是很好辦法嗎？一般尚保留這個制度。

答：比如學習製作食品何用三年，講老實話，祇須幾個鐘頭，這本書保證你可學到最上乘的手藝，故編者力主張摧毀這種愚民政策的學徒制度。

問：一位從學徒出身的立法委員說：「大家如果都會做生意，三年學徒制可以廢止了」這話是很有道理的。馬先生以為如何？

答：台北幾十位上億數新台幣的工商領袖，未學過三年學徒的佔絕大多數，學徒出身能賺到上億財產的佔絕對少數，故編者反對是說。

問：馬先生我們習技有困難時你能協助我們解答嗎？

答：可函香港本報轉給編者，以便在報上公開解答，恕不面談，因台灣是非常之地，又逢非常之時，最易發生非常的是非，報上公開解答用昭憑信，編者拒絕病人造訪，願公開答覆查詢，道理也就在此。

問：馬生先編的實用書有多少本了？

答：「已記憶不清，合攏來大約超過一人高了，皆沒有甚麼學術價值，祇是使讀者能夠受用而已。

問：日本的實用書在日本境內書業出版界二十三年來一路領先，我們應該重視實用文學。你說是嗎？

答：編者亦有同感，台灣朝野也並不不討厭實用書。

第八章　胡虜兵二次南侵　岳鵬舉相州見君

此時宋廷李綱已罷職，中師道兄弟皆死，已無統兵之將。朝中大權操在耿南仲、唐恪二人之手。此二人力主和議。並令西南各路勤王之師停止前進，主割三鎮之地，圖保汴京。然金兵不理一切，向南銳進。粘罕一軍橫渡黃河之後，先破洛陽，以絕欽宗西幸之路。旋陷鄭州，軍行所至，宋軍毫無抵抗，向汴京進發。斡離不一軍，亦渡過黃河，屯兵磁州（今河北磁縣）。金兵此舉不在於三鎮之地，意欲以長江為界，竊佔中華長江以北之地方休。因此割讓三鎮之地，一變而為兩河割地問題。

反觀宋廷輔臣，接連聞警，主戰主和，議論紛紜。徐處仁、許翰二人主戰，耿南仲、唐恪二相主和。兩派爭執。中丞李回劾奏徐處仁、許翰、吳敏等人。欽宗遂將徐處仁等三人一併罷下，用唐恪為少宰，何肉（木脚）為中侍郎，陳過庭為尚書右丞，聶昌知樞密院事，李回簽書樞密院事。

此種人事安排，清一色主和內閣。遂以著作郎劉岑，太常博士李若冰等，分別使金，求金緩師南進，許以三鎮歲人賦稅納金。

時李綱回京，耿南仲、唐恪二人恐他又來主戰，有損無益，因罷李綱知揚州。中書舍人劉珏、胡安國並言李綱忠心報國，不應外調。誰知得罪輔臣，劉珏坐貶提舉亳州明道宮，安國出知通州。國危只有奸人當道，令人歎息。

是時虜警日聞，朝議不一。何□奏分天下二十三路為四道，各道設總管，事得專決，財得專用，官得辟置，兵得誅償。如京都有警，即可檄令入衛。欽宗依議詔行。命知大名府趙野總北道。知河南府王襄總西道。知鄧州張叔夜總南道。知應天府胡直儒總東道。又在鄧州置都總管，總轄四道兵馬。李回為大河守禦使。折彥質為河北宣撫副使。南道總管張叔夜聞都城空虛，請統兵入衛，陝西制置使錢盍亦欲統兵前來。而宰臣唐恪、耿南仲以堅持和議，竟函檄飛馳，均令駐守原地，無故不得移師。一面遣給事中黃鍔由海道赴金都，請罷兵修和。此即倒戈和談。

此時金兵已經分道南侵，豈肯就此罷兵戰而求和，實緣木以求魚。宋廷宰臣昧於武力乃和平後盾之理，不備而且已失大信於金，所允粮食，三鎮具未收割，且羈留金使。

（卅一）

岳飛　周燕謀

自由報

第一〇七八期

（半週刊每星期三、六出版）

每份售港幣壹角，台灣新台幣壹元

社長李鵬運・督印黃行舊

社址：香港九龍彌敦道593—601號 廖創興銀行大廈八樓五座

LIU CHONG HING BUILDING 7th FLOOR FLAT '5 593—601 NATHAN ROAD, KOWLOON, H.K.

TEL: K303831

電報掛號：7191

承印：眾星印刷公司

台灣區業務管理中心：台北重慶南路一段一二九號

台灣區直接訂戶　台灣劃撥戶　第五〇五六號張萬有（自由報會計室）

台灣分社：台北市西寧南路110號二樓

電話：三三〇三四六

畧論中國詩體流變與唐詩之特質（中）

・李漁叔・

第二、據陳鍾凡中國韻文通論稱：「五言詩肇始於東都民間之風謠，（十九首）騰踊於建安初文人之倡和，其起原固在炎漢之叔季。」曾不思五言詩至蘇李及古詩十九首等作，風神格法，悉臻完備，早已遠離民間風謠，進而爲辭人惆悵切情之作，非經長時之醞釀改進，自難有此成就。據昔人研覈，有謂五言詩與楚騷同時，或更較前。雖無確證，當不甚遠。若必以爲起於東漢叔季，則縱將前漢諸作，悉數懸疑，然而班固，崔因（馬旁），傅毅，張衡諸詩，皆出明，章和帝之世，猶爲東漢初中葉，其詩多在，何能盡掩讀者耳目。又，元，趙壹，蔡邕，孔融，曹操，諸葛亮等之詩，亦在桓靈前後，並傳遺製，皆承前矩，不稱篳路之功。叔季起原一辭，不惟嫌其武斷，兼亦甚欠研索。

第三、凡西京各詩如以爲皆僞，吾人將試問此二百年間，白頭，團扇，河梁，以逮昭明，玉台著錄諸篇，究爲何人所作。其詞翰既迥非閭巷無名之輩所能有，而班、崔、張、蔡、趙、　、諸篇皆在，不惟風調截然不同，要而言之，即亦無此手筆。若夫建安曹（植）王（粲）二子，容可爲之，然仲宣筆弱，子建華藻四溢，雅素又復不類，即縱令爲陳思兄弟或七子擬作，魏晉齊梁，朝代相距未遠，以昭明，孝穆，仲偉，彥和諸人衡鑒之精，聞見之廣，斷不至一無所察，貿然認定，此事理之必然，毋容多事疑揣者。

依此論斷，五言詩成於兩漢之前，著錄於武昭之世，蘇李枚叔卓班諸詩，所傳並無訛謬，大致已堪認定。

至七言詩究起於何時，亦莫詳所自。淮南子載春秋齊桓公時甯戚飯牛歌：「生不逢堯與舜禪。短布單衣適至骭。從昏飯牛薄夜半。滄浪之水白石粲。中有鯉魚長尺半。」等句，辭語樸美，吐茹自然，已非詩經所錄七言可比。其後至楚辭大招招魂諸篇，如：「像設君室靜閒安。層台累榭臨高山。」「涉江采菱發揚荷。美人既醉朱顏酡。陳鍾按鼓造新歌。」「誇心綽態姣麗施。小腰秀頸若鮮卑。」等，全篇多是，尤爲遒麗。雖句末有「些」字，「只」字，然只是楚人歌曲之餘聲，不損全詩風調。七言至此，不僅體格已成，兼已能盡雍容辭捻之事，惟當時重在辭賦，五七言詩尚無私人著作，即令有之，亦多不被存錄。舉例言，如漢書東方朔傳末稱，朔之文辭尚有「封泰山，責和氏璧：八言，七言上下。」晉灼注：「八言七言詩各有上下篇。」又後漢書東平王蒼傳：「封上蒼之章，書，記，賦，頌，七言別字歌詩並集等。」是知東方朔及東平王蒼均作有七言詩，而皆不傳其辭，由此以推，七言詩除樂府外，私人所作篇章，遺佚當不在少。

尤可資爲佐證者，如劉、項大風，垓下及漢武河汾瓠子，秋風辭，蒲梢天馬，雖每句有兮字，謂之楚調，然七言聲勢固已穩定，若昭帝之淋池歌，末幅如：「涼風凄凄揚棹歌，雲被開曙月低河，萬歲爲樂豈云多。」其後如張衡所作四愁詩凡四首，僅以一分字爲首句，其餘數十句，皆是完整之七言詩。況柏梁賡詩，漢家煒煌鉅製，後世宮廷多所則效，若謂此時無七言詩，而必以七古成篇屬之曹子桓燕歌行，毋抑所謂「瞽者無以與夫文章之觀」者乎。

近世諸人於推論前代遺製，多喜橫逞臆說，既無炳燭之功，復乏思辨之力，如陳鍾凡輩既謂七言詩始於曹丕，則不得不力斥漢武柏梁詩爲僞，此固曾有顧炎武日知錄之說可資佐證，乃羣起囂然和之，而不寤炎武全出臆斷，所論皆不足據也。玆就炎武駁斥最力者數項言之。

甲、原詩第二句署名爲梁孝王，炎武謂起柏梁台時，爲梁平王襄之二十二年，孝王之薨，至此已二十九年。

乙、炎武謂即令爲平王襄，史只記其於元朔二年（即平王之十年）來朝，又太初四年（即平王之三十六年）來朝，皆不當元封時。

丙、柏梁詩句下所署官名之大鴻臚，執金吾，左馮翊，右扶風等官，據炎武考證皆太初以後所改名，不應預書於元封之時。

丁、梁平王襄句云：「驂駕駟馬從梁來」。按梁孝王二十九年十月入朝，景帝使使持節乘輿駟馬，迎梁王於闕下。臣瓚曰：「天子副車駕駟馬。」此一時異數，平王安得有此。

炎武博學，考證精審，然以上所論列者，則疏漏太多，無一可供考案，試逐條駁之。

一、古文苑錄此詩，第二句下有「梁王」，及「孝王武」作二行平列，可知原只書梁王，而孝王武則爲後來淺人之所添注。

二、漢制，諸侯王率五年一朝，史有時書有時不書，若如炎武所言，平王來朝之元朔二年至太初四年，爲時達二十六年，前代諸侯王斷無罷朝謁至如此之久者，況梁地去西京非遠乎。

三、西漢更改官名雖在太初元年，但距元封三年（柏梁賡詩之年）僅三載，而前此又時有更易，如大鴻臚一名爲景帝初所改，故景帝紀中即有此名。又東方朔傳，記朔與武帝對答之辭，在太初前，而所舉多涉及以後官號，蓋此期中官名未經統一，史官猶不免紛更錯出，豈能執以責此詩下之題名乎。

四、至言梁平王驂駕駟馬事，炎武以爲異數，並引臣瓚（漁叔按此爲傳瓚）言：「天子副車駕駟馬。」平王不能有此，此有二大誤，按駟，說文：「車一乘也。」車前二馬爲驂，驂後二馬爲騑，皆在車座前，合而爲駟。漢書朱買臣傳：「買臣徐出戶，有頃，長安廄吏乘駟馬車來迎。」則漢制大夫即得駕駟，何平王之不可哉。又引臣瓚注尤謬，按史記世家，梁孝王入朝，景帝使使持節乘輿駟馬迎梁王，臣瓚注文爲：「稱乘輿駟馬，則車馬皆往，言駟不駕六馬，天子副車駕駟馬。」細閱之，可知臣瓚注原意爲「副車」二字，此僅爲天子之帝車。故云「車馬皆往」，其最主要者爲「副車」，並非駕六馬之帝車。故云：「言駟不駕六馬」，以自別，瓚注釋之甚明。並考孝王此時已賜天子旌旗，從千乘萬騎，出警入蹕（足旁），景帝閭其來意，故中途又派副車往迎，於孝王亦非異數。炎武但求證其言爲實，不惜割裂注語，以害其事，尤非學人之所宜有。

柏梁詩斷其非僞，其尤可恃者，則爲篇之骨氣不同，析言之，亦惟句法與聲調之差異而已。茲略述之於次：

（一）句法　隋唐以後，近體七言律絕逐漸形成，與此相較，無一句相似，其顯然有別者，則律絕構造，氣體和，有一種柔美之致。此則全句起落健峻，特見古勁，似拗而實順，似脫而實粘，細味之，可知爲律絕未成形以前之作，亦爲平上去入四聲未發明以前之作。（魏晉以前，但知音節高低抗墜。）

（二）音調　柏梁詩有一種特殊之音調，爲辭人所注意，如：「驂駕駟馬從梁來。」「總領天下誠難治。」「撞鐘伐鼓聲中詩。」「盜阻南山爲民災。」「走狗逐兔張罘罝。」以上五句，落尾處皆爲三平聲字，而前四字則平仄各有安排，無一相類，有時用仄平平落句以調節，即爲西漢人之句法，而實則與楚辭大招魂造句吻合，如後三字用平者即：「美人既醉朱顏酡。」「層台累榭臨高山。」是也。用仄平平者，即：「像設君室靜閒安。」「小腰秀頸若鮮卑。」是也。（未完）

昨日與明日

支持台北三大報

台北的影劇業，自七月一日起，杯葛中央日報，聯合報，中國時報，拒絕在該三報刊登電影廣告。

事情的原委，說明乃是由於該三報擬將整版的影劇廣告地位縮減五分之二（即由二十批，減縮爲十二批），俾將剩出來的地位刊載其他性質的廣告，台北各家電影院不滿意這項決定，乃聯合一致，拒在該三報刊登廣告——這顯然是一幕鬥法的好戲。

鬥法究將持續多久，雖不可知，但面的結果却可預見。

從業務的觀點來看，這一鬥法，無疑的將是兩敗俱傷，雙方都將蒙受損失，但損失大，受不了的，顯然的將是影劇業而非三大報紙，道理很明顯，這三家報紙是大家公認台北報紙中銷路最廣的，絕大多數的台北市民都看這三種報，這三家報紙沒有影劇廣告，還照樣可以有別的廣告，可以發展其他性質的廣告，以謀代替，但影劇業，却不能長期沒有這三大報紙的宣揚，電影院不要以爲門庭若市，便可不需報紙的捧揚；短期是可以的，長期下來，必蒙大不利的損失。

因此拒一個時期，勢必停止鬥法，斡旋講和，假如出此，我們拋開同業的立場而以根據與情的意見建議三大報一定要堅持縮減之議，不可讓步，如此作法縱或廣告費少有損失，但讀者的擁護，却是無形的重大收獲，根據與一般讀者交換意見的結果，大家早就不滿那種整版電影廣告的辦法，須知台灣的報紙與美國報紙的情形不同，美國可以自由增加篇幅，而台灣的報紙，則限定的兩張半，在兩張半的篇幅中以十分之一篇幅登影劇廣告豈不太多，再加上小廣告、商業廣告……等，有時廣告竟多至五版有奇；這在報館固是收入大增，但就讀者來講，難道大家買報是來看廣告的。尤其電影廣告其中固有佳製，但大多數，不是以「酥胸」、「玉腿」……等低級趣味來號召，便是以打鬥，兇狠來刺激，而其自我吹噓之誇張過份，簡直是瞪着眼來騙人。我們不知道把寶貴的報紙篇幅（社會教育的公器）大幅刊登這些無聊圖文，有什麼意義。因此這些天台北三大報扼要刊登電影簡訊，在各該報的廣告課同仁，看來固是吃了敗仗，那知在讀者心目中却得了無限的讚揚，而認爲早就應該如此作。

・成公

自由談

所謂聯考

大專院校學生入學考試，都要經過聯合統一辦理，而美其名曰「統一招生」和「聯考」。這玩藝是中樞政府遷移到台灣後纔出現的，到今天證明利未見而害已叢生了！

所謂「聯招考試」的用意，表面理由是在提高學生素質，錄取求其公平。說來像煞有介事，實際是扯卵談而已。現時在台灣秄青　紫，蜚黃騰達，而年紀在四十五歲以上的官員，以及許多學者專家們，過去進入大專院校求學時，并未經過政府官員的統一招考，亦未曾參預畢業的聯合考試，盡係由各個公私立大專學校自行取錄的。這些人的知識水準，不特不比一般經過「統招」「聯考」的後輩人士爲差，有些地方且爲後進的人望塵莫及，如對本國國文和史學的造詣，即其顯著的例證。

由於統一招生之故，把許多青年胡亂分發到非其志願所在的學校的科系，喪失了適應青年個性發展的教育宗旨，糟塌若干可造之才；除却產生搶手案，僞冒學籍案、遺失試卷案這一大堆弊竇外，對於知識水準亦未見有甚未加强的事實，只是使清高的教育事業，沾上若干污點罷了。「聯考」的唯一作用，即在防止學校當局走私，使程度較差的學生，不得倖進而已！相反的多數學生不能按照其志願入學，強讀沒有興趣的學科，（入學後禁止轉系）且毀了無數的前途，除了顯示官員無能，不敢負責任事，所可道也，言之醜也！

大專學生的入學考試，原是各學校當局的份內事，政府有指導監督之權，平日嚴密督導學校就行了，何必多管閒事呢？美國的大學校不但沒有「統招」「聯考」，根本就無「國立」大專學校名義，連軍事學校亦准許私人設立，然美國的自然科學優於全球，其社會科學亦强於咱們中華民國多矣。今日喜歡搞「統招」「聯考」的，却盡係留美學生出身的官員，他們平日言必稱美國，行必師美國，而對於美國學術界的良好制度，竟不知效法，寧非咄咄怪事！

說也奇怪，任何一項事業，祇要掛上「國營」或「公營」招牌，即未有不衙門化而趨於腐敗的；雖非國營或公營事業，祇要官府加以過分的管制，毛病即層出不窮。國父的民生主義指出。凡事業具有全國性而爲私人所不能舉辦者，纔由國家經營之。大專學校之招生考試事宜，難道亦係各學校當局力所不逮的業務嗎？教育行政官署濫施統制的裨益安在，眞令人百思不得其解！

大專學校的統一招生聯考，是有百害而無一利的政令，早爲社會大衆所詬病，民之所惡惡之，非從速改革不可！

馬五先生

對設立工業發展局

立委認爲無此必要

指不但無助於經濟的發展 反而會有相互牽制的流弊

（本報記者張健生台北通訊）立法委員張子揚、張其彭、白如初、黃通等人對經濟部新設工業發展局，加以抨擊，咸認無設立之必要。

行政院自稱比照各經濟開發國家及日韓兩國先例，設立工業發展局，負責全面規劃與推動工作，並爲符合政府精簡政策，由下列現有機構合併組成：

一、原經合會第一處，生產小組，暨所屬電工器材電子食品、陶瓷等專業工作小組。

二、經濟部工業司（主管業務，歸併機關在修正經濟部組織法前，暫行保留。）

三、經濟部工礦技術室，機械工業發展小組，石油化學工業發展小組，紡織工業發展小組，汽車工業指導小組。

綜上所述，可知工業發展局，係將工業行政，技術輔導，研究發展等單位歸併改組，以期簡化機構，集中事權，發揮綜合力量。

立法院法制經濟兩委員會委員審查工業發展局組織法草案，孫運璿部長列席時，紛紛指責其不當。

關於經濟部各機關人員待遇的問題：現在經濟部同一單位中常有各種高低不同的待遇。如部長、次長、司長在經合會有兼職兼薪，辦公是兩處跑，此與公務員服務法規定之一人一職相違。尤其剛成立之工業發展局有三種不同的待遇；由經合會轉任者仍支經合會原薪，由經濟部轉任者仍支經濟部原薪，由國營事業轉任者仍支國營事業原薪。同一機關，同一工作，同一職等，竟有三種不同的待遇，本報記者就此一問題，在新聞局記者招待會詢問經合會副主委費驊，但費氏顧左右而言他，未作答復；且希望各報記者不要寫這則新聞。

立法委員張其彭在質詢此一問題後，經濟部次長張研田亦未正面答覆，僅說已紀錄下來報告孫部長研究。

就機關組織言，經濟部在組織上近年來亦犯叠床架屋之弊。如經濟部組織法上之工業司，現在又有工業發展局組織條例草案在立法院審議中，又有工業指導委員會之設。立法院認爲：這種組織不但無助於經濟的發展，反而會發生相互牽制、職權不清、責任不明的流弊。又如經濟部國營事業企業化委員會，其前爲國營事業司。所謂「企業化」，即訂一目標要求國營事業作企業化經營，自改設委員會後，反不若國營事業司作行政處理便捷，故事實上未見其利先見其弊，六十年度預算列一千九百萬元經費，過去於經濟部預算內，國營事業司之經費列推動國營事業發展頗有成就，現在改爲企劃會，工作依舊，並未有「起飛」之發展。

有一位立法委員說，政府爲了發展工業，設立工業發展局，是否以後亦要成立農業發展局及礦業發展局，商業發展局？另一位委員認爲：「以目前的國情國力是否有設置新機關的必要，行政院須先與立法院配合，不能設置。此次工業發展局之成立，作用何在？行政院送來的草案並未說明，似乎不夠懇切，立法院對這種作風是不贊成的。立法院立法時之基本態度是希望能儘量精簡人事，不要浪費國庫。現在經濟部一天天在擴大，機構分歧，究竟經合會、工業發展局、工業委員會間之關係如何？」

經濟機構擴大 職權如何劃分

盼能儘量精簡人事

立法委員黃通表示：「國家設置行政機關，依據行政監督權來管理及監督行政業務。原應由經濟部單獨來行使行政監督權的，對於國家工業，經合會有時反而超過經濟部，經濟部的職權成爲政策性及審核性的工作，而且經合會依據行政命令組成的，未經立法程序，其職權如何不得而知，因之，現在經濟部成立工業發展局之後，就發生兩個問題：一是如何劃分工業發展局和經合會的職權；一是如何劃分工業發展局的職權。」

立法院法制經濟兩委員會聯席會審查工業發展局組織條例草案時，由於人事行政局副局長馮信孚發言不當，先後爲聯席會議主席鄧翔宇委員所指「正」，張子揚委員斥其「不能代表行政院」，並與銓敘部曹次長發生爭辯。因此，立法委員們私下表示，像這樣的政府首長代表立法院並不歡迎。事情發生經過：按照草案規定，工業發展局得設置一百三十人至一百六十九人，計：置局長一人，副局長二人，主秘一人，正副組長各六人，專門委員四至六人，秘書二至三人，技正二十八至三十五人，科長四人，編審一至二人，專員八至十一人，技士二十七至三十四人，科員十二至十五人，辦事員十三至二十二人，僱用雇員十三至十九人，主任二人。這些人內「各職稱之職等，依公務職位分類有關法律辦理。」馮副局長說是授權行政機關依公務職位分類法有關法律規定職等的。銓敘部曹次長認應將各職務職等列舉規定。因此而發生爭辯，曹次長認馮某對其人格侮辱。

人事行政局副局長馮信孚列席法制經濟兩委員會第二次聯席會議答覆立委黃煥如質詢時說：「實施職位分類後，有些人懷疑在組織法裏規定有職掌、職稱、員額，而未列入職等，似乎是故找漏洞。事實上，根據考試院五十二年公布的職級規範，規定那一級，就規定那一等，而且一級只有一等，無法變動。同時分類職位任用法第十三條對於因職責變動而調整歸級時，係依所分配職位任務而定其等級，而不依品級訂之。如在組織法上規定職等確有困難。」

聯席會議主席鄧翔宇委員對馮副局長的答覆極表不滿，乃說：「馮副局長的答復似乎認爲組織法不規定職位等級是法有明文規定之事，我們立法院一定要求規定。事實上，職位分類的新設機關，必須依組織法通過，確定後再依其職位訂定職等。換言之，職位分類法係將品位制度變爲職位分類，我們立法院是依法要求，並非強人所難。」

張子揚委員指「經濟部「張研田次長」對許多問題皆答，而須回去請示部長，這樣一來，還不是拖延多久？希望審查工業發展局組織條例草案的聯席會議要求行政院代表以首長身份答覆問題。現在工業發展局有六個組，一個室，依職位分類法的精神是要爲事擇人，不知人事行政局根據什麼職系規定六組一室？職位分類的目的是在加強職位功能，兩個副局長，其功能何在？有無必要設置？草案第五條所訂的專門委員、秘書、技正、科長、編審、科員、技士、辦事員等員額標準而設，何種標準職位？工作量是什麼？職位分類後，職位的待遇是否與工作量的待遇是否相同？制定職位分類四個法後，立法院在組織法上訂出職等是否「超出職位分類法之範圍？有無不妥之處？」此點請曹次長予以說明。」

次長與副局長

爭辯引起風波

三方關係陷於低潮

銓敘部曹次長回答說：職位分類實施後，組織法上非將職等列入不可。職位分類法公布後，人事行政局對各機關之組織法訂有職掌、職稱、員額，而未將職等列入，其意義何在？很值得研究。除依國家制度之意義，須列職等外，尚有技術上之理由；職稱原是在實行細則上訂的，自從考試院確定職稱可以在組織法上後，各方面反應皆表示支持，在組織法上如無職稱而只有職級，對國家制度而言，亦有不合。如僅有職掌而無職稱，則局長就變成人事管理的第十四職等，副局長變成人事管理的第十三職等，如此一來，老百姓若有事如何找人？依照職位分類法，組織法上可以不訂職稱，現在既然訂有職稱，如不訂職等，則職稱毫無意義，故職稱與職等須連帶訂在組織法上。此外，職級規範乃抽象之描寫，未具體列出，且此一職級規範乃十年前所訂，其間並非對某一職級與職稱皆具體規定。依分類職位公務人員任用法第三條規定，各機關每年應就其組織法所定之員額及所需各職等人數，編入預算，送請行政院核定後，並將各職等人數送銓敘機關，辦理任用審查。如果組織法上不訂職等，我們就無法辦理審查。

曹次長並認爲：各機關組織法列上職等，並不違背考試院和立法院的政策。因爲立法院已通過的行政院組織法及衛生署組織法，已列職等，此爲立法政策，亦爲國家制度。現在職位分類之職等升遷，有些須經考試，也有不須考試而憑資歷升遷的。

至此，人事行政局馮副局長指「曹次長的意見不一定能代表考試院的看法」。因之發生一場風波。馮副局長說：「曹次長這些年來對於職位分類，可能不甚清楚，所知甚少，據我們所知，其意見不一定能代表考試院的看法，是否可函請考試院，求得印證。」

張子揚委員立即駁斥馮副局長的發言，他說：「馮副局長的話應該收回，否則，如說曹次長不能代表考試院，馮副局長也不能代表行政院。」

主席鄧翔宇再度表示：「職位歸級必須是組織法上先有職等才能將現有人員歸到那一級。現在本案是新法，當然須在組織法上先列職等，不能以職位歸級代替組織法。」

銓敘部曹次長表示：「根據馮副局長稱：本人對職位分類所知不多，此言從何而來？如眞不懂，本人今天爲何而來？其次，馮副局長說我今天在此只是代表個人，不能代表考試院，此又是對本人人格的侮辱。本人係奉令代表考試院列席，須對考試院的政策負責任，如何說我不能代表考試院？」

自此之後，立法院視馮副局長爲「狂人」。而人事行政局與立法院及考試院之間三者的關係，因馮副局長之發言「不遜」，由過去合作無間之局面而陷於低潮，甚至有面臨「水火不容」之形勢。

喬治桑外傳

一五八　張大夏

「是桑公館嗎？找桑先生說話，」電話聽筒傳過來的是女人的聲音。

「我就是喬治桑，妳是那一位？」

「我的聲音你都聽不出來，我是留蘭香糖嘛。」

「哦，卡太太，找我有什麼事？」

「上次在華麗大飯店分手，我想約你吃便飯，你說第二天與我通電話再決定，結果連影子都沒有，眞是「望穿秋水不見伊人的倩影。」」卡太太沒有受過什麼高等教育，只懂一點電影文藝。

「對不起，對不起，恰巧這兩天有一個朋友從美國來，我不能不陪陪他，一切請原諒。」喬治桑在社交場中混久了，信口扯謊頗爲拿手。

「當然囉，美國來的是貴賓，我算個什麼。」卡太太語氣含有怨意。

「話不是這樣說，朋友都是一樣，美國來的是遠客，我自然要盡地主之誼。」喬治桑說的也不無理由。

「我來問你，從美國來的朋友是男的還是女的？」卡太太在電話聽筒中又發了十三點老脾氣。

「是男的，而且是洋人。」

「好了，算我不好，妳怎樣罰我，我都接受。」喬治桑有一個長處，在女人面前講話最謙恭，這是一種「溫功」，也即是水滸傳王婆嘴裏潘、驢、鄧、小、閑，的「小閑」。

「嗯，讓我想想看：……罰你請客。」

「好，請客、請客。怎樣請法？」

「明天從上午起吃早茶一直到宵夜，都歸你請。節目歸我安排。」

「……」、

「是不是有困難？」

（未完）

台北傳奇錄

（五六）

·陳光棟·

「賴小姐說的對，蔡家那孩子是出了名的」。劉太太也不以爲然。

「多數的青年人，都能夠自尊自主，少數的年青小伙子，需要別人帮着他自尊自主，假如我們有機會能替別人盡點力，不也很好嗎」？

「劉伯伯，您就是不想爲我的事情盡點力」！賴慧敏鼓着咀：「您看看，我怎麼辦」？

「妳呀！好辦」！

「還好辦哪！您說的倒輕鬆，我都要爆炸啦！爸爸媽媽吵的翻了天，親戚朋友都是冷冷清清的說些不關痛癢的話，同學們一個一個的更是怪模怪樣」！

「不要管別人，先問問你自己，經不經得起考驗，摔倒了再爬起來有什麼關係，那一個成功的人，沒有遭受過挫折？只要不洩氣，不認輸，就不會失敗」！

「您說的倒容易」！

「有什麼困的？妳要肯考考夜間部有什麼不好？」

「我才不念夜間部」！

「補習一年，明年再考」！

「這一年怎麼過呀」？賴慧敏憂愁的說：

「想起來就害怕」！

「一瞬就過去啦」！

「一天一天的數着日子，我可受不了」！

「這樣行不行？」

「噢」！

「找個小事情作作，心情先有個寄託，下了班就溫習功課」。

「這倒是個辦法」。賴慧敏認爲這樣倒是兩全其美，一天忙到晚，就沒有功夫發愁了。

「好，先回家商量商量，叫妳爸爸給妳找個工作」！

「劉伯伯，我不願意找家裏人，囉索半天，還不一定答應，我願意自己去找」！

「妳可千萬小心，這年月到處是女孩子的陷阱，可不能有病亂投醫」！

「這麼一說，又吹了」

「我可以給妳找，先決條件，是要妳爸爸媽媽同意」。

「找什麼工作啊」？

「我有個朋友在一個洋人的研究機構裏作事，他們那裏正缺一個英文打字員」！

「糟糕」！賴慧敏失望的說：「我不會打字怎麼辦」？

「去學呀」！

「來的及嗎」？

「我担保」！

賴慧敏回家一說，賴太太眼睛裏就冒出了亮光：「可眞好！傻丫頭，嘿，我說，你聽聽，咱們女兒要是能到洋機關作事，就會比你掙的錢還多，這可眞有面子！早知道這樣，還考什麼學校哇！大學畢了業又有什麼了不起？」

（未完）

古琴古箏演奏會後記（下）

唐健恒

五、中華國樂會理事長梁在平先生惠贈花籃在先，半途又到後台來樂捐二百元，以「補助經費之不足」及「表示對這種精神敬佩」。古琴家吳宗漢先生也捐助一百元，都是盛意可感。加上節目售得一百五十九元，即這次演奏會共得到資助四百五十九元，這對我們鼓勵不少。

六、散會後，有數十位來賓留下建議書給我們建議、批評，並留下地址，著以後再有類似演奏會時通知他們，這種反應熱烈的情形，是極端令人感動。批評的多數說，換節目時不夠緊湊，浪費時間，但這是我們沒法應付的。當晚所用的四個七絃琴，都是明朝古物，賣貴得很，碰壞了對不起主人，所以每次要小心翼翼拿進拿出，此其一；這些古物年代久遠，琴底變得灣曲不平，每次須要沙袋墊着使它平穩，此其二；古琴古箏的調絃都不容易，故此負責安放琴箏的同學都要用慢動作，以免碰到絃，走了音，此其三；校方兩個米高峯之一是半壞的，要借重國樂家董榕森先生借給我們的傳振式擴音器，須要每次綁在琴上面，彈完換節目又拆下來，此其四；故此花了不少時間。有人建議用雙重幕，一人在前面彈時，幕後可以準備下一個節目，使節目銜接得更快。雙重幕我們也已想過，但增添設備乃校方行政問題，非一時所能解決，自備另一布幕，又為經濟情況所不許。有人建議成立古琴研究社，但能力所限，一時不易辦好。有人要求在師大設古箏班，師大本來已有古箏班，任何人去學都免費；但人多老師少，不易教授。台大亦有古箏。有人建議「擴大推廣」「多舉辦類似的演奏會」，這正是我們的意思，但限於人力物力，每年最多只能辦一次或兩次。（每年學校放假時間多，師大禮堂不易借用，租別的禮堂又負担不起，故也。）但已留下姓名地址的朋友，將來我們再辦時必會通知。有人建議每次連續演奏三首箏曲、三首琴曲，則可減少換樂器的時間，這是不可能的，一來各位演奏者慣用自己的樂器，琴箏大小長短不同，不可能幾個人共用一件，又各曲定絃不同，更是非換樂器不可，這一點請體諒。其他建議尚多，不能在此一一討論，但知音的熱情，確實使我感動，也使我們有了再辦的信心。那一天沒有留下建議書、姓名、住址要我們以後通知的，如要補來請寄「一〇六郵區台北信箱一二五三七號唐健垣收」為荷。我們沒能力做大規模的宣傳，留下你們的姓名住址，是唯一能保證將來可以通知到你的辦法。

這個演奏會當然有不少未盡善之處；由於缺乏米高峯，沒辦法用一個司儀，令部份來賓不知演奏到那一曲；換節目的時候，花太多時間，使演奏會變成斷斷續續似的；台上缺乏佈景，這是經濟上的不許可；音響效果亦不够理想，這一切還待改進，也有待各界原諒！在此，我一再謝謝光臨指教的朋友、來賓、給我們建議書的朋友、參加演奏的琴友箏友、後台工作的同學等，並謝謝報界替我們發佈消息，還有中央副刊給我寶貴的篇幅刊登這些文章。

唐健垣于台北師範大學

（完）

荀子哲學簡論（九）

周世輔

十、結論——為荀子叫屈

總觀荀子全部學說，計分為宇宙論（包括天論篇等），人性論（性惡篇等），知行論與智識論（法行篇、勸學篇、修身篇、解蔽篇各篇中的一部份），道德觀（不苟篇、彊國篇、榮辱篇、效儒篇等），政治觀與經濟思想（王霸篇、王制篇、君道篇、臣道篇、富國篇等）。教育思想（勸學篇、修身篇等），以及各家的批評（非十二子，解蔽、非相篇等），內中理論固多因襲，但亦不少特見。除性惡論最為突出外，如自然主義與無神論，戡天主義與制天命說，宇宙萬物進化論，遂欲主義，禮治主義，與夫論王霸、論民本、非相、批評十二子，都屬言人所未言，發人所未發的。所以陳大齊先生說：「荀子是中國古代一位博學而有創見的學者，其言論，涉及諸種學問，而且其學說有於希臘的亞里斯多德不謀而合者。」因此，著者認為亞里斯多德志在傳蘇格拉底與柏拉圖之哲學，荀子志在傳文武周公孔子之大道，惟性惡說與孟子見解不同而已。

最後，著者有四點意見，特別叙述如下：

（1）著者認為最令人抱不平的是譚嗣同對于荀子的評論。他說：「……荀乃……唱孔子之名，敗孔子之道……一傳而為李斯，其為禍亦暴著于世矣。……故嘗以為二千年之制政者皆大盜也；二千年之學，荀學也，皆鄉愿也。惟大盜利用鄉愿，惟鄉愿工媚大盜，二者交相資，而罔不託之于孔。」依著者的看法，荀學一傳于李斯，固為荀學之不幸，但李斯的行為，荀子實難以負其責任。如鹽鐵論云：「方李斯之相秦也，始皇任之，人臣無二，然而荀卿為之不食。」按荀學傳至李斯，業已變質，由重禮而尙法，由儒家而法家，實非荀子所料。至于所謂二千年來之制政者是否皆為大盜，固值得研究；而二千年之學皆為荀學、皆為鄉愿更值得研究。固有人認為漢代六經但，強半為荀子所傳，性惡論遭反孟學，不僅被唐宋元明清的道統論者所歧視，且常被一般人視為孔門叛徒，六經因與荀子有關，實則為孔門主要教材，故傳六經不能視為純粹荀學，誰都知道，宋明理學家都宗孟子，韓愈崇孟抑荀（見原道，詳后）怎能說二千年之學皆荀學呢？又荀子曾非十二子，解蔽，並批評其他學說，怎能說荀學是「鄉愿」呢？

（2）著者將荀子的人性論加以研究，判定荀子為一位進化的人性論者，其性惡論中亦流露點性善的見解。這種判斷姑應待正于有道，但決不是無的放矢，或信口開河。楊京（人旁）對荀子的性惡論加以評論說：「作者（荀子）生當戰國之時，人多貪亂，不修仁義，作者雖明于治道，又不能得勢位，發展其才能，所以激發而為此篇。」王先謙亦云：「昔唐韓愈氏以荀子書為大醇小疵，逮宋攻者益衆，推其由，以言性惡故。余謂性惡之說，非荀子本意也。其言：『直木不待檃（木旁）括而直者，以其性直也；枸木必待檃（木旁）括蒸矯然後直者，以其性不直也。』……夫使荀子不知人性有善惡，則不知木性有枸直矣。……余因以悲荀子遭世大亂，民胥泯棼，感激而出此也。」著者以為荀子主性惡，固為有所感而發，有所為而言，非其原始的中心思想。退一步說，縱然荀子提倡性惡說，亦未犯任何滔天大罪

（未完）

說曹操（廿六）

李漁叔

習鑿齒曾對此事贊揚先主備至，說是：「雖顛沛險難，而信義愈明，勢逼事危，而言不失道……其經濟大業，不亦宜乎。」等語，這固然是先主成功的原因，可是此次的潰敗，自亦在意中了。上文一再提過曹孟德是絕不會放過他的，果然！我們且看下文：

「曹公以江陵有軍實，恐先主據之，乃釋輜重，輕軍到襄陽，聞先主已過，曹公將精騎五千急追之，一日一夜，行三百餘里，及於當陽之長坂。先主棄妻子，與諸葛亮張飛趙雲等數十騎走。」（三國志蜀志）一天一夜追三百餘里，那時候趕路是靠步行和騎馬的，縱然是「精騎五千」，也必人困馬乏了。然那次玄德公的狼狽情形，是可以想見的。蜀志張飛傳頗記脫險結果：

「先主聞曹公卒至，棄妻子走，使飛將二十騎拒後，飛據水斷橋，瞋目橫矛曰：『身是張益德也，可來共決死。』敵皆無敢近者，故遂得免。」

得免的原因，當然不如此簡單，大概是曹軍困乏，一是先主業已走遠了，追不上再追也無益。張益德（應該是翼德，纔與飛字相應，可是蜀志作益德。）雖然驍勇，但亦適逢其會，得以樹立威名。

先主一再被逼，幾乎力竭勢窮，幸虧適時獲得江夏太守劉琦（劉表長子）之助，有部隊一萬餘人，並麾下關公數百艘戰船，得以在夏口立足。一方派遣孔明赴東吳，說動孫權，遣周瑜程普等水軍數萬共拒曹軍，那就是歷史有名的赤壁之戰。這次雙方合力大破曹軍，焚其舟船，先主與吳軍水陸並進，一直追到南郡，又值大疫，北軍多死，最後潰不成軍。此為孟德平生最大的敗挫，先主就在這時，奄有荊襄，與孫權締結姻好，隨即入川，盡有益州之地，而成天下三分之勢，也就和孟德發生正面衝突的次數較少了。

其次，應該談到關公。

曹公平生對人才十分稱揚，獎借，愛惜，無論文武，皆是一樣。那一種綢繆恩眷之私，眞是無所不至，有時甚至因為愛才，忘記了利害的關係，忘記了敵我的關係。他一生中，所殺害的人很多，而眞够得稱為人才的，只有孔融文舉，崔琰季珪，楊脩德祖，其中尤以崔孔最為人所痛惜，詳情俟他章另述。另一禰（示旁）衡正平雖有錦繡之才，可是為人過於躁妄，而曹公只假手黃祖殺之，一大半仍屬咎由自取。

至於對劉先主和關公，皆極盡纏綿，先主已如前述，關公自下邳歸漢後，孟德加於他的恩禮，以演義寫得甚詳，不知有何依據，大概是歷代評話詞曲，民間口耳相傳，一些故事加以誇張渲染而成的。而蜀志只記下：「拜為偏將軍，禮之甚厚。」寥寥數語，蜀志寫關公斬顏良事也不甚詳盡，只說：

（未完）

安徽十三傑

管仲　李時　莊周　曹操

華佗　包拯　朱熹　朱元璋

戚繼光　李鴻章

段祺瑞　胡適　楊振寧

諸葛亮狂想曲（一三七）

・劉玄・

自從經過這次意外的驚險，劉約翰在缸內眞是度日如年，恨不得立刻變回人形。倒是他的那位魚太太，危險一過，立刻就恢復常態，好像沒有發生過這件事似的。劉約翰心想，魚到底是魚，人到底是人，人也無法變成眞正的魚，魚也無法變成眞正的人。人因為有靈性才有煩惱，而魚的快樂正因為牠的無知。

劉約翰自從變成金魚以後，一天到晚可以睜着大眼睛不睡覺。好不容易已望到第三天的傍晚，諸葛亮來了，他知道回復人形在即，心裏一高興，甩着他的大尾把在缸裏兜了一個圈子。

劉約翰變了金魚，他仍然保留着人類的知覺。他很清楚地看見諸葛亮對星君打一稽首。只聽星君對諸葛亮說道：「你可以坐下來，我們先聊聊，劉約翰變回人形的時限還沒有到。」

劉約翰聽了好不自在。為什麼要等，早點變回人形該多好。這是老道眞是慢性子。

「是的，星君。我今天有的是時間，一切悉聽尊命。」諸葛亮仍然是以往那種必恭必敬的樣子。

「你今天來找我，是不是為海王星探險的事？」星君滿面笑容問諸葛亮。

「星君怎樣知道的？」

諸葛亮很驚奇。

「所謂傳心術者，你心裏所想的我已能猜到大概，前天由漢玉八卦爐，我知道你是為此事來找我的。」星君道行高超，自非諸葛所能及。

「正是為此而來。黃雲大仙來找亮，意欲參加海王星探險，特來請星君裁奪。」諸葛亮要言不煩，言詞非常扼要。

「嗯，黃雲大仙是否因為他有氣功才要求參加的？」星君用氣功來暗示，是很聰明的。

「星君以為如何？」諸葛亮反問星君意見。

星君疊兩個手指頭，說出一番道理。

「黃雲大仙的氣功，確實對海王星探險有很大的幫助。我知道他有千年的道行，可以控制自己的身型，大小長短，都能隨意變化。不過……」太白星君說至此處，沉吟不語。

「不過什麼？」諸葛亮很急切地問。

「不過此事我不能完全作主，還得專案呈請玉帝批准。在玉帝心目中，黃雲大仙並非道家正統，屬於旁門左道，是否玉帝准他參加海王星探險？我還沒有把握。」太白星君用手撥了一下白鬍子，這是他在談話時常有的表情。

「難道黃雲大仙還不及那些猴子？」諸葛亮知道太白星君的太空探險，用的既不是太空人，又不是太空神，而是太空猴，故有此疑問。

（未完）

巨變歷險記！

躍馬紅河（一四〇）

胡慶蓉

紅河是雲南一條有名的大河，也是全國有名的大河。他流入越南，也是一條越南有名的大河。

從一盤水山上，不大看得清楚，及至下到山腳，過了楊家將小廟，霧散了，雲散了，才看清楚。

河以紅名，是什麼緣故呢？丁博士小時候讀地理，先生也沒有同他講。紅河就是紅河吧？紅河之水並不紅，同紅海之水並不紅是一樣的。水近乎黃河的水，長江的水，但要比黃河的水，長江的水清，清得並顯出綠意。這是兩邊有山！山上有草木的緣故。山上的草木映到水裏，水就呈現淺淺的綠色。雖然水夾在兩山之間，但並沒有黃河的洶湧，似乎比長江的水還要斯文。表面固然斯文，但裏面卻不斯文，據說水非常之深，故渡起來非常困難，也非常危險，船很容易翻，馬更容易被衝走。

船翻也好，馬衝走也好，出路只此一條，也只有想法子渡。古有船到橋頭自然直之說，也在鼓勵人勇往直前，不必顧忌，無庸躊躇的意思。這也並不盡然，船有時候到橋頭也不一定會直的。今天田團長這時候，丁博士帶同人馬到這里就是如此！紅河渡口上一個船沒有。這邊人山人海，越集越衆，而對紅河，望河興嘆。若後有追兵，將奈之何？後有追兵，則全軍休矣。如何渡法？成了當前急待解決的問題。有善游泳者，建議游過去。但這豈可望諸婦孺，望諸不善水者。又想到馬？這是切實可能的。縱不能百分之百的都帶過去，但總可以帶一部份。能帶多少算多少。不能帶過去的，只有付之命運了。

馬實在了不起，也實在不得了，他並沒有游泳的訓練，但他卻能游泳！他見水也還是怕的。領先的幾個，極不容易弄他們下水！你怎樣打他也不下，他就是不下……大家那能讓他不下，又那能讓他回來，於是喊聲震天。這很有鼓勵的作用，在大家鼓勵之下，馬畢竟是去了……你看……只露出個小面……只露一個眼睛……看不見了……又出來了……又沉下去了……又浮起來了……不見了……上岸了……在驚奇交集之中，人過去了。馬過江，還有很大的負荷：他頭上有人，他背上有人，他尾巴有人……。有了一次的經驗，馬的膽子也大起來了。那邊又趕回來，回來，回去；回去，回來；回來又回去，回去又回來……如此循環往渡，總算解決了一部份的問題。但有些馬力有不逮就被水衝走了，他帶的人也有不少被衝走的。帶丁博士的倒沒有被水衝走。丁博士是附在馬的背上，緊緊的抓住馬頸子上的馬鬃。馬負夠累的……在河中間深處，幾次馬沉下去，丁博士也隨之沉下去，無論如何，他抓住馬鬃不放，於載沉載浮之中，邀天之福，馬終於載着丁博士到達了彼岸……

記「三偽政策」始末（下）

·諸葛文侯·

由於處理偽幣問題之失策，引起物價跳躍，金融混亂，同時政府剿匪戡亂的軍事活動日益加劇，財物消耗激增，加之以馬歇爾使華任務未達成，美國停止援華，即我們自己斥資在美購買的物品，亦禁止出口。積此數項因素，物價始有如脫韁之馬，無法控制，戡亂的軍事乃逐漸失利，終於退出大陸，可說是敗在財經上。當年筆者有弟于役某軍部少校參謀，軍部就在南京對岸浦口鎮，他說每月所得薪金，僅足以購買三五包香烟，通貨價格低落到這種情況，剿匪的軍事行動那有不失敗之理呢？據曾任財政部次長徐堪說：民國卅五年政府還都南京時，國庫存有美元十二億，外加接收全國各地區的敵偽產業，度支並不拮据。假使物價穩定，金融不混亂，縱無美援，而剿匪戡亂的軍費亦可以支持三數年的。推究本源，神洲陸沉之禍，實以法幣一元對偽幣二百元這種荒謬決策爲厲階，迄今思之，猶有餘痛也。

對日抗戰結束前夕，中樞教育部長易爲朱家驊氏。此公原係留德習地質學的，回國後，因緣時會，在政治界蜚黃騰達，專門作官了。他接長教育部務之際，正是抗日戰爭勝利之時，對於淪陷區在學的大專和高中學生，竟步武軍部對「滿洲國」和汪政權軍隊一律指爲偽軍的辦法，亦謚爲「偽學生」，教師名曰「偽教員」，紛派人員赴京津滬漢各地設立「大學先修班」，凡屬「偽學生」非經過先修班的訓練，即失去原有學籍，而先修班能容納的人數有限，大多數的青年學子及其教師們，頓告失學失業，還得背上一種大損人格的惡名，這對社會影響何等重大！對國家的治亂關係又何等深鉅呢！因此之故，各地大專學校的員生紛紛向教育部請願，余友北大教授楊人楩（木旁）於民國卅六年春間以「偽教員代表」身份，代表北平各大學來南京呈請教育部取消「先修班」制度。楊氏對我說，當他在呈文末尾「偽教員代表楊某」這行字下面加蓋私章時，忍不住淚洒胸前了。又現任立委吳鑄人兄告訴我，抗戰結束復員後，他奉命担任北平市黨部主任委員，一日召集教育界人士開會，商討各學校善後事宜，中有一位高級知識份子說道：「我是國民黨員，過去與主委於民國十九年主持北平黨務時，我是市黨部訓練科的職員，一生服務教育界。日寇侵佔平津後，國府西移巴蜀，我們得不到政府照顧，呻吟顛沛於敵寇鐵蹄之下，掙死不屈。今日國家抗戰勝利了，像我這樣的才後餘生，乃變成『偽教員』，竟要同老長官討飯吃了！」言畢泣不可仰，舉座爲之酸鼻。試思：這項「偽學生」與「偽教員」惡作劇之輕率演出，在全國知識份子的心中，烙下了多大的創痕，種下了多大的反感！往後以北平爲首的各地大學生，常受着共黨誘惑而隨時進行所謂「反壓迫」「反飢餓」騷動，且在北平製造所謂「沈崇事件」，作爲反美口實。在南京則有一羣大學生衝進行政院公廨，高唱「不要你這個壞東西」的俚曲。這都含有「偽學生」「偽教員」的舊怨宿嫌成分在內，其始也簡，將畢也鉅，爲政之道，豈可忽乎哉！朱騮先是學習理工科出身的，對於政治哲學與教育原理，非所諳悉，自難怪他有些失策。這決非光講科學方法所能解決的國家大事，即可知政務官必須以通才爲首選，一般除却公式定義的科技知識外，對其他事情毫無所知的專才，實非所宜，不悉今日侈言科學救國者作何感想？

上述「三偽政策」之措施，實爲國運遞嬗的基本原因，殆屬無可否認者，責在各個主管當局顢頇無知，竟是被抗戰勝利沖昏了頭腦，吾故述其顛末，以爲後世烱戒云爾。（完）

生活漫談

蕃茄柔血管助消化

馬雲騰

蕃茄有點像紅柿，是有些人稱它爲「西紅柿」，它的顏色令人歡悅，英國人又叫它做「愛的蘋果」。本世紀初期，蕃茄才被發覺爲對人體有益的食品，其後劍橋大學經過實驗研究的結果，發現蕃茄含有多量的維生素C，有利於貧血病者。蕃茄所含營養成份水份百分之九四，蛋白質二點二，含水炭素二點九，其他還有磷、鉀、鈣，以及維生素A、B、C等，尤以維生素C爲最多。蕃茄入到胃中，有分解脂肪的作用，配入肉類食用是最適宜的，吃得肉類太多，胃部消化有感不適時，可吃一個蕃茄，很有利於胃部消化。蕃茄所含多量的維生素C，對人體很有利，因爲維生素C在人體的組織中，佔有一種很重要的形成成份，如果維生素C供應不足的話，結締組織便容易損破，須知結締組織多集中在軟骨，血管壁，韌帶，和骨的基層部份，結締組織給予這個機構以很大的動力和伸縮自如，尤其是血管壁，一定要擴張成收縮自如，才能常保持有彈性的動力。故缺乏維生素C，這幾個部份關接就要受到影響了。但我們不要以爲蕃茄的維生素C豐富，對人體有益，就多吃或狂吃蕃茄，應知道蕃茄的性質是「甘寒」的，以澱粉質爲營養主力的中國人，對他的受納是很有限度，如吃得過量的話，就要患「痾瀉熱」，因爲他的「寒」會傷害我們的腸胃。且它的質滑而利，多吃更能「動風」，是以有泄瀉腹痛的疾患者，似不宜多食之，至於熱性病的大便困難，或腹節液質枯涸，大便結硬如彈子，食之可以潤腸利大便。又如食肉過多，發生口渴口臭，食管及胃部欠缺水液，胸膈熱悶，喉頭發炎，也可以吃蕃茄，甚或以蕃茄作水菓吃，有很好的治療作用。假如腰腳部份常感拘攣，似乎周身欠缺靈和，骨節筋絡，動之則歷歷有聲，大有「全身機構似乎鬆弛」的感覺，這與欠缺維生素C有關，要吃一些含有維生素C的食品，尤其是蕃茄之類。在藥用上，蕃茄還可用於跌打受傷，凡因跌打受傷而腫痛，或是恐內部積瘀，可用蕃茄榨汁，加入一些薑汁，燙熱飲之，如身體壯實者，鮮飲亦無妨，倘身體素弱的人，混入一些燒酒更安全而效速。因爲蕃茄對於散瘀血，理傷腫頗有效驗。

搜異錄

封神三妖

匡謬

封神榜第一回便是女媧招喚天下羣妖來會，羣妖散會之後，各路妖魔鬼怪星散，女媧娘娘只留下了三個巨妖。這三個妖精都是女妖，就是軒轅墳內的千里狐狸，玉石琵琶，及九頭雉鷄精。女媧諭三妖道：「你三人可隱其形，托身紂王宮內，惑亂君心，供武王伐紂，助其成功。但不可殘害衆生，事成之日，使汝等成爲正果。」三妖叩頭謝恩，化陣清風而去。後來變了妲己等三位娘娘，迷惑紂王昏亂，使周武王成功。三妖以殘害衆生，未成正果，反被惡報，也是情理所當然。

請先看狐狸精的原形是什麼？玄中記說：「狐五十歲態度化爲婦人，百歲化爲美女，能使人迷惑失智。」古今事物考說：「商妲己，狐精也，或曰雉精，獨未變足，以帛裹之，宮中效猷。」這與中國婦女纏足有關。

抱朴子說：「狐滿三百歲，暫變爲人形。」準此以上記載，狐狸精之變成人，古籍中已有根據，因此齊小說作者雖爲神話說部，然都有來歷。封神演義中的任何妖怪和神仙異人，許仲琳並未造謠。三妖除妲己爲狐狸精外，其次爲玉石琵琶精。

玉石琵琶精，出現於封神第十六回。時姜尚正不得時的時候，爲了糊口，在朝歌城中擺攤算命。玉石琵琶精在宮中玩膩了，私自到宮外去玩耍，看到姜子牙在爲人算命，去戲弄他一番。不料却闖了大禍。被姜神仙認出是妖精變的。用口吐出云昧眞火，燒得玉石琵琶現出原形，乃是玉石琵琶一具。

不過武王伐紂平話說的稍有不同，說是天上金星。平話說：「臣啓陛下：如今街上有一女子來買卦。」先生（姜尚）道：「此女子不是凡人，係上界金星也」。女子見了姜尚，化金光去了。紂王問曰：「卿何姓！」老人曰：「臣是東海人，姓姜名尚字子牙，號飛雄。」這是封神作者的改頭換面。寫小說實應如此。

雉鷄精的原形也可畢露。武王伐紂平話說：「如何使寡人見卿姊姊？」妲己道：「陛下若要見梓童姊姊，在宮內修台一座，高可三百尺，一名曰『玩月台』，二名『摘星樓』，每到上元十五夜，在台上設筵，必見仙娥也。」封神作者將仙娥改爲了雉鷄精，以配合三妖爲害的故事。封神演義之三妖，在「武王伐紂平話爲「三神」。小說作者因取比而爲之，難免附會，但終捕捉到古籍一點影子。

所謂「玩月台」，「摘星樓」在古籍正史中都有根據，更不用多費筆墨。（完）

第八章

胡虜兵二次南侵　岳鵬舉相州見君

誘結遼臣圖金。種種措施乖方，其曲在宋，金人「師直爲壯」，各路鋭進。宋廷極力主和，金人拚命前進。此時中（禾旁）師道已死，李綱罷知揚州，耿南仲等[illegible]李綱放岫，貶綱爲保靜軍節度副使，安置建昌軍。朝廷皆爲伴食宰相，奸佞之臣，無一可戰之將。只見兩國使者往返奔馳而已。

不久宋使王雲自金營歸來說：「金人必割三鎮，否則進兵汴京。」宋廷大駭，召集百官至尚書省會商。宰相唐恪、耿南仲二人力主割地求和。何　進言道：「三鎮係國家根本，奈何割棄」？唐恪道：「不割三鎮，如何退敵？」何　又道：「金人無信，割地亦來，不割亦來。」兩下爭執不休，爭吵半日仍無結果。

那金帥粘罕已自太原統兵南下，陷平陽，降威勝軍隆德府，進破澤州。官吏棄城逃走，遠近相望。宋宣撫副使折彥質領兵十二萬沿黃河駐守。守禦使李回也帶領萬騎，防禦黃河沿岸。粘罕之軍抵達黃河，來一次攻心之戰，命戰士分頭擊擂戰鼓，吶罕（口旁）呼喊，聲鼓至通宵。隔岸的宋軍聞之，以爲金兵渡過黃河，嚇得各自潰散。先是折彥質之軍一退，李回以爲孤掌難鳴，把一萬軍隊拉回京師。宋將可說是膽小如鼠。其實皆是缺乏勇氣之將，北宋之亡在此。

金軍見宋兵已退，擇孟津以下可以徒涉之處，引軍涉水而渡，數日渡過了黃河。知河陽燕瑛，河南留守西道總管王襄，聞風遁去。永安軍、鄭州等守官，盡皆望風披靡而逃。因此汴京大震。主和主戰，又鬧得不休。可笑宋室朝廷，眞正沒有一人了，所在的盡是伴食宰相，勢利之徒。此即「君子道消，小人道長」之時。大體分別，文臣多半主和，武將大半主戰。但是主和者握有大權在手，如宰相耿南仲、唐恪皆極力主和，以保都城。不知放棄武力言和，根本就是投食養虎。如果依李綱之計，扼守兩河，以大軍臨金人之營，堅守毋出。因金人利於速戰，不利孤軍深入久疲。俟金兵力疲退歸，傳檄諸路，踵敵之後，中路突擊，金兵可敗也。惜宰相不能用，實在令人歎惜！（卅二）

中華民國內政部登記證內警台報字第○五一號
中華民國行政院新聞局登記證局版台誌字第三二二號

自由報

中國郵政台字第一二八二號執照登記為第一類新聞紙

（第一〇七九期）

（半週刊每星期三、六出版）
每份港幣壹角・台灣零售價新台幣弍元
社長李運鵬・督印黃行寶
社址：香港九龍彌敦道593—601號
廖創興銀行大廈八樓五座
LIU CHONG HING BUILDING
7th FLOOR FLAT '5
593—601 NATHAN ROAD,
KOWLOON, H.K.
TEL：K303831
電報掛號：7191

承印：景星印刷公司
地址：嘉咸街廿九號地下
台灣區業務管理中心：台北重慶南路一段一二九號
電話：二四五七四
台灣區直接訂戶　台灣劃撥戶
第五〇五六號張萬有（自由報會計室）
台灣分社：台北市西寧南路110號二樓
電話：三三〇三四六、台郵劃撥戶九二五二號

中國文化與救人救世（上）

・余祥發・

大家來談

我們中國文化，是以人文精神作中心的一種文化，中國的人文精神，實際上就是中國的文化精神。首先對「人文」的觀點，現在一般的講法，「人文」與「自然」是對立的，實際上人文與自然是相通的，合一的，因為我們人的本身就是從自然中來的，是自然中的一部份，人類的文化，雖表現於科學，藝術，宗教，道德，法律，風俗，習慣各方面，其要項不外人的衣，食，住，行生活，試想我們穿的衣服，吃的食物，住的房子，交通的工具，那樣不是由自然中來的？不過我們在自然之中，加上了一番人工進去罷了。如果一定要找有人文的自然，恐怕只有回到洪荒時代去找，因為沒有人文的自然，山不是今天的山，水也不是今天的水，甚至原野，草木，鳥獸，都和今天所能見到的不一樣，今天文化與自然，已難嚴格劃分。我們的文化，是自然中間的文化，至少，在我們今天所居的地球這一範圍之內，二者是相通的，合一的。人文的最大效能，改造了自然。

中國很古的典籍易經賁卦裏面，就有「觀乎人文，以化成天下」的記載，「人文」一詞，便是從易賁卦裏面出來的，我們中國人把天，地，人稱之為三才，「三才」一詞，也是出自易經，易繫辭稱天道，人道，地道為三才，人道就是人文精神的重點，由此可見我們中國講人文，實際上已經是很早的事情，比起西洋來，要早得太多了。中國人當然應該重視中國文化，儘可能發揚光大中國文化的優點，使列祖列宗所留給我們寶貴的遺產，能與世長存。也應該重視西洋文化的長處，使中西文化和男女一樣，兩相配合起來，以求產生一更完善更優美的新文化。

中國文化，是人文主義的文化，講人文精神，重點在道德，「心」又是道德的發源地。人與人相處的道理，古今中外，似乎人人各有一套，放之四海皆準，百世以俟聖人不惑的，是孔子的忠恕之道，和孟子所講的「愛」，「敬」，合起來講，也就是仁義道德的「仁」字，試想人人如果能夠凡事盡已，並推已及人，既能自愛，又能愛護別人，既知自重，又能敬重別人，彼此之間，還會有相處不好的道理嗎？忠，恕，愛，敬，發之於心，照常理來講，人人都應做到，天下應該太平，何以事實並不如此，天下老是大亂？那是由於好些人心有所蔽，他們實在應該多想想，社會上人與人的關係，都是對待的，絕不該自私自利，凡此種種，都可以說明沒有別人，那會有自己呢？因此，任何人都應具有仁民愛物的精神，盡量服務別人，貢獻社會。

中國文化對世界貢獻的最大的是科學。先是中國的絲綢，茶葉，銅器，鐵塊，香料，珠寶，雕刻，顏料等事物，在西元前一百年左右傳到羅馬以後，改善和充實了歐洲人的生活，繼之紙，印刷術傳到歐洲，文藝復興才能進到高潮，也為以後的工業革命打下良好的基礎，火藥傳到歐洲以後，改善了歐洲的武器和戰術，加強了王權的發展，才有極權帝國的出現，中國的羅盤促成了航海，探險和商業上的鉅大活動，到了近代，西方科學技藝突飛猛晉，而我國卻時運不濟，偏偏災難頻仍，顛沛流離之餘，那得機會迎頭趕上？這種「風水輪流轉」的現象，只可解釋為自然因果律，實際上我國最優秀的文化就是古老的科學，雖然哲學也是文化的核心，甚至哲學思想也是科學思想，但是哲學出現於科學之後，是天經地義的事，因為只有科學的發展，人類的生活才能獲得改善和安定之後，那些大智大賢的人方有餘力坐而論道。

復興中國文化，必須先認清時代，否則不足以完成這劃時代的偉業，何況復興中國文化的目的是嚴肅的，神聖的不是喊口號，不是貼標語，而是羣策羣力，埋頭苦幹的大結合，因為復興文化在消極方面是策勵現在，即應於最短期間反攻大陸，消滅共匪。在積極方面則是迎接未來，要替我們的子孫安排下值得驕傲的環境，使他們將來有好日子過活，這一點也稱為對歷史負責任。前香港總督葛量洪說：「十九世紀是英國人的世紀，廿世紀是美國人的世紀，二十一世紀是中國人的世紀」，（且強調非指共產中國），他這樣立論是有根據的，決非信口開河，所以歐美人士亦甚以為然。

十八世紀後期以迄現代，西方忘却其自然法傳統之學者，亦改變過去對中國欽仰之態度，而對中國歷史文化與民族性有種種甚為新奇之議論，與現代西方學者抱同一之觀點，而認中國必需放棄傳統而接受西方教育，為清末民初之急進的愛國學者，伊等之工作，在使中國於短期間，將清末年重形式而缺精神之政治上與社會上種種陋習，一掃而空，且大批介紹西方自然科學功利的及實效的哲學來我國，可謂利弊各半。對中國有利之處為科學教育之被重視，而在半世紀以來，培養出甚多的專家學者，堪為西方學者相頡抗與合作。其不利處則為矯枉過正，企圖將中國所賴以立國的禮教的傳統放棄，而務以追隨現代霸道的國家為要務，日冠投降後之青年大衆遭受共黨裹脅而走向極端，使中國大陸終於赤化，目前共黨政權即將瀕於崩潰，　蔣總統所領導與實行三民主義政府，乃繼承堯，舜，禹，湯，文，武，周公，孔子，及　國父中山先生道統之政府，　蔣總統於去歲十一月所提倡之中華文化復興運動，首持「倫理」，繼以「民主」與「科學」，實與書經大禹謨篇之「正德，利用，厚生」三事相符合，際茲西方文化走向偏鋒，人類面臨毀滅危機之會，倫常關係在全世界普遍的樹立，以及利用儒家中庸教義，而使全世界達到「均衡的」進展，以俾步入大同，實為唯一的要圖。

當春秋戰國時代，上自王侯，下自士庶人，大多崇尚功利，注重現實，而兵連禍結使民生憔悴，有偕亡之嘆！孔孟之學，始於鄒魯。傳播於全中國後，遭受焚坑之厄，終能贊助炎漢成大一統之偉業。方今之世，益同於荀卿歸趙，李斯入秦之時，亦即黎明前最黑暗之時會也。吾人讀孔孟之書者，當有先天下之憂而憂，後天下之樂而樂之懷抱，此非僅為中華文化前途着想，亦為人類之繼續生存而努力也。

首將孔孟之道及宋儒理學，介紹于西方之耶穌會士，大多認宋代理學家係「無神論者」，而孔孟哲學則與基督教義相通，故在其著述中，揚孔孟而斥宋儒，然由此而引起十八世紀反抗神權之啓明運動在法國之興起，以及萊布尼茲而迄康德，黑格爾哲學在德國之興起，則為始作俑諸修士所意料不及者，聖西門則謂十八世紀西方哲學之本質，乃一種反神學之精神，伏爾泰將孔子像懸於其書室，對天主教大事攻擊，力倡人權之說，並採取元代紀君祥氏之趙氏孤兒曲意，而寫成「中國孤兒」劇本，在巴黎上演後，備受歡迎，使西方人對中國倫理道德有極深刻之印象。號稱「歐洲之孔子」之奎奈氏，在其有名之著作中堅謂希臘哲學不如中國之哲學，一部論語優於希臘七賢之作品，奎氏等重農學派之經濟部學所根據之自然法或自然秩序，實淵源於中國儒家，伊之結論謂：「中國在天理天則之名稱下，遵守了自然法，故中國之政治社會制度，即為萬古常新之自然法之象徵……因之中國能於四千年間永續其繁榮之狀況」。英國經濟學大師亞當斯密亦從奎氏及透谷等人著作中，得到有關中國儒家之思想，其後二十世紀三十年代全球經濟不景氣時，美國羅斯福政府中農業部長華萊斯氏，自中國儒者陳煥章氏所著「孔子經濟學」書中，得到中國古代之常平倉制度，而師法其意，以得美國農業復興。總之中國儒家思想，實引導歐洲學者思想之解放，自此以後，歐洲哲學乃不再為「神學之婢女」，而自有其獨立之王國。

（未完）

昨日與明日

從議員鬧衙談起

台北縣議員陳金德大鬧台北縣建設局的鬧劇，第二幕已登場了，已由縣警察局將全案移送法院偵辦。依法律條文解釋，陳金德鬧衙，是妨害公務；動手打人是傷害他人，將來是否判罪，要看法官的裁決。不管怎樣，這件新聞，卻很富有教育意義。我們的民主政治，剛在起步，有許多地方離了譜兒。最大的一個誤解，民意代表是特權階級的象徵，高於一切，可以為所欲為。議員氣燄太盛，火氣太大，見官大三級，便由於這個誤解而來。民意代表要代表人民公意，要維護公家權益，不應濫用職權，擅作威福。議員鬧衙，移送法辦，是對的，顯示：民主也不能離開法治，誰是誰非，都應依法辦理，而台北縣建設局在核發人民建築執照方面，有無弊端與稽壓，也應併案偵察才對。

英國民主可愛

民主政治，本身就是教育，英國這次大選，英人捨棄工黨而選擇了保守黨，也為舉世人士上了民主教育另一課。保守黨勝利之後，保守黨領袖希斯即刻晉謁英女皇，着手組織新閣。原首相工黨領袖威爾遜馬上呈辭，並遷出唐寧街首相官邸，外報還刊着威爾遜兒子媳婦親提衣箱遷離官邸的照像。勝者即刻上台，負起責任；敗者馬上走路，絕不戀棧，真是來去自然，光明正大。像我們有許多下台的官兒，仍然坐着公家汽車，住着首長官舍，拖拖拉拉，戀戀不捨，真不可同日而語了。

民主就是法治

民主就是法治，此乃天經地義，非我一人之私言，因而我們也對新任司法行政部長王任遠先生表示無限的期望。王氏來自國會，當然崇尚民主，今後要維護民主制度，必須維持健全的公平的司法制度。法律之前，人人平等，要做到公，做到平，譬如貪污案件，不可中途保釋，任何人都應一律看待，如有例外，就破壞法律的尊嚴，就瓦解了司法制度的完整性。如果王部長堅持公平正義原則，將來必獲驚人的成就。

・千公・

自由談

別開生面的判決

馮五先生

台灣有個稅收吏，因替若干商家製造帳目，收受錢財，被地方法院判處十年有期徒刑，迨上訴高等法院後，宣判無罪，理由是稅收吏以其餘力替人造帳而獲取報酬，并不違背職務云云。這項裁判曾引起台北輿論界很強烈的反應，成為爭辯的題材。

我早就指出中華民國的法令汗牛充棟，無論是活人殺人，或整人宥人，都有法律根據，足以自圓其說。這些多如牛毛的法令和所謂「判例」，不但是老百姓搞不清楚，即一般官兒——連同法官在內，也未必都明白，臨事各人自作解釋，再找法令為盾牌，最後還有「自由心證主義」這一大法寶，運用起來，從心所欲，百無禁忌。這次台灣高等法院對稅吏上訴的裁判理由，大概就是使用「自由心證」這項法寶吧？

按照高等法院的裁判理由，必須確定一項大前提，即承認商家造假帳是合法的，所以，稅收吏代商人製造假帳以取得報酬，即非違背職務的行為，當然不為罪。可是，商人造假帳的目的，乃在逃避賦稅，職司稅收的胥吏而代商人造假帳以逃漏稅款，又從中取得報酬，這能說不是違背職守的貪瀆行為嗎？否則立法委員以「當然律師」身份，替黃豆商人作減輕稅率的活動而收受公費，為甚末又要坐牢呢？假使我是個法官，暗中替當事人撰寫狀子，或為訴訟人作辯護律師（不是自己審理的案件），亦就是屬於以勞力替他人服務而獲得報酬的合法行為了。果若是，還成甚末話呢？

商人偽造營業帳目以期逃稅，即係十足的違法行為，職司稅收的胥吏而公然幫助商人造假帳，却由高等法院宣判無罪，此例一開，造假帳便成為合法的事宜了，弊害寧堪設想乎！有人或認為造假帳是由於賦稅過重，商人如實事求是，勢非蝕本關門不可，此言似是而非。商人牟利慾望永無滿足之日，除非政府完全不征收他們的賦稅，他們總是聲稱賠本的。香港的捐稅并不輕於台灣，但香港的商家却沒人願意造假帳，因為政府管制物價很周密，保障商人得有百分之十的合法利潤，而對於商人營業的實際情況，調查亦很清楚，每年定期由註冊有案的會計師負責查帳。會計師的法定收入足以養活五口之家，他如果串通商人造假帳，一經發覺，不特取消資格，還得受官司，造假帳的商家更要受到嚴重的處罰，關門歇業尚難了事。因此，誰也不敢以身試法也。

如何消除商人造假帳的惡習，緣是根本之圖。若任由法院二三其德，自由心證，後患是堪虞的！

張蓬生先生事畧

·張起鈞·

鈞按：枝江地僻，明季界臨容美土司轄境，孔尚任（桃花扇作者）曾有「容美紀行」記其荒涼落寞之況。以是文風閉塞，挺出乏人，吾祖父繼丙公中舉，方為全邑有孝廉之始，清末蓬生公與其令姪子高先生（清華大學化學教授，為錢思亮先生之業師）外出就學遠渡重洋，可謂得邑中風氣之先，而吾族中，亦有先叔祖繼煦公（字春蓮，曾任武昌師範大學校長）、先叔敘忠公（字孝仲，曾任軍需學校校長）及先君敘蕃公叔侄三人相將東渡志同四方，乃覺鄉誼彌篤，道義尤親外人致疑為一家焉。五人中先父長蓬生公九歲，年最長（先叔祖春蓮公實少一歲）且曾有丁酉拔貢，癸卯舉人之科名，故雅相敬與，民國二年蓬生公解甲赴美之告別國人書，即係出先君之手筆，時鈞尚未生，不意五十七年之後！蓬生公謝世，鈞竟有榮，恭述行狀。緬懷前塵，感慨萬端。此中殆所謂有數乎，（按：鈞六歲，先君即見背，而勝利後鈞始識蓬老），唯是晚命撰已達十一句鐘，鈞沐浴醒神後，勉力而為，翌晨十時，如囑繳卷，倉卒成篇辭不達意，莫能彰蓬公之德是為憾耳。

先生諱承，字蓬生，民國前二十七年生于湖北省枝江縣。（註一）先生少豁達，有大志，時逢清末，目睹國事日非，外侮日甚，乃奮然興起，以維新強國之責自任，而不屑為科第利祿之業也。鴻鵠壯志，豈閭里所喻。於是離家遠遊，東渡赴日，遂使風雲際會，得與清末革命之主流。先生之加入同盟會，獻身革命，蓋皆肇端於是也。及陳天華蹈海事起，旅日志士相率返國，成立中國公學於上海，由于右任先生主其事，蓋讀書不忘救國之團體也，先生亦與焉。先生為枝江世族，饒稱富有，然離家後，即刻苦自勵，不用家中分文，經濟拮据可以想見，及由日返滬，纔為窘澀，先生閒嘗為兒輩道及當年苦學情形，未嘗不為之涕下也。然先生革命救國之志不為少挫，所謂窮且彌堅者是已。

辛亥秋，武昌鼎革，先生聞風而起，將欲西上，乃扼於川資，不能成行，遂進城暫居於同鄉某裁縫店內，三餐且不繼，可謂窮矣。然唯英雄能造時勢，先生竟以是而發動幫會之士，組成敢死隊而有光復上海之勳業。觀其隻身往見統領黎某，深入虎穴，浩氣凌雲，其獻身革命，置生死於度外之慨，直令前無古人矣。至於率隊陷陣，冒矢負創，猶其餘事也。其事俱詳馮著革命逸史，茲不贅述。

上海光復後，復推先生任北伐軍總司令，乃率衆挺進，而克鎮江，復南京，遂使京滬局面底定，改任六合軍政分府總司令，賡續其業。先生志在革命救國，權勢非所欲也，乃於民國成立，大局粗安，即本功成身退之旨，毅然自解兵柄，辭官赴美考察深造，期採彼邦良法以新我國家，其志趣之清高有如是者。總理乃派先生為美洲特派員，負責改組同盟會為國民黨，繼又奉派改組國民黨為中華革命黨，數度負責改造策劃，對於美洲黨務貢獻良多。

自美歸國後，自民國七年至十六年先後出任哈爾濱、江蘇、山東各地鹽務稽核所所長，十七年復任長江巡緝局局長，所在皆有獻替。十八年元月審計院成立，擢任審計，逾年改部，兼任廳長，嗣擢常務次長。二十五年冬外調江蘇審計處長，嗣復歷任浙江、湖南、湖北等省審計處長，暨駐中紡公司審計處長，三十八年五月選任審計長，直至四十五年退休。綜計從事審計業務逾亘凡二十七年，所至剔除積弊，卓有建樹，而其夷險一節，忠貞不二，尤足欽敬。先生之任審計長，實受命於播遷亂離之際，猶憶在廣州時，行李即置於辦公桌下，及夜展布席地而寢，先生怡如也。及政府遷台，先生不僅於動盪中不廢審計之政，嗣復以公誠感人，博取各方合作，乃使向之不受審核者，亦皆欣然納入審計系統，諸如軍事預算，金融帳目等是（註二），其於奠立國家審計基礎者良多，至於剔除濫欵，杜塞漏卮，為國節帑，猶其餘事也。

先生有子五，先立、先澤陷大陸，先達、先信在美，先齊在台，承歡膝下。女七素瑛適何，蘭熙適殷，先慧適盛，先玲適楊，先勤陷大陸，「武」適潘後歿，先敏最幼，隨侍在側，蘭玉盈庭，門祚鼎盛，而孝友之風，尤為知者所稱羨。先生本擅經營之才，乃以職務避嫌，竟爾甘自淡泊，甚至部長應得之辦公費等，亦復移分部屬，用事獎恤，自身不足不計也。以是雖居廟堂之尊，實遠富饒之境（註三），而處事則但凡有利國家，本乎正義（註四），雖巨室碩權與之面爭（註五），至親至故，不稍姑息（註六），高風亮節，舉世同欽，而兒輩亦以父之「一身傲骨，兩袖清風」（註七），而傲儕輩焉。

去歲九月，先生以疾就醫榮民總醫院。病原非重，然以年高不宜施行手術，以至遷延轉疾，卒於本月（五十九年六月）二十三日下午一時三十五分不治逝世。距生於遜清光緒十一年九月十一日，享年八十有六。雖云福壽全歸，典型猶在，然老成凋謝，國喪元良，能勿痛哉。同人等誼厚苔岑，勉襄治喪事宜，爰述其平生懿行，用彰潛德云爾。

註一：公，國士也，故云生于枝江，示非枝江一邑可得而私之意。

註二：往昔，鄉行帳目，及軍事會計，皆以事關機密，不在審計之列，及來台後，經公與執事人員多方磋商，乃荷同意，納入審計系統之內。

註三：某年，公務員待遇最黯淡時，某日鈞偶至其家中，家人環聚圓桌就食，儼然部長氣派，然其菜肴則兩碟小菜，一具火鍋，而火鍋之內，白菜、豆腐之外，則鹽與水而已。見鈞去，現切香腸兩節，以事待客而已。

註四：某歲，電力公司加價案，立法院之財經委員會皆審議同意及請審計長最後表示意見，公力言吾人係三民主義國家，應以民生為重，不可盲目追隨資本主義國家，一以成本利潤為計。公後細就帳目分析，剔除濫綁無費用電，則成本綽有餘裕，不必加價也。立法委員為之動容，而民受其惠焉。

註五：某次為決算問題與行政院長陳誠先生相爭不下，陳憤而言將辭職，公言此乃公事，非意氣問題，汝辭我不辭。

註六：中央行局遷台後，曾出多金為高級職員頂購房舍，公認為不合法，悉皆剔除追欵，其頂房者多為公之故舊子姪輩，公不計也。

註七：「一身傲骨兩袖清風」乃其子先逵家信中語。

記張承楢(火脚)先生遺事

劉韻石

「願將身化鉾錚鐵，劃盡人間魑仇血」。這兩句話頭，可作蓬生先生在人生舞台上的寫照。

蓬生先生盡瘁革命數十年，無時無刻不生活在戰鬥中，辛亥首者義，在光復上海南京之役中，充敢死隊總司令，便是革命行動的最高表現。當時陽夏失守，武昌危如累卵，革命領導者中，甚至亦有主張放棄武漢轉攻南京上海者，足見情勢艱危，蓬生先生與陳其美（英士）先生等，為挽救大局，遂發動光復上海之戰，實行圍魏救趙之策，以响應武昌，使推翻帝制之革命大業，得各方贊助，迫使敵人向武昌乞和而完成，其捨身許國之精神，與古之英雄烈士又何多讓。假使當日無上海起義響應之舉，以孤立之武昌，與優勢之強敵對壘，焉能久持，革命成敗，殊難逆料。因此；先生對肇造民國之貢獻，其功勛之彪炳，實可照耀簡冊。此一事實，今總統蔣公及張岳軍先生，均曾同預此役之開國盛業，知之較深。吾人今茲之追述不過紀念革命先賢締造民國之艱難，亦使後人能永念不忘而已。

辛亥完成光復大業後，國父深知先生為一百折不撓之英勇鬥士，乃派先生赴美國，任黨的總支部長，改組同盟會，並負責聯絡華僑與友邦人士，使能以積極行動支援我新成立之共和政體，因而導致僑胞之踴躍輸將，出錢出力。友邦予以同情支持，先後承認我中華民國新政府，其豐功與懋績，是應永載於黨國史中，而予以大書特書的。

迨後若干年內，先生均從事計政工作，來台前，國民政府特任先生為監察院審計部長，計先後担任審計工作廿七年，祇礪廉隅，綜覈計政，絲毫不苟，其對事之認眞，歷久不渝，其居官之勤慎，尤堪範世。某次；應立法院之邀，備詢，其所作報告詞，鏗然有金石聲，令人心折，聞者交譽為鐵漢，雖因此而遂高蹈，致仕後家無餘粟，其風骨之嶙峋，益為國人所欽遲。

數年前，黨內某後進，公開演講，否定四權五權之分，曲解遺教與憲法，黨中同志，為此提出專案檢討，先生與會，聞人轉述此一荒唐謬論，曾拍案大怒說「這種黨國敗類，我若在場，當飽以老拳。」其剛正誠篤，服膺國父遺教與總裁訓示之堅貞，溢於言表，洵足為革命黨員之楷模。

蓬生先生作古了，這是本年六月廿三日後的噩耗，大家看了中央日報第五版的小消息後，異常感喟。先生以八六高年，老病侵尋，長期與病魔搏鬥，此時能解脫痛苦，離人間而登天堂，亦可瞑目。惟大陸待復，乾坤正氣，尚賴老成撐持，而一代英雄，竟不幸於反攻前埋骨於蓬瀛孤島，手不能及身重覩其所造之錦繡河山，不無耿耿之懷。況身後寂寥，飾終有待，天乎？人乎！尤令人欷歔不置。

青山下黃土一坯，讓孤雁在空中飛！讓狂風在樹上吹！吹！謹以此作為輓歌，以誌哀悼之忱。

喬治桑外傳（一五六）

張大夏

「沒有，沒有，這樣好了，明天上早九點鐘在「香島」碰頭，一切聽妳吩咐。」喬治桑所說的「香島」，是新開的一家粵菜館，上午飲茶，有粵式點心可吃。

「我準時到，你可不要黃牛。」

「絕不黃牛，我約會向來準時的。」

喬治桑好不容易才掛斷了電話，舒了一口氣，坐在沙發裏，喝了一口茶，點上一支烟，暫時沒有再看小說的興趣。

「這個女人眞有點十三點。」喬治桑自言自語，好在只有他一個人，不怕別人聽見。

閒着無聊，他扭開了電視機，電視正舉行猜謎遊戲。先有一個電影女明星出場，然後放一段該明星的生活短片。於是，由主持節目的人，向觀衆發出問題。

「請問，剛才你看××（女明星的名字）穿了一套時裝上街，她的裙子上釘有幾粒扣子？」

那一觀衆想了一下，答道：「四粒」。

「答對了，」節目主持人高聲說了一句，爆起一片掌聲。

「獎金四百元，由×××小姐頒獎。」

看得此處，喬治桑起身關了電視機。他想：這個節目眞庸俗，讓觀衆注意女人裙子上的鈕扣，有什麼意思。喬治桑讀過一點中國書，他覺得中國人學美國式的低級趣味，眞是東施效顰。

喬治桑胡思亂想正在出神的時候，下女阿翠進來問道：「先生在不在家吃飯？」

喬治桑看了一下腕錶，時間已將近下午六點鐘。

「我在家吃飯，」喬治桑說了一句話，阿翠正想退出，「晚上有什麼菜？」喬治桑是高等華人，一飲一啄向不馬虎。

「蛤利（虫旁）燉蛋、炸排骨、蔥烤鯽魚、火腿冬瓜湯。」阿翠報了三菜一湯，然後又問道，「要不要添點什麼？」

「好，不用添菜了。」喬治桑揮了揮手，意思是命阿翠去準備。

將近七點鐘的時候，喬治桑一個人在家吃飯，這是很少的情形。喬治桑食量不大，吃了兩碗飯，一點點菜。吃完飯，他想出去疏散一下。

依洞集

羊令野比美袁子才

·桂影·

本年六月二十日出版的「詩隊伍」刊出一則消息：「台北地區女青年詩人正籌「錦瑟詩社」，歡迎愛好詩或詩朗誦者（限青年）參加，通訊處台北市士林區芝山里十四號之一轉。」讀過這則小簡，特為該刊主編羊令野致賀，他繼「雪之臉」、「風之聲」、「花之貌」、「月之芒」簡稱「風花雪月」之後，又要「錦瑟」一番，且專限女青年（連不會寫詩，會朗誦者都要羅致髦下），其雅興眞是「老而彌篤」。因此，我們便想起清代以風流自命為的大詩人袁子才，他於退休之後，在金陵營建「隨園」，廣收女弟子，還出過「隨園女弟子詩集」。而今羊令野不讓袁子才專美於前，振起芳塵於後，可謂「古今競美」，應當傳為佳話。更令人欣慰的，羊令野而今而後當拋棄「貝葉」不再「面壁」，寫撈什子的「手記」矣。（按羊著有「貝葉」詩集及「面壁手記」。）

又據可靠人士透露：羊令野並為某女青年女弟子用毛筆（未悉是否用反覆體或簪花小字）寫了四十幾封信，此女為使雅文共賞，韻事流傳，竟寫了篇文章連同原信手稿（以資徵信）寄到某大刊物，我們希望能予登出，一覩為快。似此類情勝乎文的書信，定會膾炙人口，可傳之作，將與袁子才的「小倉山房尺牘」媲美，姑名之曰：「小芝山房尺牘」，不亦宜乎！

台北傳奇錄（五七）

·陳光棣·

「妳先別高興，事情還沒成功呢」？賴先生深通世故。

「可眞是，那個老頭子，會有這麼心眼兒？我可眞有點兒不相信。」賴太太撇着咀。

「人家劉伯一向說了話算話，不像你們，什麼事情都愛打太極拳。」賴慧敏氣的臉都發了白。

「劉伯伯是我們這弄堂裏的大好人！」賴小妹也在一旁幫腔。

「我不管他好人壞人，只要他不是胡吹海吹就行，所以，我說你呀，就是不肯爲了孩子們的事用用腦筋，你怎麼不去到給女兒找個工作呢？」賴太太數落着賴先生。

「好咩！我把你這老不死的，你把我說成什麼樣的人哪？你是沒有良心！」賴太太說着說着就動了肝火。「你還不敢張咀，現在不就在打哈欠嗎？」

孩子們只要一碰到這種場面，或是家裏有了牌局，便會急忙地躲到自己房子裏，關上門再用棉花堵上耳朵。

劉二爺如約的冲到了大洋馬，蔡先生家上兩盞香片茶，遞過香烟以後，劉二爺是爽快人，接緊就先談天，不願意泡磨菇：「少爺在家嗎？」

「在家！劉二爺，您眞是說一是一，說二是二，沒想到您這麼快就過來了！」大洋馬端着兩盤點心。

「百順，快出來吧，劉老先生來看你了！」

蔡先生喊完了又乾嗽了兩聲：「我們家的孩子眞不成器，請您別見笑！」

「咱們不都是過來人嗎？」劉二爺一抬頭看到蔡百順，倒抽了一口冷氣。他究竟是男的是女的叫人分不清；長髮披肩，花衣窄褲，光着腳丫子一腳趾頭塗上鮮紅的指甲油。搖頭擺腦扭一扭一拐的走了出來。

「瞧瞧你這個樣子，還不快喊劉伯伯！」蔡先生指着兒子。

蔡百順丁字步的站着，歪着肩膀斜着身子，嗇着劉二爺呲了呲牙，順手拿起一塊糖來，往空中一扔，吧的一聲落在咀裏，再一轉身坐在椅子上。身法輕快極了。

「劉二爺，您包涵着點，我們的孩子就是這樣沒規矩，劉伯在外頭路子寬，你不是要找事作嗎？劉伯伯答應…」

「免談，我什麼都不想作！」蔡百順把兩隻腳蹺在茶几上。

蔡先生忍着氣：「把腳拿下去，怎麼這樣沒有禮貌！」「你怎麼總是長不大呢？」拿破命像你這把年紀，已經當了法國皇帝」！

「誰是拿破命…？」大洋馬很奇怪。

蔡百順站起來走到門口：「拿破命像你…」

東埔寨來鴻

文滙樓別記

‧文滙樓主‧

一位好朋友從柬埔寨來函，百分之八十係敘述當地政情，特節錄刊出，供關心時事的人參考。

他說：「入柬美軍撤退後，對柬民心士氣影响甚大，換句話，美軍替共軍作了一次『不戰而屈人之兵』心理上的勝利，倖有三萬九千名南越軍，為了繼續剿，將無限期的留駐，美國尚未能致柬於死地……」

「柬政府軍的人數，估計約五萬人左右，約有七十營缺乏武器，這是最嚴重的一個問題，美國雖答應以七百九十萬美元的軍火援助柬埔寨，但迄今還沒有正確消息，七百九十萬援助一個國家就等於半開玩笑，即是到了，憑這點軍火能把共軍擊退？柬國到了支持不住的時候，其責任當然在美國。」

不過這位朋友也指出：「侵柬共軍自喪失原有基地之後，一直無力大規模反攻，祇是到處流竄，搶錢，搶糧，美軍的撤退才給他們苟延殘喘的機會，柬國人民領教共軍江洋大盜作風後，瞭解人民翻身作主的味了，有一位寮國報人說『今天望、明天望、望到那天出太陽……』的共黨宣傳破產了，這個樣的「太陽」還是讓他死去吧！更瞭解共產黨一副咀臉完全是詐騙，全部都該移付法庭提起公訴………」

「尼克遜也可憐，為了爭取當前的「州長」「議員」的選票，不得不向鴿派投降主義低頭，看情形共黨真要埋葬帝國主義了，一世紀來的抱負，在孤立主義，投降主義的協助下，並非絕對不可能，我懷疑美國對援外干涉最烈鴿派參議員與民主黨大亨們，不能被共黨心戰工作的人滲透了，中國大陸陷入共黨的悲劇，就是美國最好的一面鏡子，莫非自由民主生活太久了，他們都想過一下被奴役的癮嗎？好奇的美國人，如果真的這樣做，竟被馬克斯說中了。「一件事物發展至其極即被自己含有之否定所否定」不敢想下去……」

尼克遜唯一的希望，欲亞洲國家能拿出俠義精神，路過不平，能拔刀相助，乃至於所有亞洲自由國家，團結起來支援柬埔寨的剿共戰爭，求其是泰國、越南與柬埔寨唇齒相依，不應當袖手旁觀，因政治家們都有這些「俠」義希望，難怪武俠電影市場一枝獨秀，「阿們。」

荀子哲學簡論（十）

周世輔

著者以為人性中有善性（理性）和惡性（獸性），孟子既可提倡性善說，荀子自可提倡性惡說。西洋學者講性惡的不止一人，如霍布士，如馬克維尼是。故可說荀子因主性惡，而遭後儒的嚴重打擊，實在是一件極不公平的事。

（3）荀子能否傳道統呢？著者以為這是值得探討的問題。韓愈著原道，論道統之流傳曰：「堯以是傳之舜，舜以是傳之禹，禹以是傳之湯，湯以是傳之文武周公，文武周公傳之孔子，孔子傳之孟軻，軻之死，不得其傳焉。荀與揚也，擇焉而不精，語焉而不詳。」這裏明明說，荀子不足以傳堯舜禹湯文武周孔之大道。自此之後，誰還敢把他的思想列于道統之內呢？

究其實，韓愈著原道，論道統，乃以仁義道德及「民生政治」作為傳道統的中心思想；果如所言，則荀子既重視仁義道德（詳前道德觀），亦重視「民生政治」（如富民裕民等）；而且有些地方與孟子相似，為什麼他不能傳道統呢？

又朱熹序「中庸」，謂十六字心傳（人心惟危，道心惟微，惟精惟一，允執厥中。）為傳統的中心思想；果如所言，則荀子對于允執厥中，亦非常重視，他提倡禮義，就是提倡中道，（詳前）又為什麼他不傳道統呢？

續如熊公哲先生所說：「荀子固自以為法孔子者也，孔子道歸于為仁，仁本于復禮（按克己復禮為仁）」。（果庭文存）因此可以說，荀子提倡禮或禮義，就是傳孔子之大道；不僅傳孔子之大道，而且傳周公之大道。（周公制禮，提倡禮治。）又其所謂「法後王」，乃以文武之政為法，又為什麼他不能傳道統呢？

（4）中國自然科學為什麼難以發展呢？著者以為原因之一，由于宇宙哲學不發達；西洋自然科學為什麼發展較早呢？原因之一，由于宇宙哲學發達。語云：「哲學為科學之母。」人生哲學為倫理學說之母，宇宙哲學便是自然科學之母。

中國人多講人道，少講天道，如孔子之「天道」，子貢即「不可得而聞」。道家較儒家固多講了一點天道，但祇是重視順天（順其自然），而不敢「戡天」。

中國講天命，多偏重順天命，畏天命，而不敢「制天命」。

獨荀子將儒家主宰之天與意志之天，轉而視為自然之天；並將陰陽家災異之天一掃而空，破迷信之樊籬，明自然之眞象，何等澈底，何等痛快！他主張「制天命而用之」……「騁能而化之」，這就含有「征服自然」之意，假使有人繼而加以發揚，便可走向開展自然科學之路了。可惜的是漢儒講訓詁，講陰陽，晉儒尚清談，唐儒尚詞章，宋明儒拘于理學，淸儒困于考據，沒有人願意理會或發揚荀子的戡天主義與制天命說，以致無法啓自科學之門，無法走征服自然之路，這不能不算是中華文化的一大缺憾！

本文因係簡論性質，對于荀子的思想方法及其見解，未能畢述，尚希專家與讀者諒之！（完）

說曹操（廿七）

李漁叔

「紹遣大將顏良攻東郡太守劉延於白馬，曹公使張遼及羽為先鋒擊之，羽望見良麾蓋，策馬刺良於萬衆之中，斬其首還。紹諸將莫能當者，遂解白馬圍，曹公卽表封羽為漢壽亭侯。」（蜀志傳六關公傳）

至於魏志則更簡畧，幾乎將關公的功績全部埋沒了。按武帝傳：

「公引軍兼行趣（同趨）白馬，未至十餘里，良大驚來迎戰，使張遼關羽前登，擊破斬良，遂解白馬圍。」

這樣的史筆，簡畧到有些曚混讀者耳目的嫌疑，如果不打開關公傳對勘，有誰知道那斬顏良的，究竟是關公還是張遼呢？

以上都是陳壽寫的，有人考證過他的父親為諸葛武侯的小吏，曾經被責罰過，故而他對蜀漢有嫌。而他寫的關公傳，也只是儘量淹滅他的功績，例如關公力破曹仁，擒于禁，斬龐德，威震華夏，曹孟德至議遷都以避其銳，而陳壽只寫：「秋，大霖雨，漢水汎溢，禁所督七軍皆沒，禁降羽。」似乎于禁七軍潰敗，都是漢水汎溢的緣故。還有關公本是一個儒將，江表傳說他：「好左氏傳，諷誦畧皆上口。」而本傳一字不提，只一味寫他如何褊狹，不能容物，得罪羣小等不相干的事。又如關公致書諸葛武侯，問馬超人才可誰比類。本傳竟說：「亮知羽護前，乃答之云云」，「護前」二字，如此用法，頗令人不解。這些都可以看出陳壽有意貶損關公。

強差人意的，還有這一段：

「初，曹公壯羽為人，而察其心神無久留意，謂張遼曰：『卿試以情問之。』既而遼以問羽，羽嘆曰：『吾極知曹公待我厚，然吾受劉將軍厚恩，誓以共死，不可背之。吾終不留，吾要當立效以報曹公乃去。』遼以羽言報曹公，曹公義之，及羽殺顏良，曹公知其必去，重加賞賜，羽盡封其所賜，拜書告辭，而奔先主於袁軍，左右欲追之，曹公曰：『彼各為其主，勿追也。』」

在萬軍之中，刺殺上將而斬其首，諸將莫敢當者，確這種神威，非尋常人所及，可惜陳壽不肯出色鋪叙，而只得這樣輕描淡寫的幾句，然也足夠駭人的。餘如封書告辭，盡還所賜，去就之際，均極其合理，無可批評。演義還有誅文醜，斬蔡陽，過五關等，均不見史傳。

先主定西川後拜關公為襄陽太守，董督荊州軍事。失敗的原因，一方面是威名太盛，遭人妒忌；一方面是孫權為人始終舉棋不定，一會兒聯蜀，又一會兒降曹。加之關公不肯與之聯兒女姻親，而這時一班老成練達之士，如周瑜、魯肅等，皆已去世，少年輕率喜功名的人，只圖目前立功，不顧後果。以後蜀亡吳繼，皆是種因於此，儻使關公尚在，荊襄不失，三國將會是另一個局面，歷史也應當會重新改寫的。（未完）

自由詩壇

庚戌雜感用東坡書北台壁原韻

顏崑陽

南天無雪凍城鴉。破靜塵街嘯急車。
心事徒來斷詩夢，眼神欲轉避燈花。
蠹多龜甲去泥澤。偏少珠叢失鶴家。
試問蘇王都不在。誰堪風雪鬥尖叉。

諸葛亮狂想曲（一三八）

‧劉玄‧

「你問得好，我實實在在告訴你，那些獼猻經過我施術以後，都是有靈性，比一般人更有用，豈能等閒視之。天庭的齊天大聖不是十足的頑猴嗎，不要說凡人，就是天庭的大小各仙，有幾個能比得了他？」太白星君提出孫悟空，諸葛亮再也無話可說了。

太白星君說完，諸葛亮不住點頭。星君接着又說：「我個人是同意黃雲大仙參加的，我明天修本呈奏玉帝，請你放心好了。」

諸葛待與太白星君談話告一段落，他站起來走到金魚缸旁邊，看了一下，回頭問太白星君：「那一條魚是劉約翰？」

這是非常奇怪的問話，但此時此地星君卻懂得。

「就是那一條花色的。」星君仍然坐在禪牀上，文風不動。

諸葛亮特別注視了花色金魚的動作，只見牠搖頭擺尾，在缸中忽上忽下，與常魚無異。諸葛亮不覺暗暗讚賞太白星君的道法高深。

諸葛亮在魚缸邊呆立了一會，重又坐在玉石太師椅上，只見太白星君在閉目養神，他不敢驚動，連呼吸都不敢大聲大氣，眞是不勝屛營之至。

過了大約有一盞茶的時間，太白星君睜開雙眼，眼中發出異樣的光彩，越發顯得紅光滿面。

「對不起，剛才我在做『入定』的工夫，以收調乾振元之效。對於劉約翰恢復人形的法術，必須一發中的，馬虎不得。如果準備不夠，可能將變成魚頭人身，或人頭魚身，那就很尷尬了。我總不能將劉約翰變成一個魚男人呀，哈，哈。」太白星君倒很有幽默感。

諸葛亮當年借東風，在三國已算首屈一指的人物，但他的法力比起太白星君不啻是小巫見大巫，故只好默默靜聽，不敢隨便插咀。

星君站起來，拍手兩下，很像台灣早期住旅館叫下女的方法。鶴童拿了一件七星道袍進來。這件道袍上面遍繡日月星辰之象，霞光萬道，果然是件寶物。

太白星君披上道袍，在房中踏罡步斗，口中唸唸有詞，「牟吽摩薩，牟吽摩薩……」唸的最多。諸葛亮卻不懂「牟吽摩薩」是什麼意思。

與上次情形一樣，太白星君唸了一番咒語，就到金魚缸旁邊，用雙手一撈，將花色金魚撈了起來，放在供案的錦墊上。金魚離開了水，咀巴一張一合很難受的樣子。星君並不理，用寶劍穿過一張黃紙符咒，口中嘰咕了一下，向符咒吹了一口氣，說也奇怪，竟無火自燃起來。

黃裱紙的符咒燒完以後，整整的一塊紙灰仍然附着在寶劍上，星君用寶劍將符紙灰抹拭在金魚的身上，好像吃西菜炸魚塗番茄醬似的。金魚扭動着身子，顯然是很痛苦的。可是星君視若無睹，其心腸眞比外科大夫還硬。

巨變歷險記

雄壯的迤薩（一四一）

胡慶蓉

大軍渡紅河確是一件非常艱險的事：……不知道有多少的人喪身水中了。紅河水深，馬力有限，有些抓不牢的，當然就被水衝走了。只有騎在馬上的，浮沉水中的，才知道紅河的水力是多麼大，人是多麼微弱，馬雖勝過人但下邊空空，是沒有着實的地方，足踏着水，而能支持得住，能不被水衝走，那已是難能可貴了。假如你在場，你看見馬一匹一匹在水中掙扎的苦況，你會流下眼淚。誰不望眼欲穿的希望馬都能過到。等到你看見被水衝走了，登不了彼岸，甚至你看見連帶的人都不見了，你會哭出聲來。

許多胆小的人，許多意志不堅的人，都偷偷的溜回去了。這時候的田團長，也只有任之聽之。他在這邊壓陣脚，指揮渡河。丁博士到了那邊，連忙叫人分別搜索渡船，渡船不會沒有的，其所以沒有，是被人藏起來了。蒙自失守的消息，如閃電一般的快，傳播到處。土共及其同路人都散佈在國軍撤退的沿途，以各種不同的方法攔阻他打擊他消滅他。到了下午天快黑的時候，從迤薩方面找到了十幾隻小船，這給還沒有渡的人們一種天大的安慰，他們不用冒險了，他們可以安全的過去。這是到滇緬邊區的第一關，這一關彷彿去東北的山海關，去新疆的嘉谷（山旁）關。要到滇緬邊區，非經過這一關不可。

這一關總算過去了。凡過去的都到迤薩集中，提過迤薩，令人無限的欣羨，不禁的神往。一過紅河，右邊就是迤薩。這是一種說法，迤薩距離紅河渡口也並不太近。還是要走幾個鐘頭的路，才能夠到。迤薩在瓦渣的右手邊，在軍事方面，迤薩才是眞正的天南關。迤薩是去滇邊去整個東南區必經之路，稱之爲天南關，實非常恰當。丁博士在九一八事變的那一天早上，從北平到達東北的山海關。現在他看迤薩，迤薩前面的大樓，並不亞於東北的山海關，即較之北平的大前門似亦無遜色。從遠處看去，其建築的式樣，特別窗戶的式樣，迤薩前面的大樓並不低於北平大前門的大樓。北平大前門位於天安門正陽門之前，建築比較新式，今之迤薩大樓，殆尤過之而無不及。其次迤薩的大樓牆厚得很，窗戶縮在裏邊，遠看去非常莊嚴。迤薩大樓建築在山脚，很遠很遠就可以看見了，那是多麼壯麗啊；原以爲建水的城門樓是不得了的，現在與迤薩大樓比，簡直是小巫見大巫！稱之爲鎮南關，稱之爲迤薩關，實未始不可。由此前往瓦渣、溪處、巴哈……：鎮遠、車里……：整個的東南亞。在這迤薩關前面是一片茫茫無根的平坦大廣場，這比北平大前門偉大多了。迤薩大樓，矗立雲霄，氣勢雄偉，氣象萬千。由這里就上山了。一夫當關，萬夫莫敵，丁博士眞有意思守住這個關，然後分兵南下，但事實上是留不住的了……

曾文正之命與其相法

漢年

命相與夢話

曾國藩，字伯涵，號滌生，湖南湘鄉縣人。道光戊戌二十八歲成進士，改翰林院庶士，散館授檢討。咸豐壬子，年四十二歲，太平天國洪秀全陷九江，國藩奉旨辦團練於長沙。招募農民爲兵，提倡武勇；力革過去積習，起用文士爲營官，因此風氣爲之一新，湘軍的名從此大噪於全國。

曾國藩用人與培植人材，都有一套善法，造就不少人才。如舉塔齊布於戎行，識羅南於諸生，拔楊載福於卒伍，延彭玉麟於管庫，保胡林翼、左宗棠以大用。湖南之風氣由國藩一人爲之不變。

同治壬戌，年五十二歲，國藩練兵成功，立功甚多。此時國藩鎮於安慶，居中幄帷，八方調度，目下形勢；曾國荃有直搗金陵之師。李鴻章有後勁蘇、滬之師。楊載福、彭玉麟有肅清下游之師。大江以北多隆河有圖瀘州之師。李續宜復有派援潁州之師。大江以南鮑超有進攻寧國之師。左宗棠有規復全浙之師。

所謂「十道並出」，皆受成於國藩。至丙寅年五十六歲，打平東捻匪首領任柱、賴文光。西平捻首牛洪、張總愚。累官至大學士，封一等毅勇侯。壬申二月戊午，年六十二歲，卒於江督的任所。追贈太傅，諡「文正」，入祀賢良昭忠祠；各省建立專祠。計曾國藩創立長江水師，太湖水師章程，都是他手訂。又訂有陸軍營制，馬勇章程，江南開墾章程，直隸清訟事宜，練軍章程，文章奏疏尤美。曾文正公家書，風行全國。至於曾國藩在民族大義之下的是非功過，那又當別論，不能因人而廢言。

曾文正之造爲：辛未、己亥、丙辰、己亥。「混元賦」云：「天乙貴人安靜，張良作漢代之名臣」。此話重在『安靜』二字。何謂「安靜」，與日主情緻纏綿，休戚相關是也。若盜洩日主，侮慢日主，戕賊日主，雖有天乙貴人沓來紛至，而主人將是藏身隱匿不暇，說什麼「名臣」！

漢年謹按：曾文正公之造：日元的丙在五行屬火，誕生於小雪節以後，與盛夏的赤帝司權不同。月、時二幹並列己土，年枝的未中藏己土，土有如此的多，晦火堪虞。所幸他命宮甲午，幹木枝火，一面用生火，一面助火，神雖備，然幾莫及之歎。恰好月時二枝的亥，適值天乙貴人，左擁右抱，各藏甲木，而年枝的未後從，又各藏乙木。有此四木，可制那四土；藉此四木，生我丙火，光輝發達，寅乙貴人安靜」而已。直使丙火日主，氣勢宏厚，可以盡其能力，爲鼓盪萬物之力。

推其有云：「說禮樂，敦詩書，爲元帥」。叔孫豹有云：「太上立德，次立功，次立言，謂爲三不朽」。文正公獨其三者兼而有之，豈止爲名臣而已？

二十三歲酉運癸巳，入縣學。二十四歲酉運甲午，舉鄉試。二十八歲丙運壬戌，成進士。改翰林庶吉士。三十三歲申運癸卯，以侍講充四川鄉試正主考。三十七歲乙運丁未，六擢內閣學士。四十一歲乙運辛亥，署刑部右侍郎，充順天武鄉考試官。凡以上種種，皆爲貴人會合，木火資生的明證。

自四十二歲，奉旨幫同辦理湖南團練鄉民，搜查土匪諸績，迄至克復京陵，生擒忠王李秀成，賞太子太保銜，賜封一等侯爵，督理兩江等職。這都是未運會木，甲木生火，午火助火的明證。五十七歲癸運而後，調督直隸，因教案棘手，威名重挫者，癸水有傷丙火之故也。不僅此也，四十二歲未運壬子，江太夫人棄養，四十四歲未運甲寅，戰靖港，公憤甚，投水自殺，以救得免。四十七歲甲運丁巳，竹雲公逝世。四十八歲甲運戊午，賊屯聚舒城，三河鎮敗績，官湘軍全軍覆沒，殉難者六千人。凡此種種，或由火爲水尅，或由亥爲巳衝；或由歲爲運尅。氣運如此，非人謀不臧也。至六十二歲，行癸運未，值壬申年，薨於江督任所，水勢愈盛，火勢愈衰，功成身退，不足怪了。（下附錄二則）

一、曾國藩信命之說：

凡富貴功名，皆有命定；半由人力，半由天命。惟學作聖賢，全由自己作主，不與天命相干涉。吾有志學爲聖賢，少時欠居敬功夫，至今猶不免偶有戲言戲動。爾宜舉止端莊，言不妄發，則入德之基也。（與其子紀澤書）

二、曾國藩相法要訣：

曾文正全集有相人訣，造語深刻：畧云：

邪正看眼鼻。眞假看嘴唇。功名看氣概。富貴看精神。主意看指爪。風波看脚跟。若要看條理；須在語言中。

他這一套相法，全憑知識、道德、閱歷與體驗而得。如非入世久遠，閱人不多者，皆不能夠語此。（完）

六氣爲細菌之母（上）

吳惠平

國醫與國藥

六淫就是六氣，所謂風、寒、暑、濕、燥、火是也。世界各國醫界研究中醫學說，大都以詳細研究外因的六氣爲研究要素，這是病理方面的重要問題，因爲古有的中醫學說，從「細菌」之說，借以六氣之變化與轉移爲病理的根據。

現代世界各國的醫者，並不明白我們中醫學說方面的六氣之含意，只顧研究細菌，不曉得六氣爲細菌之母。現在我們把六氣與細菌的問題來研究一下，細菌之產生是根據六氣而來，有屬於一氣而產生的，也有屬於六氣中之二三氣交感而產生的，茲分別叙述如后：

細菌由一氣而產生

一、風

風在七八月之間，如東風鼓盪，適生害稼之螽，田家之流，皆所常見，這種細菌就是因風而產生的，那末風爲何能產生細菌呢？因爲秋天適合時令之風，謂之風，謂之和風。此種賊風，在宇宙中能傷害產物，在人體中能發生病變，所謂人爲一小天，天爲一大天，適合時令之風有四正也，所謂四正，所謂四隅，即東南、西南、西北、東北風是也。

春季適宜東北風與東風，夏季適宜南風與東南風，秋季適宜西南風與西風，冬季適宜西北風與北風，若不適宜而相反則謂之不正之風，亦稱風賊，這種風在大自然當中，會傷害產物，在人體中會發生病變。

二、寒

春風自下而上，夏風自上而下，秋風在空中平行，冬風刮地而行。

溝渠之水，會生孑孓（孑孓爲蚊之幼虫），在大寒的地方亦會產生細菌，甚至雪地中，也會產生雪蛆，人體中亦有傷寒細菌之發生，這種細菌即由寒氣而產生。

三、暑

炎夏暑天，魚肉經過太陽蒸曬，容易出蛆，這種菌是因暑氣而產生。

四、濕

物感濕而霉腐，人感濕而黃疸，霍亂病菌多起於濕令時期，這種菌多起於濕氣而產生的。

五、燥

久旱無雨，燥氣流行，體弱之人感燥發欬而成肺炎菌，喉風桿菌，這種菌是因燥氣而產生的，以上所講的是由於一氣爲主因的解說。

細菌由二、三氣交感而產生

何謂屬於二、三氣之交感而產生的細菌？蓋宇宙間有六氣，春夏秋冬各有一氣而爲主，然亦有二、三氣錯雜於其間，如夏日酷暑，驟然下雨，寒氣生也，在這種雨，寒氣兩種；又如冬日嚴寒久晴無雨，燥氣生也，在這種情形之下就有燥氣與寒氣兩種。六氣之變化無常，細菌就因而發育，譬如在冬天製造豆腐乳，必定要近之以火，然後會發生酵菌，否則不能製造成功。因爲冬天行使的是寒氣，豆腐中的本身是濕氣再加接近火氣，則因寒濕熱三氣薰蒸而後，三氣交感產生的細菌，豆腐乳的酵是沒有毒，只有發生一種鮮味，所以，可當作普通的食料，總之，細菌之孕育大都有賴六氣中之二、三氣的交感作用的。（未完）

第八章　胡虜兵二次南侵　岳鵬舉相州見君

金國使粘罕遣使索割兩河。廷臣紛紛面面相覷，不敢發言。獨王雲抗聲道：「前年金，斡離不索割三鎮，且請帝王往謝。今若依其前議，當可講和。萬一金人不從，亦不過如王納所言，加金主徽號，贈送冕輅罷了。」各位讀者：請看那尊號爲何？「大金崇天繼序昭德定功休仁惇信修文成武光聖皇帝」十八字。欽宗無法，乃進王雲爲資政殿學士，詔命康王入金爲質，許割三鎮，並奉冕玉輅，尊金主爲皇叔，加上徽號十八字。王雲受命之後，即與康王趙構出都，康王十分警覺，沉珠玉於汴河，樊七巧於道衢，南行不宿正。由滑濬至磁州。知府宗澤迎謁道：「肅王一去不回，難道大王欲蹈前轍麼？況敵兵已迫，去又何益？請大王勿行！」所幸宗澤此言，保了南宋半壁江山。

康王嘉納宗澤之議，乃留次於磁州。王雲再三催促康王赴金，康王不從。次日康王出謁磁州嘉應神祠，王雲隨從。州民遮道諫康王勿行。王雲厲聲呵叱，因此激怒羣衆，齊聲呼道：「奸賊！奸賊！」王雲不知衆怒難犯，尙欲恃威怒吼，怎禁得羣衆的怒吼，洶洶上前，一人喊「打」，蜂擁揮拳，痛打王雲，霎時間王雲被衆擊倒在地，雙足一伸，嗚呼哀哉。康王也不敢加罪民衆，只好稍勸帶諭，解散民衆。其實康王暗暗亦痛恨王雲。及還入州署，忽接到汪伯彥帛書，迎康王入相州。於是康王赴相州，汪伯彥引步兵千人前來迎接，康王乃留寓相州。康王滿心歡喜道：「他日見上，當以京兆薦公」。汪伯彥拜謝。其實又招來一位奸臣，此人日後作威作福，害了不少政事。

靖康元年，岳飛二十四歲。康王奉詔爲天下兵馬大元帥開府河溯，至相州，募兵爲衛。汪伯彥命武翼大夫劉浩招募義兵，岳飛赴相州應募。劉浩一見岳飛英姿凜凜，相貌奇偉，心中暗暗稱奇。問其姓氏來歷，岳飛答對不凡。劉浩更奇之，遂引見康王，補爲偏校。

自康王開府河溯，相州遂成爲另一政治中心，響應義兵之各路英雄義士亦不乏人，岳飛不過爲其中之皎皎者。岳飛隸屬於汪伯彥麾下之劉浩軍，尙不能嶄露頭角。

時相州四方賊寇蠢動，趁金人南侵，人心惶惶之際，强者即遁入山林，嘯聚爲盜。相州既爲康王大元帥府，故首先肅清四方賊寇。相州賊吉倩，打家刼舍，橫行鄉縣。劉浩命岳飛討吉倩。岳飛領百騎剿捕。（卅三）

周燕謀

自由報

（第一〇八〇期）

（半週刊每星期三、六出版）
每份港幣壹角．台灣零售價新台幣貳元

社長李運鵬·督印黃行實

社址：香港九龍彌敦道593—601號 創興銀行大廈八樓五座

LIU CHONG HING BUILDING
7th FLOOR FLAT '5
593—601 NATHAN ROAD,
KOWLOON, H.K.
TEL: K303831
電報掛號：7191

承印：景星印刷公司
地址：嘉咸街廿九號地下
台灣區業務管理中心：台北重慶南路一段一二九號
電話：二四五七四
台灣區直接訂戶　台灣劃撥戶
第五〇五六號張萬有（自由報會計室）
台灣分社：台北市西寧南路110號二樓
電話：三三〇四六·台郵劃撥戶九二二號

本報專論

中國文化與救人救世（中）

·余祥發·

先聖孔子為最初研究中國文化史之學者，孔子為殷世家之後，生於周文化重心之魯國，自幼迄老，不斷研求中國文化之淵源、流變，價值，體系。可變的方面與不變的方面，孔子研究古代文化，不僅應用考證，比較，分析等科學方法，而因其所注重者為文化之價值方面，故特別在哲理上之「同情了解」下功夫。孔子實於周代中衰禮崩樂廢之時，融合夏尚忠，殷尚質，周尚文之理想與制度，而改進周公所建樹之周文，為一新的範型。孔子實際上將古代哲人之道德理想，教育弟子，並由弟子將之自魯國傳往他國以及後代，中國文化先正德，然後利用，厚生，與西方重利後義之文化，有上下床之別。中國華夏文化自伊古以降，逐漸展開排斥與吸收各種文化，而樹立精神傳統，以融合全國各種民族，成為全世界歷史最久，人民最衆之國家。以上事實證明中國文化既有生命力，同時亦係一種開放的體系，能依照其自有之價值準則，對外來之事物理想，作適當的吸收與融會貫通。如謂現代中國必放棄其精神傳統，而「全盤西化」或「俄共化」甚至「毛共化」，實為不可思議之怪論。

中國古代聖王皆係迭經憂患者，堯有洪水之患，舜則父頑弟傲，禹父鯀治水無效遭殛，周公遭流言，討管蔡，此所經歷者，皆非常人所能堪，孔子孟子，同為孤兒，孔子一生栖栖皇皇，好學誨人不倦，但其與希臘哲人蘇格拉底相異之處，為後者專注重求了，而夫子則以身教弟子，使其明「知仁」三達德為修齊治平之大道。中國聖哲因有憂患意識，而念念不忘以禮節文與教民治國，自此以後，中華民族注重禮讓，而與西方民族之「自我至上主義」大相逕庭。現代西方民族注重功利與實效思想，大多係倫理相對主義者，亦即注重「變」或「過程」，而不承認「常」或「範型」，而將眞善美價值顚倒者，西方古代之自然法（亦即道德律），與我國道德哲學，歷史哲學，政治哲學和體之精神道統相類似，曾屢起屢仆，二次大戰結束後，方始有抬頭之希望，世界之長久治安，繫於此中，西兩大傳統之重振。

中華民族有五千餘年的建國歷史，自有五千年的文化根源，若語言，文字，文學，藝術哲學，道德，禮儀；風俗習慣，若政治制度，經濟生活，社會組織，皆自成系統，屹然獨立。其中之本質，若歷史本質，哲學本質，道德本質，即皆有其自發自成的因素，與任何國家民族有所不同。欲瞭解中國文化程度之深淺，必先從此種本質的成份去探討，才能窺見其價值，找得復興的途徑。無論那一民族之起源和發展，必都有其生活上的傳統風俗習慣，必都有其歷史，典章，制度，文物，思想的根源的演化，由此種種方面所形成的特殊生活方式，其所表現的精神，即社會學者所稱之民族主義，所以民族主義，在一個民族生活之中，即不是偶發的，或中途製造的，乃是與其民族的起源而俱來的，中華民族之有民族主義的自覺，以歷史來說，並不算遲，黃帝之討伐蚩尤，就是民族自覺的民族性的戰爭，迨孔子作春秋，嚴夷夏之辨，中華民族的民族主義乃益彰，數千年歷史相傳，四海九洲之內，皆知尊重華夏衣冠，而鄙被髮左衽，中國雖曾幾度被他族所統治，然皆未久，得以重光故國者，無不是此一民族主義之功，近百餘年來，中國反帝國主義之蓬勃發展，七七之對日抗戰，當前之反共抗俄，更無不是此種民族主義精神的發揚，故中國文化之構成發展，民族主義的歷史本質，實居極重要的成份，但所謂中華民族，實由漢，滿，蒙，回，藏等種族所結合而成。所謂中國文化，亦即由各種文化大揉和而成，過去之言中國文化或文明者，每以漢族為之代表，這種偏狹之見，亦實由過去狃於歷史地理環境和文化水準諸因素所造成的誤解，積之即久，以訛傳訛之所致，實際上，中國的民族主義，即三民主義所言之「國族主義」。文化方面言，漢，滿，蒙，回，藏各族的文化水準，雖因歷史地理環境關係而有差等，但各族亦各有其自發的歷史，即各有其自發的文化，這在國族之內，縱有差等，亦不過是大同小異而已，否則，亦不可能成為國族主義，融各族文化而為國族文化，故中國文化復興，理論上，雖仍要融合各族的文化，事實上，則不能不以較高的漢族歷史本質為中心，來揉和各族的歷史本質，才能蔚為中華民族的國族文化。

中華文化的構成，亦自有其理性本質，二千餘年來，中國文化以儒學為中心。儒家重人事而遠鬼神，以忠恕作為人類思想行為的指導，要求人類思想行為，一本良知去判斷，辨明是非，美惡，順逆，而歸於至善，所謂忠恕之道，忠在盡已，恕在推已及人，盡已與推已及人，皆為積極的精神。「已所不欲，勿施於人」，「已欲立而立人，已欲達而達人」，都是由這理性發出來的，儒教立教於前，賢哲繼闢於後，此種理性觀念便成了中國思想行為的典則，成了中國文化的塑型。中國人民傳統的生活習慣，所以能浸淫於名理，明是非，辨美惡，察順逆，而不神化於宗教迷信，而不沉淪於虛無幻想與消極，偷墮者，此理性之初，實為最大，理性精神陶冶了人民生活，淡泊以明志，寧靜以致遠，崇尚和平，互助，積極實踐人倫道德，因之，道家的虛無，佛家的寂滅，以及近世西洋紛歧錯雜的思想學說，雖能干擾中國文化於一時，却不能掩蓋中國文化的眞面目，此即由於中國文化具有理性的選擇的能力，優者吸之，劣者排之，始終維繫着固有一貫的系統。同時，這種理性本質，也包含容了民本的民主思想，也代表了實證的科學精神。發揚中國的理性思想，融合西洋現代的民主與科學於一爐，也是經世致用之學，優游漸積，自可造成中國的新文化。中國儒家「為人」的道統觀，最重人倫道德，長身致遠的生活，所謂君君，臣臣，父父，子子，與詩書，禮樂，應對，進退，洒掃，以及格，致，正，誠，修齊，治平之道，無不充滿着「為人」的精神，這種道德，長期影響到中國社會組織與人民生活，成了中國文化本質之一。中國人民受了這種道德觀的潛移默化，習與性成，自然尚王道，非霸道，尊重自由，平等，愛好和平，互助，明白坦易，無宗教迷信觀念，鄙刑罰劫持奴役壓迫之制，亦自發的具有一種民主生活，中國文化，即具有自發的「為人」本質，西洋近代的新思潮，即須流入中國，亦不能左右中國此種「為人」的原則，反之，中國文化史，哲學，道德的本質，却都給了西方文化以不少修正，尤其中國大同之治的思想。對現代西洋的人生觀和世界觀改變更大。（未完）

昨日與明日

「小孩吃屎」（？）

好髒的題目！讀者們一定要指責。髒？那知這竟是要赴日展覽的繪畫「名作」（？）的標題，並且是在中央日報第一版，赫然刊登廣告公告於世的！

廣告的原文是：「××××（筆者按：恕不代揚尊名）名作赴日預展……台北××畫廊啓」，預展的地點是在中山堂，而「其中傑作有颱風火車，老鼠夾子，……小孩吃屎，一窩肉彈，電話算盤等五十幅，風格嶄新……」（廣告原文）讀者諸君，看了這篇廣告，不知作何感想。

這位大畫家的「傑作」，究竟傑出到什麼地步，我們不願多作評論，尤其標題的俗雅與畫的本身價值，更無必然的關係，非我們所要討論，但令我們感覺到，以及所聯想到的卻是其所反映的意境。

藝術目的，無人能否認是在表現「美」！而其價值則在能淨化和美化人的心靈。在這種意義下許多大藝術家，把他們所看到和想到之最美的東西，用筆表達出來，傳遞給我們。使我們的心靈也同樣受到美的感染。尤有進者，許多深刻有修養的藝術家，還能把這「美」的感覺，從視覺感官，加深到心官和意識，那也就是說我們所得到的美感不止於視覺，而能直到我們的心靈，中國一向重視文化畫就是如此，因為只有書念好了，有學問的人，才能有深刻的意境，而匠畫則只有技術，卻不知道畫什麼，此所以過去標榜，「畫中有詩」者，眞意在此，而中國的山水畫之藝術價值，遠非西洋之所能及（不管世俗的意見如何，尤其與「畢加索一張亂畫可賞幾十萬美金，而倪雲林之畫只賞幾千美金」無關）也就是，在其意境高超，更能淨化我們的心靈。

但不幸近代林林總總的畫人，由於在「美」的方面，無法能超越，（或不肯下苦功去超越）前人的成就，於是便闢邪徑走偏鋒，而唯「索隱行怪」之是務，在這種趨勢下許多畫人，所畫的往往不是美，而竟是「怪」，甚至是「醜」。再加上許多人只畫不會書，手有顏料，胸無點墨。以至俗人眼中只看到俗事，沒有人文素養的人，畫不出感官以外的東西，作品日趨下流，而失去淨化心靈的本意，藝術而如此，實不如無藝術。

因此我們誠懇的呼籲藝術界能警惕此種歪風，而力爭上游，給人類創造眞正有意義有價值的藝術。

·成公·

自由談

打倒學閥！

中央研究院是國家最高的學術機構，體制崇隆，待遇不菲，自成立迄今，時四十年了。它對我國的文教界究有多少建樹，事實俱在，盡人皆知能言，用不着多所檢討。唯一的特徵，就是形成了「學閥」的組織體系，而且不受政府指導監督，儼然是個「獨立王國」，不亦怪哉！

該院的「院士」，很多位經常駐在美國，別有正業，自從隨政府遷移台灣後，更有甚焉，甚至院士會議亦移到美國舉行（胡適先生住美時）。該院名為直屬總統府的文化機構，實際上任何關係重大的事宜，亦未曾請示總統而自由處理，如院士與研究員的人選，如「科學發展委員會」的組織內容和經費開銷等事，固然獨斷獨行，諱莫予深，即涉及文化思想與國策利害問題，如接受美國左傾親共團體的津貼，而以供給本國文化上重要資料為交換條件的措施，亦自由決定，不顧一切。久據該院要津的院士，竟有與外國的共黨同路人——如美國的費正清，斯卡拉皮諾之流——親密結交，而公然表示反對國民黨者；又有常在外國公開敵視中華民國執政黨及其領導人，現時亦在台灣揹着院士頭銜招搖過市者；還有該院某一研究所長素與美共同路人費正清沆瀣一氣，離職數載而依然遙領原職原薪者；更有毫無學說著作表現，即寫一篇白話文亦欠通的人士，不特久居院士之位，并且兼任若干文化機構的要職者。這些人之所以敢於肆無忌憚，不恤人言，心理上恃有美國一般左傾親共份子為後盾，挾外力以自重，從而威脅本國政府，投鼠忌器；同時則以美國為逋逃藪，萬一在本國站不住脚，即可赴美作寓公，狡兔三窟，不愁衣食之資。

政府耗費鉅量的財力物力與人力，創設一所最高的學術機構，結果不啻造就了一個自外生成的「同舟敵國」，再不加以整飭，貽患寧堪設想乎？反共復國之役，是一場劇烈的文化思想鬥爭，咱們從事文化事業而不向政府討生活的作家和新聞記者，偶對時人時政有所批評，每受到「思想有問題」的指摘和打擊，然政府最高學術機構的中研院院士們，却可以公然通共親共，好官自為，行所無事，眞不愧是今古奇觀也！

為剷除學閥，健全文化思想，增強總體戰力，且使一般學人皆能為國家隨份効力起見，中研院實有改造之必要。第一步應由政府重新釐訂該院組織法，經過立法程序予以實施。第二步將一些忠於外國，勾結別國的左傾親共份子，而對祖國抱有離心傾向的不學無術之輩，一律開除該院，并將該院與外國左傾親共團體所訂立的非法協約，所接受的不義之財，完全停止。國家前途，庶幾有豸！

焉丑先生

創業講座

·楚狂人·

腦筋要清楚

創業為官，腦筋都得清楚。清庚子拳亂，官軍擊旨到湖北，兩湖總督張之洞接旨後，繞屋徬徨，數夜不眠，幕僚獻策說：「可徵詢粵督李，江督劉意見」，張認為有道理。劉復電，語氣模稜兩可，李回電則甚肯定，「此亂命也，不可從」。就腦筋清楚這個角度說，李鴻章勝於張之洞和劉坤一，「此亂命也，不可從」沒有絲毫油條氣氛。西安事變，劉峙將軍命令就近兩師，以高速度夜行軍扼駐潼關，乃制服張楊關鍵，這是劉峙的腦筋清楚使然。至於抗日和徐州剿總，情形復雜，非三言兩語所能說，但也是要靠腦筋清楚才能應付的。劉峙在狂人合開作客臘兩月，寬其文韜武略均有殊見，猶以日記，數十年如一日，祇「恒」字這一點，普通將領甚少能做到。劉峙的孤忠較張道藩先生猶有過之。

動腦筋

創業的人，腦筋不能糊塗，像李玉堂為妻子，徐會之等若干將領，死得糊裏糊塗，認涉及匪諜事發。離婚都來不及了，尤其極難離婚而已。想不到清醒可帶來殺身之禍，創業的人，怎能不特別注意。

台北中央財務學校馬駿校長，向名教授張起鈞及狂人，並謂「創業哲學」之作，甚有意義，受到廣大讀者的注意等。

因之連想到歷史上一段貨賣識家的故事。貨賣識家是商場上的術語，其實人與人間，乃至於國與國間，都可以比作商業行為，戰國末年，秦國有一個王族名叫異人，是秦太子安國君的兒子，但被留在趙國作人質，當作秦國在政治上的抵押品，既因為他的母親夏姬又不得寵，因此趙國對他很冷淡，呂不韋和其父由韓國來到邯鄲做買賣，看到異人的情況，靈機一動，暗暗的在想「此奇貨可居也」，立即用出商業上慣用的借等手段，把異人弄回秦國，做了太子，更繼了王位，呂不韋搖身一變，由商人而政客，最官到太傅，文信侯，相父，編著「呂氏春秋」，給後人不少貢獻。呂不韋雖未能善終，就腦筋這個角度，是相當高明，即這是萬年大賺，是普通人所能做得到。不過我們對呂的這些政治手腕是歸視的。如果以貨賣人的立場看呂不韋則非常成功，因商業的精神就是頭腦敏捷和貨賣識家。

貪瀆之風遍及各校　杏壇風氣日趨敗壞

省議員提出五點教育質詢　要求當局清除教育界敗類

（本報台北消息）台灣省議員郭雨新於七月二日向省議會提出教育質詢內容如下：

一、清除教育界敗類，以整肅教育風氣：

教育機關原屬最清高之學府，時至今日，貪瀆之風竟遍及公私立各級學校，實深浩嘆！當茲政府勵行革新之際，教育主管當局何以不能徹查究辦，以挽日趨敗壞之教育風氣，而任令蔓延，其有不得已之苦衷乎？殊屬使人費解。

（一）先就國民小學而言，據聞宜蘭縣頭城鎮二城國小因校長疏忽職責，將人事，總務及福利社等，均委由某教員一人兼任，而造成該校爭權奪利，玩法弄權製造糾紛，興訴不息，幾使神聖之學府，變為聚訟鬬武之地。兒童為未來之主人翁，國家之棟樑，教育又為百年樹人之基業，以是教育風氣之良，關係社會風氣之好壞。而今二城國小之風氣，墮落敗壞，貽害下一代子弟，至深且鉅。由於二城國小之內部勾心鬥角，愈演愈烈，已引起地方公憤，並經頭城鎮民代表會提出臨時動議，請政府迅予調查依法處理，以整飭杏壇風紀有案，未審教育主管當局對本案，作如何之處理。

（二）繼就國民中學而言，總統在五十七年國民教育開學典禮中訓示：「特別希望教育界同仁，[illegible]於從事國民中學之教學，實負有改革教育，復興文化的神聖任務，敦品勵行，光明正大，注意生活的薰陶，强調人格的感化，使身教與言教合而為一，教師的言行與操持，成為學生的楷模，並能為社會所效法取則。」全國教育同仁，理應遵奉總統昭訓，躬親力行，造福國家民族。惟是最近發現國中校長，亦有營私舞弊，破壞教育制度，甚至視學校為私產，玩弄職權，有此教育敗類，如不早日清除，勢必貽無窮之後患。據聞台中市第九國中校長，佔住省二中宿舍，已逾數載，雖經催討，堅不遷離，任由省二中教員無宿舍可住，其可為「社會效法」乎？又聞該校校長在病假期間，由其妻（現職和平國民小學教員）坐鎮校長辦公棟批閱公文，行使校長職權，反將其本職和平國小教員之職務置之腦後而不顧，無異視教育為私產。依據六月二日台灣日報刊載：「台中市第九國中校長於病假期間，由於不能僱任別人，乃由執教和平國小的校長夫人移駕該校「掌管校印」及「校務」，做起「垂簾聽政」……現在這顆校印自四月一日失落迄今，歷時兩月餘」，在神聖教育事業，有此害群之馬，能不使人憂慮乎？況且該國中係屬台中市之示範國中，似此校長，其能担負教育界之主管責任乎？而能發生示範作用乎？尤以台中市為文化城，以該國中校長之行為，其能「以身作則」「人格感化」「身教與言教合而為一」「教師之言行操守，成為學生之楷模」「社會所效法取則」否？

（三）再就專科學校而言，據聞屏東農業專科學校校長，為人檢舉，以其涉嫌利用職權，排除異己，並勾結商人，營私舞弊，購買偽劣藥品供學生實驗，誤人子弟之惡劣行為，所犯事實歷歷如繪，未審教育主管當局之處理情形，請指教！

二、宜蘭應改為農工專科，以利農家子弟深造：

政府為培育農業技術人才，於本省光復之初，即設立台中農學院，旋將該院併入中興大學，並增加科系。繼將屏東、嘉義兩農校改為五年制專科學校，以致農業高級學府，偏於西南一隅。而使地方教育發展失去平衡，且使蘭陽地區之農業生產脫節，導致該地區農業技術，跟不上時代。

宜蘭農工職業學校，為本省最早設立之學校，已具悠久之歷史，如予改制為農工專校，並不困難。自屏東、嘉義兩農校改制之後，就地理位置而言，似嫌密集於南部地區。就師資之延聘而言，遠較屏東為方便。就教學設備而言，亦稱完善，並不稍遜於屏嘉兩農專，為使該地區之農家子弟，或有志趣於農村經濟建設之青年就學深造，宜應將該校改制為農工專科學校，而使地方教育獲得均衡發展，未審廳長之高見如何？

偏遠地區國中校長甄選資格應予放寬

國中教員待遇不應有差別

三、放寬山地或偏遠地區國中校長甄選資格：

台灣光復之初，僅設省立師範學院一所，以培養中學師資，由於當時所設之專修科，畢業生均無「學士」學位，至今猶有專修科之畢業生，雖無「學士」學位，但在教育專業方面之知識，並不亞於具有「學士」學位之大學畢業生。然而依據國中校長甄選辦法，必須具有「學士」學位者，方有資格參加。易言之，即實際接受教育專業訓練之教育專業人員，無資格參加校長之甄選，而未受教育專業訓練，僅具「學士」學位者，再有資格參加。再就修業期間而言，師大專修科均屬三年制，師大四年制，而普通大學者亦不過四年，何況「學士」學位之大學畢業生並未接受「教育專業」訓練，試問此一規定能謂公平合理乎？縱使格於法令之規定，未能賦與師大專修科畢業生參加國中校長甄選之資格，亦應放寬山地及偏遠地區國中校長之甄選資格，使師大之專修科畢業生，有從事於教育行政之機會，未審教育主管當局高見如何？

四、國中教員之待遇不應有所差別。

據聞宜蘭縣之國民中學所聘任之教員，其屬大專院校畢業，曾受教育廳所舉辦國中教師職前訓練，而受聘為國中教員者，均以未取得教師登記，暫不發給研究費及職務加給，以致每月僅領到薄俸九百餘元。又聞基隆市及台中縣之國中，對此類未取得教師登記之教員，雖未正式聘任，但對應領之研究費及職務加給，則依規定發給，在同一省區域內，國中教員之待遇，何以有此差別？誠屬使人費解。

查宜蘭縣自延長九年國民教育以後，由於國中教員奇缺，曾經該縣政府在報端一再呼籲，凡蘭陽地區之大專畢業青年，有志從事教育工作者，請返鄉執教，熟料此批響應政府之號召，熱心服務桑梓之青年，於應聘担任國中之教員以後，反受差別之待遇，為鼓勵熱忱青年回鄉執教，是否應該核發研究費及職務加給，請指教！

五、關於師資之檢定問題：

自從政府實施九年國民教育之後，國中師資奇缺，尤以偏僻地區延聘更形困難，為適應當前之需要，乃由政府舉辦中學教師檢定考試，惟聞教師檢定考試之科目，如中檢考試之教育概論、教育心理等，試題既多，時間又復有限，以致有為之一、二分之差，而前功盡棄者。按參加國中師資檢定考試之考師，均屬立志終身奉獻於教育事業者。且據報載新學年度將有大量國小畢業生進入國中，各縣市紛紛增班設校，則國中師資之延聘，當益加困難，未審教育主管當局是否援照五十五年之往例，准予增加一次補考之機會。至於國民小學師資，亦甚缺乏，近據報載，尤以偏僻地區為甚。日前國小教師之缺額，均延聘高中、高職之畢業生代理。惟自政府停辦教員無試驗檢定辦法以後，使此代課教員無法取得正式教師之資格，為減少社會上之失業青年，而解決國小師資之缺額。教育主管當局是否考慮再舉辦國小教師無試驗檢定，請指教。

喬治桑外傳（一六〇）

張大夏

照喬治桑的本性，他是一刻也不能閒的，吃喝玩樂樣樣都有興趣。自從來到台灣以後，他逐漸養成獨坐沉思的習慣。在以往，「疏散」是他尋歡作樂的代名詞，現在倒是真正的散步。

喬治桑走出家門，並無目的地，他想了一想，在新建的「昇平大樓」樓頂有一家「泰山咖啡廳」，可以俯瞰台北市夜景。於是他便雇了一輛計程車到了「昇平大樓」，乘電梯直達「泰山咖啡廳」。

喬治桑揀了臨窗的一個座位，要了一杯咖啡。

他向窗外一看，汽車一部接一部，變成了一條長電龍，燈光一閃一閃的，煞是好看。

「泰山咖啡廳」鋪着很厚的藍色地毯，裝璜很華貴，在酒吧旁有一個落地電唱機，正播出輕音樂，小提琴如泣如訴，氣氛與台灣一般咖啡館只知播送喧囂的熱門音樂到底不同。

過去喬治桑內心思想極為紊亂，很難說出它的頭緒，目前，他所考慮的只是如何儘快回美國，如何籌錢買一幢房子送給雅麗絲，他的親生女兒。

他很自然地想到曹梅卿，雅麗絲的生母，也即是他以前的戀人。那時他還是一個大學生，家庭並非富有。曹梅卿與他的愛情是十分純潔的，這裏面並不附帶任何的條件，與他以後所交往的女人簡直無法相比。

舊事的回憶，使他感到內疚。假使他與曹梅卿能結為夫婦，有雅麗絲這樣一個女兒該有多好。他年紀大了，何嘗沒有落葉歸根的想法，但根在何處？

台北傳奇錄（五八）

·陳光棣·

「他媽的！」蔡先生剛站起來，就聽到有人捶門，蔡首順一扭身閃了出去。馬上傳進來兩個人的對話。

「你們老甲魚在家嗎」？

「在家」！

「什麼事情」？

「你有錢沒有」？

「沒有！你怎麼啦」？

「我把開飯館的老邱給打傷了，我得找地方躲幾天」！

「到那兒去躲呀」？

「不一定，走到那兒是那兒」。

大家走出來一看，認得是小陳，假的兒子宮國華。兩個小伙子不由的一愣，

「你們兩個人先到裏面呆會兒，我先去看看老邱傷的重不重，馬上就回來」。劉二爺親切的說着就往弄堂走去。眨眼之間就到了老邱的飯館。

老邱的腦袋上包着塊白手巾，前額上滲出了鮮紅的血跡，蹲在門口生悶氣，大金紅拿着塊西瓜正在和兩個吃麵的客人指手劃腳。老邱看到劉二爺，馬上站起來打招呼。

「老邱哇！傷的什麼地方？看醫生了沒有」？

「沒關係！打破了腦瓜皮，他奶奶的！俺抓了一把爐灰一抹，就好啦」！老邱拿出一瓶酒：「你老喝杯酒吧」！

「你還要看看醫生才行！」劉二爺一擺手表示不喝酒：「為了什麼事啊」？

「弄堂裏面宮家那個二小子，他個小舅子一盤子砍到俺腦瓜子上」！老邱頭上冒着青筋：「俺要不看着他是小孩子，他奶奶的，俺這一拳頭就打他個半死啊！不忙啊，我饒不了他！」

「怎麼會動了手哇」？

「他個小舅子，剛才來吃餃子，俺說沒有餡啊！他說再拌點兒，俺說沒有麵粉啊，他說快去買，今天非吃到餃子不可！」劉二爺差點笑出來：「你不是總預備着餃子餡嗎」？

「俺就是不願意賣給他，劉二爺你看看他那個長像，我瞧着氣就不打一處來呀！」

「人家來吃餃子，你管人家長像幹什麼？作買賣和氣生財嘛」！

「俺也是這麼想啊！就到後頭給他個小舅子包餃子，你猜怎麼着？」

「怎麼着」！

「嘿！他奶奶的，他直催快點快點！俺從廚房跑出來就問他：不熟你能吃啊？你是找我的麻煩不是？那小子站起來，瞪着兩隻死羊眼。」

「以後哪」？

（未完）

毛澤東又吹起來了

·文匯樓主·

藉「抗美援朝」一個週年的紀念中，毛澤東又大吹特吹，雖然是陳腔舊調「解放台灣」，但在這個時候喊，可能有新的意義：一、配合美國在亞洲政策上的退潮，製造東北亞的新緊張，策應中國西部北部及福建的攻勢。二、六月廿七日福州舉行的韓戰廿週年紀念，擴大「聲討美帝霸佔台灣滔天罪行」的惡毒宣傳，不僅是恐嚇，目的在利用美國姑息主義，脅迫尼克遜使美國武裝從台灣海峽撤退。

素與毛共一唱一和的蘇俄，這次很冷淡的嘲笑中共，謂香港、澳門都沒有能力收回，欲「解放台灣」，豈不是「緣木求魚」嗎？莫斯科電台說：今日對於中共「解放台灣」的能力表示懷疑，並引用北平沒法消除香港及澳門殖民地主義的勢力，以支持他的說法。

該電台引述它的觀察家所撰的一篇專文稱：美國「從沒有多大注意中共領袖「解放台灣」的叫囂」。

該項廣播乃在北平發表數篇官方文章之後，這些文章指責美國強行佔據台灣，並重申中共決心要把「台灣解放」。該電台的專文稱：中共頭子們曾一再舉行「解放台灣」的運動，雖然他們不僅不能收回台灣，而且也無法解放台灣的離島金門與馬祖。

該電台稱：雖然北平要求把美國帝國主義逐出亞洲，但他們卻不能把美國帝國主義驅逐出中華民國的領土（台灣）。

它又說：中共頭子們經已和澳門的葡萄牙殖民主義者及香港的英國殖民主義積極合作。

因此，中共頭子們已不能消滅台灣帝國主義者的勢力，以及香港和澳門殖民主義者的勢力，該兩地是接近中國大陸的。

該台的觀察家詢問：「由於香港經已給英國人佔領逾一世紀，任何人能夠希望中共重新叫囂「解放台灣」會有多大效果嗎？」

此間某權威政論家（不願透露姓氏）曾指出：毛澤東在迭次重要會議中表示中共有力量北進「解放日本」，南進打開中南半島的糧倉，很像三國演義中的司馬懿，其結果呢？「坐定馬上傳將令，大小兒郎聽分明，那一個大胆把城進，定斬人頭不留情」，毛澤東不是怕東北亞或東南亞有甚麼埋伏，而是怕大陸七億人民一直傾向民主，懷念和不忘　將總統時代的自由生活方式，這是中共的致命傷，也是反共的眞實力量，毛澤東政府一旦與別國正式交兵，「內亂」、「割據」、「反正」、「起義」的事件，必接踵來臨，揭竿而起在中國歷史上演過很多次，乃無可否認的事實，毛澤東處於「啞巴吃水餃，心裏有數」，不敢輕舉妄動者在此，祇好想以一張窮咀去擊敗美國，多麼幼稚及愚蠢，也祇有愚不可及自私自利的美國孤立主義會上釣。

日本軍閥的侵華失敗，自問軍事、政治、經濟、財政、教育、社會樣樣都行，祇「人心」傾向未計算在內，很奇怪，今日毛澤東重蹈日本軍閥的覆轍與七億人民處在敵對的情況下，怎麼能不敗呢？一般的說，軍事如失敗，政治可以挽救，未聞政治失敗，軍事可以挽救的，廿年的歲月不能算短，於今全國老百姓仍舊過着非人生活，以證明毛澤東不折不扣的失敗了，還有甚麼好吹的呢？

文滙樓別記

龍王女

搜異錄

一良

這是數十年來在豫鄂邊區家喻戶曉的神奇事實。事情是出於長江北岸的老河口，地臨鄂東，和豫南相接壤。約在清光緒末年，老河口有一寓居多年的張居士，膝下僅一年約十歲的兒子。一天，張居士在街上購回一尾鯉魚，細看牠眼睛，似乎在轉動，而且還有一股異樣的神氣。張居士看到這種從來沒有見過的現象，頗恐殺之不祥，便決心提到附近的河裏去放生，當他放入水裏時，這條魚兒還幾次掉轉頭來，注視他，有若含着謝意地消逝在深潭中。

之後，約模經過了兩個多月，張居士携着兒子在街上閒逛，無意中碰着一位老者携着一個年約八、九歲的小姑娘，活潑可愛。張居士趨前凝視，不禁伸手撫摸，難得這位老者和藹可親，於是很自然地便攀談起來了，彼此交換了姓氏，老者自稱姓龍，家景中落，僅這此幼女隨身，現有事赴南海，正覓適當寄居，乘間徵詢張居士意見，張尚未及致答，龍老者續稱：如荷接納將來其婚配事宜，概可代為作主，言下並取出銀錠一封，約三百餘兩，張居士見其一片至誠，有感卻之不恭，終於欣然接受，高高興興地領了這個女孩子，彼此鄭重道別。

張居士無田可耕，只經營一家零售日用品的店舖。一自龍小姐入門以來，凡是她所主張可以購入的貨品，無不利息倍蓰，因此張居士對她也就特別鍾愛，言聽意從，三五年間，家境轉富。轉眼龍小姐寄居張家已是十年了，而從來龍老走後卻未再來過，張居士記取他當年所囑「婚嫁之事，概可代作主」，便很自然地乾脆收為兒媳，所幸龍小姐和他兒子兩小無猜地以至成立，感情也很濃厚，結婚後自更形同膠漆，恩愛逾恆。

一次，夫婦同行河岸，龍婦失脚入水，頓見遭滅，乃夫搶救不及，號淘大哭，即行奔回家中，計劃覓人打撈屍體，不料甫抵家門，見其妻依然在家，了無落水跡象，自是驚疑不解，度其必為妖孽，及晚入房，質詢其妻，龍婦竊笑不言，後見其夫窮追究問，乃正色與語，但不許其舉以告人，乃夫允可，龍婦始私與細語：「我本龍王女，因汝父對我有救命之恩（即前次購魚不殺放生事），我父特命我來府報恩。今日入水，即偶返家一視而已。」其夫不信，意示必待親自目見，始能相信。龍女告以，必俟歸去徵得乃父同意，始能相邀同往。

翌數日，龍女私語其夫，謂已徵得父親同意，約於明日下午相偕前往。次日，夫婦同往前往河岸遊，女突出手推其夫入水，自身亦緊隨落水，瞥見河水立刻分開，中現一條大路，平坦，寬敞，夫婦聯袂以內，去時金鼓齊鳴，唱「迎接新姑爺」，只見宮殿巍峨，金碧輝煌，棟宇琉璃，煞是莊嚴壯觀，近前，且見男女老少多人，迎候殿前，笑容可掬，就中有一鬚眉皓白老者，頭戴皇冠，身着蟒袍，玉帶，張知此即龍王，即趨前叩拜，口稱岳丈，於是一擁而入宮內，拜見丈母後，龍女出而一一介紹，十分親暱。旋即開筵，席間所食，多為海味，鮮有蔬菜，入夜，宮女歌舞，推陳出新，嘆為觀止。翌日，龍女深恐張老盼子心切，遂促乃夫着速歸去，龍王未便挽留，張子祇就此匆匆離宮，便已是一陣昏迷，所可怪的，已回返河岸原地，衣服並未沾濕，及抵家門，張老仍高枕睡夢中，張無所致詰。惟龍女此次回宮，除帶回兩書外，別無其他，只其夫知，人不得見，其房中有兩條蛇。

民國初年，龍女生子二人，張居士尚健在，其夫從軍，謀取功名。其夫因即北上，曾在保定軍校，河北豫備軍官校畢業。抗日初期，轉升為團長。隸屬張自忠將軍麾下，龍女遂知張將軍氣運該絕，遂以父病為由，電促乃夫回省，不久張將軍即於古北口此戰役殉職。其夫即從此解職，優遊林下。兩子均先後畢業於清華大學。

一日，龍女突向其夫告以，彼此夫婦之緣已盡，惟自身須修行三年補回道功，始能回返龍宮。乃夫知不可留，祇得任其離家。因即擺擋家務，於距老河口三十華里許的山上築庵，加修。民國三十年間，友人劉子式屯戍老河口，謂來兩備述其事，曾親至山上，眼見龍王女跌坐禪堂，背上插有三枝寶劍，意態莊嚴，不言不語。卅九年余以上情與任勤先生語，任君告以其妻即老河口人氏，歸詢其妻，證實果有其事。

台南市捐稽征處公告

（59）6、16南市稅三字第41244號

事由：為公告開征五十九年下期車輛使用牌照稅由。

一、茲將五十九年下期使用牌照稅開徵有關注意事項公告如左：

（一）征收期限：自五十九年七月廿日起開征至同月卅一日截征。

（二）繳納換照地點：1甲種車輛（包括各類機器行駛車輛）請向公路台南監理站（本市東豐路）辦理。2乙種車輛：人力行駛及獸力駕駛等各種車輛請向本處第三課及安南分處辦理。

（三）注意事項：1新購車輛應携帶車輛來源證及國民身份證，已領五十八年份牌照，而尚未領五十九年牌照者，請携帶納稅收據及舊牌照換領新照。2人力三輪車及獸力車等應先向本市警察局審驗後，再向本處第三課辦理納稅換照手續。

二、特此公告。

處長　魏建言

說曹操

（廿八）

李漁叔

今江陵縣關氏，皆是關平之後，並引譜上說：「平妻趙氏，關麥城破，携八歲子樾，避於安鄉民家，改姓門，至晉平吳，始携子出，復姓關。明萬曆二十四年，封關平竭忠王，關興顯忠王，將軍周倉威靈忠勇公。今關裔，以關氏譜書之指竭忠王之後也。」並據阮葵生茶餘客話稱：「康熙五十八年，賜給河南洛陽縣關氏五經博士一人。雍正四年，增設山西解州關氏五經博士一人，十年復增設湖廣當陽縣關氏五經博士一人。」這些都是可供後人考覽的。

關公戰死後，吳歷記孫權以首級送曹公，曹公以諸侯禮葬之，仍是始終敬愛之意。這是建安二十五年春正月的事，曹公也就隨着下世了。還有附帶一敘的是蜀記說：

「龐德子會隨鍾鄧伐蜀，蜀破盡滅關氏家。」照此說，關氏應當無後，但俞正燮癸巳存稿，「關聖事輯後識語」，考證

（未完）

諸葛亮狂想曲

（一三九）

·劉玄·

太白星君用寶劍將符紙灰塗抹了金魚全身，然後用寶劍在空中劃了一個8字形，用劍尖一挑，便將金魚頭上脚下挑了起來，星君拿寶劍當釣魚竿，而並無釣絲，可見星君法術之深契難測焉。奇蹟到此尚未完了，星君用寶劍試了幾下，似乎鈎得很牢了，然後撒了手，空蕩蕩地，眞像有一個隱身人替他拿着劍。

太白星君踏着四平八穩的方步，徒手走到劍尖指着的對方，雙手不斷做出各種姿勢。又過了一會兒，星君突然大喝一聲，雙手同時向金魚用力一指，十指顫動，幾乎像是痙攣。

此時房中轟的一聲發生一道黃烟，薰得諸葛亮幾乎不能睜眼。黃烟過處，金魚失去蹤影，站在房間當中的不是劉約翰是誰？回恢人形的劉約翰，面容疲憊，好像是經過了長途旅行。

「喂，劉約翰……劉約翰。」諸葛亮看見劉約翰失神落魄的樣子，向他連連呼喚，但劉約翰並不理睬。

「他現在還沒有恢復視覺和聽覺。」太白星君說罷，吩咐鶴童取一碗人參茶來，灌到劉約翰的肚裏。

劉約翰這才悠悠嘆了一口氣說，「我好緊啊！」於是諸葛亮上前，將他扶到玉石太師椅上坐定。

「善哉，善哉，變魚的味道如何？」太白星君開始向劉約翰問話。

劉約翰聽了，先搖搖頭，後又點點頭，沒有說話。

太白星君走過來，拍開五指朝劉約翰的天靈蓋上一拍，大喝一聲「醒來」。劉約翰伸了一個懶腰，這才眞正睜大的眼睛。楞了半响，說：「星君你好，諸葛先生你好。」

你休息一會兒，我暫時不走，我們再談。」諸葛亮見劉約翰如此狼狽，惻隱之心油然而生。

「沒有事了，你放心。」星君却來安慰諸葛亮。

這時，鶴童拿進來一隻好大好大的杯子，大概五瓶啤酒倒下去都不見滿出來。

「這是靈泉水，要給劉約翰喝下去，他才能恢復常態。」星君向諸葛亮解釋。

「我的咀吧好乾，」劉約翰睜大眼睛如夢。

星君坐在禪牀上沒有動，用手一招，說也奇怪，偌大的一個杯子，竟飛到劉約翰面前，而且杯中水點滴不漏。

劉約翰一看到水，雙手捧起來，直着頸子把下灌，片刻將一大杯水喝乾，眞是十足的牛飲。

諸葛亮一一看在眼裏，嘖嘖稱奇。

劉約翰喝完了水，先向星君叩謝，然後又向諸葛亮鞠躬致敬。

「變魚的滋味如何？」星君先開口問劉約翰。

（未完）

巨變歷險記！

突遭敵人來襲（一四二）

胡慶蓉

迤薩不中留，還是留了兩天。

在這兩天的期間，共軍跟蹤的消息，土共打算阻攔的消息紛至沓來，就在不遠的地方，共軍與八軍已經發生過戰鬥。八軍戰敗了。八軍的弟兄很多也來到迤薩，與廿六軍匯集在一起。首先來報信的是鄒浩修。他的樣子太可怕了……滿身的泥漿血痕，衣服都破了，鞋子更破，是很久沒吃飯了吧？他急需要吃。丁博士怕影响民心士氣，趕緊把他藏起來，給他休息，給他飯吃，給他更衣……但八軍、廿六軍戰敗的消息是沒法掩蓋的，是蓋不住的。

在這兩天的期間，田團長繼續不斷的同廿六軍彭副軍長聯絡，田團長是帶有電台的，一停下來，就架起來，不問日夜的，同彭副軍長聯絡。八軍也借用他的電台同湯堯副總司令天戈副軍長聯繫。奇怪！都沒有聯繫上。在無所秉承的情況之下，大家都聽丁博士的。丁博士一本鷄街會議的決議，領導着大家向鎮遠車里佛海後撤。丁博士告訴大家，彭副軍長、曹副軍長、湯副總司令也必是沿着我們走的路線撤向滇緬寮泰新馬邊區。丁博士又告訴大家：只有前進，只有前進才有生路。原來不是峯迴路轉疑無路嗎？現在不是柳暗花明又一村嗎？我們一定可以出去。

既不能留，還是走吧！從迤薩前進，就到了瓦渣大山山下。從迤薩望瓦渣，特別在夜裏，令人發生非常神秘的感覺。是不是上帝在伸出他的手來打救迤薩方面的八軍廿六軍？上帝他是不是在那里等待他們？奇怪，你看那點點的火光，有向這裏來的樣子……是不是錢禎祥土司帶領大隊人馬前來打救。那星星之火，一個時候顯得那麼遠，又一個時候又顯得那麼近……叫喊之聲好像都聽到的樣子。昔耶穌代天行道，上帝給他傳話，今丁博士帶領八軍廿六軍，是不是在替天行道？夜裏，火光看起來好像特別的遠。星星點點，點點星星，好像一跳一蹦的。一時瞻之在前，一時又忽然在後，真令人感到奇怪。迤薩的夜裏，又可以聽見瓦渣山上的鐘聲鈴聲，好像來自天上，好像來自天空，上帝在呼喚，錢土司在呼喚？……

還是走吧！……不能不走，走吧……這已經是下午兩點多鐘了。大家離開了壯麗的迤薩。浩浩蕩蕩的向瓦渣走去。走快到山腳！—沒有，快到山溝，快到溝的這面山坡，忽然槍聲大作，槍聲四起：……丁博士居中，前衛已到了瓦渣山腳，很多已經到了山溝，到處目標這樣清楚，來不及還手，大批的大批的倒下去了。但田團長還是下令還擊，派人繞到槍聲的後面去反擊敵人。丁博士站在溝邊的山坡上，很多彈落在他的身邊，有時候土會把他埋起來。幸沒被擊中，溝裏邊敵人發槍的位置，隱約可見，田團長指給丁博士，就是左手的方向，房子的後面。

康熙帝堯襟舜抱

命相与夢話

漢年

清聖祖仁皇帝「聖祖」是其廟號，「康熙」乃是年號。即愛新覺羅氏，名玄燁，自號高元主人，為清世祖第三子，生于景仁宮。母為世祖之妃佟氏，即孝康章皇后。順治十八年辛丑，世祖漸大，為帝特定漢字御名，即今之諱，立廟諱自此始。遺詔立為太子，嗣大統，十九日即皇帝位於太和殿，時年八歲。以內大臣索尼、蘇克薩哈、鰲拜、遏必隆四人輔政。同年十二月滅桂王，天下混一。六年丁未，年十四歲，七月初七日親政，十二年癸丑，年二十歲。二月暹羅內屬。十二月，滇藩吳三桂反，閩、桂相繼而起，雲南、貴州、福建、兩廣、四川、陝西諸省俱遭蹂躪。二十年辛酉，年二十八歲，以次平定。十二年冬三十歲，八月擊敗台灣鄭成功，改置郡縣。三十年辛未，年三十八，喀爾喀全部內附。至此外蒙古皆服。三十六丁丑，年四十四，擊殺喀爾丹，朔漠平定。十一月青海內附，五十六年丁酉，年六十四歲，八月西藏被侵，五十九年庚子，年六十七，八月擊平。六十年六十八歲，四月，台灣亂，六月平。在位南巡六次，東巡一次，出塞四次，幸五台山四次，六十一年壬寅十一月十三日戌時，崩於暢春園，壽六十有九。九月葬於景陵，在孝陵之東馬蘭谷。康熙帝雅好文學，有御製詩文集，並飭廷臣纂字典，會典等。琉球國王遣子弟入監讀書，謚「仁」，廟號「聖祖」，年號「康熙」。有三十五子，女二十人，子女共為六十，可謂多子之君。康熙帝造：

清世祖順治十一年三月十八日巳時生。清聖祖康熙六十一年十一月十三日戌時卒。

即甲午、戊辰、戊申、丁巳。

「滴天髓」云：「戊土固重，既中且正；靜翕動闢，萬物司命。水旺物、火熾喜潤，若在艮坤，怕衝宜靜。」劉伯溫注云：「戊為山岡之土，非城牆之謂，較己土特高厚剛燥，乃己土之發源地也。得乎中氣，而且正大。春夏則氣闢，而生萬物，秋冬則氣翕，而成萬物。故為司命，其氣屬陽，喜潤惡燥，坐寅怕申，蓋衝則動，非地道之正也。故宜靜。」漢年按聖祖仁皇帝，日幹之戊屬土，月幹之戊亦屬土，月日時，辰申巳三枝中各藏戊，俱屬土，再益以年枝的午，命宮的未中亦各藏己，又俱屬土，不見衝刑，而有辰巳午未申一氣呵成，五位連珠之妙，豈獨固重中正已哉。誕生於穀雨節後，正值土王用事，土力固充足了，月幹明透火丁，時枝巳藏丙火，年枝午與命宮的未，又各藏丁火，火勢炎炎，設若無水以潤之，無水濟火，沃壤膏腴，亦將變為石田，則又不足可取。恰好申、辰二枝，藏壬發癸，甘雨時行，萬物發育，滴天髓謂火燥喜潤者。因此之故，劉伯溫注謂「坐申怕寅」，今日坐申垣，不見寅字，而生之際又值暮春，氣闢而生，至靜不動，是以堯襟舜抱，則揆天地，享壽稀齡，位逾花甲，亘古以來，尚未有此。

八歲己運，歲值辛丑，小限甲子，正月初七日，遺詔立為皇太子嗣大統，十九日即帝位於太和殿，以內大臣輔政。同年十二月，滅桂王天下混亂，此乃大運得祿所致，然歲貴人，限逢水木，亦有特殊之關係也。十四歲庚運，歲值丁未，小限戊午，七月初七日親政。此乃庚會戊甲為三奇，而午未會辰巳，尤有象擎之功，不得以火土痛之。二十歲午運癸丑十一月，滇落吳三桂反，閩、桂相繼，雲南、貴州、福建、兩廣、四川、陝西諸省俱遭蹂躪。二十八歲末運辛酉，十月以次蕩平，具見

。午遙刑午運，叠刃為害，全洩土氣，然經辛運，貴人會合，[illegible]擊降台灣鄭氏，改置郡縣。[illegible]外蒙喀爾喀[illegible]全部內附。[illegible]擊殺葛爾丹[illegible]青海[illegible]西藏被侵[illegible]按聖祖皇帝[illegible]南巡六次[illegible]

[illegible]

六氣為細菌之母（下）

吳惠平

國醫與國藥

細菌的類別

關於細菌的類別，有三種說法。即：（一）山中之菌；（二）空中之菌；（三）體中之菌；茲將其各種細菌之形成分列如后：

（一）山中之菌

何謂山中之菌，就是四季司令的大氣不正，而成的細菌，如穀雨以後，濕令司權，在大陸上，華中一帶最正常的地方每逢穀雨以後，常常有一陣陣的毛毛雨，氣候中就有一種濕氣，所謂濕令司權。在台灣氣候中所會濕氣更重，也可稱濕令司權，時至立夏，雖然濕度適當而存有一種熱氣，然濕熱交錯而成細菌，常常發生於春夏之交濕暑既退，大火西流，燥濕交蒸而成的細菌，常常發生於夏秋之間，這種六氣中之二、三氣而成的細菌，所謂山中之菌。

（二）空中之菌

細菌隨空氣以飛揚，因而有空中細菌的形成。古人的經驗告訴我們。兵燹之後，必有大疫，因為戰爭積屍遍野，臭腐之氣，隨風飄揚，在冬天尚不為害，因冬令閉藏故也。在夏天經過濕熱之氣蒸騰，臭穢之氣隨風傳佈轉為戾氣，而發上時疫病症，逐戶沿村釀成瘟疫，白喉等可怕的傳染病，這種病菌，雖非六氣直接產生，而因為臭腐之氣迫入，再加六氣而益張其燄，此所謂六氣中之二、三氣所造成也。如果並無大戰積屍遍野的情形，而仍有疫癘流行之禍害，則其細菌的由來，大都因烈日薰蒸地面臭穢之氣而造成，譬如前年台中水災後臭氣令人難受，一般到過現場者皆知，如果不及早預防，當然會醸成瘟疫以上就是空中之菌的來源。

（三）體中之菌

體中之細菌，全由六氣而產生，所謂先有六氣，後有細菌，六氣為本，細菌為末，蓋細菌侵襲人體，大都因六氣之感觸致氣血不和而後細菌得以進展，並因而乘機繁殖之故，若六氣和則細菌不在生故細菌為六氣所化。

六氣與細菌在病理上之異同

若同一病症，中醫治六氣有效，西醫治細菌亦有效，這是什麼道理，蓋中醫論病係指病的起點與來源，而西醫論病係指病的極點與現狀，人體先感六氣而生病，漸由發熱等變化而生菌，譬如痢疾之發生，當初為外感風寒，我們中醫針灸合谷、溜二穴，發表而痢疾就不會發生了，如失此機會而不治，表邪內侵而成痢疾矣，西醫用鏡檢查，但見有細菌而不見六氣，然追究原因細菌之繁殖與發育，皆係六氣為之，可稱六氣為細菌之母。

治愈這種痢疾病在腹部而取穴用於四肢的道理，是達到風寒表散為目的，如等到已成痢疾後的取穴方法，除取用四肢的足三里與曲池外，加取關元，小腸俞（十八椎下去脊一寸五分針五分）大腸俞（十二椎下去脊一寸五分針五分）中脘。（完）

成語選粹（33）

李國良輯

能者多勞

莊子列禦寇：「巧者勞而智者憂，無能者無所求，飽食而遨遊。」今言「能者多勞」本此。但今義與莊子命意有別，乃言有才能之人常任事多而較為勞苦。

第八章 胡虜兵二次南侵 岳鵬舉相州見君

先屯兵於山下休息，自引四騎逕入賊營，羣賊驚遽。岳飛急呼吉倩道：「胡虜犯華，汝等不輔義立功，反在草間作亂，實乃不智。岳某奉大元帥命招納汝曹，正是轉禍為福之時也。」

吉倩因此古倩等其名，感其至誠，願意受降，並置酒共飲，岳飛亦豪飲不疑。酒至半酣，古倩謂岳飛道：「我等既隸動縣，今乃受降，恐未能遽受誅戮。」岳飛聞講不意，來象已聽命，其中有一人忽然乘岳飛不備，擒岳飛，岳飛揮起一拳，那賊即倒下在地。岳飛拔劍欲斬之。古倩等急忙下拜乞饒，相率解甲歸降，凡降賊三百八十人。由是受於大元帥，補承信郎。

康王為大元帥，宗澤與汪伯彥為副元帥，措置抗禦金兵。因欽宗詔康王為質，金人遣兵來相州索捕康王。其時岳飛領三百人往李固渡試敵，以探測金兵虛實。岳飛領三百騎兵，適與金兵相遇於侍御林，岳飛身先士卒，衝入金陣，斬其騎將落馬，餘眾紛紛潰逃，岳飛追殺一陣，不敢深入，引軍而退。劉浩亦以岳飛為承忠郎。（因避大父諱，改保義郎）

康王開府未及半月，欽宗以汴京危急，促其遣兵援汴京，賜康王帛書由耿南仲奉來。下其書言，以為先往河北大名府，會兵而後進京，實則康王不敢入汴，畏金如虎，因此於靖康元年十二月十四日，康王統兵五萬人，由相州向河北而行，當十六日抵于水鎮，迷失道路，至晚始抵大名。此時岳飛隸劉浩之先鋒軍，甫抵大名，宗澤引二千人先至大名迎候康王。康王遂以先鋒劉浩軍撥歸宗澤副元帥麾下，岳飛遂從宗澤麾下，受到宗澤的賞識。耿南仲力促康王募兵入衛京畿，康王乃與耿南仲署榜，招募義兵。

且說金國兩枝兵已會師到了汴京外圍，汴幹離不屯兵於劉家寺，粘罕屯兵於青城，汴京城中尚有兵七萬人，欽宗，辛永宗分任統領，登陣守禦。兵部尚書孫傅，調同樞密院事。此人飯桶已極，他竟保舉了一個市井游民郭京，來担任退兵的法師。郭京自吹，說他能夠施六丁六甲法，以退金兵。欽宗遂宣郭京入朝。（卅四）

岳飛

周燕謀

自由報

中華民國內政部登記證 [illegible]
中國郵政台字第一二八二號執照登記爲第一類新聞紙

（第一〇八一期）
第一〇八二期

（半週刊每星期三、六出版）
每份港幣壹角・台灣零售價新台幣弍元
督印黃行賓・社長李鵬運
址址：香港九龍彌敦道593—601號
廖創興銀行大廈八樓五座
LIU CHONG HING BUILDING
7th FLOOR FLAT 5
593—601 NATHAN ROAD,
KOWLOON, H.K.
TEL: K303831
電報掛號：7191
承印：景星印刷公司
地址：嘉咸街廿九號地下
台灣營業管理中心：台北重慶南路一段一二九號
電話：二四五七四
台灣區直接訂戶　台灣劃撥戶
第五〇五六號張萬有（自由報會計室）
台灣分社：台北市西寧南路110號二樓
電話：三三〇三四六、台郵劃撥戶九二五二號

本報專論

對新任司法行政部長的期望

・秦正非・

改革政治風氣的呼聲，近年來甚囂塵上，人同此心。但所謂「政風範圍」很廣泛的，而其涵義亦是抽象的，人人皆能言之，却不知應從何處着手，頗有流於空談之勢。最近執政黨十中全會決議「改革司法風氣」，纔是言之有物的具體表示，而且深中肯綮。蓋法曹的職責，與社會大衆日常生活的實際利害息息相關，司法界的風氣如果不公正廉明，人民對政府的向心力必告渙散，終致動搖國本，無可挽回。執政黨爲貫徹「改革司法風氣」的決議，已遴任王任遠氏接長司法行政部務，王氏是素治法學而初登仕版的高級知識份子，我們相信他具有「任重而致遠」的抱負，必將有所作爲，因而不惜畧述一些粗淺的意見，聊供參考焉。

先從本身做起

古人有言：「政者正也，子率以正，孰敢不正？」又說：「身正，不令而行；其身不正，雖令不從」。凡是移風易俗的事，必須在上者以身作則，憑一二事實來表現示範作用，興立信譽，樹之風聲，自有實效可覩。就司法事宜而言，「審判獨立」精神最關重要，司法權如果受到行政權的干擾，所謂「審判獨立」云云，即屬欺人之談。將近兩千年前的我國西漢文帝時代，廷尉張釋之對於盜竊太廟禮器和在橋上驚動御馬的人犯，不接受皇帝主張嚴辦的面諭，據理力爭，最後使文帝亦認爲「廷尉之言，是也。」這便是眞正的司法獨立精神。今天咱們口口聲聲講法治，談司法獨立，是否堪與千餘年前的法治精神相頡頏呢？又如四十多年前的北洋政府外交總長羅文幹，以辦理「金朗法案」被國會檢舉糾彈，而北京地方法院即將羅總長拘押訊究，亦不失其爲司法獨立的事實表現，差強人意。反觀現時的司法風氣，似不足以語此，法曹對於審判案件之失出失入，畸重畸輕，時有所聞，恬不爲怪。如轟動一時的黃豆案，同樣得錢受賄的所謂當然律師兼民意代表，有的判刑坐牢，有的逍遙法外，而這些被「法外施仁」而聲名狼藉的當然律師兼民意代表，其所貪取的儻來之物，乃十百倍於被判刑之人。又如高雄青果運銷合作社贈送金質紀念品案，曾數受金杯金碟的小官微員，捉將官裏，依法究處，然接取金盤金盌的達官顯宦，却好官自爲，沒人過問。要改革司法風氣，若不能確立審判獨立的基本原則，　而不舍，督率各級法曹做到法律之前，人人平等的地步，則官邪成風，決無改善之望。過去曾有某一司法行政部長，發言法院審判案件，必須有所配合，不曾自認司法權沒有獨立性，貽譏中外，爲世詬病，我們希望王部長注意及此，毋忘毋忽，而以合則留，不合則去的澹泊寧靜心情，爲法治前途建立良好楷模，實所企幸。

幾項亟須整飭的事

現時各級法院的法官，除却少數資深的高級推事檢察官外，都是經過文官考試，或由法官訓練所培育出來的，但其素質似不一致，尤以地方法院的推檢爲然，他們的人數較多，雖然皆屬諳習法律之士，而素質頗有差別，問題在品性方面，如台北地方法院的王鎭，高雄地方法院的李石祿之流，嘉義地方法院的曹祖慰，公然利用職權，貪取賄賂，即與法學知識無關。近數十年來，公職人員的訓練工作做得很多，且以此爲任用的主要條件。可是，訓練時祇注重業務技術的傳授講習，對於每個人的品性少所考察，認爲經過了訓練的，盡係可用之材，這是用人行政上的一大缺點，不特司法人員而已。唯司法人員的品性若不端正純良，敗壞官常，貽患人民的後果更有甚焉。所以，我們認爲法官的人品最關重要，應該詳密考察甄別，切加整飭，凡是品性上有問號的在職人員，概行罷黜，其在訓練中的，予以剔除，這是正本清源的要務，忽視不得。或許有人認人心不同，各如其面，品性的優劣，非經過事實測驗，很難判別，其實不然。品性的優劣，在其日常生活言行的自然流露中，即昭然若揭，例證孔多，不遑枚舉。近代人曾國藩對於用人，採取「廣收愼用，勤教嚴繩」八字訣，司法行政部長尤有取鑑而力行之必要，法官的素質如不提高，司法風氣就沒有改善之望，此其一也。

目前各地方法院的法官，據說每天要分配二、三十宗案件，負担實在太重，人的精力有限，幾十宗案件要在一天之內辦完，勢不可能，即不草率從事，而失出失入的毛病就發生了。台灣報紙上時常刊出的司法新聞，多屬上級發還更審，或根本與原判完全相反的裁定案件。更審原是慎獄的措施，但一些幷非嚴重複雜的訴訟案，亦每每發還更審，這就證明初審法官幷未盡到審判之能事，而其最大原因即是分配的案件過多吧？如何減輕法官們在審判上力不從心的沉重負荷，司法行政部應該責無旁貸。據聞法官們每天分配到的幾十宗案件中，以違反票據法案佔多數，稅收機關的罰金收入，職員可以依法分得獎金或提成，而法官辦理違反票據法的罰鍰，涓滴歸公，一塵不染，然其繁劇程度却不可與稅務案件相提並論，這當然影響法官們的工作效率。我們是主張廢除票據法的，像目前處理違反票據法事件的不平等現象——小民犯之者，或受罰，或坐牢，或被通緝，特權份子隨便行使空頭支票亦我行我素，不受法律制裁——實所以摧毀法治的尊嚴性，利少而害多。唯票據法之存廢，係政策問題，非司法行政部所能自由決定的，不得已而思其次，王部長不妨建議中樞，將違反票據法案件，交由治安機關處理之爲愈。香港幷無票據法，但市面絕少空頭支票出現，即因法令無私，犯之者無論何人，皆由治安機構嚴厲追究，難以倖免，且無上訴權，被判入獄的，因粮自理，公家幷不負責。這樣就有「刑期無刑」的效用潛在，可以消弭罪犯於無形也。

有政治生活，即有貪污情事，古今一揆，中外無異。我們政府在大陸時期，亦每有貪污官吏存在，但司法與教育界却比較清廉，這是事實。北洋政府時代的政治措施雖是一團糟，然司法界頗著湼而不 的聲譽，民國十二年鄂省夏口地方法院法官發生貪黷行爲，法部乃下令將該地方法院人員全體解散，即胥役亦不例外，可見當時司法界剷除貪污，整飭犯罪之嚴切而徹底也。自從政府遷移台灣後，司法與教育界人員的貪黷風氣，似較其他的行政機構更流行，人民對於法院的觀感很不正常，其詳情非楮墨所能轉述。我們只盼望以革命黨人出任法部首長的王任遠先生，本其革命精神，對於法界的貪墨積習，能以壯士斷腕的勇氣與決心，痛加掃蕩，一新世人耳目，則功德無量矣，王氏勉乎哉！

昨日與明日

監委對立法院長講話了

春秋之筆

最近監察院發表了監察委員金越光和王文光調查國光人壽保險公司案的報告。這項調查報告經監察院財政委員會討論後，據悉將提案糾正財政部措施失當，並請行政院改善。

這一長達萬餘言的報告，內容詳盡充實，立場正確，發表以後，深受各方的讚揚。在報告中，首先指出：國光公司董事長黃龍鳳鳴是現任立法院院長黃國書的夫人，黃國書任該公司常務董事，負實際業務之責。其次，報告又坦率指出：國光保險公司，不僅業務不健全，而且違反保險法，對企業投資經營達七起之多，該公司之失敗，實咎由自取。第三、金、王兩委員對財政部對該公司雖曾五度下令糾正，但並未因糾正無效，而採取斷然措施，認爲因循寬容、監督不周，措施失當。

不顧權勢，不講人情，老老實實，有舍說舍，眞乃春秋之筆，可圈可點。

權勢之害

國光保險公司的失敗，究其實際，乃受權勢之害。就因爲該公司有強有力的人物支持，壓擱財部糾正公文，始終不加理睬，仍違法經營如故，結果該公司虧損由三千多萬元，增到七千多萬元，後來又增加到一億多元。假如財政部在該公司虧損三千多萬之時，就採取斷然行動，限令該公司整理，也不致落到今日「慘敗」地步。財政部何以當時不採斷然措施，顯然有所顧忌；該公司何以視部令如兒戲，也是有所恃而無恐。終之使國光公司越陷越深，越賠越多。權勢權勢，害人害己，可畏乎，可畏乎？

不能殃及無辜

兩監委調查報告，雖然是篇好文章，將來也可能對財部提出糾正案。但是國光公司的問題並沒有徹底解決。今日國光根本問題是如何確保投保人的權益。已到期的保險，如何還本付息。這不僅事關國光公司本身的信譽，也是中國保險業有無前途以及政府有無威信的一個考驗。不管國光前途發展如何，決不能令那些無辜者的投保大衆，蒙受損失。想保戶一定也要爲自身權益而有所組織奮鬥的。

・千公・

自由談

自作自受

蘇俄以大量軍備援助埃及，且派遣空軍人員到埃及參預以、阿戰爭，美國當局暨國會議員大爲緊張，聲稱中東的均勢局面已經改觀，躭心因此而觸發全面大戰。實則中東今日的危險形勢，就是美國造成的，何以見得呢？

當年英法聯軍進入蘇彝士運河，擬一舉而摧毀親共的納塞政權，若不是美總統艾森豪以停止對英法的石油供應相威脅，迫使英法聯軍撤退的話，埃及至今還是自由世界的一員，中東風平浪靜，以、阿戰爭即不會發生。

納塞政權穩定後，美英法各國當局如果同心協力，對中東問題採取一致的應付之策，俄帝勢力亦就沒法滲透埃及，進而控制納塞政權，左右一切。怎奈西方各國利令智昏，爲着爭奪中東的石油權利，各行其是，而對埃及這個不產石油的地區，掉以輕心，隨便應付，遂纔逼得納塞走頭無路，祇好向俄帝投靠了。

中東風雲緊急了以、阿戰爭日趨劇化，美國宣佈不以軍備售給以、阿各邦，然法國不理會，既以飛機供給阿爾及利亞，又以艦艇售予以色列，唯恐天下不亂。西方國家如此同床異夢，對中東勾心鬥爭，互相奇（齒旁）齮，弄得中東地帶烽火連天了！孰爲爲之，孰令致之，美英法各國固不能辭其咎也。

歷史事實是常常重現的。第一次世界大戰後，德國一蹶不振，不易翻身，然英法對德俄政策各不相謀，彼此尅制。法國不允許德國重整軍備，英國即私自跟德國簽訂「海軍協定」，贊助德國整軍；英國反對蘇俄勢力擴張，法國即與蘇俄親善結交，爲共同抑制德國復興而簽訂「法俄協定」；希特勒利用英法這種矛盾，表示親近英倫而反對蘇俄，在西歐張牙舞爪，爲所欲爲，而英國張伯倫政府乃鼓勵希特勒在歐陸橫行霸道，結果是促成二次大戰之加速爆發。現在西方各國對中東問題，依然重施故技，矛盾對立，乃讓素來在中東沒有立足之地的蘇俄，一旦成爲主宰中東命運的「天使」了。西方國家孽由自作，於人何尤耶？

蘇俄以全力援助埃及進攻以色列，美國絕對不願以色列崩潰，這與二次大戰前希特勒與史達林對西班牙內戰的情形相同，各助一方，唯力是視，相激相盪，誰能保證全面大戰不致觸發嗎？

馮五先生

小啓

承印本報之景星印刷廠，因受颱風積水影響，致使出版不正常。茲將兩期即七月廿九日第一〇八一、八月一日第一〇八二期合併於八月一日出版，自第一〇八三期起恢復正常。

行政乎？司法乎？

丁作韶

（本報特稿）年來司法行政部與全國各地法院推檢兩處人員共同的努力，和一部分工作人員的苦心孤詣黽勉從公，確切有很多的進步。各種的檢討會也不斷的召開，每一次對於應興應革事宜，也有很多很好的結論。但對於司法與行政方面的關係，如何從司法與行政的分工上謀司法的改進，似乎還很少有人談及，但我覺得這一點與司法的進步大有關係，願詳論之，以就教焉。

法官苦經

年來大家都在喊司法官苦於案子多而待遇菲薄，這一切的原因都應該歸之行政上。因政與刑之關係，自古以來，都非常注意。在論語上有「導之以政，齊之以刑，民免而無恥」之說，可見政最重要，刑不過是政的一種工具而已。有政的領導，再齊之以刑，民就可得而免之。達到「政簡刑清」的地步。由「政簡刑清」，也可以看出政與刑之關係。政簡然後刑方能清。反而言之，政不簡而欲刑清，誠戛戛乎難矣！直緣木而求魚也。孔子對於政的定義，對於政與刑之關係，更分析得清楚。孔子曰：「政者正也」，「苟子之不欲，雖賞之不竊」。政與刑之關係，從「苟子之不欲，雖賞之不竊」。政與刑之關係，縱「苟子之不欲，雖賞之不竊」上，更看得非常清楚。這個「子」是季康子，是向他領教的人。這個子也可以作一般的行政人員看。這就是說：負責行政的人能做得好，人民是不會不好的。就盜竊而論，盜竊，負責行政的人能「不欲」，就是獎勵老百姓去偷，他們也不會去偷。負責行政的人「不欲」，才是正本清源之道，不在「不欲」上下工夫，單單責備法院處刑不重辦案不力，那是錯誤的。

竊盜案件

竊盜案件，是年來法院最大的一個負担。他估的比例數，從法院的統計上，可以見之。我也曾向法院的統計先生領教過，我也向各地院長首席領教過，無疑義，竊盜佔的數目最大，不如乾脆的說：竊盜案在今天台灣的法院是最多的，竊盜案在今天台灣的法院佔第一位。而且這只是就到了法院的案子而言，沒有送法院的，沒有捕獲的，恐十倍於斯。據一位警局的負責人告訴我：警力太薄弱了！以台北來論，廿年前，台北有多少人口，有多少警察！今天，廿年後，台北有多少人口，多少警察？人口增加了不只十倍，但警察數並沒增加。台南、高雄，……亦復如是。這麼少的警察人，這麼多的人民，這麼遼闊的地面，如何能防範週到，如何能使盜竊不漏網！再加上竊盜的人非常有組織，非常有辦法，往往偷了好多年，偷了好幾百萬好幾十萬的東西而未被發覺，膽子大起來，肆無忌憚，縱橫裕如。

要用重刑

到法院的竊盜案，法院只有依法辦理，判的刑，在行政方面看起來，不夠重。因而中央對司法表示不滿。甚至在一個會議上，公開指責司法，並命令以後一審不得判輕，命令二審不得改判，否則就必須送上邊研究！這樣辦法又行之經年了，試問竊盜案又減了好多！實在講，竊盜案是一個行政的問題，要行政負起責任來設法消弭，靠司法是靠不住的，靠司法也毫不能解決。既然有外島管訓的辦法，抓到就送外島好了，何必再經過法院！送外島，想怎麼辦就怎麼辦，要怎麼辦就怎麼辦？在日據時代，據聞是沒有竊盜的，可以說到夜不閉戶，路不拾遺，其所以致此，據研究就是行政負責任，就是行政負起責任來，遇見盜竊的案件就逕行處理，不送法院。處理的方法，就是用重刑：摔到海裏餵魚吃，或在臉面上漆盜竊二字，使他永不能見人，永不能翻身，中央既有肅清竊盜的決心，何不效日本的老辦法，由行政逕行處理，以減輕法院之負担乎？此其一。

退票案件

就法院受理的案子而言，除了竊盜案最多，佔百分之三四十外，其次就是違反票據的案子了。違反票據的案子在全案的裏邊佔第二位，有一度，幾凌駕竊盜案而上之，雖經修改一次票據法，從重處理發票的人，也沒見能夠消滅此種歪風。此種案子，更可以交由行政方面去處理。何必經過法院？違反票據法的案子，多是由票據交換所轉到地檢處的，地檢處起訴後又轉到地方法院，地方法院也沒什麼問的。往往只問一句：什麼什麼票子是不是你出的？被告只要承認是他出的，法院就可以判了，退票十之八九都是因為存款不足，法院有印好的判決書，「……明知存款不足……而又故意……」填上去被告的名子也就可以了。被告為拖延時間自然上訴，二審法院雖給被告或其辯護律師以辯論的機會，因為證據確鑿，庭上沒有那一位去聽，被告或其辯護律師不論如何的滔滔雄辯，雄辯滔滔，如何說明沒有「故意」，如何不「明知」……也與事無補，結果在揭示牌上一排一排的違反票據法案，一排一排的「上訴駁回」，「上訴駁回」……而且對持票人的債務並不負保障責任，如此，徒加重法院的負担外，別無義意，何如將所有票據案件一概移歸行政處理。這是可以的。法院來處理違反票據法案件，實在多此一舉！行政來處理，行政還可以採取釜底抽薪的辦法，限制各銀行隨便發支票本子，限制私人隨便使用支票，嚴加規定，嚴格執行。這樣一來，法院的担子又輕了。此其二。

貪污案件

還有一類的案件，也絕對可以從法院裏拿出去，以減輕法院的負担，那就是貪污案件了。貪污案件根本就是行政的案件，根本就應該由行政來處理的。何況中央本來就有公務人員懲戒委員會。公務人員就是行政人員。在昔巴黎大學攻公法，就知道公務人員有一套行政法規，他如有違法失職之處，應即照行政法規處理。在我國有「刑不上大夫」之說，有人說這不民主，其實不然。這只是就他的公務而言，就他公務人員之身份而已。既然辦的是公務，既然身份是公務人員，當然要照行政法規處理，但我國卻不然，會交給司法，這是不應該的，比方最近發回台南高分院轟動一時的所謂香蕉案，明明白白屬於行政的範圍，明明白白應該行政處理的，卻交給司法來處理。我還沒看見最高法院發回來的理由安在，但我細閱過高雄地檢處的起訴書，高雄地院的判決書，台南高分院的判決書，我實在不敢恭維，不敢領教，把收紀念品硬拉到收受賄賂，把接受招待硬拉到不法利益，不但於法無據，就是與情與理也說不過去。在去年十二月五日行政公布了公務人員收受贈與與接受招待的辦法，滿以為行政自己搭一個下台階，自己就此下台，拿來行政處理，不料又發回來，仍由司法來處理！這實在不應該。類似香蕉案的所謂貪污案還多得很，情形上大體彷彿實在是一個行政的案件，行政可以處理的，但行政不處理。這又加重了法院的負担，此其三。

背了黑鍋

姑且以上述三端，竊盜案件，違反票據法案件，貪污案件為例，可見法院有很多額外的負担。這是可以減少的，可以剔除的。交給法院，徒增法院的負担外，並收不到任何的利益。或者還可以說，不惟無益，而且有害。從坐了監出來的竊盜又去竊盜，而且偷的技術更高明，偷的胆子更大可以見之。違反票據法的判決，又何嘗能戢止違反票據法的行為，事實上不更多嗎？貪污者又何嘗因判刑而退縮而減少？我之所以主張上述三端全移歸行政來處理者，以此！行政最要負責，而中華民國之行政却最不負責。人家都說法院的推事推，我倒說行政的人員在推，他把應該辦的可以辦的全推出去，這是不好的，這是不對的。上述三端，推給司法，司法也就受了。但他雖然很吃苦的在辦，並辦不出成績來，到了法院成為培養竊盜，便利違反票據法，獎勵貪汙，那司法更何以自解！豈不是人人背了黑鍋還要挨罵？

一舉兩得

在此政治革新之際，特提出上述三端，希望中央將現在屬於司法的竊盜案件，違反票據法案件，貪污案件，移歸行政處理，這樣固可以減輕司法之無謂負担，也可以收到預期的效果。誠所謂一舉兩得。政治革新，要革新才能……竊盜案件，違反票據案件，貪汙案件，行政才能發揮他的作用。這也是愛護司法，也是愛護行政。希望中央大力支持，促其實現，更希望司法行政部在這上面力爭。此而實現，不但司法將有更大之進步，即行政亦有更大之進步，所謂政治革新，才不是一句空話。質之高明，或以為然也。

依詞集

電影、電視的素材問題

・易儔・

以陳立夫先生為首，有很多人站在文化立場，對電影、電視節目內容的貧乏、庸俗，感覺憂慮。另一方面，特別是電影、電視公司的主持人，却無法放棄以盈利為目的，似乎仍在我行我素。這便是已存在的問題。

是不是台灣的觀衆，只能欣賞趣味低級的作品呢？事實上剛剛相反。以最近台港兩地攝製的影片來說，香港某大公司耗資鉅萬的作品，絲毫不能提高它本身的客觀評價。香港出品，無論是古裝片、時裝片、武俠片，因為編劇、導演的文化素養不夠，粗製濫造悲劇收喜劇的效果，喜劇則收悲劇之效果，弄得觀衆啼笑皆非！

在台灣方面，白景瑞所導演的「家在台北」，胡金銓所導演的「俠女」，雖然不能說是毫無瑕疵，但如果拿來與香港某大公司出品作一比較，妍媸立見，當為不爭之論。

某大公司所重金禮聘的日籍導演和由台灣去的導演，他們合作攝製的影片令人目不忍覩。

因此，寓文化教育意義於電影、電視之中，並非迂闊之論。越有意義的劇本，越有娛樂價值，不僅不違背該業的盈利目的，而且大有幫助。

首先，電影和電視事業的主持人應該重視編劇和導演，不再閹於明星偶像的盲目崇拜。

鑒於電影、電視在社教方面所佔地位的重要，如何使文化學術注入，應為輿論界注意的一個新方向。

喬治桑外傳　一六一

張大蔭

他在美國混了大半輩子，表面上好像有點枝葉，骨子裏光禿禿地還是孑然一身。「寄蜉蝣於天地，渺滄海之一粟」一點不錯。

他一個人在「泰山咖啡廳」坐了很久。不知不覺已經到了十點半鐘。他走到公共電話旁撥了一個電話到家裏，接電話的他一聽就知道是下女阿翠。

「小姐有沒有回來？」喬治桑問。他用不着通名報信，他知道阿翠能辨別他的聲音。

「還沒有，在八點多鐘小姐曾來過電話，說她和朋友去看九點一場的電影，看完了便回來。」阿翠在電話中報告了雅麗絲的行蹤。喬治桑一聽，就知道雅麗絲準又是和蘿蔔蔡在一起。便告訴阿翠，他也差不多在那個時候回家，然後掛斷了電話。

這邊按下喬治桑在「泰山咖啡廳」獨坐不談，雅麗絲正和蘿蔔蔡在一起，喬治桑猜的不錯，不但是在電影院而是在蘿蔔蔡的家裏。

蘿蔔蔡住在台北高級住宅區一所精緻的公寓中，房子雖不大，佈置卻比桑家更華貴。在單身漢中，蘿蔔蔡的住處可算是很難得的了。

蘿蔔蔡在桌上放着玫瑰瓜子，葡萄乾，水果糖各種零食，殷殷招待他的膩友雅麗絲。

「你覺得我的『包死』怎樣？」雅麗絲一邊嚼瓜子，一邊問蘿蔔蔡。

「我不過只見過他一兩次面，對他實在不太清楚。」蘿蔔蔡揣不透雅麗絲在和他喁喁情話半天以後，或然提到喬治桑，究竟是何用意。

「我是問你對他的印象。」

「桑先生人很不錯嘛，用中國人的老成，美國人的幽默。」

「嗯，他對我的情感變化很多，我摸不透，所以要問你。」

「什麼情感變化？」

「老實說，在過去他會一度追求過我，雖然他的做法很含蓄，我能感覺到。」

「後來呢？」

「後來他對我真正是父女般的感情。我從此對他才不採取防衞態度。最難得的是，他還一再要我多和你接近。」

「這是一種紳士態度，他大概知道他的年齡與妳不相當也改變心思的。」

「我想還有另外原因。」雅麗絲是很聰明的女孩子，對人有深刻的觀察力。

「什麼原因？」

「他沒有兒女，這是缺憾，亟需要補償。他有過很多羅曼史，所以能慷慨放棄男女間的情愛。」

蘿蔔蔡聽了，不住點頭。暗暗佩服雅麗絲的觀察力。

「這樣說來，妳的包死將來我一定要重重謝他。」

「謝他什麼？」

「他是我們真正的大媒呀。」

「真厚皮，難道你就知道我準會嫁給你？」女孩子罵你神經病、厚皮，你千萬不可動氣，這是「罵俏」，正表示她對你已有情意。

大凡男女在一起，情意纏綿最易消磨時間。喬治桑是十二點多鐘回家的，雅麗絲到家卻將近午夜一點了。

台北傳奇錄　（五九）

・陳光棣・

「我，走吧！你說的餃子餵了狗，都不再賣給你」！老邱吐沫橫飛：「好他個小舅子，拿起一隻盤子來就砍呀，俺就這麼一閃，俺他的兒子腿跑的好快呀！算他便宜，他奶奶的」！

「看我的面子，就算了吧」？劉二爺拍着老邱的肩頭：「咱們到醫院去看看」！

「你老一句話！沒關係！還看什麼？」

「好，謝謝你！你忙着吧，有什麼事情找我」！

「沒事，沒事，你老請回吧，俺的腦瓜子結實的很啊！」

劉二爺回到大洋馬家，一進門又看到小辣椒，幾個人正在伸着頸子等消息。

「劉二爺！請坐」！大家都站起來。

「老邱是個大好人，就是直性子，過去的事情就算啦！什麼時候，宮太太順便給老邱打個招呼，宮弟弟也別隨便出手打人，幸虧是碰上老邱」！劉二爺和顏悅色的說着，宮國華桀驁不馴的聽着。

「你聽見劉伯伯說啦沒有？以後可別再惹事！」小辣椒給兒拍彈灰塵。

「我先回去，有什麼事慢慢的再說吧」。劉二爺說着告辭回家。迎面碰到步成材，正鬼鬼祟祟的衝向弄堂口。

劉二爺回到家裏，劉太太已經擺好了晚飯，兩夫妻優閑的品嘗着清粥小菜。

「方才賴慧敏來過」。劉太太說：「她媽媽聽說你要給她找個工作，高興的不得了」。

「噢！」

「她爸爸是什麼處長嘛，怎麼不給她安排一個工作哪」？

青年人有一種本能的反抗心理，對于父母表現的最強烈，要是她爸爸提議給她找個工作，她也許還不肯呢？」

「奇怪，賴家兩夫妻是怎麼回事啊」？劉太太想不明白：「賴慧敏說她的爸爸媽媽總是拌咀」。

「夫妻之間就是這麼回事」！

「怎麼回事啊」？

「賴家兩夫妻，一個好打麻將，一個專找女人，兩個人各幹各的，怎麼會不吵咀」？

「真是不正常」！

「妳以為正常的夫妻，就不吵咀啦」？

「當然」！

「妳注意過沒有？」

「注意什麼」？

「一般的情形是，兩夫妻一開始的時候，說起話來是越說越多，說話聲音也越來越小！」

「對」！

「兩個人有了孩子以後，說話就越來越少，嗓門可越來越大」！

「真的呀」？

創業講座

從「良心」說起

·楚狂人·

中國人的舊觀念中，稱良心叫「天良」，西洋人希臘神話中亦有良心之神（ERINYES）的說法，不過處世做人能本「良心」總沒有錯。但與功利主義者，或做過共產黨的人打交道，就不太適宜了。

民國三十八年，毛澤東向其雲南「同志」指示說：「陰險，毒辣，狡詐，殘酷，爲共產黨人最崇高之道德……。」這種崇高道德用在親戚朋友身上固吃不消，用於政治談判，也沒有不上他當的，天真的美國人不懂得這些，在中國鑄下滔天大錯，這股寒流已如黃河決口，除了禍延七億中國人外，美國本身早被捲入，馬歇爾的「功德無量」，有被鑄鐵像紀念的資格了！

但我們不能因朋友功利主義，我們亦變成功利之徒，更不可因朋友「八路」作風，我們亦變成「八路」，那就糟了。所謂「良心」焉者，乃本然之善心，「所以放其良心者」（見孟子）一個人如與沒有「良心」的人做朋友，就和與狼虎打交道，遲早總會被咬一口的。這是狂人的經驗，其實「經驗」兩個字，就是上當後的代名詞。廿世紀七十年代，很多人都不注意這些，爾詐我詐習以爲常，社會怎麼能不亂呢？

談台灣商人

台灣的商人，一般的說，缺乏創造力，台灣的一窩風乃是中國商人的反常，還有就是貪圖小利，甚少精益求精，台灣藥商犯這個毛病的最多，一種產品略有起色，馬上就作減低成本的打算，尤其外銷貨，國際間有一定規格，規格乃根據科學方法求證，台灣的白糖甜度，始終到不了百分之九九九，即其一例，坐看古巴壟斷國際市場，這是多麼倒味口。

觀察以後世界大勢，中國豈能以兵存，工商發展仍爲要圖，商人必須具有世界眼光，發揮商戰能力，才能爭取外匯，這種功在國家，利屬自己的競爭，切勿忽視，不過希望政府有關衙門，也具遠見，能瞭解帝國主義，不惜以流血方式侵略別國，目的都是在替工商業找出路，有人說上次日本的侵華戰爭，就是爲了三井，三菱等幾家洋行，雖言之過火，但確有相當成份。我們則認爲工商可欺，稅吏，及有關衙門都視商人爲肥肉，簡直犯了不可饒恕的錯誤，祇要眼不瞎耳不聾的人，都會看到和聽到，師大有位老教授，言及此弊時，幾聲淚俱下，爲國家前途憂慮不已。

經濟部應該邀集素有閱歷，經常研究物產之精粗，工藝之優劣，提供改進方法，隨時剴切規勸，以期日精，越推越廣。聽說最近的物價波動，與某學人建議增稅有關，殺雞取卵政策，萬行不得，遠來的和尚會念經，和耶路撒冷的人不相信耶穌，是同一種偏差，「政者正也」，偏路差道，行不得也哥哥。

中國文化與救人救世（下）

·余祥發·

中國文化之能屹立五千年，外來文化之不能干涉破壞者，完全就是得力於其本質之雄厚，本此以吸取西方文明進步的工具——科學與民主治於一爐，中國文化之發揚光大，自不難期。

故中國文化之發揚光大，道雖多端，要不能離開兩項原則，一爲發揚固有文化，一爲吸收外來文化，發揚中國文化本質之優美精彩具有熱情活力的部份，摒棄其陳腐，偏狹，冷靜，消沉不合時代環境的部份，所以在形態上，即不是恢復唐虞盛世的社會生活，辦法上，亦不是食古不化的傳播移植，而是要本世紀的人類生活，用新觀點去認識固有文化的本質，擷取其有助新文化長成的養料。所謂吸收外來文化，也不是木石俱收，優劣並蓄，祇是吸其對中國固有文化富有受燃力的部份，如科學與民主，使之與中國文化優良的本質互相潛化結合，因爲任何文化，都有衰微的時候，文化的調劑作用，正與生殖上調劑血統關係一樣，必須輸入新的血液，才能振奮繁衍，中國文化之所以能繼續五千年未墮者，即由於過去不斷有外來血液的增加，外來文化，經與中國文化互相激盪之後，優勝劣敗，精髓被吸收，劣質被淘汰，於是新的血液也潛化而成爲我有文化，中國今日的文化雖有衰微的現象，但舊的火種，仍然存在，祇須加添薪炭，便可復熾起來，這火種熱力，便是用新觀點提煉出來的固有文化，這薪炭，便是外來文化適合中國文化復興的科學與民主，火上加油，中國文化，自然就會大放光明。（完）

談福建民聲日報

·文匯樓主·

福建晉江縣大象報與福州民聲報，同爲葉非英所創辦，葉是廣東人，畢業於廣東高等師範學堂，個性倔強，以刻苦著稱，信奉那無主義（即無政府主義）大陸變色福建省陷匪時，葉隻身逃亡，先抵香港，然後來到台灣，過了一個時期，問題不樂又離台赴港，蟄居九龍一個時期。

大象報和民聲報雖地方報紙，沒有甚麼特色可言，也並沒有宣傳無政府主義或共產主義，兩報雖被滲透不少共諜，在國民政府統制時代，尚不敢明目張膽，在表面上有「立功」表現，比起抗戰期間的湖南中央日報，公開任用表面民盟份子，實則是共諜任總編輯，差的太遠了。大象與民聲雖平庸，但葉非英並不平庸，一股幹勁，不僅爲福建新聞界朋友所欽道，左翼作家巴金在未投匪前，即著論頌揚葉非英謂：「搞文化工作的人，一定要腳踏實地，在血海裏打過滾，葉與我截然兩途，葉非英是民主鬥士……」葉的腦筋很清楚，不因巴金捧自己幾句，就得意忘形，相反的他覺得即共產黨的自然綽號，祇有此嘲嗷。有一次巴金問葉，「假定毛澤東執政後，你有甚麼感想？」葉非英答覆的非常妙，也引證老舍劇本中國農民侮辱日本皇軍的台詞：「不『敢』想，不『敢』想，想了是要挨湊的……」

民國三十八年秋冬之交，共匪佔據福州後，共匪軍管會發出廣播，要國民黨員勿離開自己工作崗位辦理「自首」登記，實際是成立一個最大的監獄，可容納上萬數的「人犯」，謂作「革命大學」，將靠攏的人都當作牛馬壓搾，執行奴役政策，因開始口號喊的響亮，「保產！」「保命！」「保職！」上當的人很多，有某官營報負責人×××，與中共新聞署長范長江有一段不成爲「同窗」之雅的「同窗」關係，很早搭上線，拉上所謂「革命關係」，竟然被派爲民聲日報副社長，總是人在家中坐，喜從天上來，民聲日報，大象報，民聲報等合併組織，不過范長江一邊仍向葉非英召喚，可能係巴金等影響，理由是葉非官報負責人×××「向人民悔罪」後，都能得到保障，給機會向「人民立功」，葉回來更沒有問題，據說葉被拒絕，且有甚不上賊船的表示，後來一些被利用的政治垃圾，「剩餘價值」自然消失，但其中仍有一部份投機取巧之輩，利用機會迷到心竅，表示願爲人民服務，經過「八路」有關單位辦理坦白，筆試，口試一竅三味的「典試」後，選拔一批所謂「優秀」者，調「北京」受訓，受訓期滿，才能分發工作，思想未搞通的人，都送邊疆不毛之地「勞改」。

文滙樓劄記

花延年室詩評介

·王家文·

可能由於「太上立德，其次立功，其次立言」及「行有餘力，則以學文」諸學說之影響，我國古來的讀書人，多以天下爲己任，期有裨於國計民生，視詩文爲餘事。若果心有所感不能自已時，猶如風行水上，張諸筆墨，藉抒胸臆，此即詩言志，歌永言的詠歎之聲，因其出自眞情流露，始有可羣可怨的感性，激發共鳴的作用。

花延年室詩是師大研究所教授李漁叔先生的著作，計分六卷，都四百六十餘首，爲其平生精力所寄，尤能自吐心聲；對於當代政情的分析，現狀的觀察，社會的變遷，都充分表現出來，或可供他日採風者的參攬。誠如白香山所說：「文章合爲時而作，歌詩合爲事而作。」的主旨。

李氏的作品可分前後兩期，前期作品爲四十歲之前在大陸時期的詩篇，以清新俊逸見長，寓有憂生念亂，人國興亡，成敗盛衰之感，可稱「才將情副，情以才彰」的佳構。其「老兵行」七言長歌尤突出感人，頗具時代意義，較之白香山的「折臂翁」，亦無多讓。後期作品爲來台後的吟章，由於作者飽經憂患，感慨遂深，兼萃各家，獨闢境界，卓然自成一家面目。雄快豪放如「發願戒卷於已復吸之戲作」，沉痛悲悼如「乙巳秋辭公墓下作二首」均能不名一格，不專一體，取樂府比興之神理而不襲其貌。至其含淳耽味應推「閒居雜詩十首」，故詩家陳含光先生評曰：「清微妙逸，作者本然，盡約三唐之體，而運以放翁；然渭南有此深情，無此高韶也。鄙意每以自然爲歸，故於此尤爲心折耳。」可爲最允當的評語。

爲便於欣賞，茲摘錄七律數首如下：

（一）春盡

負手亭臯送夕暉，
幾年無復見鶯飛。
花開陌上聞歌發，
草綠湖南寄夢歸。
孤學一身爲世棄，
平生千計到今非。
江　默記來時路，
種柳旋看又十圍。

（二）春日閒居即事

濃陰如幄過清明，
細算都無幾日晴。
歸路太長鄉夢短，
春寒猶重落花輕。
頻聞淒笛吹愁近，
驟引吟箋屬句成。
明日踏青須早起，
不勞幽鳥更丁寧。

（三）新春出遊近郊

春郊泥滑野塘渾，
麥隴今成四五村。
病樹已先春雨活，
寒山猶待夕陽溫。
行遲窄袖沾花氣，
睡久蒼顏帶枕痕。
路近不嫌歸履晚，
疏籬相伴度黃昏。

詩中如「孤學一身爲世棄，平生千計到今非。」「歸路太長鄉夢短，春寒猶重落花輕。」「病樹已先春雨活，寒山猶待夕陽溫。」等句，深得唐風遺韻，皆爲可傳之作。

李漁叔教授是湖南湘潭世家，早歲留學日本，返國後曾先後擔任縣長及行政專員等公職。來台後任總統府秘書，頗爲故前行政院長陳辭公所倚重，嗣當辭公積勞病逝，他有詩弔之云：

闕頭雲斷下低空，
追往含淒謁殯宮。
每見愈衰知算盡，
相知太晚嘆途窮。
危心欲叩天何意？
隻手曾扶日再中。
吹暖人間春已去，
林花落盡又秋風。

×　×　×

深培國力課農桑，
拊撫瘡痍起病創。
肝膽盡摧憐志苦，
河山未復痛人亡。
哀兵猶見棱餘甲，
歸夢頻聞到戰場。
自分殘生終寂寞，
更思投足到何方。

所謂「肝膽盡摧憐志苦」，係指辭公昔歲以積勞膺胃疾，曾割去膽囊及胃之一半，晚患肝病，遂以不起。知遇之情，溢於言表。

王國維在人間詞話曾說：「有境界則自成高格，自有名句。」我於花延年室詩，亦作如是觀。至於詩集中，頗多應酬之作，類似情形，古賢不免，洵不足爲今人病也。

諸葛亮狂想曲（一〇四）

·劉玄·

「眞奇妙！眞奇妙！一言難盡。」劉約翰面上帶有異樣的表情。

「慢慢講來，我很想聽聽你奇妙的經歷。」諸葛亮顯然很有興趣聽劉約翰現身說法。

「在星君作法時，有一段時間，我全身骨節像拆散般痛楚，後來便進入被催眠狀態。然後便變成魚了。我雖然還糢糊記得我是劉約翰，可是却是一條不折不扣的金魚。在魚缸裏游來游去，舒服極了，美妙極了。別的魚跑到魚缸邊吃虫，我也愛吃。變魚以後，胃口也不同了，覺得虫才是天下第一美味。」劉約翰娓娓道來，使諸葛亮聽得津津有味。

「請你談一談你的金魚戀愛故事。」星君這一句話，奇峯突起，殊出諸葛亮意料之外。

「這，這……」劉約翰羞慚滿面，連耳根都漲紅了，囁嚅着說不出話來。

「這沒有什麼難爲情的，我使你變金魚，原要你充份體驗一下魚類生活，你應該老老實實告訴我，讓我多一點研究的資料。」太白星君是大仙，胸襟豁達，不受世俗拘束，不像宋明理學家那樣迂腐。

「缸裏七條金魚，三雄四雌，我到了缸裏，不費絲毫氣力就和那條雌魚配成對了。」劉約翰說完，用手指了缸裏一條黑色金魚。

「這倒是一對人魚夫妻。」星君幽了劉約翰一默，使諸葛亮在旁忍俊不置。

「星君說的一點不錯，這才是眞正的魚水之歡哩。」劉約翰受西方教育甚深，懂得自嘲的說話技巧。

「最恐怖的要算是那天了，不知那裏來了一隻貓，我在魚缸裏看到貓的猙獰面目，比老虎更可怕。最要命的，牠將腳爪伸進來，東撈一把，西撈一把，眞正嚇煞人也。」劉約翰說至此處，聲音顫抖，似乎猶有餘悸。

「後來是怎樣脫險的？」諸葛亮見劉約翰談貓色變，也爲他捏一把汗。

「那時，我想叫，叫不出聲音，又無處逃。我自己也不知道是否嚇出了一身冷汗，好歹在魚缸裏，就是出汗也看不見。後來幸虧鶴童來了，才將貓兒驚走。」

「那時星君不在仙邸麼？」諸葛亮這句話是向太白星君說的。

「我預見玉帝去了，我早已算到那天劉約翰有貓難，不過，有驚無險用不着爲他担憂。『貓難』對他有好處，所以我也就讓它發生而不事先防止。」太白星君用雙手腹（手旁）了腹鬍子，又理了一下眉毛。

「貓難有什麼好處？」諸葛亮在星君前常有不明瞭的事情需要請教。

「劉約翰在缸中大有：此間樂，不思蜀的意味，如果他本身沒有變回人形的意向，我作起法來便事倍功半。」

巨變歷險記

南天王綫禎祥（一四三）

胡慶蓉

瓦渣這山算丁博士進入雲南邊區所面臨的第一座最高的山。當他最初到瓦渣山的對面，初到紅河渡口，初次仰望瓦渣這山，他連聲的叫好，好一座大山！是這麼的高！簡直一眼望不到頂，山與天齊，山連着天，天連着天。最使他感到神奇的，是那山頂上的白點。據熟悉的人說：那就是瓦渣土司衙門所在。特別是那從司署傳下來的鈴聲聲聲，更使人興悠悠之思。那該是多麼好的地方啊！

當丁博士從對面山坡上下去，踏着一堆一堆的屍首通過山澗溝到達瓦渣山腳的時候，他滿懷着宗教的思想，十二萬分虔誠的心情，像一個朝山進香的人，雖不能說是一步一跪，倒也一步一點一點的上進。他還記得，剛一踏上瓦渣山，那是一個小小的小山，有如踏腳石一般。路是羊腸小徑，在亂草裏邊。山遠望像是一個，走近來卻是一個一個的，一層一層的，一級一級的。走完了一個，還有一個，登了一級，還有一級。瓦渣山不知道有多少級，爬到夜裏十一、二點，還只是爬到山腰。實在累了，餓了，就在路上村莊安營下寨。丁博士同田團長睡在一個房間，這個房間，在村子上說，算是頂好的了。點的那盞燈，同丁博士在北方各省看見的，一模一樣之燈是油燈，點的是香油（芝麻油）、花生油，還是豆油，未能辨別清楚。後來知道這是豆油。房間沒有窗戶，只有一個門，黝黑得發亮，據聞此乃年久火薰的結果。在這山的半腰，到了冬季還是涼得很。房子不開窗戶也是禦寒之道。飯，村子上準備，倒也吃得熱騰。

田團長非常難過，檢查的結果，一營以上的人都死亡了。特別還死亡的一營是他最心愛的一營，最得力的一營。其他，雖沒有死亡，但精神上受的打擊實在太大了。很多打退堂鼓了。這與以後未能追隨丁博士前往邊區，中途進入越南被法國人繳械，有很大的關係。

第二天早上一大早又繼續上山。這是丁博士第一次遇見奇異的雲海。這太美麗了！早上的山，只看見面前的雲海，下邊的山都被雲海所籠罩。這雲海簡直像海，一望無際，都是翻騰的白雲。這白雲簡直就像大海的水，滾滾而來，滾滾而去，波浪起伏，亦與海水無異。這真好看！山裏雲海截斷了，雲海又彷彿平地，上邊的山都是一個一個的露着小頭，同廣西桂林的山無異，全部是平地起山似的。假如桂林山水甲天下的話，瓦渣的風景也應該說甲雲南。雲海是甲天下的。行行復行行，又一個半天才到了瓦渣司署。原來在紅河那邊看見的白點是司署新蓋的衙門，還沒有啟用。白點上，人皆白宮稱之。舊的司署在裏邊，建築得像廟子一般。土司就是土皇帝，百姓奉為神明，視爲天子，唯命是從。

胡林翼元功碩輔

命相与夢話

漢年

胡林翼，字貺生，一字潤之。生于湖南益陽縣十九里之網村胡家灣。道光丙申，年二十五，中進士第，授編修，歷擢湖北巡撫。

時太平軍起，其勢正盛。林翼創「釐金」（即抽稅），通鹽運，改漕章，增加收入。固守武昌，爲各省戰事之需。林翼治軍甚嚴，留意將才。嘗道：「兵之驕者無不疲；將之貪者無不怯。」又說：「才者無求於天下，天下當自求之。」世以爲知言者。清咸豐辛酉八月壬午，年五十，卒于武昌節署，謚「文忠」，入祀賢良祠。湖北，湖南均建專祠。有「讀史兵略」，及奏疏文集行世。

林翼之造爲：壬申，丁未，丁未，己酉。

「滴天髓」云：「丁火柔中，內性昭融，抱乙而孝，合壬而忠」。讀此可見壬水二者與丁火有密切的關係，不可須臾離也。

漢年按：胡文忠之造，日主的丁，猶如燈火，日枝的未中藏乙木，猶如燈心。年幹的壬，顯明屬水，如燈之油。今乙藏未內，與丁火相近相親，這就是抱乙。年幹壬水與丁火陰陽和協，此即合壬。日忠日孝，此乃形容丁火既得燈心，又得燈油，必可剔燄搖紅，通宵達旦。或者說：當今之世，電燈普及，何來燈心燈油？你的說法，實乃陳腔濫調。但電燈亦必須發電之力，而發電的原動力，有火力，有水力；若二者缺一，必不能發光。新舊雖殊，而道理則一。今觀其八字，年枝的申，中藏壬水，連同年幹壬水，月枝的未，中藏乙木，連同日枝的未所藏乙木，木也有二。就此看來，數量相等，燈油與燈心相稱，水力與火力同均，其爲花吐不夜，燄發含春，從此可知。惟誕生之際，適在小暑節後，究竟火氣有餘，水氣不足。假使無年枝中金，時枝的酉金，爲壬水的與援，仍不得以盡美盡善，立功立德論。今年枝的申，與時枝的金，左右交拱，無破無傷，而又得大運金水連環，氣求聲應。是以育物經邦，不愧元功碩輔，扶危勘亂，可謂「盡瘁鞠躬」了。

二十四歲西運，乙未六月，取入縣學，八月中式舉人，二十五歲仍行西運，丙申中進士，改翰林院庶吉士。次年授編修，次年充國史館編修。具可見酉金的效力之大了。

自二十九歲，充會試同考官，署安順府，補貴東道，拜四川按察使，調湖北按察使，擢江蘇藩司，署湖北巡撫。這都是庚戌辛亥壬巳金等運，裨益用神有以致之。

至於三十歲辛丑，雲閣公謝世。四十六歲丁巳，病痢數月。四十七歲戊午，湯太夫人棄養。此乃衝尅太歲，叠經火土之故，最爲明顯了。五十歲辛丑，公逝於武昌節署。直是日犯歲君，非壬運之咎了。（完）

成語選粹 (34)

李國良輯

神不守舍

史記張湯傳：「其父爲長安丞出，湯爲兒守舍。」晉書劉卞傳「或謂卞曰：「君才簡略，堪大不堪小，不如作守舍人。」「守舍」謂看守宅第也。世稱神魂不定曰：「神不守舍」；舍乃指軀殼而言。

生活漫談

白果去面皰 除黑氣

馬騰雲

白果樹的壽年特別高，禹王會諸侯於塗山，山的巔峯有白果樹一株，可能因鱷居的關係，從未開結實，爲那一個朝代所植無法考據，照該地懷遠縣誌載其被「雷擊」的次數來說，應當是明朝中葉所植，這棵樹迄今仍健在，附近地域的人，謂白果樹木屑，可能是雷擊木生出一種化學作用，服者每驗，著者於抗戰勝利後偕友人數位重遊塗山，由地面到山峯約十五華里，見到白果樹別來無恙，祇塗山中途高約數丈的石婆婆被飛機撞毀了。

白果又名銀杏，以其形似小杏而核色白也，高至數丈，一枝結子數十百個，核作三角爲雌，三稜爲雄，大六七分，中有白色之仁，經霜乃熟爛，去肉取核爲果，其仁嫩時綠色，久則發黃，其樹宜雌雄同種，兩兩相對，乃能結實，其成份含多量脂肪及蛋白。斂肺定痰喘，濇收止滯濁，因其能制止陰道黏膜之分泌，並有殺虫之功用，作袪痰藥，用淡鹽湯送下，久服自效。

白果奇怪的，雖屬一物而生熟攸分，不可不弄清楚，如生食則降痰解酒消食殺虫，搗碎而鼻敷外用，則去皰黯氣灰油膩，並能殺死虫虱，其力銳氣勝，能使痰垢悉除，並非偶然，其熟食竟不相同，多食令人氣壅，臚脹昏悶也，銀杏之治喘，乃治喘之哮者，因胸中之痰隨氣上升，黏結於喉咽之間，氣出不利，與痰相擊成聲，此痰得之鹹酸太過，此果經霜乃熟，稟降之氣特多，故能逐凝滯之痰。

民國二十五年，漢口交通銀行高級行員某君，患肺病到三期，醫院主治之外籍醫師，勸其回家鄉，盡量享受，人世間尚有三月可戀，行員含悲乘輪船回籍，船上遇一位老人，相談之下，授以油浸生白果，可療此頑疾，行員遵囑辦理，果收奇效，事隔一年，竟恢復健康，與常人沒有什麼分別，興奮的情況下，到武漢去旅行，並去拜訪這位院長醫師，時間恰在晚飯後，院長見面，驚慌萬狀，首先堅詢明這位還有三個月必死的病人，是人是鬼，後經婉轉告以醫病經過，洋院長仍不置信，在這種情況下，演變成爲轟動社會的花邊新聞。

生活漫談首集業已出版（係由自由報獨家連載）每本特價新台幣拾伍元，生活漫談合集（台北各大報歷年連載）業已出版，三百餘頁每本新台幣貳拾元，台北郵政劃撥五〇五六張萬有（自由報會計室）函購請直寄台北衡陽路三十號後進，郵票通用。（自由報台灣業務拓展中心，台北忠孝路三段廿一巷二弄二號）注意：生活漫談首集與合集，香港僅每本港幣二元五角，東南亞國家每本美金一元，歐美國家每本美金一元五角（寄費在內）

和爲貴

中國有句俗話：「人無笑顏休開店」。西國人相書上說：「沒有哭喪着臉的富翁」。

最可怕的一種生意，是做軍火，軍火商人又名叫「戰神」。戰神們是否都生着猙獰的面貌，使人望而生畏？不，絕對不是！美國軍火商鼻祖杜龐，在第一次世界大戰前，美國海陸軍所用的軍火，幾乎都是杜龐系統的工廠製造，但杜龐是一個滿面春風，平易可親的人。

五十年前英國有四個「標準戰神」，他們的名稱是：一、威阿姆斯特龍，二、威卡斯，三、巴多莫爾，四、科文特里。可是這四個軍火商老闆，幾乎都是笑面虎及溫文儒雅之輩，其中沒有一個生着戰神眞面貌的，說明他們雖然做殺人武器生意，在外貌上絕對不會露出殺人的氣氛。

有些莫名其妙的商人，所謂店大壓客，還有些糊裏糊塗的官僚，喜歡官腔官調。前者忘記自己是吃民脂民膏的人。不過，後者忘記自己衣食父母。這兩種人都喜歡用鼻子講話，哼阿！哈呀！咀巴可能專留作出氣用的，充份顯出淺薄無知和幼稚，創業大忌，莫過於此！如果我們經商辦事業，乃至於做公務員，先賢的指示是「和爲貴」。

・劍・

第八章　胡虜兵二次南侵　岳鵬舉相州見君

叩拜畢，大言說道：「陛下若果信臣，臣只用七千七百七十人，便可生擒敵帥。」庸主欽宗大喜道：「若朕能退敵，尚何憂。」即授郭京爲承忠郎，賜金帛數萬，令他自行招募。郭京自招募市井無賴七千餘人。其中有一人，名叫劉孝竭，借禦敵爲號召，做效郭京募兵，稱其軍爲六丁力士，及北斗神兵，其將或稱爲天闕大將。終日談神說怪，自稱能守城破敵。

欽宗又一面遣人持蠟書往河北，約康王入援。行至城外，多被金人虜去。宰相何㮚奏欽宗，請即西幸洛陽。何引證獻論「周朝失計，莫如東遷」二語，勸阻欽宗。欽宗頓足說：「朕今日當死守社稷。」決不遠避了。隨即披甲登城，用御膳犒賞將士，時值仲冬，連日雨雪漫天，士卒執兵守禦，多至凍斃僵仆。至宣化門，乘馬行泥濘中，民多感泣隨從。唐恪隨御駕之後，爲民衆遮擊，策馬得脫，乃臥家求去。欽宗准奏，命何㮚繼任。且詔復元豐三省之官名，不稱僕射，仍用尚書右僕射名號。

憑解還朝，受尚書右丞。南道總管張叔夜率兵勤王，令其長子張伯奮將前軍，次子張仲雍將後軍，自將中軍，共三萬人，轉戰至南薰門外。欽宗召之入朝商議，叔夜請欽宗西幸襄陽，欽宗不從，但命統率兵入城，令簽書樞密事。東道總管胡直孺率兵入衛，被金兵擊敗。范瓊以兵五百人出擊，渡河冰裂，五百人溺死河中。何㮚欲催郭京出兵，郭京說非至危急我軍不出。及詔命迭下，乃盡令守兵下城，金兵分張四翼，鼓譟而前，六甲兵大敗而逃。大半墮死護城河中，城門緊閉。郭京語張叔夜道：「金兵如此猖狂，待我出城作法，包管退敵。」張叔夜放郭京出城。郭京引數百人出城之後，一溜煙逃遁不知去向了。金兵四面登城，全城巷戰，統制姚友仲，何慶言，陳克禮，中書舍人高振戰死。內侍監軍黃金國赴火自殺死。張叔夜父子力戰受創，也只好退回。欽宗一見如此，大慟道：「朕悔不用种師道之言，以至於此！」悔之已晚。

筆者評道：三鎮許割，割而不割，已失大信。既許相遇，而不復慎擇將帥。

（卅五）

岳飛

周燕謀

自由報

（第一〇八三期）

（半週刊每星期三、六出版）
每份港幣叁角・台灣零售價新台幣弍元
社長李運鵬・督印黃行憲
址址：香港九龍彌敦道593—601號
廖創興銀行大厦八樓五座
LIU CHONG HING BUILDING
7th FLOOR FLAT '5
593—601 NATHAN ROAD,
KOWLOON, H.K.
TEL：K303831
電報掛號：7191

承印：景星印刷公司
地址：嘉咸街廿九號地下
台灣區業務管理中心：台北重慶南路一段一二九號
電話：二四五七四
台灣區直接訂戶　台灣劃撥戶
第五〇五六號張萬有（自由報會計室）
台灣分社：台北市西寧南路110號二樓
電話：三三〇三四六，台郵劃撥戶九二五二號

中國還有音樂教育嗎？

・羅平・

音樂，在所有人類藝術活動中，給人的影響是最直接的：最直接的表現，最直接的感受。小之影響一個人的人格，個性；大之影響一個國家的興衰（馬賽進行曲是一例）。而一個民族的文化型態與音樂更是彼此影響，息息相關的。因此，要復興中國文化，發展音樂是不可或缺的一環。試看今日自由中國的音樂界，我們不能否認有少數人在默默的認眞播種，但却始終無法得到全民的共鳴，以及教育當局有效有力的支持，這確是十分令人遺憾的事。

事實上，在台灣人們的耳根並不清靜：廣播、電視每天不斷的實施「音樂義務教育」，內容百分之九十是流行歌曲，說實話，流行歌曲並非什麼罪大惡極，人是少不了娛樂的，而各人所需的娛樂方式，是無法一概而論的，什麼程度的人就需要什麼程度的娛樂方式，我們無法强迫一個只懂歌仔戲的人聽交響樂，要他告訴你交響樂多令他感動。但是就現有流行歌的內容：從「我一見到你，靈魂天上飛」到「負心的人」等等，無疑的是不適合在反攻基地的台灣生存的。流行歌之所以流行，不得不歸咎於大衆傳播工具的鼎力相助了，廣播電視隨時隨地而又無限量的傳播這類「通俗易解」的歌曲，固不待言，而報紙雜誌無條件的爲「歌星」宣傳，提高彼等之「聲望」「地位」，連三歲小孩也能見其人，呼其名，不能不說是功在流行歌了。這種情況造成了歌星豐厚的收入，豐厚的收入吸引了更多的人從事這行業，成爲一種惡性循環。更令人莫名其妙的是「國語歌曲」（流行歌曲）歌唱比賽，竟有官方具名支持，還以爲是提倡正當社會教育。另有一些音樂學院的肄、畢業生，掛着「學士歌星」的「頭銜」，下海獻唱，以其長時間正式的音樂訓練來唱流行歌，也着實爲流行歌「提高了不少素質」，却爲音樂界留下了永不磨滅的污點。準備爲藝術獻身的人，如果沒有苦行僧的精神，趁早改行，也是好事。

另一個流行歌曲流行的原因，當然是社會風氣所致。一個社會的精神型態，祇要聽一兩首最通俗的流行歌曲就知道。這是我最不忍心提及的一點事實。

外國流行歌曲在台灣風靡的程度，不下於本國流行歌曲，這種形勢的造成也是很「自然」的，台灣出版事業翻版行爲得天獨厚的保障，使得台灣的唱片商祇要花一張原版唱片的本錢，就可以活上半年三個月的。而欣賞這類唱片的，大都是時髦的，崇洋的，自命「高級」的。

回頭看看執音樂牛耳的音樂學術機構，以及現有的音樂環境，令人唏噓不已。先談音樂環境：整個台北市最常用來舉行國際性音樂會的祇有兩個地點，一是中山堂，一是國際學舍：中山堂是開大會的好場所，却不是開音樂會的好場所，大而無當，毫無音響效果可言，國際學舍更不用說，裏面開音樂會，外面鞭炮聲大作，早已成爲笑柄。以全省首善之區的院轄市台北尚且如此，其他各地更不用說。連一所像樣的音樂廳都沒有，還談什麼音樂教育，音樂環境，前不久，看了一部電影「玉樓春曉」，片中有瑞士某地的露天音樂台，心儀不已。台灣有得是國際馳名的建築師，設計師，[illegible]在台灣讀音樂科系的學生也確實可憐，大多數沒有目標，也沒有外國的音樂環境，就像讀哲學的在台灣想從事西洋哲學的研究一般，結果是事倍功半，在中國學西洋古典音樂，拿出去和外國人比，就如在中國學英語去和美國人比是一樣的徒勞，試看中國幾位舉世聞名音樂家，那一位是在國內受的音樂教育？卽使是在國內打的基礎，出國以後都須從頭學起，這是所有音樂系學生都心裏明白的。而受過良好音樂教育的音樂專家與教授們，不是當西洋音樂的「買辦」，就是堅守「知識本位」，不談音樂思想或方向，祇有技巧沒有內容，祇有驕傲沒有靈魂，不是走入「樂匠」羣中，就是「智在三緘其口」，閉門授徒而已。

西洋古典音樂，確是一座豐富的寶藏，有著雄厚的根基，與內容，但是，以中國自古以來，音樂多被儒家之末流所輕視，以其樂曲的大部份佚失的情況而言，是無法比較的。教育部曾提倡「中樂西奏」，「西樂中奏」，這種勇氣可嘉，却是外行人强做內行事，用西洋樂器奏國樂，絕不是那麼調和的，更非根本的辦法。

以今日中國音樂的情況而言，最有希望的，莫過於發展民間音樂，不少明智之士早已指出這點，然而，教育當局不但未能看清事實，對症下藥，反而因本身的缺乏知識，在無意中進行摧毀的工作：最具台灣鄉土氣息的「掌中戲」（俗稱「布袋戲」）被强用「文明」替代，通令各地推行所謂「文明掌中戲」，以錄製的流行歌曲及進行曲作爲配音樂，取代原有的鄉土音樂，令人啼笑皆非。民間音樂與流行歌絕然不同，它是健康的，鄉土味，含有文化的藝術內容，可以傳之不朽。許多民族音樂家取爲交響樂之主題（爲大家所熟知的馬勒新世界交響樂就是一例），却沒有聽說流行歌被採用爲主題，因爲民謠是人類生活，精神的具體表現，而流行歌則是無病呻吟，沒有眞正的價值。

中國音樂是陷入絕境了，如何起死回生，要靠全民對音樂的眞正認識，而共鳴，而支持。對岸的共匪正在有計劃的破壞中國文化，負有維護傳統文化責任的我們，怎能不深切反省，振作起來？在軍中，我們聽不到抗戰時「旗正飄飄」一般動人，激昂，壯烈的歌聲，這是所有音樂家們的恥辱，社會上流行歌曲的氾濫，這是所有人們的恥辱，學校中音樂教育的失敗，是教育當局的恥辱，中國音樂在世界上沒有建立他的地位，更是所有中華民族的恥辱。我們很高興聽到歌謠正在走下坡，我們更高興知道有少數音樂家：如李抱忱、黃友棣、馬思聰等在中國音樂的創作方面，以及許常惠、史惟亮等人在民間音樂的保護方面，不畏艱難，盡其一己之力，默默地工作。他們需要更多的鼓勵與支持，祇要每個人盡他一點微薄的力量，總有一天，這股力量會開花結果的。

昨日與明日

美國人的玩藝

老冉（耳旁）有言：「聖人不仁，以百姓爲芻狗」，芻狗者，玩物也。聖人制訂了許多倫常禮教法度，以規範人類的生活行爲，進而給政治人物以對人民發抒權力威勢的張本，這不啻是玩弄黎民百姓，在講究「無爲而治」的黃老思想中，當然認爲不足爲訓。

可是，人類進化到了原子時代，而自己糟蹋自己的事却層見迭出，恬不爲怪，且自鳴得意，樂此不疲，如所謂「世界小姐」的選舉，便是侮辱女性的無聊玩藝，十足地表示着男人把女人當作玩物看待，豈特不仁，簡直就是無恥！

美國人於飽食煖衣之餘，每年在邁阿密地方，舉行「世界小姐」競選，而若干國家的婦女們——只有共黨統治下的地區置之不理——趨之若鶩，引爲光榮。世界小姐競選的條件，既不重知識才學，亦不問職業身世，唯一的甄別遴選方法，就是評頭品足，較量胸圍與臀部的幅度，這不是把女人當作玩物嗎？天下辱侮女性的行爲，未有甚於此者矣！

由於這種低級趣味的競選條件，凡屬名門閨秀，或才貌雙全的良家女子卽不屑參加，結果多係一般愛好交際，喜歡賣弄色相的「累得死」之流，欣然從事，然其名義乃尊稱爲「世界小姐」，儼然是全球女性中的鳳毛麟角，可謂擬於不倫，豈有此理！數年前，台灣亦曾聞風響應，大搞其「選美」運動，準備參預邁阿密的世界小姐選舉，報載台灣省立一女中校長通令禁止該校學生報名「選美」，否則開除。這纔是教育家的作風，毋忝厥職，克副家長期望也。

美國基於重商主義的立國精神，其所孕育出來的文化思想，卽爲拜金主義，人們爲着尋求金錢而緊張活動，心情上樂於刺激，因而許多奇聞怪狀，皆在美國發生，如「嬉痞」，男女裸體結婚，乃至於「迷你」裙裳之類，都是美國首倡的。

美國的科學技藝雖然發達，但其文化思想實在幼稚淺薄，我們近數十年來派遣留學生，都是以留美爲基準，自從政府移到台灣後，無論公費或自費留學，全是到美國去的，而林林總總的新舊留美學生對國家的貢獻如何，到今天還不知道究竟有那些值得稱道的？美國特長的科學技藝，我們祇是口頭嚷嚷而已，唯有若干不值得學習模仿的玩藝，却像流行病一樣，隨時傳染過來。咱們的留學政策再不加以改進糾正，對國家前途，深覺未可樂觀啊！

・何如・

自由談

吾爲此懼！

美國洛杉磯有個四十三歲的男子墨菲，爲要取得他太太的人壽保險費九萬元，乃以一千二百元美金購買兇手，把太太殺死了！案發後，墨菲被法院判處死刑，自屬罪有應得。他們夫妻已生育了五個孩子，竟演出如此駭人聽聞的慘劇，這從那兒說起呢！

我認爲這就是西方人——特別是美國人——物慾至上，享受第一的文化思想的必然結果。在美國那種重商主義的立國精神之下，科技特別進步，工商企業十分發展，物質生活優裕，社會安全繁榮，人們競以爭取財富，追求享受爲急務，除了金錢與物慾，就沒有其他的人生觀。他們念茲在茲的生活目的，祇知滿足物慾，不擇手段，而視倫理道德爲迂闊不切實際的廢話，所謂做人的道理，大家是不屑留意的。舊有的一點宗教思想，自從「人定勝天」的征服太空工作完成後，所謂「上帝」觀念業已一掃而空，宗教思想在人們心目中亦不發生作用了。像墨菲爲着謀財而雇用兇手殺妻的行爲，可謂勢所必至，理有固然，不足怪也。

人生的意義，如果專是以追求財富，滿足物慾爲極致，大家爲目的不擇手段，無所不爲，那就是禽獸不如的强盜世界，人類卽非滅種不可！人之所以爲人，必有其高貴的精神生活觀念，纔配稱爲「萬物之靈」。咱們中國的傳統文化思想，講究先「成己」，然後談「成物」，卽是以精神生活爲第一義。所以，孔孟學說的中心思想，專在闡揚做人的道理，而一是皆以「仁義」爲本，所謂「不見可欲」，「不愧屋漏」，「見利不忘義」，「視富貴如浮雲」這些格言，對於人生的價值判斷，尤屬萬古常新，永垂儆鑑。

西方人以重商主義立國，以功利思想求生存，物慾支配着整個的人生觀，當然視仁義爲末務，而以美國社會爲尤甚。因爲美國的文化根基淺薄，不如英法德意諸邦，尚有先代的哲人賢士所遺留的人文學說思想殘存着，對社會大衆的生活意識發生若干作用。明乎此，卽知「嬉痞」，「裸體遊行」以及男女學生要求混居宿舍這類玩藝，何以流行於美國的所以然了。

近二十年來，我政府派遣公費留學生，或核准自費留學生，一律以留美爲限，美國的自然科學固然發達，值得學習，但其人文主義的社會科學實在幼稚淺陋，他們應該向我國請教纔是。似此毫無所擇的教育政策，對國家不特無益，將來貽害必大，謀國者何其不思之甚也，吾爲此懼！

馬五先生

規劃兒童少年發展 培育人力資源根基

缺乏完整兒童少年福利立法 以致難採取通盤計劃與措施

（台北消息）這次在台北召開全國兒童少年發展研討會議的主旨，是研訂一項全國兒童少年發展長期方案，首從觀念上之溝通一致，進而促成行動上之配合貫通。

兒童少年為國家社會未來的主人翁，也是人力資源的根基。今日的兒童少年，將為明日的經濟生產工作者和社會建設的中堅份子。我們要想達成未來的發展，改變未來的經濟與就業的結構，就必須規劃現在的兒童和少年的發展，才能奠定未來人力資源的雄厚基礎。目前，十五歲以下兒童少年約有五百八十六萬餘人，在全人口中是屬於依賴性的人口。兒童少年在經濟發展的過程中，兼具有生產性和消費性的特質。由於兒童少年的生產性是潛在的未來的；而其消費性是目前的現實的，所以大家強調其依賴性。

我國兒童少年福利經費，包括政府預算、社會福利基金、民間、與聯合國兒童基金會、世糧方案援助等方面。以六十年度為例：

台灣省社會處兒童少年福利預算列六千二百四十五萬餘元；福利基金用於兒童少年福利計九百五十一萬餘元。

台北市社會局兒童少年福利預算列一千三百三十萬餘元；福利基金用於兒童少年福利計六百九十萬元。

台灣省二十縣市五十九年度歲出預算列有兒童少年福利計五千餘萬元，縣市社會福利基金用於兒童少年福利者，佔百分之三。

民間經費：祇有台灣基督教兒童福利基金會兒童福利基金，自五十八年七月至[illegible]，用於兒童少年福利三千多萬元。

聯合國援助：（一）聯合國兒童基金會：自民國五十二年五月至六十年六月，援助四十四萬一千二百美元。（二）世糧方案援助計劃：自五十九年六月至六十三年，援助七百五十萬二千美元之麥糧物資，平均每年一百四十五萬美元。

觀此可知我國兒童福利經費之不足。按照憲法第一五六條規定：「國家為奠定民族生存發展之基礎，應保護母性，並實施婦女兒童福利政策。」蓋今日之兒童，即將來民族之中堅；今日之婦女，亦即將來民族之母性，亟應加以保護並實施福利政策，使各成為健全之份子及純良之賢母，然後始得為國家生存之保障。[illegible]。但實施婦女、兒童福利政策之規定，至今尚無法律依據。諸如兒童福利法、社會救助法、父母親責任法、少年福利法、身體殘障福利法、少年保護法等，均未完成立法程序。

兒童少年福利設施未能全面展開的原因：一是缺乏系統完整之兒童少年福利立法，致無法採取通盤性之計劃與措施。二是主管兒童少年福利之教育、衛生、社會各部門，缺乏協調合作，以致無法推展。三是缺乏專業工作人員。四是經費短絀。五是社會未予重視。

我國幼稚教育列在現行學制內，目前尚未納入義務教育範圍。我國學齡前兒童（六足歲以下）約計一百六十餘萬人，五十七學年度（台灣地區及金馬地區）立案之公私立幼稚園五百七十九所，而未立案之私立者幾達一倍以上。在幼稚園之兒童人數[illegible]，有二百四十萬幼兒未進入幼稚園接受幼稚教育。由於政府財政不足，諸如師資的缺乏，場地設備之不足，教材教法欠理想，與國民小學聯繫不夠，並缺乏統一標準及監督輔導之依據。因此，全國兒童少年發展研討會決定，訂定義務教育向下延伸的計劃及實施方案，積極推行，促請政府從速實施，以達到國民義務教育最基層開始的理想，完成教育建國的宗旨。

關於兒童少年休閒活動不敷需要的問題：目前在學兒童少年、中學與職校在學學生共計三百四十五萬餘人，學校未普遍重視休閒教育，缺乏兒童少年休閒活動場所。

少年兒童衛生保健可分為胎兒、嬰兒、學前兒童、學齡兒童，工作雖較前進步，但較之先進國家，台灣婦幼死亡率高出兩三倍，尤其主要死亡原因大多數乃可以預防的疾病；婦幼健康檢查人數，雖年有增加，但接受婦幼健康檢查之兒童數，尚不及應受檢查人數的十分之一，故台灣之婦幼保健工作尚未普遍。

台灣兒童傳染病仍為兒童主要死亡原因。台灣小兒痲痺症患者與白喉、傷寒患者已較減少，但是日本腦炎則未減少，以及死亡率亦有增加之傾向，這是今後對兒童衛生，尤其在傳染病方向努力的[illegible]。目前兒童之死亡率較歐美國家要高三、四倍。

台灣每一鄉鎮均設有衛生所，辦理公共衛生業務，但衛生所平均只有醫生一人、護產人員一至二人，及管理三至四萬人口之婦幼保健工作。故無法把婦幼保健工作推展到每一村里。按照先進國家的標準，每一護產人員只管理二千人至三千人口，每約四千至五千人口就設有婦幼保健室。若按此標準，台灣至少需要護產人員約四千五百人，與婦幼保健室一千五百所。台灣於五十六年度登記醫護人員在政府服務者，計醫師一、〇〇三人，護士一、一八八人，助產士一、六一八人，合計二、[illegible]八人，其中服務衛生機構者，只有醫師五六五人，護士三五四人，助產士五二三人，合計一、四四二人，與實際需要尚有相當的距離。就公共衛生經費言，台灣公共衛生經費所佔政府總預算百分之二，而婦幼保健經費佔公共衛生經費百分之二。按照進步國家標準，至少要佔公共衛生經費百分之十五。如依此標準，婦幼保健經費要增加七、八倍，才符合國際標準。這是我國婦幼保健工作沒有普遍的原因；既缺乏醫護人員又缺少經費所致。×　×

在兒童少年中，心理負担越來越重。據國民學校心理衛生中心調查報告，國民小學兒童約百分之三，[illegible]的學童需要某一種指導，[illegible]需專門訓練及教育上有問題，因此引起種種適應上及教育上的問題，又所以過去是一種[illegible]。少年犯罪已有顯著增加。據警方統計，少年犯罪已由五十三年之五、八三四人增至五十七年的八、六〇八人，五年中，增加率達百分之四十七強。

五十七學年度國民小學在學兒童為二百三十四萬一千二百零二人，其中百分之三點五為問題兒童，約八萬二千名小學生為問題兒童；百分之十二的學兒童需要某一種指導，約二十八萬兒童需要專門訓練及教育，故國民小學學生合計有三十六萬學童為問題學童。

喬治桑外傳 一六二

張大爲

「電影好不好？」喬治桑問雅麗絲。

「我覺得現在的電影，內容越來越貧乏，看電影不過是殺時間而已。我們今晚看的是一張法國新潮派電影，片名叫「老夫少妻」，除了女主角作風大胆以外，我實在看不出還有什麼優點。」雅麗絲坐在沙發椅上，伸了一個懶腰。「老夫少妻」是前兩天，她和蘿蔔一塊去看的，今晚她在蘿蔔那裏膩了半天，卻不好意思說出口，只有扯了這個謊。

「所謂新潮派電影便是刻畫男女情慾，這到底不是人類眞、美、善的一面，因此，也就不能算是眞正的文藝。」喬治桑讀過線裝書，對於文藝的了解不像現代一般新文藝作家那樣淺薄。

「我不懂什麼叫做文藝，我只覺得新潮派電影有點肉麻兮兮。」雅麗絲這話是出於一個中國女孩子良知的。

「老夫少妻是怎樣一個故事？」

「這是有閒階級的通病，飽食終日，言不及義。」喬治桑在夜晚精神特別好，現在還不想睡，與雅麗絲閒聊。

「有一個年青姑娘，與一個青年熱愛，並且已有了私生子。後來因為家境關係，嫁給了一個百萬富翁。那個青年也另外結婚了。某一次，他們在一個偶然的場合相遇，舊情復燃，那個女的說動她的丈夫，雇用那個青年做園丁。園丁是闊太太的情人，園丁的太太已被富翁暗地弄上手。兩對男女演出好多鏡頭。在他們四人中，每個都能滿足。富翁認為勾引園丁之妻，自已太太不知道。闊太太也認為與園丁有一手，自已的丈夫蒙在鼓裏哩。」雅麗絲向喬治桑講解電影劇情。（未完）

教材內容偏多偏深 影响教育功能

加強實施科學教育 亟應增建專科教室

據教育部統計：五十七學年度全國學齡兒童就學率已達到百分之九七點一三，尚有百分之二點八七的兒童失學，約七萬人左右。學齡兒童入學以後，有若干學童或中途退學或長期缺席，入學後而能順利讀完六年畢業者，約為百分之九十，餘百分之十為中途退學，如五十七學年度約為三萬六千餘人。根據同一調查報告，四十九年學年度，國民小學學生缺席日數在五十天以上者，將近九萬人，佔同學年度學生總數百分之二十強。無論長期缺席學童之失學，以及中途退學兒童之退學等原因，大多數由於家庭經濟情況不佳。

五十八學年度，我國六至十五歲的學齡兒童，其中有二十六萬餘人失學，學齡兒童約應入學而未入學；國民小學畢業生萬人，進入國民中學而未進入國中的約計九萬餘人。國中畢業者，計九萬六千人無法升學，亦達兩萬四千餘人。

據「國民教育實際考察報告」，五十七學年度台灣地區即如果消除二部制，二、三年級全部實施全日制教學，尚短少普通教室四五、〇〇〇間。同學年度，台灣地區增建普通教室一〇、〇七五間，改建逾齡、危險教室一、四六八間，合計為二一、四四三間。另據調查，台灣地區國民小學教室中，木造逾齡危險教室須在二年內拆除重建者，有二〇、二六三間，尚可維持三至五年者，有一〇、五三三間，尚能維持四至六年者，有一六、四〇五間，合計這些教室須在九四、九三〇間，今後若干年內，予以拆除重建，以分期分批策進學童安全。

目前國民小學有多屬普通教室，專科教室為數極少，所設者，有的缺乏各種專科教學設備，因此，對於學生的科學教學效果，影響很大。此外，圖書館（室）、體育館、視聽教育館等的場所，亦為缺乏。為求提高國民教育效果，加強科學教育等，這些校舍需從速增建。

實施國民中學教育的第一年，有九七、九九三國民小學畢業生未進入國民中學及私立初中，第二年有九〇、九一七國民小學畢業生未升學，今年為第三年，究有多少國民小學畢業生未升學，現在還不知道。國民小學畢業生升入國民中學，與原定目標尚有相當距離，即尚有百分之二六點六八及百分之二五點二九，未能升學。同時，五十七年度學於國中的學童為二六九、二九九人，但到了五十八學年度註冊時，僅有二五四、一八九人註冊上課，中途綴學及離學校者達一五、一一〇人。原因是學生家境貧困，而政府預算所列清寒學生獎學金又太少，等於象徵性而已。

國民中學課程教材問題，如數學時數不足，如教材內容偏多偏深，如教課書不能按期供應。台灣地區各國民中學之辦公室、實驗室、圖書、儀器、標本、模型等教學設備均不敷用。而實施職業選修科目為國民中學教育的特點。但目前各國民中學實施職業選科，其最大困難在於師資難聘，其次，設備不足，場地缺乏，各項選科之教師，雖可聘校外人士担任，但又發生甚感困難的資格問題，又限於財力物力，一時不易添置擴充，故影響教學效果。

青少年失業的問題，據官方統計，在經濟活動人口中，失業人口為九萬人，其中年青人口為六萬六千，而未找工作的青年有五萬五千人，兩共合計失業人口為一十二萬一千人，佔十五歲到二十四歲總人口的百分之八點九一。這是很嚴重的問題。（健）

台北傳奇錄（六〇）

· 陳光棣 ·

「等一上了歲數，兩個人乾脆就不說話啦」！

「為什麼」？

「兩個人都認了命啦，還有什麼可說的呀！」

「眞有趣」！

「正常的夫妻，通常還是這樣，賴家兩口子貌合神離，那就更不用說啦！」

「門口好像有人」！劉太太開開門，看到蔡百順、宮國華站在外面：「請裏邊坐」！

「進來坐」！劉二爺歡迎着：「來，來！」

兩個小伙子你看看我，我看看你，還是蔡百順先開了口：「警察剛才到了他家，要把他帶到派出所，他從後門溜出來」！

「奇怪！老邱當面說的好好的」！劉二爺詫異的說着往外就走：「你們先在我家等一下，我去問問」！

「謝謝您！謝謝您」；兩個小伙子異口同聲。

「請坐吧，我去倒汽水」！劉太太招呼着。

劉二爺找到老邱，才知道是楊警員主動來調查的。劉二爺又到了派出所，楊警員認為既然老邱願意和解，也就答應不再追究。劉二爺回到家門口，看到兩個小伙子正蹲在樓梯口抽香烟。

「你們怎麼不到家裏坐」？

「這兒多風涼，房子裏悶死人」！蔡百順站起來：「您給打聽的怎麼樣啦」？

「沒有事了，你們放心吧」！

「其實也沒有什麼大不了的事，我就是不願意和警察打交道」！宮國華伸了伸懶腰。

「你們兩個吃過晚飯了沒有」？劉二爺關切的說：「在我這兒隨便吃點好不好」？

「吃啦！拜拜」！兩個小伙子急着去打彈子。

「有空常來玩」！劉二爺衝着兩個人的後影喊着。

「這些孩子眞沒有規矩」！劉太太搖着頭。

兩個小伙子走到弄堂裏，感到心情無比的輕鬆，宮國華一抬腳把一塊石頭子踢的老遠：「這老小子眞不賴，不像我們家那兩個，動不動就是廢話一大堆，眞煩死人」！

「我們家還不也是，總是說我不對」！蔡百順說：「這劉老小子還不錯，他還答應給我找個工作哪」！

「什麼工作」？

「不知道」？蔡百順掏出皮夾子打開看看：「等我一有了工作，鈔票就麥克麥克了」！

（未完）

湖南滅鼠獎券

·文匯樓主·

老鼠這東西是雜食性的有害動物，常住在暗處洞隙中，晝伏夜出，繁殖甚快，每年可生產三到四次，一對老鼠一年內可產出子孫百餘隻，且可傳播鼠疫，非常可怕。

台北的滅鼠運動唱了很久，開過很多次會，也定了很多辦法，直到目前，還是祇聽樓梯響，甚麼時可以兌現，可能還會拖一個漫長時間，論者有謂，莫非對鼠輩實施一種嚇阻攻勢，術語即「冷戰」。

抗戰期間全國老鼠最多的都市第一是重慶，第二是衡陽，話劇中有「霧重慶」開幕，道具就有一批老鼠放出，形容老鼠多的情形。民國三十六年衡陽保衛戰，陸軍第十軍扼守衡陽，守將爲方先覺將軍，與日軍苦戰四十八天，傷亡軍民十餘萬人，遍地死屍，埋不勝埋，兵災之後又遇荒年，雖未演進到易子而食，親不顧親已屬常情，人吃樹皮野草，貓狗當然看不見了，老鼠祇好吃死屍，長得肥碩壯大，數目之多較重慶猶有過之，老鼠咬死嬰兒的事，更時有所聞，政府的捕鼠計劃，也與今日台北相彷彿，不過「官船漏，官馬瘦。」古有名言，吃飯不做事乃官場很普遍現象，非台北衛生當局專利。

湖南中華時報以辦理社會服務著稱，光復後最顯著服務讀者，異口同聲贊美者，辦理兒童保育院，活嬰逾萬，各地設施粥廠，每晨開出兩到三卡車饅頭急救，餓着肚子的災民，直到新谷登場，才結束，經費悉由該報社長向外地大戶勸募而來，中華時報能成爲西南最大最受讀者擁護的報紙，與共匪不共戴天之仇，自有其因素在焉。因中華時報做的皆爲安定社會工作。該報救災運動告一段落，又發起滅鼠運動，中華時報負責籌款，基督教青年會、湖南省立民衆教育館負責執行技術，定名爲中華時報滅鼠獎券，每月當衆開獎一次，由黨政軍各機關首長監督，頭獎約合台幣兩萬元，二、三、四、五獎五千到一千元，末尾字獎贈閱中華時報一個月，一個老鼠換一張獎券，每期發出獎券三到五萬張，計舉辦九期，開中國發行獎券未有之先例，於今台灣還有很外湖南人對此事津津樂道。

復興中華文化的意義（上）

·曹敏·

今天談中國文化復興這麼一個大問題，我實在不夠資格發言，不過中國文化這個問題，對於我們國家的影響實在太大，基於一個知識份子對國家的責任，最近十幾年來對於這個問題，確實化了一點時間去考量，因此對這個問題個人有一個看法，雖然這個看法還並不太成熟，我謹以求教的態度提出來，假使有不對的地方，希望大家給我指教。

中華文化之復興，顧名思義，即是中華文化在過去是輝煌的，現在不幸衰落了，所以需要復興。這就是說：我們中華文化有五千多年的歷史，除了近代一段很短的時期，由是西方在科學方面的突飛猛進使我們文化相形見絀外，不但在東方一直是處於領導的光榮的地位，即是與西方比較起來，也同樣是超過西方。就東方來說，中國文化，不僅在自己國家內繼續發揚光大，而且更遠播到亞洲許多國家，例如在北方的韓、日，在南方的泰、越、緬、馬來西亞，甚至有菲律賓、印尼。雖然他們受中華文化的影響有深有淺，但却沒有不受中華文化的影響。總之，當西方文化沒有東來以前，也就是這兩個世紀以前，不獨我們中國人，甚至可以說大部份亞洲人，均莫不以有中華文化爲榮。至於西方受中國文化的影響，以前如指南針、火藥、紙、印刷等等姑且不說，即遲至十七世紀，歐洲當時有學問的人，如法國大思想家伏爾泰及重農經濟學派奎納，德國數學兼哲學家萊布尼茲等，其嚮慕與欽佩中國文化的熱誠，可以說到了無比的程度，在當時歐洲人「全詩中化」的浪潮，並不遜於我們今天全盤西化的浪潮。甚至還有人認爲歐洲文藝復興理性主義的抬頭，是受中國孔子思想的影響。因此，我們中國人不獨深信中國文化與我們國脈民命相關，而且也深信中國文化才是人類最高與最進步的文化。

可是近一百多年來，西方文化隨着西方利用利甲堅兵的武力闖進來了，最初是我們的武器不如人，軍事上打了敗仗，繼之以政治制度不如人，外交上又打了敗仗，終之以商品生產不如人，經濟上又打了敗仗，在此一敗再敗之後，再加上西方的科學、民主、工業各種見所未見，聞所未聞的新知識、新技術，均跟着湧進來了，用我們原有的舊知識、舊技術來比較，處處相形見絀，更顯出我們的落後與無知，於是對我們數千年來深信不疑的中國文化，先之以疑問，繼之以動搖，最後一部份魯莽滅裂之士，終於否定了我們歷代相傳的中華文化，認爲我們的文化，不但一切不如人，而且正是妨礙我們民族進步的絆腳石，不惜從根打倒它，於是造成我中華民族文化五千年來未有之劇變，而我們中華文化也就在這空前劇變中走，上從來沒有遭遇的衰落命運。毫無疑問，中華文化之所以走上衰落的命運，西方文化的衝擊，當然是一個直接的導火線。

這是不是說西方文化衝擊是中國文化衰落的原因呢？我的意思完全不是如此。要知一種文化，如果本身沒有任何弱點，外來文化的衝擊，不但沒有害，而且因爲有外來文化的長處可以借鏡，可以吸收，來充實自己文化的內容，反而有促進自己更新與進步的好處。由此可見中國文化衰落的原因，並不在於西方文化衝擊不衝擊，而實在是由於它本身有弱點，經不起西方文化衝擊的考驗，才由此衰落下來。充其量，也只能說：西方文化的衝擊，不過是一種誘發衰落的外緣的條件而已。

談到中國文化本身的弱點，是不是如五四時代那班人所指責的那些弱點呢？如他們說中國文化的弱點，封建的、保守的、禮教是喫人的，甚至把吃鴉片烟，女人裹小脚，吐痰等等弱點，都說是中國文化的代表。我認爲這些批評不但不正確，而且也不公平的。固然我們並不否認中國人的生活態度，確有一部份是傾向保守性的，也有一部份人處理事情確有馬馬虎虎的毛病，但必須知道要瞭解中國文化必須從代表中國文化的本質部份去着眼，不能從某一局部事件或某一部份人的生活態度以偏概全地來判斷。那末，什麼是代表中國文化的本質部份呢？我想凡是中國人都承認中國文化的主流是儒家學術，因此，儒家的四書五經，確可能代表中國文化的本質部份。如果從四書五經來着眼，就可以明瞭五四時代的那些批評是有問題的。

譬如中國文化是封建的嗎？根據胡秋原先生的說法，是來之於莫斯科的宣傳。事實上，不要說秦以後中國即廢除了封建，即就周朝的封建制度論，也與西方羅馬帝國的封建制度不同。用西方的封建來解釋中國文化，當然是不正確。也許有人認爲孔子會說過：「郁郁乎文哉，吾從周」，認爲孔子是擁護周朝的封建制府。不過必須要認識孔子之從周，最重要的是周的封建制度，具有「郁郁乎文哉」的內容，這個「郁郁乎文哉」的內容，就是指周朝是一個具有以和平王道來統一天下的制度。唯有一個王道一統的天下，才可以平衡各國的利益，才可以廢除各國互相爭城奪地的戰爭，而建立一個王道蕩蕩和平安寧的天下。（未完）

說曹操

李漁叔

張繡與張魯（廿九）

曹公除與董卓、袁紹、呂布等曾作生死搏鬥外，還有張繡和張魯，雖不算最强的敵人，但在那幾次戰役中，也付出了很大的代價。

先述張繡。

張繡，武威祖厲人。（縣名，漢置，故城在今甘肅靖遠縣西南。祖音罝，厲音賴。）據三國志魏志繡本傳，係驃騎將軍張濟的族子。董卓被誅後，張濟和李傕、郭汜同時領兵爲卓報仇。封平陽侯。董卓傳載：汜夷滅後，濟飢餓至南陽寇略，爲襄（不旁，以下同）（河南鄧縣）人所殺，從子繡攝其衆，按張繡傳：

「繡隨濟以軍功稍遷至建忠將軍，封宣威侯。濟屯弘農，士卒飢餓，南攻穰，爲流矢所中死，繡領其衆，屯宛（宛城），與劉表合。」

此後，孟德南征，擊繡，繡降後，復叛，纍有戰事，照理繡應當不是對手，可是，這時有一智謀之士賈詡，正在繡軍中作上客，經常爲他策畫，不僅能夠支持，而且也居然打勝仗。賈詡傳說：

「太祖（操）征繡，一朝引軍退，繡自追之，詡謂繡曰：『不可追也，追必敗。』繡不從，進兵交戰，大敗而還。詡謂繡曰：『促更追之，更戰必勝。』繡謝曰：『不用公言，以至於此，今已敗，奈何復追。』詡曰：『兵勢有變，亟往必利。』繡信之，遂收散卒赴追大戰，果以勝還，問詡曰：『繡以精兵追退軍，而公曰：必敗。退以敗卒擊勝兵，而公曰：必尅。悉如公言，何其反而皆驗也。』詡曰：『此易知耳。將軍雖善用兵，非曹公敵也。軍雖新退，曹公必自斷後，追兵雖精，將既不敵，彼士亦銳，故知必敗。曹公攻將軍失策，力未盡而退，必國內有故，已破將軍，必輕軍速進，縱留諸將斷後，諸將雖勇，亦非將軍敵，故雖用敗兵，而戰必勝也。』繡乃服。」

賈詡字文和，前章已經敘述過，他的智慧極高，可稱算無遺策。李、郭汜垂死反噬，攻下京都，那亂子也是賈詡闖下來的。因此，他和董卓餘黨仍然保持聯繫。

這次給張繡借箸代籌，對於敵情，眞個是洞若觀火。他拿準曹孟德正在打勝仗的時候，而忽然退兵，必定是國內發生了別的緣故。孟德是善於用兵的，知道張繡必追，親自斷後，繡非其敵。故敗，又料定繡敗以後，不敢再追，所以這次對後路就不甚顧及了，誰知道對方有一個老謀深算的賈文和，他這種蹈瑕抵隙的策畫，正合着兵法上的「知己知彼，百戰百勝」。又比曹孟德棋高一着。（未完）

諸葛亮狂想曲（一四一）

·劉玄·

「因此，讓他受一次貓難，才能沖淡他做魚的觀念，恢復他做人的意志。你懂了沒有？」

「是不是這樣？劉約翰。」諸葛亮很有科學精神，他認爲星君的話是大胆假設，需要劉約翰小心求證。

劉約翰低下了頭，半晌才抬起頭來，慢騰騰地說道：「星君的話一點不錯，在未發生貓難前，我確實不想再做人。認爲做魚比做人快樂得多。現在我的人生觀大有改變，我覺得中華的『民吾同胞，物吾與也』，有很深的哲理。而老莊哲學的高妙，尤非西方文化所能窺其堂奧也。」想不到劉約翰變了一次金魚以後，却等於受過一次中華文化的洗禮。

諸葛亮在旁默默靜聽，感覺太白星君在天庭的崇高地位，不是偶然得來的，以他自己來說，連做星君的弟弟都不配。

劉約翰喝了水，神志已恢復正常，對於變金魚的經驗，有一種如夢如幻的感覺。他下意識地又走近金魚缸邊，他特別注意那條嬌小玲瓏的黑色金魚。牠曾經是他的魚太太，三天的夫婦生活，從來沒有拌過咀，打過架，眞是名符其實的蜜月。然而，現在一切都成爲泡影。留下的是無限的惆悵。

劉約翰在金魚缸邊發楞，太白星君何等聰明，看在眼裏，早已明白，呵呵大笑道：「劉約翰，你是不是對你那位魚太太還不能忘情？」

劉約翰回轉頭來，望着太白星君，默不作聲。

「善哉，善哉，情慾爲害之烈也。你已經到了天庭，猶不能參透禪機，就難怪芸芸衆生浮沉孽海而無法自拔了。」星君道根深厚，談笑之中都蘊藏着無限玄妙。

接着他又說：「不過，你是有慧根的，與我也有緣份，我有意將此魚變成美人，與你做一個月的夫妻，不知你意下如何？」

劉約翰聽了大喜，連忙跪下來向星君磕了三個響頭，口中連說：「星君大恩大德，永不敢忘。」

「你知不知道我養的這條金魚養了多少年了？」星君不像人世間年紀大的人，見人向他行跪拜大禮要客氣一番，他坐在禪床上文風不動，並沒有挽扶劉約翰。

劉約翰站起來，搖搖頭表示「莫宰羊」。

「大概總有一二百年了罷？」諸葛亮在旁插了一句咀。

「你是怎樣看出來的？」星君反問諸葛亮。

「我看到這些金魚身上的鱗已經退光，無鱗之魚壽逾百歲。不知確否？」諸葛亮對星君說話向來不敢過於肯定。

「你的觀察力不錯，我可以實實在在告訴你，一百年以上的魚類還是有鱗的。我缸裏養的魚比你們的年齡都大。牠們都有八九百歲了。」

巨變歷險記！

元江之戰

（一四四）　胡慶蓉

錢楨祥以反共著名，以善戰著名，他有中國文化的頭腦，他有現代的政治意識，人生得非常英明，言語行動非常機警。雲南省主席兼雲南綏靖主任盧漢委他兼任元、建、石三縣的剿匪總司令。廿六軍軍長兼雲南綏靖副主任余程萬也以邊區的剿匪事宜相許，多方獎勵，責成協同廿六軍九三師葉植楠師長，專注剿匪之責。他本來當選國大代表，也讓給李呈祥代表前往南京出席。

丁博士一到雲南，就聽到錢楨祥其人。在廿六軍退出昆明，退到呈貢、開遠、蒙自，丁博士更常聽到錢楨祥其人，追與彭副軍長、曹副軍長決定南撤，丁博士更常常心想着與錢楨祥見面，不但與他相見，並希望得到他的合作。丁博士到邊疆，即想法子與他聯繫。對於丁博士錢楨祥非常歡迎，今天在瓦渣司署會晤，都恨相見之晚。瓦渣整個在戰爭的狀態。在局勢之逆轉中，幾無日不戰，無日不流汗流血。昨天瓦渣之戰，能夠脫離敵人的掌握，也應該歸功於錢楨祥之相機策應。在瓦渣沿途，還到處有戰爭的痕跡。瓦渣之沿途，還看不少的「俘虜」。司署的門外還鎮着不少的「滿」，在司署的戰士都一律藍色的裝束，極易與森林顏色混合，不容易爲人發現目標。個個緊衣緊褲，精神異常抖擻。

錢楨祥在廿六軍撤退後，又援着協助八軍。元江一戰，八軍傷亡殆盡，這是雲南主席所最引爲痛心的，也是丁博士所最引以爲憾事。八軍的主力四萬多人盡喪於此役。讀者還記得八軍是準備接廿六軍的防線。錢楨祥同統長命令八軍接廿六軍的防，廿六軍撤離滇南。八軍的曹副軍長天戈忠於職守，他的命令，命令八軍各師停止前進，但在蒙自失守之後，他又命令各師繼續前進。但時間已經遲了。敵人已經有準備了。他們在路上，由建水，而元江，通遍思茅，到鎮遠，車里，南嶠，佛海。這條路線，一定要通過元江大橋。元江之水既深且闊，拔涉決不可能，一定要通過元江大橋。宗自失守，兩軍的共軍，知道八軍要從這裏撤退，就採取了措施：將大橋破壞。八軍各師向元江大橋集中，都停在附近，前進固不能，後退也不能，後邊共軍也都包圍住了。元江大橋的地形與八軍極爲不利。八軍自找絕路，現在既進入了險要處，也就沒辦法再出去了。共軍用的戰術，頗然是所謂口袋戰術。

這一次的戰役，據錢楨祥報告，打的非常慘烈。我軍英勇非常，但是究竟形勢比人强，還是敗下去了。慘烈的故事，筆難盡書。主帥曹副軍長，湯副軍長，曾副師長都殉命，也都被俘虜了。錢楨祥也感到大勢已去。但丁博士還是勸他繼續支持，並希望與現存的廿六軍、八軍合作，以保持中華民國在大陸上的最後一片乾淨土。

左宗棠氣壯山河

·漢年·

命相與夢話

左宗棠字季高，一字樸存，早歲又自號「湘上農人。」世居湖南湘陰縣東鄉左家塅。道光壬辰年二十一歲中式第十八名舉人，累官至東閣大學士，陝、甘、閩、浙兩總督，封二等恪靖侯。

光緒乙酉七月癸亥，卒於福州，享年七十四歲，謚「文襄」，命各省建立專祠。平生戰績，始平髮匪，繼平捻匪，移師陝、甘，肅清甘、隴回匪。金積堡肅州之戰，最爲慘烈。後督劉錦棠等，恢復新疆二萬餘里，其功尤偉，有盾鼻餘瀋，及奏議百二十卷，而以西征書疏爲最著，文墨曉暢，洞中機宜，足備西北之參考。

左文襄之造爲：壬申，辛亥，丙午，庚寅。

「三命通會」云：「丙辛化水，非申子辰不化；其次亥亦化。」這不過是言其大者，其實並不拘此。「元理賦」云：「化成祿旺者生，化成祿絕者死」。可見其所化是「祿旺」或「祿絕」而已。

漢年謹按文襄之造，日元的丙與月幹的辛，一陽一陰，互相聯合，丙固非火，辛亦非金，同化而爲水了。論祿旺，論祿絕，都不得以正五行的火辛金爲言，應當以五行的水爲標準，此化水於立冬節後，月枝值亥，證以古人亥月亦化之說，固無疑問；證以化祿旺之說，尤爲合格。因日元的丙爲陽，不畏壬水，月枝的亥，固爲壬水的臨官。年枝的申，又爲壬水的長生。遂才是化成祿旺，而不是化成祿絕。「子平大全」云：「丙爲陽火，化水逢辛，家門顯赫，長在庚寅，」今生時恰庚寅，而又與日枝的午聯合，情致纏綿，格局純粹，更無疑義，名垂竹帛，氣壯山河，豈偶然哉！

觀文襄十七歲子年，丁亥，余夫人見背，四十八歲卯運，己未，突因與變參，致多周折。五十五歲辰運丁卯，鄧議革職留任。五十九歲辰運庚午，小限丙午，周夫人逝於家。六十一歲壬申，仲兒景喬亦逝於家。六十二歲長子孝威又死於家，其見子運衝犯午日，已能化土，丁壬化木，三午叠刃，皆爲丙辛化水格的忌神。證以二十一歲癸運，鄉試領解首，文襄寅運，次子孝寬生，三十五六歲，四十二歲乙運，三子孝勛生。公以防守湖南有功，得旨以州縣用。雲程發軔，具見癸能發火，寅能合亥，皆爲化水格的喜神。

再證以四十五歲，至四十九歲卯運，曾國藩奏其接濟軍餉有功，胡林翼又薦其將才，命以兵部郎中用，又奉詔以四品京堂候補，隨同曾國藩襄辦軍務。

五十至五十四歲丙運，奉命率師援浙江，巡撫浙江，繼又督閩兼浙，加太子少保，封一等伯，節制三省軍務，各軍凱旋。更足見乙運化金，卯運天乙，丙運同類，尤爲化水格的喜神。

五十五歲至五十九歲，辰運移督陝、甘。

六十至六十四歲丁運，旣督陝、甘、又督新疆，並在陝、甘刊「種棉十要」，分行各屬，設局教授紡織。此二運雖身膺重命，而時履薄冰，可見辰爲水墓，壬能化木洩水，不盡佳也。

六十五至六十九歲，巳運收復新疆，改設行省，並在蘭州創設織呢局，僱用德國工匠，並購開河機器，先施治於涇川上源。旣爲國策治安，又爲人民謀福利。若不是巳造合申，寅造合亥，則不能出此。

七十至七十四歲，戊運化火，仍爲喜神，是以中俄合議告成，約還伊犁全境，詔入軍機，命督兩江，又奉命督辦福州軍務。及法國人請和，而左公竟於乙酉七月病死於福州。這是小限辛卯適逢歲破的原故，不得歸咎於戊運。

生活漫談

台灣可經營維他奶

·馬騰雲·

徐志摩致陸小曼的信中說，在歐洲天天吃牛奶，牛奶實不如北平的豆漿，清甜營養，芬香可口，這是徐志摩因「愛屋及烏」上的偏差，豆漿的營養究竟不如牛奶，不過話又說回來，在飲料中間除牛奶外沒有比豆漿能更富營養的了。

豆乳又名豆腐漿，通稱豆乳，其成分與牛奶所含之成份大致相當，所惜豆乳之糖分含量較少，且具有不快之豆氣，如在一磅黃豆中，加二兩花生米三錢杏仁，就變成爲香港的維他奶，故平常製造自食時宜酌加上列各物以補不足。

現在台灣市上出售者名目繁多，如檸檬豆乳、可可豆乳等等，惟在豆乳中稍加少量香料、糖分、精鹽等質而已，操作此業之大規模廠家，常以電力磨碎，其製成品還加以蒸汽消毒等手續。經營豆乳最成功的要算香港維他奶，老板早變成千萬富翁，截至目前爲止，台灣還未發現有急起直追的朋友。

大豆爲豆料植物之一，其成分中含有蛋白質百分之三十八左右，此項蛋白質係可溶性之物，普通採用者，須選擇皮薄而有光澤及乾燥者爲宜。水以泉水爲最佳，因其清淨而少含鹽類成分也。否則可用河水，現在大多都用自來水了，配量：大豆、水、。方法：先將大豆浸脹，後於入石磨上研磨成漿，再移入鍋中煮之，然後用布袋濾去豆渣即成。

注意：大豆浸漬之時間，隨氣候而異，夏日氣候炎熱，浸水約七、八小時，且常換以清水，否則易起酸化，冬日天氣寒冷，約須浸水二十小時，浸水之程度，以能用手指捏扁爲度。石磨時磨紋須細，磨漿時用水宜少，否則所製成之豆乳品質粗劣。豆渣可用爲食料，或飼料，近年很多採用製化學醬油。因其中含有多量未溶解之蛋白質，腐敗之豆渣，仍可施用作肥料。豆乳久置空氣中，其表面常結成一層薄膜，此係起乳酸發（酉旁）酵而使蛋白質凝固也。豆乳加熱時，其表面常凝成光亮透明薄膜一層，此係豆乳中之蛋白質，可用竹棒取出晒乾，即成市上出售之豆腐皮。製造豆腐乳用大豆外，亦可攙用少量花生仁。

成語選粹（35）

知足常樂

李國良輯

老子第四十六章：「罪莫大於可欲，禍莫大於不知足，咎莫大於欲得，故知足常足也。」世謂「知足常樂」言能知足不貪，則心恬寧靜，常感快樂。

自由詩壇

漁叔題

庚戌暮春台南展趙文紹義弟墓愴然有作

張白翎

南來展墓落花天，一訣蓬瀛十二年。碑上字猶可辨，山中鬼滿更誰憐。夢君有約遊三島，愧我無辭慰九泉。愁對東風空洒淚，那堪日暮聽啼鵑。

陽明春曉

張鶴

好山元首錫嘉名，春在陽明氣自清。東海雲開紅日出，南天霧散彩霞生。樹遮竹屋雞啼曉，花發梅林噪晴。臺上中山樓上望，笑拈詩筆寫心聲。

第八章　胡虜兵二次南侵　岳鵬舉相州見君

大修武備，以懲前游移之弊，定後日之果斷，以圖挽回危局，而退阻胡氛。忽而議戰，忽又議和，戰旣不能，和而無誠，終無定見，甚且墮虜使之計，開罪强鄰。金人日迫，且聽信迷信，置全城生靈於兒戲。李綱旣罷，師道戰死，將相非人，伴食宰相掌握兵權，其失敗被虜，禍由自取也。

第九章　宋康王逍遙自全　徽欽帝被虜入金

且說康王趙構，曾兵大名，前奉臘書馳援京師。不久之間，宰臣又主和議，遣人諭知說：「金人登城不下，方議和好，可屯兵近京勿動。」康王信以爲眞。幕下用事之耿南仲、汪伯彥者，皆醉心和議，實乃力求自保，期以逍遙事外。故力勸康王勿進，且進言東行，圖逍遙自全。只有副帥宗澤見解高卓，忠心耿耿，他分析當務之急道：「金人挾詐，是欲緩我援軍。君父之望入援，何啻飢渴。宜急引兵直趨澶淵（今河北濮陽縣西），次第進壘，以解京城之圍。萬一敵有異謀，則吾兵在城下。此乃當務之急也。」

汪伯彥乃立即阻止，將宗澤之計就之，勸康王以宗澤引軍先行赴汴。宗澤慨然受命起行，以劉浩爲先鋒，岳飛亦從之。大軍向汴京起行，一路上戰鬥前進。

康王等宗澤去後，他根本不向汴京前去，反而率兵向東方走東平府（今山東東豐縣），再由東平走濟州，逍遙苟安自存。自全的政治目的，在於擁兵自重，如徽、欽二帝有了不測，他便輕而易舉的繼承大位，日後企圖實現。

回頭且說欽宗在汴，聞報金兵已進城，慟哭不已。忽見衛士鼓噪而入，求見欽宗，欽宗登樓慰遣。衛士長蔣宣登樓謁帝，帝命遣退衛士，請帝下樓乘輿，欲謀帝突圍出走。在旁之孫傅、呂好問二人急阻止道：「敵已在城，豈能突走？」孫宣抗聲道：「宰相誤信奸臣，害得這般局面，尚有何法，豈非坐以待俘？」呂好問道：「汝等欲擁主出圍，原是忠義，但此時虜兵四圍，如何輕舉妄動？」孫宣道：「尚書算知軍情。」言訖乃退。

何㮚率都人巷戰。不一刻金使到來，宣稱「議和退兵。」欽宗乃命何㮚與濟王趙栩至金軍請和。這濟王乃是徽宗第六子。（卅八）

中華民國內政部登記證台港字第〇三一號
中華郵政台字第一二八二號執照登記爲第一類新聞紙

自由報

（第四八〇一期）

（逢星期三、六出版）

社長李運鵬．督印黃行

社址：香港九龍彌敦道593—601號
廖創興銀行大廈八樓五座
LIU CHONG HING BUILDING
7th FLOOR FLAT '5
593—601 NATHAN ROAD,
KOWLOON, H.K.
TEL: K303831
電報掛號：7191

承印：星星印刷公司
電話：二四五七四
台灣區直接訂戶　台灣劃撥戶
第五〇五六號張萬有（自由報會計室）
台灣分社：台北市西寧南路110號二樓
電話：三三〇三四六、台郵劃撥戶九二五二號

本報專論

幾項教育上的大問題

．黃彬．

最近台灣報載消息：中華民國教育部發佈了一些關於今後教育事業的改進計劃，言之有物，切中時弊，我們希望當局坐言起行，能有實際裨益，因而不辭譾陋，亦願意慮（予旁）述幾點當務之急的管見，以供採擇。

大學校長問題

誰都知道，一個大學校長的適當人選，除却具有高深的學識和資望外，品德與才幹亦很重要。尤其是在倡言復興中國文化的現階段，爲人師表的大學校長，非有崇高的品德不可，因爲中國文化的中心思想是講究「做人」的道理，而最高學府負有爲國家培育人才的職責，主其事者與一般行政官吏迥不相侔，假使品德有問題，即不足以師表人倫，博得社會大衆的信仰。大學校長亦與一般教授有別，他的任務不在講學授業，而在統籌校務，處理校政成爲全體員生的精神領導者。執此義以衡量大學校長的人選，第一是需要通才的學人，迂夫子式的人物固不相宜，專習自然科學而祇是具備着定律與公式頭腦以治事對人者，亦難勝任。所以，大學校長的人選，在年齡上不應該跟一般公務員相提併論，祇要學識、資望與才德皆適當，而其精力并未衰憊的，雖高齡庸何傷？凡屬缺乏上述條件的，無論老年壯年人，皆不應濫竽大學校長之位，在任的必須更換，營謀的不許倖進，這樣纔能夠奠立最高學府的信譽與權威，纔是發展高等教育的興隆氣象。以目前的台灣大學爲例，最適當的校長人選，若在國內遴任，我們認爲莫過於只有陳立夫先生了。

依照「大學法」一規定，大學校長是不能兼職的，但現任台大校長閻先生，却身兼多項公職，且兼着清華大學校長，一人而同時主持兩個大學的校務，即使是才高八斗、學富五車的傑出人物，亦復無法兼顧，何況他另外還兼任若干重要職務呢！閻先生從港務工程師而大學校長，而教育廳長，而教育部長，而國家科學發展委員會副主委（實際負責人），再又回任大學校長，觀其經歷，似爲中華民國現階段不可多得的學者專家兼政治人才，然我們固不知道他在學術界究有甚末著作表現，在行政界又有甚末可資稱道的績業建樹？教育部坐視其違背「大學法」而不予糾正，殊令人難以索解也。政府號召留學外國的新進學人回國服務，然若干學術機構皆由舊人盤踞着，且使一人而兼任數職，阻塞賢路，試問歸國的學人，那有適才適任的工作可做呢？這亦是教育部應該注意而必須負責解決的問題。

統編教科書問題

三十年前，我國各級學校的教科書，皆由書肆商人編印發售，而在書面上加刻「教育部審定」字樣，這作法早爲識者所詬病。可是，教科書改由教育部編撰發行後，內容并不比書商的作品爲佳，且多遜色，甚至表現着一些荒謬不經的情形。如政府移到台灣後，由教部核定的「標準教科書」中，有「亞洲地理概況」一書，把所有亞洲地區的大小國邦，分別敘述詳明，就是沒有中國在內，這眞是「數典忘祖」的典型之作，而教部公然交由國營書局出版，且號稱爲標準教材，寧不駭人聽聞嗎？教育部原設置着「學術審議委員會」，對於部編的教科書，應該經過該會審議通過，纔付梓的，乃發生若干荒謬教材，除「亞洲地理概況」之外，小學國語課本亦多不通詞句，「中國文字學會」曾經詳加指出了。

現在教育部强調統編各級教科書的計劃，原則固然不錯，但審核教材的人，必須是碩學通儒纔行，「弄獐」、「伏獵」御史之類的學術審議委員，豈能任此艱鉅乎？最近教部通過一位師大的文學博士學位，那些審查委員中即有對漢文不通者，可見教部聘任的「學術審議委員」大有問題，若要統編各級教科書，先得健全「學術審議委員會」的人選。搞學術不是玩政治，非有眞材實料的學者專家董理其事，一定笑話百出，誤人子弟。教部還有「全國教育委員會」的組織，顧名思義，這委員會對於全盤教育計劃和政策，皆負有獻替可否的職責，任務非同小可，這些聘任的教育委員究竟是些甚末人？他們跟「學術審議委員」是二位一體的？抑係各不相同？我們殊難懸揣，但希望教育部好自爲之，把陣營刷新，聘請眞正的學人綜持其事，萬不宜以玩政治的心情，講人事關係，論面子問題，百年樹人的教育事業，輕率不得，否則貽誤國家之咎，永難脫卸的！

留學政策問題

派遣智識青年出國留學，應該根據本國的需要，訂立全盤計劃，而以高瞻遠矚的步驟，分別進行。日本明治維新時期，行政制度取法英國，軍事與工業建設模仿德國，循此國策而派遣青年學生分赴英德留學，因而日本的憲政規模，至今仍然保持着英式的體系，它的軍制和工業基礎，直到二次大戰之際，純粹是德意志型，而日本國內一般知識份子對英德文的造詣，特別是文法方面，都相當湛深，不似吾國人士之僅以會話爲上乘。他們對於派遣留學生出國，并不像吾國之冗濫無限制，學成回國後，只要有一技之長的，政府皆有適當的安排，決無用非所學的毛病，更沒有失業的恐慌，至少亦可以在大專學校担任講師教授，不愁生活。明乎此，即知日本明治維新的國力何以突飛猛晉，迅速的構成現代化國家；而吾國自清末搞洋務運動以迄今日，出洋留學生不啻數十萬人，而國力始終不及蕞爾鄰邦之所以然了。主要原因是沒有完善的留學政策，冥行暗索，漫無計劃。留學生回國來，多數皆感到失業，或者用非所學的苦悶。

近卅年來，無論公自費出洋留學生，一窩風的往美國去，近年大家高呼「發展科學」乃以理工科爲優先留學的條件，更以留學美國爲唯一目的地。美國的科技固然發達，但專靠科學就能立國嗎？美國的文化思想和社會結構以及風俗習慣，皆與吾國大不相同，專是學習了美式的社會科學，帶回中國來就能夠消化適應嗎？似此漫無計劃和步驟的留學政策，如果再不改進，將來對國家前途必卜害多於利，不識教育當局亦曾警覺及此否？

昨日與明日

實效、推理、陶醉

我們並不忍心，對孜孜矻矻，熱心工作的人潑冷水，但是對許多勞民傷財，費時少功，甚至是徒勞無益的事，我們也不能不冷靜的檢討，檢討，我們要問問這些民脂民膏，以及大家的精力，花費得有無代價。

世事，不能盡如人意，這是無可爭辯的，因此許多要作，和應該作的，而事實却往往難以作到，而使主其事者感到困惑和痛苦，在私人事業，而臨到這類困難時，便只有竭盡全力以謀實破難關，但在公家的機關中，則往往會用想像的辦法來求「理論」的解決。那就是說在公文上，閉門造車的想出一套辦法，生吞活剝的改造一番，就認爲是把問題解決了，例如辦事缺少人材，大家便把「不是人材」的人們調集一起，短期訓練一番，然後派出去，便算是「人材」；既是「人材」，按理，便能辦事了，當然也就算是盡到責任，把事辦好了，辦法既快且便，計之妙者莫過於此，但天下事，絕無倖致，若都如此便宜，還何須埋頭苦幹，實事求是。

仍以「訓練」爲例，若干技術傳習的事，可以短期訓練，求其速成。但是教育的事，則是百年樹人的眞功實學之事，絕不可僥倖，更不可自欺，但近年來，教育界的訓練，日漸增多，甚至有利用假期强迫調訓教員（此處不指政治訓練，而指專業的訓練）的事，此在立法原意固善，但，究有多大效果，實使我們懷疑，筆者某次會面詢好幾位權威教育學者：「有沒有這種紀錄，即一個教員經調訓七八個星期後，教學成績即較前優良、進步」。至少在目前還沒有這種紀錄，反之事實告訴我們，教的好的，不訓也優良，教的不好的，訓之也枉然，（按：由劣變良之道，唯賴教員自己力學上進，潛心揣摩而已），然而當局却不僅盲目的推行這種不可靠的辦法，並且還把這種不可靠的辦法，當作衡量取捨的標準，例如推行九年國民教育，缺少師資，我們便大批訓練大學畢業生，然後派往任教，不受訓的，則不能任教。台灣各大學校的水準懸殊，是不可否認的事，我們不相信，某些個好大學的優良學生，不受訓就不能任教，反之若干被稱爲學店的而又成績甚差的學生，反而只經八個星期的訓練，就能任教，這不是抹殺事實麼，何況這「訓練」本身還蘊是漏洞百出。我們不願對這些孜孜矻矻熱心工作，多加指責，也就不必多講，唯願當局訓策者，在解決問題上，多切實的想想，不要把「想當然的推理」，當作眞正能決問題的辦法，更不要自我陶醉，認爲問題眞已解決。

．成公．

自由談

中東與越南局勢觀

由於蘇俄以飛彈和戰鬥人員援助埃及之故，中東風雲緊急，美國聲言「中東軍事均勢」情況已被破壞，以色列表示不惜與蘇俄作戰。若論觸發全面大戰的可能性，再莫過於中東事件了！

過去的韓戰之役，美國甘願以一紙老虎「自居」，而與中韓共黨簽訂板門店和約的唯一理由，就說是避免蘇俄介入，引起全面大戰；現在美軍急於從越南撤退，亦說是要避免與中共發生直接衝突，釀成全面大戰。可是，對於眞正容易跟蘇俄從事核子大戰的以、埃戰爭，美國却毅然決然站在以色列方面，隨時給予以色列現代化的軍事援助，而且故意透露消息，說以色列可以製造原子彈了，并不怕刺激俄帝，因而促成美俄直接衝突。這證明重歐輕亞思想，在美國根深蒂固，牢不可破。

最好笑的還有美國一般所謂「鴿派」份子，如鼎鼎大名的參議員富爾萊德之流，對於以、埃戰爭之危害世界和平的顯明事實，視若無睹，且有幾十名參議員聯函尼克遜總統，要求以新式飛機援助以色列，決不怕觸發全面大戰了。過去爲反對美軍參預越戰的國內反戰運動，更寂然無聞了。假使白宮對南韓或中華民國的反共鬥爭，亦如其對以色列的應援一樣，那幫「鴿派」份子，一定扯起「維護世界和平」的旗幟，大吵大鬧，拼命反對，而以「避免毀滅性的核子大戰」爲口實，可斷言也。因爲以色列是猶太人的國家，美國許多公民亦係猶裔，那些猶太種的鴿子議員，爲着自身的政治利益，對國際問題就擺出幾副面孔，恬不知羞了！

不過，話又說回來，如果以色列不是全國皆兵，能征慣戰，而上下一德一心，團結奮鬥的話，別人亦就不會那末慷慨的予以援助了。最近美越兩國當局對於越南組織聯合政府問題，互相發表談話，有所申辯，很顯然是與美國新派巴黎和談首席代表有關。尼克遜急於停止越戰，而以「聯合政府」爲餌，希望越共同意媾和。美國對付共黨的一貫策略，首先臨之以兵，認爲共軍不堪一擊，迨戰而不勝，即用「聯合政府」這副陳舊藥方以期收場，友邦如不答應，就說你低能腐敗，不值得支持，甚至製造政變亦所弗惜，現時不是已有楊文明出主越南政局的消息流傳嗎？空穴來風，非偶然也。

强權主義支配着國際局勢，任何國家若不能自立自强，而以俯仰由人的心情以求生存，決無倖理，以色列便是一面很好的鏡子！

馬五先生

法律之前人人平等 尊爲院長也不例外

監委糾正財部處理國光案 指稱黃國書院長爲黃代書

（本報記者張健生台北航訊）立法院院長黃國書被禁止出國；黃國書的不動產被禁止過戶售讓；黃國書持有國光人壽保險公司（以下簡稱該公司）的股票停止過戶轉讓。黃國書每天上午在立法院以「院長身份」批閱公文；下午則在國光人壽保險公司以雙重身份（董事長黃龍鳳鳴的丈夫身份與該公司常務董事的身份）代理其妻行使董事長的職權批閱公文，故有「黃代書」之尊號。這是監察委員王文光、金越光報告調查財政部處理國光人壽保險公司時的開場白。監察院財政委員會據此調查報告提案糾正。

該公司設於五十一年間，資金新台幣二千六百萬元，立法院院長黃國書之妻黃龍鳳鳴爲董事長，黃國書爲常務董事，並爲該公司實際業務的主持人，此外常務董事則有劉金約、何傳、葉克倭（黃國書之子）、黃遠竹、呂義濱等人，常務監察人爲林熊祥，總經理柯文賓。

監察院認爲財政部未盡監督之責。該公司董事長黃龍鳳鳴等呈訴「財政部部長李國鼎違法失職摧殘民營企業幼芽」各節，經監察院調查結果，均非事實。該公司自五十一年間開設以來，財務迄未正常，業務經營諸多不善，則爲事實俱在，難以諱言。從五十三年開始，即漸失常，不但業務財務發生不健全現象，迄今虧損達新台幣一億一千萬元，且先後違反保險法第一四六條之規定，對企業直接投資經營達七起之多，其中：國光光學儀器公司投資百分之百，計新台幣三千萬元。國康實業公司投資百分之百，計新台幣九百萬元。豐年實業公司投資百分之六十，計新台幣三百萬元。台灣旅行社投資百分之七五點八二，計新台幣三百一十四萬二千三百元。亞洲大戲院投資百分之五九點五，計新台幣二百三十六萬零五百元。台灣日報社投資百分之十，計新台幣七十五萬元。國光紙業公司投資百分之百，計新台幣四百九十六萬元。以上七起投資總額計五千三百二十一萬二千八百元之巨，依照保險法第一四九條規定，該公司此種違法之投資行爲，主管機關之財政部固得命令於一定期間內改正，亦得令其停業，或一定期間之停業，但財政部僅於五十四年三月至五十七年二月間，先後五度下令糾正而已，並未因其一再下令糾正無效之故，採取保險法第一六八條規定之較嚴重措施，如勒令撤銷其負責人，並得撤銷其營業執照等是，而僅於最後以科處罰金銀元一千元了事，此種作法，殊嫌失之寬容。

國光人壽早有虧損 財部未盡監督之責 因循寬容措施顯然失當

監察院指證：保險事業在我國尚屬發展時期，財政部自應依法不時派員抽查各保險公司之財政業務情況，期其事業日臻健全，而收監督稽核之實效。財政部果能善盡其職責，即不致遲至五十七年四月始發現該國光公司除資本二千六百萬元虧損殆盡外，尚不足六百餘萬元，亦不致遲至此時始發現其資產實值與帳面價值相差達四千五百餘萬元之巨。財政部既已同時發現該公司當時支應給付，係以向銀行貸款作爲財源，並又熟知其對違法投資部份，迄不遵令改正，應屬情況嚴重萬分，縱不依保險法第一四九條規定勒令停業或宣告解散，亦應依保險法第一六八條規定撤換其負責人，如此自可使該公司得免於日益糜爛而陷於不能自拔之地步。乃財政部錢幣司及當日之部次長（部長俞國華、次長杜均衡）等顧慮該公司董事長、常務董事等之背景，並以顧全保險業之前途爲藉口，而採用限令增資以彌補虧損之方式，維護該公司之體面，期其有以自救。此舉果能嚴格執行，不稍寬假，屆期追責，要亦不失爲亡羊補牢之策。惟是財政部執行不力，該公司亦藉故推諉，從而乃有一年之後，中央銀行於五十八年七月以密函通知財政部迅採有效措施，以及財政部亦派員會同中央銀行人員與會計師等核算查明，該公司確有虧損達七千萬元之事實。此一虧損數字，與該公司聘請之日本精算師及中央再保險公司顧問精算師之檢查結果相近，顯見係由於財政部在一年前未採取斷然措施，致該公司在一年後之虧損，竟由三千餘萬元增至七千餘萬元之巨，其後財政部雖曾一再限期增資，且又以密令限其對外營業暫停三月，但財政部仍不免有監督不周，執行不力之嫌，從而乃有截至目前經中央再保險公司副總經理李保謙監督清理結果，認定該公司虧損已達一億一千餘萬元之情事。該公司瀕臨破產邊緣，監察院認係「咎由自取」。至財政部對該公司監督稽核不嚴於先，因循寬容於後，措施失當，一再而三，要亦有其責任，故監察院依監察法第二十四條規定提案糾正，移送行政院促其注意改善。

本報記者按：本年元月二十四日，財政部以（五九）台財錢發字第一〇五一五號函請台灣警備總部限制國光人壽保險公司董事長黃龍鳳鳴、常務董事黃國書、劉金約、何傳、葉克倭、黃遠竹、呂義濱、常務監察人林熊祥、總經理柯文賓等人之出國。本年一月十日財政部命令該公司暫停對外營業三個月，同月二十七日，據監理人李保謙查報，該公司各分支機構尚有招攬新約活動。益證其不遵守法令而亂來！

各校招生報考踴躍 農職乏人問津

亟應設法補救 省議員質詢提建議

（台北消息）台灣省議會第四屆第五次大會，郭雨新議員於七月十七日就陳大慶主席施政報告中所提到「（一）厲行分層負責，和（二）加重機關首長權責，（三）教育人員瞭上欺下擴權失職，應如何求新求行求本，農政人員與糧政人員權責混淆，應認真研究限制」等問題，提出質詢八點，茲摘錄三點於後：（一）在改進「厲行分層負責制度」，和「加重機關首長權責」，這也確實是今日政治風氣應該研究改進的問題。「厲行分層負責」是否與省政府「合署辦公」的原意相符？據說三十多年前中央政府鑒於省級機構各自行文，以致政出多門，下級機構與人民，同有「一國三公，莫知適從」的痛苦，才毅然決然推行「合署辦公」，省政府對外行文必須用省主席名義，現在省府對外行文[illegible]長名義，現在台灣省是沿用這「分層負責」制度，如果各廳處均可對外行文，會不會重複以前的「一國三公」的[illegible]？最重要的是逐級授權，縣市政府應有的自治權，現在縣市政府的地方自治權，財政權、人事權，以及行政業務的指揮權，都控制在省。如果「逐級授權」僅限於機關內部，而不能推行到省與縣市之間，[illegible]。

從教育方面着手。可是，青少年問題之多，教育界風氣之壞，現在真是到達無以復加的程度了。總統將教育辦成這個樣子，疾首痛心於「教育辦成這個樣子」，懍切誥誡教育人員要「明恥教學」。施政報告中，這一方面如何「求新求行求本」一一字不提。但對依據憲法法律規定，原應由縣市政府負責的國民教育部份，越俎代庖，說得相當詳盡。違法攬權，和改進基層政治風氣方面的「分層負責」，「逐級授權」原則，不免有「南轅北轍」之嫌。有關於農職教育問題，說來也很痛心！政府正在大力輔導農業的「企業化」「商業化」「現代化」的時候，需要很多幹部，近幾年來，[illegible]的社會上「升學主義」的風氣盛，[illegible]的名額遠多於錄取的名額。只有農業職業學校卻招不到學生。嘉南地區原爲本省農業地區，但有好多農校，去年報考的不足錄取名額的半數，甚至連三分之一或四分之一都不滿，教職員和各種設施形同閒置。究應如何改進補救，施政報告中也沒有具體說明。「報喜不報憂」，政府對議會，抱持如此態度，是合理的嗎？這本席瞭解，不是主席先生的過錯，而可能是教育人員瞭上欺下，攬權失職之咎。果真如此，他們是否担負得起「百年樹人」的重責大任呢？

（三）關於增加糧食生產，「民以食爲天」，在此備戰時期，爲了充份供應軍糈民食，不使糧價發生波動，致影響其他物價的穩定，妨害社會秩序，確有增產糧食的必要。可是一方面强調「糧食增產」的重要性，一方面又主張要改變以稻作爲主的農業生產觀念，似乎不大容易統一矛盾。爲了土地利用，推廣高價值的特用作物，在短時期內，生產價值可能比稻作爲高，但因國際市場競爭劇烈，外銷並無一定把握，萬一遭遇波折，公私損失之大，實在難以估計。假定特產貿易順暢，外匯積存頗多，而因稻作面積減少之故，糧源發生問題，不能不向他國申購，萬一海運發生問題，或海運雖未阻斷，而購運失時，船期脫節，本省糧食必難貫澈「以量制價」的安全政策。糧食不同於其他物資，決不能稍有短缺，老成謀國者是不應冒險嘗試的。施政報告說：「不以稻作爲主」，並不是說要減產糧食，僅限制耕作面積於現有耕地。這也是一難於自圓其說的。一則限制耕作面積所生產的糧食，如何能應付無法限制的人口增殖的需要？二則新建水庫如曾文水庫等設施完成以後，所增加之水田不許再種水稻嗎？果眞如此，政府何以要耗費那麼多的人力物力財力從事水利建設呢？其實就我們所瞭解，這種無謂爭論，乃是農政人員與糧政人員權責混淆的結果。糧食局侵越了農林廳的職權，農政人員無法在權責方面爭取合理劃分，乃用「土地利用」的口號來反擊。黨政人員不明眞相，跟着叫嚷，實在沒有意義。主席是不是可以認眞研究限制糧食局職權於供配範圍之內，不使他們干與生產問題，藉一事權而息紛爭呢？

喬治桑外傳 一六三

張大萬

「就故事言故事，編的倒很有趣。演的怎樣？」喬治桑抽了一口烟，噴出烟圈。

「演技似乎都不錯，有幾個鏡頭表演很大膽，中國明星無論如何演不出來。據蘿茵告訴我，鏡頭剪了不少。」雅麗絲拿了一把小銼刀，在輕輕地銼指甲。

「蘿茵怎樣知道的？」

「他在電檢處有熟人，曾看過原封不動的試片。」

此時，房裏暫時沉寂，過了一會兒，喬治桑先開口。

「我返美的出國手續辦得差不多了。」

「眞的？你眞的打算回美國去？幾時再來？」雅麗絲拿喬治桑當親生父親看待，難免依依不捨之情。

「當然是眞的。我等到將台灣事情料理好便動身。我走了，恐怕短期不會再來了。」喬治桑說完，發出輕喟。

「……」雅麗絲聽了，停止銼指甲，微微仰頭看着天花板，若有所思地默默不語。

（未完）

台北傳奇錄（六一）

·陳光棣·

「好棒」！宮國華鼓勵着：「那你就要盯着那個老小子才行，不然可就吹了」。

「那還用得着你說」！兩個小伙子消失在黑暗裏。

轉眼之間就到了八月。賴慧敏已經在洋機關裏上了班。和她在一起担任打字工作的有一位金小姐和一位錢小姐，金小姐的面孔長的圓圓的像個燒餅，梳着最流行的鳥巢式髮型，頂在頭上足有一尺半高，上身經常穿一件低領口的洋裝，下面是新式的喇叭褲，每一條褲腿總有三尺寬，看起來不像是穿着褲子，就好像身上包着半疋布。金小姐活潑熱情，滿咀洋文，最高興同事們喊她「瑪麗」。錢小姐就比較保守，態度穩重，服裝淡雅，不笑不說話，偶爾說上兩句話總是很得體。三位小姐雖然以金小姐年齡最大，其實也不過是二十八歲零五十五十幾個月，尤其她那七年以前的「近照」；看起來眞彷彿是一朶鮮花！賴慧敏喜歡錢小姐，無奈錢小姐不大容易合人；和她談得來。倒是金小姐快人快語，你只要和她談上幾句話，就如同已經認識了一輩子，賴慧敏是個沒有定型的女孩子，誰對她親熱她就很自然的和誰作了朋友。

這天中午下班以後，她和金小姐一路去吃午飯。

「咱們去吃排骨麵好不好？」賴慧敏挽着金小姐的胳臂。

「妳可眞土！那東西有什麼吃頭」？金小姐把了她一把：「還是買點三文治回去吃吃，又便宜，又衛生，那夠多好哇」！

「我吃不慣，一連吃了半個月，我看到三文治就有點發抖」！

「說妳土不是」！金小姐一本正經：「妳不是在午飯的時候吃三文治」！金小姐又舉出幾個洋人的名字，無非是保羅、約翰、懷特、亞力山小、根因斯坦之類。

「喂！我想起來了，妳和約翰似乎很不錯」。賴慧敏試探着說。

「妳是說電燈泡呀」？金小姐吃吃的笑起來：「在一起喝喝咖啡，看看電影，算是什麼不錯呀」！

「妳們總是朋友吧」？

「裏面的同事，不都是朋友嗎」？

「可是你們兩個人特別親近」！

「誰和電燈泡親近哪，那傢伙的頭髮禿的只剩下幾根，妳沒看到嗎」？

「那有什麼關係」？

「說眞話，他有太太，這些洋人也都不是東西，家裏有太太，還想在外面打游擊，妳年輕閱歷淺，不是我說妳呀，咱們女人在社會上作事，可要步步爲營，最重要是不要得罪人可也不要吃虧上當，妳看到管收發的那個小姐沒有？去年來了不到一個月，肚子就大啦！」

（未完）

張大帥序十三經

·文匯樓主·

蔡元培、胡適、陳立夫、錢穆、林語堂、熊式一、黎東方、劉振東等，若為十三經作序，乃理所當然，因為他們都是我國享有清譽的學人。或者由錢思亮、鍾皎光、閻振興、孫亢曾、沙學浚、吳相湘、周世輔、李漁叔、張起鈞、侯璠、高明、林尹、魯實先、王靜芝、陳光棣、毛子水等為十三經作序，亦很正常，因為他們都是飽學與入流的學人，求其次由文匯樓主代序也不會構成新聞，因樓主十八歲起就在上海開始筆耕生活，像跑江湖的樣，走遍亞洲國家各大都市，應十幾所知名的大學邀請講過學，即非純粹學人，最少也算豬屎泡冒充豬肚子，看來總還有一點像，比起若干位不學無術之輩，一躍而成為研究教授，又勝過多矣！

今天文匯樓主記的是北洋軍閥，不知自己有多少財產，不知自己有多少兵員，不知自己有多少太太的張大帥（宗昌），其於民國十四年十二月做山東督辦兼省長時，重印十三經以督帥名義為序云：

「重印十三經序，教科成編而六經微，旁行為書而國文廢，國勢不張，文化亦靡能自信，致今日廢經說倡，推人是從，良足悲也。反之者又蔑棄儒先，傳注柔（米旁）雜，外教附會新異，張脊說以便其私。則侮經之禍，亦與廢經等。今且無暇與廢經者辯，而亟欲存經；並無暇與侮經者辯，而亟欲為經存注抱殘守缺無使散佚於今日，以待後學存中國耳，豈徒與陋儒時髦爭是非哉！宗昌蒞魯，飭各學校增課讀經，而講師寥落，尋常讀本，坊間已艱於購覓，習尚變而舊籍湮，毀棄且更甚於秦火矣，失今不圖，異日山巖屋壁之藏，容可冀乎？因檢圖書館所存前清丁文誠公撫魯時校刊之十三經板重付諸印，分發各學校，俾師生講讀有所遵循，書中校正倘鮮脫誤，注解悉采通行，取便誦習，俾識途軌，至於經義閎深，傳注浩博，漢宗師法具存，清儒致密，好學深思者，任自為之，而證尤可恃此以自畫也。清季髮捻初平，非圖書半燬，當局者已汲汲於此，今之事變更亟於前，齊魯多儒，秦漢之際，諸經賴以傳。孔付（魚旁））伏勝之流風，尚有未者乎？蓋予望之矣。」傳說廣係山東濟寧進士李鳳梧捉刀，據說可完全代表張大帥的思想，這一點與電影裏看到的張大帥比較，又不可以道里計。

復興中華文化的意義（中）

·曹敏·

這祇要一看孔子另一段話：「天下有道，禮樂征伐自天子出；天下無道，禮樂征伐，自諸侯出」，就可以知道，孔子看到當時禮樂征伐由諸侯出的毛病，必然要造成各國互相爭霸引起戰爭的危機，所以他主張要從周，主張要禮樂征伐由天子出，此種由天子出，決不是主張由天子來獨裁來吞併，祇要看禮樂擺在前面，征伐擺在後面，就可以知道乃是由天子用王道和平的禮樂來說，當然就可以天下太平了。這完全是根源於「平天下」的最高超的理想。當然我們並不否認後代皇帝，利用孔子此種學術來鞏固國家天下的統治，但這究非孔子原來的本義。

其次，中國文化是保守嗎？我想隨便舉以下的幾句話，就可以明白，譬如大學引湯之盤銘：「苟日新，日日新，又日新」。「周雖舊邦，其命惟新」，可見中國文化是時時講創新的。這一點，剛才吳先生已有精彩的發揮，用不着多說了。

再次，禮教是喫人的嗎？當然我們不否認中國的禮教，有些地方確有過分的，不過這乃是宋以後所留下的流弊，並非中國文化原來的本義。依孔子下面兩段話：「禮之用和為貴」及「殷因於夏禮，其損益可知也，周因於殷禮，其損益可知也，其或繼周者，雖百世可知也」。前一句話，說明禮教要和諧；後一段話，說明禮教要隨時代變遷而不斷修正。此種既和諧而又跟着時代進步的禮教，又如何會吃人呢？

至於小脚、鴉片、吐痰等等，只是一種陋習。如果就中國文化本義來說，那是野，根本就不是文，當然更說不上化，如何能列入文化體系之內。根據上面所述，就可知道，五四時代對中國文化的批評，顯然不中肯。照如此說，是不是中國文化沒有弱點呢？這又不然。然則中國文化的弱點是什麼呢？

依我不太成熟的看法，中國文化的弱點是我們中國文化成熟的過早。當然我並不否認中國文化成熟的過早，乃是我中國文化最大的優點之所在，也是我們文化最值得驕傲的地方。不過，利之所在，弊亦隨之，在這裏，也就潛藏了我們文化的弱點。我們要討論這個問題首先便要研究我們中國文化是不是早熟？

關於這個問題，我打算提出下面的論證：我們中華民族早在四千多年前的堯舜時代，不但提出崇仁義尚和平的政治，經濟與社會的理想制度，而且更提出講融會重貫通的中道方法。代表前者是堯典所說：「克明峻德，以親九族，九族既睦，平章百姓，百姓昭明，協和萬邦」。代表後者是大禹漢所說：「人心惟危，道心惟微，惟情惟一，允執厥中」。此兩者尤以微、危、精、一、中的中道方法為最重要，因為前一理想的制度，是由後一中道方法所產生出來的。諸位不妨設想一下，四千多年以前，整個人類尚在人與獸爭極野蠻的時代，即提出了一種到今天原子科學時代尚不能實現的協和萬邦的理想制度；整個人類尚在愚昧無知的時代，即提出超越知性的中道方法，毫無疑問當然是過分早熟的。

問題是在於為什麼過分早熟反而形成中國文化的弱點呢？我認為問題的焦點是植根於中道方法。中道方法是至廣大又盡精微，當然不是三言兩語所能說明的。如果我們用現代的學術觀點來講中道，也可以講出一個大畧的輪廓。依現代學術觀點看，所謂道心惟微，就是指抽象的形而上學，所謂人心惟危，就是指經驗主義，唯物主義及科學。所謂唯精，就是指治科學的方法。所謂唯一，就是指治哲學的方法，所謂允執厥中，就是合形而上與形而下為一體，也就是融哲學與科學為一途的融合貫通的方法。如果像這樣的一種方法，當然是一種最圓滿無漏的智慧方法，所以孔子稱中道為至善的方法，不要說在上古時代不易實行，即是文化進步到現代，又何嘗能做得到。儘管今天在西方科學已進步到太空時代，但卻不能解決形而上與形而下，心與物、內與外的問題，於此科學愈進步，便愈使形上與形下，心與物，內與外趨向分裂，而在這種分裂趨勢下，科學愈向外、向物、向形下發展，人便愈物化、外化、形下化，而逐漸喪失了人的價值。這就是說：西方科學如此進步的時代，也不能實行中道，毫無疑問，在中國的上古時代，也當然不能實行這個中道，所以孔子也很感慨地說：「民鮮能久矣」。又說：「天下國家可均也，爵祿可辭也，白刃可蹈也，中庸不可能也。」

當然我不否認中國文化是由於標榜中道方法的緣故，從中道開出崇和平尚仁義的極有價值的倫理文化，這是中國文化最卓越的成就，也是對未來世界人類文化有貢獻的最大財富。

然而也就是因為中道方法的不易實行而又堅持中道方法為我們的道統與文統，這就產生下面的流弊：

（未完）

說曹操

李漁叔

張繡與張魯（十三）

魏志武帝操傳，記張繡投降事甚簡畧：「建安二年春正月，公到宛，張繡降，既而悔之，復反。公與戰，軍敗，為流矢所中，長子昂，弟子安民遇害。公乃引兵還舞陰，繡將騎來鈔，公擊破之，繡奔穰（禾旁），與劉表合。」

這次軍敗，孟德中箭，又折了長子曹昂和侄兒安民。按魏志二十卷武文世王公傳：「曹昂字子脩，弱冠舉孝廉，隨太祖南征，為張繡所害，無子，後追謚為豐愍王。」又魏書及世語記此役情形：

「公所乘馬名『絕影』，為流矢所中，傷頰及足，並中公右臂。」（魏書）

「昂不能騎，進馬於公，公故免，而昂遇害。」（世語）

曹昂雖是一個孝廉，但將門之子，久在軍中，沒有不能騎馬的，「進馬於公」，當係孟德人馬俱傷，情勢危急，曹昂將自己的坐騎與父，使其乘馬逃脫，而自己遇害。

張繡降後，魏志典韋傳頗有紀述：「太祖征荊州至宛，張繡迎降，太祖甚悅，延繡及其將帥置酒高會，太祖行酒，韋持大斧立後，刃徑尺，太祖所至之前，韋輒舉斧目之，竟酒繡及其將帥，莫敢仰視。後十餘日，繡反，襲太祖營……」繡已降為何復叛，據小說及戲文所載，是孟德與張繡的嬸母姦通，戰宛城這齣戲，對孟德頗有不堪描繪，但其事並非虛構。且看張繡傳：

「太祖南征，軍育（水旁）水，繡等舉衆降。太祖納濟妻，繡恨之，太祖聞其不悅，密有殺繡之計。計漏，繡掩襲太祖，太祖軍敗，二子沒。」袁宏後漢紀則記載較詳。

二年（建安）春正月，曹操征張繡，繡降，其季弟濟妻，國色也，操以為妾。繡由是謀叛，襲操七軍大敗之，殺其二子。」

依上述情形看來，曹公貪色，這次敗得很慘，不僅斷送了一子一侄，也折損了典韋一員驍將，還幾乎賠上了自己一條老命。袁宏所紀，孟德納以為妾的，是張繡的季弟濟妻，張濟是張繡叔父，前文已有記載，而且袁宏同書也曾說過：「張繡自關中走南陽，從子繡領其衆屯宛。」為何這裏又說是季弟濟妻呢？大概「季弟」是「季父」二字的錯誤。

孟德經過敗挫後，與張繡結下深仇，照理應當會遲早剪滅他。可是張繡居然再度投降，孟德不僅不念舊惡，而且重加封賞，張繡之所以如此，完全是出於賈詡的主張。

當袁曹在官渡決戰之前，張繡這個部隊，變成游離無歸，自應有所投靠，以此時形勢論，袁強曹弱，已為大家有目共見，而且又與孟德有讎，斷難合作。況袁紹那方面業已派人前來招撫，並另外有書信給賈詡敦促他們，當然應該投奔袁紹，毫無疑問了。但是，事實卻大謬不然，賈詡這一策劃，又是出人意外。按魏志賈詡傳：

（未完）

諸葛亮狂想曲（一四二）

·劉玄·

星君已經修煉成大仙，衝破生死關，八九百年在他也不過只等於八九個月而已。

「八九百年？」劉約翰露出驚訝之色。

「任何動物都具有佛性，當然也具有人性。苦修千年以上，即能變化成人形，也即是成仙之謂。黃雲大仙就是一個例子。我養的金魚再過幾百年也能變化為人了，我因鑒於劉約翰對其中一條情濃意密，所以準備施法讓牠變成人形，但最多只能以一個月為期，到期仍然要使牠回復金魚的型態。」太白星君侃侃而談，似乎沒有一件事是辦不到的。拿破崙字典上無難字，說說而已，太白星君的字典上倒確實是無難字的。

「剛才君星說過，情慾之關必須衝破，為甚麼要將劉約翰往這道關口上擠呢？」諸葛亮是談玄說道之人，對於事情的看法與常人不同。

劉約翰在旁暗暗叫苦，他咀裏不好意思說，他心裏確實深深愛着那條魚。尤其他看過「魚美人」影片，他想：金魚美人必然美艷絕倫，恨看馬上要來的艷福不要給諸葛亮三言兩語搞垮了。

「你的話只說對了一半，劉約翰和這條金魚有段姻緣，必須解脫了，對雙方都好。劉約翰變魚已經了結一半，現在再讓金魚變人，才能獲得真正解脫。同時，也讓劉約翰和金魚能體驗色即是空，空即是色的真理。」太白星君的見解，果然又勝過諸葛亮一籌。

劉約翰這才放心，面露愉悅之色。

「劉約翰。」星君呼喚。

劉約翰忙答道：「是，是。」

「我有幾句話，你必須切記在心。」劉約翰再連聲稱是。

「第一，你要知道金魚變的女人是人間少有，天上罕見的美人，你應該誠心誠意愛護她，不可在外拈花惹草。如有違失，必遭天譴。第二，金魚美人是茹素的，切忌葷腥，尤其不能飲酒。你大概知道白蛇傳的故事，白素貞就是因為誤喝了雄黃酒才造成家庭悲劇的。你在這一個月當中，既不能吃葷，也不能飲酒。第三，金魚美人甚麼都不怕，就是怕貓，我替你畫一道靈符讓她掛在身上，以妨不測。同時，你在這個月當中，也要隨時小心，不要讓貓驚嚇了她。」星君歷舉三個條件，叫劉約翰注意。」

「星君指示，約翰一一記得。」劉約翰為了金魚美人，當然一切要聽星君的話。

「既然如此，星君何時作法？」諸葛亮上次看過星君將劉約翰變成金魚，覺得很有興趣，現在又想看金魚變人，這要比目下夜總會上演的表演節目精采多了。

「人變魚容易，魚變人難。幸而此魚已修煉多年，我才能一試。這樣吧，三天後你們到我這兒來。我變一個老婆給你。」星君面帶笑容，喜氣冲冲。

（未完）

巨變歷險記

收拾殘部

（一四五）　胡慶蓉

廿六軍瓦渣之戰，損失慘重，八軍元江之戰，損失亦慘，兩軍漏網魚，紛紛尋求出路。

廿六軍同丁博士一塊，每天一停下來，就架起電台來，同他的總指揮官彭副軍長佐熙聯絡。據各方搜集的情報，彭副軍長已經帶領所部追隨黃杰之後進入越南了，但實際情況並不知道。不管怎麼樣，同彭副軍長的聯絡決不終止。從普雄起，經進薩、瓦渣、……歷時二三十天的時間都沒有聯絡上。但電台的工作人員並不失望，仍舊不契（金旁）不舍的天天停下來就架起來工作。他們的工作精神，丁博士是佩服的。天天跑一天的路，誰也會疲倦的，誰都疲倦了，但電台工作人員並不停止工作，而且不惟不停止，反而更特別的認真，更特別的加緊，天天得不到消息，是够令廿六軍苦悶的。他們入越的心裏漸漸的形成，並且日益加强，到了巴哈過去牛圈，距越南邊境只不過三十里，前進就在這里停止，考慮入越還是照丁博士的原定計劃？大家在開會在討論，很顯然主張入越的佔絕對最大的多數。在他們想，整個大陸都掉光了，在大陸已無能為，倒不如南去入越之為愈！這樣至少可求得個人的安全，全體的安全。於其冒無謂之危險，何如入越之為得計？

丁博士對廿六軍極盡勸導之能事，不眠不休，往返奔走，但成效並不顯著。正在無計可施之際，突然電台同彭副軍長聯絡上了！……：田樂天團長拿給丁博士看，丁博士高興極了，豈止雀躍三丈！這是一個夜裏，在快下兩點的時候了，田團長從一個，上，把丁博士叫醒。這電報是從越南打來的，是彭副軍長打來的。他的意思很清楚：（一）所有進入越南的我軍，均被法國人繳械了，關進富國島了，（二）法國人把越南當作法國的國土，一切依照歐美的國際公法從事，（三）我們不但槍都繳了，並被法國人關起來，形同囚犯，毫無自由，（四）所有廿六軍的部隊，其沒有進入越南的，千萬莫再進入，以免陷入囚犯的生活。（五）命令所有尚未進入越境的廿六軍並勸告八軍以及所有的國軍能依照雞街決議向車里佛海邊撤退。

但這明顯的指示，並沒有扭轉廿六軍逃難的心理，廿六軍的將士還是要進入越南，願意接受法國人給他們的命運。決不北上，決不遵循雞街的決議。任丁博士怎樣的苦勸，他們仍毫無動於衷。在丁博士苦勸之際，已有很多部份偷偷的向越南方向走去了。最後連田團長他自己也變更了主義，他最後也追隨着前往越南了！丁博士看着廿六軍前往越南，對部隊長走着勸，也是枉然。廿六軍走了，但八軍來了，元江之戰的漏網之魚，紛紛向丁博士方面投靠。這樣收拾殘隊，仍照雞街會議的決議，向車里、南嶠、佛海撤退。丁博士走中路，丁博士成功了！

改進政風必須求廣求深（上）

・陶百川・

當政當局最近在一次高層會議中檢討政治的得失，以期革新再革新，進步再進步。現在國際形勢變幻莫測，我們要在驚濤駭浪中屹立不沉，進一步駛抵彼岸，必須靠自身的健全和壯大，而其入手方法，便是改進政風，健全政治。

一

所謂「政風」，應該是指政治作風及其形成的風氣。某種作風一旦形成風氣，不獨力量很大，而且根基自必很深，範圍自必很廣。

因而改進之道，並非枝枝節節的小動作所能有效，在認識和行動方面，都須求廣和求深。譬如治病，「求廣」必須在診斷方面作全身的體格檢查，不僅要注意外部，也要注意內臟，甚至要研判「精氣神」三者的機能和原因。如果發現某部分有可疑的症候，必須作深入的檢查和了解。

如果找到病源，就不許諱疾忌醫，要對症下藥。頭痛須醫頭，腳痛也得醫腳，如果還有他病，並須一併治療。普通藥劑如果不够有力，自須使用特效藥，即使有點不良的副作用，也不許因噎廢食。內科方法如果不澈底，自須再用外科手術。

二

改進政風之道也得這樣廣和深求。但是據說有關方面祇就如何改進基層政治風氣加以研討，而置高層政治風氣於不問。這就犯了不求廣和不求深的毛病。它的研討結果即使完全對，完全好，完全被採納，也未必能治好目前的病痛。

有人也在研討如何改進司法風氣，這個題目出得對症了，但是檢查和脈案也必須包括全身。有如改進一般政治風氣，尤須注重首腦部，否則是不够廣和不够深，何能發現真實，對症下藥！

幾年前，我在監察院年度總檢討會談到政風問題，我指出我們現在患着四種重病，就是鋸箭桿主義、纏小腳主義、充胖子主義和反淘汰主義。年來政治已有進步、政風也在改善，但是鋸箭桿主義的毛病還未十分痊癒。

什麼叫做鋸箭桿主義呢？相傳有人被箭射傷，求治於一外科醫生。醫生鋸斷露在皮上一節箭桿，叫他出院。病人問陷在皮肉中的箭桿和箭頭怎麼辦，醫生要他去問內科醫生。

我們討論或從事政治風氣的改進，假使也祇注意表面的病象或局部的病症，而不作「拔本塞源」的診察和治療，那就無異於鋸箭桿的笑話。

三

現在請進一步談些實質問題。執政當局現很注意司法風氣，那末就請這一問題，從廣處深處略舉所見。於是就得想到司法獨立，就是司法對行政的獨立，也就是像我國憲法所規定，司法院，不是行政院，掌理民事訴訟的審判。（憲法第七十七條）這事既經大法官會議解釋確定，高等法院和地方法院早應改隸於司法院了，可是行政院拖延十餘年沒有向立法院提案修改有關法律，以致改隸問題迄今仍是一個「畫餅」。

於是幾位監察委員又想到要澄清司法院的提案權問題。如果它有提案權，改隸或已實現多時了。其實這不僅是為了促成法院的改隸，司法院之應有提案權，乃是完成五院體制和司法獨立的一個重大條件。日前聽說有人反對，認有司法院不分應割行政院的提案權。這大約是忘記了憲法第八十七條規定：「考試院關於所掌事項，得向立法院提出法律案」以及大法官會議第三號解釋，因此不能不承認監察院和司法院也應就所掌事項有向立法院提出法律案之權。

我舉上面兩個例子，是在說明改進政風，必須尊重法治，而且必需從高處，從大處和深處着眼和着手。

由此又聯想到監察院，它握有彈劾權、糾舉權和審計權，原是整肅政風的好工具，然而大家不予重視，甚至加以阻礙以致有些盡職的委員，即使倡為曲突徙薪之議，也難免焦頭爛額之災。讀韓愈千里馬之論，能不掩卷三嘆！

四

從千里馬我又聯想到軍公教人員的待遇。依照韓愈之說，千里馬必須吃飽。如果「食不飽，力不足，才美不外見，欲求與常馬等，不可得，安求其能千里耶！」

現在談到政風，大家便想到貪汚，由此更想到軍公教人員的加薪。其實今日改進政風，不僅要注要貪汚，而加薪也不能就遏阻貪汚，但軍公教人員的生活確非改善不可，即使不能因此根絕貪汚，至少也要使絕大多數存心不想貪汚的人不致被生活「逼上梁山」。

日前監察院以糾正案為學校教師呼籲加薪，這個問題的確已很嚴重了。因為大學教授的月薪最低祇有二千九百二十元，最高也祇有三千五百六十元，副教授二、四〇元至二、九〇〇元，講師是一、九五〇元至二、[illegible]元，中學教師是一、四〇五元至二、四六〇元，國民學校教師是一、三七〇元至一、九八〇元。以上各薪[illegible]務加給、生活補助費以及老師們特有的研究補助費，（教授每月一、二〇〇元，副教授九〇〇元，講師六〇〇元，中小學教師各為四〇〇元）

一般公務員（包括學校的職員）因為沒有研究補助費，待遇更差。這是說，相當於正教授的高級職員，月薪祇有一、七二〇元至二、三六〇元，相當於中學教師的祇有一、四〇五元至二、〇六〇元，相當於小學教師的祇有一、三七〇元至一、九八〇元。加上家屬實物配給每人每月約一百五十元，再加房屋津貼，有眷的尚僅三百元，無眷的每月僅四十元。至於中低級軍人的待遇，較此更差。如此待遇，自尚不能養廉，更不能使千里馬安所得，展其所長。

（未完）

生活漫談

大葱散風寒消腫痛

・馬騰雲・

葱的味辛，屬於有刺激性的植物，含有蘋果酸和磷酸唐（西旁）等，它的營養成份，水份百分之六．五，蛋白質〇．九，脂肪〇．二，無機鹽〇．六，粗纖維〇．五，含水炭素三．〇。民間食用之，多作芳香品，或多量採用以作蔬菜，如製「蔥葱烤鯽魚」這個菜，就要用多量的葱來配合的。日本人好用葱滾湯，他們謂食之可以調節體溫，防止腸胃患寄生虫，又能興奮神經，皮膚排汗正常，身體就可以減少發熱的弊病。葱對消化液的分泌，是有促進作用的，故胃口呆滯，食慾不振，不妨在作菜時加入一些葱。它能醒腦，對腦的清寧很有幫助。葱還含有一種油質，名為葱油，有強力的殺菌力，是以對於流行性感冒，頭痛，鼻塞等症候，可以用葱煎湯飲，也很有效。本草謂葱能發表，和中，通暢經路，活血，治傷寒，理寒烈，療中風及面目浮腫。葱的「粘質」很多，一般人皆謂多食它能惹痰，是以多用葱作為蔬菜的時候，最好先行把它「出水」，然後配入豬及其他肉類食物用，這樣更為好食而安全。葱的性質是溫熱的，常感燥熱的人也不宜多吃，如是胃寒虛渴，津液缺之，食用它也很適宜。

一種老的葱，它的頭很結實，外皮紅色，把它晒乾，名為乾葱頭，收藏之可作長期食用，亦有將它醃酸，有醒胃驅風的效用。乾葱頭的用處很多，如胃寒嘔吐，或寒氣積滯胃中，致不思飲食，甚而食後胸膈脹滿。用乾葱頭配合一些老生薑，煎水飲之，能收到止嘔開胃之效。倘因飲食過多，作悶口淡，喉部整日不舒適，腸有微痛，而背部亦感有惡寒的病狀者，此乃胃中積有風寒作怪，不妨用乾葱頭十餘個，原放在鑊中，加入一些豆豉及生薑，炒至葱頭發農（火旁），然後以滿水兩碗，煎取八分飲之，不舒適的情狀就沒有了。

至於「葱白香豉湯」是中醫一條治感冒的偏方，民間多慣用，是以鮮葱白四、五條，淡豆豉三錢，有些還加入生薑三片同煎水，乘熱飲用，以有發汗發熱為佳；輕微的感冒，用這個方法，也可以治療的。葱又可以用於外科，皮膚若有腫痛，用葱煎水，乘熱洗之，能消炎止痛。就是跌打受傷的積瘀發痛，在跌打藥物中，配入鮮的葱，可以促進其他藥物的消腫退熱功能。

第九章　宋康王逃避自全　徽欽帝被虜入金

去得金營，與金二副帥議和。金人詭言要求必須徽宗至金營議和方可。欽宗顧左右息道：「罷了！罷了！」上皇已驚憂成疾，何可出盟？欽宗問計。其他群臣皆束手無策，欽宗命人草擬了降表，由欽宗親自至金營乞降。大宋的臉已喪盡。

欽宗入見，粘罕與斡離不高踞胡床，傳令入見。欽宗進營向二帥長揖，呈上降表。粘罕道：「我國本不想興兵，只因汝君臣悖盟，不得已而用兵。現要另立賢主，主中國，我等便可退師。」金人又進了一步。

欽宗聞粘罕之言，默默無語答對。何桌、孫傅、陳過庭隨駕前往。衆臣一齊抗聲說道：「貴國欲割地納金，均可從命。惟易主一事，請毋庸議。」粘罕只是搖頭，表示不行。斡離不勸笑道：「汝等既願割地，快去行議兩河。講到金帛，須納黃金一千萬錠，銀二千萬錠，帛一千萬匹。」欽宗及從臣一般從命，只好答允金人要求，乃釋令還朝，限二十日辦齊。

欽宗回程中，士民掩面痛哭。欽宗亦大聲責道：「宰相誤我。」及還宮，即遣劉合、李若水（李旁，以下同）、陳過庭、折彥質等為割地使，分赴河東、河北、割地界金。又遣陽旬（王旁，以下同）等二十人，往論各州縣降附。各路使臣，分由金人押解。歐陽旬乃是忠臣，到了深州城下，呼城上守兵說：「朝廷為奸人所誤，喪師割地。我特拚死來此相告，奉勸汝等宜勉忠義，守土報國。祖宗土地，尺寸不可與人！」金人大怒，竟將歐陽旬活活燒死。

金兵雖然逼和，不願割地，多半閉門拒使，謝絕詔命，致了穎昌。陝西宣撫使范致虛，提兵十萬入援，到了穎昌，聞汴京已陷，西道總管王禀先遣帥王倚，同出武關，至鄧州千秋鎮，與金將婁室遭遇，不戰自潰。

金人在汴，每日需索無厭，錢糧、美女、騾馬等，日日勒索。宮女千五百人悉送入金營。割地使劉合被劫至金營，粘罕深為重視，他遣僕射韓正待於館舍。韓正與劉合道：「國相知君，將加重用。」劉合道：「偷生以事二姓，寧死不為。」韓正又道：「軍中正議立異姓，國相欲令君代為主中國，與其從死無益，何不北去，享受富貴。」

（卅七）

岳飛

自由報

（第一〇八五期）

（半週刊逢每星期三、出六版）

每份港幣壹角，台灣零售價新台幣壹元

督印黃行寶・社長李應運

社址：香港九龍彌敦道593—601號 廖創興銀行大廈八樓五座

LIU CHONG HING BUILDING
7th FLOOR FLAT '5
593—601 NATHAN ROAD,
KOWLOON, H.K.
TEL: K303831
電報掛號：7191

承印：[illegible]印刷公司

台灣總經理中心：台北重慶南路一段一二九號

電話：二四五七四

台灣郵政劃撥戶　第五〇五六號張萬有（自由報會計室）

台灣分社：台北市西寧南路110號二樓

電話：三三〇三四戶　台郵劃撥戶九二五二號

本報專論

宗教與科學須同流並進（上）

・梁寒操・

現在社會上很多人認爲宗教與科學不能並容，我以爲這看法完全錯了。我們要知道，宗教與科學原是人類尋求眞理的兩種不同的道路。人類生活自然需要眞理，即中國人所謂的「道」。——「道」不可須臾離也，可離非道也。此「道」也就是「眞理」。但是什麼叫做「眞理」呢？普通人腦子裏是不大會想到這一問題的。我認爲「眞理」就是在宇宙中在人生中一種永恆不變的道理。眞理從何得來呢？是由人類體會得來的。別的生物、動物固然不會體會到眞理，就是人類也只有少數人才能體會到眞理。大多數人還和眞理離得很遠的。但是，眞理以什麼做標準呢？以我個人的見解眞理的標準應該有兩個：

第一、證之客觀的事實能够符合的。

第二、證之主觀的良知能够符合的。

客觀事實

能用客觀的事實來證明的才是眞理，這是大多人都會了解的。但是另外還有個標準却被大家忽略了。那就是在人心的裏面，反求諸良知——在心理上能够符合的，也就是「人同此心，心同此理。」，我們人類需要的眞理，一定要兩種標準都能够符合，才可以稱爲人類應當遵守的眞理。如果單是符合客觀事實的標準，而不符合人類主觀的標準，人類就應該拿出很大的智慧和抉擇來處理了。舉例說：現在大家都在講科學，科學乃是尋求眞理的利器，一百多年前用科學方法來研究生物的要算達爾文最有名。他的結論告訴我們，所有各種生物都爲生存而競爭，競爭的第一結果是優勝劣敗，第二個結果是適者生存。在當時這是科學上的石破天驚的眞理。但把這生物學上的眞理如應用到人類社會上來就大錯了。——我優你就劣，我適你就不適，我應該生存你就該淘汰，這是人類良心所許可麼？爲證之於我們的良知，我們心裏的反應就會覺得不安了。那怎麼處理呢？國父認爲達爾文所發現的祇是局部的眞理，用於普通生物上完全對，若用之於人類社會上就不對。故達爾文的發明的道理只能用在普通生物上，而不能用在人類社會上。這就是國父大智慧的大抉擇。因爲人類社會需要合作互助，需要仁義道德。這個道理實很顯然。譬如報上常載有生來畸形的嬰兒送到美國去治療；還有癲瘋病人，並不將之埋掉，也送入醫院療養。因爲人類如果不這樣做就於心難安的。這就可以看出達爾文的發明不是眞理的全體，只是眞理的局部。

先談科學

現在我想先談科學，再談宗教。科學乃是我們求知的一種很重要的工具。什麼叫科學？以我個人的看法，科學是一種系統的學問，條理的學問，實驗的學問，和求證的學問。

科學這名詞已爲人們所濫用，口口聲聲科學而不懂科學的實大有人在。以我個人的看法。科學這名詞有兩種解釋，一是狹義的，一是廣義的。廣義的就是求眞，要藉此方法求得宇宙人生全體的眞理，最高的、最大的，和最後的眞理。雖然一時求不到，但是人類總有這個野心，和慾望。在狹義方面講，科學是選一部份來研究，而非全體。比如你選眼睛或牙齒，水或火研究。研究方法如何呢？先蒐集資料。例如研究牙齒，便將所有有關牙齒的資料都蒐集起來。然後分類。分類後用歸納法求出其共同性，然後提出假設，再多次實驗求得正確的結論。

所以科學的研究方法和宗教的研究方法乃恰恰相反。

宗教方法

宗教的方法，却是先由立信起頭。故佛教以「信、解、行、證」四字來說明悟道覺的歷程。其步驟是由信入手，漸及於解，再及於行。（躬親實踐）最後才得證明。科學反其道而行，即先求證次實驗然後解，終於信。

宗教的求知方法正與科學的求知方法相反，即是將科學的研究步驟倒轉來的。那麼宗教是什麼呢？以我的解釋，可說是以天爲宗的一種教化。「以天爲宗」是莊子的話。宗教所研究的問題是永久性的，普遍的。亦即是研究第一、天人關係的問題，第二、生死的問題。

人之生自何來？死後何往？生爲何死又爲何？這個問題是要想到的。宗教是以天人關係，生死問題作研究對象。其探討所得有多種道理。但總不離認識天，由認識天而崇敬天，服事天，效法天，歸依天。一句話說是「以天爲宗」。

中國素有禮教國家之稱。試研究這個「禮」字。也就是用簡寫的「礼」字，古代原是這樣寫法「禮」的。「示」乃指天垂象以示人。「乚」乃指人跪拜之象。故「禮」字即敬天之義。

中國禮教

中國既是禮教國家，就是原本有宗教的國家。亦即是敬天的國家。我們祖先看見這麼偉大的天，就由識天、而敬天、而親天、而事天、而隨天、而法天而歸依于天。故有「安天樂命」的話。向來講中國文化在儒釋道三教是不錯的。但代表中國文化的實是宗教。孔子說「未知生，焉知死。」「未能事人，焉能事鬼。」「子不語，怪力亂神。」故儒教不是宗教。[illegible]式。如信依斯蘭教的天天要跪下來禱告，或者一個禮拜要洗幾回澡。基督教的禮拜天一定要到禮拜堂，這些儀式儒教都沒有的。但我很仔細研究，儒教教義中，却實在有宗教的實質，有宗教的精神。孔子說，「默而識之，學而不厭，誨人不倦，何有於我哉。」「默」者靜也。「識」者悟會也。「之」者指天之道也。默而識之乃說人要由靜才能悟出道理來也。「識之」的「之」。「學」者學天道而不厭，「誨」者宣講天道而不倦也。這是說道之妙、道之大、道之深、道之高，乃非學問所能窮，語言文字所能盡也。人祇有體天、法天，使事理做到合於天人合一，即那裏還有一個「我」呢？佛教就是要破「我執」。認爲迷於「我執」即終身不能明道。正與儒教所見相同。儒家中的禮記是一部很重要的書。曲禮曰：「毋不敬。」又曰「毋不敬可以對越上帝」。這是兩千多年前我們的先民講的話。

我們都知道孔子最愛的門生是顏回，孔子讚顏回其心三月不違仁，認爲是孔門的翹楚，孔子爲什麼特別賞識顏回呢？因爲顏回能够三個月不違仁；仁者天性，不違天性就是常在「天人合一」的境界。孔子所欣賞的第二位門生是曾點。一天孔子與門人共話，請各講出自己的志向。

孔子問：「點，爾何如？」

曾點答：「異乎三子者之撰。」

孔：「何傷乎！亦各言其志也。」

「曾：「莫春者，春服旣成，冠者五六人，童子六七人，浴乎沂，風乎舞雩，詠而歸。」孔夫子喟然歎曰：「吾與點也。」

（未完）

昨日與明日

學校武打何時了

學校本是讀書明禮的地方，想不到近來竟然一再出現武打的局面，情形奇特，惡性兇狠，簡直屈指難數，即以大家都知道的來說吧，前些年有女教員，用硫酸潑校長（翁慨）的面孔，解聘教員，開槍打死校長（幹克敏），近些年同事毆鬥兇殺，甚至學生在課室中殺死老師（基隆中學），層出不窮，駭人聽聞到極點。

然而這些武打場面，還是出在中等學校，多少還可爲社會稍爲開脫，加以原諒，而最不幸的這些武打場面還竟「更上一層」，深入高等學府，尤其遺憾的是造就師資爲人師表的，國立台灣師範大學，居然首開紀錄，遙遙領先，始而是兩位教授在教授休息室，互毆成傷，繼而是校警公然在校長室毆打校長，隨後又有工友在辦公室持刀砍傷職員，妙在是當日下午，工友職員兩人均雙雙上班，未聞有何處分。師大尙且如此，於是流風所及，自然會感染其他大專學校，果然最近又有國立藝專一位教授身懷利刃，到校長室，找校長拼命，幸虧爲總教官及時制止，才未發生慘案，眞是要使杏壇變成擂台，學校成爲戰場，這還成什麼話。

這種惡劣風氣，若再聽任發展下去，而不謀制止，今後將不堪設想，受禍者，將不是學校、學生，本身而已，此中道理勿庸多贅，問題是要當政者能正視事實，負其責任，快快轉移此風氣。

如何轉移風氣，自是一甚爲複雜的問題，但有兩點最起碼要作到的：第一是主持文教事宜的人員，要拿出良心來爲國家的長治久安想一想，不要一昧敷衍塞責，只求作官；第二是主政者應該對發生事件的當事人，有所糾正，縱不能刑罰懲處，也要表示嚴正的態度，以正是非而事抑揚，萬不可無是無非，不聞不問不了了之，這兩點都是卑之無甚高論，若這兩點都不作或不能作，那還師道云何，世風云何。

・成公・

自由談

尼克遜的如意算盤

美總統尼克遜是個堅決反對共產主義的政治人物，毫無疑問。他最近採納軍方的建議，下令進兵柬埔寨，聲言決不作失敗的總統，原係測驗國內輿論的趨向如何？詎料結果乃引起强烈的攻擊，參議院且通過提案，禁止撥款用於對柬埔寨的軍事開支，使尼克遜的聲譽大受損失，而國會議員的中期選舉已經快到時候，若因此而喪失選民同情，將來兩院議員席次，仍由民主黨佔取多數，不特未來兩三年間的總統作得活受罪，更難望有連任一次的可能了。

職是之故，尼氏祇好見風轉舵，急於撤退進入柬境的美軍，又新派正式和談代表赴巴黎與越共恢復談判，同時且擬減少原來駐防南韓的美軍三分之一，另對中東以、埃戰事提出和平建議，竭力敷衍蘇俄，即對中國大陸上的毛共亦表示妥協態度。這完全遵循艾森豪總統的作風，在本國人面前，表現他是「和平總統」，目的就要爭取共和黨在國會中的多數席次，實逼處此，無可如何。

可是，尼克遜這種策略能否達成願望呢？我認爲前途未可樂觀。原因是美國大多數的知識份子，在思想并不瞭解共產主義的本質，却被從英國傳染過來的費邊主義那套空疏理論——即蕭伯納所謂工人階級都想作老闆，不能努力於社會革命，眞正能够革命的是知識份子，大家可以先把自己的旗幟染紅——浸潤很久了，以致不知不覺地中了共黨的宣傳毒素，認爲共產主義「均貧富」的主張是開明進步的，資本主義實在要不得，把共黨描述的所謂社會主義建設美景，視爲確有其事的天堂生活。所以，美國一切大衆傳播工具，如著名的報紙雜誌以及廣播電台等，皆由左傾思想的知識份子控制着，許多著名大學的教授，亦嚮往社會革命之說。這對一般沒有政治興趣的民衆，以及思想不成熟的青年學生們，頗有影響力，而這些人又擁有選舉權，尼克遜的如意算盤，能說有把握打得通嗎？

民主制度固然是值得稱讚的政治生活，美國又是世界上最能實行民主制的國家，但對社會羣衆具有領導作用的知識份子，乃以虛矯心情來指導羣衆，志在譁衆取寵，藉取政治權益，這實在太危險了！要想挽狂瀾於旣倒，必須有傑出的大政治家在位，憑其高超的智慧和優越的政治技術，製造輿論，領導輿論。如富蘭克林、羅斯福總統在二次大戰發生伊始，[illegible]「防疫論」的政見，作爲參戰張本；繼將日本偷襲珍珠港的機密情報故意壓抑，實行苦肉計以刺激人民的戰爭心理，即不失其爲高瞻遠矚的大政治家作風，尼克遜先生能否媲美前賢呢？我不敢作肯定的答案！

馮已先生

台省議員力促政府應幫助青少年就學

寬籌經費廣設獎學金名額以扶助貧困無力升學學生

（本報記者台北通訊）彰化縣籍省議員呂俊傑於本月十四日在省議會提出十三點「省政總質詢」。他對省主席陳大慶的「施政報告」，表示敬佩！他說：陳主席施政報告「有關民主法治的問題，有關本省地方經建的問題」，等等，都有深度的看法，和精闢的見解，怎不叫人敬佩」！

呂省議員所提總質詢，歸納為：台灣地位和青少年出路問題；兒童福利及青少年就業就學的問題；財稅和法治的問題；本省警政法制和警察職權的問題；教育上的問題等五大類，摘要於後：

台灣地位和青年出路問題。省議員呂俊傑說：台灣地位和本省青年出路的問題：台灣省是中華民國的一個省份，台灣是中華民國的領土；台灣同胞的祖先，來自大陸各省區；台灣話有兩種，一是福建的閩南話，一是廣東的客家話；台灣的風俗習慣，和福建省漳州、泉州等地一樣；台灣省在法律上的地位，和大陸其他省份相同；本省經各種選舉而產生中央各級民意機關代表，代表本省選民行使政權、行使立法權和監察權，這些權利規定，載諸中華民國憲法及各種法律，毋庸列舉，婦孺皆知。台灣地位，無論從任何角度觀察，毫無疑問的是中華民國的領土，除非「數典忘祖」之輩或別有用心之徒，凡是中華民國的人民莫不一致口誅筆伐所謂台灣地位的謬論。

至於本省青年未來的出路；我要呼籲本省籍的知識份子，要領導青年朋友去愛國家，而本省籍青年們對國家要有深度的認識，因為台灣省是中華民國的一個省份。本省為一海島，土地有限，發展因而也受到限制，但人口卻一年比一年多，十年後，據專家估計：本省將有二千萬人以上的人口。反攻大陸後，大陸地廣人稀，資源蘊藏豐富，所以本省青年的前途在大陸。如要打開這條出路，本省青年就必須支持政府反攻大陸。

同時，我要求政府對本省青年要倍加愛護；對省民要樹立「忠信」。歷史上曾「論戰的故事」，是「忠信」最佳的例證，也是「忠信」最有力的銓解。

怎樣幫助青少年就學的問題，呂議員說：幫助青少年就學，培養他們的愛國心，實為政府施政的重要課題。以培養兒童及青少年言，教育方面有待改進之處仍多。例如：五十八學年度國民小學學齡兒童應入學而未入學者，佔百分之二點三三，約計伍萬伍千餘人。國民小學畢業應進入國民中學而未進入者，佔百分之二點二九，約計九萬餘人。國民小學及國民中學中途輟學的青少年，約計九萬六千人。國民中學畢業無法升學者達二萬四千餘人。故我國六歲至十五歲的失學學生，每年約有二十六萬餘人，歷年累積，為數更大。

國民小學和國民中學學生失學的原因，據最近教育機關抽樣調查，均以家庭貧窮、幫助家務、家長忽視等三項為最重要的因素。但其主要的因素為家庭貧窮，所以家長不得不「忽視」教育而要其子女「幫助家務」了。按照憲法第一六一條規定，「各級政府應廣設獎學金名額，以扶助學行俱優無力升學之學生」。即學行俱優無力升學之學生，均有要求政府給予獎學金之機會與權利。但省府對憲法規定「廣設獎學金名額」一節，在教育文化支出中僅作象徵性的編列預算。而「施政報告」亦未提及此一問題，因此，本席要求省府在辦理六十年度追加預算時，寬籌經費，使十五歲以下每年二十六萬餘失學的兒童及青少年在政府愛的教育下，完成九年國民教育，並培養其愛國心。

國教經費短絀應予設法解決

各校設備均不敷用教學工作影響極大

國教經費短絀應解決的問題，呂議員說：本省國民教育經費問題：本省國民小校經費的開支，據省教育廳五十一年調查，百分之七〇點九八為教職員薪水，百分之八點九九為出差和加班費、水電費、辦公費用，百分之十三點七為修護費，分百之二點一五為購置費，其他雜支為百分之四點八，由此可知國民小學的經費如何拮据。

五十四會計年度縣市政府對國民小學學生所用的經費，平均每人約為四八一元，若與省府用於省立小學學生之經費，五十三學年度為九七二元相比較，則縣市國民小學的經費太少了。

由於國民教育經費短絀，對於教學所需之各項設備，都無法顧及。由於國民教育經費短絀，對於增建教室消除二部制及減少班級學生人數的問題，仍無法解決。

本省自實施國民中學教育以來，國民小學畢業生未進入國民中學者，五十六學年度有九七、九九三人，五十七學年度有九〇、九一七人。同時，五十七學年度進入國中的學生，在五十八學年度註冊時，有一五、一一〇名學生中途離校。顯示國民中學就學率與原定目標尚有相當距離。

本省各縣市的國民中學，多數學校除有教室上課外，其他如辦公室、實驗室、廁所、員工宿舍、圖書、儀器、標本、模型等教學設備，均不敷用。而各國民中學職業選修科目應用之場地、房舍、設備，則更付闕如，對於教學工作，影響極大。由於經費不足，致實施職業教育的政策落空。

政府為實施九年國民教育，特制定「九年國民教育實施條例」，按照該案例規定，「實施九年國民教育所需經費，由省（市）政府就省（市）、縣（市）地方稅部分，在稅法及財政收支劃分法規定限額內籌措財源。報經行政院核定實施，並不受財政收支劃分法第十八條但書之限制。」本省六十年度歲入列有「九年國民教育稅課收入八億七千四百五十一萬七千三百六十元」，而同年度歲出列有實施九年國民教育支出四億二千五百五十七萬八千二百二十四元，收支相抵後，尚餘九年國民教育捐四億四千八百九十三萬九千一百卅六元，用到那裏去了？專款如不專用，是否與規定相違？

十二萬多青少年失業的問題，呂議員說：如何解決青少年失業的問題：本省五十八年底的人口總數為一四、三九六、四三一人，其中十四歲以下的兒童少年佔人口總數百分之四十，計五、八六〇、七六六人。

十五歲以上的人口為八、一三二、五八九人，其中非經濟活動人口佔十五歲以上人口的百分之四二點二，計三、四三一、九五〇人。

十四歲以下的兒童少年跟非經濟活動人口合計為九、二九二、七一六人，佔人口總數百分之六四點五五，眞是所謂生之者寡，食之者衆的局面。儘管各期四年經濟建設成效斐然，儘管國民所得在此期間增加百分之二六五，但個人所得僅增百分之一一七，經濟發展的成果，大半為人口增加的壓力所消蝕。

本省勞動力佔人口總數的比率為百分之三二點五五，約四百五十八萬八千人，此一比率，顯示本省每一百人口中，有三十三人從事生產，其他六十七人為依賴人口，依賴人口超過生產人口一倍以上，此一比率，迫使政府推行家庭計劃，減少依賴人口；發展經濟，創造就業的機會。

據去年十月勞動力調查報告，本省失業人口數僅九萬人，不完全就業人口為七萬九千人，如從表面上看，尚不足構成任何威脅。但值得重視的問題是在失業人口中，十五歲至二十四歲的年青人達六萬六千人，其次是想工作而未找工作的青年有五萬五千人，在實際上，可視為失業之人口，兩者合計青年失業人口為十二萬一千人，需要就業，政府如何創造就業機會？如何運用青年人力？如何解決青少年失業的問題。

殘缺兒童約三萬餘施予職業教育可使殘而不廢

少年犯罪亦應及早預防

殘缺與問題兒童教育的問題。呂議員說：青少年的問題，近五年來，台灣地區虞犯少年事件計：五十三年一三、三二六人次，五十四年一三、一三六人次，五十五年一三、二一三人次，五十六年一三、三五八人次，五十七年一三、一七一人次。少年犯罪概況計：五十三年為五、八三四人，五十四年為七、四九六人，五十五年為八、〇一九人，五十六年為六、七九三人，五十七年為八、六〇八人。以年齡言，十四歲至十八歲者為最多。以教育程度言，國校及國中程度者為最多。以罪名言，竊盜罪佔首位，傷害罪次之，殺人罪又次之。

據估計，台灣殘缺兒童約有三萬五千人，這些殘缺兒童因兒童衛生保健工作之不足所造成，他們是家庭，國家社會的負担，如給予良好的職業訓練及教育可使他們殘而不廢，但台灣地區現有公私立有關殘缺兒童之職業學校及重建院，其總收容量亦不過三千人，餘三萬二千名殘缺兒童未能接受適當的職業教育與訓練。

兒童少年心理上的負担很重。據內政部張智康司長指出：據台北兒童心理衛生中心調查報告，在國民小學平均百分之三點五的學童，為有問題的兒童，而約有百分之十二的學童「適應困難」需要某一種指導，因現在尚無專門訓練及教育這些兒童心理」有問題的兒童學校。五十七學年度在學兒童為二、三四一、二〇二人，有問題的學童佔百分之三點五，約計八萬餘人，適應困難需要某一種指導的學童，約有二十八萬人，但這些學兒過去未被人重視，所以少年犯罪的數目，據警察機關報告，已有顯著的增加。政府有無從治本方面着手？有無及早注意予以預防？

喬治桑外傳

一六四　張大夏

「你說在台灣的事情要料理好才動身。你在台灣又沒有親人，有什麼事情需要料理呀？」雅麗絲一本正經地問喬治桑。

「怎麼沒有親人，妳不是？」

「我？」

「是呀，妳知道我是拿妳當親生女兒看待的，何況，我在台灣都我必須要安排一下才行。」喬治桑將左腿架在右腿上，神態悠然。

「義女與親生女兒不同，難道你還準備我的嫁妝？」雅麗絲說溜了嘴，「正是嫁妝。我準備買一幢房子送妳。」

「房子？不必要。如果我嫁羅蘭蔡，他是有房子的。我的媽媽也有房子。」

喬治桑覺得雅麗絲人很忠厚，說話老實，聽了很高興。

「那就讓妳的媽媽住好了？」

「她是住在台南呀。」

「將台南的房子賣掉，搬來台北住，妳們母女不是時常都能見面了？」

「包死，你不要再說了，我收你的禮物，以義女身分還說的過去，我的媽媽怎好接受？不過，你的恩情我是萬分感激的。」

「不要分那樣清，妳總知道愛屋及烏麼，妳既然是我的義女，我怎好拿妳媽當外人？」在表面上喬治桑也能言之成理，骨子裏雅麗絲那裏知道喬治桑與她的媽媽的關係，即是千幢房子也無法補償。

「我也不知你要什麼，我感激你？」

「對了，包死，你現在餓不餓？要不要替你弄點什麼吃的？」

「如果不太麻煩，烤兩片麵包來吃也好。」

「要不要咖啡？」

「好。」

雅麗絲忙着烤麵包，煮咖啡，談話暫時告一段落。（未完）

台北傳奇錄

（六二）

·陳光棣·

「那個男人不負責任嗎」？賴慧敏吃驚的追問。

「不是咱們裏面的洋人，聽說是個來台灣度假的水兵。」

「她可眞胡塗！」賴慧敏惋惜的說。

「平常在一起玩玩是可以，千萬要有準主意，不能胡來，應該保持着小姐的尊嚴！」

「我跟妳說，我媽媽暈了頭，總希望我交上個洋朋友，能有機會到外國去」！賴慧敏說出了困擾。

「這也不能歸怨當媽媽的不對，不過總要有合適的才行，難道說是個洋人就嫁嗎」？

「我媽媽看到人家的女兒出國就眼紅，所以這幾天總囉唆這一套，妳說怎麼辦」？

「這還不容易，妳帶個洋人回家給她看看，包管她以後不再提這件事。」

「那眞好！妳幫我出出主意」！

金小姐在賴慧敏耳朶旁邊一嘀咕，賴慧敏笑的彎下腰：「好！就聽妳的」！

賴慧敏下班回家，感到腰酸背痛，一骨碌躺在床上打盹兒。賴太太打完電話約好了牌搭子，又一屁股坐在賴慧敏床沿上。

「孩子，不是媽媽好多咀，妳上班也快一個月啦！這種機會多麼難得呀，妳看看，表姑家的大表姐，嫁了個美國人，現在住洛杉磯，聽說過得好的不得了！妳比她還漂亮，還年輕，妳總要給媽媽我爭口氣」！

「媽！妳說完了沒有」？

「又要趕媽媽走是不是」？

「喂！小弟，你媽哪」？賴先生滿面春風。

「媽媽在姐姐房間」！賴小弟在看電視。

「妳在這兒哪！怎麼不答應一聲」？賴先生發牢騷。

「你吼什麼？我正和女兒說體己話哪」！

「我替妳約了個牌搭子，妳說好不好」？

「你少替我找不三不四的人，像李太太介紹的什麼五科長的太太，贏了錢拍拍大腿就走，輸了就死皮賴臉。你說是誰呢？」賴太太終于讓了步。

「劉太太的朋友，馬寡婦」！

「那個十三點！」賴太太想了想：「好哇，你怎麼和那個女人混在一起」！

「這是什麼話」？賴先生顯然不高興：「我剛才在樓梯口碰上她，我隨便說了一句客氣話，沒想到她非常熱心，說是今天晚上就要來陪妳打幾圈」。

「好吧，多把手也好」。賴太太就喜歡志同道合的人：「晚上她來了再說吧，你趕緊給我出去，我正要和女兒有話說。」賴先生乖乖的走出來。

吳佩孚反對跳舞

·文匯樓主·

香港各舞廳在各日晚報，登出的廣告，茲照錄如下，閱後即知自由報爲甚麼要採發行本位了。

一、桃花村，欲圓鴛鴦夢，請到桃花村，以低廉的代價，享受多彩多姿的快感，艷女熱情無所不能，給你徹底慰藉……。二、桃李園，欲試雲雨情，請到桃李園，新進大批靚女有迷惑男性的魅力，野貓式，全部梗房，美在其中，當她紅唇半啓，嬌軀投懷，透出性感之聲，渾身便會發出熱辣辣的力量……。三、仙樂斯，大胆與瘋狂，最是風流唯此地，隔室猶聽浪潮聲。四、萬花世界，有迷你的新星，熱情奔放，有新潮的嬌娃，瘋狂澈底，癲狂的相逢，戀的高潮，愛的撫慰，熱的交流。五、銀河，熱情舞女，千萬對情侶，曾經在此認識，互相戀愛，銀河的小姐，嬌艷溫馨，隨時投進你的懷抱，可能成爲你熱愛的情人。

香港大小舞廳林立，祇舉三五爲例，其餘可以推想，奇怪的是美容院的廣告，比舞廳還要放蕩，例：紅樓女子美容院，表面上看是替女子美容的地方，事實與理想往往相反，他們的宣傳是註明非同凡响，且寫出全體嬌艷玉女，年齡二十以內，紅樓金粉，待客情眞，熱情澎湃，一放難收。

秀才將軍吳佩孚，遠在民國十四年對跳舞的看法：他認爲民國以來，跳舞公開，實乃是最大亂源，不能修身焉能齊家，不能齊家，焉能治國，舞場最適於女間諜活動，從前吳王宮內之西施，不過一人跳舞，或二女對舞，尚且亡國，現在竟不論生張熟魏，人人皆可伴舞，互相偎抱，衣不蔽體，很多惡果皆從此種下。吳佩孚的思想雖然跟不上時代，但就目前來說，各國元首嗜舞的人並不多，有者遜位的約旦王與印尼最近逝世的總統蘇卡諾，其失敗與私生活不檢點有很大關係，就樓主的看法，跳舞一事仍以不多提倡爲宜。

文滙樓別記

香港很多家大報，跳舞廣告幾超過了電影廣告，內容又是那樣的黃，那樣的……。難怪樞機主教于斌先生認爲香港自由報是中華民國一張最乾淨的報紙，有益於廣大社會的讀物。總統府資政陳立夫先生，更大聲急呼：「文以載道，文以明理，非以播惡；藝以成德，藝以養性，非以誨淫。」將文藝界、文化界的轉移社會風氣，發揚時代使命的偉大目標，已刻劃得清清楚楚，如果連這一點都做不到，還談甚麼復國呢？

復興中華文化的意義（下）

·曹敏·

首先我們看到的就是我們五千年來的文化傳統，儘管標榜是中道，然而一考查實際，自孟子以後走的却是偏道而非中道。我們知道，漢代是偏於訓詁與讖緯，魏晉六朝則偏於老莊，隨唐則偏於佛，宋偏於理，明偏於心，清則偏於考據，可以說走的是偏道而非中道。

上面所說，只是說明中國不是走上中道，尙不是中道的流弊，中道對中國文化所給予的流弊，乃是中國當時既不能走中道，就應該走偏道，固然偏道是有偏於一隅及彼此發生對峙的流弊，但不可否認偏道也有它底長處，那就是由偏趨分由分趨專，由專趨精，精益求精，就可開出專精的文化。假說允許中國走偏道，不論它是偏於惟一或惟精，都能有更動人的成就。如果偏於惟一，以中國早在孔子時代即有「窮理盡性而至於命」的高深哲學，就應該早於印度與西方開出精美絕倫的哲學，如果偏於惟精，以中國早在春秋時代即有格物致知的實驗原理，也就應該早於西方開出利用厚生的科學。無奈中國雖明知中道不易實行，但却堅持中道爲方向，因此，便限制了偏道的發展。當中國古代有某些傑出之士要走科學的道路，但中道的方向，却認爲這是淫技奇巧的偏道，無益於大道，於是就限制它發展，由此，中國就很難開出科學。反之，如果中國又另有某些傑出之士要走哲學的道路，但中道的方向，却又認爲這是虛玄空疏的偏道，不切實際，於是又限制它發展，由此中國又開不出哲學。本來中道的精義是雙即雙融，但因爲不能實行中道而又堅持中道的方向，却反而變爲雙即雙非，使中國於哲學、於科學，均不能得到充分的發展，反而阻礙中國文化的進步。不僅此也，正由於不放棄中道而又不能不標榜中道，結果流弊所及，便出現了一種似是而非的中道，如所謂模稜兩可，不辨是非、模模糊糊，不進不退的種種有背於中道的假中道，而此假中道乃是中國文化的最大流弊。

由於宋明以前，中國沒有開出講究心性的哲學，當印度佛教文化於東漢進到中國，魏晉六朝一直到唐代，中國文化即經不起考驗，發生第一度危機，那就是全般印化（佛化）的危機，這祇要看韓愈排佛的文章，就可證明。此次西方文化東來，也是因爲中國文化沒有開出科學，所以又經不住考驗，又產生全般西化的危機，這從思史來看，是第二度危機。由此可以明白，中國文化發生第一度第二度的危機，就是中國文化本身沒有開出像印度那樣高深遠致的心性之學，以及像西方那樣精邃細密的科學，而此又必須歸結中國開出中道過早不能實行的緣故。所以我認爲這完全是中國文化過早成熟所帶來的結果。

不過話得說回來，儘管中國中道在宋以前沒有爲中國開出心性之學，也儘管中國中道在西方文化東來以前沒有開出近代科學，但却將中道用之人與人的關係上，開出極爲完備的倫理學；而此不但是中國文化卓越的成就，而且當西方正迷失於「物」的歧路，更爲西方今天所迫切需要。因此，從正面看，中道對中國文化的貢獻，不但中國文化之所以爲中國文化要靠此中道，而且中國文化的價値，也全靠此中道。

經過上面的分析，我們應該明白，中國在四千多年前提出中道，誠然是過分早熟，但在四千多年以後的今天世界，因爲人民文化經過四千多年來的偏道發展，一切一切的文化，均已分門別類的有充分成就，目前的毛病，就是這些門、這些類的文化，各逞其殊，各門其異，形成許多阻礙與矛盾，如果這些阻礙與矛盾不加以融會與消除，因爲武器已進到核子時代，如果一觸發戰爭，很可能將人類帶到滅絕的末日。這是今天人類最感苦悶的問題。這就是說：今天的文化進步程度，已有實行中道的條件；今天文化矛盾抵觸的程度，也唯有實行中道始可免除人類滅絕浩劫。因此，我個人認爲當中國中道提出在四千多年後的今天，才是中道大行的時機，也才是中國文化向人類有大貢獻的最好時機。

我之所以提出這個報告，並不是說中道不好，而是說明我們中國文化所失掉的正是這個中道。我們今天要復興中國文化，最重要的就是要復興這個中道，如果我們能夠復興中道，那不僅是復興中國文化，而且要使中國文化對建立人類共同文化，盡其最大而又最有價値的貢獻。（完）

說曹操

李漁叔

張繡與張魯

（一卌）

「太祖拒袁紹於官渡，紹遣人招繡，並與詡書結援。繡欲許之，詡顯於繡坐上謂紹使曰：『歸謝袁本初，兄弟不能相容，而能容天下國士乎？』繡驚懼曰：『何至於此？』竊謂詡曰：『若此當何歸？』詡曰：『不如從曹公。』繡曰：『袁彊曹弱，又與曹爲讎，從之如何？』詡曰：『此乃所以宜從也。夫曹公奉天子以令天下，其宜從一也。紹彊盛，我以少衆從之，必不以我爲重。曹公衆弱，其得我必喜，其宜從二也。夫有霸王之志者，固將釋私怨以明德於四海，其宜從三也。願將軍無疑。』繡從之，率衆歸太祖，太祖見之喜執詡手曰：『使我信重於天下者，子也。』表詡爲執金吾，封都亭侯，遷冀州牧，冀州未平，留參司空軍事。」

我們看到上述一段，知道這一幕戲，賈詡是接線人，張繡不過係一傀儡而已。那中間大胆地開罪袁紹使者，反面歸讎，都是賈詡眼明手快處，張繡雖然驚懼，躊躇，終於不能不折服。

果然，繡再次降後的情形是：

「繡至，太祖執其手，與歡宴，爲子均取繡女，拜揚威將軍。官渡之役，繡力戰有功，遷破羌將軍，從破袁譚於南皮，復增邑凡二千戶。是時天下戶口減耗，十裁（同纔）一在，諸將封未有滿千戶者，而繡特多。從征烏丸於柳城，未至，薨，謚曰定侯。」（魏志張繡傳）

以上是張繡的結果，他在從征烏丸的途中就死了，可算早亡。曹公與他結爲兒女親家，而封邑受祿又特多，表面看也很過得去了。但魏略所紀，又有出入。

「五官將數因請會，發怒曰：『君殺吾兄，何忍持面視人耶？』繡心不自安，乃自殺。」

這樣看來，張繡是自殺的。五官將是「五官中郎將」的簡稱，就是指的曹丕。曹丕是一個狠人，他追記張繡殺兄之仇，所以於屢次會晤的時候說：「君殺吾兄。」還有甚麼臉面見人？」張繡無地自容，只有自殺，這大概爲賈詡所不及料。

管仲　李聃　莊周　曹操　華佗　包拯　朱熹　朱元璋　戚繼光　李鴻章　段祺瑞　胡適　楊振寧

安徽十三傑

朱伯廬齊家有方

（接第四版）然以朱氏之人品，學術，經歷推測，其爲戊子時無疑。其他十一時，都無此清潔。按日主之辛屬金，月枝的巳藏庚又屬金，再加以命宮辛舍，共有三金。時幹的戊屬土，再加以月枝巳藏戊土，土亦有二。以此二土生彼三金，其爲轉弱爲強而剛，就不言可知了。恰好月幹明見乙木，日枝的亥，與命宮的亥，各藏甲木，年幹明丁火，月枝巳藏丙火。藉木生火，藉火煉金，大器堪成，不同流俗。文章道德，冠絕羣倫者在此。可惜巳亥相衝，子卯相刑，將星驛馬，文昌學堂，不無受其影響。是以舉博學而固辭，守清貧而樂道，舍危就安，先生眞達人也。

十七歲辰運癸未，補博士弟子員者，因癸戊化火，未卯會木，皆辛金之喜神。十九歲癸運乙酉，節孝公殉難。三十八歲寅運甲辰，陶太夫人仙遊，一爲甲戊宣戰，一爲酉卯相衝。五十三歲庚運己未，舉博學而不應。六十歲己運丙寅，置族而典衣，因庚金己土，皆不足取，若己未丙寅，均有木火關係，此是以一辭一受，皆成佳話。其他金土等運，隱居教授，與世無爭，間有挫折，不能損傷。七十二歲戊運戊寅，小限庚子，土厚金剛，物極則反，是以與世長辭。

諸葛亮狂想曲（一四三）

劉宏

爲了談論金魚美人，已經費時甚久，諸葛亮與劉約翰告辭星君，同乘雲車回至諸葛亮住所。

自從劉約翰介紹諸葛亮飲用咖啡以後，除了劉備、關羽等貴賓駕到，諸葛亮府邸便很少以人參茶待客。因諸葛一生清廉耿介，雖做了一任漢丞相，却仍然是兩袖清風，到天庭以後，香火收入幾等於零，故不得不樽節開支。

琴童一見諸葛亮偕同劉約翰回來，不必吩咐，立刻煮好一壺又濃又香咖啡。諸葛亮照例又想往咖啡裏放糖放牛奶，同時自言自語道：「咖啡味道雖不錯，就是放糖，放牛奶以後太甜膩了一點。」

「諸葛先生你說的是，其實喝咖啡也不一定非放糖放牛奶不可。」劉約翰說完，從懷中掏出一個小小扁型瓶子，裏面是金黃色液體。

「怎麼？咖啡不放糖？那不是很苦嗎？」諸葛亮對於喝咖啡當然沒有劉約翰的內行。

「這是白蘭地，是一種洋酒，」劉約翰搖了一下手裏的玻璃瓶。他先向諸葛亮說明瓶裏面裝的是什麼東西，不像鐵拐李背一個大葫蘆，究竟裝的是什麼藥，誰也猜不到。

「酒？與咖啡之間有什麼關係？」諸葛亮對於飲食向來不講究，當年五月渡瀘水，深入不毛之地，他只發明了饅頭，比李鴻章的李公雜碎似乎猶遜一籌。

「在外國特別是英國，年高德劭的紳士飲用咖啡既不喜歡放糖，又不喜歡放牛奶，只在裏面加了白蘭地酒，其味芳醇，有提神醒脾之功，先生何妨一試？」劉約翰邊說，邊扭開了扁型玻璃瓶，在兩杯咖啡裏倒進了白蘭地。

諸葛亮一向很欣賞劉約翰對西方知識的豐富，遂拿起杯子喝了一口，咀唇翕動了兩下，似乎在品嘗它的滋味。

「味道怎樣？」劉約翰急着要問個明白。

「嗯，很不錯，至少我覺得比放糖放奶的咖啡好喝。」諸葛亮表示滿意。

「過去英國首相像勞合喬治，邱吉爾都喜歡喝加白蘭地的咖啡。先生做過漢丞相也愛喝，足見口之與味有同嗜焉。」劉約翰又抬出英國首相作喩，顯然他是很擅於說話的，懂得技巧。

「還算不算是你的謝媒酒？」諸葛亮與劉約翰相處日久，有時也來點洋式的幽默。

「謝媒酒？呀，先生眞會說笑話。」劉約翰面現靦覥之色，但心理却有點癢蘇蘇的感覺，但在魚缸裏呆了三天，深深體會了魚水之歡。

「三日後不是你的佳期嗎？難道說你還不滿意你的那位金魚美人？據星君私下告訴我，金魚美人是國色天香，天庭中葡萄仙子、桃花仙子那能比得上？這種艷福眞不知你是那生修來的？「

巨變歷險記！

八軍來歸（一四六）

胡慶蓉

我從前說過，廿六軍在抗戰的時期轉戰緬邊，對於這方面的情形，素稱深悉。在彭副軍長引兵入越的時候，已有一部份在葉植楠師長，羅伯剛團長統帥之下，照鷄街撤軍計劃實施了。這對他們來說，可謂駕輕就熟，頭頭是道。從丁博士經過的地方可以看出。丁博士現在走的路線，就是他們走的路線，從沿途百姓的咀裏，從沿途檢得的紙片片，檢得的軍用品，就可以清楚的辨別出來。

八軍不熟悉撤退的路線，在元江之戰後，就紛紛的找出路，很多找到了丁博士。師次溪處、瓦渣之下，首先就遇見李國輝團長。他非常聽話，非常信賴丁博士。他的一團人，始終跟着丁博士。這是以後丁博士的中國游擊隊的主力，也是丁博士領導的東南亞自由人民反共聯軍的主力。

丁博士與李國輝相遇，說來非常偶然，也非常神奇。這是在一個月明星稀的晚上，恐怕已經有十二點的時候了，丁博士與田團長正睡在一家平民的房子上，忽然有人報道：不遠有情況。正分別派人查詢之際，忽有人求見。這人長的非常醜陋。這人姓鄭叫延年。溪處百姓的房子都是平頂。平台上可以睡覺。但這裏的霧水非常重。丁博士醒來，被子幾乎濕透了。但空氣異常的新鮮，天上是長空萬里，一片碧藍。聽罷鄭延年報告後，丁博士要李國輝來見。李國輝接着也來了。

此人長的也不大敢領教；兩個眼睛小得很，小得像老鼠的眼睛，但面部的表情却十分沉着剛毅。言談之間，充滿河南的口音。在丁博士聽來，原來是河南的鄉音。這在感情方面，彼此一拍即合。第二天，丁博士歡迎李國輝帶隊同行。撤退的隊伍大大的增加。丁博士與李團居於中衛，田團長在前面領着。走的天天幾乎是山路，很少看見平地。山路是曲折的，少不了嚮導，也就是帶路的，一路上走，一路上換，但也要有人監督。路不准帶錯，但帶錯的時候，實非常之少。有時候有不願意走的，但也要強迫他去，這就是所謂拉夫了。

沿途的百姓，也並不是都是善良的，在部隊行走的時候，常常會遭遇到伏擊或突襲，也常常會有死傷，但這並不嚴重。有時候槍聲會從遠處而來。這沒法子應戰，也沒有應戰的必要。人死了，也就死了，有時間挖個坑埋埋，沒有時間連坑也沒法子挖。人命如草芥，此之謂矣！人並不見怪。

一路上，常常有部隊來歸，大部份都是八軍的，但也有不少是廿六軍的。中國游擊隊像一條大河，百川匯之。中國游擊隊又像滾雪團，越滾越大。有志一同，向車里、佛海，向滇緬邊區撤退。

改進政風必須求廣求深（下）

・陶百川・

五

上文曾說，加薪並非必能遏止貪污，可是「衣食足而知榮辱」，少數人的貪污縱然不致形成風氣，但是大風起於蘋末，如東涓涓不塞，也會使土崩瓦解，不可收拾。

於此必須注意二事：

第一、遏止貪風，改進政風，各級領導人物的身教最爲重要。「爲政在人，取人以身，修身以道」。孔子這話，千古常新。因爲所謂領導人物，例如一個機關的首長，領導羣僚，表率社會，必須具有道德的權威，而後方能爲僚屬和社會所誠服和信賴，所以自律必須很嚴，他的品德操守和聲譽必須使人無可懷疑。如果己身不正，威信動搖，他還有什麼顏面或魄力去領導僚屬或懲治不法呢！

其次，我國古代有這樣四句名言：「國家之敗，由官邪也，官之失德，寵賂彰也」。這個「彰」字很重要，無異是畫龍點睛。因爲寵用小人或收受賄賂，假使尚在偷偷摸摸的階段，外間知者尚少，爲害不大。如果到了彰彰在人耳目的時候，假使仍不糾正，則上行下效，此起彼應，自必相激成風，那時國家焉得不敗！

現在我國各部門是否有寵賂彰明的情形？首長中是否有「國人皆曰」應當撤換的人？政府既想改進政風，首先應該查明糾正！

六

此外，鑒於執政當局這次徵求改進意見，於基層政治風氣外，特別標出司法風氣，我也願稍供所見：

一、司法界奔競之風，向爲時論所詬病。然在上者往往困於人情，迫於環境，明知奔競的人才德不良，可是不敢降調，甚至將其調升。於是不良分子自更胆大妄爲，而優良人員遂致意志消沉，甚或改變素行，而亦奔競是務。司法風氣焉得不壞！所以當局如果不能正心誠意，聽察強毅，在事實上遏阻奔競，鼓勵賢能，其他改革都無從談起。

二、本省現有推事檢察官約六百五十餘人，升調之權皆操於司法行政部，但該部高高在上，關於監督權的行使，難免鞭長莫及或隔靴搔癢。至於任職以下的司法人員包括書記官和監所所人員，升調之權皆操於台灣高等法院，但也不能尊重地方法院院檢首長或監所主管的監督權責，其弊亦同。所以無論整飭風紀，或爲增進效率，或爲獎勵人才，上級必須樹立和尊重各級主管的監督和考評的權威。然因事實上升遷調動無不恩出於上，於是下級直轄主管人員以及他的監督就不爲人所重視。此點亟應改進。

三、司法風氣的整頓，首爲人事，已如上述，其法應爲審判案件的認眞、適當和迅速。補救方法，竊以爲：

第一、地方法院推檢辦案總數每人每月不使超過五十件。台北地院現爲每月一百件左右，簡直使人不能想像怎麼辦得好或辦得了！

第二、最高法院不宜任意發回更審，如果案情已臻明確，應自行判結，以減輕高等法院不必要的負担。這在事物管轄上也有問題。美國的最高法院僅有一庭，我國現有八庭，聽說還要增加四庭，但是我國最高法院的事物管轄如果不加限制或發回更審的作風如果不能改正，不獨高等將窮於應付，最高法院本身辦案也難臻確當。

第三、法院院長和庭長應加重核閱判決書的權責，以期更臻認眞。如有指正意見，應即告知承辦法官重行研究，但不得強其接受。如果雙方意見相左，推事依法仍可將他的裁判逕行宣告，雙方應即作成紀錄，轉報上級，作爲他日考績的參考。如因怠忽放任，致使裁判造成重大錯誤，首長應同負失職責任。

第四、高地檢察官人數過多時，應准分組，組置組長，相當於法庭院長。首席和組長監督指揮的職權和應負的責任並應依法加強和加重。

第五、法官雖已有辦案的補助，數目且較教師的研究費爲多，但我認爲仍應再加。

第六、各級首長人選與改進政風的關係及其調整的必要，較之其他一般機關尤爲當注意。理由已如上述，且爲「自明之理」，無須贅陳。

（摘自建設月刊）（完）

朱伯廬齊家有方

命相与夢話

・漢年・

朱用純，字致一，爲朱集璜之子，江蘇崑山縣人。明末集璜殉難死，用純慕王褒攀柏之義，自號「柏廬」。入清朝後，隱居昧道，以諸生終老。其學確守程、朱，知行並進，而一以主敬爲本，授徒必先以小學，繼之以四書。清康熙中，或欲以鴻博薦於朝廷，固辭不就。康熙戊寅，四月辛亥卒。年七十二。私謚「孝定先生」。有「無欺錄」、「愧訥集」及「大學中庸講義」遺世，其治家格言，尤爲膾炙人口。用純生于明熹宗天啓七年四月十五日子時。卒于清康熙三十七年四月初七日?時。其造爲：丁卯、乙巳、辛亥、戊子。

朱柏廬所撰治家格言，在中國民間，幾於家諭戶曉，比諸清康熙皇帝「廣訓」尤爲普及。其曰：「守分安命，順時聽天。」僅此二語，救活世人不少。試觀古往今來，懷才不遇，怨天尤人之輩，因而枉死者，不知多少。倘能明乎是理，守之安之，順之聽之，一旦水到渠成，自可出人頭地，揚眉吐氣，安用怨尤爲？

漢年按柏廬先生格言，自幼至老，未敢或失。再讀「毋欺錄」，乃知朱氏爲明熹宗天啓七年四月十五日生，當爲丁卯年，乙巳月，辛亥日，生時雖不詳載。

（下轉第三版）

生活漫談

豬脚通乳補血猪肺治肺虛

・馬騰雲・

鄉村的婦女如生了孩子，最喜歡用「豬脚燉薑醋」給產婦食用，他們不祇用爲產婦食用品，稍爲有錢的人家，還將這種豬脚燉醋，分贈親友隣居，作爲禮物，表示他的家中已喜獲佳兒。婦女在生產時耗血過多，耗血多則體內虛，虛則易爲風寒所襲，又可說易爲病侵，故產婦應該多食補血驅風行氣的東西。「豬脚燉薑醋」，是補血驅風行氣的有效食品，有些人說：豬脚產婦食之不會肥滯嗎？如產後消化不健全，不是會影響消化問題嗎？這完全沒有問題的，除了產後有外感發熱，或有其他屬於產後熱病之外，食用牠是有益無害的。豬脚雖膠質多，但有醋與之一齊同煮，醋不獨可以助消化，還可以和豬脚骨頭骨髓的鈣質起分解作用，食之有很好的補血功能，醋與薑化合，可以驅寒散瘀，促進血液生長，對產婦是最合用的。一說這種食品還有解毒的性能，並能使耗血過多的產婦不容易中毒。本草對於豬脚的記載，謂牠能下乳汁，解百藥毒，利敗瘡，去寒熱，李時珍也認爲牠能通乳脈，托癰疽，清毒氣，去惡肉。排近人分析牠所含的成份，近爪部爲水份一四・三，蛋白質四・一，脂肪六・九，無機鹽〇・二。由此可見，牠不十分肥膩的，營養份雖比不上豬肉，可是牠與醋分解的鈣質，其補血作用比豬肉勝得多了。豬脚燉薑醋不祇有利於產婦，就是對體虛貧血的人，體溫不足的人，也很適合食用的，豬脚價廉，製作簡單，是合乎大衆化的好食物，用以作菜，能醒胃健食。其實，只要我們日常飲食適當，不一定要吃什麼維他命丸的。

豬肺，民間多用以燉湯，尤其是患有肺病時，北杏燉豬肺，或白菜燉豬肺，可以清肺熱，解肺毒，去咳嗽，大衆常有用之。以形補形，以臟治臟，本來是我國的固有的醫療方法之一，俄人近才發明了組織療法，組織療法因有科學的根據，適足以證明我國古醫術的可貴。據分析，豬肺也有營養價値，牠含水份八三・三，蛋白質一一・九，脂肪四・〇，無機鹽類〇・九。在食用者的經驗言，豬肺燉牛奶，有很好的補肺功能。可買一個豬肺，泡洗清淨之後，在喉管裏灌滿鮮奶，放入燉盅裏，燉至爛熟，然後配入鹽油食之，既香滑可口，常食有益肺部，又豬肺灌鷄蛋與麻油清燉，爲北方民間治肺病菜，對肺虛多咳的人，大有治咳强肺之效，肺病者不妨試之。

第九章

宋康王道逢自全　徽欽帝被虜入金

劉合仰天大笑道：「蒼天！蒼天！大宋臣子劉合，豈聽敵脅迫麼？」隨急走入耳旁，尋了片紙，齒唇出血，寫下以下絕命氣節詞。詞云：

貞女不事二夫，忠臣不事兩君；況主憂臣辱，主辱臣死，以順爲正者，妾婦之道也。此予所以必死也。

寫畢折成方寸，交親信持歸報知家人，自己沐浴更衣，投環自殺。金人亦憫他忠節，葬之寺西岡上，後褒謚忠顯。

時値春寒，汴都連日風雪紛飛，冰凍三尺。廷臣急令加緊搜刮，無論戚里宗室，民俗道，伎藝倡優等家，概行羅掘，共計八日，得金三十八萬兩，銀六百萬兩，衣緞一百萬匹，概送金營。粘罕以爲未足，再由開封立賞徵求，凡十八日，復得金七萬兩，銀一百十四萬兩，衣緞四萬匹，仍然獻納。粘罕仍嫌未足，以爲宋人欺我。提舉官梅執禮等答稱搜已盡，即被金人殺害，餘官各杖數百，再令續繳。一面宣佈金主命令，廢徽宗、欽宗爲庶人。金人至今，悉以欺詐勒索爲能，恃兵威脅，索括之後，復擅廢立。宋朝廷完全墜入計中。

知樞密院事劉彥宗請復立趙氏。粘罕不許，且設鎖南薰門，杜絕城內外出入，人心大恐。金人復令翰林承旨吳幵，吏部尚書莫儔入城，令中推立異姓爲君。又逼上皇及太后等宮人出城。徽宗將行，張叔夜入見，皇上一出不還，上皇不應再出。臣當率勵將士護駕突圍。萬一天不祐宋，死在封疆，比諸生陷虜狄爲榮」。此言卽是。上皇長歎數聲，意欲覓藥自殺，藥方覓得，却被都巡檢范瓊趨入奪去，即刼上皇、太后乘牛車出宮，其餘偏渾王趙楷及諸妃公主駙馬六宮已有位號宮嬪，一概從行。惟元祐皇后孟氏因廢后私第竟得幸免，此乃因禍得福。按偏渾王趙楷乃是徽宗第三子，至是王子除康王之外，一網打盡。

內侍鄧述隨欽宗入金營，金帥威脅利誘，令開具諸王子王孫嬪妃等姓名，繳開封府尹徐秉哲盡行交出。徐秉哲令街坊五家爲保，毋得藏匿，先行三千人。各令衣袂聯屬押赴金軍。粘罕既得上皇，即令二帝改易胡服。李若水大罵金狗，被金兵痛擊流血。粘罕又脅二帝召皇后太子。孫傅留太子不遣，欲設法藏匿。偏是賣主求榮之吳幵、莫儔二奸，定要太子出宮，范瓊更是兇逞。（卅八）

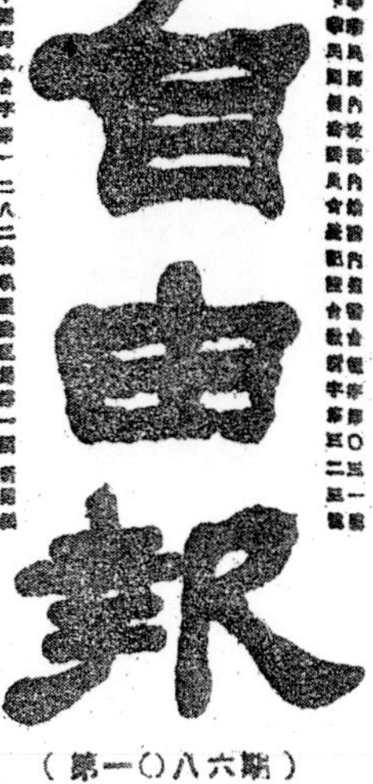

自由報

（第一〇八六期）

（半週刊每星期三、六出版）
每份港幣壹角・台灣零售價新台幣弍元
社長李運勝・督印黃行富
社址：香港九龍彌敦道593—601號
廖創興銀行大廈八樓五座
LIU CHONG HING BUILDING
7th FLOOR FLAT '5
593—601 NATHAN ROAD,
KOWLOON, H.K.
TEL：K303831
電報掛號：7191

承印：景星印刷公司
地址：嘉咸街廿九號地下
台灣區業務管理中心：台北重慶南路一段一二九號
電話：二四五七四
台灣區直接訂戶　台灣劃撥戶
第五〇五六號張寓宥（自由報會計室）
台灣分社：台北市西寧南路110號二樓
電話：三三〇三四六、台郵劃撥戶九二五二號

本期專論

宗教與科學須同流並進（下）

·梁寒操·

孔子為什麼獨賞識曾點呢？因為曾點不以做官為志，而能領悟到「天人合一」的道理；其他的門生都熱中於功名富貴。故孔子臯之。由孔子讚賞顏回、曾點二位門生來看，儒家實有宗教的實質不已證明了嗎？

再看儒家的第二位重要繼承人物是孟子。孟子有沒宗教思想呢？孟子說「雖有惡人，齋戒沐浴則可以事上帝。」「盡其心者，知其性也，知其性則知天矣。存其心，養其性，所以事天也。」「學問之道無他，求其放心而已矣！」

天地神道

由此可見孟子的宗教性多濃厚。總之儒家雖然在外表沒有宗教的儀式，但其思想與學術充滿了宗教的意義。看儒家的學術總不離：「天、帝、神、道」這四個字。

一、天——大到不可知，故登陸月球算不得什麼，就是登陸太陽又有什麼了不起。光是銀河系，就不知有多少億的星，銀河以外更不知有多少億，天實在不知有多大。有些科學家說，天尚在膨脹中，即以盡全世界人類的智慧，也不能澈底的明瞭天。

二、帝——認宇宙裏面有一主宰，即上帝。我是信基督教的，但是，也研究佛教的道理，我也有很多佛教徒朋友，大家友誼都很好的。佛教是不信上帝的，認為宇宙萬事只是因緣和合而成。但我則認為相信宇宙中有個上帝比較合理。怎麼講呢？比方一個茶杯，我說牠一定有個設計者，一定有個設計者，這話是不會錯的，一萬年也不會錯。用類比推理說，宇宙也一定有個造之者有個設計者這話也合理的不會錯的，如果說無緣無故就有個宇宙，卻是難於相信的。所以我雖也研究佛家的道理，但我還是像兩千多年前孔夫子、孟子所講的一樣，信奉有個上帝。

三、神——神者妙也，非語言文字所能講得出的一種妙，宇宙人生實在太神妙太神妙了。

四、道——道者，即裏面有理，就是有系統有條理的意思。

天、帝、神、道，這是我們中國人講道學、講哲學，原有的四個名詞。所有儒家學案，都流溯到這四個字，由此證明，儒家雖無宗教的外表，實在有宗教的內容。

談佛耶回

現在講佛教。佛教這一種宗教，剛才講的「信、解、行、證」是佛教所指示的。釋迦牟尼有特別的天慧，他經過在雪山裏六年深思、苦思才覺悟得道的。普通佛教徒自然難有這種智慧和決心？所以普通的佛教徒須先信，次解，再篤行，然後乃可證其所說之不錯。

佛教以信譬喻作一種筏，人要到彼岸必須筏船亦即筏。佛教實在也是以天為宗。釋尊在深山裏經六年的苦思、苦修，想通了宇宙的大道理，都是不能離開天，不能離開人生。

現在講耶教。耶教原是從猶太教出來，後來分出來一個依斯蘭教，即俗稱「回教」。但回教一名詞是不對的，因為「回」就是新疆的一種民族叫做回回族。其實照本國的習慣，應該叫穆罕默德之教，或簡稱穆教纔有著落。他們自稱為依斯蘭教，這是對的。但是大家積非成是，一直以「回教」稱之。乃人云亦云習非成是而已。

再後來又分出基督教、天主教兩派。我們說這是基督教，那是天主教，都不能算很合理的。因為天主教也信基督，基督教也信天主。

耶教的道理，總我們研究所得，最重要是「信、望、愛」三個字。人生最重就是這三事。即信仰、希望、親愛。這三個德以信總最重要，所謂「信者得救」。到處禮拜的都宣揚這句話「上帝愛世人，故遣他獨生之子降世，凡信之者免於死亡，而得永生！」

剛才我講到過，科學是尋求真理的一個方法，一個路子。宗教也是尋求真理的一個方法，一個利器，一個路子。總而言之，宗教與科學同是人類尋求真理的道路，故兩者應同流並進，不可偏廢，應該看為同路人，不應該彼此對立不相容，這是最好的解決辦法。

國父思想

大家都知道，國父孫中山先生是最有科學思想的，提倡科學也最早，可是國父還是信奉上帝的。他臨去世時說「我是上帝派來世界同魔鬼奮鬥的。」孫中山先生將宗教和科學同時放在他的腦子裏。有人認為信了宗教會阻礙科學的思想和發展，這是錯誤的。

除了國父外，第二個例子是愛因斯坦。愛因斯坦是科學的泰斗，他的相對論是空前的發明。但是劍橋大學一次演講時，他說他發明相對論並不是用普通的科學方法，而是用直覺和想像。後來科學家測量日蝕月蝕，才證明了他的想法是對的。但是他是猶太教徒，他信奉上帝，這不又證明了宗教與科學的思想不衝突，是並行不悖嗎？

第三個例證是去年才去世的費美，他是美國第一個製造原子爐的科學家，然而他卻是一位牧師。宗教那裏會阻礙科學的發展呢。

現在再舉個小例，有位名醫米勒，從前在上海紅十字醫院開刀過幾萬人，這位醫師是安息日會的，他的醫院是吃素的，他主張嬰兒用豆漿，而不用牛奶。他是一位很有名的醫師，每次手術前都要跪下來先禱告三個鐘頭。其餘如佛教，以前有個人叫尤智表的，他是一個科學家，他寫過一本佛教的科學觀，覺得很好，他是科學家，也有佛教思想。

舉這個例子證明了宗教與科學決不是兩個相反的東西，彼此實際上是很好的朋友，大家應該同流並進，應該互助合作。

總之研究科學的人同時也應該信仰宗教，信仰宗教的也應該同時研究科學，宗教與科學是相得益彰，相輔相成的，說宗教與科學，或科學與宗教，或某宗教與某宗教是對立不相容的，這是不正確的見解。這種說法無非由於私心偏見從中作祟，這是不以天為宗的一種思想。天的道理是「萬物並育而不相害」，「道並行而不相悖」，這樣才是宗天、法天！

今天在自由中國提倡科學的人很多，但宗教的也一樣多，才可以應付我們社會的需要和人心的需要。（完）

一項極有意義的工作

救國團做對了

當報紙不斷刊載不良青年陳啟禮、張如虹等人組織竹聯幫，殺人被捕消息的同時，全自由中國有不少青年正參加青年救國團各種文武活動。由於青年救國團暑假對青年各種服務活動，正顯示出青年救國團的重要意義。

自從青年救國團成立以來，在蔣經國主任的領導下，就很注意青年假期生活的輔導工作。無事生非，社會許多罪惡之事，都由「閒」而來，特別是在漫長的暑假裏，對於血氣方剛，生性好動的青年來講，如果無所事事，很難避免不惹事生非。青年救國團年來所舉辦的青年假期活動值得稱讚的：它不僅使青年們沒有浪費他們的寶貴光陰，而且還給青年們許多技能和訓練，特別是在思想觀念方面，所發生的作用更大。

青年救國團所舉辦的青年活動，範圍廣泛，門類甚多，真不勝枚舉，譬如各種戰鬥訓練，在陸地有騎士隊，不僅訓練青年人學會騎馬，還訓練青年人不怕艱難困苦的精神；機械訓練青年人學會開汽車，也教授各種機械知識；海上戰鬥營使青年們，學習駕駛艦艇，乘長風破萬里浪。而登山隊攀登山嶺、墾丁峯頂，不僅遊覽名勝，而且還享受山川美麗景色，登高而小天下，其攀高攻堅，所向無敵的精神，實顯示青年們的勇敢無畏氣概；旅行隊徒步，冒暑長征橫貫公路，不怕路遙，不怕崎嶇，也顯出青年們堅毅刻苦精神，而戰地政務營之接受軍事管理和有關戰地政務方面的各種專門知識，更具深遠的意義。在各種訓練中，對青年之灌輸國家民族意識，培養青年團體精神，更是一項偉大的成就。

由於救國團對青年暑期生活活動輔導之成就，我們也產生兩項希望：第一，許多社會青年，脫離學校生活，境遇值得同情，救國團對青年的活動服務，應當擴大到社會青年，不必限於在學青年，更應經常辦理，不必限於假期。第二，每年參加各項活動青年，並非全體，向隅者還很多，應擴大範圍，使在學青年多有參加的機會。

·千公

自由談

問題的中研院

中華民國中央研究院最近在台灣舉行院士會議，依法改選新任院士，全體院士六十一人中，只有三分之一的人數預會，其餘都是從海外投寄選票而已。這一大羣的海外屬公衆院士們養尊處優，連回國來開一次會亦不屑為，眞是豈有此理！

近見台北侯立朝印發的「中央研究院之研究」文中指出，中研院上屆院士羣有廿八名住在美國，有的且已取得美籍，對華人言談時，每謂「我們美國」如何如何；又有些院士經常發出反對本國執政黨及其政府的言論；還有些素來勾結美國共黨份子費正清之流，出賣中研院廢藏的資料，幷包辦本國留學生的獎學金和入學事宜（由一個所謂「思與言社」操縱着）。中研院的本質如此，不啻是外國人設在中國的一種「文化侵略」機構；又像一所掛着學術研究幌子，而專替外國人服務的政治集團。這次院士會議決議今後研究計劃，須與國家需要相配合，但須政府增加大量經費云云。如果該院工作眞是以國家需要為依歸，則若干不忠於國家民族，對祖國政府表示反對心情，以及擁有雙重國籍的院士們，何以照樣膺名如故呢？在這種情形之下，再要政府增發大量經費，豈特浪費公帑，毫無意義而已哉！

中研院的職責，顧名思義是在促進學術研究工作，而以發展科學為急務。有某青年曾在瑞士州立大學（愛因斯坦的母校）肄習高等數理畢業後，轉赴西德「哥丁根大學」進修博士學位。年前他函告筆者，說在海外看到台灣方面出版的數理書刊，內容多陳腐落後，談不上現代的科學水準，擬抽暇譯述一些新的數理名著，寄到台灣刊行。我認為這該是中研究最讚許的事，即致書該院主持人商洽之，得到的答復是：「本院經費未便為外人發行著作！」這證明中研院的學術研究事宜，祇是由該院人員包辦，而且限於他們的集團中人纔行，其他的中國學者都是「外人」，縱使愛因斯坦復生於中國，如果不拜碼頭，參加他們的集團，亦休想得該院的青盼，而視為非我族類。然該院對於美共豎其同路人的所謂「學者」、「教授」，卻奉之如神明，尊之為導師，並不以「外人」相看待！

堂堂的國家最高學術研究機構，竟成為少數人把持，營私弄權的政治集團，假學術研究之名，作別具用心之事，對人民竊號自娛，對政府儼若「獨立王國」，連國家元首的尊嚴亦不稍顧，這還成話嗎？政府再不整頓該院組織，去修訂，嚴肅其人事，則每年支付該院的大量公帑，比諸投入無底洞的結果更不值，對國家只是有害而無益。

兩位醫學博士到中國來拜師
吳惠平傳授針灸治療

（台北消息）美國的醫學博士史東DR. S. A. KHAN和尼日利亞的亞弗愛康醫師DR. EFIOMOKON EPHRAIM HERBERT，他們爲了研習中國的針灸學術分別自歐非美三洲，專程來華，聯袂拜中國針灸醫院院長吳惠平博士爲師，深造針灸醫術的秘奧。這一項拜師儀式，於七月卅一日下午六時，假台北市中山堂舉行，被邀請觀禮參與宴會者計有馬壽華、黃鳴宇、詹純鑑、于錫來、楊寶琳、任培道、劉修如、胡克敏、夏季屏、徐子明、雷嘯岑、徐漢豪、賴少魂、李煥桑、吳海峯、李揚微、何人豪、楊顯勳、施裕壽、黃玉明、楊俊生、李永新、王潔霖、吳鑄人、吳雲鵬、劉耀中、汪元、陳九如、等百餘人，史東博士首先在拜師典禮中致詞略稱：他執行催眠及針灸治療已逾二十二年，在歐洲與曾來中華民國向吳惠平博士學過針灸的同道們共同研究，增加他的針灸學識。史東又說，中國大陸共匪有一位針灸權威的會長，在兩年前到英國看[illegible]讚美，因此曾以每月九百元美金，請史東去大陸匪區，訓練共匪的學生，史東當即拒絕了。因爲史東愛好自由，他在英國的醫院中，病人很多，史東在致詞中強調說：吳惠平博士，爲針灸權威，是國際針灸界的領袖，這次他專程來華，向吳惠平博士，深造針灸秘訣，他來華已經很久，每天在中國針灸醫院中，臨床實習，他很高興，看到很多病人，被吳博士醫好，並感謝吳惠平博士傳授給他針灸的秘訣，因而可以拯救現代醫學無法治療的疾病。

接着[illegible]醫師[illegible]，他是第一位[illegible]來華學習針灸的人，他[illegible]前來向吳惠平博士學習，希望回去以後能在非洲發揚光大，爲病人造福。

海倍醫師補充致詞說：鍼灸雖然是中華民國的祖先發明，但是沒有吳惠平博士的努力推廣，鍼灸在國際上不會有今天的迅速成就，他爲了仰慕吳博士鍼灸的高明，特從遙遠的地方來到中華民國的台灣學習鍼灸秘奧，同時他表示今後他將在西印度群島海地國發揚鍼灸，他對吳惠平對他的友誼和溫情非常感激。

馬壽華會在宴會中以來賓身份致詞祝賀，他對中國固有的鍼灸國粹已經由吳惠平積極推行到全世界發揚光大，這是中國人的光榮，也是全世界病人的幸福。

物質文明・精神沒落
—兼論中華文化復興運動之時代意義

・墨孔章・

（一）人類文化之畸形發展

美國總統尼克森在其就職演詞中有幾[illegible]普遍重視，他說：「我們發現了在物質方面很豐富，但在精神方面卻很貧乏，我們能非常精確的往返月球，卻無法解決地球上的不和……」廖廖數語，不但道破了美國的國情，也正確的指出了現代世界問題癥結之所在，因而使我們發生無限的感想。一言以敝之，就是人類的物質文明正突飛猛進，到達所謂太空時代，而精神文明卻每況愈下，由於這種畸形的文化發展，人類一方面固然享受着高度的物質文明，而另一方面卻也面臨着無窮災難，大多數人在精神上陷於苦悶徬徨，疑懼恐怖，人有岌岌不可終日之感，[illegible]種強凌弱衆暴寡的思想作風，以及共產極權國家與民主國家兩大壁壘間之明爭暗鬥，正彌漫於國際之間，而隨時有爆發大戰的可能。於是科學發展的趨勢，不能不着重於軍事目的，而若干科學家，反而變成政治野心家威脅世界和平的工具，所謂「原子科學」發展的結果，除作爲毀滅人類之可怕武器外，所施之於和平用途者究有幾何？而世界列強爲保持軍事優勢，大部在秘密推行「核子競賽」，卻又不得不惶惶然謀求所謂「核子禁試」，這不是很大的矛盾麼！而這種矛盾現象，與國際局勢之日趨嚴重，顯然與科學發展無關，而是由於人類之精神沒落，未能善於運用偉大的科學成果之故。

（二）邪說異端摧毀精神明文

雖然，我們不是在咀咒現代的物質文明，或誣蔑科學家，相反的，我們對於那些偉大的科學家們，竭盡智能創造了現代物質文明之奇蹟，提高人類生活福祉之偉大貢獻，自當表示衷心的讚揚與最誠摯之敬意。不過近世紀以來，世界各國大都在積極的開拓有形的物質建設，卻往往忽略了無形的精神建設，尤其[illegible]主義邪說[illegible]，更摧毀了人類精神文明，甚至否定人類之精神生活。[illegible]中國大陸淪陷，[illegible]口在其匪僞極權統治之下，過着奴役而滅絕人性的地獄生活，遭空前浩劫，即世界各國亦莫不直接間接受其荼毒，夫人之心向下，如水之就低，當洪水以排山倒海之勢泛濫成災時，往往非人力所能阻，故善治水者，在於防患於未然，而文化建設亦復如是。如果一種崇高而優良的文化傳統，一旦被邪說異端掩沒，也和洪水泛濫一樣，其來勢是兇猛的，而結果是悲慘的，[illegible]中國大陸的不幸遭遇，可爲殷鑑。

（三）精神文明未可標奇立異

有人認爲科學家[illegible]有能力創造現代的物質文明，日新月異，何以哲學家不能與之並駕齊驅，而創造精神文明，寧非不可思議！殊不知精神文明有可以創造者，如[illegible]個國家的典章制度文學藝術等是，然而也有不能輕言創造者，如道德是；蓋所謂道德云者，是維繫人類理性生活之一種行爲規範。是順乎天理而合乎人情的，自人類由草野進於文明，道德卽應運而生。不但足以判定一個民族之文野，抑且任何民族，如無道德，卽無精神文明，亦無文化可言，諸如「禮義廉恥」以及「忠孝仁愛信義和平」等等，都是[illegible]人性的[illegible]，合乎天理，[illegible]又能說不是天經地義[illegible]限制的麼！所謂「天下之達道也」「天下[illegible]」[illegible]人所[illegible]，聖賢如孔子，其[illegible]「述而不作」，其原因在此。也正因爲有些自作聰明的哲學家，妄圖有所創造，標奇立異，淆亂是非，遂導致人類思想迷失方向，誤入歧途，如黎所謂[illegible]以創造唯物論的馬克斯其人，不就是共產主義邪說的原始製作人麼！換[illegible]

（四）文化自卑感貽害國家

[illegible]中華民族，天賦厚德，在數千年前，文化[illegible]，[illegible]戰國之世，百家爭鳴，蔚爲學術思想之黃金時代，而以儒家思想爲中心，其代表人物就是孔子，[illegible]

[illegible]，何以於短短數十年間，卻不堪外來邪說[illegible]

[illegible]異端之爭，[illegible]而一蹶不振？倘因爲物質發[illegible]，如果不是我們的文化傳統，先被摒棄，則邪說異端是難以侵入的，所可惜者，當年摒棄中華文化者，並非外國人，而是中國人，並非無知的愚夫愚婦，而是文化教育界的知識份子，當年我最高學府北京大學，曾高唱自由口號，竟把共產黨人如陳獨秀、李大釗等引爲教授，任其利用機會散播赤毒素，麻醉青年，還有自命開風氣之先的，認爲中國固有文化是落伍的，開倒車的，不惜千方百計摧毀之，欲代以西化，甚至主張全盤西化，還有主張廢除中國文字，這種嚴重的拉倒，而使民族自尊心和自信心喪失，化爲自卑感，助長邪說異端，爲匪僞極權鋪路，後來的匪禍，以迄於今，貽害[illegible]始料所不及[illegible]。

（五）維護傳統與擇善固執

綜上所述，姑且論如下：時代在進步，人類文化也隨時代之進步而進步，是理所當然的。但是談到文化進步的方式，則物質文明與精神文明，未可同日而語。蓋物質文明是向前看齊，貴乎迎頭趕上，而精神文明，尤其涉及道德部門，就要向後看齊，貴乎維護傳統此其一。語云：往事不忘，後事之師，我們必須加檢討，不必諱言過去的缺失，應如何重估文化價值，祛除文化自卑感心理，以加强民族自尊心和自信心，使能消滅共匪，先復大陸，實爲當前最重要也是最迫切的課題，關於第一點，此其二。關於第一點非，固所謂自封，傳統而是揚光大，并擇善固執發之大，我國歷代有許多偉之闢楊墨，韓愈之孟子佛，都是擇善固執的分，表現，而其目的已充，無非維護傳統而先生的以中國傳統文化爲其哲學三民主義，也是國父孫中山第二點基礎。我們要知道中華文化，與共匪政權不能並存，有中華文化，即無共匪政權，而共匪政權也是不容中華文化存在的，其所以瘋狂的發動所謂文化大革命，就是害怕中華文化在那裏生根復活，那麼中華文化乃是我們反共復國最有力而且最有效的精神武器。

（六）復興與復古救國與救世

抑有進者，以言文化復興，很多人聯想到復古問題，一般輿論界大都强調復興並非復古，若就時代進步的角度觀之，這話是不錯的，雖然，由於中華文化博大精深，是萬古常新的文化，故歷代的復興運動卻往往帶有復古的意味，是無庸諱言的；舉例來說：韓愈文起八代之衰，提倡古文，豈非復古，王安石變法，所謂「法先王之政」，推崇堯舜，豈非復古，其實所謂復古也就是向後看齊，勢使然也。姑仍以道德而論，道德是固有的，然而今日社會與將來社會永遠需要道德的維繫，而中華文化復興運動，其主旨即恢復道德加強倫理，又如何能區分今古呢？現在道德是崩潰了，觀乎人心的險詐，世風的敗壞，貪瀆的橫行，色情的泛濫，少年犯的猖獗等，都是道德崩潰的現象，的結果。也是精神沒落能，這不是物質文明所學家也是無能爲力的科因而重建人類精神文明。觀全世界，刻不容緩但號召全世界，除天主教宗保流六世經常發出重建人類精神文明的呼籲外，那要算中華文化復興運動所發生的號召力和影響力了。這誠然是一個偉大的時代的，振衰起敝，承前啓後的運動，不但是消滅共匪光復大陸的前奏，無疑也是一種救世運動，國人應深切體認此一運動所負的歷史使命與時代意義。

喬治桑外傳

一六五　張大夏

喬治桑自己的事情心裏明白。他致美國人史克蘭頓在拉斯維加經營夜總會，投資十萬美元，他已去信要求退股兩萬元。目前夜總會的生意還不錯，這兩萬元應該沒有問題買房子儘夠了。回美國以後，或全部退股，或繼續與史克蘭頓經營夜總會，無論如何生活不致發生問題。想到此處，心情很輕鬆，輕輕用口哨吹着西洋流行歌曲。

雅麗絲端來咖啡，烤麵包。

「你爲什麼這樣高興？」

「有女長成，承歡膝下，人生一樂也。」喬治桑掉文，不自主地搖晃了一下腦袋。

「包死，你不脫中國文人習氣。」

「妳是不是很討厭？」

「不，不，我是中國人，我討厭洋裏洋腔的假洋鬼子。」

喬治桑聽了內心微微一震，自己不正是一個洋裏洋腔的假洋鬼子嗎？幸而因爲發現了雅麗絲才不知不覺使自己的氣質有若干改變。倫理是中華文化精髓之一，絲毫不差。

台北傳奇錄

（六三）

・陳光棣・

「妳是說有個洋人叫亞力山小」？

「是吧！我知道妳就沒有聽不是」？

「我聽啦」！

「你抬槓是不是」？賴太太瞪着眼：「你沒聽就是沒聽，你還敢賴」！

「好，好，算我沒聽，敏兒，妳說吧，什麼事啊」？

「就是這個亞力山小，平常總找我聊天，他還說願意到咱們家來拜望你們」！賴慧敏平靜的說。

「可眞好！孩子！妳答應了沒有」？

「所以我先和您商量商量」。

「傻孩子，這還商量什麼，媽媽還不是以妳的意思爲意思」。

「什麼？把個洋鬼子弄到家裏來」？

「你又來啦！有個洋人走動走動，叫街坊鄰居們看着，夠多有面子」！

「那可未必」！

「你怎麼總跟我唱反調哪！你給我走出去！」賴太太咬着牙：「看你爸爸，眞是死腦筋，孩子，妳打算怎麼樣啊」？

「下個禮拜是我的生日，我想請他來」！

「對，虧妳想得出，這樣最自然，也免得同事們說閒話，我想他一定會送一個大蛋糕，到了時候，我會給妳好好的安排一下」！賴太太眞的高興極了，甚至吃飯的時候，還給賴先生來了一筷子菜。賴太太準備開一次盛大的「怕爾踢」，可是賴慧敏反對，認爲客人越少越好，客人一多了反而鬧鬨鬨的不得說話。

賴先生一聽要請洋人來家吃飯，馬上感覺到自己的腦袋忽然大了一號，再聽賴慧敏一說另外還請兩位小姐作陪，馬上又把頸梗子伸長了三寸半。賴先生也贊成客人不宜太多，忙問亞力山小是幹什麼的，想考慮一兩位適當的陪客。賴慧敏說亞力山小是研究病理的，賴太太一聽眞感到心花怒放，又是美國人，又是個醫生，可眞是太理想了，就是打着燈籠也沒有地方去找！賴先生眞有見識，決定請兩位作陪，一個就是我們前面說過的喬鑄綱大夫，一個是婦科聖手姚民規大醫師，計議停當，一週無話。

到了賴慧敏生日的這一天，賴太太破例的起了個早，先指揮着王媽收拾房間，再指揮着賴先生買東西，她本人要作頭髮，試新裝，買新鞋，又診機會回娘家要了不少手飾，之後是到西門町買鮮花，站在花店前面可就拿不定主意了，她不知道亞力山小喜歡什麼花，更不知道亞力山小喜歡什麼顏色，揀來揀去，決定買一束康乃馨，一束紫玫瑰，買完了花回到家門口，已經是下午五點鐘了，又打電話給飯館催着快些送菜來。（未完）

西北風雲緊毛蘇備戰忙

・文滙樓主・

根據香港及華盛頓情報專家指出，中國西北部的風雲非常緊張，毛澤東和蘇俄急劇備戰，已面臨箭在弦的程度。

除紐約時報載稱：「中共與蘇俄都神經緊張的，互相監視着有四千五百英里長山嶺起伏的邊防，雙方都步入戰爭狀態式的防範對方。蘇俄沿着有爭執的邊界，佈置好幾萬戰術用的核子飛彈及火箭，其中一種是最新式的，固體燃料的飛彈，能裝置在坦克車上放射，射程爲五百英里，據說威力之大，幾乎使人不能相信。蘇俄同時有卅五個野戰師，佈防在四千五百英里邊界上，廿五個機動預備師，遇緊急時，可隨時增援。

毛澤東做法，使蘇俄不安的，在西北邊陲投入兩百多萬軍隊，又欲施行故技——人海攻勢。最精銳的戰鬥部隊，出蘇俄預料，反佈置在第二道防綫，毛澤東最近在北平外某地，建立新飛彈實驗場，並在新疆省試驗場內，裝置有射程一千五百英里到兩千英里的飛彈，並將內蒙分爲三個區，予以軍事管制，接近瀋陽、蘭州，北平地方建爲「走廊防衛網」。以待蘇俄來攻，謂爲「自投羅網」。

西方某外交家指出，姑無論怎樣緊張，雙方皆避免刺激對方，毛澤東傳出命令，不可有零星小衝突，變成爲大戰的觀點，但蘇俄沿邊防所佈實力，已超乎防守範圍，擺出不論打核子戰，或一般的仗，均握有攻守自如的神情，且將後方部隊源源開到前方，很多年前蘇俄在邊防建築的軍事基地，與幾十條飛機跑道，現在都派用處，一旦戰爭發生，後勤網早佈置妥當，也就是郭若稱讚的：「不銹的鋼，永恆的太陽」。革命舵手史達太的傑作，氣得毛澤東不斷的——惹他娘。（這是共黨的國罵）

美國高級官員透露：毛澤東如果要將核子武器改進到與美蘇平手，時間上還得到兩三年，即是造成，也是粗糙不精細的，因此，中共的邊防實際還是守勢，蘇俄呢？則有先下手爲强，後下手便遭殃的想法，蘇俄現在形勢是打人，三年後會變成爲挨打，尤其對中共每年可造出三百到四百米格廿一型飛機，早懷有警覺，毛澤東年來常討論的「北進」或「南侵」，都是玩魔術中的繞眼法，懼自由中國從腹部攻入而已。其觀察家的看法，毛澤東在未與蘇俄一較長短前，各項計劃皆屬空中樓閣。

文滙樓剳記

莊姜（上）

——黛眉小傳之一

王幻

（一）

中國古代的美女很多，以夏、商、周三代而言，就有妹喜、妲己、西施，她們的美色可以傾人城，也可以傾人國。然而，大多是美容其貌，而蛇蝎其心，缺少婦女應有的品德，所以被視爲禍水。

在中國古代史上，才德俱備，品貌雙全的女性，首推高貴美麗的莊姜。據詩序和鄭箋的說法，詩經風裏的「日月」「綠衣」「終風」「燕燕」四首詩，是莊姜的作品；由其作品中，我們可以見出她的才華，了解她的哀傷，同情她的遭遇。

莊姜是齊莊公的女兒，自幼生長在富強豪華的齊國宮廷，和兄長太子得臣受着貴族的教育，所以當她長成之後，不僅嫻美，而且富於才學，那是衛莊公五年，時值河水洋洋，葭盛長的季節，莊姜出嫁到衛國，作了英俊的國君——衛莊公的夫人。我們可從「碩人」一詩中，看到衛國詩人描寫她的容貌及其風采：

碩人其　，衣錦　衣。齊侯之子，衛侯之妻，東宮之妹，邢侯之姨，譚公維私。

手如柔荑，膚如凝脂；領如酋齊（虫旁），齒如瓠犀，秦（虫旁）首蛾眉。巧笑倩兮！美目盼兮！

碩人敖敖，說于農郊。四牡有驕，朱幩鑣鑣，翟、以朝。大夫夙退，無使君勞。

河水洋洋，北流活活。施　歲歲（水旁），亶有（魚旁）發發，葭　揭揭。庶姜孽孽，庶士有朅。

這首詩，從莊姜的家世，身份，及於笑貌，神態；以至送嫁的行列，車騎；並以當時的季候和眼前的景象作結，可說是細膩生動，描繪入微。尤其「巧笑倩兮！美目盼兮！」使莊姜的神采，留下不朽的畫像。即以達文西的傑作——摩娜麗莎之微笑，也要爲之遜色三分呢。

（二）

國君迎娶夫人的隆重婚禮，及熱鬧場面過去了。莊姜開於另一種的宮廷生活。因爲夫人的身分畢竟和少女時代有所不同。她必須注意應有的端莊，樹立一種榜樣；於是，面貌姣好，才智又高的莊姜，在衛女傅母的教導下，頗能「克己復禮」，處處表現出國君夫人的德行和風儀。

儘管莊公對她十分愛倚！

儘管莊姜的婚後生活十分美滿！

可惜的是「好而不育」，她沒有生育子女，在君位世襲的時代，這是最大的遺憾！於是莊公由陳國又娶次妃厲嬀，但亦不生育，而厲嬀之妹戴嬀隨姊嫁衛，生子曰完，曰晉；莊姜不僅不嫉妒，反育完爲己子。嗣後莊公又變幸某宮女，納爲寵妾，生子州吁，性暴戾，好武，喜於談兵，莊公甚爲溺愛，任其所爲。上卿大夫石昔（石旁、以下同）曾諫莊公說：「臣聞愛子者，教以義方，弗納於邪。夫寵過必驕，驕必生亂，主公若欲傳位於吁，便當立爲世子；如其不然，當稍裁抑之，庶無驕奢淫佚之禍。」莊公不聽。

石昔之子石厚，與州吁交好，時常並車出獵，騷擾民居，石昔將厚鞭責五十，鎖禁空房，不許出入；這位太保型的少年，則乘隙踰墻而出，遂住州吁府中，一飯必同，竟不回家，石昔也無可奈何。

（三）

莊姜雖然在名分上，仍是莊公夫人，可是州吁的母親恃寵要嬌，甚得莊公所眷顧；在公子完和州吁之間，衛莊公覺得公子完過於拘謹，不够英武；而州吁的傲慢，他却認爲是少年氣盛，理所當然，反而甚爲讚賞。到了中年的莊姜，不僅要忍受沒有子女的苦惱，還要忍耐丈夫的冷落，她遂把內心的嘆息，譜成了詩句：

日居月諸，照臨下土。乃如之人兮，逝不古處。胡能有定？寧不我顧！

……

日居月諸，東方自出。父兮！母兮！畜我不卒。胡能有定？報我不述。

這是「日月」詩的前後兩段，藉日月的永恆，諷喻人心的善變，所以詩裏表現着對命運的無可奈何。就是齊國國君的女兒，也解決不了感情上的困擾；惟有呼父！呼母！以平定自己的痛苦之情緒。然而，莊姜畢竟是幼承庭訓，有着過人的涵養及寧靜寬恕的美德的。且看「綠衣」的全詩原文：

綠兮衣兮，綠衣黃裏；心之憂矣，曷維其已？

綠兮衣兮，綠衣黃裳；心之憂矣，曷維其亡？

綠兮絲兮，女所治兮；我思古人，俾無　兮！

　兮綌兮，淒其以風；我思古人，實獲我心！

（未完）

說曹操

（卅二）

次說張魯

李漁叔

張魯是沛國豐人，他的祖父張陵客居四川，在鵠鳴山學道。三國志魏志說他造作道書，以惑百姓，凡從他受道的，各人拿出五斗米來貢獻他，張陵的兒子張衡，繼承父業，號稱五斗米道。張魯即陵之孫，衡之子。衡死後，魯復行其道。

益州牧劉焉，以魯爲督義司馬，令他和別部司馬張脩帶兵攻打漢中太守蘇固。張魯是一個有政治野心的人，走在路上，襲殺張脩，奪得其人馬，力量漸大。等到劉焉死後，兒子劉璋代立，以張魯爲不順；殺掉他的母親和全家，於是張魯就佔領漢中等地，與劉璋對立了。張魯在漢中的情形，大概如下：

「魯據漢中，以鬼道教民，自號師君。其來學道者，初皆名鬼卒，受本道已信，號祭酒，各領部衆。多者爲治頭大祭酒，皆教以誠信不欺詐，有病自首其過，大都與黃巾相似。諸祭酒皆作義舍，如今之亭傳。又置義米肉，懸於義舍，行路者量腹取足，若過多，鬼道輒病之。犯法者三原然後乃行刑，不置長吏，皆以祭酒爲治，民夷便樂之，雄據巴漢垂三十年。」（魏志張魯傳）

像這樣以神道欺哄愚民，倒不失爲一種安定民生的方法。他們首先教人誠信不欺詐。其次不設置官吏。以免官多，增加民衆負担，轉爲苛擾。所以當地的人民和夷族都「樂便之」，這即是張魯能稱雄巴蜀數十年的主要原因。

本來黃巾賊張角和張衡同時俱起，張角的集團叫做太平道，張衡的集團叫做五斗米道，初起時都是給人治病，叫留人「叩頭思過」，飲以符水，欺騙愚民，性質原是相同的。可是，等到裹脅了衆多的人民，而成爲龐大的部隊後，情形就兩樣了。黃巾賊到處攻城掠地，剽悍難當。從外表看來，實在是桓靈二帝無道，激起民變，他們雖也算是一種農民革命，實際只是一些殺人放火，打家刼舍的亂民。至於五斗米道的張魯，則僅佔領一地，絕不四處剽掠，而只做他的安撫人民工作。在後漢熹平光和年間，黃巾大起，董卓召亂，李郭稱兵，中原鼎沸，人民飢餓，互相啖食，有了這一個地方，也就算世外桃源了。魏志說：

「漢末，力不能征，遂就寵魯爲鎮民中郎將，領漢寧太守，通貢獻而已。民有地中得玉印者，羣下欲尊魯爲漢寧王。魯功曹巴西閻圃諫魯曰：「漢川之民，戶出十萬，財富土沃，四面險固，上匡天子，則爲桓文，次及竇融，不失富貴。今承制署置，勢足斬斷，不煩於王。願且不稱，勿爲禍先。」魯從之，韓遂馬超之亂，關西民從子午谷奔之者數萬家。」

這個閻圃勸張魯不要稱王，[illegible]算是頗有見識的人，而[illegible]能够保境安民，眞說得上[illegible]且可庇護因避亂而逃亡的多數民衆，[illegible]

一直到建安二十年三月，曹公纔開始西征張魯，因爲氐（音低，一種羌族，漢世仍存，居在秦隴之西）人塞道，和氐王竇茂發生戰爭，七月間，大部方始到了陽平攻魯。據魏志武帝紀：

「秋七月，公至陽平，張魯使弟衛與將楊昂等，據陽平關，橫山築城十餘里，攻之不能拔，乃引軍還。賊見大軍退，其守備解散，公乃密遣高祚等乘險夜襲，大破之，

（未完）

諸葛亮狂想曲

（一四四）

・劉玄・

諸葛亮能對劉約翰大談金魚美人，足證一個人之在野在朝，有很大的區別。

「先生，我想提一個要求，不知你能否答應？」劉約翰一本正經地。

「不必繞圈子說話，只要要求合理，我能辦到一定替你辦。」諸葛亮是富於感情的，由揮淚斬馬謖可以概見。

「先生能不能代向星君懇求，讓我與金魚美人做一年的夫妻？」劉約翰的聲音很小，有點情怯。

「這恐怕不妥當。天庭姻緣與人世不同，人間講求百年好合，白頭偕老，天庭姻緣，緣聚即散，並無時間觀念。你知道星君答應你的一個月，等於人世一千年的時間，即照你們所說的百年好合，已經是十世夫妻了，其恩愛程度，人世是無法想像的。你如果還不滿足，星君一向認爲你有宿慧，如此便要大打折扣了。」諸葛亮這番話，簡直是理會而有之，劉約翰即使是頑石，亦會點頭的。

「我不過是一時糊塗，才有此癡心妄想，聽先生一席話，茅塞頓開，敢不唯命是聽。」劉約翰的道根不厚，只好服貼。

「這便才是，你放心好了，金魚美人一出，天庭粉黛無顏色，並且，太白星君都易不得做這種事的，你是第一位，也是天庭的頭條花邊新聞。」諸葛亮見到劉約翰有窘態，連忙用溫語撫慰。

二人正談話間，琴童入報何仙姑、呂洞賓來見。

「何、呂兩仙是無事不登三寶殿，不知此來所爲何事？」諸葛亮自言自語一會，便吩咐琴童說：「請他們進來。」

「我要不要迴避一下？」劉約翰輕聲問諸葛亮。

諸葛亮用羽毛扇搖了兩下，以示不必要。

何仙姑、呂洞賓一進門，便異口同聲說：「諸葛道長久違了，你好。」

在諸葛亮剛來天庭的時候，天庭各仙對他都很冷淡，現在因爲他兼任宇宙發展委員會主任委員之職，又是得太白星君的賞識，所以大家對他也就刮目相看了。何、呂二仙稱他爲道長，表示尊重之意。

「二位光臨，蓬蓽（草頭）生輝，不知有何見教。」諸葛亮打一稽首，行道家相見禮。

「這位是不是劉約翰先生？」何仙姑在天庭社交場合最活躍，很容易和人稔熟，她不願冷落任何人。

「約翰向仙姑、呂道長問安。」劉約翰不是道家一流，只好躬身行禮。

「你在此眞是巧遇，我們來找諸葛先生所談之事與你有關。」呂洞賓一口京片子，很淸脆悅耳，據說他是純陽之身，所以壽逾千齡而髮如孩童。

（未完）

巨變歷險記

行軍苦（一四七）

胡慶蓉

照雞街會議決定的撤軍路線，是比較最安全的一條路線，可惜八軍曹副軍長，廿六軍彭副軍長都沒照辦。但丁博士是照辦了，只有丁博士照辦。他掌握着一份很好的軍用地圖。他很欽佩製圖的人測量的人。不曉得那個時代製的那個時候測量的。圖製的非常仔細測量的也非常仔細。沿途大山小山，山山都有，甚至多麼高，繞多少彎，也製的測量的有。

這個軍用地圖成了中國游擊隊的行軍的指針，但行起來可不易。從以上看，可以看見一點，那就是山高。山高，上去難，下來也不易。上去，一層一層的爬。氣力不夠的，往往爬不上去，中途倒斃也並不少見。下山，山有很陡的，雖說不是處處懸崖陡壁，但懸崖陡壁的也不少。不愼跌落下去的也不是沒有。特別山路，往往有路之名，無路之實，往往走走路沒有了。沒有路的時候，要找出個路來，要劈出個路來。可能路邊下面就是一個懸崖，就有這麼一次，丁博士下去了滾下去了，啊！好危險！下邊就是托天之峭，懸崖石頭上有樹，就是掉下去滾下去的剎那，在凸到兩丈深的地方被一棵樹擋住了，這棵樹，救了丁博士的命。假如沒這棵樹的話，丁博士就會粉身碎骨。雖然被樹擋住沒有掉下去滾下去，但面傷了，也够吃苦的。皮膚破了，臉面傷了，綁綁紮紮，敷點藥，還是要走，還是要繼續的走……

有的山路非常的滑，滑得簡直沒法子站。這容易跌倒，跌倒是常了，跌倒了當然要爬起來，但跌倒了又爬起來，爬起來又跌倒，爬起跌倒，跌倒爬起，也够吃苦的。也有跌倒爬不起來的，這也只有將他留下，一切諸命運之神。再滑的地，馬可以走，象可以走。這可能令人感到奇怪，馬的蹄子不是平平的嗎？象的腳板不更平嗎？爲什麼平的腳板可以走滑的地呢？但這確是事實。有馬騎的不多，有象騎的更少。跌倒爬起的人還是很多。丁博士與士卒同甘苦，弟兄們能受的，他都可以受。

丁博士到現在還保留的一雙帶絆的雲南皮鞋是一個最好的說明。走山路赤腳，乃山間老百姓一般的習慣。山間老百姓的腳，已經磨成鍛鍊成像馬的蹄子象的蹄子一樣，腳板的肉都變成僵的了，但我們不習慣，我們決不能赤着腳走，我們的腳是穿鞋穿襪子慣了的，沒有鞋穿的腳，就走不了路。但鞋還有講究，皮鞋不可以，皮鞋不但重而且熱，底子又滑。穿皮鞋不能走遠路，最好是中國的布鞋，而且越舊越好，越軟越好。雲南的布鞋，上邊有帶子，不容易掉。丁博士穿壞了很多雙雲南布鞋，現還有一雙存在台灣。底子原來是千層，現在都磨透了。他走山路，走得多，走得苦，還是很大的證明，很好的證明。

李鴻章折衝樽俎

命相與夢話

・漢年・

李鴻章，字漸甫，號少荃，晚年又號「儀叟」，安徽合肥人，人多稱李合肥。清道光癸卯，年二十一優貢，甲辰順天鄉試，中式舉人，丁未年二十五進士，入翰林院。洪楊軍起義，鴻章在原籍，贊巡撫福濟公及呂文節公賢基軍事，時廬州已陷，福濟公力謀規復，鴻章建議先取合山，巢縣，福濟授以兵，遂克二縣。時咸豐甲寅十二月也。知兵之名由此始著。福濟公將上疏薦鴻章爲道員，因忌之者衆，謗亦隨之，幾不能自立於鄉里。

戊午年三十六，曾國藩督師入江西，兵圍建昌，遂往謁見，文正大喜，留幕中謀劃一切，深爲倚重之。繼在江淮間招集鄉勇，轉戰蘇常安徽各地，世稱「淮軍」，並創議借用西洋人爲將，因此與外人交易甚多。

太平軍平後，捻匪又起，曾國藩自以功高震主，託言湘軍老敝，不堪一戰，一意授於淮軍，卒將捻匪剿平。

鴻章爲人英斷，具世界知識，一時中興名臣，以外交而論，要以鴻章爲第一，任事亦最久，綜任兩廣、兩湖總督，直隸總督。各國條約多出其手，中日的馬關條約，辛丑的聯軍條約，皆其最大者，官至太子太傅，文華殿大學士，封肅毅伯。光緒辛丑九月己丑年卒，年七十九歲，追封一等侯，諡「文忠」。

清宣宗道光三年正月初五日卯時生。清德宗光緒二十七年九月二十七日午時卒。

八字爲：癸未、甲寅、乙亥、己卯。「通會」云：「乙亥日，己卯時，生寅月，不見庚辛，乃是日祿歸時格，當卜顯揚貴達」。這是就五字爲言。漢年按：李文忠之造：癸未、甲寅、乙亥、己卯。日元的乙屬木，月幹的甲亦屬木，月日二枝寅亥又各藏甲木。年時二枝未卯又各藏乙木，而亥、寅、卯、未，又各自合木，天幹又不見庚辛二字，金無一點，木必叢生，此誠純潔曲直格，非片面的日祿歸時了。「古歌」云：「甲乙生人寅卯辰，又名仁壽兩堪評，亥卯未全嫌白帝，若逢必身榮」。就此看來，幹逢甲乙，枝會寅卯辰，或亥卯未，均當作曲直論（又名仁壽），但必須不見白帝。所謂白帝者，乃爲金來尅木，有傷木質也。逢坎身榮者，因坎屬水，能生木，裨益本質故也。然漢年按亦有一說：曲直果成，雖行金運，亦無大害，因四柱本來無金，略見微金，我强彼弱，彼豈敢輕犯我哉！至於坎水生木，更妙，究竟不如土之培木，火之煊木爲尤妙。

文忠二十一歲癸卯，得優貢。二十二歲甲辰，舉鄉試。二十五歲丁未入翰林，可見大運子水，與木火之流年均與曲直格聲應氣求也。及至戊丁未丙等運，土火齊逢，培木暄木的能力愈加充足。是以自江西巡撫而至總理及外務大臣，青雲直上，幸福可知。至辛庚四運，雖日屬金，不利曲直，然亦不過喪母喪妻，公私栗六而已，與正格並無防碍。七十九歲丙運，歲逢辛丑，竟薨於京師賢良寺者，乃爲辛乙交戰，丑未相衝之故，與丙運無涉了。

宋冠五「龍鳳膏」

生活漫談

・馬騰雲・

中國醫藥，起源於西曆紀元前兩千八百餘年之神農時代，直到秦以後，兩漢才發揚光大，有關醫藥之製造，沒有正史可考。紀元前一五五〇年埃及德文通行之伊伯紙草本詳載製藥上之各種技術，並繪有製造膏藥器具圖，其中藥物如沒藥、昆（草頭）麻子、鴉片等，從藥物上看起，與我們所稱的中藥，從年份上看在神農後一千三百餘年，埃及藥物可能是從中國這裏傳去一部份，或係我們影響。

有關西藥歷史甚淺，好像是十一世紀阿剌伯人將醫藥傳入歐洲，盛行於十二世紀。至十五世紀末葉，哥倫布發現新大陸，其隨從水手將梅毒病帶回歐洲，當時關於梅毒之來源，頗多迷信傳說，至十六世紀初，發現汞爲該病之特效藥，由於梅毒汞劑之擴張爲起點，此時才引起醫藥革命之趨勢，而推翻過去很多神巫學理。

筆者研究中國醫藥將近卅年，發現中國醫藥中有不可思議的奇跡，打算在今後二三十年內全部奉獻給人類社會，我之所以「不行醫」、「不賣藥」者，表示絕對不存一點私心，所謂「無私乃天道」，中國醫藥爲甚麼中落和不能發揚光大，實因一個「私」字，幾千年的過程中，每個醫生、藥商都藏一點所謂「看家本領」，結果呢？中國醫藥已面臨着被淘汰的前夕。

西藥在中國後來居上，爲一般所公認，但中藥在中國人心坎上生了根，也無可否認的事實，比如「雲南白藥」、「安慶鯽魚膏」、「烏鷄白鳳丸」、「六神丸」、「神麯」、「同仁堂膏藥」等，各省市有數百種名藥之多，終始打不倒者，當然有打不倒翁的道理。以最近一個現實的例子來說，台灣省公路警察大隊長李惟喬，背部生瘡，西醫診斷爲惡瘤，須要開刀，而且一次過還不行，李氏因忙又忠於職守，一直在拖，拖到快惡化了，未料「山窮水盡疑無路，柳暗花明又一村」。一位朋友勸他貼「龍鳳膏」試試。

「龍鳳膏」者，爲高雄宋冠五監製，乃不折不扣的中藥，在台灣南部享譽甚久，北部尚未太注意，李惟喬因朋友盛意難却，也希望能有不開刀而愈的奇跡出現，未料一貼出了膿，兩貼竟消腫，三貼果然妙手回春，這一經過事實，筆者與張起鈞兄知之甚詳，用作簡短介紹，供熱心研究中國藥物者參考。

「竹聯帮」的新聞眼

依調集

・易傳・

抗戰以前，在上海發行的大報，篇幅比現在台灣多，但社會新聞版的編輯，除時報外，惜墨如金。對於觸犯刑事的罪嫌，抱有哀矜勿喜的態度。不像現在台灣，各報遇有刑事案件，便刻意描述、誇張。以前的新聞眼着重在道德觀念，現在新聞眼也卽是生意眼，以增加銷路賺錢爲目的。

目前「竹聯帮」的幾個娃娃，經各報渲染後，變成黑社會的「穿」字號人物，姑不論，他們是否「實至名歸」，無論如何似有商榷之處。

不久以前，美國某大學的一個學生，在屋頂上用獵槍射人，被捕以後，警方問他爲什麼要這樣幹？他說：他不願一輩子默默無聞，必須要做頭條新聞人物！

青少年血氣方剛，其心理的變化是難以測度的。美國某大學青年的供詞，値得我新聞界人士深思。

黨國元老譚延闓在主持湖南某學校時，爲了開除三個學生，曾痛哭流涕，後來託長沙天主教神父送他們到外國讀書，均能成器。由此可知青少年的可塑性之大。近朱者赤，近墨者黑，爲什麼台灣的太保問題有「野火燒不盡，春風吹又生」之勢，家庭教育，社會教育，學校教育，固成問題，新聞界應該拿它當一社論題目來研究，而不要將新聞變成爲生意眼純放在招徠顧客（讀者）上面。

第九章 宋康王逍遙自全 徽欽帝被虜入金

竟將令衛士，牽皇后、太子共車而出。孫傅大哭道：「我爲太子傅，義當與太子共生死。」將留守職務交王時雍，乃從太子出宮。百官軍吏隨太子號哭。太子竟呼「百姓救我」！百姓豈能救得，徒號無益。一時哭聲震天，行至南薰門，范瓊請孫傅回朝，守門金兵喝道：「我等欲得太子，與你何干？」孫傅道：「我乃宋朝大臣，爲太子傅，誓當死徒」。乃宿門下待命。

李若水留金營數日，粘罕召入問立異姓，若水大罵。金將用鐵撾擊若水口唇，唇破血流，且噴且罵，舌被割斷，罵聲尚不絕。又死一位宋室忠臣。粘罕亦爲之歎服。

粘罕又令吳幵、莫儔二人入汴召集宋臣，議立異姓。衆官莫敢發言，留守王時雍密問吳幵、莫儔，二人答道：「金人主立張邦昌」。時雍道：「立張邦昌恐衆心不服」。時員外郎宋齊愈自金營而來，傳示敵意，用片紙書張邦昌三字道：「不立邦昌，金軍未必肯退。」時雍乃決。遂將張邦昌姓名列入議狀，令百官署名。孫傅、張叔夜均不肯副署。却被金人拘入金營。另外尚有太常寺簿張浚，開封士曹趙鼎，司門員外郎胡寅等皆不肯署名，逃入太學。唐恪本已署名，又恐以良心發現，竟仰藥自殺。既要自殺，又何必署名，豈是愚臣！

靖康二年三月，欽宗朝上皇於紫宸宮。過九日，金人遊迫入宋宮索討金銀，宣朝仍要欽宗至軍，自行面議。欽宗已無法可想，無物可納。李若水進言：「聖駕前已去過，沒有何意外情事，今日再往，料亦無妨」。欽宗乃命太子監國，以孫傅爲輔，自與何㮚、李若水等再入青城金營。張叔夜叩馬泣諫不聽，欽宗只說道：「稽仲努力」。稽仲是張叔夜之字，欽宗以字稱他，包含了無限重託之意。及抵金營，粘罕便將欽宗拘留。有太學生徐揆至金營投書，請車駕還闕。粘罕召他進金營，怒言詰難。徐揆抗辯爭論，竟被金人所害。

王時雍集百官詣秘書省，閩門看管，外圍金兵，令范瓊曉諭大衆，擁立邦昌，大衆唯唯聽命。惟御史馬伸，吳給，約御史丞中秦檜，自爲議狀，請立趙氏，莫立邦昌，此時秦檜尚有天良，做漢奸是後來被金人利誘改造。粘罕聞知，遂又將秦檜夫婦拘入金營。讀者恐怕不知，請立趙氏議狀數十人。

（卅九）

岳飛

周燕謀

自由報

中華民國內政部登記證內警台誌字第〇三一一號
中華民國僑務委員會登記證僑聯字第二一一號
中國郵政台字第一二八二一號執照登記爲第一類新聞紙

（第一〇八七期）

（半週刊每星期三、六出版）
每份港幣壹角·台灣零售價新台幣弍元
社長李運鵬·督印黃行舊
社址：香港九龍彌敦道593—601號
廖創興銀行大厦八樓五座
LIU CHONG HING BUILDING
7th FLOOR FLAT '5
593—601 NATHAN ROAD,
KOWLOON, H.K.
TEL: K303831
電報掛號：7191

承印：景星印刷公司
地址：嘉咸街廿九號地下
台灣發行業務管理中心：台北重慶南路一段一二九號
電話：二四五七四
台灣郵政劃撥帳戶　台灣劃撥戶
第五〇五六號張萬有（自由報會計室）
台灣分社：台北市西寧南路110號二樓
電話：三三〇三四六、台郵劃撥戶九二五二號

談當前的大學問題（一）

·張亞雲（水勞）·

一、楔子

到今年暑假爲止，我在大學任教將是整整的十年了；在這十多的歲月中，由於親眼所見，親耳所聞，以及親身所經歷，我對於大學教育，乃不能不所感良多！於是也就不知在多少個漫長的深夜裏，我曾一再地用心長思，我是多麼的希望能挖掘出一些智慧的礦，以求對目前的狀況能更有所促進和裨益。

最近，在某報副刊上看到了周南山等三個大學生寫的一篇長文，在這篇長文中，我發現了大學理工科學生也有着滿肚子的「苦水」，當然，我也看到了另一篇與周文內容不盡相同的文章，他雖然否認具有與周南山等相同的想法與看法和感受，但周文之中之所描所述縱使不是每個大學理工科學生之所共有，至少也是部份大學理工科學生所具有，則是無可置疑的！若然，則不能不算是問題，就不能不針對問題而提出對案。

其實，大學生有幾個而肚中並無「苦水」？又豈獨理工科的學生爲然？文法科的學生，醫農科的學生，又何嘗不？只是一苦水「有多有少，如是不同而已。我曾親耳聽到過許多學生的傾訴，埋怨教授素質太差，埋怨課程編排不當，埋怨參考書籍太少，埋怨生活缺乏照顧，埋怨師生關係太疏，埋怨同學友誼難得，甚至埋怨自己當初爲何選讀此系，埋怨前途一片陰黯。總之，滿肚子的苦水；當然，也有許多的學生根本就一滴苦水也無，他們或則對自己充滿了信心，對現狀充滿了愛戀，而對將來也充滿了希望，或則懵懵懂懂，永遠抱持着「船到橋頭自然直」的想法，走一步算一步，且將這四年的光陰「混」完再說，管他今日？更管他明日？像這類的學生，不是狂妄，便是消沉，那問題就比僅裝着滿肚子苦水的學生還多，還嚴重！

再說，學生如此，教授又何嘗不是如此？有幾個教授不是滿肚子的苦水？誰不想把書教好？誰不想做個好教授？誰不想既受學生愛戴，又對得起自己的良心？偏偏就是辦不到，於是埋怨「蝸居」太小，太太嘁，孩子吵，無法從事研究，埋怨待遇太菲薄，把寶貴時間都浪費在兼課；甚至埋怨學生程度太差，我自信費了九牛二虎之力，實在是想把書教好，只可惜言者諄諄，聽者渺渺，更有埋怨這，埋怨那的。某人胸無點墨，却不知憑着什麼手段，竟能點石成金，被國科會聘爲研究教授，某人又如何如何，却成了講座教授；而在下雖非著作等身，却也每年都有研究成果；所教之課，更是敢誇一句海口，從不用點名冊，却也逃課的少，到課的多。好吧，既然他們又研究，又講座，我就馬虎點兒吧，對學生也可交代一句：「我本來就是非研究教授，我本來就是非講座教授嘛，學問當然要稍差一點，授課當然要略遜一籌：」說不盡的埋怨，吐不盡的苦水；當然，也有些教授，他們是從無苦水可吐的，他們安貧樂道，與世無爭，兩耳不聞窗外事，一心着意耕耘，但爲數畢竟太少啊！還有一些教授，也無苦水可吐，他們本來就不是此行中人，而今但藉此道糊口，有口飯吃，於願足矣，管他那多？還有一些教授，過去浮沉宦海，而今浪子回頭，撈着一支教「鞭」，有幾個學生供他「驅策」，也算是一種滿足，若有苦水，也與大學無關。總之，大多數的教授都是苦水滿肚的，這是事實。

學生滿肚子是苦水，教授也滿肚子是苦水，學校當局又何嘗不滿肚子是苦水？公立學校如此，私立學校也不例外；好的教授不易聘來，行政職務不好安排，經費煞費周章，八行難以抵擋，至於校務煩繁，處理困難，則猶其餘事。

然則，怎麼辦？

大學的「問題」眞多，我們必須承認，但是不是每個問題都是如此，有些問題是容易解決的，關鍵在我們是否願意面對着它？是否毫無諱疾忌醫的心理狀態？

個人並非研究教育的專家學者，因此雖是頗有救人救世之心，奈何却愧無華陀扁鵲之能，但「久病成良醫」，在大學執教十年之時間不可謂太短，而個人受國家教育數十年培育，更當思有以報効，乃不揣固陋，提出一些淺見，藉供關心大學教育的各界人士之參考。

二、大學教育的目的

大學教育的目的是什麼？無疑地，這是最爲重要的一個問題，若是目的弄錯了，其方向一定錯誤，其效果一定很差，因此首先討論辦學的目的是甚麼。

無可否認地，今日一般大學教育的目的大多弄錯了，或則作爲外國大學的預備學校，其教育的目的在使大多數的學生能夠到外國去留學；嚴格地來說，還不是讓學生到外國去留學，而是到外國「學留」，因爲它的學生一旦去了外國便很少回頭；或則作爲一所公務員訓練班，其教育的目的只在希望有幾個學生能夠高普考及格；當然，更有一些等而下之的學校，毫無目的，美其名曰爲教育而教育，這實在是十分可悲的！教育一些學生去外國「學留」，眞在是毫無意義，如果是公立學校，則浪費國家公帑，更是莫大的罪惡，而訓練一批學生去做最起碼的公務員，也未免是「取法乎下」了。

然則大學教育的目的是什麼呢？蔣總統在民生主義育樂兩篇補述中曾經有所昭示，他說，大學要智育與德育並重，專題與常識兼顧，不但要訓練專才，還要訓練通才，尤其要造就能夠擔當社會政治和文化服務的中堅領導人才。這話是對的，在今日，我國家面臨如此大艱大難，其復興再造，自更有待於更多的高級人才爲國家提供更多的服務，因此大學教育的任務也就更爲沉重和艱鉅，更浪費不得，更「取法乎下」不得。

我們常常羨慕英美有無數一流的大學，爲他們的國家，甚至爲整個的人類負担起發揚文化，創造文明的任務，像英國的牛津、劍橋，像美國的耶魯、哈佛、哥倫比亞、麻省理工，若問他們爲何能有如此偉大的成就呢？道理很簡單，因爲在這些學府中，產生了無數的學者，無數的發明家，無數的諾貝爾獎金得主，譬如陳之藩先生寫劍河倒影，便說，這裏是三一學院，這裏是基督學院，這裏是什麼什麼的，不但如此，而且還說，這裏出了牛頓，這裏出了達爾文，這裏出了凱因斯，這裏又出了誰，這不是很明顯嗎？同樣是大學，只因爲它出了一流的人才，就是一流的大學，若他們所造就的都是一些平凡而又平凡的人物，那他就算不得什麼了。（未完）

本報專論　自由談

自由世界的敗血症

美總統尼克遜爲着穩定國內政局，爭取國會議員中期選舉勝利計，對於國際間的紛爭問題，大倡其和談運動，除却越戰降級撤兵重彈聯合政府舊調；強迫以色列與阿聯言和；單方面撤減駐防南韓的美軍外，又派出資深的首席代表布魯斯，到巴黎跟越共政權恢復久告停頓的和平談判。

和談如果眞有成功之望，那是應該努力的，誰也不願意發生世界大戰。但顯而易見的事實，越共決不會罷戰言和，它對柬埔寨的侵擾的地區，目前較美軍進攻時更爲廣泛深入了。泰國可能派兵入柬境助戰，而軍費無着。越南絕不接受「聯合政府」計劃，阮文紹總統早已聲明。以、埃和談問題更多困難，充其量停戰三個月可能辦到，永久和平之說，即如上海人的話說：「談阿弗要談」！至於兩個「巴黎談判」——美國與越共的和談暨美國與毛共的大使級談判，不用說，那是絕無結果的瞎扯淡而已。

這些情況，尼克遜總統和其左右大員，何嘗不明白呢？明知其不可而爲之，爲而不有，目的是對內而非對外。白宮的對外政策與作風，非到今年十一月國會中期改選揭曉後，不致有明確的表現，殆可斷言。尼克遜若不能乘機使共和黨在國會取得多數席次，他的總統位置，實在如坐針毡，受罪之至。從這個觀點設想，尼氏此時高唱和談的調調兒，良非得已也。

美國係民主國家，政府當局的重大措施，必須取得人民多數同意纔行。可是，一般民衆對政治問題多不熱心，少所瞭解，尤其是對於亞洲問題，不特民衆皆莫名其妙，即那般號稱爲民意代表的參衆議員，十九亦不知道是怎麼回事？民衆祇希望過着和平安樂的生活，害怕戰爭，而政客們即利用民衆這種心理，於競選時專以亞洲問題爲宣傳資料，裝出一副反戰的和平面孔，藉以騙取選票，這便是民主制度最大的缺陷，無可救藥。所以，美國的對外行爲，總是處於被動的態勢之下，決不爲天下先，非不爲也，是不能也。這眞是自由世界的敗血症！

職是之故，除非俄共存心要觸發世界大戰，一面以大量的軍援支持埃及擊敗以色列，使一般猶太血裔的國會議員大爲光火；同時把新式火箭飛彈運入古巴，威脅着美國的後門，讓美國一般民衆感到燃眉之禍。即令共黨將來能控制着參衆兩院，尼克遜總統還是沒法打開現時這種打打談談的國際僵局，因此而獲得大利的却不是美國，而係早已聲明要埋葬美國的蘇俄呀！

馮五先生

昨日與明日

慰留輔大于校長

我們很意外地獲悉輔仁大學校長于斌樞機辭准校長的消息，又很高興的地獲悉輔仁大學董事會決議慰留于校長的佳音。

輔仁大學是國內著名大學之一，六年前在台灣復校，成爲天主教在台灣所設立的唯一最高學府，也是唯一具有國際性質的大學，因爲它的文學院多獲羅馬教庭的贊助，理學院得到西德援助最多，而法學院和新設立的商學院則獲得美方友人的支援，因而經費較爲充裕，設備最爲完善、建築最爲雄偉，校園最爲廣闊，任何人參觀輔仁，都不禁有這樣一個感覺：這纔像一所大學。輔仁不僅外表壯觀，內部也很充實，譬如兼任教授鐘點費，其他大專院校還是五十、六十的時候，輔仁老早就是百元了，因而得以選聘第一流的師資，而校風的純樸，學生的殷殷向學，不尚浮華，更充分表示這所大學的優點。

還有一點，我們不能不提及的：當中日戰爭時，北平淪陷以後，輔仁以教會學校關係，仍繼續維持上課，而當時的學校却實際變爲我國志士活動的大本營，已故教務長英千里先生便是地下工作的負責人，嗣被日軍逮捕，飽受凌辱，然而輔仁師生所表現之民族正氣，在我國對日抗戰史上永佔光榮的一頁，這和于斌樞機主教在戰時之爲國宣勞，同時爲國人所永誌不忘。

輔仁得以在台復校，校內外人士無不深悉：于斌樞機策劃之力最多，而輔仁復校不久，校務蒸蒸日上，很顯然的，也多因于校長的領導有方。今後輔仁正向發展之途邁進，怎樣捨得這樣一位好校長。說老實話，今天辦私立學校的，無不「圖利」，惟有輔仁絕不藉辦學發財。譬如其他私立大專院校，學費幾乎年有調整，而輔仁自復校迄今，一直未有增加。像于斌樞機這樣宗教家兼教育家，不僅國內寥寥可數，即國際也不多見，我們站在教育和國家民族立場，希望于斌樞機不要再堅辭輔仁大學校長職務了，不過于樞機以望七之年，春秋已高，健康情況業爲教內外人士所關心，似應儘量減少社會應酬、減少出席各種會議，節省精力注意保健，社會有關人士也應體諒他的高齡，不要多麻煩他，那些別有企圖的人們，也不要「利用」他，讓他專心爲國家，爲教會多服務幾年吧。

·千公·

中國女學生在美國

本報駐美記者　陳毓賢

你們都好嗎？謝謝寄來的字典，早就該在台灣買了，更要謝謝有心敏的結婚照片，林心敏打扮起來就像電影明星一樣，他們這一對走在一起真美煞了人。有有也好，先結婚了再來美國，來後就沒有婚姻的煩惱，這邊留學生找對象真苦，不但男的，女的也一樣，怎麼碰不上呢？跟他們一樣，把我當男的看）原因大概是兩方都自尊心太强了，大家出去玩，男的總要表示『你可別自作多情，我可不是在追你』；女孩子則表示「你可別看想我要嫁你，我不過跟你玩玩而已，追我的人太多了」，笑話鬧的可多。有一次有三位中國同學請我一起到加拿大去玩一天，大家玩得很開心，可是出去請我的那一位跟另外兩位說好了，要告訴我他香港已有太太，是家裏替他娶的，我明知他是單身的，不知他肚裏悶的什麼胡蘆，後來想通了才覺得好玩！為他以為我以為他在追我，有傷於他的自尊心！另外一個原因是香港，台灣來的女孩子電影小說看太多了，認為男孩子對她有心就天公地道的應該賴皮死追，心裏要是喜歡還是擺架子，男孩子接觸面比較多，思想比較美化，覺得愛情是兩相情願的事，我已拿到碩士博士還愁沒有人嫁？可不願意低聲下氣追，更是追不上了。男同學可回國相親，女同學在美國的苦頭比男同學吃得多！心裏苦悶可也比男同學多！女同學一大把在這裏沒人追，男同學卻喊娶不到老婆，是時代的悲哀也！

春假裏住在高家，嚴教授說已收到有有的信了，不過最近因太忙不能抽空回信，說有有信上好像表示學校寄APPLICATION FORM來了就表明可入學，收不收或給不給FELLOWSHIP又是另一回事的，她希望有拿到了獎學那就好極了。

嚴教授告訴人說：我是她好朋友的乾女兒，所以就像她自己的乾女兒一樣，對我真是無微不至，春假住在她家裏，我天天早上睡到十一點鐘吃過稀飯（最喜歡也是住在姊妹會社最想念的）後不久又吃午飯了，下午幫她打字，（有錢賺的）晚上看電視，舒適的一天又過去了。

復活節前夕，我到HOST FAMILY因女兒第二天到歐洲去，請客，請了我到他家裏過夜，我們在高家做了兩盆杏仁豆腐，又借了電毯被單等去了，我HOST FAMILY孩子六個外，家裏還常有不少客人，那麼好客，對客人又從不吝嗇……這回女兒出國我知他家裏一定多住上六七個人，被單毯子可能不够，自己帶了去，他們APPRECIATE極了。那先生是教書的，教中學，家裏孩子六個開銷自然不小，所以後園裏種了各種蔬菜草樹，還養了鷄生蛋，幫補家用，熱鬧極了。二女兒在華大讀書，長得非常漂亮，兩年前被選為燭光皇后，到北歐玩了一趟，不過癮，回來便一邊讀書一邊做事，什麼工都做……女侍，店員等，現在將存够錢到歐洲再玩一趟，算是逐了心願。

夜深了，圖書館就要趕我出去，下次再談，想台灣現在已杜鵑花盛開，陽明山美景如在眼前。

敬祝各位身心愉快

毓賢敬上

停刊電影廣告風波
雙方仍然僵持不下
三報立場堅定決心不妥協
電影界營業情形不如理想

（本報通信員柳一權台北消息）台北市三家大報——中央日報、聯合報、中國時報，自從七月一日，毅然停刊一整版電影廣告，改刊兩批「電影簡訊」之後，一個月來，備受社會各方讚揚。特別是三報將原來電影廣告地位加刊六批新聞，使社會意味着三報這次行動，目的純在加强服務讀者，而不是「增加廣告收入」。

據有關方面的消息三報在七月份發行量非但沒有減少，反而略有增加。這對三報是一種鼓勵，也加强了三報堅持原則的信心。據說：三家報紙負責人，會經客觀而深入的檢討，所得的結論是，社會既然絕對支持這一改革，三報一定貫徹初衷，除非電影界同意縮小廣告篇幅為十二批，不考慮恢復刊登。

電影界方面如何呢？一般說來，隨着各別利害的差別，而有三種不同的態度。

第一種是拿外國人發薪的外片公司夥計和演西片的戲院老鬪，他們是控制同業，動輒以停刊廣告威脅報社的幕後操縱人。他們有一個十二人小集團，每星期一聚會，談談「公事」之後，繼之以吃喝玩樂。這一批人，因為太閒，一貫製造問題，這次更挑撥報界分裂，他們的行為早已失去社會的同情，種的是惡因不會結到善果。

第二類是有實力的製片人和片商，他們投資製片，或是買進了外片，等着上映賺錢，突然三家主要的報紙停刊了電影廣告，同時不再刊載電影新聞。而這三家報紙在台北市的發行數超過二十七萬份，具有絕對影響社會輿論的力量。沒有報紙的電影宣傳，事實上撤掉了電影和廣大社會之間的橋樑，他們的投資等於一半泡了湯，焦灼萬狀心急如焚。但是，幾個公會都操縱在「星期一聚餐會」的少數人手中，他們想要反抗而又鬥不過那批人，只好眼淚往肚裏吞。他們是今天最值得同情的一羣。

第三類是手裏沒有片子的片商，目前停止拍戲的製片公司。三家大報不登電影廣告，暫時與他們無利害衝突，說說風涼話，樂得隨聲起哄，等到一天他們買進了片子，或是開始拍片了，那時報紙上隻字不登，他們立刻變成了第二類的苦哈哈。

七月，學校放假，公務員辦公半天，幾十萬人有過剩的時間，尋求消遣，這是每年電影界的黃金檔期。今年如何呢？除了老片重演，過去作過宣傳的「羅馬假期」，一枝獨秀外，七月份台北市電影院，無論西片國片，平均賣座比去年低了三成。某公司推出的王牌武俠片，「××××」，製片成本超過一千萬，預計在台北市做三個星期，結果五天之後，就小貓三隻四隻，一星期下片。某公營公司推出兩部應時應景的「××××」「××××」大片，賣座淒慘萬分，又賠了老本。這家公司目前負債已達一億七千萬元，眼看除了繼續賣戲院，賣土地外，已經撑不下去了。

其餘的戲院，也都景況淒涼，一旦暑假過去，學校開學，真叫人替他們揑一把汗。

電影文化藝術單位
幷未出面協調解決
傳說紛紜令人迷惑不解
是非黑白將會水落石出

照理說，電影界和三家大報之間，如此僵持不下，主管新聞文化藝術的單位，總應該出面協調解決，才算盡到職責。可是，至今沒有看到有什麼動靜。原因何在？令人迷惘。

有一種說法，正在廣泛流傳。那就是某單位管電影的人，早在三報和電影界發生糾葛之前，即已因「熱情服務」而和電影界感情親切，到了「不分彼此」的程度，他們之中有人的兒子或兄弟又在做影片生意。這次電影界六月廿九日宣布停刊三報廣告，六月三十日便採取行動，想使三報湊手不及出洋相，報紙無論於情情理，都是被動挨打的一面。不料有權管電影的人，為了上述的原因，一面倒在片商和戲院老闆那邊，把一切責任推在報紙頭上，這使得三報負責人十分不滿，其中，某民營報老闆中央委員××，含蓄的將這件事告訴了管電影的人的上司。這位上司學者風度，書生本色，聽到一些內幕，恍然大悟，他雖管不住手下的驕兵悍將，牛鬼蛇神，但，最少他在政策掌握上不會有偏差。而且，正在有人深入了解，是非黑白，終將弄個水落石出。

照目前的情勢演變，三報立場堅定，同時也毫不在乎電影廣告費的收入（每報每月不到二十萬元，但三報的廣告營業額每月都超過了六百萬元），是可以肯定的。再加上三報的負責人，都是執政黨的中央委員，對此決不會讓步，報紙銷數又多，電影界想透過任何力量，來個高壓就範，也將是白日作夢，永無希望。

反過來看電影界，面對着電視强大的威脅，又不自量力的和三家大報鬧翻，兩面受敵，情況只有一天天走下坡路，看不出半點好景。電影也是一行生意，作買賣，本錢是師傅，絕大多數的片商和戲院老闆，被幾個別有用心的人牽着鼻子走，毫無目的的虧掉血本，眞可謂愚不可及，十分可憐！我們關心的是這一羣值得同情的電影商人。

喬治桑外傳　一六六

張大夏

喬治桑確實餓了，一口氣吃了三片烤麵包。

雅麗絲跟喬治桑做事日久，也變了夜貓子，喬治桑在吃東西的時候，她神采奕奕地坐在沙發裏聽電晶收音機的輕音樂。一面在看美國「美化家庭」雜誌。

「包死，你看這個客廳的佈置眞漂亮極了，美國人的物質享受，我們到底趕不上。」雅麗絲用手指着雜誌上一幅彩色照相給喬治桑看。

「嗯，」喬治桑瞥了一下，坐在雅麗絲對面的沙發上。

「在美國是不是一般家庭都是這樣的？」雅麗絲也和中國現代一般女孩子一樣，沒有去過美國，對美國有一種嚮往之情。

「美國社會還不是一樣有貧富不均的現象。黑人住的貧民區，骯髒黑暗與高等住宅區形成强烈的對比。妳在雜誌上看到的圖片，當然是有錢人家才辦得到。」喬治桑對雅麗絲說話，要顧慮到教育的意義，自然不能信口胡扯。

「你說的很對，台灣有很多女孩子為了盲目崇拜美國，上了人家的當，到了美國非但不能實現美麗的夢想，而且遭遇了悲慘的命運。現在，大家已經警覺了。」雅麗絲並未停止翻閱雜誌。

「妳在看『美化家庭』雜誌？衂不是打算要建立新家庭了，」喬治桑微笑着問雅麗絲。

「是的，這都是因為你一再勸我的原故呀。」雅麗絲拿喬治桑當父親看待，所以說話很坦率。

「對象是不是蘿蔔？」喬治桑未免有點明知故問。

「不是蘿蔔難道是白菜？」雅麗絲將蘿蔔蔡的洋名，與白菜連在一起，倒是很風趣的。

「那很好，蘿蔔很不錯嘛。」喬治桑很希望雅麗絲婚事早日定局，完全是為人父者的心理。

「說實在的，我以前總覺得結婚是一種冒險，我覺得男人根本靠不住，自從接受你的開導以後，我覺得這是人生所必需經歷的旅程，要冒險也只有冒，你說對不對。」雅麗絲將雜誌擺在腿上，用手攏了一下頭髮。

台北傳奇錄（六四）

·陳光棣·

賴慧敏在三天以前就託金小姐約了亞力山小和大家稱作電燈泡的約翰，這兩個洋人不但學問好教養也好，為人又很隨和，聽說賴慧敏請他們吃中國菜，直喊「妥得富」！

賴慧敏下了班約着金小姐一起先回家，賴太太看到金小姐的喇叭褲不住的感嘆，假如自己年青幾歲，也作一條這玩藝兒穿穿，那才過癮呢。賴先生老早就回了家，賴小妹賴小弟也都打扮起來。少時喬鑄鋼大夫先到，提着職業性的大皮包，口銜雪茄煙，一看就是位眼睛雪亮專門看着病患的錢包收醫藥費的醫生。第二個客人是姚民規，他是私人司機替他提着特大號的藥包，那神氣不像是來赴宴，倒像是來出診。金小姐一到，便受到賴先生的熱烈歡迎，並且談的很起勁。賴太太親着喬鑄鋼問長問短，姚民規聽說客人是兩個洋醫生，心裏不住的打鼓。

鐘鼓六響，洋客人按着電鈴。賴太太第一個站起來：「洋人眞守時間，我去開門」！賴太太一開門就嚇住了，前面站着電燈泡，是個四十來歲的矮胖子，後面站着個黑人，黑人眞是黑裏透黑，紅裏透亮，兩個洋人微笑着向賴太太招呼，金小姐趕緊站起來把兩個人介紹給在座的人，賴太太木然的站在門口，說不出是驚還是喜，是氣還是恨，當着別的客人又不便說什麼，繼而一想也許是那個年歲大的矮胖子，絕不會是那個黑黑的朋友，要是矮胖子的話，倒是可以將就將就，想到這裏被一陣嘈雜的就坐聲驚醒過來，只好心情七上八下的就了座，金小姐給賴太太一介紹，眞是怕什麼有什麼，黑鬼子果然就是亞力山小，賴太太不由的意味深長的瞪了女兒一眼，賴先生究竟是見過場面的人，居然進退有據，談吐自然，不過她還是偷偷的在茶几下面跟太太一腳，倒是金小姐談笑風生，姿態優美，賴慧敏由衷的佩服。本來賴慧敏打算臨時變卦的，她認為這簡直作劇太過份了，念到她了父母的心意，金小姐兩句話，她才又鼓起勇氣來，金小姐說：「妳是願意嫁媽媽和妳爾喫呢？妳還是願意從此耳朶根圖個清靜呢？」

晚飯馬上就開始了，大家入了座，賴太太忙不迭的問亞力山小是幹那一行的？

「我是獸醫」！亞力山小操着流利的國語。

賴太太不住的叫苦，心想：「天哪，這黑鬼子怎麼偏偏又是獸醫」？電燈泡補充着：「他正在研究亞熱帶的耕牛」？

賴先生差點把咀裏的白斬鷄吐出來。喬鑄鋼究竟是醫生，對于亞力山小的研究工作表示嘆服，便著實的奉承了兩句。（未完）

我所體會到的因果

·文匯樓主·

廿世紀七十年代，吳剛伐桂，嫦娥奔月神秘變成太空人揭穿後，第二目標將爲火星，如果還來談因果報應，論者或謂太冬烘太落伍了。

就樓主一生經驗，因果循環如影隨形，其區別遠近不同，大小有異，有久有暫，有遲有早，未聞種惡因而能結善果者，也未看到一生行善而得惡報者，祇是一般的人早上栽樹，晚上就要納涼，或晚間播稻次晨即欲收割，這當然是辦不到。

爲善而報遲者，就像看人的財富，必須將欠債清償後才能治產置業，如果一身是債不償，而欲做富家翁，豈不是緣木求魚嗎？另有很多人爲惡，遲遲不獲報應，其理更明，比如早上殺了人，嫌兇畏罪逃亡，因未歸案判罪就認爲沒有報應，同是一種錯誤觀點。

有人說歐美人崇尚「物競天擇適者生存」，根本就沒有這一套。不過這話是有問題的，美國故總統甘迺迪兄弟被刺即與其家世有很大連帶關係，外文報紙有詳盡報導。即最好的證明，墨索里尼被處極刑，希特勒死於非命，東條英磯上絞台，誰能說他們不是自己吃自己所種來的惡果呢？鴉片烟在中國是舶來品，於今共匪爲吸收外匯大量輸出。禍延歐美各國，亦親共份子應得的惡果。中國的剿共戰爭，由於美國對華政策與駐華停戰執行小組幫助毛澤東，抑制國民政府的結果，陷大陸七億人民於水深火熱，也帶給美國不可收拾的災害，誰能說這不是因果呢？

三國曹操殺戮孤兒寡婦搶到帝業，司馬懿又以同樣方法殺戮曹氏後裔造成三國一統，這叫作顛覆之報應。近代某學人不提倡孝弟，他的兒子與媳婦對翁姑因皆不孝，長媳且常修理其姑，另一兒子在人民日報上大發謬論：「我不殺我的爸爸怎麼能對得起人民」。這是反對孝弟的報應，

巴爾扎克說：「當你在情婦那裏穿上外衣時，正是你的夫人在情夫前脫去內衣」。這和中國成語裏：「淫人妻女，妻女必被人淫」，同屬放蕩好色之報應。執政黨有辦兵站周某者，看到大局危險無望，擄將兵餉幾噸黃金竊逃香港，照道理這幾噸黃金，經政府向港數次交涉引渡未果，不完了，但不到廿年就窮得飯都沒有吃，這叫作貪污報應，現實的例子數以千計，舉不勝舉。

樓主認爲科學越進步，物質文明越提高，越要信仰宗教，重整道德；目前的社會，已若脫了韁的野馬，眞不知怎樣收拾。

文匯樓劄記

莊姜（中）

——黛眉小傳之一

王幻

這首詩藉衣服的表裏，顏色的正間，襯托「妾上僭，夫人失位」之憂忡。可是往深處想：爲貴的黃色和低賤的綠色，由於是女工所染的；這僅是觀念的差異，何有貴賤的分別？猶如絺（絲旁）和谷（絲旁）兩種夏天用的衣料，又有什麼可怨的突被寒風吹襲？只要效法古聖先賢，身自愛不犯錯失就好了。這樣哀而不怨的素養，正說明了莊姜的品德。

（四）

衛莊公在位廿三年去世，公子完嗣立爲君，是爲桓公。這位生於深宮之中，長於婦人之手的國君，生性懦弱，石昔（石旁）知其不能有爲，況且臥榻之旁，又有虎視耽耽的州吁，伺機而動？他遂告老在家，不與朝政，州吁益無忌憚，日夜與石厚計劃篡奪的陰謀。

常言道：「是福不是禍，是禍躲不過。」要發生的事，終於發生了。其時周平王崩訃適至，衛桓公欲如周弔賀，州吁預命石厚領甲士五百，埋伏西門之外，他則親自駕車迎桓公於行館，早已排下筵席，爲桓公奉餞送行。當酒過半巡，州吁乘敬酒的機會，藉故閃至桓公背後，突出短劍從後刺之，刃透於胸，即時傷重而死。從駕諸臣，自度形勢不利，只得降順。以空車載屍殯殮，託言暴疾而死。州吁遂代立爲君，拜石厚爲上大夫；桓公之弟公子晉，在莊姜的安排下，逃奔刑國避禍。

州吁即位三日，聞外邊沸沸揚揚，傳說弒兄之事，乃召石厚商議：「欲立威隣國，以脅制國人。」遂遣使於宋、魯，求其出兵相助；並欲合陳、蔡之師聯合，討伐鄭國。於是，州吁不得不去到後宮，晉見莊姜和戴嬀（時厲嬀已故），陳明來意：一則由於齊鄭有石門之盟，衛若伐鄭，恐齊國救之，欲請莊姜修書與齊，能予阻止；再則由於戴嬀是陳桓公的女兒，欲請她回陳國，而求乃父借兵，支持衛國的軍事行動。莊姜的「終風」和「燕燕」二詩，就在此時寫成的。終風前兩節云：

終風且暴，顧我則笑：謔浪笑敖，中心是悼。
×　×
終風且霾，惠然肯來；莫往莫來，悠悠我思。

把州吁外貌恭順，內心得意，那副虛假的咀臉，已刻劃盡致。這時的莊姜和戴嬀宛如幽囚，好像處在陰雲密佈，風雨欲來的境地，悲悼被害的桓公，實有飄風不終朝的感受。這對情同姐妹的人，幾經商量，與其死在一起，毋寧走爲上策。莊姜決定先讓戴嬀回陳國去，不是爲借兵，而是爲逃命。這種死別生離的心情，充分在「燕燕」詩中表現出來。全詩是這樣：

燕燕于飛，差池其羽；之子于歸，遠送于野。瞻望弗及，泣涕如雨！
×　×
燕燕于飛，頡之頏之；之子于歸，遠于將之。瞻望弗及，佇立以泣！
×　×
燕燕于飛，上下其音；之子于歸，遠送于南。瞻望弗及，實勞我心！
×　×
仲氏任只，其心塞淵；終溫且惠，淑愼其身。先君之思，以助寡人！

哀憐之情，泫然筆墨之上，可謂「執手相看淚眼」，泣不成聲。臨別時，互道珍重，語音低啞，猶如失羣的燕子，一聲聲呢喃的呼喚，倍增淒楚！（未完）

自由詩壇

漁叔題

陽明春曉

·沈兼士·

天公知我欲春遊，雨後新晴景倍幽；
耽　鶯聲驚曉夢，婆娑花影掩荒；
山林簌簌疎還密，泉水涓涓細始流；
行樂及時應記取，風光駘蕩解吾憂。

猴山疊翠

·沈兼士·

振衣千仞嶺，一覽衆山低；
海水天邊合，峯巒霧裏齊；
樓台高入漢，桃李下成蹊；
避世知何處，問津徑已迷。

說曹操

李漁叔

（卅三）

次說張魯

斬其將楊任，進攻衛，衛等夜遁，魯潰奔巴中。公軍入南鄭，盡得魯府庫珍寶，巴漢皆降，復漢寧郡爲漢中……」

又張魯傳：「建安二十年，太祖自散關出武都征之，至陽平關，魯欲舉漢中降，其弟衛不肯，率衆數萬人拒關堅守，太祖攻破之，遂入蜀。」

這是曹軍攻下張魯的大致情形。昭明文選卷四十一，載有一篇曹洪答魏文帝曹丕書，頗記這次戰爭的情形。實在是號稱建安七子陳琳的手筆，曹丕一見自然認識，所以曹丕會說：

「上（指曹操）平安漢中，族父都護還書與余，盛稱彼方土地形勢，觀其辭如陳琳之所爲也。」

曹洪是曹丕的族叔，這時正做着都護將軍，從征張魯，故說是族父都護。曹洪是一個純粹的武人，卻要假充通品，一再申明這封信是他自己寫的，從開首即說：「得九月二十日書，讀之喜笑，把玩無厭。亦欲令陳琳作報，琳頃多事，故自竭老夫之思。」

後面還有一段有趣的話：

「間自入益部，仰司馬、楊、王遺風，有子勝斐然之志，故頗奮文辭，異於他日，怪乃輕其家丘，謂爲倩人，是何言歟。」

除掉自吹自擂外，還責怪曹丕不相信他自己能爲文辭，說是請人代做的。想見曹洪當時任聽陳琳作弄，可說天眞極了。那信上說到作戰情況有如下二段：

「漢中地形，實有險固，四嶽三塗，皆不及也。彼有精甲數萬，臨高守要，一人揮戟，萬夫不得進，而我軍過之，若駭鯨之決細網，奔兕之觸魯縞，未足以喻其易。」

又：

「昔鬼方聾昧，崇虎讒凶，殷辛暴虐，三者皆下科也，然高宗有三年之征，文王有退修之軍，盟津有再駕之役，然後殪戎勝殷，有此武功。焉有星流景集，飈奪霆擊，長驅山河，朝至暮捷，若今者也。」

這封信雖屬天才人之筆，恐怕是陳孔璋在軍中匆匆寫成的，詞鋒豐富，筆力也不弱，但用典的地方，有一二處錯誤：如文中「過高唐者效王豹之謳」，這一條出於孟子，「王豹」應該是「綿駒」的誤用。而那一句有「子勝斐然之志」，卻是大成問題，原文出墨子公孟篇，「告子勝爲仁」。告子就是和孟子論性的那個人，這裏說「勝爲仁」，係能勝任的意思。閻若璩四書釋地曾說過「告子名不害，字子勝」那是從孟子弟子浩生不害誤會起來的。蘇時學孫詒讓均以爲「並無確證，不可據信」。而此文子勝之下又加上「斐然之志」四字，不是誤記，就是本店自造了。

那些且不去管他，單說打仗的事如此容易得手，證以他書，似乎言過其實。因爲陽平關（在陝西沔縣西北，二十四年劉先主自陽平關渡沔水，破夏侯淵於定軍山，亦即此），地勢極其險要，故此函前面即曹說是：「臨高守要，一人揮戟，萬夫不得進」，那也是實在的。我們看到三國志魏志裴注所引的兩件魏名臣奏，才知道這戰役前後眞實原因，第一是董昭表：（未完）

安徽十三傑
管仲　李聃　莊周　曹操　華佗　包拯　朱熹　朱元璋　戚繼光　李鴻章　段祺瑞　胡適　楊振寧

諸葛亮狂想曲

（一四五）

劉[illegible]

「那好極了，我留約翰在這兒一起談好不好？」諸葛亮說完又問二仙要喝點甚麼。「泉水最好。」何仙姑把長袖一甩，身段美妙已極，戲台上第一流靑衣的水袖工夫差不遠矣。

原來天庭有名氣一點的仙家，都有甘泉設備。甘泉冬暖夏涼。像美國自來水一樣，可以喝，又可以洗面澡身，有祛病延年之效。

琴童拿來兩大杯甘泉，呂洞賓端起喝了一口。何仙姑一仰頸子，一連喝了好幾口，很像美國娘兒們的作風。

「諸葛先生，宇宙發展委員會，你何時就職？」呂洞賓身背（手旁）寶劍，坐在椅子上，身體離靠背寸許，樣子很滑稽。

「要等太白星君海王星探險計劃成功以後，才能決定就職日期。」諸葛亮羽扇輕搖，神態優閒。

「海王星探險？天庭各仙養尊處優，恐怕沒有人肯參加罷？」何仙姑喝了幾口甘泉，聲音越發清脆得像銀鈴似的。

「星君道法高妙，他們需要的太空仙是指點猢猻變化而成的。」諸葛亮在人前人後，總是有意無意間捧太白星君的場，足見他倆交情之厚。

「眞了不起，難怪他受玉帝如此重視了。」何仙姑嗟嘆不已。

「二仙光降有何令使？」諸葛亮對於八仙說話，一向是很客氣的。

「不敢，不敢，我們此來是爲了即將召開的蟠桃大會之事。」呂洞賓背的寶劍碰在靠背椅上，錚然有聲，只好又欠了欠身子。

「蟠桃大會？爲甚麼要找我呢？」諸葛亮雖然有神機妙算，卻估不透呂洞賓說話的意思。

「你和諸葛先生談罷。」呂洞賓將何仙姑當小妹看待，所以說話老格格地。

「蟠桃大會，百戲雜陳，以娛王母，可是每年表演的節目，搞來搞去就是那套戲，我們本年想編幾套新奇的，博王母一粲。」何仙姑在天庭稱歌舞界巨擘，連麻姑都遜她一籌。

「我什麼也不會表演呀，難道你們想叫我去唱一齣空城計？」諸葛亮面帶笑容，自我調侃，這是西洋的上乘幽默。

「諸葛先生眞會說笑，我們來找你，就是想找劉約翰先生談談。」何仙姑臉上帶着詭秘的笑容。

「我更是一竅不通，仙姑找我有什麼用？」劉約翰顯出很惶惑的樣子。

「我們想和你商量一下，想請你的夫人參加表演。」何仙姑至此才點出正題。

「我沒有太太，你們是知道的。」天庭不像人間，男女光棍特別多，劉約翰確實是誰個不知，那個不曉的光字號朋友。（未完）

巨變歷險記

行軍苦（二）

（一四八）胡慶蒼

在山地裏行軍，非常的苦，一苦於路途之難行，二苦於水多水涼。山區，人烟稀少，彼此的聯繫，本來是應該有路的，本來是有路的，但因爲人口的變動，莊村的變動，有的路沒人行走，也就被荊棘所掩沒，變成沒有路了。滄海桑田，古今同悲，山地的滄海桑田，最容易發現，常常會看見房屋的遺跡，莊村的遺跡，但遺跡雖還在，人烟已經沒有了。道路荒棄，雜草叢生。現在經過，就非披荊斬棘不可。

山裏邊有一種草，一根一根的，獨獨的一根，沒有枝，沒有葉，形如一把長劍，高可過人，非常富於韌性，簡直沒法子把它折斷。上面像帶着刺似的，摸着非常艱澁，簡直不敢摸，不敢碰，顏色淺綠。這一根一根的草，等於是一個長長的葉子，在山地用處極大，用來編草排，蓋房子。這蓋起房子來，非常利水。水絕對存不住，一到上邊，就滑下去了。這長長的草，鋒芒都利得很，兩旁從下到上，從上到下，簡直像一把劍，鋒利非常，貼不得，摸不得，一貼一摸就會流血。遇着這種草擋路，非砍伐去不可。不然，要穿過，非穿着衣服不可，不然皮膚會受傷的。滿山滿谷的「劍草」，在柔風之下，非常美麗，古人形容一個美人的身體，有風擺柳之說。但我以爲柳還沒有這劍草柔和，風擺柳的腰身固然美麗　風擺「草」的腰身更爲美觀。因爲長雖不是詩人，但苦中作樂，即景生情，吟出一首詩來。不管合不合韻，但讀起來却非常好。這首詩是：一族人馬隨山轉，萬山草木送君行……萬山如拜我如迎。四句又忘記了一句，只剩上邊的三句。單就這三句言，也夠唱采的了。萬山草木送君行，隨山轉的一族人馬來可以自豪矣、自豪矣！萬山草木有如萬民，可謂聲勢浩大。送君行三字最好。比方人馬向南走，風向南刮，「劍草」個個都向南灣着，好像在恭送的樣子。假如風是對頭風，風對着人馬刮，這萬山草木，這萬山又像在拜，在向着人馬拜，人馬又像在迎。

路不好走，水更難過。山區的水多！中國人常把山和水放在一起，中國人常說山水，可見山和水之關係。走山路固然困難，走水路也不容易。有時候走水路的困難，遠超過走山路。山澗溝的水特別涼，尤其是冬天。涼的程度有非一般人所能想像者，不曉得爲什麼涼？不曉得爲什麼涼到這種程度……水，簡直像劍草一般，皮膚一貼到，簡直就像說利的刀子在割。但劍草還有法子躲閃，水就沒法子躲閃，腳，腿一定要伸入到水裏。腳，腿一擱進去，就好像被刀割的一般。出來水以後，腳，腿更痛，簡直痛得不敢摸。一族人馬隨山轉，一族人馬隨水轉。轉來轉去，轉去轉來，走個不停，轉個不停，會把你轉昏，會把你轉迷。鞋子泡進去，鞋子又拿出來，水隨着進去，水又隨着出來，水是出不完的，腳常在水中。

封神梅山七怪

・匡寥・

搜異錄

周兵至稠池，飛廉（古書有此人名）奏請「出榜招賢」。一日來了三個豪傑來揭榜文。三位原是梅山人氏（此三人即搜神大全中梅山七聖），一名袁洪，一名吳龍，一名常昊。此乃梅山七聖，先是三人投見，以下具陸續而來。袁洪者，乃白猿精也，吳龍者，乃蜈蚣精也，常昊者，乃長蛇精也。第九十二回說：有一頭陀曰：吾乃梅山煉氣士朱子眞也。又一傑士求見：其人曰，末將姓楊名顯，祖籍梅山人氏。此傑士乃是羊精也，借楊爲姓，是梅山七聖俱是袁洪一起，只恐旁人看破，故此陸續而來，托姓借名以掩衆人耳目。天子敕命，送一寶來：…來者答曰：末將姓戴名禮，梅山人氏：…是梅山之狗精也。一人身高一丈，頂生雙角，撮咀尖耳：…曰：末將姓金，雙名大升，祖籍梅山人氏。此來者又是牛怪」。以上七怪，俱爲楊戩所收服，最後封神爲「梅山七聖」。」這七怪在封神中都是動物成精，然在古籍中也都有根據。

袁洪乃是白猿精。王子年的「拾遺記」中說：「周羣遊岷山，見一白猿，化爲一老翁，手中有玉板長八寸，以授章」。又續江氏「江總白猿傳」謂大同末，歐陽紇之妻，被白猿掠去。白猿是通身白毛，長數寸，所居常讀木簡，字若符篆，了不可識。晴天或舞雙劍，環身電飛，光圓若月，飲食無常，喜啖果栗，尤嗜犬，咀而飲其血。日始逾午，即歘然而逝，半晝往返數千里。「吳越春秋」亦有白猿之記載。（從略）

白蛇之成精，以「白蛇傳」故事家喻戶曉。此外如「太平廣記」有載：「杜預爲荊州刺史，鎮襄陽時，讌集大醉，閉齋獨眠，因醉至齋外嘔吐，左右聞齋中有不悚然之聲。有一小吏開戶見之，正見床上有一大蛇，垂頭於床邊吐，都不見人，左右密如此。」白蛇變人者多，不勝枚舉。

吳龍爲蜈蚣精。「一領表錄異說：「南越志載，蜈蚣大者能咬牛，里人或見之，則鳴鼓燃火以驅逐之。」「異苑」說：「胡充……有大蜈蚣長二尺，落充婦與妹前，令婢挾擲，婢才出戶，忽見一老叟。」白蛇傳中也說白素貞與蜈蚣精大戰的故事。這些當可爲封神作者的材料，不無所本。

楊顯是羊精。「廣異記」說：「長安白氏宅，恆有青衣婦人，不知其所由來……私令婢其曳絲履，求之不得，狼狽而去。雙履視之，則羊蹄也。至宅東寺中，見長生青年而雙蹄無甲，行甚艱蹶，嘻而殺之，其怪遂絕。」

金大升，牛精也。封神牛怪，當是採取「湘中記」所說：「長沙西有金牛岡，漢武帝時，有田父牽牛告漁人曰：「寄渡江」，牛糞於船。田父曰：「以此相贈」。方覺是金」。天上有金牛星，故牛怪採姓金，恰到好處。

戴禮乃是狗精，有三種史料可取。「搜神記」說：「宋王仲文，晚行澤中，見車後有白狗，仲文甚愛之，欲致之，忽變形如人，狀似方相，目赤如火，差牙吐舌，甚可恐懼。」「宣室志」說：「韓生所畜黑犬，化爲一丈夫，衣冠盡黑，既挾鞍致馬，上鞍而去。」

朱子貞乃是朱怪也。「搜神記」說：「吳時廬陵縣亭，湯應入庭宿焉，至三更竟，忽聞扣閣聲，應問爲誰？答曰：「府君相詣」。稱府君者，便與應談……應追至亭後，砍幾入焉：……稱府君者是一老豬。」

又「疑仙傳」說：「朱子貞者，（唐大曆時人）長安南山，古有別墅焉，家甚富。……」而朱子貞則爲歷史人物。作者固已採取了歷史人物與神怪之說揉合而成。與二郎神楊戩創作一樣。（以後請看二郎神便知）以上七怪重出在梅山。按梅山在今河南鄭縣西南三十五里，與新鄭縣交界，此即左傳襄公十八年，帥師右回「梅山」侵鄭東北。

再說七怪尚有許多筆記載其事。「三教搜神大全」清源妙道眞君傳說：「趙昱入水斬蛟，時從入水者七人，即七聖也。」「神仙通鑑」說：「從趙昱入水者七人」。下註云：「即梅山七聖也」。這七怪的來歷，是封神作者採取了「三教搜神大全」，「神仙通鑑」以及名人筆記。不僅封神作者如此，西遊記作者也一樣採取了。只是名稱稍有不同而已。封神稱七怪又名「梅山七聖」。而西遊記則改爲「眉山七聖」，換了地方。但有關係可說。原來道「七聖」是出自二郎神同一故事。二郎神是中國各地的水神之綜合體。凡是有水神的故事，都有一梅山七聖」的弟兄七人。關於此一節，請看「二郎神與梅山七聖」，才知全貌。

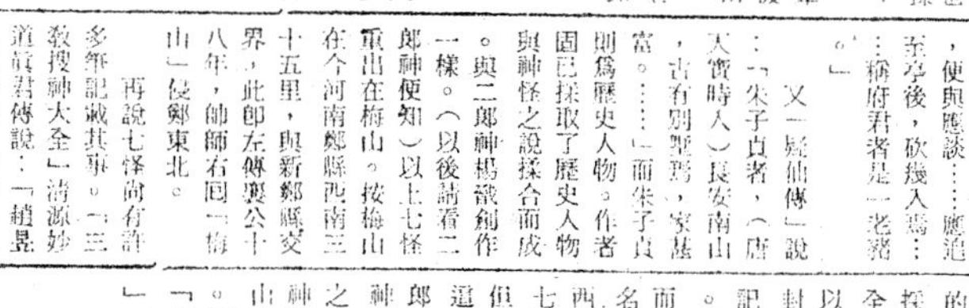

生活漫談

大蒜的功用

馬鶴雲

大蒜的功用，在描寫各書裏談得很多，在台北香港各報也登了好幾篇，有感仍未盡意，再提出就已往未敘述過者，瑣屑談之。台灣大蒜粉出口，已賺到相當多的錢，是一條賺外匯的直徑，惜注意到的人還不太多。一般人喜歡模仿，乃至於做假藥，有的以身試法，不若動新腦筋。

蒜屬百合科，多生暖地，爲多年生草本，臭氣極烈，地下有鱗莖，葉類水仙，細長扁平，入藥以獨子者爲佳。入胃後，被胃酸化合，所含各汁，如揮發性含硫油，及大蒜油，漸次分解，刺激胃粘膜，使腸壁吸收增進，故能治一切不消化性瀉痢，爲消化氣管一切細菌性痰患之要藥，德國藥烏力撒丁，即由此物提出，日本國及東南亞均普遍推行大蒜製劑，更由腸壁吸收，而達血中，促進血液流動，同時由中樞神經而傳入氣管枝神經，氣管枝四圍粘膜分泌增加，能迫使痰液外出，爲治肺癆之效藥，又能發汗利尿，逐穢通竅。

大蒜味辛氣溫，溫辛過甚，故其性有毒，薰臭異常不宜多吃，辛溫能避惡散寒，鄉民謂可驅邪，北方端陽節常懸掛大蒜於堂前殺毒氣，及外治散癰腫熱瘡，辛溫走竄，無處不到，脾胃之氣最芳香，薰臭損神耗氣，故久食則傷肝，總之其功長于通達走竅，祛寒濕、避邪惡、散癰腫、化積聚、暖脾胃、行諸氣、解瘟疫等。大蒜治肺癆有絕大效力，能使全身症狀減退，稀少痰量、鎮咳嗽、止盜汗、治呼吸困難，更能滅菌殺蟲，食後能滲透全身，增進食量，心力活潑，大蒜之有效成份，多在其揮發物中，宜生用之，但生食有不快臭氣而使人厭惡，如煮熟後，則其揮發物盡去，用之難得預期之效，治癆之法，取去皮大蒜切片，用高粱酒浸成十分之二，酒色初淡黃，後現深黃，及變深黃色，入瓶密貯，至少須二十天可用，再次服蒜片二分半至三分，日服三次，可以久服，極有效力。

酸大蒜能辟痧氣。痧疫初起時，肚痛泄瀉，或胸悶嘔吐類似霍亂，可以大蒜用鹽和赤糖醃好，和燒酒或醋同吃甚效。治咽喉腫痛，用大蒜頭一個，少和食鹽打爛，敷在虎口穴，男左女右，不多時即起一泡，隨以銀針挑破，流出毒水，其痛即止，此方百發百中。牙疳喉痒，及單雙乳蛾皆效。塗發背癰腫，取獨個蒜橫切一分，安腫頭上，炷艾如梧子大，灸蒜百壯，自覺漸消，但勿太熱，覺痛就掀起蒜焦即換新者，勿損皮肉，不計次數，惟須痛者灸之不痛，不痛者灸之痛而止，　贅之類，多之亦使成　而脫。鼻血不止，或泄瀉暴痢，服藥不應，用蒜一枚去皮，研如泥，作錢大餅子，厚約一豆，左鼻血出貼左足心，右鼻血出貼右足心，兩鼻出俱貼、立癒。大蒜生者辛熱，熟者甘溫，除寒濕、辟陰邪，下氣暖中，消穀化肉，辟惡血，攻冷積，治暴瀉腹痛，通關格便秘，辟穢解毒，消痞殺蟲，外炎癰疽，行水止制腥臊鱗介消毒，入藥以獨子者良。

第九章

宋康王逍遙自全　徽欽帝被虜入金

爲何只拘秦檜，因爲秦檜爲御使中丞領銜之故。但是秦檜一人是因禍得福。

吳幵、莫儔這持議狀詣金營，一面邀邦昌入居尚書省。張邦昌這人本無野心，只是被人來傀儡。後人罵之爲「兒皇帝」「漢奸」，有些冤哉。當時張邦昌本不願就，意欲自殺。吳幵、莫儔對他言道：「相公前日不效死城外，今日欲令一城塗炭麼？」邦昌乃止此。逐爲一時權宜，在金人刀鋒之下，只好如此。張邦昌雖非死節忠臣，但亦非奸臣之徒，漢奸之類，不可與劉豫同日而語，相提並論。因爲邦昌爲被逼，事前並無企圖，且數十日還政。

張邦昌居於尚書省，靜聽金命。閣門宣贊舍人吳革，不肯屈節異姓，暗往內親事官數百人，謀誅邦昌，奪還二帝，約期三月八日舉事。忽聞金人於三月六日冊張邦昌爲帝，遂不暇延佇，乃於三月六日，各焚居廬，殺家小，起義金水門外。吳革披甲上馬，率衆奪門，適值范瓊相遇，問明來意，佯表同情，當即放吳革入門，甫進城門，范瓊一聲呼喊，武士就將吳革拿下。吳革破口大罵，當時被殺害。吳革之子及義士百餘人，盡皆被斬首，無人投降，死得壯烈。

三月六日（靖康二年），金人正式冊立張邦昌爲楚帝。邦昌北面拜受，受冊即位，升文德殿，設位御座旁，受羣下慶賀。邦昌不敢正望，並遣閣門傳旨勿拜。王時雍竟首先拜倒，百官也一齊跪地，邦昌自覺不安，但東面拉立罷了。由此足見張邦昌尚非企圖爲傀儡——兒皇帝。眞正的兒皇帝不是張邦昌，而是欽宗、高宗和劉豫。

是日風霾日暈，白晝無光，草木含悲。邦昌神色不寧，即位痛哭。無論是眞是假，史書如此記載。小子不敢一概抹煞。惟有王時雍、吳幵、莫儔、范瓊等四人欣然有喜色。邦昌以王時雍知樞院事，吳幵同知樞密院事，呂好問領門下省，徐秉哲領中書省，其職銜之上具加一「權」字，表示權且代理之意。邦昌自稱「予」，詔命稱「平書」，百官文書亦未改元，但取銷「靖康」字樣，否則無法對金人交代。惟呂好問所行文書，尙署靖康二年。王時雍入殿奏事仍稱陛下，自稱曰臣，且勸邦昌坐紫宸垂拱殿接見金使，呂好問力爭不可乃止。徽宗在金營聞邦昌僭位，不禁泫然淚下道：「若邦昌能死節，社稷亦有光榮。」但徽宗爲何不死節？（四十）

自由報

中國郵政台字第一二八二號執照登記爲第一類新聞紙

（第一〇八八期）

（半週刊每星期三、六出版）
每份港幣壹角・台灣零售價新台幣式元
社長李運鵬・督印黃行
社址：香港九龍彌敦道593—601號
廖創興銀行大厦八樓五座
LIU CHONG HING BUILDING
7th FLOOR FLAT 5
593—601 NATHAN ROAD,
KOWLOON, H.K.
TEL: K303831
電報掛號：7191

承印：景星印刷公司
地址：嘉成街廿九號地下
台灣區業務管理中心：台北重慶南路一段一二九號
電話：二四五七四
台灣區直接訂戶　台灣劃撥戶
第五〇五六號張萬有（自由報會計室）
台灣分社：台北市西寧南路110號二樓
電話：三三〇三四六、台郵劃撥戶九二五二號

本報專論

談當前的大學問題（二）

・張亞雲（水旁）・

我們也常常聽到老一輩的人講我國二十年前的大學教育，他們總不免談到北大和清華，這兩所學府不但教授陣容強，學生素質也好。我們要問，教授陣容強，學生質素好，便必然成爲一流大學嗎？恐也未必，應該是尚有更爲重要的因素，然則此因素爲何？我們不妨試一探索。據說蔡孑民先生出長北大的時候，第一件事便是將工科撥給北洋大學，而將北洋的法科合併過來，北大祇辦文法兩科，表面上的理由是力量更能專注，學校更能辦得好些，至於骨子裏的理由也就無人深究；到了後來，胡適之先生出長北大，據說他便曾公開地向學生表示，「我們北大祇辦文理法三科，至於工農醫商則一概不辦，（按：抗戰後，北大將有工、農、醫科。）爲什麼呢？因爲我們要教育青年，使他們或則宏揚文化，或則精研學理，讓他們成爲頂天立地，繼往開來的人物，至少也得爲社會的中堅，國家的領導份子。」胡先生的話雖不免有輕視工醫農商之嫌，但以北大校長的身份，而表示北大教育的目的則非惟不無可取，也不能說他辦學不無理想。假如我們將蔡胡二先生的合併來看，則蔡先生出長北大時所作的第一件事，其骨子裏的理由恐怕就是胡先生所說的也不一定。再說清華，清華固以理科享譽於世，其法科也極不差，像先師鄒景蘇（文海）先生，即出身於此，他在政治學上的成就，據薩孟武先生說，「百世不一見」，據羅時實先生說，「台灣第一人」，那眞是了不起的人物；他在世時曾親口對我說：「我們當年在淸華讀書，讀的雖是政治系，可從來沒動過參加高考去做官的心，只是一心一意地想把書讀好，希望做個第一流學者。」這樣的志趣該是如何地淸潔，如何地高雅？北大和淸華之所以被共認爲第一流的大學，其因想必便在於此？

寫到此處，我不禁記起了若干年前的一段往事，在一個偶然的場合裏，我與我所服務的學校的一位一級行政主管相遇，我問他：「×先生，風聞自下學年起，本校將增設法律研究所，是否確有其事？」，他說：「是的！」我說：「爲什麼？」他說：「近年來，在校法律系畢業生參加高考很不理想，讓他們再多讀兩年，增加點考取的機會。」我當時不便駁他，但隨後和別人談起，辦研究所的目的不過如此，無人不笑。眞是笑話，天大的笑話！

我個人一向主張「學以至用」，若是學而不能致用，則與不學何異？我也不反對學生參加高考，做稅務員，做外交官，做司法官，但我更主張在二十年後，或者三十年後，他能夠担任財政部長，外交部長，大法官或司法行政部長，有足夠的學識去決定政策，若是到時仍舊祇有排長或軍曹之才，却偏要拿來當總司令軍長用，那國家的前途就可悲了！若是有學生而天生的是讀書的材料，那就更要着意培植，希望他有朝一日能成大器能成爲大科學家、大思想家，爲國家民族，爲世界人類創造更多的福祉。

總之，大學教育應有其正確的目的，我們不妨向英美的一流大學去學習；當然，更不妨好好地去精研一下　總統在育樂兩篇補述中所昭示的一些話。

三、大學的師資

要將一所大學辦理得够理想，師資當然也是十分重要的問題。如何聘請到良好的教授，當然也就十分重要。

好的教授那裏去找？並不是一個簡單問題。尤其是某些特殊系科的專門課程，就是難找適當的教授，譬如我有一位朋友，他在去年秋間擔任某大學企管系主任，他就如此向我訴苦：「教授難請，待遇太低，不肯來，有許多人很有學問，肯來，但資格又不合格。」的確，對企業管理而有專門學識，在今日的台灣，何愁沒有上萬元待遇的工作？另一位朋友担任某大學經濟系主任，他也向我訴說：「經濟地理一課就是找不到適當的教授。」這些都是事實，這個問題也是眞夠嚴重，如何解決，眞是難題。

但是一般來說，大學的師資之缺乏並不如此嚴重，本國有許多研究所，每年都能出許多的博士碩士，至於外國，那就更多！只要我們肯認眞地去探訪，去敦聘，總不致成爲問題的。

然則今日一般大學裏，有關師資的問題是什麼呢？

一般人似乎都有一個共通的眩惑，在大學任教，至少總該有個博士學位才可，於是博士也就特受重視，不僅如此，本國的博士還只能說是將就將就，最好是外國的博士，外國的博士則當然是學人囘國，學人囘國理當受到特殊優遇，那就更不用深究他的學識爲如何了，他當然經綸滿腹，他當然什麼課都能講授。如此，師資的問題便不但發生了，而且還愈來愈嚴重。殊不知同樣的博士，而內容却常常大不相同，譬如學教育的，在美國有所謂「教育學博士」（E・D・），還有所謂「哲學博士」（PH・D・），學法律的，也有「法律學博士」（L・D・）與「法理學博士」（L・L・D）之分，E・D・介乎碩士與哲學博士之間，而L・D・則僅需大學畢業即可，怎可一概而論。還有一種博士，乃是來自贈授，稱之爲「榮譽博士」（PH・D・HR・）那就更與眞實學養毫無干係了。自另一角度來看，我們都知道同樣在美國，其大學的流級也各有不同，有的是一流大學，有的是二流，有的是三流，有的是不入流的野鷄大學，但他們大多授與博士學位，因此，同樣是PH・D・，而素質也就相差不可以道里計了！再說，自各國比較來看，各國對於博士的看法並不盡同，英國牛津、劍橋二大學的博士學位，要做得到，簡直難如上青天，而德國和法國的博士如何呢？據一位留德多年的朋友告訴我說，近年來，德國人對於其本國人之授與博士學位十分審愼，他們將博士視爲一項很高的榮譽，對於外國人則十分隨便，甚至十分慷慨，這時，他們對博士學位的看法便不同了，這是一種從事國民外交的利器，甚至這是一件小禮物；他說，他曾親眼見到一位阿拉伯人既不通德語，又不識德文，竟檢着德國所頒授的博士學位「載譽」歸去；至於法國，甚至巴黎大學的博士學位，只要你曾大學畢業，肯在那兒「守株」個一年半載，至多兩年，保證你一定能够得「兇」而還！這樣的博士，其學問如何？且請你說，而我們的社會，我們的學術界却一定要將所有的博士一視同仁，其結果如何？還用得着問嗎？

其實，沒有博士學位又有什麼關係呢？當代政治學權威薩孟武先生，已故的鄒文海先生，他們又有什麼學位？別說博士了，便是碩士也沒有，但誰能否認他們在學術上的成就？至於錢穆先生，甚至大學都未上過，那就連學士學位都沒有了，但多少博士出自他們的門牆？他們的學問又豈止幾個博士學問之和？我們爲什麼要如此執着？

（未完）

昨日與明日

升學競爭的蔓延

凡事「過猶不及」，實是千古的定論，大家不知升學上進，固是不好，但是像自由中國之普遍的升學狂熱，却也帶來許多意想不到的問題，而其直接面臨的便是升學的惡性競爭。

何以產生惡性的升學競爭，以及如何解除其弊端，此處不談，本文所要指明的，乃是此一競爭事實的惡性蔓延。

塑造新目標

遠在劉眞任職教育廳的時候，大家感到，大學升學競爭，爲勢所難免，高中升學競賽，也還免強可以爭，而初中升學，亦惡性競爭起來，實在對於幼小的學童，是一無情的打擊，戕賊兒童身心莫此爲甚。

於是乃有省辦高中，縣市辦初中的決定，原意是把大家競爭的目標取消，使各初中都一樣無分高下，自然不必爭了，這本是一個飲鴆止渴的辦法，那知鴆已飲（摧毀省譽的初中）而渴未止，以台北市的例子來說吧：那時大家最羨慕的初中，男是建中，女是北一女，這兩校（甚至次要的省中）停辦初中，按理不必再競爭了，但那知好爭的考生和家長，又平空塑造出新的目標，而把平凡無奇的大同中學，和市立女中列爲競爭的目標，來代替建中和北一女。學校好是假的，第一志願的學生是優秀的，則是事實，等到三年畢業後升高中，這批優秀學生自然人人高中（去聲），榜上有名，於是假的好學校，就變成「眞」的好學校了，已競爭而入的，自是躊躇志滿，而在外要升初中的就更天經地義的，列爲競爭目標，於是使「省辦高中市縣辦初中」的目的，整個幻滅，所得的，不過是競爭的目標轉移一下而已。

戕賊到幼兒

等到九年國民教育實施後，按說這些弊病，應該是徹底清除了，那知考生和家長的目標，又轉向若干私立中學，同時有許多較有名氣的私立中學，都是連同小學，幼稚園，自成一系而不太招外面的學生，於是許多「深謀遠慮」的家長們，又督導子弟把競爭目標，不僅轉到小學；甚至轉到幼稚園，以期八九年後，循序升入那所私中，結果乃使自由中國的教育不僅未能解除兒童的惡性競爭，反而把它帶到幼兒的身上了，眞是道高一尺，魔高一丈，這樣下去，不知將伊於胡底。

由於篇幅所限，暫談到此地爲止，其餘的問題，有工夫再慢慢談。

・成公・

自由談

沒有價值的新聞

男女結婚離婚，在現代社會中，乃是司空見慣的尋常之事，誰也不屑注意的。除非當事人的一方是特殊階級份子，如英王愛德華一世——即溫莎公爵——棄却王位以與辛博森夫人結褵，美故總統甘迺迪未亡人賈桂林突然下嫁希臘大腹賈歐納西斯之類的婚事，纔算是具有新聞價值，報紙予以刊載，固不失其可讀性也。

近來台灣一個電影女演員，跟一個在夜總會唱歌男人離了婚，報紙上連篇累牘的紛紛紀載，各關係人的言論，不厭其詳，繪影繪聲，當作重大新聞來處理，實在令人莫名其妙。他們兩人悲歡離合的經過情形如何？有無三角戀愛因素？這與國計民生毫不相干，有甚末值得宣傳的必要呢？若就維護社會善良風俗設想，這種緋色新聞，完全有害無益，更無足取。

美國報紙關於好萊塢男女電影演員的私生活——特別是結婚離婚與同居散影等類消息，大登特登，旨在藉低級趣味的新聞，增加銷路，別無其他意義可言。咱們對於洋人的好樣兒很少效法，唯有洋人的壞作風，師承唯恐弗及，殊堪浩嘆。戲劇從業人員對男女關係之隨便，視同家常便飯，基於社會教育的觀點，對他們這種腐爛生活，縱不批評斥責，亦不必浪費寶貴的報紙篇幅，代作義務宣傳吧？

最近有人主張把影劇列爲文化事業，電影演員當然就是文化人了！假使中國電影從業員的私生活仍向外洋同業看齊，亂搞男女關係，把婚姻作兒戲，有粵語所謂「做戲咁做」，那就是對「文化人」這高貴名稱的一大諷刺，更與復興中國文化運動的旨趣背道而馳，將使眞正的文化人感覺汗毛淋淋，難以爲情，如果新聞記者亦是文化人，我便要提出異議啦！

馮五先生

處理「周四條件」立場堅定
谷正綱凜然不屈從
要為正義奮鬥到底
旅日華僑與留學生均讚揚

（本報特稿）這次在東京舉行的中日合作策進會第十五次會議，其中有一個中心的問題，那就是中日雙方如何處理中共周恩來所提出的「周四條件」問題。周恩來對日貿易四條件實際上是對日本的一種政治勒索。

中日合作策進會中方召集人谷正綱博士在開幕演說中率直的告訴日本朝野，凡與共匪貿易及接受「周四條件」的日本廠商，中華民國將拒絕和他們往來。

會議結束草擬聯合公報時，日方堅持要走「政經分離」的路子。中國方面如不接受，日方代表要全部退席。這時谷正綱博士大義凜然的宣告：你們可以全部退席，我要告訴日本新聞界，中國代表並沒有退席，日本應負破壞中日合作策進會的責任。此外，我個人不回台北，要為正義繼續奮鬥到底。

由於谷正綱只問是非，不計利害的一貫作風，使得日方不得不同意通過谷氏所堅持的聯合公報。

當谷氏在日主持中日合作策進會期間，在日的中國華僑和留學生無不密切注視谷正綱如何應付「周四條件」和日本「政經分離」原則的問題。事後留日學人張曼濤博士寫信給本文作者說：

谷正綱先生此次在日本的表現，眞太令人叫好，在日的中國華僑和留學生大為稱讚谷正綱。他們認為這是中國外交史上空前的強硬交涉。谷正綱博士實應得「外交英雄獎」。

（張含）按本報第三版曾於去年「文匯樓別記」專欄刊登谷正綱及其昆仲的忠孝事蹟，編者認為有再表揚一次的必要，特將全文錄後：

「枋得為人豪爽，坦率耿直，一與人論古今治亂國家事，必掀髯注目，跳躍奮發，以忠義自任」。（見宋史謝枋得傳）讀到這一段時，很容易連想到谷正綱先生在南京時拍桌指罵，乃至於要　主和代表張治中的忠義行為。張治中甚麼時候加入共產黨，報導不一，政治要人中像張這一類型的，多得可以用鞭子趕，不到緊急關頭，卻是很難發現的，當其逆謀暴露時，大多已不可收拾，如劉斐、吳邁，乃至於吳國楨之輩。至於未被發現正盤據要津的張治中型人物，恐怕仍是不乏其人的；可是要找谷正綱型的人就比較難了，所謂坦率耿直，以忠義自任，凡和谷打過交道的，當有同感。

忠臣多出於孝子之門，孝而不忠則甚少聽到，貴州安順谷府的滿門孝，鄰里盡知。民國卅八年仲夏，谷正綱令尊憂國逝世，筆者與毛秉文、徐實圃、李運鵬及幾位立監委等前往悼唁，谷正倫、谷正綱、谷正鼎執古禮，逢人跪拜，「祭曰卒哭」，民俗孝子以蘊頭舖路。貴州某縣令當谷正倫（現任貴州省主席）向其磕頭時，嚇得魂不附體，幾乎昏倒。後查該縣令乃憲兵軍官出身，見「谷閻王」執禮如此，致手腳無措。

谷氏昆仲，以孝著稱，其尊翁篤實儉樸，教子甚嚴，當訓勉三子要為國家盡其至忠，要為民族行其大孝，並謂：「妄取一文，不值一文」。谷氏昆仲在政治舞台數十年的表現上卽為最好的佐証。谷氏三弟兄住的房子，如果連地皮搬到台北永和鎮照分期付款方式價賣的話，僅可估到新台幣拾萬元左右，不過話又說回來，比陳果夫先生逝世時家裏窮無棺木，谷府又算是稍勝一籌的了。

孔子為曾子陳孝道而作孝經，凡十八章，當中國文化復興運動正在倡導推行之際，筆者補記這段人事俱在的孝行，一方面固受到其感動而作，另一方面且自認尚有其新的意義。湖北有孝感縣，台北坊肆所賣的孝感麻糖，孝感來歷，顧名思義，當為孝所感，昔時王祥之母欲食活魚，王祥解衣臥冰以求，未料冰忽自開，跳出雙鯉；母又想炙黃雀，復有黃雀數十成羣入宅，鄰里驚嘆，以為孝感所致（見晉書）。謹以此尊敬獻給判逆子殺父無罪的法官，與不忠不孝的達官貴人們。

東大教授公開投票
對吳校長表示不滿
認其未能腳踏實地辦教育
致無法達成自給自足目標

（本報記者台北航訊）據來自東海大學董事會的消息說：該校教授會曾就「是否滿意吳校長（德耀）領導之校政」舉行一項意見測驗。測驗的結果，在出席是項會議的三十八位教授中，不滿意吳校長所領導之校政者二十八票，佔出席教授百分之七三點六八；佔教授會全體教授五十三人的百分之五二點八三。表示滿意者零票，未表示意見者十票。此外，出國進修未及開會者五人未能出席，缺席者六人，未出席之軍訓教官四人。

東海大學教授們公開投票表示不滿意吳校長之理由雖有六點，據說：最重要的一點是吳德耀不夠當大學校長。其六點理由如下：

一、吳校長個人無興趣在台灣腳踏實地辦教育，是以情存苟安，不能因應台灣之經濟繁榮以發展校務，以致無法達成董事會要求東海自給自足之願望。

二、近數年來，吳校長更自築藩籬，與校內同仁隔絕，不肯集思廣益，以致孤陋寡聞，獨木不林，坐視校政日趨萎縮。

三、吳校長不僅與校內同仁隔絕，抑且自外於台灣社會，致使東海大海對各界之公共關係，均甚惡劣。

四、吳校長不以誠意對待同仁，遇事輒諾寡信，同仁等對此均各有其痛苦之經驗。

五、吳校長領導校政十二年來，未曾建立一完整之制度，卽現有學校規章，亦常不信守，凡事均本個人愛憎，因人而異，玩法弄權。

六、查台灣各大學校長之人選，或因其學術地位崇高而任之，或因其社會名望隆盛而任之，或因其才能卓越而任之，吳校長雖有十餘年之時日供其歷練，始終未能具備以上任何條件。

該會董事會各董事對教授會的意見至為重視，除致函吳校長就董事會討論會談結論轉達教授會外，並致函教授會表示董事會的態度。董事會諸執行委員一僉認若干問題癥結在乎學校與教職員之間，缺少密切聯繫，致教職員對學校行政有所隔閡，深信學校各部門間之溝通，如能改善，諸多歧見，自可消弭於無形。其他問題或可歸各於組織及制度之未臻完善，董事會方面卽將着手研討學校組織，使校務行政能發揮更大功效，並已促請吳校長對於財務及事務方面之手續與程序，作適當修正，俾期執行便利」。

又按東海大學教職員與吳校長間之糾紛，已傳遍此間杏壇，並成為教育界人士談話的題材。

依洞集

面臨着的考驗

歐陽瑞

新官上任三把火，這是官場的陋規，王任遠先生接長司法行政部後，並未遵循依，一直在埋頭研究若干積壓重要問題，論者謂，可能替司法界帶來曙光。

王部長曾說對貪污風氣，業已作較深入瞭解，[illegible]懲治貪污條例，[illegible]相當詳盡，[illegible]

還有[illegible]事，稍加[illegible]十分簡單[illegible]。諸如此類的事，舉不勝舉，均面臨着考驗，亦是民間對這位新任「刑部尚書」注意的問題。北監獄典獄長[illegible]，用公欵[illegible]，但又經過大[illegible]。

喬治桑外傳　一六七

張大篆

「很對，我看妳嫁羅蔔，冒的險不會太大。」喬治桑說這話的用意分明是要堅定雅麗絲的意志。

「為什麼？」

「第一，我覺得羅蔔沒有一般年青人的浮華氣息。第二，我覺得他是好出身。」喬治桑所說的第二點，亦卽是門當戶對之意。

「他人倒還老實，至於出身，我看倒沒有太大的關係，中國古語不是有『將相本無種，男兒當自強』的說法嗎？」雅麗絲提出中國古語來支持她的見解。

「就個人的事業說，這話是不錯的，至於婚姻，門當戶對還是相當重要的。」

「為什麼？」

「教育程度，家庭背景，甚至雙方的生活習慣都有很大的關係。妳若仔細想一想，自然就能了解了。」

雅麗絲聽了默不作聲，似乎在回味喬治桑說話的含義。過了一會兒，雅麗絲忽然問喬治桑，「你認為結婚最重要的條件是什麼？」

「男女眞心相愛。」喬治桑毫不遲疑地回答。

「我說不是，我認為經濟基礎第一。『貧賤夫妻百事哀』這話是對的。」

「妳說的和我說的並不衝突。男女眞心相愛是第一義，經濟基礎也是很重要的。」喬治桑遇過窮日子，也為頭寸軋扁過頭，知道錢的重要。

「我強調經濟基礎，並非是我拜金，而是說日子能過得去。」雅麗絲怕喬治桑誤會她是拜金主義者，所以要解釋一下。

「我知道，羅蔔不是有很好的一份收入嗎？」

「我和你談天，怎麼一下子又扯到他身上了？」

「好好，我們拉個題目談談罷。」喬治桑了解女孩子的心理，這是撒嬌。

喬治桑和雅麗絲的閒聊，變成了日常生活的一部。過去喬治桑是標準三腳貓，是坐不住的，現在很樂意呆在家裏和他表面上是義女，其實是親生女兒談談。

喬治桑雖然準備回美國，可是在台灣知不能徹底改變他的生活方式，有時難免打打牌，逛逛夜總會，至於酒家倒是很少去。

有一天上午，喬治桑起牀不久，忽然，接到一個電話，他就知道是很久不見，牛董事長牛興鐘打來的。

「我是牛興鐘，我找桑博士說話。」牛興鐘一口生硬國語。

「我就是桑紹孔，喂，董事長，好久不見了，你好。」顯然地，喬治桑接到牛興鐘的電話，感覺有點意外。

「大塚、野田和我合作的工廠已經開工了，他們在日本都有信來，要請你當顧問。你大概不會推辭罷。」

「哦，大塚、野田，他們兩位人很好，大家都是朋友，我應該效勞的。」喬治桑一聽牛興鐘要請他當顧問，滿心歡喜，知道這是「臥薪之職」，「臥薪」者不做事睡着可以拿薪水也。

「不過，工廠剛剛開辦，顧問的車馬費太少了，希望博士不要見笑。」

「那裏，那裏，大家是朋友，何必計較這些。」喬治桑嘴裏雖如此說，心裏卻在猜測每月車馬費究竟有多少。他知道在台北，公私事業顧問車馬費最少不過是五百元而已。

（未完）

台北傳奇錄　（六五）

・陳光棣・

[illegible]民[illegible]大陸籍時，是婦科聖手，但對于牛的子宮沒有興趣，因為他主要的業務是所謂人工流產。

賴先生很想和電燈泡敷衍幾句，不想電燈泡狼吞虎嚥，總不容易騰出嘴來。

這頓飯終于在沉悶的氣氛下結束，客人們告辭以後，金小姐故意留下來為賴桂欣解圍。賴先生看到金小姐有說有笑，高興的又到洗澡間剃了一次鬍子，之後就坐在金小姐對面儘情的欣賞，他從來沒有看到過這麼火辣辣的女人。賴太太一肚子悶號，總想找個機會和女兒認眞的談一談，不想金小姐老賴着不走，賴太太實在忍不住了才劈頭就問女兒：「你和這個什麼郎力由小是不是很好呢？」

「沒有哇，大家都是同事，比較談的來，說不上什麼好不好」？金小姐壓低了嗓子：「慧敏和我無話不談，她的事我最清楚」！

賴太太出了一口長氣：「交交朋友也不要緊的，可惜是個黑人」！

「您別看他人黑，心可不黑，他們洋人都非常尊敬他」！金小姐又說：「人家還是博士呢」？

「什麼不好研究，偏偏研究什麼牛的子宮，那東西有什麼可研究的」！賴先生大不謂然。

「那也是專門的學問」！賴慧敏說。

「孩子，妳以後少和黑人來往，出來進去的多不方便」！賴太太對于吊「洋」龜的熱情已經涼了一半。

「大家都忙的不得了，那有功夫瞎扯野」？金小姐談的是實話：「何況慧敏這麼文靜，她晚上不是總在家裏看書嗎？」

賴太太這才放了心，從此也不再催着女兒去交洋朋友了，賴慧敏也從此能夠在家裏安心的用功讀書。

話分兩頭，各表一枝。且說馬寡婦自從和步成材合作失敗了以後，使認眞的檢討過步成材的使用價值，想來想去這傢伙的確是個提不起來的阿斗；雖然急切間排不上什麼用場，但留着這顆棋子，早晚還是能發生作用，因為禿子改和尚總能將就材料！

馬寡婦是上海人所說的吃白相飯的，當然不肯坐在家裏等着老天爺掉餡餅，反正社會上有的是荷包裏裝滿了鈔票的呆子，只要多少動點腦筋，就不愁沒有生財之道。說來馬寡婦也眞有噱頭，忽然靈機一動，想當女作家。親愛的讀者們，您也許覺得這太荒唐了，女作家云云，可是隨便什麼人都能當得的嗎？女作家卽使不仗着祖上的陰功，墳地的風水，而至少也要有豐富的人生體驗才行，阿貓阿狗怎麼能當女作家呢？總是只知其一，不知其二；馬寡婦可是另有一套非常切合實際的想法，原來馬寡婦讀中學的時候，對于文藝的愛好就有濃厚的興趣。

上海法院推事吳經熊

·文匯樓主·

民國十七年上海有兩家輪盤賭大賭場，一設在上海同孚路五號，一家設靜安寺路一三六號，賭場的老闆是茄西亞，爲舉世皆知的墨西哥賭徒世家，此人住中國甚久，抓到中國人的嗜好，認爲「賭」之容易賺大錢，遂在開業館，搞酒家與綠燈戶之上。

茄西亞有一個基本錯誤觀點，就是在中國「錢能通神」，與「法律是一種欺騙科學」。因爲善於玩弄法律的關係，專門從法律的夾縫中脫去不少刑責，有一次，在上海被捕了，並判處兩年徒刑，他一向認爲「有錢可使鬼推磨」。像台北一位靠春藥起家的醫生，賺的雖是造孽錢，他能善用鬼推磨的關係，據說最短期內將出任政府衛藥機構某要職，如果確實，那將是自由中國天大的笑話了。言歸正傳，茄西亞末料到眞有拒絕推磨的人，這位不肯作鬼的，就是司法官吳經熊博士，那時候吳在上海臨時法院當推事，茄案很巧分配給吳經熊審理，在審理的過程中，當然遭遇到不少紅毛藍眼人情關，也有我們政府要員爲茄緩頰，但吳經熊以司法獨立，與法律之前人人平等爲由，均不予理會。吳經熊的成名，上海臨時法院得到外人崇敬，審理茄西亞案的新聞。被告律師係延請菲斯充任，菲爲十里洋場著名的外國訟棍，他在辯論庭上問法官：「中國是否禁賭的國家？」吳答：「是的，中國是禁賭的國家。」菲斯又問：「何以共公租界上允許居民打麻雀？」吳突然反問：「美國是否禁酒的國家？」菲斯答：「是的，美國是禁酒的國家」。吳問：「何以美國允許人民吃啤酒？」菲斯無言以對。後菲再向吳發問：「被告開設賭場，上海共公租界，法租界重要人員均常光臨遊玩，連租界警務處高級警官亦未例外，當然認爲賭錢並不犯法。」吳駁菲斯說：「我敢保證，本法院職員，絕對不會涉足該賭場，如果你們的話，貴律師可提出證人，本法官可立即傳訊嚴辦。」菲斯氣得低頭沉思，未再發問。

茄西亞判決書發出時，吳經熊並在理由書後，加以英文說明，大意是採用英、美、法系所流行的「環境證據法」，證明茄西亞的犯罪行爲，經過這一樁案件後，在上海共公租界與法租界最高當局，咸認上海臨時法院中確有人才，更証明中國人並不貪污。

文匯樓剳記

莊姜（下）

——黛眉小傳之一

王幻

（五）

衛國伐鄭，所聯盟的宋、魯、陳、蔡四國之兵，在石厚的謀畧運籌下，如期而至；因彼等與鄭國無仇，皆無必戰之意。而衛國此次託言舊怨，借兵四國的用心，不外是欲「立威隣國，脅制國人」；況且州吁新登大位，國事未定，若久留軍中，恐有內變。鄭莊公洞察其奸，故佯敗一陣，衛軍小勝之後，便各請班師，解圍而去，計合圍至解圍僅五天時間。石厚自矜已立有功，令三軍齊唱凱歌，擁衛州吁揚揚歸國。

這種勞師糜餉，不求勝利的戰爭，尤惹起百姓反感，民間遂議論紛紛，與情大譁。到處播唱着民謠：「一雄斃，一雄興，歌舞變刀兵，何時見太平？俍無人兮訴洛京！」州吁的政權，既得不到老百姓的擁護，又得不到周朝的中央政府之承認，便深爲惶恐和不安。因之備下厚儀，徽請昔位上卿，素爲國人信服的老臣石碏（石旁）入朝，與共國政；石碏託言病篤，堅辭不受。最後還是石厚靦顏回家，致新君敬仰之意，並請求乃父決一良策，以安君位，而定民心！」於是，州吁和石厚始有入覲周室之行。

（六）

石碏（石旁）的建議是這樣的：新主若得周王錫以黼冕車服，奉命爲君，國人自無話說。爲避免無故入朝，引起周王起疑，應先到陳國，央請忠順王室的陳桓公從中引見。殊不知此乃石碏（石旁）「明修棧道，暗渡陳倉」之計，他私下則指派血寫下一書，密遣心腹送到陳國去，轉託他的老友大夫子鍼呈遞陳桓公，請求桓公拘執兩個危害衛國的賊臣，並指出謀弒桓公雖係州吁爲，而實是逆子石厚貪位助桀的主意云云。所以當州吁和石厚到達陳國時，就被逮捕了；然後分別行戮正罪。左丘明修傳至此，稱石碏（石旁）「爲大義而滅親，眞純臣也！」二逆伏法，衛國的災禍平息了。

石碏（石旁）將一切經過的情形，報告了國母莊姜，同時秉承懿旨，整飭法紀，迎公子晉自邢歸國，重爲衛君登基，即侯位是爲宣公。尊石碏（石旁）爲國老。世世爲卿。

不久，衛宣公生母戴嬀自陳國迎回，戴嬀和這位當年相扶持的姐妹見面時，不禁喜極而泣。……未受過害的人，不知自由可貴。莊姜和戴嬀的年齡雖已步入晚景，但黃昏的彩霞，顯得分外璀璨悅目，使人留戀不已。

（完）

卓文君（上）

——黛眉外傳之二

王幻

漢代雖已有人提倡貞節，可是社會對於此一觀念，還不十分重視；社會重視貞節，乃是宋代以後的事。如照宋儒的眼光看來，像卓文君始爲寡婦，而後出演午夜私奔，眞是荒唐至極。但是時代決不會一步直跨到宋代，在漢時的社會，對於男女之間的觀念較爲開明（如晉代狂士阮籍的「醉臥美人膝」之軼聞，社會亦不以爲忤。）不但沒有人歧視她，指責她，而且反有人可憐她，願意娶她。此即司馬相如和卓文君的韻事，所以流傳千古，艷耀千秋，爲後人之稱羨樂道的。

據漢書載：「司馬相如字長卿，蜀郡成都人也，少時好讀書，學擊劍。名犬子，相如既學，慕藺相如之爲人也，更名相如。以貲爲郎，事孝景帝爲武騎常侍，非其好也。會景帝不好辭賦，是時梁孝王來朝，從游說之士，齊人鄒陽，淮陰枚乘，吳嚴忌夫子之徒，相如見而悅之，因病免，客游梁，得與諸侯游士居數歲，乃著子虛之賦。會梁孝王薨，相如歸，而家貧無以自業。素與臨邛令王吉相善，吉曰：「長卿久宦游，不遂而困，來過我。」於是相如往舍都亭，臨邛令繆（詐）爲恭敬，日往朝相如，相如初尚見之，後稱病，使從者謝吉，吉愈益謹肅。臨邛多富人，卓王孫僮客八百人，程鄭亦數百人，乃相謂曰：「令有貴客，爲具召之。」并召令。令既至，卓氏客以百數，至日中，請司馬長卿，長卿謝病不能臨，臨邛令不敢嘗食，自迎相如，相如爲不得已而強往，一坐盡傾（慕其風采也）。……」

這是司馬相如的小傳，及她前往臨邛而到卓王孫家作客的經過情形。能請到這樣一位難得的貴客——當代的名士，不僅是主人的光榮，同時也是全地方人士的光榮。當杯箸交錯，酒過數巡，王吉捧着一張名貴的綠綺琴，請相如彈奏數曲，相如推辭不過，遂彈了一曲，這首著名的琴曲，即是「鳳求凰」——一樁千古艷稱的戀愛的事，就隨着琴聲的餘韻，展開也序幕。……

此時主人的女兒文君，恰是寂寞的十七歲，雅好音律，出嫁未久，郎喪其夫，回到母家。正是燦灼的芳時，眉色如望遠山，臉際常若芙蓉，肌膚柔滑如脂，生性放誕風流。好夢初寒，濃情如熾，何況又是春天，不免牽動情懷，自傷影隻？當她一聞有貴客來臨，便躲在屏後偷覷，及看到相如時從車騎，雍容閒雅，甚爲都麗，心中便十分愛慕。一時看得忘情，不覺搔首弄姿，卻爲相如瞥見。文君過去的一切，相如已有所聞，所以，遂藉這首「鳳求凰」來挑動她的心弦。原曲辭文如下：

鳳兮鳳兮歸故鄉，遨遊四海求其凰。
時未遇兮無所將，何悟今夕升斯堂。
有艷淑女在閨房，室邇人遐毒我腸。
何緣交頸爲鴛鴦，胡頡頏兮共翱翔。

（未完）

說曹操

李漁叔

（卅四）

次說張魯

「武皇帝（指曹公）承涼州從事，及武都降人之辭，說『張魯易攻，陽平城下，南北山相遠，不可守也。』信以爲然，及往臨履，不如所聞，乃歎曰：『他人商度，少如人意。』攻陽平山上諸屯，既不時拔，士卒傷者多，武皇帝意沮，便欲拔軍截山而還。」

第二是楊暨表：

「武皇帝始征張魯，以十萬之衆，身親臨履，指授方畧，因就民麥，以爲軍糧。張衛之守，蓋不足言，地險守易，雖有精兵虎將，勢不能施，對軍三日，欲抽兵還，言『作軍三十年，一朝持與人，如何！』此計已定，天祚大魏，魯守自壞，因以定之。」

這是魏黃初以後，追述前事的奏表，當然是絕對可信的。最初對仗的艱難，從此可以概見，以曹公的老於戎馬，（這時曹公已過六十，又五年而卒，年六十六）竟至戰志消沮，可以証明陳琳信中所謂：「長驅山河，朝至暮捷。」等，皆是信口胡謅，一片謊言。

楊暨的表上說什麼「天祚大魏，魯守自壞。」那倒是眞的。按董表後段：

「遣故大將軍夏侯惇，將軍許褚呼山上兵還。會前軍未還，夜迷惑，誤入賊營，賊便退散。侍中辛毗劉曄等在兵後，語惇褚言：『官兵已據得賊要屯，賊已散走。』猶不信之。惇前自見，乃還白武皇帝，進兵定之，幸而克獲。此近事，吏士所知。」

至世語所說，更趨實際。

「魯遣五官掾降，弟衛橫山築陽平山城以拒王師，不得進，魯走巴中。軍糧盡，太祖將還，西曹掾東郡郭諶曰：『不可。魯已降，留使旣未反，衛雖不同，偏攜可攻，懸軍深入，以進必克，退必不免。』太祖疑之。夜有野麋數千，突壞衛營，軍大驚。夜，高祚等誤與衛衆遇，祚等多鳴鼓角會衆，衛懼，以爲大軍見掩，遂降。」

野麋（鹿類）數千，突壞對方張衛的營地，又恰在這時，曹軍誤與張衛的部隊遭遇，使其懷疑敵方大部隊全數襲來，因而恐懼投降，還是適逢其會，旣屬機緣湊巧，也因主持張魯本已投降，負隅頑抗，出於魯弟張衛的主意，勉強對峙，鬥志早衰，遲早歸於失敗。

張魯終出投降，曹公不僅不會誅戮他，反而十分善待。原因是張魯早擬歸降，在漢巴既無惡蹟，對國家亦無惡意。按魯傳：

（未完）

諸葛亮狂想曲

·劉玄·　（一四六）

「後天不是你大喜的日子嗎？我們想邀請的，就是你的那位金魚美人。」何仙姑眞不愧是天庭消息靈通人士，什麼都瞞不了她。

「你怎麼知道的？」劉約翰漲紅了臉，樣子有點尷尬。

「那你就不必問了，我先問你，你願不願，你的金魚美人參加蟠桃大會表演？」何仙姑緊迫釘人，使劉約翰無考慮的時間。

「諸葛先生你看如何？」劉約翰看着諸葛亮，希望替他拿個主意。不想諸葛亮羽扇橫搖，說：「我沒有意見。」

「這，我得尊重賤內的意見。」劉約翰一時想不出如何回答，只好先推到金魚身上再說。

「得啦，你又是美國文化將娘兒們在頭上的那一套，咱們天庭講求的就是夫權至上，你看何仙姑個性這樣強，她就是不敢嫁。金魚美人是決不敢違拗你的。」呂洞賓大談乾綱之理，有旁若無人之概。

「你爲什麼又扯到我的身上？我愛嫁不嫁與你何干？」何仙姑立刻斥責呂洞賓。

呂洞賓知道何仙姑是伶牙利齒，不敢過份惹她，連忙笑嘻嘻地說，「自家兄妹，開開玩笑，何必認眞。」

何仙姑不便再罵呂洞賓，便回過頭來，和顏悅色地向劉約翰道，「只要你答應，金魚美人不會有問題的。」

「好，我答應。你能不能告訴我，要她表演什麼節目？」劉約翰受美國教育已久，說話向來不兜圈子。

「我們想叫她跳水中芭蕾舞，玻璃缸由我們準備。這是從未演過的節目，必然轟動天庭無疑。」何仙姑過去擔任過蟠桃大會節目部主任，腦筋果然靈活。

「好，一言爲定，不過如果她表演差勁，我可不負責。」劉約翰知道參加蟠桃大會在天庭是一種榮譽，樂得順水推舟。

呂洞賓，何仙姑兒談話已有結論，甚爲歡喜，遂站起來向諸葛亮告辭而去。

劉約翰等呂何二仙走後，問諸葛亮道：「諸葛先生，你看我答應他們對不對？」

「這沒有什麼對不對，蟠桃大會等於西洋的嘉年華會，金魚美人能參加也算是有面子之事。」諸葛亮最怕趕熱鬧，他很少參加蟠桃大會，但他屬於「聖之時者也」之流，從不說蟠桃大會不好。

劉約翰見時間不早，向諸葛亮鞠躬而退。

天庭時間和人世一樣的快，不覺到了第三日，劉約翰一大早就到了諸葛亮住處，諸葛亮一看劉約翰的打扮，幾乎笑出聲來，他脫下西裝，穿一身像戲台上狀元郎的裝束，大紅袍，朝靴，紗帽上還有兩朵顫巍巍的金花。

（未完）

巨變歷險記（一四九）

胡慶蓉

露宿

行軍苦，不止一端，露宿也應該提一提。

睡覺之與人大矣哉！凡是一個人，無不有此感。特別是急行軍，一天一百，一天八十，走得累得到腳抬不起來的時候，更有這個感覺。人定勝天，是鼓勵人的話，人無論如何的能到九九歸一，人還是要向天投降的。不是人定勝天，而是天定勝人。三日三夜不睡，不是不可能，但第四天呢？第五天呢？恐怕不睡是不可能的了。人非睡不可，到了非睡不可的時候，也只有讓他睡了！人有睡死過去之說，這並非虛語，這是千真萬確的事實，人到睡死過去，也只好讓他過去。在行軍之中，常常有不支倒斃的。倒斃的也只好讓他們倒下去，倒在那裏，就摔在那里，沒有那麼多的人力去照顧他們。只有希望他們能得到地方人士的照顧，平安的生活下去。

丁博士以一介書生，忽然爬山步行，對他來說是很不習慣的，但有出乎人的意料者，他從沒落過伍，也從不後人。本來他可以騎馬的。本來他有馬可騎的，但他不騎馬，他一定要同士卒共同甘苦，跟着部隊步行，帶着部隊步行。普雄出發，田團長的馬副官就以他本人的馬送給丁博士騎，但丁博士不騎。不騎馬也有不騎馬的方便。好像有一個歌，是說騎馬的不方便，可惜他現在忘記了。特別是天天爬山，天天上山下山，騎馬是不方便的。上山騎馬，人彷彿懸在太空，甚至有時候陡得連馬都上不去，人更不能騎着上。下山，馬頭向下，馬身子向下，有時直直的，人又如何能騎得住！於其上不能騎，下不能騎，何如不騎之為愈。

再走路要有走路的習慣。凡事能養成習慣，再苦的事也就不以為苦了。這是真理，這也是事實。今天八十里，可能感到非常之苦，明天或者要好一點，後天更好一點，如此日子久了，也就習慣了，也就不苦了。晚上的休息，晚上的睡覺很重要。若能遇到村子，在村子裏睡，是很好的。可嘆有很多的日子，走了一天的路，並碰不見村子，這就不得不露宿了。對於雲南邊區的霧，恐怕沒有經驗過的，是不會有正確的印象的。霧？就他原來的意義講，是沒有什麼的，故霧之上往往加上一個薄字。縱令大一點也不過「濛濛」而已！薄霧濛濛，濛濛的薄霧，倒給以舒適之感，快樂之感。而雲南邊區之霧，不是因為山太高的緣故，簡直是細雨濛濛，一覺醒來，什麼都濕了，什麼都會濕透。這在平地倒算不了什麼，但在高山上，那就令人感到不勝寒了。月亮裏的廣寒宮，丁博士沒登過，但在今天的高高山上，實在不能不說苦。天寒地凍，又加上濃霧，寒得刺骨，寒令人覺得特別的寒，寒得透心，寒得透骨，天地之大，寒得令人無以自容，寒得你睡不着，但還是要睡，這精神上是如何的痛苦啊！……

革命精神的今昔觀（上）

諸葛文侯

凡是一種政治集團，在未得勢時，一般構成份子都有冒險犯難，艱苦奮鬥的革命精神，能夠為人之所不能為，忍人之所不能忍，處處表現着忘我的作風。一旦取得了政權，由於權力中毒和私人利害關係所在，大家就不免逐漸變質，已趨腐化了，這是古今中外皆同的一定趨勢。唯一補救之策，就是要內部經常檢討考核，而以大公無私的紀律，隨時整飭淘汰，去腐生新。否則難逃沒落的命運。執此義以回顧近五十年來我所見聞的革命黨人若干事實，殊堪留戀，雖係吉光片羽，亦令人永矢弗爰（言旁），可資矜式也。

民國十二年川省革命黨人熊克武率領川軍，經黔邊入湘，轉赴廣州參加革命陣營，師次常德有日，國父孫公聞訊，電囑住在湘西桃源的同盟會老同志本黨中委覃振（理鳴），就近代表本黨慰勞熊軍，覃乃囑當地中學學生組織慰勞隊，由他率領赴常德。學生隊長為張中寧（辰溪縣人，現在台灣），覃介紹他參加國民黨，即在熊氏的軍部舉行宣誓入黨手續，禮成，張君向覃告辭，擬率隊回校，覃謂「請稍待」。旋馳入後苑半小時纔出來，約張君赴市街飲食店麵食，說是表示歡迎張君入黨之意，情詞懇摯。臨別之際，覃氏笑語張云：「剛纔我到軍部後院去，是把穿在身上的一條新西裝褲脫下，攜赴當舖典當大洋兩元，俾得欵待你這位新同志的麵食之資，因身邊所帶錢銀不多，又未便向別人告貸。俗言禮輕人意重，我們革命黨人的生活，便是這樣的。」張君聞之感動異常，印象極深，嗣後他始終為黨効力不懈，據說即係受着覃先生這項苦幹精神的人格感召，念念不忘也。

民國十五年冬臘，筆者由蘇俄歸至上海，而南京軍閥孫傳芳，常派便衣隊入租界偵捕國民黨人，乃急離滬南行，抵武漢時，囊中僅有銀洋一元而已。雖武漢已由革命軍光復，然舉目無親，進退維谷。適皖省國民黨老輩同志張秋白來函，囑往晤住在漢口之皖人凌鐵庵同志一談，我以初出茅廬的青年學生，與凌氏素不相識，但為飢寒所迫，祇得前往試訪，而凌一見即派人到旅社為我結清欵項，搬赴彼寓居住，除供食宿外，且給零用錢，親切如家人子弟然。試問今日本黨前輩人物，對一個素昧生平而窮困潦倒的後輩同志，能有這種道義風範嗎？

國民黨於清共之後，召開第三次全國代表大會時，決定各省市黨部出席代表名額，由中央指派三分之一，餘由各地區黨員選舉之。滬、蘇、浙、皖、豫各省市黨部認為此項中央指派，有悖民主精神，如不取消這項規定，即拒不參加大會。於是，中央乃電令諸省市黨部各推代表一人來京商談，由中常委胡漢民、譚延闓、戴季陶與諸代表等相晤，諸代表指摘中央此項決定有悖民主精神，詞意堅強不屈，胡常委厲聲云：「我跟隨總理從事革命時，你們尚未出生呢？你們的話雖不無理由，但對中央決策毫無商量餘地，豈有此理！」經胡氏一頓責罵，諸代表乃不再堅持己見，覺得彼此皆能誠坦相處，表現真性情，不失革命黨人的風度，加以素來欽仰胡先生的高風亮節，只好適可而止了。夫是之謂「同志愛」！

（未完）

生活漫談

一鴨六吃高貴實惠

．馬騰雲．

黃河鯉魚以一魚三吃名著全國，台灣北方館子裏的一鴨三吃，實際上只能算兩吃，因為除烤鴨和鴨油蛋外，鴨殼子加一點青菜豆腐絲同煮，不能算正式一種菜，今天我們談的是一鴨六吃，且每菜均有其單獨價值，雖非別出心裁，最少總算是對吃略有研究。參照這個方法非正式的家庭宴會，由主婦親手製作，不僅高貴實惠，且非常別緻。

肥鴨一隻重約五斤，殺好去毛洗淨，鴨雜鴨血勿棄，連同整鴨備用，先將鴨從中間一刀兩開，一半留着頭頸，煮到五成熟加醬油、酒、白糖、蔥、薑、金針、筍片、木耳紅燒，燒到全熟加少許豆粉汁使紅燒鴨湯變成糊狀，可盛入大盤，將配料放在鴨上面，刀割的一面，合住盤底，將配料放在鴨上面係取美觀，盤邊用十幾塊油炸麵包片圍繞着鴨，即酒席中常用的麵包鴨。鴨雜、鴨血切成丁，和以筍丁、木耳、金針、開洋蝦米、草菇、豬肉丁、鴨掌、蔥、薑、酒味素裝入半個西瓜蒸熟，即可搬上桌，此菜叫西瓜盅。西瓜瓢取出當水果用。另一半分成兩個用途，瘦肉取下切成薄片舖以荳粉在案上，用刀背不斷的打，目的在破壞鴨肉的纖維，炒時易爛，荳粉的作用可使鴨肉嫩滑，然後和以醬油、酒、薑、蔥、蒜、油炸辣椒、筍丁、香菇丁，烈火急炒，炒到快要盛盤的時候，加上油炸花生米和少許碎橙皮丁，炒香花椒粉，即做成功為宮保鴨，做宮保剩的一半用熟的切成薄片，鴨片下面用粗米粉，鴨蛋煎皮切成絲，髮絲荳芽、蒜苗絲、蝦皮、荳皮、蘸汁、蔥花、花椒粉（炒熟黃香可口為度），加醬油、麻油、醋、辣油、芝蔴醬、芥末拌涼，是一碗美味可口的芥末鴨。上列麵包鴨、宮保鴨、西瓜盅、芥末鴨、麵包鴨，是上海味，宮保鴨是湖南味，西瓜盅是安徽味，芥末鴨四川味。此外一隻鴨的全部之油，從幾樣菜剩下的丁丁屑屑，加米花、薑汁、蔥花、開洋蝦米，以八個鴨蛋同拌和二十分鐘到半小時，置入鐵鍋用中等火候烤熟，就是開封鴨油鐵鍋蛋。再剩下的，加木耳、綠筍、香菇、開洋蝦米，用鴨湯加荳粉就和煮成為一大碗鴨羹，鴨羹上桌的時候，臨時加麻油、胡椒粉、擠幾滴鮮檸檬汁清香可口，美味絕倫。

照上列的五菜一湯看來，不但不低級；而且有很深的學問，很久的經驗，任何高貴的場合端出，都能使客人腦際一新，如果再加上一碗甜菜，即為六菜一湯的鴨席，照台灣的物價計算有新台幣一百八十元到兩百元足够了。

生活漫談首集業已出版（係由本報獨家連載）每本特價新台幣伍元，[illegible]

第九章　宋康王逍遙自全　徽欽帝被虜入金

邦昌死節，金人可更立他人。此乃不嚴昔已，而懿貴於人。宋室江山，就敗在宋徽宗誤用奸臣手上。尚有何話說？

金人也恐久留生變，遂於靖康二年四月初旬北還。將徽宗、欽宗分作兩批起行。張邦昌服柘袍，張紅蓋，親詣金營餞行。

上皇一批歸斡離不，其中包括了皇太后、親王、駙馬、嬪妃，以及康王母韋賢妃、康王夫人邢氏等，向北起行。欽宗皇后太子妃嬪宗室，以及何㮚、孫傅、張叔夜、陳過庭、司馬朴、秦檜夫婦，由鄭州北行。張邦昌率領百官至南薰門外送行，遙望二帝，二帝回顧汴京，揮然下淚而已。此一幕悲劇，是中國歷史最大的皇朝悲劇，兩個無用的皇帝，也是可憐的皇帝，他們一直被擄到老死。當時有著作郎胡晦，作歌一首，詠徽、欽二帝云：

今日（十五）君王歸不歸，傾城回首雨霏霏。會看呼聲動地，萬家香霧滿天衣。胡兒胡兒莫眈眈，君不見望夕月蝕東北角。（見「靖康紀聞」）

謝克家作「憶君王」云：

依依宮柳拂宮牆，殿閣無人春晝長；燕子歸來依舊忙，憶君王！月破黃昏人斷腸。（見同上）

二帝北虜之後，即靖康二年五月以後，是為南宋建炎元年，公元一一二七年，南宋史實的開始，亦即北宋歷史的夢終。

第十章　宋高宗即位應天　李伯紀力圖中興

金人擄去徽、欽二帝及大臣宮人等共三千餘人之多，是為歷史上最大的宮廷俘虜。金銀財寶京畿為之一空。除此之外，中國文化亦被胡人所擄。其中包括車輅鹵簿，冠服禮器、法物大樂、教坊樂器、祭器八寶九鼎、圭璧、渾天儀、銅人刻漏古器、天下府州縣地圖，以及一切玩寶物，將夜金人掠去。此乃歷史上文物最大的搶劫，也是中華民族最大的國恥。金人擄南朝宋帝到了燕山，再至金都。在途中奉到金主之命，二帝穿着素服拜謁金太主阿骨打廟，這就是「獻俘」之儀。

（四十一）

周燕謀

自由報

（第一〇八九期）

（每逢星期三、六出版）

每份港幣一角·台灣新台幣伍角

社長李運鵬·督印黃行實

社址：香港九龍彌敦道593—601號 廖創興銀行大廈八樓五座

LIU CHONG HING BUILDING
7th FLOOR FLAT '5
593—601 NATHAN ROAD,
KOWLOON, H.K.
TEL: K803831

電報掛號：7191

承印：眾星印刷公司

第五〇五六號張萬有（自由報會計室）

台灣分社：台北市西寧南路110號二樓

電話：三三〇三四六、台郵劃撥戶九二五二號

談當前的大學問題（三）

・張亞雲（水旁）・

一般人常常將年齡與學識相提並論；有人說，愈年青，思想愈新穎，有人說，愈年老，思想愈成熟，因此，有的人主張盡量讓年青人出頭，有的人則主張讓老成者多教些課，到底是那一個意見爲對，那一個意見爲錯？若依我個人的看法，年齡與學識似乎並無必然的關係，我們必須承認，許多人的年齡是與其學識成正比的，年青——幼稚，年老——深沉，許多人的年齡又與其學識成反比，年青——功力深厚，年老——膚淺無知，因此，我不主張用年齡來衡量一個人的學識。

有些人常常將仕宦與學識相提並論；有些人認爲學而優則仕，仕而優再來大學教書，這是天經地義；有些人認爲：「他是做官的，只會打官腔，怎會教書？」這兩種觀點，我個人都不贊成，因爲那都是偏見，不是事實。我們必須承認，有許多人是學而不優卽仕，仕又不優再來大學教書，有許多人則是身在仕途，心存典籍，雖是勞形案牘，却能手不釋卷，這兩種人怎可相提並論？猶憶十五年前，在報上看到某大學拒聘程天放先生和浦逖生（薛鳳）先生的新聞，後來聽到傳說，其所說的理由雖是「他們是做官的，多年已不教書了。」好一個冠冕堂皇的理由！其實眞正原因是派別把持在作祟，殊不知此一不光明舉動却將兩位最好的教授佚之交臂，多可惜啊！（我曾身列浦先生門牆，對於浦先生治學之嚴謹，教學之認眞，固甞親炙，而先師鄒景蘇先生亦浦先生學生，對浦先生尤極欽服。）這只是一例而已。當然也有只會做官，不能教書的，那就只好乞靈於點名冊來維持課堂秩序了，這樣的材料也讓他來大學執鞭教學，那當然就難免濫竽充數，誤人子弟。在此，筆者願獻一愚之見，仕宦道上一樣也是大學師資的來源，只是延聘時要略加審愼，看看他有否書卷氣息？看看他這些年來手不釋卷否？要緊，要緊！

有許多人對於國內研究所養成的人才缺乏信心，都說：「他肚子裏會有什麼？連海水都沒喝過一口！」眞是罪過！若說某些科學別人特別進步，而我國却仍極落後，則自有一留彼邦的必要；若說某些科學只須多所閱讀幾本參考書，在書齋中多用功些，使一樣可以有卓越的成就，我實不知不去外國留學，且爲國家節省一筆外匯，又有何不可？卽以政大政治研究所爲例，其第一屆畢業生楊樹藩兄，他對於中國政治思想史和中國政治制度史的研究之精深，卽使薩孟武先生也不由不特加贊許，他說：「政大研究所出了一個楊樹藩，已經對得起國家了。」這是多麼高的評價！又如第二屆畢業生朱堅章兄，他之治西洋政治思想史，不但政大政治、外交、公共行政諸系學生有口皆碑，便是鄒文海先生也深慰其衣鉢有人承受；又如第三屆畢業生荊知仁兄，他之治中國政府及比較憲法，便是名教授而兼大法官如林紀東先生及曾繁康先生也承認「江山代有人才出」！一定要說在美國三、四流大學拿個博士學位的人其學問要更爲好些，那不是自私，就是偏見，就是愚昧無知，就是故意製造錯誤！據說東鄰日本，其自信心便十分強，他並不信賴外國留學生，却絕對信賴本國大學所造就的人才，尤其是東京大學的博士比什麼博士都要強，都要好，都可資信賴，我們也似乎可以取法其態度於萬一，如此，大學的師資問題，也就不難解決一部份。

還有一點也必須在此順便提出，不久前，政大西語系主任呂俊甫先生在中副上發表一則短文，提到今年美國的「學術市場」，據他所云，今年美國學術市場有供過於求的現象，因此他建議有關當局設法爭取留學生回國服務，這用意不能謂爲不善，不過筆者也畧有修正的意見，我們知道，在美國，學術市場誠然是存在的，一流學府產生一流博士，二流學府生產二流博士，正如同一流工廠生產一流產品，二流工廠生產二流產品一樣，至於其「銷售」情形如何？正常的現象是一流學校的博士爲一流學校所延聘，二流學校的博士爲二流學校所延聘，如此類推，這一「銷售」現象，我們切切不可忽視，因此，我建議有關當局在爭取留學生回國服務的時候，不要盡檢拾些人家挑剩下來的破銅爛鐵，最好是一流產品，至少也得是二流產品，否則將破銅爛鐵拾了回來，找倉庫來儲存也頗是不易！若將他送入大學，他除了會幾句洋涇濱外，恐怕別的本領也就不多，定說他尚有其他本領，那就是偷偷地翻譯幾段洋人的書籍，還厚着臉皮說：「這是我的著作！」（確有其人，姑隱其名。）那就更糟塌了「大學」二字！這個道理很簡單，我們絕對不可飲鴆止渴！

總之，大學的師資應着重在其人之是否有眞才實學，切莫問他是否博士，切莫問他是年老還是年青，切莫問他曾否入仕，切莫問他是「國產」還是「舶來」；良好的師資隨在都有，只要你能夠辨識。

四、大學的學術

大學之所以成其爲大學，還必須要能永遠維持相當的學術水準，並且要不斷地提高學術水準；我國古語有謂：「學如逆水行舟，不進則退。」大學的學術水準若是不能日有進步，那就是落伍！大學的學術水準如何維持，如何提高呢？

且先看看我國大學內目前的種種，只要你將我延聘進來了，我就鐵定地吃定了你，至於教書嘛，我愛來就來，不愛來就在家休息，若解聘和不續聘可不是那麼簡單的事。至於說研究，那是我的事，你怎知我沒研究？只是我的研究報告未曾發表罷了。若說我去年發的是這幾頁講義，今年還是這幾頁講義，幾頁白裏泛黃，黃中透黑的講義，那也不祇我一人如此，若說我教的是英國文學史，而其實則在英文朗誦，那只怪你們的程度太差，如此淺顯的東西都要我來逐字逐句解釋！

總之，如此如此。

再看看外國是否也是如此？且以美國爲例，在美國大學裏任教，眞是談何容易，你必須不斷的研究，不斷的發明，不斷的出版，甚至「不能出版就請滾」。出版固然不可開玩笑，研究發明又談何容易？家兄仲雲（水旁）出身哥倫比亞大學哲學博士，現執教馬里蘭大學物理系，他寫信來，說到在美執教之不易，每年都必須將研究成果呈獻在許多專家之前，這些專家包括系裏的教授、副教授、助教、講師、助教，以及博士研究生、碩士研究生，接受他們的詢問，與他們辯論，最後且必須獲得大家一致首肯，若是過不了這一關，那就只好「降格以求」，到次一流的大學或學院去「混」？

原來，這般這般！

無疑地，若果要提高我國大學學術的水準，則我國目前的種種務必要加以改進，美國的種種也大有借鏡的價值。尤其是出版的制度大有採行的必要！若問出版的方式爲何，個人管見認爲則應配合認眞的審查制度，著作或研究成果之出版務必通過嚴格、公正、無私的審查，絕不可敷衍了事，而審查者尤須爲公正廉明、學驗俱豐之士，否則難免卽所難免，而出版亦毫無價值！我們中國人有個很大的特點，說是長處，人情濃郁，說是毛病，循私舞弊，誰都知道審查制度重要，而結果則徒落空言。所以我要特別强調「認眞」二字！

（未完）

昨日與明日

還要維護棧戀嗎？

台灣的大專聯考，向來受到有識者的批評，但批評的所在，却是指其精神和構想，至於推行的方法技術，則可稱優良週到，尤其關防嚴密，大公無私，是大家所交口稱讚的，縱有一些閃失錯誤，也都是小問題，而不足介意。

今年的大專聯考，已是第十六屆，根據以往的經驗，精益求精，力加改進，應該是在技術方面更週密，更進步了；那知這次聯考下來，台灣的報紙竟然紛紛指責攻擊，立監兩院的委員們也憂心忡忡，要考慮徹底改變聯考的辦法，何以引起如此軒然大波呢？原來今年的聯考，未僅較以往改進反而漏叢出弊不勝數，僅以在報端上披露，人人皆知者卽有：

（一）提早打鐘收卷。

（二）遺失考卷，釀成問題。

（三）試題經中學教員指證模稜兩可，意義含糊。

（四）榜名外洩，市面先期發出號外。

（五）分數加錯送分而不領情（學生郭小豫，得分三百八十二，而誤分發政大民族社會系，該系最低分爲三百九十五分，而郭生並不願入該系）

（六）該加分的未加（花蓮吉安鄉山地同學陳春英僅按三百七十七分分發而未加分）。

其餘手持成績單，前往理論者尤繼踵盈庭；不過報上未披露而已。錯誤如此之多而且奇（例如榜名外洩，十六年從來未有），眞是令人不可思議。何以有這麼多的錯誤呢，自其細者而觀，自然是經辦的人不好了；但自其大者而觀，何以今年獨有這許多錯誤呢，那無疑的是要由主持人員其責了，這就如打敗了仗，總指揮不能辭其咎一樣。

由這個角度來看，那就無足爲怪了，原來今年的主持人，就正是一再出事的師大校長孫亢曾氏。師大的事，雖然很複雜，但是演變到校警可以在校長室，打校長，足證孫氏雖是一位好學者，但是統御的能力，實在差得出奇，以這樣能力不够的人，辦一個學校，已經焦頭爛額，還要分出工夫來主持聯報，則其鬧笑話出漏，已是識者之早預料到的了。

孫亢曾氏，平素學行，不失爲一好的學者，並且也「據說」一再懇辭，而怪的是教育最高當局爲何偏要堅持「寧使一路哭，不使一家（客家，本家）哭」的政策呢，遠在去年五月教部某負責人事的次長卽曾親口與本報某同仁，講孫已懇辭，而徵求對繼任人選的意見，但緊接着教育部改組，孫氏的同鄉親戚榮任部長，孫氏的令弟榮任政次，於是也就「巧合」的孫氏不再辭職（或辭職不准）了，於是也就接着演出校警打校長，聯招鬧笑話層出不窮的惡果，而大毀孫氏的令譽，眞是「愛人不以德」了。

往事已矣，今後難道還要維護棧戀其再鬧笑話嗎？

・元開

自由談

捨本求末乎？

國大代表的法定職權，除了選舉正副總統外，就是創制法律與複決法律。選舉總統事宜很簡單，投下一票就行了，創制、複決法律却不容易，必須將國家現行法令（連同憲法在內）通盤研究檢討，詳審其利弊得失所在，提出何者應止，何者應修正，何者應補充的意見，詢謀僉同，交由全體代表大會通過施行。

所以，創制、複決法令的工作極其艱鉅，不是隨便可以完成的。必也糾合大衆，分門別類，將現行法令作深入的研討鈎稽，根據國情和時代進化律，擬訂興革方案，昭告國人，靜待批判，假以時日，付諸實施，這便是「憲政研討會」的應有職務，責無旁貸也。

可是，國大代表的憲政研討會成立迄今，各個委員會暨綜合會隨時舉行會議，紀錄滿車盈篋，而其內容盡是些關於行政事項或政策問題的興革意見，與「憲政」的旨趣有別。換言之，那些事情乃是行政和立法機關的專業，瑣碎支離，不成系統，國大代表既不負行政責任，又沒有質詢審議之權，縱有良好主張，亦止於送請主管機構參考而已，豈非捨本求末而虛耗精力乎？

現行憲法的缺陷就很多，非修改不可，而其他的國內法如民刑商法等，有許多地方既不合國情，且扞格難通（如民法中的親屬篇），當年立法機關的立法，多是將歐美各國法律照抄過來的。此外尚有若干違悖憲政精神的舊法令，亦依然照行不誤。國大代表憲政研討會不此之圖，而斤斤於補苴罅漏的行政事務之探討，未免見小遺大，因而我雖屬憲研會的一份子，也報名參加了一個委員會，却不曾出席過會議，認爲那是無益之事，不必浪費精神。

國大代表法定的正式大會，再過一年又要召集了。在這六年之中，促進憲政的研討成果如何？行使創制、複決權的對象安在？應該向人民有所交代。若以現有那些研討資料爲滿足，認爲恪盡了國大代表的能事，殊難自圓其說吧？

馬五先生

台灣省信用合作社業務
劃歸財政機關管理
已形成「六頭馬車」
省議員認與合作社法牴觸

（本報台中消息）台灣省議員就金融主管機關受託統一管理信用合作社暫行辦法等問題提出質詢，摘要如下：

信用合作社暫行辦法問題，今年六月間，政府以行政命令公佈施行之「金融主管機關受託統一管理信用合作社暫行辦法」（以下簡稱暫行辦法），規定信用合作社之主管機關在中央為財政部，在省為財政廳，在直轄市為財政局，在縣（市）為縣（市）政府。（第二條）此項命令與合作社法施行細則規定牴觸。法律規定信用合作社的主管機關，在縣市為縣市政府，院轄市為市政府社會局，省為合作事業管理處，社會處或建設廳，中央為內政部。命令牴觸法律者無效，為憲法明文規定。

本省光復後，信用合作社於三十八年十一月間依合作社法改組設立。四十三年規定信用合作社的業務，劃歸財政廳管理，並委託中央銀行檢查監督，合作金庫督導輔導，從此以後，信用合作社的主管機關計有：財政部、財政廳、合作事業管理處、縣市政府合作室、財政科、及中央銀行等單位，變成「六頭馬車」。

該暫行辦法第七條規定每股金額為新台幣一百元，每一社員最少應認購五股，與合作社法規定社股金額每股至少銀元二元（第十六條），及規定「社員認購社股，每人至少一股，最多不得超過股金總額百分之二十」恰相反。合作社社員的資格，合作社法僅規定「年滿二十歲」，「褫奪公權」，「破產」，「禁治產」以及「不吸用鴉片或其代用品」者，均得為合作社社員。合作社之理監事，由社員大會就社員中選任之，並無其他積極資格的限制，而暫行辦法第八條第二項規定「社員代表，理監事及其選聘辦法由財政部另定之。」該暫行辦法諸如此類，違法於上，顯於無據，查公務員對於長官所發命令，如有意見，得隨時陳述為公務員服務法第二條所定。亂命不從，古有明訓。

擴展的問題，警察職權和警察業務：（一）發佈警察命令，（二）違警處罰，（三）協助偵查犯罪，（四）執行搜索扣押拘提及逮捕，（五）行政執行，（六）使用警械，（七）有關警察業務之保安、正俗、交通、衛生、消防、救災、營業建築、市容整理、戶口查察、外事處理等事項，（八）其他應執行法令事項。為警察法第九條明文所定。目前，本省警察職權和警察業務之擴展，已超過法律所賦予之職權和業務範圍。例如戶政工作，按照戶籍法和戶籍法施行細則以及警察法的規定，不屬於警察職權範圍，亦非警察主要業務，戶籍法施行細則第五條規定，警察機關應指派員警協助戶政人員辦理查記」而已。而戶籍法第三條明白規定「戶籍行政之主管機關，在中央為內政部，在省為省政府，在縣市為縣市政府。」而省政府應設民政廳戶政科，縣政府設戶政課。」（戶籍法施行細則第三條）同法第一條之意義：「中華民國人民戶籍之登記，依本法之規定。」同法第六條明定「戶籍登記以鄉鎮為管轄區域，鄉鎮長兼任戶籍主任，並設戶籍幹事若干人，由鄉鎮長指定所屬自治人員兼任之。」

本省試辦戶警合一已經一年，報載：政府繼續延長一年試辦戶警合一工作，本席對於試辦或正式施行戶警合一認為必須要有法律的依據，在有關法律未修訂之前而以命令試辦戶警合一，就憲政體制而言，是莫大的損失。

省警政實施事項之立法的問題，依警察法第三條第二項規定：「有關省（直轄市）警政，與縣（市）警衛之實施事項，其立法與執行，應分屬於省（直轄市）縣（市）。」換言之，有關其立法權屬於本會。又警察法第七條規定「省政府設警務處，掌理全省警察行政及業務，並指揮監督各縣（市）警衛之實施。」則本省之警政廳於何時設立？本省警察官職，依警察法第十一條規定，應「採分立制。其官等為警監、警正、警佐。」而「警察行政人員之任用，以曾受警察教育，或經中央考銓合格者為限。其任用程序另定之。」亦為警察法第十三條所明定。

所得稅申請書
納稅人看不懂
稅捐機關遲發扣繳憑單
以致無法按期結算申報

所得稅申報問題　按照所得稅法第七十一條規定，納稅義務人應於每年二月一日起兩個月內填具結算申報書，向該管稽征機關申報其上一年度內之課稅所得額，及其應納之結算稅額。如已有扣繳之稅款者，依法應檢附扣繳憑單，始得為之。今年因稅捐機關遲發扣繳憑單，以致納稅人無法按期結算申報。倘納稅義務人不能如期申報，則所得稅法第十七條第一項所規定之個人免稅額，扶養親屬寬減額及捐獻、保險費、醫藥及生育費、災害、財產交易損失或其標準扣除額（至少為新台幣九千元）將為之取消。因為同條末項規定，這些免稅及寬減扣除額的附帶條件是按時申報，納稅義務人不能按時申報的原因是由於扣繳憑單遲發，其責任不在納稅義務人，而政府要納稅義務人負責是不公平的。所得稅法第七十二條，雖規定納稅義務人如有特殊情形，得於申報期限屆滿前，報經稅捐機關核准，延長其申報期限。今年之扣繳憑單遲遲不發，也可以說是情形特殊，此一特殊原因實係稅捐機關所造成，倘每一納稅義務人依法申請，延長其申報期限，恐將不勝其煩。

政府再三強調簡化稅征程序，事實上恰恰相反。五十八年度綜合所得稅結算申報書，究有幾許納稅義務人懂得填寫？因為納稅義務人既不是「博士」，也不是專家學者。政府要人民按時申報，其制定之申報書竟叫人看不懂。這是很大的諷刺。

政府投資於兒童少年福利的問題：目前的兒童少年，就是未來國家的主人翁，他們的保健，始於母體內胎兒時期，因此，有關婦幼保健工作計劃，須以衛生教育來配合，始能收到好的效果。本省各鄉鎮雖設有衛生所，辦理公共衛生業務，唯衛生所平均只有醫師一人及護士或助產士一人或二人，他們須辦理三至四萬人口之婦幼保健工作，只能顧及鄉鎮（區）而無法將婦幼保健工作推展到每一村里去。按照先進國家標準，每一護產人員只管理三千人到四千人；每約四千人到五千人，就設有婦幼保健室。如依照這個標準，本省至少需要在衛生所服務之護產人員約四千人至五千人，婦幼保健室需要二千五百所。本省登記在政府機構服務之醫護人員，五十六年，醫師為一、〇三二人，護士一、〇一八人，助產士五六八人，合計不過二、六一八人，其中服務於衛生機構者只有醫師五六五人，護士三五四人，助產士五二三人，總共不過一、四四二人，與實際需要距離很大。故政府對辦理公共衛生業務應有改進的計劃？

我國兒童少年福利經費，可以說微乎其微。以六十年度為例，省社會處列有兒童少年福利預算六二、四五七、六九五元；省社會福利基金用於兒童社會服務計劃及世糧方案援助計劃，平均每年援助一、四五〇、〇〇〇美元（以每一美元折合新台幣四十元計算，為新台幣五千八百萬元）。而我國十八歲以下之兒童及青少年，至去年四月，約達七百餘萬人，故前述之經費，辦理消極性兒童少年福利救助工作已感不足。今後，政府投資於兒童少年福利方面，有無新的計劃？兒童少年福利法及保護法，勞動少年保護法及更生保護法草案等，政府於何時制定實施？

針灸風行歐洲
英國醫學博士抵華研究
呼籲精研技術發揚光大

（本報台北消息）英國醫學博士史康DR. S.AKHAN來華研究中醫鍼灸，向在一項宴會典禮中致詞說：

我是史康S.AKHAN出生於巴基斯坦，攻讀醫科，獲得心理哲學博士，擅長催眠及鍼灸治療，行醫已達二十二年歷史，其中治好不少奇難雜症。

我在巴基斯坦和英國以及海外很多地方，我所到之處皆有留下很好的名氣，在鍼灸方面我做了很多研究工作，已經有了良好的基礎，我在英國很喜歡與那些曾經來向吳惠平博士學過鍼灸的朋友們共同研究，增加我的學識。

現在鍼灸在歐洲方面，極其風行，但是我對於那些亂用鍼灸的醫生，感到非常痛心，因為他們好像獵人對一羣小鳥盲目的射擊，結果僥倖被擊中者寥寥無幾，這就是譬諭不懂穴道的醫生在病人身上亂用鍼灸的意思，我的願望要用正當的診斷方法找出病原，精研鍼灸醫術，迅速治好病人，這樣才能發揚歷史悠久的中國鍼灸醫學。平衡氣血是要找出正確的的穴道，假如鍼灸不能找到正確穴道，隨便施鍼，就是打幾千鍼也是無法見效的。

神給予我們無限的生存力量，在身體中不斷的新陳代謝，若身體不平衡，就會生病，用鍼灸來調整使其平衡，那是一種最好的方法。

中共有一位權威的鍼灸會長，他在兩年前到英國看到我對研究鍼灸的成就非常讚美，他曾以每月九百元美金的高薪來引誘我去大陸訓練他們的學生，我當場拒絕了，因為我愛自由，不喜歡他們。在英國伯明漢我的診所裏每日求治的病人很多，我對不同種族及不同宗教的人都一視同仁，他們有奇難病症在西方醫藥不能治好的時候，我都用鍼灸為他們治療，我希望歐洲的鍼灸醫生們大家把鍼灸技術及經絡穴道研究正確，這樣才能把鍼灸發揚光大。

喬治桑外傳　一六八
張大萬

「我們想每月送老兄車馬費兩千元，希望不要見笑。假使老兄答應，聘書我可以明後天就送來。」

「好的，無所謂，改天我來看你。」

喬治桑掛斷電話，心裏想，這眞是一塊雞肋，每月二千元等於五十元美金。日本人眞「小兒科」。繼而一想，管他的，每月多二千元總比沒有強。

牛興鐘打電話給喬治桑，告訴他在中日合作藥廠開工以後，聘他為顧問，每月送車馬費二千元，這不過是點到為止，敷衍一下而已，喬治桑知道這是無法爭的，只有接受。

喬治桑掛斷電話，雅麗絲立刻問他：「你和牛董事長合作的中日藥廠是不是已經成功了？」

「嗯，」

「那我要恭喜你了，」

「我不是和他們合作的股東，只是站在朋友立場幫幫忙而已。」

喬治桑一向有大吹大擂的海派作風，但對於雅麗絲講話卻很平實。

「勞資合作，勞力投資不也是一樣嗎？」雅麗絲在幫着喬治桑說話。

「這也說不上，老實說，他們設立工廠，我並沒有盡過什麼力。」喬治桑笑了一下，隨又端起茶杯喝了一口茶。

「那牛董事長打電話給你幹什麼？」雅麗絲為了表示關切，所以要打破沙鍋問到底。

（未完）

台北傳奇錄（六六）
・陳光棣・

並且曾經以「水密桃」的筆名在報屁股上發表過蝴蝶鴛鴦派的文章。高中畢業，不幸嫁了個短命鬼，結婚不到十年丈夫就一命嗚呼了，從此馬寡婦曾經以零碎結婚的辦法維持生活，人海茫茫，謀生不易，自然就談不上還有什麼寫作情緒了。多年來省吃儉用，手裏也着實存了幾文。人類就是奇怪的動物，只是塡飽了肚子，是絕不會滿足的，於是馬寡婦便想搞個女作家的頭銜出出風頭，抬抬身價，說不定還可以弄到個菲洲什麼大學的榮譽博士學位開開洋葷呢！

馬寡婦的處女作決定是一部愛的要死的愛情小說，女主角熱情如火，男主角體健如牛，這部書從頭到尾都將是吃飯和睡覺，至于別的情節按着一時風尚是都可以不要的。依常理來講，一部小說至少要有開頭，有結尾，有組織，有氣氛，最要緊的是還要有主題，可是如今咱們的文壇上，有許多作家就絕不採用這種陳腐的章法，他們寫小說只要能抓住黃、黑、灰、綠四種顏色為基本要素，就能名利雙收。筆底下的女主角自然都是千篇一律的；大體上女主角們都是會哭、會笑、會跳舞、會喝咖啡、會脫褲子的能手，另外再配上幾個男主角，分別以女主角的公公，舅舅，大伯子，小叔子的身份出現，然後是男女主角一再的舉行盛況空前的脫褲大會，這部小說便算大功告成。您愛信不信，這種作品最容易震驚文壇，洛陽紙貴。這情形非但我們中國是如此，近之如日本，遠之如歐洲，作家們都能仗着這種作品享大名賺大錢，甚至于還可以得到諾貝爾文學和平獎金，說來這也很有道理，當大家有志一同，紛紛脫了褲子的時候，自然就非「和平」不可了。

像漢明威那樣的傻瓜，在咱們中國是沒有的；漢明威為了寫「老人與海」一書，硬是駕着游艇在大海上釣了兩年馬林魚之後，才開始動手寫作的，這不是小題大作嗎？宜乎他在功成名就之餘，反而舉槍自殺，這人的傻勁實在是到了不可原諒的程度。咱們的一些作家們都是天才，當然不會傻到向漢明威看齊，我國一些出名的作家，要想寫什麼作品，只要坐在屋子裏憑空一想，就可以完成「塞外風雲」；「外蒙古之戀」；「布達佩斯的奇遇」；「馬爾他羣島的春光」之類的大作，雖然作家們連這些地方究竟在那裏都不曉得，但這一點是絕不妨事的，因為書裏而有了會脫褲子的女主角，你把她安排在什麼地方，就都沒有什麼不同了。反正某些讀者要看的是香艷，是刺激，是色情，是：……只要書裏的女主角不停的脫褲子，讀者就會看的出神入化，至于整部書有沒有合情合理的故事，反而是次要的問題了。當然要是不怕違警的話，書裏而再附有幾頁作愛的插圖，那銷路就會更好。您慢點高興！不過這種構想還在少數人醞釀階段！

吳俊陞舌頭眞大嗎？

文匯樓主

吳俊陞字興權（綽號吳大舌頭）與東北王張作霖同爲海城縣人，且同住在一鄉，眞所謂同鄉了。後又同出沒綠林，生死患難相共，後來又同爲趙次珊所招安，建功升遷，亦八兩半斤，均爲淸軍大員，民國初年復寄方面重任，張作霖做奉天督軍，吳俊陞任黑龍江督軍，像吳張之間有六同關係者，官場甚少見到。十七年六月四日，吳隨張作霖出巡，乘坐專車，由北京同返瀋陽時，車抵皇姑屯車站，被日本特務暗算，預埋地雷準時爆炸，吳與張皆死於非命。這是轟動國際上的一大件謀殺案。

吳出身綠林，在奉軍舊派領導人物中，權力僅次於張作霖而已，但沒有新頭腦，與日本士官畢業之郭松齡、韓麟春等，勢同水火，無法相容，吳有一點爲郭等所不及者，吳驍勇，有神槍手之稱，每戰必身先士卒，民國二年征蒙古陶什陶，肩中流彈，仍奮不顧身，肉搏勇進，追敵喊殺，部屬皆受其感動，一致抱必死決心作戰，卒獲得勝利。民國十四年，郭松齡叛變，因計劃週密，幾勢如破竹，張作霖目睹瀋陽危在旦夕，正預備棄城偕眷逃往秦皇島，處此千鈞一髮之際，未料到吳俊陞得急電後，親率精旅馳來援救，用騎兵包抄郭之後路，使郭部三面受敵，祇有招架之功，沒有還手之力，最後生擒郭松齡夫婦，及其秘書長林長民。吳「征蒙古，破郭軍」各役，三杯高粱下肚，酒話連篇，自比關羽過關斬將，認爲一生最得意之傑作。張作霖能與吳推心置腹者亦在此。

吳大舌頭綽號之由來，不知者以爲吳俊陞舌頭特大，其實不是這麼一回事。吳俊陞肥頭大耳朵，生得一副羅漢相，則屬事實，所謂大舌頭者，係另指一器官，吳時常向密友自吹自誇，他器官碩大，超乎常人，可與一百元（袁大頭）相比，且對這方面有先天異稟，眞所謂常勝將軍，與張之洞、袁世凱同癖，夜不能空床，否則難以入睡，這是吳一生最大的缺點，且愈老愈健，毀之者謂老牛愛吃嫩草，據接近他的人說，這話是靠不住。

附庸風雅爲軍閥詬病，吳則更甚，喜歡爲人書聯，所書五言句七言句，聯雖爲秘書所選，但皆出自吳俊陞親書；他還有一個毛病，寫大字用大筆，寫小字亦用大筆，樓主曾在東北朋友中看到寫的兩副聯：

醉枕婦人膝
醒握天下權

從來名將如良馬
自古英雄愛美人

文滙樓別記

卓文君（下）

——黛眉外傳之二

王幻

鳳兮鳳兮從我棲，得託孳尾永爲妃。
交情通體心和諧，中夜相從知者誰？
雙翼俱起翻高飛，無感我思使余悲！

文君在屛後聽得出神，幾乎醉倒。待至酒闌席散，相如同賓客辭去，她才獨自回房，心中惘惘若有所失。愈玩味那曲辭的語意，愈使她的琴心激蕩，坐立不安。適時她的侍兒已受了相如的賄買，乘機代相如致殷勤之意，於是她下了決心「中夜相從知者誰」？果然在午夜悄悄地奔到相如寓所。天色尚未黎明，便離開臨邛，同相如馳歸成都。

豈知相如平生疏放，不事生產，又好結交諸侯游士，倨大的祖業家財已揮霍殆盡，致家徒四壁，當時從車騎是僅有的家當。文君自小錦衣玉食，未曾料到相如家貧如洗，深悔臨走匆忙，沒有多帶些細軟物件，初時因貪享新婚之樂，雖質賣度日，尚不覺怎樣，日子稍久，文君隨身攜帶的金銀首飾，看看待盡，她不免焦灼起來，長日黛目緊蹙，花容憔悴。相如心中十分不忍，雖不時替她彈琴解悶，可是同樣的琴聲，再也掀不起她欣喜的心情。有一天，相如想使文君稍展愁眉，便將身上僅存的一件鷫鸘（兩字爲鳥名）衣，悄悄地脫下換了幾斤酒及幾樣文君素日愛吃的菜餚，請她對飲，焉知酒入愁腸，文君觸動心事，兩行淸淚，撲簌而落，襟袖都被沾濕。所謂「貧賤夫妻百事哀」。經過相如的勸慰，文君的臉色稍霽，便含淚說：「我們如果住在臨邛，父親雖然爲了我的私奔，分文不給，但向兄弟姐妹們借貸，也可以生活，何至自苦如此！」於是夫婦倆計議了一番，決計同到臨邛去。抵達之後，便將車馬變賣，開了一家酒店，文君每日濃妝艷服，在店前當爐賣酒，相如則穿短褐，下著犢鼻褲，充作酒保招呼來往的客人，由於名士佳人的招牌，頗爲轟動。卓王孫得知此事，以爲大恥，遂閉門不出。因之有許多戚友來勸他道：「你不患無錢，都因不給她資財，迫他們做出有辱門楣的事；且文君既失身於相如，相如雖貧，人才還很出衆，況且相如曾爲貴官，以病去職，又是縣令之客，奈何使他不得如此！」卓王孫不得已，乃分與文君家僮百人，錢百萬，以及嫁時衣被財物。文君得此大財，立即關了店門，與相如仍回成都，置買田宅，頓然成了富人。

相如素有消渴之病，現今豐衣足食，文君又是貌美多情，不免淫欲過度，遂至舊病復發；他自己也自知病因，深自懊悔，乃作「美人賦」以自警。

也是相如的官運，他的同鄉蜀人楊得意爲狗監，侍武帝，武帝在宮中偶讀相如的「子虛賦」，稱賞不置，「朕獨不得與此人同時哉！」楊得意才說作者爲相如，武帝詔召他入都。相如接到詔書，辭別了文君，朝行夜宿到了長安，即行陛見，武帝問起「子虛賦」是否相如所作？相如對道：「有是，但此乃諸侯之事，尚未足觀，請爲天子游獵之賦。」武帝便命尚書給予筆札，乃作「上林賦」奏聞，武帝大悅，拜相如爲郎，常侍左右。

數年之後，唐蒙奉命經略西南夷，在巴蜀徵調夫役，人民大爲驚恐。武帝聞知，遣相如前往宣慰，責備唐蒙，勿輕舉妄動，因作檄文曉諭各蜀，民皆悅服。是時南夷已與中國交通，多得賜賞，西夷羨慕，皆願歸附。武帝又召相如問計，相如以爲西夷地近蜀郡，其道易通，不若沿用秦制，置以爲縣。武帝大以爲然，遂拜相如爲中郎將，建節出使，招撫西夷。……相如乘坐高車駟馬，前呼後擁，馳往蜀郡；蜀郡太守率屬出郊遠迎，成都令身負弩矢，先驅引路。當日蜀郡士女，沿途圍觀，見相如富貴榮顯，衣錦還鄉，莫不以爲榮寵。消息傳到臨邛，卓王孫與一般富人，皆趕至成都，備牛酒厚禮，託門下倩人獻與相如，藉以博取他的歡心。及至此時，卓王孫喟然而歎，自恨眼力不高，使文君得配相如，尚嫌太晚，於是重新分給文君家財，與兒子相等。這時文君始回家中與父母兄弟相見。相如奉使署定東南夷，使其歸附中國，事畢偕同文君同長安覆命，武帝欣慰，拜相如爲「孝文園令」。一日，相如從武帝至楊宮射獵，武帝正年富力强，最喜親擊熊豕，馳逐野獸，相如上疏諫阻，武帝見疏稱善，爲之罷獵。

武帝既美子虛之事，相如見上好僊，因對武帝說：「上林之賦，未足盡美，尚有靡者。臣嘗爲大人賦」，未就，請具而奏之。」遂作大人賦，武帝覽後，飄飄有陵雲氣游天地間之感。

相如素患口吃而善著書，陳皇后嘗失寵於武帝，別居長門宮，聞相如天下名士，文采第一，奉黃金百斤爲文君取酒，相如因爲長門賦，以悟主上，后復得幸——重獲失去了的愛情。其文章之生動感人，於此可見。

既而相如因病去官，移家茂陵定居，過着逍遙自在的生活。誰知相如素性好色，自得文君，患過消渴之疾，意猶未足，及至晚年，又想聘茂陵女子爲妾，此事引起文君的激憤，幾乎破裂了夫婦的關係。因此，她作「白頭吟」一篇，以示與相如決絕。其詩云：

皚如山上雪，皎若雲間月。
聞君有兩意，故來相決絕。
今日斗酒會，明日溝水頭。
御溝上，溝水東西流。
淒淒復淒淒，嫁娶不須啼。
願得一心人，白頭不相離。
竹竿何嫋嫋，魚尾何徙徙（竹頭）。
男兒重意氣，何用錢刀爲。

或有人批評此詩缺少溫柔敦厚之音，盡是洩怨的憤語。如果設身處地爲文君設想：她當初犧牲了名譽，脫離了家庭，不顧一切的中夜私奔。於今她所愛的人功成名就，竟想棄絕她，飛棲別枝去，那麼你就會同情，就會原諒她抑不住內心的憤火是必然的結果。

另外，她還附有一封信給相如：

春華競芳，五色凌素，琴尚在御，而新聲代故。錦水有鴛，漢宮有水，彼物而新，嗟世之人兮，瞀於淫而不悟！

朱絃斷，明鏡缺，朝露晞，芳時歇；白頭吟，傷離別。努力加餐毋念妾，井水湯湯，與君長訣。

相如或爲文君的詩文所感動，遂打消了納妾的念頭，夫妻又和好如初。

武帝元狩六年（公元前一一七年），約年六十餘。相如病死，臨死前，預備武帝遣使來遺書，後來果應其言，這便是「封禪書」。從此文君永遠成爲人間孤侶，不過她這時至少已是五十餘歲的人，社會的地位，家庭的生計，決不會影響她老年的歲月。於今，文君雖然死了將近二千年，但當我們讀了她的白頭吟，仍顯示新鮮活耀的眞生命！

（完）

說曹操

（卌五）

李漁叔

次說張魯

魯……奔南山入巴中，左右欲悉燒寶貨倉庫，魯曰：『本欲歸命國家，而意未達，今之走避銳鋒，非有惡意，寶貨倉庫，國家之有。』遂封藏而去。」太祖入南鄭，甚嘉之，又以魯本有善意，遣人慰喻，魯盡將家出，太祖逆拜魯鎮南將軍，待以客禮，封閬中侯，邑萬戶。封魯五子及閻圃等皆爲列侯。爲子彭祖取魯女。魯薨，謚曰原侯，子富嗣。」

亂世羣雄割據，作惡多端，血債血還，遭受慘報，極少倖免。然而心術祥和，不肯作惡的人，亦必有較好的結果，如張魯即是。他和張繡合傳，却比張繡强得多了。

還有一個劉雄鳴，藍田人，居住在覆車山下，以採藥射獵爲生，每天早晚，在山上雲霧中行走，山下的人都以爲他能興雲霧。李郭之亂，中州人民多往依靠他，遂有部黨頗衆。」韓遂馬超戰事初起，雄鳴不肯附和之，後來詣曹公投降，曹公執其手說；『孤方入關，夢得一神人，即卿也。』拜爲將軍。魏略載雄鳴降後情形：

「雄鳴……往迎其部黨，部黨不降，遂刼以反，諸亡命皆往依之，有衆數千人，據武關道口。太祖遣夏侯淵討破之，雄鳴南奔漢中，漢中破，窮無所之，乃復歸降。太祖捉其鬚曰：『老賊，眞得汝矣。』復其官。」由此也可見曹公招徠遠人的方法，其權謀亦甚爲可愛。「老賊，眞得汝矣。」十分寫喜中仍寓有安撫人的方法。

（未完）

諸葛亮狂想曲

（一四七）

劉玄

劉約翰看出諸葛亮的表情，連忙說：「天庭的結婚禮，必須如此打扮，這套行頭還是借來的。」好在天庭借結婚禮服不必化錢，不過不容易借到罷了」。

「時間還早罷，坐一會兒再去。」諸葛亮照例吩咐琴童煮咖啡待客。

劉約翰一心只想金魚美人，對於諸葛亮說的話並未聽淸楚，坐在一旁發呆。

「喂，你聽淸楚我的話沒有？」諸葛亮見劉約翰如此情形，益覺修仙成佛談何容易。美人關最難過，在天庭亦然。

「是的，是的，時間還早，時間還早，」劉約翰期期艾艾，自己也不知道在說些什麼。

諸葛亮、劉約翰準時到了太白星君仙邸裏，他們並非不速之客，是事先[illegible]，自有琴童迎入禪室。

星君一見劉約翰打扮成狀元模樣，立刻讚道：「好，好。你這身衣裳借來的？」

「我今天與金魚美人正式締結良緣，又是星君的福証，自然不敢穿着隨便。」劉約翰甩了一下水袖，手法很生硬，好像是羊毛票友的功架。

諸葛亮坐在旁邊，趁太白星君與劉約翰談話時，仔細看了一下禪齋的佈置：地上舖了一張猩紅地毯，八仙桌上點起一對臂膀粗細的龍鳳花燭，花燭之中燃一爐檀香，爐後壁上掛一幅和合二仙畫像，露出半白的兩鬢，微微皺了皺眉頭，說：「現在時間還早，我來替你美容一下，以便金魚美人看到的是一位老氣橫秋的新郎。」

劉約翰心中納罕：難道在天庭還不能以本來面目示人？仍須美容？

太白星君何等智慧，早已料到劉約翰心裏在想甚麼，哈哈一笑，用手拍了拍劉約翰的肩膀，「你不要覺得奇怪，愛美是人類的天性，天性者天庭之性也，可見天庭愛美更超過人間。金魚美人是人間少有，天上罕覯的絕色麗姝，我如果不將你變成潘安衞似的美少年，她雖然有嫁雞隨雞，嫁狗隨狗的美德，但究竟不美滿，何況你們只做一月夫妻，等到緣盡再恢復你的本來面目，豈不很好。」

「是，是，星君。謹遵鈞旨。」劉約翰垂拱而立，作不勝屛營待命之狀。

星君走到丹爐邊，用三個手指，揭開了丹爐的蓋，丹爐是仙家特製的合金體，比太空船更能耐高熱，那爐蓋，少說點也有幾百斤重，星君用三個手指揭開，不費吹灰之力，比老太公拿腳爐蓋還輕，可見星君的神力，雖力能扛鼎的霸王也不及他。

星君揭開爐蓋，用一個像點眼藥的玻璃吸管，從丹爐裏吸了一點煉丹液，然後將丹爐仔細蓋好。

巨變歷險記！

野餐

（一五〇）　胡慶蓉

現在該談到野餐了。

從瓦渣到洞緬邊境中緬泰寮的三角地帶，所經過的地方，大體上分來，不是山胞區，就是擺夷區。山胞住在山上，擺夷住在平地，住在濱邊。山胞區的房子大都厚厚的土牆，有不少是石頭的。任你有多大的風也不容易吹倒的。建築非常簡單，往往留一個門而外，什麼窗戶洞，一概沒有。這已經夠黑暗的。鍋灶又在裏邊，柴火燒在裏邊，烟盤繞在裏邊出不得來，積久了，牆壁也都變成了黑漆，屋子也就成了黑漆了。這樣房子才可以禦寒。在天寒地凍的季節，這却非常的實際，這裏很難買得到油，夜裏靠燃柴取亮。這里有的是很好的松樹，松樹取亮，光是非常好的，也非常能耐久。烟自然很濃很黑，但香氣撲鼻，有入芝蘭之室的感覺。

擺夷的房子則反是。擺夷的房子都建築在水的旁邊，遠望去非常美麗。相傳是照着諸葛亮的帽子盖的。這是說房子的上部，下部則空空如也。下部是一個空架子，距離地下，高低不一，有的離地不過尺許，有的比人還高，一塊磚，一塊石頭也沒有，完全是樹木、竹子、草排所築成。房門開在屋上頭，房子是大三角形，房子的坡度極大，幾與牆齊。牆不過尺把高，但仍然有不少的窗戶。地板完全是竹子的，擺夷是非常乾淨的。在邊門的地方，稱之曰外房，形同個大客廳，火也是日夜不斷。外房經常供着小佛龕。外房很大，可容納二三十人睡。因爲有火，故門雖大開，也並不覺冷。

山胞、夷胞都非常好客，看漢人如同他自己的親兄弟，一上到了他們的家門，好像貴賓到了一般，都非常的歡迎。他們一年的耕種，往往夠三年吃的，故大軍過處，吃倒不成問題。這是說到了村莊，但往往到不了村莊，這吃就困難了。一人掛一個米布袋，在露宿的時候，就拿出來做飯，往往也有吃完的時候，有時也會難于爲繼。中午的一頓，都是早上做好的，到十二點的時候停下來吃。坐在地上，打開自己的飯盒，吃起來無不感到津津有味。

部隊的伙房最辛苦，當部隊休息的時候，他要趕緊的做，等到大家吃光了，他又要收拾傢伙。跟隨丁博士的伙食担，名字叫老楊，一派四川的派頭，他頭上圍着高高的大手巾，簡直同上海印度巡捕一樣。他還會唱四川的金錢板，爲人非常有趣。他的飯担子，常常一無所有。步步都要吃，而且要多多的吃的，到了需要吃而沒有吃的時候，是夠痛苦的。沒有的吃，還是要走！……走走！……飢腸轆轆，更是痛苦！衷心向往着村莊，衷心盼望能到村子睡覺，能在村子上吃飯。

革命精神的今昔觀（下）

·諸葛文侯·

一民國十六年夏間，國府奠都南京，實行清黨，凡屬國民黨員一律要重新登記、塡表，且須經過口試，纔發給新黨證，任何達官貴人亦無例外。一日國府主席譚延闓，常委李烈鈞聯袂赴南京市黨部登記，我以國府秘書隨同二公前往作嚮導，二公依照規定手續辦理後，站在一座高台前，聽候幾位主持口試的青年同志問話，除却詢問何年入黨，係何人介紹，舊黨證號碼等等外，最後一位年方廿許的口試員又問道：「譚同志你在本黨屬於那一派？是左派，抑是右派？」譚先生揚聲答曰：「本黨是沒有派別的！」適市黨部組織科長段錫朋出來，驀見譚李二公在受口試，急忙請其入辦公室休息，說明不得不按照規定辦理的原因，頗表歉意，譚公大笑云：「這比我在科舉中，跪着領卷子的情形，客氣多了，應該應該」。這樣的革命精神，以後就少見了。

同年冬間，黃埔軍校一期生曾擴情，奉命赴四川工作回到南京，在市內購買了一座小樓房作居家之用，客廳中陳設幾樣假古董，并不算是奢侈生活。然許多黃埔同學認爲迹近官僚派頭，大不謂然，向校長陳情，說曾氏喪失了革命精神，有忝革命黨人的聲譽，非予糾正不可。結果曾氏即將住宅出售，另租簡陋房屋，毫無怨言，這事若在今日，還成問題嗎？

民十七年，南京市長劉紀文結婚，曾以大洋二十元給新婦在上海購買了一雙絲襪國民黨人——尤其是少壯派人士，爲之譁然。中常委胡漢民先生即在紀念週席上提起此事，大加斥責，連說：「這種腐化行爲要不得，要不得」不置，行政院副院長兼陸軍署長馮玉祥，則以清水一，用紅紙封口，附以「恭賀新婚」名片，派人送到劉市長公館致賀。這二事成爲當時報紙上的花邊新聞，轟動一時，而政風爲之肅然。若夫今日的達官顯宦結婚時，漫說用二十塊銀元給新婦買一雙絲襪，乃是寒傖行爲，即斥美金萬元買一枚結婚鑽戒，亦屬極尋常的事兒，誰也不以爲意，而且表示羨慕呢！

大概是民國十八九年間，邵元冲充任立法院副院長，曾在南京城南丁家橋附近地方，購置地皮，建築了一座相當華麗的住宅。中委兼南京市長石瑛（蘅青）會在黨部會議中提出檢討，認爲革命黨人不應該有此豪奢的生活現象，諷邵氏自加檢束，以免腐蝕革命精神，邵氏反唇相稽，相持不下，石大怒道：「我爲着遵從總理遺囑，『革命尚未成功，同志仍須努力』的教訓，要率領南京市民，將你那座官僚華屋，一把火給燒掉？」邵謂「你敢？」兩人大鬧一場，不歡而散。當時在座的中央委員皆對石氏表同情，沒有人替邵氏說句圓場的話，可見革命精神猶存，跟後來的黨國要人迥不相侔也。

談到革命黨同志間相處的道義精神，更屬今非昔比。民國十年陳炯明失敗退出廣州，逃至香港後，殘存部隊由 國父派李烈鈞收編，駐防潮汕一帶。北廷國務總理段祺瑞派人赴汕頭向李聯絡，企圖分化革命武力，曾以大洋百萬元饋贈李氏（李的職銜爲粵閩邊防督辦），李虛與委蛇，將現欵收下，儲藏於總部一間小屋內，凡有國民黨同志到汕頭訪問的，李氏以段總理贈金事相告，帶同來賓入儲金室查看盈箱的大批銀元，囑其隨便取用這種橫來之物。然銀元質量不輕，每人最多亦祇能取二三百元而已。據本黨長龔覺振先生談：他是首先到粵訪李的，由於龔李二人平日交誼甚篤之故，李囑龔盡量提取小屋中的藏金。他亦正在鬧窮，即尋找一張粗布，包裹了八百元大洋，將携回旅舍，行至李總部門外就提不動了，又不敢請途人幫忙，只好再回李總部，由李派衛士代爲携赴下榻處。今之闊人雖擁貲千萬，對着老同志亦哭窮不置，若夫普通朋友，更不會表示絲毫的道義精神，殆可斷言。因爲他們的錢來得不光明，又沒有如李鈞烈之對同志坦白精神，當然要裝窮啊！

政黨的本質及其活動精神，實與「幫會」并無二致，幫會所恃以生存發展的潛能，就是尊道義，重言諾，立法公正無私，是非賞罰絕對嚴明，雖龍頭大哥亦不能破壞幫規，營私徇情，這叫作「江湖氣」。所以，政黨一旦掌握政權後，內部如果發生官僚主義，便係腐化開始，隨之而來的即爲貪汚流行。過去在大陸時期，陳果夫、立夫昆仲担任國民黨組織部長之際，任何一個本黨同志，隨時可以進入部長辦公室言事，絕不需要事先登記，臨時排班聽候傳喚這類官樣手續，頗具江湖氣習，因而黨人的革命精神尚未完全衰退，最顯著的表現就是黨務工作人員很少有貪汚行爲。若干青年同志由於更事無多，有時對人對事或不免失之幼稚衝動，然皆潔身自好，決不流於腐化生活，這是事實。黨部工作同志如果沾上了衙門習氣，如果犯了官僚主義的毛病，革命意志即沒有不難換的。

（完）

生活漫談

肺組織與血對人體關係

·馬騰雲·

問：肺的組織與功用，及其對人體的影響能否加以詳細的分析見告？

答：肺的組織分左右兩邊，右邊是三葉，左邊是兩葉。它沒有知覺，痛癢都不知道。有些人常常因爲覺得胸部有些痛或是苦悶，就心得了肺病，其實，那和肺很少關係。肺也不能自己脹，呼吸時由於肋骨的起伏和橫膈膜的上下鼓動，才一脹一縮的。橫膈膜是分開胸部和腹部的一層薄皮兒。肋骨往上鼓，橫膈膜往下落，空氣就吸進了肺裏；肋骨往下落，橫膈膜同時往上鼓，肺裏的空氣就被擠外出，這就是呼氣。所以肺是經常活動運動的東西，不容易得病。只是我們兩個肩窩底下的兩個肺尖兒，平時那裏肋骨的鼓動小，不常換氣，所以若把很厲害的細菌（如結核菌）吸進肺裏，遇到當時身體不壯，血液沒有把它消滅，它就常常從肺尖那裏起，侵害肺部。所以我們平時要多作些體力勞動，或是多作運動，使肺部多活動一些，並注意避免和肺病正在發展的病人接觸。

問：血對人體關係的重要性可否請加以詳細分析？

答：大家都知道，血如果流得太多，人就會死。爲什麼血流多了人就會死呢？血在身體裏是運輸兵，他的作用：第一是運送養料和分配養料到全身。吃的東西被消化以後，裏面的養料，大部要變成能溶化的東西，吸收到血裏面，隨着血在身體各部消耗以後，就變成廢物（這種廢物和吃的東西經消化吸收以後剩下的渣滓不同），由血液帶到一定的地方，變成尿和汗，排出體外。養氣（氧）消耗以後變成廢氣，也溶在血裏，由血帶到肺裏呼出去，所以血的第二個作用，是清除全身廢物。第三是運輸和分配養氣，我們的血看起來是紅的，就是因爲它裏面有大量的紅血球。紅血球很小，一滴血裏面就會有兩三百萬紅血球。用顯微鏡看起來，紅血球就像一個小圓燒餅，都是周圍厚，中間薄薄的。它在肺裏吸收養氣，供給身體各部的需要。

血裏面還有白血球。它的形狀常常在變，所以沒有一定的樣子。一滴血裏面有三、四十萬個。它在身體裏和戰鬥員一樣，能把進到身體裏的細菌吃掉。

血裏面除了血球以外，還有血漿——一種淡黃色的水。它裏面溶化着養料、養氣和抵抗細菌毒素的物質。我們打針、吃藥以後，藥的成份也大都吸進了血漿裏，由血帶到全身各處。

血經過什麼流到全身呢？經過全身的血管。血爲什麼會在血管裏不斷流動呢？靠心的鼓動。

心是鼓動血流動的機構。心如同合在一起的兩把唧筒，左一把，右一把，合成桃子樣的一個心。所以心裏面分左右兩部。這兩把唧筒進口和出口都有活瓣。心跳是一脹一縮的運動。心脹大的時候，出口活瓣閉緊，入口的活瓣打開，接在入口的大血管裏面的血就吸進了心裏面。心收縮時，入口的活瓣閉住了，出口的活瓣打開了，血就從心裏射進另一條大血管。心不斷地一脹一縮，血液就被它從一頭吸進，射到另一頭去。從心的出口接受血液的血管，因爲隨着心的跳動也不斷跳動，所以叫做動脈血管。送血液回心臟的血管跳動不明顯，叫靜脈血管。

第十章　宋高宗即位應天　李伯紀力圖中興

隨後引見金主於乾元殿。兩代宋君同作俘虜，眞是爲中華民族蒙羞，屈膝夷庭，丟盡黃帝以來漢族的臉面。只因爲一命苟延，蒙萬代之羞辱，受終身之痛苦，實無血性已極。金主封徽宗爲昏德公，欽宗爲重昏侯，徙銅韓州，後遷五國城。何燕山時已經自殺了。總計北宋自太祖開國，傳至欽宗，共歷九主，凡一百六十七年而亡於金。後人有詩歎曰：

父子甘心作俘囚，汴京王氣一朝收。
當年藝主開邦日，那識雲孫被此羞。

金兵既退，張邦昌尸位徘徊。呂好問對邦昌道：「相公眞欲爲天子麼？還是權宜行事，徐圖他策？」邦昌失色道：「君言何謂也？」好問道：「相公閱歷已久，知曉中國人情。彼等金兵壓境，無可奈何。今日強虜北去，人心思宋。爲相公計，當即還政趙氏，內迎元祐皇后入宮聽政，外迎康王早正大位，庶可保全」。監察御史馬伸亦貽書邦昌，陳其利害順逆，請速迎康王入京。邦昌乃迎元祐皇后入居延福宮。尊爲宋太后。在太后之上加一「宋字」，邦昌欲效宋太祖耶？所上册文有云：「尚念宋氏之初，首崇西宮之禮」等語。元祐皇后前被打入冷宮，此乃因禍得福。

知淮寧府子趙㮣，乃係燕王德昭五世孫。聞二帝北狩，即與江淮經制使翁彥國等，登壇誓衆，同復王室；並移書斥張邦昌，令他反正。邦昌乃遣謝克家去迎康王。

康王趙構本奉詔援汴，復奉朝輔臘詔云：「金人登城不下，方議和好，可屯兵同何，勿遽來京」。汪伯彥力主勿進。惟宗澤陳道：「此乃金人狡謀，欲緩我師。愚以爲君父有難，理應急援。請大王督軍直進，淵次第進壘，萬一敵有異圖，我軍已到城下了。」如用宗澤之計，二帝不致北去也。所謂「臘詔」不知從何而來，想係金人詭計。康王欲遁遙苟全，只遣宗澤去援。宗澤自大名赴開德。岳飛從劉浩麾下，劉浩爲宗澤副元帥之先鋒軍。宗澤一面奉書康王，請提諸路人馬赴京會師。一面授書北路總管趙野，河東北路宣撫使范訥，知興仁府曾[illegible]會兵入援。不料康王聽信汪伯彥等之議，不但不自汴京赴援，反而東走東平府（山東東鄆縣），又由東平移濟州，逍遙苟安自全，終不入援，結果使二帝蒙塵，他眞的理想得以實現，豈非天意！（四十二）

中華民國內政部登記證內版台報字第〇三一號
中華民國郵政登記台字第三二五二號

自由報

中華郵政台字第一二八二號執照登記為第一類新聞紙

（第一〇九〇期）

（半週刊每星期三、六出版）
每份港幣壹角・台灣零售價新台幣弍元
社長李運騰・督印黃行
社址：香港九龍彌敦道593—601號
廖創興銀行大廈八樓五座
LIU CHONG HING BUILDING
7th FLOOR FLAT 5
593—601 NATHAN ROAD,
KOWLOON, H.K.
TEL: K303831
電報掛號：7191

承印：景星印刷公司
地址：嘉咸街廿九號地下
台灣區業務管理中心：台北重慶南路一段一二九號
電話：二四五七四
台灣區直接訂戶　台灣劃撥戶
第五〇五六號張萬有（自由報會計室）
台灣分社：台北市西寧南路110號二樓
電話：三三〇三四六、台郵劃撥戶九二五二號

談當前的大學問題（四）

・張亞雲（水秀）

大學教育

除了這個方法以外，另一個辦法似乎也可考慮實施，那便是經常舉行學生意見調查，一個不學無術的教授，縱使他能口燦蓮花，騙學生於一時，也絕不能騙學生於永久，一個有真才實學的教授，也遲早被學生所發現，所愛戴而口碑載道的。我們必須承認，大學生不是小孩子，固重情感，更重理智，教授之為賢智不肖，他們絕對有判斷的能力！若是他根本不研究，毫無學問，即使你給他一個「研究教授」的榮銜，一樣沒法改變學生的看法，若是他上起課來，東西胡謅，不知所云，即使你封他為「講座教授」，學生照樣還是將他看成一文不值！這種意見調查似乎可做，我們無妨稱之為考核制度，這個制度不實行則已，若要實行，也貴在「認真」二字，好，究竟好在那裏，不好，究竟不好在那裏，一定要有具體事實！

如果能將大學裏的那些「混混兒」一一篩除，則所留下的都是既能研究又能教學的好教授，則年年有成果，年年有進步，大學的學術水準不提高而何？

五、大學的設備

大學而要維持相當的學術水準，設備亦是重要！

讓我們且看看國內的情形為如何，回想二十年前，政府遷台之時，此間只有一所大學，三所學院，幾所專科學校，如是而已；而現在，則大學林立，學院與專科不計其數。這固然是好現象，表示教育的高速成長與人民知識水準的普遍提高，也表示社會的安定和經濟的繁榮。但話又說回來，有幾所學校的設備能與其名稱所必須具備的內容完全符合？尤其是大學，許多是新創辦的，另有許多則是「升格」而成，新創辦的學校固然是徒有一塊招牌，升格的學校也不外東拼西湊，新創辦的學校除了幾間辦公室和幾間教室之外，工廠、實驗室、圖書館，一般來說都是徒有其名，內容極為貧乏，至於升格的學校，則過去的家當是什麼，現在依然是什麼。一般人的觀念，甚至教育主管當局也不例外，認為只要它的名稱是大學，那他就當然是大學，無中尚能生有；至於專科升格而為學院，學院升格而為大學，那就更是天經地義的了！大學所應有的設備，那就更是無人過問。殊不知所謂大學者，絕非一塊招牌和幾間「真空館」所可得而解決的。

若是文法科，則圖書館裏應有豐富的藏書，中文的，西文的，古典的，最新問世的，都該有，尤其是重要的，權威性的，有較高價值的，同一本書更該有十冊或數十冊之多，這樣，才能使每一師生都有借閱的機會。我們應知，今日在台灣，一般生活都很清苦，學生固然買不起，教授也買不起書，若是圖書館而無書，則大家都將無書可讀，這樣，難免被別人譏笑為「文化沙漠」，更何況圖書館，對於文法科而言，實有如工科之實習工廠，理科之實驗室，其教授和學生都必須從此處擷取新知識，如此，方能充實思想的內容，如此，他才能獲得進步。我們並不否認，今日國內各大學的圖書館藏書均多，但可惜的是，可讀的並不多，一般圖書館均未經過精選，許多書自買來編目送上藏書架，便一直塵封，從來就無人問津過，真是浪費。

若是理科，則實驗室非常重要，其中儀器如何？器材夠是不夠？若是工科，則工廠設備如何？有否馬達？有否包床？有否機械？若是農科，有實習農場沒有？像這些學科，教室中的講授固然重要，但實驗和實習之類的實際操作則尤其重要，必如此，然後才能手腦並用，知行合一。否則不用談絕不可能成為一個實行家，便是理論家也無可能，不用談絕不可能成為一個科學家，便是學理的究竟也不容易弄明白。

其次，便是教授研究室之設置，今天大家在台灣，很少有寬敞的居室，大多是斗室蝸居，飯廳、客廳、臥室已是煞費安排，更那有多餘房舍來作書齋之用？而現在的社會又流行小家庭制度，一般人都晚婚，於是在三十歲到五十歲這二十年的人生黃金歲月中，莫不是兒女成羣，兒輩的活力必須發揮，在家中也就難得片刻寧靜，更怎能從事研究？若是大學而能設置若干教授研究室，則教授們大可加以利用，大可多讀許多書，大可增添多少學術成果。

要使一所大學能夠名符其實，的確不是一件易事，但也不是一件難事，讓學生有書讀，讓教授有書讀，讓學生能做研究工作，讓教授能做研究工作，若是朗朗書聲，絃歌不輟，也就庶乎近矣。我們一定要想辦法將學生從遊樂場所拉回圖書館中，將教授從麻將桌上（自家房子小，無法讀書，只好到隣居家去打麻將。）拉到研究室去。

六、大學的制度

我們知道，無論做什麼事情，都必須依據一定的制度，而不可以偏憑人物。今天民主政治講究的是法治，那就更說明制度是如何的重要了。

大學不是一個小的社會，教職員有好幾百人，學生數千人，下設許多院系，許多處室，大小單位也是好幾十個，怎可沒有健全的制度？

但是那一類的制度為最重要呢？個人拙見以為當是升等聘任的制度，升聘嚴重影響到教員的前途及教員的素質，若大學而無一良好制度，則所產生的後果一定十分嚴重。好的教員永遠不能升等，那就只有另謀高就，壞的教員若動輒升等，則不同的名義又有何價值？獎懲而無一定標準，又何有於獎懲？好的教員留不住，壞的教員趕不走，學校如何能日有進步？至於聘任制度之健全也很重要，誰該聘，誰不該聘，總有一個公論，若是由校長一人掌握，校長當然可以濫用私人，卻也無法抵擋八行書的攻勢。所以大學最好設置一個升等聘任委員會，委員由學識豐富，道德卓越的教授充任，對於升聘問題，校長根本不加聞問，當然他也能提供建議，但卻無強制性，如此，其績效一定是和平，公正和進步。據筆者所知，國立政治大學自從劉季洪先生接任校長後，即建立此一制度，校長固因而減少了許多無謂的困擾，而教員之升聘也的確產生了極為良好的作用。這似乎值得其他各大學借鏡。

其次則為校務會議之設置，最好由全體教員組成，每學期至少集會兩次，為學校最高權力機關，一切決策在此作成，一切問題在此解決，其性質有點像民主國家的議會。開會時，不重在校長致詞，亦不重在各處室院系的工作報告，而尤重在與會者有充份發言的機會，有充份討論的機會，有充份交換意見的機會。今天我們必須相信，民主政治一定強於獨裁政治，多人的智慧一定勝過一人的智慧，古人也說，集思可以廣益，衆擎易舉，衆腋成裘，我們為何知而不行？

再其次則為建立良好的導師制度，一位導師最好只帶十個，最多二十個學生，每一講師以上的教員都兼任導師；導師不必專上導師課，講道德，講理論，而應着重在日常生活的輔導和課業的指導。這樣，導師才更能深切瞭解每個學生，學生也能得到更多的照顧，師生的感情也能更進一步地有所促進，許多問題不但消弭於無形，甚至消弭於萌芽初動之時。若是一個導師一班，則熱門科系，一班學生往往七十、八十，甚至一百有餘，每個人都能認識已是不易，更那能談得上深入的瞭解？而所謂上導師課，也必然流於形式，舉辦活動也不是一件容易的事，雙方都感乏味，雙方都無興趣，那就算了也罷，（未完）

要嚴整經濟黃牛

曾經一度猖獗的司法黃牛，經司法當局積極整飭後，現在已「小心火燭」，知所歛跡了；不意繼司法黃牛之後，還有所謂「經濟黃牛」，其勢洶洶，大有後來居上之勢。今當中樞力行政治革新之際，對此形同貪污盜竊的「經濟黃牛」現象，豈容加以忽視。

司法黃牛「吃司法」，活躍於司法大廈之內，而經濟黃牛「吃經濟」，活動的範圍不限於某一地區，也不限於某一階層。經濟黃牛的主角，據我們多年來的分析，份子非常複雜，有高級民意代表，有高級政府官吏，有高級黨務人員，也有所謂社會賢達，都是些有頭有臉，大有來頭的人物，因為如無「勢力」，更無法黃牛，他們之所以能夠經濟黃牛，即因憑藉權勢。

經濟黃牛的傑作，有的包辦專利事業，從中坐享利益，如某民意代表之特別對液體瓦斯有興趣，有的商人逃稅漏稅時，向政府主管機關代為活動；有的代商民申請各項許可，各項證照。他人無法辦到的事，黃牛們倚仗勢力，都能辦到。有的雖無特殊憑藉，因為人頭熟，造成官商勾結局面；也有的奉層峯之命而作黃牛，得到利益，「大頭」拿大份，「小頭」取小份，真是五花八門，局外人無法知其底蘊。

不管經濟黃牛傑作採取何種方式，其結果祇有：破壞法律制度、創造政治貪污、造成國庫損失、產生公衆損害，而作黃牛的則從「公害」中獲取暴利；論其罪行，不下於貪官污吏。我們海外僑胞欽佩政府年來大力推行政治革新工作，更欽佩年來司法當局，尤其調查局，對於肅貪工作的積極表現，因而也深望對於危害國家民族利益的經濟黃牛，更應展開深入調查並撲滅剷除，以收政治徹底革新之效。

・馬二爺

自由談

外交的今昔觀

記得四十多年前，我國山東省臨城地方發生土匪刦掠過境的火車，擄人勒贖情事，把幾個西洋旅客——盡係普通平民——亦刦持而去了。當時歐美各國政府聞訊大譁，令飭各國駐華使節以「公使團」名義，向我政府提出嚴厲通牒，限期救出被擄洋人，否則實行國際共管中國不貸。那種帝國主義的猙獰面目，令人永遠難忘！

可是，毛共竊據大陸後，不問青紅皂白地把一切西洋僑民，概以間諜罪名拘捕拷問，過着長期的監獄生活，甚至將英國派駐北平的使館人員隨便凌辱，而歐美各國悶聲不敢吭氣。最近中南美各國的恐怖份子，常以政治關係，綁架美德各國外交使節，為要求當地政府釋放政治犯的人質，西德一位公使且被匪徒撕票殺害了！然歐美當局還是逆來順受，自甘倒霉。昔何勇銳今何愚，好不令人納罕也。

西方帝國主義者對於弱小國家，過去總是喊打喊殺，威風凜凜，於今毛共政權以及中南美諸小邦的恐怖份子，公然無理的殘害歐美僑民和使領人員，肆無忌憚，而歐美強權國家，乃甘作「縮仔」，連抗議之聲亦沒有，不亦怪哉！若論國力強弱，則歐美各國的實力，依然凌駕毛共和中南美各邦而上之，他們何以怯懦若是，而表現着犯而不校的態度呢？此無他，時代進化到今日，過去那套以砲艦政策開拓和控制殖民地的政策，完全無用了；同時各強權國家的內部矛盾叢生，對外再不能隨便喊打喊殺；尤其是美俄兩大強權對立，冷戰爭雄，唯恐失去同情的友邦，處於劣勢地位，祇好動心忍性，增益其所不能了。

因此之故，所謂弱國無外交之說，今日絕對是廢話。一個國家如果附仰由人，自己毫無作為，生存前途即很難樂觀。今日的外交觀念和政策亟非變不可，而外交人才決不宜從舊日的官僚份子中去選用，弱國的對外政策，必須有所不為，然後纔有所為，這是正確的外交指導原則，可不慎思明辨乎？

馬氏先生

到國外去考察

千公

政府官員和工商界人士常到國外各國去考察，工商界人士去國外考察，是用自己的金錢，有無效果，是人民自己的事兒；而政府官員去國外考察，花的是公款，考察有無效果？如有，其收穫的程度又如何？都值得人民的大大注意。

我們發現：近年來去國外考察的官員越來越多了。就好的方面講，表示虛心學習，尋求進步，值得稱讚；同時也顯示：國家經濟力量增強，外匯存量豐裕，政府對外匯的供應較前放鬆多了。可是，考察以後，我們有多少收穫？有何短處？人家比較我們有何長處？和人家值得借鏡地方在那裏？我們應當改進的地方又在那裏？是否走馬看花，不求甚解，甚至觀光玩玩就算了事？譬如以大台北高玉樹市長而論，出國考察不知有多少次？市民要向高市長請教：歐美以至亞洲各大都市，有沒有像台北這樣髒亂？違章建築這樣多？缺水這樣嚴重？這幾年來，台北市政由於高市長出國外考察而獲得多少改進，高市長能向市民作一正確交代嗎？

我們又發現：政府官員不僅常去歐美日本考察，去韓國考察的也越來越多了。歸來大都盛讚韓國各方面的進步，看來我們在那些地方都不如人，還要向人家學習。這是韓國政治措施上，所顯示的是何意義呢？譬如交通部長張繼正最近曾去韓國考察一次，歸來會發表他的考察觀感。國人都有這樣一個感覺：台灣年來經濟發展迅速，惟交通落後，運輸效率不高，影響經濟建設成果。鐵路、公路客貨運無不擁擠異常。我們天天在喊發展人力資源，而人民消耗在「等車」的時間，不知有多少？這是人力莫大的浪費，也是國民經濟莫大的損失。不知張部長曾到咱們國內各車站觀察過沒有？我們應當怎樣改進？

行政院秉承總統的指示已注意行政的研究，發展與考核，如能臨時組織一個小組研究一下：近年來政府官員去國外考察的有多少起？考察返國以來收到多少效果？名遊歷其實，以人民血汗，供官吏的玩樂，「為人民看錢包」的監察委員們也應當要注意一下了。

全面革新邁向復國之途

——有感於「要對反攻復國負責」而寫——

黃公偉

（一）十年「教訓」十年「生積」的成果

二十年在不算太長也不是很短的歲月裏，我們生活在國民黨領導的民主自由的中國土地上的人們，都親眼看到了它是如何從荒涼裏繁華起，物質建設的繁榮躍進步固然贏得了國際人士的青睞，說這裏是高度開發的地區。但這豐衣足食的經濟榮華卻是由無形的生積教訓，發奮為雄的精神建設而來，這是國的密訣只是「十年生積，十年教訓」。春秋時，勾踐復國，前十年是「生積」，後十年是「教訓」。當時，客觀環境的困難，是多方面的，而黨的改造是「改造」，是教訓，政的改造是「土地改革」是訓練。黨政軍的新血輪，新生命就是這樣繼起承當生積的任務。我們體驗的事實是民生主義的理論「平均地權」、「節制資本」，逐步在十年教訓以後而付諸實施。以農業支持工業建設，以工業發展農業的農產政策十足表現着台灣的經濟建設，在過去十年段日子裏是未曾見過的。生產科學化，現代化，制度化，機械化，我們可以舉出很多新機構，新人才以為印証。而這些精神動力，就是教訓的成果。

不必奢談計劃方針，我們只可用簡單的文字顯示這種經濟建設輝煌的建設，充實了軍事國防的建設，更新了軍事裝備。曾經在台海攻防戰中，幾次一顯實力，使着自由國土安如磐石。也壯大了外交陣容，使國際盟友日多，在「聯合國」這個國際社會角逐場合，幾十次的「代表權」表決，我們總未被共匪所咬傷。極權陣線的陰謀動不了我們一根汗毛。這種外交戰的勝利，當歸於「教訓」的成功。我們的外交戰士的口號兼代也是過去所罕見的，更重要的一點，是我們的內部的安定，各國所僅見的。我們內政，實施地方自治，徹底地發揮了民權主義的功能。沒有任何政黨政治的糾紛，反共前題下，徹底消除的足以做的一點，絕對沒有共匪煽動暴亂存在。絕對沒有病存在思想左傾的幼稚存在。這種「在安定中求進步」的成果，自然該歸功於「十年教訓」。

如此，在二十年淡濃經營以後的今日台灣的確改觀了。它的自然領域的局面雖僅是全中國領土中的一行省，但它在全世界國際關係中，它已被視作中國主權的正統政府，而為全中國主權的代表。沒有人敢將它看做「偏安」，或地方政權。除共黨集團，別具用心。它幅射出的熱量像是個太陽體，普照全世界愛好自由正義的人們感到美善交輝的溫馨。這不能不歸本於一個「仁」字。中國傳統精神文化的大同精神，「民胞物與」的根本原始德性。而這個「仁」字卻由 蔣總裁所發揮的民主革命的精神。孟子云：「仁者無敵」，又云「惟有不嗜殺人者能一之」。恐怖統治成了尖銳的對比。那麼，自由祖國與其說它是「自由燈塔」，它是「苦海慈航」，倒不如說它是人性的光芒。

（二）覺醒革新與民族新生命的光芒

二十年來知識份子從「事實磨練」中所得來的實貴經驗，促使他們改變了觀望置身度外的觀念，而奮於接受現實生存鬥爭的挑戰了。這種覺醒正如佛陀所謂「斷惑」成智，理學家所謂「開塞通蔽」，置身台灣猶如兵家立於不敗之地，非完全發自內在的自覺，不足以自救了。換言之，往日亡家喪身的深痛巨創，深刻地刺激着執政黨每個同志的良知，他們一致覺悟除了把智慧獻給國家的重建實質事業而外，別無選擇。遠者不談，自十全大會到二中全會，兩年來執政黨展開的革新作業，普遍而深入的推動着。如一個人體的定期健康檢查，發現了毛病立予治療，沒有症狀則進行保健。這對政治風紀人力動員工作效率而言，當然繼續「興新除弊」，提高反攻復國作業水準，加速光復大陸的程途一種實際努力。

這種「自我做起」的精神自然便是領導階層一見其端倪了。事實上，在外省的險陝之下，在參目眼目中，我們的黨中高階層人物的腳踏實彩發揮了。例如負責「亞盟」、「世盟」的谷正綱，為了擴大反共聯盟陣容，奔走於韓日越亞太各國，七十高齡的熱情一如青年之盛旺，令人感佩。經濟部長李國鼎之運籌國際貿易，經濟建設，亦常席不暇暖。張寶樹秘書長的平易作風，不斷地深入農村山區前線尋求民隱，推動便利愛民的基層建設。樸實無華，少說多做。誠然是「從內發揚到外」的典型領導作風。社會無不一致推崇。但這裏特別要強調的還是嚴副總統和蔣副院長的訪美成就。嚴副總統訪美表現的外交才能，博得國際政壇的喝彩，那在中美邦交上成為一頁可讀談話，自不待言。而蔣經國最近一次訪美，彼邦人士的隆重禮貌及華僑熱烈歡迎，曾經使我們全國同胞引為光彩。而他那才智內斂，臨事不驚的沈着表現，謙遜不違的客觀態度，尤其贏得了舉國內外一致崇敬。像這樣的足以說明領袖人物的「事實求是」精神。而是由黨的革新作業並非口號，而是真正切切實實的實踐。先為全黨全國樹立了個「示範性」的榜樣。他們的「不眠不休戰鬥精神」，沒有「英雄」獎牌，也夠作為青年同志的偶像了。

最近，蔣總裁號召黨員「要對復國大業負責」時，「六億同胞嗷嗷待救之聲」。如從實踐來說，開拓新局，邁向復國之途的努力，正由高層貫穿到青年層一連串的事業創造而作了初步回答。最近兩年，青年同志的突出表現有許多震動國際的事例，無一不與復國大業有關。例如在棋壇上，林海峯蟬聯日本「名人」席座，在樂隊指揮，郭美貞的飲舉全球。在田徑賽中，紀政的席捲歐美冠軍。在國際少年棒球賽中，金龍隊、七虎隊的贏得亞洲冠軍，世界冠軍。這些有如神話的驚人成績，都為自由中國的國際聲望大有貢獻。而他們正如張秘書長寶樹所說：「凡是國際性比賽優勝者，無不是本黨黨員」。那麼今天青少年們的高度國家榮譽感，民族自尊心的育成，不說明教育與青年領導陶冶的成功嗎？他們這種對國家負責的精神正是對復國大業負責的前提。由此以見黨的新生一代普遍滋延壯大，這對爭勝利的朝氣，已民族復興，滅共復國前途而言，實在是一種無敵潛力在形成。

（三）四海同胞歸心「青天白日」祖國的巨流

在廿世紀七十年代裏，全世界妖氛詭譎，雲霧低迷，有的地方處於「迷惘的時代」像英國有的地方處於「沈墜的時代」，像美國，學生問題，工人問題，種族問題困擾着西方紳士們。那財團資本家們北極熊窩邊的地帶更不必說是「黑暗時代」，人們被囚禁在一所大四牢中。惟獨台灣，東方的自由中國才是有「青天白日」的地方，沒有任何「時代病」，永久像是一座人間樂園。人類伊甸園。這說明為什麼四海歸心蔣總統。

強烈的例証有二，一是海外僑胞歡迎祖國要員的訪問和劇藝團、球賽代表團時他們那種出自內心的熱烈鼓舞的歡騰情緒，無以名之，祇可說是祖國愛的熱流奔放了。其二，是大陸投奔自由的青年，沒有一個不是滿懷熱誠，拼着生死危險，掙脫共匪的枷鎖，萬里間關，來到台灣。他們用血淚凝成的興奮之情也無以名之，祇能表示大陸民心都是「身在曹營，心在漢室」了。這兩股「祖國戀」的洪流正在沖激，波濤洶湧的凝成一般無比的力量向暴力極權主義者挑戰。反證「反攻基地」在「得人者昌」的形勢日益擴大，歷史的新頁正在譜成。在此，我們身置台灣的人們，能以「得天獨厚」的態度過下去嗎？能為「尋得桃源好避秦」的觀念自足嗎？絕對不是。我們應走的路就是結合這兩股反共的巨流，趕快把「青天白日」旗插上大陸。英明地蔣總裁訓示「要對反共復國負責」實是一句「歷史」名言，世紀警鐘。我想黨中元老，高階層同志的革新作業，已屆開花結實新境界了。（完）

喬治桑外傳

一六九　張大篆

「他告訴我，那兩位日本朋友不久又將再來台灣，有機會再一起聚聚。」喬治桑說這句話有點逗小孩的意味。

「算了吧，」雅麗絲把嘴一撇，露出不屑的神態。」那兩個日本人一灌黃湯，便惡形惡狀，我一想起來就討厭。包死，我不是說你，這種無謂應酬有什麼意思？能省就省了罷。

「那也不妥當，他們還是拿我當朋友的。」喬治桑沒有立刻點題，還在跌宕。

「朋友？根本就是酒肉朋友。要是我，哼，我根本就懶得理睬他們。」雅麗絲兩手環抱胸前，用兩手撫摩着她自己的膀子，這是她一種習慣性的動作。

「這倒不是，承他們的好意，決定聘我做顧問，不問待遇多少，我還是承情的。」

「噢，你為什麼不早說，他們每月送你多少車馬費？」自從上次喬治桑託雅麗絲向羅蒿蔡掉過頭寸以後，雅麗絲了解喬治桑並不是眞正的大富翁，不過只是一個空架子，所以要問。

「每月二千元，意思意思。」

「只有二千元？眞小氣！」

「掛掛名，不做事，二千元一月也不能算少了。」

雅麗絲聽了，沒有立刻搭話。忽然她站了起來，拿起蒼蠅拍，去拍紗窗上的一個蒼蠅。拍的一聲，將蒼蠅打落在地板上，然後，她又小心地用蠅拍盛起死蒼蠅，拉開玻璃門，將死蒼蠅抛到院子裏。

「我最討厭蒼蠅，只要我一看見牠，非打死牠不可。」雅麗絲放下蒼蠅拍子，又坐在沙發裏。「不要說日本人，就是美國人到了台灣，也變成小兒科了。」她這幾句話無疑是有感而發。

「這也難怪，在台灣人力是太便宜了。以往美國人在台灣，雇用中國人做事，都按照在美國的薪給標準打點折扣付錢，現在他們知道根本就用不着出那樣高的代價，照樣可雇到人。他們當然不肯做「洋盤」了。」喬治桑說的是國語，但「洋盤」卻是上海俗語，好在雅麗絲的媽媽是蘇州人，她能聽懂。

「雅麗絲，」

「嗯，」

「這二千元車馬費我不準備要，」

「你預備退回給他們？」

「不是的，我想轉給妳。」

（未完）

台北傳奇錄

（六七）

·陳光棣·

馬寡婦把愛情小說的輪廓想好了之後，就又考慮到出版問題，如今出版業蕭條，紙張又貴，看書的人又少，那個出版商肯冒着風險替無名的作家們印書呢？馬寡婦眉頭一皺，計上心來；不是電影女明星都是隨片登台嗎？那麼文藝女作家又怎麼不可以隨稿登牀呢？必要時還可以隨書登牀！（買一本當然不行！）如此這般，出版和銷路就也不成問題了。馬寡婦考慮成熟，說作就作，首先是鄭重其事的培養了半個月的寫作情緒，然後才聚精會神的創造夏娃型的女主角，眞所謂事非經過不知難，原來寫文章這件事有時候比女人生孩子還要困難，女人生孩子雖然是偉大的艱巨任務，但最要緊的是女人的肚子裏本來就先有孩子，然後才能生的出來。寫文章就不同了，你肚子裏假如沒有貨色，只一味的嘔心瀝血也是無濟于事的。馬寡婦就遭遇到這種叫作「難產」的障碍，她一連熬了五個通宵，沖了一斤半的香片茶葉，嚼了十八包口香糖，結果寫了不到兩千字，她頹然放下筆大睡了三天，決定到電影院裏去找靈感。

她無目的地走入一家電影院，上演的片名叫作「無臂刀」，男主角沒有胳臂，但有兩隻萬能腳，雙腳一抖便是兩隻寒光閃閃的飛刀，直奔敵人的咽喉而去，忽然之間，斜刺裏又殺出了一位婀娜多姿的女英雄，這女英雄更是厲害，手使木頭雙劍舞的呼呼山響，眞個是風雨不透，男主角的萬能腳也發揮了眞正的作用，那便是健腳如飛的敗下陣去。女主角殺退強敵，連接轉入下一個鏡頭，說時遲那時快，女英雄已經脫的精光洗起沐浴來了，這時下面的觀衆無不交口稱贊，同說已經值回票價。馬寡婦懶怠看女人洗澡的畫面，願意看男人洗澡的鏡頭，無奈中國的導演們都不大肯拍男性的入浴特寫，為什麼呢？大概是因為中國的男明星以排骨大王居多的原故吧。再說那位銀幕上的女英雄一洗便洗了二十分鐘，馬寡婦百無聊賴的開始欣賞觀衆，在他前一排坐着兩位大概是本省同胞吧，都脫了鞋子兩隻腳登在別人的椅背上。再前一排正當中是一對情侶，男的矮胖禿頭，女的髮型是清湯掛麵，兩個人依偎在一起，非常親密猥褻。

馬寡婦覺得這位男士的背影好熟，只是記不起在那裏見過了，正在馬寡婦納悶的時候，那位男士也在往後搜索，冷不防和馬寡婦對了眼光，那位男士慕的又回過頭去。馬寡婦反應靈活，一眼就看出來是住在劉二爺家對面的賴先生。她是劉二爺家的長客，來來往往的日子久了，難免和賴先生在路上碰過幾次頭，彼此也都似是而非的打過招呼，她又從大洋馬咀裏知道了賴先生的家庭情況，於是決定在寫作之餘，也抽出點時間來動動賴先生的腦筋。聰明人都能夠在同一個時間裏作好幾椿事呢！

袁世凱喜歡聽好話

·文滙樓主·

一代梟雄袁世凱，翻手為雲，覆手為雨，由滿清政府北洋大臣，一變而成民國總統，再變做了洪憲皇帝，他和張勳有「異曲同工」之妙。張在滿清政府官拜「定武上將軍」、「長江巡閱使」，掌握長江流域七省軍政大權，雖不學無術，但張命中有「福」，同為將歷史向後拖的人物。袁世凱擅弄權，他的官爵比張勳更過癮，論者謂袁命中有「才」。

袁世凱有個不可挽救的致命傷，就是一生喜歡聽好話，視進忠言的人若仇敵，視左右皆為奴才；不過話又說回來，在宦海中，愛聽好話的人，當然不祇袁世凱，每個朝代都有而且多。例：三尺之童皆知的「三國演義」。描寫董卓於死到臨頭，被修理「受禪」的那天，還自謂：「吾夜夢一龍罩身，今日果將受禪。」叩別老母時說：「兒將往受漢禪，母親將為太后。」其母語卓：「吾近日肉顫心驚，恐非吉兆。」卓謂：「將為國母，豈不預有警報。」離塢不到三十里「卓折輪，馬斷轡」。卓問李肅此何兆，肅解釋：「乃太師應受漢禪，棄舊換新，將乘玉輦金鞍之兆也。」卓大喜，正行徑間，忽然狂風驟起，昏霧蔽天。卓驚問肅：「此何預兆？」肅謂：「主公登龍位，必有紅光紫霧，以壯天威。」卓又喜而不疑，直到殿前，王允大呼：「反賊至此，武士何在？」兩旁埋伏應聲而出，呂布一戟刺中董卓咽喉，這類例子，在中國歷朝代，可舉出很多，限於篇幅，言歸正傳。

袁世凱每天午睡後，必定飲用人參湯一小碗，由侍女端上給袁，盛參湯的是一隻碧綠玉碗，為慈禧太后昔年御賜之物，他非常心愛，有一天，侍女端人參湯到書房時，失手將玉碗跌碎，眞所謂闖了滔天大禍，便去跪地哀求老管家救命，管家授以妙計，如此如此。

文滙樓劄記

袁世凱醒後不見參湯，連聲問：「我的參湯呢？」侍女端上參湯非玉碗裝的。袁問：「我的玉碗呢？」侍女說：「打破了。」袁世凱氣得拍案怒罵：「該死的奴才，怎麼會打破的？」侍女說：「我拿參湯進書房時，見床上睡的不是總統，而是一條金色黃龍，嚇得手發軟，所以將玉碗打破了。」袁世凱聽完後喝：「不准你胡說八道！」順手拿了一百銀元，（那時一塊銀元可買卅斤麵粉，老秤。）賞給侍女謂：「不准你向外間亂扯，否則要你的狗命。」從此後，袁世凱喜在心坎，認為自己眞乃金龍轉世，生定天子之命，所以就加緊做皇帝夢，直到身敗名裂而死。

命相與夢話

張之洞晚膺相位

·漢年·

張之洞，字孝達，一字香濤，號壺公，又號「無競居士」，晚年又號「抱冰」，直隸南皮縣人。

咸豐壬子，年十六歲，順天鄉試拔第一。同治癸亥，年二十七歲，會試登進士第，廷對擢一甲三名，授編修，丁卯，年三十一，充浙江鄉試副考官，旋又受命提督湖北學政，所至之地，提倡經史實學，外任督撫，垂三十年。在兩湖任期最久。京、漢鐵路，漢陽鐵廠，萍鄉煤廠，皆為之洞所創辦。

光緒末年，內任軍機大臣，官至體仁閣大學士，軍機大臣，實錄館總裁官。宣統己酉，八月丁酉卒，享年七十三歲，諡「文襄」。有「勸學篇」，「輶軒語」，「書目答問」，「廣雅堂集」，等書遺世。

文襄之造：

清宣宗道光十七年八月初三日午時生。

清宣統元年八月二十一日？時卒。

八字為：丁酉、戊申、戊申、戊午。

「明通賦」云：「拱貴拱祿為將相，忌刑衝填實之凶」。「三車一覽」云：「命中若逢天赦，一生處世無憂。」漢年按：張文襄公之造：丁酉、戊申、戊申、戊午。日枝的申，時枝的午，虛拱未字，既無衝申衝午之嫌，又無填實未貴之弊，且日值戊申，為秋月之天赦，宜其早捷鵝科，晚膺相位，逢凶為吉，多子大年。

但是以上是以其表面觀之，實則文襄宮占六土，根本深厚已極。得年幹丁火，與夫及時枝的午火，與二申藏水，從而暄之潤之，是以生機蓬勃，而收地大物博之效，再益以命宮寅木，疏通土脈，其妙更不可言了。

或者說逢寅衝申，奈何？答曰「不忘」。因二申不衝一寅故也。看他十六歲未運壬子，順天鄉試發解，廿七歲午運癸亥，春闈登第，擢一甲三名，而授編修。所以我已知其水火二者，均裨益厚土。自三十至四十四歲，經過乙巳甲三運，既充浙江、四川鄉試副考官，又任湖北、四川學政，又晉翰林侍講，授山西巡撫。是以知其木能疏土，火能宣土，均為土厚之命。

最好的是他四十五至七十三歲，擢兩廣，調兩湖，權兩江，加太子少保，入贊樞機，兼管學部。尋為體仁閣大學士，充經筵講官，三十年間，鵬飛鯤化，虎變龍翔，此皆辰癸夘壬寅辛等運，水火連環有以至之。七十三歲仍行辛運，憂勞成疾，遽逝於位。適在己酉年、癸亥月、丁酉日，會生年之酉，四酉自刑，物極則反，無可避免。假使命不逢辛，亦必若是。（完）

譚天雕蟲集

鄒眼

△再談「譯名」

譯文以傳神為主，「信達雅」之說不無道理。歷史上由滿蒙回藏文譯見之人名甚多，非儘近今西名中譯也。當至北平「太廟」見滿清各帝王神主譯名有多達十幾字者，竟不解其義。依是以例，西名中譯亦然。如羅馬尼亞，可譯為「樂嗎你呀」，不其有趣。順便擬一謎底「兒婦」答西方國名一，也許不好答，那麼謎底就是「我見把你要」（阿爾巴尼亞）。

△大專教育與補習班

從交通車上溜覽台北市景，令人最感難堪的，莫如教授貶值。一座座高樓大廈懸着某某「補習班」招牌，燈火輝煌，生意興隆。班主出九十，一百的鐘點費請老師。而大學正軌教授却還止於六十，望塵莫及。這是最不公道的。學生要資格學業，學校要成績，偏要用低價收進教授的勞力，而且兼任教授并分毫不差的，任勞任怨，偏要「物美價廉」，至於研究費沒有，生活補助費沒有，眷屬津貼沒有，房屋津貼沒有，一切沒有，光是「計時」致酬，還得一年少算一月。世上沒有比這行賠本生意可憐的了。補習班呢，高價收費，高價給酬。教與學公平交易，這是正軌教育所難比的。補習班生意興隆，自非無因。

△向亞洲作家會議的「代表」致賀

為什麼文藝運動的人物，再一次証明他們的運動效果不惡。為了亞洲作家會議在台舉行，各文藝團體用「分潤」式的推選的代表，有風頭可出了。至於這些散文家、小說家、評論家、詩人等代表，其本身有無國際代表性的文藝成就，似乎無關宏旨。只要有政治背景，擅長「運動」，就不妨經年累月在什麼團體舉行理監事，當選了。由于此次代表名單毫不意外地見到那些文藝政客出人頭地。這裏應自他們的運動成績致賀。

△退化論與現代藝術

古代「三皇」沒有衣裳，還知道穿樹葉以蔽體。為之遮羞也。窮人穿得襤褸不堪，還要東補西補，不敢「赤身露體」也。自達爾文「進化」論以來，資本主義的墮落生活正反是。首先打破「男女有別」的古訓。男性梳髮穿衣學女人，女性衣著打扮學男人。於是阿飛、嬉皮之流，大有男女合一之概。電影明星、歌星穿著最時興「暴露」。有三點式、泳裝式、迷你式，聊掛一絲而已。古謂「衣冠禽獸」，今則人獸不分。賣弄肉體風騷，以為美感。此種新藝術事實比「穿樹葉」還不如。恬不知恥，哀哉。

依調集

維護眞理正義

·老記·

鬧得烏烟瘴氣的彰化大同公司舞弊違法案，構成一件長期性的新聞，在事件未澈底解決前，新聞記者有採訪不完的新聞資料，當事人採用銀彈，在報紙刊登大字巨幅廣告，淆亂社會聽聞，使我們深深感到：金錢的萬能與罪惡，社會多麼需要一股維護正義與眞理的力量！

大同實業公司負責人蕭柏煌在報紙上近來數次刊登廣告，最妙的是自己首先敘述：他本人被法院執行徒刑兩年，公司被海關罰鍰八百萬元。不管怎樣辯，不管找法律的那項漏洞，蕭柏煌本人的犯法有罪，是千眞萬確的事實，他本人已經承認了。花了數萬元巨欵，在報紙上宣傳自己犯罪入牢，眞是怪事年年有，沒如今年多。這樣一個犯法罪行，居然有監委，也有立委，為之質疑講話，如果容任這股邪惡力量滋衍，那社會還有什麼眞正是非和公理正義之可言。

在復興中華文化聲中，社會需要正義與眞理。愛國守法的，不論官吏或人民，都是好的；尤其敢作敢為，操守廉潔，牢守自己崗位，為國家維護綱紀法律的民意代表，應受人民讚揚和維護。如果社會不辯是非、不分善惡，任由邪惡力量滋長，任由金錢惡魔流毒，我們國家還有什麼前途可言呢。

自由詩壇

漁叔題

偶成三首

李少庵

稍濡秀墨與花叢。幽意全歸詩卷中。晚對搖涼供清暑。長河分野入微濛。坐愁兵氣侵鯤竹。默對頹流念禹功。便乞澄江洗雙眼。留看滄海一桑紅。

× × ×

附郭箕山邇座隅。風篁新碧待籠腴。久棲戎甲生禪趣。一睡溷疆失領珠。夜壑偏宜貯江月。浮嵐從不入官租。門前欲問碧湖水。曾注曹溪半滴無。

× × ×

漸梅欲酌楚江雲。精舍無人日又曛。青譜流年儘旅鬢。黃州新法策時勳。清塵猶待分龍雨。蹈海眞成背水軍。一片心光爭日月。千秋長憶屈靈均。

諸葛亮狂想曲

（一四八）

·劉玄·

同轉身來對諸葛亮，劉約翰說：「我的丹爐共分乾、坤、震、離、坎、兌、巽八隔，每一隔裏的丹液功用都不相同，我現在取出的是返老還童的。」

琴宣侍奉星君已久，好像一個熟練的護士，幫助外科醫生。他立刻跑出去從外面端進一個水晶面盤來，放在八仙茶几上。

「這裏面不是普通清水，是王母蟠桃山上的積雪。功能延年益壽，祛病延年。」星君解釋以後，走進面盤旁，用玻璃吸管在裏面灑了八滴。然後又拿一根細長的碧玉如意攪和了幾下。

「來！」星君招呼劉約翰。「你將帽子脫掉，就像平常洗臉一樣，在這面盤裏好好澈底洗上一下。」

小朋友根本不敢嘗試。可惜星君不在人間，假使他在人間開設美容院，一定利市三倍。這當然是便於洗臉之故。

「星君，要不要拿一條洗面毛巾給他？」諸葛亮顯然對洗面美容術毫不在行。

「不用，不用。洗完了，你用扇子搧乾也可以。」劉約翰從來沒有洗過這樣的臉，當然需要星君指導。

劉約翰照星君的指示，在面盤中大洗特洗，大約有十分鐘光景。已經洗畢，他向諸葛亮借了鵝毛扇，向臉上猛搧，搧了一會，臉上水漬已經全乾。奇蹟果然出現了，劉約翰竟變成一個廣光紋皺，雙光可鑑的翩翩美少年，在諸葛亮的心目中，似乎比呂布，曹植還要帥。

「你自己去照照鏡子看。」星君讓劉約翰自己照照鏡子，亦是中華文化的方法。

星君的寢床後面掛着一面古銅寶鏡。這寶鏡看上去是黝黑的，可是照起來比任何鏡子都清楚。反而能照出人的骨骼心臟，比X光更神妙。

劉約翰走進鏡子一照，覺得自己年輕何止二十歲，就是在自己年青時，也從來沒有如此漂亮。

「你滿意不滿意？」星君和顏悅色問劉約翰。

劉約翰點了點頭，答現靦覥地說：「是不是人家看到會笑我？」

「什麼話？會笑你？人家羨慕你還來不及，那裏會笑你。你知道，婚姻在天庭叫做「緣」，緣盡即散，從無白頭偕老之說，白素貞與許仙故事你懂嗎？假使許仙不是美男子，白素貞根本就不會嫁給他。而且並沒有白頭到老。所以在天庭永無不美滿的婚姻。拿我來說，我如果要結婚，所以我能維持我的儀表。」星君說出一番哲理，劉約翰只能聽懂一半。

劉約翰重新穿戴好衣帽，與前判若兩人，眞似潘安再世，衛玠重生。這樣的美少年，大概沒有娘兒們不愛的。

巨變歷險記

堅壁清野（一五一）

胡慶蓉

「國以民為本，民以食為天」。這實在是千古的名言，誰也改變不了的。對於撤退的部隊，這更是無比的真理。

撤退的部隊，其軍糧當然是取之於民，我說過沿途的山胞夷胞，是如何的好，他們有的，他們都願意供獻出來，但也有受土共煽惑的，他們對於撤退的部隊，實行堅壁清野。這給撤退的部隊非常大的痛苦。

每天天不亮，就起來走，除了中午停一下吃帶的飯以外，一天一直在走，走到天黑，是多麼希望有個落脚的地方，有個吃飯的地方啊！但往往到要落脚的村莊，要吃飯的村莊，却是一座一座的空房，所有吃的東西都搬得光光的，所有做飯的用具，吃飯的用具也搬得光光的連盛水的傢伙也搬去了，連水也沒得喝。這就是一般熟悉的辦法，堅壁清野的辦法。

這個辦法是非常狠毒的，拿破崙一世之雄也，大兵百萬，進取莫斯科，真是將士如雲，其氣如虹，竟被俄羅斯堅壁清野的辦法所擊垮。抗戰期間，廣西實行的焦土政策，其狠毒較堅壁清野殆尤過之，惜行的不澈底，且只限於城市。但這對日本軍隊來說，也收了不少的嚇阻作用。

自古行軍糧在先。可知糧之重要。讀李陵告蘇武書，讀弔古戰場文，沒有不同聲一嘆。士兵到了沒有吃的，到了吃不飽，精神也就沒有了。任你怎樣的驅策，他們也不能向前了。假如土共實行堅壁清野，同時實行猛攻猛打，撤退的部隊不難一鼓而殲，但天佑中國，在元江之戰後，瓦渣之戰，他們沒有窮追。假如他們窮追的話，撤退的部隊恐怕也會完的。

有時候米口袋的米還存的有，那就分頭去到山裏找柴來燒來煮飯，柴在山裏比較好找，柴俯拾皆是，吃飯的問題，有時也會解決的。遇到米口袋裏的糧沒有了，巧婦不能為無米之炊，大家也只有忍耐。希望明早早走，能早早的到村莊，解決吃的問題。

山胞夷胞的吃是再沒那簡單的，只要有米就可以了。他們每天早上起得非常早，第一件事是杵米，咕咚咕咚之聲不絕於耳，然後把杵好的米放在罐子裏蒸，蒸好了涼起來，然後一天就拿着這涼好的一團一團的吃。菜是沒有的。只有一點從山裏揀來的野菜，過過水，也就吃了。油很少，鹽最重要，鹽也最寶貴。

山胞夷胞能不堅壁清野，在家裏歡迎撤退的部隊，這給部隊很大的安慰。吃好吃壞是無所謂的。為補救地方人民的堅壁清野，每一連都背着有一個大黑鍋，準備着必要的時候用。這不是笑話！這是實在。背黑鍋是一種榮譽的差事，要有好的體格，更要有負責的精神。

琴曲七首考略（一）

唐健垣

健垣按：本文為古琴曲譜七首的考畧，本人學疏才淺錯誤必多，甚望博雅正之，以期盡善。又本人所藏多為明朝琴書，而於清朝者，手頭反極缺之，故本篇所論，每詳於明而畧於清，惟有待日後補充而已。本文原刊於中央日報副刊，兹又有新材料待補正者，乃承張起鈞師之囑，加以增訂交自由報發表，以供同好之參考焉。

前言

民國五十九年五月二十一日晚八時，國立台灣師範大學之港澳同學會在該校大禮堂舉辦古琴古箏演奏會，我忝屬該晚會主辦人，奔走之餘，對該晚演奏的七首琴曲畧作考述，希望對琴道不無少補。此文中須要用到了不少琴譜上的術語，先作一個交代：

一、以下引用琴書，大半按年代先後排列，先列出作者所屬朝代，次列作者姓名，再次列書名及序文年代，以表示其出版日期，必要時更指出庋藏地方。

二、敘述琴曲時，先列曲名，次列段數（全曲分為多少段），次列琴調（用甚麼調彈，如何定絃），再次說明有題或無題（即每段有無小標題），再次說明有歌或無歌（譜旁有無供演唱的歌詞），凡曲名下附有的說明稱為「解題」，曲後面附的說明稱之為「曲跋」。

三、又因古代的琴譜是用「減字譜」，只告訴你「右手某一隻手指用某一種方法彈某一條絃，而左手用某一隻手指用某一種方法在絃上某處或按或輕點或做其他動作」，並不告訴你所彈的是甚麼音，所以文中凡說「譜」，都是指「指法減字譜」，並非吾人日常看到的樂譜。

四、古人對同一種定絃，有不同的調名，除傳統的叫法外，著名的有清朝王坦「琴旨」的一派（清吳灶「自遠堂琴譜」、民初楊宗稷「琴鏡」從之），清蘇璟「琴說」的一派（蘇璟、曹尚　等撰的「春草堂琴譜」，清張鶴「琴學入門」，民初王光祈中國音樂史，及在台出版的章志蓀「研易習琴齋琴譜」從之），及民初王賓魯（燕卿）先生「梅庵琴譜」的一派。本文分別稱之為王坦派（蘇環派，梅庵派。這三派的調名及韻調體系，是近年被專家評為不正確的（本文不便詳列考證理由，讀者可參考民國五十年出版的「古琴初階」，此書收入拙編「琴庫」——此為暫定名稱，將由台北藝文印書館出版），故此本文沿用傳統的調名。古琴定絃為1:2:3:5:6:的叫正調（或木調），王坦派稱宮調，蘇環派稱中呂均（中亦作仲，均同韻），梅庵派稱黃鍾調。定絃為1:2:3:5:6:1:2:3:的叫慢角調，王坦派稱角調，蘇環派稱黃鍾均，梅庵派稱林鍾調。定絃為2:3:5:6:1:2:3:5:的叫蕤賓調，王坦派稱徵調，蘇環派稱無射均，梅庵派稱仲呂調。其他派別及調的異名尚多，因與本文所論七曲無關，從畧。

今次六位演奏者都是從梅庵派吳宗漢先生及其夫人王憶慈女士學琴，而所奏七曲中有三曲是梅庵派所獨有，故下文對梅庵派有較詳細的說明。

關山月

這首琴曲始見於「梅庵琴譜」，其曲跋說：「此曲指法純正，音韻和平，乃入門之正路，初學易於熟習。每於月白風清之際，一彈再鼓，動無窮之幽趣焉。」清末王燕卿先生學琴於王心源（王西源）先生，民國初年，王燕卿先生教琴於南京國立高等師範，得意門生為南通徐卓（立孫）先生（立孫亦作立蓀）。燕卿先生謝世，徐先生及其他門人乃將先生生前整理過而未完成的「龍吟觀琴譜」重加編訂，在民國二十年出版於江蘇南通，因王先生教琴之梭園是清道人李瑞清的梅庵舊址，故改名為「梅菴琴譜」（亦作梅庵琴譜），其後增訂一次，（加曲跋（說明曲意）增及簡譜。於是有「梅庵派」之稱。徐先生之得意弟子為吳宗漢先生，吳先生及其夫人王憶慈女士皆篤好古琴，自大陸淪陷後移居香港，近年定居台北，數十年誨人不倦。關山月一曲，始見於「梅庵琴譜」，自王燕卿先生自序說：「……每念吾家自高祖以次，於操縵一道，代有傳人，竊不揣固陋，勉步後程，乃於家藏書籍中搜求，復乞於伯叔兄弟，共得琴譜全部十八種，殘編六種，抄錄零錦若干，晝夜研究。」可見「梅庵琴譜」所載各曲亦可能是王家家傳秘譜，未必王先生自作。（未完）

第十章　宋高宗即位應天　李伯紀力圖中興

康王不進，其他各路人馬也不來會。宗澤只好孤軍前進。兵抵衛南，轉戰而東，忽見金兵四集，險被包圍，裨將王忠陣亡。宗澤下令死戰，軍士無不以一當百。斬首數千級，金兵敗走。到了夜間，金兵偷襲，宗澤預料金兵夜襲，留下空營，埋伏四方，金兵撲空，反自相驚駭。宗澤過河追擊，大勝一陣。急報康王，火速進兵。時康王已擁兵八萬，並召高陽關路安撫使黃潛善及總管楊維忠移師東平，分屯濟、濮諸州。旋得金人假傳宋詔，令康王所有部衆交副元帥，自己即日還京。幸張俊識破詭計，諫止康王，康王乃進次濟州，靜候消息。

宗澤屢催無效，且聞二帝北去，即提軍趨回大名，傳檄河北，欲截金人歸路，奪回二帝。奈因各路勤王之師一再觀望不前，孤掌難鳴，不便輕進。

康王安居濟州，謝克家由京到濟，方得京城消息。克家即勸進，康王未便即行。既而汴使蔣思愈又至，代呈張邦昌書，請即還京繼位。康王復書慰勉。獨宗澤以邦昌僭逆，乞聲罪致討，復興社稷。康王遲疑未定。呂好問貽書道：「大王不自立，恐不當立之人起據神器，請速定大計為是。」

張邦昌又遣原使謝克家，及康王舅忠州防禦使韋淵，奉了大宋受命之寶，詣濟州勸進。元祐皇后亦派馮　為奉迎何同至濟州。康王乃慟哭拜受，遣克家還京，辦理即位儀物。時元祐皇后已被邦昌尊奉垂簾聽政，乃命太常少卿汪藻代草詔書，諭告中外。宗澤一軍回師向康王所在地濟州而來。

於開德遇金兵，岳飛引軍大戰金兵，出陣連發兩矢，射中金兵執旗士二人，揮騎兵突擊之，金兵大敗，奪獲弓馬器甲以獻。轉修武郎。建炎元年二月，與金兵戰於曹州（今山東曹縣），奮勇出陣，痛殺金兵，乃岳飛大志。每遇金兵，則勇不可當。此次出陣，岳飛頭上披髮，手執四刃鐵鐧，身先士卒，一馬直衝虜陣，士卒賈勇，大敗金兵於開德，追殺數十里，以功轉武翼郎。詔命到了濟州，百姓鼓舞，以為繼位有人。時權應天府朱勝非自任所進謁康王，願迎康王至應天府。朱勝非道：「南京（宋州）為藝祖興王之地，四方所嚮，且便漕運，請即日起行。」宗澤亦以為可。康王乃決意趨應天府。臨行時，延副總管劉光世，自陝州引兵來會。康王以之為五軍都提舉。既而西道總管王襄，宣撫使統制官韓世忠亦陸續到來，一齊擁康王至應天府。於是於同年五月朔日即位。前一日，張邦昌趨至，伏地請死，繼以慟哭。康王乃慰撫有加。王時雍等亦奉乘輿服御，齎集應天。

是日康王登壇受命，禮畢遙謝二帝。北嚮悲號，旋經百官勸止，乃就府治。其實當時火急援汴，二帝豈被金人北虜！此時慟哭當非為公意，實乃私心所驅使。

康王于靖康二年五月一日即位于南京，受百官朝拜，改元建炎，頒詔大赦。所有張邦昌以下，及供應金軍等人，概不置問。宋高宗此着做得漂亮。惟童貫、蔡京、朱、李彥。

（四十三）

生活漫談

甚麼叫作金木水火土？（上）

馬騰雲

問：甚麼叫作金、木、水、火、土，你能為我解釋嗎？

答：金、木、水、火、土者是符號，所指乃心、肝、脾、肺、腎。今日醫生甚少再用符號，中國有一句俗話：「心肝脾肺腎，大夫沒人問；心肝脾肺『賢』，大夫賺大錢。」這就是說我們如果懂得一些身體構造的道理，就不容易生病，也就沒人去找大夫了；我們如果連心肝肚臟也不知道，甚至把腎字認成了賢字，那就不知不覺地得了病，大夫也就生意興隆，大賺其錢了。

問：病從口入，口為甚麼這樣的重要呢，對這方面你能加以分析和指教嗎？

答：我們這個吃飯的工具——口，以下稱咀。我們咀裏有一副磨子，能把吃的東西磨細，這便是牙齒。牙齒嚼碎東西，同時舌頭底下，腮幫子下邊就流出口水，經過舌頭一拌，口水就和吃的東西調和在一起了。口水有一種消化作用，米飯、饅頭、越嚼越甜，就是因為口水把它消化，變成了糖的原故。米飯、饅頭、裏面主要的養份（澱粉）消化以後，變成了糖（先是變成麥芽糖，吃下肚以後，再變成葡萄糖），以便溶化、吸收到身體裏面去，供給熱力。吃飯若是吃快了，在咀裏沒有消化好，就全靠胃來消化（胃就是「肚子」，豬肚子就是豬的胃）。胃有病的人，吃飯就要吃慢一點，多嚼，減輕胃的負担。等胃病好了，再慢慢練習吃快，加强胃的鍛鍊。

咀裏有一條管子通到胃裏，那就是食管。我們的頸子中間有兩個大管子，前面的一個是氣管，後一個是食管。食管只是一條通路，吃的東西，一般不在那裏面停留，一直往下，到了胃裏。

問：就常識所知道的，胃對一個人的健康關係甚大，先生能否將較深入的常識加以見示。相信此一問題為每個人都願知道和樂看的一頁。

答：胃正在心窩那兒，所以有些人把胃痛叫心口痛、心氣痛。我們在圖畫上見到的胃，常常是像一個橫着的餵奶的瓶子，和肉鋪買來的豬肚子很像，那是人死以後，胃的筋肉鬆了的樣子，人活着的時候，它基本上是立着的，也沒有那麼大，詳見「洗冤錄」，從心口那兒往下偏左。胃裏能產生出一種很酸的水，來消化吃的東西。吃的肉在咀裏不消化，在胃裏就消化了，變成一種能溶化的東西，以便吸收到身體裏面去。胃還能扭動，把吃的東西和酸汁混和。吃的東西裏面的細菌，在胃健康的時候，一般就會被酸的汁水殺死。能使人生痢疾、傷寒等病的細菌，在胃裏如果沒有被殺死，進到腸子裏，就要搗亂了——引起拉痢、害傷寒等病。（未完）

自由報
（第一〇一九期）
中國郵政台字第一二八二號執照登記爲第一類新聞紙類
（半週刊每逢星期三、六出版）
每份港幣壹角・台灣零售價新台幣式元
社長李鵬遠・督印黃行寬
社址：香港九龍彌敦道593—601號
廖創興銀行大厦八樓五座
LIU CHONG HING BUILDING
7th FLOOR FLAT '5
593—601 NATHAN ROAD,
KOWLOON, H.K.
TEL: K903831
電報掛號：7191
承印：景星印刷公司
地址：嘉咸街廿九號地下
台灣區業務管理中心：台北重慶南路一段一二九號
電話：二四五七四
台灣區直接訂戶　台灣劃撥戶
第五〇五六號張萬有（自由報會計室）
台灣分社：台北市西寧南路110號二樓
電話：三三〇三四六、台郵劃撥戶九二五二號

本報專論

談當前的大學問題（五）

・張亞雲（水勞）・

還有一個問題，那便是院系負責人如何選任的制度，自去歲開始，教育部通令各大學院系負責人之應實行任期制度，六十五歲以上的人不得兼任院長系主任，而院長系主任又以兩年爲其任期，其目的本在促進大學的新陳代謝，用意堪謂至善，但實行的結果，困難也是很多，某大學校長就曾親口對我說，現在的院長和系主任眞是難求，因爲五十歲以上，六十歲以下，人才最少，所緣何由？乃是他們的求學時期恰好趕上了我國最多事的時代之故，這是實話；所以只好找較爲年青的人來担任，但聲望又稍嫌不够，而行政經驗也畧嫌不足，這就困難長多了！有否解決的辦法？應該是有的！有人建議院長改稱「院丁」，系主任改稱「系丁」，「丁」與DEAN其音相近，似無不可，但畢竟頗含嘲諷，當不宜採用，依筆者拙見，院長系主任採任期制度誠有必要，只是應准其無限連任，至其產生方式，則不妨改由選擧產生，校長可就院內教授提名二至三人，任由院內全體教員選擇爲該院院長，院長可就系內教授提名二至三人，供系內全體教員選擇其爲該系主任，此職務純係榮譽，亦係以服務爲其特質，並無任何特權，不值得爭，也無法推，當然也就不會有人拼命來搶，更不會無人肯任此艱鉅了。

最後，還有一個問題，那便是共同科目的問題，在一般學校，共同科目不另設系，或附屬在教務處，或附屬在訓導處，其實，教務長不管，訓導長也不管，也沒有一個助教，形同一個「私生仔」；這樣，問題當然也就很多。這種制度雖行之有年，恐怕是並無可取之處。若是在大學裏諸院系之外，再另行設立一個「共同科」，也置一個主任，有一個辦公室，有一個以上的助教，豈不比目前的制度要好許多？

七、大學的課程

在大學裏，有關課程的問題也很多，如是這些問題獲不得妥善的解決，則大學教育的目的同樣無法達到。

現在國內的各大學同時採學年制和學分制，一般的學系都以四年爲其修業期限，在這四年中，一年級多是普通科目，如國父思想、國文、英文、通史、近代史、理則學、國際現勢之類，與本系有關的，常常只有一門基礎科目，譬如政治系修政治學，經濟系修經濟學，四年級學分很少，一般都只修十四學分左右，而且多係選修，重要課程都安排在二、三年級，尤其是二年級，於是學生的感受是，一年級眞輕鬆，四年級眞好玩，二、三年級卻累得要命，閒着時覺得光陰不知如何打發才好，忙起來恨不得一天有四十八小時！這樣的排課方式自然是不合理之至！

第二個有關課程的問題，便是專門的課程固然已經很多，但常識的課程則過份的不夠，大學生畢業後，對於其本行的學識可能已經夠用，但常識欠缺，仍然無法適應社會的需要。譬如今天我們是一個民主共和的國家，二十年前即已實施憲政，但沒有幾個大學生修過憲法課程，你若問他政府的職能爲何？人民有那些權利義務？我們的基本國策是怎樣？他都是一例的瞠目結舌，不知所答，這不過一個最簡單的例子罷了，誰能說這問題不嚴重？因此，個人主張在大學裏應多開諸如此類常識般的選修課程，讓每個大學生畢業後，不但是個專才，而且還是個通才！

第三個有關課程的問題，便是學校當局對任何課程都不可忽視，掉以輕心，你不能說，他是　國父的信徒，當然能教國父思想；他是中國人，當然能教國文；他說話很有系統，當然能教理則學；他每天都看報紙，當然能教國際現勢；甚至於說，「一年級的小孩子嘛，好騙好哄。」要知道這種想法和說法是澈底錯誤的！但不幸得很，這種想法和說法在目前國內各大學內却是十分流行，我就親眼看見過這現象，也親耳聽到這說法。如此開玩笑，如此拆爛汚，如何得了？這一現象當然應該改革，而且要痛下決心去加以改革，大學裏的課程沒有一門亂來得的，以後一定要做到學什麼，教什麼；研究什麼，教什麼；專門成就是什麼，教什麼。什麼本事都沒有，就不要聘，不讓他開課；若是有課而無人能開，那就乾脆暫時不開，且等明年再說。

第四個有關課程的問題，便是大學生應有權選擇教授，越系選課。現在一般大學否認學生有此權利，所緣何故，不得而知，當然不是爲了保障沒有學問而又教學不良的教授，但事實上，結果却恰恰如此，壞教授得到了保障，不愁打破飯碗，而學生可就整慘慘，這一年如坐針毡，怎樣熬也熬不過，那就更不用說有什麼收獲了。這實在是很不公平的！假如這個學生運氣不好，四年之內，所遇的都是這種教授，那又何必進大學？因此，我們一定要給予學生選擇教授、越系選課的權利，假如學生而有了此一權利，則本系所開的課不理想，便可以去選別系所開的課。任何人有生存的權利，任何人無壓迫的自由。

八、大學的學生

在大學裏，學生的問題很多，甚至許多學生本身就是一個問題。

一般大學生似乎都有一些共通的毛病，中文和英文的程度都不甚夠，閱讀能力差，發表能力更差，若是教授多指定一些課外的作業，那就不免暗地叫苦；甚至聽課的能力亦不夠強，所謂擧一隅而能以三隅反的，那就更是不多，勇氣也不十分够，極端的怯於發問，對於課程多採囫圇吞棗的態度，上一堂課下來，也不管有否心得，是否已懂，一切留待以後再說，當然更缺乏獨立性和創造性，只會逆來順受。考試時，拚命開夜車，猜題目，背講義，如是而已。當然，這其中也頗不乏優秀的學生，非常的自動自發，自愛自重，教授講得好，用心地聽，講得不好，也坐在那兒應付，下課後自己再去圖書館找參考書設法滿足求知慾，甚至自從一進大學，便開始在爲這四年精細籌謀，但這類學生畢竟不多，有如鳳毛麟角。這個問題如何解決，在大學裏很難爲力，這原因乃是來自過去十二年的小學教育和中學教育，塡鴨，壓抑個性，訓練馴服，等等有以致之，不受教育絕不致如此，受了教育反而落得如此結局，寧不可悲？

（未完）

昨日與明日

日本經濟發展的趨勢

最近在國際上有兩個關於日本研究的報告，值得注意和深思。

美國哈特遜研究所主任甘賀曼新著：「日本的超級國」，預定在本年十月或十一月問世，書評家曾透露該書對於日本的分析要點是：日本在未來幾十年間將發展爲一個超級國家，到了本年紀和廿一世紀交替之間，她的經濟可以超過美國，彼時，她的人口將達二億或三億，形成世界上經濟力最强大的國家，在太平洋區域握有主宰的力量，勢力所及不僅達到東南亞和澳洲等地，也遠達北美海岸，加拿大，甚致俄屬西伯利亞等地。

甘賀曼預測：至少在未來二十五年內日本經濟成長率將維持百分之十左右，在一九七〇年代中期，日本每人生產額將可以超過蘇俄；到了西元二千年，日本國民生產毛額將達二萬五千億和四萬億美元之間，而個人所得也將達五千元和二萬元美金之間。就美日兩國比較，美國個人生產毛額有日本兩倍多，國民生產力，美國有日本三倍多，但這些差距必將逐漸縮小。甘賀曼否認日本經濟的發展將受勞工缺乏的影響，因爲日本在亞太非共區域投有巨額資金，可以獲得該地區廉價勞動力的利益。從日本經濟的觀點看，廉價勞工不管在東京工作，或在漢城工作，或在台灣工作，其結果是沒有多大差別的。換句話說，她藉投資方式，可以利用非共產的太平洋區二三億的勞動力，而達到經濟超級國家的目的。事實上，日本並非輸入勞力，而是使用太平洋腹地的勞力，無形中使日本勞動力增加一億人之多。未來的發展是：世界力量中心原從地中海移至北大西洋，現又移至太平洋，而三强日、俄、美將形成對立，中共將仍留在這一社會以外，繼續同日本貿易。

二十二個國家的經濟合作與發展組織最近也曾發表一個關於日本的研究報告。它指出：一九六〇年代，日本已變爲第三世界工業大國，第四貿易國，個人所得相當西德的百分之六十，到一九七五年，她可以接近西德的數字，但是日本的工業繁榮，却爲社會帶來了許多難題，結果，不是增進日本人民的福利，而是損害日本人民的福利，譬如空氣與水源的汚染、交通的充血、城市的迅速擴充、住宅的缺乏、地價的昂貴以及物價的膨脹等等，已非單純經濟問題所解决的。

兩個報告，內容雖不同，但由此，可以幫助我們對日本的瞭解，也可以看出：經濟已發展國家經濟發展過程中許多問題的存在。

・千公・

自由談

台灣「國光人壽保險公司」違背保險法而亂搞企業投資，又不善經營，因而虧蝕資金達一億多元台幣以上，引起債權人的騷動，最近纔由財政部令停業淸理債務。據監察院調查，該公司於一年以前，即已發生很大的漏洞，然財部知情而未迅予處理，以致陷於不可收拾的現狀。財部何以對該公司如此徇徇呢？唯一原因即該公司係立法院長黃國書夫婦所創立，太太担任董事長，先生任常務董事代行董事長職權，實際就是一種特權階級的商業機構。

咱們對於該公司業務之成敗得失，不欲置喙，所不能已於言者，乃係現任立法院長兼營商業，又悍然違悖法令，從事保險業以外的工商企業，即令該公司利益百倍，大有盈餘，亦非保險法與公務員服務法規所應許可的事。堂堂立法院長，知法犯法，肆無忌憚，馴致釀成擾亂金融的後果，寧非驚世駭俗，敗壞政風的行爲嗎？

敗壞政風之尤

立法院的職權凌駕乎行政、司法、監察、考試各院之上，立法院長的地位是超級的選任官，經常督同立法委員，製訂法律教人民遵守毋忽，自身卻弁髦法令，爲非作歹。「赫赫師尹，民俱爾瞻」，行政機關縱然有所顧忌，不便執法以繩，但黃院長甚於責任感與立法院的信譽關係，豈可漠然不以爲意，而好官自爲，笑罵由人乎？果若是，則立法院可稱爲「違法院」，黃國書日常代理太太的董事長簽署公文書，自不愧爲「黃代書」了！

以一個位列三台的國家大員，而有此非法營商，擾亂金融的行爲，這是中華民國開國以來的創見奇聞。年來政府倡導整飭政風，不遺餘力，民眾指摘特權階級玩法自私，振振有詞，國光人壽保險公司如此大拆爛汚，若不嚴加查究，該公司負責主持人若不引咎辭去官職，似乎太不成體統吧？

馮正先生

依詷集

談節約問題

李槃

在產業不發達，人民生活水準普遍低落的國家，提倡節約是應有之義。我國現時正是國難期間，國民收入亦微弱，對外貿易的入超又鉅大，社會大衆更有實行節約生活之必要。

可是，政府儘管號召人民節約儲蓄，且頒佈令甲，嚴禁奢侈浪費，然社會上紙醉金迷的情況日甚一日，沒有絲毫的節約事實可覩。原因在空喊口號，未能採得竅要而從大處落墨，實事求是。下走的管見所及，最妨害節約生活的事情，殆莫過於一般營業性的跳舞廳或俱樂部了，何以見得呢？

社會上一切娛樂場所，如酒家、夜總會、歌廳、茶室，乃至於娼寮等等，雖然都是純消費的奢靡生活，但其範圍之廣泛，腐爛程度之深沉，對社會風氣影響之惡劣，遠不如舞廳之甚。跳舞是洋玩藝，名爲正當娛樂，無論男女老少出進舞廳，不特毫無顧忌，而且認爲文明行動。舞廳雇用若干青年婦女給客人伴舞，賣弄色相，按時刻計酬，日間每十五分鐘至少廿餘元，夜間加倍。一個舞女每月彰明較著的正常收入，稍具姿色的即以萬數爲單位，若夫暗裏的色情代價，更僕難數。所以，許多良家女子受過相當教育的，亦樂於投身舞廳作舞女，間接妨害社會善良風俗，貽患匪淺。再看報紙上的新聞紀載，凡屬官吏貪污事件，以及銀行和商店職員之捲逃款項或私虧公帑的內容，亦多與舞女有關，可見營業性的舞廳具有破壞人們操守的潛能。

政府若採取寓禁於征的政策，加重跳舞業的稅捐額，結果公家收入有限，而舞廳老闆却獲致大利。假定政府年增某舞廳的營業稅四十萬元，他就對舞客每一節的跳舞代價增加四元，予以轉嫁，一年結算下來，超出政府增稅額倍蓰，他之所得，比政府加稅的收入還多啦！

荒淫無度，浪費無垠，未有甚於營業性的舞廳者，眞要實行節約生活，首先就應該把市街上所有各個大小舞廳一律封閉，庶幾有豸！

未雨綢繆迎接變局
外交政策不應拘泥
隨世局變化採「動」的觀念
憲政研討會提建設性意見

（本報台北航訊）國民大會憲政研討委員會第十六次綜合會議討論通過「政府外交」研討結論時，對當前我國外交問題，提出許多建設性的批評。

該會「研討結論」指出：「近二十年來，我們的觀念愈來愈狹窄，小到個人，大到國家，祇能聽讚美之詞，從不提半點批評，有位美國人說，凡來台訪問者，必諄諄囑咐，必說幾句『貴國經濟成長進步驚人』，來滿足中國人的自尊心和自大慾，甚或由我們接待人員來越俎代庖，加以指點。是耶否耶，只有我們自己明白。實在說，一個沒有批評的社會，是個死寂的沙丘。一個沒有踏實的工作者的社會，祇是像雲采中的空中樓閣。我們需要認眞做事的人，也需要認眞而負責說話的人。」

該會認爲政府「外交人員不夠，另加經費不足，而每天居於外交戰鬥的第一線，而仍苛責其成就，與優異之表現，實屬戛乎其難矣。」在「二次大戰結束，對美對日和約簽訂後，不平等條約終能完全廢除，完成了國父遺囑。但又遭受了強迫接受雅爾達密約喪權條款。復簽訂了中蘇條約，使外蒙古慘遭喪失。又因俄帝扶植共匪，終使中國大陸變色。二十年來，國際姑息主義者，爲安撫共黨，不惜百般曲學，於是嗾使共匪進入聯合國與兩個中國謬論，始終被短視政客所利用。宇譚秘書長主張共匪進入聯合國謬論，早已有之，不足爲奇。義大且承認外蒙古，大承認匪共，早之事，其他歐國，亞洲日本，亦皆對匪頻送秋波。在美國倡導亞洲新政策之時，我外交當局，應未雨綢繆，迎接變局。或云，弱國無外交，純爲不明外交意義與患染恐懼之氣餒病也。實際，弱國之有外交，如能運用得當，藉補國勢之不足，證例甚多，研究政府外交與關心國際問題者，實應注意及之。」

「自今春開始，毛匪的『文化大革命』宣告停擺以後，把它的活動方向，移向於外交方面，值得吾人注意的，就是最近一個時期以來，雖然仍舊以美國爲反對的唯一對象，但是它把對蘇俄和蘇修，暫時降級，這可由蘇俄新大使到達北平，可以看出。毛匪的新外交活動，諸如減少對英攻擊，禮遇南斯拉夫、羅馬尼亞新大使，拉攏巴基斯坦與尼泊爾等等，其意圖非常明顯，主要的爲轉移人民視線，必須先行衝破外交孤立，打開外交新出路。因此，自由世界以及我政府當局，對毛共在外交方面的新轉向，應該加以戒備，大陸上因文革而慘遭破壞的經濟，絕對無法完全恢復，它在外交上孤立的活動，雖也難澈底打破，但它可以用各個擊破的方法來進行。如對加拿大可以用妥協方式，來破壞中加邦交。更可以用默認義大利承認外蒙，不予攻擊方式，冀求與義建立關係，進而影響西歐各小國，減少我們的支持。這種預測，可能性很大。」

「我們政府是無時無刻不以討毛救國，解救大陸同胞爲唯一職責。也是我們國家的基本國策。在外交上說，是國家外交的基本目的，而政策只是達到目的的手段，目的是本質，是不易改變的；手段是方法，可能時時改變的。當其用某種方法，不能達到其目的時，就不能不改用其他的方法。換言之，一個國家爲達到目的，一個方法是多個的，究竟那一個方法最適當，却是漫無標準。總之，一個國家採用某種政

在外交上要出奇兵
始收制敵機先之效
革新改進強化外交陣容
獨立自主不能被動等待

策，不能達到其目的時，就得改用其他政策。至於外交政策的改變，其主要因素，多爲國際及國內情勢起了變化，有時則國內外情勢互爲因果。所以政府的外交政策，不能拘泥於一格，我們要採取『動』的觀念，去制定外交政策。如果老是爲着一種事實，或者某一觀念，而採取一成不變的『靜』的外交政策，勢將失之毫釐，差之千里。」

「外交是內政的延續，政治應該與外交相配合，始能奏效。以內政而言，首先必須政治清明，主要者要盡全力肅清貪污。在軍事上，我們三軍精強，若干年來一直在高度警覺中，但我們應該機動性的對大陸沿海作突擊奇襲。經濟在外交戰中更居主要地位，近年來我們經濟成長率很高，外銷市場非常重要，若干與我們無邦交國家也同我們有貿易往來。可是妥協的維持現狀主張代替了反共戰鬥，那不僅影響我們對外貿易，也將失去若干市場。美國最近宣佈對匪放寬禁運，下一步可能准許匪共貨物自由輸入。目前共匪對日貿易已成公開事實，南亞也無孔不入，共商品在海外將展開競爭，不計成本的外銷，如果眞有那麼一天，再出現一個經濟上的敵人，我們怎樣作戰，應該早作計劃。」

「所謂獨立自主外交，就是要一切爭取主動，不要被動等待，始能收制敵機先之效，政策不過是達到目的的一種方法，是原則性的，隨着世局變化，方能因應裕如。所謂爲達目的，不擇手段，就是說，講道義，曉利害，應該看對象爲誰。換言之，爲應付政治劣勢，我們在外交上要用『奇兵』，出『絕招』，不能再用舊的觀念，環境在變，不變就將坐以待斃，以色列就是一個好的例子，以一個兩百餘萬人口的國家，竟能抵抗幾千萬人的衆多國家，這除了同仇敵愾以外，主要的是外交勝利。其次的好例子，是秦國的外交，這個兵站國家，不但處處在外交上完全主動，並且在獨立自主的外交上表現了多采多姿、活躍異常。最後，我們要在外交上革新改進，首先要檢討誰是我們的眞朋友，不要一視同仁才好。」

該會「研討結論」並主張「強化外交陣容」，我國「駐外人員中，良莠不齊，濫竽充數，形同虛設者，大有人在。我們的駐外官員，在駐在國的地位，是不怎樣受重視的，也沒有報紙經常吹噓。但是一回國門，立即身價十倍，老的外交官深得箇中三昧，先準備好三份資料，證明在駐在國如何受歡迎，收到多項豐碩成果等等。作爲述職，民意機關報告，招待記者之用。當然不是指的個個如此，僅說明外交上的積習而已。據報導：一爲駐非兩位大使，不但官腔十足，請發護照，則多方刁難，以視印度使館人員親赴申請護照者之家辦理，相差何止千里。又赴美簽證常不獲准，對無邦交之英、法，則不受此限制，這種顛倒是非，殊少聽聞。另一爲駐非博士大使在出巡沙漠地帶時，竟指揮招待非薄面予申斥。他們個人品德不修，外交部不查，竟予外放，貽害國家，當非淺鮮。」

該會「最後引用『美國之路』雜誌刊載專論預測：「世界最終，必將有世界政府，至於何人何時能負起統一世界之責，問題是因中國有最長最成功之傳統，億萬人融和無間，中國人爭取統一世界的光榮機會較多。我們在有生之年已不及目睹了。」不管預言能否實現，但爲中國人，應負起中華民國發揚光大的責任，是責無旁貸的。」

喬治桑外傳　一七〇

張大萬

雅麗絲睜大了眼睛，似乎不相信自己的耳朵。停了一刻她才慢慢地說：「爲什麼？爲什麼你要轉給我？」

「我反正就要回美國了，這二千元不過合五十美金，我要了也沒有什麼用。妳要負担媽媽的生活，我交一個圖章給妳，每月妳代我領，就算我送給妳的零用津貼罷。」

喬治桑語氣很誠懇。

「這，這怎麼好意思。」

「有什麼不好意思，妳是我的女兒呀，我給錢妳用豈非是天經地義？」

「包死，你眞的要走？」

「當然是眞的。」

話談到此處，雅麗絲與喬治桑一時都沉默下來。喬治桑偸眼一瞧，雅麗絲眼睛紅紅地，喬治桑心中有說不出的安慰，他到底獲得雅麗絲像對父親一樣對自己的情感了。

喬治桑與雅麗絲在家聊天是常事，在喬治桑心裏，他知道自己不久即將返回美國，何時能再見這位親骨肉，實在毫無把握，因此，他儘量抽出時間與雅麗絲在一起。

雅麗絲與一般女孩子不同，她的求知慾很強。她喜歡看報，從國家大事到社會新聞，她都很關切。

「包死，你看嬉痞眞不像話，男孩子留這樣長的頭髮，撲朔迷離像什麼樣子。」雅麗絲指着報上的照片讓喬治桑看。

「在美國，嬉痞的問題使政府很頭痛，但苦無對策。」喬治桑看了一下雅麗絲手裏拿的報紙，說：「現在台灣警察機關，抓到嬉皮，一律免費替他們理髮，倒眞是一個好辦法。」

「古語說，國家將亡必有妖孽，我想嬉痞大概可以說是妖孽罷。」雅麗絲似乎對嬉痞很表厭惡。

「妳說的很對，嬉痞雖說不上是妖孽，但無疑的是青年一代沒落的象徵。」

（未完）

台北傳奇錄　（六八）

·陳光棣·

電影散場了以後，賴先生和那位小姐大大方方的走到大街上，馬寡婦緊走了幾步，迎着頭和賴先生打招呼。兩隻眼睛滴溜溜的亂轉：「您看電影啦？賴先生！」

「這是我太太的表姐的丈夫的舅舅的內侄女的姨媽的表妹！」賴先生介紹着：「這位是……」

「我姓萬！」馬寡婦搭着腔：「我叫萬仁賢。」

「對，對，這位是萬小姐。」賴先生不即不離的：「萬小姐一個人嗎？」

「可不是嗎？您太太沒有出來嗎？」馬寡婦開始進逼。

「沒有，她在家，我們也是湊巧碰到一起的！」賴先生不動聲色。那位小姐和馬寡婦點個頭，招了部計程車翩然而去，賴先生開始反攻：「您沒有和步先生在一起嗎？」

「那個步先生？我怎麼不大清楚？」馬寡婦不提防賴先生有這麼一手。

「就是剛二爺的姑爺嘛，有一天我看你們在一起」！賴先生的確在夜總會碰到過他們兩個。

「那一天？在什麼地方？」馬寡婦也不簡單。

「哈……哈……」賴先生說話的笑一笑和馬寡婦併肩的走着。

「聽說您是個大忙人！」馬寡婦很技巧的改變了話題。

「有幾個小差事，另外還兼個課」！賴先生得意的說。

「你在那個大學兼課呀？」

「一個私立學院」。

「那一系呀」？

「什麼系」？馬寡婦聽不明白。

「開會學系」。賴先生斬釘截鐵：「新成立不到一年」。

「怎麼叫開會學系呢」？

「專門研究開會嘛！開會這件事，已經變成了最重要的國際活動，也是各國最重的政治活動，和社會活動。不信你翻開報紙一看就明白了，國際間除了打仗就是開會，所以尼克森在就職宣言中，都強調目前是談判的時代，實際上就是開會的時代！」賴先生又回過頭：「我們找個地方坐坐好嗎？」

「不要啦，這樣走走挺好！你沒事嗎？」馬寡婦好奇：「這開會學系究竟有什麼課程啊？我還是頭一次聽說有這麼一系。」

「課程嘛，專案小組之應用，會議心理學，實踐會議學，效率論叢，比較議事學、演講……」賴先生口若懸河。

「這麼多課程」？

賴先生一眼怪她打岔：「到了三年級的課程了，就更專門化，學生要必修剪綵學、簡報學、領導學、會場學等等，很多很多，哈……」

「你開的什麼課呀」？

喬治桑外傳序

張大萬

本書是遊戲文章，希望能博讀者一笑。

曹雪芹在紅樓夢的楔子，寫過一首小詩，「滿紙荒唐言，一把辛酸淚，都云作者痴，誰解其中味」。但他的滿紙荒唐言卻變成了一部文學巨著，紅樓夢被列爲「紅學」，受近代學術界的重視。

作者提出曹雪芹，毫無掠美前賢之意，相反的只是說明曹雪芹的心情幾乎可以代表所有作家的心情。

中國社會的畸型病態，大家只看它的表面，卻忽畧了它的病源。它的病源不是中化西化爭論的問題，而是發自「租界文化」，也即是半殖民地思想的潛在作祟。半世紀以來，中國知識份子的思想陷於迷惘，因此，文藝的枯萎是必然的現象。

近年來台灣的文藝作品中所塑造的人物影像，喜歡賦予共爲善爲惡的定型，甚至故弄虛玄來加强戲劇化氣氛。其實，這樣一來，反而與現實人生脫節。現實人生多數是平淡無奇的，傳奇性故事畢竟太少。眞正構成社會大衆的是庸人。所謂新文藝作品，讀者大都有同樣的感覺，這不是眞正社會大衆生活的寫眞，而是男女主角在舞台上演話劇。

「喬治桑外傳」是作者編造的，未必眞有其人其事，但卻可能有其人其事。其目的是要揶揄穿受租界文化薰陶，自命爲「高等華人」，也即是過去所謂「假洋鬼子」的面具。但他們一樣具有善良的本性。作者用倫理作爲激發其天良的觸媒，就是要嚴守文藝不能脫出文化軌範之旨。

美國物質文明的急遽發展，人文思想日益退化，美國有識之士，已引爲莫大杞憂。最近訪問美國的人說：「在美國現在的「人」了，而色蒼白，找到眞正的「人」，唯利是圖，每天、每月、每年所追求的一言以蔽之——「感官享受」。」有人問作者：「爲什麽喬治桑外傳寫的盡是吃喝玩樂？」現在作者可以在此答覆，社會上流不有閑階級們醉生夢死的享樂主義，卻是敗壞善良風俗的主要因素。作者着力以暴露，希望多少發生一點潛移默化的效果。如果有一天在台灣也找不到眞正的「人」，豈非是復興中華文化自我最大的諷刺？

「喬治桑」並非影射某一個人，而是作者多年來在社會上耳濡目染各種現象的衆生相。迷失方向的人生是痛苦的，享樂主義只能帶來更大的空虛，假使讀者有同感，這本小說就算沒有白寫了。

香港自由報社李社長運鵬兄，對作者鼓勵有加，終於使這本小說能夠出版問世，謹致謝忱。

康有爲一飛衝天

·漢年·

命相與夢話

康有爲氏，字廣厦，號長素，廣東南海人，生於南海西樵之銀塘鄉。光緒癸巳年三十六歲，領鄉薦。乙未年三十八歲，成進士。戊戌政變，易號更生，丁巳復辟，更號更甡，晚年又號天游化人。民國丁卯，二月甲子，卒於青島寓舍，有「大學注」、「中庸注」、「孟子注」、「禮運注」、「春秋筆」、「論語注」、「官制考」、「物質救國論」、「日本書目考」、「廣藝舟雙楫」、「南海詩文集」等書遺世。

清文宗咸豐八年二月初五日未時生。民國十六年二月廿八日夘時卒。

八字爲戊午、乙夘、辛亥、乙未。

「文子」云：「金之勢勝木，一刃不能殘一林」。因金能勝水，木畏金戕，然金弱，斷不能勝多數之木，不獨不能勝木，且恐爲木所傷，故子平又有木强金折之說。

漢年謹按南海之造，戊午、乙夘、辛亥、乙未。日主的辛金，誕生於春分節後，木正當令，金本無權。金弱木强，顯然易見。月時二幹，乙木交拱，乙木二枝，乙木中藏。日枝的亥，又中藏甲木，共計有五木。一木日木，二木日林，三木日森，今命占五木，一望而知爲一大森林，僅以單獨辛金，豈能勝林林總總的木，何況又値木强金弱之時呢！所幸年幹的戊在五行屬土，巍然特立，具有資生辛金的能力，雖木實未傷。「琴堂指金歌」云：「一貴當權，衆煞伏藏。」惜戊土爲乙木間隔，收效未減，所以才雖可以大用，功每致于垂成。若戊居月幹，或居時幹，則辛金得直接資生之益，而戊土亦無扞格之虞，有不旋乾轉坤，扶危定傾的末！李商隱有詩云：「管樂有才原不忝，關張無命欲如何？」古今一轍，夫復何言！

十一歲丙運，戊辰植謀作古。五十六歲，申運癸丑，勞太夫人仙遊。足證春金怕火，因大運的丙屬火。歲幹的癸，合戊化火，歲枝的丑，與木之會衝。因此憂喪靡已也。

四十一歲己運戊戌，四月二十八日，德宗召見，有爲昌言變政，至七月二十九日奉密召，命迅速出外，有爲經新事業至此結束，凡九十日，雖萬死一生，備嘗艱苦，然有爲大名留於青史，此無他，己運土，歲値戊戌，幹枝又具屬土，因此一飛衝天，一鳴驚人。反觀他三十六歲午運癸巳，三十八歲己運乙未，成進士，其榮譽輕重大有霄壤之別。六十歲辛運丁巳，各省督軍公推張勳爲盟主，六月三十日，有爲授弼德院副院長，賞給頭品頂帶，着加恩在紫城內騎馬。其時有爲主張虛君共和，張勳主張君主立憲，政見各異，遂受排擠。七月初八日，段祺瑞馬廠誓師，大勢一變，張軍大敗，張勳逃入東交民巷荷蘭兵營。有爲亦避居美國大使館之美森院。

是年十二月，美公使芮思施備專車派兵護有爲出都。這一幕不滿十日，卒至瓦解，而稍留印像的，乃是辛金大運之關係，其所以毫無結果者，屬値丁巳，與日主辛亥，幹剋枝衝。至往來歐美，不寧厥居者十餘年，往來蘇、浙講學者又十餘年，均能逢凶化吉，到處歡迎。因由未庚申辛等運，土金連環，與辛金日主，均有相當感情也。七十歲壬運丁卯，二月二十八日卯時，卒於青島寓所者，丁壬化木，卯未會木，助紂肆虐，故君子道消也。

（完）

自由詩壇

漁叔題

川端感舊敬步漁叔夫子原韻

李金昌

暮裏川端野[illegible]薰。圓通疏磬隔江聞。
漣延秋草荒堤岸。蕭瑟殘亭憤社羣。
虫語沉時風過筍。月明多處水搖雲。
茗香已歇江聲在。猶是依依說翠裙。

春雨

李周龍

窗竹瀟瀟夜未央。了無銀燭共宵長。
春霖盡力迴天地。祇作人間一榻涼。

前題

卓安琪

風送層雲掩夕陽。輕雷柳外響池塘。
小樓不厭聽終夜。明日春田應插秧。

輿論精華

看東國戰爭，念亞洲大局（上）

·葉時修·

東埔寨這個中南半島上中南部的國家，面積比台灣差不多大三倍，人口卻祇有台灣一半，人民多務農業，信奉佛教，敎厚淳樸，一向過着日出而作，日入而息的農村生活，看電視上的東國報導，使我想起了我們大陸上的農村，可是自十九世紀以來，國運顛沛，民生流離，先是淪爲法國的殖民地，在二次世界大戰期中，又爲日本所佔領，一九四九年獨立，又經過了兩次被共黨滅亡的危險，在施亞努統治時代，共產黨破壞了一九五四年的日內瓦協定所共同維護的獨立與中立，加以施亞努的親共媚共，共產黨已經把東埔寨操縱於魔掌之中，這正是共黨得意之着，可不必使用武力，不費一兵一卒而能統治一個國家，作爲它在越南與美越軍作戰的庇護所、補給站、運輸線、訓練場，出可以進擊，退可以逃避，任用自如，得心應手，天下便宜事，未有過於此者，東埔寨在這種情況之下，可以說是名存而實亡。

三月十八日龍諾將軍推翻了施亞努王朝，由國民會議決議廢棄了這個共黨產的傀儡政權，龍諾總理稱之爲「救亡政府」，誰曰不宜，龍諾總理的這一次明快堅決的手腕，挽救了東埔寨瀕臨於被共黨滅亡的危機。

但隨着這次事件之後，越共、東共以及北越部隊，集結了四萬五千人以上的兵力，並利用游擊隊的騷擾，要推翻龍諾新政府，扶持施亞努復辟，戰事進迫金邊，情況岌岌可危，尼克森總統冒着國內社會的指責，國會的反對，更冒着共和黨今年十一月選舉失敗，和會使他成爲祇做一任總統的後果，毅然決然地決定揮軍入東，與越軍聯合對共黨作戰，共軍望風披靡，抱頭鼠竄，斃敵逾萬，鹵獲無數，不但粉碎了共軍的庇護所，保障了越南的安全，同時也挽救了東埔寨的危亡。

東埔寨地居要衝，決不容許它淪入共黨之手，東國不保，中南半島決難穩住，東向越南，北進寮國，西迫泰國，更進而馬來西亞、新加坡，以及緬甸等國，整個東南亞都保不住，根據艾森豪的所謂「骨牌一面倒」道理，第一牌倒下來，其他的相隣的牌都會倒下。尼克森總統揮軍救東，就是看清了東埔寨倒不得，救東即所以保中南半島、東南亞以及亞太整個地區，這是整個世界反共戰爭的一環，而決不是東埔寨一國的存亡問題。

可是美國內部對尼克森總統的壓力太大，六月三十日撤退東境美軍的事，已成定局，雖然保留若干空軍活動，但東國的反共戰爭，主要的任務是要東埔寨、越南、泰國以及所有亞洲人自己負起來，因爲是亞洲人自己的問題，關係着亞洲國家的存亡續絕，共產黨已召開過一次「印度支那人民高層會議」，中共是由周匪恩來參加的，越、寮、東、泰，也都由他們的共黨頭子參加，事實上，越共、東共、寮共、泰共甚至馬共已締結了一個軍事聯盟，中共已一再表示並且有實際行動來支援中南半島的戰爭，美軍自東撤退之後，亞洲民主反共國家，如不能組成一個反共軍事聯盟，以對抗共產黨的聯合侵畧，則亞洲大局前途，勢將不堪設想。

越南軍隊已堅決表示留東境，以阻止共軍在邊境重建庇護所，並繼續截斷胡志明小徑和施亞努走廊，阻止共軍重來，以保衛越南、泰國已決定派軍入東，和東軍並肩作戰。越南副總統阮高祺，數度訪東，並於六月四日正式訪問，當然是商討越東聯合作戰有關問題，並邀龍諾總理訪越，兩國復交不久，關係進展甚佳，這眞是東國在外交上的一大勝利，値得令人欣慰。泰國亦和東恢復邦交，總理他儂，外長乃他納均表示對於聯盟的熱望。越南總統阮文紹，外長陳文琳也很積極，東國六人訪問團，薩門將軍率領，於六月四日到達韓國，並將於六月九日前來我國訪問，商談建交及援助問題，韓外長崔圭夏與訪問團已獲致協議，同意早日互建外交使館，並商談援助問題，我想東訪問團來華以後，一定可以獲得舉國熱烈的歡迎，兩國關係的洽商，可以得到滿意的進展。（上）

諸葛亮狂想曲

（一四九）

·劉玄·

星君到後室，換了一件紫色道袍，自己調侃着說：「這是辦喜事穿的。」

諸葛亮、劉約翰已經在等候好戲上場。星君卻又走到燭台旁，招呼諸葛亮、劉約翰說：「你們過來看看。」

等到他倆走近，星君指着蠟燭說：「我的蠟燭與人間不同，人間點蠟燭，燒的快，蠟淚模糊，我這對蠟燭可點一萬年，而且並無灰燼燭淚。」

諸葛亮、劉約翰這才留心，果然燭光比日光還亮，點了半天似絲毫未損。心中暗暗佩服，星君仙邸用的東西沒有一樣不神妙。

劉約翰經過太白星君替他美容以後，鏡顯影自憐，滿心歡喜。星君又拿了一大杯靈泉給他，吩咐說：「靈泉有益，你喝下去保你有意想不到之效力。你面容雖然年青，身體一切要配合才行，你懂不懂？」劉約翰聽了星君一席話，一知半解，那敢發問，雙手接過玻璃杯，一飲而盡。

諸葛亮和劉約翰到星君仙邸已經半日，至此才進行到正式節目。

金魚缸外面，圍了紅綢，劉約翰站在大紅地毯上，已經能看見缸內的金魚。

太白星君仗劍作法，用劍鋒截穿一張黃紙符咒，吹口仙氣使其在半空中劃了好幾道圓圈。

諸葛亮雖有南屏山祭風經驗，但比起星君的施法，眞是望塵莫及，所以也聚精會神在旁觀看。

太白星君一邊用寶劍在空中劃圈圈，口中唸唸有詞，大約經過十分鐘的時間，只聽他低嘯一聲，寶劍向魚缸一指，缸中飛出一條黑色金魚，在半空中游來游去。

看官，「嘯」與「喝」不同，「嘯」爲古中華文化調乾振元的一種工夫，失傳已久，星君所用的「低嘯」又不同於「長嘯」，低嘯使聽者發生心靈上的顫慄，產生懾服之效。

黑色金魚在空中游盪復游盪，過了很長的時間仍絲毫看不出魚變人的跡象。

太白星君法術非常人可及，他揀一個適當的時間，等諸葛亮、劉約翰全神貫注的時候，把劍抛到空中，大喝一聲猶如雷霆，寶劍放出五彩光芒，黑色金魚倏然消失，站在紅毯上赫然是一位千嬌百媚，風華絕代的美人，劉約翰屬於占畢（兩字口），會讀過「登徒子賦」，他總認爲這是文人弄墨，過甚其詞，現在一看到金魚美人，才知道世界上眞有這樣絕色女子。

金魚美人明璫翠羽，縹緲綃縠古裝，肌膚隱約可見。她一見劉約翰，深情欵欵，面露微笑，似乎是不勝嬌羞。

太白星君站在正當中，儼然是證婚人地位，只不過不像人間証婚人需要宣讀結婚証書罷了。

巨變歷險記！

夢綠之戰（一五二）

胡慶蓉

出瓦渣，轉溪處巴哈，前邊就是夢綠。在巴哈以前，總是在高山上盤旋，及至到了巴哈，忽然轉入山谷。這山谷太美麗了！桃花源丁博士沒去過，但在峯迴轉嶺無路的時候，忽然柳暗花明又一邨，這眞是令人興奮。這倒不是一邨，這是數不清的村，一眼望去，在山谷的兩旁，在兩旁的山腰上，到處散佈着擺夷的房子，一座一座的，在水邊住的擺夷，眞是別有一番風味。靠近水居住的擺夷，因爲愛水，房子裏外，渾身上下，時時都保持着高度的整潔。他們在河裏洗澡，他們在河裏大解。他們裙子一條，沒有褲子，上身，或帶一奶罩，身體潔白，膚如凝脂，恐怕是世界上最美麗的。她們走起，像風擺柳一般，眞是婀娜多姿。腳不穿鞋，行動自然，尤其好看。

丁博士帶同部隊通過，眞是「自慚形穢」！一身破爛襤褸，都是乾了濕，濕了乾，都髒得非常難以入目。疾趨而過，到前邊牛圈安營下寨。田團決定入越，李團即隨着丁博士依原定計劃向車里進發，同師巴哈。一路上涉不完的水，在巴哈吃過飯，又繼續前進。這不是不一個好的戰畧？要搶高地。總以爲最高的地方是最保險的。昔馬謖失街亭，他明明是佔高山之誤。高山被困，最沒有解救辦法。但在現在的部隊心裏還是以搶高地爲戰畧的要求。在山谷裏不敢停留，在山頭下不敢停留，一定要到高地才心安理得。

出巴哈不遠，就是夢諍大山。走山路累人，走水路更累。從牛圈到師巴哈，一路都是水，很多地方並且水流甚急。李團長要背着丁博士，丁博士不肯。副官吳其銘要背着，丁博士還是不肯。在他們環繞之下，丁博士扶着他們走，牽着他們走，拉着他們走，但水急的時候，還是有不支之勢。渡了一個下半天，牛圈巴哈一段的水路總算渡完了。

爲爭取時間，在巴哈吃了飯之後，又繼續前進。到了夢綠山根，恐怕已是夜裏十一點了。全體將士無不感到萬分的疲勞。但還是要走的，還是要爬。但人的力量是有限度的，明明是爬的疲乏，都撐停下來休息的時候，忽然前邊有人在步程上驚醒，李團長下命令，都不准動。剛才是在路上，就在一邊路旁的草裏。李彷彿已經就是最高的劍草，人躺在裏邊，一點也看不見。

李團長又命令前邊的士兵前進，衝出一條血路，殺出一條血路，雙方相持，前後有兩小時之久，前方的彈亂，有不少落在丁博士的身旁的。但吉人天相，並沒有造成嚴重的後果。雖然天快亮了，但還是需要睡。在敵人驅散之後，大家才得稍安片刻，丁博士睡在一家的門口。天到夜裏還是很冷。

琴曲七首考畧（二）

唐健垣

健垣按：本文爲古琴曲譜七首的考畧，本人學疏才淺，錯誤必多，甚望博雅正之，以期盡善。又本人所藏多爲明朝琴書，而於清朝者，手頭反極缺乏，故本篇所論，每詳於明而畧於清，惟有待日後補充而已。本文原刊於中央日報副刊，茲又有新材料待補正者，乃承張起鈞師之囑，加以增訂交自由報發表，以供同好之參考焉。

民國四十五年出版的「古琴曲彙編」第一集（民國四十六年再版），及民國五十一年出版的「古琴曲集」第一集都收了此曲，配上五線譜，其手法及拍子皆畧有改動，但都是玉環體（由頭到尾共彈二次，首尾相接如環，故名），與「梅庵琴譜」所說相同。王光祈「中國音樂史」（台北中華書局）有一張凌純聲先生一九二七年在德國演奏古琴的照片，凌先生現任中央研究院民族學研究所所長，少年時候在南通師範讀書，跟王燕卿先生學過一年古琴，據凌先生說：王先生教人學琴，第一首就是關山月，凌先生雖已數十年不彈，卻仍然哼得出關山月，其拍子和吳宗漢先生傳授的只有很少不同。此曲共二段另一段尾聲，照玉環體是彈一、二、一、二、尾聲，共六段，吳先生是彈成一、二、一、二、一、二、尾聲，共七段。

民國五十二年，章志蓀先生在台北出版的「研易習琴齋琴譜」下卷，亦收了「關山月」。其曲跋說：「此庵琴譜王燕卿先生自作之曲，一段第五句，似應落在泛音六弦七徽音之處，與全曲相合。知音落七夕六宮徵音較好以爲然否。既可從頭再作。而第三段尾聲又無詞，故將原詞從畧」。這話是可商的。首先，「關山月」未必是王燕卿先生原作，已見上文。所謂第一段第五句之處，章氏譜比原譜根本加多了一次輪七勾六，所謂二段第一句斷句亦不適當，章先生大約是自己「打譜」（自己據譜學習，非由琴師傳授的曰打譜），所以曲中的斷句弄出一個新面目，有支離破碎之感。「故將原詞從畧」云云，更是不對，「梅庵琴譜」此曲原本是沒有詞的，何得說從畧？本曲之有歌詞，是在「梅庵琴譜」出版後，一班琴家把唐朝李白的樂府詩「關山月」配合起來的，初時並不成功，其後再由別人加以重編的，始較完備。「關山月」的定弦是5：6：1：2：3：5：6，「梅庵琴譜」名爲「黃鍾調」，「研易習琴齋琴譜」稱爲「仲呂宮」（即仲呂調，原書「呂宮」說成宮），這是不同派別的稱呼，實在應正名爲「仲呂均宮調」。古琴正調的定弦，有人以爲是5：6：1：2：3：5：6，有人以爲是1：2：3：5：6：1：2，也有人以爲是5：6：1：2：3：5：6，經過實際的測度，第三說爲是。

北正振華先生在香港灌過唱片（台北麗歌唱片公司有翻版，編號LM－2028，名爲中國古典音樂），張子謙先生據按指彈過琴箏合奏的「關山月」，前一二年香港王粵生先生內有「關山月」一張古箏唱片，是王粵生用鋼絃箏伴奏琴曲，國樂隊伴奏（一琴獨奏。台北女王唱片公司編號5089），民國五十八年十二月，旅居馬來亞的陳蕾士先生來台演奏古箏並灌唱片，其中亦有琴曲「關山月」以箏奏出，其段落和吳先生者一樣，該唱片由台北四海唱片公司出版，編號GMS－099，名爲「陳蕾士古箏獨奏集」。今次演奏會中，此曲由陶筑生先生古琴獨奏。

風雷引

現存的琴曲中，有兩種不同的「風雷引」。第一種見於明清琴譜，第二種始見於民初「梅庵琴譜」的「風雷引」，七段，林鍾調（應稱爲慢角調），定絃是1：2：3：5：6：1・2・3）無題無歌，題「賀雲作」。據宋朝田芝翁的「太古遺音」說：「賀芝雲是魯國人，嘗於淮泗，夜靜而撫，忽有三個人來曰：「我商三賢也，昔葬於此。聞先生之琴甚善，然於古法未盡也」。因投於月風雷二曲。」（此據中央圖書館藏明精抄彩繪本，有明初袁均哲註釋者）。自後明朝各琴書皆沿此說，認爲賀雲遇神人而學到二曲，但並不說是賀雲「作」。「梅庵琴譜」一說：「賀雲作」已是可疑，而其譜與明清以來所見的「風雷引」或「風雷引」都不同，更是可疑，賀雲生年距今迢迢二千年，王燕卿先生何由得其譜？此當是近人作品，或者是王燕卿先生的老師或祖師所作。（未完）

第十章　宋高宗即位應天　李伯紀力圖中興

梁師成等子孫不得收敘。遙上靖康帝尊號，曰「孝慈淵聖皇帝」，尊孟氏爲元祐太后。遙尊生母韋氏爲宣和皇后。遙立夫人邢氏爲皇后。孟氏即日在東京撤簾，一切政權歸新主專決。從此歷史開始了南宋的史頁。因康王後來廟號書作「高宗皇帝」，以下沿稱「宋高宗」。

宋高宗登極，似乎有點天意。不過他登極第一着便用錯了人。以黃潛善爲中書侍郎，汪伯彥同知樞密院事，授張邦昌爲太保封同安郡王，五日一赴都堂，參決大事。復加太傅。開始便用了三個大奸佞執政。以後政事可知，南宋偏安便自此開始。罷去尚書左丞耿南仲，右丞馮解，用呂好問爲尚書右丞，召李綱爲尚書右僕射兼中書侍郎。置御營司，總齊軍政。命黃潛善爲御營使，汪伯彥爲副使。王淵爲都統制，劉光世爲提舉，韓世忠爲左軍統制，張俊爲前軍統制，楊維忠主管殿前公事，此時岳飛尚非直系部將。人事安排已定，又將誤國之臣問罪。李邦彥貶潯州，吳敏貶柳州，蔡懋至英州，李棁、宇文虛中、鄭望之、李　等，均安置廣南諸州。

宗澤見大事已定，入見高宗，慨陳復兵大計。適李綱亦應召而至，兩位忠臣班陳國事，志同而道合，涕泣而談，高宗爲之動容。此時岳飛在宗澤麾下不過修武郎。與韓世忠、張俊、劉光世等相去甚遠，但爲宗澤所賞識。

汪伯彥、黃潛善二人忌宗澤、李綱之能，不欲內用，但言襄陽爲江防要口，令宗澤鎮守。高宗令宗澤知襄陽府。李綱爲汪、黃忌恨賢能，復加讒言。李綱亦有所聞，力辭相位「高宗面語道：「朕知卿忠義，幸勿固辭」！綱頓首謝道：「今日欲內修外攘，還二聖，撫四方，責在陛下及宰相。臣自知愚陋，不能仰負委任，必欲臣暫掌內柄，臣願倣唐姚崇入相故例，首陳十事，仰干天聽。如蒙陛下採擇施行，臣方敢受命。」「高宗道：「卿儘管直陳，可行即行」。李綱條陳十事如左：

一、議國事：注意在守，能守而後可戰，能戰而後可和。

二、議巡幸：請高宗至汴京謁見宗廟，若汴京不可居，上策可都長安，次都襄陽，又次都建康，均當先事預備。

三、議赦令：祖宗登極赦令皆有常式，不應赦及惡逆，及罪廢之官盡復官職。

四、議僭逆：張邦昌挾金逆闕，易姓改號，宜正典刑垂戒萬世。

五、議僞命：邦昌僭號，百官多受僞命，應倣唐肅宗故事，以六等治。

六、議戰：宜修明軍律，信賞必罰，藉作士氣。

七、議守：宜於沿河江淮，措置控禦，嚴扼敵衝。

八、議本政：宜整飭綱紀，一歸中書，以尊朝廷。

九、議久任：戒靖康間任官不久之弊，令百官各專責成。

十、議修德：宜修孝悌恭儉，副民望而致中興。

高宗閱此十事，不加可否，但言明日當頒議施行。李綱乃退出。次日頒出八議，惟僭逆僞命二事，留中不發。此二事不發，乃有深意。蓋當時二帝被虜，金人脅迫。

（四十四）

生活漫談

甚麼叫作金木水火土？（下）

・馬騰雲・

怎樣才能保持胃的健康呢？第一是不要受涼，不僅是肚子那兒不宜着涼，就是腳上受了涼也會影響胃的消化力。我們平時如果洗冷水澡，少穿點衣服，多多鍛鍊身體，使身體不怕受涼，胃也就不容易受到影響了。如果平時鍛鍊不够，那末就要小心不要受涼，尤其是睡覺的時候，要蓋好肚子。第二是少吃生冷的和特別不容易消化的東西。黃瓜、甜瓜、不熟的果子之類，皮上面細菌很多，那些東西裏面苦澀的汁水，還特別能損害胃的消化力。油是難消化的東西，所以油大的葷菜、點心之類，一般不要吃的太多，平時如果吃慣了，當然妨碍不大，乾隆皇帝愛吃油炸物，那是例外，但在痢疾、傷寒等傳染病正在流行的時候，也還是少吃油葷的好。老人們很多主張夏天吃清淡一點，這很有道理。

吃的東西在胃裏擠出來，進到小腸裏。開始的那段小腸，叫十二指腸，因爲它只有十二個橫指那麼長。這一段腸子的消化作用很大。

肝裏能生出一種帮助消化的汁水（胆汁），平時裝在肝上的幾個小袋子裏，那就是苦胆。吃的東西從胃進到十二指腸，胆汁就經過一個小管子流進十二指腸，帮助消化，主要是帮助消化吃的油。肝在那裏呢？就在我們身體的右邊，胸脯下部，肋骨下面。

我們買豬肉，還能買到長條形的豬胰（肉旁）子。人的胰（肉旁）子在胃下面，它也能產生一種汁水帮助消化。它的汁水也經過一條小管子流進十二指腸。

十二指腸以下的小腸，主要是把消化好了的養料吸收到身體裏面去。養料吸收完了，剩下的渣子就進到大腸。小腸和大腸接頭的地方，大腸還長出一小段，那叫盲腸。盲腸頭上還有一條蚯蚓樣的小管子，叫做蚓突。有時蚓突裏進去了砂子、稗子之類的東西，腫痛起來了，那就是平常說的盲腸炎。大腸把糞渣子裏面的水份吸收了，存下稠稠的大糞，存到相當多了，就一起拉出去。

（完）

自由報

中華郵政登記第一二八二號執照登記爲第一類新聞紙

（第一〇九二期）

（中華刊每星期三、六出版）
每份港幣壹角・台灣零售價新台幣貳元
社長李運鵬・督印黃行富
社址：香港九龍彌敦道593—601號
廖創興銀行大廈八樓五座
LIU CHONG HING BUILDING
7th FLOOR FLAT '5
593—601 NATHAN ROAD,
KOWLOON, H.K.
TEL: K303831
電報掛號：7191

承印：景星印刷公司
地址：嘉咸街廿九號地下
台灣區業務管理中心：台北重慶南路一段一二九號
電話：二四五七四
台灣區直接訂戶　台灣劃撥戶
第五〇五六號張萬有（自由報會計室）
台灣分社：台北市西寧南路110號二樓
電話：三三〇三四六、台郵劃撥戶九二五二號

文言文爲吾國國寶不容偏廢（上）

・陳霆銳・

編者按：陳霆銳先生爲抗戰前上海名律師，曾任東吳大學校長等職，「文言文爲吾國國寶不容偏廢」一文，從美國寄給梁寒操先生。梁先生轉寄來社。該文眞句句金玉，字字珠璣，乃不朽之作用爲介紹。

去冬美國新澤西州大風雪三日夜，堅冰在地，行人絕跡，遙望郊外一片蕭瑟之象，籠罩大地。惟見古松數株，巍然挺立，生氣盎然，歲寒然後和松柏之後彫也，不其然哉！士窮見節義，世亂識忠臣，古今同慨。因而思及吾國在抗戰及戡亂二役中，漢奸降搶之輩多如過江之鯽，寡廉鮮恥，禍國殃民，而且其間多數皆爲受過高等教育之達官貴人，言之更覺痛心，此不可謂非吾國五十年來教育上之大失敗也。近年以來，吾國政府提倡中國文化復興運動，不遺餘力，各方聞風響應，可見人同此心，心同此理。惟復興文化，培植人材，應先器識而後文藝。若以忠義爲天下倡，士風可以丕變，救國救民之道，其在斯乎！否則物質第一，仁義否塞，率獸而食人，人將相食，美國其前車也。筆者不揣冒昧，因而有雙忠傳之作，既非爲利，亂世文章，本不値錢；余在最近之十年中，所寫關於外交問題之中英文字，不下十餘萬言，從未取得分文潤資，亦非爲名；虛度已在八十開外，有何虛名之可言？況余一介平民，粗識之無，讀書不成，去而讀律，文學本非所長。若欲因此而求得虛名，愚不至此。余寫雙忠傳之動機，不外提倡忠義美德，所謂誅奸佞於既死，發潛德之幽光而已。該文用文言文寫成，其故有二：第一余非反對白話文者，白話文宜用之於寫小說、游記、演辭、新聞報導、及其他小品文字，至於莊嚴文字，似以用文言文爲宜。嚮白話文雖通行數十年，而法院之判決書及國家法律，至今仍沿用文言文，則以的呢嗎那字樣，用之於法律文句，既嫌拖泥帶水，不够整飭，而且字句太不簡練，耗費時間空間太多，所以文言文沿用至今。文成之後，曾寄交台北黨國某元老，請其指正，但並未託其轉交任何日報與雜誌登出，乃蒙不棄，逕交台北某大報副刊，請其轉載。乃久無消息，去函查詢，始獲稱「該副刊祇登白話文，不登文言文，將大作寄回，弟大怒，去信責之，謂事先已向其聲明，如不適合，請其退還，當另設法，置之不理，太無禮貌。副刊主任來函道歉。……以弟之立場，該副刊態度尙且如此，其他投稿者尙能望其有回信乎？社會道德之一般墮落，實爲可慮之事」。（按該文已由陳立夫先生送交傳記文學梁寒操先生送交春秋雜誌登出紐約華美日報及文薈雜誌先後轉載又經總統府發交國史館爲二忠立傳）余既不文，又不能藏拙，致某元老與該副刊，發生小小不快事件，內心殊爲不安。按該副刊主持者余雖並未識荆，但讀其文字，觀其編輯，當爲飽學能文之士。所以余雖遠在國外，平時亦爲該刊之忠實讀者，可見神交有年。拙作之登出與否，全無問題。余之所抱憾者，即該刊自稱祇登白話文，不登文言文，則事關吾國固有文化，不可以不辯。按該日報爲台北大日報之一。國民政府從未有禁止文言文之命令或法律，該副刊何得自作主張，一味排斥文言文，而況該刊亦從未有不登文言文之聲明。專靠潤筆爲生之寒苦文人，上其當者，當不乏其人。又據余所晃，數年以來該副刊曾登出文言文甚多，可見揀佛燒香，自相矛盾，勢利之見甚深，尤欠公允。余寫此文，非爲他故，實鑒於中國之文言文，爲吾國數千年以來精神文明所寄，斷乎不可偏廢，否則即屬自毀文化，亡國滅種，可立而待，其流毒所至，將與打倒孔家店，何以異哉。茲在余說明文言文不能偏廢以前。請先說明本人之立場二點。

（一）本人從未反對白話文，在五十年以前，寫過白話文甚多，最近薛光前先生爲欲搜羅蔣百里先生文字起見，特往美國國會圖書館，親自發掘蔣氏文稿甚多，乃於無意間，發見余五十年前所寫關於美國憲法之白話文一篇，長達數千言，文字亦尙合格，此爲余對於白話文並不反對之最明顯之鐵證。近年以來，喜用淺近文字，寫出我之心聲，亦各從所好，決無反對白話文之意。文言文與白話文，互有優點，所謂道並行而不相悖也。

（二）本人既無反對白話文之意思，換言之，即無與白話文者有挑釁之意。本文如果發表，知我罪我，在所不計，言盡於此，恕不多贅。至於中國文字，實爲吾民族國寶，世界之珍品，借以演繹而出之文言文，子子孫孫應如何寶貴而珍守之，發揚而光大之，理由甚多，茲姑舉數點如左：

（一）太史公曰，文以載道。道者文化之謂也。吾國文化爲世界最，尤其在本世紀中，各國文化均已先後崩潰，將來繼之而興，以挽救全世界人類之命運者，其爲中華民族之文化乎！此點在倡白話文者，當不能否認而有同感。但中國文化，果何在乎，則載在世世相傳之經史子集，憑何工具而可以世世相傳於不敝乎，則有賴於雄毅沈厚綺麗雋永之文言文章。有文無道，言之無物；有道無文，不能久傳。二者相爲表裏者也。子曰，郁郁乎文哉，吾從周。又曰，博學於文。又曰。子以四教，文行忠信。可見夫子之道，文道並重，乃今世之白話文者，偏欲一味祖護白話，排斥文言，何所見之淺也！

（未完）

昨日與明日

爲男生說話　爲國家着想

・・・張起鈞・・・

今天台灣的教育已呈陰盛陽衰的現象，大專聯考，一經放榜，竟是女生的天下，愈是好學校，這種情形就愈顯著。去年台大文學院錄取二百多人，男生只有十六名，今年雖尙無正式統計發表，但其情形，也不會相差多少。尤其去年，今年兩屆，乙、丙、丁，三組的榜首，都完全爲北一女一校所包辦，相形之下，許多人士乃對男生不諒解，認爲男生沒有女生高強，這實在是不揣其本而齊其末的話，太不公道了。

本文之旨不僅要指出，這種不公道的情形，並要提醒大家注意這一情形，所產生的嚴重後果。

在往昔：壞大學用不着提了，好大學其入學考試看卷子的，全是名教授，權威重鎮，以北大爲例來說：看卷子的，全是胡適、劉半農、錢玄同……那些人，他們都是學術界的眞正內行，懂貨色，能判斷，因此可以出發揮題目，而評看考生的學力。但今天在台灣，考生一下就是幾萬人，試問那有那麼多的老師宿儒來閱卷；相反的許多大牌教授都不肯閱卷。試問幾曾看到梁實秋教授來看英文試卷，（當年在北大時，是看的）。由於閱卷的人水準不齊，而難作合理一致的判斷，於是試題便不能不採取死板一致，而能有所謂「標準答案」的試題（試問發揮，議論，綜合，組織的試題，那裏會有什麼標準答案？）。加以台灣又有什麼標準課本。於是便把男生害苦了，請想那一個有才氣，有抱負的男孩子，肯抱着標準課本死背（當然，背的，背又背不來）。同時再就生理方面來說，高中的男孩子正在發育期間心理煩燥不安，加上多年都蒙裏蒙懂，那裏會能安心死背書。反之在女孩子方面就不同了，女孩在生理上本就較男生早熟，而懂事，性情方面又較爲安靜。因此只要不陷入戀愛糾紛，無不能拿着繡花的精神去死背課本，再加上台灣許多女校，都是女校長，這些位女校長，自江學珠女士以次無不以校爲家，死拼到底，於是女生們便「得天獨厚」而佔盡了考試的面子。至於本質是否眞較男生爲強？未來的可塑性，是否眞較那些落榜的男生爲高，那就只有天曉得了。

考試的目的本是在考學生的程度和潛力，但是現在的試題和考法，却是爲了牽就「閱卷者的缺乏判斷」，這不是倒果爲因，本末倒置麽，而許多有才氣的男孩子，便在這一滑稽可笑的辦法下被犧牲了。

考試辦法本就委曲死了男生，而名額制度方面又聯帶着對男生發生不利的限制。簡直逼的男生出不來氣。

女子學校之設，溯其本旨，都是爲了保護教育者，因爲從前女子受教育機會困難，無法與男子競爭，或是女子羞怯，避免混入男子團體，因此才有女子學校之設，但在今天的考試方法下女子已不是「弱者」，上述的原因全不存在，反之却成爲對男生不合理的虐待，對社會不合理的分配。因爲今天沒有任何一校，一系禁收女生，反之却有若干女校和特殊的科系，（如護理，家事之類）不招男生，姑如本次大專聯考放榜的情形來統計，甲組，專收女生的一百八十人，乙組專收女生八百二十四人，丙組專收女生，七百五十人，丁組專收女生一千八百六十一人，四組合計，三千六百一十五人。那就是說，在全部兩萬多錄取名額中，有十分之一以上的名額，劃爲女的禁臠，而其餘的十分之九，再由男女生共同競爭，而在這十分之九之中，又由於考試性質適合女生，而女生佔盡了天下，例如師範大學國文系錄取新生一百零五名，其中只有七個名字，不像女人名字（但也不能斷定不是女生），其餘那都全是些，慧美、薇薇、淑貞、莉莉之流。

再就性質來說，是否這三千六百多名，全不適宜男生學呢，除了極少數如護理等外，大部份都不是的，例如丁組中，實踐家專的三百六十一名，是會計，與事務管理，銘傳商專的一千三百八十一名，則是銀行保險，會計統計，國際貿易，企業管理，觀光事業，電子計算六科，我們總不能說這些科，更適合男生，但起碼不能說是女生較適宜，然而却把這些都劃爲女生禁臠，使女生較低分數皆有錄取之機。

在現行辦法下，男生本已考不過女生，而還有這些特權租界，那還有男生的活路嗎？我們不能抹殺事實，至少到今日爲止，還是男性中心的社會，擔負國家社會責任的，至要還要靠男孩子，而女孩子則又天性結婚生子後，也就無法全心作事，然而我們今天的教育制度，却是扼殺男性，大量培植女生，試問這如何能配合社會和國家的需要，再要不急圖改變搶救，恐怕所生的嚴重後果，將不止在於教育。

自由談

可哂的洋人

旅居非律賓的華僑于長城兄弟二人，以報人專爲毛共張目助勢，詆毀當地政府暨中華民國，構成叛亂罪嫌，被非律賓政府解送台灣究處，旋由軍事法庭判處感化有差。我們站在新聞從業者的立場，對於自由祖國政府這種寬大政策，當然表示欣慰，無話可說。

詎有國際新聞協會香港分會的一個外國人李維特者，他奉派到台北軍事法庭觀察本案審判情形後，回至香港大發議論，認爲中華民國政府根本就不應該過問這椿事，說是華僑在海外的言論，并不構成犯罪行爲，本國政府即缺乏究問的法律根據。他把西洋國家的法學觀點來批評中國的法制，胡扯瞎纏，自以爲恪盡了維護新聞自由的職責，一派虛矯愚昧的詞色，令人聞之作嘔，見之噁心。

按照李維特的法律觀點，美國人民可以自由購置槍械，犯了叛亂罪行，雖經法院訊究，可以根據憲法，拒不答辯，美國男女可以裸體游行和結婚；英國婦女可以公開墮胎，人民犯了任何嚴重的罪行，亦不能處以極刑；則中國政府對於上述情事的法律禁條，都是侵害了人民的自由權，非反對不可，這不是笑話嗎？

李維特，扯起維護新聞自由的幌子，胡亂攻訐中華民國政府究問爲共作倀的海外僑民（于氏兄弟并未入外國籍），認爲妨害了自由人權，然對於毛共在中國大陸上任意拘捕、屠殺新聞記者的殘暴統治，漫說是要求實地觀察，即譴責的意思亦不敢表示一點，國際新聞協會的職責乃若是，所謂「維護新聞自由」云云，適成其爲扯淡談而已！

西方帝國主義者的劣性根是怕強欺弱，遇事以其不合國際標準的尺度，衡量別人，而忘却自己的醜惡面目，李維特即係此中的典型人物，殊可憫也。

馬五先生

佩詞集

談微笑運動

李槃

最近台灣省議員在質詢省政時，指摘一般號稱為「人民公僕」的官吏們，官架十足，擺起威風。於是乎，台省主席陳大慶先生乃對公務人員提倡「微笑運動」，含有從諫如流的雅量，善哉善哉！

但在我看來，官吏與其光是微笑以悅民，不如實心任事以便民也。設使官吏對人笑容可掬，而對事延宕留難，一件例行公文，經過三幾個月亦沒有音信，即不啻是笑裏藏刀，與便民之說大相逕庭了。在一般老百姓的觀感中，祇要官員老爺們能夠實心任事，恪盡職責，不留難，不推諉，亦不需索，能辦的就辦，不能辦的明白指示，便認為是公正廉明的好官，他縱然板起面孔以臨民，民衆亦必愛戴稱讚的。最壞是表面客氣圓和，實際不負責任，上焉者因循敷衍，八面玲瓏，下焉者多方挑剔，別有用心，而人民苦矣！

三年前，我在台北旅居時，因為被人私刻圖章，對外開出空頭支票，幾乎吃冤枉官司，曾赴所住朋友家的管轄地段區公所，辦理「印鑑存證」，以防後患，一位主管職員對我雖無笑容，但辦事很迅速，不到十分鐘就把手續辦完了。當時我稱讚他是個標準公務員，他說：「我是替民衆服務的公僕，應該以便民為職志」。像這樣實心任事的公務員，二十年來，我只在下層行政機構的區公所見之，這可謂「禮失而求諸野」，等而上之的行政官吏，再也找不到一個了！衙門越大的官員，處民病民的作風就越厲害，奈之何哉！

所以，官吏對人微笑與否，實屬無關宏旨，主要是在不以「整人為快樂之本」和「請示為負責之本」，人民即受惠不淺。一般官僚份子對人的面目，何嘗不和悅可親，處事却令人可惱可恨，這類事實，我知道的太多了，將來要寫成專冊公諸社會哩！

學校家庭管教脫節 造成少年犯罪猖獗

警務處長談取締不良幫派 呼籲各方應共同努力防止

（本報台北航訊）台灣省警務處長羅揚鞭說：「有關竹聯幫主要份子送外島管訓一事，目的在實行隔離，問題之處理，仍需由法院依法律程序起訴解決。」至「外傳有退職警察人員與竹聯幫人物納賄勾結一事，雖然警察人員中害羣之馬難保沒有，但外傳警員收賄並非事實，如果確有其事，絕對嚴辦勿縱。」這是他於八月十三日列席立法院司法委員會第四十五會期第六次全體委員會議答覆立法委員質詢時宣稱的。

羅處長告訴立法院司法委員會全體委員說：「有關流氓取締工作，警方極其審慎，既依法令，又本良心，如有不服者，其家屬亦可向警備總部及監察院申訴。在取締流氓之法律尚未公佈施行前，現須行政法規實有其必要。」對於把不良少年或其他份子集中管訓，是否將使彼等有交換經驗，心得之機會與場合，羅處長很重視此項質詢，表示「值得研究」。

羅處長在立法院司法委員會為青年少年犯罪之新聞報導呼籲新聞界作適切的報導，這樣，對社會視聽之端正將有所助益。他說：「近幾年來，少年犯罪猖獗，不無受新聞報紙過份宣染之影響，尤其對犯罪方法與技術，在新聞紙中盡情描述。且將惡少罪犯寫成現代英雄，導致無知少年崇拜效尤，以犯罪滋事為英雄，是以新聞報導失去應有教育義務和道德，使無知青少年沉溺而不知自拔，務期主管單位能隨時協調各報以人溺己溺之精神，負起拯救下一代責任，對青少年犯罪儘量避免披露，對善行青少年，多予鼓勵宣揚。」這對以社會新聞爭取讀者的報章雜誌，無異當頭棒喝。老實說，此間各報社會新聞報導，並不重視犯罪嫌疑人之人格權，且有任意誹謗之情事。

羅處長強調：「我們的國家，是一個勵行法治的國家；我們現在所處的時代，是盛行民主的時代；因之，我們警察執行任務，處理任何案件，必須「依法行事」，並重視民意的反應。換言之，處理任何案件，必須按照法定的手續，完成法定的程序，絕不能魯莽從事，故在處理的過程中，常不能滿足社會一般希望「快刀斬亂麻」的心理。甚至誤會我警察對處理某一案件，遭遇到什麼阻撓困擾或麻煩，而有什麼顧忌，不敢依法放手去辦。實則我們處理任何案件，在長官、輿論及各界人士全力支持之下，從未遭遇到任何阻撓、困擾，而有絲毫顧忌。我可向各位先生（立法委員）保證，今後對任何案件的處理，亦定將切實依據法令，並本乎良心，一本至公至正的原則，慎重處理，務期做到毋枉毋縱，不擾不苛的地位，達成我們警察除暴安良維護法治的任務。」

羅[illegible]在報告警察機關取締不良少年幫派組織工作時指出：不良少年幫派之參加份子，多出自家庭生活富有，家長事業地位較高，家長忙於事業無暇管教或出於溺愛，將責任付諸學校，學校又因學生眾多，管教難週或訓導欠當，使管教責任在家庭與學校間形成脫節，造成不良少年之產生。警察機關為配合國策，光復大陸必先鞏固台澎復興基地，防止青少年由社會性犯罪演變為政治性問題（迄今尚無此案例），及維持社會治安，除由省警務處令飭所屬隨時注意調查不良少年幫派，嚴加澈底取締解散外，並於五十二年七月間，訂頒：「取締不良少年組織作業程序」一種，通令實施，其中規定發現不良少年幫派組織時，調查蒐集其不法資料，參加份子之不法行為如構成違警罰法要件者，依違警罰法規定處罰，涉嫌刑事案件者，移送司法機關偵辦，其年齡未滿十四歲者，以違警罰法規定責令其法定代理人加以管束，十四歲以上未滿十八歲者，由警察機關隨時與其家長或學校加強聯繫，注意其生活言行，防止死灰復燃，實施追蹤輔導，促其向上向善，十八歲以上其惡性重大，構成流氓要件者，依取締流氓作業規定，呈請台灣警備總部核列流氓，除予告誡，遇案取締。欲防止少年犯罪事件之發生，實非僅賴權責有限之警察機關所能克奏全功，而警察依法執行任務，只能發揮取締消極作用，如何根絕少年犯罪之本辦法，則仍賴各方面機關，社會團體，家庭、學校各盡職責，共同努力，始能消弭少年犯罪於無形。

慎重處理少年犯罪 務須做到毋枉毋縱

立委質詢取締流氓問題 促予少年犯以自新機會

立法委員趙石溪質詢說：警務處對最近竹聯幫少年犯的處理方式，有移送法院者，有交出警備總部移送外島管訓者，亦有送至板橋管訓總隊管理者。但據新聞報導，此次竹聯幫被取締的起因，在於若干竹聯幫份子有殺人的犯罪行為，理應移送法院：其中移送外島者，是否亦有參與此次犯罪行為？若有，將發生法院審訊上的困擾。根據台灣省戒嚴時期取締流氓辦法第五條第一款之規定：經調查登記審核明確之流氓，觸犯刑法者，依台灣省戒嚴時期軍法機關自行審判及交法院審判案件劃分辦法之規定，分別送交有關機關審判，因此，警務處處理此次竹聯幫少年犯的問題，究依何種法律辦理？竹聯幫的首惡份子此次殺人行為已引起社會人士的注意。但仍有若干竹聯幫之外，對其他不良少年組織的偵察工作，進行的如何？目前警察機關對不良少年的處理，是根據取締流氓辦法。由於現行法中尚無「流氓」的名詞，而取締流氓辦法亦僅係行政命令。因此，警察機關對少年犯的處理辦法，務必本於良知，真正做到毋枉毋縱的地步，加強警員的榮譽感與責任感，絕對避免任何偏差。

立法委員梁肅戎質詢說：目前對不良少年犯的處理，尚無法律根據：如根據取締流氓辦法，則僅有三年至五年的保安處分，因此，易生執行不公平的現象。

梁委員提出下列建議：一、目前取締法中，被取締者無申辯機會，此與憲法中規定人民有訴願權者相違背；在未制定法律根據前，警察機關的調查與處理工作，務必力求公平妥當？二、目前的取締辦法僅為預防措施，至多屬於違警罰法，但其處分卻很重，因此，警察機關在處理案件時，務必慎重。三、經過處分的少年犯，警務處有無統計其悔改的情形，藉以確定取締辦法的效果如何？四、少年犯的處分，有列入戶籍上之登記，此對於欲改過自新的少年犯，是一很大的阻力。五、少年犯需與少年福利相配合，予其改過自新的機會，而有關少年福利的法案，行政院迄未送立法院審議。

喬治桑外傳（七一）

張大夏

喬治桑是讀過書的，過去，他的海派習氣很重，他的知識倒變成了他的罪惡，現在，他的良知受到激發，不能不說是天倫的力量。

「媽媽常常告訴我，一個人要行得正，坐得正，不愁沒有出路。」雅麗絲對媽媽有一份濃厚的親情，她常常有意無意間提起她的媽媽。這使喬治桑內心增加無限的愧疚，他覺得他實在沒有盡到父親的責任。

「晚上天氣很涼，妳要不要加件衣服？」喬治桑看見雅麗絲只穿了一件薄薄的襯衫，他怕她着了涼。

「我一點不冷，不是我說，我的身體最好，從小到現在就沒有病倒過。」雅麗絲說完，拉了她身上的襯衫一下，很自負的樣子。

「人生在世，健康第一，假使失去健康，什麼都是空的。」喬治桑說完，點燃了一支香烟。

「對呀，包死，不是我說你，你的烟實在抽得太多了，對身體不好。」雅麗絲是中國女孩子，不抽烟，不像美國妞兒，年紀輕輕地，便嘴上老刁着一支香烟像老槍。

「唉，我老實告訴妳，別人看我交遊廣闊，生活多采多姿，其實我的內心是非常孤寂的，抽烟抽得多，就是這個緣故。」喬治桑不拿雅麗絲當外人，向她傾訴心曲。

「你這話也有道理，媽媽以前不抽烟，現在也喜歡抽幾支了。」雅麗絲看完晚報，將報紙捲成一個紙捲，輕敲着沙發的扶手，帶有稚氣的表情。

喬治桑想不出什麼話，站起來扭開了電視，螢光幕上映出美國西部電影，美國牛仔英雄大戰紅番。

雅麗絲並不喜歡看西部片，但閒着無聊，也就默默地注視電視影片。

「我總覺得美國西部片不大合理，成千成萬的印第安人打不過幾個牛仔。」雅麗絲忽然對影片批評起來。

「這是演戲嘛，只要觀衆看得過癮就行。」喬治桑答復了雅麗絲的問題，眼睛沒有離開螢光幕。（未完）

台北傳奇錄（六九）

陳光棣

「自動控制」。

「什麼？自動控制不是工學院的課嗎」？

「我教的這門課，屬于心理範圍，一般工學院這門課的名字，就是學得我的。」

「真的呀」？

「當年我在美國……」

「您在美國留國學呀」？

「研究」！賴先生到美國去過一年，其中有一個月消耗在旅程上，其中九個月的時間都是在美國關起門來燉牛肉吃，剩餘的兩個月杜撰報告。

「您研究什麼呀」？

「就是這門自動控制嘛」！賴先生以專家的姿態撒謊：「比如開會的時候，大家難免爭的面紅耳赤，大動肝火，這時候就需要有自動控制的學問」！賴先生並沒學過這些名堂。

「眞是有道理，有功夫我去旁聽」！

「不大方便！」賴先生趕快攔駕：「我的課每次都是爆滿，很少有空位子」。在這裏賴先生吹了一點牛皮，實際上他的課每次只有四個學生應景，選課的學生們是以派公差的方式輪流出席的。

賴先生這門課的名字很嚇人，實際上是既沒有課本，也沒有講義，更沒有教材，上課的時候，是山南海北，拉西扯東的瞎聊一頓，想到什麼就說什麼，實在沒的可說了，就講麻將經，麻將經講完了就請病假。他上課的時候，四個學生不是睡覺，就是看報，各不相涉，皆大歡喜。您也許不相信；甚麼學府裏會有這種教授呢？我告訴您；非但有，而且這還不過是其中的一種。在大專院校裏認眞教課的教授，固然佔大多數，而合稀泥，打馬虎眼，騙鐘點費的教授可也不少，關于這一層，有了機會再說。

「聽不到您的課眞是可惜，只怪我沒有福氣」！馬寡婦接着說：「什麼時候我到您家去再詳詳細細的請教這門學問吧」！

「不敢當，不過這開會學系早晚會發展成研究所的，因為這門學問越來越實用，越來越複雜，越來越受到重視」！

「不見得吧」？馬寡婦發生了疑惑。

「怎麼不見得。妳平常看報不看？」

「有時候看看」。

「我給妳舉個實實在在的例子，來證明開會這門學問的重要。前年八月間，好像是八月十六吧；十七國的代表在日內瓦召開裁軍會議，這是六年以來第三百二十二次會議了，到了開會的這一天，英籍主席貝萊爵士宣佈開會，詢問那位代表要發表演說，不想會場一片沉默，隨後是哄堂大笑，貝萊爵士就宣佈散會，于是一場國際會議，就在這輕鬆的氣氛下閉幕，各國代表無不佩服貝萊爵士的果斷。聽說貝萊爵士就是研究「開會心理學」的著名學者」。

看柬國戰爭，念亞洲大局（下）

·葉時修·

亞洲國家合力援柬，是亞洲反共聯盟或亞洲安全體系逐漸形成的初步。此一組織，目前雖尚遙遠，但始終是非組成不可的，開始不妨由泰、越柬寮四國聯合，使

輿論精華

成為一個反共的戰鬥體，然後再擴大及於整個東南亞，整個亞洲，美國對於這個組織，不需要部隊支援，但精神的支持和物資的援助是必要的，這不正是尼克森總統在關島在國會所聲明的新亞洲政策的精神嗎？我們認為援柬正是亞洲國家團結的一個最好時機，須知「一日縱敵，數世之患。」「善戰者制人，而不制於人。」何況情勢急迫，燃及鬚眉了呢。亞洲大局的危機，一是共產黨在這個地區的囂張猖獗，二是亞洲國家不够警覺，在這個時候還不免充滿姑息中立的氣氛，一些國家還認為要謀求柬埔寨問題的合理解決，應循政治的外交的途徑，而不宜採軍事行動。五月十六日印尼發起召開的亞太國家部長中南半島問題會議中，許多國家都強調柬國中立的維護，有的主張外國部隊，統統撤出柬國，不知道巴黎的和平談判至今一無進展嗎？不知道共產黨不會聽任何人的話把軍隊撤出來嗎？柬國的中立是共黨破壞的，還還有什麼理由可講？從歷史上看，共產黨決不講理，但會向武力低頭！法國總理龐畢度更滑稽地說中南半島國家應維持中立，法國已經退出亞洲，他的話當然沒有份量，無怪越南副總統阮高祺說：中南半島的國家是否中立，要由這些國家自己來決定，而不是由法國總理決定；他又說越南並不要中立，因為中立已經給共黨破壞無遺了。印尼總統蘇哈托在訪美期中，也有主張中立的話，印尼共黨騷亂，已有死灰復燃之勢，試問你縱然不顧整個亞洲大局，難道不願自保嗎？又本身有馬共暴亂的馬來西亞居然也對泰國出兵援柬，加以批評，足見亞洲國家反共意識的撲朔迷離，這才是前途可悲的現象。據傳，美國參議院傅爾布來特曾說，亞洲許多落後國家的人民，對於共產黨的統治都無所謂，意思是指美國出兵救助都是多餘的事。這個媚共的外交委員會主席，最近的行為言論愈來愈離譜了，然而他的無知和固執，也就可悲可恨哩！至於美國的一些所謂「亞洲問題專家」如費正清•巴納德之流，每每大言不慚地代表亞洲人表示意見，其實對於亞洲的事情他們所知有限，更存偏見，他們有什麼資格代表亞洲人說話？亞洲人對於區域內共黨所構成的威脅的程度與迫切的了解，比任何一位美國參議員、專欄作家、時事評論家或社論撰稿人，尤其是那些自命為亞洲問題的專家要清楚得多。

我們知道東南亞的國家，將更會從此多事，香港消息靈通人士說：毛共為了挽救共黨在柬埔寨的頹勢，現正一方面支援越、寮、柬共的火，一方面則策動泰、馬共廣泛出擊，企圖分散美越兵力，大批的輕重武器和彈藥，已由南寧經過河內轉運柬國。觀於柬境共軍攻擊離泰不遠的暹粒，以及金邊發生恐怖事件，其獲得毛共的大力支援，可以概見。一旦美軍離柬之後，必然發動全面騷擾，並企圖恢復基地，因為沒有軍隊能在缺乏補給之下，而能作戰或甚至繼續生存的。這正是一個重要的關頭，粉碎共軍的陰謀，撲滅這場中南半島中部的火燄。紐約時報的社論說尼克森總統進軍柬埔寨，斷送了「日內瓦」會議的希望。從「談判時代」退到「對抗時代」。他們不知日內瓦式的會議，本來就沒有希望，蘇俄不是早已表示對於這種會議沒有興趣嗎？也永遠不能希望共黨放下武器，從事談判，不能由「對抗時代」進入於「談判時代」，其咎在誰，那個不知道？還用得着爭辯嗎？以此指責尼克森總統，徒足以見其別有用心而已。

中南半島的反共戰爭，正對自由民主陣營作有利的發展。自施亞努被黜，美越進軍，泰國援柬，每一步驟都是反共新局面的開拓，我們更希望進而使越、泰、柬、寮四國軍事聯盟具體實現，作為亞洲反共聯盟的一個前奏，亞洲國家基於自身安全的要求，當能儘速考慮自由亞洲安全的共同措施，向着團結反共的目標前進，如此，則亞洲反共局勢的前途，將現出一片光明！

（完）

談當前的大學問題（六）

·張亞雲（水旁）·

還有一些大學生，因為臨考時填寫志願的錯誤，等到進入大學之門以後，發現所學者與志趣並不相符，乃頗以為苦，重考嗎？既無信心，又捨不得這已到手的雞肋。於是便因循下去，這一失足，愈陷愈深，終致莫能自拔；而心靈的創傷也就日益加深，表現在行為上，乃不免消極，消沉。當然這也是十分可悲的現象，有否解決的方法，最重要的當然是追溯到高中畢業時，任導師者一定要盡量負起責任給予適當的指導，而為家長者更不必為了自己的願望而強迫子弟讀其所不願讀的系科。至於問題已經發生，大學就該在能力範圍內力謀補救，譬如說開放轉系之門，儘量使他能就讀與其志趣相投的學系。我有一個學生，他高中畢業於建中，進大學後，讀的是地政，一年下來，自認志趣不符，經濟學無興趣，微積分過不了關，我指導他轉政治系，轉過去後，春風得意，天才橫溢，每學期名列前茅，果然是個好學生。這只不過俯拾一例而已，一動一靜，其結果竟然如是不同，出入如此其大。這問題又豈可等閒視之？

另有一種學生，自恃才華超卓，眼高於頂，目無餘子，桀傲不馴，狂妄，囂張，雖然充滿了自信心，卻也是另一典型的問題學生。教育的作用是造就正常的人，對有益於社會的人，也就不能不設法矯治。大學裏的教授也就更該多費一些心思，如果輔導得法，他們便不難被造就為第一流的人才。

除開上述的這些問題而外，一般大學生當然還有許多其他的問題，譬如戀愛的問題，家庭的問題，健康的問題，交友的問題，娛樂的問題，職業的問題，人生觀的問題，甚至性的問題，使他心煩，使他苦悶，使他迷惘，使他不知何去何從。這些問題，大學當局當然也不能袖手不問，而應主動地去為他們設法解決，最好是設置一個心理衛生中心，其中有許多心理學的權威教授，有許多青年問題的專家，隨時在等候着學生，替他們指點迷津，幫他們解除困惑。譬如國立政治大學就有一個這樣的組織，而許多學生也的確是得到了好處。一般的大學似乎也可以模做着做。

九、結論

還是這麼一句話，大學的「問題」眞多，如所列舉的，我們實在不必多所粉飾，而「問題」也並非絕症，無一不是可以解決的；若能認眞地面對着每一個「問題」，再存心去加以解決，將沒有問題不迎刃而解。若是每一個問題都解決了，誰的肚子裏還會有苦水要吐？大家高高興興，一團和氣，大學教育的成果自然是指日可期，國家的復興，民族的再起，自然也就為期不遠。

最後，我還要重覆一句我已經說過的話，我自愧不是教育專家，我所指出的缺點容或不對，我所提供的意見容或有錯，但，我是善意的，我是基於愛國的熱忱而出此，我虔誠地期待社會各界人士的指正。

（全文完）

妄參末議之一

·文匯樓主·

抗戰勝利後的第二年春，目睹中國共產黨在蘇俄直接支持下，對政府軍由面的控制縮到點的包圍，越看越可怕，先天下之憂而憂，乃士人常行。筆者曾上書陳果夫先生，請求轉達決策機構，應當成立軍政府，必須澈底進行戡亂，指出「談談打打，打打談談。」違反了姜尚六韜：「猶豫不決，用兵的大害，狐疑不定，是三軍的大災。」且認為一切科學都有原理法則，惟獨戰爭沒有固定形式，更大胆的指出為將的人，有勇不如有智，有智不如有學，駁斥那些三個月可以平亂，半年可獲得全部勝利的一些胡說八道。

陳果夫先生回信說：「茲事體大，今後以少發妄論為宜，應全力經營自己事業……」意思就是囑樓主別再「妄參末議」。當時在國民政府內擁有雷霆萬鈞之力者，據統計不到十人，果夫先生當然是其中之一，他都將樓主的意見，當作「狗捉耗子，吃力不討好」。後來祇好在報紙上公開的喊喊罷了。

不過，那時全國輿論已被民主風吹得像「山雨欲來風滿樓」，甚少敢提出反對和談的政治主張，樓主竟冒天下之大不韙，例：「反對國共和談，打到底，辨是非，國民政府應當集合一切反共力量，包括卅萬關東軍及汪政府待罪圖功的六十萬部隊，將這筆籌碼悉數投入戡亂，必要時不惜動用日俘，易服勞役，從事軍事工程，認清勝利代表眞理，萬不可以上「打打談談，談談打打」繩套……」

樓主先谷正綱半年罵張治中是狗入的，因張以首席和談代表身份，竟用飛機滿載廣東香蕉、洋桃等水果贈給毛澤東與江青，乃寡廉鮮恥花鼻子的醜行，並主張砍掉張治中、章士釗、邵力子、劉斐、李維漢的腦袋，藉以轉移社會風氣，加強軍民團結信心，及表示出國民政府與共產黨漢賊不兩立的明朗態度，否則祇須幾年，必陷全國同胞於不幸。

樓主一方面反對選舉國民大會代表、立法委員、監察委員，認為這是瓦解國力的基本因素，一方面力促政府勿以精疲力竭之師剿共而易之以待罪圖功的關東軍、汪政府部隊戡亂。因關東軍和汪部隊都是中國人，在「寧赴一戰，不受奴役」的原則下，會得到國人諒解。樓主未料到前前後後，林林總總約數萬言的政治主張，皆變成為空氣泡！凡此皆有存報為證，非事後有先見之明可比，待大陸淪陷後，樓主冒萬險單騎走仰光，陳果夫先生才發現樓主的政治主張是正確的，但為時已晚，夫復何言？

諸葛亮狂想曲（一五〇）

·劉玄·

「劉約翰、金玉枝，」太白星君以金為姓，替金魚美人取名玉枝，蓋天庭金魚不同凡品，亦是金枝玉葉也。太白星君在喊過新郎、新婦的名字以後，接着說：「我今天特為你們締結良緣，但為期一月不可逾限。金玉枝將來還要繼續苦修，必成正果。劉約翰在天庭已嶄露頭角，只要一心向上，亦有厚望。你們兩位是有緣的，我替你們完成圓滿，亦是天意。」星君講完了話，有鶴童捧出仙家四色喜果，請新人共食，諸葛亮以觀禮地位也吃了幾塊。

吃完喜果，太白星君又取出一枝如意型的碧玉簪送給新婦，一枝玉鋑給劉約翰作為賀禮。婚禮不像人間那樣繁瑣，沒有多少時間就已完畢。「你們兩個可以回去了，諸葛先生留在我這裏再談談。」太白星君示意劉約翰和金玉枝先退。

大凡新婚夫婦，人間、天庭並無區別，在禮成以後，總是希望早點入洞房，故劉約翰、金玉枝一聽太白星君命他們退下，自然是很高興的離開了。

劉約翰與金玉枝走後，太白星君招呼諸葛亮坐在羅牀前的玉石鼓櫈上，這是密談的一種暗示。

「太空船最近就將發射，你上次和我談及的黃雲大仙，我已經奏明玉帝，玉帝開始有些猶豫，經我說明黃雲大仙具有高深內功，玉帝才首肯，特准他參加海王星探險行列。」

巨變歷險記

夢綠戰場（一五三）

胡慶蓉

夢綠之戰，雖延續不過兩小時，但我方的損失也是夠慘的了。地方上的土共是熟悉地形的，對於我方的情報，又作的非常正確，所以給我方的損失是驚人的。我們搶着佔高地，把握戰事的有利形勢，但敵人也並不傻，在我們搶佔高地的時候，敵人已經佔領了高地了。以居高臨下之勢，以槍口對準了我疲憊之師，我方的損失是可觀的。就在我們快到山頂的時候，敵人開槍的。月明星稀，寂靜無比。爲避免敵人的注意，幾乎沒有聲息的慢慢的前進着，有數次還停了一下，大家就地還打了個盹。涉了半天的水，大家實在疲勞的不堪，誰知就在進行的中間，就在快到山頂的時候，一聲響了！……一條一條的火舌，噠噠的卡卡不停的機關槍聲向下邊掃射，鬼哭神號之聲接踵而來。我方的尖兵，不少應聲而倒者，我方的軍方負責人，也劍及履及的馬上採取措施。一方面傳令大家散開，以劍草爲掩護，另一方面揮軍前進，躲開敵方的槍口，從側面反攻。從敵人的槍聲來判斷，可以判斷敵人的地點。一陣反攻過去，敵人的槍聲也就少了，敵人的陣地也就隨着變動。但這一頭壓下去了，又冒起另外的一頭、兩頭、無數頭，從很遠很遠……前邊的去路似乎都被敵人截斷了！我方也在分頭對付，展開反攻。歷兩小時之久，才算把敵人擊退，到了山頂的村子裏。

我方不能不感謝上帝在夢綠山上生了這麼好的劍草，劍草救了大家。劍草是丁博士給的名稱，上邊已經說過了。整個夢綠大山，在我軍進前的這一面，全部是劍草，是最高的劍草，最好的劍草，最利的劍草。每一個劍草，彷彿一把兩刃銳利無比的長劍，每一個劍草彷彿一個天兵天將，我方有數不清的天兵天將在保護，得平安渡過又一場厮殺。這劍草，這滿山的劍草像無數的天兵天將在那里站着保護我這疲憊之師。風向這邊倒，他們向這邊倒，風向那邊刮，他們向那邊倒，有如無數的天兵天將在練習劈刺在六會操。話這邊倒！刷！都這邊倒！說那邊倒！刷！都那邊倒，以之與雙十節國慶總統府前大檢閱那些美麗的姑娘——護士隊吧，臀部的擺動還要整齊動人！

劍草銳利無比，又彷彿裝甲車的裝甲，彷彿擋箭的擋箭牌，擋盾的盾牌，看起來非常柔軟，實際上卻非常韌強，彈打不過去，彈碰着劍草會紛紛落地。戰事過後，丁博士拾了很多的彈殼。「天何言哉！四時行焉！」劍草永遠在那裏擺蕩。死者死了，就地埋下，大家除一洒同情之淚外，還能什麼！死者已矣，來猶可追。大家在丁博士領導之下，照是照原定計劃，繼續向車里佛海……方面進軍。前途的荆棘是不可避免的，但皇天不負苦心人，其所以勞其筋骨者，蓋所以至成之也。

琴曲七首考略（三）

唐健垣

健垣按：本文爲古琴曲譜七首的考略，本人學疏才淺，錯誤必多，甚望博雅正之，以期盡善。又本人所藏多爲明朝琴書，而於清朝者，手頭反極缺乏，故本篇所論，每詳於明而略於清，惟有待日後補充而已。本文原刊於中央日報副刊，茲又有新材料待補正者，乃承張起鈞師之囑，加以增訂交自由報發表，以供同好之參考焉。

「古琴集編」第一集，把古今兩首「風雷引」都配了五線譜，「古琴曲集」第一集又把「梅庵琴譜」的「風雷引」配成五線譜。其「琴曲介紹」說：「目前流傳着兩種完全不同的「風雷引」，其中以正調調絃的一種初見於「風宣玄品」（一五三九），曲情深沉肅穆，淵源較早。另一種見於近代的梅庵琴譜（一九三一），節奏鮮明，曲調性較強，可能是晚近的作品。」（唐按：「風宣玄品」云風雷引定絃是商調，非正調。）梅庵派的風雷引有吳宗漢先生所灌唱片，在香港錄音，在英國出版，此間不易聽到，今次請吳先生的學生王海燕小姐彈琴，由顧豐毓先生用二胡齊奏。

前輩對「梅庵琴譜」的風雷引，有下列一段解說，足供參考：「本曲描寫夏日雷雨，極爲神肖，多用撮法以壯聲勢，用滾拂法以狀烈雷，連用撮聲以繪陣雨。起首打圓狀風雨初來醞釀之勢。第二段入慢以後才是雨至。第三段聲勢漸壯，風雷相應而至。第四段虛掩連撮爲陣雨如注。第五段中迅雷烈風一再出現。第六段聲勢稍殺，但雷聲隆隆，尚有欲罷不能之勢。最後以雨過天晴而結束。本曲特點節奏非常靈活，梅庵譜中節拍緊湊者以此爲最。」

另一種風雷引，在現有琴譜中，最早見於明朱厚爚的「風宣玄品」（有嘉靖十八年，公元一五三九年張鯤序）卷五，八段，商調，無題，無歌。繼又見于明汪芝的「西麓堂琴統」（有嘉靖二十八年，公元一五四九唐皐序）卷八，名爲風雷，八段，商調，有題無歌，其標題是關於尚書金縢篇的故事。據說周武王滅商之後有病，周公向祖先禱告，願爲武王代死，其後武王得癒。及武王崩，成王即位，周公攝政，管叔及羣弟造謠說：周公將謀害成王，成王乃對周公生了誤會，周公爲表清白，退避居於東部二年。其後一日「天大雷電以風」，將農作物及樹木砍倒，成王啓金縢之書欲卜吉凶，見到內中文件，始知周公曾爲武王祈禱，大爲感動，又知道周公之忠心，知道自己誤會周公，乃迎周公回京。上天因成王知過能改，於是吹起相反方向的風，原先倒了的禾都反豎起，得到豐收，此事見於尚書金縢篇。宋田芝翁的「太古遺音」以說賀雲從商三賢學到碗月風雷二曲，卻未說明風雷引曲是否和此故事有關，且金縢所記乃周朝之事、時商三賢已死，何由學得而以授賀雲，大抵傳說，亦不必深究。

明楊嘉森的「琴譜正傳」（有嘉靖四十年一九六一年何選序）卷六亦收有風雷引，八段，無題無歌。以上三曲是差不多的，各曲前半較相近，後半改動較多，再後明蕭鸞的「杏莊太音補遺」（有嘉靖三十九年公元一五六〇年施夏臣序）卷一收有風雷引，八段，商意（即商調），乃是完全抄琴譜正傳，幾乎一字不改。解題云：「聖人以遷善改過爲益之大。後人作「資益吟」，「風雷引」以自警。蓋欲如風之烈，雷之迅以遷善改過也。聞其聲令人惕然。」明嚴澂「松絃館琴譜」（刻於明萬曆四十二年公元一六一四年，在清永曆十年公元一六五六年補板印刷）亦收有風雷引。此書內外藏有十多本，中央圖書館藏的殘本缺此曲，故宮所藏的四庫全書抄本松絃館琴譜「風雷引」在卷上，九段，商音，無題無歌，指法改動甚多。入清以後，轉載風雷引的亦不少，指法越來越繁，多用撥刺手法。民國七年楊時百的「琴鏡」卷五轉錄了清朝「自遠堂琴譜」的風雷引。（未完）

生活漫談

心與毛細血管的用處

馬騰雲

問：心的組織與功用如何？能否加以詳細分析見告

答：心的右半部，接受全身流回的血液，把全身流回的血液，經過肺動脈，射向肺裏去。肺動脈在肺裏分成許多小動脈，最後分成毛細血管。血液通過毛細血管時，收到氧氣，放出廢氣（炭酸氣），得很新鮮了，毛細血管漸漸匯合，成爲肺靜脈，通過心的左半邊。新鮮血液從心的左半邊再射出來，經過動脈，流到全身，最後也是分成了毛細血管，從毛細血管放出養料、氧氣供給全身；同時搜集廢料、廢氣，血又變濁了。這以後，血管又漸漸匯合，從小靜脈，合成大靜脈，血液經過它流回心的右半邊。

我們平時心跳一分鐘是七十次上下，在勞動的時候，心跳加快。心跳加快，血液的流動也加快，養料和氧氣也就能快地運送到肌肉裏面去。睡覺的時候心跳減慢，養料和氧氣消耗減少。人受驚時或生氣時，心跳加快。身體鍛鍊得堅強的人，小小一點勞動不覺費力，心跳也就不大加快。遇到驚人的事，他能鎮靜，不覺驚慌，心跳也能正常。沒有鍛鍊的人和身體弱的人就不同了，睡覺時聽見了一點聲響，心就卜通卜通地跳，爬山上樓更是不用說了。有些人因此就以爲自己的心有什麼毛病，越想越怕，有的還會感到心痛起來了；越想越慌，越是不得了，覺得非馬上上醫院不可。其實呢，只要不胡思亂想，這些現象就會很快消失的。

一般鳥獸，身體越小的心跳越快，有一種小鳥兒，心跳快極了，以至我們用肉眼分辨不出它的跳動來。人才生下來的時候，心每分鐘跳一百三十次上下，身體長大了，漸漸減慢，十五六歲以後，大多是七十多次了。心有很大的後備力量，一般沒有什麼問題。

問：毛細血管有甚麼用處？

答：我們身上的毛細血管分佈得非常稠密，但是不管有多稠密，中間總有空子；那空子裏面，養料和氧氣如何供給，廢料、廢氣如何排除呢？每一條毛細血管滲出一種清水叫做「淋巴液」，它從毛細血管裏滲出來，裏面溶化得有養料和氧氣，帶進去；帶到那裏去呢？它慢慢流到很小的淋巴管，小淋巴管匯合成大淋巴管，最後和大靜脈匯合，和血液混到一起了。我們皮膚受了傷，傷口就流出清水來，皮上就起泡，泡裏面就是淋巴液。

白血球有一部份能滲出毛細血管，隨着淋巴液跑到血管網的空隙裏搜吃細菌。淋巴管上面，每隔不多遠就有一個淋巴結。淋巴液從那裏流過時，裏面若是混有細菌，就被扣留下來消滅掉。這種小結叫做淋巴腺。細菌的毒素若是很強，刺激得淋巴腺附近的毛細血管也膨脹了，血裏的白血球大量集中到那裏來對付那可惡的細菌了，我們就可以看到皮下起了一條紅線，那就是淋巴管發炎了（產生紅、腫、痛的現象，叫做發炎）。發炎以後，血液、淋巴液集中力量把細菌消滅了，發炎就消退。情形嚴重時，引起淋巴腺化膿、潰爛的也有。

我們肚子裏的脾（有的地方叫它連體）可以說是一個最大的淋巴腺。它在我們身體左邊，肋骨下面，平時從外面不容易摸到它，它膨大了時就有很明顯的一大塊存在左邊肚皮下面。脾裏面有扣留和消滅細菌，老了的紅血球、白血球在那裏經過，也被扣留和消滅。但是它和「發脾氣」倒沒有什麼關係的。過去以爲性情急躁是因爲脾有了病的原故，並沒有科學的根據，中西醫的看法都差不多。

第十章 宋高宗即位應天 李伯紀力圖中興

宋宗室無主，人人性命難保，豈可在今日翻此不得已之事，以使人反側。李綱識腹忠耿，一心爲國，不失忠臣。朱熹說得好：「李綱入來，方成朝廷」。此言最爲切當。又劉切上書力陳邦昌之罪，召汪伯彥、黃潛善二人尙議。汪、黃附張邦昌，高宗又召呂好問之，此人卻模稜兩可，首鼠兩端。李綱復入奏道：「邦昌爲逆，仍使在朝，百姓必指爲二天子。」又以「僭逆」「僞命」二條不發，高宗覽書，乃揭邦昌罪狀，貶爲昭化軍節度副使，潭州安置，並將王時雍、徐秉哲、吳幵、莫儔、李擢、孫覿等並貶謫。張邦昌姓名坐罪下獄，受戮東市。追贈張叔夜、劉𩇕、崔安國等官。

高宗方重用李綱，既任爲右僕射，并兼御營使。李綱亦力圖振作，知無不言，言無不盡，竭力日夜策畫，頗具宏規。朱文公之言一點不錯。下面我不能不述說李綱爲相的宏規。

一、請置河北招撫司，河東經制司，特薦張所、傅亮二人充任。高宗乃命張所爲河北招撫使，王𤫉（王旁）爲河東經制使，傅亮爲副使。

二、因高宗登極時，赦詔未及兩河，建炎元年六月，遣潘賢妃王子勇，應援例大赦，廣示德義。

三、請調宗澤留守汴京，規復兩河。澤因奉命爲東京留守，兼知開封府事。

四、請立沿河江淮帥府，凡置府十有九，下列要郡三十九，次要郡三十八，府置帥，兼都總管。郡置守，兼鈴害（軍旁）都監十七將。總置軍九十六萬七千五百人。別置水軍七十七將。遣舟江淮諸州。前此四道都總管一併取銷。

五、修明軍法，定伍、甲、隊、部、軍各制。五人爲伍，二十五人爲甲，一百二十五人爲隊，五百人爲部，二千五百人爲軍。上下相維，不亂統系。所有招置新軍，及御營司兵，具用新法團結。且召陝西、山東諸路帥臣並依此法，互相應援。

六、令諸路募兵買馬，勸民出財，并製造戰車，頒行京東西路。

七、議車駕巡幸：首關中，次襄陽，又次鄧州。高宗亦以爲當，命范致虛知鄧州，修城池，實錢穀，備爲巡幸之地。

（四十五）

自由報

中國郵政台字第一二八二號執照登記為第一類新聞紙

(第一〇九三期)

(半週刊每星期三、六出版)
每份港幣壹角・台灣零售價新台幣貳元
社長李運鵬・督印黃行董
社址：香港九龍彌敦道593—601號
廖創興銀行大廈八樓五座
LIU CHONG HING BUILDING
7th FLOOR FLAT '5
593—601 NATHAN ROAD,
KOWLOON, H.K.
TEL: K303831
電報掛號：7191

承印：聚星印刷公司
地址：嘉咸街廿九號地下
台灣區業務管理中心：台北重慶南路一段一二九號
電話：二四五七四
台灣區直接訂戶　台灣劃撥戶
第五〇五六號張萬有(自由報會計室)
台灣分社：台北市西寧南路110號二樓
電話：三三〇三四六、台郵劃撥戶九二五二號

本報專論

文言文為吾國國寶不容偏廢（下）

・陳霆銳・

（二）今世之白話文者，皆以白話文義取通俗而易於普及，最適宜近代教育，而且寫者不必苦用功夫，自然會寫得一手好白話，豈不美哉？其實不然。眞正文言佳作，言簡意賅，一目了然，有勝於白話多矣。茲有兩例，可證余言。其一相傳黃季剛先生平素反對白話，某次於講壇舉例云：若胡適之家中喪妻，其家人電報，必云「你的太太死了，趕快回來啊。」電文達十一字之多，如用文言，「妻喪速歸」。四字即可，此雖爲調笑之詞，亦可見二者繁簡之不同矣。又學粹雜誌第七卷第二期，沙學浚先生論言文一致中，亦有一比。他引用初級小學國語課本、第五冊、第三課、老萊子作爲例證。其原文曰：

「從前有一個人，名叫老萊子，他到了七十歲時候，雖然頭髮白了，牙齒掉了，可是身子還很健康。那時爸爸媽媽仍然活着，自然更老了。老萊子非常孝順，每天盡力的侍奉爸爸媽媽，甚麼吃啊，穿啊，都挑選他們最喜歡的。他的爸爸媽媽，因爲年紀太老，有時不免悶悶不樂，老萊子就換上五彩花衣，拿着一面小鼓，跑到他們面前，又是唱，又是跳，像四五歲的孩子一樣，直到他們笑了，才肯停止。老萊子雖然老了，還是這樣孝順，所以大家很稱讚他。」

沙先生將該課改寫文言語句如左：

「老萊子年七十，雖髮白齒落，但甚健康。孝順父母，極誠敬周到，有時穿彩衣歌舞，以娛雙親，因而獲到鄰里之稱贊。」

前者共計一八一字，而後者共四十四字，所含意義並不比前者爲少。由於短句韻文，兒童容易背誦，空間時間，皆此簡而彼奢，故余雖不反對白話，實爲文言文之信徒也。

（三）五十年前之所謂文學革命家，如陳獨秀胡適之輩，志在打倒文言，故斥文言爲死文學，謂白話爲活文學，其議論之不合事實，荒誕不經，實無有過於此者！中國文字根於六書，變化無窮，歷久常新。所以埃及文、希臘文、拉丁文，固嘗照耀一時，爲世所稱頌，然而經不起時代的攷驗，茲經圓寂已久，徒供語言家之研究而已。然吾國文字，則如日月經天，江河行地，新之又新，活之又活，不論人文科學、自然科學、發展至何種程度，吾國文字皆足以應付而有餘。日本僅偷襲漢文之一部。已受用不盡，何況中國爲文言文之鼻祖，吾人應盡發揮光大之責任，何可數典而忘祖，以自毀吾國固有之文化乎？漢唐以來，吾國文字之傳播，東至日本韓國，南至越南，遍佈於世界之一千四百萬華僑，皆習用中國文字，未嘗以中國文言文爲死文學之故，而一聲放棄而採取所在國之文字也。總計世界人口，屬於中國文字系統者，達七億人以上，約佔世界人口五份之一，可謂盛矣。中國文字從無死板板之文法，但其不成文之文法，十分活潑而美麗。例如英文文法，有時間、格位、人稱、陰陽、單複數等，許多限止。而中文無之。中文簡單明瞭，變化無窮，從無以無單複數及陰陽性之限制，而爽不淸。譬如紅樓夢爲中國言情聖手，白話文傑作，其中男女角色甚繁甚多，當時「她」字尙未發明，但千萬讀者從未襲夾誤會，以男誤女，以女誤男，鬧出種種笑話。而白話文者造出一「她」的新字，自命得意，其實多此一舉，並無需要。又英文文法雖頗有規律，其實不通之處甚多，譬如單數第三身，現時間之動字下，必須加一S字，眞是莫名其妙，雖英文之大文豪，亦不能說出其所以然也。六十年前，有一馬眉叔者，著馬氏文通一書，思以中國文字，規律於英文文法之中，結果大大失敗，至今鮮有人道其事者。又胡適所著之文學改良芻議中之第三點，亦曰講文法，至如何創造中國文法，以後迄無下文，可見中國不成文法之文言，遠勝於有文法其他各國文字，即欲創造文法，亦無從入手也。究竟何者爲死，何者爲活，可不辯自明矣。

（四）中國歷聖相傳之微言大義，載在五經四書，中國之不亡，民族之能綿繫數千年之久者，皆維此是賴。其餘如左傳之纖麗，國策之雄壯，司馬遷之豪放，莊周之汪洋恣肆，陶詩之高古，李杜之光芒萬丈，皆爲國家之環寶，民族之靈魂，烏可棄而不論。又如文文山正氣歌，岳武穆之滿江紅，諸葛亮之前後出師表，駱賓王之討武則天檄文，韓愈之張巡傳，及其他等等，都爲驚天地泣鬼神之傑作。文武之道，未墜於地，忠義之氣，尙在人間，其在斯乎！其在斯乎！今之言白話文者，開口即曰紅樓水滸，閉口即曰西游記儒林外史，其中之白話固爲妙品，但不知作者對於文言文皆爲極有根底之人，所以其格局、其氣魄、其辭藻，高於常手百倍，現代青年作家，徒醉心於白話文而不知從文言文着手，其作品之俚俗淺薄，乃爲自然之結果。總之能寫文言文之佳作，亦必爲白話文妙手；反之，其白話文不佳者，亦必爲文言文不通之人。所以今日之多數大學畢業生，非特不會寫文言文，即寫一淸通白話文之便條，亦如鳳毛麟角之難得，甚可慨也。又倘使中國教育家驅全國青年而入於白話文一途，於是，一輩有志之士，爲欲進修其白話文起見，將中國之聖經賢傳，可以束諸高閣，而終日埋首於紅樓、水滸、西游、及金瓶各書之中，滿腦多是愛情、武俠、迷信，流毒所至，非亡國滅種不止。白話文者多藝稱英美各國之言文一致，教育普及，此眞皮相之談。其實全國人民之中能說合法於文之人，不過百份之十或二十而已，其他多數人民所講，皆爲文法不通之土話，雜有各種咒罵及不堪入耳之文字，而且文盲甚多，教育普及，徒虛語耳。其人民獷悍好殺人，荒唐無度，人獸不分，其白話文之收效，有如此者，可不駭哉！所以，中國自從胡陳二氏提倡白話文以來，至今已逾五十餘年，而其間從未產生一部有意義而可以欣賞之小說，亦從未見過一篇可以百讀不厭而傳世久遠之好文章，（不論文言與白話）文運如此，國運可知。又前之主張文字革命論者，初則咒罵載道之文爲死的文學，足以阻碍民族之進化；繼則埋怨文載之道，爲吃人的禮敎，足以亡國滅種而有餘；其結果爲四維不張，人心大變，共產主義乘機而入，造成今日大陸全部赤化局面。至於共匪簡化文字，直將中國最美之文字，支離滅裂，面目全非，何嘗非受提倡白話文者之影響乎。今日吾國政府有鑒於從前打倒孔家店者之非，正在提倡中華文化復興運動，希望全國上下，共同努力，支獨木於既傾，挽狂瀾於已倒，此則筆者之所不勝希望者也。

（完）

昨日與明日

政治人物的悔吝

昔賢蘧伯玉有言：「行年五十，方知四十九年之非，」這話決非虛矯之談。入到晚年，回憶過去的生活經過事實，不論有無成就，總是浮起一種悔悟的心情，難免自怨自艾之感，尤以吃政治飯的知識份子爲然。如國民黨元老胡漢民先生於晚年辭去立法院長時，即公開寫信告訴朋友，說他已領悟到自己祇能作「詩人」，決不宜於幹政治。他從弱冠參加革命運動，行年未滿三十歲即作粵省都督，嗣後歷任臨時總統暨護國護法的非常總統府秘書長，廣東省長，國民政府外交部長，立法院長，民黨中央政治會議主席等顯要職務，可謂成功的政治人物了。然晚年竟認爲過去那些轟轟烈烈的政治生涯是走錯了門路，等而下之的政治場中人，祗要是讀書明理，良知未泯，清夜自思過去的所作所爲，亦未有不生悔吝之心者。

這道理很簡單，政治生活以恢宏爲第一要義，受人尊敬最基本條件。一般的說，政治常抹煞人格，昧着良心，寡廉鮮恥，爲着爭取私位利慾，恩將仇報，賣友求榮，犯上作亂，陷害忠良，乃至於市井小人所不願做的卑污勾當，皆悍然爲之，泰然自若，眞正是心黑如漆，臉厚如牆。所謂達官顯宦是如此，其他幹政治活動而希望出人頭地的亦莫不如此。苟不如此，你縱有蓋世的才華，優越的學識，也休想有平步青雲之日，若不栽跟斗而弄到身敗名裂，就算萬幸了！

幹政治的人必須經分、綸合、詳思、約守、應變有濟，萬不可用無所不爲的卑劣手段，[illegible]動；同時受了許多不可告人的隱痛和冤氣時，又千方百計的走裙帶路線，做些見不得人的下流事情，在當時利慾薰心，毫無所謂，到後來偶爾良心發現，總不免滿肚往事，追悔莫及，認爲自己一生的職業是入錯了行，太不應該。像陶淵明不願爲五斗米而自貶人格，寧於折腰的生氣習，情願掛冠回家去種菊南山下，過着窮困生活以自適的人生觀，非所語於一般熱中富貴功名的士大夫。

曾國藩說：「天下之所以大亂，乃由於是非不明，黑白混淆，君子謙讓，小人愈妄」，這是讀書人的空談見解，政治上根本就沒有眞正的是非可言，而君子風度更與政治生活相鑿枘。可以肯定的對政治人物作此結論。

・何如・

自由談

相得益彰

美國副總統的權力，依照憲法規定，除却兼任參議院議長職務外，可說是空無所有。因而歷屆總統所提携的副總統人選，都是好好先生式的人物，遇事唯總統之命是聽，亦不敢隨便對外發表個人的言論主張，害怕給總統平添煩惱。例如現任總統尼克遜原係頗有才華的人，但他在做艾森豪總統的副手時期，對於政治問題亦就不輕易表示自己的見解。

可是，美國現任副總統安格紐却係一位突出人物。他在美國政壇中，幷非資深望重的知名之士，只作過一個小州的州長而已。但他對於國內鬧得很兇的反越戰問題，乃大聲疾呼地指斥報紙和廣播電台歪曲事實，作出不公正之報導批評；又譏責一般高級知識份子——特別是大學教授們，不能容納跟自己不同的意見，專憑主觀理論以衡量客觀事實，其言論極爲明快鋒利，錚錚有聲，雖招致報人與學人的羣起攻訐，滿不在乎，大有孟子所謂浩然之氣，雖千萬人吾往矣的毅力，實在難得。

以美國近年來那種一窩風的反戰運動，既有大多數的報紙、廣播電台，以及各大學的學生教授作後盾，又在極端民主自由的環境中，身居政府高位的人，怵於大勢所趨，如其沒有當的才識和勇氣，即不敢發出「衆人皆醉我獨醒」的議論，殆可斷言。安格紐不特指斥反戰思想與游行罷課之非是，而且擇善固執，決不畏思（草頭）遷就，尼克遜先生得有這樣的幫手，政治前途是光明的。至於安氏代表總統周游列國，闡述美國對外政策的旨趣，却係無關宏旨的事，其言其行，並不值得重視。

要想在政治上創造大事業，專靠領導者個人的聰明才智是不行的，左右的親信輔弼最關重要。領導者不妨大智若愚，涵播萬彙，輔弼者不能依違模稜，毫無主張，否則不過是官僚集團，談不上甚末事業。尼克遜能信任安格紐相得益彰，證明尼氏的才識幷不平凡，將來必有相當的作爲，吾人可拭目俟之。

馮正先生

依詞集

法院的驚人傑作

李　棨

台灣曾有政府稅收機關的職員，接受商家路遺，代為編造假帳以便漏稅，案發後，交由法院究辦，結果認為無罪。另有行政部門所屬的「土城傷殘重建委員會」一個小職員，於其首長誕辰致送賀儀四萬元，未幾，該小職員即被擢升為股長，旋經人檢舉，移送法院訊處，結果亦予以不起訴處分。前者的理由，說是稅收吏以其勞力替商人造帳而取得報酬，不算瀆職貪污；後者的理由，認定職員對上官生日致送賀儀，乃社會常情，核與「利用權力機會貪圖不法利得」的法意不符，自難課以刑責。

慎刑的用意是在防範失出失入之弊，未可厚非。然如上述的裁判卻與慎刑意旨不符，實係九（骨旁）法弄權的刀筆吏伎倆，足以驚世而駭俗也。台灣各級法院常有驚人傑作出現：分明是個成年男子，因索錢不遂而勒殺父親的現行犯，時而判處極刑，時又宣判無罪，距離有若天淵；又縱火燒殺兩個人命的杭州南路火窟命案，卻一再更審，歷五六年而不決；既認定稅收吏替商家造假帳以逃稅的行為不為罪，卻對於民意代表以律師身份替黃豆商家從事減稅活動，又判處重刑；既認定行政機關職員對長官生日致送重金賀儀為正當事體，卻對於某些官吏因接受青果合作社成立廿週年的金質紀念品，視為貪污罪證。還有台北的「武漢大旅社」命案，曾經死了一個大學教授，閱時十一年到今仍然沒有眞象大白，當年的定讞究竟是否完全錯誤了！據台灣報載，現在拘押獄中的死刑與無期徒刑未決犯，共有五十四人之多，時間最少的亦在五六年以上，最多的已歷十年。如此這般，便民之謂何？新速實簡之謂何呢？

世人對於吾國現階段的法曹，實在不敢相信他們賦有公正廉明的本質，最近執政黨特別提示整飭司法風氣的決策，是有以也。救弊補偏之計，我認為歐美國家的陪審制度，似可採取施行。至於政府申令告誡，社會輿論指摘，由於疲玩性成，言諄聽藐，并不發生作用了。

台北康寧醫院土地糾紛案
檢察官楊作民玩法
涉嫌插手非法圖利
調查人員剝繭抽絲獲確證

（本報台北消息）台灣高等法院台中分院檢察處檢察官楊作民，因台北內湖康寧總醫院土地糾紛案，涉嫌貪污，已於八月十七日被台北地檢處檢察官呂一鳴偵訊後下令收押，同時被扣押的還有一名商人田亮，他的罪嫌是與楊作民勾結圖利。田亮，是台北天福銀樓的老板，他是介紹楊作民與當事人認識的，並與楊作民有勾結圖利之嫌。

司法行政部長王任遠，對於台灣高等法院台中分院檢察處檢察官楊作民，涉嫌於台北內湖康寧總醫院土地糾紛案中，利用身份圖利一事，極表重視，經人告發後由司法行政部安全室會同調查局辦理。

據辦案人員透露：司法行政部調查局扣訊台中分院檢處檢察官楊作民的行動非常秘密於十六日深夜調查局長沈之嶽以長途電話下令台中調查站採取行動，台中調查站奉命後，即由薛組長率同幹員多人，前往霧峰司法新村楊作民檢察官寓所予以逮捕，當晚帶至中部某地偵訊致十七日凌晨一時許。迄至十七日上午七時許，偵訊結束後，可能是由於案情涉嫌甚廣，台中調查站的薛組長立即向台中分檢首席檢察官何永彬報告，認為案情重大，必須要將楊作民檢察官解送台北調查局繼續偵訊。經何首席同意後，台中調查站的辦案人員當即與楊檢察官乘台中發的七時五十分觀光號火車到台北。

承辦楊作民檢察官非法圖利一案的辦案人員，就本案所牽連的各項疑問，繼續展開慎密的調查，據有關的高級司法官員透露：如果查證順利，本案將有更大的發展。

從各方面的跡象顯示：辦案單位已將本案的偵查重點，轉向與康寧醫院土地糾紛案有關的地政機關及參與訴訟案中的有關人員。

有關單位表示：對於楊作民透過台北市天福銀樓老闆田亮的介紹，利用其司法官身份，揷手於康寧醫院的土地糾紛案中，以代表雙方和解為詞，企圖從中謀取不法利益三百萬元的有關證據，辦案人員已確切掌握，惟對於楊作民所稱：「該三百萬元是要酬勞其他有關人員」一節，以及該批土地在私下轉移過戶等過程中是否有勾結舞弊之情，仍有待辦案人員作更進一步的調查。

據辦案單位所得的資料：康寧互助會擬建康寧醫院及護理學校所需用地，委託林茂生、涂榮懋等人在內湖代購的七萬多坪土地，其間林茂生等曾將該項土地驟然轉移給涂榮懋的胞弟涂君郎，而台北地政事務所在短短十日內就辦好了過戶手續。

令辦案單位懷疑的是，地政事務所平常辦理土地轉移過戶手續，都要經過一段相當長的時間，何以在辦理這項土地轉移時，特別提高「效率」，在短短十天內辦理完成，而且，台北地政事務所曾在該項土地上打樁、劃線，並標明是康寧醫院用地，何以會輕易過戶給他人？這其中是否另有隱情，辦案人員作深入的調查。

此外，辦案單位懷疑的是，康寧醫院土地糾紛訴訟案中，一審康寧互助會勝訴，二審敗訴，而出面和解的楊作民檢察官卻似乎事先有「預感」，並且在于斌自訴案被駁回後；楊作民要求在和解書中增列三百萬元「酬金」時表示：應受酬勞的人很多，二百萬元不敷分配，所以需要三百萬元，這其中所謂「應受酬勞的人」究竟是那些人？是否司法人員或地政人員從中勾結？這都是辦案人員所要調查的重點。

有關人員表示：本案案情複雜，牽涉甚廣，偵查起來很費工夫，但無論如何，辦案單位勢必追究到底。

依照貪污條例起訴
楊作民即將受審判
當局整飭司法獲輿論讚揚

本案被揭發，在法院開始偵察之後，全國輿論譁然，對新任司法部長王任遠整司法之決心，以及司法調查局配合政策所作的努力，無不讚歎，下面是十九日聯合報黑白集「太歲頭上動土」，可概見輿論之一般。

「司法行政部調查局經過一個月的偵查，前天終於在證據確鑿的情況下，將涉嫌向于斌樞機主教索賄的台中高分院檢察官楊作民移送台北地檢處收押查辦。這一案是司法行政部王任遠部長就任後「最初階段」所偵辦的，以王部長所表示整飭司法風氣的決心，相信，必能依法公正處理，做到無枉無縱。

「使人駭異的毋寧是，那位檢察官居然敲竹槓敲到于斌樞機主教頭上。于斌先生何許人也，那檢察官當必極為明瞭，而他竟是明知而故「敲」，可見其胆之大，其貪之狠，正是到了無所憚忌的地步。否則，稍有顧慮的人，也不敢做出如此太歲頭上動土之事。

「由此看來，于斌樞機主教在某些司法敗類心目中，尚認為不妨一敲，然則，一般老百姓又怎不成為魚肉？也許，那位檢察官的「失風」，是應了「上得山多終遇虎」的俗話，但是，是不是也有上得山多不遇虎的檢察官與推事呢？又是不是有上得山多而能避虎的檢察官與推事呢？

「遇到虎的當然是倒霉的了，如果讓那些不遇虎或善於避虎的逍遙法外，也不是整飭司法風氣之道。王部長上任後已嚴令所屬各級司法機關，對司法人員涉有貪污枉法情事者，應特別加強調查偵辦；若能進一步鼓勵告密，聽于樞機以外的怨聲，相信必大有助於「發掘事實」。

本案經承辦檢察官以十天時間積極偵訊已於廿七日上午被台北地檢處呂一鳴檢察官依懲治罪條例第二條第五項、第六條四款之罪名一并提起公訴。

楊作民，五十五歲，浙江人；田亮，五十二歲，上海人。此案發生後，經調查局一併移往台北地檢處被收押偵辦。楊作民已被司法行政部停職。

呂一鳴檢察官於起訴書中說：楊作民於五十八年六月從台中來台北，住於重慶南路西北旅社，此時適大衆康寧互助會與林茂生之間的土地糾紛已在台北地方法院審理，當天經天福銀樓老板田亮之介紹，楊作民與金克明相識，田亮表示：楊作民係法界人士，在法院裏很有辦法，并告訴楊作民，有康寧會自訴林茂生詐欺背信部份的案件。

第二天，經楊作民前往法院打聽後，告訴金克明該自訴案件，因自訴不合法，被法院駁回，并言於判決書收到後，通知田亮轉告楊作民北上商量，并表示打官司要化錢。

第三天，金克明果然收到自訴案被駁回的判決書，楊作民便北上在西北飯店與金克明見面，當時楊作民表示，官司既然敗了，便聽和解，於是經田亮委託胡益蘭拿了和解書與林茂生、涂榮懋商謀，林茂生認為土地酬勞金須提高後才同意和解，田亮將和解書上一千二百萬元改為一千四百萬元，當時金克明表示同意，并將合約打字向于斌提報，于斌怕影響工作進行，乃予同意。

楊作民與田亮見一千二百萬元改為一千四百萬元，而獲得于斌同意，猶心有未甘，又以不敷分配為由，將一千四百萬元改為一千五百萬元，並將付款時間塗改後送去打字，於當天晚上再與金克明洽商，但金克明不予同意，楊作民與金克明乃同去見于斌，于斌見合同上酬金又增加了，表示不同意，第二天此案即告爆發，經調查局約談後楊作民移往台北地檢處偵辦。

喬治桑外傳

一七二　張大夏

「包死，你在美國住的很久，美國初期歷史是不是這樣的？」雅麗絲的心目中，喬治桑是美國通。

「當然不完全是，電影是用誇張的手法來描寫美國初期歷史的拓荒情形。事實上，美國移民和印第安土著在很多地區都相處得很好。」

「你是怎麼知道的？

「我有很多年老的美國朋友這樣告訴我的。」

這時螢光幕上，乒乒乓乓槍聲響個不停。

雅麗絲站了起來，走近電視機，回頭問喬治桑：「換一家節目好不好？」

喬治桑點點頭。

另一家電視公司上演的是國語歌曲節目。雅麗絲會唱幾歌，所以這個節目顯然很合她的胃口。好一會工夫，喬治桑和雅麗絲都沒有說話，一直到國語歌曲節目告一段落時，喬治桑嘆了一口氣，說：「一天又過去了！」

「你為什麼嘆氣？」

「我沒有嘆氣啊？」

「還說沒有，我明明聽見的，媽媽說，一家之主千萬不要嘆氣，會使家神不安的。」雅麗絲又提起媽媽經。

現代女孩子受西化教育，過西化生活，但她們的思想裏有父母的影響，雅麗絲也不例外。

「對，對，嘆氣不好。但我却不信有什麼家神。」

「怎樣沒有家神？天主教說，每個人都有守護神。」雅麗絲和她的媽媽都是很虔誠的天主教徒。

喬治桑一向沒有宗教信仰，但他是一個有名無實的基督徒。

台北傳奇錄

（七〇）

·陳光棣·

「眞有這種事嗎」？

「千眞萬確的，不相信妳去查前年報紙上美聯社的通訊」。這件事情是眞的，賴先生記性又好，特別提出來誇張開會學系的份量，也讓馬寡婦領教領教他的學問。

馬寡婦眞沒有想到賴先生肚子裏有這麼寬綽，更沒想到自己隨便說了一句應酬話，引起賴先生一大篇議論，還是把這種煩人的談話打斷了，免得賴先生越說越沒有完。

「您眞是了不起」！馬寡婦奉承着：「聽說您太太也很有學問」！

「她怎麼能和我比！」賴先生一仰頭子。

「我聽說您很怕太太」！

「怎麼會」！賴先生挺挺胸膛：「我在家裏就像老虎一樣」！

「眞的呀！那麼您太太在家裏像什麼呀」？

「武松嘛」！賴先生莫可如何的說。

「您眞會說話，今天是禮拜二，後天吧，我到府上去陪您太太打幾圈！」馬寡婦想和賴太太拉拉近乎，她知道賴先生不敢拒絕，和賴家兩夫妻混熟了，究竟能得到什麼好處，一時也想不起來，反正不會吃虧就是了。這就是賴先生告訴賴太太說馬寡婦要去他家打牌的由來。

馬寡婦和賴先生分手了以後，先到一家飯館吃了一頓豐盛的晚餐，接着去狂百貨公司。百貨公司裏人聲嘈雜，萬頭鑽動，馬寡婦隨着人羣擠到賣綢緞的地方，站在五光十色的衣服料子前面。

「小姐，我看看這件料子」！馬寡婦衝着正在描眉的女店員說。

「這一件六百塊」！女店員順着馬寡婦的手指頭瞄了一眼。

「拿給我看看」！馬寡婦命令着。

女店員把衣料在櫃台上攤開，眼睛看着別處。馬寡婦翻來覆去看了足有半個時辰：「料子不大好，我再看看那一件」！

「怎麼不好？這是出口的東西」！女店員歪着咀。

「我看看那一件」！

「那一件九百塊」！女店員仰着頭。

「有價錢就好辦」！馬寡婦扳着臉：「拿過來給我看看」！女店員把衣料塞在馬寡婦鼻子下面。

「花色不大好」！

「這是最流行的」！女店員照着鏡子：「一天賣幾十件」！

馬寡婦把衣服料子披在身上左看右看，女店員等的不耐煩，便去照顧別的客人了。馬寡婦一肚子不高興又走到大街上，深深的吸了一口氣，她優閑的走着，觀察着每一個行人，她又走進一條巷子裏面，打算去看看那些小型的百貨店，她正站在玻璃櫃前面欣賞一件風衣。

琴曲七首考略（三）

唐健垣

健垣按：本文爲古琴曲譜七首的考畧，本人學疏才淺錯誤必多，甚望博雅正之，以期盡善。又本人所藏多爲明朝琴書，而於清朝者，手頭反極缺之，故本篇所論，每詳於明而畧於清，惟有待日後補充而已。本文原刊於中央日報副刊，茲又有新材料待補正者，乃承張起鈞師之囑，加以增訂交自由報發表，以供同好之參考焉。

說「自遠堂」劉本，原注宮調徵音，即正調不轉絃換緊五絃一徽，徵調，商音，凡十段。」楊氏作了一些改動，加了工尺譜及板眼。「古琴曲彙編」把這一種明朝以來的風雅引配成五線譜。以上是兩種風雅引的考畧。

玉樓春曉

此曲不見於古代琴譜，始見於「梅庵琴譜」，可能是近代作品，是梅庵派小操（短曲譜之小操）之中最動聽的，前輩有一段曲跋，甚能說明此曲含意：「本曲亦名晚閨怨，曲調輕鬆流轉，不同凡響頗有春眠初醒惺忪欲醉之意，第三段第三句雙吟之後恰如欠伸之狀而轉爲清醒，維肖維妙，尾聲以異常清明之泛音結束尤爲神妙。」梅庵琴譜設定絃是仲呂調，應正名爲蕤賓調，即將「正調」緊五絃便高半音，定絃爲2…3…5…6…1…2…3。原曲在梅庵琴譜是三段，演奏時爲免有過短的感覺，通常重複其彈兩次。古琴曲集收有此曲，配上五線譜，亦是由頭到尾共彈兩次。今次由顧豐毓先生彈奏。

陽關三疊

唐朝詩人王維（王摩詰）送友人元二使安西，作了一首詩「渭城曲」：「渭城朝雨邑（水旁）輕塵，客舍青青柳色新，勸君更盡一杯酒，西出陽關無故人。」後人唱詠之餘，譜爲琴曲，成爲有名的陽關三疊。但陽關三疊究竟如何三疊？是重疊那一句？已無可確知。所以明朝的田藝衡編了一本「陽關三疊譜」，列舉各人所主張的不同唱法，可見一首詩可以有極多的變化。琴曲有「陽關三疊」、「陽關」、「陽關操」之名，近世流行的陽關三疊是清祝桐傳給張鶴張鶴刊於「琴學入門」（有同治三年公元一八六四年張鶴自序）的，稱爲「與古齋家藏秘譜」！其特點是附有工尺譜，在當時算是極爲進步的方法，所以流行廣遠，以下比較各書的陽關三疊時以琴學入門的爲準標。在現存的琴書中，陽關三疊一曲最早見于明朝寧康王朱奠培的「浙音釋字琴譜」（此乃天一閣舊書，世上孤本，在明弘治四年公元一四九一年以前刊行）其下卷有「陽關三疊」，解題說：「是曲也王摩詰所作而後人增益之」。王維固然能彈琴，但這首陽關三疊是否他作却是疑問，大約說後人拿王維的詩來配合描寫送別的琴曲，比較可信，因爲此曲的歌詞乃雜湊而成，故知決非王維所作。此曲只存一至八段，第八段之末以下缺（以新刊正文對音捷要琴譜眞傳及新發明琴譜所載推之，全曲當有九段）每段有標題，有琴歌。本曲是用淒涼調（又名楚商調）彈的，是把「正調」緊二絃五絃各半音，成爲2…4…5…6…1…2…3試彈之下，知道此譜和現行琴學入門的陽關非但定絃不同，指法尤其不同，根本是兩回，只不過都叫陽關三疊，都用了王維的詩句而已。

明朝黃龍山的「新刊發明琴譜」（有嘉靖九年公元一五三〇年自序）下卷轉載了「浙音釋字琴譜」的陽關三疊，名之爲「陽關」，解題說是九段，正文實是八段，仍然是用淒涼調，指法和歌都畧有改動，取消了每段的標題，說「唐王摩詰作」，亦是沿襲舊說。

明石國禎、陳泰等編的「龍湖琴譜」（明隆慶四年，公元一七〇年原刊本，中央圖書館有一部。）收有「陽關」，九段，蕤賓調，有題有歌，其第一二段的指法和琴學入門的陽關三疊第一至三段部分相同，三段以後則不同。明楊掄的「太古遺音」（刊於明曆三十七年，公元一六〇九年以前，中央圖書館有一部）轉錄了這譜，名爲「陽關操」，九段，淒涼調，有題有歌，其題與龍湖琴譜的不同，而一至七段的歌及譜則同於龍湖琴譜第一至六段的歌及譜，八九段則不同。此二書的譜實亦是新發明琴譜的同一曲，不過有了修改而已。

（未完）

妄參末議之二

· 文匯樓主 ·

民國三十九年仲夏，樓主在仰光，與緬甸在野第一大黨民主黨總裁德欽巴盛綜論時事，德欽巴盛說：「蔣總統是一位卓越的政治家，兼富軍事天才，就反共鬥爭這個角度看，乃一位先知先覺……」

那時候德欽巴盛與樓主過往甚密，雖未做到上馬金下馬銀，但對樓主若干政治見解，則認爲招數相當高，常嘆惜，像這樣有才華的人，何不回到自己國家裏，去從事反共鬥爭神聖任務。有一次樓主告訴他說：「自古到今，有才華的人率多在野，詳見緬譯『西遊記』」，閣下爲全緬知名學人也未例外……」

德欽巴盛高興得打哈哈。

當時緬甸的親共政權執政，國務總理宇努做了毛澤東的同路人。樓主的計劃，反共革命當不分地域、不分國籍，就地戰鬥、就地生根，能將香港暨泰緬邊界反共志士組織起來，就有幾十萬人，樓主將此意會向德欽巴盛審愼磋商，渠亦認爲可行，後來把實情密函陳果夫先生、副本送谷正綱、李樸生等，說明中國邊區散兵撤退流落情形，並願以地下使節身份留緬連絡，果夫先生直到來台後，才瞭解樓主是一個打天下的人，且富俠義精神，祇可惜以多病之身，對樓主僅能「嘉其壯志」而已！

後來德欽巴盛還是接受了樓主政治建議，由緬甸民主黨向聯合國控訴緬甸執政黨赤化政權，減低對中國游擊隊的壓力，其次是反對聯合國壓迫中國在緬邊游擊隊撤退，希望將反共的緬甸民主黨與中國國民黨比肩作戰，爭取西方國家的認識同情和支援，德欽巴盛與樓主討論的結果，德欽巴盛會以親筆函件密授樓主。中國國民黨緬甸總支部書記長王輝（世勛）中國前駐緬甸武官何景同，及好幾個反共社團，對樓主銜命兼程返國，都寄予甚大希望，未料事與願違，樓主甫抵國門即遭受到意外打擊。

政治行情的漲與跌，與市場沒有兩樣，所謂「目下一言爲定，早晚市價不同」。樓主坐機落地未幾分鐘，松山機場檢查人員，一陣熙攘，亂哄哄的，你一咀，我一舌，「哼，陳果夫担保，靠不住」，「入境他媽的又是中央×校的。」「入境證過期了，非法入境，傳令飛機不能起飛」，「這是甚麽鳥字，英文不像英文，日文不像日文」，反正沒有一句好聽的話，（該件即德欽巴盛親筆函，爲了不引人注意，用很粗紙作掩飾）秀才遇到兵，有理說不清。這時才體會到，所幸歡迎的人有總統府國策顧問張炯、中央日報社長馬星野、僑務委員會副委員長李樸生、前湖南警備司令蔣復生等多人，算是未出意外，未把一個九死一生提着自己頭來反共的人當作匪諜來辦。

待拜訪過鄭介民、唐縱、李源溥等幾位後，第三天到機場去索被扣留的緬文證件，未料早被當作廢紙丟掉，且反問有沒有收據？德欽巴盛所付予的反共各項使命，算胎死腹中。緬甸一羣反共鬥士，久得不到樓主的回音，閒話愈傳愈多，當時台北的治安首長是彭孟緝、僑務委員會負責人係鄭彥棻，因把派系看的太認眞，外國文不十分注意，這股馬虎勁發生在反共根據地，眞是鬧了一個大笑話。

（未完）

說曹操（卅六）

李漁叔

孔融與禰衡

上面說過曹孟德由少至老，一生不離鞍馬殺伐，養成心狠手辣的個性。他把殺人滅門不當一回事，他的殺崔琰，殺孔融和楊修，最爲當時人士傷痛，亦爲清議之所不容。

孔融薦爾（示旁以下同）衡，和爾衡觸犯曹操，與本身被誅有重大的關係，所以孔融棄市的罪狀，還一再牽涉及爾衡。自然孔融死的主要原因不在此。

孔融字文舉，魯國人，是孔子的二十世孫，我們大家最熟習他的，就是那四歲讓梨的故事。孔融家傳：

「兄弟七人，融第六，幼有自然之性，年四歲時，與諸兄共食梨，融輒引小者。大人問其故，答曰：『我小兒，法當取小者。』由是宗族奇之。」

他在十歲時，還有一次見李膺的故事，也爲人世流傳。那時李膺官河南尹，名高位重，不肯輕易接見賓客，而孔融自稱是李君的通家子弟，前往請見。於晤面時李膺問到兩家交誼，他却輕輕的舉出孔子和李老君，而爲同坐許多客人所嘆美。最妙的是有一個太中大夫陳煒隨後來到，大家把適才聽到的話告訴他，未免多誇獎了幾句，陳煒大概是個歡喜詼諧的人，跟着就開這小孩的玩笑了，他說道：

「人小而聰了，大未必奇。」

誰知孔融應聲答道：

「觀君所言，將不早慧乎。」

這一答，眞是幽默極了。陳煒是根據「小時了了大未必佳」的意思戲弄孔融，誰知道立時受到孔融的反擊。這話再明顯一點的說就是：「照你所說，像你這樣一個笨蛋，必定是小時候很聰明的呀！」眞是針鋒相對，極盡挖苦之能事，難怪李膺樂得大笑，而且連聲稱讚孔融，說是：

「高明，必成偉器。」

後漢書記李膺對孔融說話，一連兩次都稱他爲「高明」，大概是那時人對後輩一種稱呼，猶如宋朝人稱人作「賢俊」的一樣。（宋柳永見宰相晏殊，殊問：「賢俊，作曲子否。」）

孔融少年時，最難能可貴的是隱藏他哥哥孔褒的朋友張儉，等到發覺後，照律應該判死刑，他而挺身認罪，與他哥哥爭死。那時，他還只有十六歲，便已名震當世了。後來被舉爲北海相，在大股黃巾賊的圍攻裏，他收集散兵，退保朱虛縣，鳩集吏民，保全良善，在這樣的兵慌馬亂之下，還更置城邑，立學校，表揚儒術，薦舉賢良鄭玄、彭翏（王旁）、丙（阝旁）原等。並在南密縣地方給鄭玄（康成）立了一個鄭公鄉，他下令明示：

「公者仁德之正號，不必三事大夫也。今鄭君鄉宜曰鄭公鄉。昔東海于公，僅有一節，猶或戒鄉人侈其閭，矧乃鄭公之德，而無駟牡之路？可廣開門衢，令容高車，號爲通德門。」

（未完）

諸葛亮狂想曲（一五一）

· 劉玄 ·

太白星君對於諸葛亮拜託他的事，一定有回音，絕不打太極拳，足見其對諸葛亮重視之一般。

「謝謝星君，」亮決定日內告訴黃雲大仙，叫他早日準備。」諸葛亮對星君說話向來不敢馬虎。

「黃雲大仙是你推介的，海王星探險是天庭的一件大事，千萬不能開玩笑，我知道黃雲大仙有沒有『一屁冲天』的本事，我看讓他先表演一下給我看，我才能放心。」星君語雋而妙，用一屁冲天來形容黃雲大仙工夫，堪稱絕倒，連諸葛也忍俊不置，不敢笑出聲來，只好答道：「星君考慮週到，亮實感佩服，請問星君，幾時讓黃雲大仙來表演？」

「這樣好了，你通知黃雲大仙，三日後到我這兒來，如果能由你陪他前來最好。」

「當然由亮陪他前來，但不知星君如何來測驗他？」諸葛亮知道這個表演與校場演武不同，故想問個明白。

「我這兒有一種特製機械，專爲測驗各項體能而設。由猢猻變化的太空仙，也必須一一接受測驗，如果不合格，就要淘汰，因爲海王星探險只能成功不能失敗的。」星君做事最精細，樣樣有計劃，所以最得玉帝信賴。

「敢問星君，海王星探險計劃，幾時實施？」諸葛亮輕輕問太白星君。

「很快了，不會超過一個月。」星君答覆諸葛亮聲音很低。

劉約翰和金魚變化的玉枝，喜氣洋洋別了太白星君和諸葛亮。星君以長輩身份，只頷首爲禮，並未到門口送客。

「星君道法高深，亮親眼目睹，實在由衷佩服。」諸葛亮先對星君讚美一番。

「雕虫小技算不了什麽，所謂道法必要達到心到意隨，想得到的就能做到。」星君現在脫去紫色披肩，只穿一襲綾羅道袍，意態極爲優閒。

「請問星君，劉約翰和金玉枝結褵以後，限期只有一月，到時是否有生離死別的痛苦？」諸葛亮除了具有道家精神，更有儒家傳統的所謂靄然仁者之心。

「你不必爲他們担憂，天庭的緣份是與人間不同的，悲歡離合都是相對的名稱，關於這點，金玉枝已經參悟，劉約翰亦會慢慢了解的。」星君撮合了劉約翰和金魚美人的良緣，但先說明了限期，這比人間的婚姻，儘管證婚人說了一大堆好話，什麽百年偕老啦，永浴愛河啦，到頭來造成的却是怨耦，似乎還不及天庭的乾脆明瞭。

「你最近有沒有見過黃雲大仙？」星君嗅了一口鼻烟，這是他的一種嗜好，和人間吃烟斗，抽香烟一樣。

（未完）

巨變歷險記！

夢綠一宿

（一五四）　胡慶蓉

夢綠大山，實在可以稱爲「草」山。從丁博士所率領的部隊登上去的這一面向上望，簡直全是可以沒人的劍草，在月光之下，像是點燃着的臘燭，在那裏搖搖擺擺，是在歡迎他們，擁抱他們，充滿着溫柔，充滿着情感。在戰鬥的時間，丁博士就托庇在他上邊，四面八方的鎗彈從上邊「瓦瓦（二字口旁）」的「颼颼的」過。只聽得殺聲震天，「投降投降！」的吶喊不絕於耳。據判斷，對方的人不會太多，戰鬥力也不會太強，沒有向他屈服的道理。於是決定殺過去打過去，在反攻的形勢之下，對方的勢挫了，終至於棄甲曳兵而走。大家起來，進入村子裏去住。

夜已經深了，山上充滿着寒意，大家凍得直發抖。能進入村子裏去住，那當然是求之不得！丁博士住的是最前面的一所房，倒不如說最前面的一口屋。同他在大陸上河南家鄉的房簡直一模一樣。牆是土牆，牆靠着地，最前面最中間是一個門，實際上不過是一個門的洞洞門，一個門的框子，但並沒有門。中門的左旁是一個通道，可以通到後面進灶，灶裏邊雖然火已熄了，但熱氣還存，丁博士就去烘他的手，烤他的身子。疲憊的腿，疲憊的腳都要求休息。他就躺在灶門。但上邊的鍋不見了，很顯然地方在使用堅壁清野的辦法，趕丁博士的部隊快走。在大家需要吃飯的時候，做飯的鍋不見了，實在是大傷感情！這不只是丁博士這裏的一口鍋，而且村子裏所有的鍋都不見了。飯就是吃不上，水還是要喝的。在巴哈吃的那頓飯大家早已報銷了，水也乾了。現在需要吃點開水也吃不上。不但熱水吃不上，連冷水也吃不上了；所有的水都不見了，都經地方的百姓移到不知去向了。這邊部隊不得不快快的離開。雞是部隊所歡迎的，特別是在三更五更的時候。因爲太累，閙雞固不能起早，但要準備一早的行程。而且啼啼的雄雞，給部隊不少的安慰。現在雞也搬走了。現在不但雞搬走了，連狗一個也不見了。狗也是部隊所歡迎的。能聽見狗的聲音，也是部隊的一種安慰。現在連狗也不見了。所有的一切都不見了，只有房子還沒有搬走。假若房子能搬的話，恐怕房子也不見了。

這就是在堅壁清野阻碍部隊前進。幸部隊背（手旁，以下同）的有鍋，背的有糧，到山背後去找水，還是把早上的一頓飯準備好了，還是把早上的飯吃了。吃了早飯才能走路。在不亮的時候睡，早飯總是在不亮的時候吃完，等到天亮，至遲到東方發白的時候，部隊一定要動身，繼續前進。今天逆行的，只有滿山草木了……狗都不得見了。

經過昨夜的一場戰事，大家的心情自然又沉重了許多。但希望這還是偶然的，在武力阻止不成，又加上堅壁清野，這樣的情形，丁博士認爲嚴重，但他並不悲觀，他還是本着他鐵的意志，訓勉大家，突破困難……

搜異錄

自由世界中無奇不有的控案

·恨海·

在世界上各地的法庭一天不知要審理多少案件，在各種形形色色的離奇案件中，眞是千奇百怪，不僅使讀者意想不到的，豈有此理，而且有許多竟難倒法官。在有些案件，以我們的國情看來，簡直是近於無理取鬧，可是他們照樣獲得了勝訴呢！

在法國巴黎有一間世界知名的服裝公司，許多大明星都是他的顧客，儼有世界第一流的服裝設計專家。一天這間服裝設計公司接到一張傳票，是一位顧客提出他的控案。讀者以爲這位顧客一定是控告他把衣服做得太壞了。其實才不然呢！他控告這家公司的理由是「服裝設計做得太好了」。原因是那位女士穿了他設計的衣服在街上走時，會引起了不少行人的圍觀。使她感到十分難爲情，因此控告要求服裝公司賠償她的損失。

義大利有一位男士控告羅馬電台，理由是說那家電台對他精神虐待。原來那位原告是一個工人，每天只有在晚間幾個鐘頭是空閒的。他唯一的愛好就是喜歡聽古典音樂，每天按時收聽。一天晚上，他打開收音機收聽不到原來的古典音樂節目。原來是該電台的節目，已經改播流行歌曲了，而他却是最討厭這個節目的。

法國有一家電影院，有一次放映一部文藝悲劇片，在報紙上大登廣告，說保證觀衆看了會流出同情之淚。事後這家電影院被一位觀衆告上法庭，要求庭上作「損害賠償」之判決。理由是欺騙觀衆。因爲他看完全片之後，沒有流過淚，認爲那片子並不太感動人。因而要求戲院除了賠償一張票價之外，另外必須賠償時間上的損失。結果這位觀衆竟獲得了勝訴。

在美國芝加哥地方，有一家相當有名的餐館。有一天一位顧客進來，叫了一客特製的三文治。這位客人平生最怕吃洋葱，當三文治拿來之後，他看到三文治中把它扔掉。不料他的行動却被廚子瞧見了，馬上怒火上升，說這位顧客破壞他的作品，實在有損他的名譽。鬧上法庭之後，廚師却勝訴了。

美國田納西州有一位青年人，看中了一陳居的一位小姐，追求她已經三年，女方對他百依百順的；但是她竟然毫不考慮地拒絕了他的要求，也沒有說明拒婚的理由。那位青年一怒之下，向法庭控告了女方一狀，理由是說她既沒有和他結婚的打算，就不應該對他若即若離的，使他荒廢了幾年寶貴的光陰。

在日本有一位生了五個女兒的母親，當她生下第六胎依然是一個女嬰之後，她竟然向法院控告了丈夫一狀。原來當她懷了孕之後，她是預備把胎兒拿掉的，因爲恐怕生下來仍是女兒。但是丈夫却再三勸她保留，認爲她這一胎準是男兒。豈知仍爲一千金。爲此而訴諸法庭，這豈不是天下奇聞！

一個想自殺以了償債務的商人，控告一家鎗店。原來商人生意欠佳，負債累累，周轉又不靈，唯有出於自殺一途，才可以一了百了。因此他就去買了一枝手鎗，回到家裏之後，便引鎗自射。誰知手鎗失靈，子彈射不出來，使他自殺不成。在這樣情形之下，他就告那鎗店一狀，指控他破壞了他自殺的計劃。這眞是豈有此理！

有一位美國女郎，駕駛着一輛跑車，在馬路上飛馳。怎料那條馬路年久失修，有許多破爛的地方。而她的跑車，輾過了一個窪地之後，車胎被損壞破了。就因此之故，她向法院告了一狀，控告工務局未將破損道路修好，致損壞了她的車胎。因車胎壞了，間接又損壞了其他的東西，她開了一張清單，計有：

1，因更換車胎而弄汚了她一件新做時衣服。

2，折斷了兩枝指甲。

3，因換車胎未趕得及男友的約會，因此發生口角，幾使雙方感情陷於破裂：

這一大串連帶損失，都得賠償。這眞是近於無理取鬧！

美國有一個愛賭博的男士，在一次撲克大輸特輸之後，居然具狀控告那一家出品撲克牌的廠商。他的理由是因爲該廠製造的一副牌，害他輸了一萬四千三百七十四元三毛九分，因爲和他對手的人發現撲克後面花紋是不盡相同的，於是就默記在心，如此一來，他手中的牌無異給對方公開了底牌，而使他輸去了巨款。他除了要求賠償輸去了的款項之外，還要多賠一倍，說這一倍應該是他贏的。

英國發生一件更奇怪的控案，有一個婦人控告消防局，說他們辦事不力，要求賠償他們的損失。那一次火警來得突然，那時消防車尚未趕到，出口已被火封住了，他只好從樓上窗口跳下逃生。幸好二樓離地不高，他傷了一點皮肉。但他控告的理由：是消防車未能及時趕到，否則他就不會受傷了。這一件奇怪官司，結查是原告獲勝。因法官計算原告報警至消防車到達的時間，消防車是應該早在他跳樓前三分鐘到達的。因爲如果消防車早到三分鐘，他就不會跳樓致傷了。這種情形在中國多的很，豈可怨人！

有一個圖書館的管理員，在開放時過了之後，發現有一個看書的人竟然呼呼入睡，不知已超過了時間，因此把他喚醒，請他離去，不料這管理員竟吃了官司，被那人控告一狀，理由是說「擾人清夢」要求賠償。在我們來說，眞是豈有此理！無理要賴！

一個富商的太太，有一天不知爲了什麼事情，心情壞透了，脾氣大發，把家裏的東西打得七零八落，統計損失了三千元。事後這個太太向法庭提出控訴，要求賠償。你道她起訴的是誰？原來就是他自己，他的理由說：他不該惡意毀壞了自己的東西。這簡直是一個瘋子！

美國密夕尼亞州有一位女候選人，不慎在街上搭車的時候，被車門挾傷了右手的三枝手指，於是他控告了保險公司，要求賠償，因爲他的手受傷之後，未能與選民握手而爭取更多的選票，以致競選失敗。

有一個家庭主婦控告一家麵包公司，因爲他切開一塊麵包時，發現裏面有一隻烤燃了的麻雀。

義大利有一個女人，控告一家理髮店，因爲他沒有依樣替他梳好一個新髮型，而且把她頭髮弄壞了。她原來是一個模特兒，竟因頭髮弄壞了而沒人聘僱。因此要求理髮店賠償，每一根頭髮的價值一角美金。一個女人頭上的髮，約有十五萬根，這賠償大有可觀呢！

更奇中之奇的，有一個男子因爲拒絕與一個女子接吻，而被控告要求賠償。她指出那男友大大地損害了她的尊嚴。因爲從來只有男人向她求吻的，只有這次是她向男友獻吻的，不意他竟拒人於千里之外。這位男士活該吃官司的。

黛眉小傳

王幻

烏孫公主（上）

秦時明月漢時關，萬里長征人未還。
但使龍城飛將在，不教胡馬渡陰山。

從王昌齡的這首「出塞」詩，我們可想像到往昔的大漢雄風，對那些馳騁塞外大漠的飛將軍，肅然致敬。在中國古史上，匈奴之爲患西北邊陲，不下於近代倭寇之爲患東南海疆；但是倭寇之爲患雖烈，不外是刼掠的海盜行爲，而匈奴却是爭城奪地，時常改變我國版圖的顏色，影響到全部的歷史。

未到過山海關的人，不會知道萬里長城究有多麼偉大？未見過萬里長城的人，更不會瞭解秦始皇的不朽功績！

據史載：匈奴的祖先是夏后氏之苗裔，於殷時始奔漠北，過着逐水草而居的游牧生活，然亦各有封地。匈奴所以強盛，所以爲患中國的原因：一是由於游牧部落，性質勇悍，二是由於久處漠北瘠薄之地，謀生不易，遂向南方富饒的地方發展。

在秦漢之際，匈奴出了一個梟雄冒頓，弒父自立爲單于，統一漠北。並舉兵南略，進寇河北、山西，且攻到太原。漢高祖稱帝第三年（公元前二〇〇年），自將三十二萬大軍親征，行至平城（大同附近），突被冒頓數十萬大軍所包圍，如此相持七日，未進飲食。於是用劉敬「和親」和「賂遺」的計策，與匈奴約爲兄弟，每年貢獻匈奴大量的絲酒金銀，又獻宗室公主爲單于的妻妾，以求暫時的和平，更增長了匈奴的勢燄。當時有民謠嘲笑高祖云：

「平城之下亦誠苦，七日不食，不能張弩。」高祖經過此次的戰敗教訓，也非常感慨，自作歌云：

大風起兮雲飛揚，
威加海內兮思故鄉；
安得猛士兮守四方。

高祖死後，呂后當政。匈奴居然來書，要聘呂后爲妻，這眞是中國有史以來的奇恥大辱。呂后得書非常忿怒，召集文武大臣問策，勇將樊噲主戰，但老將季布認爲實力未充，不可輕舉妄動。依然忍辱含垢，回信說：「呂后年老氣衰，齒髮墮落，不配侍奉單于；敝邑（不敢稱國）無罪，希望單于寬赦。」儘管卑詞厚幣，仍不能絕於匈奴的騷擾和侵略。

自文帝即位，一面忍辱，一面備戰；特別是上下一心，練習騎射。後來武帝不惜傾全國的兵力與匈奴對壘，始稍戢兇鋒；這並非武帝的好大喜功，而是爲了雪恥圖強。否則，西漢不待王莽新朝的篡立，早就亡於外患了。

（未完）

第十章

宋高宗即位應天

李伯紀力圖中興

八、遣宣義郎傅雩使金軍，但去通問二聖，不言新請，俾上下枕戈嘗膽，誓報國恥，徐使金人生畏，自歸二帝。

九、請還元祐黨籍，及復元符上書人官爵。

以上爲流亡朝廷的當務之急。第二步，李綱陳中興之策。他的大綱是：修軍政、變士風、裕邦財、寬民力，改弊法、省冗官、誠號令、信賞罰、擇帥臣、選監司郡守之要。李綱的六項重點爲：

一、在河北置招撫司，河東置經制司，擇有才畧者充任之。使宣諭天子恩德，所以不能棄兩河於敵國之意。（因前已許金人割兩河之地予金，兩河之民深表不滿）。有能全一州者或復一郡者，以爲節度、防禦、團練使，如唐藩鎮之制。使自爲守；非惟絕其從敵之心，又可資其禦敵之力，使朝廷永無北顧之憂。

二、建河北爲藩鎮：朝廷以兵力援助之。

三、沿長江，淮河設置帥府，要郡，次要郡等，以備控扼。

四、沿黃河設置帥府六處：

（1）、京東東路：沿青州（今山東臨）、徐州。

（2）、京西西路，包括　州（今山東城）、宋州（開封）。

（3）、京西北路：包括許、洛。（許昌、洛陽）。

（4）、京西南路：包括襄陽、鄧州。（今湖北襄陽，河南鄧縣）。

（5）、永興軍路：包括京兆（長安以東）。

（6）、河北東路：包括魏州（今河北縣）、滄州（南皮）。

五、沿淮設帥府二：治揚州、廬州。（揚州、合肥）。

六、沿長江設帥府六：為荊南（江陵）、江寧（南京）、潭州（湖南湘潭）。（四十六）

岳飛

周燕謀

自由報

中國郵政台字第一二八二號執照登記爲第一類新聞紙

（第一〇九四期）

（半週刊每星期三、六出版）

每份港幣壹角·台灣零售價新台幣弍元

社長李運鵬·督印黃行寶

社址：香港九龍彌敦道593—601號　廖創興銀行大廈八樓五座

LIU CHONG HING BUILDING
7th FLOOR FLAT '5
593—601 NATHAN ROAD,
KOWLOON, H.K.
TEL: K303831

電報掛號：7191

承印：泉星印刷公司　地址：嘉咸街廿九號地下

台灣區業務管理中心：台北重慶南路一段一二九號　電話：二四五七四

台灣區直接訂戶　台灣劃撥戶第五〇五六號張萬有（自由報會計室）

台灣分社：台北市西寧南路110號二樓　電話：三三〇四六、台郵劃撥戶二九二二號

官吏何以多不肯負責治事？

·李桀·

本報專論

革新庶政，整飭政風，這是中華民國朝野上下一致的要求，提倡很久了。顧實際上收效甚微，祇是宣傳熱烈而已，何以見得呢？見之於各級行政機構的行政效率并未提高，說的太多，做的太少，與 蔣總統所訓示的「新、速、實、簡」旨趣，相距甚遠，而其癥結所在，就是大官員皆不肯實心任事，勇於負責，大家抱着混世主義，得過且過，把反共救國的時代使命置之度外，相率以維持既得利益，創進個人安身立命的生活基礎爲前提，不特沒有冒險犯難的革命精神，即盡其在我，有所不爲的正義感亦消失了！這種積習之所以形成，不外幾點原因：

內在的心理作用

自從大陸淪陷，中央政府遷移到台灣後，中樞所屬各級行政人員，蒼黃隨之而來，離鄉別井，人地生疏，唯一的營生之路，就是從政。過去在大陸上作公務員時，如果不得意，儘有改行擇業之餘地，再不然，亦可以回到老家去過着粗茶淡飯的生活，心理上不致發生恐慌。因而對於從政工作，大家都有些「先天下之憂而憂」的抱負，遇事總想力爭上游，有所表現，合則留，不合則去，眞所謂「此處不留人，自有留人處」，貪污腐化生活，大多數是不屑爲的。可是，隨着政府來到台灣之後，環境迥異昔日。要想經商，苦於沒有資本，作工缺乏技能，務農沒土地，回家去吃老米飯更不可能了。祇好憑着一官半職，以期免於飢寒之虞，所謂政治理想與抱負，皆被現實的客觀環境消沒殆盡。於是乎，對於自己所担任的公務職守，唯恐發生錯誤，影響前程，深感落職失業的威脅，一是皆以因循敷衍爲本，認爲多做多錯，少做少錯，不做不錯，而以經常開會來掩飾耳目，表示成績。迨公務人員退休法令頒佈後，由於退休金須以年資爲基準的關係，大家更害怕負責作事，萬一出了漏而被上峯免職，或被台諫糾舉而遭到撤職處分，連退休金亦化爲烏有，踽踽天涯，無以爲生，這是多麼危險的事啊！凡屬中下級的公務人員，都有這種心理存在着，誰也沒有勇於負責，實事求是氣概了。

若夫一般特任階級的政務官，縱使家中不愁柴米油鹽，大多數却缺乏乘桴浮海，遠走異域作寓公的資財，而寶島的政壇又有「人浮於事」的現象，一旦得以紆青紫，位列台閣，不但能夠滿足虛榮心，又儘多生財致富的機會，幸運不常有，好官難再得，亦祇好如脂如韋，依違立朝，口中說是志在作事，不在作官，心裏却以邀寵固位爲首務，甚末政見政策，不過是宣傳口實，說說罷了。

外在的積習影响

過去對日抗戰時期，中樞政府播遷到巴蜀的西南半壁，內外形勢之孤危，物質條件之缺乏，社會生活之艱困，視今日在台灣的情況，實有天淵之別。然一般公務人員對抗戰前途充滿信心，大家茹苦含辛，勤於職守，既不作求田問舍的打算，亦沒有得過且過的思惟，更不生見財起意的邪念，政風相當整飭。如行政院參事羅強以携帶少女出入娛樂場所，即受到撤職查辦處分；如四川教育廳長楊廉，成都市長楊全宇，中央兵役署長陳沛民等，因有貪污情節而明正典刑，亳無寬假。若夫事無鉅細皆實行開會主義，紀錄數車滿簏，宣傳印刷品層見迭出，即認爲已盡服務之能事的風氣，實所罕見。

今也不然，一般公務人員皆以「奠立經濟基礎」爲急務，念茲在茲，無時或釋，而社會風氣之奢靡浪費，朝夕誘惑刺激不已，加之以在台灣舊日的「紅包」習慣猶存，適與「奠立經濟基礎」的下意識相迎合，而貪污風氣乃時長滋蔓，普遍流行了。既然志在藉公務職權以扒錢，即不能實心任事，守正不阿，爲着扒錢關係，自不敢輕易結怨開罪於人，以致因循敷衍，泄泄沓沓的政風，乃習以爲常了。小官的貪污行爲一時失手後，由於肆應失宜，間有置之於理者，然一般達官貴人不預焉。上焉者免去現職，另有安排（如公營事前董事長之類），次焉者或攜資出國，作異域寓公，或在國內以工商企業家姿態出現，充分表現着「天命不足畏，祖宗不足法，人言不足恤」的氣概，而政治上乃眞正構成「大不必法，小不必廉」的不成文的頹風惡習，誰亦不以爲怪了！

然則林林總總的公務人員中，難道就沒有硜硜自守，有所不爲的自愛之士嗎？這也不然。如果社會上有是非公道的輿論存在，正義發揚，政治上有嚴明的功過賞罰，核覈名實，虛僞不齒，能使有爲有守的才智之士施展抱負，無所瞻顧，則政風必告丕變，旺盛的事業心可將「奠立經濟基礎」的惰性邪念予以消沒，大家見賢思齊，隨份報國的勇氣自然產生，皆以負責任，守紀律爲當然了。

結論

昔曾國藩於滿清咸豐朝起反抗洪楊革命運動時，致書胡林翼有云：「默察天下變局，無可挽回，吾與公之所可爲勉者，唯引用一般正人，扶植幾個好官，以爲種子耳。」這話亦可用之於今日，大官小吏皆不肯負責治事，而以粉飾太平，追求物慾享受是務，惡習積風，沿積深厚，首先須有正色立朝的宰輔人物，爲領袖任勞分憂，引用一般有爲有守的正人，讓其施展抱負，勇於負責，信任不疑。凡屬才識卓越，敢於轉換惡習的政治人物，即沒有不招怨受謗的，必須在上者知人善任，倚畀不貳，纔能夠暢行其志，創進新氣象。史稱宋代王安石，明代張居正的相業彪炳，若沒有宋神宗與明神宗的特加信任，行嗎？卅餘年前，今總統蔣公以「三分軍事，七分政治」的策畧，督勵軍民勦匪戡亂，幕僚長楊永泰每對各省區行政人員聲明：「諸君祇要不犯私罪，若因公務而招怨或失錯，我必爲諸君担當一切，幸勿畏思。」因而當時十省勦匪區域內的政治情形，即比較有起色。現時的公務人員要想負責盡職，勇於任事，勢必遭到許多困擾，而以民意代表之質詢糾彈最爲可怕，假使在上者信任不專，雖有好官亦復無能爲力的。所以，曾國藩所說「引用一般正人扶植幾個好官」，在今日確有必要。至於滌除貪污一事，祇要有犯必懲，議親議貴，決無假藉，見諸事實，則風行草偃，必卜立竿見影之效，不成問題。天下決無不可變的人心，亦無不可變的習俗，要在當國者悉其癥結所在，以天下爲公的精神，對症下藥，即得之矣！（完）

昨日與明日

從凌波到少棒

自由中國舉國熱烈期待衛冕的七虎少棒隊，竟在初賽時候慘遭淘汰了，輸，輸的冤枉，不是輸在技術，說句春秋筆法的話，實在是輸在國內的報紙，輿情，父老的期望，和旅美華人的熱情支持，實言之就是這些孩子們壓得太重，使得這些孩子們透出不來氣，因此才患得患失，緊張失常，而輸了這場不能輸的球，使一切美夢幻滅，所謂愛之適所以害之者是。

天下事都是過猶不及，人情味本是很好的，但太過份了，也要使受之者，無法負担；例如主人的禮遇是可貴的，但過份的客氣，則將使客人侷促不安，這是誰都無從否認的；何況現在這過份的熱情是加在一羣談不到修養的小孩子身上；尤其使我不能已於言的，就是在這件事實上反映出的「一窩風」現象。

台灣由於地面狹小，而交通方便，加之近年電視廣播大行其道，一切反應就更加靈敏，因此任何一件小事，只要一經這些「大衆傳播的工具」炫染捧場，便馬上不脛而走，傳遍了「天下」。而在當前人心浮燥（甚至可說是苦悶）的情勢下，使星起響應，而形成一窩風的現象。二十年來，給人印象最深的說，自黃梅調捧凌波，捧楊傳廣，直到現在的少年棒球隊……，試問那一件不是盲目的胡拉亂扯，過份，即以少年棒球隊來說，這件事不論怎麼說，也不過是小孩子們的遊戲而已，勝也無補國計民生，敗也不影反响攻大陸，何致於把這件事看得如此重，而且還舉國如醉如狂的「起鬨」。試問那些半夜裏坐在電視機前（按：二十五日深夜，台灣幾乎舉國人士，看電視棒賽轉播）的有幾個眞正懂棒球，眞正愛好棒球，這不是盲目的起鬨是什麼，這實在有失泱泱大國的風度。

或者說這是愛國心的表現。中國人多少年受抑壓，看到這些小孩子能爭光出氣，眞是一吐爲快。……假如我們國家的揚眉吐氣，只靠小孩子的遊戲，那我們中華民族也就太可憐了。尤其把爭光的責任推到小孩子身上，我們身負社會中堅責任的中年人們，好意思說嗎。

·成公·

自由談

尊敬與諂媚

人與人相處之間，須保持相當的禮貌，互相尊敬，是應該的。禮貌的表示，隨份際而有所參差，貴在適可而止，纔係出於誠意的動作，否則失之虛僞，成爲諂媚矣。

尊敬別人就是尊重自己，乃是純潔的情操象徵，所謂君子風度也。若夫諂媚的言行，必有所爲而然，心地齷齪的小人作風耳。可是，情節顯明，道理淺近，誰也瞭解的，人類十九皆賦有好諛喜諂的天性，能夠辨明尊敬與諂媚的義理和份際者，殊不多見，有之，必係才智越羣的非常人物，雖非聖賢，亦是英雄豪傑之士，事業成就，大有可觀。

辨別「尊」與「諂」，明析「敬」與「媚」的本能，是理智作用，稍有理智的人，即一目了然，決不受騙的。曾國藩的湘軍攻克金陵，推毀太平天國後，各方頌揚功勛的文件如雪片飛來，褒然盈尺，曾氏笑語左右，不妨印成專冊，名曰「米湯經」，一時傳爲佳話。此事若在他人，受之者必然引爲無上光榮，不特列印專集，更附以自己的照片和部隊作戰經過，到處贈送，得意洋洋，却不知其鄙陋庸俗之態，令人齒冷。

唐太宗李世民偶在內苑散步，見一樹亭亭玉立，頗示欣賞，親信侍臣宇文士及隨聲讚美，太宗正色曰：「魏徵常勸我親君子，遠佞人，初不知佞人安在，今得之矣」！身爲享有生殺予奪權力的帝王，而有不受臣下諂媚的智慧和氣魄，當然創造貞觀之治，光被史冊，垂範後世。中國五千年來的帝王不可勝數，但如唐太宗這類統治主者，寥寥無幾，重要原因就是好諛喜諂，親小人而遠君子，表面上他是萬乘之主，尊貴已極，實際被佞小人玩弄得團團轉，變成他們的工具，而自以爲英明睿智，莫之與京，可憐亦復可哂也。

預防去諛遠佞的良方，唯有民主風度，因此而隨時接觸正人君子，察納雅言，聽取輿論，見聞既廣，胸襟自然開朗，志事即沒有不實現的。可惜古今來懂得這項政治哲理的大人物太少了，此其所以亂世多而治世少也歟！

馮玉先生

省營行庫開支浮濫 仍有變更預算情事

台省議會小組提出報告書 指合會儲蓄公司名列榜首

（本報台北消息）關於省營銀行之各項費用有浮濫情事，對於預算之編制與執行，仍有虛列或隱匿或變更預算的情事。

在各項費用所佔營收比率，以台灣合會儲蓄公司名列榜首，高達百分之三五點二七，因而影響盈餘，造成浮濫而流於浪費。依政府所頒訂之五十八年營利事業利潤率標準表內列，銀行及合會之毛利率為百分之一百，費用率為百分之六十，純利為百分之四十。但省營銀行五十九年度預算所列各項費用，其費用率均超過百分之六十。而台灣合會儲蓄公司之費用率高達百分之八五，土地銀行達百分之八七，未免失之偏高。如非政府所訂之標準利潤不切實際，即屬省營銀行編列預算浮濫，總之，兩者必有其一為非。

據台灣省議會研討台灣銀行等七行庫公司各項費用研討小組報告書指證：本省各行庫公司對於預算之執行，亦有未盡嚴格控制之嫌。

依據省營七行庫公司五十九年度預算所列廣告費與書報費而言，所佔比率雖不大，但是積數非常的可觀，浪費之處仍不在少數。如台灣銀行廣告費列支一百六十萬元，書報費列支一百八十五萬八千元，土地銀行廣告費列支六十二萬元，書報費列九十九萬二千七百元，合作金庫廣告費列支五十五萬元書報費七十八萬零八百四十元，第一銀行廣告費列支二百三十七萬元，書報費列支一百零八萬元，華南銀行廣告費列支一百九十五萬元，書報費列支八十六萬九千元、彰化銀行廣告費列支二百二十萬元，書報費列支八十七萬元，台灣省合會儲蓄公司廣告費列支二百四十萬元，書報費列支六十一萬元，計達新台幣一千八百七十五萬零五百四十元。廣告費中除部份屬於事務費之公告費外，大部份為電視之廣告費。書報費中除部份屬於台北各日報及雜誌外，大部份為有關方面或有關人士推介之書刊或合訂本，這些書刊或合訂本大部份與業務無關，完全是變相的應酬交際，政府對這些開支之預算編列及執行，應嚴加稽核其支出，以樽節冗。

政府雖規定省營七行庫公司的各項費用為百分之六十，純利為百分之四十，實際上此一規定等於具文，各該行庫公司近三年來之經營效能，均未達到純利為百分之四十的標準。

台灣銀行五十八年度營業收入列一十五億四千四百五十六萬五千元，與五十七年度營收一十六億六千三百四十二萬一千元相比較，減少營收一億一千八百八十五萬六千元，減少率為七點一四％。但營業支出列一十三億八千六百一十三萬八千元，佔營收八九點七四％，與五十七年度營業支出一十三億五千四百零五萬元，佔營收八一點四〇％相比較，營業支出增加三千二百零八萬八千元，比率提高八點三四％，營支增加率為二點四％。營收減少；營支增加，因而使純利由五十七年之每百元收入獲純益十八元六角降低至五十八年的十元二角六分。

營支增加部份：五十八年度金融業務支出九億九千八百九十五萬九千元，佔營支總額六四點六八％，較上年度決算增加五點三〇％，增支一千一百零六萬四千元。業務費用列支三億三千八百七十五萬七千元，佔營支總額二一點九三％，較上年度決算增加五點五七％，增支一千七百八十八萬四千元。管理及總務費用列支四千八百四十二萬一千元，佔營支總額三點一三％，較上年度決算增加六點九三％，增支三百一十三萬九千元。均較上年度決算所佔比率為高。

台灣銀行每百元營業收入的用人費用：五十七年度決算為十點三二％，計一億七千一百六十八萬二千元；五十八年度為十一點二三％，計一億七千三百四十七萬九千元，較上年度增加一百七十九萬七千元；五十九年度預算為九點六八％，計一億七千五百三十二萬七千元，較五十七年度決算增加四百六十四萬五千元，但其中所列膳費暨加班及值班費數達二千六百三十二萬四千元，佔五十九年度預算所列人事費總額百分之十五，致流為變相津貼。

該行每百元營業收入的事務費用：五十七年度決算為三點九三％，計六千五百三十七萬三千八百五十七元；五十八年度為四點四九％，計六千九百三十七萬二千六百六十七元，比率較上年度增零點五六％，計增加三百九十九萬九千元達六點一五％；五十九年度預算為三點九四％，計列七千一百三十三萬八千元，較上年度增加二點八三％，計增一百九十六萬六千元。

土銀營支數額 均較上年增高

事務費用減列五百餘萬

土地銀行五十八年度營業收入列八億七千一百零七萬六千元，與五十七年度營收八億四千五百一十三萬八千元相比較，增加營收二千五百九十三萬八千元，增加率為三點〇七％。但營業支出增加率大於營業收入增加率，致每百元營收僅獲二元八角七分的純利。其營業支出列八億四千六百零九萬九千元，佔營收九七點一三％，與五十七年度營業支出八億一千三百零八萬四千元，佔營收九六點二一％相比較，營業支出增加三千三百零一萬五千元，比率提高零點九二％。由於營收增加幅度小於營支，使純利由五十七年度之每百元營收獲純益三元七角九分降為三十八年度的二元八角七分。

營支增加部份：五十八年金融業務支出六億二千一百二十四萬三千元，佔營支總額七千一點三三％，較上年度決算降低一點二七％，但增支七百七十六萬元。業務費用列支兩億零七百一十七萬九千元，佔營支總額二三點七八％，較上年度決算增加一點九〇％，增支二千二百三十萬元。管理及總務費用列支一千七百六十七萬七千元，佔營支總額二點〇三％，較上年度決算增加零點二九％，增支二百九十五萬六千元，均較上年度決算所佔比率為高。

土地銀行每百元營業收入的用人費用：五十七年度決算為十點八七％，計九千一百八十六萬三千元；五十八年度為十點八五％，計九千四百五十六萬八千元。較上年度增加二百七十萬五千元；五十九年度預算為十三點三八％，計一億二千一百三十一萬八千元，較五十七年度決算增加二千九百四十五萬五千元，其中所列膳費暨加班及值班費達數一千五百八十萬二千元，佔五十九年度預算所列人事費總額百分之十三；員工宿舍租金及水電補助費一千四百八十一萬四千元，佔同項比率百分之十二點二一，形成浪費浮濫。其比率高於台灣銀行同項比率。

該行每百元營業收入的事務費用：五十七年度決算為四點一四％，計三千五百零三萬七千元；五十八年度為四點五二％，計三千九百三十六萬元，比率較上年度增零點三八％，增加四百三十二萬三千元達十二點四〇％；五十九年度預算為三點七〇％，計列三千三百五十二萬二千元，較上年度減少十四點八三％，計減列五百八十三萬九千元。土地銀行是七行庫公司唯一減列事務費用的銀行。

合庫業務費用 顯有浪費情形

營收減少比率大減

合作金庫五十八年度營業收入列六億八千七百八十二萬四千元，與五十七年度決算營收六億九千二百三十九萬四千元相比較，營收減少四百五十七萬元，減少率為零點六六％。而營業支出減少率低於營業收入減少率，其營業支出列六億六千零九萬八千元，佔營收九五點九七％，與五十七年度營業支出六億六千一百八十三萬八千元，佔營收九五點五九％相比較，營業支出減少一百七十四萬元，減少率為零點二七％，但營支佔營收比率較五十七年度增加零點三八％。由於營收減少率大，營支減少率小，使該庫純利由五十七年度之每百元營收獲純益四元四角一分減至五十八年度的四元零三分。

營業支出部份：五十八年度金融支出四億六千四百四十三萬七千元，佔營支總額六七點五二％，較上年度決算降低四點五七％計減支三千四百七十六萬五千元。然而業務費用列支一億七千四百二十一萬八千元，佔營支總額二五點三三％，較上年度決算增加一八點三五％，增支二千七百零一萬元。管理及總務費用列支二千一百四十四萬二千元，佔營支總額三點一二％，較上年度決算增加三九％增支六百零一萬五千元。顯示該庫業務費用和管理及總務費用的支出有浪費情形。

合作金庫每百元營業收入的用人費用：五十七年度決算為十點三八％，計七千一百八十九萬七千元；五十八年度為十點八五％計七千四百六十三萬元，較上年度增加二百七十三萬三千元；五十九年度為十三點七二％，計一億零四百六十五萬七千元，較五十七年度決算增加三千二百七十六萬元，其中所列膳費暨加班及值班費數達一千二百八十二萬六千元，加上員工宿舍租金一千七百八十六萬三千元及水電補助費三百六十三萬四千元，合計三千四百三十二萬三千元，佔五十九年度預算列支人事費總額百分之三二點八〇，其比率高於台銀和土銀的同項比率。

該庫每百元營業收入的事務費用：五十七年度決算為六點六三％，計四千五百九十五萬三千元；五十八年度為七點八五％，計五千三百九十七萬九千元，比率較上年度增一點二二％，增加八百零二萬六千元；五十九年度預算由於原編在事務費用項下之員工宿舍租金一千七百八十六萬三千元，移列於用人費用項下。是故本年度事務費用降低為五點八九％，乃計列四千四百九十四萬三千元，較上年度減少十六點五五％，計減少九百零三萬六千元。唯該庫與土地銀行事務費之減少情形迥異！

第一商業銀行五十八年度營業收入列七億一千三百九十九萬五千元，與五十七年度決算營收七億二千零四十九萬六千元相比較，營收減少六百五十萬一千元，減少率為零點九一％。而營業支出不但未減少，反而增加。其營業支出列六億一千五百九十七萬一千元，佔營收九十一點七三％，與五十七年度營業支出六億二千零三十六萬四千元，佔營收八六點〇二％相比較，營業支出較上年度決算提高五點六三％，計增支三千四百四十七萬七千元，由於營收減而營支增加，使該行純利由五十七年度之每百元營收獲十三元九角降低至五十八年度的八元二角七分。

營支增加部份：五十八年度金融業務支出四億一千九百一十一萬八千元，佔營支總額六八點五五％，較上年度決算增加七點〇六％，計增支八千三百二十三萬元。業務費用列支兩億零四十一萬五千元，佔營支總額三一點四六％，較上年度決算增加一點一〇％，增支三千二百三十四萬元。管理及總務費用列支三千四百四十三萬七千元，佔營支總額一點五八％，較上年度決算增加二百八十八萬元。益證該行各項費用年增不已。

第一商業銀行每百元營業收入的用人費用：五十七年度決算為十四點五九％，計一億零五百一十八萬六千元；五十八年度為十五點八三％，計九千八百四十萬七千元，較上年度減少六百五十九萬五千元；五十九年度預算為十四點〇九％，計一億二千七百七十七萬八千元，較五十八年度決算增加二千八百七十一萬二千元，其中所列膳費暨加班及值班費數達一千七百五十六萬五千元，加上員工宿舍租金一千三百九十二萬三千元及水電補助費二百七十八萬六千元，合計三千四百零七萬七千元，佔五十九年度預算列支人事費總額百分之二七點〇二。

該行每百元營業收入的事務費用：五十七年度決算為四點八一％，計四千二百五十五萬八千元；五十八年度為七點一〇％，計四千八百八十八萬一千元，比率較上年度增加一點三三％，增加五百三十五萬元；五十九年度預算減為四點三八％，計列四千三百八十九萬八千元。（未完待續）

喬治桑外傳　一七三

張大夏

現在聽雅麗絲提起天主教，却不便表示什麼。

「妳是不是禮拜天都去望彌撒？」喬治桑隨便問雅麗絲。

「有好幾個禮拜天都沒有去，上次媽媽來責備我，我本星期天一定去。」雅麗絲怕喬治桑說她，所以先提出媽媽作擋箭牌，十足小兒女心理。

我認為只要心誠，不望彌撒也無所謂。」喬治桑是冒牌基督徒，說話並無祭神如神在的莊嚴意味。

「望彌撒是崇教天主不可少的一種儀節。媽媽上次來，問我是不是每禮拜上教堂，我眞不好意思告訴她，我好久沒去了。」由雅麗絲的口吻，足見她比喬治桑虔誠多了。

「羅蔔是不是教友？」喬治桑忽然提到羅蔔蔡，問得很妙。

「他現在不是，將來是。」

「為什麼？」

「你猜嘛。」

「哦，我明白了，這是他向妳求婚必須具備的條件。」喬治桑這一猜，自然已經猜到，可是雅麗絲不肯承認。

「一個人應該有宗教信仰，至於結婚與否是另外一回事你說對不對？」雅麗絲雖然是現代中國女孩子，究竟不像歐美女孩子那樣大胆，不害羞。

「妳說的對，」喬治桑很懂得女孩子心理，不要隨便和她們抬槓，抬也沒用。

「可惜，我等不及吃你們的喜酒。」喬治桑緊接着提到吃喜酒，深得詞令之妙，旁敲側擊此之謂也。

「為什麼，羅蔔下月就受洗了，我們很快就會結婚的。」雅麗絲老實，她的心事果然給喬治桑詐出來了。

「怎樣？我猜對了罷，」喬治桑露出得意的笑容。

「包死，你眞壞，總是愛尋人家的開心。」雅麗絲在向喬治桑撒嬌。

過去喬治桑每天還要像煞有价事的，叫雅麗絲做這做那，現在是聊天的時候多，辦公的時候少。倒也頗有天倫之樂。

喬治桑一看腕錶，已經過了十二點，站起來，說：「時候不早了，我想休息了，我明天一早還有事。」喬治桑所說的事，是託裘白瓊替他買房子。裘白瓊是台北市「地保」，為人也很有江湖氣，和喬治桑相處不錯。

喬治桑與裘白瓊的約會時間是上午九點，地點是一家觀光飯店的地下咖啡室。

琴曲七首考略（四）

唐健垣

健垣按：本文爲古琴曲譜七首的考畧，本人學疏才淺錯誤必多，甚望博雅正之，以期盡善。又本人所藏多爲明朝琴書，而於清朝者，手頭反極缺乏，故本篇所論，每詳於明而畧於清，惟有待日後補充而已。本文原刊於中央日報副刊，茲又有新材料待補正者，乃承張起鈞師之囑，加以增訂交自由報發表，以供同好之參考焉。

明謝琳的「太古遺音」（有明正德八年，公元一五一三年何莊跋）卷三有「陽關曲」一拳，不分段，無題有歌，初爲「唐」一朝作品，解題云：「三叠之詞始於王維渭城朝雨之作也。」此譜與其他書的陽關三叠不同，歌詞也特別，是把王維的四句反反復復重叠而成，絕不加入其他文句。

「風宣玄品」卷九段又有一首「陽關」，九段，蕤賓調，有題有歌。淒涼調與蕤賓調是差不多的，其分別是第二絃有半音之差，如有不用泛音，則只要略改第二絃徽位指法就可互用。但「風宣玄品」此曲不但與上述「浙音釋字琴譜」及「新刊發明琴譜」的二曲不同，標題及歌詞也不同（王維的四句詩當然照用，其他歌詞則不同了），如果不是尚有幾句可以說相同，簡直可以說是另一首陽關了。

近數十年流行的「陽關三叠」始見於「新刊發明琴譜」下卷（此書另有八段的「陽關」，與此不同，已見上文，不可混爲一），三段，淒涼調，不言作者是誰，現行陽關則用蕤賓調，其實兩種只須將第二絃手法略改，不成大礙，試彈之下，知道此譜之結構、指法，和琴學入門的陽關百分之九十相同，歌詞亦極相近，這一首才能正式認爲是吾人目前所彈的陽關三叠，其歌詞文雅而有條理，而上述其他琴書的陽關曲，陽關操都稍遜籌。由此可見，吾人所彈的陽關三叠在明朝已發展得十分成熟了。

自後明清之間，轉抄轉載新刊發明琴譜這首陽關三叠的，必定爲數不少（據知明「新刊正文對音捷要音譜眞傳」就有），淒涼調變成蕤賓調，歌詞略爲改動，指法也更繁了。其中最流行的，要算是清張鶴「琴學入門」所載稱爲「與古齋家藏秘譜」的「陽關三叠」。民初楊時百先生的「琴鏡」卷四輯載了琴學入門的「陽關三叠」譜，指法作了些少改動，歌詞則大加刪削，只留下王維原詩四句，配在每段之首。琴學入門說用「無射均」，楊先生稱之爲「徵調」，這是不同琴派對調名不同的稱謂，實則蕤賓調。古琴曲彙編第一集及古琴曲集第一集都收了陽關三叠，乃是將琴學入門的譜配上五線譜，也有歌詞。古琴初階則將琴學入門的陽關三叠配簡譜。以上三書都略作了改動。民國五十年章志蓀先生在台北出版研易習琴齋琴譜，上冊收有陽關三叠，三段，仲呂均，是章先在清末從宜都陳壽臣先生學得的，但壽臣先生此譜是用正調（章先生稱之爲仲呂均）彈，與傳統所用淒涼調或蕤賓調不同，試彈之下，則此譜每段之頭一句，近乎明朝的名曲陽關，與吾人所彈的不同，其他句則明顯可看出是脫胎於吾人所彈的陽關三叠（即明朝出現在新刊發明琴譜下卷的三段陽關三叠），不但用絃及徽位相同，指法亦多同（尤其是撮手法），只不過因定絃不同，聽起來不像吾人日常所聽，陽關而已。這種錯誤之發生，有下列幾種可能的原因：

其一：古代陽關傳抄既多，而抄譜者一時不知是何調，故用正調彈。（孫毓芹先生告知，他早年在大陸跟一位田壽農先生學陽關三叠，其譜指法與琴學入門相同，但田先生教他正調，可見此說並非幻想），久之彈者覺得有些音不協調，又稍修改指法及徽位，乃變成另一種正調陽關三叠了。

其二：古代琴調的名稱不統一，陽關三叠的蕤賓調，有人叫做「徵調」（王坦琴旨、楊時百琴鏡），有人叫做「無射韻」（蘇璟琴說、春草堂琴譜及張鶴琴學入門），有人叫做「仲呂調」（王燕梅庵琴譜），而正調又有人叫做仲呂調（蘇璟琴說、章志蓀研易琴齋琴譜），可見如果向朋友抄來一首曲，說明是「仲呂調」，那可能以爲是正調，亦可能以爲是蕤賓調，互相混亂了，或者正調陽關三叠就是這樣來的！

其三：另一個可能性，是編印琴書的人，誤把陽關三叠，在一列正調琴曲之間，那買到琴書的人不加深考，就用正調來彈，日久覺得音不協，又加以更改，弄出另一種正調的陽關，這亦非不可能，例如明朱權的神奇秘譜下卷，就誤把淒涼調的「楚歌」排在調曲的後面，這是一例。

章志蓀先生研易習琴齋琴譜中卷，又收有「陽關三叠」，乃是轉錄琴學入門的，章先生稱之爲仲呂均，實應正名爲蕤賓調。

另外，有人以爲陽關三叠，又叫「春江送別」的。例如民國四十八年一月四日，香港新亞書院舉辦「中國古典音樂戲曲欣賞會」，有吳宗漢先生、呂培原先生合奏春江送別，節目單云：「春江送別又名陽關三叠，爲送別曲，乃依王維「送元二使安西」詩而廣之者」，這其中又是誤會，據查明本琴譜，有春江、春江曲，但與陽關三叠的春江送別不同，而作者亦非一人，可不必論，「春江送別」始見于楊表正的「新刊正文對音捷要琴譜眞傳」（此書刊于萬曆元年，公元一五七三年，中央圖書館有一部。萬曆十三年有增訂本改名「重修正文對音捷要眞傳琴譜大全」國立台灣大學有一部）。（未完）

說曹操（卅七）

李漁叔

孔融與禰衡

又因鄭康成這時避亂出門遠遊，他復下令教人繕治其宅舍，敦促康成還鄉。像這等優禮儒士，自與政教大有關係，可惜正在亂時，連孔融自己也是救死不暇。他被黃巾賊管亥所圍，幸虧劉先主派兵救了他。隨後在青州刺史任內又被袁譚所攻，後漢書本傳說他：「自春至夏，戰士所餘裁數百人，流矢雨集，戈矛內接，融隱几讀書，談笑自若。」這也可見他的定力，早已將生死置之度外，但本身究係一文人，沒有戡亂濟變的本領，始終不適宜於這等場合。

他爲國家大臣，則是十分出色的，史稱「獻帝都許，徵融爲將作大匠，遷少府，每朝會，融輒引正定議，公卿大夫，皆隸名而已。」他在作太中大夫任內，雖係閑職，而賓客盈門，他自己常說是：「座上客常滿，尊中酒不空，吾無憂矣。」還有一件事，作得很滑稽，但極爲人們所傳播不養的，就是「虎賁中郎」那一段小小的插曲。原來孔融和蔡中郎（蔡邕字伯楷）交情素深，蔡死後，孔融時常思念他，這時發現一個虎賁士，外貌很像蔡邕，（虎賁義即虎奔，形容其勇敢的意思。本來是「掌帝王出入先後儀衛之事。」大畧如現代的儀仗隊，主管叫作虎賁中郎將，虎賁士就是儀仗隊的士兵。）這位達官兼大名士，孔融便把他權當中郎，請來共坐飲酒。還掉了一句書袋說是「雖無老成人，尚有典刑。」（本詩經大雅，雖無老成人，尚有典刑，刑與型同。）此種舉動，下開六朝清流放誕與任達的先河，十足名士派。

孔融最初對曹操是希望很大的，在他的三首六言詩（見漢魏百三家孔少府集）中，有：「瞻望關東可哀，夢想曹公歸來。」

（未完）

安徽十三傑

管仲　李耕　莊周　曹操　華佗　包拯　朱熹　朱元璋　戚繼光　李鴻章　段祺瑞　胡適　楊振寧

妄參末議之三

·文匯樓主·

民國四十一年秋，樓主第一次回國，蒙行政院長陳辭修先生約談，歷五十五分鐘，可謂打破一介布衣與宰相談話記錄。開始他亦祇欲見見面，未料聽到樓主擺龍門陣的楔子後，陳辭修反串爲記者，掏出鋼筆、日記，儼若速記員，一邊聽，一邊記。

樓主指出：復國工作須在敵人未站穩前，尤其是要乘全國人民念舊之際，從心理學上研究，念舊即等於拒新，如果讓敵人有十年或二十年「勵精圖治」的機會，那將不堪設想。患得患失爲革命黨人之大忌，蔣總統於北伐之初，就指示同志：「不成功，即成仁」。於今大家未照着這個方向發展，棋走錯了，俗話：「一着棋錯，滿盤輸」。

照台灣的現勢，軍事雖不足以反攻，政治反攻，較軍事更能獲得戰果，將每年的十月慶典經費，節省一半，在環球民主國家各重要都市，辦雜誌、辦報，據非正式統計，大陸撤退出來的報人，約有一師以上的人數，變「白糖王國」爲「新聞王國」。如果能在國外辦出一百家報紙、雜誌，拉平了作保守估計，最少可敵百萬雄師，這是政府今天能辦得到的事，爲甚麼坐失良機？

修辭先生聽得出神，樓主謂：抑有進者，國際有聲望的名流學者，正是八方風雨會寶島，形勢比大陸強，應該劃出幾個大行政區，將這些人統統派出去，試舉例：一、東北行政區。二、東南行政區。三、華中行政區。四、西南行政區。五、西北行政區。先有店而後顧客才會上門，這是千古不移的定理。台灣四面環水，不主動去聯絡各方，形同拒人於千里之外，未審辭修先生有同感否？

辭修先生問：「假定照閣下大行政區計劃實施，試敘述行政長官人選？」樓主謂：東北可派于斌先生。東南可派胡適博士。華中可派蔣經國將軍。西南可派薛岳。西北人事較難，馬家很不合適，可由辭修先生自兼，由胡宗南副之，因彼在西北有些淵源，行政長官公署絕對守密，得南韓、日本、港九、泰緬、印度政府等支持，並非難事，樹立起這樣的政治目標，才會對大陸發生各種各型的影響，大陸反共的人，自然會找到門上來，使國際間對中華民國的觀感，立可煥然一新。

反攻復國前，立法院必須通過一個「非常議案」，就是共產黨員陣前起義，論功行賞，照原職升三級，即帶一排人來可升營長，帶一團人來可升軍長，帶一軍來人可升總司令，以此類推，且註明已往爲惡，現在爲善，絕對不念舊惡。文官反正亦然，加官晉爵在所不惜。凡是共產黨討厭的，我們都提倡，凡是共產黨排擠的，我們都收容。因人生不如意事嘗十之八九，失意與另找出路，有不可分的關係，唱出大陸不留人，自有留人處，還怕革命不會成功嗎？同時，愛好自由爲人之天性，自由旗幟一旦在各地豎起，被壓迫和不自由的人，雖冒萬死亦會來歸，政府未這樣做，難道有更好的辦法嗎？

文滙樓別記

諸葛亮狂想曲（一五二）

·劉玄·

諸葛亮與太白星君相處日久，知道他年紀大了，有點嘮叨，剛才談過黃雲大仙，被他岔開，現在又重復主題。

「黃雲大仙是關羽的棋友，他每天都和關羽在一起下棋，隨時可以找到他。」諸葛亮輕搖鵝毛扇，其實星君仙邸有一個煉丹爐，冬暖夏凉，比人間的空氣調節設備更妙，根本用不着搖扇子，諸葛亮鵝毛扇冬夏不離手，已成了他個人的標幟，倒不是爲了揮暑。

「幸虧我國的太空仙是由獼猻變化的，獼猻和黃鼠狼不犯沖尅，假使我用的是狗，就有些不便了，哈哈。」星君和諸葛亮閒談，有時喜歡講講笑話，此語雖謔而近於虐，諸葛亮也不感意外。

「是，是，亮不放心的倒是黃雲大仙的內功，如果差勁參加海王星探險豈非是多餘的？」諸葛亮念念不忘的是黃雲大仙的內功，亦即是屁功。

「這大概沒有問題，你放心好了，」星君說至此又抑低了聲音說：「太空船絕不會中途出問題，如果出問題，我在天庭的道行便一落千丈了，那還了得？因此，我讓黃雲參加海王星探險，完全是因爲你的面情，我願意提拔他一下。」

諸葛亮一想：星君說的有理，屁功再了不起頂多能有飛沙走石的效能，那裏會變成太空船的原動力。

「星君所言極是，亮以爲黃雲大仙的內功最多只能只飛沙走石，那能變成太空船的原動力？」

「你也不要低估黃雲大仙內功的力量，據我所知，他的內功相當於人間科學家所發明的原子能力量，但我所製造的太空船上面他就沒有什麼用場了。」

諸葛亮與太白星君談說說不覺已到了星君參禪、煉丹時間，諸葛亮遂起身告辭，臨走時向星君說：「亮日內即帶黃雲大仙來仙邸測驗。」

「不必太急，過兩三天再來沒有關係」星君和顏悅色顯得平易近人。

諸葛亮回到住處，呂洞賓與何仙姑已在等他。

「諸葛先生，今天很辛苦吧？」呂洞賓和諸葛亮是老友記，熟不拘禮。

「辛苦？」諸葛亮面現詫異之色。

「你不是剛剛參加劉約翰婚禮嗎？」何仙姑插了咀。

「你們消息眞靈通，」諸葛亮輕輕搖頭，似有讚嘆之意。

「上次我們想請金魚美人參加蟠桃大會表演，你有沒有和她談過？」呂洞賓用手撥了撥寶劍上的穗子。

「我還沒有和她交談過，這件事恐怕先得和太白星君商量一下。」諸葛亮很謹愼的，他認爲在天庭一切事只要通過太白星君就沒有問題。

巨變歷險記！

別夢綠！（一五五）

胡慶蓉

因為夢綠對我部隊實行堅壁清野，不可久留，不宜久留，即於第二天的剛亮的時候離開。

山上的天氣，萬分的新鮮。日出前的一段霞光，時時刻刻在變化，尤其美麗，但戰後的心情，誰還去欣賞那天然的美景。一片靜寂，只有那滿山的劍草還在那裏搖搖擺擺表示他們對於將士們的敬佩。在霞光之下，像波濤一般，陣陣湧下來，陣陣又起來。在他們湧下去的時候，是不是在飲泣在悲傷！一言不發的，默默的低着頭，情思纏綿，無處傾訴。這草看起來，萬分的溫柔，比北平北海瀾灣堂五龍亭四週的垂柳殆尤過之。萬物靜觀皆自得，今於劍草見之。但他本身却與柳賓廼然不同，具有無比的強韌，無比的鋒利。他抬起頭來的時候，似乎又在歡迎部隊，歡送丁博士，丁博士行前向部隊訓話要學劍草，以昂藏七尺之軀，不屈不撓，奮鬥到底，最後一定可以到車里佛海的。毛共的二萬五千里竄逃，不也出去了嗎？我們沿途受阻是意料中事，我們戰出去也沒有問題。

部隊很愛聽丁博士的話。他們又走起來了。夢綠是在山頂上，現在又要下山了。沿途都是草山，沒有大樹，沒有樹木。殊令人凄凉之感。昨夜今早水都沒有喝足，大家在路上謀解決。路上常常會遇見山上流下來的水，其清無比。什麼自來水，蒸溜水，都比不過。真是奇怪，何以會這樣子清！清得簡直一眼可以望到底。上邊碧藍的天，水也是碧藍的水。水不但清，水並且凉，一個行路的人，一個常在行路的人，能喝到這樣的水是再沒那樣舒服的。城市的什麼汽水，什麼蘇打水，什麼西打水，也不能望其萬一。這給弟兄們在艱苦奮鬥中一種無窮的安慰。

雖然是一二月的天氣，但到了中午前後，還是熱得很。很多人沒有帽子，讓太陽直直的晒。丁博士就是其中之一。他非常的歡喜太陽，他非常的歡迎太陽，他硬把頭給太陽晒，他說：越晒越清醒，越晒越堅強。他這一套是從前天津益世報董事長前華北政治督導團團長雷鳴遠神父學來的。他出夢綠，揀了一頂很破很破的草帽，有人勸他戴，他還是不戴。

在夢綠的前面，最大的一個壩子，那就是騎馬壩了。騎馬壩是沿途有名的地方。這個壩子給丁博士留下永遠磨滅不了的印象。這壩子是他出建水過紅河以後所看到的最大的一個壩子。壩者平原也，壩子意義同。實則壩的意義還不止此，這個平原還應該是耕地，還應該是產米之區。因此稱壩稱壩子當米倉也未始不可。糧對於行軍太重要了。兵無糧不行。原來帶的糧已經完了，急待補充。今面臨這個大米倉，實天助我也！丁博士望着興奮，全體官兵也望着興奮。個個歡天喜地的向騎馬壩前進。「前面我們就有糧了」、「前面我們就有糧了」！

奇異結婚典禮

・恨海・

在今日的世界上，千奇百怪的事情是越來越多了。就拿結婚一種事情而論，簡直就有聳人聽聞的奇異。在自由中國所見所聞的，有在空中結婚，在火車上結婚的，在游泳池結婚的，跳降落傘時結婚的，在球場上結婚的，在登阿里山上結婚的，等等不一而定。這都是在法無明文限制結婚處所之故。人是好奇的動物，也是多采多姿的動物；為了達到好奇標新立異的目的，簡直不擇手段。下面就是一些標新立異的婚禮，聳人聽聞的故事。

一個有奇怪意識的法國女子，對他意大利籍的未婚夫提出一個奇異的結婚提議：結婚典禮在洞穴中舉行。她未婚夫以為她發瘋。可是未來的新娘始終堅持她的提議，非在洞穴舉行結婚典禮不可，否則情願「擺擺」！她的理由說：「你是一個穴居人形格的人。如果我們在穴中結婚，我會時時想起你不特尊重我的意見而愛我；並且你是我最理想穴居人伴侶了。」

她的未婚夫本來想在羅馬或米蘭的教堂來一次哄動的結婚典禮的，因此他對愛人的提議並不熱心，但他愛她深厚，最後終於同意了這項史無前例的婚禮。

婚禮地點選定了阿爾卑斯山地面下幾百尺的一個地穴舉行，觀禮者只有四五位來賓，皆穿上雨衣，而主持婚禮的神父全身包了厚布，在冷顫中完成此一任務。

第二次世界大戰以後，奇異的婚禮與日俱增，特別是美、法兩國的人們。有人以為佈置一次「狂人節」似的婚禮，可收宣傳之效，可滿足人們標新立異之欲望。

美國的婚姻官員及牧師們，曾極力反對在不正常環境下的結婚。一些有地位的牧師，已傳諭所屬教堂供職人員，不得為有辱儀節的婚禮服務。牧師說：「所有教會尊嚴已為此類愛奇的人所破壞。」

曾經有一個牧師指責兩個練馬師的荒唐提議。這一對練馬的男女，希望每人騎着馬，在跑場跑一圈；而牧師則騎着馬跑在他們中間完成婚禮。

美國最怪的一次婚禮要算在一個很高的烟突上的婚禮了。那烟突上面，只僅僅容三個人立足。又有一對愛好陽光的男子，在裸體營中舉行婚禮。他們的身體只掩蓋了一些樹葉，牧師則在下體繫了一條羊皮。

法國有超過二萬人瞧着一對新人在空中懸六十尺的鋼線上結婚。他們原來是馬戲班的走綱角色。證婚的教士則由此城的消防局供應一架雲梯，在雲梯上為人證婚。

法國尚有一次奇婚，是一位牧師爬上「斷頭台」替一對男女主持婚禮。另一對則選擇在一尾死的大鯨魚口下進行婚禮。此事發生在北美洲太平洋海岸。

此外還有人在火車頂上，獅子籠裏，游泳池裏，一架時速七十哩的火車頂上結婚。英國曾發生過一對在坐電單車上結婚。參加婚禮的來賓，也各乘其自用的電單車後隨，只有牧師一人步行。

很多專門體育家選擇他們的體育嗜好場地結婚。如賽艇家史添百黎支，就在時速四十哩的賽艇中和太太結婚的。一位父親曾駕過騾子的，也選擇在驛車上結婚。美國的電台宣佈貞荷夫旻，將自己的婚禮搬上電台，說「我願意」最簡單的一句，但千百萬的聽衆已聽到了。還有人在婚禮舉行過後的喜筵上大跳其牛仔舞。

德國一位女子嘉爾，和美國一位莊士頓在塞尼黑結婚，各架一架小型電單車，城裏有小型電單車的人，駕車趕熱鬧者，竟達五十人之多。

水底表演的明星托斯特和其夫——荷夫旻，是在水底結婚。世界上有兩次結婚儀式是在獅籠內舉行的。美國的馴獸師奇拉和愛人羅莉，就是在馬戲班結婚，在場觀禮者，除兩隻老獅子不算，尚有六千人參與盛典。世界之大，人之怪異，真是無奇不有。

黛眉小傳（下）

王幻

烏孫公主

武帝要驅逐匈奴，便用遠交近攻的策略，和烏孫交結。漢元封中（公元前一〇五年），以江都王劉建之女名細君為公主，嫁給烏孫國王「昆莫」。據漢書所載，係烏孫獻馬千匹為聘，願向漢公主而後將細君下嫁，賜乘輿服，御物，為備官屬宦官侍御數百人，贈送甚盛。烏孫王昆莫以為右夫人。武帝用此一策略，果然大收效果，烏孫也時常幫同攻打匈奴，最後竟使匈奴變弱，國內又起了紛亂——五單于爭立；直至呼韓邪單于，遂又統一匈奴，此是後話。

公主到了烏孫，自建宮室居住，不時還要强作歡顏，陪同老醜的昆莫宴飲，又兼言語不通，悲戚之情不言可喻。我們試想：她是一位尊貴的王女，在家過的是何等富麗安樂的生活，一旦遠嫁異國，那裏沒有和煦的春風，只有漫天的沙漠；沒有崔巍的宮殿，只有低陋的毡幕。吃的沒有山珍海味，而是半生不熟未經調味的獸肉；飲的不是玉液瓊漿，而是腥羶觸鼻難以下嚥的乳酪。於是，她把心靈上的創痛傾洩在詩歌中，以抒哀思。歌曰：

吾家嫁我兮天一方，遠托異國兮烏孫王。
穹廬為室兮旃為牆，以肉為食兮酪為漿。
常思漢土兮心內傷，願為黃鵠兮歸故鄉。

武帝聞而憐之，每隔歲時，派遣使者持帷帳錦繡之物，前往烏孫特予宣慰她的悲愁！

尤其令人憤慨的，西域有所謂：「父死妻其後母，兄死弟取其妻妻之。」的荒謬習俗，此時烏孫王昆莫年已很老，太子早亡，他就使公主嫁給孫子「岑娶」為妻，公主不肯。於是上書漢王說明原委，並請求歸國；漢王報以服從國俗，公主也只好從命。

此後，她還要忍受心靈與肉體的雙重痛苦，和那少年王孫做着「亂倫」的情愛生活，並生一女，名叫「少夫」。未幾，公主幽鬱而卒；漢復以楚王戊的孫女「解憂」為公主，嫁於烏孫岑娶，繼續政治婚姻政策下，未走完的路程。（完）

語慧

奢侈品

文輯

托爾斯泰說：生活奢侈品貿易的存在，完全由於婦女的要求所支持。

王爾德說：我們所生活的這時代，已經將一切必需的東西看作我們的必需品了。

自由詩壇

渔叔題

端午雜吟（一）

・羅尚・

競渡

綵舟塗復塗龍。水勁江寬欠好風。
老事舵工心獨競。錦標遙在浪花中。

蒲劍

三尺懸門武莫當。稜稜映日吐青芒。
無人提去安天下。明日為薪不自防。

艾虎

負隅獸國為君長。束草成形勝畫工。
昔日威聲狐假盡。臘逢端午踞房櫳。

角黍

堆盤薦席作端陽。褁玉包金粽子香。
見說下咽能益智。楚人何不獻懷王。

第十章

宋高宗即位應天　李伯紀力圖中興

洪州（江西南昌）、杭州（杭州）、越州（浙江紹興）。

大概除川陝廣南之外，總為九路。每路以文臣為安撫使馬步軍都總管，總一兵政，許便宜行事；武臣副之。要郡以文臣知州，領兵馬鈐轄。次要郡亦以文臣知州，領兵馬都監。許參軍事。皆以武臣為副。如朝廷調發兵馬，則安撫使處置召集，以投副總管。

軍隊的分配：以黃河為第一線，沿黃河帥府八軍，要郡六郡，次要郡三軍，非要郡二軍。沿淮河設帥府軍馬為五軍，要郡三軍，次要郡一軍，非要郡半軍。宋兵制為每一軍二千五百人。全國總兵力為九十六萬七千五百人。非要郡除外，又別置水軍帥府兩軍。要郡一將。朝廷另除度牒、鹽鈔、及募民財，使帥府常有三年之積，要郡二年，次要郡一年之積。

李綱又上募兵、買馬、造戰車三策。募兵之策說：「為今之計，莫若取財於東南，而募兵於西北；河北之人，為金人所擾，未有所歸，關西、京東西流為盜者不知其數，請乘其不能還業，遣使招之，合十萬人於要害州郡，別營屯戍，使之更番入衞行在。

買馬策說：「金人專以鐵騎取勝，而吾以步兵敵之，宜其潰敗」。而當時行在之馬不滿五千，故主張在各地買馬。此外，李綱又製造戰車。他說：「步不足以勝騎，騎不足勝車。」因此他以製造戰車之模式，頒給京都西路，使其製造而練習之。李綱的中興策略，軍事佈署以及各種制度，都是極克卓見者。奈何，此時上自高宗以下，皆彌漫着苟安空氣。高宗新立，想把帝位保全苟安再說。一般文臣，就抓住了高宗苟安自全的心理，投其所志，以取富貴。故李綱的宏圖，可惜不得徹底實行。良可憾也！

第十一章

宋高宗偏幸東南　岳鵬舉虎帳談兵

宋高宗趙構不是中興之主，縱有忠臣良將，亦不足以有為。我們從靖康之變至他登極的種種措置觀察，可得到結論。主要因素仍歸結於帝位的確保，置其他一切不顧。

一、當靖康汴京危急之時，不亟援君父之難。

周燕謀

自由報

（第一〇九五期）

（半週刊每星期三、六出版）
每份售價港幣壹角、台灣新台幣貳元
社長李運鵬・督印黃行寶
社址：香港九龍彌敦道593—601號廖創興銀行大廈八樓五座
LIU CHONG HING BUILDING
7th FLOOR FLAT '5
593—601 NATHAN ROAD,
KOWLOON, H.K.
TEL: K803831
電報掛號：7191

承印：景星印刷公司
地址：嘉咸街廿九號地下
台灣區業務管理中心：台北重慶南路一段一二九號
電話：二四五七四
台灣區直接訂戶　台灣劃撥戶
第五〇五六號張萬有（自由報會計室）
台灣分社：台北市西寧南路110號二樓
電話：三三〇三四六、台郵劃撥戶九二五二號

對政治改革的大胆構想

本報專論

·何維藩·

誰都知道，中華民國政府遷移台灣後，是處在亘古未有的非常局勢中，反共第一，復國至上，一切措置，皆不能不基於總體戰的原則，而以配合軍事需要爲主旨。軍事是政治的手段，政治行爲如不能表現「新、速、實、簡」的效用，即成爲軍事上的絆腳石，對反共復國前途，影響滋大。

我國現行的政治體系，是根據憲法而來的，各級行政機構的組織與職權，自須符合憲政精神，以崇體制。可是，現行憲法的本質實在仍欠完善，殊不足以適應非常時期的需要，雖附有臨時條欵，在國家發生緊急情况時，總統可以採取應變的措施，但範圍有限，窒碍仍多。試看自從大陸淪陷迄今二十年間，軍事進步甚大，而政治依然猶昔，有些情况且較過去更爲 敗無效率，整個行政體系有如一部龐大而陳舊的機器，生產力極衰弱，而維持這部舊機器的耗費却浩 可驚，一旦發生反攻大陸的軍事行動，期望這些老牛破車式的行政部門能發揮配合力量，行嗎？所以，若干年來，國家元首再三申儆百官吏，政治上必須做到「新、速、實、簡」效能，而實際泄泄沓沓如故也。此無他，行政機器既龐大而陳舊，管理員工疲玩成性，積習相沿，已成痼疾，非不爲也，是不能也。即此亦可以領悟所謂「革新」「便民」的政風號召，何以響遏行雲而不見實績之所以然了。

由今之道，不變今之法，我們認爲決不足以轉換艱危的國運，克奏還我河山，拯救人民於水火的膚功。要變法，亦不是枝枝節節的補苴罅漏方法所能濟事，非動大手術不可！因此，我們乃不揣冒昧，提出幾項大胆的構想以就教於國人。

一，憲法暫停實施

經過二十年來的事實考驗，現行憲法之不合時宜，毋補大局，情節顯然，世所共喻。憲法固可修改，但在此危急存亡之秋的非常時期，修憲法工作談何容易！修憲既然困難，則依憲法而產生的行政機構及其職權，仍係一部龐大缺乏生產能力的陳舊機器，絕對發揮不出「新、速、實、簡」的作用，以符合非常局勢的要求，總統按照臨時條欵，雖然可以作緊急處置，亦衹是局限於救弊補偏措施，如增設「人事局」「文化局」之類，反而滋生機構職權矛盾的副作用。唯有將憲法暫停實施，等到光復大陸後，再行恢復原狀。

憲法是由國民大會通過實行的，解鈴繫鈴仍須經過國民大會決議停止實施爲是。後年二月間就要召集第四次國大會議了，除選舉總統外，不妨作兩項決議：一是暫停憲法實施，授權總統對政治制度實行全面改革；二是在政府回到大陸以前，國民大會不再召集。有人或以爲停止憲法實施後，政體即告改變，在國際上難免不發生問題，實則這是多餘的顧慮，衹要我們自己能夠自立自强，有辦法光復河山，內政建設無論採取甚末形式，國際上都不會發生問題的。我們如其長其偏安一隅，俯仰由人，縱然實行超世界的憲政之治，過着安樂繁榮生活，亦係一場悲劇而已。生於憂患，死於安樂的眞理，永遠有如寶樹之長綠，沒有變化的。

二、行政體系徹底改革

改革行政體系，必以簡化機構，集中權力，精簡人事，確定職責爲主旨，現有的五院制度即可暫行放棄，分別緊縮裁併。原有三個中央級民意代表，凡屆年滿六十五歲的，一律由政府給予一次退休金，使其老有所養，不虞飢寒。至於舊有的各個部、會、局等機構，名義上如有存在的必要的，其組織規模必須縮小職權必須明確，叠床架屋的單位必須裁撤，以免浪費人力財力，徒然貽誤事機。各個行政機構的舊有人員，應該全體解散，重加甄別遴用，凡是老於仕途的「磨混子」式的官吏，概予淘汰——即政務官亦不例外。因爲這些人員的積習已深，腐敗官僚，作風積重難返，生於其心，害於其政，再也振作不起來了。二十年來，海內外受過高等教育的高級智識份子，車載斗量，爲數甚衆，由於政治上實行「人事凍結」之故，這些新進人物雖然學有專長，因缺乏所謂「人事關係」，沒有小圈子背景，皆痛感請纓無路，向隅失業，政治上永不發生新陳代謝作用，人們只怪在海外學成的子弟不肯回來爲國家服務，乃係不切實際之談。

此外，政府可就「國家安全會議」的原有組織，增設監察、法制兩個委員會，遴選效品端茂學，卓著聲譽人士，担任委員職務，分負監察行政官吏服務情形和修訂法規的責任，各級行政機構不許自由頒定單行法規，非經過法制委員會核議通過的，一概無效。監察、法制兩委員會的人數不宜過多，前者不超過三十人，後者有一百名足矣。政府基於養士之道，另設置一種咨詢建議機構，俾得網羅才智之士，對國計民生獻替可否，自無妨礙。

三，各級法院的存廢問題

設置各級法院以受理民衆訴訟事件的用意，是在使司法權保持獨立精神，不受政治影響，俾能秉公審判，避免冤抑。然實際上反不如舊時由行政官兼理司法，更能表現「便民」的作用，特別是政府遷移台灣以來的司法界更糟，法官違法瀆職的情形，所在多有，司空見慣，而貪污風氣普遍流行。寶島地域不廣，交通很發達，然比較重大的案件上訴復上訴，更審復更審，每歷十年左右尚未定讞，便民之謂何？新、速、實、簡之謂何呢？

我們認爲各級法院除保留一個高等法院，採取二審終結制外，皆可裁撤，司法行政部更無存在必要。民衆訴訟事件不妨交由地方行政機構處理。但可實施陪審制，陪審員臨時就地方各界公正人士中遴聘之，爲無給職。有人或謂如此辦法，將增加行政官吏的貪污機會，實則既有陪審制，即可遏阻貪贓風氣，縱使不能達到弊絕風清的境界，然結果必比目前的法院爲廉正無疑，因爲地方官是民選的，過事又有陪審員在場監察着，他們卽無理由假借「司法獨立」的口實，有如現時的法官們，任意出失入，肆無忌憚了。

結論

這是我們對政治革新的一種大胆構想，自不敢認爲成熟的見解，但循此原則以從事改革，必有「新、速、實、簡」的成效可覩，而於反共復國前途，大有裨益，則差堪自信。憲法既是暫停實施，一俟政府回到大陸，國家的緊急狀態解除了，憲法復活，原有依憲法而產生的行政體系，當然隨之再起，不成問題也。

（完）

防患未然

共匪最善於挑撥離間的伎倆，在國際間尤其慣於施展忽友忽敵的迷惑手段。

最近共匪，又展開對歐洲的外交攻勢了，首先要蠱惑的對象是比利時，蠱惑的說法不外是大陸有極大的貿易潛在量，而誘導比利時與我絕交以墮入其彀中。

共匪這一毒計，我們相信，比利時是不致上當的，但是我們也絕不可掉以輕心！而不作預防和對策，尤其自戴高樂上了賊船後，比利時便成了我們在西歐方面一個相當重要的外交據點，我們不容其發生問題，因此不管共匪的動作如何，詭計是否能售，我們都要嚴密監視，採取防患未然的態度。

我們由於經費和人才的缺乏，一向對國際的宣傳不够，因此往往給共匪造成顚倒黑白的機會，而使國際間不明其貧困及兇惡的眞相。以致使若干立場欠穩的國家中其毒計，後悔不及。現在我們就要針對此點，加强宣傳，首先向比利時朝野，提供具體事實和資料，使其知道大陸幅員雖大，人口雖多，但在共匪的搜刮和控制下，人民已無購買力，尤其沒有對外貿易的自由，若是僅憑共匪的一片謊言，便認爲眞有遠大的美景，那實在是自我陶醉的幻覺，勢必要事與願違，遭受共匪的玩弄，只看率先承認共匪的英國，便是一個殷鑑，英國不僅未得到任何利益，反而受盡了外交史上前所未有的凌辱，共匪對英國如此，又何能獨厚於比利時。

尤其，共匪雖竊據大陸，實爲絕大多數中國人所反對，若於此時向共匪送秋波，則勢必爲七億中國人民所厭棄，而妨碍了未來眞正的中比友誼，凡此利弊得失，我們都應該向比利時（以及其他友邦）朝野，剴切剖折，以使其堅定爲正義和平奮鬥的立場，而免墮入共匪的陷阱。

最近我們大批調整駐外大使的陣容，希望在外交佈署中，特別重視這一工作。

·元開·

自由談

宣傳會議

聚集數百人舉行會議，作用專爲宣傳則可，若要從這種人多口雜的大會中解決問題，創造事業，那眞是玄之又玄，不可想像的玩藝。

例如最近在台北召開的全國第五次教育會議，六天會期之內，決議了一套很重大而完備的全國教育綱領、計劃和進行步驟，內容包羅萬象，美不勝收，對目前建設台灣爲三民主義模範省，以及將來光復大陸的一切教育設施，可謂取之不盡，用之不竭，猗歟盛哉，嘆觀止矣！

可是，如果撇開宣傳作用不談，就實事求是的觀點以衡量這套煌煌鉅製，十之六七都是些口號性的文字寫作，空疏而無實質可尋。如實行三民主義教育綱領，注重倫理、科學與民主的教育建設，德育、智育、體育平均發展，建教合一，體用兼顧等等說法，政府當局早已剴切訓示，國人耳熟能詳，用不着再開大會來炒隔夜飯了。其餘十之二三的決議案，亦係官樣文章的成份爲多，漫說對復國建國的未來需要很渺茫，卽對現時台灣教育界的實際情形，亦未能搔着癢處呢！

依我們管窺蠡測之見，台灣高中與大專學校所能容納的入學青年，每年只及實際適齡升學人數之半，至少有兩三萬人感到失學的痛苦。又有許多在外國留學畢業的人士，由於國內缺乏工作機會與環境之故，皆不想回來爲國效力。至於台灣各級學校之設備簡陋，師資不健全，教育界（包括教育行政人員）貪污風氣之流行，這都是迫切的實際問題，在在影響復國建國前途，全國教育會議乃對此漠然置之，存而不論，似應正名爲「全國教育宣傳會議」，庶幾適合科學方法也。質之袞袞諸公，以爲何如？

馬五先生

教育會議通過五大提案
內容廣泛牽掣太多
予人不切實際之感
耗費數百萬未作節約示範

（本報台北消息）第五次全國教育會議，於八月廿四日在台北市中泰賓館正式揭幕，教育部發布消息，應邀出席的國內外專家學者號稱有四百廿七人之多。但未公布全體名單，我們無從知道究竟有沒有眞正的專家？鍾皎光、閻振興、潘振球、劉先雲、高銘輝都是專家嗎？到廿九日閉幕，一連開會六天，通過所謂五大中心議題及其他有關方案。

這五大中心議題，包括一、復國建國教育綱領，二、教育改革方案，三、加強科學教育方案，四、加強文化建設方案，五、光復大陸教育文化重建方案。

一般輿論都認爲這些問題太大，牽掣問題也太廣，僅僅用六天會議時間製訂這些方案，不可能完美可行！很容易予人以好大喜功，不務實際之感。而且使人不敢相信行得通，辦得到！

開幕典禮，總統頒發訓詞，嚴家淦副總統親蒞致詞，禮儀之隆，聲勢之大，在中國教育史上極其壯觀。但，整個會議進行，據新聞報導所見，果然發現不少缺憾，例如主持討論的技術尙嫌不夠練達，一個綱領討論一二小時以上，還沒有脫出「程序處理」，反覆研討最後竟又重付審查，閉幕前夕，尙無定論。又如一百九十餘件提案，多涉八股，老生常談，倉卒通過，流入形式。對總統所訓示的重點有關的議案反而沒有充分時間去體會研討。總統對本次會議的訓示，自然科學教育與人文科學社會科學教育應均衡發展。據報載所通過的加強科學教育方案，其內容僅涉及自然科學，無一語及於人文科學社會科學。

許多人都表示驚訝，不曉得這一會議是怎麼開的，如果出於無意，顯然對　總統所頒訓示有些漠視，如有意略而不談，則與　總統訓示不符。還有些支離瑣屑的議案，限於篇幅，無法詳盡報導，綜觀前後，這一會議實是多餘。

還有最爲一般人所不滿，而不得不指明的，　總統對本次會議的訓詞，諄諄以今日社會上虛華風氣，需要轉移，幷透過大衆傳播工具，推行生活須知，養成社會優良風氣相期許。教育當局尤應深體此旨，以身作教。但本次會議反爲社會上虛華風氣所轉移，外地與會者，一律招待住宿在豪華觀光旅社，會中酒食徵逐無虛日，數百人在觀光飯店中一餐之費，動輒五六萬元，糜費公帑，猶其餘事，很遺憾沒有能夠借這次會議作一次節約示範的「社會教育」，不能不令人更感惋惜！聽說鍾皎光部長也是出身布衣，何以如此慷慨納稅人負担，表現的大手筆？虛耗公帑數百萬元，開這樣一個有名無實大而無當的會議，究竟是所爲何來？

教育應該配合國策
生聚教訓雪恥復國
若不改變升學主義觀念
不會產生教育實際效果

今日談教育應先「正本淸源」，觀念要正確。小學沒有辦好，怎可希望中學上軌道，中小學糟到一塌糊塗，還辦甚麼大學？教育部從來就不會注意小學教育如何走入正途，正是犯了捨本逐末的大忌。現實的教育精神是升學至上，因爲台北市立一女中升學率特別高，所以又有人指摘校長江學珠，是台灣升學教育的罪人。這種說法實在寃枉了江學珠。因爲家長都希望兒女考進好學校，教育當局對校長考績，最要條件，第一標準是根據畢業升學的百分比率，江學珠旣做校長，你說她應該怎麼辦纔是正確的路線？教育當局不設法改進教育政策，改變升學的觀念，江學珠只有這麼幹。教育不可救藥的弊端，教育當局不負責，江學珠在現下是辦學最成功的，家長學生都是如此看法。

國父說：「要立志作大事，不可立志作大官」今天的學生有立志一說嗎？他們最大的願望就是出洋留學。

政府遷台二十年了，教育目的應該是生聚教訓，雪恥復國。但明恥教戰的教育政策，與復國建國在配合上實在相去遠甚。目前需要蓬勃奮發，志節高超，獨立特行引天下爲己任的有志青年，我們的教育並未達成這項使命。

事在人爲，古有明訓，目前教育爲一般憂國之士所詬病的，是各級主管，均不得人，不得其人，就不能要求預期的成果，這是理所當然。開會和宣傳，都不會有實際效果。還需仰賴品學俱優的正人君子，堅苦卓絕，身體力行，有身教而後才有言教，那些口是心非的人，不配領導教育。

私立中學的學生容納不下，家長們拼命的設法把兒女往私立中小學裏送，當局不自檢討公立學校爲甚麼辦不好，學生不肯來？反而想法限制私立中小學的設立和招生，免得留供人家作比較，以除後患，其心可誅的行爲，能叫納稅人服氣嗎？

大專聯招是當局求公平的唯一法寶，除此便無可信之人，否則營私舞弊，勢必不一而足，將更暴露弱點。學生查分數不得要領，連年告到監察院，監察委員也調不到卷子，有人建議把原卷複印寄還代覆，聯招會也不敢採納。說是沒有毛病，誰敢相信？

教育部不解決這些問題，偏又召開全國教育會議，豈捨正路而弗由歟！抑是別有作用？局外人非所知矣！（鑑如）

喬治桑外傳　一七四

張大萬

喬治桑是八點三刻到的，要了一份早餐，等裘白瓊。大約在火腿蛋吃了一半的時候，裘白瓊匆匆走了進來。

「哥得毛令，」裘白瓊用洋話向喬治桑問候早安。

「哥得毛令。你吃點什麼？也來一份早餐好不好？」喬治桑欠身，拉了一把靠椅請裘白瓊坐下。

「我吃過了，來一杯咖啡吧？」

「這樣早你就吃過早飯了？」

「不瞞你說，我是一個土包子，我最愛吃稀飯（粥），今早我的太太準備了一碟鯽魚凍、一碟冷拌海蜇皮、一碟黑黃鹹蛋、一碟火腿，我一連吃了三碗稀飯。」

「你有這樣一位好太太，我眞羨慕你。」喬治桑吃完火腿蛋，用餐巾抹了抹嘴巴。

「不是我誇口，我的太太確實不錯。年紀大了，最要緊的是要有人招呼，漂亮不漂亮倒無所謂。」

裘白瓊的咖啡來了，沒有喝咖啡，卻先拿起一支香烟，喬治桑用打火機拍的一聲替他點燃了。

「我覺得你的太太不但能幹而且漂亮。」

「眞的？」

「我說的是老實話。」

「就是皮膚黑一點。」

「哎呀，黑裏俏的女人，才是女中極品哩！」喬治桑順便吃了裘白瓊一記豆腐，眼中帶有調皮的笑容。

「我們是老朋友了，你開開玩笑無所謂，要是給我太太聽到了，不罰你才怪哩。」

「你難道要去報告你的太太？」

華南彰化兩行
營支均有增加
未照預算嚴格執行

（續上期）華南商業銀行五十八年度營業收入列六億八千四百八十九萬三千元，與五十七年度決算營收列六億六千四百四十三萬六千元相比較，營收增加二千零四十五萬七千元，增加率爲三點○八%。但營業支出增加率大於營業收入達三點四倍之多，其營業支出列六億二千六百八十八萬三千元，佔營收九一點五二%，與五十七年度營業支出五億六千七百四十七萬八千元，佔營收八五點四一%相比較，營業支出較上年度決算提高十點四七%，計增支五千九百四十萬五千元，因爲營支增加率大於營收增加率，致該行純利由五十七年度之每百元營收獲利十四元五角九分降低至五十八年度的八元四角七分。

營支增加部份：五十八年度金融業務支出四億一千零三十六萬二千元，佔營支總額六五點五五%，較上年度決算增加九點四二%計增支三千五百三十四萬四千元。業務費用列支兩億零六百六十萬五千元，佔營支總額三二點[illegible]

[illegible]支八千九百五十七萬八千元；五十八年度爲十四點六三%，計列支八千七百四十九萬一千元，較上年度減少支出二百零八萬七千元，但所佔比率較上年度提高；五十九年度預算爲十三點八五%，計列支一億一千七百七十萬零八千元，較五十七年度決算增加支出二千八百一十三萬元，其中所列膳費暨值班費數達一千五百一十六萬二千元，加上員工宿舍租金一千七百零一萬九千元，員工宿舍水電補助費二百七十九萬八千元，合計三千四百九十七萬九千元，佔五十九年度預算列支人事費總額百分之二九點七一。

該行每百元營業收入的事務費用：五十七年度決算爲五點七二%，計列支三千八百零一萬二千元；五十八年度爲六點七八%，計列支四千六百八十八萬八千元，比率較上年度增一點○六%，增加八百八[illegible]

[illegible]之五。但營業支出僅減少十萬元；營業支出六億三千零七十三萬三千元，佔營收九一點四二%，與五十七年度決算營業支出六億三千零八十三萬三千元，佔營收八六點八七相比較，僅增支十萬元。由於營收減少率大於營支減少率，該行純利由五十七年度之每百元營收獲利十三元一角三分降低至五十八年度的八元五角八分。

營業支出部份：五十八年度金融業務支出四億零五百一十七萬二千元，佔營支總額六四點二四%，較上年度決算減支出一千六百一十六萬三千元，減少率爲三點八三%。業務費用列支兩億一千二百二十四萬一千元，佔營支總額三三點六五%，較上年度決算增加一千三百三十五萬四千元，增加率爲六點七一%。管理及總務費用列支一千三百二十一萬九千元，佔營支總額百分之二，較上年度決算增二百六十[illegible]

[illegible]營收減少而減少，故比率增高。五十九年度預算爲十三點七六%，計列支一億一千九百二十七萬一千元，較五十七年度決算增加支出二千七百三十五萬七千元，其中所列膳費暨加班及值班費數達一千六百三十四萬八千元，員工宿舍租金一千四百九十萬元，員工宿舍水電補助費三百四十一萬元，合計三千四百六十五萬八千元，佔五十九年度預算列支人事費總額百分之二九點○五。

該行每百元營收的事務費用：五十七年度決算爲六點一一%，計列支四千四百四十二萬五千元；五十八年度爲七點二八%，計列支五千二百一十萬九千元，比率較上年度增一點一七%，增支七百六十八萬四千元；五十九年度預算爲四點五九%，計列三千九百四十一萬二千元。

台灣省合會儲蓄公司五十八年度營收列四億八千五百九十六萬九千元，與五十[illegible]

[illegible]百三十一萬元，佔營收九四點六○%相比較，增支八千九百四十萬五千元，增支率爲二四點四○%，由於營收增加率大於營支增加率一點一六%，致該會純利由五十七年度之每百元營收獲利五元四角提高到五十八年度的六元二角三分。

營業支出部份：五十八年度金融業務支出二億八千一百六十六萬七千元，佔營支總額六一點八○%，較上年度決算增八千一百一十六萬五元，增加率爲四○點四八%。業務費用列支一億五千四百五十九萬三千元，佔營支總額三三點九二%，較上年度決算二百八十六萬五千元，增加率爲一點八九%。管理及總務費用列支一千九百四十五萬二千元，佔營支總額四點二七%，較上年度決算增加五百三十七萬五千元，約增三八點一九%。

台灣省合會儲蓄公司每百元營收的用人費用；五十七年度[illegible]

[illegible]加班加值班費數達一千六百六十二萬三千元，員工宿舍租金一千三百一十四萬一千元，員工宿舍水電補助費二百五十六萬一千元，合計三千二百三十二萬五千元，佔五十九年度預算列支人事費總額百分之二七點五八。

該會每百元營收的事務費用：五十七年度決算爲十點九○%，計列支四千二百四十萬元；五十八年度爲九點四二%，計列支四千五百七十七萬四千元，比率較上年度減低，而金額則增支三百六十三萬四千元；五十九年度預算爲五點八六%，計列三千三百四十一萬二千元。

按照台灣省公營事業機關預決算編審執行辦法第三十四條規定，省營事業機關固定費用應受法定預算數額之限制，變動費用應受經營效能比率之拘束。但省營七行庫公司並未依規定執行，對於事務費用常有鉅額之增加。如台灣銀行五十八年度[illegible]

觀此可知，省營七行庫公司均未依照法定預算嚴格執行。（完）

琴曲七首考略（五）

唐健垣

健垣按：本文為古琴曲譜七首的考畧，本人學疏才淺錯誤必多，甚望博雅正之，以期盡善。又本人所藏多為明朝琴書，而於清朝者，手頭反極缺乏，故本篇所論，每詳於明而畧於清，惟有待日後補充而已。本文原刊於中央日報副刊，茲又有新材料待補正者，乃承張起鈞師之囑，加以增訂交自由報發表，以供同好之參考焉。

九段淒涼意（即淒涼調）、有題，有歌，乃是轉載浙音釋字琴譜的陽關三叠，指法、題歌、都大部份不改。上文已經說過，浙音釋字琴譜的陽關三叠與吾人的陽關三叠（主要是指明新刊發明琴譜及清琴學入門的）不同，只是同名而已，故說彼陽關三叠又名春江送別則可，說吾人的陽關三叠又名春江送別便是誤會了。當日吳宗漢先生、呂培原先生合奏的就是琴學入門的「與古齋家藏秘陽關三叠」，而節目單說即春江送別，還是不對的。台北女王唱片五〇〇九有陽關三叠，不知何人所彈，鳴鳳公司唱片CM十三有孫培章先生所陽關三叠。今次由王正平先生彈奏，用「琴學入門」譜。

普庵咒

據說普庵咒古代叫做釋談章。古琴曲彙編第一集把普庵咒配成五線譜，其「說明」云：「本曲亦名釋談章，最早見於楊掄所編伯牙心法（1609），相傳是記寫了普庵禪師的咒語。」其實「釋談章」始見於更早的明朝張德新編「三教同聲」琴譜，寧波范氏天一閣舊藏有此刊本，卷首有「萬曆壬辰（1592）菊月賜進士出身中順大夫福建按察師副使上饒鐵耕道者鄭邦福撰」序，全書共十九頁，欠末頁，只有四曲，其中一曲殘，民國五十一年「琴曲集成」的「據本提要」云：「其中釋談章（也即是普庵咒）一曲傳至今，改編多次，據太音希聲撰人陳太希說是杭州隱士李水南在萬曆初年所作，曾有刊傳；但存見的琴譜中，此為初見，本集各曲疑德新只是輯刊者，並非作曲的本人。」牛頭無楊掄的伯牙心法，亦無三教同聲琴譜，不知該譜如何，明萬曆四十六年張廷玉刊新傳理性元雅，（此書存世者不少，據知日本東京內閣文庫有一套，台灣各圖書館都無之。而台北李宗同教授有一套，一函四冊，民國五十八年由台北生齊出版社影印，列為李教授所編「世界文史藝術叢書」第三種，原書殘缺蠹蝕之處極多，影印時既未向海外圖書館補影，而又將作者誤題為清初做大官的張廷玉，不可不辨）。卷二有「釋談章」，解題云：「此乃普庵咒語，後人以律調擬之也，蓋緣梵有二合三合四合之音，亦有其字，華書惟琴譜有之，故七音韻鑑，出自西域，應琴七絃，斯之所由出也，雖儒釋固自異源，而音韻有實契，聊寄一時之笑傲云耳。」再曲六段，有題標：佛號、起咒、第一迴、第二迴、第三迴、佛尾。本調商音（即正調商音），歌詞部分是：「南無佛陀耶、南無達摩耶、南無普庵禪師菩薩」之類，部分是多多檀那」「迦迦鷄鷄俱俱那鷄」之類。古琴曲彙編說：「普庵疑即普安（13〇——609），為南北朝梁時有名的僧人。本曲原來是伴奏歌唱的，其歌詞全是漢文譯成的梵語字母，並無文義；如「吒吒吒但那，波波梵摩」等歌句，像是用來幫助練習梵文音韻或發音法的一種歌曲，並無絲毫神秘意義在內。佛教徒為了學習梵文，在第一世紀時，就已創造了音韻字母，影響了其後我國音韻科學之創始和成長；這種歌曲，可以說，最初是他們學習音韻時所用的一種工具。但到了後來，這曲似乎漸漸脫離歌曲，轉化而成一個器樂的曲調，琴家將此曲用於古琴獨奏，琵琶家將此曲作為大套琵琶曲之一，清初佛教徒也已將此曲用於絲竹合奏（見大藏瑜伽施食儀，約1750）。古琴曲集說：「根據琴譜旁梵文字母的漢字譯音看來，像是幫助學習梵文發音的曲調。早代曾有普庵禪師，也可能是本曲的作者。樂曲使用了較多的撮音，幫助音樂造成了古剎聞禪，莊嚴肅穆的氣氛。」佛經中講梵文拚音的「悉曇章」與釋談章當有關係。

傳惜華先生舊藏本及張鶴先生舊藏本松絃館琴譜亦有收過「普庵祖師神咒」（文字）及「普庵咒」（譜）（在十二種有名的公私庋藏善本松絃館琴譜之中，只此二本收有普庵咒，其他十本皆無。）嚴澂在明朝刻此書時是沒有此曲的當是入清朝以後補入，名字也已由釋談章改為普庵咒了。

清初程雄的松風閣琴譜卷上收有「釋談」，無分段數，但有六個標題，即是六段，無歌，原經云商音，朝石耕譜」。標題是：佛頭、起咒、一迴、二迴、三迴、佛尾。韓石耕是明末清初人，程雄曾跟他學琴，此書中的釋談譜和新傳理性元雅的大不同，而標題相同（只第一段佛號改為佛頭）當是韓石耕改編整理，並非創作。

清張鶴的琴學入門收了「釋談章」仲呂均，徵音（即正調），無題，有歌。原註說二十一段，實際上不見分段，且亦無可能分成二十一段之多，歌詞和新傳理性元雅的相同，而譜則不同，但譜和松風閣琴譜有相同之處，改動亦甚多。以上名譜和現行普庵咒譜亦不同。

一九三一年的梅庵琴譜又有一首「釋談章」，不分段，無題無歌，「黃鍾調」（即正調），其譜和以前所說的又不同，也較短，幾乎全曲用撮音。

一九六九年夏，我由台北到香港跟蔡德允女士學梅花三弄、普庵咒二曲。蔡師給我一個抄本叫我抄一次做學習材料，該抄本乃蔡師早年抄自栩齋琴譜、徵調、徵音，凡十二段」。（唐按：是用正調彈非徵調），有說明云：「此佛曲也，琴譜流傳有二，一有辭，即普安禪師之咒語，一無辭。（未完）

說曹操（八卅）

李漁叔

孔融與禰衡

及：「從洛到許巍巍，曹公憂國無私。」那時正當孟德戡亂定都之際，朝野仰望甚殷，所以孔融亦備致企慕之私，等到孟德專政，漸次跋扈起來，不臣之跡已露，孔融也就不客氣了。孔融和荀彧注定是同樣命運，融是聖裔，彧是世臣，都一心忠於漢室，斷不會改節事曹，所不同者，或為孟德謀主，其盡心竭力，亦完全為了漢朝的中興，但在積威之下，遇到孟德非禮越分時，只有消極的勸阻，儻因為如此，縱有帷幄策畫之勳，多年患難相從之誼，孟德也就顧不了許多而不能不下毒手了。至孔融則更不同，他於孟德素來沒有關係，三國志魏志崔琰傳說：「太祖（操）性忌，有所不堪者，魯國孔融，南陽許攸，婁圭，皆以恃舊不虔見誅。」這「恃舊不虔」四字，也未免用得太文雅了。不虔就是不敬，孔融之於曹操，又何止是不敬呢？蘇子瞻的孔北海贊序說得最好：

「文舉以英偉冠世之資，師表海內，意所予奪，天下從之，此人中龍也。曹操陰賊險狠，特鬼蜮之雄者耳，其勢決不兩立，非公誅操，則操害公，此理之常。而前史乃謂公負其高氣，志在靖難，而才疏意廣，訖無成功，此蓋當時奴婢小人論公之語。公之無成天也；使天未欲亡漢，公誅操如殺狐兔，何足道哉。……」

最後的贊語有幾句是：

「文舉在天，雖亡不死，我宗若人，尚友千祀，視公如龍，視操如鬼。」

語意使人看來，覺得太痛快了，惟其過於駿快，難免不有些意勝於辭，曹氏這時羽翼豐滿，力量强大，孔融對之已成卵石之勢，其遲早終被誅死，自在意中。

孔融看透了曹操的奸雄行為，先期還只是冷嘲熱諷，最著的有下列數事。（未完）

為官不貪的雷嘯岑

·文匯樓主·

馬五的言論，與一代報人張季鸞相伯仲，已成為真理和正義的標幟，除貪官污吏乘揚跋扈之輩，討厭馬五一型的言論外，大體上都非常歡迎；尤其台灣老百姓，咸異口同聲，認馬五者乃真正的民衆喉舌。不過馬五之忠於國家，忠於民族，忠於領袖，亦一件無可否認的事實。據官方經常可靠消息，蔣總統也知道馬五就是雷嘯岑，雷嘯岑批評過的政治人物數以百計，他住在國外，言論並無何顧忌，罵過艾森豪低能，批評杜魯門不明事理，指責甘迺迪幼稚，他如艾登、邱吉爾、戴高樂、蘇拔汶、麥塞塞等，更不在話下，獨對 蔣總統從內心推崇。

抗戰前，湖北江陵縣所屬沙市鎮，為川黔各省貨物運輸武漢之咽喉港口，而以鴉片烟為大宗。維時鴉片烟由中央政府統購統銷，漢口設有「特稅處」董理其事。江陵縣府呈准省府，對川黔出口之烟土每担附加地方稅大洋四元，名義上作為地方團隊經費，實際上完全歸縣長支配，實行歷有年所。

民國廿一年，豫、鄂、皖三省剿匪總部在武漢成立，實施「行政督察專員」制度，雷嘯岑奉派為湖北第七區行政專員兼江陵縣長，剿匪總部仍准江陵縣征收上項烟土附加稅如故。此項附加稅收入，每月平均大洋四千元以上（分淡月與旺月），年計為五萬元左右。雷氏就任後，詳查案卷，知道是項收入係縣長所得，認為非份之財，不願沾染，然亦不欲立異鳴高，報請上峯予以取消，乃將其交由縣財委會負責征收，指定作建設地方公益事業之用，縣中士紳羣聲稱讚不已。綜計雷氏担任行政專員三年有奇，可得大洋十五萬元以上。武漢三省剿匪總司令今總統 蔣公兼得其情，會以雷氏整理地方財政與民團卓著成效，通令十省剿匪區域，予以嘉獎，併增加月俸大洋四百元（行政專員月俸規定為四百元）以示優異。迨雷氏卸任後，有土劣向軍事委員會暨湖北省控告雷氏貪污，江陵縣全體士紳聞之大譁，聯名出具文書，證明雷專員決不貪污，即以不取上項烟土附加稅歸入私囊為證據，旋經軍委會諭知免予置議，可見公道自在人心，廉吏非不可為也。

按：雷嘯岑先生為五十年黨齡的國民黨員，尤其他一生之中的報人生活，歷任上海中央日報、和平日報、香港時報總主筆，換句話，他作國民黨高級舌人垂卅餘年，如果仍被人認為有問題的話，那就是從鷄蛋裏挑骨頭了。有人問樓主：「閣下常中暗箭；有甚麼感想？」樓主祇好答以不「敢」想。實在也不能想。

諸葛亮狂想曲（一五三）

·劉玄·

「這倒不必你操心了，前天我覲見王母娘娘，我已將此事稟告娘娘，娘娘很喜歡，她說，星君那裏她可以關照，料想星君不會不給娘娘面子的。」何仙姑是天庭的交際仙，人間交際花望塵莫及也。

諸葛亮心中暗想：何仙姑真厲害，她這一手連太白星君也招架不住，於是便笑嘻嘻地說：「你們想讓她表演什麼？」

「哎呀！你真健忘，水中芭蕾舞嘛。哦；對了，我們還想請張素梅小姐用鋼琴伴奏，就用你製作的狂想曲好不好？」何仙姑是站着說話的，姿態輕盈，很活潑的樣子。

「水中芭蕾？芭蕾是什麼？」諸葛亮生在三國時代，不懂芭蕾是理所當然的。

「芭蕾是西洋一種舞蹈，你問劉約翰便知道了。」何仙姑因為常參加娘娘御前演出，對於遊藝節目懂的很多。

「既然如此，我當力為促成，可是有一件，千萬不要用狂想曲伴奏。」諸葛亮態度很嚴肅，語氣堅定。

「為什麼？」呂洞賓，何仙姑同聲問諸葛亮。

「因為我當時製作狂想曲，原是與到為之，想不到為了開過一次演奏會引起天庭各處竊竊私議；招惹了不少麻煩。好不容易現在已經冲淡了，怎能再在蟠桃大會演奏？外人不了解，還以為我在招搖呢？」諸葛亮說明緣因，果然不無理由。

「好吧，就決定不用狂想曲伴奏，這點請你放心，好在王母娘娘并沒有聽過狂想曲，用別的樂曲伴奏，不會有問題的。」何仙姑年紀大了，近年來舉行蟠桃大會慶賀昇平，都是由她担任節目部主任，所以她是有担當的。

「謝謝妳，妳和洞賓兄眞不愧是我的知己。」諸葛亮也很會敷衍人。

「現在你還下不下棋？」呂洞賓是天庭的圍棋「名人」，最喜歡向棋友挑戰。

「很少下，我棋藝退步不是你的對手。」諸葛亮下棋遇見呂洞賓只好服輸，很有棋品，不像關羽只能贏不能輸。

關羽下棋只贏不輸，假使輸了便急得漲紅了臉。

「我現在很少下棋，同時也不想下。」諸葛亮說的是實話，他就是要下棋也不會找呂洞賓。呂洞賓的圍棋在天庭是首屈一指，正因如此，大家都不願和他下。

「我們此來是和諸葛先生談正經事的，你怎麼忽然扯到圍棋上面去了？」何仙姑對於呂洞賓表示輕微不滿。

「我不過是隨便說說而已，諸葛先生現在是個忙人，那有工夫下棋？

諸葛亮聽後，沒有作任何表示。

「諸葛先生，咱們一言為定，金玉……金玉什麼？她那裏就請你代為接洽了。還要請你問她一聲。」

巨變歷險記！

江城之戰（一五六）

胡慶蓉

騎馬壩下邊就是江城。

據聞江城南通南越，很有點工商城市的樣子。大家想到一定會有電池出賣，會有鞋襪出賣，會有肉類出賣，會有……會有……會有……。正在幻想的時候，忽然前邊槍聲過來了。

江城是個茫茫無邊的大壩子。從騎馬壩往江城走，走的是上坡路。越走越高，越高越走，越走越高，越走越高……就在差不多頂端的時候，槍聲突然間發出來了。

從最高處打下來，而前黑鴉鴉的大隊伍，滿山撲上來，目標十分清楚。丁博士居中，在醫務人員陪同之下，聽到槍聲，立刻俯下，就在要俯下的剎那間，上邊的子彈飛來了，從他耳邊過，從他頭頂過，沒有一個打中。但周圍的人已經死了很多。特別是最前面的尖兵，最前面的士兵，都應聲倒下了。唯一活命的尖兵，只有鄭耀烜一人。後來把他用担架抬到泰緬連絡地方的大其力，有高霞飛醫師替他來悉心治療，他才能活命。

因爲目標顯著，所以損失的人很重。只聽見卡卡……一陣一陣的機關槍聲。每一陣機關槍聲過後，就是一條血路。幸路兩旁樹木很多，並且很茂盛，弟兄們也有了經驗，快快的林中躲避。對方發槍的地方，很顯然是進入江城的路口。這路口並不是最高的地方，還有比他更高的地方在，那就是他的右上方。在他的左上方也有高山，不過距離稍遠。李國輝團長，第一營營長姚昭、第二營營長陳顯魁、第三營營長張復生都是能征慣戰之士，所應該採取的戰略，所應該採用的戰術，他們事前早有合計，他們如法泡製，立刻從右左攀登更高的地方，然後從左右壓下來，一齊向着對方的陣地反攻，起初分不出高低，兩軍戰鬥從早上九時一直到下午四時，也算告一結束。這一次又幸而我方獲勝。

在騎馬壩糧有了補充，弟兄們正在興高彩烈，精神抖擻的向前邁進，向上挺進，又想到快到江城，有這……有那……，就在這出我們不意的時候，敵人打了下來。很多的弟兄們又倒下去了……幸李團長動作敏捷，很快的散開，很快的開入高地，很快的佔住有利的形勢，向下發槍，壓倒敵人。但一天的戰鬥也够辛苦的了。醫務方面有一連人，連長是黃福民，他們在作戰的時候，不減紅十會的人員盡量利用他們僅有的紗布僅有的藥膏給受傷的來包紮。人家都說槍有眼睛，打死的是該死的，不該死的，打也打不死。丁博士自己也很奇怪他沒被槍打中。有一個彈從他頭上經過，正在他低下去的那一剎那。他常常的自己說：假如頭沒有低下去的話，他就完了。因此命運之說，很給他一種安慰，他也拿命運之說來安慰大家，鼓勵大家。而且他說：大難之後必有大福。大家在戰後又重整起來，又繼續前進……前進前進………。

台灣的平劇雜談（上）

·諸葛文侯·

（本報特稿）賦有文化思想和藝術價值，而在社會教育上卓著功用的中國皮黃戲劇，自從電影業勃然興起後，已趨於式微境況。迨毛共竊據大陸二十年來，在所謂「文化大革命」的盲動之下，皮黃劇乃被改造、摧毀得面目全非，不成玩藝了。幸而台灣方面對這項國粹，尙能加以護持，既設有專科學校，培育皮黃戲劇人才，而陸海空軍與後勤機構，各有劇團組織，除却軍中康樂外，亦不時在都市公開演出。美中不足的就是師資缺乏，沒有第一流的導師，雖有許多新進可造之材，成就總是不如理想，事實所限，無可如何。

當民國卅九——四二年之間，原在大陸上被稱為第一流平劇演員的角色，如馬連良、張君秋、兪振飛、楊寶森等，都避難在香港，還有名琴師王瑞芝、楊寶忠亦同時流落海隅，然香港居民十九不懂皮黃劇，這些名伶很難以鬻藝獻技來維持生活，心裏頗嚮往台灣，又怕不易入境。馬連良和張君秋，曾向香港某報主持人和我表示願到台灣，我們欣然贊成，即由某人函達台北某政要請示，附帶說明中國舊時伶工多染有阿芙蓉癖，若到達台灣，可囑其就醫，徐徐戒除，却不宜由警務機關遽予究辦。詎某政要囘書謂：「政府不能爲着一個戲子而破壞烟禁。」詞意決絕，沒有通融餘地。我們不便將此情據實轉告馬伶，但唯唯諾諾以相敷衍，馬伶等久候無結果，爲生活所逼，祇好接受毛共的誘惑，遄返大陸去了。繼而楊寶忠兄弟和王瑞芝等，亦陸續步着馬伶的後塵而走入魔窟。兪振飛留港較久，台北某戲院老闆亦會派人與兪氏接洽，請他入台獻藝，然兪氏提出兩條件，一是每月要包銀若干，二是不作義務勞軍演出。包銀問題尙可商量，不演勞軍戲却非商人所敢答應的事，談判亦就告吹了。嗣後兪氏夫婦仍在海隅掙扎一些時期，偶爾租定戲院公演一次，藉資生活，而以向一般由大陸避地海隅的工商人士售賣「紅票」爲主要收入，然使他失望傷心。兪氏對人說：他持着戲票向那些工商業者乞情兜售時，對方的表情，把他看作沿門托鉢的乞丐一樣，令人不能仰視，不堪想像。毛共特工得悉此情，即斥資鉅萬替兪氏清償負債，教他踏上了賊船。假使當年台灣方面能把上述這些名伶和名琴師邀入寶島，一面獻藝，一面誨人，今日台灣的平劇界氣象，不豈蓬勃也麼哥！

目前台灣平劇界新舊演員的技藝，雖不足與二十年前大陸上的梨園名角相頡頏，但典型猶存，亦有可觀者。茲就我個人的「羊毛」觀察，試作綜合批判，聊資讀者茶餘酒後的談助云爾。

先講老生：由大陸續續進入台灣的鬚生，有周正榮、李金棠、胡少安、哈元章、曹曾禧等，他們都是科班出身的職業藝人，論造詣，當然不能與余叔巖、譚富英、言菊朋、周信芳之流，等量齊觀，但皆師承有自，規範未失。就中以周正榮、李金棠的材藝較佳，周的扮相瀟洒，唱、做、唸都不差，「讓徐州」的唱腔學言派頗有根，只是缺乏武工，如「定軍山」之類的靠把戲，演來即不甚對勁了。李金棠的扮相與唱工并不賴，今夏他隨「復興劇團」赴美獻藝，甚博得華僑們稱讚。當時筆者曾接讀北美友人函告，舊金山華僑會經要求李伶和金素琴女士（那時她亦在舊金山）合演幾齣戲，收入必不壞，然「復興劇團」不同意，事乃不諧，華僑們殊爲失望云。這五個戲生分別在各個軍中劇團挑大樑，到外間公演的時候也沒有同類的優越伶工跟他們競賽觀摩，因而技藝自難望精進也。台灣培養平劇人才的教育機構，有「復興戲劇學校」和空軍的「大鵬社」、陸軍的「陸光社」，這些教育機構培養出來的新進藝員，只是旦角一門鼎盛，人才濟濟，就未產生過優秀的生角。復興戲校第一期畢業生復淵可稱新進的美才，然畢業後即告倒倉（口旁），至今尚未復元，僅在娛樂場所「今日世界」的平劇混混而已。票友下海的趙培鑫，過去在大陸時即與梅蘭芳配演多次，嗓子甚佳，後又拜孟小冬爲師，學余派頗有成就，可惜不是坐科出身的，除卻唱工外，其餘即說不上了。

次說旦角：在台灣的旦角人才，老一輩的坤角，有金素琴、章遏雲、顧正秋、張正芬、馬驪珠、秦慧芬、趙玉菁、戴綺霞等，男角有趙原。這些角式都是在大陸上坐科出來的，玩藝雖不能跟梅、程、尙、荀四大名旦并駕齊驅，但亦頗不平凡，而以金、章兩位尤爲較勝一籌。張正芬初與顧正秋在台北「永樂戲院」當助手，默默無聞，自從顧伶輟演，後她依然不離開菊部崗位，努力不懈，近年來藝事猛進，唱、做、唸工夫皆非復吳下阿蒙了。現在金素琴亦宣告退休，趙原結婚後不再登台，趙玉菁早作主婦，很少露面，四年前我在台北聽過她的「坐樓殺媳」，的確不錯。這羣老輩藝人，應該是各個平劇教育機構的優良教師，然除了章遏雲、秦慧芬正式担任教職外，其他各位祇是偶爾給私人說說戲而已，這是台灣平劇界的損失！

（未完）

黛眉小傳（上）

王幻

王嬙

古來每位著名的女作家之身世，都帶有寃婉和淒涼的意味，彷彿她的本身就是一篇絕妙的文章，她們的作品又是她們身世的寫照。即使她們在歷史上，沒有一字一句遺留下來，只要有作品留到現在，我們便可窺見她們身世的一斑。所謂「文藝」是苦悶的象徵，這苦悶是包括精神與物質兩方面而言，但實際上精神和物質的條件，至於受到精神和物質生活不滿而感到苦悶的女子，若她們根本未受過教育，沒有運用文字的才能，縱有滿腔哀思的情緒，也是無所表現的。

因此，烏孫公主和王嬙是「和親」政策下，許多女性犧牲者之中的幸運者。

王嬙，字昭君，是齊國王　之女，年及笄，儀容雅麗，國中長者求之，皆不許，乃獻元帝。元帝後宮佳麗頗多，不得常見，乃使畫工毛延壽繪着她們的形貌，按圖召幸。宮人皆以金錢賄賂延壽，獨昭君自恃貌美，不肯行賄，乃將她的形容畫得很醜。

漢竟寧元年（公元前三十三年），適匈奴單于呼韓邪來求美人，元帝勅以宮女五人賜之；昭君入宮久不見御，怨恨不平，乃憤而請行。臨行前特備御宴歡送，元帝見昭君豐容靚飾，光彩射人，顧影徘徊，竦動左右，乃大悔恨。但不便失信，只有目送她懷抱琵琶，上馬出關而去。

昭君願嫁匈奴，不過是一時氣憤所致，到了匈奴之後，過不慣食肉飲酪的生活，思鄉之念日益深切，遂作詩以寄哀怨云：

秋木淒淒，其葉萎黃。
有鳥處山，集於苞桑。
養育毛羽，形容生光。
既得升雲，上游曲房。
離宮絕曠，身體摧殘。
志念抑沉，不得頡頏。
雖得委食，心有徊徨。
我獨伊何，來往變常。
翩　之燕（鳥腳），遠集西羌。
高山峨峨，河水泱泱。
父兮母兮，道里悠長。
嗚呼哀哉，憂心惻傷。

眞是悲戚之情，溢於言表。且遠托番國的弱女子，孑然一身，猶如失怙的孤雛，惟有呼父！呼母！藉以發洩內心的惻傷。另外，她又寫了一封信給元帝：

（未完）

第十一章

宋高宗偏幸東南　岳鵬舉虎帳談兵

早盡臣子之心。現宗澤已屢敗金人，先聲已振。宗澤屢請進兵而不進。此時各路兵馬已有九萬之衆，正可臨城一戰，力解汴危。可是他舍此而不圖，遁逢東土，但求自全，坐視君父之困。此已喪失忠孝殆盡矣。

二，汴京屢遣使者來迎，一再勸進，理當提兵臨汴，先誅逆賊，繼承帝緒，北向以禦強虜，定西河，迎還二帝，以雪前恥。他舍此而不爲，偏即位於偏隅，預作避敵之計，他心中企圖苟安自全，已昭然若揭，自私之心極其濃厚。

三，用李綱之才而不能久，偏聽汪伯彥黃潛善之主和，東幸江南，企圖苟安，又不言可知。朱子謂「李綱入相，方成朝廷」。以李綱之才畧觀之，其言可信。

四，高宗不是明主。雖有直臣，必貴明主，主德不明，必有直道難容之慮。所以李綱不久即被擯斥。

宋高宗已聽信奸臣汪伯彥、黃潛善二人之議，巡幸東南，以求苟安，以保帝位，置二聖而不顧。下面再說一位大英雄與宗留守論兵。

岳飛自歸宗澤之後，處處表現得非常精采。年紀青青，却有大將之風。忠臣之節，深爲宗留守所器重。

一日宗澤不以地位的懸殊，召岳飛於私室，談論用兵之道，並賜給岳飛陣圖兵法。讀者請看宗澤如何的贊美岳飛。

宗澤說：「爾智勇才藝，雖古代良將不爲過也！然好野戰，非古法；今爲偏將尙可，他日爲大將，此非萬全之計也。」

說罷，宗澤取出陣圖一卷授與岳飛。岳飛翻閱了陣圖，然後對宗留守說道：「留守所授陣圖，某熟視之，此乃定局而已！用兵之道，古今異誼，夷險異地，豈可按一定之圖式？兵家之要，在於不可測識，始能取勝。若平原曠野，猝然與敵遭遇，豈容暇時佈陣！況某今日以裨將聽命麾下，掌兵不多，使陣一定，虜人得窺虛實，鐵騎四蹂，我無餘類了。」

宗澤不禁搖首道：「依汝之言，陣法不足用了！」

岳飛從容答道：「先陣而後戰，兵家之常法；然勢有不可拘泥者。」

（四十八）

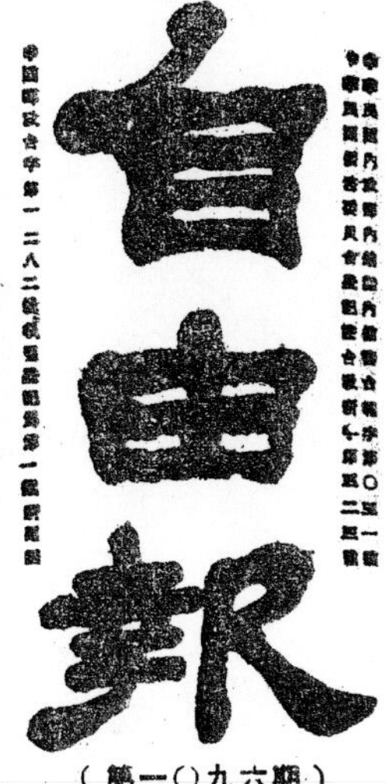

中國郵政台字第一一二八二號執照登記爲第一類新聞紙

（第一〇九六期）

（半週刊 每星期三、六出版）

每份港幣壹角·每份新台幣弍元

社長李鵬運·督印黃行宣

社址：香港九龍彌敦道593—601號 廖創興銀行大廈八樓五座

LIU CHONG HING BUILDING
7th FLOOR FLAT 5
593—601 NATHAN ROAD,
KOWLOON, H.K.
TEL: K303831
電報掛號：7191

承印：星星印刷公司

台灣區業務管理中心：台北重慶南路一段一二九號 電話：二四五七四

台灣區直接訂戶 台灣劃撥戶 第五〇五六號張萬有（自由報會計室）

台灣分社：台北市西寧南路110號二樓 電話：二三〇三四六 劃撥戶：二五九二號

本報台灣區業務管理中心啓事

台北市近發現有冒充本報記者會同××人員，三兩成羣，招搖撞騙，拉發行，拉廣告，乃至於藉採訪新聞，向人勒索。本報除報請治安機關請求嚴究外，查本報向採發行本位，從未派人上門拉登廣告，發行亦不勉强，且規定爲閱後收費，更未兼營任何雜誌刊物，敬請各界注意。如發現有假借本報名義做出上項情事，請被困擾人索閱民國五十九年下半年度，自由報服務證，一邊電話二四五七四本報台灣區業務管理中心，或就近向警察局派出所報案，敬希諒察。

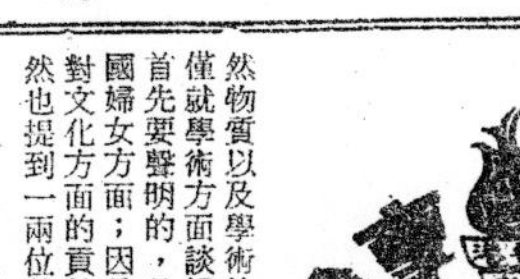

婦女對文化之貢獻（上）

·曾寶蓀·

文化之界說：文化的範圍很廣，概括的說可分爲三方面：一、形而上的，包括人類的思想，道德觀、人生觀、宇宙觀、宗教思想等；二、日常生活，即人類的起居及態度；三、人類對於自然物質以及學術的研究。今天因限於時間，僅就學術方面談婦女對文化的貢獻。不過我首先要聲明的，就是我今天所說的是偏重中國婦女方面；因爲中國文化發達甚早，婦女對文化方面的貢獻也較其他國家爲先，但偶然也提到一兩位外國有名的婦女。

女性地位之重要：

（一）由生物學上之觀察——太古生物微小，且爲單細胞，一般的人，尤其研究生物的人都稱原始的單細胞爲「母親細胞」，因爲一個單細胞，一分爲二，二分爲四……以至無數。慢慢的這些細胞，由進化的結果，形成雌雄兩性，雄小雌大，雌雄結合，產生下一代；而培養下一代的責任，落在雌性細胞身上。因爲她的責任大，所以她的體積，就不得不比雄細胞大了。就這樣生物的進化程序是：由單細胞而成兩性細胞，由兩性細胞配合而成複雜組織，而水族生物，而禽獸，最後由禽獸而人類；人爲萬物之靈，所以人有複雜組織的身體。人身上可分爲兩大類的細胞組織，肉體的細胞與傳種的細胞。初生的男嬰與女嬰人數不等，男嬰比女嬰大概要多百分之五，那是說，有一百個女嬰，就有一百零五個男嬰，但是嬰孩生下後，第一年男嬰死亡率比較高，而女嬰却有一種特別適應環境、抵抗疾病的能力，因此由一歲到兩歲之間的嬰孩，就會如剛纔所說：女嬰男嬰多少了，這表示大自然對女性的優待。同時在年齡方面，女人也比較長壽，根據各國的統計，女人活到八、九十歲以上的比男人多，台灣也是如此，這也表示大自然的重視女性。還有我們知道每個人身上的細胞裏面，都有一種染色體（CHROMOSOME），共二十三對（也有些說二十四對），每根染色體中，含有許多負責遺傳的小粒（GENES），這些小粒除開遺傳性情、相貌、皮色、髮色、身高、體重、疾病外，還含有「分別兩性」的小粒。男人的精子，包含兩種遺傳「性別」的小粒，一爲X，代表男性，一爲Y，代表女性，但女人的卵子只有一種X。大多數男人的精子，X和Y小粒都有。但也有些男人只有X小粒，他與女性配合，便只生男孩。有些男人只有Y小粒，他與女性配合，便只生女孩。生物學家認爲假如X爲2N，則Y爲2N+1，所以Y多得一點父親的遺傳小粒，因此女孩也多像父親，男孩子像母親（或舅父）。有許多人，因爲太太不生男孩認爲是太太的毛病，其實是先生的毛病，因爲先生只能產生一種精子，裏面都是Y，沒有X。上文說到女性多一點染色體，因此女孩們比較多秉賦些父親的遺傳，例如色盲症，如果父親是色盲，生下的男孩不見得是色盲，可是她生下的兒子可能是色盲；如果他的女兒那怕她自己不是色盲，男孩像父親，女孩像母親，女孩多了一個染色體，因此把色盲傳給她的兒子。還有出血不止症，這種病男的患者多，女的患者少；假如女的父親有此病，她本身不一定會有此病，却會把這種遺傳給她的兒子；再一種病是羊癇瘋，也是男的患者多，女的患者少，原因也是因爲女的有這病隱伏在她身上，遺傳給她的兒子。照上例看來，上天特別給女性壽命高，抵抗力強，亦可以知道女性在生物學上的重要。

（二）在家庭上的觀察——女性有維護家庭，教育兒女的貢獻。

（三）在應用上觀察——有發明日用器具的貢獻。

（四）在文化上觀察——有保存文化由母教承上啓下之貢獻。

女性中心在生物界已很顯明，在上古時代女權（母權）甚高，可見於「姓」氏，「姓」女所生也。軒轅、帝堯、帝舜姓姚，禹王姓姒。文王姓姬，太公姓姜，秦始皇姓嬴，各姓都有「女」字在內，就表示女性當初是管理一族的人，此種遺風現在還可以看到，世界上有還兩個地方的社會是在女性中心的，一是西藏，一是北美北部有些愛斯基摩人。

（1）發明 累（女旁）祖（黃帝妃）發明蠶絲。古時的人不知道穿衣裳，當初是茹毛飲血，用草木做衣服，所以蠶絲是很大的發明，中國以前的文化在世界上居於高尚地位，與蠶絲的發明很有關係，歐洲人十三世紀把經小亞細亞、帕米爾高原到中國新疆的一條路，就叫做「絲路」，所以累祖發明蠶絲對文化方面有很大貢獻，時間約在公元前二六九八年。姜（帝妃）發明種五穀，時間約在公元前二六〇〇年。鄧曼（楚武王妃）發明心理學，時間約爲公元前七〇〇年，由人的行動舉止，身體變化，知道這個人有什麼事發生，楚武王要攻隋國，在未出發前，對鄧曼說：「余心蕩」，本來楚强隋弱，楚攻隋是以強凌弱。鄧曼就對楚王說：「王心蕩，王祿盡矣」（王在世的日子不多了），結果楚武王攻隋果然就死了。波蘭居禮夫人發明鐳錠RADIUM，時間約在一八九八年，她逝世於一九三四年。鐳對於人生有兩個大的關係，以前認爲物質不滅，能力不增不減，但是居禮夫人發明鐳錠以後，知道物質可以變能力，能力也可以變物質，把物質分解，就得到原子，把原子分開，能力就更大了，科學界對於化學和物理上的觀念因此大大的改變了。同時鐳錠也可以用來治病，所以她有很大的貢獻。另外本世紀美國沙立凡女士MISS SULLIVAN發明了教聾啞學生的方法，她教了又聾、又啞、又盲的凱勒女士MISS HEUEN KEUER不但能聽話、說話，並且大學畢業。

（2）傳經 伏女傳書經（漢武帝時人），時間約在公元前二〇〇年。當秦始皇焚書坑儒以後，中國很多形而上的學問幾乎沒有法子保存了，賴有伏生的女兒傳經而流傳後世，這是很大的貢獻。

（3）史學 後漢和帝時班昭續漢書，時間約在公元前一〇〇年。史書與文化的關係很大，因爲歷史是記載人類進步的過程，以及人與人、人與物各種關係的經過的。她的哥哥班固，續他們父親班彪所著作而未完的漢書沒有完成就被下獄早死，由她將漢書續寫成功，這是她對歷史的貢獻。

（4）詩 詩與文化有密切的關係，大舜說「詩言志」，就是將心聲說出來而成爲詩。孔子說「詩，可以興，可以觀，可以羣，可以怨」，就是可以激發人的思想，可以觀察時政，可以使人羣起，也可以表示心理的憂怨，因此詩是一種藝術很高的心聲之表現法。文王妃太姒是一位詩人，詩經第一篇「關關雎鳩，在河之洲，窈窕淑女，君子好逑」，即是太姒的詩。詩經中衛國莊姜的碩人詩，時在公元前六〇〇年，即春秋時代。此後古詩中也有很多婦女做的詩，但是以詩把意思寫得很好，而且字也寫得很美觀的有前秦竇滔的妻蘇若蘭，時在公元三五〇年，因爲她的丈夫離開她，她就做了迴文詩，很多字反覆運用。（未完）

昨日與明日

金融業應便民

執政黨最近又作了一件極有意義的事，黨中央特組織一個中央便民考察組去各地實際考察政府機關施政便民情況，然後提出意見，設法改善。

在考察金融業務以後，該組曾提出七點改進意見：

一、希望各行庫今後能印發各種貸款的種類、程序、手續審核標準和償款時限，使申請人能衡量條件決定申請與否。

二、各種抵押貸款，抵押品或担保品過去折價低，貸款時間又短，利息高，加上儘辦設定抵押手續，非常不便民，今後希望對抵押品在法定範圍內估價酌量提高，手續力求簡化。

三、銀行業務與民間所訂的契約，在資保護原則下，契約內容希望做到公平並尊重簽約人。

四、專業銀行，如土地銀行和合作金庫，對各種貸款，希望設法不要貧苦民衆身上賺錢，能否以貼補方式辦理。

六、對長期、分期還款，利息能再降低。

七、各地分行業務檢查、監督和考核要加强，希望符合總行的標準。

提出改進意見，有七點之多，可見現行各行庫的貸款，太不便民了。凡是和銀行打過交道的人，都有一個印像極深的感覺，那就是：貸款手續太麻煩了，保證手續太多了，所填表格太繁了，對顧客的要求太苛了。銀行老板的面孔太嚴肅了。那兒像作生意，比施捨的神情還不如。其實銀行的生存，存款與放款並重，銀行沒有放款，那兒來的營利？如何維持銀行的存在？台灣經濟發展了，金融業的放款業務，却始終滯在落後階段。有位商人發牢騷說：我寧願去搶，也不願意去向銀行借款。銀行老板們聽了這句話，作何感想？

財政部曾舉辦過銀行業務改進檢討會，中央便民考察組又有這樣建議，不知能使墨守成規，向少改進的金融業有所改進否？

·千公·

自由談

爲正不在多言

眞正有作爲、有魄力的人，遇事是做了纔說，甚至於做了亦不說，憑事實以取信於社會大衆，自無湮滅之理。凡是未做即先說，而且說來很美好熱烈，跟報紙上的電影廣告媲美爭輝的，其人若幹工商企業，一定是個噱頭主義者，毫無誠信可言，如搞政治，必係標準的官僚份子，不成問題。

所以，我到市街購買物品時，瞧見商店門口掛着「眞不二價」或「清理存貨大賤賣」，或「不計血本，加贈獎品」這類標語者，即裹足不前，望而卻去。商店是售貨品總該是不二價的，焉用宣傳爲哉？商做生意而不計血本，大事賤賣，還要加贈獎品，自願虧蝕，未免不近人情，非詐僞而何？

等由推此以觀察一般官員的言行，亦可得到正確的結論。有些新官上任，發稱「我是要作事的，決不是要作官」，這與商人宣稱「眞不二價」的心情相同，自我標榜，旨在推銷。作官？作事？還要事實表現可也。嚷嚷作甚？過去有些官兒常把統計數字作宣傳口號，說今年的政務成就，比去年又增加了百分之幾，或者教秘書寫些美好的工作計劃，在報紙上發表，這亦和商人揚言不計血本大賤賣的用意并無二致，都是「說而不作」的市儈行徑，沒有取信價值。

官僚份子更有一項清名吊譽的特技，即善於精印工作報告書冊，內容盡選漂亮文字，封面還要附譯洋文對照，表示主管首長是個學貫中西的人物，能參與國際路線。

眞要革新政治，必須斥退官僚份子，引用一般埋頭苦幹而悶聲不響的樸實之士，做了亦不願說，說的盡是有事實可證的眞話，綜覈名實，虛爲不齒，非如此，革新政治云云，將如檳東說的：「得個講字而已。」

馮正先生

七虎衛冕未獲成功 奮戰不懈雖敗猶榮

海內外同胞紛表慰問之意 小將返國仍受到熱烈歡迎

（本報台北消息）中華七虎少年棒球隊，已於六日午間返抵國門，全國各界依然予以熱烈歡迎。足證我們這個國家氣度之大，都能體諒孩子們奮戰不懈，雖敗無憾！迻此綜合報導於下：

第廿四屆世界盃少年棒球錦標賽，已於八月卅日正式落幕。美國東區威恩隊羅踞王座，且把失落在遠東區日本和中華民國保有了三年的冠軍盃奪回。

本屆世界盃賽的結果，前四名中，只有贏了我們首戰的拉丁美洲尼加拉瓜隊搶走第三名，美東區威恩隊得到冠軍，美西區坎波隊亞軍，美北區隊也得了殿軍。

我們中華七虎隊爭到落選賽第一，也就是排名第五。第六名是我們手下敗代表歐洲的西德隊，第七名美北區隊，殿軍第八名是加拿大隊。

我們中華七虎隊的孩子們背着衛冕戰的沈重包袱，在廿五日首戰中即敗給尼加拉瓜隊，踢出前四名，被淘汰而跌入落選賽中，痛失衛冕戰的機會。在台灣當地時間廿六日凌晨二時衛冕第一戰揭幕時，舉國上下除極少數例外，所有裝置電視機的人家，無不收看衛星實況轉播，而且大開方便之門歡迎親朋齊來收看。

沒有電視機的朋友也不甘寂寞跑到親友鄰居處湊熱鬧。禮品店的爆竹事先都被搶購一空，準備戰勝之時，大事鳴炮慶祝。好像我們每戰必勝，這次又是已經贏定了。這種「只許成功，不許失敗的心理」，固然是愛國心所激發，但在七虎孩子們的心裏就形成不勝負荷的包袱。

等到大局終場，七虎隊以二比三輸給尼隊，國人又無不垂頭喪氣忍淚上床。最傷心的莫過於被台視請到轉播現場的七虎球員家長們。大家一覺醒來又不免議論紛紜。

有的說：「侯德正被判刺殺出局是裁判錯誤。」

又有人說：「尼隊確實比我隊強，尤其那個左撇子投球的「巴芝」太厲害，（現已被所有棒球專家公認是本屆最具威力的投手與美北區隊比賽，有十七次三振記錄）必須認輸。可以說是，雖敗猶榮！雖敗無憾！」

有些事後有先見之明的議論，更是有失公平，尤其指摘吳敏添缺乏斷力，賽到第三局以後爲甚麼沒有派上蘇豐原，換下盧瑞圖，則我們仍有勝的機會，不會輸一場就被淘汰，跌到四名之後的落選賽中。種種說法，均有未當。因爲海內外同胞一致所交付七虎隊的任務過份重大，一身繫國家榮辱，當時情形，身爲教練的吳敏添，不得不盡量保存實力，留下蘇豐原，可在第二場主投。

嚴家淦副總統倒是首先拍了一封人情味十足的慰問電報給七虎隊。稱許：「我隊已盡最大努力，奮鬥不懈，雖敗猶榮！」

根據台北某報越洋電話說：「派盧瑞圖主投是謝國城的主張，謝以盧瑞圖體力較強爲由派他應付第一戰，但三局以後，盧的球路被摸清敵隊見球揮棒。謝國城在貴賓席上對大使館人員說：「該換投手了。」但在球場的吳敏添和方水泉（管理）得不到這項指示，不敢輕作主張當機立斷換下盧瑞圖。一直到第六局吳教練才叫停換上蘇豐原。」

輸球之後，七虎隊員向觀衆一鞠躬，然後揮手擦汗，順便抹去淚珠，回到宿舍又痛哭。方水泉說：「回去怎樣交代？」又有報導說，吳敏添蒙頭大睡，吳敏添溜進餐廳，獨自飲泣。

檢討失敗原因 未能明瞭敵情

指摘教練領隊於事無補 埋頭苦練爭取明年勝利

大家需要回想，七虎隊自五月份起，兩次集中清華園加緊訓練，好似特技團訓練買來的孤兒，在烈日之下受煎熬，可憐之不暇，還忍心批評嗎？

有「速度女王」雅號和「飛躍的羚羊」之稱運動女傑紀政小姐特爲趕到球場營地面致慰問，她除了安慰小朋友，並呼籲台灣輿論，「過去太強調「只許成功」給孩子們壓力太大。」

七虎隊員在未打淘汰賽連勝兩場之前，曾聲稱打輸即不照大會規定，旅行參觀了，決計早早回家。幾天都沒有絲毫笑容，華僑們百般安慰，都不生效，後來看到國內幾通慰問電話，才又鼓起勇氣打贏了落選賽的兩場。

國內同胞看了第二戰以六A比零勝了美國南區納希維爾隊。第三戰又以五A比零輕取西德隊，證明七虎實力確實不弱，衛冕未成，球運使然，殊屬可惜！

賽後謝國城領隊曾虛心檢討，研究失敗的原因並非在本身的失常，而係對手方的實力優於我們，這一點足可警惕全國上下，尤其少棒運動領導人物，「强中更有强中手」，我們不能僅求達於去年金龍隊的水準爲滿足，應該年年求取更大的進步。

平心而論，任何人都沒有資格指摘吳敏添。如果說少棒金龍隊奪得世界冠軍是國家的榮譽，那也是吳敏添個人努力的結果。他最初以一包香烟，一壺清茶的享受爲母校訓練棒球，純是出乎個人的喜愛，決沒有預定目的定要進軍世界奪取錦標的野心。後來被謝國城發現，給予精神鼓勵，又遇上幾位熱心人士，纔有金龍隊出賽日本奪得代表權，問鼎世界得了錦標。國家社會都沒有付予他甚麼。他對得起國家社會，我們不能有「勝者王侯，敗者賊」的偏狹自私心理，更不能有錦上添花的卑鄙行爲。

如果說，這次輸球不甘心，那麼謝國城就應該負責，七月抽籤已經排定七虎第一仗是打尼隊，爲甚麼不設法搜集情報，分析尼隊實力，作爲應戰的依據。我們太注意美國了。沒有留心美國以外其他的球隊。謝領隊一看那個左撇子投球的厲害，表示事先無所知，顯然不知所措。可是話又說回來，僅憑謝國城一人之力，他有那樣大的本事嗎？

明年我們就要主辦遠東區的預賽，每一國民應如何盡一分力量，一定要辦好。首先是建築一座夠水準的棒球場，和隊員休棲的宿舍。

韓國已經聲言他們也要參加明年預賽，已經苦練一年了，聽說要從全國少棒球員中，選出四十隊集中訓練。然後再挑選十四名球員，這十足表現確實有了準備，而且要勢在必得。

日本連敗兩年，明年定必來勢甚猛，這些，又豈可大意。

我們應該寬籌經費，普遍充實設備，使全國小學都有練球場地。集合全國夠水準的教練，有計劃的分別派駐各地區，由政府指定當地銀行或其他有錢事業機構聘爲職員，負担各教練生活費用，以便安心駐區督導小學棒球隊施行嚴格訓練。（靄如）

公路局革新業務

小客車攷驗，八天發照， 機車隨到隨攷，當天發照。

（台北訊）公路局李錫煌局長，決心全面革新業務，分別規劃實施：

一、簡化監理所作業程序，縮短作業時間：

1、職業小客車攷驗，採用通信報名方式。

2、職業小客車攷驗，自報名日起，八天內攷驗發照。

3、職業小客車補攷，路攷者，四天內發照。

4、機車攷驗，隨到隨攷，當天發照。

5、舉辦巡迴下鄉換發機車執照。

二、五十九年已完成，東西部幹線改善五年規劃：台北至桃園，台中至圓林，台南至鳳山，規劃拓建四線道，刻積極進行中。

三、爲提高公路工程績效，計劃實施全面機械養路。

四、提高站車人員工作效能及服務精神，并加强行車安全，以達到服務社會，便利民衆爲要旨。

喬治桑外傳　一七五

張大㠷

「當然不會，我又不是牛吊子。」

桑裴兩人扯了一陣算是開場白。

「桑兒，你一大早約我出來，有何見敎？」裴白瓊喝了一口咖啡。

「我想買一幢房子，你在台北比我熟，所以想拜託你。」喬治桑一本正經對裴白瓊說。

「你不是要回美國嗎？買房子做什麼？」裴白瓊有點疑惑。

「買房子送人。」

「送誰？」

「這你用不着問。」

「你不要賣關子了，一定是送給一個女的。是不是濕手抓麵粉，被黏上了？沒有關係，我可以想辦法替你了。用不着化幾十萬買房子，豈非糟兒。」裴白瓊滔滔不絕，似乎很內行的樣子。

「你又扯到那裏去了。」

「那你得實說，究竟送給誰，要坦白告訴我。否則我不辦。」裴白瓊將喬治桑的軍。

「好，我告訴你，是送給我的秘書雅麗絲。」

「怎樣，我猜得不錯吧。」

「你還沒有猜對，我是以做父親的資格送給她的。」

「算了吧，女秘書，乾女兒，還不就是那回事。」

「白瓊，你不要亂說，我老實告訴你，雅麗絲實是我的親生女兒。」喬治桑只好實說了。

「親生女兒？」裴白瓊驚訝得幾乎叫起來。

喬治桑便將發現雅麗絲是親生女兒的經過，詳詳細細說了一遍。

「眞想不到，眞想不到，世界上竟有這種事！」裴白瓊搖頭太息。

「現在你總應該相信我託你買房子是眞心誠意了吧。」喬治桑注視着裴白瓊，表情肅穆。

「嗯，你既然發現雅麗絲的秘密，爲什麼不乾脆揭開謎底，來一個大團圓豈不是好？」裴白瓊倒是一位熱心朋友，對喬治桑表示了由衷的關切。

「唉，自作孽不可活。當年雅麗絲的媽媽給我最純潔的愛，我辜負了她。傷透了她的心。現在我那有臉再見她呢？」喬治桑說完，深深嘆了一口氣。

「這眞是傷感情的事。」裴白瓊一反以往的油腔滑調，態度也凝重起來。喬治桑接着又說：「不瞞你說，我有兩次故意避開和她的媽媽照面。但我知道，如果我在台灣再呆下去，遲早會拆穿的，那就很尷尬了。所以，我決心趕緊離開。你是我在台灣唯一可以談談知心話的朋友，將來一切還要麻煩你。」

喬治桑在台灣混了一陣子，雖然結識了很多人，但盡是酒肉朋友，只剩下一個裴白瓊，還比較談得來，可見現在交朋友實在不易。

「那裏的話，你我是自己朋友，有什麼事儘管吩咐。」裴白瓊將上裝脫下，捲起了襯衫的袖子，很有江湖的豪氣。

「最近美國的朋友將兌一萬五千美金過來，我個人要將在台灣的債務料理一下。我準備用四十萬買一幢房子送給雅麗絲。另外，牛與鐘的藥廠開設後，我有一個顧問名義，每月有一點車馬費，也想送給雅麗絲的媽媽。這些都要拜託閣下。」

（未完）

台北傳奇錄（七一）

・陳光棟・

忽然一個中年人從她身邊一擠，把一個小紙袋放在她夾看皮包的臂窩裏：「拜託，先幫我拿一下」！那人說完便匆匆的走去。馬寡婦碰到這種事還是頭一遭，急切之間呆住了，這時又從後面追來了兩個人，順着那人離去的方向趕去。

馬寡婦看到這情景，不由的激起好奇心，她走到一家旅館的洗手間，小心翼翼把紙袋打開，裏面是一只牛皮信封，再拆開信封，便露出了膠帶，膠帶裏面裝着白色的粉末，鼓鼓囊囊的大約有五六兩，馬寡婦感到每一根汗毛都豎起來，她猜想到這東西大概是海洛因，毒犯被警察追的無路可走，才利用她掉包的，馬寡婦越想越害怕，兩條腿都有點不聽指揮，她決定先把這東西送到附近的派出所，免得受到牽累，說不定還會有什麼危險，她一向過的挺不錯，可不願意給自己找麻煩，她把紙袋從新裝好，輕輕推開洗手間的門，大廳裏靜悄悄的，只有兩個人坐在櫃台上喝汽水，她力持鎮靜的踱出旅館，朝着派出所走去。

「跟着我走，不要出聲音」！在燈光暗淡的地方閃出一個黑漢子，挨在馬寡婦身邊亮了亮刀子。說完了就挾持着馬寡婦轉入一條小巷子，兩個人左轉右轉，深一脚，淺一脚，越走巷子越窄，馬寡婦越走越恐怖，她幾次試着想逃走，無奈後面總有人在幾步以外監視着她，最後到達一條簡陋的巷子，一條人影一幌就不見了，黑漢子拉着她走進一個小門，一股養豬的臭味迎面撲來，馬寡婦趕緊閉起鼻子。「不要亂動，少耍花頭」！黑漢子重重的搯了她一把，一間房的門呀的一聲開了，射出了燈光，馬寡婦不禁眨了眨眼睛。

「快進來」！房裏的一個人說：「快點把門關上」！原來裏面幾個人正在賭四色牌，桌上擺滿了籌碼和空酒瓶子，牆角裏坐着兩個人，其中一個似乎是睡着了，另外一個正在傘着注射器往血管裏注射毒劑，然後拔出針頭用張破報紙擦着針眼。報紙染上了鮮紅的血跡。

黑漢子把馬寡婦推進房間，上首坐着的瘦子揚起頭子來打量馬寡婦，黑漢子剛要開口，瘦子衝着坐在牆角裏的兩個癮君子點點頭，馬上就有個年輕人走過去踢着兩個人：「滾出去風涼風凉「！方才注射完了的一個乖乖的走出去，另外一個睡的像隻死豬，任憑怎麼踢都踢不醒。

「先把他放在院子裏」！瘦子命令着。年輕的就和扛死屍一樣把那睡覺的扛出去丟在院子裏。

「怎麼回事」？瘦子盯着馬寡婦。

「王阿尾他們失了風，臭頭被追的走投無路，才把東西交給這個女人！」

（未完）

琴曲七首考略（六）

唐健垣

（作者按：本文爲古琴曲譜七首的考略，本人學疏才淺，錯誤必多，甚望博雅正之，以期盡善。又本人所藏多爲明朝琴書，而於清朝者，手頭反極缺乏，故本篇所論，每詳於明而略於清，惟有待日後補充而已。本文原刊於中央日報副刊，茲又有新材料待補正者，乃承張起鈞師之囑，加以增訂交自由報發表，以供同好之參考焉。）

專寫鐘聲先（金另）鈸明鈸之聲，響之不帶魚山梵聞，今所奏者是也。」這一段說明不知是出自楊蘇琴譜抑是蔡師所寫，大約釋談章經多次改寫才變成今日的普庵咒，故有人乾脆以爲是二曲了。近數十年流傳的普庵咒，和楊譜此譜一樣。因然各家彈來指法有修改，仍不失其要點。還有普庵咒，吳景略先生灌過獨奏唱片，衛仲樂、孫裕德灌過琴簫合奏唱片，某琴社亦曾灌過合奏唱片，加了其他胡琴及簫、鈴、木魚等伴奏。旅居美國的呂振元先生亦曾灌過唱片，台北中聲唱片169，女王唱片5044都有翻版，今改由王海燕小姐彈奏。

古琴曲譜的普庵咒配成五絃譜。古琴曲集亦收入普庵咒，配入五絃譜。此曲是用正調彈奏。

湘江怨

此曲原來稱爲湘妃怨。宋僧居月的「琴曲譜錄」列爲「上古琴弄」（即是堯帝至秦始皇期間的琴曲），並說是「女英製」。尚書堯典篇說帝堯徵求賢人繼位，四岳薦曰：「有鰥在下，曰虞舜。」帝堯以二女嫁給舜，以試舜之爲人，其後舜爲天子五十年，「陟方乃死」，即是說他巡視各處小方國時死了。後世雜書乃爲之潤飾，說舜所娶堯之二女，長者名娥皇，次名女英，漢劉向列女傳說：「舜陟方死於蒼梧，號曰重華。二妃死於江湘之間，俗謂之湘君。」（中華書局據汪氏張綺堂補刊本校刊本）。後漢書張衡傳注引列女傳，作「俗謂之湘君、湘夫人。」楚辭九歌有湘君篇，又有湘夫人篇，王逸以爲即記二女事。顧炎武則以爲楚辭之湘君、湘夫人是神名，不是堯之二女。大抵古代傳說有其來源，但亦不可盡信。現存的琴譜中收有此曲的，最早見於明謝琳「太古遺音」卷一，名曰湘妃怨，不分段，其譜和現行的湘江怨百分之八十相同，歌詞尤其百分之九十相同。解題云：「按書有鰥夫在下，妻以二女，舜長曰娥皇，少曰女英。舜既爲天子，是爲虞帝，舜南巡狩，崩於蒼梧之野，二妃泣之，以淚灑竹，竹皆枯死，後人被之絃管，即此歌也。」其實尚書並沒有娥皇，女英的名字，但謝琳說「後人被之絃管」，只是沿襲舊說，並無證據。再後明朝的湘妃怨，不分段，定絃是「商調」，其歌詞和今世相同，譜則不同。正文對音律規聚譜眞傳卷四有湘妃怨，四段，「商意」，有歌、每段標題，望雲思君、高懷訴月、長憶相思。其歌詞與今世的同，譜則只有部份近乎今世的傳。其後明張廷玉的新傳理性元雅卷二亦收此曲，而指法稍改，段數標題，歌詞仍舊，定絃亦是「本調商音」（即是正調商音）。清朝以來，彈湘妃怨之人不少，曲名亦改爲湘江怨，章志蓀先生的研易習琴齋譜琴下卷收有湘江怨，其曲跋云：「譜中六絃用十徽搯起，當係黃鐘均而以中呂均鼓之，所謂換絃而換調，應避三絃散聲及相應各徽位。譜中兩用散三，故都改爲二絃，韻收一六，即黃鐘均宮音。因老一派琴家認爲4及7（FA、SI，即變徵、變宮）是變音，是不純正之音，所以彈琴時避此二音，此個六絃用十徽八分搯起是3（MI，即角），而近世多用十徽（即4、FA）的譜中用三絃散聲是4（FA），章先生改用二絃，是老一派見解，實在明朝謝琳太古遺音此曲亦用三絃散聲。所謂「黃鐘均而用仲呂均鼓之」應正爲「慢角而用正調鼓之」。慢角調定絃是1：2：3：5：6：1・2・，但第三絃九徽的泛音不合，故須借正調5：6：1：2：3：5：6：，不轉絃而換調，聽起來是1：2・2・4・5：6：1・2・，第三絃九徽泛音便可配合其他絃的泛音。章先生又說：「此名湘江怨，是否娥皇女英故事，照此詞句看來，似又不類，尚待考正。」這話是很對的。呂振元先生灌過獨奏唱片，台北女王唱片五〇七四有翻版，今次由內子賴詠潔及本人雙琴齊奏。

（未完）

安參不錄之四

文匯樓主

民國三十八年雲南發生叛變主任余陸軍第二十六軍軍長余程萬雲方面重任，衛戍邊區，是年十二月八日雲南省政府主席盧漢叛變，余程萬遭共匪俘擄，屈辱偷生，愧對領袖，雖被釋放到香港過着寓公生活，奈街港題衆軍人難信沒有氣節的人太多，又幾爲當不仁，終至被刺。（原文已刊過）

余程萬於共匪壓境之際，請樓主中華共軍，俗稱作打氣。旁觀者清，樓主睹到大勢已去，士無鬥志，主張余程萬勿坐以待斃，應別一九六師有組織撤退的醒顧，如果這勢調緬甸，先解決緬甸××親共政權的國防軍約七千人，然後號召全緬甸一向被壓迫之大小百餘會長，聯羈行誼，就地成立王國，組成緬甸聯合王國，京城選同故都曼德里（三國時諸葛亮征南蠻最後一站——直城），余程萬爲國王，即人（樓主自他）担任首相，替中華民國保存幾萬反共實力，並藉緬甸糧倉地帶，收容從大陸撤來軍民，既成事實，國際自會追認。

樓主提出緬甸聯合王國，秘密外交大方針，及一大公開號召：（一）承認英國在緬甸的一切利益，重新訂立緬、英友好條約。祇要英國能切實支持，對美會有很大啓示功用。（二）向美國一面倒先實行君主立憲，十年後還政於民。推行萬民還自治，堅決反對毛澤東推行的抗美援朝運動。（三）派遣特使前赴台灣，向最高領袖輸誠，保存中華民國反共實力若干萬名，並接待救助大陸撤退到緬甸的軍民，斯簡宣誓，中華民國可隨時調遣緬甸聯合王國海、陸、空軍部隊到任何地區作反共戰爭。蔣總統是中央軍官學校和中央政治學校的校長。中國有一日爲師，一生有恩的觀念。緬甸聯合王國致中華民國外交文件，可開國際間從前未有之先例，結成所在國上書可謹呈蔣總統，下署緬甸聯合王國王學生余程萬，緬甸聯合王國首相學生××同叩，這樣做法，即是曇花一現，從歷史觀點上，亦算成功，比着架槍投降的好，或坐待緬甸親共政權與共匪勢上關係後，再來修理我們，那就更不成話了。未審軍座意下如何？一大公開口號，爲聯合世界上以平等待我民族共同奮鬥。（這是 國父孫先生遺教）

（編者按：截至目前爲止，我們還有數以萬計的孤忠人士關在緬甸集中營未釋放，屈指計算已二十年了）。

余程萬聽完樓主這段高論，連聲的說：「閣下醉了，閣下醉了。」未及一月，盧漢叛變，余程萬被扣，由共匪槍兵押赴防地，完全像醉了的一樣，下令部屬不准抵抗，結束了大陸對共作戰最後一道防線。幾年後，余程萬寓居香港，與樓主又在九龍金巴利道相遇，余程萬慨然嘆曰：「昔年悔未聽先生責貴指示，皮之不存，毛將焉附，土地之大，竟無立足之地，方今都深切體會出。最近舍間強討惡索的人越來越多，眞不知如何善其後。」未幾，余程萬忽以被刺聞，一幕悲劇就此散場。

文匯樓別記

說曹操（卅九）

李漁叔

孔融與禰衡

後漢書載：「曹操攻屠鄴城，袁氏婦子，多見侵略，而操子丕私納袁熙妻甄氏。」曹孟德與袁紹父子作戰，後來斬袁譚，並擄其妻子，則甚屬不當，至將袁熙之妻甄氏賜給自己的兒子曹丕，尤悖禮法。孔融就在此時寫了一封信給孟德，說是從前周武王伐紂，將妲己賜給周公。孟德以爲孔融讀書博洽，恐怕這話另有來歷，問他出何經典，誰知孔融答道：

「以今度之，想當然耳。」

這完全是揑造典故，來開曹氏父子玩笑的，可惜這封信不見載於孔少府集，而只於本傳見到一個大概。現在官渡戰後中原局勢未定，孟德這時毫不顧慮根基未穩，遠自率兵遠征烏桓，直出盧龍塞外塹山堙谷五百餘里，直指柳城，到達熱河遼寧一帶，像這樣的冒險輕進，不恤士衆艱苦，完全是爲了袁氏的餘孽，袁尚袁熙兄弟尚在遼東，恐怕他們還結外族鮮卑單于，結成勢力，難以復制，故趁此戰勝之威，作一網打盡之舉。孔融對此種舉措是大不以爲然的，他明知諫諍亦屬無用，故作一書嘲笑之，說是：

「大將軍遠征蕭條海外，昔肅愼氏不貢苦（木旁）矢，丁零盜蘇武牛羊，可並案也。」

肅愼氏是成周時一個古國，在夫餘國的北部，約居今吉林以南奉天以北之地。武王時曾貢獻過楛矢。又蘇武在匈奴居北海時，史稱：「丁零（一種新疆古羌族）盜蘇武牛羊，武因此途窮厄。」這都是陳年老賬，等於春秋時齊問「昭王南征不復」一樣，因爲孟德師出無名，故而找出這些毫不相干的爛賬來。「可並案也」就是說趁這機會，可以一并清算一下，措辭命意，也眞够挖苦了。

其次就是有關禁酒，前漢書孔融本傳說是：「時年飢兵興，操表制禁酒，融頻書爭之，多侮慢之辭。」這一封「與曹操論酒禁書」，在孔少府集裏面可以看到。

「酒之爲德久矣，古先哲王，類帝禋宗，和禮定人，以齊萬國，非酒莫以也。故天垂酒星之耀，地列酒泉之郡，人著旨酒之德，堯不千鍾，無以建太平，孔非百觚，無以堪上聖。樊噲解厄鴻門，非彘肩鍾酒，無以奮其怒，趙之斯養，東迎其主，非引卮酒，無以激其氣；高祖非醉斬白蛇，無以暢其靈；景帝非醉幸唐姬，無以開中興；袁盎非醇醪之力，無以脫其命……」

（未完）

安徽十三傑

管仲 李耕 莊周 曹操 華佗 包拯 朱熹 朱元璋 戚繼光 李鴻章 段祺瑞 胡適 楊振寧

諸葛亮狂想曲（一五四）

・劉玄・

「要不要事先排練一下？」何仙姑不愧是蟠桃大會的節目部主任，確實有兩下子。

「仙姑吩咐敢不遵命，」諸葛亮說話一向謙恭有禮，這也是星君欣賞他的因素之一。

「豈敢，豈敢，我因爲奉王母娘娘之命辦事，不敢馬虎。」何仙姑提出王母娘娘，其意若曰，這是娘娘的旨意，不是我的吩咐，你豈敢不辦。但語意委婉，頗有詞令之妙。

呂洞賓，何仙姑和諸葛亮談話告一段落，告辭而去。

「琴童，」諸葛亮送走呂何兩仙，叫琴童入見。

「丞相有何吩咐？」琴童站在旁邊，執禮甚恭。

「劉約翰新婚燕爾，這兩天也許不會來，你去找他，說我有事要與他面商。」諸葛亮還是和以往的架勢一樣，輕揮羽毛扇。

「是，是，」琴童猶如諸葛亮的跨下之騎，揚鞭則走，控轡則止。

「你知不知道他住的地方？」諸葛亮從來沒有去過劉約翰的住處，所以有此一問。

「知道，假使找不到，我到龍岡會所去查一查也就明白了。」琴童腦筋靈活，想的很週到。

諸葛亮差琴童往尋劉約翰，諸葛亮在家等候消息。

大約過了二個鐘頭，琴童急匆匆趨進來，向諸葛亮稟道：「劉約翰和他的新太太馬上就來，他的新太太好漂亮啊！」

「小孩子懂得什麼？」諸葛亮還有點舊腦筋，認爲琴童不該對女人評頭評足。

「漂亮就是漂亮哦，愛美是人類天性，說說有什麼關係。丞相，要不要燒咖啡準備待客？」琴童顯然對金玉枝有好感，所以意熱心，準備待客。

「燒兩份咖啡，另外準備靈泉水就行了。」諸葛亮的記性很好，他知道金魚美人是茹素的，還是請她吃靈泉水比較好。在天庭，靈泉水等於是自來水，毫不稀奇。

過了一會兒，劉約翰帶金玉枝來到，一進屋子，諸葛亮陡覺眼前一亮，新婚以後的金玉枝比以前更漂亮了，連道根深厚的諸葛亮都免不了心動。

「見見諸葛先生。」劉約翰儼然以外子身份自居。

「諸葛先生你好。」金玉枝向諸葛亮鞠躬，一口京片子，聲如銀鈴，眞是天庭第一尤物。

「我本來準備在三日後帶內人來看諸葛先生，剛才琴童來找我，不知有何吩咐？」劉約翰滿面春風，言語吐屬都與以前不同。

「我找你來，是爲了有一件事要和尊夫人商量一下。」諸葛亮說至此處，琴童端了兩杯咖啡，一杯靈泉水進來。

（未完）

巨變歷險記

江城兩小時（一五七）

胡慶蓉

江城的戰鬥，從上午九點左右開始到下午四點左右才結束。

這很顯然是土共圖阻止我軍的去路。他們佔據的地形太好了，他們把住關口，居高臨下，左右逢源，確切是好得很。這個關口，也就是進入江城的門戶，我軍勢非奪到手中就沒法前進。由於我軍動作迅速，佔據高地，正面攻擊，左右夾擊，總算把敵人壓服了。

從奪到手的關口看江城，看得非常之清；這是從建水官廳以來唯一最大的平原，倒不如說唯一最大的壩子。從關口上望江城，如同在飛機俯瞰一樣，關口這一面是山，只有這一面是山，其他幾面都看不見山，一望無際，一望無際的平原。極目前望，極目左右望，心胸為之開頓。江城就是江城縣的縣城。從關口上看，江城縣城在下邊右手方，靠近山。城並不大，約有兩百戶人家，很小很小的一片，畧為有一點霧，看得不十分清楚。其他各方面，星星點點，也可以望得見，有一條河從縣城前經過。這條河進入越南，這條河彷彿一條蛇，蜿蜒曲折，在日光照耀之下，煞是美麗。這河南入越南，襯托得江城縣氣勢非常雄偉。古代論地勢都主張背山面河，今之江城，彷彿似之。

我部隊在戰鬥終了之後，整飭入城。在幾十天山裏轉之後，忽然進入這麼個大的壩子，這麼有點工商氣息的城市，莫不為之眉飛色舞。這是個補充的機會。最受大家歡迎的是電池電棒。田團長送的電台因為沒有電沒法用，天天背着，視為至寶。現在首先補充的電池。山路難行，山中夜路更難行，電棒也是必需的。所以，電池、電棒立刻搶購一空。其次是鞋，大家的鞋都磨爛了，很多連爛的鞋也沒有，赤着腳天天在「刀山」上趕路，痛苦非常，現在看見鞋子，也如獲至寶，於是江城的鞋子，不管是橡皮的膠皮的布的，也一掃而空。再其次是吃東西了，不管火腿、蛋、魚……大家都饞涎欲滴，這能買多少就買多少，登時間，江城吃的存貨，也俱被「囊括以去」！

江城一時人潮洶湧，商業之盛，前所未有。所有江城的百姓，無不笑逐顏開。實在講，江城各方面並沒有太多存貨。對於部隊的需要，萬難應付。捷足者先登，後者都有向隅之嘆。江城雖然是大壩子，但必竟還是小地方。很謝謝部隊的光顧。看起來，老百姓大都是反共的。對於我部隊，無不寄以同情。但政府官員都逃之夭夭了，無方也找不到他們。丁博士一方面照顧官兵，一方面到江城縣衙門，處處是人去樓空。是不是又去糾集辛衆，包圍我軍於江城盆地，害人之心不可有，防人之心不可無，兩點鐘到了，又都離開江城。（續）

台灣的平劇雜談（下）

．諸葛文侯．

新進的旦角人才更多，最著名的有徐露，古愛蓮，王復蓉、嚴蘭靜、郭小莊、邵佩瑜、胡陸蕙等。就中以徐露首屈一指，她的天賦姿質很優秀，嗓音近乎梅蘭芳壯年時期的韻味，寬亮圓甜，假使得有良師益友的訓導切磋，謙抑修練，其成就必不同凡響。九年前我客居台北時，老友呂著青兄盛稱徐伶材藝非凡，擬向金素琴拜師，託我先跟金大姐說項，金已答應，然結果未曾實現，據說是由於徐伶的「老斗」不贊成而作罷的。於今徐已嫁人育兒，技藝到此止步了。古愛蓮係章遏雲的高足，習程派唱法亦近似，但聞她頗驕矜，自命不凡，今夏我與程派名票高華聽過她演「文姬歸漢」，此戲早年我在大陸上看程硯秋演出不止一次，無論唱、做、唸，古伶的造詣都差得太遠了。還有邵佩瑜亦標榜程派青衣，實則程派的皮毛都沒有，唱腔卻是梅派路子，誠不知其何以要號稱程派呢？嚴蘭靜嗓子尚好，然刻意模仿張君秋，專以唱片和錄音帶為師，其工夫可知矣！在我的管見之中，認為郭小莊、胡陸蕙二人不愧為後起之秀，她倆的扮相美，嗓音佳，年紀輕，臉上身上都不瘟，我在台北看過郭伶的「拾玉鐲」陸伶的「大登殿」，甚感滿意，將來成就決不在徐露之下，殆可斷言。此外尚有坤旦徐蓮芝，近亦嶄露頭角，但其玩藝由於底子太差——沒有遇到良師——恐其始終不容易躍登大雅之堂吧？

談到其他諸種角色，台灣現有人才，淨角只有馬維勝、孫元坡二人夠水準；小生則劉玉麟、高蕙蘭差強人意；武生李桐春，丑角吳劍虹亦過得去。最缺乏的就是老旦，老一輩的固然沒有，新出來的亦不足觀，將有每況愈下之虞。

皮黃劇在台灣不能蓬勃發展的原因，第一是沒有技藝高超的名師教導，根基就差了。次為缺乏固定的戲院可以經常演出，伶工為着生活關係，分別投入軍中劇團，未可自由活動，即無彼此競賽觀摩的機會。台灣各個較大的都市上，電影院有的是，就沒有皮黃戲院，原來在台北專演平劇的一座「永樂戲院」早已關門了。台灣民衆不似香港人對之皮黃戲諸多不懂，走進酒家去，酒女個個都能夠哼幾句皮黃戲，如果有固定的場所經常公演，觀衆自不少，問題在票價較高，不如電影之便宜。要想復興國劇，必須由政府斥資倡導，先建固定的戲院，再將皮黃藝員分別組合，妥為分配出演，票價與電影勿太懸殊，總使他們能夠維持生活，一面培育接棒的新人，繼繼繩繩，毋令中斷。

對於皮黃舊戲本，必須加以整理，許多不通與俚鄙的詞句，如「翻身下了馬能行」、「為人休犯律蕭何」、「我要問一問樵」之類，非修改不可。川戲的詞句都很雅馴，乃係經由清末翰林趙熙（堯生）全部整理過的。梅蘭芳、程硯秋等人的新編劇本，詞句都不俗，亦係出諸一般文人學士之手。若夫新劇本之編製更有必要，時代進化不已，人類的生活思想大起變化，故事層出不窮，戲劇材資孔多，祇要由政府遴聘一些對聲律有研究而學識充裕者，董理其事，必有很多良好的新劇本出現無疑。

皮黃興而崑曲漸歸淘汰，電影興而皮黃日趨衰歇，電視興而電影亦呈蕭瑟之象，時勢推移，理固然也。唯皮黃劇對中國固有文化的發揚，卓具潛能，不似電影之雜亂無章，毫無中心思想，實有維護創進的價值，有志斯道者，盍興乎來！（完）

語慧

朋友

文輯

有些朋友，在你並不需要朋友的時候，他們會留在你的身邊。而當你到了最需要朋友的時候，他們便開始消失不見了。

向你借傘的朋友，決不是好朋友。因為如果天晴，他不會向你借傘；如果天雨，你借了給他，豈非自己沒有傘可用了。

同你在一起笑的朋友，決不會同你在一起哭。

狐狸決不會同狼為朋友，但是在小雞的面前，狐狸卻一再表示自己是牠們的好朋友，甚至不惜邀請牠們到他的肚裏去住。

黛眉小傳（下）

王嫱

王幻

臣妾幸得備身禁橒，謂身依日月，死有餘芳，而失意丹青，遠竄番域。誠得捐軀報主，何敢自憐？獨惜國家靦陟，移於賤工，南望洋關，徒增愴結耳！有父有弟，望陛下少憐之。

元帝得書，大為動情，恨畫工之欺罔，窮究其事。畫工毛延壽、樊青……等同日棄市，京師一時畫工為之斷絕。宋代歐陽修有詩云：「絕色天下無，一失難再得；雖能殺畫工，於事竟何益！……」雖說元帝何必多此一舉，但對欺君罔上，受賄賣事，不忠於藝術的畫工，如毛延壽之流，也是罪無可恕，不值得同情。

昭君嫁於匈奴，卻受呼韓邪的非常寵愛，號為「寧胡 氏」，後生一子，名「伊屠知牙師」。呼韓邪死，前 氏子「雕陶莫臯」立為單于，欲繼妻昭君，她乃上書求歸，成帝勅從胡俗，遂為後單于 氏。又生二女：長女「須卜居次」，小女「當於居次」；平帝時，單于遣「須卜居次」，入侍太后。

這是歷史的重演，貴族公主劉細君和良家女子王昭君所處的時代同，遭遇同，政治婚姻的怨恨也無一不同；是命運在愚弄人生？抑是胡俗在嘲笑中國禮教？只有「無語問蒼天」了。

後人因痛惜昭君的遭遇，頗以她從胡俗為白圭之玷，於是便捏造種種異說：如「樂府詩集」引「漢書匈奴傳」：後單于欲娶昭君，她對他說：「為胡者妻母，為秦者更娶。」單于欲行胡禮，她乃飲藥而死；又如關漢卿的「漢宮秋」：說她出關後即投江自盡，而平劇的「昭君出塞」也援引此種謬說。其實皆無關宏旨，勿須費詞去解釋了。

塞外遍地都是黃沙，只有昭君的墳上長有幾根青草，象徵她死猶不忘故國的幽思。唐代大詩人杜甫「詠懷古蹟」第三首云：

羣山萬壑赴荊門，
生長明妃尚有村。
一去紫台連朔漠，
獨留青塚向黃昏。
畫圖省識春風面，
環佩空歸月下魂。
千載琵琶作胡語，
分明怨恨曲中論。

昭君村在現在的湖北歸城東北四十里，青塚則在現在綏遠歸化城南三十里；夕陽斜照，碑碣猶存，只是如此，她也足以不朽了。（完）

自由詩壇

漁叔題

端午雜吟（二）

．羅倚．

香包

蜀錦吳綾巧翦裁。鷄心菱角佩胸懷。
向人還問聞香未。不諱包藏敗絮胎。

癩蝦蟆

縱橫溝穢發聲粗。用得其時價值殊。
人過端陽它要躲。太醫捉去取蟾酥。

採藥

今朝百草皆良藥。大釜煎湯務滌身。
自古南方多瘴癘。況逢滄海起灰塵。

春雨

陳泰夏

蛙驚池畔感春陽。簾外蕉鳴暮雨涼。
遙望青山思故國。花畦微覺杜鵑香。

第十一章　宋高宗偏安東南　岳鵬舉虎帳談兵

「且運用之妙，存於一心。留守以為如何？」

宗澤聽了岳飛這幾句話，默然良久始不禁歎服道：「你的見解極是！」

岳飛幼年時代已熟讀孫吳兵法。但他不受古法拘泥，他採精用宏，靈活運用，不墨守成規。此所謂「運用之妙，存於一心。」此二語成了中外兵家之名言。岳飛一生用兵，真能戰無不勝，攻無不克，事實證之，令人信服。

宗澤在汴京任留守，乃接收一座亂紛紛的城，他以快刀斬亂麻的鐵腕，把汴京整飭有了頭緒。首先修築殘破城樓。盜賊縱橫，他下令：凡盜取民物，無論輕重，概以盜竊論，悉從軍法，捕殺盜賊數十人，匪徒為之斂跡。繼而撫循軍民，修治市容，一城為之肅然。

有河東巨寇王善，擁衆七萬，欲寇汴京。宗澤以單騎突入王善大營，涕泣慰諭道：「朝廷危急時，倘有一二人如公，亦不致有敵患。現在嗣皇受命，力圖中興，大丈夫建立功業，為何甘心自棄前程。」

王善素重宗澤威名，乃率衆泣拜道：「敢不効力」。宗澤收降了王善，又遣招諭楊進、王再興、李貴、王大郎等，各遵約束。京西淮南、河南北一帶已無盜蹤。乃就京四壁各置統領，管轄降卒，並造戰車千二百乘，以資軍用。又在城外相度形勢，立堅壁二十四所，沿河遍置連珠砦，聯結河東、河北山水民兵。一面渡河，約集諸將，共議恢復事宜。且開鑿五丈河，通西北商旅，百貨並集，物價漸平。於是乃上疏請高宗還汴。高宗不納，只優詔慰答而已。

繼而金使至開封，只說通好偽楚。宗澤將金使扣留，表請正法。高宗反令他延留別館。宗澤復申行在，不肯奉詔。旋奉高宗手札，命之遣還。不得已乃遣金使於行在。

汜水有金兵犯境，宗澤令岳飛馳援，大敗金兵於汜水，旋師回汴。宗澤更加器重，命岳飛為留守統制。岳飛由是漸知名於汴京。

宗澤再疏請高宗還汴，此次不但不獲答覆，高宗反而遣使至汴，迎奉太廟神主，奉往行在；且連元祐皇后及六宮與衛士家屬，全部接去行在。宗澤又上疏力陳汴京不可棄之理，仍不見報。

聞李綱遷尚書左僕射，正擬作書連合李綱請高宗還汴。（四十九）

岳飛

周燕謀

自由報

中國郵政台字第一二八二號執照登記爲第一類新聞紙

[illegible]

（第一〇九七期）

（半週刊每星期三、六出版）
每份港幣壹角・台灣零售價新台幣弍元
社長李運鵬・督印黃行富
社址：香港九龍彌敦道593—601號
廖創興銀行大廈八樓五座
LIU CHONG HING BUILDING
7th FLOOR FLAT '5
593—601 NATHAN ROAD,
KOWLOON, H.K.
TEL: K303831
電報掛號：7191

承印：景星印刷公司
地址：嘉咸街廿九號地下
台灣區業務管理中心：台北重慶南路一段一二九號
電話：二四五七四
台灣區直接訂戶　台灣劃撥戶
第五〇五六號張萬有（自由報會計室）
台灣分社：台北市西寧南路110號二樓
電話：三三〇三四六、台郵劃撥戶九二五二號

本報台灣區業務管理中心啓事

台北市近發現有冒充本報記者會同××人員，三兩成羣，招搖撞騙，拉發行、拉廣告，乃至於藉採訪新聞，向人勒索。本報除報請治安機關請求嚴究外，查本報向採發行本位，從未派人上門拉登廣告，發行亦不勉强，且規定爲閱後收費，更未兼營任何雜誌刊物，敬請各界注意。如發現有假借本報名義做出上項情事，請報因接人索閱民國五十九年下半年度，自由報服務證，一邊電話二四五七四本報台灣區業務管理中心，或就近向警察局派出所報案，敬希　諒察。

婦女對文化之貢獻（下）

・曾寶蓀・

現在覺得很難喻，代表她當時的感情，而且把詩綉出來，結果她的丈夫受了感動，重圓破鏡。還有卓文君的白頭吟，也感動了司馬相如。英國的白朗寧夫人（MRS・BROWNING）是十九世紀的人，她的十四行詩，是很著名的感情詩，很像中國的古詩，溫柔敦厚，不像現有的詩很難懂，講愛情也太露骨。中國古時講感情的詩都很含蓄，例如李白的詩：「美人捲珠簾，深坐顰蛾眉，但見淚痕濕，不知心恨誰」，並沒有什麼尖刻的話，但是一看就知道是怨情的詩。

（5）詞　李清照的詞可以與李太白、李後主相媲美。她有一首詞中說：「莫道不消魂，簾捲西風，人比黃花瘦」。她的丈夫趙明誠也是擅長詞的人，他看了李清照這首詞，就費了三天三夜的工夫，填了十幾首詞，把李清照的這首詞也夾在內，給他的一位朋友看，他的朋友看完以後，就指着李清照的這首詞說，這是最好的一首。可見李清照的詞，壓倒她的丈夫。李清照是南宋人，死於公元一一二七年。

（6）書　晉朝衛夫人，爲李矩妻、王右軍師，時在公元三七一年，她所寫的鐘飛綜，用筆很輕，但是勁力很大，中國字除了通訊達意美觀之外，簡直是一門藝術，王右軍是從衛夫人學書的。

（7）畫　元朝管夫人，爲趙孟頫妻（時在公元十三世紀至十四世紀）。她畫竹很有名，高人雅士畫竹子的很多，因爲竹子清高有氣節，冬天不衰敗，不凋零，所以稱爲「歲寒三友」（松、竹、梅）之一。管夫人對書法也很有貢獻。

（8）音樂　音樂也是文化最重要的一部分，在公元前七世紀春秋時代，百里奚的太太，因百里奚到秦國做了宰相，把她忘記了，於是他的太太作了一首歌，並且用琴彈奏，歌詞爲：「百里奚，五羊皮，憶別時，烹伏雞，炊扊扅，今日富貴忘我爲」。不但感動了她的丈夫百里奚，而且給後世留下一首有意義的歌。漢朝時候的王昭君，爲元帝宮人，公元前三十三年，她到匈奴和番，心裏很難過，在馬上彈琵琶。所以杜工部的詩會說：「千里琵琶作胡語，分明怨恨曲中論」，可以表示她當時的怨恨。還有現在常聽到的「梅花三弄」的曲調，是用琵琶、笛子、簫管等樂器演奏的音樂，我記不清楚那一本書上記載，是明朝一位莊女士所作，假使讀者那位知道，請告訴我，我會十分感謝的。

（9）武功　在武功方面我舉出兩個中國婦女，一是平陽公主，爲唐高宗的女兒，唐太宗的妹妹，約在公元六一八年。當唐高宗起事的時候，她由關中渭河率七萬人出關與秦王（唐太宗）會師，女的率領這麼多兵打仗，歷史上很少見，而且打了很多勝仗，有不少的貢獻。一爲花木蘭，南北朝時代北齊人，時間是公元七世紀，她代父從軍，打仗十二年，木蘭辭有「同行十二年，不知木蘭是女郎」句。在外國婦女中對武功有貢獻的有法國的貞德女士JENNE D・ARC（1412—1431），她十九歲時即號召義勇軍參加軍隊打仗，當時英國幾乎把法國滅掉，她把太子帶到法國奧艮斯地方，十四天之內把英國兵打退，但是被勃艮第人將她出賣給英國軍隊；英軍認爲妖人，把她活活燒死；前幾年法國人尊她爲聖，所以現在稱她爲聖女貞德。

（10）政治、中國在政治上有貢獻的婦女：1・文王妃太姒，在周朝初年（公元前十三世紀）的時候，她用政治手腕感化中原黃河南北的人，使他們能夠有德性。2・武則天，時間是公元七世紀，她具有很高的政治眼光和手腕，有人說武后很殘忍，殺害很多唐朝宗室，私德也不好，但是我們看很多開國皇帝都殺戮太重，女界之中，我們且不深究她個人的私德，祗看在她手裏把唐朝的天下安定下來，而且把契丹打敗，用狄仁傑爲宰相，以致當時的武功文治都很了不起，駱賓王討武氏檄文內有：「一杯之土未乾，六尺之孤何託」，武則天看到這兩句話後說，能用這個人是宰相之過，她說：「這個人才具很高，不能用他，所以他造反」。由此可以知道，她當時很愛惜人才，是一個大政治家，一直做了二十年的女皇帝，沒有遭受人民很大的反對。但是說她不好的人也有，李商穩有一首詩的後兩句說：「武皇內傳分明在，莫道人間總不知。」所以我們可以作爲政治家看她，不能以模範之女性看她。3・西太后（慈禧太后），清朝十九世紀中葉之人，死在一九〇八年，死後三年，中山先生革命成功。她也是品德不好，政治才具很高的人。咸豐死後，英法聯軍攻陷北京，清廷逃難熱河，她能將亂後的局面平定，後來再垂簾聽政，使中國有喘息的餘地，而且很想把中國富强起來。她曾起用曾文正公率湘軍平定洪、楊之亂，清朝的許多大人物，如曾文正公（國藩）、左文襄公（宗棠）、李文忠公（鴻章）、劉坤一、福建沈葆楨、台灣劉銘傳等，都是她起用的，不能不說她沒有政治天才。可惜她貪財好權，加之世界情勢轉變，中國以前是閉關，後來開放，西太后只知痛恨洋人，因此有拳匪之亂，招致八國聯軍之役，從此國勢日衰，終使清朝滅亡，西太后不能不負此責任，因爲是她迷信拳匪的後果。不過那時英國首相泊漠士頓PALMERSTONE（1860年庚申之役時，任英國首相）及莎爾士貝利侯爵MARQUESS SALISBURY（庚子役，任英國首相），都是殖民地主義者，法國也是殖民地主義者，因此，無論甚麼人當政，恐怕都難於挽回中國當時的危機。八國聯軍以後，就是地方軍閥割據，一直到後來靡爛得不可收拾。可是回頭來看，假使沒有外洋勢力入侵及拳匪的擾亂，也許西太后可以安定清朝，光緒帝可能中興中國。

在外國方面，婦女對政治貢獻的有1・伊麗莎白女王，時間是公元十六世紀，她對英國政治有許多貢獻，第一她能用人，第二她能打仗。當時西班牙人的海軍差不多把英國滅掉，她居然可以把國家恢復。第三她高度愛她的國家。有人勸她結婚，她說我已經嫁給英國；就是說她整個的生命都交給國家。2・維多利亞女王，英帝國的成功是在她手裏完成的，她是十九世紀的人，死於一九〇年。3・甘地夫人（她是尼赫魯的女兒），現任印度的首相，她把印度四分五裂的自由黨團結起來，而且使印度在世界上很有聲望；她本人曾担任過聯合國大會的主席，很得各國代表的欽佩。4・以色列的總理梅爾夫人。

（以下轉第四版）

昨日與明日

雷震遠神父的警語

國際馳名名反共鬥士，自由太平洋協會遠東區代表，以及在美國的亞洲演講團之一員的雷震遠神父日前由美經越來台，自由太平洋協會中國分會在本月七日特舉行茶會歡迎，雷神父即席發表演講，分析國際現勢，也談到了美國近情，內容精采，分析深刻，值得我們特別注意。

雷神父指出：美國目前正遭受三大破壞力量的襲擊。它們是：共產黨，無政府主義者和馬鳩斯思想。在美國活動的共產黨有與蘇俄有關的美共，有與中共有關的自由黨與社會主義黨，有與古巴有關的卡斯楚黨，還有四、五千個雖不用共黨名義，而實際被共黨操縱的民間團體。無政府主義否認政府組織與法律秩序，主張以暴力來統制國家。對社會影响力量最大，對青年散佈毒素最深的還是馬鳩斯思想。

馬鳩斯原籍德國，是馬克斯主義信徒，現已七十二歲，在希特勒時代，因主張破壞德國，建立共產政權，被德國政府驅逐出境，逃往美國，先後在美國著名大學如哈佛、哥倫比亞以及加州大學教書，著作有十多種，甚爲流行。馬鳩斯是一個思想陰謀家，發表怪誕學說，投合青年所好。他主張充分發揮人性，爭取極端自由，青年們應該享受完全自由，人生目的就是性愛，不受任何禮俗法律約束；他更鼓勵青年們亂愛、吸毒和服迷幻藥，青年人血氣方剛，易受誘惑，遂趨之若騖，造成社會一種放任，無紀律的風氣，使未來國家的青年們無國家民族思想，也無生活的理想，更無責任觀念，從根本上破壞美國國家的基礎。

雷神父並慨然指出：美國社會內這二種破壞力量，竟不爲美國一般人民所察覺瞭然。他曾與美國一位將軍談過話，那位將軍不知馬鳩斯其人之名也未知他的著作，一般小民當更茫然了。

實際，今天美國亂源，可以說都是共產黨所造成的，各種反戰團體，都是共產黨所組織策劃。這種伎倆在以往中國大陸早已實施過。祇可惜美國朝野對共黨缺乏認識，尤其若干高級民意代表——參議員們，更「權」令智昏，所發荒謬言論，往往爲共黨張目，這眞是時代的一幕悲劇。

・千公・

自由談

狂舉必須禁止

台灣實行大專聯考制，據說是在提高學生素質，創進優良學業，理由冠冕堂皇，事實弊害叢生。

僅憑考試以評定知識份子的才學德行，根本就是不可靠的玄事兒。舊時開科取士的科舉制，應考者只做幾篇文章而已，閱卷的人殊不少，每人負責評閱的試卷有限，然結果許多博學有才之士名落孫山，而拙陋腐儒每告獲儁。今之大專聯考人數動則四五萬名，考試科目若干種，試卷堆集如山，閱卷委員在短促的規定期間內，每人至少要評閱五百到八百本試卷，且在昏暑之中幹此枯燥工作，而各人給分的標準又難一致，若謂眞能做到公平確實，誰其信之？

應試的大專學生依其志趣所在，各塡志願肄業的某校某科系，而主管官署於分發學生時，即令眞正秉公處理，亦無法盡如人意，何況只重形式，不務實際，於是乎，有許多學生乃被分發到他不願意去的學校，學習不感興趣的科目，無形中不知埋沒多少人才，扼煞了多少志士！

實行聯考制的好處安在？搢紳先生難言之，而其弊害則層見迭出，有目共覩，今且釀成官非，告到了監察院，要調試卷勘磨。這在從前的科舉時代，科場發生舞弊情事，那還得了？主考官和襄贊人員，重則殺頭，輕則判監，決無寬假。今之聯考弊竇多端，然主管官員毫無所謂，辦教育的人而沒有羞惡之心，廉恥道喪，便是孟子所說的「無恥之恥」，可哀孰甚哉！

行政機關好作不必要的管制，必然增加民衆疾苦，亦使不肖官吏可以上下其手，乘機作惡。主管教育行政者不致力於改進學制與師資，獎勵并扶助私人興學以消除人民失學之憂，舍本齊末，而斤斤於聯考與統一分發，此乃墨家所謂「狂舉」也，非禁止不可！

馮五先生

五加皮酒採用人工色素 對於人體健康有害
公賣局遲遲不改善 監委已調查完畢提出報告

（本報台北消息）自去年連續發生飲酒中毒事件，甚而私酒充斥，屢致命案，引起社會紛紛議論，台灣省菸酒公賣局出產酒類品質不純難免慢性中毒致人死命，有人指出台灣近年癌病死亡人數駭人聽聞，必與公賣酒類有關。該局既稱專賣而任令私酒充斥，頗受指摘。尤其公賣局之雙鹿五加皮色素太濃令人懷疑是否有害身體。該局發表聲明自稱五加皮及太白酒所用色素原料製造過程，均極慎重，並無嚴重影響人民身體情形。太白酒且因市場銷路問題現已自動停止製造銷售。

監察委員陳翰珍等四委員提案，雙鹿五加皮及太白酒有害人體健康案。及葉時修委員所提，最近不時發生私酒毒死人命事件，公賣局應負責任案。以上兩案經院會指派委員孫式菴從事併案調查。

孫式菴頃已調查完畢，乃敦促公賣局，應將雙鹿五加皮使用之人造色素，改採天然色素，以免對人體發生不適宜現象。孫委員在調查報告中指出：公賣局嘉義酒廠過去生產雙鹿五加皮酒，所用紅色二號及黃色四號色素，雖為我國法令許可[illegible]，比較安全，但人造色素，係工業著色原料，用於飲食業不甚適宜。該廠廠長周新春，建議公賣局採用天然色素，用意良善，該廠已研製完成不用人造色素之雙鹿五加皮酒，其所用色素係中藥枝子中擷取天然色素以代替人造色素，所製成之酒，除顏色稍淡，掛杯程度較低外，其所用藥材，一概照原配方不變。飲用該酒絕無不良反應與顧慮，研製成品，已送公賣局多時，但公賣局以雙鹿五加皮頗受各方歡迎，若遽予變更，恐市場銷路大受影響，故遲遲未予採納。人造色素對於人體既不適宜，公賣局自應速謀改進，不應因市場銷路問題，不加考慮，殊有不妥。再查公賣局所用之高級酒瓶，每瓶單價約新台幣一元四、五角。若將空瓶收回利用，每瓶僅需三、四角，如此既可節省成本，增加國庫收入，並可免流市面，為製造私酒者所利用，一舉兩得，公賣局宜速採納施行。

對於緝獲之私烟、私酒，孫委員也建議公賣局應慎重處置，於焚燬後，應徹底清理其現場，以免流於社會，造成嚴重後果。

公賣局是省府財政廳管轄，該局只知賺錢而不顧民命，實有違人道，各級主管視而不見，聽而不聞，更是令人費解！嘉義酒廠擬將人造色素改用天然色素，符合保護國民健康原則，所上請求，該局竟以恐將影響銷路而擱置，是證該局自承信譽破產，不敢稍作更張，否則國民又必懷疑其另出花樣，降低成本，增其利潤。聽說該局又要禁止用洋烟酒，該局何不檢討，洋烟酒品質好，售價而受歡迎。各地私菸酒雖然到處有售，公賣局緝私不力，卻又因緝私發生擾民事實，公賣局是虛有其名，賣而不專耶？賣而不公耶？真可慨矣！（鑑如）

政府處理于案 誠然寬大極了
立委黃哲真撰專文抒感

（本報台北消息）立法委員黃哲真對旅菲華僑于長城、于長庚在其經營之「華僑商報」及「華僑週刊」，刊載為匪宣傳之文字，經菲律賓政府於本年五月間解送我國由警備總部軍法處依法審判，判處于長庚交付感化二年，于長城交付感化三年，「認為政府之處理誠然寬大極了。」

這位旅菲華僑原籍福建省的立法委員撰寫「「以啟自新」定于案」一文，在他發行之「中外文摘」第五卷第三期發表。黃委員是中華民國國會議員批評于案之第一人。下面是他對于案的「感想」：

「對於本案，我們認為政府之處理誠然寬大極了。

「庭訊時，審判長曾詢于長庚：「你是華僑商報總編輯，對新聞稿有取捨權，刊登對匪有利的新聞，那不是顯示你贊同或相信那一則新聞所敘述的？」他答稱：「菲律賓一向以具有世界最寬的新聞尺度而自豪，菲國的報紙幾乎什麼消息都刊登。他在華僑商報處理新聞時，是依新聞價值的大小來衡量，而不考慮政治色彩問題，也不考慮消息登出來後對那一方有利。但過去華僑商報雖然刊登了很多對匪有利的消息，而旅菲華僑迄今幾乎沒有一個依照中國人落葉歸根的傳統回到大陸家鄉；相反的，都是千方百計的把留在大陸的親屬接出來。同時，和東南亞其他國家的華僑比較，旅菲華僑人數最少，每年響應自由祖國的各項捐獻卻最為熱烈，足見華僑商報過去登載的那些消息，對僑胞並沒有發生不良影響，這一是實希望審判長能注意到。」

黃委員抨擊于長庚的辯詞「是遁詞，我們應該知道犯意重於罪行，為什麼身為高級智識之于氏者，他不是小孩，又非文盲，會對新聞取材一點沒有主張呢？應知自由有尺度，新聞報導有規範，那能黑、黑並陳，是非顛倒，為目的不擇手段而來爭取讀者，以利其報刊之發展，一出一入，榮辱立見，成敗隨之，于氏兄弟如非別有用心者，又何愚至於此？像中央通訊社稿就因為他們為匪宣傳而停止供應。蓋一依現代新聞界的傳統與慣例，新聞通訊社的訂戶必須忠實地利用通訊社的新聞稿，在任何情況之下，不得對此種新聞稿的事實、內容和意旨，作形式或實質的變更，或作任何妨害該通訊社的新聞稿時，違反了這項傳統和慣例，因此，中央通訊社不得不於民國五十八年八月一日合約滿期後，終止與該報的合約。」這是新聞界應有的自律，但于氏兄弟都濫用了新聞自由的口號，來達到其煽惑羣衆之目的。

黃氏為此舉證：「這，並不是我們瞎說，于長城在法庭上自承菲國將外僑遣送出境有兩種情形，一是犯了法被判刑一年以上，刑滿後遣配出境；一是有了嫌疑，列為不受歡迎的人物。他是屬於後者，只有嫌疑而沒有定罪。而這次之被遣送回來的理由是在商報刊登對匪有利的消息，刊載學生反（菲）政府的消息及洩漏有關[illegible]報。

「就政治立場來說，則當茲世變方殷，而我國家處境非常之際，對於共匪滲透顛復，分化煽惑之陰謀，必須加以有效的遏制。純自新聞報導的觀點分析于氏兄弟的行為，或可謂其無

判決感化不是刑罰 已是輕無可輕
情理法三者均兼顧

叛亂的故意，但台菲一海之隔，而旅菲衆多之僑胞，其對祖國的效忠，及其所能提供的力量，實亦為我復國建國成敗之所繫。于氏兄弟既經常以其報紙的顯著報位，「百分之百為匪宣傳」，倘不依法稍予制裁，又何能勵忠貞，鼓士氣，來為自由民主的聖戰而奮鬥。

「政府當局處理本案，一方面維護法律與制度的尊嚴，一方面又能量情度理而從輕處斷。此種情、理、法兼顧的措施，我們自亦深所瞭解。顯然，政府的處分是公正而寬大的。……雖然國際新聞協會之一觀察員會說他對整個事件的歷程，從其初在馬尼拉的逮捕遣配，到最終判刑為止，都會感到驚惶。豈其實則這是錯覺。有如美國尼克森總統所謂：「新聞媒介往往有染的趨勢，使「犯罪活動的人物成英雄」之用意？國際新聞協會中國分會會長王惕吾說過：他對中華民國維護新聞自由，尊重人權，深具信心。

「于姓兄弟案是涉嫌觸犯中華民國反共戡亂時期維護國家安全與民主憲政制度的法律。中華民國目前與共黨叛亂從事戰場上的生死存亡鬥爭，與一般國家對共黨僅作思想與理論爭辯之處境不同，因此對共黨活動嫌疑的法律偵審，屬于軍法範圍，中華民國政府對於于姓兄弟案的處理，即係基於此一特殊環境與要求。但既採取公開審判方式，自與一般司法審判相同；而且其所涉嫌的事實，在法律適用條文方面，司法與軍法審判亦無懸殊。這些話，當可予以說明，茲不多贅。我們認為政府之對于氏兄弟之判決，是感化不是刑罰，這已輕無可輕，免無可免了。似此寬大惘恕，無外乎是依循蔣總統「不是敵人，便是同志」之昭示而為處分。所以于氏兄弟應該知所醒悟，海外同胞應該有所體會，國際人士更當明其所以，不復喋喋了。」

喬治桑外傳　一七六
張大夏

喬治桑說完遞了一支香烟給裘白瓊，並用打火機替他點燃了火。

裘白瓊吸了一口烟，表情很輕鬆，微微昂着頭問道，「是不是準備買下你現在住的房子？」

「是的，我因為和房東不熟，想託你代我接頭一下。你看我現在住的房子能值多少錢？」

「你現在住宅是日式洋房，房子本身不值什麼錢，地皮倒是蠻貴的。」裘白瓊對台北市房地產的行情很熟悉。

「我只知道我的房東是姓黃的一位太太，却不認識她。」喬治桑向裘白瓊提供資料。

「我認識她」，她是本省一位有錢的寡婦，有好幾幢房子，你住的那一幢，不知道她想不想賣，如果她想賣，倒不會亂開價錢。」

「那就麻煩你去接洽一下，假使在四十萬左右，我願意買。」

「好的，三天內可以有回音。假使黃太太不想賣，或價錢不合適怎麼辦？」

「一客不煩二主，還是請你代找一幢合適的房子。」

談話到此，已有結論。裘白瓊看了一下腕錶，說：「我十一點鐘還有約會，中午要不要一起吃飯？」

「我請你吃午飯，但寡酒不歡，光是我們兩個人吃飯沒有意思。」

「找留蘭香糖出來好不好？」

「留蘭香糖？她的電話聽筒牌氣我實在不敢領教。」喬治桑說了一句海派術語。「電話聽筒」有十三個孔，亦即十三點之意。

「你對白妮的印象如何？」裘白瓊的記性很好，由留蘭香糖立刻連想到白妮。

「我想這樣好了，你十一點鐘有約會，吃午飯不必碰頭了，我請你吃晚飯，兩位陪客由你代約。」喬治桑有午睡的習慣，所以腦筋一轉建議改為晚間。

「我懂得你所說的「陪客」，這樣好了，我的白妮，請她代約一個姊妹淘，大概不會差。晚飯在那裏吃？」

「小南園好不好？現在天氣熱，準七點鐘在小南園碰頭，先到先等。」

「小南園」是台北的一家江浙館子，開了很多年，生意一直不錯。最有名的菜是搶蝦，也就是所謂「滿枱飛」的活蝦生吃。

「好，就這樣約定，我先走一步。」裘白瓊說完，站起來向喬治桑告別。他們是老友，不必為了區區一點咖啡帳而搶着會鈔。

裘白瓊走了以後，喬治桑覺得有點倦意，便索性靠在沙發上閉目養神。打了一會盹，差不多十二點左右，喬治桑懶得再到別處去，叫了一客咖喱雞飯，算是午餐。午餐後又單獨去看了一場電影。將上午時間消磨過去。

從電影院出來，好一個熾熱的艷陽天，太陽像火般烤人。喬治桑是紳士派頭，西裝畢挺，並打了領帶，越發覺得熱的難受。他想來想去，還是先回家，他的家裏裝有冷氣。

台北傳奇錄（七二）
陳光棣

黑漢子告訴馬寡婦：「把東西交給老大！」瘦子從馬寡婦手裏接過紙袋，急急忙忙的打開，用指甲劃了一些白色粉末倒在錫箔上，並在粉末上倒了幾滴藥水，馬上就變成深紅色。瘦子倒抽了一口冷氣：「好貨色！拿出天平來秤秤看！給這位女太太搬個凳子！」黑漢子送給馬寡婦一支圓凳子。

「老大，這一下子咱們可發筆橫財」！一個羅圈腿的人說。

「呸！你昏了頭」！瘦子瞪着眼。

「老大！到了手上的東西，還能不要嗎？」黑漢子腦筋簡單。

「黑狗子，你這可是給我們老闆惹亂子，你當時也不想想，王阿尾是幹什麼的？」瘦子指着黑漢子說：「媽特皮，你是活的不耐煩啦」！

「他們沒有看到我」！黑漢子辯白。

「人家都是傻子？在這一帶幹這宗買賣的，除了王阿尾，就是我們這裏，將來「影計」（警察）一調查，就會找到我們頭上，就是王阿尾也不會善罷干休」！瘦子說着從口袋裏掏出一捲鈔票！「拿着這個，先到南部去避避風！不叫你不許回來」！

黑漢子接過鈔票，點點頭不情願的走掉了。

「老五！」瘦子對羅圈腿說：「你和麻子在這裏頂一下子，我去告訴老闆」。

「這個地方是不是收攤子」？麻子挽了挽袖子。

「等我回來」！瘦子吩咐着：「生意照作，這個小娘兒們也在這兒歇歇腿，別讓她溜掉」。

「是啦！」羅圈腿和麻子答應着。瘦子把紙袋揣在杯裏，又在地上檢了一根腳踏車的鍊條纏在腰上，才登上拖板鞋閃出房間。

房裏留下的三個人繼續完紙牌，只要一聽到有腳步聲，三個人就馬上直起了耳朵。馬寡婦筆管朝直的坐在圓凳子上，感到腰酸背痛，手腳發麻，她一轉身坐在水泥地上，這時她才看清楚，滿地的香烟頭，沾着血跡的破紙和爛棉花，從電線裏抽出來的銅絲，大概是通針頭用的，還有細胳臂的褲腰帶，另外是幾本被香烟燒了洞的連環圖畫，滿房間是烟、酒和一些骨頭燒焦了的味道，馬寡婦又惡心又心驚膽戰，可是又想不出脫身的辦法。

房門上輕輕的敲了三下，停了幾秒鐘又敲了四下，羅圈腿站起來開了一條門縫，便擠進一個乾瘦的人影來，在慘淡的燈光下，好像是一副幽靈，這人慢吞吞的把幾張鈔票交給麻子，換到了一小包毒品，飄忽忽的坐在馬寡婦旁邊，從爛棉花堆裏找出一只燒焦了的瓶蓋，閉着氣把海洛因倒在瓶蓋裏，隨手拿起一隻破碗，把破碗裏面已經被鮮血染紅的水倒在瓶蓋裏，劃了兩根火柴在瓶蓋下面燒烤，毒品一下子就溶化了。

琴曲七首考略(七)

唐健垣

健垣按:本文爲古琴曲譜七首的考畧,本人學疏才淺,錯誤必多,甚望博雅正之,以期盡善。又本人所藏多爲明朝琴書,而於清朝者,手頭反極缺乏,故本篇所論,每詳於明而畧於清,惟有待日後補充而已。本文原刊於中央日報副刊,茲又有新材料待補正者,乃承張起鈞師之囑,加以增訂交自由報發表,以供同好之參考焉。

梅花三弄

現存的明朝琴譜收有梅花三弄的最早是朱權的「臞仙神奇秘譜」(有洪熙元年公元一四二五年序,國立中央圖書館藏一本,三卷三冊,該館善本書目說是明初刊本,實在是嘉靖間翻刻本,萬曆間亦曾翻刻。)臞仙(朱權)解題云:「按琴傳曰:『是曲也,昔桓伊與王子猷聞其名而未識,一日遇諸途,傾蓋下車共論。子猷曰:「聞君善於笛。」桓伊出笛作梅花三弄之調,後人以琴爲三弄焉』」。此事見於世說新語,及晉書卷八一桓伊傳(附於桓宣傳後)。然則梅花三弄本是笛曲,而改成琴曲。王子猷即王徽之,是晉王羲之的第五子。性不羈而才高,亦能彈琴,徽之弟名獻之,字子敬,獻之亦善琴。獻之既死,徽之奔喪不哭,直上靈床取獻之生前所用琴而彈,絃音不調,徽之嘆曰:「嗚呼,子敬,人琴俱忘!」事見世說新語傷逝篇及晉書卷八十,故宮博物院副院長譚旦冏先生告訴我,院中藏有一琴,龍池內有王徽之之名字,不知是否眞正王徽之之物,抑是僞造云云。

奇神秘譜上卷的十五曲(朱氏序說十六曲,誤),朱氏名之爲「太古神品」說是「太古之操,昔人不傳之秘」故朱氏不加句點,中下卷的琴曲名爲「霞外神品」,是朱權所學到的,故各曲都加句點。我當把其梅花三弄試彈,發現其指法、旋律、過門(琴家稱爲過脈或過聲)。句點和我們近日所彈的梅花三弄,大同小異。當然分段,次序,每段的小標題及指法等,免不了有些少不同,却總可以聽得出其大概。

自後明朝琴譜收入梅花三弄極多,就我手頭所有琴譜統計之,詳列如後:

(一)明朝朱權臞仙神奇秘譜,中卷,列爲霞外神品,十段宮調,有題,無歌。原註云:「又名梅花引、玉妃引。」唐按:宮調當稱爲正調。

(二)明黃龍山的新發明琴譜,卷下十段。無題,無歌。說明云:「顏師古作曲,桓伊有三弄之調」。唐按:顏師古是唐朝人,據說顏氏把桓伊的笛曲改編成琴曲的梅花三弄。

(三)明朱厚爝的風宣玄品卷二。十段,宮調,有題,無歌。

(四)明黃獻的梧岡琴譜(有嘉靖二十五年公元一五四六年陳經序)卷上。十段,宮調,有題無歌,此書目錄作「梅花一」,書中名爲「梅花引」,原註「亦名梅花三弄」。

(五)明楊森的琴譜正傳卷一。十二段,宮意,有題,無歌,名爲「梅花三弄」。此書同卷又另收一曲「梅花引」,原註「亦名梅花三弄」,有題無歌,二曲差不多,大約該書編者得到不同的曲本,而二者畧有不同,故兩曲兼收。

(六)明汪芝西麓堂琴統卷六。十段,宮調,有題,無歌,原註云:「桓伊慕王子猷笛,遇諸塗,因請吹之,爲據床三弄而去,此其遺也,又名玉妃引」。此說有誤,當是王子猷慕桓伊之笛,事見上文。

(七)杏莊太音補遺卷一。十段,宮意,有題,無歌。解題:「桓伊善吹笛,作梅花三弄,後人因其聲遂入琴。其中一名梅花引,一名玉妃引。」

(八)龍湖琴譜,十段(該書目錄云「九段」,誤),宮調,有題,有歌,目錄名爲「梅花」,書中名爲「梅花三弄」,原註云:「按是曲一名梅花引,芳占陽春,香凝白雪,鼓之令人氣味淸奇節操雅淡。」

(九)明楊表正新刊正文對音捷要琴譜眞傳。十段,宮意,有題,有詞,原註云又名玉妃引。

(十)淸初程允基誠一堂琴譜有梅花三弄,手頭無此書。

(十一)淸中葉春草堂琴譜卷三,十段,中呂均(即正調),無題,無歌。(手頭無刻本,(據中央圖書館抄本)。

(十二)淸秦維瀚蕉庵琴譜(光緒三年,公元一八七七年刊本)亦有梅三花弄。手頭無此書。

(十三)民初楊時百琴鏡卷二,十段,宮調(即正調),無題,無歌,加了二尺譜,板眼及「唱絃數」。是琴簫合譜。

(十四)古琴譜初階轉載了春草堂琴譜的梅花三弄,畧加改動,十段,正調。(未完)

語慧

語言

文輯

語言的作用有兩種:一是傳達感情,一是提供消息。

人類的語言乃是自然的產物,祇有文字才是人工的東西。

笑話

任何一件事情,祇要不遭遇到自己身上,總是好笑又好玩的。

祇有最聰明的人,才有能力在剛要發笑的時候,忽然覺得這件事情不應該笑。

說曹操(十四)

李漁叔

孔融與禰衡

從「堯不千鍾」,「孔不百觚」以下,越說越不像話了,可以說是詼諧,也可以說是極嬉笑怒罵之能事,以曹孟德的個性,是絕對受不了的。

續漢志載曹操要殺太尉楊彪,孔融前往當面爭論,說是:「孔融魯國男子,明日便當 衣而去。」這多少帶一點威脅性質,楊彪雖因此獲免,曹的心中老大不痛快可知。而孔融特上章奏,力薦禰衡,誰知禰衡又是一個狎侮曹操的人,益發成了不可解的死結。

范蔚宗撰的孔融傳,是站在他這一面說話的,傳末稱:

「融聞人之善,若出諸己,言有可採,必演而成之,面告其短,而退稱所長,薦達賢士,多所獎進,知而未言,以爲己過,故海內英俊,皆信服之。曹操既積嫌忌,而郗慮復搆成其罪,遂令丞相軍謀祭酒路粹枉狀奏融……」

這時孔融已有大名於天下,後進英俊,無不傾心歸之,一有機會,引動他處兵馬,連結漢室舊臣,隨時可予曹氏政權以重大的打擊。還有,就是留這樣一個人在朝,即令削掉他的實權,給以閒職,也得提防他遇事掣肘,所以必定要除掉他,方才放心。

路粹這人,係淸一色的曹黨,也頗有才華。曲畧說是:「融誅之後,人覩粹所作,無不嘉其才而忌其筆。」那篇枉狀,極盡誣罔,其文爲:

「少府孔融,昔在北海,見王室不靜,而招合徒衆,欲規不軌,云:『我大聖之後,而見滅於宋,有天下者,何必卯金刀。』(指漢朝劉姓,劉字拆開爲卯金刀,意謂天下何必一定要歸劉氏。)及與孫權使語,謗訕朝廷。又融爲九列,不遵朝議,禿巾微行,唐突宮掖。又前與白衣禰衡,跌蕩放言,云:『父之於子,當有何親,論其本意,實爲情欲發耳。子之於母,亦復奚爲,譬於寄物瓶中,出則離矣。』既而與衡更相贊揚,衡謂融曰:『仲尼不死。』融答曰:『顏回復生。』大逆不道,宜極重誅。」

(未完)

安徽十三傑

管仲　李聃　莊周　曹操　華佗　包拯　朱熹　朱元璋　戚繼光　李鴻章　段祺瑞　胡適　楊振寧

談清末民初的申報

・文匯樓主・

上海申報,國人皆呼之老申報,申報創刊於淸同治十年,創辦人爲英國旅滬僑民安納斯,資本只一千六百兩銀子,係一八七二年四月三十日出版,用油光杭連紙印刷。光緒二十三年,安納斯回國,轉讓於福開森接辦,代價爲七萬元,宣統元年再轉手於席子佩,開始用鉛字印刷。

一般人的腦子裏,誤以爲申報在上海資格最老,其實最老的報紙不是申報,上海第一張報是「上海每日時報」,創刊於咸豐十一年八月十一日(一八六一年),第二張報是「上海新報」,創刊於咸豐十一年十一月。第三張報是英文晚報,報名「黃昏」,創刊於同治六年九月四日。故申報在上海排行祇能居第四位。

民國元年,江蘇溧陽史量才,本爲一位五斗米折腰的朋友,得到財政界張侘彬支持,助史量才盤下申報館,館址在後馬路一條巷子內,營業部、編輯部、印刷廠都擠在一齊,申報的經濟情況,不十分好,當時的新聞報係皖人汪漢溪所主持,爲上海第一家用捲筒機器印報者。申報經史量才勵精圖治,事必躬親,聘陳冷血爲總主筆,王堯卿爲總經理,王純振編自由談副刊,由於人才濟濟,銷數很快,與新聞報打平手,對政壇的影響力,幾乎超過新聞報,爲社會所公認。

在淸朝末葉及民國初年,常在申報投稿的作者有楊乃武(小白菜案的主角)天南遯叟、李伯元、我佛山人、王韜、天虛我生(即今之台灣陳定山令尊)、畢倚虹等,這幾家大報館館址都設在望平街附近,使望平街很快成爲上海文化與論中心,其中有一家晶報三日小型刊物,由余大雄所主持,文人論政,嬌小精悍,發行數緊追在幾家大報之後,爲上海本地人最歡迎的讀物,汪漢溪、史量才都想兼併這張小型報未果。嚴獨鶴(梓材)對晶報的評語是:「報小作家大,人窮骨頭硬」可謂入木三分。與楊乃武常貼的春聯:「禍水當飯吃,險潮代枕頭」有異曲同工之妙。上海申報,新聞報自毛共竊據大陸後,發行權與財產全被沒收,百年歷史的事業,毀於暴政之下,可謂慘矣。

文滙樓別記

諸葛亮狂想曲(一五五)

劉亦

諸葛亮比劃一下手勢,說:「請用一點飲料。」

「找她有什麼事。」劉約翰口中的她,自然指的是金玉枝了。

「何仙姑是蟠桃大會節目部主任,她想請尊夫人參加王母娘娘御前表演。」諸葛亮說話簡單明瞭,向不嚕囌,所以能做丞相。

「妳的意見怎樣?」劉約翰反問金玉枝。

「王母娘娘要看我表演,我只好獻醜。但不知要我表演什麼?」

「要她表演什麼?」劉約翰又回過來問諸葛亮。

「水中芭蕾舞。聽說爲了這一節目的演出,還特地定製了一個很大的玻璃缸。」諸葛亮說完喝了一口咖啡。

「水中芭蕾?妳會不會?」劉約翰受過西化教育,他當然懂得芭蕾。

「怎麼不會,很簡單嘛。」金玉枝精通百藝,跳跳水中芭蕾,又有何難。

「何仙姑說過,假使有必要,可以參加事先排演。」諸葛亮這句話是向金玉枝說的,當然是要徵求她的意見。

「我知道水上芭蕾,表演者都是穿比基尼泳裝上場,我穿的是古裝,用蛟綃織成,能夠入水不濕。我相信表演一定可以成功。」金玉枝表示對表演有信心。

「這樣就好了,何仙姑一兩天來聽回音,我可以有個交待了。」諸葛亮知道何仙姑難纏,何況此事又夾雜王母娘娘的成份在內,能有圓滿答復最好。

劉約翰站起來,向諸葛亮說:「我們想到太白星君那裏去一趟。」

「這是應該的,沒有什麼了,你們去罷。」諸葛亮站起來準備送客。往常劉約翰來諸葛亮向不送客,這是對金玉枝的禮貌。

琴棠到底是個大男孩,看到如花似玉的金玉枝,他都在外邊,現在他賴在房間裏不肯出去,顯然爲了要飽餐秀色。

「劉……妳可以穿衣服在水中表演嗎?」諸葛亮本來想稱呼金玉枝爲劉夫人或劉太太,轉而一想這種稱呼不大妥當,要叫她金小姐罷,人家明明尚在新婚燕爾,所以乾脆什麼都不稱呼了。

「是的,諸葛先生。我有好幾襲用蛟綃織成的宮裝,入水不濕,且能浮沉自如。」金玉枝儀態嫺雅,聲如銀鈴,比現代一般時髦妞兒,講起話來粗聲嗄氣地,高明多了。

諸葛亮聽了,不住點頭,金玉枝接着又說:「我想在王母娘娘御前演出,穿了比基尼三點式泳裝,恐怕不好,所以我預備穿宮裝,跳水中芭蕾,以博娘娘一粲。」

(未完)

巨變歷險記

急行軍（一五八）

胡慶蓉

在江城共停留了兩小時，部隊就又上路了。江城這個大鎮子對我部隊來說非常充滿了誘惑力，特別是他的商品食品。在長期匱乏之後，忽然看見了有這麼好的補充機會，誰都望望而不願離去，何況戰鬥了一天，人都疲倦到異常，更需要休息。趕緊搜購必須的東西，當買到需要的東西，每個人是如何的高興啊？但從周圍的氣氛看，到處還是充滿着敵意。戰敗的土共會不會捲土重來？假如真的來了，陷身在盆地中，背山面水，那里是安全之地！豈不是自己成了甕中鱉，死路一條。丁博士李團長到周圍巡視了以後，都認為不可停留，並認為應該快快的離開。一聲令下，弟兄們又在走了。此次的行軍是急行軍，深感於當前的威脅，為要快快的脫離危險地帶，才採用急行軍。急者，緊急也；急行軍者，軍快快的走也。雖然是疲憊之師，雖然是步履唯艱，仍不能不像李陵答蘇武書上所說的掙扎奮鬥。雖然沒有斬將過關，但還是要以斬將過關的精神向前猛進。首先嚮導即帶路的發生問題。我從前說過，帶路的在山中行軍萬分的重要。對每一個帶路的都要鄭重的嚴厲的警告：不准帶錯，不能帶錯，否則就地正法，就地砍他的頭。人因為怕砍頭，故都乖乖的在前邊帶，部隊普通派兩個人夾着恐防他跑。担任這個差使的要身體強健，責任感重。李團長特別選擇了張復生與吳尚銘。復生不但他本人壯，他還有條了不起的大狗。這狗比一個人還能幹事，他緊貼着帶路的走，若是路帶錯了，用不着槍斃，他就會把帶路的咬死，給他個「五馬分屍」，「刀謝八塊」。江城的帶路的發生問題，倒不是帶起來發生問題，而是根本沒有人願意帶。在這種情況之下，那就只有拉夫之一途了。但拉到了，還有不願意去的。為爭取時間，只有實行強迫的一途了，那就是打，那就是奏（手旁，以下同）。這人也怪，打他也不帶，奏他也不帶。但必竟還是有屈服於強權之下的。聽見鬼哭神號，丁博士也只有流淚。這已經是快天黑的時候了。今晚要走到那里，現在還不知道。丁博士除了腳痛而外，還有個更大的痛，那就是臀部生了些瘡，都快鼓濃了，濃着痛。走起來，褲子磨着痛。於是一隻手——右手擋在褲子裏，巴掌擋着褲子與瘡起磨擦，擋着他們倆衝突。雖然有衛生連跟着，連包紮的布也沒有了，更遑論藥膏等類。宋朝徽欽二帝被俘北狩行磨受的罪，丁博士今日恐怕殆尤過之。但是走……走走……並且終於走到了賈寨。到這里，江城的威脅已經解除。這里是一個農村，給丁博士找了一個安身之所！一堆雜草舖在地上。他就躺在上邊，全身到處是痛，他一躺下去，就不能動了。真不知道明天還能不能走？能有草臥，能在屋子裏，不露宿，他已經感到萬分慶幸了。

婦女對文化之貢獻

（上接第一版）一九六七年以色列對阿聯的六日戰爭，把阿聯打得大敗，而且是以寡擊衆，以小敵大，以弱抵強，戰勝後她被舉為首相，來穩定以色列的內閣，並主持戰略，因為她是一個偉大的政治家。5．還有一位具有更遠眼光的政治家南丁格爾FLORENCE NIGHTINGALE，她是一個護士，是英國人，當時英國與土耳其打仗，後來印度因反英和英兵打仗，她被派作看護，慢慢的使受傷的人得到安慰，並使他們恢復健康，提高士氣，因而穩定了大英帝國。她具有世界眼光及不分敵我一律救護的抱負，紅十字會就是她所創立的，護士的職業，也由她提高為高尚的職業。男女應該平等平權，分工合作，同工同酬，婦女的對國家和世界的努力貢獻，應當可以和男子平行平等。我記國民大會在南京選舉主席團的時候，有人主張婦女應當有保障名額和國大代表中男女人數的比例一樣佔十分之一，當時沈慧蓮女士（馬超俊先生夫人）、張希文女士（國語實小校長）和我三個人反對，我們主張應當和男的一樣，大家平等競選，後來選舉結果，我們三個人都當選了主席團，並不是保障名額，而是大家平等競選得來的，可見男女在學問、道德、才幹、及思想上都可以相等的，為什麼要保障名額呢？東海大學曾有一次提到給女學生保留名額，當時我是校董之一，因此我說，讓一個壞的女學生擠掉一個好的男學生，實在不應該這樣。董事會同意我的意見，後來女生數目並不太少。中國古時重女權的，由易經上的兩個卦可以證明，天地（☰☷）為否卦，地天（☷☰）為泰卦，☵☲水火既濟，☲☵火水未濟，都是尊重女性的意思。詩經第一篇：「關關雎鳩，在河之洲，窈窕淑女，君子好逑」，也是尊重女性。最初蒼頡造字，也很尊重女性，譬如「安」字，「女」的坐在當中就是平安。還有「好」字，男女並肩就是好，但是寫「好」字的時候，是先「女」字，後「子」字。人類不求安，不求好便罷了，如要求安求好，便非男女平等平權，互助合作不可。現在最後一句話：「敬祝各位既安且好」，由家齊而國治，更進而天下平。而這一切之中，女性的地位，具有樞機性的重要。（完）

命相與夢話

彭玉麟氣象巍峨

·漢年·

彭玉麟字雪琴，亦為曾、胡、左三公之同鄉，湖南衡陽人，生於安徽合肥縣梁園巡檢司署。清道光辛卯，年十六歲，投效協標充任書識。衡陽知府高人鑑善相士，見玉麟大奇之，使入署讀書，同年縣試第三名，竟不入學。至癸巳年十八，始入諸生籍。道光庚戌，年三十五，從協標大軍，擒李沅發於金峯嶺，朝廷誤以為武生，補外委，玉麟辭歸。

咸豐癸丑，年三十八，洪楊太平軍起，曾國藩治水師於衡、湘，常儀安肅於國藩，彭玉麟遂與楊載福分統之。轉戰長江各省，捷於湘潭，克復武漢，破田鎮，拔湖口，奪小姑，復彭澤，連克九江、安慶、蕪湖、江寧，厥功甚偉。定長江水師之制，每年巡閱長江，官至兵部尚書。光緒庚寅三月乙亥卒，年七十五，謚「剛直」，性剛介絕俗，善為詩，下筆立就，尤善畫梅，流傳極廣。

彭玉麟之造：清仁宗嘉慶二十一年十二月十四日丑時生。清德宗光緒十六年三月初六？時卒。

八字為：丙子、辛丑、戊子、癸子。

劉誠意伯「滴天髓」注云：「凡戊癸得丙丁透的，不論衰旺秋冬，益能化火，最為眞也」。

漢年按：彭剛直的造，日幹戊，時幹癸，五相連合；而年幹又得丙子，命宮又逢庚寅，其為化火格眞，無可疑義。經云：「化之眞者，名公巨卿」。即此一端，足證剛直之造不同凡響。其實尚不止此，月幹逢辛，與年合丙，年日二枝的子，月時二枝的丑，又復互合。「三命通會」說是「鴛鴦德合」，或「天地德合」，極稱其格局的優美，迥異尋常。何況將星貴人雙並列，氣象嶽峨，襟懷磊落，更屬顯然。家天罡云：將星文武兩相宜，祿是權高足可知，不作宰臣清要職，使居帥府擁旌旗。以上數語可為剛直公的寫照。

可惜二子二丑，益值孤虛，因此妻喪子卒，雖屢立軍功，貴至尚書，而文場戰勝，僅獲一矜，程子云：「命之理微」。漢年證以剛直公造，認為彰彰明甚。

觀其十八歲卯運癸巳，小試入學。三十五歲乙運庚戌，剛直從大軍討李源發，拔補臨武營外委，固知卯乙癸庚，同為化火的喜神。及至三十八歲交入巳運，曾國藩統率湘軍水師，屢戰屢勝，是以名聞天下。接着行丙午丁未戊申等運，有為正五行的火者，有為空亡逢衝則實者，有為文昌會有情者，故能規復金陵，歷建奇功，由縣府而道臬，由提督而尚書。雖曰人事，謂非命運使然者。或云七十五歲已運遽歸道山何也？答曰：已能化火無光，小限丙子，助紂為虐，雖歲值庚寅，亦無如此何。因小人道長，君子道消，理勢所然了。

黛眉小傳

王幻

班婕（女旁）好

漢代女文學家被奉列為聖賢者有二人，一是班婕妤，一是班昭。班昭因著有「女誡」，提倡所謂「三從」之道和「四德」之義，尊為女中之聖；而班婕妤被選入宮廷，得沾皇帝雨露，不恃嬌邀寵，不嫉妒，處處表現退讓的美德，稱為女中之賢。為了時代的先後，首先述寫班婕妤。

班婕妤的名字已失傳，婕妤是當時嬪妃的位名。她的父親班況，官拜左曹越騎校尉。成帝位即位之初，被選入後宮，始為少使（烈女傳作小使），俄而大幸，遂為婕妤。成帝游於後宮，曾欲與她同輦，她辭道：「觀古代圖畫，賢聖的皇帝，都有名臣在旁，只有三代的末主，才親近女嬖。現在要妾同車，豈不和他們一樣嗎？」成帝贊成她的話，遂止。太后聞知，喜而贊美道：「古有樊姬，今有班婕妤。」

她每讀詩，讀到「關睢」、「巢」、「葛覃（草頭）」一類的詩篇，必再三復誦；每進見上疏，皆依古禮。自鴻嘉之後，成帝溺於女寵，趙飛燕姊妹狐媚惑主，她和許皇后都稀復進見。鴻嘉三年（公元前十八年），飛燕姊妹訴她同許皇后挾邪詛咒；乃廢許皇后，考問班婕妤。她對道：「妾聞死生有命，富貴在天，修正尚未蒙福，為邪欲以何望？而且假使鬼神有知，不會接受不臣的請求；如其無知，那麼訴之何益？……」成帝以為然，乃憐而赦之，並賜黃金百斤，以慰她的怨屈。

永始元年六月，立趙飛燕為皇后，其時趙氏一門聲勢威赫，飛燕很嫉視她，她恐日久見危，乃請求供養皇太后於長信宮。她退處東宮，作賦自傷。賦中前半段云：

承祖考之遺德兮，何性命之淑靈？登薄軀於宮闕兮，充下陳為後庭。蒙聖皇之渥惠兮，當日月之盛明。揚光烈之翕赫兮，奉隆寵於「增成」。既過幸於非位兮，竊庶幾乎嘉時。每寤寐而參息兮，申佩離以自思。陳女圖以鏡監兮，顧女史而問詩。悲晨婦之作戒兮，哀褒閻之為郵。美「皇」「英」之女「虞」兮，榮「任」「姒」之母「周」。雖愚陋其靡及兮，敢舍心而忘茲！歷年歲而悼懼兮，閔蕃華之不茲。痛陽祿與柘館兮，仍襁褓而離災。豈妾人之殃咎兮，將天命之不可求。白日忽已移光兮，遂奄（日旁）莫而昧幽。猶被覆載之厚德兮，不廢捐於罪尤。奉共養於東宮兮，託長信之末流。共灑掃於帷幄兮，永終死以為期。願歸骨於山足兮，依松柏之餘體。……

賦中顯示：她對於周之賢母——大任、大姒的德行，是內心不敢或忘的偶像，也是照見自己的一面鏡子。又有「怨詩」一首，文選作「怨歌行」，相傳亦為班婕妤所作。詩云：

新裂齊紈素，皎潔如霜雪。
裁成合歡扇，團團似明月。
出入君懷袖，動搖微風發。
常恐秋節至，涼飈奪炎熱。
棄捐篋笥中，恩情中道絕。

所謂「秋扇見捐」，借物詠懷，宛如她當時的處境。及成帝崩，婕妤充奉園陵，卒後，因葬園中。她的作品，當時曾有集流行，今已佚。現存遺文，除前引一賦一詩外，尚有「素賦」，文辭亦流麗動人。

唐詩人王昌齡「長信怨」云：「奉帚平明金殿開，暫將團扇共徘徊；玉顏不及寒鴉色，猶帶昭陽日影來。」又李白「清平調」其二云：「一枝紅艷露凝香，雲雨巫山枉斷腸；借問漢宮誰得似？可憐飛燕倚新粧。」都是詠班婕妤的故事，也是為她鳴不平的，若果她死後有知，亦足以自慰了。

第十一章

宋高宗偏幸東南　岳鵬舉虎帳談兵

不料疏尚未發，那左僕射李綱竟罷為觀文殿大學士，提舉洞霄宮了。不久，又聞太學生陳東，布衣歐陽澈等上書，請復用李綱，罷斥汪伯彥、黃潛善，竟致激怒高宗，同處死刑。高宗如此行為，是幹什麼？把太廟木主及宮人接去，就是準備南渡偏安去也。

原來汪伯彥、黃潛善兩奸，嘗勸高宗幸揚州，與金人主和。李綱為相，不同意南幸，以去就與高宗力爭。結果高宗仍偏聽汪、黃二奸之言，罷去了忠直有為的李綱。以黃潛善為右相，以李綱為左相，僅過數日，黃潛善促傅亮渡河而南。傅亮以措置未定，暫從緩進，李綱亦代為申請。黃潛善則以有意逗留，召還行在。傅亮本為李綱所薦，遂上言高宗罷傅亮。李綱亦請罷歸田里。高宗雖慰李綱，卻罷了傅亮。李綱一再求去，乃罷為觀文殿大學士。提舉洞霄宮。計李綱在相位七十七日，所建規模，已具頭緒。李綱罷後，黃、汪二人反其道而行，決意巡幸東南，走向偏安之途。以臨安為安樂窩。把「杭州作汴京」了。

太學生陳東、歐陽澈本不識李綱，只知李綱表現傑出，公忠體國，因忠義所激，乃請任賢斥奸。結果得罪奸佞黃潛善，奏請高宗，將陳東歐陽澈斬首。陳東字少陽，歐陽澈字德明，撫州人。兩人以忠義殺身，無論識與不識，均為之流淚。四明李猷贖屍埋斂。越三年，汪、黃二奸得罪，乃追贈陳、歐為承事郎，各官親屬一人，州縣撫恤其家屬。至紹興四年，又加朝奉郎，秘閣修撰官。因為闡揚義忠，不憚從詳。

尚書右丞許翰，聞二人處斬，代著哀辭，且八次上章求罷，因亦免職。

建炎元年六月，張所為河北招撫使。所為河北青州人，曾登進士第，靖康初為監察御史，以臘書突圍到河北募兵。河北本來割與金人，張所到時，百姓喜道：「朝廷棄我們，猶有一張察院能拔而用之，吾人當從張察院。」於是應募者十七萬人。高宗即位，命張所按視陵寢，視畢還奏道：「河東、河北天下之根本。前者誤用奸臣之謀，始割三鎮，繼割兩河，其民怨恨，至今無不握腕。若因用之，可藉以守。否則兩河軍民，無以繫望，陛下大事去矣！」張所乃是忠耿之臣，因被李綱器重，李綱為相，薦之招撫河北。建炎初，惟李綱、宗澤、張所等數人而已；此數忠貞，岳飛皆以忠義事之。

（五十）

自由報

中華民國內政部內版台誌字第〇五一號
中華民國僑務委員會登記證僑台字第二二三號
中華郵政台字第一二八二號執照登記為第一類新聞紙

（第一〇九八期）

（半週刊每星期三、六出版）
每份售港幣壹角・台灣零售新台幣壹元
社長李達勵・發行兼督印
社址：香港九龍彌敦道593—601號
廖創興銀行大廈八樓五座
LIU CHONG HING BUILDING
7th FLOOR FLAT 5
593—601 NATHAN ROAD,
KOWLOON, H.K.
TEL: K303831
電報掛號：7191

承印：景星印刷公司
地址：嘉咸街廿九號地下
台灣區業務管理中心：台北重慶南路一段一二九號
電話：二四五七四
台灣區直接訂戶　台灣劃撥戶
第五〇五六號萬有（自由報會計室）
台灣分社：台北市西寧南路110號二樓
電話：三三〇三四六、台北劃撥戶九二二五號

本報台灣區業務管理中心啟事

台北市近發現有冒充本報記者會同××人員，三兩成羣，招謠撞騙，拉發行，拉廣告，乃至於藉採訪新聞，向人勒索。本報除報請治安機關請求嚴究外，查本報向採發行本位，從未派人上門拉登廣告，發行亦不勉強，且規定為閱後收費，更未兼營任何雜誌刊物，敬請各界注意。如發現有假借本報名義做出上一項情事，請被困擾人索閱民國五十九年下半年度，自由報服務證，一邊電話二四五七四本報台灣區業務管理中心，或就近向警察局派出所報案，敬希　諒察。

值得檢討的台灣金融事業

・王綏任・

本報專論

銀行業務的功用，據說是在調劑金融，扶助工商企業之發展。所以，在歐美一般生產力發達的國家，企業界人士如果缺少資金而乞助於銀行，祇要提出合理而切實的具體計劃，經過審核調查，認為可行，即予放欵，手續很簡便，時間亦迅速，眞是交易而退，各得其所。這其間，沒有特權關係作祟，上下其手；也沒有人事勾結、營私舞弊等類情形，一是皆以互助互利為本。銀行之設置，政府為控制通貨發行，維護金融專業的安全繁榮計，除特設國家銀行董理其事，成為「銀行之銀行」而外，皆由民間依照銀行法自由創立，公私性質釐然有別。

我國的銀行發展史卻與上述軌範不同。在民國十五年以前，并無正式的國家銀行，通貨發行權任由各個稍具規模的民營銀行自由行使。迨國民政府奠都南京，中央銀行將通貨發行權統一集中後，銀行業務纔趨入近化的途徑，所謂「大四行」「小四行」都是民營金融企業，成績不壞。繼而某財政權威以托拉斯方法，對「大四行」擇尤兼併，由國庫增資若干，添置官方董事和監察人員，構成一種非公非私的性質，既不是資本主義的金融發展路線，亦與三民主義的經驗思想不相脗合，這些半公半私的銀行，後來逐漸地就變為純粹公營企業，使政府平添了幾個包袱，而其性能亦就隨之官僚衙門化了！

自從中央政府遷移台灣後，除中央銀行外，上述包袱式的銀行亦先後在台復業，而且繼續新增。既有農民銀行，又設土地銀行；既有台灣銀行，又設「省合作金庫」與「省合會儲蓄公司」；幾個地方性的民營銀行，亦仍由國庫增資，同樣公私混淆；人口與土地僅及大陸上的一省，生產力亦有限，然銀行乃視政府在大陸時期尤多，可謂畸形現象也矣。

各個銀行的營業情況，中央與中國銀行有其特定職責，固不在論斷之列，其他各行，本質上乃與「當舖」沒有兩樣，而其方法且比典當業更為腐敗惡劣，弊竇叢生。特別是那些純屬公營的老牌單位，表面上說是扶助某些生產事業，冠冕堂皇，實際只是豢養着一大批缺乏資歷技能的閒雜人等，利用公帑開當舖，在行使典當業的過程中，專講「人事關係」，關係夠的隨便放欵，手續簡易，甚且彼此勾串，朋比求財，否則百般挑剔，理由極多，令人望而生畏。放欵如果收不回，便成呆帳，反正表册齊全，紙面證件完備，經手人依法不負賠償責任，可以向監督者（財政部）有所交代，損失歸諸公家，年度結帳時祇要不蝕本而多少有些字面上的盈利，也就無所謂了。這些具有指定業務範圍的公營銀行，事實上并不限於法定範圍以內，只須人事關係足夠了，任何業務皆可放欵經營，百無禁忌。試對這些公營銀行數以千計之大小職員的來歷審查一下，無一不是具有特殊背景的「非凡」之士，亦很少是學習本行業務出身的人才，因為銀行不是行政機構，任用職員無需講資歷，祇要有人事關係，誰皆勝任愉快啊！談到這些公營銀行職員上下其手，朋比漁利問題，最顯著的例證莫過於兩年前某紡織公司產業那椿事了。據當時報紙紀載：該行高級職員勾串外面的特權階級份子，臨時組織新公司，承購某大紡織公司的大量紗布，於法定標售價格之外，又增入數百萬元的「加工費」，由銀行放欵下扣抵，轉手之間，即獲致了為數驚人的不法利得。銀行既已依法拍賣債務人的產業，自然可告無罪，損失的就是公家，這不是十足的變相貪污舞弊行為嗎？

其次為賦有地方色彩的公營金融機構，當舖的作風更到家，業務廣泛不受限制，普通人民要想向它告貸，手續之苛繁無以復加，保上加保，有如防範竊盜然。由於一般職員之常識缺乏，才智低劣，他們的言行表示，每令人啼笑皆非，無可理喻，但在某種情形之下，告貸卻易如反掌。上焉者人事關係足夠的，數十百萬元亦可以先行付欵，後辦手續；次焉者私下約給回扣，即可順利通過，決無麻煩；下焉者對那些調查人員致送紅包，優予招待，亦可減少若干無理的刁難。數年前曾有某公營金融機構貸出一筆鉅欵，資料齊全，徵信調查報告亦完備，擔保品是房屋地產，坐落在台北鬧市「館前街」五十八號，一應手續與條件皆符合無訛。可是，館前街這條道路很短，根本就沒有「五十八號」的門牌，貸方提供的房產擔保品等於畫餅，所謂徵信調查乃是虛應故事而已。鉅萬貸欵當然無從收回，變成爛帳，損失屬於公家，私人卻大有所獲了。似此內外勾結，上下營私舞弊的情形，所在多有，毫不稀奇。惟有真正從事工商企業的普通人，如果找不到門路，做不好手腳，而循規蹈矩向銀行告貸，其困難殆如登天，只瞧着那些「朝奉」式的職員嘴臉，就使人冒起無名之火，恨不得用一噸黃色炸藥，把那所用民脂民膏建造的層樓大廈——銀行——予以燬掉呢！

至於台灣有所謂「合會儲蓄公司」，實際是經營高利貸業務，卻由公家投資支持，視同銀行，實為全世界所罕見的怪象。據說這是日治時代創建的金融事業，我們殊難索解者，台省光復後，銀行林立，政府為甚麼還要斥資維持這種高利貸的日治金融機構？若謂藉此可使一般勞苦大衆作小額的借貸活動，利濟民生，則農民貸欵已有農民、土地兩大銀行在，工商業人士貸欵更有其他的若干銀行營運着，非農非工非商的老百姓需要告貸時，小之有習慣法的私人「打會」方式，大之有各家銀行放欵，焉用此高利貸的合會儲蓄公司為哉？

總之：台灣一隅之地，實在不需要這末多的各色各樣的銀行和金融機構，從民生主義的經濟思想看：除卻中央銀行掌管通貨發行，監督公私營銀行業務，中國銀行專負對外貿易之責，台灣銀行在本省金融方面有其存在必要外，其餘純屬公營的，大可撤消，公私合營的應予歸併；尤其是所謂合會公司，既有省立的，又有區立的，疊床架屋以經營高利貸，這對民生問題毫無裨益可言，以之窒碍經濟發展則有餘，以之扶助人民生計則不足。現階段吾國的經濟措施，既非走的舊資本主義路線，亦不是採行社會主義政策，囫圇吞棗，隨意為之，我們認為這是值得檢討的大問題！

大可不必！

最近在台灣舉行的全國第五次教育會議，許多學者專家和教育界人士，殫精竭慮，提出不少的建議，其中有擬訂復國建國的教育綱領一項，殊堪重視，亦復令人迷惘。

重視的是題目冠冕堂皇，國人皆曰是也。迷惘的是，這項綱領內容，是否與實際需要相適應呢？既屬「復國建國」的教育綱領，對象當然是以中國大陸疆域為主體，毫無疑問。然大陸上被共匪竊據已歷廿年，一切舊有的文物制度和社會結構，全部摧毀無餘了。今天在台灣擬定和審議這項綱領的教育會議諸公，無論少壯人物也罷，老成之輩也罷，對於大陸上的實際情況，究竟能夠瞭解多少？實係未知數。如果大家祇是憑着報紙上的新聞報導消息，再根據一些情報資料，作為擬訂復國建國教育綱領的張本，即可斷言其為隔靴搔癢，不切實際的虛應故事，結果是裝點門面的宣傳品而已。

這項教育綱領的內容，如不外是實施三民主義教育計劃，注重倫理與民主、科學建設以及建教合一等類事項，那就未免多此一舉，因為這些主張早就由政府當局提倡實行了。我認為應如何改革現時在台灣的教育政策，充實文教設施，藉以培養復國建國的優秀人才，纔是當務之急，教育會議對此能有具體可行的決定，善莫大焉。若夫復國建國的全盤計劃和方法，「光復大陸設計研究委員會」已經工作了十餘年，應有儘有，用不着畫蛇添足，浪費精神了。

開大會決不容易獲致實際效用，再要搞些寬皮大話的決議案以廣宣傳，實在引不起人們的興趣，大可不必！

・何如・

自由談

不中聽的廢話

美國副總統於訪問中華民國後，發表談話，保證美國一定履行條約義務，中共如果進攻台灣，美國決不坐視云云。這在惰性觀念深沉的中國人聽來，或許很悅耳，我卻認為不值一哂的扯那談而已。

凡是崇尚自由生活的中國人，矢志反共救國，還我河山，決不願長此苟安台灣一隅，酣生夢死，而置大陸上呻吟蕉萃於虐政之下的七億同胞於度外。美國甚於維護人類自由生活的立國精神，能以財力物力支持中華民國政府及早驅除共匪，光復中原，即是以保障亞洲的和平安全，減少美國東顧之憂。我們始終視美國為拯救自由人類的盟主者，此物此志也。

假使美國的目的只在支持中華民國政府守住台灣這塊地方，不讓毛共侵佔，專為美國的國防利益設想，永遠藉中美安全互助條約的換文，不許我們從事反共復國的實際行動，那末，台灣省雖是美共同路人費正清們期望的下場——成為美國的一州；而中華民國的幾十萬大軍，亦無異於專為美國服務的傭兵了，還是中國人所能承認的事嗎？

安格紐先生的說法，過去若干年來，美國當道已講過很多次，一派陳腔濫調，了無新義，中國人早就聽得膩味，誰也不感興趣了。安格紐先生此行的作用，既在代表尼克遜總統向友邦說明美國現階段的對外策略，則在訪問中華民國之後，儘有動聽的外交詞令可以申述，何必拾人牙慧，重說廢話呢！

尼克遜政府對中國問題的態度與作風如此，我們如果依然仰仗由人，別無作為，則俟河之清，人壽幾何，誠不知當國者作何感想，而對歷史任務如何交代耶？

馮正先生

「長江一號」場場滿 引起台北片商內訌

僑聯公司向法院提出控訴 影片公會看來有點應付難

（本報台北消息）國際僑聯育樂公司出品的抗戰諜情愛國鉅片「長江一號」，是李麗華，楊群繼「揚子江風雲」後再度攜手領銜主演。分飾卓寡婦與王凡。更有「揚片」原班人馬岳陽，伍秀芳客串主演，及柳青、馬驥等八十餘位紅星參加演出。由「揚片」原著作人鄒郎編劇並策劃，於八月廿八日在台北市兒童、華聲、復興、大興、國泰、明星等六大戲院首映。三天的票房記錄突破百萬元大關，在電影事業蕭條聲中，一枝獨秀，盛況空前，尤其十時早場客滿的情形，為近年影業界中所僅見，故一般影業界人士咸信，由於「長片」上演使國產製片界重振信心，好片自有觀眾齊來欣賞。

據熟悉內情的人士分析，目前國內並非沒有電影觀眾，一般影片賣座不佳，顯示電影製作的基本上應有檢討改進必要。以「長片」為例，因其內容屬於激發民族意識為主題，觀眾看厭了武俠片，「長片」可使人一新耳目，而且很自然的產生內心的共鳴。李麗華在片中的幾場高潮戲，如京韻大鼓、槍殺漢奸等皆能把握觀眾感情，自然流露。

語云，好事多磨，國際僑聯正在躊躇自得，不料台北市影片商業同業公會，以該公司不遵約束，擅在中國時報刊登大幅廣告為長片宣傳，忽然出面制止，並聲言若再不服從，即以上映的六家戲院限期停演相脅迫，又由公會「節約廣告執行小組」裁決處分僑聯公司違約罰款新台幣二萬五千元。

僑聯公司不但不從，一面通知六家戲院不得違約停演，如因受損失即負責賠償。並於九月二日由董事長連均常務董事長片監製王南琛具狀台北地方法院提出自訴，控告台北市影片商業公會理事長杜桐蓀，該會「節約廣告執行小組委員」周信雄、執行秘書姜志遠涉嫌不法妨害自由，影響公司信譽，次日又進一步分向中央黨部、警備總部、文化局、市社會局等單位陳情，要求保障正當商人之合法權益。當天下午四時又在國際飯店舉行記者會，表示堅決態度。

影片公會亦於三日在一個下午一連召開了三次緊急會議，對付僑聯公司，但由於未獲一致的意見，只決定請各戲院老闆代表前往僑聯和解，企圖私下妥協。

據側面瞭解，該公會等單位部份理監事以從未接觸會務，當然不願為公會背包袱，積極支持公會這種乖張行為。六家影院代表又一致表示拒絕抽片停演，影片公會等單位的所謂「節約廣告執行小組」五日又發通知二輪戲院不得上演「長片」，省戲劇公會理事長五復成、市戲劇公會理事長周信雄（三被告之一）接獲通知後，都表示應該慎重處理，不可過於輕率，事實上已經明白表示拒絕。公會至此已是圖窮匕見，變魔術的老闆下跪，已經沒的玩了。

影劇圈內人士透露，今年改選台北市影片業公會新任理事長杜桐蓀，自當選迄今一直不曾到會處理會務，在這期間是由該會總幹事姜志遠及少數理監事操縱會務。因此部份理監事對本次事件處理的態度頗表不滿，近日歷次緊急會議，出席人數不多，所以會中也無法獲致協議。但是這幾位操縱會務自命領袖人物弄得勢成騎虎，欲罷不能。地院已受理僑聯訴狀，分案由推事陳文儀承辦。

片商刊登電影廣告 公會是否有權制止

法律界人士認不無可疑 主要單位難辭失職之嫌

某一法界人士認為，民事係依契約而定，但該契約如違背法，即屬無效。他說：會員加入公會，固然應該遵守公會中的一切規章，而公會是否有權利制止會員在所指定的幾家報紙刊登廣告，是不無可疑的；同時該規章中有無此項規定，也頗使人懷疑。公會的理監事究竟多大的權限，應由主管單位作一解釋。

觀眾們有一個共同看法，那便是這幾位自命為領導的人物，過於曲解「團結即是力量」這句沒有法理根據，卻常被搞羣眾運動者利用的口號所自惧。就像大陸上鬧飢餓運動，聚眾要脅，以為無往不利。

尤其上次中視公司播演十年舊片，他們一起鬨，又加以台視公司置身事外，坐山看虎鬥。中視獨力奮戰，終於不支而屈服，這種違反潮流進步的打羣架作風，雖無人不厭惡，公會遽然得了全勝。

不久中央、聯合、中國三報要縮小電影廣告，公會以戰勝餘威斷然處理，告訴三家報紙不得堅持，否則即於七月一日根本不登廣告。三報紙因另有收入，並不投降，置之淡然，公會又得了一次不戰而屈的空前勝利。這便種下了禍根，養成公會目空一切的驕縱自姿，也使公會走上了自殺的路途。他們忽畧了那兩次都是本身利害相同，一致對外。這次是要樹立權威，鬧成內訌的醜行。

長片如果賣座不佳，不需要大動干戈，僑聯合六家戲院自然知難而退。不料賣座鼎盛，同業間利益不盡一致，也很自然形成自相殘殺。公會味於情勢，果然是得意不可再往陷於無法收拾的僵局。

香港方面影劇界一位資深人士，憤然指摘台北市影片公會這種作法是顯然有損報紙讀者，與電影觀眾的權益，不在影片的質量方面求改進，卻在這些不合理的小問題上製造紛擾，實在令人難以理解。並稱這種作風，跡近「霸道」目無政府。我們是崇尚自由法治的國家，公會應該不會有這麼大的權力，讓少數人操縱，挑撥是非，大損政府威信。因此大家都希望政府拿出魄力，糾正歪風。這種無法無天的公會，首先應該命令其解散，而且迅予改組，澈底整頓，以除後患。

誠然遵循法律途徑，是解決糾紛最後辦法，但行政主管就此一推，任其發展，造成天下大亂，也未免有失職之嫌。

主管當局、文化局長王洪鈞五日發表了些文不對題而十分合乎外交辭令的談話，最後結論表示關切而已。

有人說：王局長好為難，因為風傳上次廣告糾紛就是文化局某一單位主管暗中縱容而造成的。王局長究竟有甚麼難言之隱，應該對國家社會負責，有所表白，纔是正途。

依洞集

可哂的廢話

尚方

旅居菲律賓的華僑于長庚、于長城昆季二人，在馬尼拉創辦報紙，專為中國大陸上的毛共政權張目助勢，詆毀中華民國暨僑居地政府，證據確鑿。旋被逮解至台灣究處，經軍事法庭判處感化三二年不等，允屬從寬發落。

我們以新聞記者立場，對於政府這種寬大政策，當然表示欣慰，無話可說。其所以不能已於言者，乃國際新聞協會香港分會的一個外國人，他到台北法庭觀察本案審判情形後，竟在香港報紙上發表文字，指摘我政府不應該過問于氏兄弟在海外的反動言論，他憑着歐美海洋法系的思想理論來衡量咱們國家的法度，眞是胡扯瞎纏，一派廢話！

老實講，台灣允許國際新聞協會香港分會派員觀察本案的審判情形，就不免有損國格和信譽。亞洲各地區——特別是遭受共禍的國家，亦每有依法究問新聞從業人員的案件發生，他們何以未聞派員去觀察呢？獨對我國表示不信任的行為，且繼之以文字非議，寧非咄咄怪事！

看某一個國家有無新聞自由，要以經常的事實表現為基準，光看某一特殊事項，何足為憑耶？如共產極權政府之下絕無新聞自由可言，固屬舉世所周知共見，即有些自由國家的新聞自由權利，亦隨時受到無形的破壞，卻不聞國際新聞協會的先生們加以維護，然對于氏兄弟公然背叛國家的言行，而僅僅膺受一點思想感化處分者，乃像煞有介事地嘵嘵咋，明察秋毫而不見輿薪，殊可哂也！

喬治桑外傳

一七七　張大夏

幽靜的臥室，在夢思牀上舖了台灣特產的大甲蓆，躺在上面再舒服也沒有了。

他回到家裏，出來開門的是阿翠。

「李小姐出去了？」喬治桑一見阿翠便問雅麗絲。

「她是上午出去的，去買東西。她說下午會打電話回來，如果沒有事，她吃過晚飯再回來。」

喬治桑很敏感，他知道雅麗絲紅鸞星已動，正在趕辦嫁妝。

「我知道了，下午李小姐打電話回來，妳不要驚動我，妳告訴她，家裏沒有事，我晚上有應酬。」

喬治桑吩咐已畢，回房見「周公」去了。

他一覺醒來已經是六點鐘。匆匆洗了一把臉，趕赴裘白瓊的約會。

裘白瓊不愧是台北的老玩家，喬治桑到了咖啡館，他已經和兩個妞兒在等他。

白妮，喬治桑是認識的，另一位卻從來沒有見過。

「這位是黑小姐，黑嬌嬌。」裘白瓊為喬治桑介紹。

黑嬌嬌是台北有名的頭牌歌星，近年來紅得發紫，她灌唱片的收入，每月就有好幾萬。她的姓很稀少，所以，喬治桑聞名已久。

「久仰，久仰。」喬治桑倒眞是久仰黑姑娘的大名了。黑嬌嬌伸出手來與他握手。

咖啡座有兩個雙人沙發，裘白瓊與白妮坐在一邊，喬治桑便挨着黑嬌嬌坐下來。

喬治桑是女性的欣賞家，他當然不肯放棄機會，將黑嬌嬌上下打量了一下。只見她穿一襲白底印花蔴布的迷你洋裝，一雙半平跟白色綠色交織的皮鞋。臉上薄施脂粉，淡掃娥眉，鼻子生得很挺，嘴唇薄薄地，嘴唇翹翹上翹。戴一副薔薇花型耳環，果然是十足的美人胎子。

喬治桑坐下來，掏出香烟盒向兩位小姐敬烟，白妮拿了一支，黑嬌嬌微笑搖搖頭表示不抽。

「黑小姐是歌星，為了保持喉嚨，烟酒不沾。」裘白瓊在旁解釋。

「我是土包子，不會抽烟，桑先生不要見笑。」黑小姐謙抑有禮，很得喬治桑好感。

「那裏，那裏，自從香烟證明能生肺癌以後，戒烟的人越來越多，連我都想戒掉哩。」喬治桑說明吸烟之害，分明是在討好黑嬌嬌。

「桑先生是由美國來這兒觀光的？」黑嬌嬌與喬治桑開始攀談。

「我來台灣已經很久了，不是專為觀光來的。」喬治桑坐得畢直，一派紳士功架。

「桑先生，你的國語說得這樣好，你大概是北平人罷？」

「我原籍上海，在北平讀過書。請問黑小姐，妳府上那裏？」

「我住在中山北路……」

「桑先生問妳是那一省人，不是問你的住址」裘白瓊忙加說明。

台北傳奇錄

（七三）

陳光棣

這人馬上用注射器抽入針管裏，再檢起一條褲腰帶往左臂一繞，剩下的一段用牙咬注，便開始很熟練的注射起來，之後抽出針頭，點着一枝香烟便靠在牆角裏養神。

羅圈腿再開開房門，又走進來一位女癟士，這女癟士看來不過三十歲年紀，可是皮膚鬆弛，面黃如蠟，眼神呆滯，步履蹣跚，麻子丟給她一小包毒品，女癟士就用小紙筒把白色粉末倒在錫箔紙上，另外用報紙捲了個小紙筒叨在咀上，才劃了根火柴放在箔紙下面燒，不一會粉末變成白烟，女癟士扒着檢起來，吸到咀裏去，吸完之後拿起破碗來喝了一口髒水，馬寡婦看到這裏止不住作嘔。繼而靈機一動，打開皮包找出原子筆在鈔票上寫下「危難」兩個字，又在背面寫上劉二爺的地址，馬寡婦這時有一個想法，只有劉二爺的頭腦才能救的了她。馬寡婦又拿出兩張大鈔連同寫好了字的鈔票偷偷的遞給女癟士，女癟士搖搖頭閉上眼睛，幾分鐘之後，便躺在地上神遊太虛了。馬寡婦不曉得，凡是癟君子都是連一日三餐都懶愈吃的廢物，他們自己的事情都不想作，何況是別人的事情？馬寡婦不死心，又推了推女癟士，一點反應都沒有。羅圈腿站起來伸伸懶腰看看腕錶：「好傢伙，十二點了」！

「老大怎麼還不回來」？年輕的說。

「麻子，告訴外面的人小心點，好像不大對勁」！羅圈腿看了馬寡婦一眼：「再來了買東西的叫他們在外頭等着，都不許進來」。

「是」！麻子橫着身子走出去。

「你們把我留在這裏有什麼用」？馬寡婦抱怨着：「眞是碰到鬼」。

「老大一回來，就放妳走！」羅圈腿從女癟士身上搜出幾十塊錢放進荷包裏。

「這個女人是幹什麼的」？馬寡婦好奇的問着：「她沒有家嗎」？

「誰管她」！年青的說。

羅圈腿說：「幹我這行的，不問人家的來路，就認識鈔票」！

「你們不怕警察抓嗎」？

「抓了去再說，我們從來不想這些事」。

羅圈腿皺着眉：「妳少瞎操心」！

「你們用不用這種東西，我是說你們有癮沒有」？

「我就是先有了癮才入了夥的」。年輕的說：「眞背時」！

羅圈腿一拍大腿：「你又想挨罵是不是？這不比你給咖啡館保鑣強的多」！

「你們怎麼不戒掉」？馬寡婦想不通。

「也許有一天會戒掉，戒不掉就是死掉！」羅圈腿掏出支香烟來在桌面搓了搓，再把一頭的烟絲剖出來，把粉末裝進去，點燃之後仰着頭狠狠的吸着，吸完了嚥了口吐又喝了一口水：「這東西抽完了混身舒服。」

琴曲七首考略（八）

唐健垣

健垣按：本文爲古琴曲譜七首的考畧，本人學疏才淺，錯誤必多，甚望博雅正之，以期盡善。又本人所藏多爲明朝琴書，而於清朝者，手頭反極缺乏，故本篇所論，每詳於明而畧於清，惟有待日後補充而已。本文原刊於中央日報副刊，茲又有新材料待補正者，乃承張起鈞師之囑，加以增訂交自由報發表，以供同好之參考焉。

（十五）古琴曲集第一集收了三個梅花三弄，都是正調，配成五線譜。第一、二兩曲都是琴簫合譜，指法差不多，分段亦同。第三曲是記錄蕉庵譜的梅花三弄，其主要旋律固然和上列明清以來的梅花三弄大致相同，但加了很多變化，指法較繁，第三段泛音尤多。（十六）章志蓀先生的研易習琴齋琴譜上卷亦收有梅花三弄，十段，仲呂調（即正調），乃是轉載春草堂琴譜的。章先生因爲誠一堂琴譜及春草堂琴譜「均是此譜」，而誠一堂刻於清初，春草堂刊於乾隆之間，所以說「春草堂根據誠一堂之譜」。我手頭無誠一堂琴譜，不知道誠一堂及春草堂之梅花是否百分之百相同，若非百分之百相同，便不能說是春草堂根據誠一堂之譜。因謂明朝以來，其譜已差不多定形了。

以上是梅花三弄流傳的一個大概，明朝琴書所附的各段標題是描寫桓伊的笛聲如何動聽的例如「一弄叫月，聲入太霞」，「二弄穿雲，聲入雲中」，「三弄橫江」，「玉簫聲」，「鐵笛聲」，「風蕩梅花」（以上見於神奇秘譜），只有「風蕩梅花」一題是涉及梅花。其後謝琳太古遺音的「梅花曲」（和吾人所彈的梅花三弄不同，詳下。）有題有歌，加了「梅邊讀易」，「落梅」爲標題，其歌詞又多說梅花。故稍後的風宣玄品乃襲用上列二書的「梅邊讀易」，「風蕩梅花」。再後的琴譜正傳的十二段梅花三弄沿用了「梅邊讀易」，「風蕩梅花」，「落梅聲」。明龍湖琴譜也用此三題，及梅花曲的歌，其解題說此曲「芳占陽春，香凝白雪」，似是最早說梅花三弄是描寫梅花的琴書。明徐時祺的綠綺新聲（此書收入萬曆二十五年，公元一五九七年刊行的夷門廣牘之中）的梅花三弄（此譜詳下），無標題，而徐氏又改動謝琳太古遺音梅花曲的歌詞，以梅花爲題，歌詠不已，結果梅花三弄在人們的腦海中，便由描寫笛子轉變爲描寫梅花的曲子了！例如上文所說及香港新亞書院舉辦「中國古典樂戲曲欣賞會」，會中有梅花三弄，由蔡德允女士彈琴，王純先生拉二胡，節目單說：「原屬桓伊笛譜，後始編入絲桐譜」，它表現梅花有個傳統的「琴簫合奏之神」。古琴初譜說：「疏影橫斜，暗香浮動，香飄滿腔綿密，極寫潔白（唐代以前的梅花只有白色的）芬芳質。演奏出來應該有輕鬆活潑而又愉快的效果」。古琴曲集說：「傳統的詩詞繪畫中有不少通過描寫潔白，芳芬和耐寒等特點來讚美具有高尚節操的人。古琴曲也是這樣，曲中以泛音曲調，表現了梅花的高潔，安詳的形象曲調，表現了梅花的高潔，安詳的形象。曲調前後重複了三次，所以叫做「梅花三弄」。樂曲後半部分利用音色對比和節奏變化，表現了梅花與寒風搏鬥的形象。這個曲子前面有兩種不同的流派。它們雖然在結構上大體相同，可是「蕉庵琴譜」中廣陵派的一種節奏更爲自由一些，更多地方表現了傲霜不馴的氣質，並且在曲終前轉入遠關係的上宮音角調式，造成了令人耳目一新的效果」。「梅花三弄乃描寫梅花」此一說法之深入人心可見。現在聽梅花三弄的，確覺得曲意是關於梅花的，大約是幾百年來琴人有意無意之間，把柏子安排得輕快，很像在描寫梅花了。近年溥雪齋先生灌過獨奏唱片，台北女王唱片五〇三三翻版。某琴社灌過合奏唱片，由幾張琴配上國樂隊。香港王粵生先生曾用鋼絲箏彈古琴曲，並由國樂隊伴奏，女王唱片五〇八八有翻版。今次由本人獨奏。

明謝琳的「太古遺音」有梅花曲，十段，解題亦說是桓伊奏笛，後人編爲琴曲，但此曲譜和前述各書的梅花三弄指法大爲不同，又加了歌詞，標題則和各書大同小異），故此我不列在上面。又明徐時祺的綠綺新聲卷二亦有梅花三弄，十三段，宮調，無題，有歌，譜是改寫上列各書的，極爲不同，故不列入，歌是改寫謝琳太古遺音的。附記於此。（完）

安參末議之五

·文匯樓主·

湖南中華時報，「論陳辭修的功過」一文，上中下三篇各二十份，全文約一萬字，於陳從東北失敗後發表，那時國民大會代表有提案，動最高當局揮淚斬馬稷，樓主則堅決反對是論。

陳剛從東北竣下，正全國皆曰可殺之際，包括陳直系的三民主義青年團報刊在內，一家對陳表以忠心的報紙說：「身兼十餘要職，連失名城，罪無可赦……」，餘如「殺陳誠以謝國人者」及「國家不能讓個人做兒戲」等，有人將這些林林總總言論，歸納爲「人心不古」。

「論陳辭修的功過」一文，原文列在西南最大民營報——中華時報，開門見山就是：「最高領袖將總統正率領全國軍隊與共產黨作殊死戰，幾百萬武裝健兒，不是消極剿共，而是積極爲建國理想最努力的一人。」又說：「國事至此，中華民國軍人，人人無功可言，惟陳辭修者可告無罪也，因他有爲有守，以身許國，不愧爲國民革命一員健將」，末了結論說：「政治舞台也就是戲台，一般觀衆的臧貶毀譽，都是根據每場戲的主觀和直覺，作片面的論斷，難免以偏概全，或見小失大的毛病，必須蓋棺而後論定。」講實話樓主常對陳辭修並無好感，認爲他有依時就勢，搞派系，弄權術，無異於新官僚作風，待他竣下後，目睹社會對其落井下石的冷酷無情，乃毅然抱打不平，拔刀相助，據總統府資政吳忠信先生（禮卿）說：「這種俠義精神，祇三湘和淮上朋友有之。」不過這時樓主從未考慮冷杜熱杜與前因後果，當陳辭修在台灣官拜行政院長時，樓主首次回歸國門，千里迢迢算餓了他一杯清茶，因對做官既沒有一點興趣，陳亦非常瞭解文人的心理，編織了一項：「能力強，魄力大，智慧高，辦法多。」的冠冕贈給樓主，用商業術語去形容，算作「銀貨兩訖」。

民國三十六年春全國輿論被東北風吹得像「山雨欲來風滿樓」，樓主曾提出人所不敢言的政治主張，例如：反對國共和談，打到底，拼是非，建議政府集合一切反共力量，包括關東軍及汪政府軍隊在內，全面戡亂，待共產黨消滅，再還政於民。又樓主先生谷正綱面罵張治中是狗入的，並主張砍張治中、章士釗、邵力子、劉斐、李維漢的腦袋，可以轉移社會風氣，加強軍民團結信心，及表示出政府與共匪不兩立的明朗態度。同時樓主堅決反對選舉國大代表、立法委員、監察委員等，認爲這是瓦解國力的基本因素。

據說這一「安參末議」在朝野發生很大影響力量，陳辭修曾親語樓主，「閣下是『文俠』，見義勇爲，不是普通報人所能做到。」

說曹操（一十四）

李漁叔

孔融與禰衡

融本傳載：「書奏，下獄棄市，時年五十六，妻子皆被誅。」曹操還在殺融後，下了一道命令：

「太中大夫孔融，既伏其罪矣，然世人多採其虛名，少於核實，見融浮艷，好作變易，眩其誑詐，不復察其亂俗也。此州人說：『平原禰衡受傳融論，以爲父母與人無親，譬若瓶器，寄盛其中。』又言：『若遭饑饉，而父不肖，寧贍活餘人。』融違天反道，敗倫亂理，雖肆市朝，猶恨其晚。更以此事列上，宣示諸軍將校掾屬，皆使聞見。」

這並非朝廷明降諭旨，宣布其罪狀，而只是軍府頒布的文書，所宣示的對象，只是將校幕僚，照這樣做，一可避免帝室拒絕下詔，（漢室君臣對殺孔融事，絕不會同意的。）再則只限於軍方，按照罪狀，孔融是屬於謀反叛逆，可以軍法從事，堵住一般人的咀。

路粹的枉狀，是十分惡毒的，那道軍令，似乎也出於這位大秘書之手。看他所說的父子和母子的關係，前者只是爲情慾而發，所以遇着飢荒，若是家裏這老小子不聽話，寧可周濟別人，讓他餓死。後者則說母親懷孕，只不過把一樣東西寄在瓶子裏一樣，一拿出來，什麼都了。這種蔑棄倫理的荒謬想法，似乎是「非孝主義」的前奏，但細究其來源，只是一種憑空的捏造與誣衊，不要說孔文舉不會說此話，就是素以狂士著稱的禰正平，也不至出此惡言。主要的是不如此，架詞誣賴，不能構成大逆不道，與非聖無法的罪名，而正式殺害孔文舉，滅他的滿門，永絕後患。

魏氏春秋記：

「十二年融對孫權使有訕謗之言，坐棄市。二子年八歲，時方奕棋，融被收，端坐不起，左右曰：『而父見執，不起何也？』二子曰：『安有巢毀而卵不破者乎？』遂俱見殺。」

又融本傳所記畧有不同，「融女年七歲，男年九歲，以其幼弱得全，寄他舍。二子方奕棋，融被收而不動，左右曰：『父執而不起何也。』答曰：『安有巢毀而卵不破者乎？』……或言於曹操：……及收至，女謂兄曰：『若死者有知，得見父母，豈非至願。』乃延頸就刑，顏色不變，莫不傷之。」

後漢書孔融傳論，出范蔚宗的手筆，寫得慷慨有生氣，如：

「文舉之高志直情，其足以動義概而忤雄心，故使移鼎之迹，事隔於人存；代終之規，啓機於身後。夫嚴氣正性，覆折而已，豈有員元（刀旁）委屈。」（未完）

管仲　李斯　莊周　曹操　晏嬰　華佗　包拯　朱熹　朱元璋　戚繼光　李鴻章　段祺瑞　胡適　十三傑

諸葛亮狂想曲（一五六）

·劉玄·

「穿宮裝在水中跳舞，人間絕對無法辦到，首先他們所發明的各種化學紡織纖維，如「尼龍」「鐵克龍」以及什麼龍之類，恐怕都不及蛟綃。你這一表演節目一定會轟動天庭，因爲在天庭也不作第二人想。」諸葛亮知道金玉枝是金魚底子，說的話並不吹牛，故對她備加揄揚。諸葛亮說完，喝了一口咖啡，並示意劉約翰夫婦喝點飲料，接着又說：「至於你所顧慮的，比基尼泳裝過於暴露，倒是塵俗淺薄之見，在天庭各仙大都道行深厚，在修煉時，歷千百刼，又經過魔鬼引誘的考驗。像目前下界歐美各國所風行的脫衣舞，凡人看了大驚小怪，在天庭間眞算不了什麼。上次，蟠桃大會的歌舞節目，在麻姑獻壽舞之前，有一隊天魔舞女，全部以無上裝姿態出現，載歌載舞，各仙看了毫不爲怪。你大概聽過下界有所謂「天體運動」，天庭主宰大自然，一切講究「眞璞」，同時魔鬼在韋陀的降魔杵威懾之下絕不敢隨便亂動的。」

金玉枝聽了很有領悟，他想想，人類世界的靡靡之心，大都源自罪惡心理。在魚缸中，大家赤身露體，根本無所謂。可見諸葛先生的說法是有道理的。

劉約翰是俗子凡胎，到天庭以後，因時常親炙太白星君及諸葛亮，等於是脫胎換骨，但對諸葛亮的話，並不完全了解，可見他的慧根沒有金玉枝深厚。

諸葛亮一生事業的成就，主要在他從來不敢隨便大胆假設，而肯下工夫小心求證，故有一生謹慎之譽。

「你的表演預定是水中芭蕾，是不是？」

「是。」

「你有把握演好，而毋須事先排練是不是？」

「是。」

「你希望由張素梅爲你用鋼琴伴奏是不是？」

「是。」

諸葛亮一連向金玉枝問了三項，經金玉枝一一答復。諸葛亮認爲一切都已停當，遂命琴童取出文房四寶侍候。

「你們兩位坐一下，我要寫封信通知何仙姑，呂洞賓。」諸葛亮說完，便坐到八仙桌的太師椅上，自有琴童上來磨墨。

諸葛亮提起羊毫筆，在仿古宣紙信箋上振筆疾書，一揮而就，遞給了劉約翰。劉約翰接過一看，只見上面寫道：「仙姑、洞賓二位仙友道鑒：囑事已向劉約翰伉儷談過，決定由金玉枝女士在蟠桃大會表演水中芭蕾舞，由張素梅女士鋼琴伴奏，金玉枝女士舞藝嫻熟，毋須排練，敬希逕洽爲荷。專頌道安。諸葛亮拜啓。」

諸葛亮當年寫出師表，洋洋千言倚馬可待，寫一封八行，自然不費吹灰之力。劉約翰雖然有幾個字寫的是草書，不認識，但也不敢發問。在看完送回諸葛亮手中時，連說：「很好，很好。」

巨變歷險記

鎮遠之戰（一五九）

胡慶蓉

江城下是遊的一大目標，那就是鎮遠了。

鎮遠，名非常好聽，但實際上則渺乎其小。他建築在一個高高的山頭上。但從江城走去並不見得高，若是下去那就顯得高了，而且非常之高。下去，一直是下坡，走不完的下坡。最大的特色，是竹林，一直在竹林中行走。這竹子，有粗的有細的，有高的有低的，高有高到幾丈的，粗有粗到像碗那樣。有的令人覺得雄偉，有的令人覺得寬窈，差不多整個的把天日都遮住了，但陽光還是會透進來。但經過他暑為的遮一遮，陽光的熱度就減少了，走到裏邊，彷彿走在蔭涼裏，感到清新，感到涼爽，感到幽美。路沒人去開，好像自然形成的。路並且很寬，兩旁盡是竹子，自然而然的偏成了竹遊，有怪也都是竹子，如同圓門，好同凱旋門。從這裏邊通過，如同通凱旋門裏通過一樣，不自覺的神氣起來，活潑起來，越走越有勁，越走越精神。中國人很愛竹，現在部隊更特別的愛。」

以上，江城以下，就不同了。鎮遠以上，山勢比較平坦。但樹木並不多，白天走路，幾乎全在陽光之下。雖然是陽曆一二月的天氣，中午前後，還會很熱。在距離鎮遠前一站，就找個地方，安營下寨，準備大休息兩天。大家的頭髮也長了！需要修理一番。是沒有梳子的，也沒有剃頭刀，但有很多的剪刀。不知道誰的發明，而所謂剪髮運動。你給我剪，我給你剪，他給他剪。裏邊有不少老內行。一切就偏勞他們了。丁博士的頭是董亨營長給剪的。亨亨是他的別稱。李團長給他開玩笑，並為表示親熱起見，常以哼哼呼之。

哼哼的手藝確切很高明，剪的給理髮店的差不多。但理髮店的剪同哼哼的剪大不相同。理髮店的剪是推了以後修理的意思，而我們哼哼的剪，並且代替推，甚至代替刮。全套用剪刀。哼哼剪的和理髮店的刮的並不相上下。假若哼哼是大師傅，其他的是二師傅三師傅……也都可以繳卷。兩天以後，大家的面目為之一新，在剪的時候，上身脫光，大晒起太陽，並痛痛快快的到河裏洗個澡。涼的水有的不習慣，丁博士以身作則，大家也都下去了。起初咬牙切齒，但慢慢的也就平靜了。

原以為休息之後，一帆風順，直搗車佛南，不料在到鎮遠的時候，又遇見戰事。鎮遠城，遠遠的就可以望見。周圍有城牆，高達丈餘，有城牆並沒有城垛（土旁）口。遠望去就像一個圓子。城非常小，我已說過了。城有角樓一個，非常令人觸目。城中間的一條路是往車佛南的必經之路，在我部隊，勢非經過不可。槍聲還是從城裏邊打出來。好像只是威嚇的作用。其目的好像只在阻止前進。但我部隊非前進不可，所以勢必要還擊，於是戰就打起來了……

論語內容的懷疑

覃適之

近讀康有為著的「偽經考」，說劉歆假託孔壁古文經書，企圖變更經學內容，冀為王莽篡漢之奸，於是筆者對「論語」一書的懷疑，可說是一正確的懷疑。有人說「半部論語可以治天下」，那是其對「論語」沒有深入的研究及太過信任此書所致。其實「論語」值得懷疑的地方很多，如章句之錯訛，內容有很多地方矛盾。章句之錯訛，如「民可使由之，不可使知之」，便是一例。但此是小事，最重要的便是內容的矛盾。茲舉數則以證之：

「論語八佾」：「子曰：『人而不仁，如禮何？人而不仁，如樂何？』」按此言之意，沒有『仁』的修養的人，就沒有禮樂的修養，換句話說，便是不懂禮樂的人，便不是仁人。似此，則管仲不能成為仁人了。「子曰：『管仲之器小哉！』或曰：『管仲儉乎？』曰：『管氏有三歸，官事不攝，焉得儉？』『然則管仲知禮乎？』曰：『邦君樹塞門，管氏亦樹塞門；邦君為兩君之好，有反坫（王旁），管氏亦有反坫（王旁），管氏而知禮，孰不知禮？』」管仲不儉，不知禮，其不是仁人，是不用懷疑的。但我們在「憲問」篇中可以找出孔子稱讚管子是仁人：「子路曰：『桓公殺公子糾，召忽死之，管仲不死。』曰：『未仁乎？』子曰：『桓公九合諸侯，不以兵車，管仲之力也！如其仁，如其仁！』」「子貢曰：『管仲非仁者與？桓公殺公子糾，不能死，又相之。』子曰：『管仲相桓公，霸諸侯，一匡天下，民到于今受其賜，微管仲，吾其被髮左衽矣！豈若匹夫匹婦之為諒也？自經於溝瀆，而莫之知也。』」既毀之於前，又讚之於後，而且是孔子罕言的「仁」，套一句廣東人的話，這豈不是「擺一個大烏龍？」但「孔子家語」對此事的記載，是極其順理成章的。「觀思篇」：子路問於孔子曰：「管仲為人如何？」子曰：「仁也！」子路曰：「管仲說襄公，公不受，是不辯也；欲立公子糾而不能，是不智也；家殘於齊而無憂色，是不慈也；桎梏而居檻車無慚心，是無醜（應是恥）也；事所射之君，是不貞也；召忽死之，管仲不死，是不忠也。」孔子曰：「管仲說襄公，襄公不受，公之闇也；欲立子糾而不能，不遇時也；家殘於齊而無憂色，是知權命也；桎梏而無慚心，自裁審也；事所射之君，通於變也；不死子糾，量輕重也。夫，子糾未成君，而管仲未成臣，管仲（此似缺漏一「衡」字或「量」字）才度義，管仲不死束縛，而立功名，未可非也；召忽雖死，過於取仁，未足多也。」我們看子路與孔子辯論管仲的行為仁與不仁，均合情合理，不似論語中的那樣矛盾，這是論語值得懷疑者一也。

又如「為政」篇的論孝：「孟懿子問孝。子曰：無違。樊遲御，子告之曰：孟孫問孝於我，我對曰無違。樊遲曰：何謂也？子曰：生，事之以禮；死，葬之以禮；祭之以禮。孟武伯問孝。子曰：父母唯其疾之憂。子游問孝。子曰：今之孝者，是謂能養；至於犬馬，皆能有養，不敬，何以別乎？子夏問孝。子曰：色難，有事弟子服其勞，有酒食先生饌，曾是以為孝乎？」這些問答，孔子對這一「至德要道」似不能言盡其意。至於「無違」的解釋更是不知所云。又里仁篇的論孝：「子曰：事父母幾諫，見志不從，又敬不違，勞而不怨。子曰：父母在不遠遊，遊必有方。子曰：三年無改於父道，可謂孝矣。子曰：父母之年，不可不知也，一則以喜，一則以懼。」這些僅是片面事父母的一些皮毛而已。難道這一「至德要道」至此便算盡了人子之責？那「孝經」中，其對曾子所曰的孝，便是多餘了，難道孔子教孝於曾子，而諸弟子中卻無一聞者？若以論語之是，則孝經之非也？但若以「孔子家語」中的孔子的教孝之言則又與「孝經」極其相合，如「弟子行」篇中的各行誼，及有關政治方面的「以孝為政」的種種言論，均與孝經中的意旨不悖。這是論語值得懷疑者之二。

此外，論語中的「不在其位，不謀其政。」（泰伯）這句話當不是孔子所語。孔子是一「有教無類」的熱心人物，抱救世救人之大志，週遊列國，嘗于十二君，孔子是不在其位不謀其政的人嗎？又如「鄉黨」篇中，我們看孔子對食物的苛求。「食不厭精，膾不厭細。食饐而餲，魚餒而肉敗不食，色惡不食，臭惡不食，失飪不食，不時不食。割不正不食，不得其醬不食，……沽酒市脯不食……。」孔子真是這樣苛求之人嗎？那：子曰：士志於道，而恥惡衣惡食者，未足與議也。」（里仁）之句又當作何解？這些都是論語值得懷疑的地方。

以上所述，乃就論語內容值得懷疑的觀點上着眼，然而論語是否經過劉歆的竄改！是無法知道的。但據「偽經考」認劉歆「所偽為三十篇，與漢志不同。」似是論語早已失真，其中訛誤，自是必矣。故論語之言不足恃徵者在此。

（完）

搜異錄

奏疏奇聞

·匡謬·

滿洲人入主中夏，對於漢文多目不識丁。為了以滿治漢，目不識丁者亦可官拜員外郎中，雖不能妄想京察一等及外補之望，乃得以保送御史為出路。朝廷對於「滿御史」甚為輕視。所謂保送者，即記名不必考試也。故滿御史多不能握筆作書，間或上疏言事，亦他人為之捉刀。

光緒甲午冬，一日早朝，福山王文敏在午門外與同僚論及軍事，不禁歎道：「事情急矣，非起檀道濟為大將不可。（即指董福祥也。）」一位滿洲御在一旁聽到，低聲問檀道濟三字如何寫法？請寫出一觀。滿洲御史識得「檀道濟」三字，次日即上疏，請起用檀道濟。又有另一滿御史上疏，請起用孫開華，卻不知孫開華已經死了三年矣。

又有某滿人京堂上奏，言日本之東北有兩大國，曰緬甸，曰交址，土地大於日本數倍，日本畏之如虎。請派一善辯之臣，前往訂交，約為同盟，共擊日本，必可得志云云。清德宗閱覽此疏，甚為震怒，欲降旨斥革。恭忠王在側，急忙轉圜言奏：陛下必如此，將使滿洲大臣必為天下所輕，於是乃罷。滿清之腐敗無能不亡何待。

清康熙時一老侍衛，值乾清門數十年，清寒不得志。康熙帝見而憐之，因授其為荊州將軍。詔下於家，全家大喜，戚友同僚往賀。然老侍衛卻獨不樂，向賀者痛泣。客問何故以喜為憂。將軍愀然答道：「荊州要地，東吳之所必爭。以關法瑪之智勇尚不能守，何況於我？此去必死於東吳之手矣。」聞者知其不可理喻，皆竊笑之。然此將軍尚熟讀「三國演義」，比起言日本東北交趾、緬甸者，尚過一籌。某老侍衛竟上疏，以「關瑪法尚不能守」為由辭之。以演義而入奏疏，足見滿官之低能矣。胡人馳騁疆場，能展其遊牧民族之特性，今已入主中夏二百年餘，文化既望塵莫及，而武功亦相繼弱化，清室不亡何待？

自由詩壇

漁叔題

贈庵戎

張夢機

義聞布衣間。多是神俊士。
君乃散澹人。功名棄如屣。
高金（口旁）出危磵。秀骨含雋旨。
偶爾寫風竹。秋聲忽滿紙。
我亦親烟霞。逸氣追騄耳。
扣角以干名。平生不屑此。
人才重趨走。兀傲見吾子。
同禮潭州門。欣然就礱砥。
吁嗟共棲遲。廿年一彈指。
鹹䶢掩雙照。那忍罪凡鄙。
所願張詩力。齊呼潛龍起。
珥筆清六合。歸路百花裏。
春臥蜀山雲。秋釣洞庭鯉。

第十一章

宋高宗偏幸東南　岳鵬舉虎帳談兵

岳飛首受知於宗澤，再受知於張所。後來岳飛皆能報其知遇之恩。因與岳飛有深厚之誼，且係忠良，故不忍忽略。

張所曾上書高宗駕返京師，因陳其利害有五：

一、奉宗廟。
二、慰人心。
三、繫四海之望。
四、釋河北割地之疑。
五、早作定處，務實邊防。

又對高宗奏道：「國家之安危，在乎兵之強弱與將相之賢與不肖，而不在於都之遷與不遷也。若兵弱而將士不肖，雖渡江而南，又安能自保！」又說：「黃潛善、汪伯彥奸邪，恐害新政。」

此時黃、汪二人正為高宗寵信，事為黃潛善所知，貶張所於江州，李綱為相時，乃薦為河北招撫使。在河北招撫義民，措置邊防。

岳飛在建炎元年方二十五歲，在宗澤麾下劉浩之部屬，官武翼郎。他雖然官卑職小，抱負卻不凡。他眼見朝廷誤用奸佞，排擠忠良，苟安南幸，不圖恢復，因此非常不滿於黃潛善與汪伯彥二人之專政。岳飛就在建炎元年，上書高宗力陳時事，長約數千言。書略云：

陛下已登大寶，黎元有歸，社稷有主，足以伐虜人之謀。勤王御營之師日集，兵勢漸盛。彼方謂吾素弱，未必能敵，正宜乘其殆而擊之。而李綱、黃潛善、汪伯彥輩不能承陛下之意，恢復固疆，迎還二聖，奉車駕日益南，又令長安、淮、揚、襄陽準備巡幸，有苟安之漸，無遠大之略，恐不足以繫中原之望。雖使將帥之臣戮力於外，終無成功。為今之計，莫若請車駕還京，罷三州巡幸之詔，乘二聖蒙塵未久，虜穴未固之際，親率六軍，迤延此渡，則天威所臨，將帥一心，士卒作氣，中原之地，指日可復。

岳飛此書一上，大忤用事之臣。黃潛善、汪伯彥等大怒，加他「小臣越職，非所宜言」之罪，遂奪岳飛之官。宋高宗雖是新主，並無力矯前朝之作為。因其因緣時會，造成帝位，從天而降。但他登極之後，便感到如何方能維持他的帝位，那只有「偏安」一途。

岳飛　周燕謀

（五十一）

自由報

（第一〇九九期）

（半週刊每星期三、六出版）
售價每份港幣弍角・每份新台幣弍元
社長李蓮鵬・督印黃行寶
社址：香港九龍彌敦道593—601號
廖創興銀行大廈八樓五座
LIU CHONG HING BUILDING
7th FLOOR FLAT '5
593—601 NATHAN ROAD.
KOWLOON, H.K.
TEL: K803831
電報掛號：7191

承印：景星印刷公司
地址：鴻威街廿九號地下
台灣區業務管理中心：台北重慶南路一段一二九號
電話：二四五七四
台灣區直接訂戶　台灣劃撥戶
第五〇五六號張萬有（自由報會計室）
台灣分社：台北市西寧南路110號二樓
電話：三三〇三四六、台郵劃撥戶九二五二號

文化復興與宗教（一）

・淨空・

大家來研討

所謂文化，簡單地說，就是文治教化。文化表現於事理方面，則為倫理、道德、法律、宗教、科學、哲學、文藝、史學、風俗、習慣、教育，乃至政治、經濟等等，可以說人類一切生活活動範圍的綜合體就叫做文化。什麼是中華文化？總統指示中華文化的特質為倫理、民主、科學。文化既然是人類整個生活的綜合體，為什麼 總統只提出這三者為中華文化的特質？因為除這三者之外，其餘的好像沙與一塊塊的石子，而我們中華文化，卻像水泥一樣，能夠將沙和石塊凝結成一個整體。

東方與西方文化特質所不同之處，以近代來說，近世紀可以代表西方文化的是科學技能，中世紀代表西方文化的是宗教。科學技能發展到今天，人類物質生活的享受，可說已很滿足了。不過人是有情的動物，且為萬物之靈，除了物質的享受以外，更需要精神生活。西方人的精神生活是宗教，教徒們崇拜神聖，然各宗教之神，事權亦有差別。譬如猶太教的上帝是主持正義，同時以懲罰惡人為事。伊斯蘭教的上帝，除了懲罰惡人之外，還要賞賜善人；同時一切教徒在回教上帝之下是平等的。耶穌教的上帝和前兩教稍有不同，他是仁慈的、博愛的，主張寬恕他人，而自己所表現的卻是非常謙卑。所以西方人的精神生活可以說是以宗教為中心。我們中華文化自古以來，所表現的都是外儒內佛，這是中華文化與西方不同之所在。所謂外儒，就是說中國社會向來是以倫常為中心，也就是我們社會的組織是以五倫為基礎。這種組織已經有四千多年的歷史，我國在這樣悠久的歷史當中，能夠存在而不被時代所淘汰，就是因其本身就有團結的力量。五倫從最小的範圍說是夫婦，再擴大就是家庭，家庭裏面有父子、兄弟；家庭以外是社會，社會則有君臣、朋友。五倫是我們中華民族團結的根本，而以五常仁、義、禮、智、信為道德的基礎；也就是說，倫常是中國人的人格；具備了這五種常道，就是取得了人的資格；人之所以異於禽獸者，就因為人具備了倫常大道。這是表現於外者。而國人內在趨向多為佛，佛教傳到中國大概有一千七、八百年的歷史，到現在可以說已經純粹變為中國的佛教，而和印度佛教不同；也就是說佛教傳入中國之後，已和中華文化融合為一體。佛教的內容不是崇拜神，也不是崇拜上帝；佛教承認宇宙之間有神，也承認有上帝，上帝與我們的關係，在佛法上講是平等的，並沒有太大的差別，好像中國國民見到外國元首，他雖管不着我們，然必待之以禮。我們對鬼神的態度亦復如是。對於上帝應當恭敬，人與人之間要有禮貌，人與神之間也應有禮貌。人對於上帝當然也應該有禮貌，也就是對於一切鬼神都要尊重，因為他也有佛性。佛家所謂佛性，就是每一個人本身具有的智慧德能。這種智慧德能是平等的，不但衆生平等，衆生與佛也是平等；現在所講聰明才智，不是智慧德能有差別，而是對於宇宙人生的迷惑有深淺不同；迷惑深的就較愚，迷惑淺的就較聰明。所謂「佛」，就是他將迷惑斷盡了，而本有的智慧德能完全恢復；反之，迷而不覺，就稱為衆生，也可以說佛是覺悟了的衆生，衆生是迷惑顛倒的佛。所以佛教傳入中國以後，很受國人歡迎，就是佛教教義在於啟發我們自己本有的心智。

剛才講文化像一盤散沙一樣，必須有一種東西把它凝結起來，這種東西就是倫理—「五倫定分」，「八德交感」。人在社會上首先要決定名分；名分決定以後，就有應享的權利和應盡的義務。所謂夫婦、父子、兄弟、君臣、朋友，任何一個人都具有這些名分；在家庭是怎麼樣的身分？在社會上是怎麼樣的身分？在某一個所在身分變更，義務也隨之不相同了；因此，五倫具有十義：夫義婦聽、父慈子孝、兄良弟悌、君仁臣忠、長惠幼順，此謂之人義。這就是說，做丈夫的必須守道義，做妻子的一定要順從；做父母的一定要慈愛，做兒子的必須要孝順；所謂君臣，並不一定是臣子對君王，而是領導階層與被領導階層；譬如經商開店，老闆就是君，夥計就是臣；領導人一定要仁惠，被領導的人必須盡忠。所以五倫有十義，各有各的義務，各人有各人的本分上應該做的事情。譬如忠孝仁愛都是屬於德，孝悌忠信禮義廉恥是做人的基礎。倫理的重心就是孝，中國自古即係以孝治天下；在家庭孝順父母，離家庭以外，化孝為忠，就是孝於國家，孝於民族。孝之為道，其大無外，孝經云，天之經，地之義，民之行也。古人所謂經天緯地，範聖型賢，我們學聖人，學賢人，必須以孝為基礎，從孝上着手，才能成就大德。佛亦如是；佛教是以孝為根本，所以才能修成佛。戒經裏面有明文指示我們說，孝就是戒律；佛教是以孝為根本，所以才能修成佛。戒經裏面有明文指示我們說，孝就是戒律；如果離開孝，戒律的基本精神就沒有了。佛教的孝道，就是寓孝於親，而後將此種精神擴大，孝於人類，孝於一切衆生，這是比儒家的範圍更擴大一層。儒家講孝講到人類為止，佛教則講到一切生物，這是文化根本的根本。

其次講到宗教。宗教指出我們行為的一個理論基礎；譬如對父母盡孝，我們覺得是應該的，因為父母生育我們，養育我們；我們對國家盡孝也是應該的，因為國家保障我們；沒有國家，我們就無法生存。為什麼要對一切衆生盡孝？這個道理必須要智慧開啟了以後才能了解。要啟發這種智慧就需要宗教教育，尤其是佛教說得非常透澈。所謂啟發心智，克證聖賢，以我們的本性和智慧克服自己一切不正常的行為，證入聖賢的境界。宗教必須基於信仰，有人說宗教是迷信，迷信也未嘗不好；如果從利益方面來說，可以說愈迷愈得利益，這是一般的說法。不錯，佛教也是迷信，因為佛法道理太深，不明其理而信之，就是迷信。可是迷信也要有條件，我們學佛，須知人與佛是師生關係，佛是老師，我們要信仰老師的道德學問，要接受老師的教訓；所以學佛，首先要建立信心；信仰以後，必須求解；因為只有信仰是很難得到真實利益的，距離聖者的地位還差得很遠，所以信必求解；就是對宇宙人生一切道理，我們應該完全明瞭；不但明瞭，而且要能正確的認識；要正確的認識宇宙人生，然後才能在宇宙人生中自己做主宰。現在我們不能做到主宰，就是因為迷惑宇宙人生之中；解理以後，還要修行；所謂修行，以佛教為例來說，並不只是在佛堂裏敲木魚，在菩薩面前唸經，同樣的，也不是在修道院裏才是修行，所謂「行」是指日常生活行為，也可以說是舉心、動念、言語，身體一切造作都叫做「行」；「修行」就是隨時隨地要把我們錯誤的行為修正。佛菩薩是我們修行的榜樣，我們要學他。基督徒也應該如此，上帝是仁慈的，要把你的心變成和上帝的一樣，把你的行為變成上帝的行為，那你才不愧為上帝的信徒。所以，修行到相當的程度，就與聖者、與上帝接近了。最後修到和他一樣的時候，就叫做證；到這種境界，以佛法來說，你就是佛。假使學上帝也可以達到德能與上帝相同的境界，不過你是不在位的上帝而已。上帝確實希望人都像他，決不會像我們小心量，以為人們都不如我。

（未完）

昨日與明日

可一（？）而不可再

最近傳聞台灣方面某國立大學在易長之際，忽有該校少數教員，聯名上書，指證即將任命的新校長，年齡超過七十，不合人事規定，於是乃使這報紙透露衆所週知的新任校長，胎死腹中，而舊任校長又復苟延殘喘下去。這件事足以表現出法治精神的進步，凡我國民，無不欣慰，尤其政府當局，那種虛懷若谷，從諫如流的精神，更是值得稱讚，假如這種精神，長此保持下去，復國大業還有什麼問題，因此我們深以為賀。

瓜田李下

但在此事的另外一面，却是潛含着若干不美的甚至是危險的因素，迫使我們不能已於言，孔子說：「視其所以，觀其所由，察其所安，人焉瘦哉，人焉瘦哉」。「視其所以」，拿現在的話說，就是看他的動機。假若這些位聯名上書人士，都是動機純潔，地位超然，那當然沒有話說；但細經查詢，才知這些聯名上書的很少是該校的老師宿儒，權威教授，反之却都是直接間接，與該校舊任校長關係極近，甚且是負著行政責任的，因此在瓜田李下的情勢下，乃使社會上謠傳其上書動機是「替主子保駕，而抗命」，甚且傳說是為了保護「既得權益」。

吹毛求疵

這當然都是無稽之說，不足為信，但就事論事講，也不無可商確之餘地，七十固然老，但是要看作什麼事情，誠如蹇叔對秦穆公之言，若搏兎打獵自然老了無用，但在運籌帷幄的用腦工作，則七十正是老謀深算的時候，何況傳說中的新任其資望學歷，乃是超過某校改為大學以來的歷任校長的，是以又何必吹毛求疵，單為年齡一點而拒絕這一員好有經驗的教育家。

或曰，法治的精神，就是要嚴格信守，這自然是對的，但天下事有原則就有例外，甚至自然界事，亦無二致（例如水是四度時最重，即是一個重要的「例外」是）。即以法律來講，犯罪者必須科刑受懲，但國家元首可以以下令特赦，而傳聞中的新任，據說就正是我們的元首交下的，這話要怎麼說呢，我們不願誇大其辭的說下去了。

顧全大局

近年來，舉世皆鬧學潮，唯獨自由中國學風良好，絃歌不輟，其中原因固多，但教育界中無人操縱鼓動，興風作浪當為其主要原因之一，因此前一些時，某校教授要組織教授會，負責黨務的人士，即極力疏通，勸其歸於平息，即是恐怕有人操縱變質，而蹈往日大陸的覆轍，現在某些人士聯名抗拒新任。其事本身或許動機「純潔」（？）但其影響所及，實有潛存的毒素，苟眞大家尤而效之，今後寧靜的教育界就不免多事了，因此為了大局，大家必須愼重從事，可一而不可再。

・一言・

自由談

在彼不在此

中華民國司法行政部近在台北舉行「司法檢討會議」，揭櫫兩項議題，即改進法官審判一般案件的程序，簡化民事訴公事宜的處理手續，以期實現便民的成效。這是新任部長下車後的新猷，其志固可嘉，但我認為今日整飭司法風氣的中心問題，乃在彼而不在此也。

今日法曹風氣敗壞情形，遠甚於二十年前，且視舊日的北洋軍閥政府時代亦不如，主要毛病就是沒有公正廉明精神，貪墨瀆職的行為，時有所聞。法官訊理案件之因循遷延，失出失入，積習已深，寖成痼疾，決非枝枝節節的說教所能治療的，根本之計，必須從改良法官素質入手，否則雖開千百次檢討會議，其作用亦止於宣傳而已。

所貴乎法官的素質，法律知識與人品操守併重，未可偏廢。當此人慾橫流之秋，法官的操守如有問題，其病民虐民的程度，比一般行政界的貪官污吏尤為嚴重。據聞新任司法行政部頗有整飭法曹人事的打算，可謂深中肯綮，但應以壯士斷腕去的勇氣，採取大刀闊斧的作風，庶可望振衰起弊，嘉惠羣黎。整飭的目標，凡屬聲譽不佳，績業低劣者，固在淘汰之列，即老於吏途，泄泄沓沓而毫無責任心與正義感者，亦須飭其退休，毋復阻塞賢路。海內外研習法律的新進人才孔多，只要不拘泥於派系觀念，廣收愼用，廉能之士，所在多有。

至於這次「司法檢討會議」的兩項議案，完全是技術問題，法官如果是廉幹的，自然恪盡職責，悉力以赴，雖不集衆檢討，亦必我行我素，求心所安。總之：開會主義絕對開不出實效來，祇能藉此聽取一點僚屬的意見，表示當局者勤求治道的心情罷了。「為政不在多言，顧力行何如耳」，古人之言，至今正確，志在作大事而非大官的政治人物，其各勉旃！

馬五先生

推行新政策實現新計劃
政院訓練幹部人才
振衰起弊革新政風
使勇於負責担當復國大任

（本報台北消息）九月十日台北某報刊出如下一則新聞：「全國各級行政機關中上級主管，從現在開始的三年內，都將接受現代行政管理訓練，使其具備現代化的科學管理知能，以推進政治革新。

「由行政院主辦的『現代行政管理訓練班』，首期將於本月廿一日開訓。本期召訓高、中級各一班，共一百人。

「根據總計，全國各級行政機關中上級主管幹部，包括中央政府的署長、局長、司長、處長，省市政府的局長、處長和縣市政府的縣市長及其重要主管等，約三千六百人，將於三年內調訓完畢。

「現代行政管理訓練班設於台北木柵的中興山莊，分開高級和中級兩種班次，每次集訓兩週。」

這個由行政院舉辦的「現代行政管理訓練班」，是由行政院策劃，交由人事行政局籌劃，集全國菁英在中興山莊施以精神訓練，首期訓練在本月二十一日開訓，很多人誠懇希望這個訓練班辦得百分之百的成功。培植出一批真正能為治國平天下的幹部人才，從而革新政治風氣。

無可諱言，過去雖然辦了不少訓練班，很可惜沒有發生預期的效果。原因在於當時懸的希望過高，實行起來，理想與事實脫節，所以在訓練班裏所接受的那一套新的知識，無法應用到新的工作上去。受訓除了在個人方面多認識幾個朋友，虛心的人交換個人的學識經驗，增強自信，在公家並無多大好處。

訓練的目的應該是，打算推行一種新的政策，實行新的計劃，訓練一批新人，告其所以及推行方法，交付他們去實行。比方大韓民國近年推行許多新的政策，就是靠那一批一批的新人之成功的。有新人而後有新政，所謂新人是有新的頭腦，新的知識，新的觀念。從前的觀念，月中有廣寒宮，宮中有嫦娥，而今美國人登陸月球，祇帶回來幾塊巖石，不見動植物的存在。今後一個人的觀念如不能隨時代改變，如果還能生存，那是僥倖，不是必然。

今天我們的政風是如何呢？即以北市所謂黑市煤氣之爭，所暴露的弱點來說明，市議會指控高玉樹市長越權，工務、教育各局職權被市長剝奪，而被奪者，反覺無所謂，視為當然，甘之如飴。這就說明今日官員們素無負責觀念，只要有官作，職責不管，足證作官之樂，目的並不在立志要作一番事業，而在汽車、洋房之獲得。這只是舉例言之，一般風氣莫不如此，居官如僅在敷衍，粉飾太平，千里作官「吃穿」，居安、行便，所謂「吃穿」，但求無過，不求有功而已足，則國家還有甚麼前途可言。

次行政院舉辦「現代行政管理訓練班」的決心及作法，相信國家有了新的生機。過去受訓人員結業以後，必須在職務方面作適度調整，交付任務，大多數人聽到此，在規定時間如無表現，應即撤職。如表現良好應即升遷，這樣才有意義，否則仍如過去受訓完畢，不予考核，便不會發生效果，白白糟塌人力物力，又何必多次一舉？

相信這次行政院辦訓練，所以受訓的一定是拿新觀念來，人也必定將新觀念帶到他所服務的機關和崗位以及社會上，在在發生影響，使人人提高國家民族復興的信心，很警惕。國家興亡匹夫有責，何況是在官員，更應責無旁貸，如能引天下為己任，成敗在此一舉，發奮努力吧！（震如）

就經銷液化煤氣事
立委提出質詢
指其政策錯誤
種種弊端應運而生

（本報記者張健生台北航訊）立法委員張九如為裕台企業股份有限公司「扼殺科技創造，蔑視民生需要」，特向行政院質詢。質詢文及附件長達三、五萬言。質詢主體是裕台公司經銷之液化煤氣，未採用液化煤氣計量錶，致發生弊端，增加消費者的負擔。

張委員質詢文附錄張景行的「舉裕台公司」的依據。如（一）有關液化煤氣業務上一切流弊發生之根源，在於缺乏之計量錶，以致液化煤氣商乘機用剋扣等不法手段，剝削用戶，以圖暴利。更致逐著務之若鶩，形成貪污、賄賂、舞弊、食汚、枉法敗德亂紀等行為。（二）應運而生。十餘年來，裕台公司被各方指責之具體事實，據傳不外如下五端，至其是否盡屬事實，則係查察機關應該查證之事。分銷政策錯誤：目前遍佈全省分銷商有一千八百餘家，其中在五十七年三月以前核准者五百一十家，其餘均未核准，亦無煤氣配額，專以銷售其價格遠較公定價格為高的黑市煤氣為業。除偷減斤兩外，自無利可圖，而直接受害者，為廣大的煤氣用戶。至於黑市煤氣來源：第一是裕台從各分銷商配額中所剋扣者；第二是各大戶分銷商之超額煤氣；第三是所謂直接用戶所持有之煤氣。

至核發分銷商牌照，及分銷商增加煤氣配額之多寡，都決定於紅包的大小。由於裕台有剋扣分銷商煤氣每噸四十公斤的陋規，於是演變出如下之結果：第一是分銷商變本加厲剋扣用戶，由每桶八九折剋扣而七八折乃至六七折，裕台不敢干涉；第二是分銷商利用裕台弱點，從事要挾；例如五十八年度，台北有三家分銷商聯合敲詐裕台，先連絡警察，在裕台煤氣工廠附近埋伏，等待運煤氣車輛駛出，即上前攔阻，將煤氣卸下過磅，取得證據後，持向裕台談條件，裕台終於以額外配給煤氣六十噸而私了；第三是黑市煤氣充斥，地下分銷商遍佈各地，形同攤販。

同時，裕台主持人利用煤氣應付人情，所謂直接用戶（既非分銷商而能掌握大量煤氣，操縱市場，製造黑市者）即由此生產。裕台部份高級職員，兼營煤氣運輸公司，及製瓶工廠，利用職權，從中漁利。例如分銷商增配煤氣一噸，必須向指定之工廠購買鋼瓶六十支，否則將受刁難。

主管單位諱疾忌醫
不使用計量錶
立委提出三點疑問

張九如委員認為裕台公司「懼怕液化煤氣計量錶，則正如逃稅奸商吞稅污吏的懼怕電子計算機。即退一步言，該公司至少也是「諱疾忌醫」。而經營煤氣者在串演此惡劇以後，對此錶所表示的後望，更顯然是「貓哭老鼠」。因此，張委員提出三點疑問，要行政院查究。

第一、是五十八年十月七日，煤氣總經銷之裕台公司給液化煤氣計量錶舉行試驗的經過。在試驗前數日，發明人張景行曾向該公司提供有關試驗時應行注意事項之意見，而所得的答復是不必担心，一定對你有利。在試驗之日，由該公司邀集的二十八人之中，煤氣商就佔了十四人，其他有該公司職員八人，有關機關代表則僅五人。而在此五人中，又祇有中央標準局、商品檢驗局及中油公司代表，可能是具有化學物理就機械學經驗的人員。此外的二十三人，可說全是「外行」，並可說十九是與該總經銷之裕台公司一鼻孔出氣的人。該公司在試驗與會談後，該公司又側重紀錄反對液化煤氣計量錶者的意見，不但未盡紀錄發明人張景行的言論，並抹煞當時有人曾指陳「此次試驗係屬多餘」的批評。至其所以抹煞，顯因其批評含有譏責該公司蔑視三個專門機關以前的檢定，而反約集許多並非專家胡亂試驗的意味。發明人張景行在試驗會談後二日，曾向該裕台公司迭出備忘錄，分別載明試驗結果正常的計為七項，被認為有異狀的二項，其異狀的形成，則又不外如標準局代表（吳昌樑）當場所說的：「將來再作試驗時，對場地、試驗工具，及操作方法，應事前作妥善的安排。」如檢驗局代表張華斌當場所說的：「試驗時所用的計量錶係手工製造，其準確性尚難達到理想，此固如發明人張景行的分析：但試驗時所用的磅秤等，及試驗時的操作方法，亦可能影響試驗結果。」又如中油公司代表謝榮輝當場所說的：「此後如還要做類似的試驗，應該會同工業安全方面的專家及儀器方面的技術人員共同試驗，來不必一定要由分銷商，以免處理這個問題的先入為主的主觀觀念，致影響正常的結果。」這三方面代表共同建議的意義，殆無異暗示「發明人張景行既被該公司擺佈入其圈套，縱有齊天大聖的本領，亦跳不出如來佛的手掌。」發明人張景行情知中計後雖會提出抗議，雖會提出備忘錄，又會陳請主管該公司的機關查究，有什麼用？（未完）

依洞集

張九如的質詢

柳蔭

立法委員張九如向行政院提出質詢，指責裕台公司總經銷液化石油氣，「扼殺科技創造，蔑視民生需要」，要求行政院不要「僅據現辦單位意見答覆本人的質詢。」他堅持追問裕台公司為甚麼不幫助張景行推銷其所發明的液化煤氣計量錶。

張九如委員一向從事文化運動，擅長寫作；但過去多半致力於黨義的宣揚，於今對有關實業非本行之作，動輒數萬言的質詢，實令人欽佩。

我們不甚明瞭者，張景行所發明的液化煤氣計量錶，究竟是怎樣一回事，何以非得裕台公司大力相助不能銷，張九如委員又是甚麼原因這樣不平？對裕台公司大張撻伐！假定煤氣計量錶為用戶所需要，不必強迫，自然會裝。例台灣電視公司不過十年，全省安裝電視機，已經在一百萬架以上，並未透過電視公司，或政治力量，換句話，皆用戶自動購置。液化煤氣計量表，一定要裕台公司幫助纔能賣得出去，這其中一定還有問題。尤其煤氣計量表是否通用，首先得加以檢討。

喬治桑外傳

一七八　張大燕

「哦，真對不起，你瞧我這人有多笨。我是旗人。由我的姓你們可以想得到。」黑嬌嬌笑得花枝招展地。

「不錯，只有旗人才有姓黑的，不是妳提起，我倒沒想到。」喬治桑自言自語。

「桑兄，你真是天大的面子，今天黑小姐特別請了一天假來陪你」裴白瓊最會牽線拉馬，幾句話說得好甜。

「那我要好好請一請黑小姐才對。」喬治桑說完，打了一個哈哈。

「你不要聽裴先生的，我今天剛好是休息，所以有空。平常日子，想幹我們這一行的，請假是很不容易的。」黑嬌嬌說老實話，可見她為人倒很忠厚。

「話不是這樣說，你不知道她的應酬有多忙，今天還是給面子的。」裴白瓊這番話，喬治桑很清楚，他的目的無非是想要喬治桑大請客而已。

一個都市的繁榮，往往會帶來畸型的發展，目前台北的紅歌女，一月收入總在好幾萬元，比什麼職業都好。因此，裴白瓊雖屬上流社會人物，對黑嬌嬌也要百般逢迎了。

台北傳奇錄

（七四）

·陳光棟·

馬寡婦搖搖頭嘆了口氣，她看到兩個人還有點人性，於是仗着胆子問：「你們老闆是什麼樣的人物」？

「妳問這個幹什麼」？羅圈腿瞪着眼。

馬寡婦不願意再費唇舌，只好靠着牆靜靜的坐着。

「老大回來啦」！年輕的聽到腳步聲，馬上開開房門，瘦子喘着氣走進來：「收拾東西」！

「她哪」？羅圈腿指指馬寡婦。

「唉！妳住在什麼地方」？瘦子問馬寡婦。房子裏一陣沉默。

「老五」！瘦子向羅圈腿努努咀。

「是」！羅圈腿拉了拉衣服。

「你把這位太太送回去，搞清楚了她家的門牌號數，完了事到那邊去找我」！瘦子又衝着馬寡婦：「到了外面就把這件事情忘掉，妳要是不老實，提防着找妳算帳」！

小巷子黑忽忽的，任什麼都看不見，馬寡婦隨着羅圈腿走了足有二十分鐘才到了淡水河邊上，叫了一輛計程車回到馬寡婦家，羅圈腿在門口又叮囑馬寡婦不要多說話，又看了看門牌就機警的離開了。

馬寡婦開開門進了自己的小天地，感到既親切，又恬靜，她擦了一把臉，梳了梳頭髮，沖了一杯香片茶，直愣愣的坐在沙發上沉思，她打算馬上去報警，又怕那批流氓會向她報復；去找劉二爺商量吧；可惜時間又太晚了，她找出原子筆，預備憑着記憶裏的方向描畫一張路線圖，想找出自己究竟在什麼鬼地方被幽禁了大半夜，真是倒了八輩子霉。馬寡婦正在自怨自艾的當口，忽然響起了捶門的聲音。

「查戶口」！外面的人喊着。

「什麼？這麼晚」？馬寡婦推着門。

「快點開門吧，安全檢查」！

馬寡婦不情願的開了門，闖進來兩個留大包頭的朋友。

「妳可真有一手」！其中一個抓住馬寡婦的手腕子：「妳吃到我們頭上來，剛才那包東西哪？趕快拿出來」！另外一個在整座房子轉了一趟。

馬寡婦一想害怕也沒有用，莫若老老實實的告訴他們，因此馬寡婦就一五一十的把經過情形說了一遍，最後說到羅圈腿剛走了不到十分鐘。說的兩個人不由得不相信。

「真他媽，我們看到那小子走出去，還以為你們是一碼事」！其中一個對另一個說：「應該翻翻他身上不要讓他走」！

「妳跟我們去找他們」！

「老天爺！我根本記不清楚是什麼地方，拐彎抹角的都是小巷子，越走越胡塗」。馬寡婦急的直要哭出來。

（未完）

李漁叔教授「說曹操」

·文匯樓主·

李漁叔教授，執教國立師範大學，爲墨學權威，其志行皎然，幾十年來如一日，品格氣節，足爲次一代青年模範，自由報決定由名學人集體寫作之「安徽十三傑」，李漁叔担任「說曹操」，蓋藉其博學與神來之筆，把這位大漢丞相幾乎寫活了，可能成爲一部傳世之作。

「三國演義」本荒誕不經，與正史脫節甚遠的一部小說，竟以訛傳訛，積非成是，對社會影響力之大，超過水滸傳及西遊記，不得不佩服該書作者之成功。國劇之編寫，率多根據這部演義，眞是咄咄怪事，尤其把關羽塑成爲聖人，諸葛亮變成爲了妖道，魯肅被刻劃得像一個沒有用的書呆子，（詳見借東風）曹操被描塌得不成一個人形，嚴格的說都有欠公允，難怪有人會問英國大作家卡萊爾「如果二者之間，必須犧牲其一的話，你們願意放棄印度呢？還是放棄莎士比亞？」卡萊爾的答復很直率，「寧可放棄一百個印度，而不願失去一個莎士比亞。」從這可以看出一個進步國家，對文人的崇拜和尊重，到了甚麼程度。

「說曹操」在自由報第三版連載後，海內外讀者紛紛來函讚揚，有幾位知名學人（本報評論委員）希望藉「說曹操」機會能糾正三國演義若干錯誤，比如陳宮並非中牟縣令，亦未與曹操共同逃亡，曹操說的「俺曹操一生一世，就是這疑心太重，逢人祗說三分話，常在虎口中拔牙」。謂陳宮臨別留詩「鼓打四更月正濃，心猿意馬歸故縱，誤殺呂家人數口，方知曹操是奸雄」。不僅亂扯，簡直離譜太遠。

還有吳國太主持甘露婚事，全出自信口開河，查孫堅的夫人吳氏婚事前七年業已去世（見三國誌，吳誌后妃傳），至於諸葛亮的「借東風」、「打黃蓋」、「草船借箭」戲劇固然是在做「戲」，但也得有點影子，諸葛亮本爲學人大政治家，「借東風」這一介紹，把他變成爲一代巫師，怎麼可以呢？又銅雀臺爲赤壁戰後三年所造，三國演義中孔明與周瑜的對話，完全不合邏輯，沒有一點根據，諸如此類的事，舉不勝舉，李漁叔教授寫「說曹操」，間將作適當糾正，「說曹操」固可當作小說看，其實亦讀史最佳的補充教材。

文滙樓劄記

論惠施的哲學思想（一）

·周世輔·

惠子，宋人。（西元前三一〇——三八〇）與莊子並時，卒於莊子之前。

莊子送葬，過惠子之墓，顧謂從者曰：「自夫子之死也，吾無以爲質矣，吾無與言之矣。」（莊子徐無鬼）惠施爲學說家兼政治家。爲莊子所敬重，亦爲莊子所批評。惠施爲梁相時，莊子曾往見之，惠施恐他取代其相位，到處搜索，他見了惠施，把宰相比作腐鼠。（秋水）白圭見惠施于梁，惠施說之以彊（可說是大言不慚），白圭無以應。惠施出，白圭告人曰：「新婦至，宜安矜烟視媚行，今惠子之遇我尚新，其說我有太甚者。」施聞之，曰：「不然，詩曰：愷悌君子，民之父母，愷悌，父母之教子也，不待久，何乃比我於新婦乎？」（呂氏春秋，不屈）可見他是何等自尊自大。

匡章毀惠施於王前，曰「蝗螟，農夫得而殺之，奚故？爲其害稼也。今惠施出，從者數百乘，步者數百人，少者數十乘，步者數十人；此無耕而食者，其害稼甚矣！」王謂施曰：「子亦言其志」。施曰：「使工女化而爲絲，不能治絲，使大匠化而爲木，不能治木，使聖人化而爲農夫，不能治農夫。施治農夫者也。何事比於蝗螟？」（呂氏春秋不屈）可見他是一位聲勢不小的能言善辯的人物。今述其哲學思想。

（一）善辯與用譬——惠施與人辯論時，善用譬喻。客謂梁王曰：「惠子言事善譬，使無譬則不能言矣。」王因謂惠子曰：「願先生言事直言無譬也。」惠子曰：「今有不知彈者，告之曰：彈之狀如彈，則喻乎？」曰：「彈之狀如弓，以竹爲弦，則知乎？」曰：「可知矣。」惠子曰：「夫說者固以所知，喻其所不知而使人知之，王曰：無譬，則不可矣。」王曰：「善」。（說苑，善說）

他既善用譬，又善爲用譬辯。

莊子與惠子遊於濠梁之上。莊子曰：「魚出遊從容，是魚樂也。」惠子曰：「子非魚，安知魚之樂？」莊子曰：「子非我，安知我不知魚之樂？」惠子曰：「我非子，固不知子矣；子固非魚也，子之不知魚之樂全矣。」莊子曰：「請循其本，子曰：女安知魚樂云者，既已知吾知之而問我，我知之濠上也。」（莊子，秋水）這是莊子借他自己的紀錄。其實，如就客觀的觀點來看，惠子未必辯輸了。因爲安知魚之樂，未必可釋爲在何處知魚之樂？

莊子對惠施頗多批評：「南方有倚人焉，曰黃繚，問天地所以不墜不陷，風雨雷霆之故。惠施不辭而應，不慮而對，徧爲萬物說，說而不休，多而無已，猶以爲寡，益之以怪。」莊子反對這種辯論，譏爲「逐萬物而不反」（天下篇）。但惠子是在談宇宙哲學呀！荀子云：「不法先王，不是禮義，而好治怪說，玩琦辭，甚察而不急，辯而無用，多事而寡功，不可以爲治綱紀，然而其持之有故，其言之成理，足以欺惑愚衆，是惠施鄧析也。」（非十二子）惠施、鄧析（註二）都是名家，都尚詭辯，都爲荀子所反對。

（二）辯論要點：——莊子天下篇云：「惠施多方，其書五車，其道舛駁，其言也不中，歷物之意：至大無外，謂之大一，至小無內，謂之小一。無厚不可積也，其大千里。天與地卑，山與澤平。日方中方睨，物方生方死。大同而與小同異，此之謂小同異；萬物畢同畢異，此之謂大同異。南方無窮而有窮，今日適越而昔來，連環可解也。我知天下之中央，燕之北越之南是也。氾愛萬物，天地一體也。惠施以此爲大觀於天下，而曉辯者，天下之辯者，相與樂之。卵有毛，雞三足，郢有天下，犬可以爲羊，馬有卵，丁子有尾，火不熱，山出口，輪不蹍地，目不見，指不至，至不絕，龜長於蛇，矩不方，規不可以爲圓，鑿不圍，飛鳥之景，未嘗動也。族（金旁）矢之疾，而有不行不止之時，犬非狗，黃馬驪牛三，白狗黑，孤駒未嘗有母，一尺之棰，日取其半，萬世不竭。辯者以此與惠施相應，終身無窮。」

惠施這些辯論，有些是和鄧析所共有，如山淵平，天地比，卵有毛等。（見荀子不苟篇）有些是和公孫龍所共有，如雞有三足，目不見等，（見公孫龍子一書）當時這些辯論如何取勝？有何論證？沒有記錄可考。後世學者雖代有解釋，多不易用現代語講明。茲特參照各家見解，加以自己主張，分別解釋如后。

我們先要提到的是，惠施等所有辯論，都是標新立異，與衆不同。如普通人從現在立言，他們便從過去或未來立言；普通人從客觀立言，他們便從主觀立言，反過來說，亦是一樣。此外，或把握時間，或把握空間，或把握主動，或把握被動，或以平面爲依據，或以立體爲依據，或以物質（肉體）爲依據，或以精神（心靈）爲依據，或異中求同，或同中求異。或一分爲二，或合二爲一。都是極其「持之有故，言之成理」之能事。這裏先釋歷物十事。（未完）

說曹操

李漁叔

孔融與禰衡（二十四）

可以每（每與貪同）其生哉。懍懍焉皜皜焉，與琨玉秋霜比質可也。」

移鼎之跡數，係說終曹操之身，不會篡位，是因爲孔融的緣故，這或爲范蔚宗的史筆，有意如此說而已。

范蔚宗撰後漢書，在文苑中爲禰衡立傳，他只是一個漢朝的處士，雖經太中大夫孔融特疏擧薦，但並沒有受過朝廷爵命，不比王粲、陳琳、徐幹等，都曾經曹氏的賞拔，可以歸入魏志；故而禰衡與孔融一樣，不能算做三國時人。所以陳壽作三國志，就不再爲他立傳了。而孔融只在崔季珪的傳中附帶一筆，這些都是史傳的體裁。

任何人讀過禰衡傳，都會感得到這樣一個絕世才人，竟然橫遭摧折，極千古文人不會遇到的厄運，而爲之扼腕不置。他的才華足以炫世，但剛愎的個性，也足以殺身有餘，何況生逢亂離，正値一些凶橫暴戾，毫無學識的軍人得勢，隨時可以殺人，寄命其間，有如置身虎口，自然不能倖免了。

禰衡字正平，平原般人。般縣故城在山東德州平昌縣附近。他少有才辯，而剛傲慢物。曾一度避難荆州，到了建安初年來遊都城許昌，初到潁川，本傳說他：「陰懷一刺，既而無所之適，至於刺字漫滅。」陰懷一刺，是說他私地下備了一張名片，因爲始終不肯去找人，以致名片上的字跡都糢糊了。這時有人勸他去拜訪陳羣長文，司馬朗伯達，他答道：「我怎會跟這些屠沽兒（那時視屠宰牲畜和賣酒的人爲賤業，罵人時常拿來作比喻。）在一起呢？」人家又問荀文若趙稚長怎樣？他答：「文若可借面弔喪，稚長可使監廚請客。」意思是說荀外貌頗好，可以借去弔喪。趙則據典器說其人腹大健啖肉，故可監廚。那些人都是一時名士，多給他糟踏完了。他只和魯國孔融弘農楊修有交情，曾說：

「大兒孔文舉，小兒楊德祖，餘子碌碌，莫足數也。」

在語氣上看，也是十分不遜的。他比孔融年齡小了一倍，他才弱冠，孔融已經四十，此時結爲好友，眞可算得是忘年交了。孔融本來愛才，對他尤爲傾倒。曾經上疏漢帝，極力保薦。那篇薦表，除載在禰衡本傳外，並見昭明文選，文章異常華妙，中間一段是：

「竊見處士平原禰衡，年二十四，字正平，淑質貞亮，英才卓躒，初涉藝文，升堂睹奧，目所一見，輒誦於口，耳所暫聞，不忘於心。性與道合，思若有神……忠果正直，志懷霜雪，見善若驚，疾惡如讎……鷙鳥累百，不如一鶚，使衡立朝，必有可觀。」

（未完）

安徽十三傑　管仲　李時　莊周　曹操　華佗　包拯　朱熹　朱元璋　戚繼光　李鴻章　段祺瑞　胡適　楊振寧

諸葛亮狂想曲（一五七）

劉亥

諸葛亮加了信封，在信封上寫何仙姑，呂道友同啓，然後交琴童專送。

「要不要等回信？」琴童接信然後問諸葛亮。

「不用了。」

「什麼時候送去？」

「吃過晚飯送去不遲。」

劉約翰從懷中掏出一隻打簧錶，用手指一撳，只聽見叮叮噹噹幾下。向諸葛亮說道：「諸葛先生還有什麼吩咐？」

「沒有什麼事了，你們去看星君罷。」

劉約翰，金玉枝正準備起身告辭，忽然外面有人叩環。

「琴童你去看一下，是誰來找我？」諸葛亮命琴童去應門。

須臾，琴童入報，「黃雲大仙來了。」說完微微皺着眉頭，顯然是不大歡迎這位不速之客。

劉去黃來，劉約翰夫婦走了，黃雲大仙又到。諸葛亮知道從此在天庭已無法做一個散淡的人，也只好隨遇而安。

黃雲大仙一坐下，諸葛亮立刻聞到一股濃厚的麝香味，知道是由他跨下麝香囊所散發出來的，並不爲怪。

黃雲大仙向諸葛亮施禮罷，畢恭畢敬坐下。

諸葛亮不等黃雲大仙開口，先說道：「你的事我已經向太白星君談過，他已經答應讓你參加海王星探險。」

黃雲大仙聽後，喜形於色，說道：「這都是諸葛先生提拔之力。」

「你有志參加海王星探險，其志可嘉。我只希望你能有良好表現，談不到什麼提拔不提拔。」諸葛亮說完，搖了兩下鵝毛扇，意態很優閒。

琴童端來了一杯露泉水待客。諸葛亮家裏待客有好幾種飲料。貴賓用人參茶，像劉備、太白星君等。凡夫俗子用咖啡，像劉約翰、張素梅等，至於黃雲大仙，他是由畜類修煉成人形的，則用甘泉或靈泉。方才招待金玉枝亦是如此。他們不能飲用刺激性飲料，倒不是諸葛亮慢客。

「一切都仰仗丞相栽培，請問什麼時候到星君那裏去？」黃雲大仙喝了一口靈泉，與諸葛亮說話，執禮甚恭，仍然以丞相來稱呼諸葛亮。

「這倒不必着急，他會隨時通知我的。據我所知，海王星太空船，仍然沒有完成發射的準備。」諸葛亮愛屋及烏，因爲關羽的關係對黃雲大仙也有幾分好感。

「那我就告辭了，如果一有消息，請丞相派人到二將軍那裏找我好了。」黃雲大仙在天庭屬於小仙之流，並無固定住處，他每天都陪關羽下棋，混點香火過日子。

諸葛亮只欠身相送。

（未完）

無奇不有的學校

·恨海·

賭博學校

在美國拉斯維加斯地方，有一間賭博學校，正式而公開的教人賭博。主持這間學校教席的，是退休的「職業賭徒」，其中有幾個已有五六十年賭博經驗。他們以前在蒙地卡羅賭場中工作，無論那一項賭博，他們都有教授，中國的麻雀也列為科門。他們固然教一般賭術，但千變萬化的賭博，不能墨守成規，必須注意參加賭博的人的性格而定。他們認為最要的必修課程，是注意研究。如在什麼時候的情況之下該注意縮注，及怎樣鑑別對方的面容表情，以判斷眞假。這樣在臨場時就優勝得多。此外，由教授向學生表演「郎中」手法，同時又教如何把對方「郎中」揭穿，使他們不致吃虧。

星相學校

許多人都不相信星相家的話，但有時碰到有些好此道者「瞻兩句」也會感到興趣。美國加里福利亞有兩個紅白種人，開設一間教人看相占卜的學校，畢業出來的學生，果然有兩道散手。

這學校授什麼課程，實在是個謎，每一個學生註冊入學時，都要簽署誓章，不得向任何人洩露學校裏的課程。否則要負起一切責任。學校方面也常有人監視每一個學生，因此學生都不敢透露。

由於占卜休咎和推算命運是一門高深的學問，非修習一個時期就可以畢業，如你要學會每一種相法，你在那裏讀十八年也不稀奇。一般而言，要學會基本方法，如看掌紋，看面形等，可三年就成了。

記憶力學校

許多人神經衰弱，或者工作太忙，記憶力大減，一會兒把大事忘了。所以腦子敏捷的美國人把握機會，一所奇怪的學校在芝加哥開設，該校就是訓練教人怎樣運用腦筋，同時記憶若干重要的事情，不用記在小簿子上。這間學校果然招到不少學生，修業六個月就可畢業。學生份子相當複雜，以職業上要有較好記憶力為最多。例如紀錄員，舞台演員，售貨員等皆是。許多百貨商店和藥店老闆，保送店員去就讀，為使店員能記得那種貨品是否有存貨，以及進物的價格。芝加哥一間百貨商店老闆，是一個健忘的人，必須根據冊卷，才知道一切貨物的價格和存量。但經過六個月的訓練，記憶大為改進，能把店中大小凡五千種貨物的價格一念出口。有一個名流，在一個專題演講會中，能記憶他的秘書為他草擬的演詞，一句不漏，這份講稿要四十五分鐘才念完，他是該學校畢業的。

笨人學校

「寧生敗家子，莫生蠢鈍兒」。這句俗話充分表示出人們多麼耽心自己的孩子愚蠢。法國有一間專門把蠢材訓練為聰明人的學校。父母凡認為自己兒子過於愚笨，都可送去訓練。

該校主持人韋克自己本人也是非常愚笨的人，小時候兩歲還不能走路，三歲還不會叫爸、媽，他父母很耽心，後來得到一個心理學家的引導，慢慢地追過一般普通的孩子的智慧。後來韋克設了這間學校，專指導愚笨的孩子。由於每一個孩子愚笨的程度不同，他們也採分班級制。曾經有一個幾年不能升級的學生，經過該校訓練之後，每試必列前茅。他們究竟用何方法訓練笨人呢？外間的人始終不知道其中秘密。

巨變歷險記！

鎮遠之戰（二）

（一六〇）　胡慶蓉

鎮遠之戰，展開在我部隊休息兩天之後，不敢說我方士飽馬騰，也確切是精神抖擻，個個向前，人人恐後。丁博士看見，心中自然欣喜，滿懷希望。

鎮遠之戰，在地方來說，是有準備的。遠在兩天之前，他就有情報了，他就有準備了。不過作戰的，並不是什麼大軍，仍然是地方上的武力。他們的目的，只在於阻止，不讓通過。他們的人都聚集在城內。他們採的是守勢。他們高高在上。「你只要不通過，我們就不打；你們通過，我們就打。」他們的意思看來是這樣。但在我游擊隊，又如何能停在這邊？如何能不前進。那麼，這一關就非過不可，即會有犧牲，縱然是大的犧牲，亦所不惜。

第一槍還是城內先開的。那邊開槍，這邊還槍，於是就打起來了。城裏的人是望不見的，但有時也望得見。這邊叫關，喊着開門，那邊當然不理。於是這邊就使迫擊炮轟擊。這種武器，在今天什麼火箭什麼飛彈盛行之際，也或許認為不現代化了。這種武器，幾乎不聽見談了。這種武器很簡單，一塊板（鐵的），再就是彈子了，等於小小的開花炮。這種武器非常的神妙。他與普通的槍炮不同，普通的槍炮，彈發出去是直直的向前的攻擊的，迫擊炮的彈則不然，迫擊炮的彈發出去則是曲線的，他不能攻堅，但他可以越堅超堅，即超堅而上之。他多少還有燒夷彈的意思，假若落在可以燃燒的東西上面，他就會把這東西燃燒起來。現在我方的部隊打通鎮遠這一關就是使用這種武器。名為迫擊炮，迫者近也，擊者中也，迫擊炮者，就近擊中目標之炮之謂也。迫擊炮中目標非常的準確。其效力並且是立竿見影的。我方用這樣的武器，聲勢浩大。

咕冬（口旁）一聲，就會在鎮遠城裏看見冒出一股黑烟，再等一下就是一片火光。當時的鎮遠，自然沒有救火的設備，於是火越燃越大。一炮一個火頭，三炮四炮……十砲廿砲，就是三個火頭四個火頭……十個火頭廿個火頭，不久全城火光沖天，迫得他們迫得鎮遠守城的人不得不放棄他們的計劃，偷偷的奔門而逃。我方部隊對守城的部隊原就計劃網開一面，讓出一個城門不包圍。相持不過五六個鐘點，守城的人就完全不見了，城裏的槍聲也聽不到了。我方士兵更鼓起勇氣，向前推進。

鎮遠的城門大開，我方部隊即源源進去。裏邊還在燃燒。丁博士看見滿目瘡痍，非常難過，但由於軍事上的需要，也實在不得不然。縣衙門燒的最可惜，縣衙門除大門外幾全部燒光了。大門上的火也還在燃燒，眼看連大門也恐怕要燒完。全城的人都逃光了，全城只找到一個人，只有這個人還沒有逃。經丁博士打聽以後，這個人原來是一個瞎子啊！他並不是不願意走，但他實在不能走。……

黛眉小傳

王幻

班昭

班昭，字惠姬，她是扶風（今陝西）班彪之女（一說是班彪的姑母），班固之妹，曹世叔之夫人，博學高才，她不僅是漢代的女文學家，也是女史學家。由於世叔早卒，和帝召她入宮，命皇后和貴人（諸姑）禮事之，所以她被尊稱為曹大家（讀如姑）。其兄班固著漢書未竟而卒，和帝命她就東觀的藏書閣續完成這部偉大的著作。漢書的八表及天文志，就是她的手筆。漢書出版以後，當時的許多人都看不懂，乃至連大儒馬融亦伏於閣下向她請教。每有貢獻異物，和帝都詔她作賦頌。及和帝死後，有許多事和班昭商量，她參與聞政治。因為時常出入宮禁及奉職的辛勤，特封她的兒子曹成為關內侯，官至齊相。永初中，太后之兄大將軍鄧騭以母憂上書乞身，太后欲不許，以問班昭，她因上疏勸太后從其志願，而後乃許之。由此可見她被倚重的情形。

班昭的著作頗多，但最有權威而影響深遠的，便是有名的「女誡」七章，連序約一千六百字，全書在說明三從之道和四德之義，成為中國君主時代唯一的女子教育學。班昭的女誡所定的婦女行為之標準，以今天的教育學的眼光來看，那種男尊女卑的觀念，夫為妻綱的道理，已不合現代人的要求，但她這一部女誡所倡導三從四德，維護了中國社會二千多年的倫理關係。

三從之道，以夫為第一。她說：故曰：「夫者天也」，「天固不可逃，夫固不可違也。行違神祇，天則罰之；禮義有愆，夫則薄之。故事夫如事天，與孝子事父，忠臣事君同也。」對丈夫既然如此，對舅姑也要一味順從。所謂：「姑云不爾而是，固宜從令；姑云爾而非，猶宜順命。」至於對待叔妹，更應敬行，因為「婦人之得意於夫主，由舅姑之愛己也；舅姑之愛己，由叔妹之譽己也。」所以曲從舅姑，和悅叔妹，都是從敬夫的觀念為出發點。

她所解釋的四行之義，原文是這樣的：女有四行，一曰婦德、二曰婦言、三曰婦容、四曰婦功。夫云婦德，不必才明絕異也；婦言，不必辯口利辭也；婦容，不必顏色美麗也；婦功，不必工巧過人也。淸閑貞靜，守節整齊，行己有恥，動靜有法，是謂婦德。擇辭而說，不道惡語，時然後言，不厭於人，是謂婦言。盥浣塵穢，服飾修潔，沐浴以時，身不垢辱，是謂婦容。專心紡織，不好戲笑，潔齊酒食，以奉賓客，是謂婦功。此四者，女人之大德，而不可乏者也。

以上班昭所說的四行之文，就在今天看來，也還是平易近人。大凡一個接觸過西洋和日本高尚家庭的人，一定會發見他們的婦女，對於班昭所倡導的四行，幾乎無不講究，而且講究得非常徹底，最低限度，一個有教養的女子，應做到「坐不交膝，站不擺裙。」的程度，養成四行的習慣，或可轉移時下一般婦女暴露狂及唯恐不迷你所形成的社會不良之風氣。

漢永初七年（公元一一三年），班昭同子曹穀到陳留為官，作東征賦，後段「亂曰」：

君子之思，必成文兮。盍各言志，慕古人兮。先君行止，則有作兮。誰其不敏，敢不法兮。貴賤貧富，不可求兮。正身履道，以俟時兮。修短之運，愚智同兮。靖恭委命，唯吉凶兮。敬慎無怠，思謙約兮。清靜少欲，師「公綽」兮。

從這段歌辭，可以看出班昭的思想。

大約在公元一三〇年前後，班昭病故，卒年已七十餘，皇太后亦素服舉哀，使人監護喪事，以示哀禮。

她生平所著賦、頌、銘、誄、問、注、哀辭、書、論、上疏、遺令，共十六篇。子婦丁氏替她編撰成集，又作「大家讚」。隋書經籍志，載有曹大家集三卷，原集已佚。今存賦四篇，除東征外，餘為大雀賦，鍼縷賦，蟬賦，文字皆不全。此外還有「上鄧皇后疏」及「為兄上書」二篇，都見於後漢書。她又曾注「烈女傳」，今已不傳，然偶可見於他書所引；又為兒固所作「幽通賦」作注，尚存「文選」中。曾鞏以今本烈女中陳嬰母及東漢以來十六事，為她所增益。所續漢書，除八表及天文志外，王莽傳亦有人以為是她所作，這兩書今都存。

（完）

第十一章

宋高宗偏幸東南，岳鵬舉虎帳談兵

周燕謀

宋高宗實乃極自私之想法。岳飛一針見血將之戳穿，其被奪官乃為必然。岳飛幼立報國大志。當靖康之難時，金人使他怒髮衝冠，奪官之後，他並未灰心，他回鄉省親之後，便投奔河北招撫使張所去了。他感覺到：以其在後方偏安，與奸人同朝，不如到前方去與胡虜拼命，一則報父母之期望，盡臣子之責，所謂大丈夫立功之時也。

岳飛就在建炎元年八月十五日到了河北。張所因久聞岳飛之名，所以張所非常禮貌的接見了這偉大的英雄，待以「國士」之禮，借補修武郎，充中軍統領。張所置酒肯談，縱橫談論經國濟民之計。

張所本是儒者，久慕岳飛是一員勇將，但却不知岳飛是一個「儒將」，有「出將入相」之才。岳飛面對張所，極崇敬他的忠耿。張所首先對岳飛問道：「聞從宗留守，勇冠三軍，君自料能敵人幾何？」

岳飛從容答道：「勇不足恃，用兵在先定謀，謀者勝負之機也。故為將之道，不患其無勇，而患其無謀。今日用兵者道：『吾力足以冠三軍』。然未戰無一定之劃，既戰無可成之功，是以上兵代謀，次兵伐交。欒枝曳柴以敗荊，莫敖採樵以致絞，皆用此也。」

張所聞聽岳飛說出此等用兵最高的原理原則來，不禁為之變然而起道：「君實非行伍中人也！」因命岳飛同坐，二人促席以論時事。岳飛見張所開誠相見，也把他的懷抱志願，激動的侃侃而談。由於他愛國心濃厚之故，又不禁感情為之併裂，激動得慷慨流涕的說道：「今日之事，惟有滅賊虜，迎二聖，復舊疆，以報君父耳！」

張所道：「主上以我招撫河北，我為職責設施，而莫得其要，請君為我計之如何？」

岳飛侃侃而答道：

「昔人有言：河北視天下猶如珠璣，天下視河北猶如四肢；言人之一身，珠璣可無，四肢不可暫失也。本朝之建都於汴京，並非有秦關三百之險，平川曠野，長河千里，首尾綿亘，不相應援，獨恃河北以為固。苟以精甲壯馬，憑據要衝，深溝高壘，峙劉重鎮，使敵人入吾境，一城之後，復困一城；一城受圍，則諸城或撓，或救，卒不可犯，如此則虜人不敢窺河南，而京師根本之地固矣。

十二（一〇五）

（第一一〇〇期）

（半週報刊每星期三、六出版）

社長李孝運．督印黃行豐

址：香港九龍彌敦道593—601號 廖創興銀行大廈八樓五座

LIU CHONG HING BUILDING 7th FLOOR FLAT '5 593—601 NATHAN ROAD, KOWLOON, H.K.

TEL: K303831

電報掛號：7191

文化復興與宗教（二）

淨空

本報專論

佛也是如此，希望一切衆生都成佛。所以必須要由信入門，由解而悟，由實踐篤行才能證果，證果以後才知道一切衆生都有如來智慧。換句話說，就是都能證入到聖賢的境界。現在雖然是衆生的身分，但是衆生是有來世的；任何宗教都承認有過去、現在、未來三世；現在世的人，來生未必還是人；現在的畜生，來世未必還是畜生；一切衆生既有佛性，則一切衆生都可能是未來的佛；只要他能夠由信、解、行、證這個步驟去修，沒有不成就的。所以心智圓開之後，我們就見到對於一切衆生為什麼要尊重了。因此，倫理與宗教，尤其是佛學，才是文化樞要之所在。

其次，我們討論文化的進展，也就是說明人類生活進化的過程；這種進化是經過悠久的歷史，最初是物質文明；人類在太古的時候，還沒有社會組織，談不上人與人之間的關係，只要自己吃飽穿暖就滿足了；以後物質文明進步，當然生活享受也就隨之提高，從這一方面看，好處不能說沒有，可是毛病也很多；中國古語云：「一家飽暖千家怨」，假如你的生活過得好，但是只顧自己，不顧別人，缺乏溫情道義的文明，很容易引起鬥爭；有了鬥爭，生命財產就受到威脅。因此單是物質文明還是不夠，必須有倫理道德，社會才有基礎，人與人的名分關係才能確定；同時，因為建立了正常的權利義務，人們此時胸襟擴大，知道愛自己、愛家庭、愛社會、愛國家，心境拓開以後，德行亦有基礎，也就是漸漸具備完整的人格；這在人生的過程上說，可說是很圓滿。然而人生在世，皆不免生老病死，人到死時無不期望有來生，儘管由於年輕氣盛不信來生，不迷信鬼神，不信宗教徒所說的虛無而不着邊際的言論，但是到了老的時候，都不免希望有來生。不過來生太渺茫了，於是不能不求助於宗教。所以倫理道德雖然造福人羣，但是還有欠缺，就是只講到一生；宗教講過去、現在、未來，豎窮三際，橫徧十方，其所給予我們的是充分的精神享受。現代許多有遠識的學者，認為宗教是最高的學問，這是確有見地。我最近在南部講經，有一位同修拿一篇文章給我看，這篇文章是張曉峯先生寫的宗教觀，發表在中央日報，他說，科學是求眞，人文學不但求眞，而且求善，文學藝術求眞、善、美，哲學則求眞善美慧。最高的還是宗教，宗教不但要求眞善美慧，而且還要求聖；必須證入聖賢人的境界，將我們自己變成聖賢人，這是宗教家，也是宗教徒們所嚮往的最高目標。宗教生活是有組織的羣體生活，有律儀的生活；律儀相當於儒家的禮樂，戒律與禮節都是規範我們生活行為的，我們要將生活行為修成聖者，當然有凡聖的標準，這個標準就是戒律。儒家的聖人標準就是禮，我們的一舉一動都要合乎禮節，合乎戒律，換句話說，就是和聖者的行持沒有兩樣；戒律與禮就是聖者日常生活的規範，宗教教育的基礎，即建立於此；經典所記載的無非是聖者的心行，如果我們的思想與經典裏面的思想相合，則為正知正見；如果與經典思想相背，便是我們知見錯誤，應即時依經訓改正；這就是「修行」。此外，樂也是不能少的；因為我們畢竟還是一個凡夫，既然是凡夫，就沒有辦法斷除妄念；妄念就是煩惱，就是迷惑，音樂的功能乃在調和心情，如聞梵唄可以令人心誠敬，所以禮樂也是任何宗教都不能缺少的。高級的宗教皆有戒律、有樂章，這都是幫助他們修行證果的。宗教除了有儀式之外，特別講求師承，自教主代代相傳，師承非常重要，有師承才有偉大的宗教師。不但宗教，即使世間學術研究，也莫不講師承；必有好的老師，才有良好的學行表現，而將道業發揚光大。宗教有他承傳的史蹟，這些史蹟有兩種意義：第一、是紀念前賢功德。現在所謂觀光，招徠外賓參觀中國古典文化的成就。第二、是史蹟的教化功能，令人見賢思齊，觀前人的修行功業，以激發嚮往效法之心；他們是已獲成就者，我們則尚無成就。古人云：人皆可以為堯舜，人皆可以成佛，而不能為堯舜，不能成佛者，只有性德，無有克己復禮，閑邪存誠，及修善斷惡之修德而已。前賢能夠成就修德，我們也能成就，這是必然的。古人遺蹟，無非是給我們作典型，作見證。宗教徒的生活，非常注重和合，因為和合才能團結，才能做到羣策羣力，衆志成城。一個家庭的興衰，可以從這家庭中父子、兄弟、親戚、朋友，看他們相處得是否和睦？如果和睦，這個家庭一定興旺；一個團體，一個國家也是如此。甚至戰爭亦是如此；古人云：師克在和，唯有上下一心，才能克敵致勝。佛弟子的生活是戒同修，見同解，身同住，利同均，口無諍，意同悅，理同證，是為七和合的團體。宗教徒最終的目標是要證入聖賢；證到聖賢並不就算完事；依佛法來說，成佛以後，還需要教化一切衆生，以救人救世為己任，如此才能成就其偉大，才值得我們學習。所以佛法有大乘、有小乘；小乘就是止於已證境界，而不肯再出來；因為教化衆生也相當苦，這不是佛法的究竟目的。小乘是過渡時期，實際上講起來，小乘人經過相當時間後，還是要轉入大乘，沒有絕對的小乘；所以佛教是福慧雙具，利益一切衆生，救人救世，這是文化進展必然的趨勢。

文化復興與宗教復興，可說是相輔相成的。中華文化是倫理、民主、科學；民主與科學的基礎是建立在倫理上，總統提倡中華文化復興運動之初，我曾聽人說，甚致外國人也講，中華文化就是「倫理」，民主與科學，這些在西方早就有了；我以為這種說法是不正確的。總統的正知正見，不是這些人所能了解的。中國的「民主」和外國的「民主」不一樣，中國的「科學」和外國的「科學」也不一樣，不能相提並論；因為中國的「民主」是「倫理的民主」，外國只有民主，其中沒有倫理，所以他們的民主依然是一盤散沙。以美國而論，現在不論那一個所在都有共產黨滲透，就是因為美國人沒有倫理觀念。倫理的民主就是三民主義，國父說過：中國有一個道統，堯、舜、禹、湯、文、武、周公、孔子，相繼不絕，我的思想基礎，就是這個道統，所以三民主義是中國五千年文化結晶的發揚光大。必須有倫理的民主，然後才能進化到大同世界。如果自己國家不能平等獨立，而談世界大同，那未免奢侈。所以我們宣揚三民主義，萬萬不可認為是教條，否則就會害國家、害民族，到最後也害了自己身家。

講到「科學」，為什麼說中國的科學是「倫理的科學」呢？中國歷代不是沒有科學家，因為中國人有倫理的觀念，任何技藝的發明，都必須對國家、對社會有利無弊，才願去做；如果有害，就不願做。譬如我們看到歷史上諸葛亮發明木牛、流馬，那是機械化的運輸，為什麼諸葛亮死後，不將其法流傳後世，這便是他由於他的仁慈。中國人認為科學技術，如果為明君、為有道義的政權掌握，固然能夠有利衆生，造福人羣；假如被暴虐無道的昏君或由有侵畧野心的政權取得以後，那就不堪設想，世界上所有的人類都將深受其害。我們看到西方許多科學家，他們沒有國家觀念，甚至連家庭觀念也沒有，只有個人的功利主義，所以只要有相當的聘金報酬，他就可以為外國人做事，甚至於為敵人製造科學武器來毀自己的國家，試問這樣的科學對國家、對人類有什麼好處呢？中國的科學是以慈悲益世，造福人羣為着眼，所以這是倫理的科學，與外國科學家所講求的當然不同。

（未完）

昨日與明日

交通銀行人事將有變動

何如

記者根據權威消息，公營交通銀行高階層人事，最近將有變動。現任董事長柳克述轉任經濟部顧問兼交行顧問，仍領董事長薪俸；另由現任總經理趙葆全升董事長職務，而以中國開發公司副理潘誌甲承之交行總經理。顯而易見，這是財政部長李國鼎的安排。原來擬調柳克述為造船公司董事長，但柳氏認為造船公司資金短缺，董事長隨時要負責向銀行調頭寸，處處對人打拱作揖，表示不感興趣；他希望改任公營工商企業中資金比較充裕的單位如台肥公司等董事長，然這些公司的董事長規定任期四年，要到明年三月纔滿期，目前未便調動，乃決定聘任為經濟部顧問，仍在交行照支董事長原薪，而交行又認為沒法出帳，最後即兼聘為交行顧問，眞是為人設事，不成體統。

財部預定的交行新任總經理潘誌甲，是二十年前在上海很吃得開的會計師潘序倫之子，於卅八年來到台灣後，曾任台糖公司總經理沈某的秘書。未幾，沈某被政府發覺是個重要的共諜，訊究明確，置之大辟，潘誌甲亦牽涉在內，依法判處他赴火燒島管訓三年有案。管訓期滿回到台北來，大概是由於李國鼎的關係，得在「經合會」任職（這時李氏是經合會的重要幹部）。旋台灣「唐榮鋼鐵公司」因經營不善，發生嚴重危機，政府予以支持，遂派潘氏整理該公司財務與業務，跟唐榮父子衝突，該公司曾在報紙上刊登啓事，攻擊潘種種不合的行為，且翻出他在外島受管訓的舊案來。然潘氏並未因此失意，藉着經合會的背景，轉任開發公司副理之職，現又內定為交通銀行總經理，可謂幸運也矣！

交行內部人員均認為總經理一職如要變更，應由資深的副理陳惠夫升任為宜，有些中央民意代表亦作此主張，但陳氏聲明不感興趣，他說做老大不如做老二舒服，待遇相差有限，責任却輕重迴不相同，何必自討苦吃呢！至於新任交行董事長和總經理的明令，因為財長李國鼎出國公幹，要等他回來纔正式發表，至遲在本年十二月以前必告實現。台灣對於防諜工作特嚴，凡屬涉及此項嫌疑的人，即令事出有因，查無實據，然在政治上亦很難博得信任，唯有潘氏情況不同可能例外，社會人士皆感覺稀罕，議論紛紛，這一條重要新聞，各方皆正注意如何發展。

自由談

說孝

馮五先生

在今日工業社會生活之下，個人主義至上，大家崇尚倫理相對思想的所謂科學文明時代，侈談孝道，其不被視為昏庸老朽，頑固落伍份子者，鮮矣！

君不見科學最發達，國力最富強，號稱為先進文明與超級自由之邦的美國社會情形乎？兒女成人婚配後，自立門戶，組織小家庭，父母駁成陌路之人，過着孤苦伶仃生活，偶爾到兒女家中看看子孫輩，吃餐飯還須按值付錢；年紀老邁了，如果自己沒有積蓄，只好向國家領取一點救濟金以維殘喘，兒女是不過問的。老年人有如垃圾腐臭之物，而青少年人士却與寶同樣珍貴。夫是之謂文明進步，孝道之說，連影子亦不存在！

咱們中國五千年來的文化思想，乃以孝道為中心，說是「夫孝始於事親，中於事君，終於立身」，推而至於「居處不莊，事君不忠，涖官不敬，朋友不信，戰陣無勇」，皆為不孝的表現，因為這樣便辱了父母的聲譽，使雙親膺受「家教不嚴」的譏評，決非人子所應有的行為。這種義理，對人生有甚末害處嗎？竟指為封建腐敗思想，必須向西方人看齊，而以倡言非孝為文明進步，就難怪天下大亂，而共產邪說彌漫全球，弄得舉世惶惶不安了。明乎此，則吾國提倡非孝主義如吳虞，陳獨秀，疑古玄同之徒的罪惡，可勝言哉！

人，誰也要經過由兒女到父母的階段，吾國儒家主張「孝有三：大孝尊親，其次弗辱，其次能養」，循環交互，構成完美和諧的人生觀，這與時代新舊又有甚末衝突呢？有美國那樣的非孝主義生活，自然就產生今日美國一般青年子女許多蔑禮非法、亂倫敗德的乖戾行為，整個社會經常騷擾不寧，無可救藥。

欲求世界不淪於末日的浩刧，非以中國固有文化思想為全球人類生活準範不可，而孝道乃其樞紐也。吾故不辭頑固落伍之譏，作說孝焉。

高玉樹違法濫權事 監委將提調查報告

基於客觀因素需慎重考慮

輕重取捨不免有甚多猶豫

（本報台北消息）台北市長高玉樹濫權違法，市民檢舉，監察委員調查，歷欲有所糾彈，均為決策方面阻止，都非新聞。而高玉樹市長之我行我素，履險如夷，亦非新聞。

今年五、六月忽現高潮，起因於府會之爭，不可開交。台北改制兩年，市議會始民選成立，而投票之時並不踴躍，豈黃吻少年，勿為評論宿士耶？甚堪玩味。大會揭幕果然氣湧如山，偏又碰上高玉樹無動於衷，市民早已察覺不久將有好戲演出，由於高玉樹不肯就範，市議會於是推出張建邦、陳瑞卿、陳重光、林榮剛、葉生進、梁沼洲、周陳春、陳愷、黃馨葆等九人成立專案小組，專事調查高玉樹違法濫權事件，列舉十六項，呈報行政院，移送監察院。監察院正巧也是一股怨氣無法發洩，收到檢舉書，立即成立專案小組，由吳大宇、黃寶實、余俊賢、葉時修、陳志明等五位委員組成的。他們與高釆烈親往市政府面詢高玉樹，市議會全體議員茶會歡迎，分別就十六項「違法濫權」事件深入調查。眼看高玉樹就要搬家，遭府會鬧氣，達於最高潮階段。

迄今歷時四個月，中間有若干因素，不得不慎加考慮，尤其中央有關部門，寄以重大關切，雖然早已告一階段，而監委調查報告仍未提出，五人小組，也不否認，會就本案，與中央協調部門，有過接觸交換意見。

據瞭解，高玉樹違法濫權案的調查報告，有關事實部分，早已撰就，委員調查意見，卻因輕重取捨之間，不免有許多猶豫。監委的調查工作，雖說不受外界的影響和干涉，然而有時也需摸摸政治行情，更需要顧全大局。假如說高玉樹違法濫權案調查報告之遲遲提出，最大原因，係基於客觀政治因素的考慮，當不為過。

此一報告將勢必提出，但其言詞之間的輕重趨向於緩和及含蓄的成分較多。

本案雖起因於台北市府會鬧氣，而導火線是以高玉樹臨時拒絕親自出席市議會答覆某項質詢，市議會認為太失面子，監察委員調查的重點並不在此，監委們也知道這些意氣之爭，應由雙方取得諒解，互相尊重，即不會形成嚴重問題。倒是市議會列舉的其他十數項高玉樹違法濫權事實，引起了五人小組的極高興趣。

根據市議會的陳訴，涉及高玉樹個人部分的：

一、台北市魚市場，不依法組織委員會，並由市長自兼主任，係屬違反組織規程。

二、依「國民學校組織法」之規定，教育局為教育主管機關，有關國小教員之任免，應由主管機關掌理，市府不應擅自改歸市長統管。這是越權。

三、依建築法規定，台北市建築主管機關，應為工務局，但六樓以上房屋建築執照，須經市長核准，破壞管理制度。

關於以上三點，高玉樹雖曾向監委提出詳盡說明，是基於事實需要，但監委卻不認為市長是合法在一般市民看來，如果確係事實需要，防止弊端，不為利權不外溢，倒也值得同情。

至於監委會不會因高玉樹涉及以上問題，據而對其本人提出彈章，可能性，似乎甚微。若干監委對高玉樹甚於事實需要，採取權宜之計，倒還寄以或多或少的同情。因此使高玉樹難堪的行動，勢必盡量減少。將來調查報告提出，高玉樹被糾正，大概是在劫難逃了。

比較受監委重視的是，都市計劃之任意更改，造成投機者獲取暴利。又如財政部分不按預算制度，調查報告，指出市府今後動支一切預算，應依執行。不可任意變更。

對北市議會所指控十六點 政院處理極為審慎 剴切指示市府改進 充分表現應有的負責態度

這次府會鬧氣，另外創了一個先例，便是行政院接受了市議會的十六點調查「濫權違法」控訴，行政院也史無前例的，作了明確核示，其中大部分應由市府加以改進。

省或市議會向行政院指控省市政府「濫權違法」，請求行政院糾正，據一位資深官員說，過去沒有這種事例，所以行政院很不平凡的，作了一次非常慎重的處理。指定政務委員田炯錦擔任召集人，組成一個專案小組，專案審查這件事。就市議會指控十六點，合併市府答辯說明，分行有關各部會處各單位，根據規章依法核議，判明議會調查，是否正確，市府解釋是否有理。各部會把審核結果呈送行政院，專案小組又數度開會，並請對行政法規有研究和經驗的專家出席，慎重而廣泛之的討論，才作出結論。

外界起先推斷，府會鬧氣，可能使行政院左右為難，現在證明，並非如此。行政院倒表現了應有負責態度，確屬難能。

行政院的核示，因為以前不曾遭遇這種類似困難。所以這次處理，是有一種判例的作用。

至於核示的詳盡內容，如以上所舉監察委員，調查報告實際上是大同小異。我們可以說監察院調查報告已不具重要性。監察院予人的印象反而很冷淡，因為事先不會主動調查，迨市議會移送過來，又那麼興高采烈，利用形勢倒是把握了重要機會。雖然熱烈，卻又遲了步走在行政院之後，所以這份調查報告書，確實難煞執筆人。（露如）

主管單位諱疾忌醫 不使用計量錶

立委提出三點疑問

（續上期）第二是發明人張景行提供計量錶試驗紀錄文後，認為不合實情，並未參考，其早已送達各年十月三十日，祈事實，向該公司提出抗議書，但該公司延至同年十二月十八日始予以文不對題的答覆，僅說此項計量錶可不能強迫用戶採用，並未表示試驗紀錄文有無偏差，亦未提到若干公司作何表示中心之用戶，採用公司強迫用戶採用，該公司不予支持，以各馬首是瞻，致使自願採用計量錶的用戶，有遭受拒絕供應煤氣，陷於斷炊的苦境，始有向中央申請特立示範中心之舉，該公司何以又向壁虛造如此？殆因交涉至此，該公司已覺不便仍說此錶無實用價值，祇能以自行產銷此錶為交代，眞所謂「遁辭知其所窮」。「為什麼不便再說？」因為有無法置答的抗議書在。

第三是本年六月十二日，自立晚報報導監察院三人小組調查液化煤氣售價偏高問題文中，述及立委張九如亦曾向監察院陳閱書等語，張委員致函自立晚報，表示其有向行政院質詢之權，無須假手監察院，並且其關懷的重點不在此，並附入發明人張景行的節略。不意裕台公司竟用十萬元以上的巨大代價，向六家日報送登大幅啟事，表示「發明人謂本公司拒絕採用其計量錶一事，與事實完全不符，茲特公佈該項試驗會商紀錄，俾社會明瞭眞相。」可是該公司所謂的眞相，其本質既有問題，而其所公佈的亦祇是有利於其自身的部份，並未同時公佈發明人張景行的備忘錄與抗議書，這又怎能使社會明瞭全盤的眞實的眞相？且其如此藏頭露尾的表現，又同時見之於該公司祇敢公佈其自視為自衛武器的試驗會商紀錄，卻不敢在啟事中一併答辯發明人張景行在自立晚報上及向有關方面列舉經銷煤氣的各項弊端的手法之上。發明人張景行要杜絕各弊，纔發明此錶，裕台公司不敢辯答各弊，即由於無詞自解其所以拒絕採用此錶，跡其所為，豈非和良醫雖已進防病之劑，而醜婦卻只想打碎照病之鏡，同一情態！

收買進保證金 立委認為不當

倒果為因辦法難行

張九如委員抨擊裕台公司推行種種不通的新辦法「跡近「趁火打劫」」。他說：裕台公司為加強對用戶服務，決定自製鋼瓶統一分裝，加強儲備一瓶，並處罰不顧用戶安全的分銷商，及預防分銷商短欠價款，要向分銷商征收累進的保證金。及分銷商準備向用戶加價時，該公司則表示反對。這又是莫明其妙而且是「作偽心勞日絀」的怪辦法。

就其所謂服務及處分兩事言：則直接用戶服務的是分銷商，並非裕台公司，為何反自收此費？即令裕台公司亦將加強其為用戶間接服務的工作而必須收費，亦只應征收服務費，又何能以保證金代替？且裕台公司亦為公營事業，並為總經銷煤氣的公用事業，更何能征收服務費？又如眞要征收保證金，亦只應由被服務者向服務者征收，怎能反由服務者征收？試問一切法律中，有無此種倒果為因的保證金存在？如意在避免大戶過份膨脹，壟斷市場，故採行累進的保證金制度，則供應煤氣之權，既操在裕台公司之手，儘可隨時限制其供應量，怎需要征收名實乖離的保證金？又怎可連累小戶？何況今後煤氣鋼瓶既由該公司自己製造自己檢驗自己分裝，如果發生偷斤減兩甚至一切災害亦均應由裕台公司自負全責，怎能反要處罰分銷商？」

張委員認為：「裕台公司乘各用戶羣起指責液化煤氣銷售各弊之際，標榜革新，盡收巨金，而又不准分銷商效尤，是否跡近「趁火打劫」？是否類於「只許州官放火，不准百姓點燈」？」裕台公司一決定開放三百家由商人登記申請，而在登記時即收取每家的保證金新台幣五千元，則是否已訂立合理合法的管理分銷商整套辦法？據聞香港經營此項煤氣的公司只有四家，日本分銷煤氣者皆為企業組織的經營。每家公司的用戶，都是數以萬計，不像台省遍市皆是僅銷二、三噸煤氣的分銷商、而其中沒有正式牌照的黑市分銷商，全省且超過千家，早成為無人管理的無政府狀態。裕台公司對此種現象，過去的所以不聞不問，當由於公司中少數人員和分銷商有「曖昧」關係。例如上年（五十八年）九月間，一概不再憑身份證，即核准分銷商三十餘戶，其中除早經申請有案者外，夾帶許多迄未申請的商人，今年又乘人事更動之際，再開放十多戶，因此不敢干涉？而裕台公司所以始終拒絕採用液化煤氣計量錶，亦正由於此少數人員因為不利於己的暗中掣肘。」由於現在的製瓶及灌氣工廠，十九係退役軍人及大陸來台平民所經營，在裕台公司一把抓後，如延用這批人，則財力能否負担？如置之不理，是否將造成社會問題？以前裕台公司亦曾出售過自製品，旋因其售價較市價高出八十元之多而被各分銷商及用戶拒絕購用，今後能否避免覆轍？尤其裕台公司能否自信其統一分裝的成效，確比製瓶及灌氣廠商為高？再如裕台公司既規定配銷七噸半的煤氣行，每月須驗瓶廿五個，共收檢驗費五百元，今後能否禁絕驗瓶人員不致仍犯過去的賄放行為？尤其是裕台公司過去曾有不先呈核建廠預算，即擅自興建灌裝工廠的行為，而為分銷商所譏笑為「躬牽物」？今後能否正視」最後，張委員要求行政院不要「僅據現辦單位意見」答覆本人的質詢」。因為張九如委員係根據憲法第一六五條、第一六六條、第一六七條之規定，向行政院質詢。（續完）

喬治桑外傳　一七九

張大熊

兩對男女，吃喝玩樂盡半日之歡，在跳舞的時候，黑嬌嬌向喬治桑大獻殷勤，好在喬治桑是飽經滄海的人，並沒有被迷成昏陶陶的。

在洗手間裏，喬治桑與裘白瓊並立在小便池旁邊。

「喂，桑兄，你看黑嬌嬌怎樣？」裘白瓊嘴裏刁着一支香烟，流裏流氣地。

「不壞嘛，怎樣？」喬治桑沒有摸清楚裘白瓊問話的意思。

「我是說，你有沒有胃口？」

「多少代價？」

「一百美金。」

「算了，省省吧，樂而不淫比較好。」

裘、桑兩人回到座位上，談談說說好像若無其事似的。

說說笑笑，蹦蹦跳跳，這些都不必細表。喬治桑今晚的興緻特別好，一直跳到將近打烊的時候才散場。裘白瓊送白妮，喬治桑送黑嬌嬌。

在計程車裏面，喬治桑用手拉着黑嬌嬌，很像一對情侶。

「桑先生，幾時再見面？」經過同餐共舞，黑嬌嬌和喬治桑已經很熟了。

「我也很忙，過兩天先通電話好了。」喬治桑是老手，當然不會露出急吼吼地猴急相。

但黑嬌嬌一定要纏着喬治桑請她宵夜，喬治桑只好帶她到「金蘋果」去吃清粥小菜。並打電話再約裘白瓊出來。

黑嬌嬌屬於現代美人型，留着長頭髮，眼線劃得很濃，說話聲音略帶嘶啞，據說這樣也有性感。

「妳會不會唱平劇？」喬治桑想不出什麼話來和黑嬌嬌閒聊，隨便問了一句。喬治桑已經點了肉鬆、皮蛋等下粥小菜。

「哎呀，我對平劇是一竅不通的，何千嬌她是戲劇世家，從小就學過，所以能夠登台票戲，我不過是混飯吃而已，不怕桑先生見笑，我連五線譜都看不懂。」黑嬌嬌知道喬治桑、裘白瓊都非等閒人物，所以說話不敢掉槍花。

「妳倒是一塊好青衣材料，扮起來一定很漂亮。」喬治桑老氣橫秋，大有伯樂相馬之態。

「我最醜了，我有一個妹妹長的實在漂亮，可惜前年不幸在飛機失事摔死了。」黑嬌嬌說了半天話，輕輕啜飲了一口橘汁。這時裘白瓊已經旋風般趕到。因為電話是撥到白妮家裏，白妮也來了。

劉湘與劉航琛

・文匯樓主

劉湘（甫登）任職四川省政府主席時，表面爲國民政府委派，實則係割據局面，全川計有一百四十四縣，人口約九千萬，因劉不按照中央預算，養兵過多，祇軍費一項，須六十萬元，再加以其他費用，每月省短庫少二十萬銀元。

劉湘聽說劉航琛善理財，畢業於國立北京大學，乃效法後漢先遠祖宗劉玄德造訪諸葛亮的辦法，去向劉航琛討教，竟收到意想不到的效果，後來的兵精糧足，銳意建設，皆得力於劉航琛的財經政策。

劉航琛對劉湘引爲頭痛的，每月少短二十萬銀元問題，略施薄計，迎刃而解，他要劉湘整頓四川財政經濟，首須統一稅收，裁撤稅捐機關幾十個單位，可裁撤稅務老吏八千餘人，以一個稅務員每月中飽一百銀元計算，每月可節省出八十餘萬銀元，用這筆數目充作四川軍政建設經費，還有甚麼問題呢？

劉湘問：「裁撤捐稅關機後，另成立何機構？」劉航琛的答覆：「成立稅務總局。」劉湘問：「委甚麼人爲負責稅務總局？」劉航琛說：「由劉湘委劉湘，如果還用副長官或軍需處長兼任，就等於換湯未換藥，沒有方法可防止中飽。」當然實際由劉航琛主其事，在他的大刀闊斧，破除情面整頓下，每月五十萬銀元的稅收額，第一個月陸增至一百五十萬元，四川的文武百官普遍加薪百分之五十，眞所謂皆大歡喜。第三個月全省稅收達三百萬銀元，使劉湘部隊改善裝備，精益求精，抗戰初期，劉湘受任爲第七戰區司令長官，率師東下，參加南京上海保衛戰，較陳誠、張發奎、唐式遵三個集團軍，嚴格的說，劉航琛理財的大功，乃川軍能夠出征最重要的因素。

劉湘與劉航琛無絲毫淵源，祇五百年前是一家，未料在整頓之下，立刻付以財政金融全權，一如劉邦之用蕭何，最奇怪的，劉湘是道地軍閥，劉航琛向劉湘要求的先決條件，是：「不准下手令，永遠不接受手令。」其次就是：「天生人大小一樣，不過扮演角色不同。」皆被劉湘誠摯接受，川人對此，仍津津樂道。

論惠施的哲學思想（二）

・周世輔

（1）「至大無外謂之『大一』，至小無內謂之『小一』。」1、就外言，宇宙是無窮大的，如以甲點（或甲線）爲外，則外還有外，故說：「至大無外。」2、就內言，原子或核是可以一分百分以至於無限的，如以乙點爲內，則內還有內，故說：「至小無內。」

（2）「無厚不可積也，其大千里。」1、就形而上之空間言，是沒有厚薄可說的，也是不可積的，可是其大是無限的，故說：「其大千里。」2、就空間的面來講，而是沒有厚薄的，是不可積的，可是面的面積也是無限的。

（3）「天與地卑。山與澤平」1、就動的地球言，甲時人站在地球上，可以說頭上之天是高的，地是卑的；乙時（過了一些時），即地球旋轉至其角度時（如四十五度），則甲時頭上之天，與地球平行了，故可說「天與地卑。」2、同上理，從甲時看，山是高的，澤是低的。如從乙時看，地球移動了，山與澤在一條平行線上，故說「山與澤平。」

（4）「日方中方睨，物方生方死。」1、先就不動之空間言，甲乙兩人站的地位不同，甲認爲日在頭頂正中，乙就認爲不在頭頂，不是正中的，乃是斜的（睨）。次就時間言，甲時是正中，乙時便不是正中了。或則說，未言是正中，言時便不是正中了，開口時是正中，閉口時便不是正中了。2、就不同之空間言，物方生方死。如人死的時候就是鑛物（屍體）生的時候，鑛物（肥料）死的時候就是植物生長的時候，植物死（青草或樹葉被牛羊吃掉）的時候，就是動物（牛羊）肌肉生長的時候，動物死（牛羊被宰殺，供人食用）的時候就是人身生長的時候。故曰：「物方生方死。」

（5）「大同而與小同異，謂之小同異，萬物畢同畢異，謂之大同異」，莊子云：「自其異者視之，肝胆楚越也，自其同者視之，萬物皆一也。」故異中可求同，同中可求異。1、如以大人（男或女）與小孩（男或女）比，是大同而小異的，可叫「小同異」。2、就萬物之元素言，可說是「畢同」，就萬物之形體（形狀）言，可說是「畢異」，這可叫「大同異」。

（6）「南方無窮而有窮。」就整個宇宙言，南方是無窮的，就地球本身言，南方是有窮的（如說（南極）），又就地球之動態言，南方是無窮的；就地球之靜言，南方是有窮的。

（7）「今日適越而昔來。」1、就身體言，今日適越，他日到，但就心理言，今日適越而昔日已到（出發前早已想到）。2、就超程之處言，今日動身，就達到目的地之日言，昔日動身。

（8）「連環可解也。」環與環相鑲固爲不可解，環與環不相鑲，各環懸于空中，沒有落接，不是可解嗎？

（9）「我知天下之中央，燕之北，越之南也。」就地球之平面言，自燕之南與越之北各向前走即向前走到正面之中央，就地球之圓形言，由燕之北與越之南各向前，即可走到背面之中央。故說：「我知天下之中央，燕之北越之南也。」

（10）「氾愛萬物，天地一體也。」莊子云：「天地與我並生，而萬物與我爲一。」程明道云：「仁者以天地萬物爲一體也。」普通人物我之分，惠施視天爲一體。因此，主張氾愛萬物。

（三）二十一辯

除上面歷物十事外，還有下面的二十一辯，或稱二十一事，試加解釋如下：

（1）「卵有毛。」就未來言，可知卵是含有羽毛的要素的，如果雞卵或馬卵不具羽或毛的要素，將來的雞或馬怎會長出羽或毛呢？

（2）「雞三足。」1、木雞兩足不能行，可知能行之活雞，其有肉體性之兩足外，還具有司「行」之心靈——第三足。2雞有「足」之共相一，雞有「足」之數目二，二加一爲三，故曰：「雞三足。」

（3）「郢有天下」。郢爲楚都，即爲楚之指揮樞紐。楚君有楚，天子有天下，如將來楚君稱天子，則楚都變成國都，即郢有天下了。

（4）「犬可以爲羊。」叫犬叫羊，都是人叫出來的；當初取名，以羊爲犬，以犬爲羊亦可。

（5）「馬有卵。」古人祇知禽有卵，不知獸亦有卵。如以今日眼光來說，牛有牛卵，狗有狗卵，馬自然亦有馬卵。

（6）「丁子有尾」丁子即蝦蟆，蝦蟆由科斗（兩字虫旁，以下同）變成。科斗有尾，丁子自有尾，這是就過去而言，或說就丁子之幼年期言。

（7）「火不熱。」人烤火覺得熱，火本身不覺熱。熱是人的主觀。

（8）「山出口。」1、自山本身看是由地下突出來的，如自山的上空至地面劃一大方塊來看，則山是這大方塊空間的出口。2、普通說，空谷來音，山既可發音，即自有口了。

（9）「輪不蹍地。」蹍有兩種：一爲中藥店的小蹍子，一是向前向後蹍的；二是中國磨坊中的的大輾子，是轉圓圈的。車輪祇是向前走的，既不是前後蹍，亦不會專門打圓圈的，故說：「輪不蹍地。」（未完）

說曹操

李漁叔

（四十三）

孔融與禰衡

對禰衡的才智，有出色的描寫。後段說到：

「近日路粹，嚴象亦用異才，擢拜台郎，衡宜與爲比。如得龍躍天衢，振翼雲漢，揚聲紫微，垂光虹兒（虫旁），足以昭近署之多士，增四門之穆穆，鈞天廣樂，必有奇麗之觀，帝室皇居，必蓄非常之寶，若衡等輩，不可多得……陛下篤慎取士，必須效試，乞令衡以褐衣召見，無可觀采，臣等受面欺之罪。」

孔融薦表中，舉出路粹和嚴象兩人以白衣擢拜尚書郎的故事，禰衡應與爲比，並請漢帝召見面試，如所舉不實，甘願坐罪。

可是孔文舉沒有想到這時薦人，必定要通過曹孟德這一關，以禰正平這樣一個鐵錚錚的硬漢，生就了寧折不撓的個性，怎會忽然向上巴結，求取一官半職呢？

果然禰，曹沒有見面，就鬧得極不愉快了，禰衡本傳說：

「融既愛衡才，數稱述於曹操，操欲見之，而衡素相輕疾，自稱狂病，不肯往，而數有恣言。操懷忿，以其才名，不欲殺之。聞衡善擊鼓，乃召爲鼓史。」

鼓史，那時候叫作鼓角士，是專司擊鼓和吹角的，這豈是對待文士之道，不過是曹孟德立意要羞辱他一場罷了。再看本傳紀述擊鼓的經過：

「操因大會賓客，閱試音節，諸史過者，皆令脫其故衣，更着岑牟單絞之服，次至衡，衡方爲漁陽參撾，蹀習（足旁）而前，容態有異，聲節悲壯，聽者莫不慷慨。衡進至操前而止，吏訶之曰：『鼓史何不改裝，而敢輕進乎。』衡曰：『諾。』於是先解衵衣，（衵，是近身衣。）次釋餘服，裸身而立，徐取岑牟單絞而着之，畢；復參撾而去，顏色不怍。操笑曰：『本欲辱衡，衡反辱孤。』」

據後漢書章懷注引通史志云：「岑牟，鼓角士冑也。」鄭玄注禮記曰：「絞，蒼黃之色也。」冑，即頭盔，單絞，一種黑黃色的單衣，都是給鼓角士穿戴的。又，章懷注引文士傳云：

「衡擊鼓作漁陽參撾，蹋地來前，躡及（馬旁）足腳（一種走路的姿態）容態不常，鼓聲甚悲，易衣畢，復擊鼓，參撾而去，至今有漁陽參撾，自衡始也。」

這就是有名的漁陽操，禰衡此時不過二十三四歲，竟然如此多材多藝，還有這樣一套絕活，可見此人天才之高。范蔚宗寫禰衡傳也是經意之作，神態音響，如在目前。小說和戲劇的「擊鼓罵曹」，就不同了，那不僅語句庸俗，而且多半是胡謅的。這次只是擊鼓，並沒有罵曹，按照本傳所載，眞正好戲。（未完）

諸葛亮狂想曲

（一五八）

・劉玄

黃雲大仙走後，琴童進來用噴霧器噴射百花精。又在屋子裏點起一炷檀香，一時弄得異香滿室。

「你也用不着這樣小題大做，他因身上懸有麝香囊，並沒有多大氣味嘛。」諸葛亮所說的「他」，自然指的是黃雲大仙。

「還說沒有氣味？他身上的臭味，我一聞見就想作嘔，就因爲掛了麝香囊，氣味更受不了。」琴童的嗅覺最靈，最怕聞到氣味。

諸葛亮聽了琴童的話，微笑一下沒有再說話。

在琴童還沒有燒檀香的時候，門外忽然傳進了很濃厚的檀香味，不用說，是貴賓駕到，關聖帝君來也。

照例的，周倉關平二將先進來，向諸葛亮唱個大肥喏，站立兩廂。

諸葛亮連忙站起來，趨至門前迎候。

「丞相你好，多日不見你倒發福了。」關羽對於任何人態度是十分高傲的，惟有對諸葛亮親切，這當然是舊袍澤關係，不比尋常。

關羽說諸葛亮發福是事實，近來諸葛亮在天庭時來運轉，官拜宇宙發展委員會主任委員以後，心情與前大不相同了。

「二將軍，你的氣色也很好嘛。」諸葛亮與關羽寒暄，言笑甚歡，很像舞台上的場面。

關羽是天生的紅臉，氣色永遠是好的。尤其是，他的香火一向興旺，連如來、觀音都望塵莫及，天庭中只有財神的香火和他能夠相比。

「不知二將軍駕到，有失遠迎，恕罪，恕罪。」諸葛亮完全以接待貴賓的口吻來接待關羽。

「丞相何必客氣，請坐下來談談。」關羽說完坐在太師椅上，果有龍蟠虎踞之勢。這時，琴童奉上人參茶來，一共三杯，都放在桌上。

「丞相這兒不比別處，你們可以坐下來喝茶。」關羽吩咐周倉關平坐下。周倉關平便坐在關羽身旁的石鼓圓櫈上。

「二將軍有何見教？」諸葛亮等關羽喝了一口人參茶，先問關羽。

「黃雲大仙來過沒有？」關羽撚了撚美髯，這是他習慣的動作。

「剛剛來過，才走不久。」諸葛亮聽了關羽一句話，早已明瞭關羽的來意。所以不等關羽開口，接着說：「他的事我已經和太白星君談妥。准他參加海王星探險。」

關羽聽了大喜，答道：「這總算達到他的願望了，他一再要求我給他一個報效玉帝的機會，我告訴他，這事只有找你才有辦法，因爲我與星君的交情不夠，不便介紹。」

「你太謙了，太白星君這次主持海王星探險計劃，用人唯才，沒有什麼面子不面子的問題。他認爲黃雲大仙內功深厚才讓他參加的。」

巨變歷險記

戰後景色（一六一）

胡慶蓉

我軍開進鎮遠縣城，只見到處火光，牆倒屋塌，一片焦土，備極荒涼。縣政府大門還沒有燒倒，兩扇大門中間漆的紅底黑字還非常顯目，一邊是風調雨順，一邊是國泰民安。現在正相反，風固然沒什麼不調，雨亦沒什麼不順，但國並不泰，民亦不安。

此次鎮遠之戰，絕非我軍所欲之。我軍深知道子彈的重要，子彈來之不易，我軍之看子彈，尤如一個人看他的命根子，但是能不用，最好不用。現在用一個少一個。在每用一個的時候，都告訴士兵，當知來之不易。現在向那里補充？現在進入的地區，完全是一個原始農業的區域，工業品是很少的，幾乎沒有，特別是槍彈。每一個士兵，都常常的聽到長官的訓示：子彈一個也不要浪費。兵士天天在數他們的子彈。他們也都深知愛惜，絕不浪費一個。他們也都知道槍是他們的敲門磚，槍也是他們的打狗棍。槍要是沒有子彈，槍連打狗棍也不如，用來攻擊鎮遠的，為數並不太高，但收效却非常之宏，槍不離人，人不離槍，槍不離彈，更為重要。從昆明下來迄今，彈子所剩無多。彈還是裝在彈夾子裏，彈夾子還在繫在腰上，槍沒有什麼新槍，槍都是老的，很老的。上海造、湖北造，都是。最多只能稱上快槍。什麼造，沒有關係，要緊的是有這把槍。在現在不管是什麼造，只要能有一桿槍背着，就有精神就有胆，只要是快槍，在這里就可以發揮無比的威力。快槍的槍聲就是響，在山裏邊更特別的響。一槍響處，山岳震動。

鎮遠之戰，雖非我軍所想。但被迫不得不打，也只好打，幸對方力量並不十分强大。破壞了鎮遠的房舍，更非我軍之所願。丁博士看着也非常傷心。這里的建築，幾乎一色的都是草房，想看到瓦房是極不易的。這里雖然有的是柴，但並沒有去打燒磚的主意燒瓦的主意。草是最容易失火的。木頭亦是容易。大兵過處，廬舍為墟。這是古今中外同聲一悲的。部隊進到城內，一片沉寂，連雞犬之聲也聞不見了，雖然還可以看見一個瞎子，但這瞎子也問不出話來。他就一個死主意，就是天子不答。什麼也問不出來。

這還有什麼可以留戀的？部隊抱着江城同樣的心理，即早早的離開，以免再遭圍攻。困在裏邊。因此，部隊通過鎮遠城，下令不准停留，大家默默的進去，默默的出來，心情是非常沉重的。從這個城門進，從那個城門去，大家就在那個城門外休息，坐下吃他們的便當。稍作停留，遂即就道。我在上邊說過，以後就是下坡。通過走不完的竹林。在裏邊轉，却感到十分的涼爽。竹子本來就是美的，現在滿山都是竹子，景色更美。如有各色各樣的竹子，也確切是畫家寫生的好地方。但部隊並沒有那麼樣的閒情，還是疾趨而過。

輿論精華

再論教會中國化問題

提到教會中國化，有許多中外教士還不明白這個問題的焦點，他們認為天主教既是至公的，為什麼還要中國化，變成地方性而失去他的至公性。當然，這完全是一種錯誤的想法，他們不知道天主教教義的本質與發揚教義的方式有所不同，亦不曉得應如何加以分析。

天主教稱為公教，就是因為天主教教義是適應整個人類的，他可以透入世界各民族的不同文化，與之融合貫通，使之發揚光大；但是融合及發揚的方式則以各民族的文化思想及風俗人情為準，因而產生了天主教各國化的問題。天主教中國化就是把永恆不變的天主教教義，要藉中國文化的優點，根據中國的風俗人情予以傳播和發揚。

今日天主教教義的發揚方式，無論從哲學方面講，或從教會制度方面說，都是歐西人的方式。雖然有不少人認為這是適應整個人類的方式，但是事實上無法獲得大家的承認。在大公會議裏，一位東方禮的觀察員公開聲明說：「我們知道我們東方禮教會的適應方式是地方性的。但是拉丁禮教會也得承認自己的適應方式是歐西性的，不能適應世界各種文化。我們覺得這幾句話頗有幾分道理。事實上，自教廷開始向亞非兩洲傳教以來，天主教即被各國人民目為「洋教」，其中原因，並非亞非兩洲人民對天主教有仇視心理，乃因他們覺得天主教的制度是為歐美人士的，不是為他們的，因為天主教的一切文物與他們的風俗人情不同，使他們覺得格格不入。

湊巧得很，向亞非洲兩洲傳播福音的教士又正是歐美人士，這些教士到了傳教地區，發現當地人的風俗人情與歐美大不相；因為自己不瞭解，自然覺得奇怪，有時還認為他們是異端，違背教義，因此予以拒禁，主張教會的一切要完全歐西化。一部份熱心教友，為信德關係固然忠誠的追隨，但大多數的教外人却有不願信奉「洋教」之感。尤可悲者，在我中國方面竟還掀起了「中國禮儀之爭」，使中國教會不能進步者將近二百年，這是一件不可否認的憾事。自第二次梵蒂岡大公會議以來，教會提倡革新適應各國文化，在改革過程中，我國有少數國籍聖職人員和老教友，覺得不大甘心，認為教會中國化未免有使「教會外教化」之感，其中原因乃因他們自幼接受西方教士的訓誨，印象已經印定，自然一時難轉過來。由此可知，教會中國化之問題不是一件簡單之事。

對教會中國化究應如何作起，在上期社論中我已畧作抒管見，這裏不再贅述。現在我們願補充的有下列兩點：一、提倡教會中國化，不能只作理論上的探討；只是在開會時大家喊一喊，在報刊上作作宣傳，就算完事；現在所需要的是眞正去實行：大家先找出一條可走的適當途徑，然後設法去實施，共謀達成教會中國化之目的。二、要消除在實行上所有之障礙：在國籍聖職方面，要改掉對此問題所持之不關痛癢的態度，這種態度一日存在，教會中國化就一日不能實現。一般說來，習慣於某種制度或生活方式的人，普通是不歡迎改革的。我們習慣了發揚教會的西洋方式，不知不覺間便認為這是教會本身應有的本色，不應改變；教會中國化未免有使教會失去本色之患。但在未曾受過這種訓練的國人看來，覺得我們的教會制度，歐西的色彩非常濃厚，與中國文化有些格格不入。這是我國籍聖職人員應當注意的地方。

在外籍聖職人員方面，希望他們消除不諳中文的障礙。如果有意促進教會中國化，就得先把中文學好，對中國書報刊物能夠閱讀，藉以認識中國傳統文化和現代問題。在外籍聖職中精通中文者頗不乏人，但不識中文者亦大有人在，如此，尙如何能談教會中國化？有許多外籍教士認為中國文字太難，歐美人士無法學習。我們覺得這個問題的焦點並不是難與不難的問題，而是願與不願的問題。近十餘年來，由於國防關係，美國軍部對學習中國語文非常認眞，凡由軍部中國語文組出來的軍人，都說一口漂亮的國語，使我們驚訝不止。在歐洲方面，近來研究漢學的風氣頗盛，有許多德國人，拿起中國書報來可以看可以懂，因此對中國傳統文化及現代情況，頗有瞭解。美國軍人為國防關係，可以學一口漂亮的國語，歐洲學人為研究漢學，也可以學好中文，難道我們傳教士，為傳播基督福音就不能學一口漂亮國語和善講中文嗎？是不為也，非不能也。為此我們希望國籍和外籍聖職人員，共同努力設法消除自己眼前的障礙，使教會中國化往前邁進一大步！

（摘自教友生活）

搜異錄

大刀王五

匡謬

清光緒年間，北京某鏢局有一個保鏢頭，姓王名五，善使一柄大砍刀，出神入化，故河北、山東綠林中人奉命為祭酒，外號人稱「大刀王五」。大刀王五為人好義，不取非份之財。河北、山東羣盜猖狂，王五為之約法三章。如非貪官污吏，不得刼掠。不義之財不取，不妄殺無辜。

光緒六年間，三輔發生刼殺案數十起，吏捕一案未破，皆心疑大刀王五所為，密報邢部，邢部檄五城御史，以吏卒千人往捕。王五所居在宣武城外。御史得檄，命圍王五之宅。王五以二十人持械在內，宅外千人無敢進入其宅，唯吶喊助威而已。待至日暮，尚不得要領，吏卒悉散歸，既散始知王五不知何時已化裝吏卒號衣，混入隊中遠去，而官吏不知其蹤影。

事過三月，大刀王五，一日忽詣邢部向文暹太守自首，太守詔而詢之。王五從容答道：日以兵取我，故不從命，今既罷兵，故自歸案。邢部詢及數月來刼案，某案為某所為，誰是他路賊所為，侃侃而言，無少遁飾。太守固知其材勇義烈，欲全其命。乃故謬言道：「本太守固知刼案與汝無關，然汝一匹夫而廣交遊，泅酒縱博，此決非善類，吾逮汝者，將以小懲而大戒也。」笞杖二十，逐出府去。

過了三年，太守文暹知河南南陽府，將赴任所，資斧不繼，告貸亦無所得，憂心忡忡。一日，大刀王五忽來求見，守門者拒之，再三固請，乃命詔入。入見文暹，頓首道：「小人蒙公再生之恩，無可為報，今聞公將赴任所，此路皆盜所踞，非小人為衛，必難過境；且聞公資斧無着，今携金二百兩，請作資斧。」太守文暹力辭不受，且道：「吾已得金了。」王五笑道：「大人何欺小人，公今晨尚往某西商處貸百金，議而未成，安有金可得？」太守不已得，乃以署券付與王五為執，待到任所相償。王五遂同太守行。一日至衛輝，大雨連續旬日，黃河水泛，人不得渡，所携金銀復將盡，乃與王五商量道：「資斧將盡，河且不得渡，君其奈何？」王五言道：「此乃區區小數，何得難王五」。畢，乃匹馬佩刀絕塵馳去。侍從人員皆道：「王五去行刼矣」！太守大駭，徬徨終日不能飲食。薄暮時分，王五始歸，解腰纏五百金置於几上。太守正色道：「吾雖渴，決不飲盜泉一滴，汝當速去，勿汚我名。」王五啞然大笑道：「公疑我行刼乎？王五雖微，區區五百金，何至於無所稱貸而出此乎？此乃借之於某商者，公如不信，試爲召之。」太守乃書一紙條令從者往召之，次日某商果來，以王五署之券呈太守，太守方信然，乃謝而受之。王五送文暹至南陽，始還京師，操保鏢業。

後安曉峯之戍軍台，王五保護前往，車馬資斧，悉為王五所辦。王五又與譚復生相友善，戊戌之變，王五見譚於宅，勸之出奔，願以身護其行，譚復生固辭不受。後譚復生死，王五乃結壯士數百人，欲有所建立，其志未遂，而拳匪之亂起，王五遂罹難於拳匪，惜哉！

第十一章 宋高宗偏幸東南 岳鵬舉虎帳談兵

大率河南之有金坡諸關；河北不歸，則河南未可守；諸關不歸，則燕雲未可有。問當思及董宜撫（貫）燕雲之事，每發一笑，何以故？國家用兵爭境上，有其尺寸之地，盡其尺寸之用，因以養其兵，因民以實其地；因其練習之人，以為響導，然後擇其要害而守之。董宜撫不思以兵勝，而以賄賂求之。遂使其人與素習之士，席捲而東，收其糧食，付之以空城，是以燕雲眞為我有。則盡天下之財力以實之，知要害之地，實不為金人所據。金人於吾安養之後，一呼而入，復陷腥膻，以中國不志在諸關，是以虛名而受實禍，次取燕雲而資夷狄也。河南河北，正如其類。

今朝廷建河北之使，而以招撫為名。越河以往，半為胡虜之區，將何以為招撫之地？我為招撫事計，只有盡取河北之地，為京師之援。不然天下之四肢絕，根本危矣。異時醜既得河北，又侵河南，陝要既失，莫可保守，駸駸未已。幸江淮，皆不可知。

招撫誠能許國以忠，稟命天子，提兵歷境，使某以偏師從麾下，所誓為招撫之命是從，個人一死何足道哉！」

岳飛雖為一偏裨，但他所知道的遠超過了當時將相，他對於國家時事的分析，深中肯；對於地形兵要，了若指掌。敵我之長短優劣，正是知己知彼，百戰百勝之謀。安內攘外之大計，悉有城竹在胸。他此時方二十五歲的青年，眞是天生的民族英雄。日後張所殉國，岳飛為報其知遇，奏請高宗追封，並錄其子仕於朝，此乃後話。

此時此地的河北招討，是一項極艱鉅的重任。因為河北大半土地，已淪入金人鐵蹄之下。金人虎視眈眈，朝廷又要割讓，民心惶惶不安。要想在此打出一個安定的局面，實在難以下手。岳飛的建議雖然正確，但實際做起來却非常困難。張所麾下部將士亦有不穩定的內在意識，局勢內外皆所不宜，因此岳飛在河北也沒有成功的機會。最後仍然投効於宗澤的麾下。

第十二章 岳鵬舉大戰南薰門 韓世忠起兵擒苗劉

自從高宗朝廷便準備南幸東南，首先詔命東南各州準備聖駕巡幸。揚州成了第一目標，官民紛擾，忙得雞亂無章。

（五十三）

自由報

（第一一〇一期）

（逢星期三、六出版 半月刊）

督印：黃行　社長：李鵬運

社址：香港九龍彌敦道593—601號 廖創興銀行大廈八樓五座

LIU CHONG HING BUILDING 7th FLOOR FLAT 5 593—601 NATHAN ROAD, KOWLOON, H.K.

TEL: K303831 電報掛號：7191

本報專論

文化復興與宗教（三）

・淨空・

倫理必須從教育上着手；教育的根本是五倫八德，三綱五常，這是中國自古以來的教育宗旨。孔子教學，第一就是德行，首先教人應當如何做人？若是一個人連人倫都不懂，縱然學成技藝，也必然危害衆生。所以教育首重道德，有了道德，於是再教以言語應對，作事技能，乃至文學藝術，這是中國立國的教育精神。禮記學記開端就講「建國君民，教學為先」，教學的內容就是倫理道德；現代的教育可以說是科學技術的教育，倫理道德已經不為衆人所重視了。所以我們復興中華文化，也就是復興倫理道德的教育，實踐倫理的民主，倫理的科學，才能夠救國家救民族乃至於救世界。再看近代西方國家，假使沒有軍隊、沒有警察，就沒有辦法統治他們的國家，近代如此，過去也是如此。惟獨我們中國自秦、漢大一統後，以道德、孝治天下，也就是文化的力量致太平，而不是以武力作統治的工具。實際上中國在三皇、五帝時就已經奠定了中華文化的精神基礎，所以黃帝、夏禹、商湯都是以德治天下。經史謂唐堯之德：「欽明文思安安，光被四表，格於上下，九族既睦，平章百姓，百姓昭明，協和萬邦」。故中華文化是以倫理為基礎，於個人則以致聖賢為目標；於社會則以齊家、治國，而止於世界大同的理想。所以中國的政治，自古以來就是賢人政治，中華文化是世界至善的文化；它與佛教非常接近。佛法傳入中國，中國有大乘佛，沒有小乘佛法；但佛法是必然由小乘而進入大乘，和我們唸書一樣，一定由小學、中學才能進入大學；可是佛法到中國只有大學，沒有小學，因為中華文化精神和小乘佛教很接近，因此小乘在中國已無必要，故傳入的多是大乘佛法，且在中國能特別發揚光大。現在唯有中國佛法還保存一點樣子，在外國都已經逐漸變質，成為「佛學」，只當作一種學術研究，談不上修證工夫，當然對現代人類的利益也已不能與往昔並論；換句話說，就是失去了眞正的意義及目標。

我國是講究信仰自由的國家，任何宗教只要符合道德水準的，我們都加以尊重。宗教的目的不外乎二種：一為入世，一為出世，也就是現前的目的和死後的目的。現在，我們將這兩種目的分開來討論：所謂入世，是指在我們的身體生命，還生存在世間，共同生活在一個國土，宗教家處於此時此地，其教育宗旨首重勸善利生，任何宗教徒也不應違背這一原則；勸一切人進德行善，便是令一切衆生得到目前的眞實利益。至於出世的理想、歸宿，諸教所說不同，各有各的願望，不必勉強，願升天堂者入天堂，願修淨土者生淨土，彼此並無妨礙，一切妨礙皆是出於陋執偏見，都是感情用事；我相信如果釋迦牟尼和上帝同在一起，一但也是志同道合的好友，絕不會有互不相容的敵對看法，因為他們皆是具有大智大德的聖者。我們要學的是聖學，修聖德，啓心智，作聖之徒；唯有學聖人，我們入世的目標才能一致；對社會、對國家才有利益。我過去在南京讀書時，有一位陳同學，他的祖母唸佛，母親是基督教徒，父親則是回教，因為信仰不同，常有不愉快發生，老太太心裏總是覺得兒女不孝，沒善根。媳婦眼裏卻以為婆婆是魔鬼信徒。再加飲食之間這個不吃豬肉，那個吃淨素，本是美滿的家庭，為了信教不同而完全破壞。如我所見的這樣不幸的家庭，我相信在我們國內不祇是他一家，如是說來，豈非不信教還好，尚可維持一家和睦，一旦信仰宗教以後，家道反而衰落！一個家庭迷於宗教信仰而遭遇到如此的不幸，一個國家若迷於宗教又豈能例外！國家既有多種宗教並存，若因所信引起詆毀異教，有形或無形的分化了民族感情，破壞了國家團結，視同胞為仇敵，嚴重的傷害了自己的國家，其結果必然是不必外人入侵，力便已消失殆盡，這是我們應該特別警覺的！所以信教必須建立宗教道德觀念，即是任何宗教徒不能忘記有養育你深恩的父母，及曾經依賴生長的家園，更不能忘記你的國家、民族；如果一旦信教，便以為父母家人不信，或所信不同，而置父母家國於不顧，我深深地相信佛菩薩及上帝決不肯收容。你想到上帝那邊去，上帝會說你做人不孝，為國不忠，不忠不孝之人，如何能進入天國？同樣的，你想生西方極樂世界，佛陀也不會來接引你。須知忠孝之德，天人尊欽，敵國敬畏。若不忠不孝，已失人格，何得更求天堂淨土！這是任何宗教徒必須要深切認識的，也是國內大宗教家們必須努力提倡的！因此，我們一方面要以理智愛護宗教，信仰宗教，另一方面要尊重異教，互助合作，以求自他幸福，國族復興，世界和平。因為人類的文化畢竟是多采多姿的，不是清一色的，只要是福利國族人羣的思想行為，皆當尊重，不必強人必須同我。清一色的想法是共產黨的思想；共產黨要赤化世界，與全世界、全人類為敵，這種思想是絕對錯誤，事實上也永遠辦不到。所以任何宗教都是反共的；既是反共，就應團結一切反共力量，絕不可因一時迷惑，固執偏見，偏愛的誤會，而為敵人所愚弄，其後果必然是同歸於滅亡！

當然，各個宗教入世與出世的方法是不同的，然其精神歸納起來，不外乎我國古聖先賢所說的三達德、凡是偉大的宗教家都是有大智、大仁、大勇的；以佛法來說，大智便是具足定慧，有定力，因此才能臨事不亂，才能運用理智處理問題，小定辦小事，大定辦大事，即使戰爭勝負，也是決定於主帥的定力；唯有具大定之深智，才能辨別是非、利害、得失，而為人天眼目。所謂大仁，就是布施持戒；布施是利生助人的具體表現，受戒更是仁德的行持；戒律都是善的，高級宗教決沒有教人為非作歹的戒律，能夠守持戒律，就是標準的善行。所謂大勇，不是匹夫之勇，而是能忍辱精進。忍辱最重要的就是克服一切不正常的或過份的慾望；能夠做到這一步才是大勇，古人所謂無欲則剛，有容乃大的克己工夫。能克己才能進德修業，才能在道業德行上修成聖果。因此，唯有大仁、大勇，才能為佛菩薩，為人天之救世主。我深望國內諸大宗教家，暨一切宗教徒要以復興中華文化，團結國家民族，進而聯合全世界宗教大師，攜手合作，共謀拯救這即將面臨核子毀滅的悲慘時代，實踐救世救民的教化。如此，我可以說，他們就是現在的佛菩薩，今日的救世主。我們信仰宗教，假使入世都做不好，出世的果證也絕對無法達到。

然而任何宗教都必須要有相當的力量護持——在佛教稱為護法——才能發揮其救世的功能。中國歷代的護法，主要的是國家，不是個人，佛當時在世的時候，護法者亦是國王大臣，西方宗教在中世紀的護法亦不例外，必須國家護持，宗教教育才能興盛，宗教事業才能發展，才能夠有利於國家；國家假使不護持，則宗教利益只屬於一些少數的修行者，不能普遍利益一切衆生，而其流弊則可能危害國族人羣，國家應當怎樣維持呢？我願在此提供幾點淺見：第一需要立法，在憲法上修訂宗教政策，以為基本依據。

（未完）

行局人事行將調整

據來自台北消息，國家行局人事將有重大變動，以配合政府所推行的政治革新。

現在自由中國的國家行局計有中央銀行、中國銀行、交通銀行、中國農民銀行，以及中央信託局等機構，傳說中的變動，將包括所有上述行局。政壇傳出的消息是：國家行局負責人多久於其位，早達法定退休年齡，如中國銀行董事長陳慶瑜，中國農民銀行竺芝珊董事長，交通銀行柳克述董事長，中央信託局陳漢平局長等人，在財政金融界都已數十年服務歷史，皆逾七十以上高齡，政府體念他們多年辛勞，顧及退休制度之維持，作一合理安排，至有必要，而中央銀行內業務局刁培然，發行局長王鐘，依據國家法令，去年即應退休，俞國華總裁因藉重兩人長才，乃請准延長退休一年，本年屆滿，勢難再予延長，而該行副總裁孫義宣是自由中國當今較為年輕的一位卓越金融家，在行局人事大幅調整中，政府對孫副總裁，極有可能，另付以重任。若是則領導金融的中央銀行，內部人事的調整也將是大幅度的。

國家行局居領導金融的地位，以往社會人士對國家行局的觀感是：工作人員待遇較優，有金飯碗之稱，領導階層席豐履厚，位高多金，不無驕矜傲氣，譬如年前一位金融大亨，即以「驕傲」而馳名政壇，而金融業務，則率由舊章，暮氣沉沉。行局作風如此，一般商業銀行受其濡染，也就殊少改進。筆者曾經問過一位內行人：自從政府推行銀行現代化後，各銀行究竟現代化多少？他說：我祇看到幾架新添的計算機。一般商民向銀行借錢，其手續之繁，難以形容；即屬存款，也要種種手續！因而我們常聽商民發銀行的牢騷：商民向銀行借錢，而銀行賺錢還這樣找麻煩；至於存款，是向銀行送錢給銀行花，而銀行也還是左填表，右蓋章，甚至還要找保，一樣找人家的麻煩，眞是豈有此理？不過，政府中樞繼續厲行政治革新，積極推行便民運動，都算是切中時弊。一向缺少朝氣的金融界，能夠增添些新生力量，對國家經濟開發的前途，總會發生好的影響，希望這次大幅調整，能產生新陳代謝的科學作用。

・正言・

自由談

談求賢

古往今來的任何一個統治階級首領，沒有不想網羅人才，相助為理的。但結果十九都是言行不一致，多見其所信任的僚屬，不是僉壬佞幸之徒，便係奸詭險之輩，最上者亦不過是些依違唯諾的奴才式人物而已。此即治世少而亂世多的基本原因也。

統治者居心非不欲求賢，其所以事與願違的主要因素，就是天下為私的觀念作祟。私念既橫亘於胸中，即沒有廓達恢閎的氣度，而主觀的好惡心情，很容易汩沒自己的理智作用。對人對事皆失卻大開大闔的章法，而以「所識窮乏者得我」為用人標準，眞正的才智之士，相率望望然去之，不去亦請無路，進身乏術，所謂葉公好龍而眞龍不至，羊公好鶴而鶴皆不舞，殆屬勢所必至，理有固然。

近代學人王闓運致左宗棠書有云：「天下之大，見王公大人衆矣，皆無能求賢者；今世眞能求賢者，闓運是也。然又在下賤，不與世事，性懶求進，力不能推薦豪傑，以此知天下必不治也。」這并非王氏誇海口，亦非風涼話，祇因他是「不與世事」的旁觀者，乃能以冷靜頭腦兼客觀思想判斷世情，理智益然，假使王氏高據統治地位，用人亦未必眞能求賢吧？

為補救統治人物昧於進賢退不肖的通病，只有一種藥方可以見效，即能虛己聽受師友的忠告諍言，身體而力行之，庶幾有豸。歷史上少數號稱為英明之主，郅治之隆的帝王，就是服用這藥方而然的。如其滿朝都是「天王聖明」「主公厚我」的奴顏婢膝的臣僚，而欲創造治國平天下的績業，那是絕對的幻想。昔人謂：「王者與師處，霸者與友處，亡國者與役處」，確係不刊之論，萬古常新，翻開史書一看，例證孔多，更僕難數，求賢用賢之義，大矣哉！

馮正先生

設立政務官懲戒會 遭到各方強烈反對

立院審議時塲面弄得很僵 趙自齊委員正在多方協調

（本報台北消息）五十八年底曾傳說，行政院有意設立政務官懲戒委員會以作懲戒政務官的新機關，當時即引起有關方面的極度關切，監察委員們的態度尤其明顯。但行政院並未作更進一步的明確表示，外界以為政院已經打消原意。

但在立法院第四十五會期即將休會之時，行政院突然將「政務官懲戒法草案」送請立法院審議。法制、司法兩委員會，於八月十七日舉行第一次聯席會議，審查「公務員懲戒法修正草案」、公務員懲戒委員會組織法第四條條文修正草案」及「政務官懲戒法草案」時，與會的立委們對政務官之懲戒要設置獨立新機構問題，多發言反對。應邀列席的監察委員們也持相反意見。第二天輿論界亦多發表反對言論，似乎沒有人贊成政務官懲戒「另立門戶」。反對聲浪，一時甚囂塵上。這也許是行政院始料所不及。

因為立法院當天開聯席會議時，除了行政院人員列席外，監察院、司法院、考試院的代表亦同時應邀列席，而且他們都是公開表示他們對成立政務官懲戒委員的看法，塲面上弄得很僵。

八月廿四日行政院人事行政局長王正誼再度出現在立法院法制司法兩委員會聯席審查會中，答覆立委和其他人士所持反對理由加以說明時，王正誼面色凝重，語調堅強，不像過去政府首長為法案說明時的輕鬆樣子，似乎可以看出政院有為此一法案力爭到底的決心。

這一個月來，很少聽到有人再談這件事，表面上似甚平靜，但內裏並非如此，立法院新會期九月廿五日已經開議，質詢結束，立即就會再接觸到這個問題。行政院、立法院和執政黨中央，都會積極展開對此事的準備功夫。

行政院方面曾傳出消息透露：決策方面對此問題曾有過指示。所以立法院第二次聯席審查會議時，本來有心運用一項很巧妙方法，打銷此案。政策委員會代秘書長趙自齊委員，出現會塲，和在塲委員一一交換意見。趙代秘書長職務發表未久，許多立委同仁，不願讓趙自齊太難堪，聯席會幾未作出任何決定，先將該法案拖一拖再說。政策委員會的原意也是如此，因為這個法案的反應過份強烈，如想立即協調過關，那是根本不可能的事。能夠把聯席會議的決定暫時拖延下來，有箇轉圜的餘地，已經是談何容易了。

為甚麼行政院突然要有「政務官懲戒法」和設置「政務官懲戒委員會」這一行動呢？這就應該追溯到民國五十六年，執政黨九屆五中全會，中心議題，政治革新一事，當時有人提出現行法令對公務員的保障太多，機關首長對屬員既不能直接免職，甚而不能記過，一點監督權都沒有，所以大家精神鬆弛，紀律不張，如何來談革新，全會採納了這一看法，通過修改公務員懲戒法，加強主管首長監督權，配合全面革新之推行。

修改公務員懲戒法 意見不一引起辯論

監察委員反對最爲激烈 再度成立小組進行研究

在草擬公務員懲戒法修正案時，有人主張懲戒法應不包括政務官，如必須包括，也不應適用撤職處分。此一消息傳出，監察院立表反對，且為此專案研究並發表聲明，指出任何人不能享有特權。於是另一構想又告產生，乾脆設置獨立機構，專司政務官懲戒，立即草擬政務官懲戒法，司法院監察院知道了這一消息，再度組成小組進行研究。

由於修改懲戒法有了麻煩，行政院又和考試院研究修改考績法，辦理專案考績，公務員一次記兩大過時即可開除，同樣可以達到加強主管監督權的目的，不一定非修改懲戒法不可。於是着手修改考績法。這樣一來，修改懲戒法的原意消失了。初未料及為一箇衍生的問題——政務官懲戒——爭執得更厲害。

政務官懲戒問題的爭執，是提案單位行政院與立監兩院間不同的意見。行政院原來有兩箇方案，一是澈底改組公務員懲戒委員會，提高和加強該會委員的成份，使能達到足以懲戒政務官的標準；其次是另設新機構，使政務官懲戒不由公懲會來行使。後來鑒於改組公懲會牽涉太廣，所以採取第二案。這個新設的政務官懲戒委員會組織法，和懲戒法，送到了立法院，此一爭論，更形嚴重，所爭論的焦點，並不在技術，而是基本原則問題。行政院的理由是：政務官既以政策為進退，其懲戒最好由政務官組成的政務官懲戒委員會來處理為恰當。監察院反對這項說法最激烈，監委們指出懲戒雖為司法院之任務，但懲戒案的成立，則來自監察院的彈劾案，如果懲戒偏差，必然連帶影響彈劾權的行使。以行政官兼任司法官，尤屬體制不合。立法院有人，私下建議行政院將本案撤回，據說行政院高級官員在和立委私下接觸時也曾表示，撤回該案非不可能，但強調須透過決策方面，他認為審慎考慮，可以找出折衷的方法。中央政策委員會，九月五日上午曾邀請專家學者對本案交換意見，有人贊成，有人反對，政策會都將列為重要參考。（露如）

設政務官懲戒機構 司法考試兩院也表反對意見

立院聲言無法審查法案

「政務官懲戒委員會」案，監察院表示反對，司法院、考試院也不贊成，立法院聲言無法進行法案審查，茲綜合各方反對意見如下。

公務員懲戒委員會首席委員張鏡影應立法院法制、司法兩委員會之邀列席表示意見說：公務員懲戒委員會自民國二十一年十二月廿六日成立以來，係國民政府委員七人兼任，至民國三十七年總統就任時廢案，已歷時十六年，僅辦湖南省建設廳長被彈劾一案，誤為常闔而撤其職，後經譚證實無責，於是懲戒處分定抗戰時期暫緩執行辦法，譚得繼任其職位，此係委員兼任所出之破綻。這位在司法院任法規委員及公務員懲戒委員會委員前後達三十餘年的專家回憶行憲後之三十七年八月十三日，公務員懲戒委員會成立時，司法院長王寵惠訓勉各委員謂：「此次將政務官事務統歸公懲會管轄，顯示法律之前人人平等，不復有階級之觀念存在，充分表現憲法第七條中華民國人民在法律上一律平等之精神，各委員責任較往昔重大。」等語，今忽有政務官懲戒會之設置，似應注意上述憲法第七條之規定。

張鏡影委員現任國立政治大學研究所教授，他又指出：三十七年初修正公務員懲戒法草案起草時，司法院法規會及參事室會同研究時，有人主張將委員改為特任，懲戒政務官乃合體制。當時之主持人李芾棠謂：「此與軍法審判不同，軍事審判因被審人在庭下，庭上之主審軍法官階自應高一級，乃合體制。懲戒之審議係採評議制，評議不公開，與被付懲戒人之官階無涉。況司法為國家之權力，地院檢察官推事可以偵查或審判特任官，則懲戒委員之審議特任官，與其官等毫不相妨。」

監察院委員陳大榕、陶百川代表該院列席立法院法制司法兩委員會聯席會議均表示反對設置政務官懲戒會。

陳大榕委員提出五點反對理由。「關於政務官懲戒法，行政院並未徵詢監察院之意見，經監察院成立小組自行審查，提報院會作成對該法之意見，咸認為無改動現制之必要。

陶百川首先引證說：

「司法院院長謝冠生對此亦不贊成，並曾向監察院提出三點反對理由。」他指出：行政院最初原擬由大法官解釋憲法，使司法院得向立法院提案後，再行提出本案，殊料行政院却又遽予變更，逕自提出本案，監察院遂無法與行政院溝通意見。但監察院仍作成決議，對於行政院未事先協調，表示遺憾，並表示反對另設一政務官懲戒委員會之意。蓋該法有很多條均與監察院彈劾案之提出有關聯，不與監察院協調聯繫，實欠妥當。此項意見曾通知行政院嚴院長，嚴院長表示將予補救，而迄無下文，因此在立法院審議本案之際，藉此機會表達監察院的意見，希望合理之補救。

考試院代表銓敘部次長曹翼遠表示：關於公務員的懲戒，司法院和行政院人事行政局在技術上和我們商量過，但行政院則未直接與我們商量政務官懲戒法草案。關於第二條所列政務官的範圍，因其可以影響事務官範圍，所以站在考試院的立場，不能不有所陳述。我們認為：所謂政務官是以政策為進退的，但此一政策、抑個人的政策為準？因此，我們以為政務官的範圍宜採列舉的解釋，如是，則簡任之政務官亦應包括進去才對。如有人問：現在的蒙藏委員會與僑務委員會的委員，是否為政務官。

立委張金鑑 指摘行政院

提案理由不合理

立法委員張金鑑抨擊行政院提案理由與政務官懲戒法草案條文「矛盾」「不合理」。所謂政務官，行政院來文是說依政策定其去留的人，但草案第二條所列的特任官，是否都是依政策而定去留呢？例如五院秘書長都是特任官，但他們並不負政策責任。秘書長僅為幕僚長，以長官意志為意志，以長官決定為決定，以長官的政策為政策，不能算是政務官。特任官中既有一些不是以政策定去留的，草案條文與提案說明頗有矛盾。如省政府主席與直轄市市長，將來由民選產生，如發生政策問題，應由選民或省、市議會罷免，因為老百姓或議會是他們的主人。今有關政策的責任問題，不使其主人過問，而交由政務官懲戒委員會來管，這能算合理麼？

最後，張委員問行政院說：過去的公務員懲戒政務官時，發生過什麼重大的流弊，如無重大流弊，何必改弦更張呢？既無大病，何必要動手術開刀呢？關於政務官懲戒法草案之提出，五院中有監察、司法兩院表示反對，考試院亦有意見，立法院方面，實在難以進行審議。

本報記者按：如司法行政部前任部長林彬因違法，廢弛職務之失職行為，公懲會四十三年予以「書面申誡」之懲戒處分。如內政部前任部長王德溥處理工人報變更發行人登記一案，不遵守法令，損害人民合法權益，喪失政府威信，違法瀆職一案，經監察院彈劾後，公懲會四十六年予以「書面申誡」之懲戒處分。如行政院前任院長俞鴻鈞對監察院所提糾正案促其注意改善而未作改善之措置，及未為適時之答覆，又復拒絕調查邀請，因此，監察院認其違法失職，提案彈劾，公懲會四十七年認其有公務員懲戒法第二條情事，予以「申誡」之懲戒處分。如經濟部前任部長江杓玩法弄權而圖利他人瀆職案，經監察院彈劾移付懲戒，公懲會四十九年予以「申誡」之懲戒處分。政務官受撤職處分者，如行政院前政務委員兼行政院國民住宅興建委員會主委孟昭瓚，因玩忽職守，任令包商偸工減料，不合規定之處達二十九項之多，又且延誤工程多達六十餘日，事後對住戶委託無可交代，除分別代為修整外，並由國庫賠補新台幣一百六十萬元之鉅額損失，經監察院彈劾，由公懲會予以「撤職並停止任用一年」之懲戒處分。

觀此可證明政務官受懲戒處分之原因，均係就其職務上或身分上之違法失職而論究。

喬治桑外傳 一八〇

張大篤

「桑先生是過去上海的名票，跟梅蘭芳學過戲。」裘白瓊最愛說話，不肯長時緘默，為政不在多言，這大概也是他不能做官理由之一。

「眞的？」黑嬌嬌，白妮異口同聲地說。

「誰來騙妳們，如果妳們不信，可以問桑先生。」裘白瓊說完，吩咐僕歐拿啤酒來，顯得很有豪情的樣子。

「我們那時的時代不同，在學校裏大家都喜歡哼哼平劇。過去北平的名伶我大都認識，說不上向他們正式學過戲。」喬治桑用筷子夾了一塊海蜇皮，放在咀裏咀嚼，發出咯支咯支的响聲。

「桑先生你登台唱過什麼戲？」黑嬌嬌這時什麼也沒有吃，却掏出粉盒在鼻上撲粉。

「我唱過貴妃醉酒，借東風，白門樓，這是一種興趣，玩玩罷了。」喬治桑一連舉出三齣戲，青衣、老生、小生，以表示他文武崑亂無一不精。

「貴妃醉酒？桑先生扮的一定是唐明皇了。」由這一問足見黑嬌嬌是十足的外行。

「不是，是楊貴妃，在這齣戲裏，楊貴妃是主角，唐明皇根本連影子也沒有出現。」喬治桑不便笑黑嬌嬌是外行，只好向她解釋。

「你扮女的，不彆扭嗎？」黑嬌嬌開始下箸了，並非擇肥而噬，只揀了一片鹹鴨蛋，細細剝着吃。

「梅、程、荀、尚四大名旦都是男的呀。這是一種藝術，上台是一回事，下台又是一回事。」喬治桑最愛唱青衣，不得不設法自圓其說。

「這倒並有什麼稀奇，日本的時代劇，也是男扮女的。」裘白瓊因為到日本觀光過，所以提出日本時代劇。

「平劇登台可不是鬧着玩的，我有過一次登台經驗，幾乎當塲出醜，下次我再也不敢冒險了。」黑嬌嬌吃了一塊鹹鴨蛋，從手提包中拿出一把檀香扇子，不停地搖着。

「黑小姐也登過台？」喬治桑略感驚異。

「是前年，台港影歌星聯合大公演，我參加漢皇莊十美跑車。主辦的人事先來徵求我同意，我說什麼也不肯，倒不是不肯幫忙，而是實在不會。

閒話蘇州陸稿薦

・文滙樓主・

蘇州中東市場泰伯廟前陸稿薦所經營的醬肉（包括醬豬肉、醬牛肉，醬鷄，醬鴨，醬蛋，燻魚，臘腸，香肚，火腿等百餘種食品），因爲他的製法特別，味道非常可口，使人吃了這次還想下次，盛名由此而來，眞所謂生意興隆門庭若市。

傳說嚴副總統幼小對陸稿薦的醬鷄就非常欣賞，前江蘇省主席錢大鈞對陸稿薦的肉食佳餚於今遇到家鄉人打開話匣子時，仍談得津津有味，醫藥理論家馬騰雲不僅喜歡談，而且還會做出陸稿薦出品之各種肉食，有一次馬騰雲做了一點醬肉與臘腸之類，分贈張起鈞等幾位朋友，他們一致稱讚說：「此味祇應天上有，人間那得幾回嘗」江南九十老人袁樹珊說：「馬騰雲製作的醬肉，遠超過蘇州陸稿薦矣！」凡吃過馬騰雲菜的人，大體都有同感。

蘇州的陸稿薦醬肉十九多以陸稿薦爲名，上邊還冠以「眞」，「眞正」「袁老」「某記」「某房」「第幾代」字樣，使人爲之眞假莫辨，其實都是鬼扯，眞正的陸稿薦就是泰伯廟前的這一家，由共匪佔據大陸後，不僅秘方被迫公開，且控以資本家罪嫌，一說早被掃地出門，一說還有「剩餘價值」繼續被利用中。根據廣州梁濟時海狗丸，安慶餘良卿鱉魚膏藥等的存在，後一說法似較可靠。

有關陸稿薦得到仙人的稿薦，用以烹肉而得佳味，實不足採信。陸稿薦醬肉味道做的好爲社會所公認，而將這種好歸功於神仙，非胡說八道而何！如果說陸稿薦的祖先某慷慨仁義，樂善好施，曾因救病丐，後得病丐授以製作醬肉絕技，還是可能的。安徽懷遠五十年前有百萬富翁王萬順，靠皮蛋起家，其製皮蛋方法，就是得自一位老叫化眞傳，（用鷄蛋絕對不用鴨蛋）。當然也有很多自我宣傳式的神話，王府哲嗣與親戚現住台灣者有好幾位，實用生產百科全書將王萬順鷄蛋製皮蛋方法完全公開寫出。

文滙樓劄記

論惠施的哲學思想（三）

周世輔

（10）「目不見。」目何以能見呢？因於眼神（神經）、光線及環境等的相互配合，方能見物；若僅有肉體（物質）的目是看不見的，如木眼不能見，光眼瞎子亦不能見。

（11）「指不至，至不絕。」就動的宇宙言，指不到一處，或說指不到一個定的點，又指所到之處是不絕的前進的，不是固定的。

（12）「龜長於蛇。」就時間言，烏龜命長於蛇；就大小言，大烏龜長於小蛇。故說：「龜長於蛇。」

（13）「矩不方，規不可以爲圓。」矩尺是造方的工具，其本身不是方的。或說先有方的概念，而後有畫方的器具（工具）；方的概念爲方，矩不爲方。2規是造圓的工具，其本身不可以做圓，或說規的概念爲圓，規不可以爲圓。或說觀念中的規是抽象的，不可用來做圓。

（14）「鑿不圍柄。」柄（木塞）納於鑿（圓孔），不是以鑿圍柄。是被動的，不是主動的。

（15）「飛鳥之景（影），未嘗動也。」1、就速度言，異速度見動，同速度不見動。飛鳥與飛鳥之影是同速度，自飛鳥看飛鳥之影，是未嘗動的。2、就點線言，線是動的，點是不動的，即飛鳥飛過去的一剎那或一瞬間是不動的，故照像上之飛鳥和「飛鳥之影」，都是不動的。

（16）「鏃矢之疾，而有不行不止之時。」（箭頭飛奔，其行止因觀點而異。1、自人的肉眼來看，有行有止（停下來）；2自箭頭本身來看，不行不止；3、自線動點不動的觀點來看，有不行之時；4自宇宙眞空（除去地心吸力及各星球的阻擋）的觀點來看，便有不止之時。

（17）「狗非犬。」狗爲犬之小者，大小有別，故說：「狗非犬」。

（18）「黃馬驪牛三。」1、黃驪是二色，牛馬是一物（動物），二加一爲三。2、黃馬驪牛合稱是一，分稱是二，二加一爲三。普通說：「黃馬驪牛二」，他說：「黃馬驪牛三。」

（19）「白狗黑。」黑白之名由人定的，如當初稱白爲黑，則白狗就可叫黑狗。

（20）「孤駒未嘗有母。」母已死稱孤，就現在言，孤駒便無母了。

（21）「一尺之棰，日取其半，萬世不竭。」百尺之捶（杖），日取其半，剩下之一半，就理論言，永遠可以二分之一，故說：「萬世不竭。」

或許有人認爲我的解釋，有一部份是現代的，科學的，甚至是我個人的見解，未必合乎惠施的初意。我的答覆是，凡注解或評論前代人的文字，總不免有這種現象，如朱子釋四書，多是站在他自己的理氣二元論或理欲二元論的立場，但不得於第三者閱讀；因爲聰明的讀者是能辨別得出來的。

（完）

說曹操

李漁叔

孔融與禰衡（四十四）

經過這次會後，孔融也感到禰衡有些不對，不免責備他幾句：本傳載：

「孔融退而數之曰：『正平大雅，固當爾耶？』因宣操區區之意，衡許往。融復見操，說衡有狂疾，今求得自謝。」

雖一時被屈，權充鼓史，但雙方並沒有抓破面皮，而孟德究竟是一個愛才的人，又經過孔融的疏通，如果禰衡能前往一見，想來不會有什麼事了。誰知道事情的變化竟大出意外，本傳續載：

「操喜，勅門者有客便通，待之極晏。衡乃着布單衣，疎（足旁）巾，手持三尺兗（木旁，以下同）杖，（說文：兗，大杖也。）坐大營門，以杖籤地大罵。吏白外有狂生，坐於營門，言語悖逆，請收案罪。操怒謂融曰：『禰衡豎子，孤殺之猶雀鼠耳。顧此人素有虛名，遠近將謂孤不容之。今送與劉表，視當何如。』」

本來曹孟德聽到禰衡要來謁見，心中歡喜，預先命令傳達，有客到便向上報，完全是善意的，而等到極晏，這位狂客方才來臨，那種拖地大罵的態度，當然還夾雜着許多不堪入耳的言詞，所以軍吏聽了，說是狂生言語悖逆，不要說是殺人不眨眼的曹操，任何人也會受不了的。在禰衡單方面來看，自己以絕世奇才，遭受到充鼓史的羞辱，有機會必定要報復的，但這等行徑，似乎未免太過了，而這正是禰正平的作風，從他的個性看，非如此不可，否則亦不成其爲禰正平。

在禰衡被遣送赴荊州劉表處以前，還有一幕鬧劇。按本傳：

「臨發，衆人爲之祖道，先供設於城南，乃更相戒曰：『禰衡勃虐無禮，今因其後到，咸當以不起折之也。』及衡至，衆人莫肯興。衡坐而大號，衆問其故，衡曰：『坐者爲冢，臥者爲屍，屍冢之間，能不悲乎？』」

那些祖道（餞行）的衆人，大概還是接近曹氏的一班朝臣，他們也是想趁機折辱禰衡，不料機智辯才，遠非其敵，反被痛罵一陣，眞是自討沒趣。

到了荊州以後，因他久負才名，受到劉表及荊州士大夫的敬重，「文章言議非衡不定」。有一次，劉表和帳下諸文士草擬奏表，大家竭盡心思擬好一稿，恰值禰衡到來取閱，還沒有讀完，就一把扯碎丟在地上，劉表見他如此，不覺爲之駭然。禰衡當下求借筆墨，提筆一揮而就，文義較前稿遠勝，劉表大悅，因此越發看重他，後來也是實在受不了他的侮慢，又起了一個惡念，將他送與江夏太守黃祖。

黃祖以賦性急暴著名，隨時以殺人爲兒戲，禰衡至此，死機已伏。但黃祖初時仍是善待他。他也曾做過黃祖的秘書，給他起過草。

「衡爲作書記，輕重疏密，名得體宜，祖持其手曰：『處士，此正得祖意，如祖腹中之所欲言也。』」（禰衡傳）

黃祖的兒子黃射（音亦），正做章陵太守，尤與禰衡友善，本傳載：（未完）

自由詩壇

漁叔題

道瞻以駐韓公使回部長人事處

羅尙

三年玄[illegible]看梅花。故老能無乞蜀麻。碧海乘秋歸漢使。紫氛懷石下仙槎。簿書判決勤拈筆。杯酒酬誰驗畫蛇。王事馳驅知已倦。奈何憂樂繫君家。

再酬崑陽二首

張夢機

周[illegible]積潦困輕車。薄晚風檐噪凍鴉。白屋羞彈下客鋏。青門待種一園瓜。驛樓戍鼓沉沉夜。苔巷[illegible]燈默默花。喚起清都十年夢。茶[illegible]松火煑新芽。

其二

挹取青[illegible]護瓦低。一春花事付戎鼙。懷推不遇心長惘。隔雨相望夢亦迷。詩力差能搏大塊。兵氛直欲撼蒼霓。吳雲已隔鯤濤外。家在吳雲西更西。

諸葛亮狂想曲（一五九）

・劉玄・

諸葛亮只強調黃雲大仙的內功，不談面子問題，以免傷關羽的尊嚴，這是他的聰明處。

「內功？」關羽略一遲疑，然後若有所悟地說：「不錯，黃雲大仙曾一再在我面前誇他的內功，但不知他的內功是否能對海王星探險有所帮助？」

「這大概不成問題罷，星君的眼力何等敏銳，他從來不會看錯人的。」諸葛亮用鵝毛扇向前指了兩下，以加重他的語氣。

「這就好了，我因受不了黃雲大仙苦苦哀求，才答應請你介紹，萬一他不能勝任，豈非塌我們的台？」關羽是最好面子的人，他怕黃雲大仙是天橋把式，只能說不能練。

「黃雲大仙不像是吹牛的人，說話很老實。哦對了，聽說他常陪你下棋，他的棋力怎樣？」諸葛亮的棋力僅次於呂洞賓，當然比關羽高多了。

「他下棋很善於防守，但攻擊力量不夠，比我們當然還有一段差距也。」關羽將諸葛亮拉在一起，似有標榜之嫌，但諸葛亮並不計較。

「你是天才型，下棋海闊天空不受棋譜限制，黃雲大仙怎能和你相比？」原來關羽下棋向來不照棋譜，屬於不按牌理出牌類，不過諸葛亮說法很技巧，關羽聽了很開心。

「丞相休得取笑，我的棋老實說只能殺殺黃雲大仙，我是下不過你的。」關羽雖然自負，但他不能不承認他的棋下不過諸葛亮。

「我很久沒有下棋了，現在或許已經不是二將軍的對手了。」

「不必客氣，你的棋一定比我高，是沒有問題的。但不是我說，天庭除了你，別的人我全不怕。就是呂洞賓，他下棋專靠詭詐取勝，算不了英雄好漢。」照關羽的語氣，似乎他的棋在天庭除了諸葛亮就得數他，其實，這話是靠不住的。他說呂洞賓下棋詭詐，這也是自我解嘲而已。但諸葛亮是何等城府，只頻頻頷首，表示同意。

「聽說這次蟠桃大會有一項新奇表演是由你推薦金魚美人担任的，究竟是什麼節目？」這次蟠桃大會，關羽都是貴賓，故他有此一問。

諸葛亮遂將此事來龍去脈向關羽詳細叙說一遍。關羽嗟嘆不已。說：「我還第一次聽說有人能穿衣裝在水中舞蹈，我倒要見識見識。」

關羽自從上次參加諸葛亮狂想曲演奏會後，他的性情已不像以前那樣古板。黃雲大仙因爲常陪關羽下棋，並且常常輸給關羽，所以很得關羽歡心。關羽肯親自爲黃雲大仙來找諸葛亮是很不平常的。

「黃雲大仙有志參加海王星探險，總算難得。現在他如願以償，他會永遠感激你的。」關羽摸了一把過腹的長髯。

巨變歷險記！

猛隆之戰（一六二）

胡慶蓉

我軍很淒涼的離開了鎭遠，行行復行行，從建水出發迄今快兩個月了。在行程中最感覺到雲南省政府的力量，共軍整個的力量漸漸的已經伸張到邊區了，而且越來越雄厚，越來越可怕了。地方上的力量也慢慢的同他們結合起來，聽他們的指揮，聽他們的擺佈了。

我軍在層層威脅之下，前進日益困難，生活日益艱苦。糧食常常接濟不上。像鎭遠這麼大的地方，就得不到補充。人搬得光光的，東西搬得光光的，連房子都燒得光光的，還向那裏取得補給！搜山吧？不敢做。地理不熟悉，萬一中人家的計，如何得了。幸而田中有牲口，那也只好拉來宰了。

奇怪的，是在到達猛隆之前，有一些牛硬跟着隊走，怎樣趕他們也不離開。你宰，他們聽宰。這好像是瞎話，但却一點不假。又好像是神話，但也一點也不神。沒有辦法，也只好說天賜了。

猛隆位於鎭遠車里兩縣之間，這是建水以下再沒有那麼大的大壩子。以上是山窩，人在裏邊走，真是感到煩悶；人在裏邊走，常常感覺到身在此山中，不但路難行，而且補給不易，到了猛隆，到了大平原，耳目爲之一新。前邊一眼望不到邊都是平地，一個莊村一個莊村，同大陸上的平地無異。住的雖還是擺夷，但房子不大一樣了。現在的房子比過去見的偉大，樣式雖仍然是諸葛亮的帽子，但間架都變成木的了。面積也比過去看見的擺夷房子大。清潔狀況則遠不如過去的擺夷房子。有大陸上一般農村的樣子。

猛隆前面有條河，在從山上下望，非常美麗，大家以爲這裏可以休息休息了，甚至於希望能多休息幾天。正在大家歡欣鼓舞的時候，到處子彈飛來。有不少已經過去，很多還在河中。這河的水並不太深，時候，丁博士正在河中。頭上頂着衣服，幸水深尙不及頸，腳還能着泥土上。

槍聲響起，在山上還沒下來的一律停止前進，就地掩護。過去的就到村子上，尙在河中的最吃虧。退是退不回去了，停更停不得，這只有拼命前進。很多死在水中。古有爭城以戰，殺人盈城，爭地以戰，殺人盈野」之說。這眞不得爭城之戰，也算不上爭地之戰，這只可以說是爭命之戰。古又有血流飄杵之說，現在猛隆河之水，倒有這種情況。不幸死的，順流而下，倒也乾淨，連埋也不用埋了。是不是神在保護，丁博士在死中拔涉，有時候也縮下去，停一停，雖然子彈如飛，終沒有傷損着。部隊已經有了防禦的經驗，遇到敵人來攻，都會個別應戰，都會人自爲戰，看情形應付。經分別予以追擊後，敵人的攻勢也就挫了。部隊依然住在猛隆及其附近的莊村。

從「裝璜」「傢俱」看文字糾紛（上）

·匡謬·

台北某日報副刊八月十二日有一篇題爲「咬文嚼字外一章」，作者捉古證今，持之有故，言之有據，把「裝璜」查明正身，判決「璜」是一個不合法的私生子。

過了幾天，又出現「×小簡」，談「關於裝璜問題」，與八月十二日「咬文嚼字外一章」相呼應。作者敍述其七年前改學生作業簿，將「璜」字改作「潢」，曾受到學生家長的非難說：「此潢乃古人所用，今人通作「裝璜」。汝當隨俗，不可泥古不化也」！作者當時不勝感慨系之。也不知何以適從。至讀「咬文嚼字外一章」大作，當然不免有「吾道不孤」之感，七年前之冤抑得伸爲快。不過這是文字問題，是報紙有些「諱疾忌醫」。

從「×副小簡」中發現除「裝璜」之外，尙有「傢俱」。「裝璜」與「傢俱」本來就是「相依爲命」，而今在「×副」之上又成了芳鄰，真是巧合妙極。諸如此類「文字問題」，有識之士早見及此，非常重視，可惜沒有着手實行。這可能由於「有識之士」裝璜了一肚子「古典」文字，在他們來說，不致發生困難。而今最感到頭痛的，莫過於教國文的老師，其他方面的嚴重性雖很大，但是那是無形影響，一般人是視而不察的。

「裝璜」是否一定非改作「裝潢」不可？「傢俱」應否讓它合法？這是值得探討的問題，而且也不是一個單純的問題，文字是人類最神聖的一種工具，人類在進步，社會在演進，語言、文字也不能例外，他們也要發展，需要「新血」來代謝，所以新血不斷在增加，古字也不斷在凋謝。有的失去了本義，被新血取而代之。年長的人飽讀古書，對於新古字沒有困難。可是現在已經進入太空的科學時代，文學的功用擴大了，領域也擴大了，新血亟須補充，古今字通用，在相互爲用之下，舊字衰老了，新血後來居上，深受廣大社會之歡迎。所以「裝璜」取「裝潢」而代之，無人反對，默默心通，已經約定成俗，「裝璜」「傢俱」旣已爲社會大衆所接受，而且台北市政府也照准核發了執照，載於公文書，足見「裝璜」「傢俱」二辭已經約定成俗，而且都被政府合法承認，足見「裝璜」「傢俱」都不是私生子了。

文字本來不是某一個人所造，「六書」也不是先文字而生，文字乃是社會大衆的產物，他的演進新生，好似大江之東流，誰也擋他不住。世界上只新生淘汰陳腐，沒有陳腐淘汰新生的道理，中國所謂「長江後浪推前浪，世上新人代舊人」。如果硬要以古非今，恐怕是行不通的。現在要小學生寫篆字，讀「小學」，修「六書」像話嗎？文字問題茲事體大，要政府文教當局來辦，要聘請文字專家來研究整理，此乃千秋萬世之功，並非小事。

中國文字並不難，難在積壓太久的雜蕪重複，難在該「死」的字太多，包袱越背越重，如古今字、破體、破音字，通假字，同義異體異音字，還有一字數形，這是世界上很少見的文字例，音符文字一字數拚的萬難一見。如果要「復古」，把大衆接受了的活字不用，把該死的字拾出來強人所難，的確是泥古不化，而且將是文字大混亂的開始。下面舉幾個例來看，試問如何改正才對？

个、箇、個。
砲、炮、礮。
庵、菴、盦。
气、餼、氣。
保、葆、寶。
原、源、緣。
秋、　、龝（加禾旁）。
敖、傲、　、鰲。

以上三個四個字意同而寫法不同，試問老師如何改法？又如

萌　鋒芒、鋒　、鋒
惶　徬徨、徬偟、仿
狂　猖狂、倡狂、昌
惶　倉皇、倉惶、蒼
王　代王、太王、大
傲　驕傲、驕敖、驕
　　敖、踞、
慄　震栗、振栗、震

（未完）

黛眉小傳

王幻

蔡琰（一）

在漢代女性作家之中，前有烏孫公主和王昭君，以才美質麗的弱女子，遠適異國，與言語不通，習俗不同的胡人爲偶，終其一生，尤覺淒苦。後有蔡文姬先適衛仲道，而仲道早死，由於「夫亡無子，歸寧於家」，爲胡騎擄入匈奴十二年，已生二子，又爲曹操贖歸，再嫁董祀，猶念念不忘胡中所生的二子，她不但備嘗所欲歸不得歸，文姬不欲歸而不得不歸，造化弄人，莫此其極！

蔡琰字文姬，陳留人，是東漢大文學家蔡邕的女兒；博學有才辯，又妙於音律。一日晚上，邕鼓琴偶斷一絃，她說道：「斷的是第二絃。」邕道：「偶然猜中罷了。」他有意再斷一絃，她說道：「這是第四絃。」一猜得果然不差。由是可知她是如何的敏慧了。

據漢書載：「中平六年，靈帝崩，董卓爲司空，聞邕名高，辟之，稱疾不就。卓大怒詈曰：「吾力能族人，蔡邕遂偃蹇者不旋踵矣。」又切勅州郡舉邕詣府。邕不得已到，署祭酒，甚見敬重。舉高第，補侍御史，又轉持書御史，遷尙書；三日之間，周歷三臺。」文姬就在此時出嫁了，丁「蔡伯喈（口旁）女賦」有云：

當三春之嘉月，
時將歸於所天；
戒金翠之華鈿，
曳丹羅之輕裳。……

她第一次嫁給河東衛仲道，不久丈夫死了，沒有生下子女，不得已回到娘家，過着新寡的生活。

初平元年，蔡邕拜左中郎將，從獻帝遷都長安，封高陽鄉侯。就因爲董卓挾帝遷都，倒行逆施，宇內鼎沸紛紛興兵聲討，遂引起社會的大動亂，正是文姬所親身經歷的。她在「悲憤詩」描寫道：

漢季失權柄，董卓亂天常；
志欲圖纂弒，先害諸賢良。
逼迫遷舊邦，擁主以自強。
海內興義師，欲共討不祥。
卓衆來東下，金甲耀日光。
平土人脆弱，來兵皆胡羌。
獵野圍城邑，所向悉破亡。

×　×　×

斬截無孑遺，尸骸相撐拒。
馬邊懸男頭，馬後載婦女。
長驅西入關，迴路險且阻。
還顧邈冥冥，肝脾爲爛腐。
所略有萬計，不得令屯聚。
或有骨肉俱，欲言不敢語。
失意幾微間，輒言斃降虜。
要當以亭刃，我曹不活汝。

×　×　×

豈敢惜性命，不堪其詈罵。
或便加棰杖，毒痛參并下。
旦則號泣行，夜則悲吟坐。
欲死不能得，欲生無一可。
彼蒼者何辜，乃遭此厄禍。

×　×　×

邊荒與華異，人俗少義理。
處所多霜雪，胡風春夏起。
翩翩吹我衣，肅肅入我耳。
感時念天母，哀歎無窮已。

這種欲生不能和欲死不得的遭遇，眞是慘絕人寰的時代悲劇。據清翰林何焯的考證：「按董卓傳，卓以牛輔子壻素所親信，使以兵屯陝，輔分遣其校尉李傕、郭汜、張濟擊破河南尹朱儁於中牟，因掠陳留，潁川諸縣，殺掠男女所過無遺類，文姬流離當在此時。……」當時董卓的部隊，雜有南匈奴的「胡騎」，自屬意中事。文姬因而爲胡騎所擄，沒入南匈奴，爲左賢王之妾，甚見愛憐，相處十二年，生了二個兒子。

其父蔡邕在羣雄討卓之際，原打算東奔兗州又欲遯逃山東，後因從弟蔡谷的勸阻，未能成行。終於初平三年夏四月，董卓爲呂布所殺之後被害。據蔡邕傳：「卓重邕才，厚相遇待，邕亦每存匡益，然卓很多自用。及卓被誅，邕在司徒王允坐，殊不意言之而歎，有動於色。允勃然叱之曰：「董卓國之大賊，幾傾漢室。君爲王臣，所宜忿；而懷其私遇，以忘大節。今天誅有罪，而反相傷痛，豈不共爲逆哉！」

（未完）

第十二章

岳鵬舉大戰南薰門　韓世忠起兵擒苗劉

修建行宮、開道路、修城廓。勞民動衆，大興土木，迎接聖駕，一直抵達了楊州。

話說建炎三年春正月的一天，汴京城南薰門外，這一日金鼓震天，殺聲震野。正是各路盜寇發動總攻擊。杜充急命岳飛迎敵，因爲旁的將官都不敢出戰。臨發時，杜充以手拊岳飛的背額說道：「京師存亡在此一舉了！」岳飛慨然奉命。時岳飛部下只有八百壯士。岳飛先激勵士衆道：「賊兵雖多，乃是烏合之衆，某保爲諸君破之」。言罷，岳飛左手持弓，右手提了鐵矛，吩咐八百壯士稍待，觀其指揮而進。親率領了數名親騎衝出城去。那些賊兵，正在耀武揚威，囂張罵戰。不料岳飛數騎衝刺入來，橫衝直撞，所至之處，賊兵紛紛仆倒，身首異處。殺了一個時辰，岳飛身後數名親騎早已陣亡殆盡，岳飛不顧生死，在此一拼，自午至申，殺得賊兵落花流水。雖然賊兵衆多，但無紀律，不能盡皆直接與岳飛戰鬥。因此前面碰到岳飛之賊兵一敗，影响其他，以爲城中大軍殺出，如狼似虎，影响所及，賊兵皆潰敗。加上八百壯士一見岳飛殺敗金兵一陣，士氣大振。此乃岳飛精銳，勇不可當。賊兵不管三七二十一，各自保存實力，拉起便退。八百壯士隨岳飛追殺一陣，然後收兵。

這些賊兵雖然退了數十里，但後來仍有大患，所以，爲使讀者明瞭底細，再把幾個賊頭補充介紹一下。

張用爲相州陽陰人，在縣充馬弓手。乘金人南侵，聚集飢民爲寇圖存。與曹成、李宏、馬友等結爲兄弟，有衆數萬人，編爲六軍。

曹成爲大名府黃縣人，因殺人亡命，投拱聖指揮爲騎兵。緣長此人膂力過人，善騎射，賊兵服其勇。

王善濮州人，擁衆數萬，分編六軍。其初起事時，濮州弓手捕獲王善之父而斬之。後以羽毛豐滿，聲言以報父仇爲藉口，先攻濮州不下，轉攻雷澤，又不下，於是與張用打成一條線，遂成氣候。宗澤爲東京留守，爲其威名所服，遂受招安。宗澤一死，杜充無謀，欲分其兵，迫之作亂。因此，此次汴京不保，實爲杜充一人所爲。如果宗澤不死，汴京固若金湯。

岳飛血戰王善、曹成等於南薰門外，賊兵震恐岳飛之威名，暫時退去。同月又有賊杜叔五、孫海等，攻掠東明縣，殺掠百姓。

（五十四）

自由報
（第一一〇二號）
（半週刊每星期三、六出版）
每份港幣叁角，台灣零售價新台幣弍元
社長李運麟・督印黃行舊
社址：香港九龍彌敦道593—601號廖創興銀行大廈八樓五座
LIU CHONG HING BUILDING
7th FLOOR FLAT '5
593—601 NATHAN ROAD,
KOWLOON, H.K.
TEL: K303831
電報掛號：7191

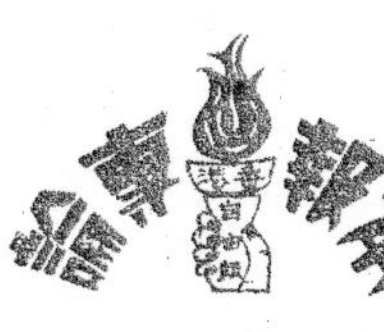

本報專論

文化復興與宗教（四）

淨空

也就是說人民信教自由，但須遵守宗教道德，必以復興文化，團結國家民族為基礎；任何宗教如有違反國策，破壞中華文化，分化民族感情與團結者，就可以停止其傳佈。同時立法以後，宗教行政及教育，亦應併入國家行政系統之內，視同國民教育以主其事。

譬如行政院之下可增設宗教部，每一個宗教設一個司，使宗教與政治能夠配合，宗教徒一切活動能夠配合乎國家現行政策之需要，如此國家可以得到很大的利益，尤其國家在某一時期有其特殊政策，這樣宗教和宗教教友都能對國家利益盡到責任，所以這一建制是非常重要的。省可設宗教廳，縣可設宗教科、局，主持其事者可由各教推選賢能，而由政府任命之。

第二、宗教皆有道場，佛教有寺院，其他宗教也有寺院或教堂，寺院、教堂亦應由國家建立，教產屬於國有，宗教徒當然有在家的，在家信徒的奉獻應屬國有，應由國家保管運用，或由奉獻者指定用途，國家亦當尊重，而不屬於私人，凡佛教徒所獻之財物若非別有指定，必須用之於佛教。

他教例此推行，如此則宗教師們私人沒有財產，生活所需概由國家供養，自然就沒有財物爭執，令其安心佈道，精進修持，自行化他，以至功德圓滿。有了私財，就不免患得患失，心不在道，反而破壞其教義宗旨。所以道場必須由國家經管，由宗教徒選舉具有德學之宗教師管理，而由國家負保護的責任。

第三、至於宗教師資，亦由國家培國家可辦一所宗教大學，每一個教設一院，這樣，不但各種宗教思想可以溝通，而且能在國家統一政策之下，統一理想，統一目標，使每一宗教向各種不同的方向去弘揚，完成救世救民的共同目的。這樣可以利於國家，利於自己的教會；利於個人，也就是達到將來自己升天堂或生淨土的目標；此一理想的細節，不能於此詳述。以上三點淺見，謹提供給諸位參考。

復興宗教還有一個理想，就是以宗教育及事業，來協助國家養老育幼。現在政府有退休制度，老年人退休以後，國家既設有各種宗教大道場，凡屬信仰宗教者，場便是他們的養老院，一切物質生活不缺乏，且有志同道合的教友們共同修行，神生活亦可以滿足，此未嘗不是老有所的有效措施。

如果身體好的話，還可以到各學校兼課，以倫理道德為施教內容，讓老年人負投德總希望孩子們比上一代好，希望他們長大之後為國家造福；因此，請他們担任倫理道德教育，將會收到很大的效果。

如是退休後，人人皆有安定的生活及精神寄托與歸宿。宗教並不僅是口頭宣傳為能事，尤須身體力行；換句話說，在這個大道場裏所有修行人，都要以身作則，作國民模之不足。如果能這樣做，則對於社會、國家、個人的益處，誠非吾人所能思議者。

至於經費，所需並不太多，因為現在每一個宗教的基礎都非常好，只要能組織起來，這件事是很容易做得到的，所以宗教復興對於復興中華文化，確實是相輔相成。

單使我們自己的國家復興，依舊是不夠的，我們要和平要繁榮，那就必須整個世界都好。也就是說，要由愛護我們自己的國家，擴到愛護整個人類，用全世界，以倫理道德輔助西方文化之不足，溝通各個地域文化的隔閡，使世人觀念漸趨一致，如此人類戰爭才會減少。其次是要消除宗教間的偏見，希望全世界的宗教家們都能夠同心同德，作現今世的觀音菩薩，作此時此處上帝的眞使者，以眞誠自由平等博愛，携手合作，彼此尊重，建立世界性的文化聯誼或世界宗教聯誼會等組織，進而運用這種組織的功能，以達到重建世界道德，維護世界和平的目標。

最後，我再引用張曉峯先生幾句話作結論，他說：「現代世界上有識之士，大都認為二十世紀晚期的三十年代，也就是今後的三十年，當為宗教的復興時期。何以張先生有此卓論？這是因為現代西方科學進步太快，人類物質享受超過了精神生活，感到空虛，對生存價值發生懷疑，這是很可怕的現象。

由於精神生活確實是重於物質生活，縱如顏回一簞食，一瓢飲，居陋巷，尚能自得其樂；物質生活達到極點，精神生活空虛，這是世間最可憐憫者，這種生活是醉生夢死，只有今日，不知明天，在西方已形成為非常嚴重的現實問題，所以大家認為這是宗教復興的時期，也就是以宗教信仰來補其空虛的精神生活，同時亦為中華文化與世界各大宗教共同努力，携手並進，堅誠為一，以求眞正世界和平與繁榮的新時代。我深信這是極為正確的看法！

（完）

昨日與今日

閻錫山身後蕭條？

前行政院長閻錫山自從民國肇建以來，主持山西省軍民兩政垂四十年，最後且担任中樞行政院長兼國防部長，允稱一代煊赫人物，而其私人積蓄的資財，亦自可觀；當對日抗戰時期，他曾經斥資在四川西部各地區購置了若干的不動產；卅八年來到台灣後，亦在台北郊區購有數萬坪地產；即此可知他擁有的現金不在少數。

可是，閻氏去世不久，他的夫人徐氏以九十高齡於今年病故台北時，竟至無錢辦理喪葬事宜，嗣由在美國的兒子寄了千元美金來，纔得把閻老太太草草安葬。閻氏的私財——包括動產與不動產——素來由其少數的親信人員經管，這些人都是追隨閻氏多年，而在政治上未露頭角的心腹之士。閻在生之日，矢忠矢信，毫無疑問，迨他去世後，頓失瞻依，且在異鄉流落，有家歸未得，深感前途茫茫，生計維艱，乃將居停託管的資產，分別瓜分了！

對外宣稱：在台北所置地，早由閻氏轉售他人，現金係閻自己掌，旁人莫悉底細，閻老太太既去世，更從查詢了。這些人又將閻氏皮藏在鐵櫃機密文件，即他預作撰寫回憶錄的許多治上的原始資料，亦曾秘密以重價售予國新聞記者，旋經關係方面調悉其情，加制止，并將全部資料封存，列為禁制史料，不許任何人拼閱，纔使這項珍貴的政史料，未落於外人之手。旅居美國的閻氏兩個兒子函告國內親友，說他們并未誘鉅金出國，何認為大惑不解，但亦無法追究，只是存疑而已。

・何如・

農地變作娛樂場所
內政部要澈查嚴究

（本報台北專訊）台灣有所謂「六合企業有限公司」者，關係特殊人物的商業集團，資本雄厚，曾以五百萬元乾股賄送給某大銀行的高級職員劉××，有人向監察院檢舉，正由監院調查中。

最近該公司以開設工廠，發展民族工商企業為理由，曾在距台北不遠的「中壢」一地區，依官定價格購買農地數萬坪，成交之後，并未建設工廠，暗以高價轉售為建築高爾夫球場之用，當地縣市政府憚於各種關係，不敢依法禁止，事為內政部地政司所聞，立加干涉，指其違背法令。該公司即挽某大銀行要員劉××以股東身份，親赴內政部交涉，認為高爾夫球場係國家工商業發達與文明進步的象徵，可以吸引外來觀光旅客，增進社會繁榮，并無不合，亦與政府的政策無妨礙，表示勢在必行，頗有我行我素，不顧一切的氣概。內政部首長對劉某予以敷衍，說是俟查明實情後，再行商洽處理，同時卻飭令地政司澈查嚴究，絕對不許改作少數人奢侈腐爛生活的娛樂場所。社會人士對內政部這種不徇情於特權份子與官僚資本集團的作風，甚表欣佩。監察院根據這些事實，自必提出糾舉案，結果如何，且聽下回分解罷。

（完）

自由論

志氣與信心

人生在世，如果沒有志氣，過一天算一天，得過且過；下焉者隨波逐流，為着昧良鮮恥，無所不為；普通民衆如此，社會上必無正義公理可言，士大夫亦若是，國家即非敗亡不可！古人說，「一士先器識而後文藝」，意以也。

志氣胎息於器識，而信心則產生於志氣。一個人如其立志，有所作為，無論幹任何職業，終歸是有成就的，所謂「我欲仁，斯仁至矣」的道理，絕對正確無疑。遠者不必談，小事勿須論，試以卅年前吾國人對日抗戰之役為例：本身實力脆弱，物質條件缺乏，國際形勢亦對我大不利，國土淪陷了十之八九，政府偏促於巴蜀一隅，連僅有的一條國際通道——滇緬路——亦被別國封鎖了！處境之孤危，軍民和一般公教人員生活之困苦，亦自古未有於今日。然朝野上下人士的共有寧為玉碎，不為瓦全的志氣，堅信抗戰必勝，相率臥薪嘗膽，茹苦含辛，決不為個人的稻粱謀。尤其是一般公務人員生活，艱苦卓絕，始終不懈，個人絕無求田問舍的苟安心情，行政機關亦於事實需要而付而已。大家意志高昂，信心十足，最後勝利終屬於我。

今也何如？社會經濟生活充斥浮華，而美其名曰「提高生活水準」，誇稱為工業社會的應有現象；一般政治人物乘機設法扒錢，侈言「奠立經濟基礎」，拼命追求物質享受；行政機關經常大興土木，鋪張揚華，美侖美奐；處處表示着以海外扶餘為安身立命之永久所在地，反攻復國之舒籌徹雲霄，行為卻把杭州作汴州，此間樂，不思蜀矣！這證明朝野大多數人士志氣消沉，信心喪失，一切表面的言行，祇是自己騙自己，以視對日抗戰時期的精神，眞成隔世了！

昔曾國藩在反抗太平天國的艱難階段中有言：「今日無兵不足憂，無餉不足慼，唯舉世滔滔，欲求一攘利不先，赴義恐後之士而不可得，斯可爲痛哭流涕而長太息也！」今之情形有以異乎？抑無異乎？余欲無言，惟有訴之於國人之良知耳。

大學法已重加修正
現行學制頗多改變
修滿了學分可以提前畢業
政院已將草案送立院審議

（本報台北消息）教育部擬定的大學法修正草案，已由行政院院會通過，並已於九月中旬送請立法院審議，且完成立法程序即成定案。這是關係今後高等學術教育發展的大法，影響重大，所以甚受社會各界尤其教育界人士所關切。

大學法修正草案，兩年前就由教育部草擬完畢，送呈行政院後，再退回教育部重擬，其間一來一往，修改了好多次，最近纔獲院會通過。可見當局對大學法修正草案處理的愼重和苦心。

原先所草擬的條文中，對現行學制頗多改變，考慮最多和爭論最激烈的有兩個問題，一是准不准設立單科大學，二是仍採學年學分制，還是單採學分制。修正草案做的結論是：不設單科大學，仍照舊的大學法「凡具備三學院以上始得稱爲大學。」新草案單科大學設立部份取銷。在學制方面，學分制也作了修正，但有了部分的折衷，仍採學年學分制，不同的是新法第卅一條寫明：「但學生成績優異，經所屬學系學院審查核准，每一學期得增修若干學分，其在規定修業年限屆滿前一年或一學期修滿該學系全部學分者得准提前畢業。」

在原修訂的草案中會對大學教師，分成教授、副教授、助教授、講師四種，將助教的身份抹去。當時也會引起爭論，經過研究，現在對助教授的設置暫不考慮，仍維持舊有的「大學教師分教授、副教授、講師、助教」四類。

這次的修正，卻也有很多改動，原法只有卅三條，修正草案已變成卅八條。原法中仍保留五分之一左右，其餘都經改動。

修正草案和原法不同的地方，大致說來，有兩種情形：一種是追認性質，原法是民國卅七年一月十二日公布實施的。到現在已有廿二年，在這長久期間，爲着適應時代的需要，辦了些新事，這些新事在原法上都是沒有的。那是來不及修正大學法而提早做的，於法誠然無據的事。現在，不能不補加進去。這種已經由教育部實施現在等於追認的條文，重要的有下面幾點：（一）由私人設立者爲私立大學，修正爲「由財團法人設立者爲私立大學。」（二）師範學院應由國家單獨設立，修正爲「師範大學由國家分區設立。……必要時得核准省或直轄市設立師範學院。……大學或獨立學院各有關學系學生，如選修教育課程若干學分後，可取得該科教員資格。（三）大學得設置夜間部、暑期部。（四）凡在大學畢業者，經入學試驗及格得入大學研究所修讀碩士學位，期滿經依規定考試通過，分別依法授予碩士學位或博士學位。

這些追認的條文，因爲事實上已在實施。所以，將來在立法院中審議時，大概都可以照原案通過。

德智體羣四育並重
各大學可設研究所
公私立學校校長改爲聘任
新條文將會引起立院爭辯

還有一種是全新的條文。目前還沒有開始做的，重要的有下面各點：（一）「大學以發揚民族文化、研究高深學術，養成品德高尚之專門人才，促進國家發展爲宗旨。」這項條文在表示今後大學教育，將不像過去那樣偏重智育，而以德、智、體、羣四育並重。（二）「大學或獨立學院各學系師資充實，設備完善，辦理成績優良者，得設研究所，如因實際需要，亦得單獨設立研究所。設有研究所五所以上者，得成立研究院。」這項條文有兩點重要意義：第一、大學或獨立學院因學術研究的需要，未設學系的學科也得單獨設置研究所。第二、爲發展研究所提高學術研究水準和行政管理的便利，大學設有五個以上研究所時，得成立研究院。（三）公立的大學和獨立學院的校院長一律改爲聘任。舊法是：「國立省立市立大學校長簡任。」舊法私立大學得置副校長一人，公立沒有。修正草案中公立大學和私立大學一樣得置副校長，以輔助校長處理校務。（四）「公立大學教務長、訓導長、總務長、各學院院長、研究院（所）長、各學系主任，均應採任期制。」這項條文的精神，在使大學中能有機會注入新的學術空氣。但，大學校長不採任期制，獨獨例外，在立法院審議時，也許會引起爭論。（五）「大學設人事室，置主任一人，助理員及僱員若干人，辦理人事行政事宜。」這是因爲現行人事[illegible]，所以，大學中也應添設這一新的機構。（六）「大學設教員聘審委員會及經費稽核委員會，必要時得設其他委員會，其組織規程由學校擬訂，呈報教育部核備。」這是對大學的聘請教授的公開和經費公開的一種新的做法。（七）對醫學系，牙醫學系的修業年限改爲六年；將獸醫學系，法律學系和建築學系的修業年限改爲五年。同時規定大學採學年學分制，但學生成績優異，經審查核准的，得提前一年或半年畢業。（八）「大學得辦理推廣教育及建教合作。」這是使大學功能進一步擴展的新條文。（九）「各大學應依本法規定擬訂組織規程，呈報教育部核備。」由於這項新增條文，各大學都將有自己的組織規程。（十）把原法案中大學各學院得附設專修科這點刪除。以後大學將不再附設專修科，以免使大學和專科學校的性質混淆。

以上的各項全新條文，大都曾被各方提出過，其中有些不免仍有待商討之處，尤其立法委中有不少位從事教育多年的專家，更有些人雖外行而熱心教育的，在立法院審議時，很可能還要經一番爭論。

中興大學法商學院院長
龍名登被檢舉
涉嫌違法瀆職
監院已派員調查

（本報記者台北航訊）監察院教育委員會決定輪派一位委員調查省立中興大學法商學院院長龍名登違法瀆職案。經調查後，如有違法瀆職情事，將依法糾彈；如無違法情事，則爲其洗刷寃情，還其清白。

監察院教育委員會是根據省立中興大學法商學院前講師宋膺（住台北市仁愛路三段五巷五弄二號）之書面控訴而作此決定的。宋膺指控龍名登院長涉嫌違法事實有如下：

一是龍名登於五十六年任院長時沒有大學教授資格，直到任院長後之五十八年九月始取得此項資格，其資格係以欺騙方式取得：龍名登無教授資格，騙取國家俸祿，五十六年法商學院左禮生院長辭職，教育當局，正在考慮新任人選之際，該龍某即多方奔走，乞求德高望重某鉅公極力推荐，有就其資歷是否合格相詢，伊則竟謊言曚飾謂：早已取得教授資格，教育當局未詳加調查，被其矇蔽，院長明令發表。然查，龍某大學教授之獲得，迨到院後，乃假公濟私增設英文秘書，捏寫著作，抄呈教育部，又復輾轉關說，其資格直至五十八年九月始經教育部核可，有案可查，是在教育部未核可之前，並無大學教授資格，事實至爲明顯，從而可知龍某寡廉鮮恥，言行詭詐，以欺罔之方法，獲取學林高位，騙取國家俸祿，其應負詐欺罪行，灼然可見。

二是聘用劣跡昭彰份子先任夜間部副主任，後又調爲法商學院訓導主任等要職。查有陳國鈞者，曾任省立花蓮中學校長，因貪污案經教育廳免職，應聘法商學院教授，又因鯨吞調查經費，被其學生檢舉，該陳某任職以來，早爲法商學院同仁所不齒。陳某因盜竊公物罪證確實，經法商學院員工陶卓三、陳立清等向台北市中山警察分局提出檢舉，龍院長于偵查期間全心全力爲其袒護，又復調任其爲訓導主任，該檢舉案乃得胎死腹中。

三是扣發教職員鐘點費致損害同人權益觸犯刑法：該學院曾奉校本部五十七年二月六日校主字第七〇三五六號通知調整教職員鐘點費百分之二十，自五十六學年度第一學期起發給，該龍名登奉令後竟密不公佈，延至同人舉起質詢，始自五十六學年度第二期起實施，此種行爲觸犯刑法第一二九條第二項：「公務員對於職務上應發給之款項，明知應發給而抑留不發或剋扣」之罪行。該龍名登抑留剋克此項經費，不論其扣留之款項作何用途，均不能免其罪責。

挪用公家經費
購置私人座車
院長官邸大肆裝璜

四是挪用經費購置私人座車。法商學院本有大交通車一，中型之交通車一，院長座車一，原無另購院長座車之必要，龍名登到任之始，即不按照五十五年五月五日行政院修正之公務汽車管制辦法，竟挪用公款新台幣十萬四千五百元高價，私購命布拉一九六三年型輪車一部，充其私人使用，事先既不送省交通處審核報請增列預算，又不購置國產汽車，其蔑視政府政令于不顧，貪污瀆職違法益甚。

五是任用私人造成不公：台灣省政府五十六年六月三十日府人內字第五一三三八一號令略以：修訂臨時人員待遇標準，將原月支薪金自九級四百四十元至一級六百元，自五十五年七月起，增至九級七百十元至一級九百五十元，但非必要人員應予解雇。法商學院自龍院長接任後，對原有臨時人員不顧法令規定，不管年資多寡，一律月支待遇七百元，但對其自己新進之聘雇人員共二十餘人，其薪水之高者三千餘元，低者亦達二千餘元，接線生的薪水比之十年老雇員常多至數百元，再次是二十餘人中多爲湖南籍，其他新人非親即故，有稱該院爲「湖南會館」，亦有戲將其姓名爲之作聯額曰：「龍門客棧」，聯曰：「借問何來名利客，此中抑有登徒郎」，可見其一人心之反映。

六是停止及縮減教職員宿舍修繕費而裝璜院長官邸：教職員宿舍係木造，年有修繕預算，龍院長到院之初，即手諭教職員宿舍大修小修一律停止，而其目的乃在增修新建落成之院長官邸，以原建之官邸不足以容其座車出入，原有之設備不夠堂皇，乃大肆裝璜，連同新購家具，竟耗資達二十萬元，其爲己謀者如此，其爲人謀者又如彼，其浪費公帑，違法營私之情，無不令人髮指。

宋膺之控訴，眞實否，將由監察院調查報告予以證明，因此該案眞象，不久將大白於世人。

喬治桑外傳　一八一

張大鵬

「……後來主辦人對我說，根本不要我上胡琴唱，只要唱一兩段流行歌唱便行了，●十美跑車，在術語叫什麼？」

「跑圓場，」喬治桑代爲解答。

「對了，在練習跑圓場時，我並沒有覺得困難，豈知到了眞上場的時候，鑼鼓一響我頭都暈了，不知怎樣跑才好，尤其我跑得太急了，踏着前面一美的褲子，幾乎絆了一交。喲，白妮也在場，她比我熟練多了。」黑嬌嬌說話的速度很快，她和喬治桑熟了，說話也不再有顧忌。

「那天不知怎的，黑嬌嬌慌慌張張地幾乎鬧出笑話，不過她在表演歌唱時，一曲不了情博得滿堂彩。」黑嬌嬌在說話時涉及白妮，白妮不能再安緘默了。

「白小姐，妳那晚表演的是什麼？」喬治桑問。

台北傳奇錄（七五）

・陳光棣・

「我可以帶路，今天一晚上我都在那條巷子外頭等着妳，那一帶是雞爪李的地盤，我不想跟進去出點子」。

「怎麼？你一直跟着我」？

「那包東西就是我們的命，妳以爲交給妳就算了，我看到和妳一起走的那傢伙，是個新面孔，我還以爲妳們是一夥呢」。

「我在大街上走的好好噠！你們想害我吃官司，現在又來跟我囉唆，誰在外面沒有幾個朋友？你們何必這樣嘛」？

「我們哥兒們是替人家跑腿的，只要妳帶着我們把東西找回來，沒有人再來麻煩妳！」

「這麼晚啦，我可不去」！

「就是把妳擺平了，妳也要去，識點相，別叫我們動粗」！其中一個拉住馬寡婦的胳臂，馬寡婦頓覺一陣酸痛，她知道和這些混人爭論，一點用處都沒有，還不如痛痛快快聽話的好，她站起身來，告訴兩個人說：「我帮忙是可以，要是白跑一趟可別怨我」！

「這不干妳的事，他們躲在那裏我們都找的到，他們一定會在那個老地方留個眼線。」

三個人坐着計程車很快就到了淡水河旁，又走了不到兩分鐘，就到了原先馬寡婦吊過大半夜的地方，房子裏已經空無一人，水泥地上打掃的乾乾淨淨，好像是一間好久沒有人住過的空房子。

兩個大包頭站在巷子裏又聽又看，想發現些什麼，可惜巷子裏連個鬼影子都沒有。一陣馬達聲音響起，駛來一輛摩托車，騎在車上的王阿尾殺氣重重，咀裏嚼着檳榔。

兩個大包頭走過去嘰嘰的說着聽不清的話。

「你們眞是笨蛋、快走，咱們去找他們，非把東西要回來不可！我帶着她先走，你們兩個就來」！王阿尾瞪着馬寡婦：「別害怕，去了對證一下，就放妳走，妳可要實話實說！」

馬寡婦只好聽任擺佈，坐在摩托車後面，王阿尾發動引擎風馳電掣的衝向淡水河旁。到了一座工寮外面車子停下來，王阿尾推着馬寡婦走進去。

工寮裏擠着八九個人，馬寡婦在蠟燭的微弱光線裏，認出了羅圈腿和瘦子老大，王阿尾一進去，就挽了挽袖口走到瘦子面前：

「你可別作夢，我王阿尾是什麼腳色，你也總有個耳聞，東西拿出來，大家交個朋友，往後都有個照應！」

「你說什麼我不懂，我的人沒有拿你們的東西，你們不要這麼狠，將來見面的日子多的是」！瘦子有意耍賴。

「這位太太你們認識吧」？一個大包頭問瘦子。

由「文章醫生」說起

·文匯樓主·

有文章醫生者，自謂可醫各種文章毛病，其舉例：「清明時節雨紛紛，路上行人欲斷魂，借問酒家何處有，牧童遙指杏花村」，他說這首詩要改，清明雨紛紛即可，「時節」是多餘的，「路上」「借問」「牧童」都可刪去，反顯得精簡有力。

「洞房花燭夜，金榜題名時」，他覺得這副聯要補，因洞房花燭夜，乃每個人，窮富不拘，必經的過程，至於金榜題名時，爲讀書人的自然尺度，像現在學校畢業沒有兩樣，他認爲應當是「和尚洞房花燭夜」，「待召金榜題名時」，才含有新鮮性，蓋和尚不能結婚而結婚，「待召」所指爲理髮，理髮師的孩子，從前不准進考場的，而能獲得金榜題名，才值得表揚和讚美。

有某甲仰慕這位文章醫生大名而晤教謂：「騎驢思母舅，搖船想姨娘」，加以註解：「當騎在驢背上時，就會思到娘舅，因娘舅的臉甚長，酷似驢。乘船看到搖船老闆娘有一雙大腳，就連想到姨媽的腳和船槳沒有兩樣」。因而成「騎驢思母舅，搖船想姨娘」，此聯應補應改，敢請加以診斷？

文章醫生的答案：「這副聯既不能補，更不能改，可買一張北平同仁堂的狗皮膏藥貼在壁上就行了，在這副對聯的毛病，屬下氣上行，換句話就是很不衛生……」很像今日台灣有很多不懂詩的，亂打油當作詩，還有不少人對中國古典文學一竅不通者，常發表高論，如出一轍。大陸未淪陷前，有一位安徽籍的國民大會代表，在其本縣遊山玩水品茗題詞時，竟書一條幅：頭今已少讀書人」，後被僑人懸於客房，後被人對以：「就是一個忘八旦」報紙登出，引爲笑談。大概這一型一類的人到處都有，用北平同仁堂狗皮膏藥糊咀，乃對症下藥的最好辦法。中國文化學院教授陳邁子，曾精製膏藥兩貼，準備糊某學人的咀，經樓主勸止，一個已經死去，一個尚健在，看情形隨時隨地還有被糊的機會。

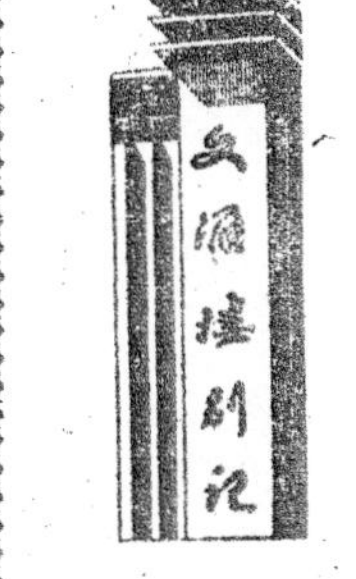

世界法律搜異

·恨海·

搜異錄

世界之大，眞是無奇不有。有的國度看來是奇，也有的認爲平常，更有的視若當然。

我們在台北、基隆酒吧裏面，常常可以看見美國水兵引吭高歌。但遇他們那驪行爲，就不是美國威斯康人。因爲美斯康的法律規定，是不允許人們在酒吧裏歌唱的。如有觸犯，要被判監禁一週。

在美國的明尼阿波斯地方，從來不會發現有一部紅色汽車。因爲在那裏駕駛紅色汽車，是犯法的行爲。假如有過境旅客不明犯禁，駕駛一部紅色汽車到達邊境，就有人勸你調頭，另走別路，不可入境。

英國底路斯郡，禮拜天上午，除了教堂之外，其他居住中找不到一個人留着，原來那兒有一條奇怪的法律，人人不敢犯。這條法律規定：任何人禮拜天不去教堂祈禱，要受拘捕的。

非拉地方，每逢周末，就和世界絕緣。在那天就好似世界末日到了，那兒的居民都全不知曉。因爲法律規定：在週末，報紙、雜誌、電台、書店都要休息。所以人們沒法知道一切世界大事。

世界上有一個地方「欠債死不得」那就是蘇班地方。因爲那兒的法律規定，負債的人死了，不能下葬，必須要有人爲他償債，否則唯有讓屍體變腐。

美國哥倫比亞若干地區，可以說是情侶們的小天堂。不論在任何場合，男男女女都可以任意擁抱，細細私語，不愁有人來窃聽他們的情話，因爲有一條法律規定，窃聽別人私語是犯法的行爲。要怎樣才算是犯窃聽私語的罪呢？規定是：在兩人細語時，別人不得站在距離五尺以內。這一條法律，我認爲台灣正可適用。因爲台灣「强拍戀愛鏡」的人太多了，新公園、植物園，以及若干風景區，青年男女大多畏足不前。

歐美的男女在衆目睽睽之下接吻，是非常平常的事。如車站、機場、碼頭等地，男女吻別，更是常見。但是在芝加哥地方，男女不許隨便擁吻。一對如在公園，不論夫婦情人，接吻都是違法的。

更奇怪的是：拒絕女性的獻吻，也竟會構成侮辱罪名。法國路曼娜拉地方的法律就有一條規定：女人遇着情郎拒絕接吻，可以告他一狀；如果罪名成立，被判一年內不得接近任何女性。

紐約若干地方，當你看到綿長的出殯行列，縱然你有急事，也不可以從行列間衝過。在當地的法律，衝過出殯行列的罪名是相當嚴重的。

美國寶頓奇城是個鬍子國，那裏的男子都蓄着鬍子。讀者也許誤會是他們的風俗；其實不然，而是那裏的法律規定：凡十八歲以上的男子，一律必須留鬚。

中國人的飲食有絕對的自由，但是在英國克郡的人，飲食也有法律規定：凡在星期日吃燒牛肉，一定要兼吃布甸。

在奧關他地方，任何人在禮拜天上午沐浴，就是犯法的行爲。每逢禮拜天早上，當局會派出大批人員突擊「訪問」，倘發現有人沐浴，立即拘禁。

女性們必須注意的，假如你到了美國布里阿地方，對於男性必須謹慎檢點。如果你並不眞正鍾情他的話，就不可與他過於親近。因爲當地的法律規定：凡是男女接吻十次以上者，就與申請註册結婚同一效力。那時就是你不愛對方，也不能推翻這合法婚姻。

在台灣的女性穿着透明的衣料，可以說到處皆是。可是在盧狄島甫魯丹斯地方，就沒有透明衣料的市場。因爲那裏的法律，是禁止女性穿着一切可以隔着衣物看見肉體的透明質料。

說曹操

李漁叔

孔融與禰衡

（四十五）

「射嘗與衡俱遊，共讀蔡邕所作碑文，射愛其辭，還，恨不繕寫。衡曰：『吾雖一覽，猶能識之，惟其中石缺二字，爲不明耳。』因書出之，射馳使寫碑還校，如衡所書，莫不歎服。」

像這樣的強記默識，實在曠世難逢。三國志魏志王粲傳，敘及粲：「與人同行，讀道旁碑，背而誦之，不失一字。」也和禰衡相同。孔融薦禰衡表中曾說：「目所一見，輒誦於口，耳所暫聞，不忘於心。」那是實在的。

禰衡的文章，死後無人收拾，散落不傳，只有一「鸚鵡賦」被選錄在昭明文選卷十三，是他平生僅存的一篇文章。此文係在黃射的座上作，文首還有敘述作文時的情形，說是：筆不停綴，文不加點，那是後人添上去的。讚首盛讚鸚鵡的慧美：

「惟西域之靈鳥兮，挺自然之奇姿，體金精之妙質兮，合火德之明輝。性辯慧而能言兮，才聰明以識機。故其嬉遊高峻，栖寺（足旁）幽深，飛不妄集，翔必擇林，甘（絲旁）趾丹咀，綠衣翠衿，采采麗容，咬咬好音。雖同族於羽毛，固殊智而異心。配鸞皇而等美，焉比德於衆禽？」

其次就是借鸚鵡來發抒自己的感傷：

「爾乃歸窮委命，離羣喪侶，閉以雕籠，翦其翅羽，流飄萬里，崎嶇重阻，踰岷越障，載罹寒暑，女辭家而適人，臣出身而事主，彼賢哲之逢患，猶棲遲以羇旅，矧禽鳥之微物，能馴擾以安處，眷西路而長懷，望故鄉而延佇，忖陋體之腥臊，亦何勞於鼎俎。嗟祿命之衰薄，奚遭時之險巇（山旁），豈言語以階亂，將不密以致危，痛母子之永隔，哀伉儷之生離，匪餘年之足惜，憫衆雛之無知。……」

這些辭句，都明明是借題發揮，意在言外，末段更加淒惋：

「若乃……長吟遠慕，哀鳴感類，音聲淒以激揚，容貌慘以憔悴，聞之者悲傷，見之者隕淚。放臣爲之屢歎，棄妻爲之歔欷，感平生之遊處，若壎篪之相須，何今日之兩絕，若胡越之異區……顧六翮之殘毁，雖奮迅其焉如，心懷歸而未果，徒怨毒於一隅……託輕鄙之微命，委陋賤之薄軀，期守死以報德，甘盡辭以効愚……」

越到後面，辭氣越發不振，而且似乎有一種不祥之氣，迴環筆端，昭明將此文選錄，如果不是絕筆，恐怕離開被害時也不會太久了。他最後和黃祖鬧翻，情形如此：

「黃祖在蒙衝船上（一種戰船）大會賓客，而衡言不遜順，祖慚，乃訶之。衡更熟視曰：『死公云等道。』祖大怒，令五百將出，欲加箠，衡方大罵，祖恚，遂令殺之，祖主簿素疾衡，即時殺焉。射徒跣來救不及，祖亦悔之，乃厚加棺斂，衡時二十六，其文章多亡云。」

「死公云等道」，是一句罵人的古語，不甚好解。章懷注：「等道猶今言何物。」依此解釋，或者是：「死人，算什麼東西」的意思，「五百」則是行刑的隸卒。在「士可殺不可辱」的情況下，禰衡只有破口大罵而求死了。

禰衡葬在湖北漢陽的鸚鵡州，據考證這一個州也就是因黃射在此大會賓客，請禰處士作鸚鵡賦的地方，州以人傳，遂以不朽。（未完）

自由詩壇

漁叔題

步白錫原韻

·李拯·

竹林游　蓍多詩，況是鶯飛草長時。
壘塊還須頁醞解，幽憂只合故人知。
好山花鳥看無厭，古卷丹鉛老豈辭。
敢爲徽名就諷詠，孤洒聊遣性情宜。

諸葛亮狂想曲

（一六〇）

·劉玄·

「這是公家的事，他用不着謝我，倒是有一點，我忘記告訴你，他須要先見見星君，並通過測驗才行。」諸葛亮說至此處語氣略停。

「怎樣測驗？」關羽通曉兵家戰陣之事，但對太空探險，却是一竅不通。

「據星君告訴我，他那兒有一種特製機械，專爲測驗各項體能而設。由猿猴變化的太空仙，也必須一一接受測驗，如果不合格，就要淘汰。」諸葛亮的記性很好，對於星君交待他的話都能一一熟識於胸。」諸葛亮用鵝毛扇指指點點，這是他說話的一種習慣。

「明天他要到我家裏陪我下棋，下完棋，我叫他到你這兒來一下。」關羽說的他自然指的是黃雲大仙。諸葛亮聽了點的點頭。

「啓稟父王，今天趙四叔約好要來見你，時候已經差不多了。」關平向關羽說話禮貌很週到。關羽在天庭屬於紅牌仙家，每天關會見客在所難免。

「我知道，」關羽只用簡單的三個字回答。

「二將軍既然有約會，我不再留你，你請便好了。」諸葛亮很識相，先開口好讓關羽走路。

「好，那我就不再打擾你了。」關羽站了起來，由於身材生的體大，他的頭幾乎碰到了屋頂。關平，周倉照例先走出房門。

諸葛亮想送到大門口，被關羽硬行攔阻，諸葛亮也就不勉強了。

關羽乘騎的赤兔馬，一向有千里的腳程，不一會就到了仙邸。剛剛坐下來不久，小校進來稟告：「四將軍到。」

趙雲在龍岡的地位，僅次於劉、關、張三位，關羽也視他爲手足。

趙雲鬚眉皆白，看上去比黃忠還老，但是生得虎背熊腰，兩條劍眉，倒竪入鬢。目如朗星，炯炯有神，一望就知道是一員虎將。

趙雲向關羽躬躬爲禮，說：「二哥你好。」

當年桃園結義，趙雲不在其內，自從到了天庭以後，因爲人間的龍岡組織近年來已經把姓趙的算在內，劉備聽到這個消息，遂與關、張二位商量，將趙雲補訂在蘭譜之內。

「子龍來了，請坐。」關羽一向很看重趙雲，但他是二哥，又是五虎將魁首，所以老茄茄地叫趙雲的字號。

關平也走上來叫了一聲「四叔」。

「子龍此來所爲何事？」關羽問趙雲，一面用手示意請他飲用人參茶。

趙雲喝了一口人參茶，軀幹坐得筆直，很恭敬的說道：「現在天庭有人想出版三國戰史，蒐集資料，叫我寫一點參加戰役的經驗。我的文筆很差，寫好了，特地拿草稿送來，請二哥審閱。」

巨變歷險記！

猛隆過年（一六三）

胡慶蓀

人本來是有感情的動物，但感情到某一個時候也會麻木；生死好像無所謂，生死置之度外。人生如朝露，隨着丁博士撤退的部隊，恐怕都有這種感覺。將來之視今，亦猶今之視昔。現在雖已到了猛隆，但猛隆到了車里，猛隆距離南嶠距離佛海還遠得很。前途的變化，尚難以預測。

昔毛澤東之二萬五千里逃竄，未見得比現在丁博士強，他以延安作根據，徐圖發展，今丁博士擬以車里作根據，規復中原。這也就是鷄街會議的原定計劃。重叠的山區過去了，現在到了平原。車里雖還遠，但車里已在望。沿途的損失，丁博士並不認爲意外。一切安之若素，並竭力鼓勵大家繼續前進。

適逢舊曆年，普天同慶，在邊區，在山區，在擺夷區也不例外。梁任公講中國五千年的歷史就是一部砍殺史。自黃帝剿野分州就有蚩尤之戰。有人說現在邊區的民族就是黃帝趕來的蚩尤民族。這未必，但是因爲歷代戰爭而被擠到南方留在南方的則爲不爭的事實。從今天過舊曆年看，就非常明白。祭灶，貼門對，吃水餃，放鞭炮，祭祖宗，拜年……殊無二致。部隊同着他們過舊年，絕對沒有破壞他們的情調。他們都抱着有飯大家吃的態度，大家也都過的很快樂。剛才說過的幾條大年，士兵並分贈給當地的人士，與當地人士同樂。在飲食中，當地人士倒不歡喜肉，最歡喜的是鹽。從建水以下所有經過的地方，換言之所有的思茅區，鹽最爲人崇敬，鹽最爲人喜愛，鹽最需要。吃飯和點鹽比什麼都香。喝水喝茶也愛和鹽。送鹽是最高貴的禮品。其所以如此，是因爲鹽最需要而又最缺。在一個廣大的思茅區，只有一處有鹽，是在什麼統，是石鹽，不是海鹽，也不是鹹鹽。石鹽像磚一樣，一塊一塊的，表面有點黑，但裏面還是白的。吃起來，味道並不亞於海鹽精鹽。早上喝茶喝鹽水，丁博士非常習慣，而且感到很有味道。他們用的杯子，沒有福建吃觀音茶的那麼小，也沒有我們普通用的那麼大，約有兩指多高的藍花小瓷杯。以鹽開水敬客，那就是最客氣的了。

擺夷過年，有一個節目，漢人沒有的，那就是跳舞了。逢年過節，他們都有舞蹈。用的樂器，主要是鑼鼓，鑼同內地的鑼是一樣的，但鼓就有點不同，掛在身上，彷彿花鼓，但下頭有很長的筒子，不用棍子打，用手拍，其聲深長，發出來的聲音是冬冬……鑼就是嗆嗆……隨着冬冬嗆，冬：冬：……大家就跳起來，非常有節奏，非常合拍。婦女們，赤着脚，穿着長長的裙子，舉止矯捷，表情友善。這也等於他們歡迎我軍，鄉鎮長也來向丁博士道賀，向各部隊長道賀。彼此，新年新福，大吉大利！萬事如意……

從「裝璜」「傢俱」看文字糾紛（下）

匡謬

一个、一箇、壹個、一個等等，試問老師如何改？如果要復古滅今，那末只有寫「壹个」或「一箇」了，或寫「大砲」、「大礮」。如此一來，那眞是「文字大亂」。以單字而論，古今字太多了，略舉幾個字如下：

禮的祖先是
號的祖先是号
與的祖先是
無的祖先是无
繇的祖先是[illegible]
雲的祖先是云
寶的祖先是
豐的祖先是丰
蟲的祖先是虫
仙的祖先是僊
附的祖先是
娘的祖先是孃
台的祖先是臺

古今字是舉不勝舉，而這些字均已「約定成俗」，行之有年，難道說要改「禮」爲「 」？或改「 」爲「禮」呢？究竟何取何從？這就歸結到文字整理的老問題。

又如現已「約定成俗」的「台灣」的「台」字，早已爲大家接受，只有書法家好古典的雅人才念念不亡「臺」字，那是少數人的自由，與教員、學生及廣大的讀書人無關。老師硬要將「台」改作「臺」才算古雅嗎？恐怕不大像話。縱然老師照改不誤，但學生離開學校門口就不管了，仍寫「台」而不寫「臺」。這就是如大江東流擋不住一個道理。字無論古今，我認爲只要大多數人能接受，就是「活」字，大多數人不接受，無論它有多典雅，都是「該死」的字，收入字典、辭庫，都是「國渣」，而非「國粹」。現在以「裝璜」爲例來說吧：「潢」的本義是水名，積水、大水貌、武貌。「裝潢」之用「潢」，還是借用。而且古代的「裝潢」之意爲：凡紙欲堅厚，宜浸蘗汁入潢，凡紙減白，便是「裝潢」。後來再擴大了「裝潢」的領域，裱也名「裝潢」。但是現在的「裝璜」領域更擴大多了，而且與古代的「不裝潢」一樣，已經分道揚鑣，各奔前程了。現在的「裱」店並不叫「裝潢」店，而是名叫「××齋裝池」，或「××閣裝池」。現代的「裝璜」店，事實上已與「傢俱」店爲鄰，他們營業的對象已不是「凡紙減白」和「裱」了。他們經營的包括甚廣，不僅限於家庭佈置擺設方面，而且擴及了其他各行各業，都能用得上。如觀光飯店室內裝璜、機關、學校的禮堂、百貨公司、藝品店也要裝璜，這是社會的進步，原來裝潢的意義完全都轉變了。所以「潢」之變成「璜」，也是時勢所趨，如大江之東流，絕不可能逆流的。

按「璜」爲玉類之一種——玦，所謂「半璧」即玦，乃是一種飾物，所以改「裝潢」爲「裝璜」，黃字從王，我們認爲已經「約定成俗」，不算是私生子，再說「裝璜」「傢俱」公司商店，都已經政府機關登記核准，載於官文書，成爲將來的歷史文獻，「裝璜」「傢俱」都已經合法化。既然「裝璜」與「裝潢」分道揚鑣，自立門戶，那又何必非改「璜」爲「潢」不可呢！我們可以不用雄辯，只看事實，以前的「裝潢」已經不能包括現在的「裝璜」了。我們只要把眼光放大一點，自然在五百年之後，「裝璜」也就成爲「國粹」「古典」了。

最後我們說幾句關於古今字如何辦法的話。假如你是老師，如果碰到如「裝璜」「改「裝潢」」一類的話，大可不必改，不妨用註明的方式以說明古今體字時代或大家去處理。其次是請政府文教機關來辦，聘文字專家整理，把「問題文字」解決，讓後世子孫幸福一點。愚見如此，卑之無甚高論，不知晏、劉二先生以爲然否？

還有「×副」成見、偏見似太深，也就是稿件、意見作風是「順我者存，逆我者亡」。好似沒有一個一定的規矩。有時正反意見都登，有時又只有「偏見」可行，有時「海派」、「太濃」，好似專爲海外學人的專刊，逐漸有西化的趨勢，東施效顰的醜態百出。常常以國內大報自居，對海外報紙成見不淺。共產黨報爲「黨報」（國民黨）的自由報，在台灣的所謂「黨報」則爲「叛黨報」，對於在自由報上撰稿的作者都認爲問題人物，妄加歧視，但是自己卻醜態百出，毫無章法，令人莫知其所以。（完）

黛眉小傳

蔡琰（二）

王幻

朗收付廷尉治罪。邕陳辭謝，乞黥首刖足，繼成「漢史」。士大夫多矜救之，不能得。太尉馬日磾（石勞）馳往謂允曰：「伯喈曠世逸才，多識漢事，當續成後史，爲一代大典。且忠孝素著，而所坐無名，誅之，無乃失人望乎？」允不聽。邕遂死獄中，允始悔，欲止而不及。年六十一。搢紳諸儒，莫不流涕。……受知於董卓，操乃變易姓名，間行東歸。……至陳留，乃散家財，合義兵將以誅卓。

曹操與蔡邕素善詩文，私交甚篤；所以曹丕曾說：「家公與蔡伯喈有管鮑之好。」是故曹操念伯喈沒有後嗣，乃遣周近爲使持金璧前往匈奴把文姬贖回中國。文姬已是兩個孩子的母親了，母性的愛，在分別的時候，真是泣血錐心，這不僅是生離，也是死別。她述寫和兩個兒子分離的情形說：

有客從外來，聞之常歡喜。迎問其消息，輒復非鄉里。邂逅徼時願，骨肉來迎己。己得自解免，當復棄兒子。天屬綴人心，念別無會期。存亡永乖隔，不忍與之辭。兒前抱我頸，問母欲何之？人言母當去，豈復有還時。阿母常仁惻，今何更不慈？我尚未成人，奈何不顧思！見此崩五內，恍惚生狂癡。號泣手撫摩，當發復回疑。兼有同時輩，相送告離別。慕我獨得歸，哀叫聲摧裂。

馬爲立踟躕，車爲不轉轍。觀者皆歔欷，行路亦嗚咽。去去割情戀，遄征日遐邁。悠悠三千里，何時復交會？念我出腹子，胸臆爲摧敗。

宋畫院所繪「文姬歸漢圖」：文姬身着胡時的衣裙，小兒爲另一人抱着，舉起一隻小手要挽留她，兩個男人一人倚在一匹兵馬旁，一手掩在臉上，看他們依依不捨的樣子，是漢使和帶來的兵馬。一個馬夫倚在一匹空馬旁，另一個則回過頭去，表現情不忍睹的樣子。文姬和左賢王相處十餘年，她的想像力，確是充有感情的夫妻，一朝分袂，總會感到異樣的悽惻！文姬歸漢後，不勝感慨，人物全非，家人盡，因此：

既至家人盡，又復無中外。城郭爲山林，庭宇生荊艾。白骨不知誰，從橫莫覆蓋。出門無人聲，豺狼號且吠。煢煢對孤景，怛咤糜肝肺。

登高遠眺望，魂神忽飛逝。奄若壽命盡，旁人相寬大。爲復強視息，雖生何聊賴。託命於新人，竭心自勗勵。流離成鄙賤，常恐復捐廢。人生幾何時，懷憂終年歲。

這首詩從董卓作亂被擄入胡敘起，直到胡兒歸國，還鄉再嫁爲止，條理謹嚴，段落分明，描寫悲傷痛苦的心情，以及當代政治的黑暗與社會的不安，一一在詩中反映出來。中間描述胡人對漢人的虐待，母子離別時那種淒慘悲傷的情境，尤其描寫作者中心的悲哀，充份表現作者超越的天才，使人讀後無不爲之傷心隕淚的詩，可說是冠絕古今的傑作。

文姬歸漢，再嫁給一個屯田都尉的董祀，夫婦也很和好，丈夫並不因她在胡地生子而輕視她。後來董祀犯法當死，文姬便親自去求曹操，其時公卿名士，遠方使驛，滿坐堂上。（未完）

第十二章

岳鵬舉大戰南薰門　韓世忠起兵擒苗劉

杜充又遣岳飛往討。岳飛領了本部八百壯士殺到東明縣，將杜叔五生擒，孫海等斬首。因功升「借」英州刺史。按「借」乃代署之意，尚未眞除。

建炎三年二月，王善等賊兵自南薰門敗後，轉攻河南陳州（即今河南項城縣東北），縱兵擄掠。岳飛都統制陳淬合擊之。岳飛先命偏將岳亨，以遊騎兵斷絕賊兵劫掠之路，俘獲賊糧食牛馬，王善等不敢出戰。二月二十日，岳飛與王善等戰於清河，又大敗了，生擒賊將孫琪等，又俘賊兵千人。因功轉武德大夫，授英州刺史。

高宗信任汪伯彥、黃潛善二人爲相，自己遣逍遙，汪、黃二人在此危殆之秋，亦無作爲，在揚州行在，日與宴會，置酒高會。除此之外，時至寺院聽僧講說法，好像太平盛世，毫無戒慮。卻不知金兵已快到揚州來了。

卻說粘罕一軍已經打破徐州，知州事王復一家死節。韓世忠兵敗於沭陽，被粘罕回軍截擊，又遭敗績。走保鹽城，粘罕遂直取淮東，入泗州。到了此時宋高宗才聞警報，急遣江淮制置使劉光世率兵迎敵，兵至淮上未戰自潰。金兵乘勝南進，破天長軍，距揚州只幾十里地了。內侍鄺詢聞警，急入報高宗道：「敵騎來了！」高宗大驚，急忙披甲乘馬，馳出城外，向瓜洲而逃，隨行只有王淵、張浚及內侍康履等五六騎，夜抵鎮江府。黃潛善、汪伯彥方與同僚聽浮屠說法，堂吏大呼「御駕已行！」二人乃倉皇出奔，策馬南馳。……

向相顧倉皇，策馬南行。……居民爭門而出，死亡載道。……後宋高宗至杭州，以後，宰執以下，皆東渡而去。……宗室爲乾嘉……高宗南下的時候，……多半淪亡。……

金人自通州渡江，……江北，……不知習幸，……乃決意駕幸杭州。……（五）

自由報

（第一一一期）（三期）

（半週刊每星期三、六出版）
每份港幣壹角，台灣零售價新台幣弍元
社長李運鵬・督印黃行舊
社址：香港九龍彌敦道593—601號
廖創興銀行大厦八樓五座
LIU CHONG HING BUILDING
7th FLOOR FLAT 5
593—601 NATHAN ROAD,
KOWLOON, H.K.
TEL: K303881
電報掛號：7191

承印：景星印刷公司
地址：嘉咸街廿九號地下
台灣區業務管理中心：台北重慶南路一段一二九號
電話：二四五七四
台灣區直接訂戶　台灣劃撥戶
第五〇五六號張萬有（自由報會計室）
台灣分社：台北市西寧南路110號二樓
電話：三三〇三四六、台郵劃撥戶九二五二號

便民運動的事實攷驗
——以台北縣府的虐民措施為例證——

何維藩

本報專論

中華民國執政黨近來提倡「便民」運動，特設督導組，派員分赴各級行政機構實地考查指導，勤求民隱，整飭政風，期收政通人和之效，用意甚善。可是，據我們所知，各級官吏表面上熱烈響應，人云亦云，實際上故態依然，我行我素者，所在多有，而以輦轂之下的台北縣長蘇清波為尤著。他在便民運動積極推行之際，悍然利用權力機會，幹出虐民勾當，且經監察院調查在案，事證確鑿，無可狡賴。我們為擁護便民政策，希望這項善政不致徒託空言起見，未忍默爾而息，非加以批判不可！

緣有張姓商人（是個退役軍人），開設泰利公司，經營鋼鐵企業，在台北縣境汐止地方購地萬餘坪，創設鋼鐵廠，所有設廠手續以及建造廠房規律，皆依照政府頒訂的法令逐一辦理完竣，并未發生問題。迨商家將機器裝好，一切設備俱告完成，依法向台北縣府呈報「試車」，該縣長竟以廠房不應建築在都市計劃內預定的馬路上為理由，指其「明知故犯」，勒令拆除。商民辯稱：當初曾將設廠地點暨圖則，呈請縣府核發建築執照有案，購入機器安裝，亦經依法申報查核，未聞縣府有所批駁，乃於工廠建造完竣，正待開工生產時，忽有此晴天霹靂的命令，殊深惶駭。假使縣府於審核建廠圖樣時，即指出廠址係在都市計劃內預定的馬路中，不予核許，則原購地皮共有萬餘坪之多，工廠佔地不過千餘坪而已，儘可另擇適當地段建造廠房。縣府事前准發建築執照，事後勒令拆除，使商民枉受鉅大損害，窃所未喻等情，但縣府置之不理。商民迫不獲已，乃向監察院申訴冤抑，旋經監委以上述情形詰詢縣長蘇清波，則該稱「商民與本府主管單位勾結」，堅持己見，蠻幹到底。

台北縣長蘇清波這種瀆職濫權的非法措施，我們姑不說他別有用心，祇就其對監委申述的理由而言，亦復太不像話。縣府主管單位關於核發商人設立企業公司暨建造工廠這類重要事件，最後決定權未有不經過縣長裁奪的，若謂商民與主管單位勾結圖利，則該縣長即係太阿倒持，難辭昏憒溺職之咎；假使事前知情默認，事後以某種原因而翻悔前議，概不認帳，即屬意氣用事，有忝官箴，且不啻對於政府大力提倡的便民運動，公然違抗，有如諺語所謂：「前而賣生薑，後面喊不辣」，胆大妄為，更屬無可諒恕。

蘇清波去年曾因利用縣長職權，由其妻室出名，套購鉅額的廉價公產圖利，經監察院調查屬實，提出彈劾案，交由公務員懲戒委員予以停職十個月的懲處。若按照台中市張某因移用掛圖費兩萬元，即受到公懲會的撤職處分而論，蘇清波之停職十個月，可謂法外施仁，另眼看待。復職之後，應如何革面洗心，勉為循廉之吏，以報答上級有關方面培植維護的德意。詎竟怙惡不悛，肆無忌憚，尤屬惡性重大之流，是以駭人聽聞也。蘇氏係以執政黨員關係，被提名膺選縣長的，黨總裁蔣公素以「明禮義，知廉恥，負責任，守紀律」訓誡文武百官，蘇氏身為民衆父母官的所作所為，非禮寡義，昧廉鮮恥，瀆職守，敗紀律。這樣的黨員，是專門對黨幫倒忙；這樣的官員，是蠹壞紀綱，叢集民怨的污吏；在任何時代都是害羣之馬，不可使用的。

政府倡導便民運動，實為切中時弊的良法美意，人心大快，問題在能否坐言起行，眞正轉換舊有一切不便民的政風，與民更始。各級行政人員平日處理公務，或大或小，或輕或重，有意無意的擾人虐民之處，不勝枚舉，固不僅蘇清波一人而已。諸如法官、警察、稅收吏等，皆直接與民衆的現實生活和社會生計，接觸頻繁，便民虐民，指顧間事，系乎一念之差，而其關鍵乃在觀念如何？倘以「作之君，作之師」的臨民牧民心情來執行職務，則虐民的行為必多，如以「人民公僕」自居，則政府雖不倡行便民運動，大家亦必有所不為，自律自愛的。我國由於民主政治尚在學習階段，一般官吏的思想和意識形態，仍認為官尊民卑，崇尚權力，擴作威福的習慣，積習甚深，不易滌盪。政府雖然派員分赴各地區考查督導，時間有限，耳目難周，亦不容易獲得普遍新的效果。何況今日的一般官吏都有一套絕技，即對於中樞有關政治革新的任何決策，莫不表示擁護，翕然響應，而且擬訂若干實行方案，大事宣傳，迨事過境遷，誰也不把它放在心裏了！若要轉移風氣，貴在擇尤嚴懲一二壞官劣吏，樹之風聲，一切說教均係無用之長物，考查指導而不繼之以懲處，結果又將成為官樣文章，說說罷了。

政黨的組織成員，每於本黨取得政權後，一般生活行為即漸趨腐化，而以從政黨員為尤然。所以，執政黨必須以公正嚴肅的紀律來督導黨員，賞罰黨員，信賞必罰，毫無假借；應加維護的就維護，應予淘汰的即淘汰；這其間，沒有親疏厚薄之分，也沒有地位高下之別，一是皆以事實為本，是非功過昭然若揭。非如此，即不足以保持政黨的朝氣與信譽，搏得社會大衆的向心力。從政黨員如有病民虐民的貪瀆行為，更應該嚴加制裁，毋稍寬貸，莠草不除，嘉禾必萎，而民衆的觀感隨之惡劣，殆屬必然結果。台北縣長蘇清波去年遭受台諫糾彈，是觸犯私罪，而其性質亦相當儼重，乃僅得到短期停職的處分，因而他在復職之後，又有此非法虐民的政令，使中樞的便民運動大為減色，驚世駭俗，莫逾於此。行政院近頒令甲，對各級行政機關的考績，將以便民問題列為重點，於今近在咫尺的台北縣，即發生違悖便民運動的顯著情事，豈能再事優容？我們與蘇縣長素昧生平，談不上有甚末私人恩怨之見，其所以不能已於言者，完全基於黨義與便民運動的公衆利害，心所謂危，難安緘默。回憶前任台北市長黃啓瑞，曾以同樣情形而去職，且其內容視今日蘇縣長所作所為，有如小巫之見大巫，此而可恕，則行政院以便民為考績重點的煌煌通令，亦無從奠立言出法隨的威信，個人的休戚榮辱事小，政府的政風關係甚大。監察院既已採取行動，無論是否有所糾舉，政府為着整飭紀綱，改革政風，似不宜再事放任了！

（完）

昨日與明日

工作卡與退休金

台灣各級行政機關實行「三卡制」以來，社會人士觀感不一，毀譽參半，但有一點效用是明顯的，即各機關的閒冗人員亦不能不按時上班，多少要從事工作了。這算是三卡制的益處。

三卡制中最關重要的就是「工作卡」，每個公務員在一天之內辦了些甚末事，必須登記於卡片上，作為考績的根據。於是乎，有些人在辦公室內即搶接電話，因為這亦是工作之一，可以登記也！凡屬經辦「等因奉此」之類的例行公文者，件數最多，卡片上的成績即斐然可觀。若夫負責擬訂計劃，或處理繁重問題的，用力雖勤，操心亦苦，然一天之內很不容易完工，甚至三五天還未能得到結果，而在工作卡上就缺乏記錄，若按件計績，即視一般搞例行公文者差多了！將來依照工作卡以考績，則下駟必膺懋賞，而工作繁重的幹員反在平庸之列。這不僅功過顛倒，賞罰失宜，而且有如劣幣之驅逐良幣，是非混淆，大乖治道。所謂工作卡也者，以之對待按件論值的工廠工人則可，以之移用於行政機關，將見利少害多，得不償失啊！

政府為增加新血輪，強化工作效率起見，年來厲行公務人員退休制，這是應有之義。關於退休金之發給，亦有明文規定，自應依法辦理。據聞有些機關的退休金，又任意改為九折發放，如台省鐵路與公路局人員便是，不知何所根據？職工既告退休，而乃吝惜小費以破壞法令，所為何來耶？回憶對日抗戰結束時，財政部對於人民依法購儲的黃金，悍然尅扣三成，說是金價高漲，人民獲得了暴利，這是甚末話？自己立的法，自己隨便破壞，貪小利而大失民心，荒謬絕倫，該死之至。希望辦理退休金的官兒們，不要再幹蠢事，貽禍國家罷！

·何如·

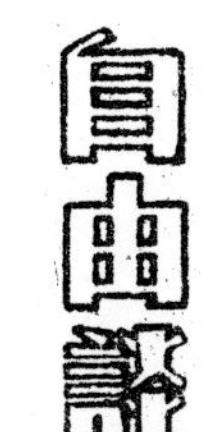

談納塞之死

埃及總統納塞逝世了，中東局勢是否將有大變化呢？我認為不會。如果有變化，對自由世界亦不會發生好的影響。

中東局勢之所以弄成今日這種多事的狀態，完全是英法美各國自私自利的作風所致，與納塞不相干。當一九五二年埃及軍人驅逐法魯克，推翻王政，創建共和國後，首任總統那吉勃採取親西方政策，致為少壯派軍人首領納塞所不喜，亟思取而代之。那吉勃曾經向美國乞援，盼能給以三個師的新式裝備，即可鞏固政權，而英國暗事反對，美國猶夷莫決，那吉勃政府乃被納塞的「自由軍官派」推倒了。

納塞接掌埃及政權後，一面收回蘇彝士運河的主權，同時仍對英法不採敵視態度，希望英美法為建築尼羅河上游大水壩給予經援。然西方國家勾心鬥角，各懷私圖，相互牽制。於是，迫使納塞親近蘇俄，加入印度尼赫魯所標榜的「不結盟」政策集團，以中立親共作風，接受俄共援助，而與英法實行絕緣。

繼而英法聯合對埃及用兵，攻佔蘇彝士運河，快要進入開羅了。然美國大事反對，且以停止供應英法石油相威脅，勒令尅日退兵，英內閣艾登總理因此垮台，納塞乃決意投入蘇俄懷抱，表示一面倒，而俄帝勢力從此滲透中東，使中東問題日趨複雜，眞正成為世界火藥庫，貽禍至今為烈。即此可知讓俄帝插足中東者并非納塞，而是西方國家教猱升木，自尋煩惱。

現在納塞雖然死了，俄帝勢力決不會退出中東，以、阿敵對局面亦無和緩可能，納塞的接棒人自不會突然改變政策，親近西方國家，要變亦將比納塞更左傾。整個世界形勢之危機四伏，惶惶不安，追溯本源都是英美法造成的，豈僅中東而已哉？納塞一死，阿拉伯集團失去中心人物，這對自由世界的影響，祇有更壞，我們靜觀其後可也。

馬五先生

小小單方
齒縫出血

陳紬藝

談野翁試效方：「齒縫出血，人參、赤茯苓、麥門冬各二錢，水一碗，煎七分，食前溫服，日再。蘇東坡得此，自謂神奇。」

紬按：多年前余在基隆一園藥舖，見一齒縫出血患者求藥，謂時常患此，無藥可治。偶憶此方，遂書與之，翌日藥舖老闆告知果然有效云。以後屢治多人，無不愈者。林，而談野翁試驗方，據日本丹波元胤醫籍考卷六十一載稱：「談野翁試驗小方，四卷，未見。」本文係轉錄自本草綱目卷十二上草部人參附方。其後余曾發心搜求本草綱目所引談野翁方，共得四十五首，恐非全璧，下次擬介紹談氏治偏正頭風方，自稱係天下第一方，幸讀者注意之。

國民黨台省代表會 通過解決農產問題

提高生產改善農民生活 加強組織健全財務制度

（台北通訊）中國國民黨台灣省第八次全省代表大會於九月廿四日在中興新村揭幕，歷時三天圓滿閉幕，此次代表大會產生台灣省委員會及候補委員，并一致推選李煥連任主任委員，全體名單計委員廿一人：李煥、陳水逢（社教）、朱匯森（教育）、沈榮（自由業）、蔡鴻文（民意代表）、羅揚鞭（公務員）、邱創煥（公務員）、許智偉（教育）、余學海（公務員）、陳友欽（公務員）、陳武璋（民意代表）、羅文堂（醫）、洪樵榕（公務員）、吳泉汝（農）、林亮雲（民意代表）、吳阿明（工）、黃光平（退役軍人）、林蔡素女（婦女）、謝貴（山地同胞）、謝清雲（民意代表）、陳東海（漁民）。

候補委員十人：俞石南、陳太根、梁榮、梅可望、王耀南、廖坤元、安國祥、謝朝坤、李承、張雙林。

上屆委員吳鴻森、李建和因担任中央評議委員；林金生已出任台北市黨部主任委員，故未再提名。許金德、簡文發、潘振球、林永樑、應式文、蔡錦棟、鄭鼎玉、朱萬成、陳[illegible]業經中央核聘爲省委會評議員，本屆均未提名爲候選人。

第八屆省評議委員，中央核定由徐鼎等卅一人担任，并由徐鼎爲召集人。評議員名單如下：徐鼎、翁鈐、潘振球、許金德、傅雲、林永樑、鄭玉麗、應式文、蔡錦棟、朱萬成、周天啓、簡文發、蔡文玉、陳火土、許子秋、蔡炳煌、戴德發、張芳杰、鄭滿之、林爲恭、李國楨、呂世明、葉仲琨、廖乾定、辛文炳、陳玉波、戴良慶、吳金玉、李晨鐘、林金標、鄭景文。

大會四大中心議題是：加強基層組織活動，革新政治，社會革新和解決農業生產問題。

關於解決農村生產問題的方案是根據二中全會所通過的「現階段農村經濟建設綱領」而制訂的。本省農業發展，過去若干年來有很好的成績，經濟建設計劃的完成，工業發展的速度超過了農業的進步，執政黨爲免工農業的發展去平衡，所以在二中全會提出「現階段農村經濟建設綱領」，[illegible]「施行細則」，把如何[illegible]

執行本方案的權責也已劃分清楚，將由省黨部、省政府有關單位，以及省縣市鄉鎮各級農會，分工合作，努力推行。這一方案明白指出，提高農業生產，改善農民生活，加強農民組織，貫徹實施本黨現階段農村經濟建設綱領案中規定的三項工作是：一、提高農業生產：辦法爲擴大農場經營，推行農業機械化，改善供銷制度，籌辦農業保險，調劑生產資金。二、改善農民生活：辦法爲減低農民稅負及肥料價格，全面辦理農民輔導，推行農村家庭計劃等。三、加強農民組織：對農會、農田水利會、青果合作社等組織，應革新人事制度，健全財務制度，改進會務業務。農民組織方案中指定由省黨部農民小組，敦聘專家學者及從業同志，共同規劃推行。

大會通過幾項重要建議 廢止機械進口限制 并撤銷各地水利會 對漁民鹽民亦應予以照顧

大會通過中心議題時另外增列如下重要決議有關農業部分：一、省產農用機械價格太高，爲減輕農民負担，加速推行農業機械化，建議政府廢止農業機械進口限制，并在農閒時准農民利用耕耘機作爲農村中交通工具。二、建議農會總幹事之任用，由目前由政府機關考選合格人員派任。

三、政府在改善農民生活之同時，亦應對漁民鹽民生活予同等的照顧。四、建議政府撤銷各地農田水利會，其業務分由各縣市建設局及省水利局掌管，并停止征收水費。五、建議廢除口香蕉五五制并實施統一檢驗制度。六、都市計劃中公共設施保留地，政府未實施征收之前，應設法減輕地主稅負。

七、爲便利農民繳納田賦，糧食局應設法增設倉庫，同時建議減少雜糧進口，八、爲防止耕地再分割，建議政府規定其繼承標準以現耕人爲限。大會又通過要點如下：一、提高農業生產，改善農民生活，加強農民組織，貫徹實施本黨現階段農村經濟建設綱領，提高農業生產：（一）建立現代化農業經營示範區，加速農地重劃，有效防止農地細分，（二）推行農業機械化，降低農耕具價格，獎勵自耕農購置，（三）改進農產品運銷制度，（四）建立農業保險制度，（五）調劑農業生產資金。改善農民生活：（一）依照農業所得研究調整田賦，及有關稅負。合理調整肥料價格，改善配售辦法，簡化換穀手續，（二）加強管理農藥，（三）調查新興產品出口市場，訂定產銷計劃。（四）擴大高價值產品生產。（五）全面辦理貧農貸款及輔導工作，（六）改善農村生活環境、普設托兒所，增進農民福利。——加強農民組織：分別從健全領導幹部，革新人事制度、財務制度。基層組織，改進會務業務着手。

其中建議政府撤銷各地水利會，業務交由建設局及水利局掌管，停止徵收水費。人所共知水利會只是增加農民苛捐雜稅負担，養一批閒人參與政治鬥爭，惹是生非，實際不爲農民解決任何問題。各縣水利會長競選的時候，向全縣代表拉票，每位致贈代價最高要八萬元，代表也是買票而來，即此一端，其黑暗可知。但是大會剛閉幕廿九日的台灣省議會經大會通過，又要建議政府水利會長可由政府指派，用來代替現行選舉方式。政府究將如何處理？抑是各發新聞，又非局外人所能得知了。

立法院本會期九月廿五日復會，行政院長嚴家淦報告施政方針時也透露，政府已擬定各項方案，積極策劃推動農村經濟建設，即將實行降低農業用電、農藥、肥料、燃料等價格并將加強農貸服務，輔助農業發展。

中國是以農業立國，但近年只見亂嚷工業起飛，不談農業，于今黨政當局何以又絞盡腦汁大談解決農業生產問題？如果大家到鄉下走走和農人接談，就不難明瞭黨政當局這一舉措是如何適時的迫切。我們宣傳勢力代價最低的結果工廠貨的多起來，年輕一代都擠進工商界；老一輩對種田也沒有興趣，粮食賣不成錢，農田漸漸沒人耕種了。

土地重劃工作推行不動，是因爲引不起農民興趣，現有耕田已經無法經營，向他宣傳重劃後再增加原有一倍的農田，不化錢也不考慮，何況先要付出一大筆費用。所以聯名請願不辦也吧！從前說，穀賤傷農，時代雖不同，人要吃飯，這個原則總不會變，穀賤傷農，政府應該即採行動，盡快挽救了。（鴛如）

對釣魚台列嶼主權問題 立委提出質詢 列舉證據應屬我國 任何國家無權提出異議

（本報台北消息）行政院長嚴家淦發表嚴正的聲明，表示中華民國政府對「釣魚台列嶼」一案之立場。他說：「關於釣魚台列嶼一案，日本政府所指該列嶼爲日本領土，並聲明我對該海域之大陸礁層所作任何片面權利主張應屬無效各節，我政府已就此事答復日本政府，明白表示不能同意。並認爲我國依現行國際法原則及一九五八年大陸礁層公約之規定，對台灣以北鄰接我國海岸之大陸礁層資源，有探測及開發之權。我政府對該列嶼之正當權益，立場堅定，並決以全力維護。」嚴院長是在立法院第四十六會期首次會議對全體立法委員作口頭施政報告時宣佈的。

立法委員胡純愈，就釣魚台列嶼主權的問題，提出質詢，表示民意。胡純愈委員批評日本今日侈談釣魚台列嶼附近礁層主權，不是痴人說夢，即是利令智昏！日本在接受波茨坦宣言時，已宣告放棄海外殖民地，而同意領土以本土四島爲限，釣魚台列嶼距九州最南端之鹿兒島尚有三天以上之航程，日本對外擴張領土之野心，曾飽受其壓迫者，似不應忘記歷史之教訓！胡委員列舉事實證據，說明釣魚台列嶼屬於我國所管轄，他說：根據日本地理學會一九三九年出版的「大日本府縣別地圖並地名大鑑」各府縣地圖皆夠詳盡，琉球估了八開三整面，大小鄉村與島嶼市鎮之街道及其名稱俱全，此中並無釣魚嶼與花瓶嶼，也不見尖閣諸島之名。台灣方面，照例附有花瓶嶼、綿花嶼與彭家嶼。足見美國琉球民政府之佈告第廿七號所規定之琉球地理範圍，包括尖閣或列島之說，顯係謊言或僞造。

釣魚台列嶼是一羣無人居住的小島，只是一羣冒出海面的山尖，在基隆東北約一百海哩處，位於中國大陸礁層尖端，屬新三世紀砂巖層。該列嶼，計較大的島嶼有八個，爲釣魚島、[illegible]、黃尾礁、赤尾礁等。其中以釣魚島爲最大，亦爲漁民所稱爲「無人島」。按我國東海一帶整年受東北及西南季風影響，黑潮流，從台省東部向東北經釣魚台列嶼、琉球，因受中國大陸礁層之阻，而與日本沖繩海槽相分開，[illegible]

喬治桑外傳　一八二　張大夏

「我最笨了，什麼也不會，唱了一隻台灣民謠。」白妮不是努爾哈赤後裔，說話斯文多了。

「桑兄，你覺得她們在一起是什麼？」裘白瓊忽發怪問。

「不知道。」喬治桑倒眞有點莫明其土地堂。

「她們是『拍拉克，懷依特』，黑白聖代，所以看到她們等於眼睛吃冰淇淋。」裘白瓊的說法並不太高雅，可是在這種場合也無所謂。

「黑嬌嬌是眞姓，裘大哥你是知道的，我根本就不姓白嘛。」白妮不懂「眼睛吃冰淇淋」是什麼意思，她只提出她本人的眞名假姓問題，其實這不是裘白瓊說話的要旨。

「我怎麼知道妳姓什麼，我只知道妳叫白妮。」

「我姓黃，你難道忘了？」

「反正妳的姓離不了顏色，明明是黃色，却偏偏要改爲白色。」

喬治桑覺得裘白瓊對小姐說話機鋒太露，未免有傷忠厚，但也不便加以矯正。幸而白妮沒有聽清裘派的話中之話。

「冰淇淋我最愛吃，但我不敢多吃。」黑嬌嬌吃了鹹鴨蛋，不忘剛才裘白瓊所說的冰淇淋。

「理由不必說，我猜得到，怕胖。」裘白瓊在聲色場打慣了滾，對娘兒們的事兒搞得最清楚。

「幹我們這一行的，不能不顧慮到維持身材，太胖了不行嘛。」

「爲什麼不行？」裘白瓊永遠是一付油腔滑調。

「觀衆就不愛看了。」

「我是例外，我喜歡胖都都的女孩子。譬如歌星歐陽萍，過去我最喜歡，現在減肥減得變了樣子，我反而不喜歡了。」

「你們別窮聊，稀飯都涼了。」喬治桑用筷子招呼客人吃粥。裘白瓊不吃粥，却端起啤酒杯一飲而盡。

無論什麼場合，男女泡在一起總比較有興趣。

台灣自從發展觀光事業以來，眞個是金吾不禁城開不夜，吃宵夜的地方猶如雨後春筍。

台北傳奇錄（七六）

·陳光棣·

「認識怎麼樣？不認識怎麼樣？」瘦子不說正經的。

「上吧！」大包頭掏出彈簧刀來。

王阿尾一個箭步竄過去要揪瘦子的腦袋。

這時有隻野狗睡在地上，王阿尾一腳踏到野狗的頭上，那狗被踏的昏頭轉向，順勢一口咬住了王阿尾的腿肚，瘦子本來正等待迎接王阿尾的攻勢，不想對方哎呀了一聲便蹲了下去，瘦子想上前一步看個究竟，誰知一腳又踏到了急於逃走的狗尾巴上，那狗又氣又恨，一揚頭又咬了一口瘦子的大腿根，瘦子痛的熱汗直流，連喊帶跳，這事發生的很快，一共不過三秒鐘，兩個人一折騰，別人都不知道發生了什麼事情，頓時大家跟着一亂，蠟燭也滅了，狗在地上亂竄亂咬，總找不到空隙逃出工寮，最後是狗急了跳牆，只要碰到擋住去路的東西就是一口，王阿尾先明白過來，喊了一聲有狗，瘦子也說是誰帶條狗來咬人哪？接着是大包頭的屁股，羅圈腿的腳拐骨，都被狠狠的咬了一口，大家混亂之中，也忘記打架了，反而聯合在一起對付那隻狗，從工寮裏打到工寮外面，天已經濛濛亮了，大家稀里嘩啦的一逃，狗也逃的無影無蹤。王阿尾[illegible]人釣魚，附近巡邏着兩個便衣警探，王阿尾眼睛最亮，腦筋最快，喊[illegible]子就都作鳥獸散了。兩個便衣警探和釣魚的人打個招呼也走了。

很自然的奔向釣魚的人，[illegible]馬寡婦就好像看到了親人，馬上一把[illegible]眼淚的哭了起來：「您在這裏！可[illegible]您知道？我這一晚上就彷彿作了一場噩夢！」

劉二爺讓馬寡婦坐在身邊：「現在都過去了，不要再緊張啦！」

「這些流氓還會找我」？

「也許不會啦！」

「您知道我昨天晚上遇見了什麼事嗎？」馬寡婦看到劉二爺漠不關心的神態很不高興。

「大體上有個眉目，就是細節不大清楚。」

「你是怎麼知道的？」

「妳還是先回家休息，有功夫再談吧！」

「什麼？回家休息？就那麼簡單！」

「是啊，有什麼事想不開？」

「您當然沉的住氣，我可受不了！」馬寡婦站起來：「我去報警，然後找房搬家。」

「妳不要怕，台灣的治安這樣好！」

「好！您是說：昨天晚上沒有把我嚇死是不是」？

「那裏會再有這種意外的事情！」

「那些流氓要再找我的麻煩怎麼辦」？

公論報末了出的號外

·文匯樓主·

民國五十二年十月卅一日，台北掀起了一陣凌波潮，治安人員大批出動，台北街頭萬人空巷，爭看「梁兄哥」，知名老教授立法委員薩孟武先生，背着大旗參加歡迎行列，另外還有四十幾位刑警潛在機場防止滋事，許多上流太太們組織的「波迷」歡迎團，準備了大批鮮花向凌波呈獻，台北報紙刊物競載歡迎凌波盛況固不在話下。

惟獨台北公論報持相反意見，當時的公論報社長也即今日本報社長李運鵬，命該報編輯部，評論部及發行組趕出號外，且自撰「爲甚麼這樣瘋狂」嚴厲評擊這種反常行爲，謂這個樣子的搞法乃對從事堅苦卓絕枕戈待旦的戰士們有正面諷刺之嫌，備戰的台灣不應該有的現象，且指出李翰祥導演的「梁山伯與祝英台」有問題，（事過境還不須要再說破）編輯採訪都已完成，正要付印之際，公論報副總經理蔡策得到消息，擁護「梁兄哥」的態勢，已進入瘋狂狀態，堅持慎重處理，他的意見是，羣衆工作最好循勢誘導，總編輯程曉華亦認爲公論報犯不着冒這麼大的風險出反對凌波特刊，不過幾位學人如楊亮功，雷嘯岑，張起鈞等認李運鵬的看法是正確的。

李運鵬並分析：「如果公論報不表示出嚴正態度，台灣新聞界會被海外批評的，何況我們下筆皆有鐵一樣事實作根據，非妨害復國大計，或洩露軍事外交秘密有甚麼關係呢？治安人員能派出大隊人馬保護凌波，公論報自不會隨便受到摧毀，否則執政黨一向愛護言論自由之盛意，將被打折扣，公論報如果站在眞理正義上，即是受到盲目的羣衆喜怒愛憎爲偏頗與苛酷之對付時，本人願肩荷起一切後果……」

公論報爲出號外事爭論甚烈，最後以民主方式決定，公論報號外該不該出，多數票認爲「不該出」。台北的凌波潮尚未退，香港報紙批評台灣各界失態，公開指責台北是一座「狂人城」，星加坡的報紙批評得更難聽，一位美國中上級外交官員×××語樓主：「從歡迎凌波狂熱角度看自由中國，戰時景象，似已消失，我們美國人看凌波扮演的「梁兄哥」，並沒有男人味，仍舊是一個不折不扣的女人，女人能使這麼多女人着迷陶醉，這可能是東西方的藝術觀點不同，或有環境因素使然。

文滙樓別記

論公孫龍的哲學思想（一）

·周世輔·

公孫子名龍，趙人，後於惠施與平原君同時，好學而善辯。他自稱：「龍少學先王之道，長而明仁義之行，合同異，離堅白，然不然，可不可，困百家之知，窮衆口之辯，吾自以爲至達已。」（莊子、秋水）可見他和惠施都是詭辯者。他曾爲平原君之客，與孔穿會見。穿謂龍曰：「臣居魯，側聞下風，高先生之智，說先生之行，願受業之日久矣，乃今得見。然所不取於先生者，獨不取先生之以白馬爲非馬耳。請去白馬與非馬之學，穿請爲弟子。」公孫龍曰：「先生之言悖。龍之學，以白馬爲非馬者也。使龍去之，則龍無以教；無以教，而乃學以龍也者，悖。且夫欲學於龍者，以知與學焉爲不逮也。今敎龍去白馬非馬。是先教而後師之也。先教而後師之不可。」（跡府）

公孫龍善爲堅白之辯，及鄒衍過趙，言至道，乃絀公孫龍。（史記，平原君列傳）可見他是敵不過鄒衍的了。

漢書藝文志名家著錄公孫龍子十四篇。隋書經籍志道家有守白論一卷。舊唐志載公孫龍子三卷。今道藏本三卷，凡六篇。內跡府一篇疑爲後人所作。這裏祇談「離堅白」與「白馬非馬。」

（一）論「離堅白」——堅白之辯，爲公孫龍的重要辯論。他認爲堅白二者可以分離。

「堅、白、石、三：可乎？曰：不可。二，可乎；曰：可。曰：何哉？曰：無堅得白，其擧也二。無白得堅，其擧也二」。（堅白）他的論題只限於石之色與性，即堅與白。辯論之點，爲堅與白相離。

公孫龍不言堅白石三。若言三，則須討論堅白與石之關係，性色與物體之關係。如此則辯論之範圍擴大而問題複雜了。現問題縮小，限於堅白之相離。

堅白何由而相離？他說：「視不得其所堅而得其所白（色），無堅（性）也，拊不得其所白而得其所堅、無白也。……得其白，得其堅，見（白）與不見（堅）離。不見離，一（堅）一不相盈（不相連）。故離。離也者，藏也。……石。一也；堅白。二也。而在於石。故有知焉（就堅言），有不知焉（就白言）。有見焉（就白言），有不見焉（就堅言），故知與不知相與離，見與不見相與藏。藏（分藏或隱藏）。藏故，孰謂之不離？」（同上）或則說堅與白皆在石，是相連的，他認爲堅與白，乃由兩種感官所得之觀念。手得堅而不能得白，目得白而不能得堅，故堅與白相離。故曰：「離堅白」。至於「合異同」，乃莊子、惠子等共有的見解，這裏不研究了。

（二）論「白馬非馬」——「白馬非馬」爲公孫龍之有名論辯，著者以爲要辨論，先要推測公孫龍之動機與主見，他所謂「白馬非馬」，是說「白馬不等於馬」。客所問者「白馬不是馬嗎」？這個「白馬非馬」的「非」字，可以釋爲「不是」，亦可以釋爲「不等於」。今日大家有數學、物理、化學常識，「等於」與「不等於」這兩個名字人人皆知，用得很普遍，那時，「非」字釋爲「不是」是很普遍的，「非」字釋爲「不等於」，或是不普遍，公孫龍抓住這一點，故弄虛玄，出奇制勝，使人陷於五里霧中，結果是「問非所答」，「答非所問」，問者自以爲是，答者亦自以爲是。造成了二千年不能定讞的懸案。

馬白篇載其自設答問之辯論云：

曰：「白馬非馬，可乎？」（客問）

曰：「可」。（龍答）

曰：「何哉」？（客問）

曰：「馬者所以命形也；白者所以命色也；命色形者命非形也。故曰：白馬非馬」。（龍答）這是說，就形體言叫馬，就顏色叫白，合形體與顏色叫白馬，單就形體言不可叫白馬，故說：「白馬不等於馬」。

曰：「有白馬，不可謂無馬也。不可謂無馬者，非馬也？有白馬爲有馬，白馬之非馬，何也？」（客問）白馬是馬的一種，有白馬是有馬，不是無馬，既是有馬，怎能說白馬不是馬呢？

曰：「求馬，黃黑馬皆可致。求白馬，黃黑馬不可致。使白馬乃馬也，是所求一也。所求一者白馬不異馬也，所求不異，如黃黑馬有可有不可，何也？可與不可，其相非，明。故黃黑馬一也，而可以應有馬，而不可以應有白馬：是白馬之非馬審矣」。（龍答）如僅說求馬，則黃馬黑馬皆可應；如說求白馬，則黃馬黑馬皆不可應，這很明白；白馬不等于馬了。

（未完）

莊子

吳 怡

（一）

道家的第二部偉大傑作，要推莊子的「南華經」了。

讀過南華經的人，沒有一個不拍案叫絕，讚嘆莊子的才思過人；也沒有一個不飄飄然，與莊子同遊於超人的境界。金聖歎批才子書十部，把南華經列爲第一。金聖歎是有目共賞的，豈是金聖歎一人如此！

讀道德經像讀數學一樣，必須用腦窮思苦索，使人感到嚴肅吃力。讀南華經則好像聽音樂，那快慢的節奏，高低的旋律，節節引人入勝，使人不得不跟着莊子，進入一種飄飄然的忘我境界。甚至忘掉去想文句的意思。

「道德經」是純哲學的作品，而「南華經」却是兼有哲學文學特色的作品。古來沒有一位思想家，不研究南華經；也沒有一位文學家，不朗誦南華經的。莊子非但是歷史上偉大的思想家，也是偉大的文學家。他那絕頂的天才，超人的想像，都從神出鬼沒的筆鋒間流露出來。文字到了他的手裏，好像活動的玩具，顛來倒去，曲折離奇，他愛怎樣說就怎樣說，愛怎樣寫就怎樣寫，愛用什麼字就用什麼字。二千年來多少人模倣他的文章，可是沒有一個模倣得像樣，他可以稱爲空前的散文大家了。

莊子的文章，都是歸納性的。他東說一句，西說一句，毫無組織，全無結構，使你有點恍惚，使你感覺離奇；於是你一句一句的讀下去，最後你才發覺他每一句話都像一根鞭子，擊在你內心的癢處，使你感覺到的是一陣快感。他的整部書，可說都是由寓言湊成的。這些寓言雖然都是虛設的，然而每個寓言，都有它無窮的意味。他東拉一個寓言，西扯一個寓言，無非要求襯托出他心中奧妙的想法。這些想法，有的是憤世嫉俗，有的是玩世不恭，有的是冷諷，有的是熱嘲；可是披上了寓言的糖衣後，非但我們感覺不出其中的尖刻，而且覺得非常親切；即是自己也被嘲諷，却覺得別有一番滋味在心頭呢！

二千年來，他嘲笑了上下古今所有的人物，他的嘲笑之聲永遠的留在人間，世界上再沒有他那樣嘲笑的天才，因爲他嘲笑出來的都是眞理。孟子好辯，莊子善嘲，這該是中國歷史上的雙璧。

孟子辯得別人無話可說，莊子却嘲諷得別人心有戚戚。可惜這樣一位曠世的天才，我們對於他的生平，却一無所知。歷史留給我們的，只是他千古如一日的嘲笑之聲。至於事蹟不明，這原是道家人物的特色，今天我們還能知道莊子的一鱗半爪，乃是來自他的嘲笑聲中。

他在開宗明義第一篇裏，便借一隻大鵬的寓言，嘲笑人世的愚蠢無知。

他這樣的描寫：

從前，在北海中，有一隻碩大無比的鯤魚，大得不可想像。後來他化成了一隻大鵬，他不飛則已，一飛冲天；直上九萬里的高空，擊起三千里長的水波；然後再向南飛，直飛向天池。這時，地面上有兩隻小鳥譏笑的說：「我想飛就飛，即使飛不上樹，最多也不過跌回到平地，何必要衝到九萬里的高空，再向南飛啊！」寫到這裏，莊子感慨的說：「這兩隻小鳥，那裏知道鴻鵠的大志呢？下愚不了解上智的行爲，短命不知長壽的經歷；先天的限制，使他們那能知道這個原因呢；正如朝生暮死的菌芝，不知道淸晨與午夜的景色；又如春生夏死的寒蟬，不了解早春和暮秋的風光啊！」

這是一篇非常突出的寓言，完全是莊子的自描，那隻一飛冲天的大鵬，就是莊子。

莊子超人的智慧，超人的眼界，超人的氣魄，也就只有在超人的境界中，才能逍遙而遊。人世間多的是無知的小鳥，短視的小鳥，他們能了解莊子嗎？他們能賞識莊子嗎？

（未完）

編者按：說曹操稿未到暫停。

諸葛亮狂想曲

（一一六）

·劉玄·

關羽聽完，沉吟了一會，說：「好罷，你將草稿留在這兒，過兩三天再來拿。」趙雲請關羽過目他的「回憶錄」，文筆很差不過是理由之一，主要的，是他的「回憶錄」難免涉及關羽的地方，所以必須請關羽先看一遍。

關羽自從到了天庭以後，年紀大了，不大喜歡看書，他一向愛讀的春秋，在某種場合擺擺樣子而已。趙雲交給他的回憶錄草稿，他也擺在那兒平時看看。

趙雲不會下圍棋，過去他龍岡交友向他學習騎射之術的大有人在，現在大家的興趣都在欣賞歌舞，學習鋼琴，英語上面去了，所以趙雲很閒散。

「子龍，你現在還練不練武？」關羽英雄惜英雄，過見趙雲不免要提到戎馬戰陣之事。

「年紀大了，氣力也差了，何況現在天庭大家都在優武修文，我是英雄無用武之地了。」趙雲說完，發出一聲輕喟。

「彼此，彼此，不要說我們，就連咱們的軍師諸葛亮也只好談道論玄了。」關羽與趙雲都是將軍，如果在目前的世界，大家都在高唱和平，武將被淘汰爲戰爭販子了。

「我怎能與二哥比，你現在已功成名就，變成崇拜的偶像了。至於諸葛先生不是聽說已經官拜主任委員了嗎？」趙雲的消息不及關羽靈通，他對於諸葛亮的新任命，如同不詳。

「據我所知，諸葛先生擔任的宇宙發展委員會主任委員，並不是太白星君保奏的，太白星君因與家本無實權，比起以前他的漢丞相，相差遠矣。」關羽是大丈夫性格，最重實權，所謂大丈夫不可一日無權是也。

小校進來稟告，黃雲大仙求見。趙雲知道是棋友到了，連忙起身告退。

趙雲武功超卓，但拙於言辭，所以很少來找關羽聊天。這次因爲有人要請他寫回憶錄，他在完稿以後，先請關羽替他斟酌一下，比較放心。

趙雲將回憶錄的草稿交給關羽，關羽隨手又交給關平。談話也就告了一個段落。趙雲看見黃雲大仙進來，遂與關羽告別。關羽送走趙雲，面帶微笑告訴黃雲大仙說：「我正要找你。」

黃雲大仙在天庭屬於吃不開的小仙，他因爲會下幾手圍棋，常和關羽見面，也因爲這個原故，才和龍岡會所建立了友誼。

「二將軍找我，有何指示？」黃雲大仙取出了一塊玉棋盤，用道袍拂拭了一下，自己坐在下首，擺了一盒黑色棋子，陪將軍下棋與陪公子讀書並無二致。

關羽坐下來，用手在棋盒內撥弄了幾下，發出輕微的嘩喇喇聲音。

「我爲你的事去見過諸葛先生，他已經與太白星君談妥。不過，海王星探險茲事體大，你如果要參加，必須先要通過「致試」。

巨變歷險記！

在快樂中，丁博士沒有忘記危。他深深的感覺到敵人的壓迫將日甚，要疾趨而過，不可久留。舊曆的年初二繼續前進。前面是一望無際的大平原。

他第一次望見外國的教堂。在他住的左邊的村子上，這教堂比什麼都高，上邊的十字架，更看得非常清楚。據說擺夷都是信佛教的，與緬甸人泰國人柬埔寨人，寮國人無異。基督教發展不易，但也並非沒有傳教。從這村子前面經過，並沒有停留。

從猛隆到瀾滄江邊，這一路本來是平原，但怪水非常的多。大有從牛圈到巴哈的樣子。丁博士並沒有脫鞋，進去就是一鞋的水，出來「卜卽卜卽」的響，等到鞋裏的水快出光的時候，又要過水了，如此接連不斷，鞋總是濕濕的，脚總是泡在水裏，實在不好過，但也只有忍耐。

渡瀾滄江（一一六四）

胡慶蓉

在路上，在田裏，看見不少擺夷婆在工作。田裏的工作，女擺夷佔大部份。男擺夷比較懶，不大做田裏面的工作，在到達瀾滄江以前，看到了很多的佛廟，靠近猛隆這邊的，靠近瀾滄江那邊的兩個佛廟更特別的大。瀾滄江渡口處的佛廟更特別的大。在部隊渡江的時間，丁博士就在這裏邊休息。石獅子把門。眞正講，這並不像北平皇宮天安門前的銅獅子，也不像西山頤和園大門前的銅獅子，是石頭刻的，但刻的一種猙獰可怕的獸。大門打開，門裏是一個大堂，善男信女正在裏邊祈禱。有木魚幫助節奏，並且有磬，磬聲特別的好聽，其聲細而長，再加上餘音繚繞，給人很多幽遠的啓示。有很多的蒲團可坐。這等于佛的蓮座。腿要盤起來，俗所說的打坐。打坐要訓練打坐要鍛鍊。

但所看的佛像，都令丁博士失望。他從小在河南開封鐵塔就看過丈八的大佛立像，在北平北海團城他又見過坐着的玉佛，還有其他很多，佛的耳朵大，兩耳垂肩，均無二致，不同的是佛的兩個眼睛。現在面前的佛，兩個眼睛都是大大的，兩個眼睛都睜得很大，沒有什麼藝術的氣氛，不若我們佛像的眼睛都是迷迷的幾乎合上的富有藝術味，富有深思熟慮意味。

這個廟子的所在地，一方面是瀾滄江的渡口，另一方面是有名的橄欖壩。橄欖壩是一個村莊的名稱。奇怪，街道直直的，兩旁一座一座的房子，排列得非常整齊美觀，每一座有一個院落，對着街還有個大門。裏邊出來的小姐也都非常的標準。要過江的部隊排長龍，排得很遠很遠，有幾里遠。前邊擺渡的有八九條木船，由軍官們坐在旁邊石頭上指揮。從此以上瀾滄江是不良於行的，不通舟楫，不能航行，是因爲急流勇湍，又因爲礁石很多，船行其間，非常容易觸礁。在橄欖壩就可以看見瀾滄江裏邊的礁石，不但是很多，而且是很大很大，不少浮在水面……

洋鬼

‧匡謬‧

「鬼」這東西，似乎是有人類的地方都有，並不是中國的特產，外國也有鬼。在此今天來談談西洋的「洋鬼」。信不信由你！

倫敦是鬼故事發生最多的地方，古堡鬼影，早已傳播世界。早幾年前，倫敦飛機場也鬧過鬼。事情是這樣的：一個星期四的早上，一架從香港經印度飛來倫敦的飛機，經過指揮塔的連絡，飛機被指示在第二跑道降落。這時候，天色尚早，霧也很大，機師技術優良，順利降落。跑道平坦非常，飛機正在跑道上進行，機師忽然發現一個比普通人高大，穿着一個鮮紅色衣服的人在前面，緩緩迎面而來。機師立刻煞掣，但已太遲。飛機直向那人撞去，飛機停下來，機師立即去報告機場的急救室馬上派出救護車到第二跑道去救人，可是到了第二跑道時，根本沒有傷者或屍體，這班人正在懷疑，又接獲第四跑道降落的飛機機師同樣報告，趕到那邊的時候，也一樣沒有發現。自從發生這兩次事情之後，倫敦機場常發現這樣人的出現，每次警察都開始查究，但是毫無所獲，因此大家認爲這是個鬼在作祟。

美國加州機場也發生過同樣的鬼故事。一個深夜，天氣很冷，沒有月亮，外面下着毛毛細雨。坐在指揮塔裏當班的人，突然發現右邊的宿舍發生熊熊的火光，顯然是發生了火警，於是立即去報警，駐在機場的滅火隊就立刻出動。說也奇怪，他們趕到宿舍時，一點火警跡象也沒有，住在裏面的人，一個個都睡得很熟。

紐約有一個阿飛在海灘上遇到過鬼。是一個身段美妙的女郎，在沙灘上仰臥着晒太陽。那阿飛就施展吊膀子的手段，果然三兩句言語就搭上了，一陣子就打得火熱一般。接着看電影、吃館子之後，居然作入幕之賓，在旅館中住了一宵。到午夜，阿飛醒來，見那女子坐在床邊，全身赤裸一絲不掛，滿以爲大飽眼福，誰知定睛一看，嚇得魂不附體，女郎竟把頭拿下來捧在手中。阿飛嚇得想跑，但雙脚好似有人拉着一樣，無法舉步，祇見那女郎的頭面猙獰狂笑，把手中的頭向阿飛擲去，阿飛狂呼救命。當旅館的人聞呼趕來時，什麼東西也沒有，祇見那個阿飛倒在地上，雙手捧着一個花瓶，狂呼「救命」不已。

奧州一個著名的雅蘭醫院，有一天主治醫師領導一羣護士正在進行剖治手術，大家聚會神，忽然進來了一個穿着護士制服的女護士，幾個外籍護士不知道她是誰，以爲她是遲到的，大家只有微笑向她招呼，只有外科醫生愛登爾才知道她不是人，而是一個女鬼。他對她的出現，一點不感煩惱，反而對手術更具信心，因爲這女鬼不是來搗亂的，而是來協助他的，她比活的護士都熟手。那天的手術完成之後，這位中國女護士突又失去了所在，這時才引起其他護士的驚奇。後來經過愛登爾講述，她們才知道她是女鬼。這女鬼本來就是醫院裏的一位護士，因患肺癌難癒，失望而跳樓自殺了。從此之後，雅蘭醫院就常有此人的出現，尤其是當有肺病者施手術時，他便出面協助；同時她常在護士的宿舍出現，同房的人平日晚上深夜可聽到掩門之聲，但從不見有人進來。有時候她又在花園晒太陽，向人打招呼，但一會兒又不見人影。噫！中國女鬼留洋乎！（完）

黛眉小傳

蔡琰（三）

王幻

操對賓客說：「蔡伯喈的女兒現在外面，叫她來和諸君一見。」文姬進首徒行，叩頭請罪，音辭清辨，語音非常酸楚，衆人都爲之動容。曹操說道：「事情誠有可原，但文書已發，奈何？」她道：「明公廐馬萬匹，虎士成林，何惜疾足一騎，以救垂死之命！」曹氏深爲感動，就下令把董祀赦了。是時天氣甚寒，曹操竟賜以頭巾履襪。曹氏因文問起乃父的藏書，她說：原有四千餘卷，經過亂離塗炭，已完全喪失；現在她能記誦的，不過四百餘篇。曹操要派人就她抄寫，她說：「妾聞男女有別，禮不親授，請予紙筆，待我自書，眞草惟命。」不久她親自把這四百餘篇逐一繕完送去，未有一字的遺誤，由此可見文姬的博學强記了。而曹氏之贖歸文姬和保全文物，其偉大處，決非後世小說家言，故意顚倒黑白所能一筆抹殺的。

文姬生平的著作，現只存悲憤詩二章和胡笳十八拍。但據唐代劉商「胡笳曲序」謂胡笳十八拍爲董生所作；而琴集（樂府詩集引）則云：「大胡笳十八拍，小胡笳十八拍，並蔡琰作。」我們讀胡笳第十八拍有「胡笳本是出胡中」「是知絲竹微妙均造化之功」「哀樂各隨人心兮有變則通」等句，確是第二者的口氣；而且如十八拍中：「城頭烽火不曾滅，疆場征戰何時歇？殺氣朝朝衝塞門，胡風夜夜吹邊月。」這種琢練的技巧與格調，漢詩中却不易見。誠如胡適先生所說：「它不能早於唐以前」，確有見地。她的悲憤詩，一爲五言古詩，一爲七言古辭，但從時代的關係看，二篇中最爲眞實的，要以五言體一篇（見上引），詩中叙事行文，若斷若續，不碎不亂，激昂酸楚，自然生動；全與文姬的身份吻合，沒有後人擬托的痕迹。

然而，蘇軾以五言詩爲後人僞作，他以爲蔡琰的流離，在父沒之後，董卓既誅乃過禍，今此詩乃云爲董卓所驅虜入胡，更說明其作僞。蔡寬夫詩話曾駁道：

後漢蔡琰傳載其二詩，或疑董卓死，邕被誅，而詩叙以卓亂流入「胡」爲非琰辭，此蓋未詳考於史也。且卓既擅廢立，袁紹輩起兵山東，以誅卓爲名。中原大亂，卓挾獻帝遷長安，是時士大夫豈能皆以家自隨乎？則琰之入胡，不必在邕誅後。……其末乃云：「感時念父母，哀嘆無窮已！」則邕尙無恙，尤無疑也。

梁任公在「中國美文及其歷史」書中亦曾說：「兩詩（不含十八拍）並見後書漢，或疑第二首爲後人擬作，范蔚宗（華「日旁」）未經別擇，誤行收錄，此說我頗贊同。因爲兩詩所寫，同一事實，同一情緒，絕無做兩首的必要。第二首雖也不惡，但比起第一首來却差得多了。第一首眞千古絕調，當代作家皆善用比興，獨此詩純爲賦作，將實事實感，赤裸裸舖叙抒寫，不加一毫藻飾，而纏綿往復，把讀者引到與作者同一情感。我想二千年來的詩，除這首和杜工部北征外，再沒有第三首了。這首詩與十九首及建安七子諸作，體勢韻味都不一樣，這是因文姬身世所經歷，特別與人不同，所以能發此異彩，與時代風尙無關。要之五言詩到蔡氏父女，算完全成熟，此後雖有變化，但大體總不能出其範圍了。」

基於上述，我們可以肯定：五言體的悲憤詩，才是文姬所作無疑；像這樣有生命的作品，自然要永存人間，流傳後世了。

（完）

自由詩壇

漁叔題

酬崑陽二首

張夢機

月風廊茗火新。並包餘味入詩衾。
積雞城廓非關雨。啼鴉江山失聽砧。
三峽灘聲落清夢。十年俠氣負春陰。
多君更寄籠紗句。題向明燈夜夜吟。

其二

近樓花潤助餘酣。雨能虛隰引遠嵐。
新句忽傳春渭北。華燈不是嶺江南。
湖山有夢徒能說。風雅無才豈久眈。
偶接詞流　月白。梁園故事落清談。

第十二章　岳鵬舉大戰南薰門　韓世忠起兵擒苗劉

留中書郎朱勝非駐守鎭江。江淮制置使劉光世先行在五軍制置使，控扼江口，即日起發鎭江。越四日抵平江，又命朱勝非節制平江、秀州軍馬，張俊爲副，留王淵守平江。又二日進次崇德，拜呂頤浩爲同簽書樞密院事，兼江淮兩浙制置使，還屯京口，又命張俊率兵八千守吳江。高宗一直奔到杭州，就州治爲行宮，下詔罪己（官樣文章，與事無補）。求直言，赦死罪以下，放還竄流諸臣，獨李綱不赦。因爲李綱主戰，赦了李綱，以爲開罪金人，自以爲是。其實這一般伴食宰相，眞不知把國家置於胡底！又一面錄用張邦昌家屬，令閤門祗候，命劉俊民持張邦昌與金人和約書赴金軍議和。堂堂大宋天子竟出此下策，今日應該給予宋高宗如何評價？

中丞張澂，因劾汪伯彥、黃潛善二人有二十條大罪，汪、黃二人聯名上疏，但說是國家艱難，臣等不敢具文求退。高宗方覺二人奸僞。但是尙不立即罷斥免官，永不錄用，還以黃潛善知江寧府，汪伯彥知洪州。進朱勝非爲尙書右僕射兼中書侍郎，王淵同簽書樞密院事。

高宗如此安排人事，却引起了苗傅、劉正彥二人之不滿。以爲王淵出任中樞，不堪重任，以自己招降巨盜有大功，憤恨不已。二人在暗中醞釀政變，又疑王淵與內侍康履、藍珪勾通，獲得高位。因此密謀先殺王淵及內侍。中大夫王世修亦恨內侍專橫，與苗、劉打成一氣，乘機政變。時劉光世爲殿前指揮使，百官入聽宣制。苗、劉以爲時機已到，遂與劉正彥定計，令王世修屯兵城北橋下，專待王淵退朝便好動手。王淵全然不知。甫經乘馬出城，橋下伏兵突出，一擁上前將王淵擒住，劉正彥拔劍一揮，將王淵斬爲兩段。苗、劉二人率兵擁入城中，直抵行宮門外，驅兵搜捕內侍。高宗聞變大驚。苗、劉將行在圍住，聲言見君。高宗不得已乃登樓，憑欄問故。苗傅抗聲言道：「陛下不當即位！試思淵聖皇帝歸來，將若何處置？」高宗被他一詰，自覺無話可對。只得命朱勝非下樓，委曲曉諭，並授苗傅爲御營使都統制，劉正彥爲副。苗傅要脅要隆祐太后聽政，遣人赴金議和。高宗准如所請，即下詔請隆祐太后垂簾聽政。苗傅尙未甘心，得尺進步，要皇太子嗣位。高宗皆一並依從。經隆祐下詔後，高宗禪位於太子趙旉，太后聽政。高宗爲睿聖仁孝皇帝，以顯寧寺爲睿聖宮，頒詔大赦，改元明受。（五十六）

自由報
（第四〇一一號）
（半週刊每星期三、六出版）
每份港幣壹角，台灣售價新台幣五元
督印兼發行人李應騰·社長
社址：香港九龍彌敦道593—601號
廖創興銀行大廈八樓五座
LIU CHONG HING BUILDING
7th FLOOR FLAT 5
593—601 NATHAN ROAD,
KOWLOON, H.K.
TEL: K303831
電報掛號：7191
承印：景星印刷公司
地址：嘉咸街廿九號地下
台灣區業務管理中心：台北重慶南路一段一二九號
電話：二四五七四
台灣區直接訂戶　台灣劃撥戶
第五〇五六號張萬有（自由報會計室）
台灣分社：台北市西寧南路110號二樓
電話：三三〇三四六、台郵劃撥戶九二五二號

請教王任遠部長

丁作韶

司法行政部部長王任遠先生新任伊始，更調台灣高等法院院長孫德耕，台灣高等法院台中分院院長劉賢年，台灣高等法院台南分院院長陳棨皐調升台灣高等法院台南分院檢察處首席檢察官洪壽南爲台灣高等法院台南分院院長，台北地方法院檢察處首席檢察官丘沛潤爲台北地方法院院長，台南地方法院檢察處首席檢察官羅華僑爲基隆地方法院院長……幅度之大，下筆之猛，胆量之壯，深得各方面的讚揚。就中調檢方首席爲院長，大家更認爲見所未見聞所未聞，這是給檢方的酬勞，也是給檢方的鼓勵。

其次，對於便民措施的檢討與實施，大家也都爲之耳目一新，在將來一定還有更多的爲人所希望的革新。姑且以本人想到的，提出來談談，向王部長請教。

（一）關於法官守法——徒法不足以自行，這是孟夫子的一句名言。就司法而論司法，這句名言更有他最實際的意義。法律條文是死的，要去用他，他才有意義。他用的適當，他才有意義。因之，守法遂成爲民主政治的基本要求，也是民主政治的普遍要求。我司法院長謝冠生先生，在去年的司法節會發出守法的呼籲，這是適時的，這是必要的。不過他所呼籲的，似乎是一般性的。但我以爲守法固然是人人的天職，國民的義務，就中法官守法尤爲重要——假若不說是最爲重要的話。我說法官不守法，是指法官不依照法律判決不依照法律審理而言。我彷彿記得某大律師在台北律師公會出版的刊物上，是會員通訊吧！很感慨的說，他越辦案子，他越拿不穩越按不準，明明事實是合於某一條某一欵的，但判出來並不那麼回事，你以爲依法應該是無罪的，宣判下來卻是有罪的，你以爲是有罪的，宣判下來卻是無罪。出入之大，往往使人不敢想像。最顯著的例子，就是眼下在進行的轟動中外的所謂廿億的什麼「剝蕉」案「蕉霸」案「蕉蟲」案的香蕉案第一次更審業已辦論終結。試檢閱高雄地方法院檢察處的起訴書，高雄地方法院的判決書，台灣高等法院台南分院的判決書，雖然是皇皇巨製，大塊文章，厚厚的一本又一本，給官員安的帽子是戡亂時期懲治貪污條例第五條第三欵，但無論如何是安不上的，但不管怎樣硬要安，法官之不守法到這樣明顯的地步，實令人惶惑。最高法院此次發回台灣高等法院台南分院倒有剴切詳明依法論法的指示。但不知台灣高等法院台南分院又如何判決。

法官何以不守法？揣測紛紜。但我以爲許多是冤枉的，甚至於是誣衊的。審判之不能獨立是不是一個主要的原因？回憶最高法院檢察署前檢察長趙琛臨終的遺言，就有這樣的一種說法。在他生前，他也深深的有這麼一個感覺。趙檢察長生平以實現司法獨立審判獨立爲職志，可惜他沒有做到，這是他引以爲憾的。如何實現趙檢察長的遺志，促進法官守法，此擬向王部長請教者一。

（二）關於更審制度——原來的意思是非常好的。原來的意思是在維護訴訟當事人的利益，但行起來，一年比一年的發現這個制度的缺點。原來我國的司法審理是分三級的，即地方法院，高等法院，最高法院。由於有更審制度，三級制，破壞了。凡是案子經過一二兩審到了最高法院，最高法院很少有積極的判決，有之，恐怕就只有那幾位立法委員的案子了，王部長身爲立法委員，對於此案知之綦詳，無庸我來詳述，一般的說來，上訴到最高法院的只有兩條出路，一條是遭駁回，一條是發回更審。發回更審的，又回到二審法院，二審法院應如何遵照最高法院之指示而爲審判，事實上竟有大謬不然，事實上不遵照最高法院指示者在在皆是。更令人不解的，發回二審的案件，有一二三四次發回到同一法院同一庭者，這一次是這一位推事辦，第二次是另外一個推事辦，第三次是庭長自己辦，第四次又是另外一個推事辦。庭長自己辦！庭長固有權，推事辦！庭長兼主審推事，庭長同樣的有權，庭長狃於自己的成見，第二次判決抄第一次判決的，第三判決，判決抄第二次判決的。第四次判決如何？尚在不可知之數，但本案發回連同其他兩次已經六次之多。訴訟進行已經七年之久。被告已經像一小小公務員，自訴訟發生即已停職，一家八口，如何得了！在第六次發回判決中，最高法院有非常嚴厲的怒責，說他「不惟未遵本院前次之指示，而且：……抄他前次的判決，……」假如這第六次更審，二審仍照過去「抄」他前次的判決，最高法院將如何？豈屈服於二審之下而予以核准耶，抑仍繼續發回耶？我以爲最高法院必不至核准將被告上訴予以駁回，那官司何時了？……如何改進更審制度，此請教王部長者二。

（三）關於調查機構——犯罪之認定憑事實，事實之認定爲證據，此爲訴訟進行程序之基本原則。因而事實的調查，證據之搜集，在訴訟進行中非常重要。關於民事採取當事人進行主義，刑事採取職權調查主義，但不管如何的調查，原有調查的機構，調查的人員，如何調查的方法，自政府遷台以後，又有一新機構產生，此即司法行政部調查局。不可否認的司法行政部調查局有他卓越的表現，驚人的成就，但這表現這成就並不能掩蓋他的影響力。在司法圈子裏邊的人，對於司法行政部調查局俱有深切的瞭解。司法行政部調查局在各地設有調查站，年來各調查站的人員大增，並且有很多新訓練的新人。名義上他們是受各地方法院檢察官指揮的。事實上恐怕不是這樣。他們的調查方法是不是與普通法與普通刑事訴訟法與軍法不同？每逢他們調查的案子開庭，被告是不是都否認他們在調查的口供，請求法院不予採信？當然被告的說的不盡可靠，但也能不說全無根據吧？查調查局原不在司法行政組織之內，似乎是屬於另外的一個系統。其最初成立的目的似乎是國防性的是安全性的，重點在匪諜的防範與取締。這是政治性的軍事的。這關係國本。司法行政部調查局可否回到他原來的崗位，司法方面的調查工作不再辛苦他們，此擬向王部長請教者三。

以上三點，係一時想到的。謹先提出來談談。說是向王部長請教！實際不過是供王部參考而已。以後也或許會想到別的，屆時再向王部長請教。王部長對於，總統全面革新政治革新進行不遺餘力，司法乃全面之一面，政治之一環，在王部長直接領導之下，其革新想指日可待也。謹拭目以待。

需要建立正氣

我們感覺：現社會亮的紅燈不少。許多問題的產生，都鑒源於不平之事甚多，其中最重要的就是：社會對是非缺乏一種正確的標準；表現在政治上的便是人事的反淘汰。政治上最需要的綜核名實，未能澈底，遂使一切革新、改造、流於空談

小孩子看電影，總愛問他的爸爸媽媽：那個是好人？那個是壞人？現社會的一個怪現象：誰是好人？誰是壞人？是非標準，似乎非常模糊，尤其在經濟已經起飛（也套一句時髦的話吧），社會競尚功利主義的時代裏，大都以成敗論英雄，有財有勢就有人捧，就都是好人，而社會從不問他們的財是怎樣發的，他的勢是如何來的。於是，社會無是非、民間缺正義、不平之氣由是而生，社會許多問題也由是而起。

這種現象，如普通流行在政治上，它的惡劣影響，比較民間更爲厲害。政治上的權臣、佞臣，往古歷史，不乏其人，無不留得罵名千古；可是在當時這些朝中大老官，都是聲勢顯赫、氣燄萬丈，炙手可熱、翻雲覆雨、操百官之榮辱，甚至生死，而一般附從者衣食父母所出，尊之榮之，如明朝的魏忠賢，不是還建過生祠嗎？

今天社會的毛病，政治太現實化，始終沒有建立一股正氣。阿謏風氣太盛，講眞話的太少，社會雖鄙其人，也還得說他好話，甚至背地裏也稱公道老。愈壞愈有辦法；愈壞，人們就愈怕他，不敢惹他，甚至還得敷衍他、捧他。於是，劣勝優敗，反淘汰原理起了作用，而國家民族前途遂不堪聞問矣。

岳武穆曾說：武官不怕死，文官不愛財則天下太平矣。我們也可以說：政府任官如都着重操守清廉，人格高尚之士，則政治風氣，必可一新耳目矣。

·千公

自由談

可怕的貪污風氣

廣東諺語有云：「牛毋飲水，點撳得牛頭低？」意謂氣力很強大的牛若不想喝水，無論如何亦沒法將牛頭抑低，強迫牠喝。以這兩句話來詮釋官吏貪污行爲，乃比「物必先腐而後蟲生」的語意更爲確切恰當。因官吏地位尊嚴，素爲民衆所敬畏，如果居心廉正不苟，老百姓誰敢以身試法，對官吏妄事賄賂呢？所以，賄賂的動機一定發自官吏，而刑法上對於賄賂罪責，規定「與受同科」，實有庇護貪官污吏的副作用，不足爲訓也。

貪污風氣在政治社會中一旦構成之後，一般人的觀念，即覺得苞苴之行乃理所當然，且以能夠貪污扒錢者爲幹練之才，交口稱讚。於是乎，官吏貪污的技倆亦層出不窮，精進不已。有些在表面上冠冕堂皇，教人想像不到的扒錢方法，到處流行，名利雙收。譬如：作教育行政官一面掌握各種教科書和教育用具的發行、核許權；一面教自己人在市面開設書店，而由主管署指定由該書店專利售賣教科書和教育用具，誰也不認爲這是利用權力機會的貪污手法。又如一些行政機關和民意機構，隨時編印各種刊物或翻印若干法令大全之類，固屬災梨禍棗，無裨實際，但藉此可以報銷公帑，圖利私人，爲數甚可觀而不着痕迹，貪污的技巧，至矣盡矣！

値茲人慾橫流，廉恥道喪的衰敗之世，人們笑貧不笑貪，是人亦是鬼，舊有儒學那套講道德、說仁義的理論，被視爲迂闊落伍的腐敗思想，沒人還注意了！明乎此，即知復興中國文化運動的效用，必止於「運動」而已，大家說得很熱烈，表演很勤奮，做的却背道而馳，適得其反。哀莫大於心死，悲莫甚於血凉，因而正義淪亡，是非混淆，貪鄙者彈冠相慶，廉介者向隅背時，世變之來，倘未有艾也，可勝憂懼哉！

馮正先生

巴里島風光

少女習慣穿無上裝　少婦用布遮掩胸脯

巴里島是天堂樂園，島上婦女習慣無上裝，天乳撥發，久已傳聞外國，雖然近年來當地政府勸喻居民勿以無上裝姿態出現，同時又禁止外人攝取無上裝之照片。因此現在已經不再看見得到這一類養眼的景色了。但是在一些鄉下地方，也仍有維持這種無上裝的少女，表示「小姑居處尚無郎」。而一般已有夫家的少婦依習慣是要用布塊把胸脯遮掩的。

據解釋說，因爲少女的胸脯是可以憑視覺看得出的，少女們也可以「處女胸脯」嬌人。但已經嫁了人的少婦則大可不必以胸脯示人，所以便用布遮掩了。傳說如此，確否待證實。

但另有一個理由是巴里島在熱帶赤道附近，終年炎熱，所以女都習慣了「無上裝」，加上布塊遮着胸脯，反而覺得不太舒服了。所以雖然政府三令五申着當地土女不可再以「無上裝」姿態出現，但窮鄉僻壤地方仍然是陽奉陰違的。政府當局也只好「一隻眼開」，「一隻眼閉」而已。

升學主義產生了不良後果 台灣教育畸形發展 補習班如雨後春筍 共有千餘所成為社會寵兒

（本報台北通訊）台灣升學主義破壞了教育基礎，補習班應運而生。每年初高中應屆畢業生及歷年落榜學生為達到升學目的，紛紛加入補習班。政府准許各類短期補習班的設立，也是為環境所迫，適應時代所需，不得不如此。因為許許多多青少年，在學業旅程上遭遇蹉跎或頓挫，補習班好似一箇加油站，給予增強實力和力爭上游的機會。也有些專業性的補習班，傳授一技之長或一藝之能，藉以增進就業機會。家長們希望子弟們課餘或假期的時間，讓精力和志趣及學力，都有適當的支配和誘導。補習班於是大發利市。

因此，補習班有如雨後春筍，成為社會上的寵兒，教育天地裏最興盛的事業。有的人發了財，有的人由補習班而補習學校，逐步擴充成為正式的私立學校。但也有一位美國留學教育碩士，當過教授，教育部高教司長的，他在民國四十七八年間創辦一處補習班，親任班主任延聘名教授，不到半年關門大吉，賠上了將近三十萬元。原因是他要當作教育事業辦理，而不懂生意經。據說聘請教員應在升學率最高的中學高價硬拉好教員，當年就有某補習班主任拉某校數學教員，效武訓之所為跪地哀求過。

據統計，台灣地區目前共有各類補習班一千二百所之譜。其中台北市據社教科說，約佔全省三分之一。台北市改制後，各類補習班已由改制前一九六家增至三二四家。學生人數由二萬餘人增加到五萬人，補習學校由十四所增加至三十所，學生人數亦由一萬五千人，增加到三萬五千人。

台北市補習教育特別發達的原因，不外（一）台北近郊工業發展迅速，尤其電子公司紛紛設立，大量吸收中南部的男女員工，他們利用晚間接受教育，增加知識，而且獲得學歷證明。（二）九年國教實施後改變了國民觀念，認為非有較高學歷，無法在社會上獲取理想的職業。

關心教育人士認為這是值得欣喜的一面，因為青年們對讀書求進步，已經有了新的觀念與認識，今後將不致於浪費寶貴的青春時光，成為自然提高國民知識水準的最大助力。然而，他們所担心的是：學生大量增加了，補習班或補習學校的師資，和設備是否健全？能否達到正常的希望？滿足一般青年的求知慾，是他們所最關切疑慮的問題。

爭取學生不擇手段 刊登不實廣告 高價聘請教員 五花八門各顯神通

不容否認，補習班之急遽發展，競爭隨之俱來，劇烈競爭的結果，但求目的不擇手段荒唐舉措，層出不窮，所謂「五花八門各顯神通。」為的自抬身價，每年大專或高中聯考放榜之際，想盡方法串通榜首承認補習有功，代價八千元起碼，甚而兩萬以上，局外人名之曰「收買狀元」。

今年放榜之後，台北市「中華升高中補習班」在報上刊出大幅廣告，標題是「維護教育風氣以免青年受騙揭發台北建國補習班虛構不實之宣傳啟事」。列舉「建國補習班五九年度刊高中招生簡章內附「建國叢書台北區高中聯考該班同學錄取名單」經本班仔細核對「高中聯考榜示，發現不實宣傳，恐同學家長受騙，故予揭發」并列舉所稱建國中學二一三名，一女中一九〇名被錄取名單全為偽列，經本班核對一名亦無，並聲明全部資料俱存該班歡迎參觀查證」等語。

大專聯招尚未放榜又鬧出所謂洩榜「號外事件」。乙組名單被建華補習班任約翰君閱閱抄走，印成號外，對外發售，一時輿論譁然，大小學官，發表談話，一致主張嚴辦。驚動了調查局、警察局，澈查結果任君舉出很多人證，證明沒有聯招會的人勾結，這件公案便不了了之。

今年考前，台北盛傳，有些補習班以猜題為號召，每小時收費三千元，這種宣傳，似乎有意使人看出，聯考題目，它早就知道了。雖然未必實有其事，但言者鑿鑿，奈何！

最近半箇月前，報上忽又出現一則離奇新聞，大意說：台北有一家補習班，因為自稱能夠以新台幣八千五百元的代價，替留學生考試落榜的大學畢業生取得美國大學獎學金證明，使他們不需考取留學考試即可出國，市警察局城中分局着手調查，曾約談一位宜蘭縣籍葉姓的大學生，據葉姓學生說，他參加今年留學考試，預感考得不理想，內心焦急，有位同學對他說：「如此，如此」葉生出國心切就在六月底到這家補習班與一李姓男子接談，李姓男子表示可以買到獎學金的證件，如果他有興趣，須先訂合約，繳一千五百元手續費。繳過費，補習班便透露所聲請大學名稱，再繳七千元保證金領到獎學金證件云云。

對補習班最感頭痛的，是一些頗具歷史的公立中學，稍有名氣或出色的教師，多在重金禮聘之下，為補習出名賣力，時日既久，反而把本位工作疏忽。學校也不能沒有這些老師充門面，這些人也就趁火打劫，彼此敷衍，結果真正吃虧的還是敢怒不敢言的學生。一人精力有限，在補習班裏活躍的教師，在學校教室裏自然就表現沉寂，而且為錢辛苦，疲於奔命。收入多的人，精力不够，沒有外快的教師，影響所及，也就鼓不起情緒來，因而產生了「補習班朝氣勃勃，學校裏暮氣沉沉」的現象。

總而言之，台灣的教育被幾位外行人，領入了旁門左道。教育沒有政策，政府放任。自由發展，急功好利之徒，得其所哉！補習班之胡攪、胡鬧，主管官署並非不會注意，可惜開會檢討，訂定管理辦法，每遇問題發生之際，他們也總有些例行性的談話，或是象徵性的行動，只是不切實際，兼以管理方式鬆弛，執行態度又不認真，補習班仍在縫隙中，我行我素。

實則補習班之急待加強管理，已經刻不容緩了。起碼，不照規定聘請教員的問題，主管方面實在不好長此裝聾作啞置身事外了。

雙鹿五加皮酒 為台產之冠 冬令進補合銷 常有缺貨現象

（本報訊）台灣省菸酒公賣局所出產之各色酒中，如果要論價廉物美，迎合我國大衆心理，且能暢銷海內外市場的，則首推雙鹿五加皮酒。

據悉台灣省菸酒公賣局，在研製該酒之初，很費了一翻功夫，該局為使雙鹿五加皮酒，能盡善盡美，曾搜集多種古方，採購名貴中藥，運用科學方法，分別浸泡於上等高粱酒中，累經試驗結果，以現在所使用之藥材與份量，最能補氣益血，扶脾健胃，祛濕除痰，堅筋強骨，最後使用蜂蜜及麥芽糖等滋養品，予以調味而成，所以尚有易於消化，滋養豐富之功效。大量生產後，獲善飲者之讚譽，且每當冬季屆臨，國人多習慣於冬令進補，雙鹿五加皮酒，常有缺貨之現象。

單車征執照稅 手續太繁雜 實在不便民

（本報台中消息）腳踏車牌照稅的征收，因為手續繁雜，且所收除去開支外所剩無幾，所以在兩年前，民意代表已向政府建議豁免，以便民困而示便民。然而有關單位一直未予執行，祇允許簡化手續而已。而今在推行便民聲中這一項實質便民的表現，在一般民衆心目中尚在稱頌時，萬想不到內政部在上下高喊推行便民的當兒，卻計劃出慢車換照新辦法，頒行實施。

根據執行任務之警察機構解釋，換發行車執照有兩種目的：一係檢查安全設備，一係查究可疑車輛，因為領照時規定必須檢附車輛來源證，檢查車燈、車鈴、剎車及反光設備等附屬零件，又使一般民衆怨聲不絕。台中市議會，為反映民意，於第七次臨時會議中，議員們提出臨時緊急動議，主張簡化慢車換照手續，並建議政府依實際情形廢除不合理之規定。慢車換照，是九月一日開始，在同月三十日結束，台中市警察局為使依限完成任務，預先共分設十七個換照登記站，可是因為換照手續過份苛擾，兼之所有腳踏車，大部份係屬破舊，欲依規定裝修所費必定超過車輛本身價值。所以大多數民衆均裹足不前，致使各換照登記站門可羅雀，目前已逾結束日期，各換照登記站，為要完成任務不得不勉強採取了便民措施，前往換照的民衆，不但免除繳驗來源證……等項證件，連車子亦不需檢視，祇要填單繳費即可領到行車執照了，可謂便民之至。不過，此次頒行的慢車換照辦法規定必須裝置車燈、車鈴、剎車及反光設備等等。雖然民衆普遍不滿，據台中市警察局說：曾經連續四次向內政部請示結果，祇准許舊車憑稅單可免繳來源證，安全設備不能放寬，現在各換照登記站，採取便民，既已一切從寬處理，使民衆稱便不少，但是照過去警察單位曾經有過不知多少次執行腳踏車車燈臨檢的紀錄，受到罰鍰的民衆也不知凡幾，現在有人懷疑在便民過後不久的將來，警察機構會不會依式泡製，故技重演，不斷的來個慢車安全設備突檢，使一般民衆嘗的是先甜後苦，而警察執行人員卻得到先善後樂的額外收入呢？但願這種想法是杞人之憂才好。（積平）

喬治桑外傳 一八三

張大翼

喬治桑，裘白瓊是出名的夜遊神，這些地方自然少不了他們的縱跡。桑、裘二家與黑、白兩姝在一起謔浪笑傲泡了大半夜才分手。

在計程車上，裘白瓊坐在司機旁，喬治桑在後座夾在黑白兩姝的當中。

「喂，房子事情是不是已經談妥了？」喬治桑扶在裘白瓊座位的靠背上向裘白瓊說話。

「我已經跟她談過好幾次了，她至少要四十二萬，我想：零頭抹掉大概不成問題，但恐怕要四十萬才行。」裘白瓊有一個長處，對朋友很熱心。他知道喬治桑買房子的目的，所以更不敢偷懶。

「四十萬就四十萬好了，我返美的手續已經辦得差不多了，明天我們碰頭，事情決定一下好不好？」喬治桑歸心似箭，很急的樣子。

「好，明天下午我來看你，不必再在咖啡館碰頭了。」

「好的，幾點鐘？」

「三點鐘好不好？」

「準三點，我在家候駕。」

黑嬌嬌與白妮都有多次和男士同車的經驗。她們覺得男人都是毛手毛脚的喜歡勾肩搭背，現在喬治桑一本正經，在她們都多少感覺有點意外。

「桑先生，你最近要回美國去？」黑嬌嬌沉默半响，首先開腔。

「我是來來往往的，這次在台灣躭擱太久了，想回去看一下……」喬治桑話還未說完，裘白瓊揷咀進來，「桑博士在美國有很多事業，他必須回去料理。」

計程車不像咖啡館，這時車子戛然停止，已到了白妮家，白妮道聲「謝謝」，下車而去。

黑嬌嬌住的地方離白妮很近，一會工夫就到了，黑嬌嬌下車以後，車上只剩下喬治桑和裘白瓊。

「先送你好不好？」喬治桑問裘白瓊。

台北傳奇錄（七七）

・陳光棣・

「他們更怕有麻煩，妳和他們無冤無仇，他們還找妳幹什麼」？劉二爺安慰着：「事情已經算是過去了，妳還是先回家洗個澡，換換衣服。」

馬寡婦覺得劉二爺說的話似是而非，態度也使人難以捉摸，不過她也是急着回家：「您什麼時候有時間？我想找您談談」！馬寡婦要解開疑團：「等一會兒我到您家來好不好」？

「歡迎，歡迎」！

馬寡婦走了以後，劉二爺也收拾收拾回了家，桂先生正在客廳坐着。

「馬寡婦沒事吧」？桂先生站起來。

「怎麼會扯上了馬寡婦」？

「我跟警方在時間上沒有配合好！」桂先生惋惜的說：「不然昨天晚上就可以先抓幾條小魚。偏偏馬寡婦又適逢其會！」

「怎麼有這種巧事？馬寡婦可眞吓壞了！」劉二爺有點不放心：「他們不會再去找她的麻煩吧」？

「不會，警方已經控制了情況」。

「你什麼時候再出海呀」？

「下月初」！

「更要注意呀」！

「他們現在非常相信我，裏面的花頭我也摸的差不多啦，共匪大量的毒品從三條路綫往外運銷，一是北韓，一是北越，再一條是澳門，這一條路綫，就是我替他們接貨的，共匪每年指着這東西要賺十億美元！眞是心黑手辣」！

「這些死共產黨，他們要害死多少人哪」！

「一開始，您勸我和這些毒犯子合作，我還眞有點猶豫，現在想，能够臥臥底也不錯，眞要是能把台灣的毒犯子一網打盡，也總算替社會上除了大害」！

「其實警察用不着打草驚蛇，昨天晚上的行動，不是有點多餘嗎」？

「他們也有他們的想法，他們這樣抓一下，表示警方並沒有深入的了解在台灣販毒的全部情形。畧微行動一下，兩派毒犯子一緊張，就容易忙中出錯，也許可以把幕後主持人牽扯出來」。

「這樣對你不利，毒販子們要是起了疑心怎麼辦？破壞了整個計劃，不是很可惜嗎」？

「您不必担心，他們不會懷疑到我頭上」！

「總要多加小心」！

馬寡婦回到家裏打了個轉，就急急忙忙的到了劉二爺家。桂先生打了個招呼就先走了。

「劉二爺！我越想越糊塗；昨天晚上發生的事情，您好像都知道是不是」？馬寡婦心裏存不住話。

「我是昨天晚上聽到說的」！

近半世紀不吃飯的人

·文壇樓主·

乾隆年間河間府紀（曉嵐）官拜協辦大學士，修四庫全書，他被派爲總纂，爲人坦誠，最好詼諧，喜歡研究吃，與蘇東坡，袁子才同一類型，不過紀曉嵐一生吃菜，但少吃飯，有可靠野史可稽，不像袁子才，僅米麵飯食與作就有很多種，蘇東坡更嗜茶泡飯，這一壞習慣，於今我國江蘇台灣及日本仍甚流行，如果不相信的話，有詩爲證：「會爲老饞貪茗粥」見東坡詩。

近半世紀，樓主發現，有三個不吃飯的人，一是畫家張大千，一是文學家熊式一，一是報人出身現任國家安全會議秘書長黃少谷。張大千喜歡吃是出了名的，大陸淪陷初期，中共自謂對人極度寬大，有關張大千一案」，經多方調查結果，發現張大千有三大罪狀，好吃是第一罪，養猴子是第二罪，種花是第三罪，議處罰五千元人民劵可贖罪，責令張大千的兒子交付。

熊式一喜歡吃與張大千相伯仲，張大千有時還吃一點稀粥，還可能是受同鄉蘇東坡的影响；熊式一則點飯不沾，這兩位朋友皆有易牙招數。熊式一，張起鈞同執教美國夏威夷大學時，兩位在一齊開伙，張起鈞充採買，熊式一做廚師，熊雖是江西老表，但不會做江西菜，粵菜，滬菜，徽菜則皆可來幾手，很多從台北到西國學人常上門求食，熊與張皆引爲苦事。張大千則素以會做川菜出名，他說：「一般認爲麻和辣就是川菜，完全錯了。」

黃少谷吃菜不吃飯，很少人知道，最近聽到熊式一說黃也是祇吃菜不吃飯同路人，因之回憶到民國三十六年，黃少谷在其府上（南京）邀宴樓主時，陪客的先生，有好幾位都變爲毛共的「政要」，當時祇以爲是菜太多的關係，這個謎底直到前天才揭曉，據說黃也會燒菜，且燒得相當好，其段數不在現任總統府副秘書長鄭彥棻之下。吃是一種藝術，藝術家都聰明人佔多，又一例證。

還有兩位又會燒菜，又會吃的朋友，一是中華民國駐菲律賓大使孫碧奇，一是醫藥理論家馬騰雲，他們有一個時間同僑居曼谷，孫爲官，馬經商，奇怪的他們同不欣賞在曼谷很出名的外交廚師吳昌齡，孫碧奇自己訓練一位廚師，手藝相當好，馬騰雲的廚師是鄭裕祥，鄭前爲顧祝同的廚師，鄭從馬府學會好幾種菜，馬騰雲離曼谷後，鄭自創菜館，現在已經是百萬富翁了，樓主常勸失意的朋友，脫去長衫解脫領帶準有辦法，可惜一般人很難丟去不值一文的士大夫舊包袱。

論公孫龍的哲學思想（二）

·周世輔·

曰：「以馬之有色爲非馬，天下非有無色之馬也，天下無馬可乎」？（客問）天下之馬皆有色，如果說白馬不是馬，那麼凡有色之馬都不是馬，那就是說天下無馬了，可以這樣說嗎？

曰：「馬固有色，故有白馬。使馬無色，有馬而已耳，安取白馬？故白馬者非馬也。白馬者，馬與白也。馬與白非馬也。故曰：「白馬非馬也」。（龍答）白與馬相加等於白馬，有馬無白，不等於白馬，故說白馬不等於馬。

曰：馬未與白爲馬，白未與馬爲白。合白與馬，複名白馬：是相與以不相與爲名。未可。故曰：白馬非馬，未可」。（客問）馬與白未合叫馬，是單名；馬與白相合叫白馬，是複名。複名與單名混爲一談，未可，故說白馬不是馬，根本不能相提並論。

曰：「以有白馬爲有馬，謂有馬爲有黃馬，可乎」？（龍問）公孫龍對於上面的客問，似未直接作答，他反問：如以有白馬爲有馬，是不是可以有馬就是有黃馬呢？（暗示說是不是可以說有馬就是有白馬呢？）

曰：「未可」。（客答）客不肯上當，故說未可。

曰：「以有馬爲異有黃馬，是異黃馬於馬也。異黃馬於馬，是以黃馬爲非馬，而以白馬爲有馬：此飛者入池，而棺槨異處，此天下之悖言亂辭也」。（龍答）公孫龍根據「有馬不等於有黃馬」這個前提，便判定有馬不等於有白馬。在這個推理判斷之下，如果還有人說有白馬等於有馬，那就是胡說了。

曰：「有白馬，不可謂有馬者，離白之謂也。是離者，有白馬，不可謂有馬也。故所以爲有馬者，獨以馬爲有馬耳。非有白馬爲有馬。故其爲有馬也，不可以謂白馬也」。有人以這一條作爲客問，那就費解了。著者認爲這一條與下一條都是公孫龍的重複說明。這一條仍是說明有白馬不可等於有馬，有馬不可說等於有白馬。

曰：「白者不定所白，忘之而可也。白馬者言白，定所白也。定所白者，非白也。馬者，無去取於色，故黃黑皆可以應。白馬者，有去取於色，黃黑馬皆所以色去，故唯白馬獨可以應耳。無去者，非有去也。故曰：「白馬非馬。」」公孫龍又說單言白乃無所指，就白馬言白乃有所指（指馬而言）。單言馬則不問顏色，凡馬皆可應；如言白馬，則指定了顏色，惟白馬可應，黃馬黑馬不可應。前者不問顏色，後者要問顏色。不問顏色與要問顏色不同，故說馬不等於白馬，白馬不等於馬。

我們平心靜氣而論，「白馬不等於馬」，尤其是「馬不等於白馬」，換言之，部份不等於全體，全體亦不等於部份。這個道理，現代人知之，古代人亦知之，爲什麼這問題鬧上兩千年呢？就是公孫龍不說「白馬不等於馬」，祇說「白馬非馬。」

因爲「非」字可以作「不是」，如解說「白馬不是馬」，便不足以服人，即能「勝人之口，不能服人之心。」因而引起了很多誤解，引起了長期的爭辯。（未完）

莊子

吳怡

由這隻大鵬身上反映出的莊子，是個逍遙的超人，他的生活天地，與儒墨不同，他是逍遙在九霄雲外的。他不高興時，就怒而飛，飛到人們看不見的天池中，去過着自己的生活；他高興時，也看看人間世，從他口中，嘲笑幾聲。

（二）

司馬遷對於莊子生平的了解也很有限。他只知道莊子名周，是宋國蒙人，曾經做過蒙縣的漆園吏。至於其他方面，我們只有靠「南華經」中的寓言故事了。當然這只能當故事看，不能視作眞有其事的歷史。

蒙縣是一個小地方，偏於中國的東南部。那裏有莊子釣魚的孟渚澤，有通往中原要道的汶水，有綿亘數十里的園苑。我們的偉大才子莊周，便在這樣一個山清水秀，風景優美的自然懷抱中長大的。

江南多才子，由地理因素上，可以證明這話一點也不假。中國北方，都是一片平野，人民也以農爲本，所以產生的人才都比較「木訥近仁」，如孔墨。可是南方，則都是溪流縱橫，景物曲折，所以產生的人才往往比較拔萃，如莊子。試看孔子少時只是在倉庫內算賬，在牧場上看牛，那是非常枯燥呆板的工作；而莊子却在幾千畝大的漆園內做事，整天接觸的都是青綠的樹林，和活潑的飛禽，因此吸吮着自然的生氣，富於想像。試看他的寓言中都是用鵬雀樹木作對象，而他幻想中的至人，眞人，又都是些怪誕不經的人，不是缺耳朵，便是凸胸脯。可見自然對這位絕世天才的影響了。

他做一個小小的漆園吏，經濟生活不太理想，有一次因爲窮得沒有辦法起火，只得向管河的一位官吏借米。那位官吏滿口答應說：「沒有問題，等我收到田租時，借給你三百兩金好啦！」其實莊子借米是爲了救急，所以他大爲不高興的說：「我昨天來這兒的時候，途中聽到有人喊我的名字，我環顧四周，沒有人影。原來是車子壓過的溝中有條魚在叫我，我問牠有什麼事，他說：『我是東海裏的波臣，你能否給我斗升的水，活活我的命。』我回答說：『沒有問題，等我向南遊說吳越的君主，請他們激動長江的水來歡迎你好啦！』這時那條魚大發牢騷說：『我一時失策，處於這種困境，如果你能給我斗升的水，還能活下去，而現在你竟用那話搪塞我，不如早點到賣乾魚的店舖中來找我吧！』」莊子貧困的情形，由這段牢騷中可以畧知一二了。但他雖然貧困，對於金錢却看得很輕，絕不爲金錢所奴役。

有一次，宋國有一個曹商，奉宋王的命令出使秦國。去的時候，帶車幾乘；回來的時候，由於得到秦王的歡心，帶回一百多乘車子。便向莊子吹牛說：「叫我住在窮巷矮簷下，黃臉瘦頸，織着草鞋過活，我是沒有這種刻苦的本領。而我的本領，只要一句話把萬乘之主說開心了，便可擁有百輛的車乘。」莊子帶着譏諷的口氣說：「我聽說秦王有一次生病，下詔求醫。凡能替他開破膿瘡的，賞一乘車；替他舐痔的，賞五乘車；做得愈卑鄙無恥的，得車愈多：你大概也替秦王醫過痔吧！不然怎能得了那麼多的車呢？你快去吧！」這段諷刺是多麼的潑辣，尖刻，更可看出莊子對那些以「無恥」所換來的榮譽富貴的深惡痛絕！

（未完）

自由詩壇

漁叔題

次韻落花和絜生先生

青士

雲方衣袂臉和霞。隔夜來看膩禿。
黃鸝木蘗都不落。春花爭得比秋花。
得歸仙籍莫嫌遲。好遣靑禽要準期。
人世幾回延頸望。瑤光不見九燈枝。
一舟萬點過江年。南浦悽迷雨似烟。
縱有新亭垂淚集。才如庾甫亦堪憐。
玉軟香溫百日親。靑蠅面面見情眞。
舞風不肯重回首。雙燕呢喃怨主人。
時呼小字蜜蜂。抱髻嚴冬記炙冰。
銷瘦紅情餘綠意。油油芳草上草勝。

諸葛亮狂想曲

·劉玄·（一六二）

看你的「武藝」行不行？」關羽的心目中，參加海王星探險，必須武藝高强者始能勝任。

「我有什麼武藝？我可以說手無縛雞之力：我十八般武器樣樣都不會。恐怕一切還要靠二將軍的面子。」黃雲大仙說到手無縛雞，自知說溜了咀，連忙改口。同時，他輕輕拈了一顆黑子放在小目上，算是棋賽開始。

「你說的也是武藝，我忘記告訴你了，所謂「武藝」不是刀槍劍戟，斧鉞鈎叉十八般兵器。據說，太白星君要考驗的，是你的「內功」。」關羽對於「內功」並未深究，唯恐觸犯黃雲大仙的忌諱。他左手掀髯，右手拈了白子，在棋枰上下了一顆子。

黃雲大仙聽到「內功」，面孔紅了一下，關羽却並未注意。

關羽，黃雲大仙對奕，棋下得很快，一忽兒工夫，已經下了好幾十手。關羽走了一着惡手，如果被黑子切斷，情況很嚴重。關羽的一手棋，立刻被黃雲大仙看出，但黃雲大仙心裏暗想，到這兒來下棋，目的是政治棋，又不是爭「本因坊」或「名人」大賽，宜輸不宜贏。所以經過長考，故意下一手壞棋，他的這一子可以稱爲大惡手。

這盤棋下完，自然是關羽獲勝了。關羽很得意，將棋盤上面的黑白攻防戰作一解說。

「黑子第一百三十七手是一敗着。假使不這樣下，白棋很困難，勝負也很難說。」關羽一連擺了兩把子勢，躊躇滿志，頗有上段的架勢。

「是，是，這是我一時大意。其實，白棋在第三十手時，就已經敗了，那裏要等到黑子第一百三十七手。我沒有看出白棋還能發動攻勢，可見二將軍神機妙算，難以猜測也。」黃雲大仙故意將棋下輸了，還要在口頭上大大恭維關羽一番，油條老矣！

關羽殺得性起，一連殺敗黃雲大仙達三次之多。三盤下完，黃雲大仙採取打籃球的辦法，請求「暫停」。這時關平上前，問父王要不要人參茶？關羽是服膺中華文化的，從不相信什麼「恩旺」、「克勞酸」之類的提神劑，他只相信人參有回乾振元之效。「將「龍骨虎骨酒」取來。」人間只有虎骨酒，沒有龍骨虎骨酒，顧名思義龍骨酒當要比「虎骨酒」高貴多了？我倒從來沒有嘗過。黃雲大仙好酒貪杯，斗酒隻雞時常自得其樂，所以聽說有「龍骨虎骨酒」，忙問：「龍骨虎骨酒是老友華陀煉製的，我喝過幾杯眞有提神補氣功效，你可以試一試。」關羽以名酒待客，可見他今天的高興。關平捧來一個古銅盤，上面放了兩個酒杯。龍骨虎骨酒的顏色是黃澄澄地。關羽是武聖，性豪爽，仰首將酒一飲而盡。

介紹一本好書
——岳飛史蹟考
·千公·

最近偶而獲讀一本好書，極應當介紹給讀者，那就是宋史研究專家李安先生編著的岳飛史蹟考。

這本書正中書局印行，被列爲中華大典之一，就份量講，二十四開本，正文四三八頁，附錄二四六頁，目錄，序文和跋，還不在其內，可謂煌煌鉅製；就內容講，全書共分正、外兩編，外加附錄，共計五十多萬言。正編敘述岳武穆的平事蹟及戰功，外編分述與岳武穆生平最有關涉的人物，以及武穆身後的賜諡、追封、後裔等，附錄除錄載武穆的奏議、詩詞、文章外，並蒐集列古今祭祠評論武穆的文章，豈祇洋洋大觀，而且極爲詳盡。此爲第一本；這樣大本頭，這樣內容詳盡，資料搜羅豐富的研究岳飛的著作，恐怕李安先生也是創紀錄的人。

在目前舉世滔滔、寡恩離分、忠奸難辯，人多爲己，而神州大陸，急待光復之際，李著岳飛史蹟考的出版，實具有莫大的意義。「武官不怕死，文官不愛錢，則天下太平矣。」這是武穆的名言，直到現在，更具時代的意義。對國家民族意識之深，對上峯的忠誠，對父母的孝敬，對部屬的愛護，這樣大忠、大孝而仁愛的人物，古往今來有多少人能與武穆比擬；而其治軍之嚴，紀律之明，又有多少將能望其項背？元人脫脫等所撰宋史岳飛傳內有如此記載：飛至孝，母有痼疾，藥餌必親，母卒，水漿不入口者三日。家無姬侍……卒有取民麻一縷以束芻者，立斬以徇，卒夜宿，民開門願納，無敢入者。卒有疾，躬爲調藥，諸將遠戍，遣妻問勞其家，死事者哭之而育其孤，凡有頒犒，均給軍吏，秋毫不私。謀定而後戰，有勝無敗，猝遇敵不動，故敵爲之語曰：「撼山易，撼岳家軍難」，每辭官，必曰：「將士效力，飛何功之有」。宋史紀事本末將獨決諸葛、唐郭子儀與武岳並論，可見推崇之至。

民國成立，一代學人蔡元培先生，曾題西湖岳王廟曰：民族主義、歷元清滿鼎革，始達完全，如神有知，稍解生前遺恨；聖湖風景、得祠墓點綴，差不寂寞、茲地之勝，允宜萬禩重新；而「青山有幸埋白骨，赤鐵無辜鑄佞人」的名聯，更顯示天下人對武穆欽仰的心聲。李先生這本大著，不僅人人要讀，部隊裏更要採取精華，作爲教本之用。

畢秋帆天幹連珠
·漢年·

命相与夢話

畢沅字秋帆，自號「靈巖山人」，生於江蘇鎮洋縣西關賣秋橋之榮慶堂邸第。即今江蘇太倉縣。乾隆庚辰年三十一歲登進士及第，同年春三月禮部會試，中試第二名進士，夏五月對策太和殿，上覽「經學」、「屯田」二篇，嘉獎再三，拔置一甲一名，官至尚書，畢沅歷官內外，舉能稱職，川、陝用兵時，籌辦軍餉，尤不遺餘力。嘉慶丁巳，七月庚午卒。年六十八歲，贈太子太保。

畢沅好著述，強調「經義當漢儒」，故有「傳經表」之作。說文字學當宗法許慎，故有「經典辨正」之作。說編年的史莫善於涑水，繼之者有薛、王、徐三家。徐雖然優於王、薛，而謂其書籍猶未備，且不無詳南略北之病。乃博考羣書，考證正史，手自裁定，始宋迄元，作「續通鑑」二百六十卷。說金石可以證經、史。官迹所至之處，搜羅宏富。有關中、中州、山左、金石諸記，其他著述，有「山海經」、「晉書地理志校法」、「西安省志」、「靈巖山人詩文集」遺世。

秋帆官保之造：庚戌、乙酉、甲寅、辛未。甲乙並排，庚辛交拱，二金二木，不僅連珠，形勢尤爲可觀。戌酉各具藏金二金以剋二木，數量亦相等齊觀。然證生于秋分節後，金爲進化，木爲退化，再加以戌、寅、未三枝的藏火，叠叠茲洩，木豈能堪，假使無水洩金，無水濟火，以免有金剛木火，炎木亢的弊病，豈能希木參天，的爲良材麼？恰好生有乙酉，納音爲井泉之水，生日甲寅，納音爲大溪之水，命宮之子，又藏癸水，得此三水洩金，三水濟火，直是旱逢甘雨，豈有不萬物資生的道理？况日坐祿館，時値貴人，與甲木日元，氣求聲應，尤有特殊之效能。「指迷賦」云：「貴科有助兮，爲館閣之儒」。「會通」云：「天幹連珠，朝廷擢用」，此豈偶然哉！

十九歲丁運，歲値戊辰，素菴公謝世。四十五歲丑運己丑，汪夫人仙逝。五十歲寅運己亥，張太夫人又棄養，五十二歲寅運辛丑，長子念曾亦卒。此無他，皆火未灼水，土來尅水，金來尅木之爲害。觀其二十四歲行亥運末，癸酉，順天鄉試，中試舉人。三十一歲子運庚辰，禮部會試，中試進士，五月殿試，又拔置一甲一名，授翰林院修撰，且見水能洩金，水能濟火，水能生木，爲甲木日元的正式用神。自此而後，內而詹事侍講，外而臬藩督撫，大率丑寅卯壬，水木最佳之運，庚辛金次之。至於年六十八歲，竟捐館舍者，乃這不是壬運之咎，乃歲値丁巳，幹枝陽火之害也。

搜異錄

奇風異俗
·匡謬·

男人的生殖器，女人的乳房，東非的巴巴魯薩族人視爲最神聖的東西，在那裏有許多人是崇拜這兩樣東西的，包括廟宇在內。最奇怪的是：他們的男女死了，沒有全屍下葬的，一定要將這兩種寶貝割下來。更奇怪的是，她們婦女如果在公共場所裸露乳房，就是犯了嚴重的罪過，將受到極嚴厲的處罰。但是他們本來又是裸體的民族。他們視男人性器，女人乳房爲聖物，人死了，先請巫師把它割下來，用土法防腐，盛在一個精緻的小盒裏，作爲傳家之寶，收藏起來。做兒女的待到父母生日，要打開來膜拜。

非洲奴奴族，男女絕對不可以在公共場合交談，只有夫婦、母子、父女例外；就是兄妹也在禁止之例。

男女交談，必須經過父母的轉達，絕不可以直接交談的，那是他們傳統風俗。

在太平洋上一個名叫科倫達斯加利亞的小島，住着一羣未開化的布蘭族人。由於那兒是熱帶地方，男女都是一絲不掛，只有一串樹葉遮蓋下體，住的地方也是用樹葉茅草。每一戶的門前，都放一堆石子，他們進出時，必須跨過這堆石子，絕不能踐踏在上面，如有人誤踏在別人的石子上面，將可能遭致殺身之禍。他們認爲那堆石子是屋子的保護神，能使一家平安；如你踐踏它，石神一怒，家就有人生病或死亡，在那裏連小孩子都知道這種習俗，當地的、視石子爲神聖的東西，他們沒有貨幣，就是用一種細白石子來作貨幣，那一種細白石子是在一個最高的山上才有的。

新畿內亞有好幾個地方的風俗都相同。如女人你不用打量便可知道她的芳華幾何，一個未結婚的女子在頭上戴一朵黃花，結婚而未生育的，則戴一朵白花，做了母親的則戴一朵紅花。因此那裏的男人，絕不致愛上有夫之婦。如果一個女人未戴花，這表示出此女乃是一個丈夫死去的未亡人。年齡如何分別呢？那就看他們所穿的裙子的顏色而分別的。十四歲以下的女孩子，可以隨便穿什麼顏色裙子；十五歲後，便要遵守規定，十五歲到二十穿黃色，二十到三十穿橙黃色，三十到四十穿白色；四十到五十穿藍色，五十以後穿黑色。

東非的保勒得格魯格族的人，對於風化是男女與我們一般相反；男人無論在任何熱烈的夏天，都只能露頭脚，其他部位都必須掩蔽。女人則相反，只用一條小小的布遮掩下體即可到任何地方去。

讀向「教會建議」

依調集

五十四年九月廿四日台北中央日報第一版廣告，有署名張金、張裕豐、倪文雄、黃逸美者四人，向「全體中國教會的建議」，用讀到陳鼓應著的「耶穌新畫像」，挑出幾條不成爲問題的問題，請教會釋疑。

香港曾有位小說家，亦要過這套把戲，把舊約很多句子，作斷章取義式的解釋，乃至於變成爲黃色短文，教會並未作任何解釋，而這類文字很自然的消滅。「耶穌新畫像」我們未讀過，故不願作較深入的批評，在直覺上可能像十歲左右的小學生，指出字典中一個冷字向老師考驗，老師固非字典，而這種行爲究屬孩子動作，如果再登出廣告作挑戰式的質詢，那就更不成話了。（歐陽瑞）

史密斯的話
·歐陽瑞·

英國保守黨國會議員史密斯說：英國民間也有著反共組織的存在，只是他們的工作比較沉默，鮮爲人知而已。

他指出：英國大多數人民對於中華民國的瞭解不夠，但他們經常看到中共的宣傳資料，攻擊中華民國，因此，他建議世盟中國分會，今後應多將中華民國在各方面的建設與成就，向英國人民宣傳，以改善並增進英人對中華民國的認識。

幾年前，台北有一家學術性雜誌，以筆者與美國駐華大使館新聞處長有舊，特託其能，將這份雜誌每期航空寄若干份到美國，他的答案：「美國新聞處是做愛克司[illegible]，不做英雷德」，意思就是他們的任務，祇在把美國的德政作出口宣傳，不須要將別國的好處爲進口誇張。

因而連想到我們國家的經濟建設卓越成就，及台灣農村普遍夜不閉戶安定事實，外間很少知道，筆者僑居國外甚久，以東南亞十幾個國家比較，台灣可稱得上是「亞洲天堂」，但給人的印象，則不是那麼一回事，英議員史密斯的話，乃一針見血之論，我們應當特別珍視。

第十一章
岳鵬舉大戰南薰門　韓世忠起兵擒苗劉

加苗傅爲武當節度使，劉正彥爲武成軍節度使。且欲挾太后幼主轉幸徽越。賴朱勝非婉諭禍福，方得罷行。越二日改元，赦書已達平江。留守張俊秘而不宣，繼而得苗傅等所傳檄文，乃召守臣楊東野及提刑趙哲共謀討逆。巧値張所領八千人馬來會張俊，俊與聞朝事，方知朝廷政變。張俊道：「今有旨令俊赴秦鳳，只准率三百人，餘衆分屬他將，想此必爲叛賊畏俊，僞傳此詔。故特來此，與公一決。」張俊道：「誠如此，我等宜興兵問罪」。旋呂頤浩亦有書來詢消息，且說「禪位一事，必有叛臣脅迫，應共圖勤王」。張俊並貽書劉光世，約提師來會。又以苗傅居朝轉生他變，因特遣辯士馮轓往說苗傅反正。劉正彥乃命馮轓師歸，約張俊至杭州面商。張俊聞呂頤浩已誓出發，且疏請復辟，遂亦令張俊扼吳江上游，一面上復辟書，一面復告劉正彥，只託言張俊驟囘，人情緩懼，不可不稍留汎地，撫慰俊軍。不久，韓世忠自鹽城出海道，將赴行在。既至常熟，爲張俊所聞，大喜道：「世忠到來，事無不濟了」。當下轉達張俊，招致世忠。世忠得俊書，用酒酹地慨然道：「吾誓不與二賊共戴天」。隨即馳赴平江，入見張俊道：「今日舉義，世忠與張俊共當此任，請公無慮！」俊亦淚下道：「得兩君力任艱難，大事可了。」遂大犒韓世忠張俊之師，曉以大義，士衆感奮。世忠辭張俊率兵赴闕，俊戒世忠道：「投鼠忌器，此行不可操之過急，急則生變，宜先趨秀州據糧道，靜俟各軍到齊，方可偕行」。世忠允諾而去。

韓世忠到了秀州，稱疾不前，暗中却大修戰具。苗傅聞世忠南來，頗懷疑懼，欲拘世忠妻子梁紅玉爲質。朱勝非忙勸道：「世忠逗留秀州，還是首鼠兩端，若拘他妻孥，轉激其叛。爲今之計，不如令其妻子出迎世忠，好言慰之，世忠能爲公用，平江諸人皆無能爲力了」。勝非欺之以方，致使賊易中計。苗傅聞勝非之言稱是不已。當即入奏太后，封世忠夫人梁紅玉爲安國夫人令其往迎世忠。

梁紅玉本京口娼家女，有胆識，慧眼識英雄，能挽弓發射，且通文墨，平日見少年子弟，類多白眼相待。自世忠在延安入伍，從軍南征方臘，還至京口，與紅玉相見，知非常人，殷勤相待，兩口兒談及戰陣，正如文君逢相如，紅拂遇藥師。紅玉先是夜夢黑虎同眠，驚醒後自以爲異，既認世忠。

自由報

（第一一〇五期）

（半週刊每星期三、六出版）

每份售價港幣壹角・台灣零售新台幣壹元

社長李運鵬・督印黃行實

社址：香港九龍彌敦道593—601號
廖創興銀行大廈八樓五座

LIU CHONG HING BUILDING
7th FLOOR FLAT '5
593—601 NATHAN ROAD,
KOWLOON, H.K.
TEL: K303831
電報掛號：7191

承印：景星印刷公司
地址：嘉咸街廿九號地下
台灣區業務管理中心：台北重慶南路一段一二九號
電話：二四五七四
台灣區直接訂戶　台灣劃撥戶
第五〇五六號張萬有（自由報會計室）
台灣分社：台北市西寧南路110號二樓
電話：三三〇三四六、台郵劃撥戶九二五二號

本報專論

論新詩與文學

熊式一

我自小就酷好詩詞，但是對於新詩却少經驗之。新詩自胡適之的「嘗試集」出版之後，變化萬端，在這短短的五十幾年之中，創出了多少不同的風格。就從胡適之自己的詩而言，其中風格之不同，也有天壤之別。典雅的可以比之宋詞元曲，通俗的比蓮花落還要口語化多了。不過他老先生却絕沒有那種只求打破中國詩詞之規格，而不惜一味的模仿洋詩皮毛的純歐化新詩。徐志摩曾對我很婉轉的批評某新詩人的作品。他說：「某人的詩，雖叫人沒有方法去唸，可是印在紙上却有一定的形式，十分好看！」

我之不敢多讀新詩，就是因為我發現大部分的新詩，只可遠看——有的刊印得齊齊整整；有的排列得巧巧妙妙；貿然一看十分悅目——等到你拿近來念一念，那就糟了！你不知道這一連串的中國字，到底是那一國的文字！我想除了作者本人之外，能欣賞這種新詩的人，一定是古代的猜謎聖手，今日的密碼專家！明瞭這種新詩之奧妙的人，一定認為「蛙翻白出闊，蚓死紫之長」乃是人人都應當欣賞的佳句了。

譯書難、譯詩更難，可以說難於上青天。我對於這一道，畧畧的有些小經驗；因此我不敢隨隨便便就大譯特譯，下筆數千言。我曾經在我一本英文書中這樣說過：「我知道把好書翻譯得亂七八糟比之自己創作亂七八糟的書更該死……」見一九三五年倫敦麥勵書局出版之熊一式譯「西廂記」譯者自序。」當年林琴南大譯英美法諸部，他自己雖不通英文，得魏易之助，以桐城派的古文筆法，把百年來的名著，一一介紹給國人，精彩異常；在我當時不能閱讀原文的時候，讀之幾不忍釋卷。到後來，一方面因為我可以看原文，一方面大胆的譯述家輩出，自己全然不懂原著者的苦心，手中緊握着一本大多數是由英和字典硬譯成的英漢字典，日夜趕工，粗製濫造，大量生產，把多少文藝傑作，譯得一塌糊塗，一代一代的傳下去，現在一班取巧的譯者，反而說直譯更為忠實，貽誤青年，眞是文藝界的千古罪人！

我認為自己不會做中文詩的人，而又對於英文詩沒有下過深刻的工夫，千萬不可亂譯英詩！這就是我所主張的理由：做打油詩尚可恕！把好詩翻譯得不忍卒讀，罪不可恕！

董玄宰曾說過，一個藝術家，應讀萬卷書，行萬里路。我認為一個文藝創作家，更應如此才有資格下筆，無奈近數十年，多少作家，生平只讀幾本「大狗叫，小狗跳」的語體文讀本，或創作，或翻譯，市面上充滿了高山滾鼓——不通不通又不通——的詩文小說，要想成一家之言，叫人想找到一本可讀之書，簡直比大海撈針還難。

我記得三十幾將近四十年前，我初到倫敦時，有一次參加筆會晚宴，座中逢着一談笑風生的女作家，說是那晚的大菜燒得不好，她自己做出來的東西比之高出百倍。另有一位客人（非會員）對她說，沒想到大作家肯屈尊入廚房。那女作家笑道：「我不以為烹菜是我不屑做的事，寫作是我的生活，烹飪却是我的娛樂。」

我看見她那副揚揚得意的神氣，不禁挿口道：「我却恰與相反：我的生活全靠烹飪，而寫作反是我的娛樂！」

全座聽了大驚，這位漂亮的女作家，瞪大了她的眼睛問道：「你眞是一位職業性的大廚師嗎？」

我答道：「我不是廚師！祇因為你們貴國是世界上第二不會燒菜的國家——日本第一——我來了兩個月，再繼續吃英國飯吃下去，一定餓死，所以只好自己做飯燒菜，這樣豈不是我的生活全靠我的烹調嗎？至於我的寫作，我是從吾所好，一向總是喜歡寫就寫，不喜歡寫就擱筆，當然只好算是我的娛樂。」

這位女作家聽了笑不可仰，馬上請我週末到她家中參加晚會。她說：那是一個不算頂大，也不太正式的慶祝宴：慶祝她出版第二十一本小說，同時也是她……說到此她立刻目觀鼻，鼻觀心的微微一笑，再繼續說：……也是她二十一歲的生日。

這一下子我的眼睛，可瞪得比她更大得多了。她不愧為一位小說創作家，馬上知道我的心情，繼續她的巧笑倩兮的解釋道：「我……我……當然比二十一歲大……大……一點點……不過我所寫的小說，數目也比二十一本多一點點！因為我的書局不准我另和他家書局寫書，所以我只好另用一個筆名，在別家書局出了幾本小說。因此我正式出版的小說，只有二十一本！」

這實在值得追究！我按時去參加盛會；地點是在倫敦西區最名貴的高尚的住宅區！在都穿着晚禮服的賓客滿堂的大廳上首正中壁爐架上，齊齊整整的擺列了廿一本精裝小說，旁邊一個小茶几，又擺列了五本。孤陋寡聞的我，三步併作兩步的趕到近邊去看看作者的姓名和小說的書名，仍是茫然不解！我只好低下氣的偷偷去問一比較熟悉的英國作家，女主人的姓名，筆名，書名，我們在外國的人怎麼從未聽見過？她在出版界的大成功，現有事實證明，決不可否認。

這位朋友告訴我：這一種書，銷路最廣，因為全國的讀者，受了高等教育的最少，受完中等教育的也不甚多，惟有只讀完小學的人比比皆是，所以像我們女主人這一類的作品，出了名之後，隨便亂寫，不愁無銷路。可是在文學上是毫無價值可言。在國內尚且不登大雅之堂，怎會流傳到國外去呢？

史蒂芬生晚年，住在太平洋中一個小島避世，寫信給巴蕾說道：當今的小說，他都讀不下去，只有巴蕾和兩三位特別好的作家的東西，是唯一的讀物：要他多多寫作，以慰岑寂。

但是在英國，尤其是在美國，優美文學的欣賞者，倒底還不太少，因此仍然有高雅之士，從事文藝創作。他們之為人，以及他們的作品，和一班流俗之人，以及他們的作品，大有鶴立鷄羣的樣子。

只可惜在今日，我們的出版事業，在極惡劣的環境之下，絕難培養創作新人材。一方面有唯利是圖的出版家，以殺鷄取卵的方法對待作家，一方面只有中學以下程度的讀者，支持大部份的刊物。所以高雅一點的書籍，自然不容易得到極普遍的傳播與欣賞。不過要做一個眞正的創作家，應該要發憤圖強的做下去，要做到他的作品，能夠博得像史蒂芬生對巴蕾作品所說的評價，那他的作品，一定可傳於後世。

（完）

昨日與今日

不急之務

台灣正在籌建高速公路，據聞預定經費為新台幣一百幾十億元。這項建設是否必要，似不無商榷之餘地，因其對反攻復國前途，關係不大也。

高速公路的性質，蓋有如二次大戰前，德國建造的「奧托邦」，路基寬厚堅固，不特便利軍運，且可起落飛機。這在處於四戰之地的德國國防上，乃有莫大的功用，不得不然。台灣的地緣四面環海，就國防觀點設想，增強海空運輸力的建設，實較陸運更重要，何必以有用的財力物力，作此不急之務呢？

此項公路縱有建造必要，亦無須多設機構，浪費財力。過去蔣經國先生督造的橫貫公路，其工程之艱鉅，固非今之高速公路所可同語。然蔣先生并未新設甚末工程顧問公司，而以高額薪金設置許多人員。他祇是篳路藍褸，苦幹實幹，終底於成。於今藉口「國道」名詞（這名詞就有問題），由交通部主持其事，又特設工程顧問公司，說是專負設計監工之責，該公司經費在第一期的築路費四十億元項下，即佔用六億元之多。可見交通部原有大小職員中，就沒有懂得高速公路如何建造的人才，非特設公司，斥高薪延用外來專家不可。果若是，交通部根本就缺乏可以担負這項責任的能力，不啻如蚊負山，如蛇吞象，是亦不可以已乎？

由於所謂工程顧問公司職員待遇特別優厚，致令其他機構如台省公路與鐵路局的工程人員，見異思遷，不安於位，無形中對行政效率影響甚鉅，利未見而弊已滋生，實在要不得。年來朝野人士皆號召留學外洋的科技人才，回國服務，現在建造高速公路所需要的科技專家，究竟延攬了那些在國外學成歸來的專才呢？殊不敢知。因而我們希望行政院持加監督，勿令這項偉大的建設，多所浪費乃可！

・何如・

于長城于長庚表示在感化所待遇良好

（馬尼拉消息）來自台北外電說：被判感化處分的報人于長城及于長庚兄弟表示他們受到很好的待遇。

自從他們於五月五日從馬尼拉被引渡到台北，並在八月十四日因在菲律賓傳播共產黨的宣傳之罪名而被起訴判罪以來，首次接受合衆國際社記者的訪問。

馬尼拉前「華僑商報」總編輯，現年四十七歲的于長庚判三年感化教育。前該報社長，現年五十三歲的于長城被判二年感化教育。

他們目前在台北附近某處接受感化，于長庚告訴記者說：「我們在這裏受到非常好的待遇，但基本的問題是我們已失去自由，讓我們學習並了解這個國家可能更好些，但當我們無法享受自由時，這件事就無法辦到。」

于氏兄弟被判因傳播共產黨的宣傳而有罪，這項罪名依中華民國現行軍法，將被處七年以上的徒刑。

但軍事法庭同時找出寬恕他們的理由，因為他們出生並成長在外國，所以他們「無法了解他們祖國的情勢」。

于長城強調：台灣方面和我所想到的全然不同。我不曾會見很多人，而且自我抵達此間以來，所看的也不很多，但據所見所聞，已是可使我相信，中華民國政府對於讓海外人們知道此間現在工作的情形，似仍不够。

「總之，我沒有受過苦刑，和我接觸的官員們，對待我和的兄弟都非常好。我也非常感激他們。」

于氏兄弟說，我們知道他們享有特別待遇，當官員盡力使他們在各方面感到舒適時，他們反覺得很不自然。

自由談

再談納塞之死

埃及總統納塞去世後，阿拉伯各國人民如喪考妣，深表痛悼之情，近於歇斯底里狀態，這是理有固然的事。

埃及和其他的阿拉伯各邦，都是久受外來帝國主義侵畧壓迫的弱小民族，呻吟蕉萃，過着殖民地生活歷百年以上。納塞崛起當政，反抗帝國主義，爭取國家民族的獨立自由，且領導中東諸同一民族的國邦，奮起合作，共赴一的，終底於成。他在阿拉伯人民心目中，當然被視為民族救星，倏聞逝世，自必羣聲悲痛，不能自已也。

咱們 國父的遺教，是要聯合世界上被壓迫民族，共同奮鬥，實現世界大同生活。國人對於納塞之迅告委化，自應表示悼惜，絕不可引為快意，否則有悖 國父所倡的民族主義眞諦。詎有民意代表發表談話，認為納塞之死對我們有利云云，誠不知「利」於何有？可謂言語道斷，不思之甚！

若謂納塞採取親俄聯共政策，是跟我們反共抗俄運動的利益相反，因而視同敵人，惡之欲其死，這是皮相之談，殊不足取。納塞的繼位者，可能更左傾。應知道納塞之接受俄共救助，是英法美各國迫其挺而走險，以求生存的。假使西方列強對埃及乃至於中東各國，平等相處，不復沿用舊有對待殖民地的那套策畧，納塞決不致投入俄共懷抱，充其量他效法印度的尼赫魯，表面揚言中立，內心還是拒絕共產邪說，殆可斷言。試看他在內政上的一切措施，即與古巴的卡斯楚政權逈不相侔，足資證明矣。

英法早已向中國的毛共修好，美國亦隨時對毛共獻媚，希望妥協，未聞咱們的國會議員有所指斥，乃對埃及的納塞去世，表示慶幸，得無見小遺大，畏強欺弱之嫌乎？

馬五先生

工資提高勞力外流 農業發展面臨困難
當局求急功偏重工業起飛 忽視農村經濟所隱藏危機

（本報台北消息）十月二日經濟部次長張研田發表一篇文章，題目是「台灣農業發展二十年」，文中有幾段這樣說：「在這二十餘年的時光中，耕地面積沒有顯著的增加，由三十七年到五十八年一共增加了五一、七〇六公頃，約等於百分之五、九，而人口則增加了七、五〇六、三四一人，等於百分之一〇、三。這說明自然資源利用率雖無顯著的增加，人口的壓力卻日益加重。」「農戶隨之由三十七年的五九七、三三三戶。增加到五十八年的八八七、一一二戶。因而平均農場面積亦由三十七年的一、四五公頃降到五十八年的一、〇三公頃，遂使本嫌細小的農場面積變得更小而無效了。這是台灣農業發展上的一個基本限制。」

「扼要的說，這二十年來的農業發展帶給台灣的是農村普遍的繁榮；由於農民所得的增加，購買力提高，給工業產品創造了國內市場，替工商業累積了資本，奠定了國民經濟發展的基礎。所謂「以農業培養工業，」確是達到了任務。」

張研田是以農業專家而從政，由台大農學院長、台灣農林廳長而經濟部次長，他的話僅到此為止。也許還是自三十八年實施「三七五」減租，四十年實施「公地放領」和四十二年實施「耕者有其田」後，一時的現象。同時，張次長在結論中也承認「可是台灣的農業發展並非一帆風順的。以往的難關都渡過去了，目前面對着的還有很多問題。自然資源的限制，開發的費時費錢不必多說。由於農用資材的價昂，農產品的價格偏低，農民的所得相對的下降。農產商品化的程度增高了。可是市場和運銷系統跟不上。農村勞力外移，工資提高，而農業機械化又受了農機品質，價格，農民資金短少，和農場面積零細的限制，不易加速推動。外銷農產品不但國際競爭日益加劇，本身的品質、包裝、運輸等亟待改進之處亦多。凡此種種，都是台灣農業發展二十年之後累積演化下來的問題。台灣農業今後尚須繼續發展，而且極有發展前途，要在我們能拿出魄力來解決問題。」

事實上農村經濟所隱藏的危機，已經不是張次長所說那麼簡單、輕鬆。這些年來，由於當局為求急功，所以偏重於工業起飛，忽略了農村經濟基礎的重要。

近年來農村的青年男女們，大家爭着在都市內求學，向各大小工廠商業機構裏擠，不願意在鄉間過着拿鋤頭和泥土接觸的日子。年輕的一輩走了，農村裏剩下的，都是年輕人們的爸爸、媽媽和祖父母。他們大部分已年老力衰，耕作乏力，凡耕田、插秧、與收割等出力的工作，均須仰賴僱工。由於願任僱工的壯年也是逐漸減少，因為他們寧肯到都市幹水泥工人，或其他出力的工作，都不願留在農村裏。因此僱工成為最傷腦筋的事，不僅工資一再上漲，每天八小時工資非一百元莫辦，還得外加三餐和兩次茶點。已往三餐有幾片肥肉便可打發工人笑逐顏開，於今則人情大變，三餐肉食不可缺，還得啤酒驅暑，或是紅露提神。從前招待茶點、香草、冬瓜涼茶均屬上品，現在則非加上糕餅糖果不可。一般的老農不甘心受氣，情願放棄耕種，不再看僱工的顏色。經濟部已承認農業成長率，今年上半年較去年同期減少百分之一、七。

稅負太不合理 應加研究改善
挽救農村經濟須採措施 放寬農貸并促進機械化

還有更使農民傷心的，就是賦稅負担太不合理。最近各報披露一則新聞，大意說：「某民間學術團體，調查台灣農戶賦稅負担的情形，主官把調查結果向政府提出報告：這在行政上是一種進步的良好現象，該調查結果概要於下：「農民賦稅負担，與非農民賦稅負担來比，如所得皆為三八、二一三元，農民繳納之稅款為二、三八四元，佔所得百分之六、二四；而非農民所繳納之稅款為五七五元，僅佔所得百分之一、五。本省中東部民國五十七年全年所得，扣除生活費用及賦稅後，已成負值，而嘉南區則所剩無幾。耕地未滿〇、五甲之小農戶，其農家淨得亦呈負數。……這些農戶的經濟結構，意味着其農業生產無法提高，其生活無法維持目前生活水準。所以現行有關農戶賦稅，尚待不斷研究改善，俾趨於公平合理。」

據此可知，政府正在推行的農地重劃工作，農民都觀望，不感興趣，並非無因。農地重劃在土地使用上是一重要改革措施，它使散碎土地互相交換，合併集中，拓寬農路，加修橋涵，使農業生產環境全面改善，政府為推行農業機械化與共同經營，農地重劃決繼續擴大推行。有關方面只好考慮由政府負担規劃費用，減輕農民負担，以利進行。最初規定一切費用由農民負担，近來因地區、地形、地勢均較複雜，費用亦較前增加，但地價較二、三年前跌落三分之一或二分之一，致每公頃土地所需重劃工程費用逐年遞加，農民負担也逐年加重。

本省耕地多為雙季作，重劃工程進行必須在每年下期農作物收穫後的短暫三個多月休閒期內完成，始能適應春耕，由于近來重劃地區遼闊，施工期間過連日下雨或人工不繼，工程進行即發生極大困難，完成此項任務，工作人員極盡艱辛。政府如負担費用，儘可統一辦理，可以不受年度預算及農民申請時間限制，提前一年辦理，且可使工程規劃，設計及施工益臻週密完善。

政府為挽救農村經濟，要放寬農貸，加速促進農業機械化，採取多項措施。決定先舉辦耕耘機共同耕作專業使用示範，組織農民推行耕耘機隊共五十隊，每隊至少由十戶農民組成，各耕地面積，以不少於十公頃為原則。為促進農業經營現代化，計劃設置實驗區，實驗區設立各項田間工作專業隊，作全面農業商業化的基礎，工作專業隊，將負責商業化代耕、代種、及代收等工作。所有作物栽培，均將使用同一品種，施肥標準也要統一，收穫後，按面積分配，除供參加農戶消費，並將統一銷售，折成現金付給農民。平時耕犁每公頃要化兩千多元工資，代耕隊使用機器只需一千元已足，時間上少至八成左右。

政府已具決心，當不至畫餅充飢，農村經濟亟待挽救，已是刻不容緩，甚望負責專家們衷心從政，積極展開工作。（曾議）

台北、東京、美國
·莊人儀·

（美國休斯敦來鴻）三天前我們平安地回到了休斯敦家，現在我還沒有把日夜弄清楚，從東京到西雅圖坐在那龐大的波音747裏，吃了兩頓飯，看了兩張電影片就平平穩穩的跨過了太平洋（八小時半），在這裏看到的一切雖然熟悉，卻和台北大大不同了，天氣倒相似，既熱又悶，出門很不好過。

我們在日本玩了兩個禮拜，在東京我們看了一場舞台戲，覺得他們在藝術上的造詣確是別開生面，能很調協地把古舊的藝術和新式的造形混合一起，給人一種新鮮而不新到迷離的感覺，東京市區的生意人穿着極為整齊，百貨店裏琳瑯滿目，跟美國大城的不相上下，價錢更甚而過之。日本人是靠左開車的，輪盤在車身右側，街上難得看到一輛外國貨，我們在名古屋附近的豐田參觀汽車廠，單只一個合成廠房，一天出產九百輛車，在台北到處都是日製摩托車，奇怪的是到日本城裏一部也沒看見。

萬博並不頂吸引我們，不過那些建築設計實在特別，蘇俄的紅白錐頂館，聳峙全場，和德國以花園入經的地下音樂廳成強烈反照，瑞士的光樹和加拿大的鏡樓是最受歡迎的照相所在，中國館和韓國館並肩而立，都陳列了很多古董，中國館裏的一套象形字體演變幻燈片很有教育價值。法國館晚上燈光四閃，裏面有時裝沙龍、首飾珠寶、香水噴池，充滿女性美。

我們去了廣島，那個新建立的城市街道特別寬，原子彈爆炸中心的科學館，軀殼尚存，供人憑吊。最後我們坐車到九州的別府是一個溫泉勝地，其中一地叫血獄，泉水血紅，一地叫海獄，泉水海藍，水溫卻高到沸點，當地人在水裏煮了蛋賣。離開日本的前一晚我們吃了生魚TUNA軟如豆腐，烏賊韌如橡皮，別是一番滋味。

回到休斯敦見到婆婆，吃了好幾天她的拿手好菜，經過了一個禮拜的整理，總算物有所歸了。

我在化學週刊上看到一則新聞：威斯康辛大學自三月起到現在有九百到一千六百的助教先後罷工，他們要求校方由他們來決定教材和教方。現在美國一個嚴重的問題就是年青人認為他們懂得太多了，可以不要老教授，不要校規，眞是造反。我們不知道以後還會不會有像在台灣的教書生涯？不多寫了。

喬治桑外傳　一八四
張大華

「這樣要兜圈子了，還是先從你。」

「這樣罷，就請你到我家坐一會兒，明天就不必再勞駕了。」

「也好。」

喬治桑到了家門口，一看腕錶，將近午夜二時，他用鑰匙輕輕開了大門，和裘白瓊進入客廳。他只扭開了一盞壁燈，招呼裘白瓊坐下以後，從冰箱裏取出一瓶冰啤酒，拿出兩個高腳玻璃杯，替裘白瓊斟滿了一杯。

「桑兒，李小姐是不是好事近了？」

「是的，你知道我買一幢房子送給她，也不過聊表我的心意而已。」

「這是應該的。」

「這件事我還請你代為守秘，除了你，任何人都不知道。」

「你放心好了，玩笑歸玩笑，正經歸正經，我不會亂說的。」

「感謝，感謝。買房的事，明天麻煩你代為接洽一下，你看後天訂約來得及嗎？」

「只要你肯出四十萬，我想沒有問題的。」

「後天一早，我打電話給你。」

「時間不早了，你也早些休息罷。」裘白瓊說完，將滿杯啤酒一飲而盡，然後起身告辭。

自從喬治桑意外發現雅麗絲的母親是自己初戀的情人以後，他有一種說不出的依戀情愫，對於交際應酬，吃喝玩樂的興趣也隨之大減。雅麗絲不了解他的內心奧秘，當然對喬治桑也增加了好感。

第二天早上，喬治桑起身並不遲，照例雅麗絲替他準備了早餐。

「你昨晚大概回來很晚罷？」雅麗絲問喬治桑。

「差不多有兩點多鐘了，和幾個朋友去宵夜，所以晚了。」

「你回美國的手續是不是已經辦好了？」

「差不多已經辦好了，你準備得怎樣？」

「準備什麼？」雅麗絲已經吃過早點，現在坐在桌子上陪着喬治桑。

「結婚大典呀。」

「噢，那很簡單，準備在今年的秋天，因為羅葡不是教友，我們本來準備在法院公證結婚，但媽媽要堅持在教堂。羅葡要等到秋天才能領洗。」

雅麗絲與羅葡蔡的婚事已成公開，所以她不再避諱。

「那很好，可惜我不能參加妳的婚禮了，但我會替妳祝福。」

「你為什麼不能遲一點走？」

「美國的事，必須我自己前往料理，我不能再拖了。」

雅麗絲聽後默然不語。

「我不久將來，還會再來的。」喬治桑從內心裏捨不得這個寶貝女兒，但不能說出口。

在雅麗絲的心目中，喬治桑是「包死」，是長輩，卻非親生骨肉，也不能表示過份依慕之情，所以就不再勉強留他呆在台灣。

台北傳奇錄（七八）
·陳光棣·

「誰和您說的」？

「一位警界的朋友」。

「警察既然知道，怎麼不去抓人哪」？

「辦案子那裏那麼簡單？時間不成熟，豈不前功盡棄」？

「我還要去報案嗎」？

「妳把昨天晚上發生的事，告訴他們，也許對破案有幫助」！

「我還要跟警察算帳，爲什麼他們不去救我」？

「他們知道妳沒有危險，至多是一場虛驚，必要時一定會保護妳」！

「這還差不多」！馬寡婦疲憊不堪，急着回家休息：「劉二爺，可累死我了，我想先回去睡一覺再說」！

「對！先好好睡一覺」！

馬寡婦和正在廚房的劉太太打了個照面，匆匆的離開了劉家。

劉二爺剛拿起報紙來，看了一條國外新聞，大洋馬就來了。說是她的丈夫蔡先生約了幾個朋友，在家裏要談一樁大生意，不許別人打攪，她只好出來找人擺龍門陣。

蔡先生昨天晚上，躲在租來的一幢郊區別墅裏，等候着金恆貴去接「貨」，很順利的接到手，第一批貨，第二批進在王阿尾手裏出了毛病，蔡先生又急又氣，把金恆貴罵了個狗血噴頭，電話鈴聲不停的響，不停的傳來壞消息，最後王阿尾在電話裏報告在工寮要火併的經過，蔡先生幾乎氣炸了肺，氣歸氣，買賣不能不作，事情不能不辦，蔡先生損失一批貨物不算什麼，反正早晚能從癮士們身上撈回來，黑道上的朋友黑吃黑也不要緊，找個機會就把事情擺平了。惟一就心的是怕警察抽絲剝繭，按着綫索抓人，雖然下面跑腿的人都不知道自己是首腦人物，無奈有前科的人，永遠是警方注意的對象。蔡先生越想越害怕，決定馬上轉移陣地，於是命令金恆貴先把貨物帶着走。

金恆貴正倚在沙發上打瞌睡，聽到蔡先生派他的差使，嚇的出了一身冷汗：「哎呀！老天爺，我可把這些東西藏在什麼地方」？

「先在你家裏擺一擺，不就結啦」！蔡先生清理着抽屜。

「我家」？金恆貴瞪大了眼睛。

「你家怎麼樣？你們家高尚，不能放這種東西」？蔡先生豎着眉毛。

「我是說，放在我家裏怕不大安全，我太太胆子又小」。金恆貴陪着笑臉。

「這跟你太太有什麼關係」？蔡先生整理着皮包：「先在你家放一天兩天怕什麼？」

「我們弄堂裏安全嗎」？

「最安全，誰也想不到」！蔡先生提出皮包來邊走邊說：「你走的時候，把大門拉上就好，別的事一概不要你管」！

祝望「食療研究中心」成功

·文滙樓主·

藥醫理論家馬騰雲，頃計劃在台北創設「食療研究中心」，專門為客戶健康補養及病人食療服務。

馬騰雲在台灣各市縣擁有若干萬基本讀者，用商業術語，也就是馬騰雲的基本客戶，但也有很多客戶不僅相信馬騰雲，簡直變成迷信馬騰雲了。國防部一位高級官員，為高熱症往榮民醫院就診，據醫生說兇多吉少，叫其家屬準備後事，這位官員的哲嗣求救於馬騰雲，示以草藥兩種，兼茶服後，由四十一度兩個月未降過的高燒，竟降至卅七度，藥力固然有，精神作用則為無可否認的事實。根據這些經驗，所敘辦的「食療研究中心」，必然造福社會殆無疑問。

「食療研究中心」的業務，計有甲：專門指導客戶營養和食療方法。乙：代辦國內外營養藥物與食品。丙：指導「食療研究中心」的駐診醫師代客配製丸散膏丹。丁：代客辨別眞假藥，完全以服務為目的。戊：代客化驗分析各種榮疏藥物營養成份，採辦道地藥材。己：創辦「食療研究」刊物，報導食療業務，由馬騰雲親自解答，客戶查詢事項。

發行「人參茶」、「健胃茶」、「胡麻茶」、「消食茶」、「八寶茶」，詳見生活漫談，「人參茶」補腦，「健胃茶」健胃，「胡麻茶」補腎，「八寶茶」清涼，代替含有農藥，癌症肝病專火藥的茶葉。

同時創辦高級肉食公司，發揚「食在中國」的崇高藝術，採用特殊傑出經營方法，為各機關、團體、學校、公司行號解決伙食問題。中央電影公司總經理龔弘，本報社長李蓮鵬，於民國三十六年在上海就有此構想，不日將由馬騰雲在台北兌現，因有數十位知名學人實際支持，可縮短不少籌備時間，文學家熊式一說：「馬騰雲果願意這樣幹，必馬到成功」，樓主有感此一新興事業，乃眞正為社會服務，特簡署介紹，祝望「食療研究中心」成功及前途光明。

論公孫龍的哲學思想（三）

·周世輔·

（三）結論

名家學說固不以惠施公孫龍為限，尚有鄧析及墨辨中的理論，但當以這兩家為主。

公孫龍自謂「合異同，離堅白，然不然，可不可。」（見前）但很多人說公孫龍「離堅白」，旨在「同中求異」；惠施「合異同」，旨在「異中求同」。馮友蘭先生在所著中國哲學史上冊，將惠施的二十一辯，分作二組，一為「合異同」，如「卵有毛」，「馬有卵」等；二為「離堅白」，如「雞三足」，「火不熱」等。其結論說：「惠施之觀點，注重於個體。個體常變；故惠施之哲學，亦可謂為變的哲學。公孫龍之觀點，注重於共相，共相不變；故公孫龍之哲學，亦可謂為不變的哲學。」據公孫龍自言，他除主「離堅白」外，還主「合異同」。又據馮先生的分組，可知惠施除講「合異同」外，還講「離堅白」。

兩家學說同是反常識的，反感覺的，反經驗的。常識上以為是（白），他們以為非（黑）；感覺上以為熱，他們以為不熱；經驗上以為動，他們以為不動。他們的動機，是「以反人為實，以勝人為名」。「治怪說，玩琦（同奇）辭」。「困百家之知，窮衆口之辯」。不見得要求發現眞理。而其結果有二：（1）在壞的方面，是以是為非，以非為是；以可為不可，以不可為可。因而是非無度，而可與不可日變，以致善惡不分，影響社會秩序。（2）在好的方面，他們走向「為智識而求智識」的途徑，不為「道德」與「功利」（實用）所囿，打開了中國哲學的認識論與理則學之大門，假設有人繼起加以發揚，很可能西方的辯證法與形式邏輯以至相對論，會在中國大放異彩！可惜的是，莊子、荀子等都給予無情的打擊，秦以後學者，不出儒、法，即尚佛、老，致斯學黯然失色，未嘗不是中國哲學界一大損失。

註解

一、鄒衍——史記稱鄒衍為騶衍，齊人，屬於陰陽家。「深觀陰陽消息，而作怪迂之說……其語閎大不經，必先驗小物，推而大之，至於無根。」（孟子荀卿列傳）他用類推法，從地理、歷史、政治各方面，推及九州之外，天地未生之前。尤重陰陽五行，謂「天地剖判以來，五德（五行）轉移，治各有宜。」（同上）虞土，夏木，殷金，周火，各以一德勝。（火後應繼以水，故秦始皇即自以水德勝。水尚黑，衣服旄旌節旗皆尚黑。）後世談陰陽五行者多以鄒衍為宗。

二、鄧析——鄧析，鄭國（河南鄭縣）人，與子產同時，數子產為難（見呂氏春秋）。他提倡詭辯，操「兩可之說」，以非為是，以是為非，鄭國有一富人被水溺斃了，撈獲屍體的人，讓贖屍必出高價，屍親請教鄧析，他說：何必急呢？別人不會買的。撈屍者看見屍親不來，急得亦去請教鄧析，他亦說：何必急呢？難道還有第二個屍體可買嗎？

荀子不篇說：「山淵平，天地比，齊秦襲（合），鉤（兪樾作句（女旁）），即嫗。）有須（鬚），卵有毛，是說之難持者也，而惠施，鄧析能之。」由此可此他與惠施同為名家學者，莊子天下篇所載歷物十事與二十一辯，有一部份是鄧析與惠施共同的見解。（完）

莊子（三）

吳怡

他非但對於金錢不十分重視，對於功名也看得很開。有一次惠施到梁國去看惠施，有人向惠施挑撥說：「莊周的口才比你好，他來了，你的相位便難保了。」惠施着了慌，便通令在城中搜尋他三天三夜。結果他登門去見惠施，說：「你知道南方有一種名叫宛鶵（鳳旁）的鳥嗎？牠從南海飛向北海，在遙遠的途程中，不是梧桐不宿，不遇竹實不吃，不逢醴泉不飲。正在牠飛時，下面有一隻鴟，口裏正啣着一隻腐鼠，那隻鴟生怕宛鶵來搶牠口中之物，便仰頭大叫一聲：「嚇！」現在你也想把梁國的相位，來向我嚇一聲嗎？」

事實上，莊子非但不會去爭取別人的相位，即使把相位恭恭敬敬的送給他，他也不會接受的。有一次楚王喜歡他的才氣，派了兩位大夫去禮聘他。那時他正在濮水邊釣魚，兩位大夫恭敬的說：「我們國王，有意把國事麻煩你先生。」莊子不動聲色，愛睬不睬的說：「我聽說楚國有一隻神龜，死了已三千年，你們楚王把牠用錦巾包着，竹笥盛着，藏在太廟裏，以卜吉凶。試問這隻神龜眞正有靈的話，寧願死了留着一套龜甲受人尊重呢？還是寧願活着，在泥路中拖着尾巴爬呢？」兩位大夫說：「以神龜來論，當然寧願活着，在泥路中拖着尾巴多爬一會呢！」

的確！莊子的一生，就是喜歡在泥地上拖着尾巴爬。是那麼的潦倒，那麼的玩世不恭。有一次梁王請他去聊聊天，他穿着一身大麻衣，已打滿了補丁。腳上套着一雙鞋，沒有青絲鞋帶，而是用麻帶捆着，就這樣不修邊幅的去見梁惠王。惠王覺得他有點不像樣，就問：「先生，你那樣的潦倒嗎？」莊子幽默中有刺的說：「人有了道德而不能實踐，才是眞正的潦倒呢？衣破了，履穿了，並不是潦倒；而且這是我遭遇時代的不幸，碰不上聖君賢相，又有什麼辦法呢？」「這種當面挖苦君主，也只有莊子這樣不羈的天才始能敢作敢為啊！

他的一生除了在漆園內過着與樹木鳥獸為羣的生活外，便是在外面東奔西跑。他的周遊列國，可不是像孔子一樣尋找一個政治舞台，也不像墨子一樣熱心於改革社會；而是到國外旅行一下，看看這人間世的可憐相；然後振筆直書，嘲笑盡這形形色色的一切。在表面上看來他極端的玩世不恭，好像是專以譏笑取樂似的；事實上他內心有着深憂，這種深憂與孔墨的憂國憂時並無不同。他有一次去見魯君，魯君問：「魯國有很多的儒生，可是却很少有人向你先生學道。」莊子回心說：「魯國的儒生也很少。」魯國奇怪的問：「在魯國到處可以看到穿儒服的人，怎麼說儒生很少呢！」莊子說：「我曾聽說，眞正的儒生，戴着圜冠，能識天時；穿着方鞋的，能知地形；掛着玉佩的，斷事如神。有道的君子，並不一定要穿着儒服啊！衣服穿得漂亮的，未必眞有學問哩！你一定不信我的話吧！那末末你不妨下一道命令說：沒有儒家的學問，而穿着儒服的人，死罪。看看還有幾人？」魯君命令發下的第五天，魯國只有一個人敢穿着儒服立在公門前面。魯君就把他召進來，問以國事，果然隨機應變，對答如流。莊子笑說：「偌大一個魯國，眞正的儒生只有一個人罷了，還能說多嗎？」莊子的嘲笑，就是要嘲盡那些假道學，假君子。「天下皆醉我獨醒」。他覺得「滔滔者，天下皆是也！」眞正明眼的，只有他一人罷了。（未完）

安徽十三傑

管仲　李時　莊周　曹操　華佗　包拯　朱熹　朱元璋　戚繼光　李鴻章　段祺瑞　胡適　楊振寧

新聞網外之言

美國反共大遊行

宇文采

在二次戰後，美國孤立主義的幽靈復活。他們的理想是，美國永遠置身在世界各種爭端之外，美國的軍力只保護美國，讓美國人生活在象牙之塔裏。

孤立主義幽靈復活的結果，使美國在自由世界的領導地位發生動搖，歐、亞、非民主國家對美國的信心大打折扣，因之共產國際的活動空間亦隨之擴大。在國內，虛無主義接踵而至，年青一代，蓬首垢面、吸毒、偷盜、淫汚，數以萬計的「嬉痞」在搖撼美國的國本。

事實證明，孤立主義不但不能為美國帶來幸福，而且將陷美國於萬刼不復之境。這一危機，我們能看清楚，美國人也不會懵然無知。

美國過去所發生的罷課風潮，黑權運動以及很多次遊行，毋可諱言的都有共產黨的滲透。這是美國的心腹之患，除了美國人奮起自救，任何友邦都無法幫忙。

長久沉默的美國大衆終於覺醒了，由麥金泰博士所領導的反共大遊行開其端。美國所受的威脅是共產黨，破壞世界和平的也是共產黨。美國只有堅定反共立場始能自救自保。美國大衆發出反共的吼聲應是世局的一大轉捩點。

這次美國反共大遊行，是有歷史性、在鐵幕後所引起的震動力量，應不下於核子試爆。

諸葛亮狂想曲（三六一）

·劉玄·

黃雲大仙將酒杯先放到鼻子上聞了一下，然後啜了一口，果然香冽芳醇不同凡品。連呼：「好酒，好酒。」

黃雲大仙喝了龍骨虎腎酒，又和關羽下了幾盤棋，便起身告辭。臨走時，關羽告訴他，要他趕快去找諸葛亮。

諸葛亮用漢玉八卦爐與太白星君通了消息，約定在後天上午到太白星君處參加試驗。

黃雲大仙在當天一早，穿着簇新的道袍，隨在諸葛亮的後面，見了太白星君打一稽首，行了道家禮節。

「你來了很好，聽說你想參加海王星探險，有驚人的內功，現在讓我們到後面去試驗一下。「太白星君高踞禪牀，對黃雲大仙開門見山說了這幾句話。

「謹遵法旨，」黃雲大仙態度異常恭謹。

太白星君在前，其次是諸葛亮，最後是黃雲大仙，一行走到後院。

諸葛亮看見曠場上放着一個好大好大的氣球，這氣球如果放漲起來，大概總有紐約摩天樓那樣高。氣球接着一條鋼管，鋼管却只有三四尺長。

「這個氣球可以考驗你的氣功。」太白星君向黃雲大仙作一解釋。

黃雲大仙從來沒有經過此種考驗，只好硬着頭皮走向前去，一面從懷內掏出三粒黃色藥丸吃了下去。其實却是黃豆，目的在增加放屁的力量。

諸葛亮在旁很替他担心，他覺得偌大氣球，要靠黃雲大仙用氣功吹漲確非易事。黃雲大仙畢竟非等閒之輩，他不慌不忙走近氣球，俯身拾起鋼管，面上畧現尷尬，插入袴襠中之，只見他運足氣力，面現豬肝之色，忽然劈拍一聲，猶如迅雷，到時氣球便鼓起了一大半。後人有詩讚曰：「黃雲大仙運氣功，響聲振耳似雷轟，若非目覩誰能信，一屁居然到太空。」

黃雲大仙累出一身臭汗，勉強通過考驗。諸葛亮輕輕問太白星君行不行？星君點了一下頭，諸葛亮這才放心。

黃雲大仙是千年黃鼠狼精，他在考驗前又吃了很多黃豆，所以氣功非同小可，竟將好大的一個氣球給吹漲了。諸葛亮看在眼裏好不喜歡。黃雲大仙是他向太白星君推薦的，能通過考驗，自然有面子。同時，也能向關羽交代了。

太白星君點了點頭，表示黃雲大仙已能「派司」，又從懷帶掏出一小瓶像「綠油精」「百花油」之類的東西，自己聞了一下，送給諸葛亮說：「這是百花精，是我採集上千種花蕊提煉而成的，你可以在鼻子上抹一下，或許你有此需要。」

諸葛亮正聞到一股像阿姆利亞的臭氣，感到頭昏腦漲，遂接過百花精在鼻孔上狠狠抹了幾下，果然異香撲鼻，有沁脾提神之效。

科學與教育（上）

·丁作韶·

科學不能革新政治，科學不能解決政治問題，科學不能解決經濟問題，吾已先後論及。現在請進而談談科學與教育。科學能解決教育問題嗎？我並且願意說，科學不但不能解決教育的問題，科學反而給教育造出更多的問題。

我永遠也不能忘記我的老校長——國立四川大學（我做訓導長）校長黃季陸先生他最愛談的一段小故事，也是他最得意的一件傑作，那就是前美國副總統——後來又成爲美國總統詹森先生把他舉起行，扳着大指頭向台北中山堂歡迎他們的人潮說：「好！好！你們有這麼好的教育部長！」……「黃部長眞是了不起」……此話從何說起？原來詹森問到台灣人民受教育的比例數，有人答復他已達百分之九十六點五（？）……他又問：誰是你們的教育部長？有人就指這位胖胖矮矮的，說話也在笑以擺龍門陣見稱的大肚子活佛——倒不如說彌勒佛的黃季陸先生。於是詹森欽佩之餘就把他高高舉起，大大的讚揚。這表明受教育的人數多是友邦所讚揚的。

今天晚上在成大的成功堂舉行一個盛大的集會，羅雲平校長在分析世界大局之中，對於台灣教育的普及也備加讚揚，他並拿日據時代大學生畢業的人數比較。他說：假如我沒記錯的話，日本佔據五十年，大學生畢業的人數，總共才不過一千一百多人。今天台灣那還得了，一年畢業的人數，單單成功大學一個大學，就快到一千一百了（今年）。推而繼於台灣大學畢業的人數，政治大學，中興大學，師範大學畢業的人數，再推而各私立學院畢業的人數，何止萬千，再過幾年再加上各專科，再加上各國中，何止幾萬。

教育之普及誠普及矣。大家是不是想到將來——這樣無限制的擴張擴展擴大，會給家庭社會給政治給國家一個什麼的影響，大家是不是在考慮；特別今天的教育，以科學來標榜，稱之爲科學教育。科學教育，是名符其實的。試觀教課的內容，從小學起就已經注重科學了。看了很多次的小學教育展覽，無不以科學的作品相號召。中學的課，主要也是科學，各校競相設立科學館，也是一個明證。初中以上，到了專科，幾乎全是科學了。到了大學，更不用說，人文簡直不佔地位。

（未完）

非洲古怪談
人吃人的原始社會

·恨海

這是由一個非洲探險家口述的一些稀奇見聞，其奇風異俗之怪，怪得離譜，怪得令人難以置信。

這位探險家到了象牙海岸，在當地一個部落的街上發現一位土著向他兜售，她賣的是肉，因向他推銷。細看她的肉，却與一般豬、羊牛肉不同。因此找嚮導一問，才知道她賣的是人肉。當探險家嚇了一陣。當晚回到店裏與店主談及此事，店主告訴他：那女人所賣的人肉，而且是她親生兒子的肉。他聽了一驚，更楞住了。店主又說：他們貧到無可如何的時候，沒有什麼東西可典當、變賣，更無可求貸的時候，才把孩子宰了賣；因爲賣活的孩子難以出手，而且賣錢較少。目前的班瓦族人，已不常吃人肉了，但並未絕跡。除近親的肉不吃以外，遠的疏的人肉仍照吃不誤，但只是男人才有此口福，女人却不敢問津。

他們吃人肉，是先把人頭宰下放血，然後把四肢割下烘烤而食，吃剩的再烤焦存放起來下次再吃。骨頭、牙齒都加工雕刻成飾物戴在身上，你說殘不殘忍？

辨味認屍

聚居在蘇丹東南森林區的土人，原本是公開吃人的種族，現在也已大有改進，但牙齒、骨頭飾物，仍是不可少的。所以在每有與異族格鬥時，勝方就將敗方人頭帶回去，作爲勝利品。

非洲森林雖氣候濕重，陽光猛烈，只三兩天屍體即已發酵腐爛，屍親來認屍時，如果屍首沒有特別特徵可辨時，必須由他妻子舐屍辨認，相此法很準確。

奇怪的婚俗

蘇丹森林區中「拉杜哥族人」被譽爲最強烈的原始部族，英雄主義過盛，無視國族隔離太遠，經常與異際戰爭，他們一貫只以森林中的動物爲對象。有格鬥能力者，如果沒有女孩子肯下嫁給他的，即使有人肯冒此不韙，也不爲習俗所容。所以那裏的男士，莫不是能征慣戰的鬥士，每家都有一二件家之寶，而且那是遺了格鬥能力，還得要十頭耕牛，五頭野牛和四十頭山羊作聘禮才可以娶得新娘。

英俊而勇敢的青年是最搶手的「貨色」，有的女家可免聘禮的優待辦法而爭取之也。體弱多病的青年，只有像一輩子的男子；如果僥倖的話，可獲得酋長的許可，給他配給一個嫁不出去女子，但也必聘禮而無須。有了結婚資格而無聘禮者，可以賣身投到女家去，以動奮勞力以爭取女家的歡心，婚前奴僕身份，婚後始得升爲「半主」地位。未畢聘禮，而與她發生關係珠胎暗結的時候，也可依以上條件行之——「以工代聘」金。

東非埃塞俄比亞、坦葛尼克等國有個叫華達打畢種族，他們的婚俗既特別又麻煩，大概要分五種步驟（買賣、逃婚、追尋、央友代教、合巹）先是以銀錢買回來，但女子必須合巹之前，在被看管之下逃走，逃到令人難以發現的地方。這雖是必須的途徑，但公開的，看管的人就和小孩捉迷藏一樣似的，如果沒有人捉的話，還要藏什麼呢，站在人面前等人捉豈不省事，這就叫做假戲眞做。不過去找新娘的不是新郎，而由新郎央求四個青年朋友去找。她們多不會跑回娘家去，而逃到森林的樹上或谷中的巖石下面藏起來，直到那四個人看見才出來，乖乖地同丈夫家去。有的玩皮的女子，藏得非常嚴密地方，累得四個朋友跑兩三天才找到她。被找回來之後，被幽禁在婆婆房裏五天而後成婚。在這五天之中，由這四個把她找回來的朋友輪流實地教授行房課程，到第五天才輪到丈夫正式結婚。

乾坤顛倒

根鶯族人的神話說法，認爲男女性器官是象徵兩位神，傳說這兩位神一個是好動，一個是好靜的，二神會面時，必然是好動者去訪好靜者，而偏偏這好動的屬陰性，好靜屬陽性。這兩位神是他們在傳統的宗教上是主要的神。故他們無論在夫妻或情人，行房時男的不能主動，而由女的發起，同時發起時，男的主靜，女的主動，她們認爲陽器是陰器的奴隸，只能被動。如果陽的達不到任務，必須被塗上一種持久劑。此所謂「陰陽顛倒」，亦有其道理在焉。

（完）

黛眉小傳（上）

王幻

謝道韞

晉代是自然詩派發達的時代，又是一個動亂的時代，一般聰明的文人都沉浸在飲酒與服藥之中，假做癡呆，以佯狂避世。偶而說一些不着邊際的諷刺話，普通人聽了以爲談的是古理聖訓，不甚了解；遂造成當時所謂「清談」的風氣。

在這個時代的女作家，除了謝道韞一人而外，大都沒有什麼特別的表現，如左芬所作的賦頌，雖以古典和駢儷見稱，本身則毫無情感與風韻；都是些枯索無味的陳言；就是蘇蕙的「織錦迦文」，也不過在寫作技巧上顯示她的聰明，並無藝術價值，只能視爲文字遊戲，不能稱作文學。

謝道韞，是安西將軍謝奕之女，自幼聰敏有才辯，善屬詩文。叔父謝安嘗問道韞：「毛詩中何句最佳？」她說：「全詩三百篇，莫若大雅崇高篇云，吉甫作頌，穆如清風，仲山甫永懷，以慰其心。」安一再點首，謂道韞有雅人深致。一日，在宅內家宴，忽然下雪，安道：「這像什麼？」安兄子謝朗道：「散鹽空中差可擬。」道韞微哂道：「未若柳絮因風起。」安乃大悅，極稱道韞的才思敏慧。後嫁王右軍的次子王凝之，雖是名門高弟，但因爲凝之素性迂僻，工書而外，沒甚才華，所以道韞初嫁歸寧時謁見伯叔，快快不樂。安問道：「王郎乃逸少之子，甚不惡，你有什麼不滿意呢？」她悵然道：「一門叔父，則有阿大中郎，羣從兄弟，復有封、胡、羯（羊旁）、末；不意天壤之中，乃有王郎！」言下大有彩鳳隨鴉之感，安也爲歎息不置。阿大疑即指謝安，中郎係指曾爲西中郎將的謝萬。萬長子韶，小字爲「封」，曾任車騎司馬；「胡」係謝朗小字，官至東陽太守；「羯」即謝玄小字，乃道韞的胞兄，位望最隆；還有謝川的小字，就叫做「末」，也是道韞從兄，青年早世，這四人俱有才名，爲謝氏一門彥秀，所以道韞提及，作爲凝之的對照。

凝之弟獻之，雅擅風流，爲謝安所器重，辟爲長玄。他本來善談玄理，嘗與賓客辯論，或至詞理將屈，她在內室聞知，即遣婢女告獻之道：「請爲小郎解圍」，乃以青綾步障，設施屏前以自蔽，道韞出坐帷內，再申獻之前議，與客辯難，客遂詞窮而去。

後來凝之由江州刺史調任會稽，挈家同行，時僅半載，黃巾餘孽五斗米道的孫恩作亂，集衆千餘人，從海上出發，登岸入上虞境內，沿途擄掠，復引衆攻入會稽。素奉五斗米道的會稽內史王凝之既不調兵，亦不設防，每內對着天師神位，焚香諷經，日夕稽頁（桑旁），且叩且誦，好像瘋子一般。至是寇氛日逼，官吏入見凝之，請速發兵討賊；凝之大言道：「我已請諸道祖，借得神兵數千，分守要隘。」

（未完）

自由詩壇

逸叔題

己酉十一月初五日爲六十賤辰

感賦一律　·林尹·

二十年前値此辰。中原板蕩歎沉淪。
豈知零落棲遲客。今已春秋六十人。
故國不堪花有淚。歸心長與月爭新。
讀書名世終何補。一醉從容得性眞。

庚戌春李仲老招飲余退老供酒伯起兄得句余喜足成之兼呈同席諸君子正和　·張白翎·

退翁美酒仲翁詩（伯起句），詩酒聯歡正及時，阮籍逃名憑酒隱，杜陵憂國只詩知，爭誇律細吟尤健，自笑情深醉不辭，信是海天好風月，唱酬相賞最相宜（白翎句）。

第十二章
岳鵬舉大戰南薰門　韓世忠起兵擒苗劉

覺與夢兆相應，即以終身相托。高宗即位應天，召世忠爲左軍統制，世忠挈妻挈入備宿衛。嗣復外出禦寇，留妻子居行在。高宗還揚州奔杭，梁紅玉隨行在而南。梁氏受詔迎夫，喜出望外。匆匆入宮謝恩告別，當夜携了子女馳出杭州，奔向秀州而去。

世忠突見紅玉來到，大喜道：「天賜成功，令我妻子重聚，我更可竭力以赴了」。次日世忠就奉到詔書，飭世忠還屯，年號易了「明受」二年。世忠道：「我只知有「建炎」，不知有「明受」」。遂將來詔撕毁，斬其來使。隨即通報張俊，指日進兵。

張俊因遣書苗、劉，傳檄四方。苗傅、劉正彥且怒且懼，乃遣其弟苗翊及馬柔等，率兵扼臨平，幷除張俊、韓世忠爲節度使，獨謫張俊爲黃州團練副使，安置州。俊等皆不受命，且起草討逆檄文，傳檄四方。呂頤浩、劉光世亦相繼來會，遂以韓世忠爲前軍，張俊爲輔，劉光世爲游擊，自與呂頤浩領中軍，浩浩蕩蕩，由平江起行。途次奉太后手詔，命睿聖皇帝處置軍馬重事，張俊同知樞密院事，李丙、鄭瑴並同簽書樞密院事，各軍聞命，逾加踴躍，陸續南下。

苗、劉聞報，均驚惶失措，朱勝非暗地竊喜道：「這兩兒眞無能爲」。苗、劉性急，只好與勝非熟商，勝非道：「茲爲二公計，速自反正，否則各軍到來，同請復辟，公等將置身何地？」苗、劉二人實乃狗雄人物，無甚作爲，只得從朱勝非之議，即召李丙、張守等作百官奏章，及太后詔書，仍請睿聖帝復位。苗傅等且率百官朝睿聖宮。高宗漫書撫慰。越日太后下詔還政，朱勝非等迎高宗還行宮，御前殿，受百官朝拜。太后有詔復建炎年號，以苗傅爲淮西節度使，劉正彥爲副，張俊知樞院事。越四日，召張俊、呂頤浩入朝，張、呂已至秀州，聞知此信，在途中便開始會商善後之計。不知將如何善後，請看下章分曉。

第十三章
韓世忠勇擒苗劉　岳鵬舉孤軍周旋

周燕謀

張俊，呂頤浩召集諸將會議勤王進兵之事。呂頤浩主張即日進兵，諸將齊聲贊同。計議已定，便提兵直進，抵達臨平。遙見苗翊、馬柔吉等，沿河扼守，負山而水紮營，中流密佈鹿角，阻住行舟。（五十七）

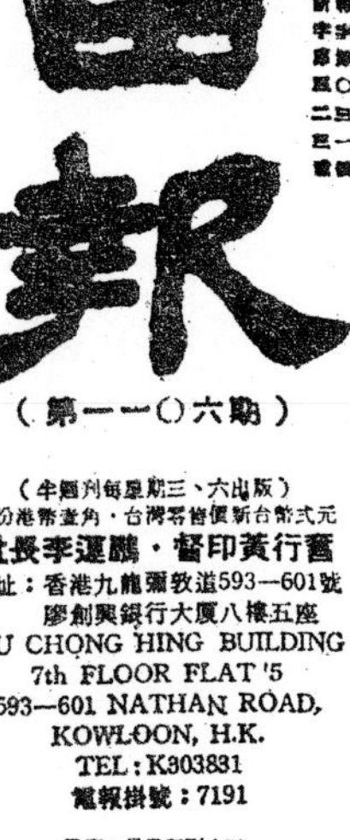

中華郵政台字第一八二二號執照登記爲第一類新聞紙

自由報

（第一一〇六期）

（半週刊每逢星期三、六出版）

社長李鵬運・督印黃行齋

社址：香港九龍彌敦道593—601號廖創興銀行大廈八樓五座

LIU CHONG HING BUILDING
7th FLOOR FLAT '5
593—601 NATHAN ROAD,
KOWLOON, H.K.
TEL: K303831
電報掛號：7191

承印：昌星印刷公司

台灣區業務管理中心：台北市延平南路一段一二九號

電話：二四五七四

台灣郵政劃撥戶第五〇五六號張萬有（自由報會計室）

台灣分社：台北市西寧南路110號二樓

電話：三三〇三四六、台郵劃撥戶九二五二號

含蓄蘊藉的中國文化

林夏

記得過去劉紹復博士和我談起，有位猶太人對他說：「你別瞧不起猶太人，其實我們猶太人動一次大腦筋，世界都得瘋狂。」這是多麼狂妄的語氣，却也一直使我懷疑到現在。一次，政大楊樹藩教授來訪，我無意中提起這句話，他很重視；半響，同樣以懷疑的神情說：「這的確是值得研究，你看，耶穌是猶太人，馬克斯也是猶太人。」從這一啟示，我們却不沉默地高談闊論起來了。終於，他們有了如下一致的看法：

西方文化開宗明義是以基督文化而發展的，這一形態是取樣於亞當和夏娃的赤裸裸，並不像我們傳說開天闢地的盤古，至少下身還裹着幾層濃密的樹葉；因此西方文化向來便講究毫無保留的自然，人情也流於恣肆、縱慾，於是衍生出自由主義的抬頭，政治講求自由，經濟求自由，生活也講求自由，終於而有「自由，自由，多少罪過假爾之名而行」的過火。看，美國現行的績優獎狀，還在卷頭明晃晃地刊印上了象徵亞當夏娃一絲不掛的圖案，這在我們中國看來，那還得了，成何體統！

基督文化，最早在伯多祿宗派的系世中，尚能以三絕（色、財、意）的規律中皈依四至（善、聖、一、公）的要求而抑制住任性的表現，迄至十五世紀馬丁路得無視「三絕」而另立宗門之後，遂趨於人性（慾）的放奔，竊假在生活上動輒尋求刺激，由於好刺激，無形中便容易流於瘋狂，觀於今日那種阿哥哥舞的流行，顯明是已竭盡淫蕩之能事，一般娛樂場所，幾乎是愈淫蕩則愈賣座，由是養成社會上太保太妹的風氣而無法遏止。最近美國甚至且有不一而止的青年闖入公共娛樂場所，盲目槍殺人羣的現象發生，攪得治安單位防不勝防。更奇怪的，英皇還會對街頭流浪賣唱的所謂「披頭」，頒贈一向視如神器的爵位，豈不滑天下之大稽？看樣子這種縱情恣慾的歪風，在西方只有一天一天囂張，治安人員也只有一天比一天焦頭爛額。這種瘋狂式的胡風，如果「感染」、「浸信」不斷地流入中國，而爲一般不顧做中國人的中國人所接收，顯得後果將是何等的可怕；簡直是爲治安單位頻添不少無謂的麻煩。

中國文化一向是講求含蓄蘊藉，而以禮讓爲本，是以個人縱在登勢赫赫、飛黃騰達之際，還是娓娓不忘急流勇退的打算，孔子、張良和嚴子陵的進退可以代表；這該或許是浸融於「恐懼致福」、「功成身退」的古訓而來的思想。中國士子對人處事，時刻緊記住「顯仁藏用」的守則，而以「克己復禮」的利他，觀爲實踐道德的要項。誰都知道「寬以待人，嚴以律己」，而斤斤於「慎獨」爲持身處世的南針；蓋在「安居樂業」的前提之下而求澹治以明志。個人是體及社會心理，都以[illegible]所以孔子說：「不患寡，而患不均；不患貧，而患不安。」爲着「寡」與「貧」，是人事之常，「不均」與「不安」，才是致亂的禍根。不平則鳴，是以「和平」爲保安的絕訣。因於理想的大同世界的政治方式，使着重於「天下爲公」。孔子爲了貫澈此政治主張，對於個人「知行」的要求上，乃以盡己的「忠」字之外，特別提出一個推己及人的「恕」字來，此在方法上就是教人要集主觀與客觀之統觀；故特强調「執中」爲厲行其「忠恕之道」的不二法門，並以爲亘古不渝的道統薪傳。進而甚於「民吾同胞，物吾與也」的觀念，養成中國人一貫地富有「同情心」，且以「慈悲感」爲純正的道德觀。

至於夫婦的情感，未嘗不重視。儒禮開宗明義便承認「夫婦爲人倫之始」。在倫常綱紀中何以明文規定「夫婦有別」？這知未便狹義的解析，此一「別」字的意義很深，可作多方面的解析。從作用於心理上看，夫婦是有別於一般的關係，要求雙方要從一而終，偕老首頭。秦法雖尚權宜，還是肯定「有子而嫁，背死不貞」。極忌朝秦暮楚，不講究像西方那樣，在交際場中把妻子交換作應酬。從禮儀上說，「有別」，是表示「男女授受不親」。講究「女有家，男有室」，相固也」，這在骨子裏是着眼於治安方面設想，由來「十場人命九場姦」。因此主張男女界線極爲嚴格，尤其對於女性主張封鎖，故「閨」字從「門」，前堆置「重土」而成形。而婚嫁自古迄今明定爲有儀行爲，例稱隆重。從生理上說，「有別」是暗示相交宜有節制，故以婦返娘家曰「歸寧」，而以夕夕爲「多」。「夫婦相愛」不見於經傳，近來流行的所謂「愛河永浴」，中國只强調「夫婦相敬如賓」，愛的觀念，養成夫婦之愛是本然的，用不着再加提倡已夠份量了，而且只有夫婦相敬，才能維繫永恆，以「愛」是易因客觀條件及主觀意見的變化而動搖，如專愛其色，則色易退；專愛其情，則情易遷。至於「敬」，是建築於彼此的人格品德以及撫育兒女的責任之上，故能持久，中國人的夫婦常能偕老白頭，職是之故。

至於享樂，中國人非不考究，古代且列於六經之門；特少專一用在男女之間而已。有之，亦惟情致的叶調，却仍屬力主張「樂而不淫」。譬如歌舞，古代便有最隆重的「八佾」舞，而以下更有「霓裳羽衣」舞，但仍不涉於淫蕩，絕對沒有男女混雜在一起像現在那樣縱情表露那股風騷勁的鏡頭。而且八佾舞也只限於王庭，其他是不許可的。記得春秋有的諸侯偶然欣賞了一次，孔子便痛罵道：「是可忍也，孰不可忍也」！

再看馬克斯那套崇尚鬥爭的辯證唯物論之影響，固然受到達爾文依存於競爭作主題的進化文化那種放任人性的觀點而致；就因他主張「存在決定意識」，常致心爲形役，神因物遷，由是自然每況愈下成爲「下喬木而入於幽谷」地文化逆流，終至愈趨而愈退化到近洪荒時期的野蠻氣習。大陸毛共虧他想對馬列教條於依法泡製之餘，還欲變本加厲，怎不搞成驅人民於禽獸之不如的境域？但他不明白，中國文化是有其垂五千年的悠久歷史，已成中華民族性根深蒂固的基本要素，絕對不可能以個人或少數人的暴力顛覆所可摧殘其萬一，不僅如此，就連相傳列寧曾以「經過北京及加爾各答是進入歐洲最近的路」的設想，作赤化世界的侵略路線，這壓根兒便是大錯特錯自取滅亡共產主義的路綫，爲着共產主義思想導源於西方，他不走思想接近的路綫，偏偏要反常，從和共產主義思想判若涇渭的中國開路，豈不自討苦吃？所以有人問我：「共黨必亡的關鍵何在？」我却直接了當地告以：「滅亡於列寧開始所訂的侵略計劃路綫的錯誤。」

還有，中國文化是崇尚時間持續的延長，而不稀罕如西方專求空間的擴張，羅馬亡了，不再有羅馬，中國依舊是中國，就因中國文化早已和民族性相匯流，個個存有以能經得起時間的考驗爲眞的觀念，從不計較過程中的得失，故不齒於秦代疆域之大，而眷念曾經五霸七雄割據的周朝；故曰：「周雖舊邦，其命維新。」爲着周有垂八百多年的統治，秦僅二世而止。這種特重時間老驗的民族精神，是和專務侵疆略士取謀空間之擴張的西方文化根本不同之處。所以中國人從來對共黨叫囂的「赤化世界」的口號，絲毫不發生何種濃厚的興趣。從知列寧渴想以中國人來作他侵略世界的消費資本，實是由於太不明白中國文化之本質而起的大錯誤，不亡何待？

年來台灣求學風氣，紛紛以能留美爲最終目的，甚至有的對中國固有文化還未入門，便打算去美國習文學博士學位。記得有位名噪時譽的理論家演講說：「我在倫敦留學時，發現墨子這部書，覺得偉大的不得了。……」我想：如果他聽到羅素民國十年於上海發現老子道德經而佩服驚歎不置時，不定他還會拍案驚奇地大叫：「早知如此，悔不當初（來英國）」呢？今天留洋學子們，在聽到陳立夫先生於寓美多年回國定居，不宣傳「賽德」先生精神，而斤斤於弘揚四書道貫，不知他們將作何感想？

最後，我希望去西洋的留學生們，對於西方文化的接收，要經過一番存菁去粕之揚棄的過程，他適於我們國家所歡迎與需要的東西吸收進來；諸如科學方面的創作，是最受歡迎不過的；至於那些怪裏怪氣像那種阿哥哥舞式的噱頭，實在是太不需要，千萬別受傳染病似地帶了進來。至於耶穌基督那種富有「眞、善、美」之崇高意識的教義，還是值得我們尊敬信仰的，至若那種原始形態的放任派風味，是我們所最不需要而且最爲厭惡的東西，要記住。我常覺得中國以梅花爲國花，是富有意義的，她眞象徵中國的文化，經常在厲雪堅冰中開放，更奇怪的是，愈是天地凍大雪紛氣，她愈是開放得愈艷愈香。記得有題雪梅云：「一片一片又一片，兩片三片四五片；六片七片八九片，飛入梅花都不見。」這是描寫梅花不因不斷的大雪之摧殘的凋零，相反，很快地便能把雪片化於無何有之鄉。這情形又象徵中國文化之不因外來的歪風而受到任何的影響，而相反所有離經叛道的邪惡淫風，都得在中國文化之前像秋風敗葉似地一掃而光。

（完）

昨日與明日

從「魅力」談起

日前在師大教授休息室，看到報上巨幅的服裝廣告，大字寫着「襯托你的青春魅力」；我順手拿向座旁的謝冰瑩教授說：「您是文學家請問您，魅力兩字是什麼意思？」：「當然是一種誘惑的意思了」。誠然，誠然，爲什麼竟要襯托這種誘惑力呢？頻年以來，我們不斷看到服飾化裝的廣告，都拚命用這兩字，我們實在想不通是什麼道理，愛美是人之天性，女子更加爲然，但一個有教養的人應該美的高貴，美的大方，至少社會上應該鼓勵向這方面作，何以不此圖而竟要標榜誘惑。誘惑必有被誘惑者在，誘惑的後果是什麼，不要說是向男子挑逗：引起男子的某種念頭了，老子說：「不見可欲使民心不亂」，現在反而誘之以可欲，惑之以魅力，誠使男子不勝誘惑作出非禮之事，試問誰是始作俑者，責任該由誰負，難道是要故爲陷阱，來害男子嗎。

再就女子言，任何一個正常的女子，都是希望能受行人之敬愛，至少也是對其儀表風度之愛慕喜好。這都是自然而生，情緣自至的，絕無故爲賣弄引人入彀的，只有娼妓，或從事類似職業的下賤女子，才需要魅力，才需要誘惑，而現在服飾化裝業，竟然公開使用這兩個字，向女性兜售，這不是對女性的公然侮辱麼？因此我們希望婦女界，特別是婦女團體，起來糾正，商人禁止使用這類有傷婦女尊嚴的字眼，同時負責教育和行政的當局，也應該勸導商人不可濫用此種詞意，以減少社會罪行的發生，而培養成良好的風氣。

・張起鈞・

自由談

教育界的奇談

報載：台灣的公立中小學教職員，皆須由官府委派，校長無權過問。這眞是奇談，難怪清高的黌舍亦變成官場了！

身爲校長者，負有作育人才，策進校務的職責，然對於教職員的人事進退不得過問，即無從發抒指導監督的權能，功過賞罰皆談不到，縱使孔聖人居於校長地位，亦將喟然而歎曰：吾莫如之何也矣！因此之故，教育事業乃如貿道，道路傳言，一個教員由甲校調赴乙校，或由低年級班次講席調升高年級席位，皆非有「紅包」關係不可，還還成話嗎？

老子有言：法令滋彰，盜賊多有。政府管理衆人之事，貴在提綱挈領，綜持大體，切忌法令苛繁，樣樣控制干涉；該管的不管，不該過問的却隨便直接處置。於是乎，一而阻礙着政務之圓滑進行，極不便民，同時即產生各級行政人員利用權力機會，貪圖不法利益的後果，弊害叢生，不勝枚舉。翻遍古今中外的政治史，除却共產極權主義者，連人民行路說話亦要管制外，絕無一個中小學校長不能過問教職員任免事項的先例。

過去政府在大陸時期，教育與司法界比較清廉，爲人民所信賴。今也不然，教育與司法界的績業聲譽，一落千丈，有口皆「悲」。吾思之，吾重思之，原因就在地方小而機關多，一般官吏感覺閒得無聊，而物質享受慾又極熾烈，唯有想方設法，開闢生財的捷徑，乃不惜利用職權，亂訂法規，藉以加重人民的困擾，促使「紅包主義」應運興起，到處流行，久之，大家見怪不怪，視爲常事，此其所以「盜賊多有」也！

教育是國脈所繫的根本大計，根其如其腐爛，國家前途就很危險。我素來是相信教育救國主義的，對於當前教育界的情形，不免怵目驚心，難安緘默，故不能已言於此！

馬五先生

過份扶植裕隆公司 造成壟斷助長剝削

立委徐中齊向行政院質詢 要求根絕官商勾結之弊端

（本報台北消息）立法委員徐中齊認為政府過份保護裕隆公司裝配汽車之措施，業經造成壟斷，助長剝削，引起國民普遍的怨憤，破壞節制資本之政策，深恐危及國本，乃向行政院提出質詢。

徐委員質詢主張：嚴懲造成裕隆公司暴富違反三民主義國策的部份政府官員；追課裕隆公司負責人未能如期完成百分之百自製汽車而欺騙政府之罪責；根絕「官僚資本主義」及「官商勾結，剝削壟斷」之弊端。這篇質詢轟動一時，其質詢文分誌於後：

坐計程車的客人，經常會聽到司機咀罵裕隆汽車公司過份剝削的聲音，近且逐漸將剝削的責任，埋怨到政府的頭上，認為政府在助長裕隆公司剝削，認為官商勾結，共同在壟斷剝削。

一位計程司機說：「裕隆公司裝配的計程車，賣給我們要十三、四萬多，折合美金三千多元，聽說日本原裝車的價錢，不超過台幣四萬，折合美金不到一千元，全省許多萬部的車子，硬是讓裕隆公司賺了幾億美金，給我們窮司機戴了三倍的帽子，太黑心了。」

一位計程車司機說：「咱是退役軍人，最愛國家，當官的對我們說，政府保護裕隆公司獨家賣營業車，價錢雖貴，但幾年之後，中國自己便會全部自造汽車，那時候車就便宜了，咱聽得很高興，也就認了，十來年咱換了幾部車子，不但價錢一次比一次提高，車子還是裝配日本貨，自製個屁。咱和日本鬼子打了八年仗，還要還咱開半輩子日本車，但發日本財，咱受日本罪，實在不甘心」。

一位計程車司機說：「裕隆公司天天說自造汽車，還請總統去參觀，實際內部全裝的日本機器，自製的祇是殼子，殼子又不結實，一敲就壞，那能值十幾萬，阿拉天天闖紅燈搶生意，處罰數百元，自己受氣受罰，一家人更是吃飛飽，政府却幫着裕隆老闆坐地賺大錢，一點也不體恤我們」。

一位計程司機說：「裕隆公司因為後台硬，一直做獨家生意，一部車子十三、四萬多，一個子不能少，新車的性能比美僑賣出兩、三萬元一部的二把貨還不如，隨時上山爬不上去，隨時要修理，可是政府規定非買他的車子不可；聽說他賣給政府有關部門的官員只要六萬元，官員經車行轉賣給我們還是十三、四萬，甚至有將車子送給主管官員的，所以許多官員也替他護航。報上成天說不准官商勾結，不准剝削壟斷，他雖不是剝蕉，而是剝車，剝車是公開合法的，豈有此理」。

台灣有許多萬部計程車，以日夜兩班計，司機何止十幾萬人，連同眷屬便達幾十萬人，而坐過計程車的人，更超過全省人民的過半數，受此埋怨論調的不良影響，對政府難免生出不良的反應，日積月累，終有一日會造成後患的。

裕隆汽車的自製率 未達預定進度 主管官署視若無睹 四項辦法應予採行

查裕隆汽車製造公司，創設於民國四十二年，資本額新台幣二百萬元，折合美金不過五萬元，四十七年六月裕隆與「日產」簽訂四年技術合作合約，規定四年期滿，裕隆可以達成百分之百自製汽車，政府亦於五十年頒佈「發展國產汽車工業辦法」，以扶植裕隆自製汽車，五十一年初又公佈「促進機械工業推行方案」，以限制輸入，限制進口等方式讓裕隆獨家壟斷全省公私用汽車生意，但至五十一年六月約屆滿，不但未能依照規定達成百分之百的自製率，若論主要機件的自製率，即連百分之十也未達到，經濟部此時理應追究責任，及開放設廠之限制，以刺激裕隆與「日產」公平競爭中求進步，乃不此之圖，反而以「各方輔導不力」為由，批准降低自製率為百分之六十，此政府官員過失之一。

政府官員明知裕隆公司五萬美元的資金設備，不足以全部自製汽車，其製車技術及工業基礎，亦無全部自製之可能，任命其與日商合作裝配汽車，賦予壟斷市場，高於國際市場三倍價格之裝車暴利，以剝削國民及百戰退役之官兵，曲予扶植至五十三年，及期限屆滿後，又延長四年至五十七年，五十七年後，仍不開放他家申請設廠，且繼續限制進口，以利其長期與外人技術合作，推銷「日產」之製品，從中牟取暴利，剝削國民，阻窒汽車工業之自由發展，此政府官員過失之二。

自裕隆公司開始所謂合作製車以來，政府對於其汽車及配件製造廠商，始終未訂定具體督察考績辦法，嚴密督導考核，舉行定期及不定期檢查，並公開其檢查報告，使國人了解其自製真正進度，更未注意其生產設備，是否能達成規定之自製進度？其工務日報及其生產品數量，是否相符？以及其原料進貨紀錄與裝備工本結構之真實性，任令其將不能自製的零件報低，能自製的零件報高，玩弄數字魔術，更任令其經由貿易商套購零件，冒充自製，以欺騙國人，其所謂設備，亦不經常開工，僅供參觀考察時表演之用，主管官署亦視若無睹，此政府官員過失之三。

汽車工業在機械工業中，為一更具有精密度之綜合性大工業，關係民生，更關係國防，理應由政府經營，以符發展公家資本之國策，主管官署竟以送禮方式，壟斷方式，限制及獨佔方式，用以製造私人資本家而破壞國策，此政府官員過失之四。

據聞政府為扶植裕隆公司，曾蒙蔽上峯貸與美金五百萬元，相當於其創設資金之一百倍，以公帑圖利私人，所收穫者祇是窒息汽車工業的發展，此政府官員過失之五。

中華民國憲法第一條：「中華民國基於三民主義……。」

三民主義以民生主義為骨幹，民生主義又以節制資本平均地權為主點，節制資本之辦法有二：（一）節制私人資本，（二）發達國家資本。國家所以要節制私人資本者，主旨在於防止壟斷及剝削，防止造成大資本家，走上資本主義路綫。國家所以要發達國家資本者，主旨在於以國家宏大力量發展經營獨佔性工業，使大資本為社會所共有，以間接達成節制私人資本。

汽車工業是獨佔性的大工業，理應由政府經營，使大資本為社會所共有，部份官員們竟然利令智昏，置憲法國策於不顧，不惜放任國家獨佔性的重要工業，讓裕隆獨家裝配經營，讓裕隆轉手給日商合作獨佔國內市場，並給予壟斷剝削的權力，抬高三倍價格與日商共同牟取暴利，使五萬美元資本的小商人，轉手之間，成為幾億美元的大資本家，將民生主義顛倒使用，走上了「節制國家資本，發達私人資本」的惡性資本主義路綫。

政府在大陸戡亂時期，共匪以惡毒的口號，攻擊我政府是「官僚資本主義」，攻擊我政府是「官商勾結，剝削人民」，共匪當年的攻擊，實在是造謠中傷，並無事實。不圖今日我勵精圖治，銳志中興的政府，竟有部份官員不惜觸犯民怨，構成裕隆暴利事件，來完成共匪昔日所造謠中傷的事實，這是本席和大多數革命同志始料所不及，亦最為痛心！

為着國家民族的利益，為着三民主義的國策，為着「便民」和收攬人心，本席謹提出下列辦法，建議貴院。

（一）嚴懲以壟斷剝削方式，造成裕隆公司暴富，窒息汽車工業發展，違反三民主義國策的部份政府官員。

（二）沒收裕隆公司因壟斷剝削推銷日貨所得之暴利部份，用其暴利部份之資金設備，增配國家資力，國營汽車工業。

（三）追查裕隆公司未能如期完成百分之百自製汽車的責任，料其負責人以欺騙政府之罪，以收攬人心，平息民怨。

（四）保留裕隆公司原始資金五萬美金之私產，並給予應得之銀行利息，以示寬厚及重視私有權。

亟新根據民生主義的國策，釐定扶植工商業政策，根絕「官僚資本主義」及「官商勾結，剝削壟斷」之弊端。

倘承採納施行，國家幸甚。

來函照登

台灣省立中興大學法商學院函（59、10、12、中興法安字第1377號）敬啟者頃閱貴報本年十月十日第二版所載「中興大學法商學院院長能名登被檢舉涉嫌違法瀆職，監察院已派員調查」消息一則內容全非事實，事緣能院長到職前已辭聘之講師宋膺（山東人）久佔本院大棟宿舍，堅不遷讓屢催無效，經省政府核准循法律解決，台北地方法院五八年訴字第二七四一號判決「限半年內遷讓」有案，宋君因此以記者及投稿各報手段，均被各報拒絕，此次事件，除能院長依法請求處理外，特函奉請敬希貴報明察予以佈露俾正視聽而維本院清譽為荷　此致

自由報

台灣省立中興大學法商學院

喬治桑外傳　一八五

張大鵬

「包死，你看這兩件衣料好不好？」雅麗絲從房裏拿出兩件彩色織錦衣料出來。

「很好，是法國貨。」喬治桑用手摸了衣料一下。

「不錯，是蘿蔔託朋友在巴黎買的。」

女孩兒家都有愛美心理，尤其是即將做新嫁娘的。

喬治桑對蘿蔔的印象很好，他知道雅麗絲的終身大事已經決定，內心有着異常的喜悅。

「我明後天就要買下這幢房子了，作為送給妳的結婚禮品。」

「哎呀，這怎麼行，我當你是說說而已，不要說我不敢當，媽媽和蘿蔔也不會答應的。」

「算不了什麼？我並無一男半女，我既拿妳當女兒看待，就算是我送給你的嫁妝好啦。」

雅麗絲見喬治桑說話態度誠懇，便不再嘮叨了。

雅麗絲婚期越近，喬治桑返美之心越急。因為他知道在雅麗絲結婚的日子，他必然要與她的媽媽見面。如果他能像鴻鸞禧的莫稽，挨金玉奴的一頓棒子，倒是心甘情願的。但這是二十世紀，他不敢想像雅麗絲媽媽發現他以後，會是怎樣的情況？

他只能將自己對雅麗絲的父愛埋藏在自己的心坎裏，他體會到雅麗絲也真拿他當父親看待。但這一倫理的溫馨，無法明朗化，只能讓它隱晦，雖然這種隱晦是有點淒迷的韻味。

「雅麗絲，妳倒一杯茶給我。」喬治桑知道與雅麗絲分散之日已經不遠，多喝雅麗絲倒的一杯茶，多吃雅麗絲燒的一頓飯都是值得留戀的。

雅麗絲將香片送到喬治桑的手中，順手替他彈去了衣襟上的香烟灰。「你今天是不是還要出去？」

「我等裘白瓊的電話。」

「你昨天不是和他見過面了？裘白瓊不是我說他，一天到晚就是吃喝玩樂……」雅麗絲的話還未說完，喬治桑接口道，「他打電話來不是約我玩，而是我託他買房子的事。」

「你為什麼自己不去找房主談？在台灣買三賣四，何必讓別人賺佣金？」雅麗絲的小算盤一向精明。

（未完）

台北傳奇錄（七九）

·陳光棟·

金恆貴從雪櫥裏取出兩包貨色，找了張報紙一包挾在胳肢窩下面，慢條斯理的走出了別墅，繞了幾個圈子，確定沒有人蹤影，才喊了部車子回到市區，先跑到攤子上吃了一頓早點，然後憂心忡忡的回到家裏，幸兒太太還在睡早覺，省了一番口舌，他藏好東西又在換衣服的時候，聽到有人敲門，他急忙把帶回來的一包東西丟到廚房垃圾桶裏。

他以為是送報紙的來收錢，沒好氣的開開房門，不想門口站着兩個警察。

「咦！」金恆貴用力拉着門把手，免得嚇的摔個倒栽葱：「有什麼事嗎」？

「對不起，打攪你，天亮的時候，那邊賴家鬧小偷，又在你們樓梯下面，發現小偷留下一件襯衫，你家有什麼動靜沒有」？一個警察提着一件花襯衫。

「動靜？沒有！什麼都沒有聽見」。金恆貴生怕太太在這時候出來答話，偏偏太太聽到聲音起來問長問短，聽到說賴家鬧了小偷，不由的回過頭來誤怨金恆貴：「你總是一夜一夜的不回來，要是家裏來了小偷怎麼辦」？

「金先生常去打牌嗎」？另一個警察滿臉的問號。

「和幾個朋友喝喝酒，打打橋牌，也是偶爾的事情」！金恆貴敷衍着。

「偶爾？你一連三個晚上，都在外面鬼混，還說偶爾！虧你說的出口」！太太忿忿不平。

「你昨天晚上在那兒喝酒哇」？提着花襯衫的警察問。

「先在酒家」。金恆貴作賊心虛，只好撒謊。

「你又到酒家去找那些妖精！」太太說着就用粉拳捶金恆貴的腦袋。

「太太，你先別吵」！另一個警察問金恆貴：「你離開酒家，又到什麼地方」？

「到一個朋友家打橋牌，一直玩到天亮」！

「誰相信你的鬼話」！太太嗚嗚的哭起來。

「你的朋友住在什麼地方」？警察問。

「怎麼樣？有什麼不對嗎？打橋牌也不犯法」！

「我們隨便問問」！兩個警察交換了一下眼色去掉了。金恆貴家裏緊跟着就傳出來摔碎東西的聲音。

原來賴先生因為當天上午有課，所以特別起了個大早，揉着眼睛一下床，就瞄到太太的手提包，以為太太深夜回家，把手提包隨便放在地板上就睡覺了，出了臥房，看到自己的上裝丟在地上，不由的一陣緊張，以為太太搜過他的口袋了，連忙撿起來翻了一遍，清湯掛麵的照片還在荷包裏，這才放了心。

（未完）

諧史拾趣（一）

・周其昌・

一、明太祖似神農

明人陳君佐，維揚人，行醫爲業，善作諧語。明洪武時，出入宮禁中，洪武帝甚寵之，常與諢笑。一日太祖問道：「朕似前代那一個皇帝？」陳君佐答道：「陛下好似神農。」帝笑問道：「朕何以似神農？」君佐答道：「如陛下不是神農，如何嘗得百草呢？」太祖頓悟大笑。因時軍中乏糧，士卒多食草木。太祖與士卒同甘苦，與最下者同飲食。故君佐乘機譏之。抬馬屁。因神農位列三皇，嘗百草爲民醫藥，中國人視之如神。朱元璋豈不大樂乎！

二、詞客捷才

楚中有某顯爵者，妻妾衆多，常苦其嫡，庶不和，卽賓客在座，也照吵不誤。鬧聲四播，鄰里厭惡已極。

某日有詞客拜訪，顯爵佐之宴飲之間，忽聞室內大哄，驚燕嘲雜。顯欲藉故擾亂詞客聽聞，苦無可借題。忽見廳上有鳩一幅，指對詞客道：「君善品題，試爲老夫咏此圖好否？」詞客因題道：

鳩一聲、一聲、

鳩呼風雨　呼晴，

天老却也難主張，

落雨不成晴不成。

諷刺入木三分，才思亦可謂敏捷也。

三、寃哉！鬚也

清嘉靖年間，福建有吳小江者，督學湖南，所提拔入膠庠的學子，多爲垂髫之士；士之已屆弱冠者恨之入骨。於是有人去其頭上之巾，作垂髫狀。不料爲吳督學識破，見其額上尙有網痕，知其故作僞飾，遂口占一詩以諷刺之。詩云：

昔日峨冠已儼然，

今朝　角已從權；

時人不識余心苦，

將謂偸閑學少年。

此詩一出，傳誦一時，聞者莫不絕倒。後來錢金省先生來督湖南學，所拔應試的多爲弱冠之輩。有生某，以其年逾弱冠多矣，心有不服，於是乃割去鬚髯入試。及至發落凡四等，生員皆應加朴。先生見四等人多不欲盡朴，乃語衆人道：「諸生中，生員年長者姑寬恕之，其少年不肯努力，各朴如教規。」因此割鬚生仍裝弱冠諸生，在當朴之列。其同儕朋友嘲之曰：

鬍鬚存，當得免朴，奈何割爲？寃哉鬚也！

四、豈非命乎

趙大洲爲宰相，氣燄甚高。高中玄、張太岳亦相繼拜相，同在朝中。高中玄好雌黃人物，張太岳鐵面孔，孤傲寡和。趙大洲一日對高、張二公言道：「人言姦體要緘默。似比中玄這張口咀，也拜相！相度（宰相度量）要冲和。似比太岳這副面孔，也拜相。豈非命乎！」這幾句話雖然直率，而近於戲謔，然也有助於性命之說。

五、豐翰林巧言

豐翰林名坊，號南禺，四明人，口才敏捷。同鄉人致仕驛臣某，繪一張自像，具金請翰林作贊語。南禺題其相之額云：「才全德備，渾然不見。一善成名之迹，中正和樂，粹然無復偏倚駁雜之弊。」某驛丞讀之，喜不自勝。時人亦莫測其高深。有人再三問之，翰林答道：「公不知下文麼？則其爲人也，亦成矣。」

又寧波縣令派人向南禺索藥方。南禺爲之草方如下云：

大楓子去了仁。（一）

無花果多半邊。（黟）

地骨皮用三粒。（滑）

史君子加一顆。（吏）

持藥方以呈縣令，縣令看了笑道：「豐公嘲爾也！」吏者請問其故。縣令道：「以上四語，謂『一黟滑吏』耳！」南禺的巧心諸如此類，然恃其巧舌凌人，時人多嫉之。

六、虱的笑柄

司寇王麟泉，福建人，初爲郡守，性情好納汚藏垢，內衣皆旬日不換洗。每與同僚宴遊。（未完）

由憲兵做起家的劉峙

・文滙樓主・

困苦貧乏是最良好的教育。（見雨果）

劉峙在早年的良好教育，無疑的是「困苦與貧乏」，他同法政專門學堂學生何士魁同當過憲兵，做起步兵班長然後考入保定軍官學校，奠定了日後「福將」的基礎。

他常勉部屬謂：「出征的時候，腐子祇要一個就夠，間諜却要一百個。」以證明他非常懂得戰術戰略。民國十三年，中國國民黨創辦黃埔陸軍學校，國父派蔣公爲校長，王柏齡、鄧演達、沈應時、林振雄、兪飛鵬、張家瑞、宋榮昌等七人爲委員，那時軍校政治部主任是戴傳賢，總教官是何應欽，劉峙、顧祝同、錢大鈞等十餘人皆爲教官。也就是北伐時代的基本部。劉峙的過關斬將，筆難盡述，小半個江山是劉峙打出來的，這話不算過太吧！待七七事變，劉峙官拜第一戰區司令長官兼河南省政府主席。

劉峙從風雲中跌下不是對日抗戰，而是卅七年担任徐州剿匪總司令，指揮八十四萬人馬，較曹操赤壁多一萬人，他臨危受命時向國防部說：「我見機投命，我跳火坑爲黨國，個人生死事小，但望大家以國事爲重。」劉峙似已知道國防部次長劉斐是匪諜，竟不幸言中，徐州一敗，勢如破竹，大局無法收拾。

劉峙在「我的回憶」一書，反復提到本報社長李運鵬謂：「於抵達曼谷機場，熊式輝、顧樹立、李運鵬、鄭靜嚴、方漢民、仲偉成等均在機場歡迎，下機後卽驅車前往李運鵬寓借居，李原係舊屬，現任曼谷南洋商業有限公司總經理。」

劉的誠懇是軍人中出了名的，例：李運鵬當時對他的幫一點小忙，眞所謂九牛一毛，但劉回台灣後，念茲在茲，雖點水之情不肯忘，不像今日政壇新潮派人物，奸險詭詐，無所不用其極，「挖到籃子就是菜」，樓主將這一類型的人物，統歸納爲「八路作風」似很恰當。

劉峙的「孤忠」對得起國家，對得起領袖，誠以待人，嚴以律己，週前在[illegible]上聽墨文藻律師說：「劉將軍駐榮[illegible]際，病情甚重，」當樓主借內人馳[illegible]探視，似不省人事，這位對黨國有汗馬功勞的一級上將，後來篤信天主，歐美人有句格言：「神將死亡的快樂隱瞞着人，使他們耐心過活」樓主爲劉將軍代禱，祝望劉將軍再耐心的活幾年，看看這局勢究竟怎麼變。

莊子（四）

吳怡

他的內心雖然滿懷着深憂，但他絕不像孔子一樣歎道窮，也不像墨子一樣大聲疾呼，他却相反的付之一笑。他從客觀的立場來看主觀的我，覺得一切都是可笑的，他的一切憂愁，快樂都是可笑。試看他的妻子死時，他的朋友惠施來弔喪，看見莊子正直着雙脚，坐在地上，敲着瓦盤在唱歌。惠施奇怪的問：「她和你相伴一輩子，生下的兒子也已成人。她死了，你不哭一聲，倒也罷了；反而鼓盤唱歌，這未免太過份了！」莊子回答說：「不如你所說，她初死時，我那裏能無動於衷呢？但仔細一想，無生無形，毫無蹤影的；突然有了這個形，又有了生命，現在她又死去，這不正像春夏秋冬，她也許正在一間巨室內睡得很甜呢？我却號啕的接連的哭着，自己想想未免可笑。」這是一種把悲觀和樂觀消融在一起的達觀主義。

莊子臨死的時候，也是那麼的達觀。他的幾個弟子商量，如何好好的安葬老師。莊子便說：「我把天地當棺槨，日月當連璧，星辰當珠璣，萬物當齎品，一切葬具都齊全了，還有什麼好商量的。」弟子們回答說：「沒有棺槨，我們深怕烏鴉老鷹吃了你。」莊子微笑的說：「棄在露天，送給烏鴉老鷹吃；埋在地下，送給螻蛄螞蟻吃，還不是一樣嗎？何必厚此薄彼，奪掉這邊的食糧，送給那一邊呢？」

這是何等的達觀，何等的境界！

（三）

莊子所以有如此的達觀，如此的境界，乃是他有一套超然的思想，使他超然物外。

前面說過：他正像一隻碩大無比的大鵬，在九萬里的高空，以尖銳的視力，觀察着人間。但這隻大鵬的前身，本是北海中的一隻大鯤，這個北海象徵了人世間；在這個狹窄的人間世裏，充滿了愚蠢無知，充滿了煩惱和痛苦。所以他要化爲大鵬，舉翼高飛，冲開了人性的枷鎖，冲出了世俗的樊籠，而奔向無憂無慮，自由自在的天池。

當他直上九霄以後，再回顧這個碌碌的世間，看到那些芸芸衆生都好像是地面上形形色色的竅穴。當大風起兮，萬竅怒號，發出了各種不同的聲音；這些聲音雖然「吹萬不同」，但都是一氣的作用。都是由於每個竅穴的「自取」罷了。人間世的一切正是如此。

我們的慾念，正像一個個的竅穴，爲了無盡的滿足，而產生各種不同的追求。試看我們斤斤計較於大小、貴賤、成毀、生死、是非等等，又何嘗不是一種自取的妄見呢？我們有比較心，才有大小的不同；有虛榮心，才有貴賤的差別；有得失心，才有成毀的感覺；有貪戀心，才有生死的煩惱；有偏執心，才有是非的爭辯。事實上，從高一層的境界來看，却並無這些差別之相。就以是非的觀念爲例：

什麼叫做「是」？什麼叫做「非」？是非的標準又在那兒？莊子懷疑的說：「假定你和我辯論，你勝我輸，試問果眞你說的對，我說的不對嗎？反過來，你輸我勝，難道我說的就對，你說的不對嗎？這裏只有幾個可能，不是你對就是我對，或者全對，或者全不對。我們兩人囿於成見當然不能判斷，那末請第三人來作裁判吧，可是究竟要請誰呢？與你意見相同的人，當然偏向你；與我意見相同的人，當然偏向我；與你我意見不同的人，他又有自己的意見；與你我意見相同的人，那就等於你和我，也無從他來作裁判，所以我和你，以及第三人都不能知道誰是誰非」？可是一般是非的觀念，都只是個人的看法，都只是自取的偏見，所以才有儒墨之爭，各張旗鼓，都以自己爲是，以別人爲非，都「是其所非，而非其所是」。使得莊子不禁感慨的說，以我來看，仁義之端，是非之途，雜然紛亂，我們能知道其中的分別呢！

然而我們這些芸芸衆生，非但不了解這種妄見偏執，相反的，却爭得非常起勁。羨貴而輕賤，求成而避毀，貪生而怕死，是己而非人。我們爲了小名小利，便勾心鬥角，得到一點小名小利，就沾沾自喜。這正像秋天漲水時的那些江河，看到百川支流，湧進了自己的時候，就得意忘形，以爲天下之美，盡在於己。可是等到它流入了大海，看見白茫茫的一片，無窮無際時，望之興歎，悔悟昔日的淺薄無知。人類行爲的可笑可憐，也正是如此！（未完）

諸葛亮狂想曲

・劉亮・　（一六四）

「你要不要？」太白星君將百花精遞給黃雲大仙，臉上帶着詭秘的笑容。

黃雲大仙漲紅了臉，尷尷尬尬地搖了搖頭。

鐵籠裏幾十隻猴子，嘰嘰咕咕大叫大跳，很明顯地牠們也是被黃雲大仙一個震天價響的臭屁冲得煩燥起來。

太白星君豈有「無辜羊」之理，慢慢走近鐵籠子旁，用手指沾着百花精對籠子裏彈了幾下，好像觀世音灑甘露的模樣，幾十隻猴子才安定下來。

「請問星君，氣球裏面的氣要不要放掉？」氣球的鋼管上有一個塞，黃雲大仙在塞好後問太白星君。

「當然要放掉，不過却不能在地面上放，如果讓玉帝聞到，豈非犯了大不敬之罪。」星君一切事都想得很週到。星君說至此處，用手拍了兩下，來了兩個侏儒力士，具體而微儼然兩個小型巨無霸。

「摩馳闊布發拉希格。」星君向侏儒發令。

「摩馳闊布發拉希格？」什麼話？咒語不像咒語，梵文不像梵文，連諸葛亮上通天文下通地理的人也聽不懂。

侏儒力士退下，太白星君轉過頭來向諸葛亮笑了一笑，說：「這是我用獮猴變化的「迷你武士」，你不要看他們身軀矮小，天庭的黃巾力士和他們角力也鬥不過他們。我用一種專門語言來訓練他們，別的人聽不懂，只有他們懂。」

不過是一盞茶的工夫，兩個侏儒力士抬來了一條大約只有三四尺長的一條鐵龍，這鐵龍鼻孔裏冒烟，尾把吐火，一望而知是一條火龍。

星君見諸葛亮和黃雲大仙都有訝異之色，遂解釋道：「這條龍是我採天山之鐵煉成的，牠具有山川精靈之氣，雖然是鐵體却有靈性。」

星君說完，走上前去將氣球上的一個鐵鈎鈎在龍尾把上，然後口中念念有詞，雙手一拍猶如響了一個炸雷。

嘶，嘶，嘶，鐵龍尾把冒出彩色火燄，鼻子，眼睛，咀吧都有焦黃色的烟霧噴出。頭向上，尾在下，向天空冉冉升起，其景象很像太空船升空。諸葛亮，黃雲大仙翹首仰望，直到鐵龍沒入雲層。「妙哉，妙哉，」諸葛亮發出讚嘆之聲。

「我已經吩咐鐵龍將氣球帶到三十三天天界之外放氣，放完氣，他還能將氣球帶回來。」太白星君法力無邊，他講的話都能做到，毫不誇張。

「我們回到屋裏去吧，」星君說完，在前領路，諸葛亮，黃雲大仙隨在後面。

在禪房裏分賓主坐定，還是太白星君先開口。

「黃雲大仙，」太白星君叫黃雲大仙自然是有話吩咐。（未完）

科學與教育（下）

丁作韶

據決策的先生說：這是迎頭趕上。趕上人家什麼？本來科學，在前清末年來說，即所謂西學，即爲用之學。爲用這二字非常恰當。試問科學在台灣學了有什麼用？用在什麼地方？怎麼用法？用得了這麼多嗎？

據決策的先生說：是配合工商的，是促進工商的。試問台灣有那麼多工商要配合呢？台灣本身有那些工商？需要這麼多的科學教育嗎？不說將來，單單回顧一下過去，看看現在，就已經充分的說明了台灣沒有這麼大的需要。不但供過於求，簡直超過得沒法說。政治已經籌劃設專門機構解決青年的就業問題了。政府大吹而特吹，報紙大載而特登，試問打算做些什麼？能做些什麼？整個一個社會的問題，豈區區就業輔導所能解決？輔導是假定有業的，根本沒有業，你輔導什麼？你向那裏輔導？今天台灣的大問題是根本沒有業。根本沒有業，又怎麼去就法？多給人家「合作」，設幾個廠開幾個商店，多給人家侵略的機會設幾個加工區，供人家勞力剝削，又能容納幾個人？有人製造原子彈，想在台灣設原子彈工廠，這照黃部長的設法，倒是個美麗的構想，偉大的構想。這在台灣能實現嗎？廠設在那裏？拿什麼來製造？台灣有那麼多的礦產嗎？說去向外國買，向那國買？買得到嗎？買得來嗎？長期發展科學委員會，發展了那麼長，發展的什麼？易名爲國家科學，國家科學在閙研究教授，又研究了什麼？科學的對象是物，有物才有科學，有物才能研究科學，有物才能用，有物才有用功之地。巧婦不能爲無米之炊，這不是一句千古名言嗎？這不是淺顯而又淺顯的道理嗎？台灣先天不足，何能強求，何必強求！

我眞不懂袞袞諸公談科學大家把自己立國的根本忘記了。特別就台灣而論台灣，對於工商不必强求，以保護民族工商爲主，對於農業應該十分的注意，盡全力的維護，一切要以農業爲本，一切要配合農。你願意也好，你不願意也好，台灣的本土，台灣的本質，就是一點農業，只有一點農業。他彷彿是一個古老的母親，醜陋的母親，但他實在是我們的在養活我們，只有他在養活我們。他可以吸收在田間的，現在是七百萬之數，再有七百萬，再有一千四百萬，再有兩千萬，他依然可以養活我們。爲什麼不把人留在農村？爲什麼要把人趕到學校裏來？爲什麼要把一個有業的變成失業？科學教育最大的一個效果，那就是使所有上學的青年都趨向工商，趨向工商的生活，趨向城市，就是農業的學生也不願回農村，寧願死在城市，也不願意再回農村。若常此下去，失業的問題將日趨擴大，是輔導就業所能解決得了嗎？

故所以日昨立法院教育委員會委員們來台南，我借機會向他說明這種情形，希望他在教育的決策下大力扭轉這種徒慕科學之名無限制的向着科學教育發展。否則不但立國的基本農業要被科學教育拖垮，社會的問題，政治的問題，也都要隨科學教育而日漸嚴重起來。美國年來的情形可作我們的殷鑒。科學教育再下去的話，社會，政治都要大大的受影響，甚至於可以到不堪收拾的地步。言念及此，無任惶悚之至！

語云：亡羊補牢，未爲晚也。失之東隅者，望能收之桑榆。閱報，老友立法委員張子揚「爲健全制度加强立法功能」於上次會期向行政院提出書面質詢，他認爲「教育發生問題最多」，恐未必盡然，惟無限制的發展科學教育，殊有檢討之必要。爰貢獻其一得之見，以就正於國人，幸垂察焉。

（完）

鬼話連篇

根海

一、追艷

老孫在工程學校畢業之後，就參加了抗日工作行列，在工兵營裏當排長，此人生性荒唐，是一個標準的無鬼無神論，有不信邪之勇氣。當他駐在四川近巴東的一個鄉鎮的時候，一個晚上在二樓窗邊乘涼，忽然看見一個面帶憂容、但非常漂亮的少婦，由頭到腳都很整潔，從街上經過。老孫這人有「色迷」的綽號，鎮上的年青婦女他都認識，但却沒有見過這個她。他那肯輕易放過大好機會，急忙披衣追了出去。前面那女子姍姍而行，目不斜視，旁若無人似的。老孫一路跟追在後，看到她走進那個門口。豈不知她並沒有進那個門口，一直走出了街。老孫感到奇怪？出了街二十里內沒有人家，天這樣晚了，難道她一人步行走到蘇家店去麼？她手裏什麼都沒有拿，老孫暗想，此女必然是思夫心切，或者是寡婦，再不然就是媳婦受了氣，到郊外去尋短見。老孫專想好入非非的事。於是老孫緊跟在她後面。老孫恐她要尋短見，便不禁喊叫：

「大嫂子！天這麼晚了你一個人到那裏去呀！」前面女人離他只有五六步遠但她好似充耳不聞。老孫也沒介意，上去一把將她拉住了。她停止了腳步，頭仍向前未回地說：「人沒有解決不了的事，想開點吧！」那女子不回答也不回頭。老孫心有不甘，乃搶步上前，攔住她，藉着月色仔細一看，「哎呀！我的媽耶！」老孫一聲喊叫，便天旋地轉，立卽失去了知覺，倒在路上不醒人事了。等他甦醒過來之後，他已經臥在軍醫院的病床上了。後據他對同事說：那女人翔是嚇人，一雙吊睛眼發綠光，口鼻流血，面色慘淡無人色。心知遇鬼，頓時昏絕倒地。

二、女司機

美國紐約一位計程車司機，一個晚夜，那時已經很少有行人了，正飛馳間，看見在橋樑附近有一個人橫臥路上，他立即煞車，下車看是否想自殺者或是死屍。等他煞住車一看，那屍體已不見蹤影。那司見以爲是自己眼花，不以爲意，繼續開車，行了不遠，發覺車的舵盤上多了一隻手，而且把方向盤亂轉，使車行進如「之」字形前進，還聽到一位女人的笑聲。這一下可把他嚇壞了，於是不顧一切，開足馬力，飛馳而逃。過一段路程乃恢復了寧靜。

事後那司機把他所遇告訴一位記者，那記者回到報社後展開調查，發現在三年前，就在那日出事之地慘死了一位女司機，而且那日所見女屍衣服顏色正與三年前女司機慘死時相同。噫！這是活見鬼了。

（完）

黛眉小傳

王幻

謝道韞（下）

卽有十萬賊衆，也無能爲了。」豈知神兵徐未見借到，而賊兵反致日逼日近，距城不過數里。鵬吏連番告急，凝之方許出兵，兵未調集，賊已踊至，城中人民，蓆門避難，凝之尙在道室叩禱。及賊入城，凝之聞報，機驚起，急挈諸子出走，連妻都不暇通知。纔行至十里左右，即被賊衆追獲，納至孫恩面前，孫恩責他殃民誤國，叱令梟首，凝之與諸子俱遇害。

凝之妻謝道韞，聞知消息，舉動自如，及得凝之父子凶訊，始失聲慟哭。百忙中挈着年僅數齡的外孫劉濤，乘輿出走，並命婢僕等乘去細軟物件，各攜刀械自衛，可謂「臨危不亂」。甫出署門，卽爲賊衆攔住，道韞索性下輿持刃，賊兵猝不及防，竟被砍倒數人，方被所執。道韞毫無懼色，但請往見孫恩，從容陳詞，有條不紊，令孫恩暗暗稱奇，不敢加害。惟見幼兒劉濤，却欲殺掉，道韞又抗聲道：「這是劉氏後人，今日事在王門，何關他族？必欲殺兒，寧先殺我！」孫恩也爲動容，乃令舍釋放，任她攜同外孫返會稽。

古來才女，總不免有些薄命，曹大姑中年喪夫，謝道韞自傷不偶，且致守孀。從此，道韞寡居會稽，矢志守節，尤其家門嚴肅，律身有法，人人欽敬。不久孫恩伏誅，會稽太守劉柳聞道韞名，特往求見。道韞素知柳才，亦坦然出來，素褥，自坐帷中，與柳問答；柳整冠束帶，側坐與談。道韞風韻高邁，敘談清雅，有林下風致。她先述家事，慷慨流漣，徐酬問意，詞理關到。劉柳談了片刻，乃告退自嘆道：「巾幗人罕見此人，但臨察言氣，已令人心形俱服了。」道韞亦云：「親從間亡，始遇此士，聽他問話，亦足開人心胸。」彼此互爲推崇，也是惺惺相惜之意。

道韞所著詩賦誄頌，輯成卷軼，至壽終後，道集流傳，膾炙人口；可惜年久散佚，今僅存數篇。茲摘錄她的「登山」一詩，以作本文之殿：

峨峨東嶽高，秀極沖靑天。
巖中間虛宇，寂寞幽以元。
非工復非匠，雲構發自然。
氣象爾何物，遂令我屢遷。
逝將宅斯宇，可以盡天年。

（完）

中央民意代表談納塞之死

低調集

易儔

阿聯總統納塞突患中風死亡，現代埃及已經不像以往帝王時期，要動員幾十萬奴工建造金字塔作爲陵墓，照回教習俗，納塞的屍體是用一塊白布裹着下葬的。納塞出殯，有兩百萬人參加，場面一片紊亂，很多人痛哭失聲，羣衆陷於歇斯的里狀態。如此世界重大新聞，台灣電視公司派人專訪中華民國的中央民意代表，請他們發表觀感，自屬製作新聞方法之一。

台視公司訪問了三位「委員」，據說都是外交專家，他們的談話可歸納三點：（一）中東局面動盪，納塞之死可能對和平有助，可能使形勢更亂。（二）中東局面與世界和平息息相關。（三）巴勒斯坦游擊隊問題最嚴重，如果不獲解決，中東和平前途堪憂云云。

平劇三本鐵公鷄，鐵金翅有兩個軍師，一出場甲軍師道：「我好比漢朝張子房，」乙軍師道：「我好比三國諸葛亮，」甲軍師又道：「我算陰天會下雨，」乙軍師作結論，「我算晴天出太陽」。

評述世界新聞，總須要對這一新聞的內容略有研究心得，始能言之有物。假使純靠「靈感」，臨場抓眼，與鐵金翅的軍師何異乎？台灣的電視節目，雖有歌舞昇平之嫌，有時倒能賞心悅目，毫無內容的新聞評論，恐怕觀衆是沒有胃口消化的。

第十三章　韓世忠勇擒苗劉　岳鵬舉孤軍周旋

世忠舍舟登陸，跨馬先驅，張俊、劉光世繼進，奮勇殺上前去。翊等見來勢甚猛，麾衆退却，世忠棄馬徒步，操戈督師道：「今日當效死報國，將士如不用命者斬。」於是人人奮勇，馳入敵陣，翊引神臂弓持滿以待。世忠大呼，萬衆辟易，翊未及發便相率奔竄，逃入北關。苗傅、劉正彥正受僞鐵劵，聞勤王兵殺至，急趨入都堂，將鐵劵取出，擁精兵二千，夜開湧金門遁去。王世修正擬出奔，正遇世忠，被世忠一把抓住，着獄吏押拘。張俊呂頤浩並馬入城，即進謁高宗請罪，高宗慰勞再三，即解所佩玉帶賜予張俊。韓世忠晉見，高宗不待行禮，便下座握世忠之手，涕泣與語道：「將軍忠心爲朕，勤王可嘉。但中軍統制吳湛，首先助逆，現在肘腋之間，卿速除之」。世忠遵旨，趨行捕吳湛，湛正適趨過闕下，世忠佯與相見，牽住湛手。湛知有異欲遁，怎經得世忠大力牽扯，吳湛中指早已被折斷。世忠交付獄吏，與世修俱斬于市。逆黨王佐、馬、范仲容、時希孟等貶謫有差。

朱勝非請辭宰輔，推薦張俊、呂頤浩二人爲輔，以呂頤浩爲尚書右僕射，李邴爲尚書右丞，鄭穀簽書樞院事，韓世忠、張俊爲御前左右軍都統制，劉光世爲御營副使，凡勤王將佐僚屬，加秩進官，且禁內侍干預朝政，重正三省官名，詔左右僕射，並同中書門下平章事，改中書門下侍郎爲參知政事，省尚書左右丞。

張俊奏請高宗還蹕，高宗自杭啓行，向江寧進發。臨行時，命韓世忠爲浙江制置使，與劉光世進討劉、苗。及到江寧，改江寧爲健康，暫行駐蹕，立子旉爲皇太子，赦苗傅黨馬柔吉等罪名，許他自新。惟苗傅，劉正彥、苗翊、苗　不赦。

世忠受命追討苗、劉，提兵由杭州西進，道出衢信，南下至浦城縣內之魚梁驛，巧與苗傅、劉正彥相遇。世忠徒步直前，手提鐵矛，衝入賊壘。賊衆一見乃世忠來到，大驚失色。一哄逃命至上。劉正彥尙不知世忠利害，仗劍來迎，戰了數合，世忠大喝一聲，揮戈把劉正彥刺倒地上。苗翊急忙來救，已是不及，劉正彥被官軍擒住。世忠一見苗翊，豈肯甘休，只一合，被世忠抓住腰帶，生擒活捉。苗傅一見兄弟被捉，舉刀來戰世忠，世忠正欲交鋒，身後閃出一將道：「主帥稍息，待末將來擒此賊。」世忠回頭一看，乃裨將王德也。（五十八）

自由報

中華郵政台字第一二八二號執照登記為第一類新聞紙

（第一一七期）

（版出六、三期星每刊週半）
每份港幣壹角・台灣零售價新台幣弍元
督印人・黃行賓　社長李運鵬
社址：香港九龍彌敦道593—601號
廖創興銀行大厦八樓五座
LIU CHONG HING BUILDING
7th FLOOR FLAT '5
593—601 NATHAN ROAD,
KOWLOON, H.K.
TEL: K303831
電報掛號：7191

承印：景星印刷公司
地址：嘉咸街廿九號地下
台灣區業務管理中心：台北重慶南路一段一二九號
電話：二四五七四
台灣區直接訂戶　台灣劃撥戶
第五〇五六號張萬有（自由報會計室）
台灣分社：台北市西寧南路110號二樓
電話：三三三〇三四六、台郵劃撥戶九二五二號

勗吳大猷教授
——從廢止「研究教授」辦法談起——

鍾國仁

「研究教授暫行辦法」終於在社會非議，衆口指摘下，行政院明令停止施行了。

我們若作「蓋棺論定」式的評論，可以說，這「辦法的立法本意，原是正確而必需的，如所週知中國教授的待遇，是世界上最低的了，不僅遠比美國為低，甚至比亞洲各國（不止日本）的教授待遇都低，今天在台灣，情形特殊，大家無不安分守己，尤其教授，更不會罷教爭薪，於是為了糊口，便紛紛各自為謀，奔走衣食。結果，在教授們固是終日柴米油鹽，無法研究為學，而斷送了前途，而就國家整體講更是一片荒涼，學術歉收，這在今天一切講知識，一切靠學術的情形下，損失之大，簡直無法估計，謂之「偏怪自救」亦不為過，因此倒不是為了教授，而是為了國家，勢必要改善教授的待遇，使之安心為學。嚴守崗位，但在當前的情勢下，欲求全面改善，談何容易，更何況，無庸諱言的，教授中也是良莠不齊，為什麼一定要拿停進的，教補習班的……等拖着眞正為學的教授，因此國科會，才苦心孤詣的想出這個辦法，先擇少數學術有造詣，眞正努力為學的教授，予以補助，然後再逐漸推廣，以為全面改善教授待遇的階梯，立意良好推行有序，縱非博得國人交口稱讚，至少也未聞有人反對，尤其在當前的物價，和薪律，一萬或一萬二千元，已不是一個大數目；大腹賈們，一席酒家之費都遠不止此，試問還有什麼反對的呢。

但不料在推行後，尤其是遴選的研究教授名單（外加一個什麼講座教授）公佈後，竟使社會為之譁然，於是便不斷的受到各方攻擊，遂使主其事者，百方說明，都無以自解，終至使此立意良好的辦法壽終正寢。

其所以受到如此惡劣的反應，當然是由於遴聘的人選不公，該聘的未聘，不該聘的竟聘，實在無法扯到「研究」上來的，還巧立名目，稱為講座教授，而其所以致此，歸納一般人的意見，實由於下列兩大原因：

（一）人事的把持——主持的諸公，自然不承認把持，最多是奉行孔子的話「舉爾所知」而已。但是社會上却并不承認，並且事實上，也確有此難於解釋的，例如，台大政大兩院長，不是研究教授就是講座教授，「一律」「榜上有名」。而地位實力社會上公認位次於台大的師大，只推薦了一位院長，並且是學術界鼎鼎大名的地理學家沙學浚教授。而竟然刷掉了。又如總統親自提名了一位文武全才，望重士林的何浩若教授，竟也被刷掉了！卽令主事諸公對沙、何兩位學術成就，為學精神，看不上眼，但不可比照那些與「研究」扯不上關係的，而稱為講座教授麼？厚彼薄此，標準不一，其那能平

（二）立法的漏洞——這一辦法雖然立意不錯，但其漏洞極多，例如「研究教授」的名稱不當（易引起糾紛及反感）；只適合自然科學，而不適合人文學科（按：該辦法規定經常在學術刊物發表論文者，此對自然科學極是；而人文學術方面能成一家言，有專書者其成就最為卓越，而反不合此辦法標準，因有系統之著述，固不能分篇零碎發表也）……等，姑不細論，最重要者，厥為規定候選人選由各校校長推薦，這便造成了一個大漏洞，今天各大學的校長，並非都是蔡元培，何況彼此的作風又互不相同，有的校長是「皆大歡喜」，只有「申請」，一律推薦，有的校長，則藉此機會玩權弄勢，附我者，譽我者則推，無關者，或者甚不順眼的則不推；以致各校情形大不相同，甚至有使國科會代人受過者有一致憤不平的指責，為什麼台大名額那麼多，或大也有五十幾位，而師大只有四人，殊不知師大一共只良莠不齊的推了十四人，很多一般認為應推的未推。有疑義的不論，最具體的，例如在同年度教育部頒授學術獎的程發軔教授，（假如不夠水準，而竟頒學術獎，那便是教育部錯了）以及數度應聘在美國著名大學講學，國際上公認為老學權威的（也許是外國人瞎了眼了）張起鈞教授……使未蒙推薦，那又怎麼能怪國科會呢？而這代人受過嚴正來自立法的漏洞。

孟子說「氣一則動志」，用現代語言講，便是技術可以影響原則。設立研究辦法，其立意雖佳，但因受到上述那些汚七八糟的技術影響，所以未蒙其利，先受其害，使得本來平靜的學術界掀起軒然大波，引起社會的憤慨不平，在今天既已明令取消後，我們追思原始立思，實不勝惋惜，尤其對於主倡其事的吳大猷教授，要致同情安慰之意，（總比安慰七虎少棒更有意義），不論怎麼說，旅外學人像吳氏這樣關心祖國，效命祖國的總不太多，只此一點，就值得我們敬重，更何況說句同情的話，吳氏長期留住國外，只偶爾蜻蜓點水式的回來一下（當然，這也有吳氏的苦衷，若果回國定居下來，馬上身價下降，不再值錢，夫復何言）怎麼知道，這些雜七雜八的細情，因此只有落於圈套，受許多不學有術之人操縱利用而不自知，甚至「人得其利，已蒙其謗」，眞叫人有英雄落淚之歎。雖然，吳氏也非全無責任吳氏因為離國日久，很自然的只記得些昔日的（甚至是落伍的）老面孔，只認得些圍繞着他週遭的熟面孔，而潛意識裏，便以為「天下之美盡在此矣」。不再去發掘另外的友人和意見。例如某次有位權威教授，懷着滿腹的旁觀者清的意見去看他，請他的秘書約定個時間談談這位教授與吳氏不同行，又非圈子內人，吳氏也不知其分量，竟連電話都未回一個，試問人家還會再去指點麼，外人既不來指點，便只有畫地自囚，陷在那個包圍圈中了。

俗語說，「失敗為成功之母」，這研究教授的辦法雖是失敗了，但其旨趣則是對的，而其所留下的問題，仍然是要解決的，尤其吳大猷教授這種精神是可敬佩的，我們希望他不為暫時的失敗而沮喪，反之要能再接再厲，任勞任怨的作下去，語云「前事不忘後事之師」，只要把上述的弊端糾正，我們相信是會有成功的。

自由談

談槍桿與筆桿

英雄豪傑之士在打江山、爭政權的時候，是全靠槍桿子力量；要治國平天下，卽非乞靈於筆桿不可了。文武之道，相輔相成，未能軒輊也。

漢高祖劉邦出身無賴，瞧不起拿筆桿的文人，每以儒冠作溺器，而侈言「乃公以馬上得天下」。實則他若沒有蕭何張良陳平等文人幫忙，早已敗於項羽之手。他登得皇帝之位後，一般武人拔劍擊柱，爭功，他乃手足無措，不知如何應付纔好。虧由拿筆桿兒的叔孫通製定朝儀，創立行政體系，他纔說是「今而後，方知皇帝之可貴也」，一種重武輕文的愚昧心情，可謂殊甚！

歷史上有文人領軍以撥亂反正的事實，却無專靠武人能夠平治天下國家者。此無他，平亂必須憑着槍桿喊打喊殺，求治卽唯筆桿是賴，打殺絕對無用了。所以，凡是創業垂統的君王之流，如能尊重拿筆桿的文人，聽受他們的意見，採擇他們的主張，其治績一定可觀，否則未有不敗亡的。文人的一枝筆一張嘴，可以左右社會羣衆的觀感，刺激社會各階層的人心，影響力超過槍桿子倍蓰。筆桿若與槍桿對立而不協調，至少亦將發生成事不足，敗事有餘的作用。第一次世界大戰結束後，英國人檢討「協約國」制勝的重要力量是宣傳工作，而宣傳就是靠筆桿兒呢！

無論古今中外的國家，或治或亂，或興或亡，關鍵就在能否妥善應付拿筆桿兒的高級智識份子，所謂養士之道，實有至理存焉。士的品類不一，好尚各異，然名利思想與生俱來，人皆有之。好名者待之以名，好利者資之以利，名利皆淡薄者，使其有自由生活的餘地，因而博得他們的向心力，天下自然歸於太平。最壞的是處處用有色眼鏡來看士大夫，而他們的一枝筆和一張嘴，卽相應發抒敗事有餘的潛力，沛然莫之能禦，國家焉有不亂之理？

馬五先生

昨日與明日

高玉樹的新聞

自由中國首都所在地的台北市，乃國際觀瞻所繫之地。自從升級而為特別市後，市長高玉樹也升級了，是政府特派市長，官大名聲也大，本來就是新聞人物，現在新聞更是源源而來。

第一件，台北市議會指控台北市政府「違法濫權」一案，監察院五人小組已提出調查報告，認定台北市政府措施失當者有六案、違法失職者有八案，官商勾結，圖利他人者有兩案，可予免議者有三案。五人小組所撰長達四萬餘言的調查報告，歸納各種情節，認為這些違法失職事項之形成「要皆由於該市長高玉樹或則不重法紀、破壞體制、或則違法濫權，措施失當，或則忽視人民權益，以命令變更法律，或則涉嫌官商勾結，圖利他人，有以致之」。其中，以標售台北紡織廠原址，高市長利用職權，使關係人獲取暴利數億元新台幣，情節最為嚴重，涉嫌也最大。

第二件，高市長三子高成城涉嫌假借視力不佳，降低體位，逃避兵役，台北市議會已成立專案小組，進行調查。

第三件，高市長夫人高黃翠雲女士乘坐台北市政府禮車，在圓山保齡球館門前，撞倒王文訓，重傷倒，肇事後，不顧而去。台北市議員在議會中提出質詢，陽明山管理局潘局長其武予以證實，並說：該案全部口供紀錄都在他手裏。

第四件高市長任用胞弟高玉順為市政府秘書，違反公務員任用法第十三條之規定。市議員周陳阿春曾指出高玉順曾任國小教員，在宿舍賭博，被警察抓獲有案，並向各校推銷參攷書，搭建違章建築云云。

社會人士的公論，高玉樹的確才幹不壞，玩政治的手段也很高明，祇是他大忽略了「政者正也」的明訓。他的最大短處，就是太好弄權，所以市議會基於本身職責，向政院和監院控告他「違法濫權」。何以如此，說穿了還是被「私」一字所害，如果所載新聞都是事實，都是私而忘公所告成。在民主世紀裏，忽視大衆的利益，缺乏守法的觀念，常常做違法濫紀的事，決不會成功的。因為一般人仍然是有是非標準的，不能永久被欺騙。高玉樹對政治前途如抱有遠大的期待，對此是不應不注意的。

・千公・

新聞網外之言

「河」「和」之辨

宇文釆

台北市民林清和，曾吃了一百四十四天的寃枉官司。此事經過實在令人啼笑皆非。緣有竊盜犯林昇在警方應訊時，供認與林清和共同行竊。其實，竊盜犯林昇所指的是林清河，而非林清和。本案移送法院後，推檢大而化之，糊裏糊塗將林清和關進牢內。

自從王任遠接任司法行政部部長以後，銳意整頓，一意要改善司法風氣，主要當然以懲治貪污為主。但王任遠却沒有想到像上述這種令人啼笑皆非的顢頇事件。

近年來，在學青年的國文程度普遍低落，國文老師讀「白」字，教「別」字已不算稀奇。大家只知道「白」字，「別」字足以誤人子弟，終想不到魯魚亥豕還能入人於罪！

過去有人惡作劇字，「錫茶壺」三字吃人辨認，其實不是「錫茶壺」，音為「陽塗悃」。這三個字不易辨認，讀錯了還情有可原，將「和」誤為「河」眞是法無可恕了。

對議會指責高市長濫權案
監院終於提出報告
如何處理尚無下文
所列違法事苦無直接證據

（本報台北消息）台北市府會間之爭論，經監察院五人小組與大宇、黃寶實、余俊賢、葉時修、陳志明委員等三個多月來之調查，於本（十）月六日提出調查報告於監察院第一一七四次會議，院會議決把調查報告交原五人小組依法處理。至於如何處理？極爲此間朝野人士所關心的一件大事。但極可能「爲龍」而無下文。

倘就調查報告內容跟用語言而言，是一篇很好的文章，但內容並不充實，事雖屬實，唯缺之「圖利」之直接證據，故對台北市長高玉樹違法濫權之指責，亦不足影響其職位，證明高玉樹之厲害。

照目前政治行情觀察，監察院五人小組對此案作何處置？據悉：除提案彈劾外，就只有「暫存」了。如提案彈劾，若無「奇蹟」出現，是不可能的。誠如某委員所說，調查報告公開提出於院會得公諸於社會，已屬萬幸！言外之意，這已出乎意外之順利了。

監察院調查報告認爲高市長應負「官商勾結圖利他人者計有兩案，一是三重客運借道案，應認有徇私玩權、官商勾結圖利他人之嫌。」一是工礦公司台北紡織廠原址標售案「頗有玩法弄權，串通圖利重大之嫌。」但缺乏直接證據，證明高市長有圖利他人之事實。故有人批評調查報告以「自由心證」而「推論」而「羅織」，這種批評不能指爲「空穴來風」或「無的放矢」。

關於三重客運借道案：據監察院調查意見指出：三重汽車客運公司經過台北市區路線，係由該公司籌備處（五十五年十一月一日）向台北市公車處提出借道之申請，經公車處呈報市府，由該市府於五十六年五月二十日巡復同意借道後，始由該公司檢同該市府函件影本，再向省交通處申請，經該處於五十六年九月六日令知公路局，由該局於九月二十九日令飭監理所轉知該公司核准籌辦，有各機關之檔卷可以復按。故本案係先經台北市政府核准借道，而後始由公路局據該公司之申請予以核准籌辦者，渝無疑義。乃該市府竟對核准借道一節，諉稱爲：「本府對省公路局提出之請求……始予以同意」云，顯有不實。

台北市政府只核准三重客運公司借道而不核准其他二十餘家公司的原因，調查報告認台北市議會所指高市長與三重客運股東陳炳雍之密切關係，及勾結圖利情事，可由市府對本案處理之先後反覆過程得以證明。而「市議會指出之事實，及監察院查證之資料，要認爲有理由，且其關鍵所在，端在該市長友人陳炳雍之入股，是以當陳炳雍家屬集團退股之後，該公司復又橫遭重重之打擊，一迄於今。」故遺一部份應認該市長有徇私弄權，官商勾結以圖利他人之嫌。

標售台北廠土地案
認有官商勾結之嫌
缺乏證據竟指圖利他人
調查意見究據何項法條

關於工礦公司台北紡織廠原址標售案：據監察院調查意見指出：台灣工礦公司爲償還台灣銀行二億餘元債務而擬出售台北紡織廠原址，其能否出售及售價之高低，全繫於該一地區都市細部計劃之審定。而細部計劃之有否調爲公共設施預定地，或甚至劃爲面積擴大之學校預定地，其影響該一土地之價值則懸殊甚大。台北市都市細部計劃之審查核定，原爲政府合法之權力。高市長對於掌理都市計劃草擬審查之工務局，掌理策劃校學用地之教育局，有最後核定之權，復兼任台北市都市計劃委員會主任委員，並主持所謂都市計劃研究會案，具最後之裁決權。且有對上述各機關隨時授意或暗示其如何簽辦之事實，各該出席人員無不唯命是從。高市長總攬此一權力，實爲決定該一地區細部計劃之最後主宰。

監察院調查意見認爲：工礦公司於五十六年九月廿一日標售該台北廠土地無人投標之原因；同年十月五日再標售時只有蔡萬春之國泰公司及董事李建和二家參加投標未達底價而流標的原因，在於該地區細部計劃迄未決定所致。五十七年一月八日中華特殊工程公司陳炳雍函工礦公司願以一億三千萬元承購的原因，因爲陳炳雍已有所恃，而令工礦公司董事蔡萬林不得不與之「多次接洽」，所謂「多次接洽」，不難想見其內容；所謂「較有實力」，當亦意有所指。否則，陳炳雍若無所恃，爲何該年一月間申請承購而不參加工礦公司三月之招標及四月之比價？

該調查意見以不參加招標及不參加比價之語意邏輯而推論陳炳雍已有所恃，運用語意邏輯爲證據而認定並「從而證明高（玉樹）陳（炳雍）關係迴非尋常，而又無時不設法助其圖利，已堪認定」了。

該院調查意見指證：「陳炳雍早先之偉羅森公司（五十二年登記）股本四十萬元及中華特殊工程公司（五十四年二月創設）資金總額六十萬元，以如此資力，參加爲數一億三千萬元之土地交易，何足以言『較有實力』。但陳（炳雍）竟於該一土地細部計劃審經申請（工礦公司於五十六年十一月二十二日向工務局申請細部計劃將該廠土地變爲住宅區）而未定案之際（五十七年一月八日）居然出頭申購，要非獲得該項細部計劃實將有利於彼（陳炳雍）之決定的確切保證時，何至出此。」並未舉證證明陳炳雍究竟獲得何人的「確切保證該項細部計劃將有利於彼」。

接着，監察院調查意見謂：「陳炳雍究有何把握，承購該一土地，并積極進行向市府申請將原工業區變更爲住宅區，而無懼於該地應劃爲學校預定地之損失，就高市長處理本案事實，加以分析，當可知其底蘊」矣。事實非依「分析」認定之，依法應依「證據」認定之，無證據不得以「分析」推定高玉樹「實已構成玩法弄權勾串圖利之重大情嫌」。經調查意見「分析」高玉樹對工務局教育局及都委（研）會之批示，可歸納爲如下之六點：「（台北廠內應劃學校預定地一案）（一）再行調查可用範圍面積協調提會。（二）明知執行碍難之土地應儘量避免劃定。（三）私人土地應盡量避免。（四）將來有需要時再指定。（五）近鐵路不適合作學校。（六）應統盤籌劃多指定學校預定地等。」其中並無一字提及要取消台北廠內應劃之學校預定地，[illegible]

准此分析，則「高玉樹圖利陳炳雍」之調查意見，究有何法律依據？[illegible]

[illegible]關係之三重汽車客運借道案來證明高市長與陳炳雍之關係。此外，並參證市政府向陳炳雍父子讓售其東路新社區擬建房屋，價款高達二百萬元（現因監察院調查而擱置），證明高市長有遇機爲其圖利之用心。但此參爲監察院歷年來調查意見稀有之例子。

本報記者分析所謂「官商勾結圖利他人」，監察院調查市府濫權違法十六案中之最重要的案件，經調查如前述之二案，不但缺乏直接證據，即間接證據亦[illegible]，沒有犯罪事實證據之調查報告竟指高市長「圖利他人」，而「圖利」爲刑法第一百三十一條之瀆職罪。高市長爲政務官，政務官涉嫌圖利他人之瀆職罪，當然轟動輿論及社會，從而社會人士對監察院「另眼相看」，結果，倘監察院不能及時提案彈劾高市長，並把刑事部份送最高檢察署偵辦，及把行政部份送公務員懲戒委員會辦理，則監察院所受損害何止千百倍於高市長！老實說，除查獲高市長利用職務或利用身分要求期約或收受賄賂或直接間接圖利之證據外，否則，調查意見之認事採證，應該慎重，切忌圖一時之快而招不堪設想之惡例。

立委力促政府
興建環島鐵路
估計需費約五十三億元

（本報台北消息）立法委員朱如松[illegible]他舉出六大理由，主張優先興建環島鐵路[illegible]一次東部旅行，由台北至宜蘭[illegible]朱委員根據專家估計此項工程費用[illegible]共計新台幣五十三億元。[illegible]因爲建設台澎，應該整個地區與全面着想，今就台灣本島來看，西部建設，由於政府集中全力，已在蒸蒸日上，無論就經濟、就文化、農村、交通、以至都市建設，都有一日千里之勢。但是東部地區則不然。僅就交通而言，雖有蘇花公路，然而懸崖聳出，時有崩潰之虞；崎嶇難行，心懷臨海之懼。而且晝行夜伏，單綫行駛，曠日廢時，運輸殊感不便。其次則爲東綫鐵路，由花蓮南行至台東，長約一七五公里，爲東部運輸主要幹綫。但軌距爲二英尺六寸，較西部鐵路三英尺六寸者，相差一英尺。且台東至枋寮間，尚無鐵路，以至中斷東西鐵路之聯運，影響客貨運輸，極爲重大。是以東部地區瀕海三百餘公里，土地面積佔全台三分之一有強，而社會建設落後西部幾達五十年。所謂建設台澎，自不能置此而不顧！況其海岸綿長，由陵起伏，對於國防之策劃，尤有莫大之價值。是此路之亟須貫通，不待言而喻。

喬治桑外傳　一八六　張大萬

「裘白瓊人倒很有江湖氣，他不會貪圖小錢。他認識房東，由他去接洽，價錢便宜的多。」喬治桑知道裘是台北的「地保」，路路通氣，由他自己出馬，有一個僑對方領」定獅子大開口，皮而不容易談得攏。……」

雅麗絲見喬治桑說的也不無道理，所以便緘默了。

這時電話鈴聲響了，雅麗絲去接，只說了一句：「喂，先生嗎？桑先生在家，請你等。」

「喂，事情接洽得怎樣了？」喬治桑與裘白瓊熟不拘禮，連稱兄道弟都可以省略了。

「已決敲定了，三十九萬八千，二十萬現款，十九萬八一個月支票。」

「爲什麼是三十九萬八？」

「少兩千元算是我的面子。我告訴房主，我是替朋友辦事，沒有買三賣四這一套。」

「好，到底是自己朋友，什麼時候辦手續？」

「今天下午三點鐘，我陪你到房主去她家。在家等我們。你的錢準備好了沒有？」

「好的。什麼話？錢當然早準備好了，沒有錢買什麼房子。」

「那什麼地方碰頭？」

「房主住在三重埔，路很遠，你吃過午飯睡一個午覺，我到你家陪你去。」

「好，謝謝。」

喬治桑掛斷電話，心情輕鬆，吹着口哨，坐在沙發上，架起腿，搖晃着。

「你是不是在家吃飯？」

「裘白瓊要來，我想在家吃飯算了。」

台北傳奇錄　（一八〇）

·陳光棣·

[illegible]直到太太的手飾盒子不在馬桶旁邊，裏面空空如也，賴先生還才明白發生了什麼事，賴太太也驚醒了，催着賴先生去捉強盜，賴先生不敢違抗，又不敢真的去捉強盜，只好蹲在大門口抓腦袋。賴太太在屋裏走來走去，檢查丟掉的東西。賴太太鍼打電話報案。賴太太是遇事則迷，急切間想找劉二爺商量，剛一拉開房門，看到門口黑洞洞的蹲着一個人，以爲是小偷還沒有走，嚇的大叫一聲又退回來，賴先生蹲在門口本來就直發毛，賴太太一喊嚇的賴先生一頭從門外撞進來，門猛的一開又撞破了賴太太的鼻子，這鼻子是賴太太渾身上下最精采的地方，要是撞壞了那還了得啊？於是全家大小慌作一團，賴先生又賠小心又自打嘴巴，又提議找喬鑄鋼犬夫，賴太太又痛又恨，又心疼丟失的手飾，進弊嚷着要到廟裏去當尼姑。賴慧緞急着要上班，打扮了打扮先走了，賴先生忽然被提醒要趕着先到辦公室打卡然後再去上課，賴太太一聽氣不打一處來，指着鼻子數落丈夫：「你眞是沒有心肝，家裏出了這麼大的事情，你還有心情去上什麼鬼課！」

「我很快的就回來陪妳嘛！」

「你說什麼肉麻的屁話！我要你陪我？你是誠心把我氣死是不是？告訴你不許去！」

「這是什麼話？反正我留在家裏也沒有用！」

「你還敢還樣氣我？」

正在不可開交的時候，警察來解了圍。賴先生首先報告經過，賴太太在一邊不住的冷言冷語，之後是一些例行的手續。賴先生藉着送警察出門的機會，倉促的收拾好了皮包，離開家門直奔某學院上課的教室。

教室裏面小貓三隻四隻，看到賴先生進來。都懶洋洋的眨了眨眼睛。賴先生慢吞吞的掏出點名簿來先點名，張三李四的喊了一陣名字，看看錶好不容易才挨過三分鐘。隨後是掏出手帕來乾咳了一陣，再打開皮包掏出一本書來，湊在鼻子下面翻着，下面忽然爆出一陣笑聲，賴先生莊嚴的問大家笑些什麼？學生們都不答腔，賴先生機警的折過書的封面一看，封面上是「情書大全」四字，賴先生暗暗罵了一聲該死，怎麼會胡里胡塗的把這東西裝在皮包裏，又聯想到清湯掛麵，依稀感到一陣甜意。賴先生究竟是老的辣，不慌不忙的告訴學生們，這本書是剛剛在教室門外撿到的，希望丟掉的同學下了課以後到教室休息室去取，這件事總算遮掩過去了，接下來是講授自動控制，先由打麻將胡大牌不動聲色開始，然後講到萬一輸了錢也要沉着應戰，千萬不可毛燥。好不容易下課鈴響了，賴先生才雍容大度的離開教室。

（未完）

諧史拾趣（二）

周其昌

輒從衫袴上捉虱，捕之放入口中。有人謂宋王荆公性亦如此。一日侍神宗於殿上，有一虱，周旋其鬚間，神宗顧觀數次，同列皆見之。及退朝，荆公問同僚道：「今天上數顧不佞（己）何也？」同列告以其故。荆公即捕虱得一。同列笑語道：「幸勿殺死，宜有勑語獎之。」荆公問勑語應作何詞？有一學士道：「此虱屢遊相鬚，曾經聖覽，論其遭際之奇，不可殺也。求其處置之法，或當放它一條生命。」荆公大笑。嘻！宰相也玩虱戲乎！

七、妙判腐刑

清嘉靖間，有某御史四川人，有口才。中貴（宦官）某，意欲譏諷御史，乃縛一鼠見御道：「此鼠咬毀我衣服，請御史判罪。」御史道：「此鼠之罪，若問笞杖徒流太輕，問凌遲絞斬太重。下他腐刑。」某中貴知乃譏己，然亦服其妙判云。

八、寫真不真

有畫家某，以寫眞爲業，然其畫術未工。一日爲其兄畫像，自言逼眞，懸於通衢，作爲招徠顧客之資。鄰人見之，互相問道：「此是誰人像？」從無人認爲畫家之兄者。有好事者題字於其上嘲之云：「不會傳眞莫作眞，寫兄端不似兄形，自家骨肉尚如此，何况區區陌路人！」見者無不發笑。

九、二生餽二師

有兩個學生，佳節餽贈其師。一生送死豬頭，一生用銅銀子。見了夫子，一生道：「學生姓游，餽一豬頭；將來煑食，堯舜其猶」。一生道：「門生姓陳，餽一封銀，將來交易，堯舜與人。」稍待，二生各擬破題一箇。一生道：「二生于二師，爲其不成享也。」一生道：「二師於二生書，必稱堯舜也」。皆可謂善謔者矣。

十、父子兄弟相謔

李 字子田，官拜翰林檢討，其弟名蔭，字襲美。其時方爲增廣生員。李與其弟書云：「爾今年增廣，明年增廣，不知增得幾多廣？」其弟亦答書云：「爾今年檢討，明年檢討，不知爾檢甚麼？討得甚麼？」一時館中相傳，無不絕倒。

長沙李相國，字西涯，生有一子，頗有才名，好游平康。一日西涯題其座云：「今日花陌，明日柳街；應舉登科，秀才」。乃郎見了，也在阿翁座上題道：「今日猛雨，明日狂風；燮理陰陽，相公」。西涯見了，亦爲之發笑。這是父子兄弟相謔者。

十一、浴佛與浴畜

吳中某尙書方沐浴間，有客往訪。尙書以方沐浴辭之，某客不悅。及尙書往謁，前客也以方沐浴相辭。尙書題其壁曰：「我謁君，君沐浴；君謁我，我沐浴。我浴四月八，君浴六月六。」因四月八爲「浴佛」，六月爲「浴畜」。某尙書亦可謂謔而又謔矣。

（未完）

笑柄搜異

匡謬

搜異錄

清末有滿人留學生，識中文不多，因事致書於何秋輦中丞，將「輦」字誤作「輩」，「究」字誤作「宄」字。何中丞作一聯以嘲之曰：

輦輩同車，夫夫竟作非非想；
宄究同蓋，九九難將八八除。

此聯眞是巧不可階，可以巧奪天工。

有留學生而得翰林者，致書何中丞秋輦，稱何爲「秋輩老伯」，誤「輦」作「輩」；又其中「草菅人命」誤作「草管人命」。何秋輦因作一聯曰：

輦輩同車，夫夫竟作非非想；
菅管爲官，個個多存草菅心。

這一聯更是工絕巳極。將夫夫作非非想，對個個多存草菅心，因「菅」字爲草字頭。有某秀才因改上聯數字云：

輦輩同車，人知其非矣；
究宄並蓋，君其忘八乎！

罵人罵得無話可說，究字作宄，忘了「八」字，罵作「忘八蛋」矣，豈不絕哉！

清末刑部尙書（剛毅），也鬧別字笑柄。某日提牢廳報獄囚「瘐」（病瘐，以下同）「斃」之文件，尙書批「瘐」爲「瘦」，且申斥諸司員不識字。諸司員咸爲之竊笑而已。這位刑部尙書大人在軍機時，更鬧笑話。四川督撫報奏剿番夷獲勝一摺中，有典故四字爲「追奔逐北」語，剛覽摺大怒，謂川督之不小心，如此，奏摺可任意錯訛耶！擬請傳旨申斥，衆詫而問之，則曰：「此必爲『逐奔追北』之訛，蓋因逆夷往時掠去漢人之財物也。若作『逐北』，安知番者之不向東西南，而獨向北乎？」翁常熟在旁忍笑，爲之解釋其義，這位軍機大臣始搖頭不以爲然，此乃死不認錯之徒，難怪其別字連篇呢！

滿人蘇督瑞澂，與淸室澤公爺爲葭莩親，有求必應，故辦事得心應手，無人制肘。然其識字不多，時鬧笑柄。

一日某提學使以學校畢業公文上呈（時爲護院），面呈且請。瑞澂故詡其能，當大庭廣衆，持此公文高聲朗誦，至「肄業」之「肄」字，讀爲「肆」音，合座爲之軒然。瑞澂雖怒而不敢言。

又江蘇督撫某公，一日接見屬員，臨行叮寧（口旁）曰：「太湖一帶土匪出沒之處，宜游戈游戈。」蓋「游弋，游弋」，即「巡弋、巡弋」。竟作「戈」，別字何其多也。

莊子（五）

吳怡

莊子這一連串的寓言，一連串的嘲笑，就是要我們捨小知而求大悟。他從天上放下了一根繩子，要把我們從這個褊狹的世間中超度出來。這根繩子的作用，就是要我們打破差別之相。對於這點，他和惠施曾作過一次有趣的辯論：

有一次，他和惠施在濠水的石梁上漫步，他心情很愉快，便說：「你看水裏的魚兒們，從容的游着，多麼的快樂啊！」惠施和他抬槓說：「你不是魚，怎麼知道魚兒的快樂？」他反問說：「這樣說來，你不是我，又怎麼知道我不懂得魚兒們的快樂？」惠施也不服氣的說：「我不是你，固然不知道你；但你也不是魚，那末你也無法知道魚兒們快樂，這不是很明顯的嗎？」他却回答說：「讓我們回到起先的問題，你問我：『你怎麼知道魚兒的快樂』，顯然你已知道魚兒的快樂，才問我怎麼知道的，告訴你，我是在這石梁上體悟到的。」

在這段辯論中，可知惠施把彼此的界線分得很清，使物我相隔。但莊子却能以自己的心去體現萬物，由自己的悠然，以推知魚兒們的快樂。因而拆除了樊籬，把彼此打成一片，把物我融爲一體，以達到「天人合一」的境界，這境界，就是齊物思想的最高表現。

然而要達到這種境界，不僅要知得眞切，而且更要有心性修養上的實際工夫。因爲嗜欲深者天機淺，一切的偏見執着都是由於慾念的作祟，所以我們要破除差別之相，首先應捨棄選擇之心；而要捨棄選擇貪取之心，工夫就在一個「忘」字。

所謂「忘」，就是要忘毀譽、忘利害、忘生死、忘是非。因爲這些都是慾念，如果我們不能擺脫這些慾念，就像魚兒在陸地上以口沫相呴，只是苟延殘喘而已；同樣，魚兒必須「相忘於江湖」，人類必須是非兩忘而化其道，才能達到「墮肢體，黜聰明，離形去知，同於大通」的境界。這時，不僅所有的苦患得失捨棄一空，就是連自己的身心，也忘得一乾二淨，這種工夫，就叫做「坐忘」。

但坐忘並非形如槁木，心如死灰，而是「相忘於道術」，而是有它活潑潑的生機。因爲這時已證入了心通萬物而無心的境界，這種境界，莊子曾有一段精彩的描寫：

有一次，莊子做了一個夢，夢見自己是一隻蝴蝶，在花叢中無憂無慮的飛舞，自以爲很得其所哉！得其所哉！不知道自己是莊周。可是等他醒了以後，却驚訝於自己是莊周，是莊周做夢，夢見他變爲蝴蝶呢？還是蝴蝶做夢，夢見牠變爲莊周呢？莊周和蝴蝶本來是有差別的，現在他們融在一起，分不清誰是誰，誰是執了。這種境界，就叫做物化。

物化後的莊子，已不是一隻飛冲天的大鵬，而是與天地融成一體，無所不在的精神了。這時，他不再逃避甚麼，也不再追求甚麼？在他的眼光中，一切是平等的，一切是和諧。這時，他雖然超越世間，與造物者遊，但又回返人間，與世俗相處。他已是一個變化莫測的浮雲，可以隨心所欲的化作甚麼就算甚麼。人世的一切盈虧得失對於他還有甚麼意義呢？他正像一把火，薪木雖已燃燒掉，精神的火燄却一直上昇，永遠地，永遠地！

（四）

莊子這套「大而化之」的思想，並非只求自我解脫，並非只求順天安命；而是別有一番經世的苦心。他和孔墨老子等哲人，都處於一個混亂的衰世，他們所遭遇的問題相同，他們悲天憫人的情懷相同；只是所努力的方向不同，所解答的方式不同罷了。孔墨是直接從事於社會的改革，希望能大刀闊斧的解決問題；而他和老子却是在人類智慧的園地中辛勤的耕耘，希望智慧愈多，問題愈少。他不用刀剪，便把整個世界自然地美化起來。在這方面，老子給我們的是事務演化的自然原理，要我們能智慧的運用；莊子却教我們把這些原理活用到人生，使我們「由自然行」、「與天地精神往來」。唯其如此，才把道家的情緒傾注到藝苑，而形成林泉高雅的藝術文學。

對於莊子，尤值得我們大書特書的是他把我們帶入了一個形而上的新境界。雖然老子的思想觸及這個境界，但老子所構搭的都是些靜的原則。至於莊子的境界，却是動的，却是一片貿然的生機。在這個境界中，他把形而下的世界作了一個返照，使我們清楚的看出人間的悲劇，雖然我們可以看出人間的悲劇，但在超人的心境上又是距離得那麼遙遠。在這個境界中，他塑造了許多理想的人物，和形而下的世界作了一個對比，雖然這理想是那麼的高不可及，但却是人類日日嚮往的世界。我們翻遍中外古今的哲學，對於形而上境界的描寫，能有如此的生動，如此的親切，如此的引人入勝，恐怕以莊子爲第一人了。

然而不幸後人往往曲解莊子，認爲他的思想充滿了濃厚的懷疑色彩，帶有極度的虛無情調。殊不知這都是由於我們以世俗的觀點來看莊子，反而把他這番至理，誤爲怪誕不經。其實莊子超人的眼光看得非常眞切，他要我們捨棄淺薄的是非觀念；但他沉痛的批評，却顯然說明了他本身有着激烈的是非感。他構搭了這個形而上的新境界，就是要揚棄人類的罪惡，把人性向上提攜，向上推進。

今天，我們誦讀他的「褢韋（兩字均王旁）」之文，那一字一句，都是智慧的鞭子，鞭在我們的靈魂上；我們都深深的感覺到他那股熱力，從字裏行間，直透我們的內心，使我們興起，使我們高揚，使我們超然物外，與他同遊於純眞至美的境界。

（完）

安徽十三傑

管仲　李時珍　莊周　曹操　華佗　包拯　朱熹　朱元璋　戚繼光　李鴻章　段祺瑞　胡適　楊振寧

諸葛亮狂想曲（五六一）

劉玄

「是，是，星君有何吩咐？」黃雲大仙目觀鼻，鼻觀心，態度異常恭謹。

「海王星探險大概半個月以後就要實施了，我可以應承你參加。太空船的船長由紫鶴童子担任，你知道紫鶴的翱翔工夫在天庭是首屈一指的。你可以担任副船長，另外三十二個船員，不是姓「胡」便是姓「孫」，你大蓋明白了罷。」星君滿面笑容，顯得平易近人的樣子。

諸葛亮在旁聽得很明白，太空船上盡是飛禽走獸，所謂不是姓「胡」，便是姓「孫」，當然是猢猻的暗示。

「星君提拔小仙，小仙感激不盡，只恐小仙法力淺薄，難當重任也。」黃雲大仙謙虛異常，到底是國產的黃鼠狼。

「你不要客氣，我叫你做你儘管去做，保險不會錯。我老實告訴你，假使你們萬一在太空出了事，我隨時可以派鐵龍去救援，所以你們大家放心可也。」太白星君這句話說的很妙，他的意思是告訴黃雲大仙，你担任副船長不過是擺擺樣子，萬一發生事故，他還有鐵龍這張牌可打。

「星君一切安排盡善盡美，亮實爲欽佩。」諸葛亮好久沒有說話，乘機頌揚星君一番。

「你知道海王星探險只許成功不能失敗，玉帝統馭宇宙億萬千年，但海王星始終是一個未解開的謎，必須解開，由此你可以想像探險計劃是如何重要了。」星君態度嚴肅，顯然不是說着玩的。

「這次蟠桃大會，何仙姑要邀請金玉枝表演水中芭蕾舞，不知星君知道不？」諸葛亮另提話頭。

「我聽說過，這些事我都懶得過問，好在金玉枝表演水中芭蕾，太稀鬆平常了。」太白星君對於蟠桃大會不願深談，點到即止。

諸葛亮看見太白星君用一具鐵龍將氣球送上三十三天之外，衷心佩服萬分，回到禪房以後遂開口向星君道：「請問星君，這鐵龍究竟是怎樣製成的？」諸葛亮在三國時代發明木牛流馬，自以爲很了不起，現在見了鐵龍，才知道一山更比一山高。

「鐵龍所用之鐵是從天山開採在丹爐中煉製的，與一般鐵質不同，鐵龍吐出的火是三昧眞火，熊熊不滅能歷千年之久。至於他的靈性，是我抽取神龍的腦髓注入的，所以他有超凡入聖之性能，並有騰雲駕霧的工夫。」星君撫着過腹長髯，侃侃而談。

「黃雲大仙的氣功確實不凡，偌大的一個氣球，只一……一氣就吹漲了。眞了不起。」諸葛亮在讚美黃雲大仙時，幾乎屁字出口，後來才改爲氣字。

「承諸葛先生過獎，實在不敢當，我在來的時候，提心吊胆，現在才放心了。」黃雲大仙因爲一屁成功，通過考驗，面露得意之色。

（未完）

巨變歷險記！

渡瀾滄江（一六五）

胡慶蓉

從建水出發，瀾滄江是經過的第二大江。第一大江應該是紅河。

瀾滄江的上游水流比較急。顧名思義，可以知道流水的性質。瀾滄江的上游，急流勇湍，有如怒馬奔騰，故以瀾滄江名之。實則，怒馬奔騰，尚不足以形容該水的狀況。但到了柑欖壩，到了我部隊現在到的地方，情形就完全不同了。令人一望倒不是生畏，而是覺得可愛，甚至覺得特別的可愛。

柑欖壩瀾滄江的水完全是黃色，土色，與土的顏色相同，以之與黃河的水長江的水相較，實在並差不多，站在柑欖壩望瀾滄江的水，同站在黃河鐵橋望黃河的水，站在巫峽望長江的水，並差不多。假若有的話，那就是黃河鐵橋下的水要來得渾一點。這也難怪！因為「黃河之水天上來」，挾帶的淤沙非常多，當然水較一般的水要來得渾。長江的水，從巫峽看，從宜昌看，也是渾的，但因為不是同天上來，挾帶的泥沙並不太多，故所以水渾的程度要來得輕。現在瀾滄江的水，並沒有黃河的水長江的水那麼渾，渾還是渾的，但比黃河的水長江的水好多了，還是土色不錯，但比較清。並且越向下越清。出雲南境，那就是橫貫寮，泰，柬，越整個東南亞鼎鼎有名的湄公河了！在柑欖壩以上，瀾滄江絕對不可以航行，下邊的礁石極多，船行其間，極容易碰上，發生禍害。因此之故，柑欖壩以上的瀾滄江，並沒有甚麼實際的效用。但從柑欖壩以下，就可以行船了。而且越向下越好。在柑欖壩水上，還可以看得出到處浮起巨石，船是不能走的，要走，要特別的當心。

柑欖壩瀾滄江的水面很寬，並不亞於黃河長江。柑欖壩瀾滄江的水並非常平，簡直同鏡子一般的平，簡直看不見動。但一坐在船上，一去擺渡，立刻就又會覺得他下邊的流如何的急，稍不留心，船和人就會沖走。部隊過江，都坐的是船，連牲口也坐船過去。很感謝當地的百姓，他們很踴躍的將船集合起來，將船給部隊來用。因為舵手都是老手，故渡起來非常的快，但到渡完，天又快黑了。先渡過來的，在休息，在造飯。

柑欖壩瀾滄江的這一面是一片平原，地有水的灌溉，也都顯得很肥，對面有山，但都很矮，上邊是一片森林。色調柔和，完全是一副和平景象。但還是以不久留的好。丁博士李團長繼續帶領部隊前進。這時候，天快黑了，夕陽無限好，照着大江，照着部隊，完全是一副慈祥的樣子。弟兄們沐浴在不冷不熱的陽光裏，心中也都感覺到無限的舒適。

土共不會來擾亂了吧？大家都在這樣希望。但丁博士李團長為策萬全，還是帶着部隊前進，前進：：還是到高地村子上休息，部隊走起來的時候，天已經黑了。……

命相與夢話

紀曉嵐富貴文達

漢午

清乾隆時大儒紀昀，字曉嵐，一字春帆，晚號石雲，直隸河間縣人。乾隆甲戌進士，時年三十一歲。改庶吉士，累遷侍讀學士。因坐事戍烏魯木齊。（即新疆省迪化縣）。不久釋回，復授編修，官至協辦大學士，加太子太保。

紀昀學貫儒宗，旁通百家；其學在辨漢，宋儒術之是非，析詩文流之正僞，主持風會，為世所宗。任四庫全書總纂，較訂整理，每書皆作提要，冠諸簡端，稱大手筆。乾隆又詔撰簡明目錄，評騭精審。一生精力，全注於此。同時學者戴震亦參與四庫之成，與戴交厚，住紀昀家二十餘年。昀好滑稽，性格坦率，有陳亞之稱。清嘉慶乙丑，二月戊辰年卒，年八十有二歲，謚「文達」。有詩文集及「閱微草堂筆記」等書遺世。此書假詭奇譎，無所不備，流傳甚廣，尤膾人口。

紀文達之造為：甲辰、辛未、丙戌、甲午。

「三命通會」說：「丙辛合化喜甲辰」，富貴榮華有福人。」如證以文達之造：甲辰年，辛未月，丙戌日，甲午時，實乃不誣。然漢年以為此註略而不詳，現就管見所及，再補叙一二。

丙辛化水，得甲辰納音之火以交濟之，又得辰字為水的歸宿，不僅文明昭著，尤應淵源有自。然文達之造二日主丙戌，月令辛未，是時適在大暑節後，黃帝司權，土王用事，化火並不當道，豈得說是富貴榮華有福人麼？此造之所以如是者：丙戌日主屬甲申旬，辛未月令屬甲子旬，再加以生年甲辰，三合火局，團結一致，辰戌遙衝不成問題。加以生時甲午，納音屬金，水得金生，故能天降膏雨，地出醴泉，「善呼至井奧訣」有云：「一局凶神，要識隱藏福氣，否則未有不誤認為化水不眞，妄言士多晦火者。命的理微，不是涉獵淺嘗的人所以得而知的。

觀其二十四歲大運滋甲，歲值丁卯，鄉試發解。三十一歲大運滋戊，歲值甲戌，會試登進士第，改選吉士。因此我更相信納音的火，與丙辛化水最有情致。

三十二歲至八十二歲，忽而主攷學政，忽而侍郎尚書，忽而太子少保，都是乙運化金，亥運天乙，丙運化水格的喜神有以致之。雖經過丁運化木洩水，已運化土尅水，也不妨事。因格局尚完成，聲勢奕赫，略見疵瑕，決無妨礙。

紀文達一生功績，最著者有三：一為五十歲大運滋子，歲值癸巳，受命四庫全書總纂。

其二為六十九歲大運滋寅，歲值壬子。畿輔水災，奏請截留官糧萬石，設廠賑飢，全活無數飢民。

其三為八十歲大運滋卯，歲值癸亥。見於婦女猝遭強暴，捆綁受汚，不屈見戕者，例無旌表。轉疏奏陳，謂為此與抗節被殺及強暴被殺者，當一體准予旌表。奉旨報可。其所以能如此者，皆為癸亥流連之故。至緣事罣誤，發往烏魯木齊者，乃己丑流連，化土剋水，丑未遙衝的原故。八十二歲歲值丁丑，考終正寢，亦不過太歲月建，應相抵觸之故。（完）

黛眉小傳

王幻

侯夫人（上）

隋代自文帝統一南北，國內一時盛平。文帝治國雖嚴。但素性猜疑，不肯把兵權盡託臣下，就命晉王楊廣為兵馬大元帥，以致爲兒子所弒。煬帝弒父弒兄篡立之後，不理國家政事，只是沉迷女色，一反文帝的作爲。而且大興土木，建造「迷樓」，較秦始皇建的阿房宮，尤爲皇堂富麗。迷樓記云：

……樓閣高下，軒窗掩映，幽房曲室，玉欄朱楯，互相連屬，回環四合，曲屋自通。千門萬戶，上下金碧。金虬伏於棟下，玉獸蹲乎戶旁，壁砌生光，瑣窗射日。工巧云極，自古無有也。……

顏師古「隋遺錄」亦云：

……因此乃建迷樓，擇下俚稚女居之，使衣輕羅單裳，倚檻望之，勢若飛舉。又爇名香於四隅，烟氣霏霏，常若朝霧未散，謂爲神仙境不我多也。樓上張四寶帳，帳各異名：一曰散春愁，二曰醉忘歸，三曰夜酣香，四曰延秋月。粧奩寢衣，帳各異製。……

於是這個風流天子便日夜留連在內，更不問外事了。由於迷樓十六院「飛棟衝霄，連欄接漢」恍如苑仙家，九天帝闕；即命太監許庭輔等挑選宮女，撥派掌管院事。凡選中的宮女，有金珠禮物餽送的，列上等冊籍，金銀少些的，列中等冊籍，如無見惠，縱有國色，也就列在三等冊籍。煬帝看了冊籍，共有千餘宮女，便將上中等的選入迷樓，其三等的仍留在後宮充用，凡留在後宮的宮女更沒有一見顏色的機會了。

且說後宮有一位侯夫人，容貌妍麗，富有文才，自持有才有色，又值煬帝好色憐才，以爲阿嬌金屋，飛燕昭陽，可計日而待；誰知才不敵命，色不逢時，進宮數年，從未得見君王一面。一日聞得煬帝又差許庭輔到後宮挑選宮女，有個宮人勸她拏幾件珠玉餽送，侯夫人道：「我聞漢室昭君，寧甘點痣，不肯以千金買囑畫師，雖一時被遣，遠嫁單于，後來琵琶青塚，倒落個芳名不絕。我縱然不及昭君，若去賄賂小人以寵幸，其實羞爲。自恨生來命薄，縱使見君，也是枉然。」因她不肯行賄，未被選入迷樓，自知此生將終老長門。而來日方長，春華秋月，不免時時牽動情懷，與其作終身的監禁，不如一死倒也痛快，於是乃自縊於棟下。死時，臂懸錦囊，中藏自製的幾幅烏絲箋，左右呈於煬帝，原來都是些平日寄興感懷的詩稿。

自感三首云：

庭絕玉輦跡，芳草漸成科；
隱隱聞簫鼓，君恩何處多？
欲泣不成淚，悲來翻強歌；
庭花方爛熳，無計奈春何。
春陰正無際，獨步意如何？
不及閑花柳，翻承雨露多。

這三首小詩，未脫「子夜歌」中那種悱惻纏綿的嬌態，以柔媚宛轉見勝，使人讀後爲之瀾亂不置。又「看梅」二首云：

砌雪無消日，捲簾時自顰；
庭梅對我有憐意，
先露枝頭一點春。
香淸寒艷好，誰識是天眞；
玉梅謝後陽和至，
散與羣芳自在春。

（未完）

依洞集

師道之惑？

易儔

最近台北報紙刊載了一段花邊新聞：某一大學助教用英語向某一女郎挑逗，並窮追不捨。女郎精神大受威脅，只好報告警察機關。該助教在派出所說，「目的只為正當追求，並無他意」云。

世風日下，盯梢已不算新聞，可是偏偏是大學助教問題就不簡單了。由於一助教能用英語向女郎挑逗，足見他是受過相當智識教育的。能夠盯梢，其行動敏捷，體能亦佳。可惜在德育方面將是一個問題。由此，反映出當前教育的失敗！

據筆者所知，即照西化習俗，盯梢屬於下流行為，不是正當追求方法。台灣夜總會有狗明星表演做算術，某大學助教在授課之暇懂得用英語去勾搭良婦女，此一精采表演較諸狗明星實有過之無不及。

孟子曰：「人之異於禽獸者幾希，」現代有「人是兩脚獸」的說法，這一疑惑，不要說為人師表的不能解，為人師表所製造的花邊新聞，更加深了社會大衆的迷惘。

自由詩壇

漁叔題

默坐　申墨君

寒柝峻會（山旁）夜。瞑雲一矢開。關山半戎馬。將帥失邊才。河埭桑初合。鮫人淚已灰。休燈捫舌坐。噫氣鬱風雷。

第十三章　韓世忠勇擒苗劉　岳鵬舉孫軍周旋

王德與苗翊交戰十合，擒住了翊苗。再殺將進去，砍死了馬柔吉。苗傅見不可敵，急忙逃竄。世忠命人追捕，却被建陽縣人詹劉擒住，獻到軍前。世宗遂將苗、劉等押赴行在。兄弟三人同時正法。高宗大喜，親書「忠勇」二字，懸揭旗上，以表世忠之功。苗，劉之變至此結束。二張，韓，劉諸將在此立下大功。

張竣除了苗傅，劉正彥，又設計除了助苗，劉叛變的范瓊，乃上書高宗言中興要計，當自陝關為始。關陝盡失，東南亦可不保。臣願為陛下前驅，肅清關陝。陛下可與呂頤浩同來，以便相機趨云云。高宗允諾，遂命張竣為川陝京湖宣撫處置使，得便宜黜陟。張竣既拜命，尅日啓發。

正當張竣西行之際，金兵兀朮一枝人馬已打到磁，單，密諸州，陷興仁城了。高宗驚懼不已，速遣二使赴金議和，一是徽猶閣待制洪皓，一為工部尚書崔縱。高宗委屈求全，在書中表示願去尊號，用金正朔，比諸藩衛。如此沒氣節，又與張邦昌，劉豫有何區別？宋高宗以子臣事金之事，尚不止此一次，以後還多着呢！但是粘罕，兀朮却不理他這一套，把使臣拘留起來。

呂頤浩送別張竣。本擬扈至武昌，却聞金兵南來日近，遂變易前議，仍擬都杭，命升杭州為臨安府，先授李　，康二人權知三省樞密院事，奉隆祐太后往洪州。

金人第二次南侵兵分兩路，大起河朔，燕雲之兵。下令金人漢化，強制漢人胡化，不聽命者殺之。南侵兵分兩路，一路從除水入江東，一路自　，黃入江西。除河源出合肥縣黃泥段，東流經全椒縣及含山縣，和縣，除縣，來安縣東南境，至江蘇六合入長江。此路大兵直指宋行都而來。因此路便於漕運補給。兩路形成了鉗形攻勢。但粘罕一路，必先下汴京，然後乃無後顧之憂。

杜充是個庸將，聞聽金兵來到，他只有兩個主意：一是「逃」，二是「降」。杜充首先放棄汴京走建康。決定之後，岳飛深以為不可。他對杜充說道：「中原之地，尺寸不可放棄，況朝廷社稷宗廟皆在京師，故汴京乃故都，非他地可比。留守以重兵碩望而不守此重地，他人奈何？今留守一足，此地皆非我有，他日欲收復，非損數十萬之衆不可得也。望留守慎思之」。

杜充不聽，下令撤退汴京，向建康起行。但沿途都是流寇，乘金兵之勢，趁火打劫。（一五九）

自由報

（第一一〇八期）

（半年刊每星期三、六出版）

社長李運鵬‧督印黃行審

社址：香港九龍彌敦道593—601號廖創興銀行大廈八樓五座

LIU CHONG HING BUILDING 7th FLOOR FLAT'5 593—601 NATHAN ROAD, KOWLOON, H.K.

TEL: K303831

電報掛號：7191

承印：景星印刷公司

台灣區業務管理中心：台北重慶南路一段一二九號

電話：二四五七四

台灣區直接訂戶 台灣劃撥戶 第五〇五六號張萬有（自由報會計室）

台灣分社：台北市西寧南路110號二樓

電話：三三〇三四六、台北劃撥戶九二五二號

本報專論

教育部的新奇事件

·鍾國仁·

近幾年來，中華民國教育部隨時發出人意外的新奇事情，從閻振興任內核准某大學的偽造學籍案，以及大專學生聯考槍替案，台北醫學院黑籍學生以行賄奉准合格案陸續揭發後，繼之鍾皎光任內亦接踵前修，有聲有色，而且青出於藍，聳動視聽，據記者訪查所及，茲分別報導於次：

台灣國立藝術專科學校於今年暑假期間，曾向教部請求增設「語文科」，教部轉呈行政院核示，院令以「茲事重大，應從長計議」批駁了。詎教部於本期（五十九年度）大專聯考招生章程內，赫然列有台灣藝專招收「語文科」學生的一項，行政院見之甚詫，究問該部鍾部長何得故違功令，擅許新設是科？然鍾氏茫然不知，旋查得本件係該部職教司所簽呈而由政次孫宕越批准的。因職教司某員係台灣藝專的教授，利用職權朦混孫氏而然，鍾部長未加注意，隨便批以「如擬照辦」的官樣文書，致鬧出違悖行政院命令的瀆職問題。最後乃以「擬令飭大專聯考招生委員會，不分發台灣藝專語文科學生」等語，呈復行政院。究竟是否如此實行，殊不可知也。

本年八月間，有高雄「國際商業專校」，台北「市政專校」與「致理工專」等若干私立專科學校，向教部請求增設夜間部，初時一律照准；繼而不知何故，復下令撤消原案；再過些日期，又特許其中某一商專增設夜間部；翻雲覆雨，出爾反爾，於是，以市政專校為首，聯合其他的向隅各私立專校向監察院陳情訴願，懇求主持公道，加以查究，監院教育委員會業已受理，正在調查中。

聞該被特許之某一商專，於閻振興部長任內籌備時，校舍校具尚一無所有，即奉准立案招生，教育廳某官員偷天換日，呈報教部居然批准了。在與兆棠廳長任內查出移送法院，教育部又把假公文遺失了，究竟如何結案的，後來無人知道。此次鍾部長又對該校另眼看待，因而社會輿論對該校之神通廣大，甚表驚異。

近有國大代表陳會瑞，向台北地方法院檢舉教育部長鍾皎光偽造文書，任用私人，舉證確鑿，請予依法訊究。內容是：鍾部長任用了一個嫡親外甥，在教部担任庶務科的職位，曾有立法委員提出書面質詢，由行政院轉飭鍾氏答復。鍾部長答稱該員係前任閻部所用，本人對舊有職員概未更動，并無營私之嫌。唯陳會瑞在教育部人事處查明該庶務科長係去年七月一日與鍾部長同時到職的；又在教部會計處查明該庶務科長係從去年七月一日起薪的。復據教部管理總務的員司說，該部每月關於庶務方面的開支，現時較過去增加了倍蓰。陳會瑞根據這些事證，抄同行政院與鍾部長關於此事的來往文書原文，即正式向法院檢舉。台北地方法院已開過偵查庭，認為陳會瑞的控訴不虛，自應依法處理，曾經票傳被告到案應訊，鬧鍾氏未肯出庭，結果如何，很難逆料。然清高的教育行政機關，竟發生這樣多的不名譽新聞，為國家民族前途設想，殊令人太惜長嘆，憂心忡忡，在此高唱革新政風之際，未審當局作何感想耳。

據本報記者台北消息指出：女立法委員莊靜在質詢時，指教育部長鍾皎光「說謊」。莊委員引用教育部答復立法委員王述先、謝星曲之質詢公文書為證，指鍾部長有偽造文書之嫌，有違法任用外甥。

記者按：有一位陳姓國大代表亦以此為證據向台北地檢處檢舉鍾部長偽造文書，經已開過一次偵查庭。

莊委員的質詢如下：

本院王委員述先、謝委員星曲質詢鍾部長說：「侯煌昌是他的親外甥，任為事務科長」，「外甥屬於三親等，就首長用人來說，不予迴避是違反人事法規的」。

鍾部長為了掩飾任用外甥之違法，以教育部公文書答復質詢說：「侯煌昌……係在閻前部長任內發表，並在鍾部長接任之前到職」。「侯員確為本部鍾部長外甥，然其任用，尚無不合」。

王委員述先於查明侯煌昌「去年七月一日鍾氏接任部長後，始隨同到差，另行發表為事務科長」，「有教育部七月一日起薪表及行政院的移交名冊可證」。再予提案質詢。

鍾部長本年九月十日的再答復文，對侯煌昌事務科長的到職時間問題，避而不答。

刑法偽造文書罪第二百十三條明定：「公務員明知為不實之事項，而登載於職務上所掌公文書，足以生損害於公象或他人者，處一年以上七年以下有期徒刑」。

教育部長依法受公務員懲戒委員會之懲戒，當然是「公務員」。

侯煌昌隨同鍾部長到職，並係派為事務科長，竟誘稱「鍾部長接任之前到職」，當然為其所「明知為不實之事項」。

教育部鍾部長以公文書答復質詢案，當然屬於「登載於職務上所執掌之公文書」。

鍾部長之書面答復，不但列諸立法公報，且列諸本年三月三日之中央日報，使人誤會立法院質詢案為不實，當然「足以生損害於公象或他人」。

如此推論，鍾部長說不實之事件，似乎構成刑法上偽造公文書了。

依民法（親屬篇）第九百六十八條推計，外甥屬於三親等。

公務員任用法第十三條：「三親等以內血親姻親，不得在本機關任用」。公務員服務法第五條：「公務員應誠實清廉」。

王委員的質詢案說：「當鍾部長任交大工學院長時，侯煌昌是該院的事務主任，已有違反人事法規前例」。接任部長後，又用為事務科長，為了掩飾違法，又不惜利用公文書作違反「誠實」的規定。

如此說來，鍾部長豈不是再三違法，慣於違法。

總統「五守」訓示：有「守信」一條，孔子也說：「自古皆有死，民無信不立。」

總統頒給本年全國教育會議的訓詞，更指明要以「人格教育」「道德教育」來復興中華文化。小學教科書上，尚且推崇華盛頓承認砍樹為誠實，推崇司馬光稚年說謊一次（剝胡桃）挨罵後，引為奇恥，終身不再說謊為可貴，教育部長主管全國教育行政負有「教人」「樹人」的責任，豈可公開以「不誠實」示範國人。倘若因此而調教出來，後起的「說謊專家」，甚至於「說謊博士」，則「人格教育」、「道德教育」，豈不破產。縱令其不實之動機為掩飾違法，也是不可諒恕的。

准此以觀，教育部長公開有不誠實之言行，是不應該了。

（完）

昨日與明日

為大專教授鳴不平

全世界普遍學潮聲中，惟有自由中國的高等教育始終在正常發展之中，在大專學校就讀的青年們度着寧靜安祥的讀書生活，每天獲得學識上的進步，比較美、日大學生經常在罷課，何啻霄壤之別。無疑問的，年來自由中國高等教育的進展，大專教授們的辛勞，實在功不可沒。不過，另一方面，教授的辛酸也是一言難盡的。

教授的待遇，眞是太菲薄了，自從本年七月份起，公教人員待遇雖經調整，但所增有限，一級教授，每月增加不過五、六百元，甚至還不到，一般教授每月薪酬所得不過四千元，以目前國民生活水準和各項開支無不增加的情況下，每月四千餘元，怎能維持一個家庭的生活，而這些高級知識份子那一個不是經過十多年甚至數十年的寒窗苦讀、書室鑽研。生活是現實的，教授謀生之路，祇有幹本行：「教書」，於是，遂不得不多處兼職。兼課固然影响學術研究，但不兼課又怎能活下去。這是現時代高級知識份子的悲哀，也是國家慘劇的扮演。

談到兼課，教授們更是滿腹辛酸，無處傾述。大致的講，大專教授們的兼課市場是以私立大專院校為主。就教授們講，兼課是本位工作以外，另找額外工作，乃是透支體力，所賺的是賣命的錢，無數教授英年而逝，足資證明。就私立大專院校負責人講，邀請兼任教授，僅支鐘點費，比較專任教授經濟省錢，鐘點費的多寡，完全由僱主，老板，也就是大專院長負責人自定，願給多少就多少，教授們沒有絲毫表現意見的權利。本學期，大專學生學費都增加了，當初教育部核准各院校增加學費時，說明如此為提高教員待遇之用，結果，本學期兼課教授鐘點費所增寥寥，有的由原來的八十元，增為八十五元，有的增為九十元（副教授、講師們更少），這一方面是剝削（恕我用這討厭的字彙）教授們的勞力，另方也是違反政府的規定，矇蔽主管機關的耳目。

私立大專院校對兼課教授不公平待遇，還不僅如此。譬如，往往合班或百人以上的大班上課，不當加重教授的負担。每年十二個月，而兼任教授鐘點費祇有十一個月，甚至有的學校祇發八個月（以實際授課時數計算），這種計件付資的辦法，將大學教授看成木工或泥瓦工了。如此尊師重道，如此私立大專院校之對待教授，豈不令教書的人們失望寒心？然而，這些現象，除了教授們身感體受外，政府以至社會，還有誰會關心呢？

·正言·

自由談

台灣消息：教育部最近對於大專學生讀書期間之保證人條件，宣告放寬，即將原來規定須就學校所在地居住的合格人士作保一項，放寬為凡在台省各地居住的皆可。據稱這就是「便民」作風，嗚呼哀哉！

大專學生求學期間要有保證人的理由安在？實屬惶惑莫解。保證學生思想正確嗎？這是笑話。學生思想正確與否，是學校當局應負的責任，要把不正確的思想移化歸正，夫之謂「教育」，旁人有甚末方法可以保證呢？若謂保證學生在學時不中途輟學，或不拖欠學費，更不必要。倘要保證學生不做「匪諜」，尤屬不切實際，且侵越了治安機關的職權，不足為訓。何況這種保證責任，事實上是擔保不了的。此外還有甚末問題必須有人保證的，實在想不出來了。

秕政之一

吾國官場早有一項「該死」的惡法，人民在法院被人控告而宣判無罪，或在治安機關因有犯罪嫌疑被傳訊而判無罪後，還要覓具妥實舖保，纔得恢復自由。似此蹂躪人權，摧殘威福的政風，居然視為家常便飯，寧非咄咄怪事乎？所謂「交保」，是在防範罪犯有逃亡之虞，既已判明無罪了，人民即有行動自由權利，幹嗎須取保？如此非法虐民，即在專制時代亦不應該，號稱民主社會而有此苛政，真是國家之羞！

學生讀書要有人保證，這與法院判訴訟人判明無罪仍須取保的違法，同屬無聊之舉，不特無罪治道，而且徒增擾攘。教育部將大專學生保證人資格放寬了一點，乃自詡為「便民」的德政，表示遵循了總統所訓示的革新號召。令人聞之，不覺渾身起，有如諺所云：隔夜飯亦要嘔出來哉！

馮乙先生

根據國際「大陸礁層公約」
釣魚台列嶼的資源
我國有權探測開採
立委促政府明白表示立場

（本報台北消息）立法院委員為大陸礁層與尖閣羣島（又名釣魚台列嶼島）的問題，紛紛向行政院提出質詢，其中程烈委員之質詢提出了積極的主張。

程烈委員說：「美日交移琉球羣島，不問其是否實現，此乃美日兩國私相授受，有關盟國未經會商同意，依法不生效力。」「依據當前局勢，我們非拿出嚴正而爽朗的態度，明示我們的決心和立場，及自處之道，則別無他途可尋。因此主張「向美國抗議」、「派遣艦艇巡邏尖閣羣島」。下面是程委員的質詢：

我國為開發經濟，探測海域資源，於完成參加國際「大陸礁層公約」的批准後，已制定「海域石油礦探採條例」，使我國對沿海大陸礁層的探測工作，正積極展開，並準備大規模開採。這原是充實民主集團經濟潛力，增進保衛自由力量的好事，論理，凡中外愛好和平自由者，本不應有何問題發生，孰料，由於傳聞大陸礁層蘊藏油礦甚豐，竟而引起日本覬覦，貪婪之念重起，侵略之態復萌，於是發生了尖閣羣島歸屬權之爭，也就是日本擬從「經濟大國」，躍為「政治大國」的新表現。

所謂尖閣羣島之爭，到底是怎樣一回事呢？簡言之，起於八月十日，日本外相愛知揆一在參院答覆社會黨議員川村的質詢時說：「釣魚台羣島屬於日本，中華民國任何片面主張對這個羣島，及其沿岸綫海區域的權利，依國際法上應認為無效」。嗣我外交部證實其事，而日本駐華大使館，亦曾就釣魚羣島歸屬，及大陸礁層事，向我政府提出正式照會，而認為我中華民國不得作任何片面主權之要求，最近，更有琉球巡艇在尖閣島附近，干擾我漁民作業，這當然是受日本指使，顯見這個尖閣島之爭，雖礁層尚未採出油礦，但局勢愈演愈烈，其未來糾紛，是會層出不窮的。

按大陸礁層公約，參加國家甚多，我國亦為參加者之一。該公約係一九五八年聯合國海洋法會議時所通過。依其原則，我國政府於隣接海岸，在領海以外之海床及底土，以及隣接島嶼海岸之類似海底區域之海床及底土，其所有之天然資源，均得行使主權上之權利。據此，我國外交部魏部長已嚴正表示：「中華民國不能同意日本政府關於尖閣羣島，以及台灣以北大陸礁層資源探勘及開採問題的主張」，因為該羣島無論從地理和歷史上，以及國際間所應公認的標準而言，一直是中華民國台灣省的一部份，其與日本之地理和歷史，均不相隸屬。尤其尖閣羣島位於基隆東北一百三十海浬，而位於琉球西方二百五十海浬，不要說另有與圖史典考稽，就是單憑距離遠近，也易斷尖閣羣島應屬我國領域。

我應根據法理力促日方覺醒
亟須謀取自處之道面對現實採取行動

關於尖閣羣島與大陸礁層之事，我們雖於法於理都站得穩，但我國外交部魏部長卻對日本政府表示，中華民國政府願意與日本政府談判，也就是相互舉行會議，來交換意見，以解決這個相爭的問題，據聞日本政府所持的理由，是美國既同意於一九七二年將琉球歸還日本，為了要作琉球主權之要求，因此要藉尖閣羣島之事，進而把握大陸礁層開採權，殊不知美日交移琉球羣島，不問其是否實現，此乃美日兩國私相授受，有關盟國未經會商同意，依法不生效力，徵諸波茨坦宣言，開羅會議及金山和約的決議明甚，我國既未承認琉球「歸還」日本，而日本亦尙未取得「琉球」，斯不論琉球將包括尖閣羣島否，而日本現尙無權與我國談判。似不必受其所愚。

然則，吾人對這個尖閣羣島及大陸礁層之爭，究應採何措施耶？依據當前局勢，我們非拿出嚴正而爽朗的態度，明示我們的決心和立場，及自處之道。則別無他途可尋，因此，至少我們要做的為：

（一）直言無隱：向來我們對國際糾紛事件，都是隱諱不言，這最易引人誤為軟弱無能，於是得尺進丈，欺凌不已，直至忍無可忍起而反抗時，已造成不可收拾之勢，即以琉球歸還日本為例，若於美日協議之時，我即堅持反對，則日本或不致得隴望蜀，而有今日之奢求。言念及此，令人感慨系之。

（二）宏揚法理：日本現亦為自由國家，雖不無軍閥殘餘份子存在，但不顧一切，恢復往昔侵略作風，其力與勢尙嫌不足，亦尙非其時，我們應本諸法理，將尖閣羣島與大陸礁層之爭，我方之充份理由，利用民間團體或國際傳播，儘量喚起日本人民之瞭解，而勿作無謂之爭，藉免間接助長匪共侵略之勢。

（三）向美抗議：美日就琉球羣島之歸還，擬私相授受，這已構成極大錯誤，一切的爭端，皆由此而引起，我們原希望美國能有所自責，不意美國之駐日大使在此時機却發表談話，謂琉球應包括尖閣羣島，這種推波助瀾的言行，實非對待中國盟友之道，況且這是中日外交問題，何勞美國大使越俎代作主張，我們應向美國提出抗議。

（四）實事求是：日本是個重視現實的國家，他們祇重「勢」與「力」不講道義，對我們二次戰後給他們的「以德報怨」早已忘得乾淨。我們若一味空言，而無實際行動，則日本採漸進手法，其行動何只干擾漁民作業，因此，我們應面對現實，不時派遣艦艇巡邏尖閣羣島，並予以保護為宜。

（五）堅強信念：不要認為聯合國席位的困擾，而不敢與任何國家講理，須知，我若被擯聯合國外，則民主自由國家之損失，比我國更大。不惟美國孤立，而日本在匪共傲視氣勢下，更難安然無事。至其欲成為「政治大國」，那簡直是癡人說夢。單就匪共要求「戰爭賠償」一言，就夠日本受的了。凡此國際矛盾相尅，在聯合國席位，我國不須過慮。

總之，根據大陸礁層公約，我國有權探測海域資源，而尖閣羣島依地理及歷史佐證，也不屬琉球羣島之內，我們對於日本政府所作領土敍述及主張，絕不能同意。尤其在日本未依法取得琉球主權之前，亦不應與其作琉球主權或其範圍以外之談判。須知，維護國家主權第一，經濟利益尙在其次，願我政府勿掉以輕心，或稍作讓步。

立委被聘為地治輔導員
於法於理均不合適
李公權委員就憲政問題
向嚴院長質詢請予說明

（本報台北消息）立法委員李公權就有關憲政的問題，在立法院質詢時間內向行政院長嚴家淦提出口頭質詢。行政院長嚴家淦對李委員之口頭質詢未即席口頭答復，經徵得李委員同意，行政院查明以後書面答復。

李委員是根據九月廿二日中央日報刊載：「十二位台籍立委被聘為地治輔導員」的消息，向嚴院長提出口頭質詢。他說：中央日報新聞內容是：「省府今委員會議通過，聘請十二位本省籍的立法委員，兼任本省地方自治輔導員。」從法令方面看：第一、根據立法院最近出版的法律彙編，其中聘用派用人員管理條例的第一條：「中央及地方機關依組織法聘用或派用之人員，其管理適用本條例之規定。」該條例第十三條第二項：「各機關聘用或派用人員，於組織法無依據，或名額不符規定者，或薪俸超過定額者，其薪俸之全部或一部，審計機關應不予核銷。」第二、根據省政府組織法第五條第八款：「關於省政府所屬全部荐任以上公務員或其他所屬機關人員之任免事項。」換言之，凡經省政府委員會議而任免者，皆為荐任以上公務員或所屬機關主管人員。第三、根據台灣省縣市公職人員選舉罷免規程第二條：「省議會議員之選舉（罷免）以內政部長為監督。」第四、根據台灣省各縣市公職人員選舉罷免規程第八十四條：「省政府民政廳長兼選舉監督。」第五、根據台灣省各縣市實施地方自治綱要第三十九條：「縣市自治之監督機關為省政府，鄉鎮縣轄市自治之監督機關為縣政府。」從以上兩項法律三項行政命令的規定看，此一新聞報導的事實，於組織法是無依據的。根據聘派人員管理條例的規定，組織法無依據的聘用人員，審計機關不予核銷其薪俸，請問這十二位輔導員有無薪俸？又據省政府組織法的規定，經省政府委員會議決任免者，皆為公務員或所屬機關的主管人員，請問這十二位輔導員又是否為公務員？

李委員指出：從憲法看，憲法第六十二條：「立法院為國家最高立法機關，由人民選舉之立法委員組織之，代表人民行使立法權。」換言之，這十二位立法委員，是代表全中國人民的，所以應該行使全國的立法權。再從我國憲法整個精神看，在橫的方面是中央五權分治；在縱的方面是中央與地方均權。而此一新聞却顯示二個錯誤的事實：一是以中央立法委員置於聘派人員管理條例的範圍內；二是以中央立法委員置於內政部長、民政廳長、省政府與縣政府之下。總統會昭示：憲法是反攻大陸的武器。我們行憲已有二十二年的歷史，每年十二月廿五日為行憲紀念日。在當今宏揚憲政的大前提下，儘管是一條小新聞，但茲事體大，不得不提。從政治方面看，在我國政府的政策上，所有台籍委員，皆應國家化，而不要地方化。依憲法第六十二條規定，十二位立法委員所代表者，為全國人民。今以之局限於台灣，誠與全國大團結之精神相違背。從事理方面看，立法院對地方自治有研究與有經驗的委員，不限於這十二位；反之，這十二位委員並不一定全長於地方自治。因此，此一小新聞所顯示的事實，無論自法律、命令、憲法、政治或事理上看，皆使我不能了解。台灣省主席陳大慶是何等賢明，徐秘書長又是何等能幹：但智者千慮必有一失，此一措施，用心未嘗不好，但結果對這十二位同仁（其中包括立法院長黃國書），非但不是光榮，而是難堪！以上所陳，不知嚴院長已注意到否？最後，李委員抨擊說：政治上，首重清明，切忌混雜，尤其不可自亂陣容。希望嚴院長能有所說明。

喬治桑外傳　一八七
張大蘇

「我去買菜。」

「隨便吃一點，天氣熱不好跑菜場？」

「哎呀，女人上菜場是天經地義的，跑一趟菜場，有什麼了不起。」

雅麗絲說完，站起來顯然是要上菜場。

「雅麗絲，妳等一會把私章交給我。」

「做什麼用？」

「買房子用？」

「買房子？」

「用妳的名義買嘛。」

「當眞替我買房子？」

「我不是早就告訴妳了？」

「……………」

雅麗絲到臥房裏拿出一個小皮盒子，遞給喬治桑。喬治桑接過來打開一看，是一個牙章，上面有「李雅麗」三個篆文字。

「妳的私章交給我，放不放心？」

「那裏的話，我不相信你還相信那個？」

雅麗絲說完，像蝴蝶般飛了出去，手裏拿了菜籃子。

雅麗絲知道喬治桑的胃口，所以不必問他要吃什麼，也會買。雅麗絲交了私章給喬治桑，才知道喬治桑送她房子並非說着玩的。一個缺乏父愛的女孩子，自然有說不出的感激。於是，她想：今天應該買幾樣好菜請請他。

她在菜場裏先買了清蟹，明蝦、冬菇、整鷄……………等，又坐計程車到「小南園」買了鯽魚——是喬治桑最喜歡吃的菜。

（未完）

台北傳奇錄（八一）
·陳光棣·

賴先生在走廊上，看到了對面來了一個穿迷你裙的女學生，劃着假眉毛，打着黑眼圈，充滿了年青的魅力，賴先生止不住多看了兩眼，那女學生到面前對賴先生似笑不笑的打了個招呼，賴先生不迭的摘下帽子來還禮，再一看那女學生領子上竟然帶的是太太的領花，兩顆小鑽石配上一塊黑寶石嵌成一隻小動物，一點都不錯，就是太太的東西，也是昨天晚上被偷的手飾其中之一件。賴先生盯着那女學生進了一間教室，記住教室的編號，再去查明了科系年級，下一節課也顧不再上了，匆匆的趕回家去向太太報告，然後又跑到派出所通知警察。

蔡先生離開了別墅兜了幾個大圈子，才回到了自己的家，第一件事，就是把大洋馬支使出去，免得她問東問西，惹的人心煩。蔡先生躺在床舖上不停的思考；自己也老大不小的了，可是生活一直沒有上軌道，幾年的爛仗打下來，錢是剩了幾個，無奈每天過着提心吊胆的日子，假如這一次能夠平安無事，他眞的要洗手不幹從新作人，何況孩子們一天天長大了，總這樣下去也不是辦法。尤其是大兒子蔡百順簡直不像個念書的學生，動作詭譎而且滿臉的邪氣，要是自己行為正當無愧于心，老早就好好的管教管教他了；二兒子本來很乖，現在也慢慢的學壞了，動不動就是和街坊隣居的孩子打架。蔡先生又想到自己的生意，雖然賺錢多，實際上開支也大，每一票作下來，簡直剩不下幾個錢，又要担着各樣的風險，可怕是幹這種行道的，沒有一個有好下場，到頭來在監獄裏蹲一輩子。蔡先生想到這裏，不自覺的出了一身冷汗。

金恒貴站在門外咳嗽了一聲，蔡先生開開門讓他進入臥室。

「東西藏好了沒有」？蔡先生輕聲的問。

「用膠布粘在桌子下面」。金恒貴感到口乾舌燥：「方才警察到我家去過，說是賴家鬧小偷！」

「小偷！」

「是！問我們聽到什麼動靜沒有」？金恒貴搖了搖頭：「我看不是這麼簡單」。

「還問了你一些什麼話」？

「問我昨天晚上去什麼地方，我胡扯了一頓，兩個警察就走了。」金恒貴近乎哀求的聲音：「你看怎麼辦？那兩包東西放在我家，就和定時炸彈一樣」！

「你先別害怕，他們絕不會追到咱們身上來，不過這些東西要換個地方才好！即使找到我們頭上，搜不出證據來，他們也是乾瞪眼」。蔡先生摸摸下巴：「你還有什麼靠的住的地方？再去想想法子」。

（未完）

記兩位能幹的女性

·文滙樓主·

台北有兩位女性值得一記的，一是浙江周順先，一是旅美歸僑朱鏡儀。前者的尊翁是革命前輩會任總統府國策顧問，後者出身杭州警官學校，他們的艱苦奮鬥，他們的苦修苦讀是值得女孩子們效法的。

中國歷史上有一位蘇洵，宋朝四川眉山人，從廿七歲起才發奮讀書，後來果有所成，他的文章奇峭雄拔，有先秦之風，直傳到現在未衰。周順先則向蘇洵看齊，從三十幾歲開始學習西班牙文，十年寒窗竟能說能寫，又兼為詩書門第，早年底子舖的好，真所謂「學會文武藝，賣給帝王家」她雖然未在我們自己政府做到一官半職，確被巴西政府派為巴西駐華領事館副總領事，這和英國政府派王蘊棣為英國駐泰國大使館秘書同樣榮譽。她常訓勉其子女謂：「愛人者人恆愛之，敬人者，人恆敬之」。台灣省政府主席陳大慶提倡微笑運動，周順先可得微笑獎，凡到巴西領事館簽證的人都是這樣說，大概不會錯吧。

朱鏡儀畢業於杭州警官學校，是趙龍文的高足，早年有「警校之花」的盛譽，與安徽大學「安大之花」石季瑜，重慶小溫泉時中央政治學校「政校之花」張淑寶儀態相彷彿，同為男生們注意的目標，有朱鏡儀在大陸未陷匪前的過五關斬六將，林林總總的事從略，江湖上有句名言，「好漢不提當年勇」，祇就旅美這一段漫長的歲月，亦頗值婦女界效法。

她能夠單槍匹馬到美國去打天下，靠勤勉與智慧，也就是雙手萬能，將自己的孩子都攻讀到博士學位，這還不算稀奇，且能在美國僑社奠定事業基礎，她這次回國觀光，深居簡出，最怕人稱她為僑領，不像有些在外國端盤子洗碗之輩，一旦回到祖國，總裝模作樣招搖一番，等而下之者還有走私販毒，在未被破案前，儼然以大僑領的姿態擺出，用金聖嘆的口氣「醜」。

文滙樓別記

從一歲到三十歲，稱為少壯時期，三十到五十叫作長大時候，周順先和朱鏡儀雖已快過完長大時期，但很像紅星李麗華，好萊塢的阿娃佳娜，越成熟越美，越老越漂亮，包括內在的美，也就是德性美，其高雅俊逸，更不減當年，奇怪的同屬能者多勞典型，莫非上帝硬性規定，辛勞的人盡是能者。

諧史拾趣（三）

·周其昌·

十二、天官翰林之弟

新安詹景鳳，號中岳，甚有才名，善作狂語。中鄉試，仕由翰林孔目，轉吏部司務。乃自題其居云：「天官翰林之弟」。鄉人見之，加其下云：「天官司務，翰林孔目」。詹復添注其下云：「這樣官兒是笑？是哭？」全文則為：

天官翰林之第。天官司務，翰林孔目。這樣官兒，是笑是哭？

十三、嘲河南人

有中貴（宦者）者，奉命出差，到任劄地方，是晚謁廟行香。廟有講書人當講時。有青衣生甚蒔之，乃講「孟子」牽牛而過堂下一節。中貴問道：「喂！那牽牛人姓甚名誰？」青衣生答道：「就是那下面的——王見之」。中貴嘆道：「好生員，博雅乃爾！」

有人借論語以嘲河南人，公冶長善解禽言，知鳥語。一日孔子聞鳩啼。對公冶長道：「這是說甚麼？」公冶長答道：「他道『觚不觚』。」又聞燕語聲，又問公冶長道：「這是甚麼話？」公冶長道：「他道『知之為知之，不知為不知，是知也。』」孔子又聞驢叫，問公冶長道：「此驢云何？」公冶長答云：「此不可知。」

十四，待「湯」耳

李文正字西淮。一日邀同鄉諸貢生宴飲。有一貢士稱他處有酒，為之辭謝先行。文正戲道：「孟子兩句：「東面而征西夷怨！南面而征北狄怨。此作何解？」客謝不知。不久聞湯至，文正道：「待湯爾耳！」客乃大笑而別。

黃郡有一窮書生，自標講學。其鄉紳說道：「此子有志氣。」以一頭牛贍之。貧生牽牛回。其兄即收牛為之耕地。貧生大怒。兄道：「有無相通，何得見怒？」生應道：「誰叫你不去講學也討個牛！」

十五，官要露、財要藏

太學羅汝鵬善諧謔，初遊京師，值早朝時，百官已露立甬道，諸賢郎皆立於廡下。其同僚相語道：「百官皆露立，我輩為何藏此？」汝鵬諧語道：「這是子平書上載的：『官要露，露則清高！財要藏，藏則豐厚』。聞者皆大笑。然則此二語，實有哲理在焉。「官露」「財藏」今日中外皆然。

十六、進士有長短

雪濤小書作者吳漢豁，有同年進士梁見龍、馮景貞、沈銘縝、沈何山，皆為浙江人。梁見龍身長善謔。馮中省與二沈係兄弟同榜，身材皆短小。一日四公偶然相聚一堂，銘縝對見龍道：「梁年兄這樣長，若分做兩段，便是兩個進士。」梁見龍回答道：「二位年兄這樣短，還要接起，才算得一個進士。」談彼短，靡己長」。，只熟讀一本千字文，便中了解元」。四人相與大笑。

十七、小衙門，大展開

張宗燮，有諧談之才。同縣商主簿游某，蠢愛財賄，慣拷打，有貪墨之聲，張宗燮乃作一謎謔之道：「小衙門，大展開，鐵心腸，堂堂擺，全憑一撐，撐拷出才。有些取采。不怕他臊了天，有錢的進來，與你做個明白。」因指油舖也。油舖以木為榨，油便流出，故以喻游主簿耳。游諸之入木三分。

（未完）

赤壁之戰（四十六）

說曹操

李漁叔

「近者奉辭伐罪，旌麾南指，劉琮束手，今治水軍八十萬，方與將軍會獵於吳。」

這是曹公在赤壁戰前，寫給孫權的一封信，原文見江表傳，資治通鑑也錄存其辭。此時曹公已平定冀州，攻克烏桓，屠滅袁氏。在當陽又破走劉先主，逼劉表病死，其子劉琮舉州歸降，除劉琦兵在江夏不計外，新得荊州及其全部兵馬，兵力之強，無與為敵。按曹公於東漢建安十三年七月征劉表，九月劉琮降。至於赤壁交兵，則是這年十二月的事，上面這一封箋函，當是九月以後發出的，雖然寥寥數語，實挾雷霆萬鈞之勢，亦無異是一通招降書，難怪吳國君臣，盡皆震駭失色了。

信上面所謂水軍八十萬，是嚇唬人的，實際上並沒有這許多部隊，據周瑜在孫權面前估計曹軍的實數是：

「今以實校之，彼所將中國人不過十五六萬，且已久疲。所得表（劉表）衆，亦極七八萬耳，尚懷狐疑。夫以疲病之卒，御狐疑之衆，衆數雖多，甚未足畏，瑜得精兵五萬，自足制之。」（資治通鑑卷六十五）

這一個估計，為安孫權之心，自然是向較少數方面算的，但恐亦不會相差太遠。至於東吳方面的兵力，周瑜向孫權開口要精兵五萬人，孫權答復於下：

「五萬兵難卒合，已選三萬人，船粮戰具俱辦，卿與子敬程公（程普）便在前發，孤當後發人衆，多載資粮，為卿後援。」（同上）

後來劉先主備在樊口見到周瑜，問他的戰卒有幾，瑜答三萬人，那或者就是實數了。至於劉先主這邊，則不過兩萬人，據諸葛孔明對孫權所說的：

「今戰士還者及關羽水軍精甲萬人，劉琦合江夏戰士亦不下萬人。」

雙方力量的比較，大致綜合起來，曹軍多於孫劉兩家約四至五倍。不過周瑜的三萬人是經過挑選的精兵，關公的水軍和劉琦所部兩萬人，一是戰力很強，一是新銳的隊伍，都可以應付強敵。還有一個最大獲勝的原因，就是曹軍以泰山壓頂之勢，逼得孫劉兩家同心合力，救亡圖存，奮起抗戰，無意中合於兵法「哀兵必勝」的原則。

赤壁之戰，算不了甚麼出色的戰爭，曹軍一上來即站於挨打的地位，他們的本身，有幾點很難彌補的缺憾。

一、曹軍本部追擊劉先主，於一日一夜疾行三百餘里，諸葛孔明說他們遠來疲敝，如同「強弩之末，不能穿魯縞。」犯了兵法的大忌，「必蹶上將軍。」

二、中原部隊不習水軍，在風浪中甚至有些人完全失掉了戰鬥能力。

三、從劉琮那方面新投降的水軍，不能完全掌握，難於發揮戰力。

四、這一年天氣反常，冬行春令，曹軍疾疫大起，士卒因飢疫而死者，不可數計。

結果這一仗，曹軍大敗，曹孟德勉率殘兵北還，孫權因此奠定了江東的基業。最佔便宜的是先主劉備，以孤窮危迫之身，從此奄有荊州。

（未完）

語慧　生活

散文家布特萊說：「生物之中，除了人類以外，每一種都懂得生活最主要的作用乃是享受。」

詩人拜倫說：「在人生的舞台上，一切的悲劇都以死作結束，一切的喜劇都以結婚作結束。」

馬克吐溫說：「人生的一半是有能力享受，可是沒有機會享受；其餘的一半乃是有享受的機會，可是已經沒有能力享受。」

蕭伯納：人生如燭火，它雖然不停的在消耗，但是每逢有一個嬰兒誕生時，它又多了一次補充。

諸葛亮狂想曲（一六一）

劉[illegible]

「不是我說，你的氣功在天庭可算首屈一指，但如果不是我有一條鐵龍，你的氣功易放難收，假使在天庭放氣，臭氣沖天，噴了玉帝那還了得？」太白星君點破了黃雲大仙放屁可能發生的嚴重後果，以表示像他這種人才能量才而用。

「請問星君，海王星探險的太空船何時發射？」諸葛亮輕搖羽扇，仍然是一派瀟灑功架。

「玉帝一再叮囑我，此乃天機，不可洩漏，可是，對於你和黃雲大仙我當然事前要知照你們，可是，你們千萬要守秘。」太白星君提到玉帝，表情凝重，大有軍中無戲言之概。

「是，是，」諸葛亮，黃雲大仙異口同聲唯唯稱是。

「對了，後天蟠桃大會，你們去不去參加。」太白星君忽然提到蟠桃大會。

「有些什麼節目？」諸葛亮一生謹飭，不苟言笑，但自到天庭以後，開過了一次狂想曲演奏會，對於歌舞節目也感覺興趣了。

「最主要的當然是金枝的水中芭蕾，至於一向列為主要表演節目的像麻姑獻壽舞、八仙祝壽操，都令人不感興趣了。哦，我差一點忘記了，何仙姑到天庭以後，還要請黃雲大仙表演魔術。」太白星君說到此處，轉過頭來向黃雲大仙道：「你願不願意參加？」

黃雲大仙確是個中名利，巴不得有機會能參加蟠桃大會，連忙站起來，向太白星君打一稽首，說：「謹遵台命。」

「我沒有意見，參加不參加你自己決定好了。」蟠桃大會是極隆重性質，參加與否大家有自由，」太白星君是天庭的大員，對於蟠桃大會這類事，他不願表示任何意見。

「諸葛先生，」黃雲大仙心裏是想參加的，但他總希望有一位能附和的，「剛才星君說過，我應不應該參加？」

「不過，參加蟠桃大會可以見到很多的人，倒是很好的參加交際場合。」諸葛亮側面表示支持，足見其城府之深。

「本來我一心一意要準備參加海王星太空探險，但仙姑既點將點到我，如果推辭，她或許會誤會我的架子大。我想還是參加比較好。」

「好，黃雲大仙既然決定參加，也須將參加的節目，事先通知何仙姑，以便編排節目單。」星君進一步指示黃雲大仙。

「這個容易。」黃雲大仙向諸葛亮請教。「我表演什麼比較好？」

「我沒有意見，不過，上次你在魔術大典表演「斬頭」，身首異處雖然精彩，但一般將軍頗為不悅，這次在蟠桃大會，我的意見還是不要表演「斬頭」，或換其他節目為是。」諸葛亮到底是關切黃雲大仙的，這是很善意的建議。

巨變歷險記！

苗子寨（一六六）

胡慶蓉

瀾滄江渡完，夜已經是快黑了。

瀾滄江默默的在流，但平靜的簡直聽不到任何的聲音，夕霞照着水面，簡直像一個端莊的姑娘，在打躬作揖似的，在恭送部隊。

瀾滄江氣勢非常雄偉。這時天空沒有一絲的彩雲，天氣也非常之好，不熱不冷似的，大家沐浴在光天化日之下，精神也很愉快似的。

過瀾滄江，前邊就是車里，車里之前還有一個苗子寨。今晚，我們打算就在這苗子寨安營。但到達這苗子寨，很有一段路程。從天快黑的時候出發，一直到下兩點的時候才趕到。這一次的行軍完全是夜行軍。夜行軍本不新鮮，夜行軍本來是常事，但今天晚上的夜行軍，特別的辛苦。今天晚上，沒有月亮，天黑得很，特別是路不好找，而且極不平，上上下下，坑坑凹凹，一步一跌，一步一觔斗，特別丁博士，目力不大好，路看不清，或者抓住人的衣服，隨着人上下，或者抓住馬尾巴，讓馬帶着走，有時快得非常，有時慢得非常，眞夠累人。

瀾滄江這邊的山並不高，但路並不好走，天黑尤其困難，看來是個高崗，走到却是個深坑，連馬帶人都會跌進去，馬變成泥馬，人成爲泥人。一二月的天氣，夜裏還很冷。走走得停停，停停再走。本來都配備有電棒，但雖有却不敢用，恐怕被敵人發現目標。大家走路，都是摸索着走，但到了下兩點，總算摸到了苗子寨。這苗子寨在一個山頭上。夜裏並看不清楚。

到了第二天早起，什麼都望清楚了。苗子寨全是茅草房，簡陋無以復加。於其說是房子，不如說是茅菴子。一座一座的茅菴子，却一棵樹也沒有，周圍的山也莫不童山濯濯。寨子裏邊的人，服飾一切全與清末無異。男的都帶辮子，很長，有的很大，也有的很小很細，有些老的，頭頂的頭髮幾沒有，有也不過毛三爺的三根，只有三根了，他也還是辮個辮子，盤在頭頂上頭當心。手裏拿着長桿子烟袋。吸的烟都是當地的土烟，人極其忠誠老實。女的，她們的裝束，一如清末時候的裝束，寬寬的袖子，長長的袖子，而且還滾着邊，領也是寬領，上邊沿着一道一道的黑邊子，完全是京劇裏邊劉大娘李大娘的樣子。我們的祖父母，父母何嘗不是如此，因爲民國以來改了，現在是健忘的，現在好像都忘了，入總以奇異的眼光看見他們。但非常的親密，個個投丁博士看見非常的高興。丁博士是帶過辮子的，而且他的辮子又黑又長，幾乎垂到膝後，他母親很欣賞他的大辮子，說他將來一定可以娶一個好老婆。現在置身苗胞裏邊，好像自己又回到童年，又好像看見自己的祖父母。黃帝戰蚩尤，把苗胞趕到南邊來，現在的苗胞，是黃帝趕來的吧？丁博士又在想，苗胞才是眞正的中國人，苗胞猶富有古風。

保險搜異

・海恨・

搜異錄

一個美國醫生，向教倫最大的保險公司——萊特公司購買他一雙手的保險十萬英鎊。幾年之後，他射獵時出了意外，鎗彈中了腳部。過了不久，醫生的律師偶然在保險條例中發現一處錯誤填寫的地方。原來醫生保險是手，那保險書上竟寫的大腿。腿就是腳。於是向保險公司請求賠償。其後萊特公司硬是照賠償十萬元。

・萊特之所以成爲世界最大的保險業，全賴信用。

保險商人在一六九〇年第一次在萊特咖啡室開會，自此以後，他們的辦事總部就稱爲萊特，而他們的書信差，至今仍稱「侍者」，作爲對當日萊特咖啡室內的一項紀念。由此看來，他們是具有遠見的一羣。

在一九六〇年成立保險業商社時，他們建立保險業的規條，連女人的「貞操」都列入保險範圍。納保險金的人是女人的丈夫。但保險金是多少，就不得而知了。

時至今日，他們已至「無所不保」的境界，他們曾經保險教堂宴會會不會下雨，一個電影明星的頭髮，你的太太是不是會生雙胎，高爾夫球比賽者反對比賽中飲酒等。當然，更廣大的事業是全世界的船隻、貨物、五穀和工廠等的安全保證。

美國人有很多向萊特買了鉅額保險。一九五四年，巨風橫掃美國西南海岸，萊特的保險商付出了四千萬英鎊的賠償。這一間巨大的保險機構，位於倫敦烈頓荷爾街，有一本損失報告冊，一個寫羽毛筆的職員，將全世界在海上損毀的船隻慘劇紀錄下來。凡浮在海面的東西都有光顧他，冰島漁舟，南太平洋的採珠船，以致遠洋的郵船，在那本冊上，有一九一二年的鐵達尼船，又有一九四九年剛作處女航就擱石沉沒的郵船麥達連拿號。單是這損失，萊特保險公司賠出二百五十萬英鎊，成爲世界保險業一次沉船事件賠出最大的紀錄，但三個星期內就付錢了。

保險植物的風調雨順，一次宴會舉行時不下雨的保險，賽馬的馬匹失前蹄的保險。有一名馬「你的主人」折斷一隻腿，將要毀滅，但保險公司認爲可以保險它賺回四萬鎊才死，馬主投保四萬鎊，那馬兒不僅贏回，而且多過一倍，到六年服役之後的一九五九年才死。

一九三五年有一些商人投保在英皇佐治第五的生命上，這一年是英皇夫婦的銀婚紀念。他們所投保者爲看所送給皇上的紀念品有沒有白費。眞所謂「無所不保」了。（完）

自由詩壇

漁叔題

晚泛

中墨君

畫舫隨鷗泛。茶香到葦邊。輕篙裂水月。涼響約風蟬。客淚潯陽郭。漁歌彭蠡船。平時鱸膾思。入夢在秋先。

黛眉小傳

王幻

侯夫人（下）

風格全似樂府，可能是自作自歌的小曲，不是一般能作不能歌的文人所能企及的。又有「粧成」、「遣意」各一首云：

粧成多自惜，夢好却成悲！
不及楊花意，春來到處飛。
秘洞扃仙卉，雕窗鎖玉人！
毛君眞可戮，不肯寫昭君。

這兩首詩，當在她未被選入迷樓之後寫的，怨恨之情，眞是一淚千行。另外，自傷一首云：

初入承明日，深深報未央。
長門七八載，無復見君王。
春寒入骨清，獨臥愁空房。
悵履步庭下，幽懷空感傷。
平日新愛惜，自待聊非常。
色美反成棄，命薄何可量？
君恩實疏遠，妾意徒彷徨。
家豈無骨肉，偏親老北堂。
此身無羽翼，何計出高牆？
惟命誠可重，棄割良可傷。
懸帛朱棟上，肝腸如沸湯。
引領又自惜，有若絲牽腸。
毅然就死地，從此歸冥鄉。

這是她的絕命詩，從詩中可以感到她就死前的哀傷情緒。相傳她臨死時，裝束得十分整齊，將上錄的詩箋裝入錦囊，繫在左臂上，其餘詩稿，盡投火中焚掉。嗚嗚咽咽的倚着欄杆，哭了半晌，所謂「引領又自惜，有若絲牽腸」，死亡的陰影漸向她襲來，求生的本能也油然而生，直到夜晚靜悄悄掩上房門，捱到二更之後，熬不過傷心的痛楚，遂將一幅白綾，懸樑自縊而卒。

煬帝讀詩，頗爲傷感，乃親往後宮去看她的遺容。她此時雖早氣絕，但顏色如生，腮紅頰白，宛如一朶含露的桃花。煬帝不禁撫屍大慟，道：「她死了猶如桃李，生前不知有多麼嬌艷！」就像失子悲痛，生前未曾見一面，十分凄切。因詩中有「毛君眞可戮，不肯寫昭君」句，乃急召許廷輔來責問道：「朕叫你到後宮選宮女入迷樓，爲什麼獨棄此人？」乃下廷輔於獄，他被刑官拷問，熬煉不過，祇得將索賄金銀的眞情，一一招出，刑官具本奏聞，煬帝大怒，批旨賜獄中自盡。煬帝賜侯夫人御祭一壇，卜地厚葬。又勅郡縣官，厚恤她的父母，並將夫人的遺詩付之樂府，譜爲新聲，藉以廣爲流傳。（完）

依洞集

「民營」不是爲了喊着好聽

鍾奎

報載省議會開會時，議員黃占岸認爲農工企業公司經營不善，應重視省議會在八年前所作之建議，將該公司開放民營，減輕省庫之負荷云云。讀後不勝感慨系之。在民國四十四年底政府爲了貫徹政策之需要，毅然開放四大公司民營。除水泥、紙業兩公司經營得還算不錯外，其中×礦、×林兩公司經營如何，盡人皆知。其中×礦公司開放民營時，工礦、礦場大小數十座。到現在除了北投港橡膠廠與目人合作尚保有部份權利外，只剩下北投陶瓷廠一個了！

董事長×君，也是省級民意代表，並且一度登上副議長寶座。若說他是教育界出身，沒有企業經營才能，是又不然，爲何他自己又能經營得那麼欣欣向榮呢？現在瑞×、民×兩煤礦賣出已九個多月，一百三十名員工的資遣費，並未履行主管機關調解決議之時期發放。部份員工由壯至老大好光陰都已消耗在這個公司的礦場上，現在謀職不易，欲哭無淚了。至於十幾年前被配給該公司股票之小地主，拿着用土地換來之十元票面股票，到台北去賣三、四元都沒有人要。因爲證券交易所最少要足一千股，才可以交易。他們的怨毒顏色，其難看程度，不言可喻了。當局再若不聞不問，長此下去，影響人心士氣可知。

「民營」不是爲了好聽，喊喊而已，要腳踏實的去「力行」，庶乎近焉！願議員諸公三復斯言！

第十三章　韓世忠勇擒苗劉　岳鵬舉孤軍周旋

岳飛爲留守統制，提本軍抵達鐵路步之時，與流寇張用遭遇，展開一場惡鬥。岳軍精銳，一鼓擊敗之。岳飛抵六合，杜充又命岳飛討叛將李成，敗李成於盤城。李成退保除（水旁）州（今安徽除縣）。杜充又命王燮攻之不下。李成遣兵劫掠官軍輜重，又俘掠人民及財物，官軍餉銀皆被劫去。岳飛之軍方渡宣化鎭，聞報賊兵劫掠，急揮軍截殺，賊兵搶集所掠而逃，俘其梟將馮進，將所擄人民盡還原鄉。李成不敢與岳飛硬碰，流竄江西去了，後在江西作亂。

建炎三年十月，高宗以爲建康可以左趙鄂、岳，右駐吳、越，乃召集百官商於京城。群臣皆以爲鄂、岳遙遠，恐餉運不繼，又慮金人入寇，一動，江淮擊盪，乘機以窺吳越，如此，二浙復非我有。乃以呂頤浩、杜充爲左右僕射，杜充又兼江淮宣撫使，駐兵建康，沿長江諸將受杜充節制。

同年十月，高宗車駕由建康回杭州，仍以府署爲行宮，百官分寓，於是便在臨安建立了建都的基礎。一面又以長江爲防線，不圖北進。因此以韓世忠守淮東，呂頤浩駐武昌，就是由長江上到兩湖，由漢水連奉州關陝。這種戰略形勢是守勢的。東以淮東爲重鎭，中以建康，上以武昌爲重鎭，西以關陝爲重鎭。因此長江成了南宋的天然防線。其缺點就是防線太長，補給線太長，運輸不易。

張浚到了關中，力加整頓，分兵駐守，剿撫兼施，頗有聲色。他在頗具規模之後，上了一道疏說：「漢中實形勢之地，前控六路之師，後據兩川之粟，左通荊襄之財，右出秦隴之馬。號令中原，必基於此。謹積粟以待鑾幸。」漢中之地，中興之基，高祖入據而興漢，昭烈得之王蜀。進可逐鹿中原，退可割據一方。可是宋高宗不敢幸漢中，連荊襄也不敢去，對牛彈琴！祇把杭州當汴州，逍遙苟安。宋高宗不理張浚的建議，一意委屈求和。遣京東轉運判官杜時亮，修武郎宋汝爲同赴金都，請金主緩兵，並與粘罕書，書中所陳，滿紙哀求之語，令人不忍寓目，在此錄其大略，與讀者共賞，以見宋高宗之無能。

「古之國家而迫於危亡者，不過守與奔而已。今己守則無人以守，奔則無地。

（六〇）

岳飛

周燕謀

自由報

（第一一〇九期）

社長李運鵬・督印黃行憲

社址：香港九龍彌敦道593—601號
廖創興銀行大廈八樓五座
LIU CHONG HING BUILDING
7th FLOOR FLAT 5
593—601 NATHAN ROAD,
KOWLOON, H.K.
TEL: K303831
電報掛號：7191

政治人物的責任感問題

・李桀・

本報專論

最近大韓民國「毛山」地方——距漢城首都百餘華里——發生了一次死傷四十多名小學生的車禍，朝野震驚，而韓國政府的教育部長、交通部長暨該部所屬鐵路局長，立即引咎辭職，以謝國人。這是表示政治家的責任感，也是一種邁向興隆之治的優越政風表現，於以覘生於憂患的大韓民國，前途是光輝燦爛的！

凡國家在國運迍[illegible]之秋，興亡繫於俄頃，就看朝野上下能否發憤圖強，隨份盡責，大家公爾忘私，行己有恥，構成攘利不先，赴義恐後的新興風氣，而以政治人物的言行最關重要。赫赫師尹，民俱爾瞻，子率以正，孰敢不正，政風淳良有爲，民心隨之振奮，國家沒有不轉危爲安，指日復興的。

政治人物有無責任感，關鍵在其立身行己的廉恥心如何？沒廉恥心，即無責任感；既缺乏責任感，則放僻邪侈，無所不爲，更談不到忠貞問題了。這樣的國家官吏，在承平時代是干祿營私的小政客，在非常時期是誤國誤民的臭官僚，甚且成爲危害國家的大奸慝。所以，眞正的忠貞幹練之士，遇事見義勇爲，亦有所不爲，明禮義，知廉恥，負責任，守紀律。像今夏日本親共份子刦持飛機前往北韓時，政府的交通次長毅然冒險犯難，只身馳赴北韓作「人質」，以換取飛機乘客的安全脫險，而事後却沒有絲毫的矜伐心情，對着在東京羽田機場歡迎他安然歸來的官員與民衆們，只說是「我份內應該做的事」，這便是見義勇爲的行動。前任英國工黨內閣國防大臣普洛佛穆，因其曾與著名的交際女郎往還，在國會中受到議員指摘而發過假誓，終覺內疚神明，自動去位，這便是有所不爲的作風。此二者都是強烈的責任感所使然，而其內蘊動力卽係廉恥心。有此剛正優良的政風，卽證明他們的國運是向上發展，不虞衰敗。

若夫大韓民國的兩位部長和一位局長，以火車禍而使數十名幼年學生喪生，立卽引咎辭職，更係出於職責的政治家風度。事情發生在遠離京畿的鄉間，他們如果不顧廉恥，好官自爲，對那些罹難的小學生，一面發表談話，表示悼痛，一面用公帑厚加撫恤，也就沒有甚末可說的。但他們基於由廉恥心而來的責任感，非自劾求去，卽於心不安。藉此可見南韓的政治人物很健全，一般政風很有朝氣，而其民衆愛國心情之普遍熾烈，自不待言矣。

今日咱們國家的艱危情況，視南韓猶有甚焉。更需要一般管理衆人之事的行政人員知恥知病，除舊革新，養成勇於負責，有所不爲的浩然之氣，督勵全民，一致努力，萬不宜苟存逸豫苟安，得過且過的偷惰心理。說的是一套，做的又是一套。可是，我們根據若干事實以觀察，認爲今日的大患卽在一般公教人員毫無責任感與廉恥心，政風委頹，正氣黯淡，因而社會上亦就充滿著有如曾國藩所說：「舉世滔滔，欲求一攘利不先，赴義恐後之士而不可得」，「正義不彰，是非混淆，君子愈讓，而小人愈妄」的景象？這決非危言聳聽，故作驚人之詞，試看堂堂國會議員竟非法經營商業，倒閉了升斗小民以億計的保險費，依然行所無事，好官自爲；身爲大學校長而被校醫毆辱後，滿不在乎，還要學校教授們簽名挽留，戀棧如故；在台灣境內航行的飛機，因駕駛員未能恪遵飛航路線而墜毀，摔死了若干乘客，而負有監督職責的交通部長，視爲與己無關，恬然不理；一個省立中學教師，因認眞[illegible]，在課堂上被學生用利斧殺害後，而領導無方的中央教育行政長官漠不以爲意；中學校長亦未聞有所究處；行政首長因非法任用親屬辦理本機關庶務，被人向法院檢舉與他，亦當作[illegible]。凡此類風戾氣，政府未予糾正，輿論少所批評，這豈是殷憂啓聖的興國氣象？返觀南韓政治人物的知恥負責作風，我們實在相形見絀，無以自解也！

由於政治人物沒有羞惡之心，必然的現象卽是沒有責任感，而虛矯之氣大爲流行，[illegible]不切實際。例如我們聲聞於[illegible]運動，而却口號標語之外，[illegible]可徵呢？宣傳得很熱烈的便[illegible]託空言，莫可究詰。號稱經[illegible]氾濫於工商企業界，毫無所[illegible]建設，只見外國原料與技術[illegible]爲國產貨品，實與舶來品殊[illegible]」的蹤影亦看不到，所謂國[illegible]證；講發展科學，唯斤斤於「特別講座」之人事支配朋[illegible]學無涉。這些病態之所以形成，基本原因就在一般當政者毫無責任感，習與性成，眞是笑罵由人，我行我素，但問邀寵固位，富貴利達，甚末四維八德之說，何足道哉！

要想政治人物有責任感，必須從心理建設着手，在用人方面，杜絕倖進，講究品格，在行政方面，綜覈名實，信賞必罰，使大家知恥自愛，有所不爲，而責任觀念自然滋生，且昇華而構成忠貞氣質，垂範人羣。這些話原係老生常談，誰也能知能言的，就因爲是尋常的眞理，每每忽視，以致政治上不能樹立明恥盡責的精神，社會上亦就沒有正義公道可言了。明明是犯有瀆職行爲的官員，解去本職後，還要給他安排一個養老處所的位置，爲公營機構董事長之類，這與責任感恰相反，影響所及，將使一般政治人物泯良知，抹煞羞惡是非之見，相率以昧廉鮮恥，爲求富貴的不二法門，不特泯滅責任感，罔知政治節操爲何物，且視通敵叛國爲求生存的應有手段，爲患之烈，寧不驚人嗎？

當前咱們的國步艱難，正需要一般從政人員有如南韓的政務官那樣明禮達義、知恥負責的精神表現，纔足以撥亂反正，救國救民，但這不是發文告、喊口號所能濟事的，看別人，想自己，大家應該知所取鑑，見賢思齊，痛改前非，人人從「革心」「問題下工夫，」不求人知，盡其在我。國家興亡之道，甚於是也，其各勉旃！（完）

師大校長眞找不到嗎

——一校都找不到人　收復大陸那怎麼辦——

台灣師範大學校長孫亢曾氏堅辭而經照准，傳聞已半年多了。報紙（包括代表政府的中央日報）一再報導新任人選，但局面却是一直在不生不死的拖！不僅孫校長個人拖得要死要活，而整個師大都拖得日漸淤散腐敗，困擾非凡，將來新任不知要費多少工夫才能彌補。這青黃不接的損失，影響所及，對於九年國民教育的推行，不知要有多大的惡果。

當局既准孫辭，何以又一直不派人呢？據聞是找不到適當的人選。我們對於當局這種敬愼其事，寧缺勿濫的精神，在表示極高的敬意之餘，也不免要在技術上提出一點值得考慮的問題。今天一個學校的校長都派不出人，一旦我們收復大陸後，數百個大專學校，那將怎麼辦？尤其在收復之始，許多由匪幹盤踞的大學，我們勢必要劍及履及，派人主持，若都像這樣拖，試問那還得了。

大陸撤退來台時，曾任大學校長，或有資格担任大學校長的，往少裏說，也有三四十位，怎麼經過二十年的安定培養，天[illegible]英才之後，竟連一兩位適宜當校長的都找不到了，國家養士豈不太傷心了？還是究竟是這一代的後進太沒出息了呢？還是盡其材，鳴之而不能通其意，執策而臨之曰天下無馬！」呢？請大家自己下判斷好了。

事實上今天許多後進的中年人，不論就學識頭腦講，還是就經驗能力講，較之民初那些大學校長都有過之而無不及。所懷者都是伏於櫪下而已。即以師大校長一職來說，校外的人士海闊天空，無法論到；即在師大校內而言，又何嘗無個中人？就學問講，教授中有的是學術兼優，蜚名國際；更有的是歷次應邀赴美講學，學術聲望極高的。就才幹講，有老成持重，經驗豐富的，也有年富力強，精幹有爲的。再就與政府的關係一點來論，是曾受高級訓練的忠貞黨員，和早歲服務黨團，幹校而爲當今重要部長的前輩，也有積年著書，講演，效命三軍的名流……難道這些人都不能勝任校長嗎？再者現任校長孫亢曾氏當年也就僅僅是師大的一位教授，並且不論從任何角度講，也還都不是最好的教授。何以孫能作，另外的教授，能力學問比孫强的却不能作？所關心的却是由此一事所反映的問題。一天一校之長，竟然拖延半年，無從解決，一旦收復大陸，我們怎麼辦呢？因此希望當局以此舉一反三，早作未雨綢繆之準備。

・老實人・

自由談

資本主義國家之癌

加拿大杜魯道政府剛剛宣佈與中國大陸上的毛共政權建交，而魁北克的獨立運動組織「解放陣線」，乃將杜魯道的勞工部長拉波特綁殺之。所謂解放陣線也者，無疑是國際共黨的醜亂機構，與越南的「人民解放陣線」爲孿生兄弟。今後毛共藉着外交使館的關係，可以派遣大批共特，在加拿大公開活動，肆無忌憚，當地的「解放陣線」在毛共教唆支持下，勢力逐漸膨脹，終致發生內亂，殆屬勢所必至，理有固然。

杜魯道爲着出賣小麥的商業利益，不惜使其邦家陷於危亡境況，這不僅是飲鴆止渴的愚蠢行爲，簡直是如咱們俗語所說：「活得不耐煩了」——自尋死路呀！

西方資本主義思想，專講現實的功作用，祇要眼前有利可圖，不顧未來後果。回憶韓戰時候，美英政府號召自由國家出兵討伐韓共，而美英的商人却將大量汽車和藥物，以高價從澳門運販毛共區域，牟取暴利，這等於間接援助敵人殺害自己同胞。因韓戰國際停止，英國卽主張撤除對匪禁運令；聯合國決議的對中、韓共區禁運令，也陸續將高級軍用物資售與毛共。現在禁運令雖未正式取消，事實上早已不存在了。準此，杜魯道政府基於商業利益而與毛共結交，固非甘冒不韙，而係師承英光着想，當然垂涎三尺，轉瞬難忘。至於政治理想，那是騙人的謊話三千，世界如果眞有政治理想，就不會鬧成現在這種危機四伏，到處動亂的惶惶不可終日之象。他們動輒以反共，侈言維護人類自由，目的只在教別人替他們的商業利益作鷹犬，用一點軍經援助，而其商品卽隨之壟斷受援國家的市場，一本萬利，不勞而獲。

西方資本主義國家，除商業利益，無所謂政治理想，更談不到正義公道。他們但求本國無事，即令全球各國將赤化了，亦復漠然無動於衷。「不見棺材不流淚」，加拿大的杜魯道如此，其他歐美各國亦莫不如此。所以，我對於杜魯道之引狼入室，幷不感覺意外，祇爲全世界人類的自由生活前途，懍懍危懼而已！

政院推動政治革新

首先着重加强便民

深入基層機構作選樣調查
研究分析如何採有效措施

（本報台北通訊）行政中樞已往好像過份重視分層負責，也許是尊重體制，避嫌干涉主管的職掌，無論如何，總不免使人覺得有意無爲而望治。一年來的行政院一反過去作風，積極負起責任領導政治革新。尤其在今年八月對台北市議會指陳市政府十六點「違法」一案，行政院明確核示台北市政府，其中十三點應予改善，一項免議，一項需要市政府再呈復理由，一項由內政部調查後依職權處理。這一清朗乾脆的處置，且勿論其是否正確，的確予人耳目一新之感。

行政院推動政治革新，應自去年成立了研考會說起，研考會成立之初，便把「加强便民措施」列爲重點工作之一，自去年八月到十一月，研考會先後派員到台北市、台北縣、桃園縣、台中縣等戶籍事務所、地政事務所、稅捐分處、工商科、工務局、警察局及鄉鎮區公所等機構，對有關人民申請戶籍、土地、稅捐、工商登記、建築等手續，及承辦單位對前項申請案件之處理情形，作實地選樣調查。其內容包括調查統計每一便民事項之種類，分析每一種申請案件之手續及其處理程序，研究分析每一種申請案件之法令規章等。確實把握了執簡馭繁的要訣。

調查完成後，研考會隨即於今年元月組成戶籍、建築、土地、稅捐等四個專案小組，就調查所得資料，進行統計的分析，而且研究如何簡化手續和程序，以及怎樣進行修改法令。小組的構成份子有專家教授，研考會人員，以及行政機構的業務人員，期使學理與實務相結合。

九月底行政院又舉行擴大業務管制考核檢討會，出席的有副院長、秘書長、各部會處局首長、省市政府首長、和各研考單位正副主管九十餘人。國家安全會議秘書長、國家建設計劃委員會主任委員，也都列席。

會議的目的，係就行政業務實施管制考核制度的建立和工作推行的成效，作定期檢查，全面的檢討。

在會中，兼院長嚴家淦歸納要點，作了如下的結論：一、以後工作考成，各機關均應遵照總統指示，採用重點實地考核，以收考核實效。

二、加强「便民」工作須腳踏實地從基層做起，研考會的四項專案調查及建議，可作爲改進的依據。

三、各項重大經建計劃，應盡量謀經費、人力及時間之妥善調配，并在管制中發現問題，立即予以改正。

四、各級機構均應加强其考核組織，使行政管理趨於科學化，以行政的革新，帶動全面的革新。

有人指出：行政機關那些方面不便民？爲甚麼？研考會的調查報告中有詳盡的歸納和分析。便民問題，千頭萬緒，究竟從甚麼地方做起呢？

政策不一權責不清
法令規章不合時宜
不便民因素須徹底袪除

根據一般的瞭解，不便民的因素，大概有三點：第一、法令不健全，政策不統一。第二、行政機關的權責不清。第三、政府與民衆接觸愈多的事，愈是容易不便。四個小組在報告中，承認很多問題都是共同性的，這些共同問題，也就是不便民的因素所在。要想解決，并非簡單。就以法令規章來說，我國現行法令，很多是二、三十年以前制定的，拿來適用於今天，自然不合時宜。一言修改，就牽掣到立法院，而且只有行政院向立法院提出修改法律案，地方政府是無法向立法院提出的。行政院法規整理委員會，曾以三年時間把行政法規作了一次通盤整理。據主委田炯錦在七月退休前曾透露說：「除了廢止一、四九一種外，目前適用的還有三、一四四種。」但多數都不甚完備。沒有法令，機關如何能辦事。

只此一點，欲要便民就非行政院挺身負責不可。遑論行政機關權責不清，又遇上些巧官，本位第一，只顧本身權力申張，而不顧其他機關立場，同類機關，也來個本位第一，各不相讓，問題永遠不得解決。這些困難並不在本身，又非上級機關出面不可，行政院如果置之不問不聞，還有誰能解決？

行政院既具決心，甚望百尺竿頭，再進一步。

師大的困擾

武侯

國立台灣師範大學，是當前我國培育中等學校師資的最高學府。照理說，一個教育場所，其環境與氣氛，應該是清高而寧謐的。但是，事實並不如此，近數月來，有關師大的風風雨雨，經常在報端出現。衆所周知的，如校警打校長，辦理聯招毛病百出，教授聯誼會趕校長的傳聞，以及數度要換校長的傳聞。其他，不見報的，則不必提了。

以上所提到的各種事件，有些事過境遷，對於師大影響不大，如聯招出毛病；有些却對於師大有深遠而不良的影響，如更換校長的消息一再在報端出現，甚至言之鑿鑿，連新任者的姓名都登出來了，但過一陣子，却又消息沉寂，不見下文，不知裏面究竟藏着甚麼玄虛。本來更換一位大學校長不是一件了不起的事，並且師大絕大多數的教授對這些也不重視。但這種時而傳說更換，過一陣子又無下文的情形，却對於師大極端不利，在師大造成了極大的困擾。不明顯的且不說，舉其顯著者而言之，由於一再傳聞校長更換，因而孫校長所寵信的幹部，均在各謀出路，紛紛求去，而下屬員工，面對這些行將去位的單位主管，遂對之如鴨子，概不賣賬，於是行政陷於癱瘓，校務無法推動，甚至每月的薪水都要拖到十號左右纔能發。由此可見七月份更換校長的傳聞，在師大已造成了如何的損害與困擾。

對於師大的教授來說，絕大多數既不擁孫，也不倒孫，但大家的願望是希望教育行政當局，對於處理這個問題，應該有明確的態度與堅定的政策，如孫校長要換，就立即明令發表，如不換，亦正式發表聲明，以安定師大內部的人心，而免造成困擾。今天說換，明天又不換，以致師大陷於當前的癱瘓狀況。

喬治桑外傳　一八八

張大萬

她回到家裏，從後們進入廚房。這是一種洋習慣，她要讓喬治桑「驚奇」。

喬治桑靜靜地在客廳裏看報。過去，他只看洋文報，現在他訂了好幾份本地報，足夠半日消遣之需。

十二點半鐘，雅麗絲請喬治桑吃午飯，喬治桑帶了一份報紙到飯桌上。當他一看到桌上的菜，不覺「咦」了一聲。

「雅麗絲，爲什麼弄這樣多的菜？是不是請有外客？」

「沒有，專誠請你的。」

桌上擺的菜，一碗清蒸鯽魚，一碗板栗冬菇紅燒雞，乾燒明蝦，雞油白菜。火腿燉小腳膀。

「菜太多了，兩個人怎樣吃得完？」

「反正沒有事，慢慢吃好啦。要不要喝點酒？」

「好，來點白蘭地。」

喬治桑好久沒有吃過這樣好家常菜了，尤其是鯽魚，他吃得很多。談談說說，這餐飯吃得很高興。

雅麗絲買了很多喬治桑喜歡吃的菜，喬治桑吃完很開胃，加了半碗飯。在吃飯時，話題很自然地提到喬治桑返美的事情。

「包死，你是不是眞的需要很快趕回美國去？」雅麗絲夾了半段明蝦放在喬治桑的碗裏。

「我本來想吃完妳的喜酒再走，可是時間上恐怕辦不到，人生聚散無常，妳也不必爲此難過。」喬治桑說這話時論調雖達觀，表情却帶有憂鬱。

「你知道，我是缺少父愛的人，你待我這樣好，我又不是一塊木頭，怎會沒有感覺？我明知你很快就要走，但我總希望你能多留點時間。」雅麗絲說的也是肺腑之言。

「現在交通便利，美國、台灣之間有定期航機，來往很方便，說不定我很快又再來了。同時，我們還可以經常通信嘛。」喬治桑看見雅麗絲有苦澀表情，所以千方百計想安慰她。

倫理不僅是中華文化的精髓，更是世界各種文化的精髓。自從喬治桑發現雅麗絲是自己的親生骨肉以後，他的人生觀有基本的改變，而且他一貫落拓不羈，放浪形骸的生活方式，也漸趨細墨。

這些，雅麗絲是無法深切了解的。她只覺得喬治桑變得更好，她對他更有好感。

台灣是亞熱帶，夏天正午時間，坐着不動都要汗流浹背，雅麗絲家屬於中上人家，客廳裝有冷氣，冷氣機正發出嘶嘶之聲。

「今天飯菜這樣豐盛，是不是算妳請客？」喬治桑爲了要打破沉重的氣氛，面上帶着微笑，半開玩笑的說。「這算不是太破費了？」

「當然，我請客，我很快就要做主婦了，有機會多學點家務總是好的。」雅麗絲顯然已恢復往常的嬌憨活潑態度，接着又說，「請你不客氣批評一下，今天燒的幾樣菜味道怎樣？」

鄉愿在台北

曾議

（本報台北通訊）今日政治停滯不前的原因，一般認爲是出於功過不分，是非不清，賞罰不明，漸而形成「鄉愿政治」。人人都以「巧官」自期，「不求有功，但求無過。」故對一般官員，時人無以名之，只好名爲「官僚」。

總統經常斥責「官僚」誤國，官僚也知宋賢范文正公所說「先天下之憂而憂，後天下之樂而樂」，引天下爲己任的胸懷，但卻無人肯去體會國家的艱困，和領袖撑持國家危局的苦心！只求自己能高官厚祿，弄到汽車、洋房、冷氣、地毯，不需自掏腰包可以得最上享受，算是有本領。眞正奉公守法，爲民爲國，反被譏爲無能。認個人是具體的，國家屬抽象的，赴義恐先，攘利恨後，遇事「敷衍」「彌縫」，但圖保全官位，不必有所建樹。只要能夠做官和發財，任何事都幹得出。

民主先進國家，實行的是「議會政治」，目的在集思廣益。我們則是「會議政治」，目的在推卸責任，事情辦得好，是我主持的，有功自然也是我的。出了問題，推到大家身上。例如今年八月召開的教育會議，出席份子可謂良莠不齊，眞正專家，在這種場合，稍知自愛，誰還肯說話，如果碰上一位毛頭小伙子，胡亂盲目發炮，辯論吧，對牛彈琴，且自貶身價，不理嗎，祇好任由這夥人胡說八道。教育會議所公布議決的案子，率多是學官們閉門造車之作。四百多人出席的一個會議，居然不組織主席團，由教育部長唱了一台獨角戲，以證明鍾部長完全不懂民權初步，專家們看出毛病，只好三緘其口，這年頭少開罪爲上策。其餘的多爲部下屬員，可能也不懂，本來就沒有甚麼意見，樂得爲政不在多言，試問這個樣的會議眞實價值在那裏，讀了全部議決案後確令人啼笑皆非，說穿了還不是外行人用會議的名堂唬唬納稅人。

推卸責任，是今日機關若干首長玩的一套魔術，所謂戲法人人會變，各有巧妙不同，近年又新興一種「協調會議」。於是又產生許多「協調專家」，而且在政治圈裏最走紅。總括一句話政治圈中鄉愿最吃得開，如果談政治革新鄉愿則非剷除不可。

台北傳奇錄（八二）

·陳光棣·

「啊！大白天的，夾着兩包那東西到處跑，我可沒有這個胆子」！

「什麼！」蔡先生猛的站起來：「你也不是孩子，一開始你就應該考慮到這些事情，你就知道錢到手花的爽快是不是？東西在你手上，我要你負責任，你可不要昏了頭」！

金恆貴嚇的退後一步：「你別生氣，我是在跟你商量，這東西值那麼多鈔票，不是鬧着玩的！」

「你知道就好」！蔡先生看看手錶：「別竟在這兒楞着，快點去想法子！我先要出去安排安排，這兩天最好少見面。記住：白天窗拉上一半，晚上客廳的燈亮着，就是平安無事。你把東西找個地方放好了，就在家裏規規矩矩的呆兩天！」

「好」！金恆貴回到家裏，心慌意亂，坐也不是，站也不是，想起那兩包貨色就堵心，他非要馬上另找個地方收藏不可，可是藏在那兒呢？想遍了親戚朋友，沒有一家合適，對了，誰都知道老邱是老實人，大金紅又腦筋簡單，不如暫時把東西存在他家，絕對沒有人想到老邱的飯館裏藏着違禁品。金恆貴用報紙把東西包好，到了老邱的飯館，正好老邱去買菜還沒有回來，大金紅在臥房裏縫衣服。

「老邱哪」？金恆貴把報紙包放在桌子上。

「馬上就回來。好幾天不見人影子，你死在到什麼地方去啦」？

大金紅拿起報紙包來：「這是什麼東西呀，沉甸甸的」？

「漂白粉，妳別給我撒出來」。金恆貴趕緊捺住。

「該死的！你急什麼？老娘又不要你的！」

「要就給妳！」金恆貴四下張望又指着一堆麵口袋：「我把這東西先放在麵口袋後面擺一下好不好？明天就拿走」。

「你搗什麼鬼呀」？大金紅納悶：「這裏頭有什麼花樣」？

「妳可眞是多心！一包漂白粉，有什麼花樣，我要去朋友家打麻將，拿在手裏不方便。」金恆貴捏了大金紅一把：「明天就來拿走」。

「這青菜可眞是不好買呀！他奶奶的，妳在那兒呢？」老邱嚷嚷着。

「老邱回來啦，快點出去！」大金紅慌張的往外推金恆貴。

「出去怎麼行？」金恆貴聽到老邱的聲音，已經嚇的六神無主：「我先藏在床底下好啦！等一會再溜出去」！

大金紅一時也沒了主意，就怕老邱曉得她和金恆貴不清不楚的事，先不說別的，老邱的兩隻大拳頭，就不好受用：「好！你先爬進去躲一躲。」

（未完）

王新衡談喬治桑

·文匯樓主·

自由報之友王新衡（現任立法委員），自由報的前身自由人誕生時，王新衡可稱得上是一位「王產科」，當時旅港的十幾位創始人如王雲五、左舜生、程滄波、成舍我、雷嘯岑、卜少夫、許孝炎等等，都是靠王新衡的穿針引綫。

自由報的讀者遍佈在高階層，舉凡讀書人未看或未定自由報的很少，僅台灣一地將近萬份，自由報的權威亦就建立在「士」爲四民之首的基礎上，這是一件無可否認的事實。比如自由報非常不滿意這次研究教授的措施，由吳相湘、周公當等教授抨擊，研究教授的預算立法院通不過，政府也明令研究教授暫時停辦。自由報雖祇負言責，有關方面當然認爲「言」之有理，才會接受輿論批判，二十年來，諸如此類的事不一而足。

最近兩年我們有幾篇連載頗受社會注意，一是「巨變歷險記」、一是「台北傳奇錄」，一是「說曹操」、一是「諸葛亮狂想曲」、一是「喬治桑外傳」。王新衡與樓主日昨天南地北時，對「喬治桑外傳」特別欣賞，他認爲這本小說簡直被寫活了，書裏的人物如：古有方、姿白瓊、羅卜菜、喬治桑、雅麗絲等，假若走馬燈樣，都在眼面前，對詞的微妙，白領階級生活習慣的絲絲入扣，將雅麗絲、喬治桑安排成爲父女關係，看情形是向倫理教育劇的路上發展，但他希望雅麗絲的母親能和喬治桑重歸於好，也就是國人習慣上的大團圓，最好別以悲劇作結束。

從王新衡對「喬治桑外傳」所提的寶貴意見，一股仁風，薙吹動人的心絃，除將原意照轉談文作者外，並特別提出，但丁的「神曲」、巴爾扎克的小說被稱爲「人間喜劇」，供給張大萬作參考，亦希望能將「喬治桑外傳」寫成教育性的喜劇。

有人說「喬治桑外傳」很像話劇中的「蘇州夜話」，又有人說像美國五幕名劇「梅羅香」，前者是父女大團圓，後者夫婦於痛苦悲哭中下幕。但「喬治桑外傳」兩條路都未採取，張大萬以新的寫作領域，刻劃出近半世紀一個新的時代實況，他能號召讀者在此。有人欲將喬治桑外傳」搬上銀幕者，在此劇情的趨向，可能吻合一句西諺：「人類所能獲得的全部愉快，不是由于享樂，而是由于痛苦的停息」。末了敬向新衡先生誌謝致意。

呂佛庭及其畫（上）

·釋廣元·

國畫以山水爲正宗，宋沈括圖畫歌開頭一句話便是「畫中最妙言山水」，清錢詠論畫也有「畫以山水爲上，人物次之，花卉翎毛又次之」的說法，此所以古來算不擅長山水。山水雖易畫，但確難畫「好」。同是山水大家，而又各具風格與特色，如當代山水大家中小靜齋主馬壽華，以淡逸端凝勝；大風堂主張大千，以潑墨豪邁勝；白雲堂主黃君璧，以烟雲流動勝；半僧居士呂佛庭，則以寫生長卷取勝。

人品、學問、天才、毅力，爲創造作品的四大要素，之外，耐心與毅力，更是不可缺少的條件。這些，佛庭居士都能一一具備，他尤能體悟寫生是繪畫的根源，故捨古人而師造化，力矯「紙山紙水」臨摹的積弊。他先由寫生獨發靈感，再經千錘百鍊，終至進入了自我創造的藝術境界，所謂「由外師造化，中得心源」，進到了「中得心源」。因其沉浸於寫生造形者至深且厚，故能在藝術上有高度的成就。

他在近年來，先後完成過「長城萬里圖」，「長江萬里圖」及「橫貫公路長卷」的創作。這三幅不朽的長卷巨畫，其構圖之雄偉，神韻之超凡，早爲畫界人士所推許。而他的好學不倦，刻苦奮發的精神，凡是看過他畫展的人，莫不爲他的這份「耐心」與「毅力」大受感動。

「長城萬里圖」自民國五十年壬寅正月至五十二年癸卯二月，前後經過一年又一個月才全部完成。圖爲絹質，長十三丈四尺，寬二尺五寸，東起山海關，西至嘉谷關，沿長城的關隘城郭，山寺野店，以及駝馬人物，都穿揷在深山曲水間。古老長城嵯峨的雄姿，磅礴的氣魄，透過毫顛，它既表現崇高與莊嚴，也表現樸質與堅毅。不僅寫盡了我國建築史上的奇蹟，更透出了我民族文化的結晶。除了欣賞筆墨意境，還可以激發思古之幽情。

「長江萬里圖」，自五十二年七月至五十四年六月，歷時兩年才全部完成。此圖著手打稿，布置章法於台中師專，運籌落墨，勾勒布皴於台中大山精舍。染墨，設色，點苔，也就是敷彩於台北佳樂山淨律寺（寺爲筆者所創建）。圖亦爲絹質，全長十九丈，比「長城萬里圖」長五丈六尺。長江的形勢氣派，藉他的筆墨和手法完成；而他的個性，感情和思想，也藉長江的形勢氣派而表現。

「橫貫公路長卷」，雖僅在半年的時間內完成，但他爲繪此圖，會先後六次，親歷其地，幾乎將沿途所有大小山川橋路，農舍林木，無不都深印腦中，在着筆時，才能暢然無阻，一氣呵成，若不是他身入其中，體會物情，觀察物態，融會貫通，胸中自有丘壑之後，焉能如是神速耶？

圖爲生宣紙質，用生宣，如無眞工實力，運用不適當的話，是不易掌握墨漬，而他却能運用自如。圖高二尺三寸，長九十五市尺，西起大甲溪入海，東至太平洋，途經谷關、梨山、大禹嶺、慈恩、關羽、碧綠、天祥、合流、百燕鳴谷、九曲迴廊、碧血虹橫、太魯閣等十二勝景，經過他匠心經營，都很巧妙的濃縮畫中。他爲了表現景物一致，所有橋樑，建築物，都略有改變。（未完）

語慧

人類

吉

法國政論家狄斯拉里說：人並非環境的動物，環境乃是人的動物。

上帝創造人，使他的地位略低於天使，他從此就日趨下流了。

有些人在打高爾夫球的時候談生意，在辦公室裏談高爾夫球。

當你看看今日世界的一切時，你也許要研究人類究竟是由猴子進化而來，還是由猴子退化而成。

馬克吐溫說：在生物之中，人類是唯一會臉紅的。在一切生物之中，也祇有人類需要如此。

本報啟事

本報原派駐中興新村記者龍建民已于五十九年十月十六日辭職（由解誠繼任），原向公路局台中站所領用公路乘車證遺失未繳，特此聲明作廢。

說曹操

李漁叔

赤壁之戰（四十七）

進窺益州，如困龍之歸大海，稱王立帝，而成鼎足三分之勢。

三國演義用全力出色描寫這一場戰爭，從孔明舌戰羣儒起，至關公義釋曹孟德止，一共用了八個回目，是全書的最熱鬧處，也極盡荒唐謬悠之能事。本來羅貫中這部小說，是就民間傳說的故事，評話，敷衍而成的。爲了聳動聽衆的耳目，和湊足章回小說的字數，不得不胡搞一些故事，添枝加葉，以求實事成篇，而增加興趣，這是可以原諒的。不過作書人一定也要看看史書，雖不必全合史實，但總不能過於軼出了範圍，若果如此，那就近於胡鬧了。在這八個回目中，可加以指摘的約略於下：

甲、孔明初見周公瑾，建議以二喬退曹兵，假裝不知爲孫伯符和公瑾之妻。這事雖係故意激周，但二喬的事，盛傳於時，無人不知，孔明智士，斷不至以兒戲出之。

乙、銅雀台是建安十五年冬建築的，（見魏志）這時乃十三年冬天，整整相距兩年，而由孔明對公瑾說出，極不合理。

丙、孫權因對和戰不決，演義載：「與國太曰：『汝何不記吾姐臨終之語乎？』『內事不決問張昭，外事不決問周瑜。』因此孫權大喜，即星夜派人到鄱陽請周瑜回來商議軍事。」

這一件事錯得太離譜了，但從來很少人注意到，而任其錯誤下去。以致此後還有甘露寺吳國太相親，和喬玄洩機等等的趣劇。按三國志吳志卷五，孫破虜吳夫人有傳，傳上說：

「孫破虜吳夫人，吳主權母也。本吳人，徙錢塘，早失父母，與弟景居。孫堅聞其才貌欲娶之，吳氏親戚嫌堅輕狡，將拒焉，堅甚以慚恨。夫人謂親戚曰：『何愛一女以取禍乎？如有不遇，命也。』於是遂許爲婚，生四男一女……」

本傳裴松之注引搜神記云：「初，夫人孕而夢月入其懷，既而生策，（即孫策）及權在孕，又夢日入其懷……」

據此，這吳國太本姓吳，就是破虜將軍孫策的夫人；孫策和孫權的母親。她並沒有甚麼姐姐，只有個兄弟叫吳景，隨姊夫孫堅頗立戰功，作過丹陽太守。

至這位吳夫人，很有才能，傳稱：「權年少統業，夫人助治軍國，甚有補益。」又會稽典錄稱：「策功曹（孫策的幕僚）魏騰，以忤意見譴，將殺之，士大夫憂恐，計無所出。夫人乃倚大井而謂策曰：『汝新造（與同）江南，其事未集，方當優賢禮士，捨過錄功，魏公曹在公盡規，汝今日殺之，則明日人皆叛汝，吾不忍見禍之及，當先投此井中耳。』策大驚，遽釋騰。夫人智略權譎，類皆如此。」並按吳志吳主孫權傳稱：「七年，權母吳氏薨。」又吳夫人傳：「建安七年，臨薨，引見張昭等，屬以後事，合葬高陵。」（未完）

諸葛亮狂想曲

（一六七）

·劉玄·

「不是諸葛先生提起，我倒沒有想起，我決定這次在大會中只表演兩個節目：空中樓閣、百花獻壽。」黃雲大仙表演魔術很有一手，他的節目不下數十百種。

「空中樓閣？這個名稱不大好，不如改爲瓊樓玉宇。」太白星君腹笥淵博，這一改果然改得好。

「好，好，我就參加瓊樓玉宇、百花獻壽兩個節目罷。」黃雲大仙的想法沒有太白星君、諸葛亮週到，但他能從善如流。

黃雲大仙已經通過考驗，蟠桃大會的節目也決定了，可謂雙喜臨門矣。

諸葛亮見時間不早，恐怕星君要坐禪，遂以目示意黃雲大仙，同時向太白星君道：

「我們想告辭了，星君大概也要休息了。」

太白星君的架子一向很大，客來不迎，客去不送，只欠身爲禮。

諸葛亮駕起雲車，回家去也。

黃雲大仙在天庭還屬於起碼的小仙，根本很難出頭。想不到他因爲常陪關羽下圍棋，搭上了龍岡的關係，經諸葛亮介紹能夠參加海王星探險，現在時來運轉，又要在蟠桃大會露兩手魔術，搖身一變，從此位列仙班成爲天庭知名之士了。因此，他爲酬報關羽、諸葛亮；特在天山深處挖了幾莖「活人參」來孝敬關羽、諸葛亮。

在星君仙邸分手以後，第二天一早，黃雲大仙帶了兩盒人參來訪諸葛亮。

「昨天已經見過面，今天你來找我又有什麼事？」諸葛亮略現訝異之色。

「我特地覓得兩盒上品人參，送給丞相嘗試。」黃雲大仙說完，立刻用雙手捧上兩個錦盒。

「上品人參？」諸葛亮家裏有太白星君送的人參，也有關羽送的人參，但他從沒有聽說過有什麼上品人參。

「這種人參又稱活人參，是通靈的野生植物，能夠在地下鑽行，快如閃電。不是我向丞相誇口，這種人參生長在天山什麼地方，很少人知道，即使知道也無法取到。」黃雲大仙很得意的樣子，地上黃鼠狼只會偷雞，天上黃狼獻能採人參，可見任何畜牲成了精就不一樣了。

諸葛亮聽黃雲大仙說的活龍活現，不免打開錦盒仔細觀瞧。只見每盒平放四支人參，果然與平常所見不同，長的完全像嬰孩模樣，不但有手有足，而且有鼻有眼。每一顆人參，都有一支銀針穿心釘在盒底。

「爲什麼每一支人參都要用銀針釘住？」諸葛亮不恥下問，見到不懂的事兒，都要問個明白，這是他的長處。

「丞相有所不知，這種活人參隨時有遁走的可能，所以要用子午神釘釘牢，才能放心。這子午神釘也是我專爲釘人參特別打造的。」黃雲大仙名堂不少，難怪能在天庭竄出來。（未完）

巨變歷險記！

車里在望

（一六七）　胡慶蓉

苗子寨的這邊是瀾滄江，苗子寨的那邊還是瀾滄江，站在苗子寨望瀾滄江非常清楚。這邊的瀾滄江更是清楚。這邊的瀾滄江，就是山的下邊，就在車里的前邊。

車里是雲南邊境著名的一縣，車里也是這縣縣城的名稱。車里一方面鄰近雲南的邊境，另一方面鄰近寮、泰、緬三國。現在是泰共活動的中心，泰共的總司令部，也就是中共侵略泰國甚至於侵略整個東南亞的總部。丁博士撤軍到車里，其目的也就是以這里爲司令塔，以建立大西南反共基地，然後向扭轉大局邁進。換句話說，丁博士是以車里爲司令塔的。從這里直接可獲整個東南亞的接濟，間接可以取得整個世界的接濟？瀾滄江越過車里，就改變名子而爲湄公河了。並且是緬寮越泰的分界的地方。在他的右邊是緬甸，在他的左邊是寮國，寮國的對面就是泰國，泰國的下面就是柬埔寨與越南。從車里、瀾滄江、湄公河變成一條非常好的航綫。不管什麼樣的船，都可以航行無阻。丁博士撤軍，選擇車里爲最後的首都爲最後的基地是非常明智的。

早上起來，丁博士站在苗子寨的山頭，端詳車里，端詳車里的形勢，考慮與中共爭大陸的前途，充滿着樂觀的感覺。從苗子寨看車里，車里好像在望似的。在晨曦之下，瀾滄江特別顯目。浩浩蕩蕩，一望無際，山好像沒有了，盡是沃野似的。苗子寨的這個山也並不是什麼大山，前面再沒有山似的。太陽照在水上，水上反射上來，兩旁的風光更不大清楚，兩旁好像沒什麼山了。

丁博士端詳車里的形勢，部隊就接着向車里進發。回想從建水出發，雖然歷經艱險，總算死裏逃生，快到了目的地。心想在車里停下，整軍經武，徐圖大舉，前途並且充滿希望。想到已到南嶠佛海的廿六軍，葉植楠師羅伯剛團，想到業已入越的黃杰部隊彭佐熙部隊，一且穩住了車里，再同他們合作，將來匯成一個洪流，反攻大陸，收復失地，亦指顧間事耳。

正在充滿幻想之際，忽前面來報：大事不好了！有穿藍上身短裝的武裝士兵阻住去路。丁博士與部隊同時停止前進。這是中共的武裝嗎？這是……？這是……？正在驚奇之餘，又據報有人求見。言談之下，忽又喜上心頭。原來這又是一枝民衆反共的力量。這是車佛南……五縣的自衛隊。在談論之間，又到了一位，騎着大馬，非常神氣，這是葉大隊長。從葉大隊長的敍述，五縣自衛隊，在處漢叛變之後，業已收復五縣。車里這一縣歸張偉成治理。張縣長聞悉我部隊到非常高興，我部隊與五縣自衛隊都是反共的部隊，五縣自衛隊竭誠歡迎我部隊。於是一陣虛驚，至此解除。反共力量並隨之擴充。

諧史拾趣（四）

周其昌

十八，孝廉面百姓口

黃郡有一孝廉，故圖以廉價買良田，而遺其購券焉之日，欲令他日中贖出田，欲令他日賤售，乃可獲大利也。

不料農民將贖田他售於人。某孝廉心有不甘，乃告於官。農民心知對簿公堂，只有孝廉勝訴，民必不堪。於是乃口銜穢物，唾於孝廉之面。而其他孝廉便要起而攻之。時鄉紳某爲之解道：「你們但知孝廉面是面，而不知百姓口也是口哩！」請孝廉聞之，皆灰心散去。鄉紳此言，能令強者反己，殊爲不易，實可傳誦。

十九，報門不入

徐廣文字二溪，性狂善謔，有敏才。少時從唐萬陽御史游，一日廣文在燈下呼呼入睡，竟夢見周公，萬陽將其呼醒，且出聯句，令之對答。聯云：

「眼皮墮地，難觀孔子之書！」

二溪對云：

「呵欠連天，要做周公之夢。」

御史大笑。一日舟行，時值暑夏，一舟伕歎道：「長江無六月」。二溪道：「然過了五月，就是七月」。舟伕大笑。至賓興的次日，將入督學報門。門者索二溪銀子一錢，方肯之報門。二溪與以銀子一錢，俟門者報門之門者還其一錢銀子乃入。門者報門而無人進謁，事必見費。此事雖小，殊足令人解頤。

廿，屁的捉放

清人陳全，金陵人，有俊才，性好烟花，揮數千金，皆費於平康市。一日誤遊，誤入禁地，爲中貴所捕。以其才俊，將使之爲巡城。陳全跪下說道：「小人是陳全，新公見饒。」中貴素聞陳全之名，乃語陳全道：「聞陳全善於取笑，可作一字笑，能令我笑，方可放你。」陳全道：「屁」，中貴道：「這是何解？」陳全道：「放也由公公，不放也由公公」。中貴笑難自制，結果將其釋放。

妓女沐浴，因陳全來到，披衫裙避於花陰之下。陳全上前擁之，妓女道：「陳先生善爲詞，可就此境作一詞好嗎？」陳全道：「蘭湯浴罷香肌濕，恰被簫郎巧覷。偏嚬月色嫣明，偷向花陰立。有情的悄東風，把羅裙兒輕揭。」陳全尚有其他詞類皆如此風花雪月者。因其爲歡場老手，揮金如土，鴇子皆感其惠。及某鴇病危，對陳全說道：「我家受相公厚恩，待百歲後，儘力爲我營葬，仍爲我立碑。」陳全道：「好好！這碑就交在我身上，蓋世名鴇子爲龜龜馱碑者也。」

廿一，只許邢寬

明人邢寬應試京師，放榜一日，夜得一夢，夢至御前，帝命力士持爪撲之，頭破血流，直至於踵。明日所司呈卷，擬孫日恭爲第一，邢寬第二。成祖眼矇，將「日」「恭」二字念爲一字「暴」，乃判曰：「孫暴，豈宜孫暴！」遂以硃筆點邢寬姓名，硃過濃，自上透下，竟如夢中流血之象。（未完）

上官婉兒（上）

黛眉小傳

王幻

唐代是中國詩歌的全盛時期，不獨民間的女詩人多至不可勝數，就是在幽禁的皇宮內院，也出了不少的女作家。如武則天、大都宛轉清麗，表現出女性的本色，不但爲宮幃文學增光，而且不讓鬚眉，可與當代的男作家並駕齊驅。

上官婉兒是詩人上官儀的孫女，父芝，母鄭氏，方娠時，母夢巨人給予大秤說：「持此秤量天下。」及生，方逾月，母每戲道：「秤量的就是妳嗎？」她輒「啞」然而應。

高宗即位，上官儀爲相，秉持國政，嘗建議入朝，巡洛水堤，徐響少月吟詩，音韻清亮，羣公望之猶若神仙。及武后得志，專權作福，帝不能堪，召儀與議，他說：「皇后專恣，海內失望，宜廢之，以順人心。」帝使草詔，左右奔告后，后自申訴，帝反悔。又恐武氏怨恚，乃說：「上官儀教我。」后由是深惡儀。嗣於麟德元年，許敬宗承后旨構上官儀與梁王忠謀大逆（因梁王忠爲陳王時，儀爲諮議），與其子下獄死，婉兒及母遂配入宮掖。

上官婉兒天生的靈襟秀口，美眸如漆，自小便聰慧，武后說她的眼睛有毒，有許多陰私事兒不叫她看。年十四，已是過目成誦，下筆千言，武后叫她面試，果然一揮而就，文意玉潤珠圓，書法猶花秀媚，武后不由極口稱讚。並由於她冰雪聰明，善伺人意，深得武后的寵信，命她掌管制誥，以代製文字，倚爲心腹。

中宗李顯爲太子時，對婉兒的秀色便有所傾慕，且兼文才出衆，並曉政事，迨後復辟，坐上皇帝的寶座，便把她召幸了，大被信任；封爲「昭容」，其母鄭氏，也封爲沛國夫人。

據唐書紀事載：景龍三年正月晦日，中宗欲遊幸昆明池，先兩日前，傳諭朝臣，是日各獻即事五言排律一篇，選取其中最佳者，爲新翻御製曲。皇后韋氏對中宗道：「外庭諸臣，自負高才，不信我宮中嬪御，有才勝於男子者。依妾愚見，明日將這羣臣所作之詩，命上官昭容登殿評閱，使他們知宮庭中有才女子，以後應制作詩，俱不敢不竭盡心思矣。」中宗大喜道：「此言正合吾意」。遂傳旨昆明池畔，另設帳殿一座，高結綵樓，聽候上官昭容登樓閱詩。

是日，中宗與韋后及太平公主、安樂公主、長寧公主、上官婉兒等，俱至昆明池遊玩，賜宴於池畔，酒行既罷，諸臣各獻上詩篇。中宗傳諭道：「卿等雖俱美才，然所作之詩，豈無高下。朕一時未暇披覽，昭容上官氏，才冠後宮，朕思卿等才子之詩，當使才女閱之，可作千秋佳話，卿等無以爲褻也。」諸臣頓首稱謝。中宗命諸臣俱於帳殿綵樓之前，左邊站立，其詩不中選者，逐一立向右邊去。少頃，婉兒登上綵樓，臨檻而坐，內侍宮女將衆官詩篇呈遞上，婉兒舉筆評閱。衆官都仰望樓上，須臾之間，只見那些不中選的詩紛紛飄下樓來，每一紙落下，衆人爭先搶看，見了自己名字，便默默無言的立過右邊去。只有沈全（人旁）期、宋之問二人，憑他落紙如飛，只是立着不動，更不去搶看。因他倆自信其詩，與衆不同，必然中選。不一時，衆詩盡皆飄落，只有沈宋二詩不見落下。又移時，一紙飛墜，競取而觀，乃沈詩也。其詩云：

法駕乘春轉，神池象漢迴。
雙星遺舊石，孤月隱殘灰。
戰鎰（鳥旁）逢時去，恩魚望幸來。
山花（緣旁）綺綉，堤柳帳城開。
思逸橫汾唱，歌流宴鎬杯。
微臣彫朽質，羞睹豫章材。

（未完）

第十三章　韓世忠勇擒苗劉　岳鵬舉孫軍周旋

周燕謀

惟冀閣下之見哀而已。故前者連奉書，願削去舊號，是天地之間，皆大金之國，而尊無二上，亦何必勞師遠涉而後快哉！」讀者閱之，也將作三日嘔。宋高宗越怕，金人越兇。「守則無人，奔則無地」，豈不是告訴金人快來吧！果然不出所料，宋愈求和，金兵祇管南下。起居郎胡寅看不下去了，竟拼命放胆直言，力陳高宗過去的過失，疏列七策，上請施行。

一、罷和議而修戰畧。
二、置刑台以區別緩急之務。
三、務實效，去虛文。
四、大起天下之兵以圖自强。
五、都荊襄以定根本。
六、選宗室賢才以備任使。
七、存紀綱以立國體。

每篇奏牘，洋洋數千言，慷慨激昂。而宋高宗不以爲然，呂頤浩亦恨之入骨。竟將胡寅外謫。

金兀朮知宋朝畏金如虎，又見高宗幸臨安，遂大治舟師，由水道窺浙，一面檄降將劉豫攻宋南京。劉豫奉令遂進兵應天，知府凌唐佐被執，唐佐僞稱降金，仍使唐佐爲守。唐佐陰欲圖劉豫，用臘書奏達朝廷，乞兵爲援。不幸事機不密，竟被劉豫捕殺，全家遇害。宋高宗得唐佐臘書，不但不援，反去使通好。遣直龍圖閣張邵赴撻賴軍。張邵到了濰州，與撻賴相遇，撻賴令張邵拜謁，邵毅然道：「監軍與邵同爲南北使臣，彼此平等，豈有拜禮？況用兵不論强弱，須論曲直，天未厭宋，貴國乃納我叛臣劉豫，裂地分封，還要窮兵不已，若論道理，何國爲曲？請監軍自思」。撻賴語塞，但仗强橫勢力，於張邵押送密州，囚於祚山巖。金人之殺害宋臣者有數十人。高宗皆有所聞，但他目中只有一個「和」字與一個「避」字。

兀朮之軍速進，消息飛報臨安。高宗急召韓世忠守　山，福山，又令兵部尚書周望爲兩浙京湖宣撫使，守平江。旋聞兀朮兵分兩路入寇，恐隆祐太后在洪州受驚，又命劉光世移屯江州，作爲屏蔽，自己却率了呂頤浩等，遽至急渡錢塘江至越州。金兀朮一路向江西進兵，旨在俘隆祐太后。遂取壽春、掠光州，復陷黃州，殺死知州趙令歲。長驅過江，直抵江州城下。江州守將劉光世，竟日置酒高會，至金兵已臨城下，方才覺悟。（六一）

自由報

（第一一一〇期）

（半週刊每星期三、六出版）
每份港幣壹角・台灣每份售價新台幣貳元
督印黃行賓・社長李運鵬
社址：香港九龍彌敦道593—601號
廖創興銀行大廈八樓五座
LIU CHONG HING BUILDING
7th FLOOR FLAT '5
593—601 NATHAN ROAD,
KOWLOON, H.K.
TEL: K303831
電報掛號：7191

承印：景星印刷公司
地址：嘉咸街廿九號地下
台灣區業務管理中心：台北市南京東路一段一二九號
電話：二四五七四
台灣區直接訂戶　台灣劃撥戶
第五〇五六號張萬有（自由報會計室）
台灣分社：台北市西寧南路110號二樓
電話：三三〇三四六、台郵劃撥戶九二五二號

本報社論

對當前教育問題的罪言

・何維藩・

誰都承認教育為立國的命脈所在，國家民族的盛衰存亡，皆導源於教育設施之得當與否。中華民國肇建垂六十年，不特內亂不息，自召外患，終且釀成神州陸沉，共禍大作，使全民陷於暴政控制之下，過着奴役牛馬生活。探究禍根，就是教育政策完全失敗了！

自民元以迄於今，我們究竟有甚麼適合國情和時代需要的教育方針呢？在民國十六年以前的北洋軍閥割據時期，中央政府號令不出都門，加之以國際帝國主義藉不平等條約關係，對吾國肆行文化、經濟侵略，通都大邑之中，華洋學校林立，買辦式的文教思想，乃彌漫於士大夫階級間；而若干留洋學生回國來，除一般留日學生受着日本帝國主義瘋狂侵華行為的重大刺激，大多數抱有反日心情外，其他留學歐美各國的智識份子，十九皆認為西洋的月亮亦比中國美麗，崇洋媚外思想，普遍流行，而這些留學生逐漸地在文教界行得勢，睥睨當代。所以，在民十六年大革以後的文化教育措施，多以其為今日師承英美，明日追隨德法，卻不問本國應該採取怎樣的文教方針和教育。六神無主，俯仰由人，到現在故態依然，沒有多大的改變。乃大家在口頭上侈多「實行三民主義的教育政策」，事實上止於宣傳而已。只看最近教育部舉行的「第五次全國教育會議」，聚集四百餘名的所謂專家學人，議論了五六天的時間，結果搞出一套陳腔濫調，毫無新義的煌煌決議案，對於實際的教育問題，存而不論的情形，即知吾言為不謬了。

現階段教育上的實際問題，首先就是教材貧乏落伍，每況愈下，各級學校通用的國定教科書，內容尚不如四十年前由書賈雇人編纂的課本遠矣！舊時書賈出版而經「教育部審定」的中小學課本，決無「鋼鐵的意志在臉上開花」，「牧童騎在牛背上邊走邊吃」之類的不通詞句；而大專學生使用的「亞洲地理形勢概況」專書，更不致有數典忘祖，把中國棄置不錄的荒謬創作。政府大力提倡復興中國固有文化，朝野翕然景從，就教育行政機關對於整理國故，編註刊行適用的舊籍這類工作，乃不屑置意，甚至國營的大衆傳播工具——報紙，且拒絕刊載文言文的作品，這是復興中國文化的作風嗎？教育當局經常組織「發展科學」口號，熱烈非凡，然現行的數理教材，陳舊落後，等於廢物，曾有留洋專攻數理的智識青年，願意譯述西方名人的數理新書，送請國內學術機構出版，而專門學術研究發展責任的中央研究院，竟發言「本院經費未便為外人的著述開支」，這便是「發展科學」的表現！在發展科學的時髦口號下，一些中國書未曾讀過，外國書——包括他所學的課程在內——僅識皮毛，而又毫無處理事務能力的所謂科學人才，不是平步青雲作政府高官，就是濫竽充數僭居大學校長，偷夫致貴矜門檻，翻笑通人好讀書，越是漢文不通的，越就在文教界煊赫騰達，這便是「復興中國文化」的實績！如此的教育風氣，如此的發展科學，能不令人為國家前途喟然興嘆乎？

台灣實施九年國民教育制的結果，中小學教育普遍發達，民智淼臻。然大專學校未能適應青年子弟的進修要求，每年大專聯考落第向隅者逾五萬名，而台灣人口激增，每十年即增加卅萬人，這是何等嚴重的問題！可是，教育部唯沾沾於聯招事宜，而又秕謬百出，卻對於高中畢業生的升學困難，漠然置之，舍本逐末，不識大體。國家既限於財力，未能多設大專學校，使高中畢業生免受失學之苦，即惟有獎勵、輔導民間私人興學之一途，這是常識。詎政府限制新設大學或獨立學院，而教育部對於私立專科學校之創設，不特不予獎勵輔導，乃多方挑剔，百般留難，且無一定的標準；有些真正是「學店」性質的，由於人事關係或特種作用，隨便核許開辦，例證孔多，不遑枚舉。所謂第五次全國教育會議中，對於如何解決高中生升學困難的大問題，無所措意，而囂囂然空談發展科學，侈言民主與倫理，寬皮大話，表示時髦，極盡譁衆取寵之能事，這就是號稱為科學人才主持教育行政的事實表現，可哂孰甚哉！真要發展科學，除培育科學智能以外，必須有創進科學的環境與一般條件相輔相成，乃克有濟，基本工夫要從學術入手，決不是任用幾個肄習數理出身的人士來作教育行政官，就能夠達到目的，相反地適所以貽誤政事，浪費人才。因為行政首長的中心職守在負責處理政務，統籌全局，唯通才乃得勝任愉快，機械化的思想技能，是不行的。何況科學并不能解決政治問題，教科學專家搞政治，實在利少害多，過去那位地質學家翁文灝作政務官，不特政績毫無，而且笑話百出，他於大局艱危之際，即掉頭不顧，視行政院長如敝屣了。

今日台灣的教育情況，是求過於供，每年有幾萬名青年子弟沒法進入大學校深造，教育部不從供求平衡方面設想，廣闢黌舍，而孜孜然，惶惶然，唯講求聯招是務。各級學校教材之陳舊落伍，已為不爭的事實，然許多譾陋不學的人，仍負着編纂教科書的重任。在學術研究發展上佔有權威地位的中央研究院，任由少數學閥人物永久把持，所謂「院士」也者，竟有半數是雙重國籍，經常住在他們的「第二祖國」，連開會亦不出席。這些都是急待檢討改進的文教大業，教育部責無旁貸，應該拿出辦法來加以策劃處理的。光是喧嚷「科學救國」的口號，設些博士、學士乃至於「副學士」的名義，與實際的文教事業何補呢？

從民國卅八年中央政府遷移台灣迄今，歷任的教育部長已有六七位，祇是梅貽琦聲不響地籌設了一座原子爐，張其昀對於海外的大專教育頗多贊助，此外都不脫官僚主義，而以閻振興最糟，如冒籍的河南大學畢業生案，聯考的槍替案，台北醫學院賄通教部主管員司，核准非法學生的學籍等醜事，都發生在閻氏任內，而引起輿論沸騰的「研究教授」案，亦係閻氏主持「科學發展委員會」時期的傑作。現任教育部長鍾皎光原係閻氏任內的副手，卻因非法任用三等以內的親屬辦理總務，被人向法院檢舉，構成官非了。這是所謂「科學人才」從政的事實表現，所可道也，言之醜也！

反共救國的基本力量是教育，再不徹底改革，實事求是，國家前途確乎未可樂觀，不知當國者以為何如？

（完）

昨日與明日

李國鼎何以善其後
黃國書不能不還錢

為了整飭國光人壽保險公司，自由中國政府財政部長李國鼎不惜權勢，不顧私人利害，大刀闊斧，秉公辦理。本報對於李國鼎的明快作風，曾大加喝采，撰論讚揚；但該案（本年四月）迄今，已逾半年之久，始終沒有徹底解決。而這時候，有位立委會向行政院長質詢，行政院長答覆說：國光人壽保險公司清理期間，財政部准予延長兩個月。我們知道：財政部曾組織一個清理小組，負責清理該公司的財務，直到現在為止，我們並沒有看到該小組的公開調查報告，究竟該公司實際財務狀況如何？究竟負債多少？資產多少？虧損原因何在？財政部並沒有向社會公開交代。我們所知道的：公司對五千元以下保戶，已予償還，不過財部准投自動解約手續辦理，保戶祇能收回八成錢款，自由損失二成。財部為何令保戶損失？保戶是否勸解約嗎？這一政策性的決定，值得檢討。對於五千元以上保戶，如何補償？國光會人士對李國鼎部長的作風有虎頭蛇尾之感？我們向李部長請教：對國光公司一案，財政部將何以善其後？

就國光人壽保險公司實際負責人現任立法院長黃國書而言，國光人壽保險公司對外債務，不能清理，長久拖延，也極為不利。就國家體制而言黃是中華民國堂堂正正的立法院長，不事「正務」，兼營商業，已影響國家的政治風氣，而今事業經營失敗，不顧債權人的損失，背負賴債不還的惡名，更影響政府在海外同胞的威信。記者在國慶那一天，曾親聆兩位由海外回國參加慶祝雙十大會僑胞的對話：甲僑胞：今天大會主席是誰？乙僑胞：是立法院長，最高民意機關首長黃國書，也就是搞垮保險公司，使無數老百姓蒙受損失的黃院長。像這個樣子大官，作民衆笑談的資料，豈不使國家蒙羞！政府蒙羞！就個人而言殺人償命，欠債還錢，父債子還，是無法逃避責任的。更何況依據國家法令，保險公司的董事監事都負連帶無限責任，想賴也賴不掉。

為維護國家金融制度和社會安全制度的完整與健全，為保護善良人民的權益，財政部長李國鼎應當拿出魄力來，迅速處理國光壽險公司一案，不能再拖延了，而當今政府五院首長之一的黃國書先生，也應善用智慧，妥思何以自處之道。

・正言・

自由談

科學并非萬能

咱們東方中、日、韓各國的軍人精神教育，認為在戰場上與敵人交鋒如不獲勝，亦決不投降，必須戰鬥到最後一人，纔是好樣兒的大丈夫。萬一被俘了，即應該成仁取義，免於受辱，所謂「只有斷頭將軍，沒有投降將軍」是也。凡有被俘去而又生還者，必為儕輩所不齒。西方人的思想卻相反，兩軍作戰如果衆寡莫敵，估計難以制勝時，馬上撐起白旗乞降，他日釋俘歸來，還要大加歡迎，視為英雄人物呢！

在西方人的觀念中，戰不勝敵人就投降，乃是科學精神，因為科學是重實驗，講統計，尊功利的，明知為不可勝而硬拼到底，徒然犧牲，豈非太不科學的愚笨行為嗎？

可是，看看過去的韓戰，目前的越戰之役，韓、越共軍憑着劣勢武裝，對抗以美軍為主力的優勢敵人，旅進旅退，屢瀕於危，而始終戰鬥不降，最後迫使美國不辭「紙老虎」之譏，自動求和。事實勝於雄辯，東方人寧願戰至最後一人亦不投降之非科學的兵學思想，在今日這種「科學狂」的時代中，顯示其不可磨滅的價值存在，誰也沒法否認吧！

科學可以創進人類生活的物質享受，增益生理健康，更有戡天縮地的功能，卻不能解決屬於人文思想的政治問題。因為人類之生存發展，并不是純靠科學主義，否則以美國今日科技之優越，財富之充裕，大可以傳檄而龍（言脚）伏全球，成為世界霸主了，又何至受屈於科學十分落後的北韓、北越、以及古巴這些微不足道的敵人呢？

即此可知「科學萬能」之說，殊不正確。科學固然應該發展，但須具備應有條件，如重工業的基礎健全，主要的生產原料不須仰給於外來，接受外國投資合作，而主權必操之在我。至於科技人才不虞缺乏，自不待言，同時對於人文精神亦不應漠視。循着這種原則以發展科學，庶幾有利無弊，奠國家於磐石之安。光喊科學科學的口號，那是徒亂人意而已。

馬五先生

陳大慶報告省政概況，
不主張開海埔新生地
嘉義改省轄市涉及問題太多
留駐台北機構大部皆將遷回

（本報記者張健生台北航訊）台灣省政府主席陳大慶先生在光復節前夕，十月廿三日在行政院新聞局記者招待會報告「省政建設概況」，並答復各報記者書面或口頭的問題，他那民主的風度，幽默的含蓄的忍容的精神，予人影响至深；周處長坐在陳主身旁。

本報記者引用官文書來說明省氣象預報工作不正確時，周處長要記者說明官文書的出處，否則，便無法答復云云。

陳主席未待記者說明官文書的來源，即誠懇地說明氣象預報確有不正確的事實。同時，陳主席說明台灣省政府秘書處彙編之「記者問題與答案」第三十案時，指責該「答案」答非所問。其所答內容非陳主席的意思。

陳主席說：「海埔新生地跟東部河川地，我不主張再繼續開了。我主張增加山坡地之開發」。這是針對本報記者詢問而宣佈的。下為本報記者所提的問題：

主席本年度施政總報告有謂：「土地是我們珍貴的資源，『有土斯有財』，我們對每一塊土地，都應作『地盡其利』的利用。」這是當前政府對土地利用的政策。

記者為此政策特舉兩個例證來說明土地尚未盡其利用。一是彰化王功海埔新生地至今尚未「地盡其利」，且乏人承購，究其原因，係該新生地屬鹽性沙質土壤，致以前由國外移植之鹽水草及栽植之樹木，無一生還。本年四月間，記者至該地作實地採訪，目睹農民試種一公頃餘之水稻不茁，每株不茁根莖活者十之一、二，枯者十之八、九。因此，彰化縣政府建議省府廢棄原預定建設社區之計劃，並將建設社區之四公頃餘土地歸還土資會處置，廢棄原建設社區計劃之理由係安全受到威脅，此乃農民不願投資經營該地之原因。二是東部河川新墾區之耕地三百五十五公頃餘，省令花蓮縣政府代售，自五十七年六月間起，花蓮縣政府公告出售數次，據說售出五十五公頃餘，尚有三百公頃河川地無人問津，任其荒蕪至今，究其原因，該河川地屬於淤積砂泥，缺乏土壤，故與一般耕地不同，必須由外地搬運大量「客土」填充，方能使該土地機能復活。請問，政府對王功海埔新地及東部河川地有無「地盡其利」之對策？政府貫徹土地利用之政策受影响否？

陳主席對嘉義市改制為省轄市一節，認為縣轄市改制為省轄市，勢將牽涉戶籍、稅籍、地籍等冊籍之更改，以及公營機構、學校產權之變更暨現有嘉義縣治之遷移等問題，牽涉範圍太廣，所需經費甚鉅，實施多有困難，省議會曾有同樣建議，經復以暫從緩議有案。關於嘉義市編列經費預算建造 總統銅像，被市民代表會議刪除一節，本府並無所悉，此係地方自治事項，其代表會議議決縣轄市預算，乃係行使其職權，本（省）府未便過問。

記者提出的問題：嘉義市自中山路拓寬之後，已具備現代都市之規模，若從人口激增至廿二萬七千多人口來觀察，已具有省轄市之規模，如再努力，則嘉義市升格為省轄市指日可待，此亦為嘉義市民殷切期望的，請問，嘉義市應不應升格為省轄市？嘉義市公所為配合國家發展觀光事業之政策，籌集一百多萬元，整建嘉義公園風景，建 總統銅像，使來嘉義觀光之旅客瞻仰 總統神采，進而促進地方繁榮，況嘉義市沒有 總統銅像，據說，嘉義市公所將此項經費列入本年度預算，旋因有關人士唆使嘉義市民代表會代表反對建 總統銅像，而將此項經費從預算中刪除作其他建設之用，請問主席知不知道這件事？主席對這件事有什麼看法？

台籍立委担任輔導員
各方反應不佳將保留
府會雖然通過聘書尚未發出

陳主席答復本報記者所詢問題謂：「中央日報九月廿二日刊載『十二位台籍立委被聘為地治輔導員』之消息是正確的，二十一日的本府委員會確曾通過此一案件，不過這裏須向張記者說明的：本案的處理經過，先曾根據各方建議，聘請十二位省籍立委兼任地治輔導員，經交有關單位研究，如不請領任何待遇，似可聘請其義務担任，於是經府會討論通過後，嗣以各方反應不佳，府會雖然通過，然聘書尚未寄發，本案如果聘請，究否違背憲法規定，現正研議處理中，如確屬違憲，則將作罷論。記者問題如下：

本年九月廿二日，中央日報有一則消息，其標題是「十二位台籍立委被聘為地治輔導員」。該消息內容是：「（本報中興新村廿一日電）省府今委員會議通過，聘請十二位本省籍的立法委員，兼任本省地方自治輔導員。」立法委員李公權根據這則消息，提出五點意見，向行政院嚴院長提出質詢，行政院說查明以後答復。李委員所提意見不擬重複，請問主席，本年九月廿二日中央日報的消息是真的還是假的？省府有沒有聘請十二位台籍立委兼任台灣省地方自治輔導員？倘若立委兼任自治輔導員是不是與憲法第七十五條「立法委員不得兼任官吏」之規定相違？

陳主席在答復其他記者問題時稱：台灣省政府所屬機構是否全部遷移台中市？現尚未定案，在縝密研究中。至台灣省政府留駐台北各機構，除業務也須仍在台北者外，一律遷移中部，遷建地點，究為城區抑為農場改，尚在考慮中。

張志智抨擊教育部
列舉破壞法制事實
文化局隨心所欲形同割據
補助中日策進會誰決定的

（本報記者張健生台北消息）立法委員張志智抨擊「教育部的措施，沒有依據法律來做的，這種缺乏法律觀念的做法，立法院教育委員會委員都有同感。像大學法，專科學校法都被破壞，這種例子，不勝枚舉。」張委員質詢：電影片標售專欵竟不列入政府預算，違反預算法的規定。教育部主管官員對做錯了的事，應該坦然認錯，不能因為對其有影响就不肯認錯。以電影事業而言，目前所以受到許多困擾，就是因為教育部的措施沒有法律上的根據，純粹以行政命令來處理所致。我們翻開有關教育法令來看，其中多是行政辦法，而沒有正式立法，這樣當然困擾會愈來愈多，法制的觀念愈沒有，僅以行政措施是進步不了的。因為如果沒有法律為依據，行政措施再作的好，也是不對的，因此教育部必須特別注意立法的工作，從速檢討立法的重要，將電影事業法、廣播事業法等重要的法律，從速送立法院審議。

張委員對日片問題提出來檢討，他說：日本影片輸入配額二十八部中，有二部是補助給中日合作策進委員會的，這是誰決定的？何以獨對中日文化策進會有這麼大的補給？如果該會事實上需要補助的話，也應由國庫給予補助，否則，如何向其他民間團體交待？其次，對於日片配額標售得欵有一千七百萬元的處理，何以文化局要聘無關的人來組成日本影片標售專欵管理委員會，專司專欵之運用？這根本是文化局承教育部之指示，可以自己作主的事，何必委託於他人？組成該管理委員會的動機何在？他們是否支薪及聘有專任人員？何以專欵不用在輔導電影事業，而却花去輔助中日新聞記者及青年團體互相訪問？這種做法是否妥適？

文化局長王洪鈞回答：日片配額專欵所以要用於從事中日文化交流的工作，是涉及到外交方面的問題，同時雖然這筆專欵用於文化交流，但是還不包含有對電影事業的輔導工作在內。「日片標售專欵管理委員會」名稱和實際不符，這個委員會名稱不好，實際上，該會只是審議並不管錢，對於錢的運用，還是要按政府的會計程序來支用。至於中日策進委員會二部影片的配額，事實上他們還是沒有拿到，要託中影公司發行，而且其利潤是用在國外方面，以達到維持兩個國民外交的關係。現在這筆專欵，只是動用其利息，不用本金，但利息很小，所以將來考慮改變使用方式云。

喬治桑外傳（一八九）
張大蘇

「好，好，一切都好。如果要苛求的話，只有乾燒明蝦還要研究。」

「是不是太鹹？」

「正是鹹了一點，如果再少放一點鹽，多放一點糖，味道再辣一點，就合乎理想了。」喬治桑是吃客，一飲一啄都很有研究。

「你說的很對，不瞞你說，我的烹調技術大半是向媽媽學來的，有幾樣菜是從電視上學的。媽媽只會做江浙菜，所以乾燒明蝦是燒失敗了。」

「也不能算失敗，只是還須精益求精罷了。」

喬治桑，雅麗絲談談說說，一頓飯吃了半個多鐘頭才結束。

「飯後有什麼『尾食』？」「尾食」一兩字喬治桑用的是英語。

「咖啡，行不行？」

「太好了，叨擾，叨擾。」

下女阿翠這時進來收拾殘羹剩餚，一霎時，將桌面抹拭得乾乾淨淨。

雅麗絲從冰箱裏拿出兩個黃澄澄的杧果，兩個碟子，兩把水果刀，同時說，「咖啡等會坐在沙發上吃。」

喬治桑點頭說好。

吃過杧果以後，雅麗絲將冰淇淋咖啡放在沙發旁的茶几上，又扭開了電視。她知道喬治桑最愛看球賽，找到英國足球賽的紀錄片讓喬治桑觀賞。

她因為對球賽節目沒有興趣，拿一本電影雜誌看着消遣。

電視節目將近尾聲的時候，叮噹叮噹門鈴聲響，阿翠開門，喬治桑聽得出是裘白瓊的聲音。

喬治桑迎至房門口，說，「歡迎，歡迎，請進，請進。」

裘白瓊一進門，嚷道，「外面天氣真熱得吃不消，老兄能在家納福，真是一種享受。」

「真不好意思，為了我的事，大熱天要勞動你的大駕。」喬治桑看見裘白瓊滿頭大汗，當然應該說幾句客氣話。

「自家朋友，不必客氣了，李小姐請妳倒一杯冰水給我喝。」

「要不要來一杯冰淇淋咖啡？」喬治桑問裘白瓊。

「也好，」

裘白瓊接過雅麗絲倒給他的冰咖啡，很自然的看到螢光幕。說：

「你喜歡看足球？」

「你喜不喜歡？」喬治桑沒有答復裘白的話，反而先問他。

「我以前是上海樂華足球隊乙組隊員，是踢左鋒的。」裘白瓊等於間接答復了喬治桑。

「我以前在學校裏也喜歡運動，我在美國住了這多年，我可不愛看美式足球「橄欖球」，一直還是喜歡看英式足球。」

「英國足球也走下坡了，根本就打不過南美各國。」裘白瓊大談其足球經。這時螢光幕的足球賽已告結束。

台北傳奇錄（八三）
陳光棣

金恆貴一頭撞到床底下，驚動了一窩老鼠支支的逃出，一支大老鼠踏在大金紅的腳背上，金紅就怕老鼠，大叫了一聲，往外就跑：「可嚇死我了！」

老邱把新買的切菜刀，要交給大金紅看看，買的便宜不便宜，剛走到臥房門口，大金紅從裏面沖出來，臉都嚇白，兩個人幾乎撞個滿懷。「這是怎麼的啊！你看妳」老邱莫明其妙的瞧着大金紅。大金紅一時說不出話來，下意識的指指臥房。

老邱拿着切菜刀進了臥房，一低頭正好看到一支老鼠，向床底下一鑽，「他奶奶的，你往那兒跑！」說着一掀床罩，金恆貴聽到大金紅怪叫了一聲，不知道出了什麼事，已經嚇的直哆嗦，現在又看到老邱拿着菜刀掀着床罩，更嚇的魂飛魄散，不管三七二十一，就硬着腦袋鑽到床裏面去。老邱沒想到床舖下面藏着人，猛的看見床底下一個人，不由的暴叫着「你是誰呀？他奶奶的，快出來！」

大金紅馬上跑過來，抱着老邱，金恆貴，壯起了勇氣，想躲在床底下更容易吃大虧，還不如先出去再想法脫身，主意打定，就硬着頭皮鑽出來，站在地上衝着老邱苦笑。

老邱看清楚了是金恆貴，喉是氣往上撞，大聲罵道：「是你呀！偷個小舅子！你是吃飽了他奶奶的，你說！我對你不錯呀！你幹麼要藏在床舖底下嚇俺老婆！」老邱越說越氣：「對不起，我和你們個小玩笑一哈！」金恆貴見風轉舵，混身冒着冷汗，着說。「金先生就喜歡鬧着玩兒！」大金紅帮着說。老邦揮舞着切菜刀：「你這是想作什麼來啊？大清早跑到我家來，你是那來找便宜來的是不是？」「你可是祖人，你說的什麼話呀？哈哈！他奶奶的，我明白啦！」

大金紅假裝生氣：「他沒敢白你吧？」老邱上下打量着大金紅。

「沒有？我怎麼敢哪」？金恆貴陪着笑臉。

「金先生不是那種人！」

「沒有就好！你快走吧，俺還要作生意」。

金恆貴如逢大赦，像狗一樣的溜到了大街上。心驚膽戰的靠在電線桿子上直喘氣。步成材剛從菜市場回來，手裏提着菜籃子，咀裏叨著煙，看到金恆貴臉色青白，兩眼發直，初秋的天氣，頭上還冒着冷汗，他以為金恆貴得了什麼急病，走上前去想帮帮忙。（未完）

毛松年做到皆大歡喜

·文匯樓主

毛松年坐在台灣銀行第一把交椅很多年了，用戰爭術語去形容，眞所謂「穩如泰山」，在將少偕多的環境裏且能做到皆大歡喜，非確有幾招，談何容易。

錢一鈞著「矮人傳」裏，有一段提到毛松年，大體上褒多於貶，待全文殺青後，將交由本報連載。古今來成大功立大業，和若干傑出的政治人物，往往都是矮人，比如古代外交家晏平仲，前漢軍事家韓信，後漢三國奸雄曹操，擁有三千食客的孟嘗君等皆有三寸釘的綽號，歐美的英雄拿破崙，陰謀家史達林，大獨裁者希特勒，政治家邱吉爾，美總統杜魯門等，民國初年的洪憲皇帝袁世凱，關外王張作霖，一代英雄吳佩孚長得都不高。錢一鈞對這百餘位矮人中，皆有深入刻劃，開寫作上從未有之先河。一般的說，矮人似比高人聰明，這裏特別聲明的，事實俱在，絕對不是樓主自己向臉上貼金。

銀行界的毛松年，即聰明過人，爲其同業們所公認，京戲台詞：「雖不如前漢張子房，確可比後漢諸葛亮，算出陰天會下雨，晴天必定出太陽。」這幾句話，描寫銀行老板坐在冷氣間，羽扇綸巾，指揮部屬的神情，到很洽當。據台銀內部某君分析，毛松年辦法之多，和運用之妙，在台北十幾家銀行裏還找不到對手。

第一，他有劉邦的氣魄，對行內人員加官晉爵在所不惜，不像項羽對部屬，一官半職忍不能予。第二，台灣銀行主管，副主管專多配以漂亮汽車和華麗房屋，對「公款」看得很淡，他認清楚了「當地無鬼不生災」，祇要自己圈圈內沒有人搞亂，即是爲非作歹，也不會出甚麼亂子，何況自認一走的穩，坐的正，夜半不怕鬼敲門。」至於核准貸款事項，乃份內職權，假定外間有甚麼閒話，那祇是閒話而已，借胡適的口頭語：「拿出證據來」相信沒有人能拿得出，由此可證毛松年是一位好人。第三，有關係要人們的生日，專冊記載，從不遺漏，以一盒蛋糕作起點，大小厚薄，涇渭分明，對客下菜，比度量衡還準確。俗話：「官不打送禮的，狗不咬拉屎的。」恭敬人，總可以給人好感，打官司的人爲甚麼討厭推事呢？因爲推事專向別人壞處隱處推敲。一如貪官汚吏討厭新聞記者，蓋記者寫新聞與推事有異曲同工之妙，且有「有聞必錄」的習慣使命，錄到好的還無所謂，錄到壞的眞「大煞風景」，簡直使人難堪。像台北最近的國光保險公司，第十二信用合作社，記者如果不報導，誰會知道這麼多詳盡的醜事。

講正話，毛松年對中醫藥頗有研究，精深的程度，可能超過銀行業務。樓主年前曾予介紹，（今從略）假定他能將做官的手法，用之於改進現代醫藥，或把縱橫術在公款上的浪費，移捐製藥研究，相信對社會的貢獻，必較數鈔票更有意義。由於毛松年是一位聰明人，這是我的直覺，且希望他能在這方面做一點善事。

文匯樓別記

呂佛庭及其畫（下）

·釋廣元·

山川河流的位置，不因圖而的拘束，而能自由發揮，望之層山疊水，極盡「咫尺有千里」之能事，令人稱絕。畫面顯示出自然而秀媚的氣息，也正是今日台灣風光的寫照。

他的三幅巨作特點，「長城圖」雄健古厚，「長江圖」勁秀清潤，「公路圖」縱肆飄逸。

他除了以長卷山水馳名畫壇外，尤精於潑墨山水，凡經他以潑墨手法完成的作品，皆簡淨洗練，無烟火氣，已至超凡入聖的境界。據繪畫評論家姚夢谷居士說：「呂佛庭能將南宗北派的手法，帶入潑墨畫中，運用自如，的確難能可貴」。

我對他畫品風格的觀感是——渾厚與嚴謹。佛庭居士憑其學養之厚與覽觀之周，自有一種渾然厚重之氣流露於楮墨間，觀之脫俗，親之意遠。再則他寫生雖不求形似，然態度却是謙虛而謹嚴，在那些苦心經營的作品中，雖是韻味深厚，但却一筆不苟，在淵深靜穆中，絕去時流以粗獷爲高的惡習，豈是淺學者所能望其項背？

佛庭居士研習國畫六法垂五十年，從八歲起學畫沒骨花鳥，師惲南田，二十歲左右改習山水及人物仕女，山水初法荊、關、李、郭，後撫元四大家；人物初法趙孟頫，後法李公麟；仕女初法仇英，後法周方、張萱。從三十歲到四十歲，是以古爲師的階段，於遍摹名蹟以後，深體古人「外師造化，中得心源」之旨。竹杖芒鞋，周覽海內名山勝水——這可說是「外師造化」以自然爲師的階段，漸漸脫出古人束縛，專寫天下眞山水。四十歲後寄心禪悅，始由精神上的「大自在」發而爲藝術上的「不拘形跡」，至此，已進入「以心爲師」的階段。目前他正在「無心絕相」的更高境界上用工夫，相信不久的將來，定能體悟得到。如是而知佛庭居士學畫的道程，其天資雖高，然其畫所以能有今日之成就，乃由「漸修」，非由「頓悟」。

他的書法，工力極深，小楷學鍾、王，行草師章草，大楷以魯公與六朝碑爲法則，寫出來的字，雄健中帶有古拙之氣。

佛庭居士現年五十六歲的河南沁陽人，字半僧，五歲喪母，父親不久即遯入空門，全憑祖母教養，及自己刻苦自勵，完成了北平美專學業

赤壁之戰（四十八）

說曹操

李漁叔·

吳志注引志林說是按會稽貢舉簿，建安十二年至十三年吳主丁憂，吳國太應該是在十二年逝世的。但這並不足據，宜以本傳及孫權傳爲憑。如此，則吳國太到建安十三年冬，實已過世整整七年，即照志林所說，也已經過一年，小說雖不盡可靠，可是亦不能把死人說活。至於二喬的父親在戲劇中竟穿宰相服色，自稱喬玄，那是由橋太尉玄纏夾而來的。橋玄是最初賞識曹孟德的那人，早於靈帝光和六年病卒，至今已三十餘年，若在，也是百歲開外的人了。二喬之父，並不叫喬玄，也不會在吳爲相。

丁、草船借箭和打黃蓋都是胡扯的，但亦另有其根據。

借箭事，按魏略云：

「權乘大船來觀軍，公（曹公）使弓弩，亂發，箭著其船，船偏重將覆，權因迴船，復以一面受箭，箭均船平，乃還。」

草船借箭的故事，似是脫胎於此，但這是孫權的事，與孔明無干。

黃蓋詐降事，見周瑜傳和江表傳，而沒有被周瑜責打，江表傳還載了黃蓋降書云：

「蓋受孫氏厚恩，常爲將帥，見遇不薄。然顧天下事有大勢，用江東六郡山越之人，以當中國百萬之衆，衆寡不敵，海內所共見也。東方將吏，無有愚智，皆知其不可，惟周瑜魯肅，偏懷淺戇，意未解耳。今日歸命，是其實計，瑜所督領，自易摧破，交鋒之日，蓋爲前部，當因事變化，效命在近。」

這降書當然是假的，（演義把上面的詞句，改得亂七八糟，不成文理。）所以曹公接此信亦對下書人說過：「但恐汝詐耳，蓋若信實，當授爵賞，超於前後。」

戊、蔣幹奉命過江遊說周瑜，實有其事，不過誤殺蔡瑁張允，却純出虛構，這把蔣子翼寫得太窩囊了。按江表傳：「初，曹公聞瑜年少有美才，謂可游說動也，乃密下揚州，遣九江蔣幹往見瑜。幹有儀容，以才辯見稱，獨步江淮之間，莫與爲對。乃布衣葛巾，自託私行詣瑜，瑜出迎之，立謂幹曰：『子翼良苦，遠涉江湖，爲曹氏作說客耶？』幹曰：『吾與足下州里，中間別隔，遙聞芳烈，故來敘闊，並觀雅規，而云說客，無乃逆詐乎？』……後三日瑜請幹與周觀營中，行視倉庫軍資器仗，還宴飲，示之侍者服飾珍玩之物，因謂幹曰：『丈夫處世，遇知己之主，外託君臣之義，內結骨肉之恩，言行計從，假使蘇張更生，酈叟復出，猶撫其背，而折其辭，豈足下幼生（瑜指幹爲幼生，意謂其少不更事），所能移乎？』幹但笑，終無所言。幹還稱瑜雅量高致，非言辭所間。」

（未完）

……他生性淡薄，自幼信奉佛教，茹齋素，曾先後皈依過浩修和尚及慈航大師。他現任台中師專教授，平日除教書、寫字、作畫、誦經外，最喜歡到各地名勝雲遊，參訪寺院師友。（完）

搜異錄

大力士霍元甲

匡謬

大力士霍元甲，直隸人，弟兄十人，皆以拳藝名聞遐邇，以元甲爲冠群雄。北方咸知其勇，外號人稱黃面虎。曾獲友人倩稱：美國大力士某，力能扛鼎，身載百斤。云願與元甲決鬥，元甲覽書，不以爲意，以爲如此勇夫，吾北人見慣多矣，何足懼哉！遂慨然應諾，願與美國大力士角一日之長。卒以美國大力士不敢較量，未果。

有東海趙右，欲擅朱術者，緣力士之盛名，欲以勝之，乃與元甲較量高下，元甲不允。於是趙某以元甲爲怯，乃於報端刊登啓事，以刺激之。元甲允諾，趙某先命其徒與元甲賽於上海「張園」，趙徒慘敗。不久，趙某復聘其友與元甲比賽高低，元甲復勝。後數日，陸續擊敗上海各派挑戰者。最後對觀衆拱手道：「余所以來申者，欲與猖狂之異族見一高下耳！今吾同胞自殘，非我之志也。凡我同胞，今後請勿相殘。」

元甲後在上海創辦「精武學堂」，鼓勵尚武精神甚力。嘗道：「欲強國，非使中國人人尚武不可」。又道：「西人精研一術，數百年始奏膚功，今我之拳術，已傳自七世，亦不啻數百年矣。」

不久某國之著名聯袂十人來上海與元甲決鬥。然西人畏死，約定不以拳戰，以手勢決勝負，聘定雙方公正人各一（裁判）。元甲只使其徒與賽，西人相繼敗北者五人。西人大愧，急遽其中一人最大力氣者與之角戰，西人知元甲爲勁敵，出臂欲中傷之。元甲微以手格之，西人之臂已折，大不堪，怒甚，以爲元甲違約，卒以衆目共見，理屈而退。然其心終不甘。

一日西人邀元甲宴會，賀其拳術高超。元甲以患吐血辭。西人道：「何不請醫治之？」元甲以未遇良醫對。西人以爲有機可乘，於是推荐一西醫，與之治療，元甲信之，服其麻醉藥，致病漸劇，含恨以死。惜哉！

（完）

諸葛亮狂想曲（一六八）

·劉玄·

諸葛亮聽了黃雲大仙一席話，不住點頭，心裏暗想：「人只有所短，寸有所長，黃雲會的玩意我不一定會，爲人豈可不謙虛乎？」

琴童一向厭惡黃雲大仙，今見他帶來了「活人參」，爲了好奇，趁着端一杯礦泉待客的機會，也接上來想看過明白。

「哎呀，這種東西有啥好玩，丞相你看，根本就是小型的娃娃嘛！」琴童看見活人參大加鄙賞：

「假使你歡喜，聰明兒我也送一支給你。」黃雲大仙知道琴童在諸葛亮身邊的重要性，不下於戲台上的「桂兒」，故想討好於他。

「不必了，你道我有八支之多，我給一支給他好了。」諸葛亮通達人情世故，每一個節都能顧到。

「那怎麼可以，我在蟠桃大會以前，定送一支給你。」黃雲大仙答應琴童，送一支活人參給他，是政治的籠牢手段。同時，他又提到蟠桃大會，是向琴童炫耀自己身份。

「謝謝黃雲大仙，謝謝黃雲大仙。」琴童是小鬼靈精，一連兩聲道謝，等於一支活人參已經到手。

「你今天有空嗎？」諸葛亮忽然問黃雲大仙有沒有空，這倒是第一次。

「我想到丞相那裏去一走，別的事沒有，丞相有何吩咐？」黃雲大仙帶了四盆人參，不必問，他到關羽那裏也是送人參去的。

「聽說你的棋下得不錯，我想和你下一盤。」諸葛亮的圍棋，在天庭僅次於呂洞賓，黃雲大仙是知道的。

「丞相是高段，我那裏是對手，既是丞相有興緻，我怎敢不奉陪。」黃雲大仙受寵若驚，聽說諸葛亮要找他下棋，高興異常。

琴童拿來一付玉石棋子，黃雲大仙畢恭畢敬將白棋雙手奉與諸葛亮。

「讓四子如何？」黃雲大仙在棋坪上擺下四顆黑子。

「五先罷？」諸葛亮搖了兩下鵝毛扇。

「五先？那怎麼成。」

最後由諸葛亮授兩子，開始「戰」。天庭的時間觀念與人間不同，所謂「山中方七日，世上已千年」，可見一斑。爲了籌備蟠桃大會慶典，天[illegible]各仙都在忙碌。

太白星君奉命製造大批「珍珠蟠桃」，在會中分給大小各仙。何仙姑是節目主任，一天到晚忙個不停。

這一屆蟠桃大會[illegible]日的節目是金玉枝來中芭蕾舞劇嫦娥奔月，但諸葛亮一向是好整以暇的，仍然有時間與黃雲大仙[illegible]下棋。

黃雲大仙[illegible]元，他知道諸葛亮是天庭第一位高手，當[illegible]，以免大敗虧輸。

巨變歷險記

車、佛、南、瀾、鎮五縣自衛隊是民間的一種自動自發的自衛組織。佛是佛海，南是南嶠，他們同車里非常接近，故有佛南之稱。瀾是瀾滄縣，鎮是鎮康，這兩縣就比較遠了。這兩縣的自衛隊，名存而實亡，很少有什麼活動。自衛隊的活動主要在車佛南，尤其在車里，盧漢叛變，自衛隊即起而奪取五縣的政權。車里是成功了，佛南也相繼成功。佛南的自衛隊現正與廿六軍葉植楠部合作，車里與八軍合作。他們聽見八軍到了苗子寨，他們感到很興奮。他們派人迎上前來，派葉隊長前來，是歡迎我軍進駐車里的，並不是來阻止的。一經解釋，也就冰釋了。來歡迎的葉大隊長，人非常年輕，也非常精神，他那匹大馬，更是神氣。一身藍上身藍褲子，很容易使人誤會為共軍，但實際上並不是。

進駐車里

自衛的總司令是羅庚，副總司令有兩位，一位是剛才說的張偉成縣長，再一位是曾憲武。他們三位會銜的佈告，到處招貼。是大張的棉紙，用毛筆寫的。看來很是醒目。羅庚居總司令之名，但並沒有總司令之實，不過是地方上比較久，資格比較老而已。且所謂資格，也不是在軍校的資格，或什麼軍隊的資格，只是在地方的年歲，換言之，羅庚的年歲，在地方上的年歲，比較最久。老馬識途，自以尊他老大哥為總司令為宜，曾憲武與張偉成都是老牌的軍人，前廿六軍彭佐熙副軍長的部下或前呂國銓師長的部下，抗戰末期，他們在這個區域作戰，抗戰結束，他們遭到遣散，但他們不願離開，遂就留在這裏。誰知道戡亂繼續起來，到處大動干戈，他們更無心離開，就在這裏成

（一六八）　胡慶蓉

家立業，在盧漢叛變之後，政權變更，他們更起而自衛，此自衛隊之所以產生也。因為自衛隊大多是廣西的人，故有兩廣隊部之稱。丁博士、李團長帶領部隊向車里進發。葉大隊長一馬當先，在前邊開道，沿途百姓都出來觀看，大家的態度看來都非常友愛。當時的車里，雖有縣城之名，並不能與今日之工商都市比。當時的車里，還完全是一個農村的模樣，零零星星，稀稀的住着，像樣的街道，只有一條，而且這一條只有二百多步長。兩旁倒是房屋櫛比，都是商店或者客店。這一條街在車里縣政府的前面，可稱之曰府前街了。車里縣政府的規模，彷彿私人住的院子，牆全是土牆，房屋不分，大大小小，沒有章法，最後是縣長的臥房，也是縣長的辦公室。廚房在中間，前邊左右都在空着。丁博士到達，張縣長出來到街頭相迎，他似乎也感到空虛，現在看到有一隊伍到來，且是同志，自然心中非常快慰。丁博士及高級將領都住在縣衙門，官兵分配縣城外。從此能安頓下來，丁博士以及全體官兵，莫不歡欣鼓舞。

諧史拾趣（五）

·周其昌·

先是邢寬未第之時，其郡守謂之曰：「邢春元如不酸醋」，蓋譏寬也。寬及第，乃報郡守詩曰：

邢寬只是舊邢寬，朝占龍頭夕拜官；寄語黃堂賢太守，如今却是牙酸。

廿二，大宋與小宋

宋朝有大宋、小宋者，聯登制科，又同仕於京師。時遇上元佳節，小宋盛燈火，館宴，極奢侈。大宋見了，斥其奢靡道：「弟忘了前年讀書山寺的寂寞光景乎？」小宋笑道：「只爲想寂寞。」噫！小宋也是人中之傑也。

廿三，過手便酸

昔日蘇秦不得志時，蘇母生辰，蘇秦兄嫂伯子捧觴稱壽，母頷之歎道：「好佳酒！」及蘇秦夫婦亦捧觴稱壽，其母再嚐道：「酸酒」。蘇秦妻子乃從伯母借酒一觴，其母再嚐道：「酸酒！」蘇秦妻子忙道：「此酒乃從伯母家借來者。」蘇秦之父罵道：「你還不行時的人，酒過手便酸」！人在「背時」時，酒也會變成醋也！話又說回來：「人行時，醋也會變成酒哩！」日後蘇季子負六國相印，其父母兄嫂又如何耶！難怪季子嘆道：「人生在世，富貴豈可忽弗哉！」

廿四，我先甜了一會了

北方人與南方人論棗與橄欖孰佳？北方人說：「棗味甜美。」南方人說：「橄欖味雖辣，却有回甜。」北方人又道：「等你回得甜來，我已先甜了一會兒了」。

廿三，智過君子

俗話說「賊是小人，而智過君子」。

吾鄉水府廟，有鐘一口。有巴陵人停舟於岸，圖盜此鐘以鑄田器，乃使人移於地上，恐為人聽見，遂新生一計，將泥土實於鐘內，用鐵錘打碎，使人運去，附近居民皆渺然無聞。這是智賊之一例也。

又有一賊，白天入人家室，盜磬一口，持之出門，適主人從外回來。賊問主人道：「老爹買磬嗎？」主人答道：「我家有磬不買」。賊徑持之而去。主人到晚上找磬不着，方知賣磬者為賊也。

有一人負釜而行，在中途小便，乃將釜放在地上，立而小便。適有一賊見了，乃將其釜拿起頂在頭上，亦行小便。負釜者溺畢，尋釜不見。賊故斥其人道：「你自不小心。你看我，將釜頂在頭上，就是防小偷也。汝置釜在地上，要不為人所竊，豈可得乎？」以上三者，皆為賊有急智，且其智過君子。然小偷欲作正經，則又格格不入矣。

廿四，痛則不通

熊敦朴，號蜀海，四川人，辛未進士。選館改兵部尚書，再左遷別駕。臨去兵部時，往辭江陵相公，相公道：「公是我衙內的官，痛癢相關。今後仕途宜着意。」陸海道：「老師恐怕未見痛。」江陵道：「何以知之」？陸海道：「王叔和醫訣說：得有通則不痛，痛則不通」。江陵大笑。

起初陸海入館之時，館師命他背書，回顧壁上影子，見口動鬚搖，哄然大笑。館師道：「笑我何來？」答道：「我看到壁上影子，好似羊吃草的樣子，不覺自笑也。」

廿五，名下不虛

金陵平康，有一名妓名馬湘蘭者，當她少年時，聲價頗高。一日，有某孝廉往訪，該妓不肯出，孝廉怏怏而去。

過了十年，此姝色衰，而孝廉已成進士，出仕為南京御史。適馬湘蘭因株連入院聽審，御史見了說道：「你如此面孔，往日乃負虛名。」湘蘭道：「唯其有往日之虛名，所以有今日之實禍。」御史道：「此妓能出此言，果然名下不虛。」於是恩澤而釋之。

廿六，孫非爾力也

有一士子孫繁衍者，其同儕友有苦其無子。以自己子孫甚夥，故語人道：「你無力量，一個兒子都弄不出。你看我如此豢多子孫。」無子者答得有趣：「其子爾力也，其孫非爾力也。」旁人聽了，不禁大笑。

二十七，虛榮難脫

羅念菴中狀元之後，其面常有喜色。其夫人問道：「狀元幾年一個？」念菴道：「三年一個」。夫人道：「若然如此，不算你一個，為何喜悅久之？」念菴自對人說：「某十年胸中丟狀元二字不脫。」由此足見其人之自負，亦見念之不欺人處。而國家科名，即豪傑不能不羶嗜，亦可見矣。

二十八，人情之偏愛

人之偏愛，自古已然，亦說不出其所以然。昔曹操欲以丁儀為婿，但因丁儀一目眇之故而未果。後來曹操又悔曰：以丁儀之才，縱然雙目盡眇，亦當妻之以女，何況只眇一目。」此所謂偏愛而亡其醜，英雄且然；人情之偏，常人又何怪哉！

（未完）

黛眉小傳

王幻

上官婉兒（中）

衆人方聚觀間，婉兒已下樓復命，將宋之問之詩，進呈御覽。中宗與韋后及諸公主傳觀，都稱讚好詩，並誇婉兒之才。中宗即召諸臣至御前，將宋詩傳與觀看。其詩云：

春豫靈池會，滄波帳殿開。
舟淩石鯨動，槎逼柳暗催。
象溪看浴景，燒劫辨沉灰。
鎬飲周文樂，汾歌漢武才。
不愁明月盡，自有夜珠來。

及聞其評曰：「二詩工力悉敵，沈詩落句云：微臣彫朽質，羞覩豫章材，蓋詞氣已盡，宋詩云：不愁明月盡，自有夜珠來，猶陡然健舉，故去此取彼。」

中宗因笑道：「昭容之評詩，二卿以為何如？」二人奏言評閱允當，自此沈期每遜讓宋之問一分，不敢復與爭名。婉兒自綵樓評詩之後，才名大著，中宗愈加寵愛，其服飾與宮室，都如妃子一般。她又慫恿中宗特置修文館，選公卿中長於詩文者，如沈佺期，宋之問，李嶠等二十餘人，為修文館學士，時常賜宴於內庭，吟詩作賦，爭華競美，俱命婉兒評審甲乙，賜金爵獎品，並將其作品，傳之詞林，或播之樂府。由是天下士子，爭以文采相尚，故朝廷靡然成風；被評者不獨為之拜服，且引以為榮。當時屬辭，雖大抵浮麗，然皆有可觀，要皆婉兒之力。

然而，婉兒的詩，屬於浮艷者流，華而無實，開香奩體之先，雖不免為人所詬病，但在女性而言，章句婉轉綺麗，亦天賦使然，是不能過於苛求的。茲錄數首於后，以見其詩的風格。綵書怨云：

葉下洞庭初，思君萬里餘。
露濃香被冷，月落錦屏虛。
欲奏江南曲，貪封薊北書。
書中無別意，惟悵久離居。

中宗幸溫湯獻三絕句云：

三冬季月景龍年，萬乘觀風出灞川；
遙看電躍龍為馬，迴矚霜原玉作田。
鸞旗掣曳拂雲迴，羽騎驂驔躡景來；
隱隱驪山雲外聳，迢迢御帳日邊開。
翠幕珠帷敞月營，金罍玉斝泛蘭英；
歲歲年年常扈蹕，長長久久樂承平。

上舉數詩，雖無甚可取，但尚能抓住主旨，而且像應制之類的詩作，多勉強成章，討好不易。相傳帝每賜宴賦詩，婉兒常代帝后及長寧安樂二公主，衆篇並作，而采麗益新。

婉兒自更衣承寵，特沐隆恩之後，她看到皇后韋氏得勢，便大事奉承，乘機把當年武則天與張易之、張昌宗兄弟在「控鶴監」的秘聞，繪影歷聲的描述得活色生香，淋漓盡致，好像一部精彩的春宮影片，只說得韋后春心蕩漾，面紅耳赤。於是兩人經過一番悄聲密語，獲得了默契；就當中宗留宿在婉兒房中時，她便把自己的戀人武三思讓予韋后，作了入幕之賓。

（未完）

自由詩壇

漁叔題

恭祝　蔣總統公八秩晉四華誕

·張鶴·

願將戰果壽元良。薪膽頻年苦共嘗。萬里河山看再造。千秋日月慶重光。中興頌寫人文盛。革命功成我武揚。薄海呼嵩秋正好。菊花香裏捧霞觴。

第十三章　韓世忠勇擒苗劉　岳鵬舉孤軍周旋

但他爲保存實力，不加死守，開城向建康撤退，韓州、韓相也樂得棄城而走，步劉光世後塵。金人入城，刼掠一空。再由大冶趨洪州。孫康、劉珏聞金兵趨來，急奉太后出奔。江西制置使王子猷，也棄城遁去。洪、撫、袁三州相繼陷落。太后行次吉州，聞金兵又復追來，忙僱舟夜行。不幸在太和縣遇賊，虧楊維忠部將胡友來援，擊退賊兵，保了太后逃命。所謂「賊兵」，就是江西流寇。

金兵入破吉州，又屠洪州，轉犯廬州、和州無爲軍。守官非遁卽降，勢如破竹。破眞州溧水縣，再從馬家渡過江，攻入太平。杜充職守江淮，一任金人入寇，按兵不援。金兵進寇烏江（今安徽和縣東北。）諸將屢請出戰，杜充不允。岳飛不得已叩寢閣諫言出兵。岳飛說：「虜大敵，近在淮南，睥睨長江，包藏不淺。臥薪之勢，莫甚於此時。而相公乃終日宴居，不省兵勢，萬一敵人窺吾之殆，舉兵乘之，相公既不躬其事，能保諸將之用命嗎？諸將旣不用命，金陵失守，相公能復高枕於此嗎？某雖以孤軍效命，亦無補於國家了。」

岳飛言畢，淚流滿面，堅請杜充視師。杜充漫應道：「來日當至江視師。」次日仍不出門。

金人由馬家渡渡長江進兵後，杜充始命岳飛等諸將出兵。命王燮、都統制陳淬、岳飛等十七將應戰。甫經接戰，王燮之軍先退。陳淬、岳飛二軍相繼陷入敵陣，陳淬力戰陣亡，獨岳飛挺槍躍馬，奮戰不休。金人見岳飛英勇，不敢逼近，只好任令馳騁。怎奈各軍已退，岳飛孤軍雖當大敵，只得揮軍殺出金兵包圍，擇險立營，為自保之計。杜充聞諸軍皆敗，竟棄了建康，逃往眞州。諸將怨杜充苛刻，頗有叛意。杜充不敢還營，獨寓居長蘆寺。忽接金兀朮招降書云：「當以中原，如張邦昌故事」。杜充大喜，遂潛還建康，恰巧兀朮馳至城下，卽與守臣陳邦光，戶部尚書李梲開城迎降，拜謁道旁。兀朮入城，官屬皆降，惟通判楊邦乂用指血大書襟上道：「寧作趙氏鬼，不爲他邦臣」十字。金兵牽至兀朮面前，見其血書，心中暗暗稱讚，惋言勸降，邦乂大罵求死，兀朮只得將其殺害。死後尚嘉歎不已。（六十二）

岳飛

周燕謀

自由報

（第一一一期）

（半週刊每星期三、六出版）

每份港幣壹角・台灣零售價新台幣式元

社長李運鵬・督印黃行憲

社址：香港九龍彌敦道593—601號創興銀行大廈八樓五座

LIU CHONG HING BUILDING
7th FLOOR FLAT '5
593—601 NATHAN ROAD,
KOWLOON, H.K.
TEL: K303831

電報掛號：7191

承印：景星印刷公司

台灣區業務管理中心：台北市重慶南路一段一二九號

台灣分社：台北市西寧南路110號二樓

電話：三三〇三四六、台郵劃撥戶九二五二號

本報專論

人類文明的嚴肅檢討（上）

・若泉敬・湯因比・

日本「每日新聞」刊出日本產業大學教授若泉敬與英國當代大史學家湯因比博士對人類文明的嚴肅檢討，用問答方式，道出世人渴需的智慧與知識，深入淺出，雅俗共賞，誠爲本年度一篇富世界性的重要文獻，在本報破例予以轉載，以饗讀者。

若泉問：湯因比教授，世人皆知您以長期的生涯對社會、文明的發展，人生的意義從事深邃的思考。現在是發生世界規模的變化的時代，世界的人們，尤其是各國的青年正面對許多問題。戰爭與和平，生與死，權力與權威，愛與性，世代間的斷離，今天家族制度是否適當，擴展的知識之管理與使用，關於這些事情的種種的疑問，使我們非常困惑，喪失了自信。人類對今天所經驗的諸多矛盾，對立的要素，例如傳統與革新，宗教與科學，個人與社會，爲了求取這些因素之間的平衡，需要優秀的思想家全面性的見解。

科學與技術的發展，的確在很多點上，給予人類決定自己將來的力量。人類增强了對環境的控制，並且進入了太空。電腦不單使許多領域的知識具有飛躍的可能，與複雜的傳播組織結合的結果，並將探究人類開創的能力，可能建立有效果的計劃。但是科學，技術的進步，物質的繁榮，在眞正意義上是不是進步呢？是不是勿寧說物質面的進步，造成了精神面的危機呢？

從現在開始的幾天裏，使我能够對現代價值觀念的變化，今天人類苦惱的本質，人類及社會又能開創怎樣的未來問題，提出詢問和請教，我非常高興。特就青年一代加以討論，我尤其高興。

湯因比答：很明顯，我們要在非常廣泛的領域上，探討非常切要的問題。我在討論這些問題中所說的話，是對所有想聽我意見的人們說的。可是，在我心裏特別是想和青年人說。因爲，特別希望青年們能聽這些話。我有九個孫兒，他們從十七歲到二十六歲，我對青年人有非常具體的了解。我以爲我的孫兒們是世界中同一世代的代表。好，我們就進入正題罷。

若泉問：今天的高度工業化社會，變化極爲激烈，因爲我們的生活方式變成複雜多樣化了。在這急遽變化所產生的混亂，緊張和重壓中生活的現代人，尤其是青年人，出現因不能應付自己的命運而痛苦的情況。遂問人究竟爲什麼而生存？人類的目的是什麼？特別是最近成爲重大課題的生存意義，想聽聽先生的看法。

湯因比答：你强調現代生活中的混亂，緊張，壓力，複雜，急激的變化與影響，特別是青年的影響。青年們希望自行摸索出路，瞭解人生的意義，應付所處的環境。

我認爲人的生存目的是愛，叡智及創造。我認爲人爲了追求這三個目的應當奉獻全部的能力和精力。認爲爲了達成這些目的，若是必要的話必須犧牲自己。沒有不作犧牲而能達成這些目的之事，也許有價值的事情要求自己犧牲，並希望在考慮有價值的時候能不惜於犧牲。

我說了三件事，愛，叡智和創造。

在進一步說明之前，先就愛的意義稍加解釋。因爲我認爲這非常重要，我想把我所說愛的意義弄明確。英語愛（LOVE）這個字意義很曖昧。例如「愛威士忌」、「愛性（SEX）」、「愛巧克利」也用愛字，這並非我所說的愛。還有所說的「愛妻子」、「愛孩子」、「愛我的同胞」、「愛上帝」、與我所說愛的意義亦完全不同。事實上，在一部份語言上所說這種不同意義的愛使用不同的話。南方佛教——錫蘭佛教經書中巴利（PALI）語中有「丹哈」這個字。這個字含有「懇望」、「喜歡」、「飛向所喜歡的東西」等意義。

凡是愛都是欲望，欲望有兩大類。一是忘却自己，奉獻給他人，世界及宇宙背後之物（按：擬似上帝）的欲望。還有一個是搾取宇宙，據爲己有，爲自己的目的而用的願望。兩者雖然都是欲望，是正相反對的欲望。表現此二者須用別的語彙。我所說的愛忘却自己獻與其他生命，其他的人，宇宙及宇宙背後之物。在我說人爲什麼而生存時，是就這種愛而說的。

人是社會的動物。我認爲宇宙以及宇宙彼方的一切雖然也在愛的對象中，但是第一是須愛同類的人。還有也須愛人以外所有的生物、植物和動物。因爲植物與動物都近切人類。它們都是生命大樹上的枝葉。在這顆樹上具有共同的根。雖然不知道這個根從何處而來，但是我們都是從那個根來的則確切無疑。人類也必須愛非生命的自然。這個自然是人類居住的宇宙的一部份。

對人類以外的東西，人類以外的生命以及非生命的自然，有愛的心情和必須愛的心情，印度人或東亞細亞的人們，較西方人爲强烈。日本宗教之一的神道，是把人融和自然的宗教。由那引起的感情，尊敬以及敬畏不容易了解。總之，那是感情與自然的融和。這些事情，在西方的傳統上則甚微弱。所說西方的傳統意思不止於基督教。乃指基督教猶太教，回教，基督教與回教都是從猶太教衍生出來，分出來的東西。

但是在西方的傳統中，也可以尋出對自然的感情之跡象。例如在西方的歷史中，最大宗教家之一的聖佛蘭西斯（1181—1226，生於意大利，爲天主教聖方濟各會的創立人），在其留到現在的詩篇中，在一篇讚歌中道：把太陽、風、空氣、雲、火看做兄弟，把月、星、水、地地、生活的一切人類看做姊妹齊讚頌神。聖法蘭西斯把一切當做有生命的東西，看做兄弟姊妹是非常明顯的。

愛的給予有幾個很困難的問題。我們希望能愛，必須愛的人類及人以外的有生物對象很多。這些對象之間時有利害對立的事情。我們於是爲一部分必須愛的人而犧牲另外的人。我們這樣活着的人，相知的人，現在生存的人，比較起來是容易的事情。同時代的人，對已死的人們的愛，我們愛從未見面的人及很久以前死去的人，是可能的。我自己對於約在七百五十年前死去的聖法蘭西斯，確實抱有愛的感情。佛教和基督教徒都對佛陀和耶穌基督懷着愛的感情。對於佛陀和耶穌的生涯，不似對聖法蘭西斯了解那麼多，僅從歷史上，傳統中有所了解，我們也可能愛他們，實際上在愛着他們。

其次是對人類以外的生物，被人類當做工具來使用，如牛和馬當做奴隸來驅使，或者將之殺掉當做食糧，這些都是與愛對立的。同時我們持有道德的權利，藉之將那些有害我們和穀物的生物殺除。英語有「害虫」一字。我們對不喜歡的生物，如能捕捉，認爲殺掉是正當的。還有「雜草」一字，是我們不需要的植物。我們把雜草從田中拔除，以防奪去所栽培穀物的養分。還有毒蛇，蚊子，細菌。我們對這些東西絕無思議。（未完）

董必武能當共酋嗎？

昨日與明日

九月初旬中共舉行「九屆二中全會」這是「全國人民代表大會四屆人代會」召開之前，共黨必須要召集的一次會議，「人代」的職權計有「選舉中華人民共和國主席」等十四項。揭穿了說，盡是戲台上的花招。

本港報刊，包括各尾巴報在內，迄今仍未透露「人民代表」產生的方式。據廣州傳來消息，董必武將繼劉少奇而任「國家主席」本港報紙也有同樣推測，好像成爲呼之欲出的定案。

筆者則認爲不可能，根據二十年來毛家班的紀錄，「國家主席」「國務院總理」「人代會委員長」均得由「中共中央政治局常務委員」中產生，冀圖處理「領導」關係上的方便。董必武不是「政治局常委」，僅爲「政治局委員」，預料很難打破中共黨八股的實例。二、毛澤東在一九五九年，解除「國家主席」職務後，非常不滿意劉少奇被人歡呼爲萬歲，從紅衛兵貼出的壁報上可以求證。三、最重要的一點還未被人注意者，「主席」名稱，已成爲毛澤東的專利，如果不相信，請看從「文化大革命」後，凡是部會團體首長原稱作「主席」者，均得迴避，如「全國總公會主席」「全國新的協會主席」無理由的被改稱爲「主任」就是鐵證。毛澤東既被「神鬼化了」誰敢捧董必武當主席，他也未必有這個膽量去接受。

何況「北京」當局，早强調黨政軍須一元化的領導，要實行一元化領導，無疑的當以現任「中共主席」「軍事委員會主席」的毛匪兼任「國家主席」。所謂順理成章。某政論家批評的很對，中國共產黨有了毛澤東不能一日沒有毛澤東中國共產黨會垮得更快。話又說回，不管共產黨垮得慢，或垮得快，可近九十大關的董老頭想做「國家主席」乃緣木以求魚，如果因各地反毛力量過份澎漲，被迫搬出董必武來做傀儡，那就是另外一章了。

・叔雍

自由談

敬酒不吃，吃罰酒

美國國防部長賴德聲明：美政府決定以價值五億美元的新式軍事裝備給予以色列，藉以維持中東地區的美俄均勢，也就是所謂「武裝和平」的冷戰作風。

蘇俄在中東本無插足之餘地，今乃成了中東的保鑣者，美國要想奠立中東的和平秩序，如果得不到蘇俄同意，即束手無策，誰爲爲之，孰令致之，美英兩國固難辭其咎，這叫作「自作孽，不可　」，於人何尤？假使美英不爲着爭取中東的石油與工商業利益，而以整個自由世界的利益爲前提，中東各國至今還是和平安定，接受美國領導的，只是中東的石油利益均沾罷了。

同樣理由，假使韓戰發生時，美政府當局不接納英國自私自利的意見，而採取聯軍統帥麥克阿瑟的戰略，把中、韓共實力徹底摧毀，則越戰絕對不致發生，又何至於使美國內部因越戰而鬧得上下交哄的動亂局面呢？

西方列强對國際問題，總是「敬酒不吃，吃罰酒」，遇事憑其資本帝國主義的傳統思想，同床異夢，唯眼前私利是圖，等到禍事臨頭了，迫而從事大規模的戰爭，所損失的利益，無可估計，亦就甘之如飴，自作自受。

美總統尼克遜侈言「談判世紀」，又謂每個國家應該負責解決自己的問題，說來好像很有道理，實則廢話而已！翻開人類歷史，幾曾見有憑談判能夠奠立國際永久和平的事實？既謂每個國家應該負責解決自己的問題，然則以色列與埃及之爭，美國又爲何要以大量新式武備援助以色列呢？

聯台國大會中，正在辯論中東問題，這眞是我們湖南人所說的「扯卵談」的無聊行爲，辯論結果誰是誰非，能對中東問題發生影響嗎？拿弱小國家的戰亂事項，作爲聯合國會議時胡扯瞎鬧的話題，以便向會員國收取會費，所謂辯論的價值即在此也。

無論是中東問題也罷，遠東問題也罷，祇要俄帝認爲未到大戰的最後關頭，尼克遜的「談判世紀」儘管夸夸其談，一旦俄帝認爲可戰時，美國再想瞎扯談亦沒人理會了，「談判世紀」云乎哉！

馮丑先生

馮玉祥有沒有盜寶（上）

矢原愉安

本文原刊載於本港某權威雜誌，作者矢原愉安先生，是德籍日本人，於美國學府攻讀心理學有年。他的中文得自他父親從小的教導和薰陶，講話和書寫都流暢通達。矢原氏對於中國近代史鑽研甚深，是研究清朝末代王孫溥儀的有數專家之一。本文談論馮玉祥逼宮和「盜寶」這一中國近代史上有趣疑案，是他研究溥儀史傳和人格心理的副產品。這件中國近代史上的大疑案，素爲國人關心與樂於聽聞的。玆特轉載，以饗讀者。

一、爲什麼要用他的心理分做「旁證」？

馮玉祥「逼宮」的時候，是不是也盜過寶？這個問題，一直是中國近代史上的大疑案之一。

其實，一口咬定他盜過的人也好，矢口否認他盜過的也好，除了主觀的判斷以外，客觀的人證物證，似乎誰也拿不出來。

在一般野史和回憶錄中，談這件事的人雖然不少，結論却不過兩種：不是講「絕無其事」，就是說「萬人皆知」。中立的人也頂多只能不負責任地說一句：「按理說，馮先生大概還不致於是做那種事情的人罷！」

現在事情已經過了四十多年，當年身歷其事的人，如：溥儀、婉容（溥儀后）、文繡（溥儀妃）、紹英（滿內務府大臣）、馮玉祥、黃郛（內閣總理）、張璧（警察總監）等人，都已經先後做了古。只有鹿鍾麟（警備司令）、李石曾（馮玉祥）代表，還一在大陸，一在台灣，度其風燭殘年。這兩位老先生，對此事至今三緘其口，將來當然更沒有機會再談。這個「盜寶謎」的答案，他們似乎是決心要「保密」的了。

另外一位民初政海中的名人曹汝霖，在他「仙鶴」前不久，以九十高齡，寫過一段有關「馮玉祥逼宮」的回憶道：

「據聞，馮之逼宮，意在刼收宮中寶物。至廢遜帝，廢止優待條件，非馮本意，主謀者爲黃郛也。是日，後門一帶，臨時戒嚴，軍警林立。鹿張兩人進宮，見遜帝已出宮，即開元明清三朝收藏之寶庫，刼掠寶物，以軍用大卡車，運載而出，萬目睽睽，人所共見，無可掩飾。當時進宮之鹿鍾麟、張璧，還乘間偷竊。張見桌上有一對均窯花盆，種的菊花。他知均窯是珍品，即告隨警：「這花是好種，給我帶回去。」鹿鍾麟則見桌上陳設有一翡翠瓜，故意把玩，即將軍帽扣覆瓜上。隨弁知其意，即捧瓜和帽，趨出至鹿跟前道：「您忘帶了軍帽了。」鹿說：「很熱，我不要戴，你拿着吧。」……余雖未目睹，然人言鑿鑿，決非虛構。故宮寶物，集唐宋元明清五朝之大成，寶庫不止一處。聞馮玉祥所盜不過一庫。盜後將庫縱火焚燒。當時宮中失火，却有其事。消防員尚檢得爐餘金屬，亦可證明。」

（未完）

女市長苦幹獲成果
嘉義完成四大工程
計劃提出曾遭強大阻力
排除萬難終於順利施工

（本報台北消息）今年光復節，記者應嘉義市政府之邀前往參加該市四大工程竣工典禮。

市長許世賢就任嘉義市民選市長，在短短的兩年七個月的任期內，完成了四大工程，以及嘉義市中山路第二期拓寬工程奠基，給嘉義市走進現代都市的新境界，也爲嘉義市由縣轄市爭取爲省轄市奠定磁石，地方因而繁榮。

這四大工程是：嘉義市中山路第一期拓寬工程、七彩電動噴泉工程、國父銅像座台修建工程、及中山路下水道箱涵工程等。竣工典禮由總統府國策顧問楊肇嘉按鈕及剪彩。現年七十七歲的楊肇嘉，其心情如三十許人，體壯健談，極富幽默感，爲台灣政壇聞人，近年來，正埋頭寫一部本省民俗之類的書，很少發表政治性的言論，但對本省政治設施頗爲注意。

在雲嘉南一帶，許世賢，是大家所熟悉的政壇人物之一。她很感謝前任省主席黃杰、現任省主席陳大慶全力的支持，才能完成七彩電動噴泉工程，否則的話，將無法完成這項建設的。

嘉義市在第二次世界大戰期間，被盟軍飛機轟炸得滿目瘡痍，雖於光復後重建，但因嘉義市公所修訂之都市計劃，由原來的十五公尺路面擴寬爲二十二公尺，市民限於財力，未將殘垣破壁折除重建，僅利用舊址搭建木板臨時房屋，恢復營業。後來有一部份商店雖按照新都市計劃而改變，致前後不齊，既髒又亂，這是嘉義市始終保持「落後」狀態的原因。

許世賢於五十七年初參加第六屆嘉義市長競選，她以擴寬中山路爲政見，因而獲得當選，故就任市長後之第一個施政重點是擴寬中山路，許市長這項決定，獲得絕大多數市民的支持，但地方少數派系的人士不斷予以打擊。許世賢市長爲興建四大工程，自設計到發包，以及施工，這一段前後兩年六個月的時間，是她最艱苦的日子，一方面要排除阻力，一方面要爭取各界人士的同情和支持，由於地方選民的支持，省主席的公正處理，中山路第一期擴寬工程終於五十八年十二月三日開工，今年八月十八日完工。最感人的是中山路兩旁的店主，不但自動拆除，且對地上物補償的問題也不願與市公所斤斤計較。

而言，嘉義市中山路爲省道必經之地，如不擴寬，將發生「瓶頸」問題，亦需解決。由於許世賢曾任省議員，對此一問題知之極深，故力主擴寬，因而減少南北高速公路興建之困難，這種有遠見的建設，爲全省民衆所支持。當許市長提出擴寬中山路計劃之後，儘管有人替她担心財政的來源，而她以無比的信心按照預定計劃進行。同時，爲配合中山路擴寬，爲配合發展觀光事業的國策，並增加地方稅收，許市

興建七彩噴泉
縣長力加阻止
省府出面始獲解決

長計劃在中央圓環興建一座七彩噴泉，及修建國父銅像座台，就在此時，首先公開表示反對此項工程者，不是別人，而是嘉義縣長黃老達，黃縣長反對的理由是：「七彩噴泉沒有任何經濟價值，且有害於交通安全。」有人說，嘉義市建設之所以不能「超然」的原因，係嘉義縣長囿於「落伍」觀念所致，而[illegible]這種落伍觀念而不自覺。

阻止許世賢修建國父銅像座台及興建七彩噴泉的工程，黃老達與縣議員們振振有辭，却引起市民極度的不滿抨擊，輿論界也不同情黃縣長這種強硬的態度，自此之後，縣長與市長之間的爲興建七彩噴泉問題而鬧得全省風雨。尤其尊重權制與尊重法制之爭，極爲朝野人士所重視。

許世賢以嘉義市民身分與地方九十八[illegible]察院，要求監察院派委員楊達先於去年九月二十日至嘉義調查[illegible]陳情書指出：根據五十八年三月廿八日[illegible]指示，[illegible]程經費及工程計劃無需呈報縣府審查。[illegible]公共工程局辦理，不必要送縣府審查。按照台灣省地方自治綱要第十三條規定，[illegible]鎮縣轄事項，無需縣政府干涉，可以自行辦理。嘉義縣政府根據市區道路條例第二十七條「因其他工程之進行，致道路損壞時，該項工程主管機關或所有權人應即完全修復，其必須掘壞道路時，並應事先獲得該道路主管機關之許可」的規定，取締七彩噴泉工程之施工，動員警察強制執行，上級政府取締下級政府，實爲我國地方自治史上的創舉。

監察院將調查意見送往省府，[illegible]主席並根據省府[illegible]報告，嘉義市政府所興建七彩噴泉工程[illegible]立即動工。當此一命令抵達嘉義市後，市民們感謝省府的明智主席，紛紛送花籃到七彩噴泉工程之工地，以示慶賀。

黃老達縣長濫用職權，動員警察取締七彩噴泉工程一案，省府下令糾正黃縣長，並將糾正黃縣長之副本抄送全省各縣市政府，嚴禁縣市長動用警察。

在「嘉義市長許世賢噴泉竣工紀念」碑上有這樣的一段話：「嘉義噴泉（[illegible]）係配合中山路擴寬，促進地方繁榮而興建，藉資發展觀光事業，位於嘉義市中央圓環最熱鬧交通樞紐，來往遊客必經處，頗爲壯觀，每日噴出，霞光萬道，絢麗奪目，宛如仙境，乃於民國五十八年七月二十一日敦請總統府國策顧問楊肇嘉先生主持奠基典禮，同年八月二十一日開工，雖幾經波折，遂於五十九年[illegible]日復工，最後承蒙省府陳主席大慶重新下令始得完璧噴泉。原定噴高爲十二公尺，而現在限制爲二公尺高度，但仍然變化多種形態，至爲美觀，可增市民旅客之眼福，落成典禮於同年十月二十五日與中山路第一期擴寬竣工及第二期中山路擴寬破土，國父銅像座台修建，下水道竣工，合併舉行，爲答謝各界熱烈之支持，與市民殷殷之寄望，懷念美化市容，就時力所及，毅然決心興建，終告完成，爰誌數語，用彰各方面通力合作協建之功，並使本市市容面目一新。」

新書評介
「墨辯新註」李漁叔著：

馬五先生

墨子——又名墨經——一書，爲吾國古籍中之文詞最深奧而義蘊極賅博的著作，全文不過六千字，包含着天文學、數學、力學、光學、化學、論理學、哲學各項問題，可謂包羅萬象，不易瞭解。後世東晉魯勝，首爲墨經作註釋，但至唐末竟告亡佚，僅存有魯勝所寫的一篇「墨辯注序」而已。

降及滿清乾隆、嘉慶時，上林盛行考據學，乃有學人畢沅、孫星衍、孫詒讓、王引之、汪中、張惠言、陳灃、俞樾等，對墨經加以疏釋訂正，用力甚勤；入民國，續有章炳麟、梁啓超、胡適等，相繼對上述諸家的墨經註釋從事補充，讕述新意。在這些註解家之中，以孫詒讓與引之之父子的學說最見重於世，即孫詒讓自己亦謂「研習有年，用思略盡」，頗有睥睨一切之概。迨近人梁啓超、胡適，又別出心裁，指出孫詒讓所註墨經諸多「非是」，胡適更有若干「前無古人」的說話，謂中國幷無所謂「名家」存在，用意乃在否定孫詒讓認爲墨子是與「一般名家」思想流一致的見解。

綜觀上述餓餓多十對墨經的註釋和研討，五花八門，莫衷一是，眞是「此亦一是非，彼亦一是非」，衆說紛紜，徒亂人意，把精淬的墨經，演繹爲支離破碎而莫辨眞僞的作品；使治墨學的人如墮五里霧中，莫適誰從；疏證之效未見，疑問之點愈多，可謂得不償失也矣。

吾友李漁叔教授，在台灣師範大學担任墨經講座有年，最近將歷年來的講義加以整理，集成「墨辯新註」一卷，梓行於世。余受而細心閱讀，知其用力之勤，視孫詒讓諸先輩學人爲尤甚，且將孫氏和後來的梁啓超、胡適諸人，對墨經所持的解釋與疑義，逐一駁正，明辨是非，例如孫詒讓認爲精確。墨家與名家是合流的，然漁叔却舉證詮釋墨家乃是名家的反對派，不容混淆；如梁、胡二人對墨經與衍難解之處，每以私意將原有詞句刪正或移易之，藉以自圓其說，然漁叔却本其創見卓識，指出他們的舛謬；如胡適倡說「諸子不出於王官」，又說中國根本就所無謂「名家」，而籠統地稱爲「別墨」，然漁叔却舉出許多理由事實，作相反的論斷。漁叔新註墨經的唯一用意，只在「是墨家的應當還給墨家」。

墨經上下四篇的文句，最難解釋而聚訟不一的，即爲「堅白異同」、「狗非犬」、「火不熱」、「尺捶取半」這幾段義理，漁叔以其數十年來精研所得，根據數理與佛家唯識因明的邏輯觀點，作透闢的說明，令人頓開茅塞，豁然貫通，不復爲一般註疏墨經的議論所困擾，嘉惠士林，厥功不淺，這是值得稱道的。

經過漁叔將舊有註釋墨經的龐雜見解，予以爬羅剔抉，是墨家的還給墨家之後，乃告判明，墨經的本來面目，他這部「墨辯新註」，祇要熟讀，對於墨學即有正確的認識與瞭解，再也不會感覺墨經是難讀之書了。所以，我要不辭簡陋，向讀者樂爲評介焉。（完）

喬治桑外傳　一九〇

張大萬

「我們什麼時候去？」喬治桑的意思是問裘白瓊什麼時候去房主家。

裘白瓊一看腕錶說：「現在去時候差不多了。」

裘白瓊在臨走時忽然問雅麗絲：「李小姐，什麼時候請我吃喜酒？」

「還早嘛，到時候一定請你。」雅麗絲是現代女孩子，很大方地回答裘白瓊。裘白瓊儘管是油腔滑調慣了，但他知道喬治桑與雅麗絲的關係，所以不敢隨便開玩笑。

喬治桑與雅麗絲坐計程車到了房主家裏，很快就辦妥了買賣手續。是用「李雅麗」的名義買下的。

喬治桑、雅麗絲離開房主家，已經四點多鐘了，喬治桑很感激裘白瓊，替他辦好這件事。「要不要到那裏去坐坐？」他隨意問裘白瓊。

「要不要到我家去打小牌？」裘白瓊提到打牌多少出喬治桑意料之外。

裘白瓊和喬治桑雖然是酒肉朋友，但喬治桑認爲在台灣所交往的達官巨賈中，還是以他比較有人情味，雖然他是一個老玩家，樣樣都來，倒不失爲爽朗，比一般假貌僞善，滿口仁義道德的僞君子要高明多了。所以，喬治桑和他最談得來，亦算是酒肉朋友的模範。

「你替我辦好買房子的事，使我了却一樁心願，我很感謝你，我們找一個地方聊聊，我請你吃飯，不要去打牌好不好？」喬治桑態度懇摯，裘白瓊當然不便勉強他。（未完）

談中學生的書法

·高秋水·

書法是我們的國粹，是中華民族固有文化之一，也是我國傲視世界的文字藝術。但是今天在這科學發達的新時代中，每一事一物都在除舊更新，教育當局雖然發出了「復興中華文化」「發揚國粹」的呼聲；可是終久抵不過新的勢力。鋼筆、鐵筆、鉛筆、原子筆、蘸水筆……等，佔據了重要的地位，就是那些維護國粹的老學究，也從他的書案上撤去了文房四寶，而不再用毛筆來行文寫稿。

時代是科學化了，機械化了，而教育當局呢？唯恐我們的國粹淪亡。對一般中學生仍舊規定他們毛筆寫大小楷，練書法，交由國文教師批改，但不知國文教師，多半是希望鐘點如韓信將兵，多多益善，而國文一科的花樣又特別多，除了作文，還有筆記、週記。所以教師對於學生的大小楷，根本就沒有時間細心批閱。只能查查本數交沒有交，交來的，就寫上個甲、乙、丙、丁，或是寫上個日期，或者寫上個「閱」字，有的在字的右邊，寫上個「圈」兒，這就算大功告成。至於學生寫的是甚麼碑？甚麼帖？或是歐？或是柳？或是顏？或是他自己創造？也不過問。小字或是抄的國文課文？或是抄的小說？或是詩詞？內中有沒有錯別字？也不暇細閱，是看到那一堆一堆的大小楷，和那些泥巴一般的，龍蛇飛舞的書法，已是望洋興嘆了！而目前一般國文教師，對書法有研究者，又寥若晨星。

再說到中學生練習書法時的姿態，上體前伏，頭部左歪，兩目斜視；尤其是執筆的形式，更是奇狀萬千，有的用指節而不用指尖，有的僅用大指，和食指，置中指於無用武之地。有的神仙一把抓，有的五指分離，有的三指合併，像執鋼筆，鐵筆，原子筆一樣。這些形形色色的姿式，我想若把它攝成照片，作一次書法執筆展覽，一定令人嘆為觀止。這不怪學生，而怪今天的教師，由小學到中學，幾乎就沒有人認真的指教他們，怎不如此呢？

寫字要講究執筆姿式，要臨摹碑帖，這兩點已成為古今定論。執筆講求姿式，並非故弄炫奇，而是便利運用筆力，臨摹碑帖，更是寫字基本的法門。但是今天呢？一般中學生，既不講究臨摹碑帖，也不重視執筆姿式。至於寫的好壞呢？不能說教師絕不關心，但也不甚注意；既然如此，又何必寫呢？實在是各有不得已的苦衷，教師是奉了上級的命令，不好違背，學生是受了教師的規定，不敢反抗，結果是敷衍了事，彼此交差而已。

我認為目前教育當局，是真正重視書法，發揚國粹，就必須下定決心，認真的去做。在這裏，我有兩點意見：第一、中學生的書法，不算主科，起碼要算副科，和美術一樣的給學生計分，學生是最注重分數的，有了分數，他們自然就認真的書寫。第二，學校在編制上要設專任書法教員。這位教員並不一定是書法家；但必須對書法有良好的造詣，負責批改學生的習字，並教導他們怎樣執筆？怎樣臨摹？怎樣選擇字帖？這樣書法一項，就自然的受人重視，也自然的提高了學生的程度。否則，我們的國粹，我敢大膽的說。它的命是氣息奄奄，面臨絕亡之境。

——完——

諧史拾趣（六）

·周其昌·

又如一閩人之好男色，見一美姬，姿態絕倫。不禁歎道：「可惜此姝乃一女人耳」！又與一眇姬相處甚密，寵戀異常。有人問其故：「此女瞎一目，有何足戀呢？」閩人低徊嘆道：「公不知趣，我看了此姬，覺得天下婦人都多了一隻眼。」噫！此郎偏愛為害也。推而廣之，可悟正心之道。

二九，過山虎

有一善打「秋風」的說客，凡所過縣官，他均能以諛詞動之，討其喜悅。一日謁某縣令，則說道：「公施善政，不但百姓感恩，閤境內羣虎，亦皆逃避。」他話始畢，便有人告狀哭泣。言昨夜被虎傷人，又損不少羊牛。縣令低聲對說客道：「汝言虎都遠走，豈不是欺我乎？」說客道：「不是欺人。太爺有所不知，昨夜那一定是過山虎，牠是肚子餓急，討些吃的，食飽便去也！」縣太爺聽了，哈哈大笑，仍償其酒食。

卅，母哭其子

有一婦人，身穿青衫紅裙，口裏哭著親，有人問她哭什麼人？她說：「他爺是我爺的女婿，我爺是他爺的丈人」。此乃母哭其子也。其文法之巧，令人費思也。

卅一，酒是薄的

有買酒者，夜半來沽酒，叩門不開。賣酒者道：「要買酒可從門縫投進來。」買酒人道：「錢可進門，酒從何出？」沽酒道：「酒也從門縫中出。」沽酒者大笑。酒保道：「不是我說笑，我這酒是薄薄的。」

卅二，善謊善騙

有一生應攷，其妻臨產，不勝愁苦。其夫安慰道：「你有什麼愁哩？我乃應愁耳！」妻子道：「你愁何來？」生道：「你肚子有，我肚子無呵！」

武陵有一市井少年，善於說謊。一日偶於市中遇一老者，老者說道：「人道你善說謊，可向我說一個。」（未完）

作家們的毛病散記

·文匯樓主·

寫稿的人毛病最多，湊攏來就是一篇很有趣的文章。

中央社總編輯沈宗琳，有一次在中國時報寫社論，第一篇，二篇，三篇發下去排了，第四篇也就是結論未發而去，排字房急吼吼的索稿，後來發現沈先生誤將玻璃板當作稿紙，編輯不得已從玻璃板上將密密麻麻的字抄錄在稿紙上付排。

黃公偉，張起鈞，丁作韶，李運鵬的字最不受排字房歡迎。黃的字細密不清，張的字寫一半，其餘的好像遺失了，有的圈掉，又像是未圈掉，丁作韶雖為法學博士，但他的字體天曉得，李運鵬則更怪了，用新毛筆時一定將筆尖咬去，鋼筆非粗尖不能為文，毛健吾（大剛報社長）說運鵬的字是刷出來的，而非寫出來的，不過這四位先生的文章則各有千秋，尤其丁作韶與張起鈞，大有語不驚人不落筆之勢。卜少夫的字（香港新聞天地社長）是點出來的。王芸生的字（前天津大公報總編輯）是爬出來的。程曉華的字（前公論報副社長）是鉤出來的。陳博生的字（前重慶中央日報社長）是拚出來的，比如他寫「樹」字就等於用木，豆，寸三個字拚成一個。劉光炎的字，難認也出了名，他寫的稿很多字要靠猜才行。

馬彬（南宮博）的字像女孩子，李運鵬民國三十年任職湖南省立通俗日報社長兼主編副刊，李將馬彬的稿子給當時總主筆俞頌華看（俞戰前曾任上海申報總編輯）俞說這是女孩子的筆跡。現任曼谷世界日報社長饒迪華的字，酷似馬彬，兩人生得清秀，都非常像自己的字體。

翰林院字體，近半世紀作家之中也很多，執政黨中央黨部秘書長葉楚滄，國民政府考試院長戴傳賢，監察院長于右任，立法院長胡漢民，前上海新聞報社長程滄波，前上海申報社長潘公展，前江蘇教育廳長周佛海，前安徽教育廳長雷嘯岑，皆報人出身，寫出的字則沒有新聞記者的毛病。自由報作者中會寫字的也相當多，如李漁叔，王靜芝，張翰書，劉嘯月等廿餘人，不僅沒有新聞記者的毛病，且都常替人寫招牌，題封面。

不過上列一些寫翰林院字體的作家們，字雖然沒有毛病，寫稿時有些動作，可稱得是一種壞習慣，葉楚滄寫稿時，紹興酒當茶飲用，周佛海沒有女人坐在旁邊難寫出好文章，雷嘯岑（即馬五先生）必須十二圈麻將後才能動筆。限於篇幅，其餘容再記。

中國石油公司業務狀況

（台北訊）中國石油公司主要業務為進口原油，煉製成品，充分供應所需之各型能源，並致力台灣油源與天然氣之探勘開發與利用，及石油化學工業之推進。自民國三十五年成立迄今，經二十四年餘之經營，業務正逐步擴展，近年為配合國家經濟成長，發展尤為迅速，目前所屬單位有高雄煉油廠，嘉義溶劑廠，台灣油礦探勘處，台灣營業處，天然氣管線處，大林埔油港工程處，員工訓練中心等，茲將其主要業務發展趨勢報導如后：

（一）煉製方面：經歷年不斷之更新擴建，先後添建各項煉製設備，目前煉量已達日煉十一萬八千桶，全年煉量約為五百八十萬公秉，為配合國家經濟發展，仍在作擴充計劃，預計在民國六十年，全年煉量可超出一千萬公秉，為配合需量日增，將來中油公司擬在北部增建煉油廠一座，以配合全面發展。

（二）在探勘工作方面：經十多年持續努力，現已稍具成就，先後經發現有錦水深層，鐵砧山，青草湖及北部西岸若干油氣儲藏地區，現正開發與探勘並進，目前每天生產天然氣二百五十萬立方公尺，原油二百六十公秉。估計除去已生產之油氣外，台灣目前可證實之天然氣儲藏量為二百七十億立方公尺，原油二百七十萬公秉，為拓展油氣資源，除陸上探勘外，目前並漸推進至海上油氣之探勘工作，以求更多之資源。

（三）石油化學工業方面：中油公司除繼續在其嘉義溶劑廠產製本（草頭、以下同）、甲本、二甲本外，五十七年復在高廠完成輕油裂解設備，年產乙希（火旁、以下同）一億二千萬磅，並已成立中國石油化學工業開發公司，將在台灣南北興建兩大石油化學工業中心，其南部中心現有之輕油裂解設備所產之乙希，除供應台灣聚合公司產製聚乙希塑膠外，並將供台灣氯乙希公司製造氯乙希單位，以轉供聚氯乙希塑膠工業製造聚氯乙希塑膠，預計五十九年底前開始生產供應。至於北部石油化學中心，目前通霄天然氣油廠已完成開工日可處理天然氣三百萬立方公尺，所產乙希大部轉供台灣氯乙希公司製造塑膠原料，部份則供轉製乙醇。

（四）營業情形：中油公司所產油品目前百分之八十係供內銷，其餘供外銷，油品內銷主要為汽油、柴油、燃料油、航空燃油、煤油、天然氣及柏油等，銷量逐年均直綫上升。五十八年銷量已較五十七年增加百分之三十。隨油品內銷量增加，各地儲運供銷設備亦不斷增加，現已有汽車加油站一七七座，漁港加及港口加油航空加站十二座以油油等。

以上為中油公司最近業務狀況及預計將來發展的概略情形，此乃政府督導與各方協助下，近年業務正獲長足進展，亦可由此看出我國經濟成長迅速之一斑。

中國石油公司高雄煉油廠一部份，日產五百桶原油之第五蒸溜工場。

諸葛亮狂想曲

（一六九）　劉京

黃雲大仙與關羽下棋是情讓，與諸葛亮下棋是認真的下，情況不同。黃雲大仙雖然竭盡所能，仍然連輸兩盤，不過輸得不難看。

「你的棋下得不錯，假使不是當中有失着，白棋還是有困難的。」諸葛亮拿白棋，所以由他講評。

「丞相是高手，肯指導兩盤，我深感榮幸。」黃云大仙態度至為謙恭。

「你屬於天才型，就是因為少打譜的關係，所以定石不熟，否則，我不一定能贏你。」諸葛亮輕搖鵝毛扇。自有琴童來收拾棋子。

「丞相最會說客氣話，我那裏是丞相的對手？」黃雲大仙幫着琴童收拾棋子。

琴童因為黃雲大仙答應送他活人參，所以對黃雲大仙刮目相看，不再給他「白菓」吃。（翻白眼珠也）

有話即長，無話即短。過了數日已經到了蟠桃大會的吉日良辰。蟠桃大會在天庭「玉闕」舉行，是天庭最堂皇，最偉大的會場。

從一大清早起，到玉闕的路上，擠擠攘攘大小各仙何止千百。大會門外有八位仙女對來賓敬發黃綾精印的節目單，另有一百名金童領來賓入座。其排場的奢麗豪華自非龍岡會所能企及。

大會開始時，由太白星君宣讀玉帝頒發的開會詞，然後開始各項表演節目。

開鑼戲是麻姑獻壽，本來麻姑獻壽一向是蟠桃大會的重頭戲，可是久而久之，大家早已不感興趣了。

第二個節目是呂布耍戟。只見呂溫侯頭戴一頂束髮紫金冠，身穿絲羅白底繡團花戰袍。諸葛亮坐在第三排，一眼看見呂布兩鬢侵霜，露出幾莖白髮。

「英雄老去矣。」諸葛亮發出輕輕感喟。

呂布英雄末路，這次參加蟠桃大會表演，還是央託何仙姑排進去的。

呂布懶洋洋地舞了一會戟，鞠躬下台，並未獲得絲毫采聲。

第三個節目是劉海戲金錢，他能同時玩九個金錢不落地，較之人間跑江湖賣藝的玩三五個球，高明多矣。

第四個節目是韓湘子吹笛子，吹了一闋梅花三弄，雖有吹雲裂帛之音，並不能引起觀衆的興趣。

劉約翰已經成了太白星君的「遊伴」，本來他是絕無資格參加蟠桃大會的，他因為得太白星君的提攜，所以也接到請帖，擠入仙班。參加蟠桃大會與過去龍岡集會不同，他也有一個挨在星君旁邊的席位，很引起大小各仙矚目。

「韓湘子的笛子吹的很不錯，可是曲高和寡，很少人能欣賞。」太白星君摸了摸白鬍子面色紅潤很像壽誕老人的模樣。

巨變歷險記！

車里巡禮

（一六九）　胡慶蓉

車里位置之重要有如上述。但這只是就他的位置而言。假如整個東南亞與雲南在地理上有如一把扇子，昆明就是這把扇子的扇把，車里與昆明整整在一條綫上，車里可以代替昆明，作整個東南亞的樞紐，作整個東南亞的鎖鑰。在英文上，即所謂KEY（鎖鑰）地。從瀾滄江—湄公河可以管制寮泰、柬、越、緬。在他旁邊，很近很近，又是一條大江——怒江（入緬境稱薩爾溫江）。怒江薩爾溫江，與瀾滄江湄公河同，即過車里航行暢通。薩爾溫江至緬甸仰東南七十五公里處木淡棉芸打榜入海，湄公河至越南西貢旁入海。以車里爲中心，將整個東南亞聯繫在一塊，作爲反攻大陸的大西南基地，待機反攻大陸，丁博士的向丑轉大局邁進的計劃決沒有錯。他現在終於到達了車里，他是如何的高興啊！

丁博士到了車里，先去見張偉成縣長於車里縣衙。張縣長，籍廣東，一口純正的國語，與丁博士很談得來。他告訴丁博士：車里雖然地形優越，但就目前而論目前，一定要與佛海南嶠兩縣兩地打成一片，事實上眼前車里與佛南已成唇齒之勢。唇亡則齒冷。要保車先要保佛南。這三個地方雖被自衛隊拿來，雲南省政府，共產力量必不甘心，其捲土重來，實在是意料中事，恐亦指顧間耳。張縣長力勸丁博士繼續前進，就到佛南與廿六軍師會師，合力鞏固基地。

特別在張縣長丁博士談話的時候，忽然來一架飛機就在縣衙門上面盤旋。驚動了張縣長丁博士，驚動了整個的部隊，歡呼之聲震耳欲聾。張縣長指給丁博士指給全體官兵，他說這是我們的飛機，這是中華民國國民政府的飛機。飛機場就在南嶠，飛機是從南嶠飛來的。他飛的是那麼低，簡直低得幾乎就在頭上，上邊的人簡直可以聽到下邊的歡呼聲。下邊的人如何的希望他能降落！但不……不能……但飛機雖不能就在車里降落，但他給部隊繼續前往佛南的勇氣。如若到了佛南，有飛機同台灣連繫，那該是多好啊！

飛機飛走了，丁博士同張縣長的心帶到了佛南。丁博士同意張縣長的建議，即同張縣長對車里作一次巡禮，先到柯大人的祠堂。柯大人的祠堂就在縣衙門的右手邊，相距咫尺，很快的就到了。柯大人有如台灣的吳鳳，柯大人是車里定作縣城的創始者第一人。柯大人的女兒就是雲南國大代表李拂一先生的妻的令尊。柯大人的祠堂很簡陋，只有三間小小的茅草房而已，供着柯大人的牌位。前邊還有個大門，周圍的土牆都已經倒了，使着柯大人的祠堂也有搖搖欲倒之勢。情況異常淒涼。祠堂的對面是一所嶄新西式的醫院。但院雖有，並沒有醫也沒有病人，丁博士橫以此作他的司令部，沙窩大都已經壞了，情況也還是淒涼的。

新聞網外之言

升學主義之禍害

·宇文釆·

建國中學高中三年級學生劉益偉，十月八日自殺死於淡水河第九水門前。他的父母根據他的遺書及生前意願的判斷：認為他的自殺牽涉到教育政策與升學主義的問題。劉益偉是一個品學兼優的孩子，他的父親劉樹蕃是國立台灣大學工學院電機系的教授。

劉益偉的自殺，反映今日少年問題不僅是「太保」，好學生內心迷惘同樣嚴重。檢討當前教育政策方針，除了升學主義，真而空空洞洞實在看不出有若干內容。照這樣下去，我們下一代將產生不出具有強烈國家民族意識的志士仁人，也不能造就第一流的科學家、哲學家、文藝作者、音樂家、體育家。將為飛魚躍活潑的青年思想，全部強納在升學主義的緊腳小鞋子裏，寸步難行。至於升學主義究竟為了甚麼？却是一個大問號。

難怪一般青年苦悶彷徨，無所適從了。升學、留學、入外國籍，是現代一般青年內心嚮往的三部曲。升學、留學能學到甚麼？到美國是不是學書學劍不成就到餐館端盤子糊口？這些他們並不深思熟慮。

青少年的可塑性最大，可以創造轟轟烈烈的事業，也可能迷迷糊糊混日子，不知老之將至。

劉益偉的自殺，不啻一葉知秋。教育政策方針應該到了徹底全盤檢討的時候了。

閒話詩評（一）

·匡謬·

談用今

詩是詠個人之志。什麼是「志」？志即心的所嚮往，所羨歎；即個人性情的發抒是也。作詩時，其發揮描寫，不能不以事物爲本；故古人言詩者：比與多取諸物，賦則多取諸事。遠自古往，近至目前，都可以爲詩的題材。如用而吟詩，猶如良醫之用藥，牛溲，馬勃，隨病制宜，不專倚人蔘，茯苓而已。如用事爲詩，猶如善的方家，見驚蛇而悟筆意，觀舞劍而得草法，而不專倚賴於帖本是也。

清朝的詩人論詩，如李崆峒、李于鱗，時人稱其有一復古之力」。然則此二人者，固有「復古之力」，也有「泥古之病」。此二公說：文非秦、漢之文不讀。詩非漢、魏、六朝、盛唐不看。故事凡出漢以下者，皆不宜引用。噫！其所見之狹隘，眞是過於泥古不化矣。

詩人所引之物，都在目前，各因其時代背景，各不相假借。如雎鳩、斯、桑扈、蟋蟀、木、桃夭、不（草頭）苢、葛等等，乃是詩經三百篇所用的「物」。下以至「離騷」，則用「芷蕙」、「荃」、「蘭芳」、「蛟龍」、「菊英」、「鳳凰」、「文虬」、「赤螭」。其中可有一物假借毛詩嗎？再下爲唐人的詩，詩用江梅、岸柳、澗草、林花、乳燕、鳴鳩、翠鴉、獨鶴。也未曾有一物是假借于「離騷」的。非但不能假借，而且「目到意隨，意到筆隨」，這自然不至於舍眼前而去求諸往古。

至於引用故事，則凡是已往的事，如與我的意思互相發明的皆可引用；不分古今，不論久近。因天下的事，今日見在謂之新，明日見今則謂之古，他不泛引。如杜甫詩曰：「龍舟移棹晚，獸錦奪袍新。」「李太白詩云：「選妓隨雕輦，徵歌出洞房」。這並不是李、杜二公眼見本的事呀！生在今世，作今世的詩。如果說「漢以上的故事方用」，這是特有見於漢家故事，字眼古雅，遂道這種拘泥的話。其實字眼的古不古雅，乃是用之於善不善，并非係於漢不漢也。怪人用字之俚俗者，微盡廢漢以下的故事，與不看有何不同呢？

愛春天景色的人，欣賞艷桃、梅、梨、李、而棄蓮、菊、芙蓉、山査、水仙。于不觀說：「化工之妙，盡屬於春」了。誰相信呢？所以我認爲善作詩的人，自漢、魏、盛唐之外，必須遍究中晚，然後乃可以窮詩之變，必然是盡目前所見的事物，都能收入篇章；然後才可以極盡詩的巧妙啊！若只是泥古不化，等於如作早朝的詩，千言萬語，離不開「旌旗、宮殿、柳拂、花迎、金闕、玉階、晚鏡、仙杖、左翻右覆。如果問他，他便說，不如此，便不是盛唐。」呀！只因「盛唐」二字，竟把眼前的詩與見前的詩料一筆勾消。像這樣而想詩格之新，豈不是却步求前人之見末？

（未完）

自由詩壇

漁叔題

碧潭攬勝

張鶴

水愛天然碧。呼朋打槳游。
虹垂兩橋影。風弄一潭秋。
峭壁難題詠。空亭任去留。
幾回閒眺賞。佳句滿囊收。

黛眉小傳

王幻

上官婉兒（下）

從此，婉兒倚着中宗的寵愛及皇后與諸公主的歡心，更自肆行無忌，便與安樂公主公然鬻爵，又串通韋后啓奏中宗，自立私第於外，因此那些無品的官員，多奔走出入其私第，以希援引進用，她遂勾結其中少年精銳者，與韋后公主們交好，由是韋后廣納心腹，愈無忌憚。一日，皇后衣笥，忽然五色雲起，中宗宣召百官，作圖紀瑞，賦詩頌德。當有迦葉志忠奏道：

神堯未受命，天下歌桃李，文皇未受命，天下歌破陣樂，則天未受命，天下歌武媚娘，今后未受命，天下歌桑條韋。

上「桑條韋」十二章，其用心已昭然若揭，昏懦的中宗反而大悅，命宣付太常，編成樂府，並紀入史館實錄。據說這都是出自婉兒一手的傑作。

所謂「養疖成患」，韋后終於用毒藥做成中宗喜吃「三酥餅」，中宗吃後，遂毒發崩逝。韋后託言中宗以暴疾卒，僞稱遺詔立溫王爲太子嗣，即皇帝位，時年方十五，韋后效則天故事臨朝聽政。嗣因臨王李隆基（即玄宗）率兵入宮靖難，掃清官掖，韋后、安樂公主、及其黨羽均先後授首。

時婉兒聞變，頗爲鎮定，袖了一卷僞造的「召相王入宮輔政」草稿，淡掃蛾眉，帶着宮人迎見正往搜捕她的御史劉幽求，求他引見臨王，當前陳奏。劉幽求可能爲其徐娘風韻所迷，居然帶她到玄宗面前，且爲婉兒乞宥，玄宗道：「老婢，淫亂宮幃二十年，不可輕恕！」即命左右推出斬了，遂結束了她的多彩多姿之一生。

唐正元十四年，崔仁亮於東都買得「研神記」一卷，有昭容列名書縫處，因賦上官昭容書樓歌云：

漢家婕妤唐昭容，上詩能賦千載同。
自言才藝是天眞，不服丈夫勝婦人。
歌闌舞罷閒無事，縱恣優游弄文字。
玉樓寶架中天居，緘奇秘異萬卷餘。
水精編帙綠鈿軸，雲母紙黃金書。
風飄花露清旭時，綺窗高掛紅綃帷。
香囊盛烟繡結絡，翠羽拂案青琉璃。
吟披囑卷紛無已，皎皎淵機破研理。
詞縈綵翰紫鸞迴，思耿寥天碧雲起。
碧雲起，心悠哉！境深轉苦生自催。
金梯珠履聲一斷，瑤階日夜生青苔。
青苔秘仙關，曾比羣玉山。
神仙何許？遺逸滿人間。
君不見洛陽南市賣書肆，有人買得研神記。
紙上香多蠹不成，昭容題處猶分明；令人惆悵難爲情。

婉兒名門淑質，才華無比，下筆成詠，皆如宿構。自中宗時代，恆掌宸翰，甚至軍國謀猷，殺生大柄，多出自她的決定。她對於「幽求英雋，鬱興詞藻」的倡導尤力；因此「國有好文之士，朝希不學之臣，二十年間，野無遺逸。」這是她的光明面；及其晚年頗「外通朋黨，輕弄權勢」又是她的背陰面了。最後，終不免「被誅」的命運，委實令人婉惜不置和惆悵不已！

（完）

第十三章

韓世忠勇擒苗劉　岳鵬舉孫軍周旋

岳飛一枝孤軍次日又與金兵大戰，斬首數十級。但部下納海龐叛降，部將既方逃竄爲盜。岳飛知情，憤然對諸將士說道：「我等荷國厚恩，當以忠義報國，立功名，書竹帛，死而不朽。今若降敵，潰而爲盜，偷生苟活，身死名滅，豈計之得？建康乃江左形勝之地，使胡虜盜據，何以立國？今日之事，有死無二，有出此門者斬。」岳飛義正詞嚴，聲淚俱下，士卒感其忠誠，叛意頓消。岳飛又召諸將語道：「凡不以軍相從，與守建康。」但岳飛手下諸將，劉經二將皆爲西北人，皆擁護岳飛事，欲降金北歸。岳飛佯作……朝廷建功以取中原，身受上賞，光宗耀祖。諸君如不相從，請先殺我，吾絕不能隨汝等降賊也。」諸將道：「我等願聽統制指揮。」岳飛遂盡收杜充之衆，繼續孤軍與金兵周旋。

第十四章

宋高宗航海避難　韓世忠大敗兀朮

宋高宗聞杜充降金，不禁魂飛魄散。忙召呂浩頤入議，對浩頤道：「奈何奈何？」呂浩頤道：「萬不得已，莫如航海。敵善乘馬，不慣乘舟，俟敵退去，再還兩浙，彼出我入，彼入我出，也是兵家用奇呢！」實乃狗頭軍師。

因此高宗奔明州（今浙江鄞縣）乘了海船，避難海上。兀朮自破建康後，直趨獨松關（今浙江餘杭縣西北）乘勝入臨安。旋分兵攻明州，宋兵無力抵抗，明州遂陷。原來的佈置是：韓世忠守鎮江（今江蘇丹徒縣）劉光世守池州（今安徽貴池縣）杜充曾調光世守江州（今江西九江縣）金之在江西一路陷江州後，又轉西寇湖南，攻入潭州（今湖南湘潭縣）屠城擄掠而去。下臨安一路，由建康沿途留有金兵鎮守。總計是役，金兵東蕩海，西至長沙，南訖五嶺，中國人民受其荼炭者不可勝計，這是江南一次大兵災。

再說兀朮回頭東進一路，是由建康，下臨安，康軍破……德。守臣張烈陣亡。

（一六十三）

自由報

（第一一二期）

（半月刊每星期三、六出版）

社長李運鵬・督印黃行寶

社址：香港九龍彌敦道593—601號
廖創興銀行大廈八樓五座

LIU CHONG HING BUILDING
7th FLOOR FLAT '5
593—601 NATHAN ROAD,
KOWLOON, H.K.
TEL: K303831
電報掛號：7191

承印：景星印刷公司
地址：九龍新填地街九號地下
台灣區業務管理中心：台北市峨嵋街
一段一二九號
電話：二四五七四
台灣郵政撥訂戶　台灣劃撥戶
第五〇五六號張萬有（自由報會計室）
台灣分社：台北市西寧南路110號二樓
電話：三三〇三四六、台郵劃撥戶九二五二號

本報專論

人類文明的嚴肅檢討（中）

・若泉敬・湯因比・

到印度旅行的西方人，很快就發現一個事實，那裏的野生動物、飛禽不怕人，常為此而感到動心。在西方，大概說來野生動物和飛禽是怕人的。在印度禽獸是人類親切的伙伴。鷹和鳶都會走近你不到兩三步的距離。這因為印度人對人類以外的生物懷有敬虔心情。現實上印度教加伊拿一派教徒就認為殺死昆虫是一種罪惡，即使毒虫也不例外。盡極大勢力來防殺毒虫，西方人未免過份了，但是印度人對生物的這種態度，足以啓發西方人的思考。西方人對人類以外生物的態度，使人強烈感到太過於佔有主義本位，盡可能對一切加以利用。

上述那些愛的對象在各式各樣的要求之間存在着矛盾。但是在構成宇宙一切東西背後的彼方——這是我個人的信念——對這宇宙賦予意義和價值，存在着一究竟的精神。這一究竟的存在，這一人類之愛的究竟對象，並非多樣的，而是單一的東西。這究竟的存在，惟有這一精神的存在，在所有權利中握有最高權利的要求，這是我的信念。在我們能夠愛那個究竟存在的情況下，使我們去愛那些特定的事物時，指導和決定何者為優先。

相信宇宙背後有精神的存在是我的一個信仰。我不能證明這一精神存在。我不認為它是萬能的，也不了解是否這個精神存在製造了宇宙，以及繼續在支配宇宙的運行。我只是從人性的精神方面的直接經驗裏，感到這一存在。大體說來所有的時代，所有的地方，所有的人，都會感到這一存在。由於時代不同，地方不同，他所感得的究竟存在有種種不同的姿態，形態，或是普拉弗曼（BRAHMAN，婆羅門教，優婆尼沙士哲學的基本概念，意思是運行萬物之力），或是涅槃，或是神，有種種不同的稱呼……。

我認為我們起碼應該愛同情的人類，盡可能要學印度人的作法愛人以外的生命和無生命的自然，愛宇宙背後的精神存在。不用說，以對人的洋溢情愛施之於人類以外之物是自然困難。因此任何宗教和哲學都懷有將究竟的存在擬人化的傾向。愛菩薩較比愛涅槃容易。愛超人類的究竟存在普拉弗曼（BRAHMAN）及愛取得人形的最高神普拉弗瑪（BRAHMA，乃BRAHMAN的人格化）不如愛人間的庫里殊拿（KRISHNA，印度教的神，是一富於變幻的神話的主人公）那麼自然。無論如何渺遠的耶和華才不如愛耶穌那麼自然。對這個問題下面還要論到。

我說人應該為愛而生存，對任何人來說都是第一義務，並且就人生意義一點也觸及愛以外的問題。一個是叡智，另一個是創造。在地球上的有生物當中，有理性和意識，在由此而來的思考上，擁有選擇力，其它生物皆無法與人相比。因此我們為了使我們的愛用於正確的方向，必須使用這種人所獨有的能力。怎樣來區分我們的愛，應以何者為優先，決定這個非常之難，因此需要由意識的理性來照明思考。

進一步說，我們人的理性，必須使用、培育和發展，這非常重要，因為人性並非完全合理。人和人以外的生物，同樣在某程度上都受感情和無意識動機的支配。人的理只漂浮在心靈的表面，一面的潛在意識深不可測。在我們的潛意識中有好東西也有壞東西。鑒於無意識的動機的善惡，為了選擇好的排除惡的追求，有把這些動機提到意識表面上來，作詳細觀察的必要。然後再次由理性和意識來統率。不要忘記所謂人生即是人性的合理部分與不合理部份不息的鬥爭。我們一直在努力使人性盲目的感情盡量向理性方面進展，但時時後退，因此常有非合理部份騎在合理部份上橫行霸道。如上所述的人生須是將理想置於最高地位的奮鬥。

我們的人生意義最後一項是創造。創造是想改變我們所居宇宙的努力。如果可能加以補充的努力，對宇宙補充的東西並非壞東西，而是補充好東西的努力。人生意義的一善是使這個宇宙變得更好的努力。所以這麼說，因為當我們的意識醒覺時，我們所見的宇宙是有缺陷的，是不滿意的。試看有多少缺陷。我曾說有多樣生物在生存，這些生物的多數在互相殘殺。無論是什麼動物都殺其它動物吃，或以吃植物來生存，生物暫且不論，無生命的自然在不加照料，不加管理時，不單是人，所有生物都受其害。例如地震、洪水、乾旱、暴風雨、龍捲風等，可剝奪成千上萬的生命，殺滅人類努力的成果。這也表現出宇宙的缺陷。所以補充我們所居的自然環境，將其部份改為人工環境，這就必須對宇宙有所努力。

但是對於這一點我們必須慎重其事。我們的祖先自成為人類以來，我們的意識覺醒以來，人類就努作於自然，希望改變它。我們的食糧，不僅於摘取野生植物，狩獵野生動物，而從事栽培植物，飼育動物。使自然環境的一部份建成了建築物。建了許多偉大的工程。在生活的非物質的精神面，在科學，建築，藝術各領域創出了業績。因為這些業績在使人豐富上具有價值。我們這些創造是超欲望的，並非為了獲取利益。可是這些工作，很多超出預期，在實用上收到效果。

以上是我對於愛、叡智、創造三件事的說明。這是對「人的生存意義是什麼」的回答。愛、叡智和創造，人活着時，應奉獻其一生；如果為了追求該項目的需要付出犧牲時，使應該犧牲自己，這是我的信念。

若泉問：無論在任何時代，人在面對理想與現實斷離的情況時，都要嘗受焦燥、挫折，我認為這對於描繪夢想和未來圖像，追求自己的可能性的青年，影響特別深刻。今天青年時代相比較，有什麼特徵呢？現代青年從社會，文化所受到的挑戰，是過去所未曾有過的。

湯因比答：人類的絕望，在對現實與理想間的理解上苦於不一致，這是青年人特別感到苦惱的問題。對這個重要的是辯明，今天是否受到特別新的挑戰，還是前一代相傳下來的挑戰。

以我看來，挑戰的內容並非新東西。可是對於現代青年，因對此感到比過去世代更為深刻，也許在這一意義上可以說是新的。他們也許把苦惱程度的不同，看做了苦惱實質的不同。也許這可以稱作眞正的挑戰。

以我所生長的英國來說，在我們同年齡的時期（對十七歲到二十六歲的人們而言），我們也曾感到某種程度的苦惱，也許沒有現在這麼深刻。被看做同是一個社會的人，可是收入不同的階層，社會階級同物質的精神的諸條件與機會，竟存在着使人懊恨的極度的不平等，非人的不平等。對於這種極端的社會差別之罪惡，敏感的十九世紀的英國政治家和作家，曾稱之為「兩種國民」的問題，也就是富人和窮人的問題。

（未完）

昨日與明日

保護政策要有限度

在台灣經濟發展過程中，政府所採取的保護政策，的確發揮了很大的作用，不過，保護政策的實施，應當有個限度。在國家工業化初期，保護政策誠為經濟發展一大助力，但經濟發展達到相當程度以後，如一直繼續實施保護政策，就會構成經濟繼續發展一個阻力了。

目前汽車工業和造紙工業便是很明顯的例證。

政府對於汽車工業，多少年來，一直採取保護政策。裕隆公司多少年來壟斷台灣汽車市場的生產與銷售。近數年來，雖也准許其他公司設廠，但所產有限，而對國外汽車進口，政府仍嚴格限制。大體講來，台灣汽車市場仍然是裕隆公司的天下，保護政策使裕隆公司壯大了，發財了，連員工也經營一家行駛台北市的巴士公司了。在消費者看來，裕隆公司的成長確是建築於犧牲消費者的利益。售價過高、性能又不佳，耐久不夠。裕隆向以國產汽車對國內宣傳，一般人對裕隆汽車到底有多少成份是國產呢？自製率是多少呢？內行人講：自製率連百分之三十還不到。

在如此保護之下，裕隆不知注意企業的研究發展，始終沒有顯著的進步與改良。這種保護政策，犧牲了消費者的利益，阻礙了自由競爭的精神，祗讓一、二人獲取暴利，應否繼續實施是值得檢討的。

政府對於造紙工業也是實施保護政策的，禁止一切外國紙張入口，結果，我們的紙張價格特別貴，而且又不斷地漲價，而紙張的品質，又特別壞。我們將中國的新聞紙和外國新聞紙，加以比較，就很容易分出上下。紙張與文化有密切關係，紙張的質劣與價昂，對於出版事業的發展和文化事業的促進，都構成一個很大的障礙，這個樣子的保護政策也是值得檢討的。

經濟部孫部長對於台灣的工業，也有感：「組織資本多數未脫傳統家族式的型態，管理與設備亦嫌落後……研究發展工作是企業進步的推動力量，目前國內工商業大部份還不能有限展開……」可謂認識正確。今後應如何促進工業進步，不要一味犧牲消費者的利益，也需要主管部會多加思考。

・千公・

自由談

談不滿現實

人，無論在任何的生活環境中，總是對現狀感覺不滿足的，這是與生俱來的天性，決無例外。秦皇漢武貴為天子，富有四海，猶以不能長生為憾事，要想方法尋求長生不老之藥，其他更無論矣。

不滿現實的心理，乃是促使人類社會進化的動力，如果人人安於現狀，那還有甚末進步可言呢？尤其是管理衆人之事的政治生活，普遍地關係人們切身利害，大家特別敏感，對當政者期望甚殷，督責亦綦切，有時候即難免要求過急，迫不及待，但居心無他。當政人物如能以「聞過則喜」的心情，因勢利導，擇善而從，必獲政通人和之效，雖不號召革新，而政事自然日新月異，人心大悅。

明乎此，即知容忍精神確係當政者求治的要訣，民主社會固應如此，君主社會亦莫不然，否則便係暴虐之政，沒有不敗亡的。所以，歷史上凡屬能夠容納左右臣僚直言極諫和處士橫議的王朝，其政績必有可觀者，例證孔多，不遑枚舉。

古今來絕對不容許人民對政治現狀表示不滿的，只有兩個孿生物，即共產主義與納粹主義政權是也。他們亦有一套政治邏輯，認定統治主是神聖文武的超人下凡，一言一行皆是金科玉律，不能懷疑，祇許一味服從。政府大小官吏都是統治主任命的親信僚屬，對某一官吏的行為若表異議，便是間接反對統治主，即視為大逆不赦的叛徒，必予芟夷。如中國共產黨的開山老祖陳獨秀，因對第三國際敎唆中共叛亂的政策表示不滿，即被史大林指為「托派」叛徒，打入地獄，永無翻身之日。陳氏晚年嚮往民主自由生活，在重慶發表許多文章，自稱為「天生的反對派」，實際即係與生俱來的人性所在，人皆有之，而以高級知識份子表現得最積極罷了。搞政治的當道人物，如能善為應付高級知識份子，必可獲致「人人為我」的績效。這項工夫以古代的唐太宗李世民首屈一指，所謂貞觀之治，真非偶然。

馮正先生

馮玉祥有沒有盜寶（中）

矢原愉安

這一段記載，寫得很生動而具體，似乎不像是完全向壁虛構的東西。然而，曹汝霖的政治立場，一向和馮玉祥背道而馳。所以，這段故事的眞實性，也許應當多少打一點折扣。

同時，他所說的「宮中失火」，不知道是不是就是一九二三年六月二十七日夜裏發生的那場「建福宮大火」。那的確是盜寶的人事後縱火燒掉的。不過，那次縱火的時間遠在馮玉祥「逼宮」之前，而且縱火的人，也證明了是一羣太監。

由於缺乏當時當地的原始資料，一時還沒有方法可以肯定：在馮玉祥逼宮以後，是不是發生過「宮中失火」的事。如果是的話，那麼，曹汝霖談的「馮玉祥盜寶」的故事，就可以得到一個旁證了。

「旁證」只是在沒有眞正客觀的物證與人證的情形下，惟一能夠對答案找出一點綫索來的東西。在「馮玉祥盜寶疑案」中，既然找不到任何足以使人滿意的直接證據，那就只好退而求其次，盡量地搜集一些旁證了。無論是證明他盜過也好，沒有盜過也好，只要在一定程度上能夠發揮一點「證據」作用的人、事、物，對於解答這件中國近代史上的大謎，多多少少是有些用處的。

在一切旁證之中，最值得重視和最不容易被別人推翻的東西，也許應當是馮玉祥自己說過的一些話吧——他雖然自己矢口不承認有過什麼「盜寶」的事，聽的人雖然也并不一定要相信他說的完全是眞話，然而，只要把他自己嘴裏講過的關於自己的故事（都是和「盜寶」時代無關的事）從心理學的觀點上，來客觀地分析一下，然後再加以綜合和判斷，那麼，至少可以在理論上，找到一個比較合理的答案。

這裏所引用的全部研究資料，都是從馮玉祥最重要和最眞實的著作「我的生活」裏提取出來的。從馮玉祥其言、其行、其事、其人的資料裏，可以藉之而分析，像這樣的一個人，做過這樣事，有過這樣的言論和作爲，他會不會去盜取清宮的國家財物呢？

二、馮玉祥是一個怪人

凡是對中國近代史有興趣的人，誰都會承認：馮玉祥不是一個常人。

他的心理，正像歷史上每一個非凡的人一樣，是會和一般常人的心理，反應有些不同。換句話說，他們的所言所行，有時是會出乎常理之外的。但正因爲他們不是常人的緣故，別人就都會對他們特別寬宏大量，甚至於認爲這些非常人是生來就應當做這些反常的事的。

（未完）

法院推檢人手不足 訟案繁多實難負荷

立委質詢提出多是老問題 司法革新須積極加强進行

（本報台北消息）關於審判的問題，關於司法風紀問題，關於司法黃牛問題，關於司法官待遇和官等的問題，都是些老生常談的問題，而立法委員於立法院第四十六會期照例向嚴院長質詢，至於質詢是不是有效？那是另一回事。下面是立法委員們的質詢就其原語句綜合報道如後：

人人皆知司法革新實是全面革新之中心；法官底公正與工作高度效率，乃是司法革新底起碼要求。政府當局明知司法重要，卻沒有給予應有底重視。這由我們法官底官等沒有提高，法官名額不足，待遇增加有限可以看出。如今之地方法院及高等法院推事檢察官，職責何等繁重，然而官列荐任；還不如縣政府主任秘書、局、科長之得爲簡任，是豈事理之平？如地方法院每位推事月審理案件往往達七、八十件之多，甚至有百件以上者，實已超過個人精力所能負荷之程度。負荷不了而强爲負荷，結果便流於草率從事，因還延時日，要受考核限制，影響考績，草率就難免違誤，違誤則上訴案件必增多，而高等法院因人手不足，亦難發揮合議制之功效，而任令再上訴。等到進行至最高法院，往往又因事實未明，無法爲法律上底判斷，不得不將原判決撤銷，發回原審法院更審，如是往復循環，不僅前審所費之時間，精力爲之白費；最大壞處，即愈曠日持久，愈將失去公平，愈將失去人心。倘被告如果有罪，則歷時愈久，愈難收懲儆之效。如確係寃獄，則歷時愈久，愈難得到平反，縱然得到平反，被告本身暨其家屬所受訟累，亦將不堪設想。即令是民事案件，而爲債權與債務之關係，如遷延不決，亦將使債務人將其財產隱匿，而難以執行。此不僅債權人受到損失，債務人亦將藐視法律。故應增加法官名額，以赴事功。

法官待遇未臻理想，蓋世界各國法官待遇往往較一般公務員高得多，如日本最高法院院長俸給與首相相等，最高法院推事與國務大臣相等，我們的法官待遇，雖另有補貼，然增加有限，與其職責仍不相稱，反看美援機構之中下級職員，待遇動輒數千元，稅務人員一增加就是四千餘元，豈事理之平？爲今之計，亟應對法官提高其官等，增加其員額，優厚其待遇，俾足以養其廉，勵其志，然後勤加考核，嚴予獎懲。（以上爲楊一峯委員質詢）。

國家的制度，社會的秩序，政府的權力，皆基於法。離開法律，沒有人有權可以命令或裁判他人。敗壞法律，國家就要亂。所謂法，就是憲法和一切成文的法律規章。但法律要公正的執行，這便靠司法機關和法官。現在我們的司法已在敗壞過程中了。證據是「司法黃牛」爲大衆公開承認，大家似不細想這四個字的嚴重性。何謂司法黃牛？他是特權份子與法官之間之介紹人，使那在國旗之下，身着法衣，手持六法全書裁判是非的國家的法官，成爲特權階級之爪牙，這也便是使犯罪之徒來裁判國民！試問政府還有無威信？法律既不能保障人民，大家只有靠特權，或者自行結成勢力以自保，於是社會便日益走向無政府狀態。法律所以濟道德之窮。到了法律敗壞，道德狀況可知。除非麻木，不能不說國家已經很危險了。

王部長應該選擇若干眞正對法治有誠意有知識的人作一番調查研究工作，瞭解司法上種種積弊的情形；應該對若干大家認爲不公平的判決，或者積壓很久的案子，加以複查；同時也可派他們到地院高院旁聽，審判之違失，有由於疏忽或知識經驗之不足；然顯然故意失出失入者，就不能不說是干涉的結果了。法官之中有犯法的人，有應該撤職坐牢的人。由於疲玩已久，法院已不爲人民信任。司法當局能有勇氣嚴辦幾個法蠹，才能作爲改革風氣的起點，才可以重建司法威信，才可以重建法律尊嚴，使一切官吏不敢瀆職誤國，欺侮人民，而有錢有勢者也不敢欺侮無錢無勢者，此不僅所以收拾人心，亦所以切斷特權階段，腐蝕國家的一個重要環節，並使政府能用此現成武器的制裁各種特權階級或惡霸。蓋一個國家只有靠勤勞百姓，忠勤的公教人員，與科學家、技術家、思想家、文學家的支持，不能靠特權階級。而中外古今亡國有一照例公式，即該國不尊重知識與人才，並製造特權階級，讓其坐大，終於逐步控制這政府；然特權階級只是寄生者，他們的本領只是吃光其政府，造成反國家的力量，然後將國家送給內外强盜，於是他們也一齊同歸於盡。（胡秋原委員質詢）

判刑輕重不一 應有公平準繩

司法風紀未能有效改善

「打官司需要化錢」已成爲流行語與民間的口頭禪，司法黃牛的活躍與若干不肖司法官的存在，有關。最令人不平的，有下列幾種情形：第一種是貪污涉嫌數字愈大判罪愈輕。據調查所得的資料顯示，舉凡幾百萬或幾千萬的貪污案件，類多重罪輕判；反之，涉嫌數字較少者，則宣判爲重罪，此種原因何在？人人心裏雪亮。如司法當局有整頓的決心，不難加以調查。第二種是司法官本身犯罪，大多官官相護，判刑尤輕。例如索賄又要强佔他人妻的司法官，判刑不過幾年；套購土地，索賄三百萬元的某君也僅判刑幾年。

輕罪重判者，大多爲家貧無力貢獻或者貢獻有限，不能壞人慾壑，因此悲憤自殺者大有人在。最近一年內，最高法院與台南高等分院都有因審判不公而自殺者。社會對寃死的人都有定評，這不是憑一、二司法官巧辯所能掩蓋天下人耳目的：司法官是代表國家行使統治權的一部分，如果不能建立公平的準繩，使老百姓不能心服。立法委員王大任甚而「懷疑這個政治領導中心，是否已經被埋藏了定時炸彈」。中庸所謂「莫視乎隱，莫顯乎微」。天下最危險的事，是不平的事實已經存在，而表面上顯示不出來的事。我們不能將國家的安全，完全寄托在　總統的威望與六十萬國軍的身上，人人對此皆有責任，司法人員又何能例外？

司法風紀未能有效改善，這是事實。從立委質詢，即知司法革新工作尚須加强。

時代需要均衡政策

·金戈祥·

讀者來鴻

我想將本文先從小處說起，我有一位親戚沈先生，家資富饒，以經商盈利，隣居十餘戶皆係家庭清寒沈氏宗族之人士，據我所知，沈君安份爲人並無得罪親族之處，只以平日錦衣玉食生活較爲講究，不料他的隣居親族皆對其側目而視。態度頗不正常，凡需要與他的隣居親族洽商的事件，均沒有得到他們的支持與合作。且在心理上表示嫉妒，很希望沈君有點疾病或災禍，大家才覺得愉快的樣子。沈君爲遭到了這種精神上無從解釋的封鎖與隔閡一氣之下，遂舉家遷往別的地方去居住。

我也是一面鏡子，本人過去在大陸故鄉雲南石屏縣地區，也是一個富戶的人家，我有兩個至親的表弟，自幼及長都是我們家裏一手協助他們兩個經商盈利以至成家立業，但是不如我的幸運擁有很多的祖先遺產而已。民國卅八年雲南淪陷，共產黨來沒收我們家裏的房屋財產的時候，我這兩個表弟也一反舊日對我們的合作態度，說是我們過去的生活享受很好，現在也該吃點苦頭。

今天我們跟隨政府來到台灣，我的財產完全損失在大陸故鄉，目前的生活都是以每月所獲得的工作薪資乙千多元來維持生計，所最幸運者，是我向政府申請得到了一筆低利的貸款四萬八千元蓋得了一棟國民住宅，我和我們的工作同事常在一起大家都談談彼此的生活情形，他們都稱羨我是有產階級而他們則是上無片瓦下無寸地的人家，表示非常遺憾。

我們根據以上三項一般社會觀念的事例現象，事實告訴我們，對於貧富與有無的距離，親族朋友皆不免發生這樣的弊蒂，由此可以推到我們的社會國計民生，人民的土地與財富倘若已經產生了貧富日益懸殊的距離與現象，我們的政府允宜積極的加以重視與改善，以鞏固我們國家社會內政的團結與安全。國家興亡，匹夫有責，因此，我們特將　國父的民生主義讀後的感想用淺鮮的見解發紓如后以爲呼籲。

孔子是我們崇拜的聖人，他對民生問題的主張：是不患寡而患不均。聖人的這項立言意義，大畧是說：人民以衣、食、住、行爲其維繫生命的東西，一國的國君應宜使用職權將國家所有的土地與財富應當給予他的全國的人民去作公道的均享，不必憂慮國家和財富的多寡，少則共苦，多則同甘，人民若果得到如此公道平衡的共同生活，互相才會化除貧富之間的階級隔閡和互相爭奪所發生的禍患而社會民心才能融洽合作親愛團結，國家才會長治久安富强康樂。

國父孫中山先生對民生問題的主張原則與孔子的主張相同，惟　國父當時所處的時代，中西文化已經交流，我國的輕重工業已漸發達，凡是有資本、技術，而又經營知識能力的人，很容易將土地財富擴大起來，擁有龐大財富的人，又會爲着地位觀念的不同，輕視一般貧民而貧民亦會在心理上產生了一種自卑或怨憤的感覺，於是貧富之間就會在精神觀念上發生了一個距離與隔閡。其次就是在經常衣、食、住、行的生活中因豐儉不同而相形見絀，於是貧富之間又會在物質生活上發生了一個距離與隔閡，因此一個國家的人民在貧富過於懸殊的情形下，既難於親愛團結而且又容易被人鼓動和挑撥製造禍亂，國父創立三民主義以民生爲重點，是已先知先覺已預想到我們一個廣土衆民的中國，必須要迎合世界的潮流和我國多數農工民情滙合而形成的希求，更要避免一個貧富懸殊的隔閡與危機，致貽無窮的禍患。今天我們國家的人口已較前更爲增加，國父的均衡民生政策愈更顯然而迫切的需要。今日國家多難，我們反攻復國的運動已有廿一個年頭，更需以壯士斷腕的手段，排除一切困難與自私者的阻礙，將　國父的民生均富政策，積極的與快速實現，使我們的國家既沒有特殊利益的資本家，也沒有太貧窮困乏的人，以完成我們全國的人民對衣食住行均達接近平衡的生活水準，這一個提綱挈領，一勞永逸的民生辦法，才是我們國家人民長久的和平福祉。

喬治桑外傳

一九一　張大纛

「你知道我是最不愛打牌的，我是想找幾個搭子陪你消遣。」裘白瓊打牌的時間倒是多，因爲他沒有耐性，打幾圈牌還忍得住，打多了他根本受不了。何況他的太太又要搶着打，他上場的機會就更少了。

「你預備找誰？是不是卞太太們？」喬治桑隨口問裘白瓊，並不意味着他有打牌的意思。

「怎樣？她對你倒是很有意思的，難道你竟漠然無動於中？」說這話時，他們已經離開了房主賈太太家，坐在計程車裏。

「先生，到那裏？」司機問他

「到那裏？」喬治桑轉問裘白瓊。

「隨便你嘛。」

「到……到玉清池。」玉清池是台北第一家設備最講究的上海式浴室。一榻橫陳，知友在一起聊聊閒泡，確實要得。

「卞太太的綽號是留蘭香糖，初嚼很甜，嚼到後來就味同嚼蠟了。」計程車已經開動，這是喬治桑回答裘白瓊上車時的問話。

張大千「雜談國畫」

·文匯樓主·

張大千以「雜談國畫」作講題，在第三屆亞洲作家會議上發表演說，有一記價値，特節要如後：

張大千首先說：「他的母親愛好繪畫，因此，他們幾兄弟全喜歡畫畫；在畫中，大家尋到不少快樂，家庭中永遠充滿樂趣。」

接着，他爲國畫作辯解。他說：「大家都說，中國畫是傳統的，是靠臨摹的，我却不以爲然。」

他說：「國畫的臨摹，就如同讀書、作文一般，是學習中所經過的一個階段；如果，國畫全然是臨摹，古時就不會出現這麼多畫風各不相同的名家了。」

他又舉例說：「臨摹如學習作文，我們覺得韓愈、蘇東坡的文章好，那麼，就會去學他們文章的用筆和結構，絕不是照樣地抄一遍。」

他又指出：在宋以前，畫家是不落款的，因他們認爲「在我以前沒有我這樣的畫法，這樣的風格」，因此不落款，也可以讓人看出是誰的作品。

宋朝以後，許多的文人畫家，也愛畫畫，可是工力不够，爲了對畫的負責，就題款以資識別。到了明朝，不僅落款，還用一首詩來補助畫中意思的不足。

張大師告訴大家：「我見過的古畫雖不多，但也不算少，尤其是在敦煌的三年。」

他說，他以前是畫山水花卉的，到了敦煌以後，有了改變。他不辭跋涉辛苦到敦煌，他說：「那是値得的。」

敦煌一共有三百零九個洞，有的一個大洞又附帶有兩個小洞，洞中都是北魏到元朝，各代畫家的手筆。

張大千說，敦煌的畫，都是佛敎畫，但是，每一朝代畫家的作品，畫風都不相同。他指出，敦煌共有觀音像在千尊以上，但是，沒有一幅是相同的，由此可知中國畫絕不是「拷貝」。

張大師特別强調：敦煌藝術雖是佛敎藝術，但它最大的價値，在於可作古代衣冠的考據。

他說：從北魏開始，以迄隋唐到元代，衣冠都已失傳了，在敦煌的畫所，却可以淸淸楚楚地看到各代人士中所穿着的衣冠。

要談談抽象畫了。他說，中國畫自古以來就抽象的，譬如「曹衣出水，吳帶當風」，「出水」和「當風」，就是抽象的寫意。

他說：在敦煌，見到出水觀音像，衣裙飄動，原來，菩薩顯現時只有畫水中的佛光，畫家不敢靜畫，因此佛像的衣衫就有了水波飄動的現象。

他又說明：抽象的意義，並不是潦草，像敦煌的畫，每幅都極工整，但都是抽象的。畫家作畫，是畫自己心中理想的樣子，而不是事實的模樣。像平劇中的人物，程硯秋和梅蘭芳都是水袖，在眞實生活中走路是不要揮袖的；平劇中的水袖，是一種美的動作。

張大千說，中國畫都受了道家的影響，畫的是無象之象，卽是畫出精神來，而不是一地一筆地去描繪。

有人曾問他，畫的山水，是否先打草稿或是運用照相機。他的答覆是：「我很懶，從不打草稿，也不用照相。」

他說，譬如畫峨嵋山，畫的只是峨嵋的氣勢和精神。「畫是注重美，可以入畫的才取；如果不美的，卽使是眞的也都不要。」

也有人問過他，爲甚麼只畫古裝，從不畫時裝的？

張大千說：古代的畫都是畫時裝的，到了元朝，畫家們認爲異族入侵，江山已改，但是爲了懷念舊朝，就都改畫古裝，表示江山依舊。而元朝後期的畫家，更乾脆不畫人了。到了明朝，畫家又畫時裝了，進入淸朝，又不畫了。

他說他現在的不畫洋裝和旗袍，是因現在的服裝常常變易，美的標準難以維持長久。如果是畫一時代故事，譬如抗戰故事，就非得畫時裝不可。

他說：「我不畫時裝有兩個原因：一是沒有本事畫，一是妨礙美的就不畫。」

在一片掌聲中，張氏結束了這一輕鬆、精采的而受大衆歡迎的演說。

諧史拾趣

·周其昌·　（七）

少年道：「才聽說衆人放乾了東湖；都去拏魚，小人也要去拏魚。」說了徑去。老者信以爲眞，徑往東湖，到了東湖，湖水滿滿，始知少年乃說謊也。

有一個貴人在樓上飲茶，聞樓下少年善騙，遂在樓上語少年道：「有人說汝善騙，你能騙我下來麼？少年道：「相公在樓上，斷不敢騙，若在樓下，小人便有法子騙你上去。」貴人果然下樓語道：「你有何術騙我上樓呢？」少年道：「你已被我騙下樓來了哇！」

卅三，輕薄士人

有一輕薄士人，喜好彈射文字。讀王羲之「蘭亭記」則說：「天朗氣淸，春言秋景。」讀王勃「滕王閣序」則說：「落霞與孤鶩齊飛，秋水共長天一色」。多了「與共」二字。冥師聽了，命鬼兵捕之，要割其舌，力辯乃免。及放之回，行至冥師殿下，口中輒說：「如何閻君對這聯這樣不通。聯云：

日月閻羅殿

風霜業鏡台

我不相信這個閻羅殿，竟有日月風霜耶！

卅四，鷄有六德

有一客造訪主人，客見院畜有鷄，殊無餉客之意。客乃指鷄對主人言道：「此鷄有六德，君知之否？」主人道：「只聞鷄有四德，未聞鷄有六德」。客道：「君如捨得，我亦吃得，加此二德，豈不是六德麼？」

△有一位縣官，生性貪墨，初上任時，謁城隍廟，見神座兩旁懸有銀錠，對左右命道：「與我把這些銀子收回！」左右道：「這是假銀子。」知縣道：「我知道是假的，但今日新上任，要取這個進財吉兆！」

△有官人性貪，而故意示人廉潔。上任對天發誓道：「左手要錢，爛了左手；右手要錢，爛了右手。」未久，有人以百金行賄，將欲接受，又碍於前發誓。左右爲之解說道：「請以此金納入官人袖中，如爛也只爛此袖而已。」官人手又何傷乎？」於是納賄百金。

△有人譏諷吝嗇鬼說：有一隻猴子死了，到地府告閻王道：「我面目有麗，奈何不可變人？」閻君道：「拔去爾毛可以嗎？」猴子道：只要變人，全拔亦可。」於是閻命小鬼拔牠猴毛。及拔一毛，猴子大呼。閻王道：「似汝一毛不拔，怎麼做得人成？」

△有一睜光瞎子，有眼無光，入見官府，輒橫行如螃蟹。官人吼道：「我看你眼光明明白白，怎麼如此瞎撞？」盲者道：「老爹看我明明白白，我看老爹糊糊塗塗。」

△有傻瓜的太太與人私通，一日撞遇姦夫于室，姦夫急而跳窗逃去，只奪其鞋一隻，用以枕於頭上日：「明天告官。」妻乘其睡熟，卽以夫所着之鞋換之。明日夫起，細看此鞋乃是自己的，於是向妻子謝道：「我錯怪了你，昨日跳出窗時，原來就是我呢！」

△四川吳坤齋，善謔言，其鄰居築新屋落成，吳往道賀，觀看良久歎道：「這房做得妙，蓋合「廟」字之意也。

（未完）

說曹操

李漁叔

赤壁之戰

（四十九）

蔣幹是江淮名士，聽到了周瑜一番言語後「但終笑無所言。」這是他最高明的地方。還有這事發生的時間，江表傳所記似是甚早，而資治通鑑則將此事繫在建安十四年，卽赤壁戰役後的第二年，可見蔣幹過江不當建安十三年，自然中計殺蔡張事亦是揑造。

已、最令人不解的，就是南屏山祭風，演義要把諸葛寫成神人，實際亦是討好讀者和評書的聽衆，以至全涉妖妄，一無足取。按杜牧之詩云：「東風不與周郎便，銅雀春深鎖二橋。」這一年的寒冬十二月，適逢氣候溫暖，發起東南風，給吳軍以因風縱火的機會，這是天候使然，如果說這風是孔明祭起來的，那就太不可思議了。

最後關公華容擋曹一節，寫關公義釋曹孟德，也最爲世俗所津津樂道，但事實並不如此，按山陽公載記：

「公（曹操）船艦爲備所燒，引軍從華容道步歸，遇泥濘道不通，天又大風，悉使羸兵負草塡之，騎乃得過。……軍既得出，公大喜，諸將問之，公曰：「劉備，吾儔也，但得計少晚，向使早放火，吾徒無類矣。」備尋（隨卽）亦放火而無所及。」

華容有二，一屬湖南岳州府，爲古代的「雲夢」地方。一卽此華容，乃漢代所置，南齊已廢，故治在今湖北監利縣西北，卽曹公赤壁兵敗後所經之地。資治通鑑所寫的情形一樣，大概卽取材於載記。照此看，關公是沒有奉將令到這裏來的。

以上都是演義荒謬的地方，然而演義係集合歷來民間傳說的故事，以及雜劇平話染湊合而成，其不合史實，也就不必深責了。

赤壁戰爭的眞相及其經過，倒還値得一述。

上面說過，曹公對劉先主雖然惺惺相惜，但是一得到制服他的機會，卽會傾其全力，以獅子搏兎的形勢來捕捉他。這一次，先主被追擊得最爲狼狽，據蜀志先主傳：

「曹公以江陵有軍實，恐先主據之，乃……將精騎五千急追之，一日一夜，行三百餘里及於當陽之長坂。先主棄妻子與諸葛亮張飛趙雲等數十騎走，曹公大獲其人衆輜重，先主斜趍（趨）漢津……。」

先主以一個十餘萬人的龐大集團（其中民多於兵），被曹公率領騎兵五千，銜尾疾追，一天一晚急行三百多里，結果先主只得脫離大隊，連妻子都拋棄掉，零零落落的賸下數十騎，向前逃走，還幸張翼德在長坂據水斷橋，瞋目一喝，方才暫時赫阻追兵，得以斜趨漢津，（張飛在當陽長坂以二十騎拒後，瞋目橫矛，喝退追兵事，見蜀志張飛傳）逃離魔掌。

先主在樊口會合了關公所將的水軍和族子劉琦的部隊，只能說暫時喘了一口氣，而曹公還在後面緊追，仍然沒有脫離危險的境地。

（未完）

諸葛亮狂想曲

·劉玄·　（一〇七）

「是，是，韓湘子的笛子是一種仙樂，人間是聽不到的？」劉約翰對於太白星君一向是隨聲附和。

韓湘子笛子吹奏完畢，黃雲大仙身穿挖雲皂羅道袍，披髮仗劍邁步登場。諸葛亮、關羽等報以掌聲以示捧場之意。

王母娘娘坐在正中的包廂寶座上，神情歡愉欣賞節目演出。她看到黃雲大仙出場，是陌生面孔，便低聲問身旁女官，「這一位是誰？」

女官恭謹稟道：「這是黃雲大仙，擅長表演魔術。」

黃雲大仙一上場，先將手中劍拋入空中，刹時變化成爲一條小龍，繞場一週，回到手中仍然是一把寶劍。

黃雲大仙持劍在手，向正中坐的王母娘娘鞠躬爲禮，王母娘娘龍顏大悅，不住點頭含笑。吩咐女官賞金蟠桃一隻。參加蟠桃大會表演的人，以獲得金蟠桃爲無上榮譽，好像與斯卡金像獎一樣。

何仙姑在旁解釋，黃雲大仙表演的第一個節目是「百花獻壽」。只見黃雲大仙從袖中取出一把花種，撒在台上四週，然後用寶劍在空中劃一個圓圈，先向左邊一指，立刻開出百十朵牡丹花，又向右邊一指，又開出百十朵芍藥花。之後，四面東指西指，薔薇、玫瑰、杜鵑、山茶、桃花、杏花、蘭花、梅花，爭艷鬥勝開滿了一台，台上成了花山，全場充滿了氤氳氣氛。

「不容易，不容易，黃雲大仙確實有一套。」太白星君大加讚美。

「魔術雖係小道，變到這樣實在不容易。」劉約翰在旁替黃雲大仙幫腔。

「聽說最後節目是水中芭蕾？」星君回過頭來問劉約翰。

「是，是，這都是星君的提拔。」劉約翰聽到水中芭蕾，心中感到無限的溫馨，因爲這是由金玉枝主演的。

「你聽我說，在蟠桃大會担任最後節目是很不容易的，你必須關照金玉枝小心演出。」金玉枝是太白星君變出來的金魚美人，所以他很關切。

「是，是。我已經關照她要好好表演，不負星君一片愛護之意。」劉約翰很會逢迎星君，難怪星君喜歡他。

這時台上的黃雲大仙用寶劍在空中斬瓜切菜的手勢，滿台鮮花立刻變成無蹤無影。台下掌聲雷動，關羽面露笑容，顯得十分高興。

（未完）

巨變歷險記！

佛南之戰

（一七〇）　胡慶蓉

部隊到達車里，原希望因此而根據徐闕建立大西南反攻基地，向扭轉大局邁進，但形勢比人强，形勢不允許。

面對共黨之壓迫，有與佛海南嶠廿六軍靠攏之必要。這是張威成副司令兼縣長的意見，丁博士亦深以爲然，於是決定再向佛海南嶠移動。這對部隊來說，是很勉强的。他們原來的目標是車里，他們原來希望到車里能安定下來甚至固定下來，現在到了車里並沒有幾天又要動起來，他們當然不願意。

但各方面的風聲都緊得很，周圍大炮的聲音也不絕於耳，顯然敵人已接近車里，已向車里我軍壓迫。於其臨渴掘井，何如未雨綢繆，何況彈藥缺乏，亟需接濟，南嶠有飛機場，補給容易，爲策萬全，前去南嶠佛海，也有他的道理。

車里的隊伍必竟又走起來了，行前並派專人去送信。這人是張縣長派來的。背着一個包包，帶着一把鐮刀，他就走了。佛南的消息也不好，並囑咐他快去快回。部隊一早從車里動身。有幾天的休息，部隊的精神也還好，互相用剪子剪，大家的頭髮都理了。身上的衣服該洗的也都洗了，該補的也都補了。紙烟很需要，也補充了一些。丁博士是不吸烟的，李團長的烟癮很大，但路上他很有節制，他很能節制。他說他天天數他的烟捲，現在放寬了一點，一般官兵們，也多少有補給。

爲丁博士，五縣自衛隊送來一匹馬，並派專人照顧。丁博士不便固辭，也就收下了，但他還是跟着部隊步行。這匹馬是一匹黑馬，生來相當神氣，丁博士還是儘量的少騎，他總在想法子不騎。佛南就地理上來說，是在車里的上邊。去佛南，先是一段平路，然後就上山了，沿着路是一條小溪，也就是一條瀑布—走不完的小溪，走不完的瀑布，水總在路傍流着，而且越流越急，越向上走，越覺得水大，越覺得水急，看着下流的水向上走，有如逆水行舟，令人感到特別的吃力，有時會到喘不出氣來。走！走：走走，走到快天黑了，還是山上，大家實在累了，都要求休息。

就在休息的時候，前邊報道拿到了一個奸細，送來審問，才知道原就是張縣長派的。派他去的時候，丁博士在場，這人丁博士認識。叫他到旁邊，仔細的詢問，知道前面不遠就快到南嶠了，連同佛海，廿六軍葉師羅團已經放棄，廿六軍已不知去向，南嶠佛海已入共軍之手，前去不得，前去不啻自投網羅，於是下令部隊折回車里原地。這已經走了一天的路了，現在折回去，精神都非常疲憊，但事實上需要，也只有勉爲其難。現在是順着水下行，有如順水行舟，大家的精神又慢慢的振作起來。下到山底的時候，恐怕已經是夜裏十二點了。在一個河邊，大家造起飯來。

老虎咀裏拔牙

·老宣·

台灣有「夜不閉戶」的說法，越到邊遠的鄉村越安全，爲東南亞十幾個國家所不及，亦治安機關的殊榮。

不幸得很，兩個星期前的台北高級住宅區新生南路二段，竟然發生搶案，歹徒五人攜帶武器，於深夜闖入前台灣省政府新聞處長吳錫澤寓所，翻箱倒篋，劫去現鈔飾物約兩萬餘元。臨去尙警告吳錫澤不准報案，否則以殘酷手段對付。

這次的意外，與普通搶案截然不同者乃在不應該出事的地點出了事，在不應該鬧事的月份裏鬧搶案，「道高一尺魔高一丈」嗎？又過份抬高了幾個小丑？今日台灣警察權力，爲衆所週知，他們竟敢從老虎咀裏去拔牙，俗話：「一葉知秋」，破不破案是另一回事，萬不要忽視這案本身帶給台灣帶來的陰影。

依洄集

閒話詩評（二）

·匡謬·

作詩第一要求眞

談「用今」一則，是指今人泥古而不用今，爲詩人之病。此則談「求眞」，亦與前者相通一貫，因爲「泥古」則不眞，「用今」則必「求眞」。是以二者相連互通。

或者有人反問：詩必漢、魏、盛唐，自嚴滄浪已持這種見解，今日三尺童都能說得上口。君之高論，以爲作詩必須「研窮中晚」，方盡詩家之變，這是甚麼道理？

筆者在此舉例以言之。我們以爲善於品評詩的人，只問其詩「眞不眞」？而不問其詩的唐不唐，盛不盛。固能爲眞詩，並不求唐，不求盛，縱在盛唐也不能例外。苟非眞詩，縱然摘取盛唐字句，也不過是詩壇中一個「小偷」漢子。因凡作詩的人，不出「或因事，或緣情，或詠物，或寫景」。自然有其當描當畫的眼前境界，最緊要的是要抓緊現於眼前的眞實景物，正在發起之情，而後乃能得其「眞」，猶如一部照相機，必然在眼簾現實取景，又如繪者寫生，莫不在眼前景物入於畫圖。作詩亦莫不然。如果求眞，令人讀之，耳目爲之一新，正如寫眞，而須能傳神，然不論其人的面貌的美醜，黑白肥胖，斜正光麻，只還他廬山眞面目，寫得酷像。能寫眞傳神的相，他的兒見了，一定會說：「這眞是我父親的像」！他的弟弟見了，必然會說：「這正是吾兄呀！」若能如傳神，則其人身上所穿的衣服，脚下穿甚麼鞋子，頭上戴甚麼帽子，順手拈來，自不失其爲傑作。這就是寫眞而逼其眞。若寫的面目全非，徒劉畫于服飾之精美，頭戴「林宗之巾」，身披「五恭之[illegible]」，曳「鄭賜之履」，柱「阮宣之杖」。事事仿效古人，而其面貌失眞，兒子不認識他父親的相貌，弟以爲非兄，做影樣看不得，作圖畫看不得；擬古人反貽笑世人。在字句之間摹盛唐，却失去眼前光景。若如此而寫詩，而想成必傳之作，猶如寫不像其父，而望其子孫永遠供奉尊容嗎？絕無此理。故筆者論寫詩，首必「求眞」，不先求唐、漢，魏更不用求了。

（未完）

自由詩壇

漁叔題

次韻落花和絜生先生2

·青士·

補綴香　玉髓存。含萃檐底冷空尊。
夜來鐵馬丁冬響。環佩疑歸月下魂。
和水和泥捏作坏。紅凝薰永免飛灰。
還分你我修三世。暇日閨中試一回。
重逢明歲有佳期。三沐三薰待日。
九陌人繁須記取。辟塵宜着五銖衣。
橫幅生綃寫影看。狂來眞欲喚端端。
高燒紅燭勤將護。十二珠簾不隔寒。
絕調淸平已自妍。能歌况有李龜年。
江南把手傷心處。雲狗長安感萬千。

黛眉小傳

王幻

江采蘋（上）

所謂「風流天子楊梅醋」，是說唐玄宗的妃子，楊玉環和江采蘋宮幃爭寵，醋海興波的軼事。一是南國佳人，一爲北地胭脂，才華容貌，各有千秋；雖然她們二人有幸與不幸，但最後的結局，均以悲劇收場。

江采蘋，小名阿珍，福建甫田人，世居珍珠村。父仲遜，字抑之，是一位秀才，人物軒昂，家貲富有；母廖氏，年過三旬，尚無子嗣，只生采蘋一人，愛若掌珠。她九歲能誦二南，淡妝雅服，姿態明秀，尤性喜梅花，乃父遣人於江浙山中，遍覓各種古梅，移植庭除，額曰「梅亭」，當梅花開時，她朝夕觀賞，至夜分尚顧戀花下不忍去，遂自號梅芬。采蘋自幼聰敏，雖好文藝，琴棋書畫無一不精，自比晉代的謝道蘊，並著有蕭蘭、梨園、梅亭、叢桂、鳳笛、玻盃、剪刀、綺窗八賦，爲時所傳誦，而有甫田才女之稱。

開元中，高力士奉命自湖廣歷兩粵，各處採選美女，沒有一個當意的；至甫田聽說采蘋的才名，又生得美貌無雙，用南海明珠，聘之歸侍明皇，大見寵幸，抵補了愛傾後宮的武惠妃之遺缺。玄宗因知江妃喜梅，遂命宮中各處栽梅，而玄宗每戲呼她「梅妃」。

這種「三千寵愛在一身」的幸福生活，過了幾年，或因這位雅潔似梅花的妃子不夠放浪，後宮粉黛又沒有中意的佳麗，風流皇帝却把自己的兒媳壽王妃看上了。楊氏小名玉環，華陰人，世居宏農，她雖生於四川，但實際却是北地胭脂，豐碩修整，擅舞能歌，而且能自作譜；又長擊磬，爲梨園之妓所不及，琵琶更妙絕一時。高祖楊令，曾爲金州刺史，父玄琰，蜀州司戶，家已中落，玉環寄居叔父玄珪家中。開元年間，被選采女，派在壽王名下承值，甚得寵愛。二十二年正式立爲壽王瑁妃。玄宗雖看中兒媳，因礙於名份，不好明言，只是唉聲嘆氣；高力士見玄宗長宵難過，察言觀色便猜透他的心事，嗣微得玄宗的默許，由高力士賫墨勅一道至壽王府，說楊妃出身寒微，不配爲王妃，命她出家玉眞觀，去做女道士，取號太眞，硬把這對恩愛伴侶拆散了。過了不久，便由高力士引她入宮，花冠道服，麗質天生，越發的媚人，玄宗不時宣召，她亦善伺人意，宮中呼爲娘子。到了天寶四年，正式冊爲貴妃，寵幸無比，舉族加官，儀體伴於皇后。自此，玄宗對梅妃的愛，漸漸爲其所奪。

玄宗自從有了楊妃，到梅妃宮中的次數日益疏少，便引起她的懷疑，經遣親隨的宮女召來高力士問話，始悉玄宗有了新寵，她當時的痛苦之情，不言可喻。於是，便强打精神，重施朱粉，再整花鈿，隨了七八個宮女，步向南宮來朝見玄宗，她說：「聽說陛下納寵楊妃，賤妾一來賀喜，二來求見新人。」玄宗見到事情既然揭開了，便宣召楊妃出來參見梅妃，遂釀成「風流天子楊梅醋」。當這對情敵會面之後，玄宗即命擺宴，酒過三巡，玄宗左顧右盼，眼前的二妃，猶如春蘭秋菊，難分軒輊，便朝着梅妃說：「梅妃有謝女之才，不惜佳句，贊她一首如何？」二妃各謙遜幾句，玄宗傳呼左右取來一幅錦箋，放在梅妃面前，她只得提起筆來，寫下七絕一首：

撇下巫山下楚雲，
南宮一夜玉樓春。
冰肌月貌誰能似？
錦繡江天半爲君。

（未完）

第十四章

宋高宗航海避難　韓世忠大敗兀朮

金兵過獨松關見時，宋竟無守禦，兀朮對部衆道：「南朝如以殘兵數百守此，吾豈能渡江。」兀朮留兵駐廣德，其餘之衆趨臨安，守臣康允之棄城而走。錢塘縣令朱蹕，率士兵拒戰，力竭戰死。

兀朮聞高宗在明州，遣了河里蒲盧渾，率精騎追之。高宗奔到定海，留下范宗尹和趙鼎於明州，以待金國使臣，還在夢寐求和。

高宗對張俊道：「若能捍敵成功，當加王爵。」宰相呂浩頤奏請從官以下，各從方便。高宗不允。理由非常好：「士大夫當知禮義，豈可不從朕行！若臣下不從行，朕豈不成了草寇嗎！」下詔郎官以上皆從駕行。

回頭且說兀朮留在廣德金兵，却被岳飛之軍殺得大敗。六戰皆捷。斬首一千二百餘級，生擒女眞漢兒王權等二十四人，俘諸路簽軍首領四十八人。又於夜半乘金兵疲乏，使令火攻金營，燒毀金人炮車輜重，乘其混亂，縱兵擊之，大破金兵於廣德，俘殺甚衆。

岳飛由建康殺到廣德，六戰六勝，駐軍於廣德之鍾村。是時糧食已盡，士兵飢餓，因岳飛紀律嚴明，秋毫無犯，雖飢餓亦不擾民。岳飛盡輸家有之貲充軍資，與部下最下者同食。市井交易如常，民不知有兵。金人畏其威名，皆呼岳爺爺軍。漢人被迫降者，皆反正來歸，降納萬人。此時流寇又乘金人之亂，到處掠劫。因此岳飛一面與金人戰，一面又要安內平賊。金兵犯溧陽，岳飛遣部將劉經領兵千人往討，夜半擊之，斬首五百餘級，生擒女眞火兒軍僞同知溧陽縣渤海大師李撒八等十二人，千戶一人。

建炎四年正月，岳飛移兵屯宜興。有賊寇郭吉等在宜興擾掠百姓，宜興令佐久聞岳飛威名，奉書迎岳飛，稱宜興糧草充足，可供萬人十年之需。岳飛得書，提兵前往。將抵宜興，賊聞風遁往太湖。岳飛令部將王貴、傅慶將兵二千人追之，大破賊衆，獲其輜重而還。

宜興尙有賊寇馬皐、林聚等數千人，在宜興游擊刼掠，岳飛遣人招安之，其衆盡降。有張威武恃勇不降，岳飛擒之，收編其衆。常州百姓聞岳飛在宜興，賊不敢犯，吏民皆遷往宜興者萬餘家。宜興人民感岳飛之德，繪岳飛之像晨夕瞻仰，時民有諺云：「父母生我易也，公之保我難矣。」

（六十四）

自由報

中華民國內政部登記證內警台報字第〇三一一號
中國郵政台字第一二八二號執照登記爲第一類新聞紙

（第一一一三期）

（半週刊每星期三、六出版）
每份港幣壹角・台灣零售價新台幣弍元
督印黃行奮・社長李運鵬
社址：香港九龍彌敦道593—601號
廖創興銀行大廈八樓五座
LIU CHONG HING BUILDING
7th FLOOR FLAT 5
593—601 NATHAN ROAD,
KOWLOON, H.K.
TEL: K803831
電報掛號：7191

承印：景星印刷公司
地址：嘉咸街廿九號地下
台灣區業務管理中心：台北重慶南路一段一二九號
電話：二四五七四
台灣區直接訂戶　台灣劃撥戶
第五〇五六號張萬有（自由報會計室）
台灣分社：台北市西寧南路110號二樓
電話：三三〇三四六、台郵劃撥戶九二五二號

本報專論

人類文明的嚴肅檢討（下）

若泉敬・湯因比

他們會說，在一個國家中幾乎存在着另一國的國民，換言之，兩個英格蘭。富人眼中的英格蘭與窮人眼中的英格蘭，非常的不相同。這並非對當時情況的誇張。我在兒童時代，赴學校途中因爲自己沒有穿着「鮑洛」（POLOSHIRT），看見同年齡的孩子穿着「鮑洛」上學，而感到狼狽不堪這情景現在還清楚記憶。在我青年時期，英國我們那一代捲入第一次世界大戰。當瞭解人類對這個制度——戰爭，竟無法避免時，我們感到震驚。

在這個戰爭制度中，與愛，休戚相關，隣人友善完全背反的，是傷害，是製造殘廢，大量破壞國土等明確的反社會行爲，不但合法，並且被看做義務。同樣的行爲，在戰爭以外的情況下即被看成犯罪，被譴責爲罪惡，要受懲罰。

無論是現代的青年世代，還是我自己的一代，因現實與理想不一致而受的困惑一點上，我都不以爲是特別的世代。青年人在任何時代，都有某種程度的類此感受。由於經驗理想之步實是如何之難，而對現實又不能達觀的情況下，所有世代的人們在人生某些階段中，都感受了同樣的苦惱。我們幾乎都有了生活體驗，了解改革世界的困難，在某種程度上說也許對改革完全死心了。

我自己在第一次世界大戰時，對戰綫兩面同時代的人們，年輕的死去這事，決不同意。我對於他們當作要殺死的對象來屠殺，以及對他們的被殺而感到悲痛。戰爭這個制度的存在及其持續，以及在我的生涯裏所發生的戰爭，痛感到對人類我也有一份責任。還有我對於富裕國家內部的不正義，富裕國家，與貧乏國家之間的社會不正義也深感痛心。人類的大部份，恐怕四分之三的人類，現在還很貧乏，在「貧困綫」水準以下，衣、食、住都不充分。

一般說來，我對我自己所知在我自己中的惡，以及與我相同的人類中所潛在的惡——利己主義，貪慾，冷漠，憎惡等惡習深感悲痛。在玩味這種苦惱的同時，認爲所有的人，至少在一生中的某一瞬間，對於一生的各階段中無論何時，無論何處所持的那些感情，會相信是與道理衝突的。所提到的現實與理想不一致的挑戰，就人所以爲人說，是不可避免的挑戰的一部分。因此這一挑戰，我認爲是自人類產生之際就有的古老的東西。在它這較以往爲深刻的意義上說，是新東西。可是爲什麼這一挑戰較以往更爲嚴重呢？這由於人類獲得了改變生活條件的巨大力量。

當我們的先祖初爲人類之時，由於他們成爲人而獲得了改變環境的力量，——如前面所說的——獲得改變人的風俗，習慣，制度所謂社會環境與自然環境的力量。人是這樣從非人的自然舞台中產生的。

在人類歷史最初的百萬年間，因爲人類還在非人類的自然舞台階段，對於包含人類社會機構的自然還未會置疑。我們還未夢想到以人的行動改變自然。

在我看來，現實與理想不一致的苦惱，隨着改變人類制度與自然環境之力量的增加而日益加深。當我們完全無力時，察覺自己無力，我們居於被動，甚麼也不能做，也就不會有苦惱。隨着我們力量的增大，責任感和苦惱才日漸加深。在回答第一個質問時，我曾說人應該爲創造和愛而生存。可是愛和叡智的作用，產生了創造物質的動機和手段。但是創造的能力——人類具備此能力——同時加給我們以責任。由理想出發的改變世界的能力，這種能力越大，同時在我們能力範圍內得知，因不能實現創造這一有益行爲的苦痛也就越大。

這一從現實與理想不一致所產生的挑戰，對於人類的少數派，那眞有成爲新課題的重要性。也許確實是少數派！他們現在已發展了改造宇宙的力量。前面我說現在生存的人類，四分之三仍在「貧乏綫」以下的情況中生活。他們幾乎和我們的先祖一樣的無力。可是我們這四分之一則並非赤手空拳。

可是這一挑戰，不僅是現代的青年世代，我的世代，我們先祖的經驗，恐怕在五千年前文明的萌芽期，也就是人類對非人的自然環境及自己的社會生活組織化開始持有某種支配力時，也就是剛有自我抑制的思考，自覺意識和教育能力時就已經開始存在了。如果我們不能自我抑制，便不能規制與他人的關係。五千年的文明，與人類史前的百萬年比較，是極短的期間。但是在這五千年間……加上過去的一萬年或三萬年……人類改變萬物能力的發展加速了，對人類道德不完全的苦惱也增大了。我爲什麼在這裏提到五千年、一萬年和三萬年呢？關於五千年已有說明。文明的破曉是在五千年之前。一萬年前……相當於新石器時代初期。這一稱謂易生誤解。我們是把我們祖先發現製造工具新方法的日子叫做新石器時代。從原來的單是削磨石頭使有尖單的刄，而將石頭造成如自己所希望的形狀，這一新方法雖是極重要的技術發明；但分劃新石器時代更重要的東西是發明農業，動物的家畜化，發明紡織，發明陶器，發明獨木舟等。三萬年前……是指人類史中最長時期的舊石器時代期移向較短的舊石器時代後期的過渡期間。舊石器時代期，在過去三萬年裏約佔兩萬年；在這期間，人類由於改進了削物的方法，工具的形狀乃獲急速的進展。從現在看不過是極原始的進步，可是對當時的人來說，不亞於近代的工業革命，是大可驚歎之事。

（完）

昨日與明日

台灣的隱憂

・成公

台灣的經濟繁榮是有目共睹的事實，猶憶在三十八、九年之際，誰要使用電爐，都是偷偷的使用，但用了電量的微數，偷也偷不成，那家只要一開電爐，周遭的電燈馬上變暗，於是大家便羣起而攻之，偷用的勢必停止使用而後已。

十年後的今天，不僅用電爐不必偷偷摸摸，反之家家戶戶都不是電氣化的設備，窮鄉陋巷，茅屋棚戶無不是電視、冰箱，一應俱全，茶樓酒肆，飯館食堂更是生意興隆，處處客滿，衡之以近三數十年的戰禍頻仍，再比照着隔海而望的大陸，那眞可稱作家給人足衣食無缺，謂之爲太平盛世亦不爲過。

古語說：「衣食足而後知榮辱，倉廩實，而後禮義興」。現在既然經濟繁榮，衣食無缺，應該是知榮辱，興禮義了，但事實告訴我們，這經濟的繁榮却只帶來追求享受，物慾橫流，我們固然也看到許多人人自奮，努力向上的現象，但另一方面却不容否認的看着整個社會走向紙醉金迷，淫穢，靡爛的方向，尤其嚴重，使我們不能不引以爲憂的就是貪污的現象，愈來愈嚴重，這樣下去整個社會勢必腐蝕敗壞，而政府組織勢必瓦解癱瘓。不是我們危言聳聽，這種看不見的隱憂，眞是嚴重，可比作癌症，我們必須採取鐵腕，立即消除糾正。

社會的風氣，想轉移眞較慢，但對貪污的現象，我們如有決心，則可馬上有立竿見影之效。我們除了密查嚴懲決不寬貸之外，並應有一個整套的辦法。茲事體大非短篇所能論列，我們僅建議一點，是否可做照韓國的辦法，訂立一個特別法，用獎勵告密的辦法，根絕貪污現象，凡納賄者可告密，查明屬實，嚴懲官員，事情照辦賄款退還，反之如受賄者先行告密，則嚴懲納賄者而賄款合法付與該員，如此誰敢行賄。我們何妨試一試。

自由談

可敬的反共英雄

馮五先生

巴基斯坦的一名汽車司機，於波蘭總統一行到達巴京機場之際，駕着卡車向來訪的貴賓行列衝去，他原意是要撞死那位波共政權的總統，距誤中副車，將隨員波共外交副部長收拾了。當場他高呼「打倒共產黨」，說是「我做了自己應該做的事」，嚇得那位波共頭目不敢停留，原機逃回本國去者！

這是空前的非常事件，石破天驚，可謂自生民以來未嘗有也！以視近來層見迭出的暴徒刧機行爲，意義嚴重而深長多矣。共產黨自命是代表勞工利益的集團，他們的政權亦標榜以工人爲支柱，倡說「工人無祖國」的馬克斯教條，夸夸其談，洋洋自得。於今巴基斯坦一名如假包換的眞正工人，却以生命作代價，要對蒞臨祖國訪問的共產政權首領，冒險犯難，實施暗殺手段，聲稱打倒共產黨。這證明共黨所謂「代表工人利益」云云，完全是自說自話，而馬克斯創立的「工人無祖國」教條，亦就宣告破產了！

共產黨人的中心思想，是以「恨」爲出發點，而以資產階級和知識界人士爲首要對象。他們對勞工羣衆刻意拊循，巴結唯恐不周，旨在搾取工人的勞力，剝削他們的勞動價值而已。這項事實，非置身共產社會，體驗有得者，毋容易爲共黨的甜言蜜語所誆騙，而相信共產黨眞是勞工階級的救星，甘受奴役，心安理得，共產黨之所以能夠到處釀亂，即基於此。現在巴斯坦并非共產社會，然其勞工羣衆乃以打倒共產黨爲應該做的事。這不但可作自由世界勞工階級的暮鼓晨鐘，更對鐵幕內被麻醉誘惑的工人們，投下了一帖清涼散，影响大極了！

共產政權秉承蘇俄的世界革命策略，僞倡「和平共存」之說，藉以欺騙自由國家，便於滲透顚覆。他們擇弱而噬，利用時機，分赴自由國家訪問，即可間接助長該國的共黨聲勢，使其恪盡第五縱隊職責。經過巴基斯坦工人這樣壯烈的反共舉動，將使共產政權的頭目們，慄慄危懼，輒不敢隨便出國進行國際統戰工作，詎不懿歟！

爲着自由人類的生存幸福，大家對於巴基斯坦這位勞工英雄，應該一致表示崇高的敬意。

依調集

不歡迎社會垃圾

柳一權

菲律賓總統馬可仕今天命令，將一名因綁架謀殺罪判刑並已服刑期滿的華裔菲律賓人遣送台灣。（見合衆國際社電）

菲律賓前遣送于長城，于長庚兄弟到台，替自由中國帶來甚多不必要的困擾，既被判感化教育，又未實際移付感化，且以貴賓禮待之，給台灣老百姓的印象，法律之前似分出三六九等。

爭取華僑內向的政策是對的，不過僑社一些「社會垃圾」，還是敬辭爲妙，俗語：「吃屎的狗離不開厠所」台灣既非垃圾堆，何必歡迎這批爲非作歹的客人呢？

馮玉祥有沒有盜寶

矢原愉安

從馮玉祥「我的生活」中自述，就可以想像得出來：這位先生，非但是一位非凡的人，而且在一定程度上，簡直是一個怪人。這其實是一種潛伏的「自炫慾」在作祟。——世界上有許多男男女女，都是在想吸引人注意，而又拿不出什麼眞本錢來，這時候，便只好「捨正路而不由」，以「奇」取勝。

當然，這也不能一概而論。例如：馮玉祥就是一個既有「眞本錢」，而又偏愛於「出奇制勝」的怪人。這一方面的證據，在他的自傳中，是多得不勝枚舉的。

當他還在淸軍裏當營長的時候，有一年端午，山東巡撫大宴軍官，也請了他。不過，別的人赴宴的時候，都穿的是最好的「出客衣服」，而他却特意穿了一件粗布大褂。別的客人都是從正門進去，而他却跑到大門對面的「陰壁」下去蹲着。——後來如果不是他等得不耐煩了，和守門的人鬥起來的話，也許再等三天三夜也「赴不了宴」。

後來，有一次他在北京當旅長。別人請吳佩孚和他以及七位別的旅長吃飯，而且叫了許多妓女來助興。他們正吵得很熱鬧的時候，馮玉祥却到外面去找了一個又老又醜的女乞丐來，叫她裂開嗓子來怪聲地求起乞來。——每叫一聲，馮玉祥就給她一塊大洋。一共花了五塊大洋，就把另外的八個旅長鬧得啼笑皆非，萬念俱灰了。

又有一次，他在陝西當了督軍以後，依舊不改其「怪」，而且怪得越發凶了。有一次，他因爲不滿意兩個外國人，沒有得到他的同意，就在終南山打獵。所以，一口咬定，要他們「把打死了的野獸，再弄活過來」。不然「就不准你們出我這道門！」——嚇得兩個外國人魂不附體，無論他提什麼條件，都搶着答應下來。

即使對不可一世的吳佩孚，他也不減其怪。吳做五十大壽的那一天，壽禮中奇珍異寶，堆積如山，金銀古董，浩如烟海。而馮却只提了一壺涼水送去，還說是古訓「君子之交淡如水」的意思，弄得那個素好談「古訓」的吳大帥，簡直哭笑不得。

最「怪」的一次，是「西北軍」打了敗仗，因居在五原的時候，縣長劉必達怕他一天到晚吃鹹菜，吃倒了胃，就找了兩隻肥鴨子，來給總司令打牙祭。誰知馮却勃然大怒，傳令：「每隻鴨子回敬十軍棍」。在那位急於拍馬屁的劉縣長屁股上，打了二十大板。

因此，在分析馮玉祥這個人的心理的時候，既不應當忘記他是一個怪人，也更不應當忘記他是個不拘小節，喜歡驚世駭俗，甚至於有時故意要做些矯情悖理的事情的人。

三、從他自己講的故事裏，來分析他的心理狀態

從馮玉祥的自傳裏，處處可以看見：他如何在「廉潔儉樸」上，拚命地下功夫。

但是，他是一個相信「槍桿子裏出政權」的人，而且幾乎近於「槍桿子就是一切」的信徒。因此，不管甚麼原則、準繩，一到和他的「槍桿子」（也就是他的部隊），在利害上發生衝突的時候，他的心裏就只有「槍桿子」了。即使非偸、搶、騙、殺不可，似乎也絕對在所不惜。

在他這本自傳裏，就可以找到好幾個這一類的例子。例如：在第九十三頁中，他寫道：

「演習過後……官長們舉行宴會……每人贈送一隻磁質紀念杯，一面鐫着「光緒三十一年河間秋操紀念」，一面鐫着一條精巧悅目的小紅龍。……杯子不夠分配，拿不到杯子的人……於是將桌上擺着的刀子叉子也向腰裏掖了去……當時我却不會拿西餐館的傢伙，只看見桌上放有幾罐罐頭沙丁魚，就順手拿了兩筒，放進褲子口袋裏。那知天曉得，那兩筒罐頭都已經開了口的……往褲袋裏一塞，恰巧是倒放着，等到下馬來一瞧，嚇，褲子上滿處都是油汚……」（未完）

中央公教購地建屋 主辦機構未盡職責

國代聯誼會提出研究意見 認爲董文琦難辭瀆職之咎

（本報記者台北航訊）關於行政院政務委員董文琦，主辦中央公教人員購地建屋，未能善盡職責一案，經國民大會聯誼會第二十三屆幹事會第四次會議決議：由國民大會秘書處函行政院查明處理見復。該案係第一屆國民大會代表五十八年年會中所決議，交聯誼會研究辦理的。案經幹事會十個月之研究，並提出研究意見如下：

緣大批興建國民住宅，以解決房荒而利民居，政府已積極推行此一政策，民國五十三、四年間，因輔助軍公教人員貸欵建屋，即會洽貸美國農林部四八零法案剩餘物資，分批輔助軍公教人員興建住宅，成立行政院中央公務人員購置住宅輔助委員會，並派政務委員董文琦負責主持其事，各方均以爲可計日程功，詎逾時四年，迄無績效，不特有虧職守，且難辭憤事瀆職之咎。並舉其事實如後。

一、査美國四八〇法案貸欵，行政院會授權台灣開發公司董事長袁品清，數度前往美國洽辦，且已貸得第一批農產品牛油、菸葉、棉花、大豆等項，約値三百萬美金，由董文琦交中信局變價，於台北市民生東路建公寓房屋，分配各機關員工居住，在出售美方貸來牛油一項，因超出美方規定之售價，發生新台幣一百餘萬元浮收弊端，經美方派員調査中信局、住輔會、肥皂業公會等處有關案卷，認爲確有弊端，旋即表示不再允貸欵，此一可資利用之貸欵因作弊被停，不僅影響公教人員福利，抑且有損我國家信譽，其應由董文琦負其全責，無待詳論。而此一專業機構主持人不盡其應盡之責，且有不正利益數達百萬元鉅欵，顯有瀆職之愆，難容砌詞推諉，應繩之於法。

二、行政院住輔會在董文琦主持時，在台北市民生東路興建公寓住宅四〇八戶，自五十四年開始籌劃興建，遲至五十六年底始行竣工，各住戶入住後，即不斷發現工程缺點，與合約大相逕庭，歷時已兩年有餘，因施工多與規格不合，難以辦理驗收，但各戶之驗收費數十萬元，則早已於訂約時交淸，而由於工程之偸工減料，致各戶所支出之修理費爲數甚巨。該房屋係承購人與台灣開發公司訂約，照約應分別過戶，再向中信局設定抵押，所需過戶費及設定抵押費，亦均於訂約之日交訖，但延至現在猶拖延未辦，各住戶以遭受損害甚鉅，多表不滿。此四〇八戶住宅之用地，原不一律，例如殊街巷道間等，尤有懸殊，應事劃分之工作至今尚未辦竣，復查每戶於房地價欵外，另各攤公共設施費二萬五千元，其所謂公共設施者，至今仍未完成，原擬續行興建之基地，已出售他人，不無圖利之嫌，至於地工等經費，董文琦雖稱收支相符，惟查其所欠台灣開發公司，爲數即達八百餘萬元之鉅，是否勒爲商人，以飽私囊，尤有詳事査明之必要。

三、行政院住輔會於民國五十五年成立後，董文琦再三邀請中央三民意機構代表舉行會議，力促分別勘覓適當建地，由政府墊欵價購，中央三民意機關代表，信以爲眞，四出勘覓，若干建地並均已取得地主願意讓售之承諾書，鴿候其核價付欵，當時從事使用建築，地價平均每坪約三至五百元，以百坪計之，僅需三、五萬元，不料因董文琦出售物資之有舞弊情事，致遭美方拒絕貸欵，四八〇法案即成爲泡影，其所修書國家銀行之貸欵，則屬畫餅充飢，欺人之談。勘定各建地無由購置，致坐失時機，嗣地價飛漲，約定購價每坪三、五百元者，高漲至千元不等，其貽害公教人員者，至爲深重。

四、董文琦主持住輔會時期，曾經購受內湖土地四萬餘坪，明知所索地價高於公告地價，仍符使中央民意代表接洽人員同意由其簽訂買賣契約，且爲高坡地，地價既不相當，用地在內，難作建地之用，而該地中間原有九千餘坪田地，可以使用，由於徇私而棄置不購，浸致浪費公帑，無法處理。又所購新店土地，亦有部份手續不淸，稽延不克使用，董文琦固嘗以精明幹練自稱，但表現並不能令人佩服。

展望世盟運動

張含

除聯合國以外世界性最大的政治組織世界反共聯盟已於九月十五日起至十七日，在日本召開了第四屆大會。綜合各報的報導和該會所發表的聯合聲明全文，此次大會的主要成就有：

一、進一步的擴大了世盟的基礎。本屆會議有六十七個會員單位及二十九個觀察員單位參加。其中包括新申請入會之意大利、加拿大、沙地阿拉伯、丹麥、希臘及反布爾雪維克集團等十餘國家與國際反共組織。世盟執委會原有之執行委員爲九個單位，這次擴大爲十三單位，計有中、韓、日、越、菲、泰、北美、拉丁美洲、歐洲、非洲、中東、世界青年反共聯盟代表及歐洲被奴役國家代表各一人，使此一組織眞正作到名實相符的世界性組織。

二、將戰鬥與羣衆結合。過去自由世界的反共鬥爭，一直在高階層領導人士層面中迴轉，未能將打擊力由局部擴及全面，終此次大會則自始至終由日本青年策劃和主持，加以第二屆世界青年反共會議同時日舉行，配合着會在前與會後的有數萬青年朋友參加的反共羣衆大會，使反共運動密切的與青年結合在一起。

三、確定了領導中心。世盟於三年前九月在台北召開第一屆大會以來，它的成立，鞏固和發展，實際上是由中華民國的谷正綱博士一手策劃和推動的。前年在西貢召開二屆大會時，與會人士感於谷氏對反共的貢獻和崇高的人格，一致推選他爲名譽主席，但當時對於名譽主席的法定地位和職權並無明文規定。此次大會鑒於世盟運動實際爲谷氏所領導，乃於世盟憲章中明文規定，名譽主席有全權督導世盟運動並爲終身職，至此名實相符的谷正綱博士即爲世盟領導中心。此一發展，固爲谷氏個人的偉大成就，亦實爲整個中華民國之光榮。然名高必任重，展望未來世盟運動之發展，實有百尺竿頭，更進一步之必要，爰特就所思一二，陳述於后：

一個運動的發展，必有其深厚的理論根據，方能根深而蒂固，美國之所以立國，有獨立宣言。共黨雖爲一時代之逆流，其賴以興風作浪，實馬克思資本論與共產黨宣言所致。世盟於第一屆大會時提出「世界反共聯盟宣言」和「世界反共聯盟共同綱領」，其內容雖標出反共與追求自由兩大課題，然在實質內容上，頗有不夠充分之處。我們的意見是世盟若要變爲一歷史的動力，就必須集合世界各國自由哲學理論專家，參酌聯合國憲章，人權宣言和針對現實情況，將原有上述兩項文件，加以充實和細密化，使其成爲全人類所追求的理想目標之南針；我們說得更明白一點，我們對世盟的期望是：消極的在打倒共產主義，積極的在成就人類文明終極理想。

爲了達成上述目的，我們建議世盟必須與世界各國第一流大學的學人結合在一起，使世界的學術來領導世界的政治運動。在歷史上從來就沒有一種政治運動不與學術結合在一起會成功的。我們相信身爲前端智識份子的谷正綱博士，必能接受這一意見。

編者按：本文因稿擠，未能按時刊出，而略失時間性，特此向作者讀者致歉。

喬治桑外傳　一九二

凌大夏

「無，你的話也有點道理，不愧是風月場中第一流的鑑賞家。」

二人說說笑笑，已經進入玉淸池。跑堂領班和他們都是很熟的，早已滿臉笑容導引他們入座，自有茶房上來替他們寬衣解帶。

洗完澡，桑裘二人都被裹在好幾條大毛巾裏，有一個捏脚的在替喬治桑捏脚。裘白琰則有人在他足下動小刀子——修脚。

「喂，裘兄，我一客不煩二主，我走後，一切都要麻煩你。」喬治桑歪過頭來一本正經地向裘白琰說。

「自家弟兄，何必多禮，聽老兄吩咐好了。」裘白琰是鬼靈精，門檻很精，但他和喬治桑有緣，和喬治桑談話，爲他辦事，一向是實實在在的。

「我走以後，萬一雅麗絲的媽媽發現眞實的我，要請你代我婉爲解釋，以免傷她母女的心。」

「好，怎樣解釋？」裘白琰問喬治桑，同時又吩咐他足下的工作者說，「不要挖的太深，只要修齊就好了。」

「我的懺悔心情，請你向她表達，假使她發現了秘密。否則，就不必了。」

「你放心好了，我一定將你的心情詳細表達，讓他了解你是一位偉大的情聖。」裘白琰亦莊亦諧，最後一句話有點調侃的意味。

「不要開玩笑了，我假使是情聖，這半輩子在人生舞台上不是扮演悲劇角色，便是喜劇角色，現在演的却是鬧劇，鬧來鬧去，剩下孤家寡人。」喬治桑說完喝了一口龍井茶。

袖珍新聞

王蕙芬油盡燈滅

王蕙芬不是一個新聞人物，由於她換了腎，才變成新聞人物。現在，誠如台北某報所說，王蕙芬的生命有如一盞油燈，十一月四日上午十時，終於熬到了油盡燈滅，因肝機能衰弱，心肺機能失常，撒手塵寰。據王蕙芬的乾媽彭太太說，王蕙芬實在是一個很可憐的女孩，她全身靜脈管都因打針留下痕跡而呈現黑色。她說王蕙芬換腎後，除了排斥作用給她帶來不安外，讓她感覺痛苦的該是視覺的喪失，因王蕙芬會多次告訴她換腎後，視力也許會改善，所以，她一直存着一綫希望，也就在這熱烈希望出現奇蹟下苦苦等待一位死者捐贈腎臟。可是換腎後並未使她移植前留存在眼球內尿毒消去，所以覺得活着很痛苦。

晚近醫學致力於人身器官更換的研究，但手術成功的例子似乎並不多。生老病死是人生必經的歷程，最高明的醫藥亦只能醫可治之病，絕不醫好能不治之疾，否則，地球將無法容納長生不死的人口了。

王蕙芬如果不換腎，可能早已死了，但能少受痛苦。生命在痛苦中延長，多活時日又有何意義？人身究竟與鐘錶機器不同，換零件的治療方法，將來發展固不敢說，照目前各國試驗的情形，似乎並不樂觀。（宇）

易君左虎橋探監

・文匯樓主

名作家易君左（現任台灣銀行監察人）與周佛海友善，當周以漢奸罪關在南京老虎橋監獄時，易君左曾往探監，就易在自己日記裏說：「一天，我隨着楊淑慧到老虎橋。楊淑慧是一位既淑且慧的女子，她和她的丈夫是生死患難的糟糠夫妻。她費了多少心思，打通了多少關了，才通過獄吏，每週可以出入監獄兩三次，送些衣服及牢飯，還得經過嚴厲的檢查。

我被引導進入一處，一派高牆裏面，有一棟小房子，周佛海等便幽禁在那裏。牆中間開了一個小小的圓洞，用粗鐵絲網着。佛海從小鐵窗那邊出現了，穿一件長衫，光着頭，看臉上氣色還好。他一見是我來，也甚驚奇，笑着說：『君左，隔着這鐵窗，我們今天無法握手了。』這次是他從重慶押回來後，我們第一次見面，百感茫茫，而他還幽默如常。我站在窗口和他談了約半小時。在他的談話裏，自然不免發許多牢騷，但痛悔之情與求生之望也隨着流露出來，他祇希望我送些書報給他消遣，因為獄裏太寂寞，報紙雜誌圖書等都不許看，書報則許看。

和佛海談話將完，發現窗內小院裏一個正打着拳的停下了手腳，走來窗口看我，原來是羅君強。羅君強是我往年在長沙嶽雲中學教書時的高材生，和雷嗣尚、胡雲翼、丁玲同班。君強還是那樣神氣十足，比以前還胖些，笑容可掬。他本來也要定死刑的，聽說當時最高法院的判決書說羅君強在任偽安徽省長任內尚能愛民，救了他一死，判以無期徒刑。他見我來了，也趕到窗口和我談了一陣。接着又出現兩個面孔：一是丁默村，一是楊惺華。楊惺華是周佛海的小舅子，他的太太周伏貞也是以前江蘇教育廳的同事，這時也正送囚飯來。丁默村罩着一個布口罩，對我說是傷風，那知在我看見他後的第二天，便被拖出槍決了。周佛海蒙國家特赦改判死刑為無期徒刑，據說是因為他在抗戰勝利時有相當大的功績，將功贖罪。楊惺華判刑則比較輕些，他們都是從重慶用飛機一起押來京的。我和他們談話後便告辭出來，佛海忽然喊我回去，我問：「還有甚麼事情要交帶我？」佛海又笑道：「你回去最好寫一篇文章，題目是『虎牢探奸記』。注意！是漢奸的奸字，不是監獄的監字呀。」我只好苦笑，對佛海說：「你還是這樣開玩笑的。」現在想起來，他實在是一種笑中之淚，就像太陽將西沉時還留點點淡淡的迴光而已。

不久我再同楊淑慧看過周佛海一次，佛海口不能言，病倒在草席上，獄中連木板床也沒有，草席鋪在潮濕的地上，黑黝黝。我看見這情形，心裏覺得很難過，我帶來的幾本新書報，佛海也不能看了，于是只好黯然的出來，這是我最後一次見周佛海。可憐楊淑慧為着丈夫的生命，典賣首飾，求神問卜，四出奔走，磕頭作揖，瘦得不成人形。她曾邀我到一處「圓光」的所在，在一盆清水裏，由術者施法，口中唸唸有詞，經過相當時間，看見水盆裏依約有些影子，像是人影，一會兒又出現兩隻眼睛似的，一會兒又出現一條腸子似的，術者說是病人的眼睛和腸子都有病，很難醫治。說也奇怪，周佛海本是患胃潰瘍。死時瞳孔放大。我因急於要回蘭州，只得和楊淑慧告別，我安慰她，希望她好好侍候丈夫的病。但是等我回到西北不久，就聽到周佛海已病死於獄中的噩耗了。」

今日特將其搬上文匯樓，以饗讀者。

文匯樓別記

諧史拾趣（八）

・周其昌・

主人道：「只堪作公家廁房耳。」坤齋道：「何至於此？」主人道：「不是廁房，為何公入門便放屁？」坤齋默然無以對。

△宋代有某顯者辭官歸田，對其友人說：「我們從林下看宦途，知道為官滋味不過如此而已；但不知死人往地下，比生前快活否？」其友：「一定很好！」顯者道：「閣下何以知道呢？」友曰：「死去的人無一人想回來，豈不很好嗎？」顯者聽了大笑不已。

△秦合王元美先生，有酒癖而無酒量，[illegible]酒」罷，便秦湛若，湛若聞罷背之，問使者道：「只怕丁爺捨錯了，莫不是惠山之泉水乎？」（譏其酒淡也）

△有一進士，軀幹短小，初登第時，同年笑之，曰：「年兄門下長班，每月可減工食五分。」進士道：「與衆同列，為何獨減？」答道：「過門巷時免呼照，上亦損下不少氣力！」

△有一悍婦，頗知書，其夫謀納小星，對其妻道：「齊人有一妻一妾，於傳有據也。」悍妻道：「如此我納一夫。」其夫道：「傳有之乎？」其妻答道：「河南程氏二夫人。」夫大笑，無以說其妻。

△又一悍婦，當諸位爭，夫每提起納妾她則說道：「汝家貧窮，那有錢納妾耶！若你有錢，則聽君命。」夫乃從人貸得銀錢，告其妻道：「一錢有了，我要納妾。」妻將他的錢納入袖中，拜謝道：「我今天情願做小老婆可也。這些錢就買我好了！」其夫傻眼了。

△明羅汝鵬，年未半百，而鬚已全白。一日赴親友家，司閽者驚異問道：「公年尚未半百，為何鬚子全白了？」汝鵬道：「你有所不知，這是昂貴的鬍子呀！」坐客皆為之大笑。

△明人馮司成，鬚曉出而早白。有人問曰：[illegible]

△有一好大言者，與人說道：「我家洗澡盆了，東頭洗澡，西頭游泳。」聽者答道：「昨日早上我見一肩竹者，從門首而過，至太陽下山向未過門外。」大言者問道：「那有如此長的竹，怎麼能夠籠得這樣的洗澡盆；」

△四川有吹大炮者說：「四川有座峨嵋山，伸手可以摩到天。」一湖北人曰：「湖北有座黃鶴樓，有一層還在天裏頭」！

△江蘇人祀左大夫，左梓童君，山東人專祀碧霞元君。一山東官長笑江蘇人道：「你們江蘇人怕老婆，看你們神位，奶奶在左邊，老爹却在右邊。」江蘇人答道：「這還不要緊，瞧你們山東人的神位，祇見奶奶，不見老爹呢！」

△有一官卑職小的老官，召一妓名叫小娘。卑官問妓女道：「你年齡甚大，何以稱小娘？」妓女道：「這也不論老少，既稱老爹，為何官兒又小？」

△一琴師在市中鼓琴，市人以為琵琶月琴之類也，聽衆環堵，久而聞琴聲沖淡，漸漸散去。惟一人不去。琴師道：「斷非知音者乎？」其人答道：「這個琴桌子是我家的！」

△有蒙師識字甚少，其徒請問「犀」字如何寫，蒙師記憶良久，乃漫答道：「一才在口裏，却又忘了！」

（未完）

說曹操

李漁叔

赤壁之戰（十五）

這時惟有向江東說服孫權，連合陣綫共同拒敵的一條路，而負起此一艱鉅的任務，就非諸葛孔明不可了。陳壽三國志在諸葛亮傳裏寫道：「魏武帝南征荊州，劉琮舉州委質（投降），而備失勢眾寡，無立錐之地。亮時年二十七，乃建奇策，身使孫權，求援吳會。權既宿服仰備，又覩亮奇雅，甚敬重之，卽遣兵三萬人以助備。備得用與武帝交戰，大破其軍，乘勝克捷，江南悉平。」陳壽的文辭雅練，敘次簡潔，不愧為良史之才。我們看了上面一段，不過七八十字，只從孫權的氣勢動宕，具尺幅千里之致，是尋常史家所不易及的。孔明渡江說動孫權，第一便是從當前利害，曹軍遠途疲困，並不足怕。第二破曹以後，荊吳勢強，鼎足之形勢而成。後者尤其是孫權愛聽的。孫權本來在柴桑，按兵不動，觀望成敗，而部下的文武將士，對和戰的主張甚不一致。最後孫權下了決心，雖然歸功於孔明的遊說十分得體而有力，而實際在內部還靠周瑜和魯肅兩人。周瑜魯肅是主戰派中最出色的人物，又都是有卓越的見解。周瑜對孫權的說辭，着眼在北方人不習水戰，固屬重要，而最能打動孫權心坎使他能不作最後決定的，還要算魯子敬。按吳志魯肅傳：「權得曹公欲東之問（問就是書信，指曹操給孫權的那封信），與諸將議，皆勸權迎之，而肅獨不言。權起更衣，肅追於宇下，權知其意，執肅手曰：『卿欲何言？』肅對曰：『向察衆人之議，專欲誤將軍，不足與圖大事。今肅可迎操耳，如將軍不可也。何以言之？今肅迎操，操當以肅還付鄉黨，品其名位，猶不失下曹從事，乘犢車，從吏卒，交遊士林，累官故不失州郡也。將軍迎操，欲安所歸？願早定大計，莫用衆人之議也。』權歎息曰：『此諸人持議，甚失孤望，今卿廓開大計，正與孤同，此天以卿賜我也。』」孫權如果迎降，照普通降人一樣，也是要把土地、人民、軍隊全部交出來，任憑對方處理。不但如此，自己的生死，也完全操在對方的掌握。所以魯子敬一開口就說要投降，只有我魯肅才可以。因為投降後，曹操會把我遣送回鄉，我還可以當下級幹部呀！慢慢地也許會升上來作州郡的長官。而你孫將軍向他投降，將要向那裏走呢？以後就不用再說下去了，任何人聽到，也會知那不幸的結果。所以孫權歎息，稱他「廓開大計」，可以說是「如夢方醒」。

魯肅這一席話，使孫權死了那一條投降的心，隨即追召周瑜，也是出於魯肅的計議。講到魯肅周瑜和孫策，都是雄姿英發的人物，而少年時代便已建下了極不尋常的關係，孫策和周瑜是大小二橋的夫婿。周瑜傳：「……從攻皖，拔之。時得橋公兩女，皆國色也。策自納大橋，瑜納小橋。」（未完）

諸葛亮狂想曲（一七一）

劉玄

黃雲大仙表演「百花獻壽」，果然精采，獲得王母娘娘的賞賜。與他有關係的，如關羽、諸葛亮等，都為他歡喜。黃雲大仙的魔術節目，預定有兩套，除了「百花獻壽」，還有「瓊樓玉宇」。

黃雲大仙手中的寶劍，等於是一般魔術師的魔杖。只見他在台上踏罡步斗，用劍向台中央比劃了幾下，轟的一聲，猶如響了一個輕雷，接着升起一股輕烟，輕烟散後，台中央祥雲繚繞，托着一座美奐美輪的小小空中樓閣。樓閣高廚，坐着一位作帝王裝的人物，在樓台下面，左邊有一隊樂工，吹奏樂器，笙簫管笛，節拍優美。另有一隊宮裝美女，隨着樂聲，翩翩起舞，舞姿曼妙，猶如真人一般。歌舞節目，一共上演三項。樂曲和舞蹈，連天庭也很少看見。

黃雲大仙口中唸唸有詞，用劍向樓台一指，立刻一朵彩雲將樓台全部籠罩，彩雲緩緩散盡，台上空蕩蕩地，什麼也沒有。

王母娘娘是蟠桃大會最具有權威的觀衆，只要她認為好，表演卽算成功。在「瓊樓玉宇」表演後，王母又賞玉如意一支。這玉如意拿在手裏，冬暖夏涼，不致感覺飢渴。能得到玉如意的，自是一種殊榮。

何仙姑何等機靈，知道黃雲大仙表演已獲成功，立刻趨前，不等她不用揖手禮，向黃雲大仙打一稽首，說：「黃雲道友，恭喜、恭喜！」

黃雲大仙在天庭混了大半輩子，直到此時總算混出頭了。連連向何仙姑鞠躬，說：「這都是仙姑的提拔，謝謝，謝謝。」

何仙姑與黃雲大仙在台上唧唧喳喳彼此客套一番，台下並未加以注意。大家所感覺興趣的是，黃雲仙以後是什麼節目。

何仙姑有仙家喉嚨，聲如乳鶯出谷不同凡響。「現在我要介紹，鐵拐李道友出場表演。幾千年以來，他葫蘆裏面賣的是什麼藥，不要說各位不清楚，就是我也不知道，今日他要揭開葫蘆了。讓我介紹鐵拐李道長出場。」

[illegible]捧場。

鐵拐李從背上取下葫蘆，揭開葫蘆蓋，用手搗住葫蘆口，向台下說道：「今天是吉日良辰，我不賣藥，變點吃的東西來招待各人，請問各位要吃什麼？」

天庭大小各仙，很多都是不吃煙火食的，對於飲食都不講究，一時竟無人搭腔。

「桃子，杏子，香蕉，枇杷。」

誰一口氣報了四樣水果？大家定神一看，原來是齊天大聖孫悟空。孫悟空最愛吃水果，往常只要參加晚會，他總要向何仙姑討菓子吃，今天何仙姑在台上，至感口饞，[illegible]

巨變歷險記！

佛南之戰的消息來得非常突兀，關於部隊是否繼續前進，抑或退回車里，丁博士李團長以下很費了一番考慮。最後的決定，還是折回車里。十六軍都抵抗不在，我軍上去也還是抵抗不住，於其作無謂之犧牲，何如保存實力之爲愈。何況我軍乃疲憊之師，共軍以逸待勞，我軍又那有獲勝之理？於是決定脫離敵人的掌握，回師車里。

來的時候，一直在上，現在折回，又一直在下。在上的時候，覺得步履艱難，現在有如巨石滾下去的樣子，個個飛奔而下，這夜黑得很，路往往在森林裏，有時候很不容易辨認。特別丁博士近視，他雖然戴着鏡子，還是感到困難。這在敦促之下，他才騎上自衛隊送給他的馬。馬實在好得很，他彷彿有夜眼，池對於辨別路的能力非常強。他的毛病，是只能顧到下邊，顧不到上邊，一不小心有時候樹枝會碰丁博士的頭，有時候把他的眼鏡掛在樹上，奇怪的是，掛在樹上，並掉不下來。

再渡瀾滄江（一七一）

胡慶蓉

丁博士是殿軍。他說：「非敢後也，馬不進也」！人馬到了山下，集中在河邊。二月的天氣，還是那麼冷，特別是騎在馬上的人，手腳不動，更是感到冷。丁博士在馬上簡直凍僵了！直凍得他幾乎喪失了整個的知覺。騎馬反而不如不騎，不騎馬的人，身上都是熱騰騰的。到了河邊，就利用河水煮飯。吃罷了飯，繼續渡河，折回車里。人馬走了一天，又走了大半夜，實在太累了，就在路上停下打一個盹，再起來走，到車里的時候，天已經快亮了。

本打算在車里停下，慢慢的部署，不料張縣長已等在那裏，告訴敵人即將包圍車里的消息，並告訴他們的自衛隊已經離開車里，前往前邊的大猛隆了。在這種情勢之下，自不宜在車里停留，還是從自衛隊撤退大猛隆爲佳，於是丁博士李團長率同部隊離開車里。難過的是部隊一天一夜的奔波得不到一點休息，又要奔波——剛到車里街上，剛準備回到車里原來居住的地點，屋子還沒有再進去又離開，即丁博士本人亦爲之悵然。原來想以車里爲根據地之構想，至少眼前不能不放棄。部隊到了車里，屋子都沒有進，又怨怨的離開了。當時氣壓之低，當時之緊張，可以想像得之。自衛隊撤離了車里，張縣長還留在車里，告訴丁博士這個消息，丁博士非常感激。自衛隊已經看丁博士的這支力量爲弟兄部隊了，丁博士也赤誠的願與自衛隊合作，看自衛隊爲弟兄部隊。

大猛隆在車里縣城的南邊，在雲南的邊境上，瀾滄江繞過車里，出雲南，爲湄公河。要到大猛隆，還是要再渡瀾滄江。這是在一大早，薄霧濛濛，有很深的寒意。幸天助我，在車里前邊的瀾滄江，水忽然變淺，可以拔涉而過。人人脫光，東西頂在頭上。等於洗了一個澡，都平安的過去了。

滇邊吟

讀胡慶蓉女士巨變歷險記有感

張健行

洛鐘西應銅山崩。滇池洱海狂瀾興。將軍棄甲部嘯敵。中流砥柱一奇肱。哀牢山裏困哀牢。淚灑紅河碧血凝。殘山剩水走天邊。生死存亡呼吸間。八軍團長李國輝。久聞博士早蜚聲。扭轉大局再遷徙。英雄士魚得水。不計前途多荆棘。誓將生死兩相隨。牛圈杵米奮丁丁。搗碎軍前博士心。無量山高無量獨。獨往獨來丁博士。八人李團相率西。四月夕照滿山紅似血。深溪淺水凍如冰。傷心忍淚不彈。還巴哈道。裏傷血氣何肩走。江城。冷水邊足寒似鐵。急景殘多過鎮越。刀環馬策一年新。邊塞溪山春蝕媚。南烏江上萬軍青。除舊佈新圖再舉。遂民梅酒慰飄零。橫渡瀾滄車里來。大軍糧彈豈安排。佛海南嶠又聞警。轉進中緬未定界。邊地接寮、泰、緬。居民多是炎黃胤。怒江澎湃下怒山。沙洄薩爾溫。千里出海毛淡棉。部落分撣、吉、蒙。攘夷祖炎帝。漢稱爲郡。帝堯屬爲天氏。楊子南遷吉倫。蒙族聚居薩。始祖遠溯鐵木。黑髮黃膚單音語。豈基豈粒同根生。是呼籲丁博士。八風雨會景棟。千里林行不盡。象牀搖叢叢。霹靂一聲裝開。反共大學設撤。整軍經武從頭。領導軍民擁李彌。緬人來犯大其力。試牛刀不堪擊。自人民百萬軍。東南洲屹然立。怒江如四矚。彎弓盤馬兵剩大陸。碧雞金馬勢。正期北伐追奔。奈何韓戰早收場。邊卻遭魚池殃。孫驕子爲棄兒。八千弟子撤邊疆。遺民淚灑溫江冷。博士孤軍奮鬥強。不撤總部蚌八菁。蝦轉江拉與乃郎。亡秦三戶楚猶在。匡復精神日月長。文韜武略秦良玉。博士夫人胡慶蓉。洗盡鉛筆拋錦繡。冰心玉骨女英雄。一編滇邊游繫史。春秋正義氣如虹。讀罷掩卷雙淚垂。仇者以快親者痛。讀史不堪傷往事。風流雲散憾無窮。但憑道義春常在。紅禍滔天宇內同。爭取自由人似我。風雲際會再相逢。星星一點無名火。燒焦全片法棠紅。

國慶的電視節目

在十月慶典中，雙十節是最重要的紀念日，普天同慶，薄海騰歡。可是，在那一天，中國電視、台灣電視兩大公司所安排的慶祝節目，有令人不忍卒覩之感。

如所週知，在台灣家家戶戶裝設的電視機已超過一百萬架以上，所發生的傳播功用之大，不言可喻。台灣、中國兩家電視公司，「財源茂盛通四海」自係千眞萬確之事。

該兩公司日常放演的娛樂節目中，裝公鷄尾把扭捏作態的跳舞女郎，黃梅調、桃花江、孟姜女哭調一齊出籠的歌仔戲、布袋戲，舊瓶裝舊酒的描寫軍閥時代文明戲，捏着嗓唱女聲的「貓」調，斷不可少。似乎非如此不可以顯出其集合古今中外之大成！

國慶日節目中，有某電視公司幾個基本演員，臨時「鑽鍋」演出「紅娘」，其目的當係表示基本演員的多才多藝。但平劇畢竟不是鬧劇，爲了迎合觀衆的口胃，大量推銷低級趣味，情猶可原，糟塌平劇是否有誣蔑中華文化之嫌？希望兩家電視公司負責人，在賺鈔票之餘，想一想他們在文化方面所負的使命。（宙）

× ×

黛眉小傳

王幻

江采蘋（中）

玄宗看了，連聲贊美，付與楊妃。但是楊妃看過一遍，知道詞意多含譏諷，如「撇下巫山下楚雲」，是笑她從壽邸而來；「錦繡江天半爲君」，則是笑她肥胖。梅妃表面上譽楊妃美艷之姿，絕世無雙，也要回贊一首，她取箋寫道：

美艷何曾減卻春，
梅花雪裏亦清眞。
總教借得春風早，
不與凡花門色新。

這首詩亦寓貶於褒，譏諷梅妃太瘦，而且「不與凡花門色新。」暗刺她已經過時了。女人的心裏容不下一粒芝蔴的。何況又彼此計短，於是兩下的顏色，便有些不和起來。自此，楊妃心懷妬恨，玄宗爲其蠱惑，不得已便把生性柔緩的梅妃遷於上陽東宮。

一日，玄宗閒步梅園，覩物思人，遂想起梅妃，即差高力士到梨園選了一匹駿馬，密召梅妃到翠西閣相會，至日出仍未視朝。爲楊妃所知，乃親自跑去，當面和玄宗搶白了一頓。梅妃當時爲玄宗抱起藏在夾幔間，小黃門見楊妃來勢頗急，恐生餘事，匆忙間步送梅妃回宮。事後，玄宗親自拾起被楊妃擲在地上的梅妃的金釵翠鈿包好，又將夷使所貢珍珠一斛，秘密賜給梅妃，妃不受，並作小詩一首，連同原物，囑使者代呈玄宗。詩云：

柳葉蛾眉久不描，
殘粧和淚濕紅綃。
長門自是無梳洗，
何必珍珠慰寂寥。

玄宗覽詩，悵然不樂，令樂府以新聲度之，賜名一斛珠。楊妃既懷前恨，又知此事，又和玄宗鬧了一場；玄宗一時氣忿，便將楊妃送回娘家，事隔未久，楊妃千方百計，又回到宮中。梅妃從此被屏，雖想和玄宗見面，在楊妃的監視下，也沒有機會了。

梅妃獨居陽宮，十分寂寞，一日偶聞有海南驛使到京，因問宮人：「可是來進梅花的？」宮人回答說是進荔枝與楊貴妃娘娘的。當梅妃得寵之時，因她愛梅，四方爭進異種梅花，不絕於途，今既失寵，沒有再進梅花的了。由於楊妃生於四川，愛吃新鮮荔枝，海南的荔枝勝於蜀種，必欲生致之，乃置驛傳，不憚千里之遙，飛馳以進，可見趨炎附勢，古今皆同。杜牧之有詩云：

長安回望繡成堆，
萬戶千門次第開。
一騎紅塵妃子笑，
無人知道荔枝來。

當下梅妃聞知梅花絕獻，荔枝遠來，不勝傷感。即召高力士來問道：「你日日侍奉皇爺，可知皇爺意中還記得我麼？」力士道：「皇爺非不念娘娘，只因礙着貴妃娘娘而已。」梅妃道：「我固知肥婢妒我，皇上斷不能忘情於我的。我聽說漢代的陳皇后遭貶，以千金聘請司馬相如作長門賦獻於武帝，後來復被寵遇，今日豈無才人像司馬相如，爲我作賦，以邀上意嗎？我亦不惜千金之贈，你試爲我留意！」力士長楊妃勢盛，只推說一時沒有善作賦的人。梅妃嗟歎道：「爲何今人不及古人呢？」

（未完）

新聞網外之言

加拿大的生意經

·宋文釆·

討毛救國時間表的拉長，任何人都能料到，承認毛共的國家將越來越多。因此，加拿大與毛共「建交」，並非意外。

二次戰後，西方國家只有貿易政策，絕無反共意識，都夢想成爲經濟大國。連美國都不敢扮演政治大國的角色，其他更不必談了。整個自由世界，是澈頭澈尾的重商主義，彼此之間，尤其是工業發達的國家，貿易競爭愈趨愈烈，西方國家中，美、英、法在戰時所結成的陣營，就是因爲各爲其本國「利益」打算而弄到今日支離破碎局面的。「人必自侮，然後人侮，」。「國必自伐，然後人伐之。」這兩句話是不錯的。

另一方面說，政治大國這一美國不敢扮演的角色，蘇俄硬是以政治大國自居。毛共不懂甚麼叫做自慚形穢，也儼然作政治大國狀。毛共以貿易作餌，正好迎合一般西方國家的口胃。重商主義與勢利主義是一體的兩面，道義云乎哉。

加拿大與毛共「建交」，我們用不着過於重視。因爲保留聯合國席次並不頂重要，西德就不是會員國。

外交不是語言文字之事，而是一種複雜的政治策略運用。希望我外交當局，能針對當前國際局勢，釐定一套有效而潑辣的政策。不再俯仰由人仰，人鼻息！

第十四章　宋高宗航海避難　韓世忠大敗兀朮

進而將岳飛之像奉供於周將軍廟，宜興縣令錢湛爲之撰文。可見百姓對岳飛之崇敬。

宜興名人張完，與岳飛有故。嘗請岳飛至其家宴會。張完之家，位於宜興之桃溪，建築富麗，富甲一方。岳飛應邀至桃溪，曾賦詩一首贈張完，因見岳飛之志，故不忍棄之，詩云：

無心買酒謁青春，對鏡空歎白髮新；
花下少年應笑我，垂垂羸馬訪高人。

張完改韻答云：

相別相逢不記春，眼前非舊亦非新；
聲求色相皆虛妄，莫認無疑是昔人。

桃花溪在宜興之張渚鎮，離宜新三十里，岳飛數至其地。而張完亦係岳飛舊相識，因在戎馬中相見故人，更有一種懷舊之思。岳飛雖然史稱「熟讀孫吳兵法」，但其詞章却有儒者風格。詞家韻味。

回頭且說高宗，由越州至明州入海，先到定海縣，繼至昌國縣。此時聞金人已破越州，不敢登陸，只好避溫台，後聞捷報，方敢移舟艤岸，暫泊台州境內的章安鎮。過了十餘日，忽聞明州又被攻陷，急命水手啓碇航海，向那浩瀚的烟波渺淼間逃避。

建炎四年正月二十一日，金兵陷了明州之後，又乘勝破了定海、昌國，命水軍追趕御駕，追了三百多里，沒追得及，還是高宗逃的快。時張公裕提領海州，引大船擊金兵，金人不善水戰，恐怕吃虧，乃引還陸地。高宗泊於浙江溫州港口。兀朮引兵還臨安，縱火焚掠，將所有金帛財物掠去，載數百車，取道秀州北歸。留守周望奔入太湖，湯知府東野亦遁。

建炎四年二月，鼎州鍾相作亂，自稱楚王。鍾相武陵人，開始時以左道惑衆，自號「天大聖」，妖言惑衆，大吹法螺說：「神靈通天，能救人疾病。」於是畫符唸咒，爲人治病，語其徒衆道：「法分貴賤貧富，不是善法；我行善法，一律無貴賤之分，一律平等」。其徒衆亦以此欺騙愚民，小民無知，翕然蜂從，獻糧獻帛，只要獻物見過鍾相，名叫「拜父」。如此左道欺民已二十年，因此鍾相積糧甚豐，人多勢衆。湘湖盜起，鍾相與之往合，號爲「忠義民兵」，江北士大夫避難者皆附從入夥。

鍾相所居的山名叫「天子崗」，以示其爲天子，此無非以迷信爲手段，作政治叛亂。（六十五）

自由報

（第一一一四期）

中華民國內政部登記證內版台誌字第〇三一號

（半週刊每星期三、六出版）
每份售價港幣壹角，台灣零售價新台幣弍元
社長李運鵬・督印黃行憲
社址：香港九龍彌敦道593—601號
廖創興銀行大厦八樓五座
LIU CHONG HING BUILDING
7th FLOOR FLAT '5
593—601 NATHAN ROAD,
KOWLOON, H.K.
TEL: K303831
電報掛號：7191

承印：星星印刷公司
地址：嘉咸街廿九號地下
台灣區業務管理中心：台北重慶南路一段一二九號
電話：二四五七四
台灣區直接訂戶，台灣劃撥戶第五〇五六號張萬有（自由報會計室）
台灣分社：台北市西寧南路110號二樓
電話：三三〇三四六、台郵劃撥戶九二五二號

本報專論

從香港政府新訂懲治貪污法說起

·何維藩·

最近香港政府律政司向立法機關提出一種懲治貪污的法案，正在進行「二讀」中，據律政司首長表示，這項法案勢在必行。看情形，經過三讀通過，完成立法程序後即頒佈實施，不成問題，因為這是符合四百萬市民的共同願望，不會有甚末阻力的。

新訂的懲治貪污法，除對於犯罪者加重其刑責外，有兩點特別規定，為過去所未見的。一是公務人員如接受當事人的邀宴，或赴咖啡喝茶者，即構成貪污行為；二則公務人員的私有財產與其仰事俯畜的生活費用相核計，如果超過了每月俸祿所得者，便屬貪污證據，且不許藉「合法賭博」收入的理由以資搪塞。所謂合法賭博收入，係指馬票中獎的意外之財，過去的法令認為馬票金已經納過稅了，得獎者可視為正當的財富，因而一般貪官污吏乃利用這種法律漏洞，每逢大馬票開獎後，即以較獎金額更高的代價，秘密向得獎人收購中獎票據，可將儻來之物變成合法財產。現在新訂的法令，把這種漏洞塞住，足見當局者對於杜防貪污的嚴密程度為何如了！

香港是殖民地，凡屬殖民地的公務人員，傳統上貪污風氣流行，殊不足怪，所謂「熱性」——即台灣的紅包——這句粵語，香港人是口頭禪，毫無忌諱。可是，英倫政府在海外殖民地服務的官吏，如有鉅額金錢匯到國內，却要調查這項金錢是否應得的俸祿積蓄，不然就要究問沒收，但「合法賭博」的收入，可以免議。於今香港政府將英國本土防制貪污的方法，擴而充之，即合法賭博所得亦無例外，這是值得稱道的廉能措施。唯新訂法令對於行賄與受賄者，厥罪維均，這跟咱們中國刑法上的「與受同科」律例相同，似乎尚有商榷餘地。律政司首長認為沒有人行賄，自然就無受賄者，這說法并不健全。官吏如果個個廉正不苟，公事公辦，老百姓又誰願以身試法，濫作苞苴之行呢？祇因官吏利用職權機會，過事挑剔留難，使人民枉受損害，迫得花錢買怕，希望早日「搞掂」——即弄妥之意——實出無奈。所謂「與受同科」，間接不啻是維護貪污行為，而對被迫致送「紅包」的人，發生嚇阻作用，縱然東窗事發，亦不敢承認有行賄的情事。反過來說，人民為着某項事體，自動向官吏致送紅包的，固屬所在多有，若官吏廉潔自持，自可加以拒絕，世界上不屑貪取非分之財的官吏，何地無之，何代無之呢！所以，這項「與受同科」的定律，大有研究必要。至於官吏接受當事人請吃一餐飯，或飲一杯咖啡，即視為貪污行為，似不免矯枉過正。筆者却認為凡是要革除惡劣的風氣，必須矯枉過正，庶幾可望得其正，非如此，即不足以轉換披玩冥頑的人心，言諄聽藐，無從發生刺激作用，奈之何哉？

世人對於官吏貪污之所由來，多歸咎於俸祿菲薄，不足以養廉，這話亦不盡然。香港的中上級公務人員待遇并不算菲薄，市民最沉重的生活負担，就是房租，但公務人員都有住宅配給，間接減少了一大筆的用費支出，普通的生活水準，儘可維持。促使一般官吏滋濟貪污意念的，乃是那紙醉金迷的物質生活享受，如果沒有「不見可欲」「自甘淡泊」的修養工夫，很容易受着物慾的誘惑。香港的情形為尤甚。最近香港房地價騰翔，房租隨之上升，而物價亦相應跟進，原因乃由於政府有兩塊地皮，以奇昂非常的價格售予某國商人。政府一面要新訂法令以懲治貪污，一面又以超過市場價格十百倍的代價出售地產，刺激一般物價的狂漲，無形中即使嚴懲貪污新法令，喪失了若干的適應性。我們希望港府注意及此，對一般物價能作合理的控制，即所以安定一般公務人員的日常生活，而消弭他們的貪污思想。

據台灣的報紙紀載，紅包主義盛行於台灣社會各階層，而行政、司法和教育界人員，常有違紀貪污的消息傳播。政府當局對於懲治貪污的工作亦很積極，顧收效未宏，犯之者層見迭出，其故安在？我們認為防制官吏貪污嚴懲的法令固屬要緊，預防措施，最重要的就是對於一般官吏的私有財產，不可置之度外，存而不論。對於政務官以及公營金融和企業機構的首長們，在受任時應該仿效美國的辦法，要他報告他所有的財產，包括動產與不動產在內，限制他們在國內銀行存款，或在國內購置產業，不許用太太或兒女的名字；尤其不許以外匯存在別國銀行。已在異域存有外匯的，必須據實報告。他個人和其家屬的日常生活費用，可仿照香港新訂的法令，如發現與他的俸入不相侔者，即係貪污證據，依法究處。只須切實做到這一步，政治上的貪污風氣即可消弭一大半。假使本來是一介寒士，作一次政務官如部長之類，或者担任一次公營金融和企業機構的首長後，即富潤屋，財潤身，在國外存着不少的外匯；甚且在地方上主持一次地方選舉，即由寒士子而突變為富家翁，動則投資數十百萬元於商場或私人企業上，很顯明的即係貪污所得，應該依法懲究。這纔是剷除貪污風氣的根本方法，光是頒訂一套懲治貪污條例，而內容又疏漏不周，實際上係官樣文章，既無嚇阻作用，且對大的貪污官員不發生拘束力，具文而已。

司法與教育官吏，過去在大陸時期，是比較有清譽的，現時却適得其反，這能說是待遇菲薄所使然嗎？我們很奇怪，當對日抗戰之秋，中央政府播遷在巴蜀一隅，國步艱難情形，與今日并無二致，而公務人員的生活艱苦，更有甚焉。但政府當年為着整飭政風，曾經以貪污罪槍斃過中樞兵役署長陳沛、西南運輸處長林世良等。可是，政府移到台灣二十年來，官吏貪污案累見不一，却未聞殺過一名貪官，因而素具清譽的司法與教育官吏，亦相率棄其所守，競飲盜泉了！對人民行仁政，對一般奉公守法的廉正公務人員施恩惠，都是應該的，唯對貪官污吏決不能姑息。否則人心永遠不會振奮，政風永遠不會澄清，社會上的乖戾之氣，亦永遠沒法滌除，國家前途也就難以樂觀，寧不可懼乎？（完）

昨與明日

從一位國小教員自殺談到潘振球的責任問題

·千公·

自由中國的教育界，有許多光明面，但也有許多黑暗面。最近台灣教育界發生了一件悲劇性的新聞。台灣彰化一位國民小學教員就職三個月，因為核薪的公文沒有下來，拿不到薪水，竟因而自殺身死。這項責任，究竟誰負呢。

社會人士都很清楚：教育工作者生活都很為清苦，薪資所得都相當低微，就是這點低微的薪資還吝而不與，這是什麼道理呢？竟迫出一條人命，教育行政人員的良心何在？提倡教育宗旨何存？還談什麼尊師重道？主管全省教育行政的潘振球廳長職司何事？號稱經濟發展最為迅速的國家，何以有這樣行政效率如此低微的機關？都是應當追究的。

根據台灣報紙，所載的地方通訊：自殺教員周慶昇這次自殺，已是第二次，可見這件事的時日已久。他自殺後留有遺書，一再提到核薪涉及紅包問題。在周教員自殺後三天，省教育廳纔以教人字八二五三〇號公文核定周慶昇底薪應從三十一級起敘，較宜蘭縣核定降低兩級。周是八月一日到職的，由他到職到他自殺，工作了三個多月沒有領到一文錢，政府公文旅行費時三個多月。慘案發生地的彰化和省教育廳所在地的霧峯之間，有多少距離。公文旅行竟費時三個多月，豈非天下奇談。這種公文貽誤，責任在誰？縣政府之責乎？省教育廳之責乎？潘振球廳也曾作過教員，知教員生活的甘苦，何以容許工作人員如此延誤？周慶昇教員遺書內所述「紅包」問題，諒非空穴來風。台灣地方消息：類似周慶昇情形，在一般公務員中，多到不勝枚舉，可是台灣省政府人事處長却因功升到一公營事業董事長了。

這位國小教員的自殺，其涵義所及，乃是一個教育風氣問題，也是一個政治風氣問題。這位自殺教員可謂目前科員政治下的犧牲者，也是各機關首長會議政治無暇顧及本身職掌的犧牲者。悲劇既然發生，如何避免悲劇重演？如何提高行政效率，整飭政治風氣？台灣省教育廳長應負何種責任？台灣省政府、台灣省議會，以及中央政府的監察院都應過問過問，讓那位自殺身死的教員不致含冤於地下。

自由談

聯合國的醜態

聯合國大會中，設置了一個「第六委員會」，任務是研究討論所謂「侵略」的定義，這真是飽食終日，無所事事的瞎話三千，可哂亦復可鄙也！

早在將近廿年之前，聯大會議對中共政權無故以大軍進攻韓國時，即已判定中共是「侵略者」，傳檄自由國家，一致申討，到今天對「侵略定義」還要研究討論，即係否定了過去決議案的妥當性，自打嘴吧，醜態十足，世間丟人之事，寧有甚於此者乎？

聯合國早已失去存在價值，祇是國際官僚政客們扯淡的場所而已。二三個強權國家，以其他的會員國為芻狗，每年在紐約，藉着一些弱小民族國邦間的問題，裝模作樣，濫逞口舌之爭，播弄是非，徒滋紛擾，侈言和平而戰禍日增，高談自由而共禍日亟；真正的國際大問題，只要涉及幾個強國家的利害關係，即存而不論了。聯合國的實質如此，所謂維護人類和平秩序云云，不是廢話嗎？

最無聊的事就是每年開會時，照例要把中華民國的代表權問題，辯論一場，投票表決一次。我中華民國原係聯合國發起人之一，世界大多數國家依然跟我國建交未替，我國的代表權究有甚末辯論之必要呢？中東的戰亂對世界和平關係甚大，然美俄英各國，對中東以阿敵對雙方，公然左袒右袒，競以新式武器供給交戰國，這又是維護和平的措施嗎？

所以，我政府為着應付聯合國年會，在國際間多費氣力，實在大可不必。祇要自己有辦法，能夠自立自強，揚棄舊有那套因循外交的作風，即令尚未收復大陸，而那些強權國家因為有求於我，也就不敢對我國的代表權瞎說胡鬧了。自己若不爭氣，而希冀強權主義者仗義執言，主持公道，決無幸理。試看幾個強權國家代表在聯合國迭次建議邀請毛共政權加入世界組織，毛共雖嗤之以鼻，而這些強權主義者越對毛共表示「買怕」的態度，立國之道何去何從，思過半矣！

馮己先生

馮玉祥有沒有盜寶

矢原愉安

他拿這些罐頭，是為了要他手下的「槍桿子」們打打牙祭，高興高興。所以，動機是完全不壞的。數量也不多，只有兩礁，價值自然不會太高，頂多値一兩塊錢。

然而，問題就在於：應不應當拿？尤其是在做為一個別人加以尊重的賓客的時候，是不是應當佔這種一兩塊錢的小便宜？——這是一個原則問題。關鍵不在於：拿了多少？拿了些甚麼？為甚麼要拿？而是在於：拿了沒有拿？

如果拿了的話，原則上講來：就是盜竊。盜竊兩個罐頭的人，與盜竊兩千萬的，雖然有小盜與大盜之分，但是，「其為盜，則一也。」如果小東西都會於染指的話，大東西當然更不會輕輕地放過了。

馮玉祥，接着又談過好幾個故事，講他自己怎樣把些他眼中的「不義之財」，沒收了過來。——從理論上來講：這種毫無根據，也未經法庭判決的「沒收」，根本就是「搶」。比鬼鬼祟祟的偷，還要嚴重得多了。

例如，他在湖南駐防的時候：

「日本旗……是城內一家魯東洋行出賣的。……只僱用一個日本浪人做着……子，其實店老板全是中國人……。每面日旗的價錢，有三元的，有五元的，有十元的，有百元的，有多至二千元的。

查着賬目，共計賣日本旗所賺的錢，在六七千元以上，我即……迫令老板交出那款子……把地方上整理一新。」

在河南，他也照樣地「沒收」過一次別人的財產。是不是合法？是不是合理？

他似乎在事前事後都從沒有考慮過。唯一的念頭：只不過是合乎當前的需要與否而已。

據他自己回憶：

「過了幾天，便接到任我為河南督軍的命令。我接篆之後，第一件事是沒收趙倜的家產，全部撥作河南的教育經費……。

後來，我看到吳稚暉先生的一本日記……說：我沒收了趙倜的財產二千萬，定都是發給了官兵。若不然官兵的心裏一定不平，對我不滿云云。」

在這故事裏，有兩點可以使研究馮玉祥的心理和思維邏輯的人，得到很好的啓發：

A、凡是馮玉祥認為屬於不義之財的東西，只要他認為自己有一個很好的用途，而不是拿來「上腰包」，他就很可能會「當仁不讓」地加以沒收。

B、他認為拿別人多少錢，怎樣拿法，其實都無傷大雅。只要能用在公益的事情上，或是「發給了官兵」，就決不會使「官兵心裏不平，對我不滿」。

直到那時，他還只是在沒收中國人的財產。後來，越搞越起勁，就連外僑的東西，也沒收起來了。那時，他正在張家口：

「有一位英國人，在察綏一帶創辦一個合記公司，專門經營牧畜。養的羊最多，約有二十萬隻，都很高大雄壯。

牧羊者全是僱用的中國人……使用中國人的勞力，佔有中國人的土地，吃着中國人的水草，却大賺其中國人的錢……。

我到張家口後……即毅然把他們的羊全部沒收。

此事大出該公司主人的意外，直控到外交部……。

這回所沒收的羊，肉皆給士兵們吃了，皮則全數製為皮衣。」

（未完）

宜蘭議員被扣押案

立委質詢大加指摘

認為首席檢察官濫用職權

司法部長已允予查明辦理

（本報記者台北航訊）現任嘉義地檢處首席檢察官張敬修，在宜蘭地檢處首席檢察官任內，被立委徐漢豪指摘濫用職權，扣押現任宜蘭縣議員賴茂輝一案。經徐立委向司法行政部長王任遠提出質詢，為此間報紙披露後，轟動一時。據王任遠部長對立法院司法委員會全體委員表示：「關於宜蘭縣賴茂輝案，定當查明，秉公辦理。」

張首席羈押現代評論雜誌發行人宜蘭縣議員賴茂輝一案經徐委員揭發公諸社會，已引起監察委員的注意和重視，正密切注意司法行政部如何「處理」。

徐委員質詢指出：

「宜蘭縣議員賴茂輝於去年（五八年）一月間，在宜蘭縣議會七屆二次大會縣政總質詢中，為宜蘭地檢處違章建築車庫，向縣長提出質詢，並在其發行之「現代評論」雜誌上刊布質詢內容，因而引起張首席檢察官之不滿，懷恨在心。適賴茂輝議員因出售英文打字機給羅東工商職業學校，因售價高於市價，被控利用身份圖利與該校校長同判五年徒刑。該案由宜蘭縣調查站於九月四日零時移送宜蘭地檢處，由檢察官黃主文偵訊，當時，宜蘭地檢處首席張敬修命令羈押，黃檢察官以非其輪值，不願於押票簽字收押賴茂輝，張敬修以首席檢察官之尊而以電話命令法警將押票送到「首席官邸」，由張首席親自簽字將賴茂輝送看守所收押。查張敬修首席檢察官既未參加偵訊，案情內容尚未弄清楚，如何能擅自將賴茂輝收押？假如當天零時不收押，張首席便無收押賴茂輝的機會；因為同一日（即九月四日）上午八時以後，宜蘭縣議會召開大會，按照台灣省各縣市議會組織規程第四十一條「縣市議員除現行犯外，在開會期內非經縣市議會之許可，不得逮捕或拘禁。」這是張首席檢察官親自簽字收押賴茂輝的原因之一。同月五日（即翌日）上午十一時宜蘭地院刑庭開庭審理，由刑庭承辦書記官將宜蘭地檢處起訴書交付被告賴茂輝，起訴檢察官為宜蘭地方法院檢察官熊敬軍而非偵訊檢察官黃主文，熊敬軍檢察官對該案既未偵訊，率爾起訴，雖謂檢察一體，但檢察官對於有無罪嫌，均應詳細調查，不應僅憑移送文件辦案。

從上述事件看來，希望王任遠部長通令各檢察處注意下列四點：

（一）檢察官辦案必須親自偵訊，並須詳細調查，確有犯罪嫌疑，始能起訴。

（二）起訴書應由檢察處依法送達被告，不能移送刑庭，由刑庭代為轉達。

（三）地檢處首席對下屬雖有指揮監督之權，但不可濫用。

（四）羈押嫌疑犯應依法律規定。

至於賴議員高價出售打字機一事，將來如何判決，自由法院公平審理，徐委員不欲置喙，但議員做生意，法所不禁，如因高價出售貨品，而認為利用身分圖利以貪污處刑，則立法院某某委員以低價批進裕台公司經銷之液化煤氣三十噸，以高價出售（聞進價為三元餘，而售價為七元），豈不是也變為貪污了嗎？何況宜蘭縣政府及各校向賴茂輝議員購貨者甚多，若因購貨較市價稍高，即為犯罪，則宜蘭縣各機關向賴茂輝議員購貨者，皆犯貪污罪了？無怪購買打字機的羅東工商職業學校校長陳崑也要呼冤了。

宜蘭縣議員賴茂輝是「現代評論」雜誌的發行人，去年一月間，賴議員在縣議會七屆二次大會縣政總質詢之「宜蘭地檢處違建真相」一文，刊登「現代評論」雜誌第二卷第三期，五十八年二月十五日出版。其質詢內容為：

「最近我發現了一項『州官可以殺人放火，百姓不可點燈』的事實。而且這一事實是十分嚴重的問題。與縣議會咫尺相對省公路旁的宜蘭地方法院檢察處，竟然有公然違章建築的情事。縣長（陳進東）先生每日至少往返四次，路經該處，不知是否沒有發現？為什麼主管的警察機關，對此皇皇違建熟視無睹不加取締？是否「此馬來頭大」？不敢予以取締？誠令人百思不得其解！

「宜蘭地檢處是執行國家法律的司法機關，本應奉公守法以身作則，然而竟公然違建，而且這個違章是事前有計劃的違建，因為該違章房屋曾經是合法的建築物，地檢處也知道，如果按照違章後設計圖樣設計，是不會被准許的，而且更無法領到執照，所以繪製圖樣時，依照規定繪製，等到建築執照下來，房子也蓋好了，使用執照也領到了，地檢處才雇工修改。刑法第十三條明文規定：『行為人對於構成犯罪之事實，明知並有意使其發生者，為故意。』宜蘭地檢處如此『明知不可為而為之』的作法，到底是什麼原因？是根據什麼法令？是否地檢處也可以享受美軍駐台人員之『治外法權』？這事的，不但是我們議仁煞費猜疑而一般百姓更覺得莫名其妙。

喬治桑外傳

一九三　張大萬

「哎呀，你本是一個達觀的人，怎麼忽然變成這種消極的論調兒？」裘白瓊的人生觀是以尋快樂為目的，他當然不能贊成頹唐的論調。

「我自己也搞不清楚，我現在才覺得過去的幾十年真是恍如一夢，現在夢醒了，人也老了，陶淵明所謂『覺今是而昨非』一點不錯」喬治桑讀過一點書，有時喜歡掉書袋子。

「這就是你的不是了，」這句話裘白瓊用的是平劇舞台上的說白口吻。「你知道我是沒有讀過什麼書的，你同我咬文嚼字，根本就是對牛彈琴嘛。」裘白瓊倒有點市井英雄的色彩，不像一般欺世盜名的文丐，明明是文抄公之流，還要大言不慚，自誇著作等身。

「老兄你也忒謙了，」喬治桑以牙還牙，用的也是平劇舞台說白。「不是我當面捧你，練達人情皆學問，洞明世故即經綸，以你的才幹，一般占嗶小儒那能及得你。」

「算了，算了，你不必替我戴高帽子，你交我辦的事，一言為定，絕不負老友囑託。」裘白瓊說話乾淨俐落，從來不拖泥帶水，這是他為人處世的一項特色。

「拜託，拜託。」

「喂，桑兄，我要問你，你這次回美國，還打不打算再回來？」

「回台灣？」

「嗯。」

「落葉歸根，人總是感情的動物，何況我已經進入老年，那有不希望回來的。美國的社會風氣壞透了，貪婪、自私、好利，與他們交往實在沒有意思。但我回來做什麼呢？我又沒有七老八十，總不能整天遊蕩，想做點事業，在台灣呆了這多日子，很難發現什麼是適合我的。」

「……」

裘白瓊聽了喬治桑的話，沒有立刻答話，沉吟一會兒，向喬治桑建議道，「我看你可以到大學教書。當教授是很清高的，你又是博士，還怕謀不到。」

「老兄你不了解我的為人，我老實告訴你，我這個博士，在社會上混混是可以的，若是要我去教書，豈不是拿鴨子上架，要我好看。」

「談談別的罷，聽說你在拉斯維加和洋人合開一片夜總會，生意還不壞罷。」

「在美國吃娛樂飯照樣可以發大財，不過我現在總覺得那不是正路，這次回去準備結束。」

「結束以後，生活怎麼辦？」

「大概退下的股全足夠我養老的簡單生活費用。」

扭腳，捎腿有催眠作用，喬治桑發覺裘白瓊竟呼呼入睡，他便不再和他談話，獨自看報消遣。

（未完）

新聞網外之言

教室兇殺案

宇文采

台灣年來曾發生過惡少向青年情侶強索「戀愛稅」的事件，已引起社會莫大話病，但比起最近發生的教室兇殺案，其殘忍、冷酷的程度，又不可同日而語了。

一對青年情侶，男的才十九歲，兩人在某國小教室談情說愛，突然闖入了一個兇神惡煞者作常識問答三小時以後，拔刀將那個十九歲的男孩子殺死。據警方調查，本案可能為情殺。

從偵查刑事案件的觀點，本案是否為情殺或另有其他隱情，自須從速查個水落石出。所應注意的另一嚴重問題是，兇嫌的冷血、殘忍、視人命如兒戲的殺人方法，確實令人難以想像。

蓄意殺人已經法無可恕，將殺人當作遊戲，此種行為比禽獸不如！

由兇嫌對死者所作的常識問答中，可以看出兇嫌是受過相當教育的，反映出來的今日教育問題是何等嚴重。幾年前入學考試一道作文題「假使教室是電影院」引起很多譏議，現在竟有人將教室當刑場，還有什麼話說？

物欲的氾濫，人將變為「兩腳獸」，這是比虎狼更野蠻的「獸」。從前兒童喜歡捕捉昆蟲，玩弄至死，大人看到必加呵斥。此雖小節，足見人性就是帶有殘忍成份的。德育在教育形成偏枯，一味灌輸知識，是不是為了充實殺人前的問答內容呢？值得教育當局深深思考。

依調集

人民「現討」

易俦

毛共最近召開了「人代會」，並修訂了「憲法」。原來的「憲法」共一萬四千多字，改訂後只有四千餘字，倒深符簡化之旨。一萬四千多字修改了一萬多字，可以說是去尾，剩了四千多字的尾數，豈非是「斬頭」？修改後憲法的內容，是將毛澤東高駕到三十三天之上，反過來說，人民被到七十二層地獄之下。更明定林彪為「繼承人」，「繼承人」骨子裏的含義，注定了大陸人民永無翻身之日。

「憲法」的一大特色，是裏面有「走狗」字眼，狗字出現在「憲法」中，實開世界各國立憲的新紀元。已經與毛共建交，或準備與毛共建交的西方國家，在毛共心目中，均屬於「走狗」之列，還要搖尾乞憐，豈不可憫。

張獻忠有「天生萬物以養人，人無一德以報天，」這是他的「屠殺哲學」。毛共的流寇思想，注入了皇皇人民「憲法」，究其實亦不過是「人民現罰」而已！

江青指責周揚復辟

・文匯樓主・

毛澤東的妻子江青，指責周揚阻撓「戲劇革命」，鼓吹「資本主義復辟」，推行「反革命修正主義文藝黑綫」，鼓吹崇洋復古，投降帝國主義，爲大叛徒劉少奇復辟思想開路，用以抵抗「毛澤東文藝思想」。

外貌民主黨派的「光明日報」這次大作文章，拚命的捧江青，該報在一篇批判周揚的文章裏說：「周揚之流，爲了復辟資本主義，瘋狂地和毛澤東的方針相對抗」，大搞「全盤西化」無恥地充當「帝國主義」、「資本主義」、「修正主義」的走狗。據周揚說：「孔家店還有一個很大的倉庫」，因此主張「光復古不行」，「還要搞洋務」，周揚又說：「藝術各部門由於技術傳統的薄弱，我們不能不被迫伸手向西洋學習」。

周揚之在大陸不得勢，因爲他是劉少奇的副手，他之遭「共產同志」痛恨，乃因美國國務院曾邀請他訪問，後來由於出國護照辦不到而未成行，不過周揚始終認爲美國的科學成就與民主精神是値得去觀摹的，他對尼采哲學很有研究，他認爲共產黨員應該從孔子到武訓所宣揚的舊禮教、舊思想、舊文化及中國悠久的文明研究後，再決定應否存廢。有關這一套想法，冒犯了極左傾路綫以江青爲首的反周揚集團，編了一頂「叛徒、特務、文化買辦、帝國主義奴才」的帽子給周揚戴上，說他「長剝削階級的志氣，滅無產階級的威風」，用「修正主義的舊文化，來代替無產階級的新文化」，進行反毛澤東，反革命的勾當。

周揚應邀訪問美國，被視爲叛黨行爲，周揚反問華沙談判纏了若干年了，算甚麼行爲呢？陳伯達說：「周揚搭橋「封建主義」、「資本主義」、「修正主義」」的毒種毒草，非剷掉非挖掉不可。周揚雖處在極不利的地位，但江青還不敢對其驟然下手，因爲與周揚同樣思想的人，散佈在大陸黨政軍各階層中。亦就是我們復國把握重要因素之一。港九僑胞一致希望自由中國能加強對大陸政治作戰，是很有道理的。

諧史拾趣（九）

・周其昌・

△有塾師不工文墨，東家請師爲文，致奠親家公。師無文以應。檢舊本有祭親家母文一首，因錄之以交應。一時弔客皆說「塾師文章做錯了」。塾師聽了罵道：「我的文章沒錯，只怪他家中死錯了人」。過了些日子，東道公又索文，師無文以應，不得已乃騎驢自塾逃歸，東家追之。師計窮，驅驢入道旁寒洞中，驢見孔深不敢入，師用鞭撻之，且罵道：「爾能做作文章，聽在寒外。」

△有貴官官，生一癡子。年七十，有持壽星圖相賀。癡子道：「這老人如許長頭，乃猶不巾耶。」遂執筆在壽星頭上添畫網巾。其父見之大怒，欲重責之，鄰翁道：「公息怒，我今天要找個畫網子的人也不可得也」。

△有一婦人私通和尚，夫頗覺知。一日，夫以他故撻其妻子。和尚適過其門，進爲勸解。其夫連和尚一併打之。和尚訴之於官，官不受理，但署其狀曰：「并州剪子湖州縧，蘇州鞋子雲南刀。」和尚不解此意，問一秀才，秀才道：「打得好，打得好！」

△一儒生，每愛作惡文字，謁先輩，先輩評其文曰：「昔歐陽公作文，自言多從三上得來，子文絕似歐陽第三上得者。」友人見之語道：「某公乃嘲爾也」。儒生道：「比我歐陽，何得爲嘲？」歐陽公三上者：謂枕上、馬上、廁上也。第三上者，指廁上也。」儒生方悟。

▲止風藥

有僧道醫生同船，行至中流遇風，十分危險，舟伕問僧道：「兩位師傅，各禱神祇止風如何？」和尚咒道：「念彼觀音力，風浪盡消息」。道士咒道：「風伯雨師，各安方位，急急如律令」。醫生咒道：「荊芥、薄荷、金銀花、苦楝子。」船夫道：「這是甚麼咒語？」醫生道：「我這幾句咒，都是止風藥呢！」

▲剃眉過年

有一無賴子，有妻室而不能養。値除夕將屆，無以爲計。妻子問過年之資，無賴子道：「太座無憂，山人自有妙計」。適有剃頭者過門，招入爲之剃頭。剃頭必修面，無賴道：「爲我剃去眉毛」。剃頭才剃去一眉，無賴大叫道：「那有剃人眉毛之理？汝須賠我損失，否則扭送官辦。」剃頭者怕入官相見，願以三百錢賠償損失。無賴回家，妻見少了一眉，妻道：「何不全剃去好看？」無賴道：「這一邊眉毛留着過元宵節呢！」

▲虎怕和尚

一強盜與一和尚在路上遇虎，強盜持弓箭禦之，虎不肯退。和尚不得已，將化緣簿擲於虎前，虎駭而退。

老虎之子問曰：「父不畏盜而畏和尚，是何意也？」老虎道：「盜來我與之格門，和尚來化緣，我將甚麼打發他？」

（未完）

說曹操（五十一）

李漁叔

赤壁之戰

「策從容戲瑜曰：『橋公二女雖流離，得吾二人作婿，亦足爲歡。』」還有吳國太生前曾對孫權說過：「公瑾與伯符（孫策的別號。）同年小一月耳，我視之如子也，汝其兄事之。」的話，可見周郎和孫家已不異骨肉肺腑之親。魯肅向來即爲孫權所寵異，當周瑜作居巢長時，嘗將數百人到肅家臨淮求借糧食，肅家有兩囷米，各三千斛，肅指一囷贈瑜。

魯肅傳說：「瑜益知其奇，遂相親結，定僑札之分。」又魯肅傳引吳書，對肅的才質經歷，有出色的描寫：「肅體貌魁奇，少有壯節，好爲奇計。天下將亂，乃學擊劍騎射，招聚少年，給其衣食，往來南山中射獵，陰相部勒，講武習兵。父老咸曰：『魯氏世衰，乃生此狂兒。』後雄傑並起，中州擾亂，肅乃命其屬相隨：……使細弱在前，強壯在後：……追騎至，肅等徐行勒兵持滿，謂之曰：『今天下兵亂，有功勿賞，不追無罰，何爲相逼乎？』又自植盾引弓射之，矢皆洞貫。騎既嘉肅言，且度不能制，乃相率還。肅渡江往見策，策亦雅奇之。」

這種少年英俠的氣概，決不是戲劇裏面所描繪的那一個忠厚老實的魯大夫。至於周瑜，爲東吳人才之冠，他以雅量宏闊知名，亦絕非小說所寫之器局狹小，動輒氣憤胸臆，而又詭計多端的人物。瑜傳稱：「性度恢廓，大率爲得人，惟與程普不睦。」江表傳對此頗有補充：「普頗以年長，數陵侮瑜，瑜折節容下，終不與校。普後自敬服而親重之，乃告人曰：『與周公瑾交，若飲醇醪，不覺自醉。』時人以其謙讓服人如此。」劉先主稱嘆他「器量廣大，文武籌略，萬人之英。」蔣幹也說他「雅量高致，非言辭所間。」這些都可以糾正說部戲文的錯誤。

周公瑾的不幸短命，是在夷陵作戰，矢中右脅，瘡甚而死，年才三十六歲，而魯子敬繼統其衆，殁於建安二十二年，也只得年四十有六。如果周魯兩人壽算較長，對整個的政局看法不同，因此吳蜀的關係也有不同，歷史對三國的事蹟，也許多少會改寫一部分的。

赤壁的戰爭，魏志曹操傳只有寥寥數語如下：

（未完）

袖珍新聞

飲食男女

「魅力」

倫敦「每日素描報」，將紐約市長林賽列爲「世界上最具魅力的男子」第一名。於是，林賽的太太瑪麗立刻有了反應，她告訴記者說：「雖然沒有人問我」但是我可以說，該報的評論正合我的意思。」國際合衆社，將這一消息登出，傳遍了世界。

「魑魅魍魎」，在中國固有詞彙中屬於猙獰醜惡，這些大概都是妖怪之流，足以崇人。「魅力」一詞是由外來語翻譯過來的，化娼爲妍，我國時髦仕女，也就不得什麼妖怪不妖怪，而家以具有「魅力」而沾沾自喜了。

油頭粉面，慘綠少年，在中國人心目中，佔價不高，尤其在政治場中，講求的是儀容端嚴的威儀。所以，張良容貌美好，曾引起太史公的詫異。

就魅力談魅力，歌星影星比一般人佔便宜，美國的電影明星被選爲州長，無疑的主要靠魅力。照目前中國對美國一步一趨的情形看，將來有一天，某一縣市選出一位能歌擅演的縣市長，並不是難以想像之事。眞到那一天，縣市才是徹底「美化」了。

（易）

中國石油公司業務狀況

（台北訊）中國石油公司主要業務爲進口原油，煉製成品，充分供應所需之各型能源，並致力台灣油源與天然氣之探勘開發與利用，及石油化學工業之推進。自民國三十五年成立迄今，經二十四年餘之經營，業務正逐步擴展，近年爲配合國家經濟成長，發展尤爲迅速，目前所屬單位有高雄煉油廠，嘉義溶劑廠，台灣油礦探勘處，台灣營業處，天然氣管綫處，大林埔油港工程處，員工訓練中心等，茲將其主要業務發展趨勢報導如后：

（一）煉製方面：經歷年不斷之更新擴建，先後添建各項煉製設備，目前煉量已達日煉十一萬八千桶，全年煉量約爲五百八十萬公秉，爲配合國家經濟發展，仍在作擴充計劃，預計在民國六十年，全年煉量可超出一千萬公秉，爲配合需量日增，將來中油公司擬在北部增建煉油廠一座，以配合全面發展並節省運費。

（二）在探勘工作方面：經十多年持續努力，現已稍具成就，先後經發現有錦水深層，鐵砧山，青草湖及北部西岸若干油氣儲藏地區，現正開發與探勘並進，目前每天生產天然氣二百五十萬立方公尺，原油二百六十公秉。估計除去已生產之油氣外，台灣目前可證實之天然氣儲藏量爲二百七十億立方公尺，原油二百七十萬公秉，爲拓展油氣源，除陸上探勘外，目前並漸推進至海上油氣之探勘工作，以求更多之資源。

（三）石油化學工業方面：中油公司除繼續在其嘉義溶劑廠產製苯（草頭、以下同）、甲苯、二甲苯外，五十七年復在高廠完成輕油裂解設備，年產乙希（火旁、以下同）一億二千萬磅，並已成立中國石油化學工業開發公司，將在台灣南北興建兩大石油化學工業中心，其南部中心現有之輕油裂解設備所產之乙希，除供應台灣聚合公司產製聚乙希塑膠外，並將供台灣氯乙希公司製造氯乙希單位，以轉供聚氯乙希塑膠工業製造聚氯乙希塑膠，預計五十九年底前開始生產供應。至於北部石油化學中心，目前通霄天然氣油廠已完成開工日可處理天然氣三百萬立方公尺，所產乙希大部轉供台灣乙希公司製造塑膠原料，部份則供轉製乙醇。

（四）營業情形：中油公司所產油品目前百分之八十係供內銷，其餘供外銷，油品內銷主要爲汽油、柴油、燃料油、航空燃油、煤油、天然氣及柏油等，銷量逐年均直綫上升。五十八年銷量已較五十七年增加百分之三十。隨油品內銷量增加，各地儲運供銷設備亦不斷增加，現已有汽車加油站一七七座。漁港加油站十二座以及港口加油航空加油等。

以上爲中油公司最近業務狀況及預計將來發展的概畧情形，此乃政府督導與各方協助下，近年業務正獲長足進展，亦可由此看出我國經濟成長迅速之一斑。

圖左係中國石油公司高雄煉油廠一部份，日產五萬桶原油之第五蒸溜工場。

巨變歷險記！

大猛隆之戰（一七二）

胡慶蓉

共軍在取得佛海南嶠之後，即向車里追擊丁博士率領的這一支部隊。

這原在丁博士意料之中，張縣長的消息更多，從這些襄邊，處處顯示共軍已在加強消滅所有政府在大陸上的力量，對於這最後退出的一支力量，他也毫不放鬆，正相反，鑒於延安的往史，更不讓反對他的力量在車佛南生根。

丁博士的這一支部隊，在佛南之後，就成了共軍的眼中釘，必欲拔之而後快。有些人對於讀書人是看不起的，故有秀才造反三年不成之說，但毛澤東是秀才，他造反，他有相當的收獲，他絕不願再見一個像他那樣的秀才，嚴令雲南消滅他的眼中釘，因而風聲四面八方都非常緊急。

丁博士的這支隊伍，可說得上是疲乏之師了。尤其是缺乏槍械子彈之補充，故所以陣地戰與消耗戰都與丁博士部隊不利。於是丁博士不得放棄與共軍陣地戰，以免他的力量被消耗。於是聽從張縣長的勸告，迅即離開車里，迅即渡江。幸在車里前邊的這一段水特別的淺，人勉強可以渡過。但水雖淺，流還是非常的急。人站在裏邊，很難站得穩，故必須幾個人一羣，互相牽引，互相扶持，才能渡過。渡的時候，在剛剛天亮的時候，在天還很冷的時候，下到水裏，全身下到水裏，冷得人「哆」，冷得人「打手把骨」，不少不勝其冷而倒在水裏的。

過河把隊伍整理好又繼續前往。這是一個非常明媚的早晨，前邊就是一個趕墟也就是一個趕集的地方，擺夷們，擺夷婆，擺夷小姐，擺夷小孩，熙往攘來，煞是好看。我說過擺夷的婦女是非常美的，尤其是擺夷的小姐。第一是她們的身材，不高不低，非常適中，尤其難得的是她們的胖瘦適中，很難見到太胖的，也難見到太瘦的，個個肉如凝脂。個個明目皓齒。臉面不點胭脂自來紅。奶部臀部也都非常發達。赤着腳，穿着長長的裙子，緊纏在身上，上身僅戴奶罩，有些穿着短衣，走起路來，飄飄欲仙，令人神往。部隊走了一天一夜的路，又剛剛渡河過來，精神不振，纏纏繞着，特別又飢又渴，那有閒情去欣賞擺夷的美！市場上有各色各樣的東西，尤其吃食的東西最引部隊注意。因爲要趕路，還是不准停留，繼續前進。

上午九十點鐘，才停下來造飯吃飯。這是一個很大的農村，儲糧豐當，老百姓也非常友善。這一頓飯吃得非常好也非常飽。個個像餓狼一般，都在儘量的吃。吃了飯還是繼續的走，走！晚宿在另一個大的村莊。明早要越過一個山，進入大猛隆。戰事就在這個山的這一邊突然發生。這很顯然是共產的部隊，在追趕我們的部隊。

閒話詩評（三）

·匡謬·

評唐代詩人

李太白的詩，清虛縹緲，如「飛天眞仙」，了無行蹤；下八洞仙人，欲追逐其後塵，已不可得，何況後人！

李太白對於七言律詩，他自突破束縛，不肯從事，這並不是他才不若杜甫。而杜甫的詩，古骨古色，如萬金彝鼎，偶遇買手，遇識者自然善價而沽之，若百寶之色，千人之聚，不必開口問價，誰能償得杜老？至老杜七言律詩，昔人評曰：「宏肆」，然細讀之，細思之，沒有一句一字、不是當時眞情實景，在盛唐之中，實可謂眞號獨步。

孟（浩）然之詩，遺思命語，都在眼前；然而有影無色，有色無像，如海中蜃市樓臺中人物，是眞非眞，是幻非幻。若要做詩，且須放下此老，莫與他爭衡。

王摩詰詩，和平澹泊，發于自然，全未經雕琢的意思；猶如春園中的花鳥，羽聲韻，色澤香味，都是天機。縱有天邊好手，描寫出來，便如隔了一層，不相彷彿。

李長吉的賦才奇絕，構思刻苦，觀其用字用句，眞嘔出來心肝。

盧玉川的詩才任性，任筆任意。兼有太白之逸，併李長吉之怪。詩家如李長吉，不可有二，如盧玉川亦不可有二。若王昌齡、元劉、劉隨州、柳柳州、錢郎諸君子，詩都做得穩當，各自成家，所以不朽。

至於李義山之刻畫，杜樊川之匠心，賈浪仙的幽思，都嬋精神，窮極精巧。比之諸人，更爲刮目。

白香山的詩，不求其工，只是好做。然香山有香山之工，前不照古人之樣，後不見來者之議，意到筆隨，景到意隨。世間一切都着併色括入我詩內。詩的境界，到了香山，不知開擴展了多少領域，較之秦皇、漢武的開邊拓境，有異曲同功之力，名其爲「廣大教主」，不爲過也。

杜少陵　州之後，詩突兀宏肆，迥異昔作，非有意換格。蜀中山水，自此挺特奇崛。少陵能象境傳神，令人讀之，山川歷落，居然如在眼前，所謂春蠶結繭，隨物賦形，乃可謂「眞詩人」，「眞手筆」也。

李青蓮（太白）是快活的生命，樂觀之人。當他得意時，斗酒百篇，沒有一語一字不是高華氣象。至流徙夜郎之後，作詩甚少，當是山興趣蕭索。

杜少陵是一個固窮之士，平生很少得意之時，中間兵戈亂離，飢寒老病，都是實際經歷；而他經痛苦，都流露在他詩中。故讀少陵的詩，即可當他的年譜看，亦可以說是「自傳詩」。

少陵的諸葛五言絕云：「江流石不轉，遺恨失吞吳」。不過杜老此詩，乃是一般常人之見。其實武侯並無吞吳之心，亦無吞吳之舉，且平生對於魏、吳，只拒魏伐魏而和吳。武侯於草廬中對策有「……孫權據江東三世，國險民富，可與爲援，而不可圖。」其後劉備報雲長之仇，伐挫敗，這是諸葛公最可遺恨之處，恨的甚麼？恨其不當鬬吳也。然而當時武侯沒有一語諫阻伐吳者，是知劉備君臣兄弟義重，冒甘心一敗，而不能不報怨耳。讀史的人，未必不知蘇長公，乃託夢於杜少陵夢中相告，豈不是英雄欺人嗎？

杜子美作詩，有意傳世，觀他的詩有所謂「平生性癖躭佳句，語不驚人死不休」。至於蘇子瞻亦云：「生前富貴，死後文章」。此二公有意爲文傳世者矣。然而世間之人，生前當貴，生後能以文傳諸後世者恰恰相反；生前苦難者，反留得「立言」之不朽。噫！上帝眞正最公平乎？

×　×　×　×

（未完）

黛眉小傳

王幻

江采蘋（下）

力士道：「娘娘大才，遠勝漢后，何不自作一賦以獻皇上？」於是，梅妃即自作「樓東賦」一篇，以抒幽怨。其畧云：

玉鑑塵生，鳳奩香殄。懶蟬鬢之巧梳，閑縷衣之輕練。苦寂寞於蕙宮，但注思乎蘭殿；信標梅之盡落，隔長門而不見。況乃花心颺恨，柳眼弄愁。暖風習習，春鳥啾啾。樓上黃昏兮，聽鳳吹而回首；碧雲日暮兮，對素而凝眸。溫泉不到，憶拾翠之舊事；閑庭深閉，嗟青鳥之信修。緬太液清波，水光蕩浮；笙歌賞宴，陪從宸遊。奏舞鸞之妙曲，乘畫鷁之仙舟。君情繾綣，深敘綢繆。誓山海而常在，似日月而靡休。何期嫉色庸庸，妒心冲冲，奪我之愛幸，斥我乎幽宮。思舊歡而不得，相夢著乎朦朧。度花朝與月夕，懶獨對乎春風。欲相如之奏賦，奈世才之不工，屬愁吟之未竟，已响動乎疏鐘。空長嘆而掩袂，步躊躇乎樓東。

賦成奏上，玄宗見了，沉吟嗟賞，想起往日的舊情，不禁爲之憮然。楊妃聞知此事，氣忿的對玄宗道：「梅精江采蘋賤婢子，輒敢宣言怨望，宜即賜死。」玄宗默然不答，楊妃則聒噪不休，玄宗道：「她無聊作賦，全無悖慢語，何可加誅？爲朕的只當之不論罷了！」試看玄宗的青年時代，先後蕩平韋后和太平公主之亂，是何等的英武有爲？及至晚年，優柔寡斷，受制於婦人之手，委實令人扼腕！

天寶之後，玄宗深居宮中，日事聲色，以爲天下承平無事，一切朝政，俱委之李林甫，楊國忠，權臣奸相，朋黨爲奸，遂使藩鎮勢力坐大，致種下一奸相作惡，乃致外亂，大言欺君，以寇爲玩。」的惡果。迨至安祿山反，漁陽的鼙鼓，驚破霓裳羽衣的迷夢；玄宗借楊妃倉皇西奔，軍次馬嵬坡，六軍徘徊不進，請誅國首以謝天下，玄宗乃賜楊國忠自盡，但軍心猶未愜，非誅楊妃不可！玄宗於無可奈何中，忍痛亦賜玉環自盡，但不忍見其死，反袂掩面，使牽之而去。此即長恨歌所說：「六軍不發可奈何，蛾眉婉轉馬前死」，也够悲慘的了。

等到亂平東歸，玄宗還都禪位，經過一番盛大的國典，奉居西宮南內，這位七五高齡的上皇，閒着無事，不是思楊，便是想梅。一日上皇聽到白髮伶工李暮，在宮牆月下吹出那闋「一斛珠」：「長門竟日無梳洗，何必珍珠慰寂寥」已泣不成聲。便含淚向高力士道：「聽說祿山兵陷長安，梅娘娘死得很慘，你知道嗎？」力士只好說：「奴婢不知。」他爲了要解上皇的愁煩，便請畫工着意畫了一幅梅妃肖像，上皇看了，愈加傷感，即在畫上題了一首七絕云：

憶昔嬌妃在紫宸，
鉛華不御得天眞。
霜綃猶似當時態，
爭奈嬌波不顧人。

隨命中官一體訪查梅妃的下落，如得消息，授官三秩，賜錢百萬。夜夢梅妃來謝道：「妾昔蒙皇上恩寵，死於亂軍之中，幸未辱身。骨殖現在太液池東旁第三株梅花樹下。」上皇驟然驚醒，驚出一身冷汗。當命高力士等一同檢尋屍骨，果在梅亭下面，得到遺骸，不知當時何人替她殮埋，裹以錦，盛以馬槽，附土三尺，脇下顯然尚有刀痕。上皇忍不住大慟，命以妃禮易葬，並親製誄文哀奠。（完）

語慧

絕妙的歇業通告

·吉·

有一家辦館，因爲欠債被清盤封閉了，老板仍住在店內，他在門口貼了一張如下的通告：

本店暫時休息，以前所經營的各項業務，請顧客改向下開各處接洽：問路者請向街邊警察接洽，找換零錢者請向銀行接洽，討一杯水解渴者請向附近公園泉邊自便，點紙烟的「免費火柴或是便條請向旅館候客室索取，休息室改設在府上，免費雜誌畫報供應可向任何醫生候診室接洽，餘可類推，恕不一一」。

第十四章　宋高宗航海避難　韓世忠大敗兀朮

以劍江山爲目的，與宋末之賣國賊性質手段措相同。金人南侵，鍾相遂於其地築壘設壕，以捍賊爲名，作叛亂之實。孔彥舟寇至澧州，鍾相遂以拒孔彥舟爲名，聚衆起兵，因此荊南人民紛紛附從，遂正式自封楚王，改元「天戰」，立妻尹氏爲皇后，子鍾昂爲太子。行移稱「聖旨」，授官用黃牒。一方爲之震動，官軍皆莫奈何。鼎州闕守成，湖南提點刑獄，將王彥成，單世卿，按撫向順流東下，僅以身免。鍾相遂將官府、城市、寺觀，洗劫豪右之家，凡官吏儒生道巫卜醫之流，皆爲其徒衆所殺。自此鼎州、武陵、桃源、辰陽、沅江、澧州、安鄉、石門、慈利；荊南之枝江、松滋、公安、石首等地；潭州之益陽、寧鄉、湘陰、沅江；陝州之宜都、岳州之華容，辰州之沅陵，凡十九縣，皆成爲賊區，橫越了兩湖之地，其勢不爲不大。

後來鍾相爲孔彥舟所擒，用檻車送行在正法伏誅。但其黨羽楊太（太那楊么，楚人稱幼爲么，因當時在徒衆中年最少，故人稱楊么，公牘中多稱楊太）復聚其餘黨，佔據鼎州、擴充實力，窃據洞庭湖，仍然稱孤道寡，官軍亦無力剿滅，只有待岳飛後來剿滅之，此乃後話。

建炎四年四月，金兵再犯常州，岳飛屯宜興。聞金兵又犯常州，提兵於途中擊之，連勝四陣。金人以爲南朝之兵不堪一擊，不料每次碰到岳飛的軍隊就吃虧，一役金人溺死河中者不可勝計，生擒女眞萬戶少主孛堇漢兒李渭等十一人；又追擊敗於鎮江之東，連戰皆捷。

金兵退去，岳飛仍屯軍廣德，岳飛在廣德、宜興、常州、鎮江一帶，威名正盛，其紀律嚴明，秋毫不犯。金人每戰必敗，賊兵聞風遠遁，地方安堵。因此岳飛深獲百姓愛戴崇敬，深得人民悉請岳飛臨視。一日，岳飛遊廣德金沙寺，遊罷，寺僧請岳飛題詞紀念。勒之於石。文云：

「余駐大兵宜興，沿幹王事過此。陪僚，調金山，徑觀暫憩。遂擴鐵騎千餘，復三關，長驅而往。然供立奇功，殄醜虜，復三關，迎二聖，使宋朝再振，中國安強，得勒金石，不勝快哉！」建炎四年，河朔岳飛題。

遊廣德金沙寺返屯，復奉朝廷詔命，命岳飛收復建康。（六十六）

自由報

（第一一一五期）

（半週刊每星期三、六出版）
每份港幣壹角・台灣零售價新台幣弍元
社長李遼鵬・督印黃行賽
社址：香港九龍彌敦道593—601號
廖創興銀行大廈八樓五座
LIU CHONG HING BUILDING
7th FLOOR FLAT '5
593—601 NATHAN ROAD,
KOWLOON, H.K.
TEL：K303831
電報掛號：7191

承印：景星印刷公司
地址：嘉咸街廿九號地下
台灣區業務管理中心：台北重慶南路一段一二九號
電話：二四五七四
第五〇五六號張萬有（自由報會計室）
台灣分社：台北市西寧南路110號二樓
電話：二三〇三四六、台郵劃撥戶九二五二號

本報專論

關於台灣農業機械化問題

・丁作韶・

關於台灣農業機械化問題，年來甚囂塵上，並且有呼之欲出的情景。再從很多方面看，似乎已不是什麼問題，而是已經付諸實施了。再從文字上看，甚至可以說部份已經完成。姑不問台灣的農業機械化已到了什麼程，但農業機械化在台灣還是一個很有價值的實際問題。

在主張台灣農業機械化的方面，自然有他們一套的說法，總括起來，最主要的，恐怕是救濟勞力的缺乏。勞力缺乏在農村，誠然是今天普遍的現象嚴重的問題，農業機械化能救濟這個普遍的現象嚴重的問題嗎？猛一看來，應該是可以的。

因爲機械可以節省勞力減少勞力。但在今天的台灣，農業上的勞力需要再減少嗎？我以爲不但不需要再減，已減少的並且需要拉回農業方面來，縱再拉不回來，但今後亦不應再減少。今後應儘量的把人口保留在鄉村。

自從中國國民黨全會在陽明山中山堂召開以來，報紙上的大消息，政府上的大政策大措施似乎是全國（實際上也就是台灣）性的就業輔導。就業輔導是一方面，就業輔導的另一方面也就是失業問題。如沒有失業問題，那里來的就業輔導？沒有失業問題，何需職業輔導？就業輔導越喊得響，就越證明失業問題嚴重。但現在才不過台灣失業問題的開端，台灣失業問題的嚴重還在後邊。誰也看得明白都市的人口日在膨脹，以台北來論，光復之初，人口不過廿萬而已，現在已經脹到一百二十萬了，甚至說一百四十萬的，台南市也快到五十萬，高雄市快到八十萬，其他任何城鎮的人口也都在迅速的膨脹中。誰也看得明白義務教育延長爲九年以後，城市的失業羣將更爲增加。國中的學生，第一屆的快畢業了，他們畢業了以後，當然一部份升學，一部份就業。但就業的有多少？升學的有多少？揣測不一。但就業的爲數當不在少。一次就是二卅萬。以後年年有畢業的，年年就有二三十萬。再加私立的專科學校每年畢業的幾萬，再加上大專每年畢業的萬把兩萬，試問政府輔導到那裏？有那裏可以輔導？如何的輔導？輔導不是一句話？輔導要有機構，輔導要有工業，輔導要有商業，試問台灣的機構能容納若干？工業能容納若干？商業能容納若干？恐怕是有限得很！命輔導若干就業，那失業的大羣如何能輔導得了！

我以爲走工商的路子去輔導就業，是走不通的。特別在台灣。我很欣賞經濟部長孫運璿於本（十）月一日在中華民國第廿四屆商人節慶祝會上說的一句話。他說「台灣的自然環境及資源條件並不優厚」。這是老實的一句話，也是很可憐的一句話。但這句話却很少聽見人說，尤其政府的袞袞諸公。政府的很多計劃，總令人感覺到沒有顧到「台灣的自然環境及資源條件」，殊不知台灣的自然環境及資源條件不但「並不優厚」，實在薄得很！實在薄得可憐。資源條件薄，發展工業就大大的受了限制，工業乃商業之母，沒有工業，更那兒來的商業！誠然如孫部長所言：「七十年代的國際貿易，必須要有強大的組織，再加上密切的團結，才能在國際市場上競爭」。豈止七十年代的國際貿易是如此，六十年，五十年代，四十年代……又何嘗不如此。但這如何可以望諸我們台灣的商業！這國際貿易的強大組織繫於國內的強大工業，國內沒有強大的工業，如何能希望國際貿易有強大的組織！

我說這些話，是希望政府把注意力轉到農業這上面來。特別站在民生主義的立場，爲實現三民主義。就台灣而論台灣，比較工商來說，農業不失爲優厚的自然環境，不失爲優厚的資源條件。台灣，過彰化向南，眞是沃野，雖不能千里，也有幾百里。基隆到彰化雖說不上沃野，可耕之地也不少。其他台東方面，深澳而下，宜蘭到花蓮再到坊寮也並非不毛之地。五分之四的山還是可以「上」的——四面的海也還是可以「下」的。不論如何，這是台灣的自然環境與資源條件。我們應顧到這自然的環境這條件的資源，在這上面下工夫，在這上面想辦法。很欽佩孫部長說：「在五十年代，在六十年代裏，我們致力發展農業」。在六十年代，在七十年代……我仍希望孫部長希望政府「致力發展農業」。如何發展法？未見道及。難道農業機械化是其中之一法嗎？我覺得現在不是太急需，實行農業機械化，人力可以節省，勞力可以減少，這些節省的勞力那裏去呢？當然又湧向城市，城市的失業不更嚴重嗎？爲今之計，人口應儘量的停留在鄉村。多停留在鄉村一個，台灣的失業者就少一個，多停在鄉村一個就給政府解決了一個失業的問題。推而至十個……千個……萬個……十萬……百萬千萬……就可替政府解決十個千個萬個十萬百萬千萬……的問題？鄉村可以容納的人伸縮性是非常大的。一個人在城市可能失業，在鄉間就未必失業。何況人的問題最重要的是吃飯問題，其他都次要，甚至不必要。國以民爲本，民以食爲天，國民生計，莫要於民食的解決，爲保護民食，應不惜犧牲其他一切。

我並不反對發展工商，我更不反對平衡發展，但所謂平衡，應作爲同樣重視看，要在自己的自然環境與資源條件之下，要在自己的自然環境與資源條件之內，不可以不顧一切的謀求一個工商的外表，博取繁榮進步的美名。

機械化，農業機械化，在台灣不但無此必要，普遍推行起來也有困難。此在於我們的耕田都屬於私人，一少塊一少塊的，非常的零星破碎，實不適宜於機械化。若強迫大家把界限取銷，組成大的集體農場，是不是與便民之旨不合？大家是不歡迎的，若強迫他們接受，會不會激起什麼……？不強迫不能實施，何如不實施之爲愈？農業機械化本來是集場農場的產物，沒有辦好集體農場，就高唱農業機械化，是不是距離事實太遠？

還有我們沒有鋼鐵，我們沒有農業機械的生產，即有，恐怕也爲數很少，若實行農業機械化，大量購買外國的耕耘機等等，豈不又增加入超？豈不又增加出入口的不平衡？

還有，今天台灣的農村情形非常不好。大家爭着向城裏擠，農村勞力缺乏，不過其中之一。還有，就是人工貴，稅重，捐重，每年辛辛苦苦，最後得到的有限。這樣農人所不暇之際，再叫他們買機器，是不是強人所難？

田種得好，中國人是馳名於世界的。尤其台灣，田種得好更聞名於世。雖沒有多書本的根據，但經驗寶貴的。中國人種田有幾千年的經驗。試坐火車或公共汽車沿彰化南行，兩旁耕田的情形，令人感到十分滿意。中國人勤苦，也有很大的關係。中國人種田的方法，不比用機器强嗎？

中國的大道理是因地制宜，因時制宜，因人制宜，因人制宜，台灣農業的機械化，任從那一方面看，現在都不適用。台灣此地此人的大問題在農村缺少勞力，社會失業增加，農業機械化，不但解決了失業的問題，反而將失業的問題嚴重起來。如何將農村的人口。擋住不再到城市裏來或減少城市裏來，如何將城市的人趕回到鄉下來，實爲當前切切要之圖。農業機械化不但將農村的人口趕到城市裏來，城市的失業問題將更形嚴重。農業機械化自以不付諸實施爲宜。

昨日與今日

費希特的呼喚

在一個半世紀前，德國的愛國哲學家費希特，痛心疾首的發表其偉大不朽的「告德意志國民書」，乃使德國人聞風而起，振奮自強，我們雖不能說德國的興起全盛即由此而起，但其受此呼喚，重大影響，則是世人公認的事實。

粉飾太平

今天自由中國的處境，較之當年德國的情形，尤爲艱鉅，總統一再告訴我們「毋忘在莒」，要大家臥薪嘗胆，在政府初遷台灣的那幾年，確乎是篳路藍縷，發揮克難精神，但近些年隨着經濟情形的改善，大家竟爾志氣消磨，失去了原有的奮鬥精神，於是不復有新亭之泣，而全作求田問舍是謀！社會上物慾橫流，聲色糜漫，已經可悲，更痛心是政府許多大員竟亦推波助瀾，唯務粉飾太平的工作。即以祝壽大典而言，給元首祝壽，是天經地義的事，問題是在用什麼方式祝。猶憶我們給　總統祝壽是始自抗戰前祝賀五十大壽。那時全國上下紛紛籌欵購買飛機，以充實抗戰的實力，即朝野熱力自動推行的獻機祝壽，前些年我們也是高喊以革命成果祝壽，但是現在我們所看到的却是爭着作晚會表演，電視節目。我們不曉得這種膚淺的方式，除了粉飾太平以外，還有什麼意義。

局勢嚴重

大家從事這些粉飾太平的工作時有沒有想到我們的外交人員正在沉痛的應付加拿大、意大利的倒行逆施，正在全力死拼，保衛我們聯合國的席次。這是多麼沉痛而殷憂的局勢，豈是宴安歌樂的時期，尤其最近日本人竟公然把我們插在釣魚島上的國旗除下拿去，其性質之嚴重簡直可說是第二個「九一八」！然而我們不僅軟弱到未能採取應有的對策，甚至連對這消息都諱莫如深，銷聲匿跡，不予報導，這實在太可悲哀了，難道眞就「更無一個是男兒」嗎！

・成公

自由談

改革政風之聲，年來洋溢於台灣朝野間，甚盛事也。然所謂政風的涵義殊廣泛，欲期發生實際效用，必須從重點着手，乃克有濟。

目前亟待改革的政風，當以滌除貪污爲首務，這便是重點所在。貪污舞弊之方甚多，不遑枚舉，而以公家的營造事宜最容易上下其手，營私作弊，不露痕迹，此一般公共機構之所以大興土木，美奐美侖踵事增華也。回憶對日抗戰時期，中央政府遷移重慶閱八年，所有政府機構以及公營企業單位，皆係因陋就簡，借用民間固有的建築物作公廨，縱有添置屋宇之必要，亦復節儉簡樸，但求聊蔽風雨而已。今也不然，凡屬公家的大小機關，競事「兔裘」之計，越是有錢的單位，越就廣廈連雲，自己使用不了的，即出租給商人，收取昂貴租金，構成官商不分的混濁風氣，這種政風如不切加改革，則建設廉潔政治云云，永遠是宣傳口號，沒有實績可覩。

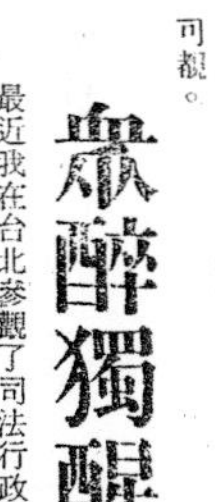

衆醉獨醒

最近我在台北參觀了司法行政部調查局新建的局址，崇樓大廈，內部設備完善，外表整潔堂皇。據說共耗去建築費用台幣四千萬元，却不曾動用國庫半文錢，而係出售舊有的辦公樓宇和地皮，自給自足。關於建築工程和購置材料的經費等項，經審計機關派員議價後，一概交由承包工程的「榮民工程處」負責處理，調查局絕不經手分文的銀錢。這樣纔是眞正改革惡劣政風的事實表現，誠不知經常大言不慚，宣稱「遵照總統訓示，積極革新政務」的貪官污吏們，對此作何感想？是相形見絀而內疚神明呢，抑笑罵由人，我行我素？

調查局這種廉正自持、而不[illegible]的作風，在此人慾橫流，相率以貪污爲從政之本的政治社會中，允屬難能可貴。政府應傳令嘉獎，以資激勸；輿論界亦須表示讚揚，用彰公道；使涇渭攸分，薰蕕有別；必如是，乃可望轉移一時風氣，培養公職人員知恥尚義的精神，而革新庶政之說，方不致徒託空言也！

馮五先生

馮玉祥有沒有盜寶

矢原愉安

從這故事裏，可以很明顯地看出：這個外國人除掉「使用中國人的勢力，佔有中國人的土地，吃着中國人的水草，却大賺其中國人的錢」之外，似乎幷無其它劣跡。

馮玉祥大概是因爲看見他有「二十萬隻羊，都很高大雄壯」，可以替自己的部隊解決「吃」和「穿」的問題，所以就不顧國家法律和國際公法，莫明其妙地加以沒收了。

這件事，就更有力地證明：馮玉祥是一個只求目的，不擇手段的人。一切法律上和道德上的顧慮，在和他的「槍桿子」的切身利益發生衝突的時候，就根本不値得他一顧了。

直到這裏，他還只是停留在「搶」的階段。但是，過了不久，就連「路刼」也幹起來了。而且是非常「水滸式」的。那就是說：刼的不是別人的東西，而是國家的資財！據他自己說：

「我們幾個月餉不到餉……。

有一天，有人告訴我一個消息，說那天晚間經過信陽的火車中，有鐵路收入的三十萬元，解繳北京。

我想。好了。中央既然不管我們，我們難道眼睜睜們的餓死？反正是國家的錢，與其給他們吃的腦滿腸肥，何不截些下來爲我們官兵壞餓扁的肚子？

因於當日打一電報給中央，我說：國家軍隊自當嚴守紀律，但中央已不把我們當國家軍隊看待，我們將盡爲餓孚，無法撐腹，等死矣云云。甚麼難聽的話我都說了。

大總統沒有回電，但路欵畢竟截下十萬。」

這裏可以最明顯地看出來：馮玉祥在做一件不正當行爲的時候，有他一整套邏輯。

如果他認爲自己的「槍桿子」，非需錢來維持不可的時候，在別人眼中甚麼大逆不道，不正當的行爲，他都做得出來。

但是，他也明知自己的行爲有問題，所以，就用事先打電報的做法，來推卸自己在良心上和道義上的責任。似乎只要他「有言在先」，一切後果的責任，就完全要由受害的對方來自負了。

馮是個一向以國家觀念來標榜自己的軍隊，儼然以「愛國、不擾民」的「岳家軍」，來比擬他自己手下的「槍桿子」。可是，天下哪裏找得出一個刼奪過國家資財的「岳家軍」呢？

一提到「不擾民」，問題似乎又來了。馮的軍隊在每次出發以前，都要像祈禱一樣地唱一支歌，來感謝「老百姓給我們飯吃」。這原是一件値得稱頌的行爲。」──然而，事實上，一到了老百姓和他的「槍桿子」這二者之間，只能選擇一個的時候，滿腦子「老百姓利益」的馮玉祥，就忽然把老百姓忘了。最好的兩個例子，都是他自己在「我的生活」裏，講出來的。

第一個，發生在陝西：

「劉鎭華和他的鎭嵩軍，不但自己販運，而且包庇烟商走私。他同洛吳勾結，烟土出口，……拒不納稅。

那時，我在潼關設卡，派劉郁芬駐守收稅。一次，劉有十萬兩烟土運過此地，……令其照章上稅，亦拒絕。

劉以電話問我處置辦法？我告訴他說：「你先好好的說，若眞不行，就武力對付。四師一旅的人，不能不吃飯。你只管執行規章！」

直鬧到了動武，方才納了兩萬元的稅。」

（未完）

府會之爭迄未擺平
議會攻勢又受小挫
高市長像銅頭鐵背豆腐楼
議員們從未向弱點下過刀

（本報通信員柳一權台北消息）記者前曾分析大同電風扇吹不垮高玉樹，所指乃林挺生議長仁厚作風非高玉樹對手，張建邦副議長雖可補林議長之不足，但與高玉樹較量了幾次角力後，客觀上認張亦非高玉樹對手。

比如這次台北議會對高玉樹的幾招都撲了空，第一指出高成城逃避兵役，高成城之所謂逃避兵役，乃因體格檢查被列爲丙等，丙等是可以緩召的且經國防部核定有案，議會對這一點用了九牛二虎之力向高攻擊，高玉樹祇輕輕一撥，等於將對方跌了一個元寶翻身。

第二、議員指責高黃翠雲坐車撞壞了人逸去，有陽明山管理局公文書爲證，這一招少林掌中的「鶴爪印沙」猛固然猛，未料高玉樹以武當派「穿花鎖喉」輕輕的擋過，因爲闖禍的不是高黃翠雲，而是高黃翠雲的司機，司機闖禍與主人沒有關係，一如顧客坐計程車，計程車司機壓倒人後，顧客可以袖手而去的道理如出一轍。高玉樹施出「穿花鎖喉」，發問的議員當然沒有方法再說甚麼。

第三：市議員周陳阿春對市府秘書高玉順的質詢，據說周議員爲一件私事向高玉順有請託在先，周陳阿春質詢即是一點不錯，也會給人有「假公報私」的印象。

因之我們將市議會這些重要質詢歸納研究，認爲林挺生過份仁厚，這句話的意思直率一點，即是未打到高玉樹的要害。

高玉樹政治段數雖高，民間有一句俗話「老虎的狠處，是銅頭鐵背。老虎的弱點是豆腐腰」市議員們在歷次的質詢中，都是專打銅頭鐵背，從未向豆腐腰上下過刀，這也是牽多由殷商出身的市議員們作風與議域使然。有人說張建邦可以補林挺生的不足呀！這話要分兩頭說起，大家祇看到張建邦摧毀和奪得母舅居浩然的事業，（詳見傳記文學、文化旗雜誌）確不知道母舅居浩然是一位典型的大少爺。我們常看到花房裏的花，雖然美麗，但失去暖氣，就會萎縮，稍爲加熱，又會凋謝。記者替張建邦說句公道話，淡江學院是檢來的，而非奪來的，萬一要指責張建邦，那祇是「拾得不還」而已，非有何掠奪行爲。

典獄司出缺　周震歐將昇

（本報通信員柳一權台北消息）司法部典獄司司長聞將出缺，鹿死誰手雖尚未敢斷定，就目前活動宴客情形來說，以台北典獄長周震歐呼聲最高，因他得到同鄉牛委員的支持，一說是馬委員，可能係牛之誤。據說牛與王部長有深厚私誼，俗話「朝中有人好做官，廚房無人莫向裏攢。」聞周震歐新職於最短期間「保證」可以發表。

立委力促政府　採取主動外交
加國承認中共應加檢討

（本報台北消息）行政院院長嚴家淦說：「加拿大承認共匪，我們應有沉痛的態度，並加以深切反省。今天我們『生於憂患』，今後當抱定排除萬難之精神，以求生存。」這是嚴院長在立法院報告參加聯合國二十五週年紀念大會及訪問華府經過後答覆立委武誓彭等質詢時說的。

武誓彭委員說：加拿大承認共匪後，我們外交部所發表的聲明，是着重於大使下旗歸國，做得如何漂亮！其實此爲一項外交上的失敗，有何漂亮之可言？以致報章交加批評，此點實在値得吾人檢討。武委員以爲我國與加拿大斷絕邦交後，第一件應該強調的事，就是：政府對於旅加數千僑胞與學生如何安排的問題，今竟未加提及。美、加相距甚近，嚴院長此次訪美，會否見到旅加僑胞及學生？政府對他們有無妥善的安排？

魏惜言委員質詢謂：我們的外交是否應更積極及主動些？例如，最近香港各界爲爭取中文成爲法定語文運動，十分積極進行。而我們在台灣則是不問不聞，報紙也少登載。這是我們表現力量的時候，何以政府不提出主張支持他們？何以外交當局不作表示？再如這次加拿大政府承認中共，何以外交當局似乎毫無責任表示不？這較之最近韓國因一個列車翻車，結果教育部長及交通部長引咎辭職來比，我們的主管負責人員是否欠缺負責任的表示？

嚴院長對魏委員質詢未作答覆，至於旅加僑胞與學生，政府已透過各方面，加以適當之安排。現在中、加兩國已斷交，我國外交護照已不能在加通行，但以其他身份，仍可進入加國。

嚴院長告訴全體立法委員他在聯大發表演說的內容及要點是：期望加強聯合國功能，維護世界和平，實現憲章。我國於聯合國創立時，曾全力支持憲章中有關維護世界和平與安全的規定，但特別提出應包括國際正義的原則。所以聯合國憲章包括了正義、自由與和平三大理想。這是人類在第二次世界大戰中艱苦奮鬥付出重大代價的收穫。目前國際姑息主義的逆流助紂爲虐，造成強權壓倒正義的情況，顯已損壞了憲章的精神，動搖了聯合國的基礎。當前世界的侵略者，在虛譌的掩飾之下，驅使當地份子從事破壞，謀殺及武裝叛亂，或派遣所謂「志願軍」，實行暴力輸出，從事顚覆行動，此爲世界一切紛擾、混亂、乃至戰爭的根本原因。聯合國在維護世界正義與和平的實際行動，僅在韓戰有崇高的表現，但韓國仍未能統一，此外，聯合國在這一方面的措施，雖不能忽視，但局限於當事者同意之下，才能實行，基礎至爲脆弱，前途亦頗渺茫。若干國家高唱會籍普遍原則，企圖容許共匪入會的錯誤。因爲聯合國不是邪正不分，是非莫辨的國際組織，決不能與它自己所判決的侵略罪犯共處一堂。如果讓共匪入會，等於否定憲章精神，傾覆聯合國組織。引用毛匪狂言以及共匪及共匪黨章的原文，證明共匪以世界上最大多數的國家當侵略對象，實爲世界和平與安全的最大威脅。中華民國的基本國策爲　總統今年國慶文告中所揭櫫的：「國父領導國民革命，『在造成國家之自由』，『在求世界之和平』，其根本目的，就是要內求民生均富，民權平等的建設，外求人類自由，世界和平的福祉。」

喬治桑外傳

一九四　張大夏

喬治桑看了一會報，心理暗想：飛機票已經訂在後天，任何人都不知道。要不要告訴裘白瓊呢？對雅麗絲怎樣說法？他獨自盤算了一會，決定除雅麗絲外，不讓任何人知道。

喬治桑由美國來台時，曾經託人在報上登載消息，並希望能有多人到機場歡迎，現在心情與前大不相同，大概也算是絢爛之極歸於平淡吧。

裘白瓊一覺醒來，已將近下午六時。

「想不到，我倒眞睡着了。」裘白瓊由跑堂手裏接過了熱毛巾，抹臉。

「澡堂裏最容易睡着，藉此恢復疲勞，與身體有益。」喬治桑大談養生之道。

「到什麼地方去？」裘白瓊問喬治桑。

「先找個地方吃點東西，吃飽了再說。」喬治桑不等裘白瓊表示意見，接着說：「等一會我們就到『一四七』點心店吃小籠包子、麵點，你看好不好？」

「一四七」是台北一家老店，小籠包子最有名。

「好」，裘白瓊表示同意。

台北傳奇錄

（八四）

陳光棣

「金先生！你是不是病啦！」步成材上下端詳着金恆貴。

「啊？」金恆貴呆呆的。

「你是不是不舒服」？

「我？我……什麼？」金恆貴驚魂甫定。

「我看你有點不對勁！我先攙着你到老邱的飯舖裏歇歇腿好不好」？

金恆貴聽到老邱兩個字，不由的又緊張起來：「不要！不要！我只是有點兒頭昏，等一下就會好！等一下就好」！

「你還能走嗎？我送你回家好不好」？

步成材扶着金恆貴。

「好好，謝謝！」金恆貴一想步成材腦筋簡單，也許可以利用一下：「步先生，麻煩你，我在老邱那裏存了一個小包包，請你替我找老板娘拿回來」。

步成材知道金恆貴和大金紅攪七撚三，現在又託他去拿東西，可眞有點不情願，當面又不好意思拒絕，只好捏着鼻子去找老邱。

步成材沒有看到大金紅，只好喊「老邱」！

「是誰呀？」老邱正在廚房發麵。

「我！金先生說有個包包存在你這裏，讓我替他來拿一下」。

「那個金先生」？

老邱兩隻手粘着麵粉。

「我們弄堂裏的金恆貴」！

「什麼？那小子，還沒有死啊！」

步成材一聽話鋒不對，馬上愣住了。

老邱餘怒未息：「你是不知道，那小子眞不是人！」

步成材伸長了頸子聽着。

「你說他有個包包，也許呀！你自己找吧」！老邱急着蒸饅頭：「不在外面，就在俺睡覺的房間」！說完了又回到廚房。

步成材也不知道是什麼樣的包包，也不知道放在什麼地方，只好又跑出來問金恆貴，問明白了才又走到老邱的臥房去找，一看，靠墻堆着幾袋麵粉，上面果然放着一個長長的報紙包，步成材拿了包包出來交給金恆貴，兩人一路走回弄堂，各回各家。

金恆貴進家門，就看到蔡百順坐在地板上。金恆貴一皺眉：「你怎麼有椅子不坐，坐在地板上，你爸爸看到又要罵你」！

「他竟罵我，他也不想？他作的什麼事情！這叫上樑不正下樑歪」！蔡百順點上一支香烟。

「你怎麼這樣說話，你爸爸是規規矩矩的出口商人，有什麼不好」？金恆貴心裏有點發毛。

「你們作的什麼生意，可是瞞不過我！」

「我們」？金恆貴好像挨了一悶棍。

（未完）

諧史拾趣（十）

・周其昌・

▲銀匠

凡爲銀匠者，無不竊銀，世人皆知。有富翁拜佛求嗣，竟獲一子，甚矜重之。乃持八字問命者算之。算命者門：奴僕宮、妻子宮、壽命宮都好，只是賊星坐命。

富翁道：「這個容易，送他去學銀匠。」

▲嘲道士

有一姦僧，私通尼姑，生有一子，怕人知之，乃投子於罐中。

和尚指其子道：「你爹在寺裏，娘在庵裏，汝今在罐（觀）裏。」此嘲道士也。

世人有譏庸醫殺人故事甚多，今日庸醫「一針斃命」、「藥到命除」者，不乏新聞可觀。茲略記二則。

▲有兄弟二人，友愛甚篤，其兄患病，爲庸醫所誤致死。庸醫往弔之，其弟哭之甚哀道：「不知何時乃得見我家兄耶！」庸醫道：「這個不難，昨日的藥方安在，只要煎服二次，便可相見矣。」

▲一庸醫被閻君相召治病。庸醫問使者道：「爲何閻君專召在下往治呢？」使者道：「臨行之時，閻君分咐：醫家門前寃鬼少的，即召醫也。今見君門首尚無寃鬼，故乃召耳！」庸醫道：「不然，我昨天方開張耳。」

▲又一庸醫，因治一肥漢致死，家人責之道：「我且饒汝不告狀，但須爲我負責埋葬。」庸醫貧窮，率其妻二子，共抬棺材至中途，力不能抬，乃吟詩一首道：

夫曰：自祖相傳歷世醫，
妻曰：丈夫爲累連累妻。
長子曰：怎奈尸肥抬不動，
次子曰：今後只選瘦人醫。

▲明人王千戶，講一對父子考生謔事云：某父子補生員，以必須考試，及臨歲考，猶豫不敢赴試。兒子道：「不如詐稱大人病死，子可免考。」父道：「豈不是好？」於是召道士寫靈牌云：「明故先考……」其子則驚道：「若父親大人『先考』，我怎可免考哉」！

在座一書生遂杜撰一謔道：有某總兵，起家行伍，不識文字，只認得一個王字。一日點閱千戶文冊，第一名姓王，喚王千戶，第二名姓王，喚王千戶。第三名姓王，乃喚「上匣床的王千戶」，曰：「砍頭的王千戶」。雖不識字，其敏捷亦可笑。

▲有一人性慳者，舉，可謂一而不足。姑擧一二，以爲笑談。

有一人性慳，生平不請一客。偶使家人借鄰人椅子，鄰人譏其奴道：「你家借椅子，當然爲請客用了？」奴道：「我家請客，須待再世。」主人聞之大怒罵奴道：「你許他世，還要你做東道（請客）。我却不曾明第二世也。」

▲又一慳者不養僮僕，只留一丐在家，主人取蕉葉二片，繞以草繩，以蔽下體。有人問道：「你家養僮僕否？」慳者道：「我家有僮，自覺飲食，我只管他穿着，蓋即以蕉葉爲其穿着也。」

（未完）

語慧

化爲烏有

新婚妻子捧了一碟蘇打餅乾給她丈夫作午餐，一面向他道歉說：「我本來準備好一頓豐富午餐的。可是，當我燒牛排燒焦後，又失手將牛排跌在樓梯上面，發出一陣支支（二字口旁）聲，我祇好連忙將番茄湯澆上去，像救火一樣的將它救熄了。」

日本富翁的姘婦熱

・文滙樓主・

中國有「飽暖思淫慾」的說法，這句話毋庸加註解大家都明白其中含意。歐美人也有一句「用浪漫可以療饑餓，當吃飽時又去尋求浪漫」的俗語，比起「飽暖思淫慾」講得更切實。

戰後的日本，由於聚精會神發展經濟的結果，全國新富大增，增得可以用鞭子趕，與剛打完仗時，在山姆叔駐扎期間，很多姆女用浪漫獲家糊口，不可同日而語，今天整個社會幾陷於人慾橫流境界，本港一家銷數相當大的雜誌，以「日本人的姘頭狂熱」爲題報導說：

「女姘頭」——凡是富有的日本人所不可不無的。

三個商界大亨在東京機場向家人告別，忽忙上機，急趕在座位而待的濃髮美人。這三對就是姘頭，他們要到夏威夷歡度假期。日本人結姘頭是爲了虛榮與享受，不但無影響個人事業與家庭，同時還可抬高身家，獲得經濟上信用。

在二百六十名大亨中有百分之五十八是蓄有姘頭的，這只是保守的估計。

筆者在高爾夫球場與一位大亨談話，他說大亨中無一人不養姘婦，由供給姘婦力量可測度此大亨的財力，而獲得信用。甚至政治上亦有關係，近日社會民主黨首領參加競選，記者們問他：「如閣下蓄了五個姘頭，在政治上是否不甚名譽？」他率直的回答：「你們錯了，我共有七個姘婦，讓我反問你們，如我落選，是否要我讓她們流落街頭去捱饑餓。」結果他獲選，而重入官場。

幾世紀末，姘婦在日本是公開的，有的帶回家中，有如納妾，不但與大婦同居，并享有承繼遺產權。至一八八二年妾待地位在家庭中更爲固定與合俗。到了今日社會經日趨繁榮，三百萬個掘金女郎，便是大亨們找尋姘婦的源泉。大亨們養這批女子的代價，因人而定，從每月六十英鎊起，至處女藝妓四千英鎊止。藝妓招待私家宴會的，最高月薪是英鎊二百五十，可是此數尚入不敷出，如付化妝品，舞蹈儀態學費，一件衣服價格從英鎊六十至一百二十止，所以如無人包月，不可能過豪華生活。

日本神戶的特級「愛的小館」，專供姘頭們幽會，特點是有旋轉吊床，離床數尺上蓋明鏡，巧技窮工妝飾室內一切充分表達愛的氣氛，專爲姘侶而設。

做大婦的對此等姘侶們，是採取視若無睹的態度的，這樣方能保持大婦在家的尊嚴。

尚有一種「散餐情侶」，既無薪給需求，而界於大婦與姘婦之間，日本人稱之爲「零位」女人。」特錄爲文滙樓別記之一。

文滙樓副記

政治垃圾現形記（三九）

李一樂

第十三回　知識是罪惡，撞騙招搖稱拿手。金錢如生命，譏評笑罵不容心。

茅日恆者，江南人氏，家道小康，於民國七八年間，以舊制初中畢生投考北京某大學，幸獲取錄，嗣後又以「勤工儉學」名義，赴法國留學，可算是才堪造就的智識份子，親友們對他都另眼看待，認爲將來必有出息。

他在法國曾因夥同一些窮學生大鬧中國使館，被公使陳籙押解回國，流落北京時，適有同鄉人包世傑以出入蘇俄駐華大使加拉罕門下的關係，由西北邊防督辦馮玉祥保擧爲察綏外交專員——亦稱「交涉員」。這時中國國民黨採取容共政策，國民黨勢力在北京發展迅速，包世傑以國民黨左派姿態出現，茅日恆亦由包氏介紹加入國民黨，言行與包氏一致。馮玉祥於民十四年倒戈幽囚曹錕，擁立段祺瑞執政後，爲直系吳佩孚和奉系張作霖所忌嫉，處境孤危，乃通過蘇俄大使加拉罕，向莫斯科秘密結交，將西北軍移駐張家口，稱制「西北邊防督辦」，佔有察綏地盤，馮氏併兼任甘肅軍務督辦，竭力整軍經武，以備他日問鼎中原，馮的武器彈藥，皆由蘇俄供應，另且補助軍費。俄方的軍援物資，從西比利亞鐵路運至蒙邊「烏金斯克」後，交與馮方接收。此地係鐵路終點，過來便是中國地界。馮氏爲着接運蘇俄這項軍援物資，要求北庭在烏金斯克設置領事館，而由外交專員包世傑保薦茅日恆爲領事。實則該地係俄屬一個小鎮，根本就沒有華僑在那兒經商，茅領事的唯一職責，即係接運俄國的武器彈藥到綏遠，包頭，別無所事。

迨民國十五年秋間，西北軍根據地張家口被直奉聯軍攻下，馮軍掃數退赴包頭五原一帶，馳往甘肅。是時馮玉祥尚在莫斯科未歸，局勢很混亂，晉軍乘機攻佔綏遠包頭，對馮軍亦不窮追。茅領事見大勢已去，乃將存儲在烏金斯克未運走的軍械彈藥，私下以廉價售給晉軍，懷持價欵，化裝潛至北京，然後南行至廣州，自稱爲西北軍代表，大事活動。時徐謙在粵担任國府委員，是眞正的西北軍代表，指茅氏招搖撞騙，教他趕快離粵，否則究處。茅氏夤夜走香港，北上至滬作寓公。未幾，國民政府移至武漢，依然聯俄容共，徐謙聲勢煊赫，茅日恆不敢到武漢去，而由其故主包世傑赴漢活動。但馮玉祥對茅領事盜賣軍用物資，捲欵潛逃這回事，認定包世傑是同謀人，徐謙早有所聞，亦就對包氏疏遠了。

民十六年春，南京國府實行清共，入秋寧漢政府合流，譚延闓名爲南京國府主席，並不問事，而由常委李烈鈞主持一切政務，李與馮玉祥交誼甚深，馮派其參謀處長熊斌爲駐京辦事處主任，隨時向李氏接洽。茅日恆靜極思動，又以西北軍代表身份，來南京晉謁李常委，李知其曾在西北軍服務，姑予延洽。此時國府各部重新組織，人選尚待決定，茅氏乃私刻馮玉祥圖章，盜用「西北軍駐京辦事處」信紙信封，以馮的名義函達李常委，推擧茅爲交通部長，措詞堅決，表示非用不可的意思。李接信後，即派人傳語茅氏，說本人意存忠厚，不擬將原信送給總司令，亦不願電告馮，希望茅君自愛，勿以隨便亂來而遭到奇禍。茅碰着一鼻子的灰，狼狽赴滬隱居，再也不敢利用西北軍名義，作騙取官職的勾當了。但心裏熱中功名，始終不懈，不久，他藉着留法的關係，又到南京向當年在法國主持勤工儉學的國民黨要人某攀關係，某要人亦與馮玉祥有深交，早知茅氏的一切詐騙行爲，避之若浼，茅乃揚言脫離國民黨，別尋出路。

既而「七•七事變」發作，國府倡言全國團結抗日，承認青年黨合法地位，茅在上海找人介紹要加入青年黨，然青年黨方面懷疑他是別有作用的跨黨分子，不敢接納，使他大爲失望。旋以戰禍日亟，國府播遷巴蜀，茅氏在上海不能安居，亦避難遠走西南，適張君勱在重慶組織「民社黨」，張氏曾在北大教過書，茅氏即以師生關係，要求加入民社黨，張氏對於黨員是來不拒的，當然允許茅的要求，初時對茅頗加器重，倚爲親信幹部，知無不言。嗣後發覺茅氏好招搖的個性，在外面每以民社黨要員自居，信口侈言黨內不便公開的事情，對茅乃深致不滿，黨內的任何問題，皆不願給茅氏聞知，甚至接見的時候亦少了。有時茅氏向黨魁老師探詢政治消息，張即答以「你的個性是藏不住一點秘密事情的，不必多問。總而言之，本黨在政治上如有甚末發展，我會給你安排，少問爲是。」久之，所有民社黨人都對茅氏戒嚴，不敢跟他接近，以免受其拖累。

（未完）

說曹操（二十五）

李漁叔

赤壁之戰

「公至赤壁，與備戰不利，於是大疫，吏士多死者，乃引軍退。備遂有荊州江南諸郡。」

還有曹公於戰後，寫了一封信給孫權，說是：

「赤壁之役，値有疾病，孤燒船自退，橫使周瑜，虛獲此名。」

前者是有意爲曹公諱，後者則是曹公自己顧全面子的話，都不可靠，而全部的經過，則見於周瑜傳中。

「權遣瑜及程普等，與備併力逆曹公，遇於赤壁。時曹公軍衆，已有疾病，初一交戰，公軍敗退，引次江北。瑜等在南岸，瑜部將黃蓋曰：『今寇衆我寡，難與持久，然觀操軍方連船艦首尾相接，可燒而走也。』」

從這裏看，火攻的計劃，是黃蓋決定的，他的實施辦法如下：

「乃取蒙衝鬥艦數十艘，實以薪草膏油，灌其中，裹以帷幕，上建牙旗，先書報曹公欺以欲降。」

「先書報曹公」的那封信，稿已見前，曹公雖然將信將疑，但沒有料到投降的戰船中，盡是那些薪草膏油引火之物，所以並無防備：

「又豫備走可（舟旁），各繫大船後，因引次俱前，曹公軍吏士，皆延頸觀望，指言蓋降，蓋放諸船，同時發火，時風盛猛，悉延燒岸上營落，頃之，烟炎漲天，人馬燒溺死者甚衆，軍遂敗，退保南郡。」（三國志吳志周瑜傳）

此外，江表傳寫得也很出色：

「至戰日，蓋先取輕利艦十舫，載燥荻枯柴積其中，灌以魚膏，赤幔覆之，建旌旗龍幡於艦上。時東風急，因以十艦最著前，中江舉帆。蓋舉火白諸校，使衆兵齊聲大叫曰：『降』！操軍人皆出營立觀，去北軍二里餘，同時發火，火烈風猛，往船如箭，飛埃絕爛，燒盡北船，延及岸邊營柴。瑜等率輕銳軍繼其後，雷鼓大進，北軍大壞，曹公退走。」（未完）

巨變歷險記

大猛隆之戰（二）

一七三　胡慶蓉

大猛隆之戰，來的並不意外，倒退到車里的時候，丁博士就經聽到張縣長給他談過了。據張縣長得到的消息，共黨已佈下天羅地網，大陸之上決不容反共力量的存在，臥榻之側也決不容他人鼾睡。共方兵力的配備，張縣長有詳細的調查，我部隊剛越過瀾滄江，共方追擊的部隊，就已經尾隨趕到車里。我軍過瀾滄江並未大停，卽匆匆就道，除中間進飯吃飯後，餘時都在走。……走走……。已經走了一天，又走了一夜，實在夠累的。……四十八個鐘點，大家都沒得休息，今天再接着走，實在勉強得很，但由於事實上的需要，也只有勉強支持，勉強行動。今天到了吃午飯的時候，已經有很多倒下去了！問不許多，還是接着走……但步調越來越慢，到了日落西山，總算到了大猛隆的邊緣，到了大猛隆的後邊的山根。大猛隆本身是個大壩子大平原，這也是出雲南邊境前最後也是最前的大壩子。且說我軍到達大猛隆後邊山根，天色已晚，且士兵疲乏不堪，實在已到了非休息不可的地步。今天又走了一天，實有非休息不可之勢。大猛隆只一山之隔，但就這一個山也翻不過去了。到大猛隆後邊的山根，只好安營下寨，山與安營下寨的地方中間還有一河之隔，幸這河不太寬，有竹子搭的可以通過。

前面的山，看來並不太高，但樹木非常稠密，就在安營下寨的時候，各方的情報到了許多，說敵人快追上我們了，一場戰鬥，恐難避免。於是傳令官兵一體戒備，並準備於明天一早離開，前往大猛隆。果然，天還沒亮，敵人已經追上了，對我軍來一個拂曉攻擊。我軍第一步是進入山區，進入山裏，且戰且走，且走且戰，並且讓非戰鬥人員先走，戰鬥人員殿後。槍聲在山裏特別的響，因而槍的威力也特別的大，丁博士已進入山區，已進入山裏，也感覺到槍聲四起，槍子亂飛，幸他並沒有受傷，走走停停，走走停停，甚感到惶恐。但大家還算沉着，儘管後邊的槍聲越來越多，越來越密，但我軍還是繼續前進，繼續前進。非戰鬥人員在一邊，先到大猛隆村子上休息，戰鬥人員則留在後邊迎戰。敵人的攻擊一直不停，且越來越猛。幸山林是個很好的保護，相持至下午快日落的時候方始罷休。

敵人退下去，我軍到大猛隆，這是一個很大的鎮，房屋也都非常考究。有小花園洋房的氣味。前面的大壩子，充滿着富庶的現象。大家在這裏飽餐了一頓。但大家知道這是暫時的休止，假若我軍不離開，敵人還是會趕上來的，他決不讓我們停住腳步，更不讓我們住起來，在地方上生根。共方的目的，決定要把我們趕出雲南以外，但我軍還在掙扎，總盼望能不離開車里，不離開雲南。……

「十二金牌」

匡謬

小的時候，聽擺「龍門陣」聽說評書；及稍長看說岳傳，都是說秦檜以十二道金牌，把岳飛從朱仙鎭召回朝來，接着被殺，一代大忠臣——岳飛——死於「三枝簽」之下。聽到此處，莫不爲之氣憤填膺，感動泣下。因此家鄉戲（川劇）裏面就有所謂「求雨戲」，也就是「岳飛傳」。由於最後一代大忠臣——岳飛被秦檜枉死，激起天怒人怨，狂風暴雨，雷電交加。上演此戲，祈求天老爺下雨。在電影裏面，今有片名「十二金牌」者，是演民族志士爲了「金牌」傳到，使岳飛一直打到黃龍府去，迎還二聖。但無論是小說，電影，以及說書，大都一致說「金牌」是秦檜假造的，另外一點是把「金牌」當作「命令」或「詔命」。如果根據史實，除了「金牌」之外，其他都是「莫須有」的虛構。岳飛一日之內奉到十二金牌。根本沒有假造金牌這一回史實，此其一。而金牌也不是假的，此其二。金牌更不等於命令或詔命，此其三。

以上三點訛謬，如非對歷史頗有素養的人，莫不認爲就是史實。拙文的焦點，也就祇能集中在「金牌」之上，掀開「金牌」的底牌。

岳飛「驅逐胡虜」的部署，準備了十年，後金人毀盟，岳飛反攻的。岳飛大軍是站在最前線的，一路向失去的——汴京進發，勢如破竹；北方豪傑義士聞風響應，漢民簞食壺漿迎接王師。岳飛在郾城，朱仙鎭大捷，殺得金四太子落花流水，將金人拐子馬全部打垮。金四太子準備渡黃河回老家去的。岳飛大軍在朱仙鎭，距汴京僅十五里，河北自北平以南，金人號令不行。正在準備渡黃河直搗黃龍之際，內竟奉到十二道金牌，命令班師。岳飛一貫忠心耿耿，以服從爲天職的軍人本色，忍痛揮淚下令班師。感慨沉痛言道：「臣十年之功，廢於一旦，實奸人誤陛下矣！」

「金牌」是什麼東西？怎樣下達？由誰下達？「金牌」又名「金字牌」，它與命令的作用並不一樣，是宋代郵驛方法之一種，換言之，金字牌是郵驛最快的傳遞符號。因爲傳達詔命的人，就知道詔命是最緊急的命令，必須用最快速的傳達方法，必須手持金牌，乘坐快馬，飛也似的奔跑，到了一個驛，則一人接替。金牌是專用於緊急軍情，是由御前發下，旁的人沒有下金牌的權。所以岳飛所奉的十二金牌，而是由宋高宗點頭的命令，並非假的。因此又證明岳飛班師，並不是秦檜一人獨專，至少是宋高宗同意的。秦檜本來被擄入金，金人把他改造收買，後又放他夫婦回南宋。他私於金人，故一歸南宋，主張「南人歸南，北人歸北」，實行「兩個中國」的政策，對主戰派的岳飛，不擇手段的陷害，不准主戰派的得志。宋高宗爲自己帝位着想，不欲迎還徽欽二帝，內心也想與金人言和，使二帝永留北方。因此就與秦檜陰謀暗中吻合。故皇帝與奸相同心，因此南宋史頁自此寫定。岳飛也在金人言和條件的要求之下而犧牲了。岳武穆「無我忘身」的精神得永垂不朽，宋高宗和秦檜落得千古詬罵，遺臭萬年。所謂「公道自在人心」是也。

最後我們根據中國郵政史的考證，來探討一下「金字牌」究竟爲何物？因此就要把歷史年代往上推移到北宋神宗朝代（一〇六八——一〇八六）。神宗爲了勵精圖治，實施新政，圖取西夏，遂平西寇。王安石創立了許多新的制度。在郵傳方面，除了古制之外，另創制了一種「急遞鋪」（一名急腳遞）的郵遞法。規定十里一鋪，設鋪長一人，鋪兵數名，大鋪十名，如今之軍郵制。「急遞鋪」傳遞符牌，就是「金字牌」，一日可傳五百里，是宋代對西夏用兵而創。此爲金牌的起源。關於這金牌的古制，宋人沈括的「夢溪筆談」中有如下的寫照：「驛傳舊有三等：曰步遞、馬遞、急腳遞。急腳遞最速，日行四百里。有軍機速處分，則自御前發下。」（夢溪筆談）

校注中說：「金牌是以木爲牌，長六寸，闊三分，腹背刻字而中分之，字爲「某路傳信牌」，朱漆金字」。

這種事關火急軍情的金字牌，乃自御前發下，同時尚須有命令或詔命同時講話，否則它祇是代表傳遞符號。岳飛一日之內奉到十二金牌，卽是奉到十二件班師的命令，這是小說、戲劇、電影都以金牌爲詔命，這是錯誤的。金牌或班師，金牌不會說話，故必須有其他詔命或命令來指示行動，所以岳飛在班師時，中途受到百姓的攔阻時，便叫人拿出高宗的詔命來給他們看。這就是最好的證明。

除此之外，我們在「郵政博物館」中看到一種「書信的故事」一書，列舉故事八則。其中「臘丸傳書與金字牌」一則，就是列舉秦檜通敵，受金人的「臘丸書」，要高宗迅速以金字牌下詔召岳飛班師，陷害忠良的故事。臘丸書乃是秘密通信之一種郵傳方引，「金字牌」是傳達緊急命令信符之一種郵傳方式。「十二金牌」影劇完全虛構，更不用費詞。金牌上寫「急令」二字，也與史實不符。高宗下詔賜岳飛死，以及下達金牌詔命召岳飛班師，根本不是秦檜假造。這都是「君有私心，臣無鬥志」所造成的結果。

（完）

黛眉小傳

王幻

薛濤（上）

錦江滑膩峨眉秀，幻出文君與薛濤。
言語巧偸鸚鵡舌，文章分得鳳凰毛。
紛紛詞客皆停筆，個個公侯欲夢刀。
別後相思隔烟水，菖蒲花發五雲高。

這是唐朝元和時代的大詩家（累官左丞相）元稹（禾旁，以下同）題在「松花箋」上贈給女詩人薛濤的詩，傳爲藝林佳話；從這首詩裏，可以窺見薛濤在當時的盛名。蜀中山靈水秀，有詩名的掃眉才子不知有多少，惟獨卓文君與薛濤能艷傳至今，且在文學史上佔一席之地，決非倖致。

薛濤字洪度，本陝西長安人，生於唐元和年間，父親薛鄖在四川任官，因流寓於蜀。她八九歲卽曉音律能詩，一日，其父指着井上梧桐對她說：「庭除一古桐，聳幹入雲中」，令她續成一詩；她應聲道：「枝迎南北鳥，葉送往來風。」父悒然久之，心忖詩句雖好，但由女孩子說出，則欠莊重。後來她父親病逝任所，所以她鞠育母撫養長大；年及笄，詩名噪於一時。當劍南節度使韋皐鎭守四川，曾召令侍酒賦詩，她爲了贍養老母，因入樂籍。在唐宋時代女子入樂籍，並不似後世的娼妓必兼賣淫；但因此多與男子交接之故，是以後人視之如娼妓。她入樂籍後，由於氣質高雅，詩才容貌不同凡俗，韋皐以「校書郎」奏請，護軍未及應，事遂作罷。此事雖未實現，然「薛校書」之名，已遐邇皆知了。自韋皐至李德裕凡歷十一鎭，薛濤皆出入幕府，以詩受知。當時的名流文士，如天眞、白居易、令狐楚、張祜、劉禹錫、裴度、牛僧孺、嚴綬、張籍、杜牧等人，皆與來往唱酬；她和元微之的交情尤好。相傳：倜儻不羣的元微之素聞西蜀薛濤有詞辯，及爲監察使，蜀以御史獄，因而奉使入蜀，由於人地生疏難得相見，時劍南節度使嚴武濟知其意，始遣濤往……。

據「清異錄」載：「蜀多文婦，亦風土所致，元微之素聞薛濤名，因奉使見焉。微之矜持筆硯，濤請走筆作「四友贊」，其略曰：「磨潤色先生之腹，濡藏鋒都尉之頭；引書媒而黯黯，入文畝以休休。」微之驚服……。」所謂「四友贊」也就是「文房四寶」的筆墨紙硯。這是他們第一次會面，微之向她傾倒不已，她也引微爲知己。她有「寄贈微之」詩云：

詩篇調態人皆有，細膩風光我獨知。
月夕詠光憐暗澹，雨朝題柳爲欹垂。
長教碧玉藏深處，總向紅箋寫自隨。
老大不能收拾得，與君開似教男兒。

由此詩可見她倆的交情，非泛泛的友誼。及微之歸京，她居於「浣花溪」（又名百花潭），浣花溪畔的居民，多好做十色彩箋，她乃特別設計新樣，造松花箋及深紅小彩箋，時人稱爲「薛濤箋」；雅緻異常，以之錄詩寫情，別有風趣。她於製成後，曾題詩寄微之百餘幅，微之因於松花箋上復題詩贈答，就是本篇前錄的那首詩。因爲薛濤平生酷愛菖蒲，故末句以「菖蒲花發五雲高」作結，並寓推崇之意。

據「青樓小名錄」載：「元眞廉訪浙東，其時別濤已十載，擬馳使以召濤。」後來不知爲何，竟作罷論。可能這位素行無檢，感情豐富的詩人，又有新歡了。君不見他的髮妻韋氏病故，爲詩悼之曰：「曾經滄海難爲水，除卻巫山不是雲。」乎？

薛濤的作品中，爲一般人所欣賞，應是她的「春望詞」四首：

花開不同賞，花落不同悲；
若問相思處，花開花落時。
攬草結同心，將以遺知音；
春愁正斷絕，春鳥復哀吟。
風花日將老，佳期猶渺渺；

（未完）

第十四章

宋高宗航海避難　韓世忠大敗兀朮

岳飛親將兵而往，四月二十五日，與金兵戰於清水亭，殺得金兵屍橫十五里，斬金人耳帶銀環者一百七十五級，生擒女眞渤海漢兒軍四十五人，獲甲馬一百九十三副，弓箭刀旗三千五百十七件。建康收復。

初韓世忠以前軍屯青龍鎭，中軍屯江灣，後軍駐海口，等待兀朮還軍擊之。不料兀朮卻走秀州趙平江。世忠因兀朮走秀州，乃移師鎭江以待。兩軍相接，兀朮與世忠約日決戰。世忠與諸將計議，世忠道：「此間形勢，無過金山，山上有龍王廟，兀朮戰前必到龍王廟觀察地形，俯瞰我軍虛實。今遣將埋伏於龍王廟，俟兀朮來時，以伏兵擒之。」時梁夫人在側，急忙獻計道：「我兵不過八千人，敵兵不下十萬之衆，若與金兵交戰，縱然一以當十亦無濟於事。以妾之見，與兀朮決戰時，由妾管領中軍，專任守禦，只用炮弩等射住敵人，不與交鋒。將軍領前後二軍，四面截殺。敵往西，可向西截殺。但看中軍旗號。妾在樓櫓之上豎旗擊鼓，將軍視旗所向，聞鼓進兵。」世忠道：「夫人此計甚妙，照計而行。」

世忠先遣偏將蘇德領二百名步兵，埋伏於龍王廟，以百人埋伏廟中，百人埋伏廟之兩側。聞中軍鼓舞，岸兵先入，廟兵繼出，見敵卽擒，不得有誤。」蘇德領命去訖，世忠登上樓船，置鼓旁坐。瞭望龍王廟景色。不數刻，只見有五騎登山，馳入廟中，世忠急用力擂鼓，一時鼓聲大震，響應山谷。廟中伏兵聞江中鼓起，一齊殺出。敵騎見有伏兵，急忙折回逃遁。岸兵遲了一步，不及攔截，只好與廟兵一齊追趕，五騎之中獲其二騎，其餘三騎飛馬奔逃，一騎急奔被蹶，坐馬墜而忽起，竟得逃脫。世忠望見一人穿着紅袍，繫着玉帛，料知爲兀朮，惟見其着紅袍者脫身而去，不禁歎道：「可惜可惜！」蘇德將二金人牽來詢問，果爲兀朮逃脫，愈感歎惜不已。

次日決戰，世忠坐鎭樓櫓戰船頂上，梁紅玉領中軍，準備擊鼓。但見她頭戴雉尾，足踏蠻鞋，身披細鱗金鎧，好似木蘭再世。兀朮之水師來攻，遙望中軍樓船，坐着一位女將，一船盡是女兵，不知何等人物，已先驚異。但以展開陣勢，只好下令攻擊中軍。看看接近，忽聞一聲梆響，萬道強弩齊發，宋軍樓船上之發巨石炮飛擊，金兵連人帶船不死卽傷，任憑金兵強悍，也無法抵抗。兀朮一見情勢不妙，下令轉船。

（六十七）

自由報

（第一一一六期）

（半週刊每逢星期三、六出版）

社長李鵬運・督印黃行寶

社址：香港九龍彌敦道593—601號 廖創興銀行大厦八樓五座

LIU CHONG HING BUILDING
7th FLOOR FLAT '5
593—601 NATHAN ROAD,
KOWLOON, H.K.
TEL: K303831
電報掛號：7191

承印：泉星印刷公司
地址：嘉咸街廿九號地下
台灣區業務管理中心：台北重慶南路一段一二九號
電話：二四五七四
台灣區直接訂戶　台灣劃撥戶
第五〇五六號張萬有（自由報會計室）
台灣分社：台北市西寧南路110號二樓
電話：三三〇三四六、台郵劃撥戶九二五二號

我們再不能俯仰由人

——是改變國策的時候了——

何維藩

繼加拿大與中國毛共政權建交之後，意大利亦即跟進，這固然是以重商主義爲立國之本的西方資本主義國家的本來面目，但戰後在國際間頤指氣使的美國，若不接受英國的教唆，眞能領導自由國家的反毛運動，而不捨，整個世界局勢，亦就不會釀成目前這樣混亂危急的景象，殆可斷言。

自從韓戰結束後，美國對共產主義的世界革命運動，即採取綏靖政策，表面上强調和平安全之說，實際是只要美國本土和平安全，他非所問。舉凡對自由國家的軍經援助，以及提倡集體防衛組織之類，都是以美國利益爲中心，而藉着別國的反共形勢，作爲向共產集團要價還價的妥協籌碼，却不顧別國的生存利益。試看當年艾森豪政府要求毛共談判「台灣問題」時，居然說是不須中華民國參預其事，即可證明了。往後美國一面派兵參加越戰，同時主張跟越共妥協，組織聯合政府，越南總統吳廷琰不同意，美國駐越使節乃策動政變，將吳氏置之死地。今日歐洲自由國家之陸續與毛共結交，多半是受着法國承認毛共政權的鼓勵，而戴高樂之所以悍然退出北大西洋公約，在國際上各行其是，不惜將國運作孤注之一擲，即係不慊於美國那種自我中心而毫無理想與原則的領導作風，法國不願意僅爲別人作火中取粟的貓脚爪。今後歐洲自由國家繼踵加拿大，意大利的前轍者，勢所難免，比利時即其一也。然我們切莫沮喪，更不用悲觀，問題是我們有無自立自强的辦法？換言之，就是要放棄俯仰由人的外交策畧，改變取悅美國的政治方針，而以破釜沉舟的勇氣與決心，有所爲亦有所不爲；一是皆以自身的利害得失爲基準。

毛共之竊據中國大陸，原係受到美國的鼓勵資助所致，這是無可否認的事實。假使毛共不以「美帝」爲死敵，對美稍加周旋，華府早已與英倫同時承認毛共僞政權了。迨韓戰發生，美國雖出兵參戰，仍不願接納美軍統帥麥克阿瑟的建議，由台灣的中華民國派軍向大陸從事積極攻勢，且以第七艦隊駐防台灣海峽，名爲維護台灣的安全，實則等於爲毛共解除後顧之憂，這亦是舉世周知的事實。美政府對華外交方針，幷無意援助中華民國反共救國，光復中原，而是要中華民國守住台灣這一戰畧重鎮，以免美國直接跟毛共發生衝突；同時美國即利用台灣作籌碼，一面與中華民國訂立安全互助條約，一面向毛共飛媚眼，談條件，所謂「華沙談判」，歷若干年而不輟，此物此志也。所以，美國對中華民國的軍援，祇限於台澎地區的守勢防禦，連汽油亦不肯多給一滴；講經援，但求台灣能自給，即揚言台灣經濟已有良好發展，毋須仰賴外援，予以停止了。美國的貨[illegible]產的紡織品外銷美國，却受到嚴格限制。而美政當局對台灣不斷多予軍援物資的唯一理由，說是避免觸發全面大戰，破壞世界和平，實則最足以引起全面大戰的地區，莫過於中東，但美國對以、阿戰爭，却公然以大量的新式武器應援以色列，肆無忌憚，而參議院那些以反對戰爭爲職業的所謂「鴿派」議員，且認爲白宮對以色列的軍援還不夠，雖因此而引起全面大戰，亦在所不惜。這證明美國的對外政策，旣無理想，亦沒有原則，一是皆以美國利益爲本，故一切接受美援的自由國家，專爲美國作芻狗，任其擺佈玩弄，無所顧惜，所謂美援，不過是爲着傾銷美國商品的一種手段而已。美國每强調不干涉別國的內政，要讓該國人民有選擇政治生活方式之自由權利，說來十分動聽。實則美國干涉自由國家內政，比較蘇俄尤甚。對於接受美援的友邦內政，不是指爲獨裁，就說太不民主，且不惜策動該國軍民從事政變，南韓總統李承晚與南越總統吳廷琰政府，便是在遭這種厄運下覆亡的。而美國對於共產國家那種暴虐無人性的政治措施，却漠然不以爲意，且認爲共黨有統治能力，樂與承認。中國大陸上的毛共政權，儘管暴虐不仁，以人民爲奴役，美國無異言，巴結唯恐不及。近年來，美國各個大學的研究所，研究中國法律之風盛行，但專以毛共的法制爲對象，關於中國應有的法律制度，存而不論，而在研究工作中需要中國知識份子協助時，亦不找反共非共的華人，美國的大學教授，在輿論政治上頗具其影響力，可以左右政府當局的思想和行爲，即此一端，已是美國對華政策是要製造「兩個中國」，其實不然。如果眞是搞「兩個中國」，那就不應該贊助中華民國人民的分裂運動，然所謂「台獨」份子，不特在美國公開活動，招搖過市，美國朝野人士有意無意地加以鼓勵，而以大學教授費正清最爲賣力，他曾經表示，希望台灣成爲美國的一州，這非費正清本身的一種幻想，自毛共竊據中國大陸後，美總統杜魯門即有「台灣地位尚未決定」的非法言論，企圖利用聯合國這一國際機構，以及國際協約，託管台灣，而交由美國負責管理，這種構想，始終未曾放棄。假使「兩個中國」一旦見諸事實，我敢斷言，「台獨」份子在美國的活動將更趨激烈。台灣只可講地方自治，而絕對沒有獨立自主的能力，這是稍有常識的人都知道的。美國人亦很清楚的認識這種實際情形，明知爲不可能，而故意庇縱「台獨」份子在美公開活動，是何居心，豈非昭然若揭嗎？在聯合國大會中正在推磨鼓舌，辯論所謂「中國代表權問題」，美國國務院亦聲明不贊成毛共政權加入聯合國，這幷非對中華民國表示愛護尊重之意，乃由於以台灣爲其外交護符，我們千萬不要沾沾自喜，認爲有美國幫忙，聯合國席位即穩定如常，這種惰性觀念再不揚棄，將來必噬臍莫及之憂。

基於以上的分析，我們首先就要提醒「台獨」份子，中華民國人民拼着鐵血淵的代價，使台灣同胞從殖民地生活中回到祖國懷抱，還我自由之身。於今大陸同胞處在水深火熱的共黨暴虐統治之下，求死不得，而台灣仗有中華民國政府的庇蔭，蔣總統正確領導民衆能得安居樂業，社會家給人足，今後自應一致團結，爲拯救大陸同胞而努力奮鬥，纔是自救救國的正道。不此之圖而從事內部分裂勾當，縱使得逞，亦係愚昧的自殺行爲。事情很顯明，中華民國政府如果不存在了，台灣不是被共黨控制，成爲奴工營之一部分，即是再回到外國殖民地的境地，受人宰制，台灣本身固然不具備獨立生存的條件，內外環境亦決不容許台灣有獨善其身的機會，棄喬木而入幽谷，抑何不思之甚也！其次我們認爲現在是吾國重新考慮外交策畧與政治方針的時候了。過去我們一切唯美國馬首是瞻，結果是人爲刀俎，我爲魚肉，全身皆被別人用繩索牢牢細住，沒法動彈，唯有跟着別人團團轉，聽受支配而已。假使美國的對外政策有理想，有原則，我們跟着她走，自無不可，經過二十年來的事實考驗，我們却隨時有被犧牲出賣之可能，再不振作，寧有倖理。所以，此時我國應該向美國提出兩點最低限度的要求：一是請美國停止「華沙談判」；二則修改「中美安全互助條約」的換文，把那限制吾國軍事行動的約言取消。關於後者，美國如不同意，我們即進一步主張廢棄互助條約，以免作繭自縛。我們討伐毛共原係中國內部的事，如何進行，我們自必審愼策劃，謀定而後動，唯不能專由美國作主。廢約之後，美第七艦隊是否駐在台灣海峽，悉憑美方尊便，當年杜魯門政府派遣第七艦隊前來，幷無條約根據也。同時我們必採取自主外交策畧，另闢蹊徑，我們對國際局勢原不是一枚閒散而沒有作用的棋子，豈可長此俯仰由人，束手坐困，至少至少，我們應表現「成事不足，敗事有餘」作法，纔有被人另眼相看之日。爲着反共救國的利益，政治上該怎樣改革配合，不妨逕情措置，却毋須顧慮美國的反應如何。我們能以「先爲不可勝」的精神與謀畧，設法打破舊環境，創造新局面，國家前途是光明的！

（完）

昨日與明日

社會的光明面

基督教台灣南區社會互談會鄭兒玉牧師和中國天主教社會服務會貝滿神父曾於十一月初，聯合邀請專家學者和兩教若干代表性人士在台中舉行一次座談會，討論：「基督徒對於墮胎案的立場」問題，頗引起社會人士和新聞界人士的注意。與會人士對墮胎意見不一，而站在基督徒的立場是持反對意見的。會中也曾討論到「社會應如何負起養育貧戶兒童的責任」問題，大會曾做成結論，並獲與會人士一致的同意，同時，由於有關機構的提供資料，也可以看出天主教和基督教人士的社會服務工作，如何有供獻，對社會貧苦人士幫忙如何之大。

就天主教方面而言，社會服務工作，不勝枚舉，譬如總部設在台灣新竹的中國天主教社會服務協會，在德藉貝滿神父和西班牙籍汪德明神父的主持下，深入山地和偏僻地區，幫助山胞儲蓄，改善他們生活情況和生活環境。因爲山胞從不曉得什麼是儲蓄，有了錢就花掉，生活始終陷於貧困境地，政府的合作運動，又難以遍及窮鄉僻壤，所以教會此一工作，補政府施政不足，却給與平民莫大的利益。又如設在淡水某地山上的一家育嬰院，由天主教本篤會幾位修女負責照管，專門收容家庭發生問題，迫切需要養育的兒童，雖然陷於經費，收容兒童不足百人，但這幾位修女服務人羣，救苦救難的精神，是值得讚佩的。

基督教方面，社會服務工作也不少。譬如基督兒童基金會，成立雖僅八年，在陳宗仁牧師的主持下，却有很大的成就。該會在全自由中國設有二十一所家庭補助站，一百四十多位大專畢業的社會工作人員，全年經費約新台幣七千五百多萬元，受補助救濟的兒童，有數萬人。該會每收到一個孤兒，就尋求一位有善心的基督徒，每月奉獻四百八十元，來養育這位孤兒。其他類此機構，不勝列舉。

在目前工業社會裏，問題家庭比較農業社會多多了，而待救濟的貧苦兒童，實在不少。完全倚賴政府育幼機構，以政府財力有限，勢所難能，兒童多不贊成將兒童送入育幼院，因育幼院的教育，常造就兒童偏激冷酷心理，養成孤僻特殊行爲，不如採取孤兒寄養或家庭和貧苦家庭補助辦法，因而教會機構的服務工作，解決了社會上若干難題，爲貧窮人士帶來了光明和福音。

現社會雖然常見不法之徒，但專門作好事的也大有人在。新聞界應當多發掘好人好事，來擴大社會的光明面。

・千公・

自由談

談宣傳

宣傳工作現代社會中，具有極大的功用，做生意要講究宣傳，搞政治更要注重宣傳。這是一種最湛深的藝術，決不能馬虎從事。

宣傳的主旨是要把自己認爲妥當的事情，傳播於廣大的人羣之前，使他們由瞭解而發生同情共鳴之感，馴致在思想上立於反對地位的，亦轉變爲同路人。所以，宣傳決非說謊，有時候固不妨稍涉夸張，却不宜距離事實太遠，否則不特無益，且將產生相反的效果。共產黨最注重宣傳，但因於完全說謊的關係，到頭來，連他們自己內部人士亦不相信，外面的人更增加反感。

宣傳的對象是外在的廣大羣衆，要以理論和事實說服社會大衆，消弭他們的成見與誤解，却不是自我陶醉，孤芳自賞。辦一張報紙或其他的刊物，如果只教自己人瞧着舒服適意，那便是自說自話，違悖了宣傳宗旨，效用即等於零，共產黨宣傳之失敗破產，正以此故。試看今日吾國大陸上毛共發行的報刊，滿紙馬列教條，以及歌頌「毛澤東思想」的紀載，其意義比一紙傳單還不如，誰也瞧着就噁心的！

說謊的宣傳方法，無論怎樣巧妙，終歸是利少害多，得不償失。昔年納粹德國的宣傳部長戈培爾，發明了「一句謊話連續說上一百次即變成眞理」的宣傳術，當時似乎很得意。最後是國破家亡，瀛門男女皆追隨元首希特勒之後，一體自盡以殉難，宣傳效用安在耶？

宣傳工作是一門大學問，包羅着文學、政治經濟學，社會心理學與人文思想等等，知識謭陋，未聞大道，更事無多，不通達世故人情者，決不足以勝宣傳之任。同樣是宣揚一項善政，或表揚一個人物，出之於能力高强的宣傳家，可以不著痕迹地使人認爲幷非言過其實，堪以信任；若出之於低能兒，即未有不感覺肉麻者！

總之：宣傳的目標是對外而非對內的；宣傳的方法是要根據事實，而非完全說謊的；宣傳的技術須憑智慧來運用，却不是憑常識所能濟事的。本此義以宣傳之績，其庶幾乎！

馮五先生

馮玉祥有沒有盜寶

矢原愉安

鴉片烟是害人的東西，也是馮玉祥一向口口聲聲痛而惡絕之的。然而，爲了他手下的「四師一旅人，不能不吃飯」，他就睜一隻眼，閉一隻眼，聽任那些烟土大王們，把烟土運出去害百姓了。

初看他說的那幾句：「劉包庇烟商走私……烟土出口，拒不納稅，」彷彿他反對的是「走私」和「烟土出口」，實際上，他要用武力對付的目的，只是要別人「照章上稅」，只要給了錢就甚麼都行了。

這一次，他把自己的潛意識，暴露得特別無遺無蓋，爲了他的「槍桿子」，需要錢，他是不惜動武殺人的。而這錢，又是天下最不光明，最說不出口的一種收入——「烟土錢」！

他也指明了一點：馮玉祥在替自己的「槍桿子」搞錢的時候，似乎幷沒有甚麼原則。只要有得撈，就撈。根本不管這錢是從哪裏來的。

第二個例子，發生在西北：

「財政的困難，阻擋在我們前面，如同銅牆鐵壁。……薛子良一籌莫展，常常被逼得要喝大烟自殺：……只得借了四百元大洋，到山西運城，辦了些紙張，拿來以石印印了一百萬元的軍用劵，票面寫明：「國民聯軍」的字樣，以備民間日後可以兌換現款。

此事由薛子良主辦，三萬四萬分發給出關的各部，以爲開拔費用：……結果在西安附近地方，行使起來，已很困難。一出陝州，人民就多拒而不用。……於是，票子慢慢由一元落到七角，由七角落到三角，最後弄到一文大錢也不值的地步。」

一個帶兵官，沒有得到政府的允許，而濫發軍用票，來應付自己部隊的開支。一方面破壞了國家金融的統一；另一方面等於向被強迫使用軍用票的老百姓，進行強取豪奪。這種行爲，無論從哪一個角度來看：都是「禍國殃民」的。而尤其「罪孽深重」的是：

A、發行的時候，根本沒有準備金。所以，實際上也就從來沒有過眞正加以兌現的意思。

B、發行以後，「老百姓多拒而不用」，要他們繼續用，大概非用很大的壓力不可。換句話說：明知老百姓在這種軍用票上要虧盡老本，却還強迫他們使用，這簡直是一種最可怕的軍閥行爲。

如果說：當時遍地軍閥，發行「軍用票」，簡直是軍閥們的「兵家常事」。問題就在於：馮玉祥本人，從來都在高唱「愛國愛民」的調子，絕沒有自命過爲「軍閥」。那些對他有好感，或是保持中立的人，也從不把他與軍閥同列。那麼，他又怎麼能夠忍心做出這種使「萬家哭」的事情來呢？

原因很簡單：他要打仗，需要錢，他以「槍桿子」們沒有「開拔費」就不能動身，也需要錢。於是，馮玉祥就甚麼使「萬家哭」的事，都做得出來，而且也勇於做了。

事實似乎擺得很明顯：一個寧願「萬家哭」，「天下哭」，也不願意看到自己的「一軍哭的」的人，是不是會爲了自己的「槍桿子」的利益，來盜那些名義上只屬於「一家人」的珍寶呢？

（未完）

東山國小教員自殺抗議案

揭露各地教育機構潛存甚多積弊陋規

監委已提案派員徹查眞象

（本報台北消息）彰化縣員林鎭東山國小教員周慶昇服毒自殺，抗議因調職遭受縣府違法降級改敘三箇月領不到薪水一案，引起報刊騰載之後，台中高分院檢察處已命令彰化地院首席檢察官切實詳爲查明刑事及行政責任，依法懲辦。

教育廳也指示駐區督學澈查周慶昇自殺身亡的眞象，並令人事室與有關人事單位協調，今後對各級學校教員核薪案件，應儘速辦理，不得稽延。此無異說明過去辦理類此案件，不妨儘量拖延，至少證實已往從未注意過，而今鬧出人命，不得不有所表白。

據新聞報導，彰化縣長陳時英在事發後表示，認爲人事積壓公文拖延不當，教育局長潘星照亦應負最大責任。周慶昇在十月十九日第一次自殺獲救後，警察局長曾將這一事件的嚴重性向縣府報告代理縣長李豐之，李主秘立即電召潘局長到其辦公室，飭其迅作合理解決，以免鬧出人命，詎料潘星照並未理會，既未派員對這一問題作迅速處理，更不曾派員慰問先予安撫。

陳縣長認爲周慶昇第一次自殺獲救，其命本不該絕，如果縣府處理適當，就不至發生第二次還要服毒自殺身死事件。最起碼教育局也應該在其第一次自殺發生後，派員慰問、勸導，對周慶昇的困難在精神上予以安慰，卽不致造成第二次自殺致死。

據說，陳時英縣長在會中曾引證韓國一次意外車禍，死傷幾十名學生，教育部長及交通部長，鐵路局長立卽引咎辭職，而周慶昇因三箇月沒有核發薪水，導致其自殺抗議，教育局和人事室却互推責任，毫無引咎自責之意，好似這箇責任應由縣長來負，言下不勝感慨。

自周案發生以後，許多潛存在國校的問題，都不斷被揭發出來。只就彰化一縣，已經公開的教員核薪案，計有員林國中蔡姓教員，自南投縣水裏國中調來服務，於核薪時亦被「降級改敘」，人事室所持理由是「山地調平地，必須降級改敘」。報紙披露，教廳趕快否認，表示並無此項規定，該廳又下令彰化教育局查報。

又有彰化芬園國中兩名教員，也是由南投調來，人事室在核薪時，硬將他們核降了三級，公文往來申覆四月之久而無結果，最後只好認命。其中之一的張姓老師，原是國小教員，經進修三年而考取國中教員，但省府對國小教員轉任國中教員之核薪法令却沒有統一規定。計有新舊兩法，「新法爲沒有參加過換敘人員依其國校服務年資每二年折算國中一年，並扣除基本年資一年」，「舊法爲四十三年以前已任國小教員並經換敘資，可不必扣除基本年資，並可依其換敘時之等級起薪」。這位張君是自四十二年担任國小教員，五十六年轉任國中，南投縣府採用舊法核降了四級，本學年轉入彰化縣，縣府人事室則以新法核薪，核降了三級。

他說最令人不解的，是在南投服務期間，縣府採用舊法，自然是經省教育廳審核無誤。但是到了彰化，縣府却是採用新法核薪，經具函申覆，教育廳却也同意縣府採用新法核薪，教育廳本身自相矛盾，沒有一定依據，尤其說不過去。

他們三年來的進修，好不容易考取國中教員，不但薪水沒有增加，反而降低了，實在失去了政府鼓勵教員進修的意義，如果政府同意，他們願再回返國小教，教育行政究竟是主管首長當家？還是操在人事室？行政當局似乎太沒有關注教員的生活了。

據一般彰化教育界流行的說法，凡外縣市應聘來彰化服務的教員，薪水都予以降核，迫使被核人員到縣府人事室走門路的，部份經過申覆，還有後恢復原級薪，祇有認命一途。如果教育廳能有一規定，也就可減少人事人員的困擾，以免平添無謂。

彰化縣教育局長潘星照前在教育科長任內因虛報旅費被人檢舉，纏訟六年又准復職，今年改局坐升簡任局長，其人事未當，銷人皆知，省府付以重任，自非恰當。

監察院郭學禮、侯天民、張一中三委員向院會提案，以連日報載彰化東山國小教員周慶昇因抗議經辦人員故意刁難，核減底薪，無端延壓公文，致任教數月，未得薪津分文，因而憤恨自殺，並留有遺書指摘，果屬實在，殊足驚人，亦爲倡導革新政治聲中一大諷刺，本院職司風憲，爲求革除弊端，殊有澈查必要，爰提案推派委員前往調查以明眞象。（曾議）

喬治桑外傳

一九五　張大夏

桑、裘兩人穿好了衣服，裘白瓊會鈔，喬治桑那肯，搶先付了。澡錢一共是一百九十幾元，喬治桑付了二百五十元，手面不算寒酸，是大爺的派頭。他們叫了兩籠包子。另外又叫了小拼盆，兩瓶冰啤酒，兩碗冬菇雞火麵，吃得反而比觀光飯店實惠。吃完了，仍然是喬治桑付帳，蓋裘白瓊替喬治桑辦事，按理該由他請客。

吃過飯，時間剛好是八點鐘。

「要不要到我家打小牌？」裘白瓊向喬治桑建議。

「時間太晚了，我想早點回去料理一下私事。」喬治桑後天就要走，當然沒有心情打牌。

喬治桑自知在台北的時間，不過還有幾十小時，對雅麗絲有一種依依不捨的父女之情，他想早點回去，也就是要和雅麗絲談談。

喬治桑一撳門鈴，開門的不是阿翠，却是雅麗絲。

「包死，你今天爲什麼這樣早回來？」雅麗絲知道喬治桑是夜神仙，九點鐘過一點就回家，是很少的。

「妳也回來很早嘛！」喬治桑知道雅麗絲正在忙着結婚大典，每天都和準新郎羅蔔蔡泡在一起。

「羅蔔今天公司事情忙，沒有空。我一個人上街去買點東西，吃過晚飯就回來了。」雅麗絲一邊說，一邊便去忙着替喬治桑泡茶。

「雅麗絲，我想拜託妳一點事好不好？」喬治桑喝了一口茶，眼睛望着雅麗絲。

「有什麼事請你吩咐好了。」

「我的飛機票已經訂在後天，」喬治桑說至此，抑低了聲音提着說：「我不準備驚動任何人，有些衣服和零碎東西，我都不準備帶走，請妳替我理兩個小箱子。」

「後天就走？幾點鐘的飛機？」

「是中午十二點半的飛機。」

「爲什麼這樣快？」

（未完）

台北市府的廣告費

宇文米

台北市府每年在電視所化廣告費達百餘萬元之鉅。市議員提出質詢，認爲這是一種浪費，市府當局不該將納稅人的錢濫用。

在現代工業社會，爲了商業競爭，廣告是很重要的，而廣告費的支出亦日趨浩繁。尤其是消耗品如：於酒、牙膏、飲料、化粧品等，如無巨大廣告費用，絕無法打開銷路。至於像台北市府這樣一個行政機構，似乎沒有大做廣告的必要。不要說市議員發生疑問，卽一般市民也感覺惶惑。

假使市長是民選的，市長利用職權做做廣告，目的是使其名字更響更亮，便於爭取選票，當不致令人難以索解。目前台北市是院轄市，市長是由行政院派的，每月有大量廣告費支出，眞故何在？恐怕除了高市長，誰也「無宰羊」。

古語云，「爲政不在多言」，就是要從政的人多注意做，少說廢話。政績是做出來的，不是光說不做或說過拉倒。現在有所謂「公共關係」，一般做官的，有了這一「依據」，交際應酬都變成是理所當然的了。

台北市府做廣告，不管是一項有計劃的譁衆取寵。過去在上海，補劑百齡機的廣告是「有意想不到之效力」。據說百齡機根本就沒有什麼效力，因爲廣告的成功，居然大賺其錢。不知道台北市政府的廣告，是否也有意想不到的效力？台北市議員的質詢，姑置不論，就廣告言廣告，高市長似乎對市民要有一個交代。

台北傳奇錄

（八五）

・陳光棣・

「好吧！我不和你討論這個問題」！蔡百順很四海的說：「我目前有點困難，你要給我幫點忙」！

金恆貴心裏直罵，明上還得敷衍：「什麼困難？你儘管說吧！」

「我前天晚上在賴家借了幾件首飾！」蔡百順平靜的說。

金恆貴兩眼直冒火星：「什麼？是你！」

「你大驚小怪幹什麼」？

「你怎麼去作這種事」？

「咱們也別討論這個問題！反正是缺錢用，交女朋友處處用錢，爸爸又不肯給」。蔡百順理不直而氣壯。

「你知道，警察要抓到你，可怎麼辦」？

「就是這個困難，我那天晚上從賴家溜出來，胡里胡塗走過你們這幢大樓外面，感到一陣燥熱，就把襯衫脫下來順手一丟，聽說被警察撿了去，挨門挨戶的去查問，幸而好我媽媽僞說不是我的衣服，我眞有點害怕，以後查出來怎麼辦」？

金恆貴急的好像熱鍋上的螞蟻，他倒不是担心外甥，而是担心因此牽扯上他和蔡先生的事情，無奈一時又想不出主意來，于是不住的踏腳。

一陣敲門聲，嚇的兩個人面面相覷，金恆貴終于怯生生的打開房門，看到老邱頭上冒着青筋，步成材站在後邊。

「我說，你這小子，是怎麼的咧！」老邱聲若巨雷。

「方才我拿給你的那個包包哪」？步成材問。

「包包」？金恆貴心裏直撲通。

「對咧，那報紙包裏頭是俺的一雙布鞋呀」！老邱口沫橫飛！「你是誠心跟俺起膩呀！我剛剛買回來，還沒有粘腳呢？」

「怎麼，你說包包裏是你的鞋子」？金恆貴差點哭起來，趕緊把報紙包打開一看，可不正是一雙千層底的便鞋！「我的包包哪？天哪？咱們快到你家去找！」說完了拉着老邱就往樓下衝。

「你忙什麼？留神俺的膀子呀」！

步成材一看金恆貴這樣緊張，他也跟着緊張，三個人一路回到老邱的飯館，大金紅正在櫃台上剔牙。

「老板娘！我的一個小包包，用報紙包着」！金恆貴混身是汗。氣喘休休。

「妳看妳，他的什麼包包啊？」老邱滿臉的不耐煩。

「什麼包包？我沒看到哇！」大金紅故意在老邱面前裝模作樣。

「哎呀！我的祖奶奶，剛才我不是……」金恆貴一個箭步竄進了老邱的臥室，在麵粉堆裏亂翻騰，急的一顆心都要跳出來。

（未完）

譚天雕蟲集

鄒眼

△聞加拿大附匪有感

十月十三日深夜，我外交部宣佈對加國絕斷邦交，因為加拿大承認了毛共政權。擦着大的拿，名附其實，這也是當今國際現實主義路綫的可恥表現。這對我們來說，雖說不無損害，但美國南面有俄共附庸「古巴」，北面又被毛共建立了活動站。可惜美國夾在中間，竟不加干涉。那末，將來美國的日子更為難過，不是當然的嗎？可悲的西方自由陣綫，可悲的美國政策。

△婉謝「學術獎金」的推薦

一年一度的教育部「學術獎金」又接受提名了。我本來未加理會。但十月初旬，有一天當我剛走進研究所大樓課室時，×院長匆匆親到拉住我要填表。說我近十年學術著作成就不惡，要推荐我為候選人。我除了表示感激外，婉謝了。不為別的，我無暇於選票活動，中了獎也犯不上叫別人難過。故而免了。

△兼任教授，「剩」之淸者也

教育界調整待遇，莫「廉」於大專兼任教授。鐘點費有的加十元，有的加十五、二十元。這份「剩」職已比不上高中教員。但無人敢說少，「淸」也。一樣上課，閱卷、監考、交成績，毫無「減料」處。但一年只有十一個薪，必須少吃一個自己的飯，「仙」也，沒有任何津貼，像眷屬津貼、房屋津貼、職務加給，實物津貼、交通費等，大家照樣風雨無阻，跑路上課。兩個兼任抵不過一個專任，「廉」也。因此，老闆們肥了，此之謂神「剩」事業。

△省級公教月退休金為何不調整？

自七月份起公教待遇調整了百分之二十，照規定凡領月退休金的退員隨之調整。但此次省級退休人員，按月領錢的人却沒有份。無形中他們的退休息打了八折。主管不加說明，命令行事，這是否出於中央的意思？請有關當局注意察問。

△看守自盜人心可畏！

有張姐衙者，上杭人，素以詐騙為生，偽裝善良，混進黃公館任廚司，換湯門道後，乘機竊款潛逃。再回頭想來「搬家」，被發現報警乃未得手。然而被害者連附近鄰居就不止一家了。人心可畏如此。

隋唐時期的繪畫

呂佛庭

從三國到南北朝，三百多年，山河破碎，社會紊亂，諸胡與軍閥，割據兼併，民無寧日。後周末，楊堅代周滅陳，一國號隋，我國才出現一個大一統的局面。自文帝開皇元年到恭帝義寧二年，禪位於唐，享祚僅有三十九年。隋朝歷史，雖甚短促，但由於皇帝一面注重生活享受，一面以繪畫藝術還頗有進展，李淵代隋，國號曰唐。自高祖武德元年，到昭宗天祐二年，爲朱溫所滅，凡二百八十七年。史家就唐代詩體分爲初、盛、中、晚四期。自高祖武德以後到玄宗天寶以前爲初唐；玄宗天寶以後至代宗大曆以前爲盛唐；自代宗大曆以後至文宗以前爲中唐；文宗大中以後至唐亡爲晚唐。在初、盛唐一百五十年間，無論文教武功，都是空前的燦爛。我認爲我國文化，周代可謂完備時期，漢代可謂發展時期，唐代可謂鼎盛時期。其所以能夠成爲鼎盛的原因主要是在中唐以前的皇帝具有開擴的胸襟，銳敏的眼光與磅礴的氣魄。能夠包容一切，不爲界域所限。皇帝雖信奉道教，但又獎勵儒術，尊崇佛教。即景教與拜火教也允其自由發展。雖注重武功，但對於文學與美術也並不忽視。因此在政治方面則有房杜姚宋魏徐李顏；在軍事方面則有尉遲秦郭李；在文學與儒術方面則有李杜韓柳陸；在繪畫方面則有閻吳王李；在書法方面則有歐虞褚薛孫張顏柳；在宗教方面則有慧能、神秀、玄奘；眞是「採眾花以釀蜜」，爲我中華民族歷史寫下最燦爛的一頁。

或謂學術之興衰與國家政治之隆替相依關係，這種說法是不合事實的。在政治黑暗，社會紊亂的時期，知識分子思想得到解放，往往在學術方面會有偉大的奇蹟出現，如戰國、三國、南北朝即爲一例。但在太平盛世，政治修明，社會安定，經濟繁榮的時期，如果君主思想開明，崇重文教，則各種學術更可以有驚人的成就，如唐代即爲一例。

初唐時期的繪畫，仍因襲六朝時期細潤的作風。技法方面沒有顯著的變化。到盛唐時期，因爲受中印度笈多式藝術的影響，畫風便以細潤而變爲雄健。降及中唐時期，由於武宗崇道教而毀佛寺，致佛教繪畫受到莫大的摧殘。到晚唐時期，雖佛寺畫壁的風氣衰微，但山水、人物、仕女、花卉、翎毛、走獸、松石等畫，却如百花怒放，得到自由的發展。這正是運會使然，人力是無可奈何的。

唐代不但繪畫比前代爲盛，而且繪畫理論也特別發達。如孫暢之的「述畫記」，王維的「畫學秘訣」，顧沉的「華陽眞逸畫評」，竇蒙的「畫錄拾遺」，張的「繪境」，張懷的「畫斷」，李嗣眞的「續畫品論」，釋彥宗的「後畫錄」，裴孝源的「貞觀公私畫史」，朱景玄的「唐朝名畫錄」，張彥遠的「歷代名畫記」，無名氏的「吳畫記」等。或概說畫之源流，或簡說畫人之生平，或闡發畫理與畫法之精義，對於繪畫之進展，都有很大的影響。

隋代描寫畫比裝飾畫更爲發達。除古典作風的佛道畫依然興盛外，而近乎自然主義兼寫實作風的山水畫，比前代更有進步。如展子虔的風景畫，咫尺千里；江志的風景畫，模山範水；都是寫實的能手。

山水畫而外，還有兼人物、山水、和建築物的台閣畫（也稱界畫）。這種畫大概是由隋煬帝時受新宮殿建築之刺激而興起的。如董伯仁、鄭法士、和展子虔對台閣畫莫不擅長。尤其鄭氏所作，最爲精妙。因此當時有「展不及鄭」之論。

我國卷軸畫，自梁元帝燒燬以後，什九都付烟燼，存者極少。陳主皆嗜愛書畫，又重新加意搜求名蹟，內府所藏，也相當豐富。隋滅陳，收得書畫名蹟八百多卷。煬帝特築二妙台，專室陳列。其後煬帝幸揚州，將二妙所藏書畫名蹟，全部隨駕載運。船行運河，不幸中道翻覆，大部沉入龍宮，殘餘者於煬帝死後，全入宇文化及之手。化及至聊城兵敗，書畫又爲竇建德所奪。其留洛陽者，則爲王世充所取。（未完）

政壇現形記（四〇）

李桀

第十三回　知識是罪惡，撞騙招搖稱拿手。金錢如生命，譏評笑罵不容心。

對日抗戰結束後，政府還都南京，所有敵偽產業皆分別接管。上海敵偽產業管理處有一筆價值不小的商業用品逆產，應予沒收的。茅日恆見財起意，與物主串通分贓，利用民社黨名義，要求政府發還，理由是這項物資係民社黨的敵後工作人員所有，并非逆產，請予發還作爲本黨經費。但這種不法行爲，張君勱絕對不會幹的，茅氏亦知道，自不能向「張老師」明說。於是，他以黃金一大條賄通民社黨掌管關防和張主席簽章的人，用民社黨信紙信封，寫好正式文書，加蓋關防印章，送到南京主管官署，請求發還。主管官署以爲眞是出自友黨張主席之意，即派員告知張氏以此事可考慮，但須切實商量處理方法。張聞之震怒，謂本黨決無此事，經嚴究管印人員後，纔知道是茅日恆所爲，氣得一佛出世，二佛升天，大罵茅不是東西，把民社黨的臉面丟光了！從此以後，即拒與茅見面。

越民國卅六年，政府實施憲政，邀請青年、民社黨兩黨參加行憲的政府工作，茅日恆認爲機會難得，再三請求「張老師」晤面，說是有重要事情報告。張姑予接見，問茅有何要事相商？茅乞張向政府提名作部長。張嗤然答道：「本黨決定不參加政府工作，只願担任民意代表職務。老實講，即令本黨人士要參預實際的政治行列，部長職位亦不輪到你呀！」茅知道自己已在黨魁面前喪失了信用，不能再說甚末，最後苦苦哀求老師念在多年的師生情誼，給他提名作個中央級民意代表，張氏仍以拒絕的表示，登時跪在地下說道：「日恆該死，還望老師不念舊惡，栽培一下，今後決不敢胡爲了。」張謂「好了好了，我提名你作個民意代表就是。」

行憲政府剛告改組成立，第一任總統就職未久，以剿匪戡亂的軍事失利，形勢逆轉，蔣總統宣告引退，由副座李宗仁代行總統職權，旋中央政府各級民意機構，於民國三十八年春間，南遷廣州。李宗仁雄心勃勃，擬創造新局面，對在野黨派竭力拉攏。茅日恆以民社黨籍的民意代表關係，奔走李宗仁之門，獻議李代總統注意國民外交工作，以取得國際間的應援爲上策，李表示同感，茅即聲明自己係留法學生，多與法政府人員熟識，願爲代總統赴法國進行國民外交，保證必有成效，李欣然認可，令飭財政部撥現大洋二萬元給茅氏作旅費，另備非正式的李代總統函件，交由茅氏持往法國應用。茅拿着這筆現金，携家潛至海隅，於郊區各地購置房產兩三棟，自住一所，其餘分別出租。他怕別人知道這回事，諱莫如深，每月收租皆親自經手，曾因房租糾紛鬧到警察所，反而醜聲四播了。這時候，在香港的中國人好搞「第三勢力」，茅以民主人士姿態，到處亂闖，希望參加，但別人敬而遠之，說他是跟台灣有關的民意代表，諸多不便，茅即指天誓日而聲言道：「蔣××派纔機來接我到台灣，我也不會去的！」結果還是所謀不合。既而顧孟餘、張君勱等倡立「民主戰鬥同盟」，聲勢張甚，張氏由印度回到香港，茅大喜，認爲可以參預「第三勢力」運動了，昕夕赴張寓晉謁「張老師」，然始終嘗到閉門羹，茅𢣚甚，指戟張老師的另一門徒兼黨員王某從中破壞，逢人大罵王某不置，實係張老師十分厭惡茅之爲人，不屑接近也。

茅在海隅常以留法學生向人炫耀，且在報紙上夸其談，越南華僑有在香港經商者，偶與茅氏相識，茅謂在越南的法國總督和法軍將領都是熟人（此時法國尚未退出越南），他若到越南去，一定可以替僑胞解决許多問題。越僑信以爲眞，乃集資擬在西貢創設一家華文報紙，聘茅氏作社長。茅要求先給一筆旅費，按全家大小暨帶去的總編輯，主筆等人數計算，共有十人同往，越僑如數滙寄，然茅氏只帶着一個主筆前往西貢，乾沒了八個人的旅費。他在西貢住了三個月，由當地華僑優渥招待，每日約僑商打麻將，而且必須贏錢纔歇手。對於報紙出版事宜，他根本莫名其妙。僑團因事請他向法國人士交涉，他亦束手無策，而託言法方軍政界的熟人皆已回國，時機太不湊巧。僑胞知道他完全是個買空賣空的無行文人所言俱不足信，乃以經費尚待籌集的理由，聲明報紙暫行停辦，請他先回香港，俟報紙籌備完竣時，再約茅社長前來主持。茅知道這是禮貌逐客令，表示同意，但要求按照林語堂辭去南洋大學校長的成例，由僑團方面給以三年的薪金，旅費在外，藉資補償他的損失，僑團祇好忍痛照辦。

他由越南回到香港後，身懷多金，忙於求田問舍，一方面添置地產，一面修葺自己住宅，美倫美奐，每月收入可觀。他的兒子本來與父母同住的，此時已找到工作，待遇亦差可溫飽，茅氏乃以兒女長大能自立了，不宜再靠父母贍養的理由，要兒子每月繳付宿食費港幣五百元，否則分居，兒子認爲太昂貴，寧願搬到外面去住，父子間因此爭吵甚烈，一時傳爲笑柄，結果談判不諧，兒子終告分居了。茅氏原在一家私立學校教書，由於他連年來演出了若干醜劇，聲名狼藉，踽踽涼涼，沒人再敢領教，成了眞正的寓公，生活固然優裕，但他愛錢成癖，深感「坐喫山空」之懼，聽說在台灣的中央民意代表待遇不錯，又有公家的宿舍可住，心嚮往之，認爲每月可以積蓄一筆錢放高利貸生息，計亦良得，即向有關機構申請入台服務。當他初次報到時，有人問他：「爲甚末在香港十幾年不來報到？」他忸怩說是因爲事忙，分不開身。曾有一位同寅在會場中笑語茅氏曰：「你過去在海外搞第三勢力時，發言蔣××派纔機來接你到台灣，亦不願入台，如今並未有人促駕，怎末又來了呢？」他登時額角上冒着汗珠答道：「決無此事，那是有人造謠毀我的。」但內心裏却感到莫大威脅，隨時害怕別人算舊帳，揭他的瘡疤。因此，他在台灣很少交際，見人說話的聲音，亦不像在海外那種大嗓門高談闊論的形色了。正是：

仗義多屬屠狗輩；
負心盡是讀書人！

（完）

新聞網外之言

黃伯度先生一段往事

宇文釆

總統府國策顧問黃伯度先生日前逝世。他是安徽舒城人，曾做過許世英時代國務院秘書長。那時他才三十四歲。誠如台北某報所說，黃伯度是一部活的現代史，但他是一位典型的幕僚，守口如瓶，惜墨如金，所以有很多寶貴的史料，並未能遺留下來。

關於黃伯度生前待人、處世、治事，報章多有好評。他是受中華文化陶冶的典型中國讀書人。據筆者了解，受他的父親黃書霖老先生的影響最大。

黃伯度是孝子，他的胞弟黃仲蘇也是孝子。過去他在上海作寓公時，某次，他的胞弟牙疾，由他們兄弟陪同去找上海某牙醫診治。那牙醫是留美學生，能說英語，所以就用英語談妥了診費。等到診治完畢，黃老先生知道問起診費，認為價錢太貴，不禁勃然大怒，罵仲蘇道：「我花錢送你到美國讀書，並不是教你來騙老子的。」於是伯度、仲蘇兄弟兩人乖乖跪下。仲蘇問伯度：「哥哥，你的牙齒痛不痛？」書霖老先生聽了才命他們起來。

值得注意的，這對老弟兄那時都是三四十歲的人了，對於父命仍然不敢絲毫違抗，這便是中華文化中的孝道。

在黃伯度先生的祭堂，總統頒有「永懷忠悃」的輓額，使筆者感覺到中國老一輩的人認為只有孝子才能做忠臣，而忠臣必然是孝子。這話還是很有道理的。

巨變歷險記！

大猛隆之戰剛剛結束，蠻松之戰又起。

蠻松在大猛隆的右下方，是雲南最後的一個地方，再過去就是緬甸景棟地方了。

蠻松在高高山上，在高高的山頭上。從大猛隆遠方面看蠻松，如同從紅河看瓦渣一樣，是一座非常高的大山，是天黑的時候上山，到天亮方才到達。從大猛隆到蠻松山根，是一片平原。離開大猛隆，原非本意，還打算在大猛隆停留，但各方面的情報都迫着非繼續轉進不可。大猛隆的戰事一停，部隊又繼續向前，在一個村子造飯吃了後仍繼續向前。到達了蠻松山根，大家實在走不動了，就在山根坐在原地打盹。打個盹後再走，走得更艱難。腿實在走不動了，勉強走，還在瞌睡狀態中，但只以後有追兵，也只好竭力掙扎，勉爲其難。先是一個很深很寬的濤不容易越過，於是丁博士騎在馬上躍過，馬倒是躍過去了，丁博士也摔下來了。這非同小可。但因爲地是土地，又因爲地上有草有

蠻松之戰（一七四）

胡慶蓉

葉子，摔的還不十分重。危險的是人從馬頭上滑下來，馬向前行，馬的蹄子正落在丁博士的肚子上，若是它一使力，丁博士的肚子就會被踏破，神奇的是這馬輕輕的踏上去，又輕輕的拿下去，並且站在那裏不動。丁博士又起來走。這一次他不騎馬了，他抓着馬尾巴，聽着他帶，跟着他走，但馬的步大，人的步小，在跟着他走，還是很吃力的。特別地不平，坑坑凹凹，隨着他走，更是吃力。天快亮了，還沒有走到山頂，還沒有到達蠻松。大家再接再厲，用盡餘勇，方始到達。這確切是個美麗的境界。整個的蠻松，古木森天，古木蔽天，特別山頂上，樹木更是茂盛。但人不能吃樹，軍糧就成了大問題。於此不能不感謝張縣長，他帶領他的自衛隊早已到達了此間，並已爲我部隊預備好食糧。糧，山上並不出產，糧從山下運上來。這確切不簡單，也確切不容易。一個擺夷背在背上，帶子掛在頭上，像牲口拉車似的，一步一步的向前走。

在頭幾天，米還上得來，不久整個的車里完全入了共軍的掌握，山上的米漸漸的少了，軍糧不足，軍心動搖，遂不得不再加上共軍的天天進迫，遂不得不作放棄最後據點之議。這是民國三十九年三月底吧？共軍眞的攻上來了，以他充足的火力，以他人海的戰術，遍地遍山的猛撲上來，我軍相形見拙，無論如何的拼命，也沒法阻止他的前進，在無可如何之中，不能不撤出蠻松，轉進到緬甸景東，轉進到湄公河的右岸，轉進到緬、寮、泰的三角地帶。這在第二次世界大戰，曾爲我中華民國駐軍地區，在廿六軍等於荷地軍遊，佛海南嶠戰敗後，逃出來的早已集結在這個地帶，現在八軍繼續向這個地區集中，徐圖再舉，共策前程，亦計之得者。來者猶可追。丁博士願與全體官兵共勉之！

搜異錄

走火的人

·恨海·

鼓聲冬冬，人聲嘲雜，人聲與鼓聲交織成熱鬧的場面。

幾百人圍在一個廣場上，一個女子口中唸着咒語，由慢而快；那女子好似神鬼附身，她兩手伸前，將一隻纖細的脚放在燒到熊熊的煤炭斗面，好似中了什麼迷，她沿着載了灼炭燃燒的炭坑直走，直走到炭坑的末端，才踏入一池冷水去，發出噝噝聲蒸氣。

人羣堆前去察看她的一雙脚。奇怪！竟沒有燒傷，也沒有發炎和腫漲。那女人是走火人。這「走火」是她們宗教訓練之一部，用以堅定她受苦難而不懼的信心。行過火路後一點傷害也沒有。

在印度一些土人爲了試驗信心的堅決，故意向火挑戰。印度南部的康納利族人，是准許外間人參觀他們「走火」儀式的。開始是舖火坑，那些炭是用木燒紅而成的，勻停地撒進一個約六吋深，二十呎長又五吋闊的坑的坑道裏。

參加「苦難」的人集合後，由「祭師」作最後指示。鼓聲和唸經文的人，一個跟一個在後燒得滾灼的火坑繞行三周。一個台架起來，走火者排成單行，又一個跟着一個，從滾紅的坑道這一端走過那一端。

這種儀式若沒有經過事前預先演習，亦不怯場。其唯一準備者，乃決心走火的人，在此苦難舉行前數天，避免性交，飲酒和吃肉。同時亦受盼咐，在走火者覺得踏上火炭後不能忍受脚下的灼傷熱，一有此危急情況發生，他便要靜靜行走，步入冷水池裏，事後也會被認爲是瀆神，一定是暗中破戒，做了什麼違戒之事，不過很少走火者中途退出的。

印度人幾百年來，將這種走火而不傷的理由，嚴格保守秘密。現在心理學家相信已查出神秘之源，認定走火者不被火傷，乃是催眠作用。

施力發博士在一本名爲「探幽搜秘」一書中，說出在一次實驗中，他的同事有一次將手指指着一個已受催眠人的手臂，說是一根燒紅的火棍。又對那實驗的人說：這會使手臂燒到起水泡及灼傷。

受催眠人一經恢復知覺，真的在手肘起一個大水泡。

再將這項試驗反轉來做，用一件燒紅的東西，向那受催眠的人輕輕觸一下，對他說明是不痛的。他果然沒有喊痛，事後亦未說明有何刺激的感覺。

專家們認爲，雖然走火者絕少知道他們受了催眠，但在他們步入火坑之先，已陷自己於催眠的景況中了。

此一解說，醫學人士承認他們只屬於理論階段而已。尚未到將事實證明屬實。印度人的這一種奇妙的走火術，至今仍爲一種未破之迷。（完）

薛濤（中）

不結同心人，空結同心草。
那堪花滿枝，翻作兩相思；
玉箸垂朝鏡，春風知不知？

這四首絕句，清逸有致，亦爲作者的人格表現；讀來委婉動人，不失爲一流作品。由此，也可看到她是情有獨鍾，決非一般的路柳牆花。「不結同心人，空結同心草」之句，令人悠然久之。

在薛濤集中有「十離詩」：犬離主、筆離手、馬離廄、燕離巢、珠離掌、魚離池、鷹離　、竹離亭、鏡離台、鸚鵡離籠。相傳她以事觸怒韋皋，不許從官；或云，元微之使蜀，嚴司空遣濤往事，她以忤己不應，得罪遠去，乃作此詩以獻，仍復恩寵。於是後人替她惋惜，說她不該自賤若是，降低了她的人格。但據「青樓小名錄」的記載：「或云，元相公賓府薛書記，酔爭令，擲注子傷相公子，遂出幕，乃作「十離詩」。因爲同姓的關係，又因元薛確有一段情，於是便以訛傳訛，遂使這位孤芳清拔的女詩人，蒙受千載不白之怨。不過，薛濤在韋臬鎮守四川時期，確曾因事得罪被罰赴邊，後又赦還。她有「有懷上韋相公」詩云：

聞道邊城苦，而今到始知；
却將門下曲，唱與隴頭兒。

黛眉小傳

王幻

薛濤不獨長於詩才，口辯也好。有黎州刺史作「千字文」令，須帶魚禽鳥獸，先云：「有虞」（與魚同音）陶唐。」她道：「佐時阿衡」；刺史說：「語中並無魚鳥，……須罰。」她笑答：「衡字內有小魚字，使君的「有虞陶唐」一魚也沒有。」座客大笑。又高駢鎮蜀時，令薛濤改一字令云：「須得一字，象形又須逐韻。」他自己先行云：「口有似，沒量斗。」（口斗象形而又切韻）；濤繼云：「川有似，三條椽。」（川椽亦同），她酬對的機敏，大率如此。

我們讀她集中的贈答詩，覺得她對誰都要好，是在濫施愛情，實則這是一偏之見；因爲她是女性，所以覺得如此，如果她是男性時，便覺得平常了。而她對待朋友，正如男性一樣，是人類普有的共鳴的感情，不一定男女相悅的戀情。如果她是一個玩弄情感，濫施愛情的人，則不會牽動她的離愁別恨，那麼她至少可以生活得很愉快，而事實偏又不是這樣。所以，有一次，她望着園中牡丹的開謝，情動於中，不能自已時，便吟道：

去春零落暮春時，淚濕紅箋怨別離。
常恐便同巫峽散，因何更有武陵期。
傳情每向馨香得，不語還應彼此知。
只欲欄邊共枕席，夜深閑夢說相思。

這首七律也可能悼念元微之而寫的。將一種哀婉的柔情，及那孤獨的悲痛，全傾瀉在深紅的詩箋上，用胭脂和淚寫下她滿腔的抑鬱。

身世飄零，知音難得。她自少隨父入蜀，稍長父親死了，壯時母親又死了；身外無人，飄零一葉，而且天下的男子又是喜新厭舊，負心者居多，色衰愛弛，更是不移的定理。五十歲以後的薛濤，似已厭破世情，看徹人生；便移居「碧雞坊」，建「吟詩樓」棲息其上，著女冠服以堅決自己的意志。

然而「錦城雖云樂，不如早還鄉。」這時她執筆寫詩時，纏繞在筆尖上的都是撥不斷的鄉思：

蛾眉山下水如油，憐我心同不繫舟；
何日片帆離錦浦，棹聲齊唱發中流。

（未完）

依洞集

中共教育的癌症

·老宣·

本報對祖國（中華民國）教育上的弊病，常提出直率而坦誠的善意批評，正因爲愛之切，責之也深，不過我們的教育祇是多「弊」，非不可救藥。

中共的教育，乃患了最嚴重的癌症，這種癌症的形成：一、自從紅衛兵運動慘遭出賣後，學生們對受騙教育，都有豐富的經驗，任何甜言蜜語再聽不下去了。二、過份重視學生階級成份，只要是工人或貧農，小學未畢業，也可以進入大學，這種欺人自欺的搞法，對整個國家來說，是多麼野狐禪。三、七億人口，其中天才之多，可想而知，二十年都在農田和勞改中埋沒了，今天中共擁有的人才，可以說還是國民政府時期培植和遺留下的，在毛語錄的環境中，狗咀不會吐出象牙。四、各大學規定要招收工農兵份子來做學生，工農兵進入大學口號是「上大學、管大學，用毛澤東思想改造大學」，請問還有甚麼可讀。

多浪費一年時間，國家就多落後一年，青年學生固然不幸，整個大陸社會都陷於不幸，我們指中共的教育患上最嚴重的癌症，不算過份吧。

第十四章　宋高宗航海避難　韓世忠大敗兀朮

從斜刺裏東駛，又聽得鼓聲大震，一彪水軍突出中流，爲首一員大將，威風凜凜，正是韓世忠。兀朮先已懼了幾分，命他繼抵住韓世忠之船，自己船轉舵西向，擬從西路過江。到了西邊，又碰到一員大將，嚇纔迎來，仔細一看，仍是韓世忠。兀朮暗想道：「我今天可見鬼了，那邊抵住韓世忠，這邊那來一個韓世忠，正在疑思之際，旁邊閃出一人大呼「殺敵」！只見那人躍上世忠船上。兀朮定目一看，正是自己女婿龍虎大王，忙叫他回來，已經來不及了。霎時之間，宋軍已將龍虎大王擒住。兀朮大驚，正要鼓勇去救。只見宋兵齊持長矛殺來，金兵紛紛落水，有的船翻。兀朮一見情況不妙，只好下令退軍。韓世忠追殺一陣，但聞鼓聲中止，方才收軍。返至中軍，不禁與梁夫人擁賀道：「夫人辛苦了！」梁夫人道：「爲國辛勞，理所當然。」擒來兀朮愛婿，下令斬首。

次日兀朮遣使前來，情願繳歸所掠，放他一條生路。世忠那裏肯許。兀朮因世忠不肯假道，遂自鎮江泝流而上。金兵沿南岸而上，宋軍沿北緊追不舍，兩軍泝江而上，擊柝之聲不絕於耳。到了黎明，金兵已入黃天蕩。這黃天蕩乃是斷港，只有進路而無出路。兀朮不知路徑。等他問明此路不通時，暗暗叫苦。兀朮最後懸賞求計，重賞之下，有一土人獻策道：「此間望北十里，有老權河故道，因其日久淤塞不通。若發兵連夜開鑿，可通往秦淮」。兀朮大喜，立界千金，下令開河。士兵因想逃命，一齊動手，數夜渠成，長約三十餘里，遂移船趨建康。薄暮到了牛頭山，忽聽得鼓角齊鳴，一彪人馬攔住去路。兀朮以爲留駐王權的金兵，親自拍馬上前探望。只見前面列陣整齊，全是黑衣軍，究竟何軍，因天未大明，辨視不清。正疑問間，忽聽一聲炮響，黑衣陣中閃出一員大將，挺槍躍馬，帶了一百騎兵突進。只見那員將憑了一桿鐵槍，猶如一條盤龍翻滾，槍法神出鬼沒，無人敢當，金兵紛紛潰敗。兀朮喝不住，也拍馬後退，一口氣退到新城，方敢回顧。兀朮回頭詢問士卒道：「來將是什麼人，有如此利害？」有一識者老兵脫口答道：「就是岳爺爺」。兀朮道：「莫非就是岳飛麼？果然名不虛傳」。兀朮即命安營駐紮。誰知到了夜半，四面殺聲大起，原來就是大岳飛夜襲，金兵敗散，逃向龍灣，乃定。此下兀朮，前後受敵，不知如何是好。

周燕謀

自由報
（第一一一七期）
（半週刊每星期三、六出版）
每份港幣叁角・台灣零售價新台幣弍元
社長李運鵬・督印黃行寶
社址：香港九龍彌敦道593－601號
廖創興銀行大廈八樓五座
LIU CHONG HING BUILDING
7th FLOOR FLAT '5
593－601 NATHAN ROAD,
KOWLOON, H.K.
TEL: K303831
電報掛號：7191
承印：景星印刷公司
地址：嘉咸街廿九號地下
台灣區業務管理中心：台北重慶南路一段一二九號
電話：二四五七四
台灣區直接訂戶　台灣劃撥戶
第五〇五六號張萬有（自由報會計室）
台灣分社：台北市西寧南路110號二樓
電話：三三〇三四六、台郵劃撥戶九二五二號

中國代表權不必過於重視

丁作韶

據報載：聯合國大會，一年一度有關所謂中國代表權問題的辯論將於明（十二）日上午開始。此項問題的辯論是一般性的，預料將於下週內提付表決。提付表決的有兩項提案草：一項係由美國及其他十七國提出，要求依照聯合國憲章，重行指定此項問題為重要問題。另一項係由十八個共黨及所謂不結盟國家所提出，企圖牽毛共入會並排除中華民國。現在我們所最關心的是兩項提案草案究竟那一項被通過？當然我們所希望的是美國及其他十七國提出的草案，即仍然作為重要問題。即仍然作為重要問題提出來，所需要通過的票數是不是夠，也大有研究之餘地。贊成企圖牽毛共入會並排除中華民國案今年的票數，會不會比去年比往年增加，更大有研究之餘地。

實則，事實已經擺在我們面前。事實上，今年的情況有很大的變動，特別在聯合國大會開會的期間，特別是在最近接近辯論所謂中國代表權問題的時候。首先是加拿大宣布與毛共建交。加拿大林諾道政府於十月十三宣佈承認毛共政權。接着是意大利也承認毛共政權。現在傳說中要承認毛共政權的還有比利時，奧地利。南美智利政府已落於左傾份子艾倫德之手，其將承認毛共政權，也在大家預料之中。其他要承認毛共政權的，在大家預料中的，恐怕還有。他們承認了偽政權，他們會不會影響反對承認的國家，特別是加拿大與美國？行政院長嚴家淦已經注意及此。照他看來，已經有影響了。十一月三日他在立法院曾鄭重表示，美國雖然宣稱對華政策不變，但是實際上在逐漸轉變之中。立法委員在質詢中，對於美國對華態度問題並指出，美國之國務卿自杜勒斯起，所以反對容匪入會之理由係因毛共為侵略者，是一個破壞和平的好戰者，而現今國務卿所持反對牽匪入會之理由，已經轉變為因毛共排除我在聯合國之地位。美國此一轉變對我保持在聯合國之地位上非常不利。希望這不是事實，希望這不成為事實。假若成為事實，我在聯合國之地位，我在聯大之代表權，將遭遇到空前的危機。若作為毛共排除我在聯合國之地位而反對牽匪入會，那就不是什麼重要理由了，那麼投票表決的話，就不需要三分之二的多數了。那麼以普通的多數票就可以通過或推翻了。就近年投票數的相差看，相差數已經很小很少了，即令有變動，變動也並不大，總盤旋在幾票之間。這是就作為重要問題而言，假若作為普通問題而作諸票決，那危險不但很大，簡直可以說牽匪入會並排除我在聯合國之地位案一定可以成功，除非再有別的理由。毛共排除我在聯合國之地位，與我排除毛共加入聯合國同一，同是一個國內的理由。國內的理由，投票的國家單從事實上衡量就可以了。凡是承認毛共的，一定投牽匪入會並排除我在聯合國地位之票，普通多數通過絕無問題。這說的未免悲觀，但也是無可如何之事！以毛共為侵略者，為破壞和平的好戰者，才是國際的理由。只有以這為理由才是重要的理由，才可以阻止牽匪入會。到今天就是以這為理由，保持代表權，我在聯合國之地位，已經感到吃力，若離開了這個場地而步入了羅吉士所持的新理由，無異從正義，道德，跳入了事實的範圍，本來政治是最現實不過的，本來政府就是現實。即在國際亦然。國際法恐怕更現實。照國際法來看，也是承認勝者。中華民國播遷到台灣，總統蔣公復職，他已明白的對切昭示同志這種勇氣，這種光明磊落，贏得全國人民的崇敬。他說中華民國播遷到台灣起，就在作勵精圖治，復國建國為職志，無如國際局勢日趨與我不利，毛共，演變到今天這種地步，早在預料之中，全國人民會諒解的。我們懇求，總統不要為此事而憂心。我們要有勇氣承認事實。

現在美國人民已起來反對美國政府承認毛共。美國的教會團體也請求美國政府承認勿可承認。我們希望美國政府一如過去站在正義的立場支持中華民國在聯合國之地位。[illegible]但代表全體中國人民之唯一合法政府，不也是聯合國創始會員國之一，其地位明載於憲章之內，不容侵犯，照美國教師研究中國問題委員會主席海德博士的講話，當美國不承認毛共，那當然再好沒有。我們並不希望這是永遠的，不過我們心理上也要有個準備。即國際間承認偽政權，乃是一件最普通不過的事。縱令美國一旦也承認了毛共，我們也不必奇怪，更不必憂慮。美國過去之對於蘇聯，不是很好的一個例子嗎？美國也不是終於承認了蘇聯嗎？又有什麼值得奇怪的？我全球五十二個國家和地區的三百八十四個華僑團體代表們在致送聯合國大會的一封公開信中堅決反對匪進入聯合國。他們忠誠擁護在法律上，在道義上，他均無資格代表目前受其奴役的七億恐怕未必！法律在國際上是沒有什麼力量的。進入聯合國，能不能進入聯合國，必須能反攻能復國，七億大陸同胞在我實上管理之下，才可以避免聯合國的承認毛共。我不能反攻復國，毛共終有被聯合國承認之一日，因為如何反攻復國，乃是中國當前最重要的課題。過去阻止毛共入聯合國，可謂成績輝煌。即以今日來論，也已經支持了近廿年。這在歷史上恐怕已往是很少見。今後站不開，能不能繼續維持下去，在中華民國來說，業已盡到最大的努力，今後我們在聯大的代表權並不一定就被取銷。縱令取消，韓國不是很好的例子嗎？西德何嘗是聯合國會員國？韓國又何嘗是聯合國會員國？西德，韓國雖不是聯合國會員國，與他們在國際的地位何傷？西德由於其在經濟上的巨大成就，已使舉世對西德這個國家刮目相看，認為西德在今天世界的局勢中，有舉足輕重的力量，韓國近年來在政治，經濟，文化，體育等方面的建設與成就，在「得道多助」的情況下，自由的友國遍多於敵國。而今天韓國在世界上許多國家中，還不是普遍受到歡迎嗎？

何況聯合國本身已到了沒有什麼作用的地位，我們現在不是會員國，也不是常任理事，有什麼關係？聯合國已到了國際聯盟的地步。國際聯盟消逝了，聯合國又何嘗不可以消逝。聯合國會員國雖有一百二十幾個，但夠分量的實在寥寥無幾。特別非洲方面的國家如雨後春筍一般，不斷的在產生，都太小太小了，小到難以言語。我外交部有印出來的非洲與我建交的國家名稱！土地面積，人口數目之表，幾萬人就有是一個國家，甚至少有到幾千人。這樣的國家，能有什麼作用？這樣多數國家組成的聯合國又有什麼作用？事實也是這樣告訴我們，法國國際法教授特拉卜阿代爾稱國際聯盟為「談話處」，聯合國亦談話處也，在裏邊不在裏邊，有什麼關係？

這決不是吃不到葡萄硬話葡萄酸，希望我國人，對於聯大辯論所謂「中國代表權問題」中能通過美國及其他十七國的提案固好，不能通過而採用十八個共黨及所謂不結盟國家的提案，也沒什麼了不起！

（完）

昨日與明日

對共黨作戰有兩個戰場

王昇訪美紀行讀後感

千公

二次大戰以來，特別是韓戰以後，由於在戰場上吃了中共的大虧，美國對東方問題和中國大陸問題，便特別注意起來，各大學和學術機構，紛紛設置專系，研究中國問題，中國問題的專家，也於是聲價百倍。但這些專家，並不真正認識中國，常有不正確的言論，甚至對美國外交政策，也發生多少的影響。怎樣糾正他們的錯誤觀點，讓他們對於現代中國，尤其竊據中國大陸的中共政權，獲得真實的認識，確是重要的一項反共工作。所以，王化行（昇）將軍訪美紀行一書，確是一本有價值的著作，尤其對美國的介紹極富深度，難怪出版以後，再版，三版，以至五版，而王將軍對中共政權的分析批判，對那些似通非通的美國中國問題專家們更具有振聾啟聵的作用，政府官員像這樣的訪問美國，真是意義太大了。

看了這本訪美紀行，知道王將軍曾訪問設有研究中國問題的各大學如哥倫比亞，哈佛，密西根，康乃爾等校多所，與美國學術界人士舉行中國問題座談會多次，各專家提出許多問題，王將軍都坦誠詳盡答覆。王將軍特別指出：和共黨作戰，有兩個戰場，一是看得見的戰場，即軍事作戰；一個是看不見的戰場，即政治作戰。美國對敵人作戰的重點，往往在後一戰場。美國對共黨作戰所遭遇的許多困難，就因對共黨作戰的方式，大體上仍用過去對德日作戰方式。他參觀美國西點軍校，正趕上校園騷亂，鬧風潮，使他感覺有如民國三十六、七年，我們大陸情形，幕後操縱是共產黨，可是美國人對此警覺性不夠。直到王將軍訪美半年多以後的今天，我們看到報載：加州大學特勒教授認為美國各大學校園騷亂，完全由共黨煽動，王氏遠見，果然得到美國學者的共鳴。

王將軍這本訪美紀行，精采之處太多，書末對於美國的綜合觀感，尤其卓見。他指出：美國富強的基本因素在教育。美國教育的目的，而使教育適應一切人的需要；又為適應美國社會的迅速變化，實施繼續教育，終身教育。政治的民主自由是美國立國的精神資產。美國的經濟以工商為主。其經濟不斷進步得力於私有經濟的公共政策，全國財富（公司股票）分散於社會大衆以及高稅率的所得稅制度。美國社會講求以勞工為主，故工會組織龐大，因有一套社會安全制度以保障其生存與工作權。最後他也指出美國黑人問題的所在。

就訪問來講，這是中國官員對反共大業最有貢獻的一次訪問；就著作本身講，這是一本值得一讀的好書。

自由談

法國第五共和創造人戴高樂去世後，棺木只值六十元美金，殮服是「准將」階級。這種平民化的喪葬方式，無疑係遵從他的遺囑而然的，這也就是戴高樂之偉大處，值得敬仰也。

第二次大戰初期，戴氏是法軍的准將師長，他於巴黎淪陷後，號召法國軍民繼續對希特勒抗戰。由於英首相邱吉爾當時主張英法合組聯邦以抗德之故，他即流亡倫敦，倡設「戰鬥法國政府」，與英美一致行動。這時候，法國駐在北非土倫港口的海軍實力，尚完整猶昔，唯軍費必須仰給於英美，邱吉爾與羅斯福乃不讓戴氏的「戰鬥法國政府」過問法國海軍的事。嗣後英美倡導的同盟國家會議，如魁北克會議，如開羅會議，如德黑蘭會議，如波坦會議，皆不使「戰鬥法國」參加，然法國的海陸軍依然與盟軍併肩作戰。同時，戴高樂個人在倫敦亦飽受冷落待遇，蹭蹬凉凉，極其難堪。

當代的英雄人物

戰後戴氏以民族英雄，凱旋巴黎，沒且成為法蘭西第五共和國的領導人了。他對於美英即採取不合作政策，既脫離北大西洋公約體系，迫使聯防總部撤出法境，又堅決反對英國加入歐洲共同市場，更與蘇俄妥協，而以國際第三勢力自居。世人對於戴氏這些作風，詆毀不置，如果我是戴高樂，一定亦是要這樣幹的。若說法國不應破壞國際反共的集體聯防組織，然英美何以又隨時向俄帝與毛共聯歡獻媚，英國且搶先承認毛共政權呢？若謂戴氏不該搞國際第三勢力，然美英却以國際第一勢力的氣概，凌駕自由國家，幷未將法國視為平等的國際伙伴。是而可忍，戴高樂便不成其為英雄人物，而係強權主義者一個僕從罷了。

戴氏當政期間，毅然將法國亂嘈嘈、鬧哄哄的內部紛亂局面，脫胎換骨，改造一新，蛻變為中興的第五共和國；決然放棄北非和東南半島的殖民地統治權。似此卓識與氣魄，遠在邱吉爾，艾德禮，麥美倫，杜魯門艾森豪，詹遜諸人之上。他死後的薄葬儀制，亦非號稱為民主先進的英美政治大亨們所可企及。他用准將服裝以飾終，是表示當年艱苦卓絕以救國的毋忘在莒精神，給國人永矢弗諼，留下深刻的啟示作用，此其不愧為民族英雄也！

馮五先生

國中課本過於繁冗 徒使學生不感興趣

立委列舉實例向政院質詢 指國文註解反較課文艱深

（本報台北消息）立法委員張九如對修改國民中學教科書，認為教育當局已使國民教育政策變質。由於國民中學課本過於繁冗、艱深、甚至錯亂、謬誤的各科教材，許多問題便由此發生。因此，張委員向行政院提出嚴勵之質詢。其質詢謂：

教材繁冗之例：如數學教科書第一冊中，證明"$R\times O=O$"若寫成「$R+O+R\times O=R\times(O+O)=R\times O$」（分配律$O\times O=O$），左、右式同減$R\times O$即得$R\times O=O$，也就夠了。又如證明"$R\cdot S=O$，則$R\cdot S$中至少有一為$O$"，若寫成「假使$R\neq O$，則$R^{-1}$　Q」，也許比「反證法」要清楚些。再如解說「A是一整數，A/1是一分數，在觀念上，A和A/1當然不同，不過利用上面的關係，可把整數化做分數」，這實是不必要的咬文嚼字，為什麼不說「A/1=A，所以整數是（或可看成）分數的特例」呢？且由於不必要的繁冗佔去教學時間，反使必需教學的題材簡略過去，例如不闡明「整數」對於「加」與「乘」的基本性質，未免忽視了教學的根本，代數的源頭，並使學生不能有興趣有系統的解答「四則問題」。又如應予「命名」的某些定例或性質，反予忽略，致學生做習題寫理由時，須寫很冗長的文字。

此外，物理化學的教材亦過多，證驗工作更少。音樂美術工藝三科偏重理論，致練習欣賞的時間少到等於零。男生的工藝與女生的家事教材，以及職業簡介，更是包羅萬象，玉石雜進。體育雖無課本，但課程標準中包括的種類亦太多，祇田徑一類，即有十三項目。童軍訓練每週僅有一小時，項目卻多至十六個。國文、歷史、地理、公民與道德教材的過雜，亦都相似。各科教材這樣繁冗，實在無法教學得了。

教材艱深之例：如所謂「新數學」的現行國民中學數學教科書，全是國小畢業生及一般數學教師腦中毫無基礎的教材，若撰編得不好，就只有越教越糊塗，不幸第一冊第一章開始即犯此病。在這章中舉了以「七為底」「二為底」「十二為底」的例子，並討論「相異兩底記數法」的「互相變換」，意在證明「記數」並不一定要「十進法」，把這種並非國中學生必須講的「記數法」，究當頭一棒，使學生從此視為畏途。倘從說明小學中所學「十進法」的四則運算原理着手，就輕便得多了。又如同冊第三課，原在使學生認識「點」「綫」「平面」「空間」，卻說「它們都無定義，但可看出其述及的性質「1」「2」「3」等等」，如此說法，故弄虛玄，遠不如舊教本中解釋為「理想」的「點」無大小，只表示一個「位置」，「理想的「直綫」上有「長度」而無「寬度」，它只表示兩個相反的「方向」，……」反易明白。此外，如物理課本中的聲波，波與光波之干涉問題，波動學說等教材，過於艱深，決非一般缺乏實驗設備的學校能講解清楚。再如將較深的波動力學，提編在普通力學之前，不是尚無簡單力學基礎的學生所能接受。稍後數冊的內容偏深，很難教到學生了解。美術音樂工藝課本中，都有不少偏重知識理論的教材，徒使學生不感興趣。童軍訓練課本亦犯同病，致減少了動作的訓練。地理教科書第一冊第二課，編者謬採西方一二學者不成熟的見解，把中國大陸硬分為「中樞區域」「環拱區域」「邊疆」「緣海」四部份，已是前所未見。最不可解的是把夾在甯夏青海邊疆部份的甘肅省西部，全劃入「環拱區域」內，尤使學者困惑，教者難於解惑。至於國文的註解，反較課文艱深，更是弄巧成拙。

幾何課本編排失當 化學教材錯亂尤顯 地理謬誤之處極為嚴重

教材錯亂之例：如數學課本第一冊中「開頭就列「數的記法」，而不知把它移到第四章「整數」之後，較易教學，又如第二冊中幾何的直綫形，直到第四冊纔繼續介紹幾何之圖，此類割斷一單元連續性的編排層次，不止一例。且因其編排失當，帶累到物理化學科的教學。例如常需根據多次簡單實驗結果以證明的有關定律，像鋼片的振動，單擺的擺動等觀念，因數學觀念的不足，致無法建立。又如有關質量密度關係合力與合力點的由來，及有關物體的運動問題，由於尚缺乏一次方程式及二次方程式的觀念，講者既感困難，學者更不能應用，反不如早給初三學生建立這些觀念的舊時課本，易教易明。再如因式分解，遲到第五冊後才講，解聯立方程式，則在此冊內尚未見到，致學生學物理化學時，根本不懂，亦不會計算。該科課材本身的編排，亦有若干不當處，如不將槓桿輪軸的功用，斜面螺旋的問題，滑輪齒輪的認識，連續介紹，偏分編在數冊中，致無從產生類化作用。

化學課材的錯亂尤顯，例如尚未提到化學式，反先介紹反應式。又如既能介紹克分子觀念，應可介紹克當量觀念，使教授「法拉第定律」及「中和反應」時，便於解釋，但並未如此安排。再如O.LGL〇的硬酸脂溶液，在其後整個過程中皆以體積討論，已用不到分子，而竟把它插入分子大小的實驗課材之間，形成前後毫無關係的編列，徒然引起學習上的混淆，工藝科各部門教材亦多不連續，無論在知識上操作上都感到零亂生疏。此類錯亂情形，均不利於類化及應用能力的建立。

教材謬誤之例：如數學課本第一冊中說「三個脚的椅子，放在高低不平的地面上，仍可穩定不動，是什麼理由」？顯不合物理學原理。又如關於「角」的定義，應該是由平面上二射綫所夾的區域，卻把它說成為兩射綫的聯集，這不但與直觀不合，且使大於平角與不角失去其意義，今後在「三角學」中必然產生困難。化學課本的謬誤處比數學更甚，如CU SO4加熱之裝置有問題，照書上所述方法，將會得到藍色液體，其實該是無色液體。空氣與銅化學之實驗亦有問題，因氣體可塑性很大，注射筒內管不會因氣體體質微量的減少而能進退自如。又如求氧化鎂的化學式實驗，應生成GO，MG3N2，但書上只提MGO。再如酸中和之實驗，書上規定可以溫度計當攪拌器，是不合理的。地理課本第一冊中的謬誤處，尤為嚴重。冊中敍述中國大陸各省市的人口數，是根據以前國民政府時代內政部的調查統計，此不但與編印此書時的實情不合，並會使大陸淪陷後新生的一代，誤會政府已經不要他們，視他們如抗日勝利後的「偽軍。」又因人口數則依過去數字寫入，而土地面積中則已編入光復後的台灣，亦很難使學生不感到時空上的矛盾錯亂。

課本如此之糟 教部未能督導 編譯館亦不加審查

各科教材所以編得如此，殆由於（一）教育部既不察及此項工作的關係最為重要，未曾認眞督導。承辦此事的國立編譯館亦不追查，任令各編輯小組負責人自請助手代編，延誤至即將開學時，纔慌忙交卷。其中數學課本的所以最差，則因編者以美國學校數學研究小組所試編的為藍本，並有譯錯或改壞之處。（二）各科編輯最主要的人員，大都是缺乏教育經驗的，實際有國中教育經驗的少數中小學教師，雖曾與議其事，但或震驚教授學者的名位，或顧念其舊時老師的情誼而不敢力爭，便不異議。一言以蔽之，是「聚九州鐵鑄成了大錯」。由於（一）國民小學尚未能盡除半日教學制，而其畢業生則已能不經考試即升入國民中學，各科成績的懸殊，可從百分至零分，復須每日費時費力往返於未盡合宜的學區，致國中學生極難教育。（二）師資不足，教課過多，甚至教非所學，對於派任制下的校長，又無督導考核的全權，致國中教育成效更差。（三）現用國民中學各科課本，大半難教難學，授課時間只得敷衍了事。積此數因，於是校內外紛紛起各式的補習，尤以考前不進的私立中學為多，於是以前考前補習的公立中學生，纔於今竟出現相反的情形，學生或因分班不合而自殺，或因成績過差而出走的，於是教師因待遇既薄，課又過重，委而去之，擇木而棲的行動，就都由此發生了。

由於教材如此，即使尚有極少數認眞教學的學校，亦因無暇遵守德國著名心理學家艾賓豪斯的「遺忘曲綫」所示，致無法使學生多次學習，繼續嘗試回憶，整個學習，從容體味，想像喚起注意、聯想、類化各種心理、記憶等能力，養成安排學習時間、思想、活動以及做科學的適當並用，與肌肉活動並進，精神不緊張，甚至不能獲其必需的休眠時間，倦而恐慌，其總結果是用力多而成功少，徒然並損害了身心的發育，違背了總統延長國民教育的昭示主旨。

馮玉祥有沒有盜寶

矢原愉安

四、分析的後結論

根提對以上引自他的自傳「我的生活」七段故事的分析，大致可以歸納當下面幾點結論：

A、馮玉祥并不是一個絕對不愛錢，絕對不貪便宜的人。

B、為了他的「槍桿子」們的利益，他甚麼事都會做，而且都樂於做。任何法律、公理、人情，都束縛他不住。

C、尤其是當他認為眼前放着一堆「無義之財」，可以用來「養兵」或是做公益以時候，他是不大會放過這個機會的。

D、他曾經為了「四師一旅人要吃飯」，刼過國家的鐵路收入，也不惜用「動武、殺人」，來強收兩萬元的「烟土稅」。

當他面臨着一座無人看守，而又屬於一個流亡失勢的「封建餘孽」的金山銀海的時候，他是否會絕不動心呢？還是會以「槍桿子」為重？

如果說古物是國家財產的一部份，他當然會加以尊重。那麼，那被他刼下來的一萬元「鐵路收入」，不也是國家財產麼？

（未完）

喬治桑外傳　一九六

張大夏

「不算快嘛，已經拖了好幾個月了。哦對了，房子手續已經辦好。」喬治桑說完，從口袋裏掏出雅麗絲的印章給雅麗絲。

「這，怎麼好意思，」雅麗絲接過私章，眼睛露出感激之色。

「這是我的一點心意，算不了什麼。」

雅麗絲是急性子，跑到喬治桑的房裏將他的衣服都拿了出來，替他開始理行李。這樣有一種方便，可以隨時問喬治桑，什麼要帶什麼不帶。

喬治桑的行李簡單，但也費了兩個鐘頭才理好。

雅麗絲累了一身汗，洗了一把臉。

「好了，行李替你理好了。明天我去買點吃的東西，送給你路上吃。蘿蔔和我說過，他要到飛機場來送你。」

「千萬不要買東西。妳告訴蘿蔔，他不必來送我了。」

「包死，你什麼時候再來？」

「那要看情形，如果有機會我一定來看妳。哦，對了，不要忘記寄結婚照給我。」

「一定，一定，我要寄一張彩色放大的結婚照給你。」

「妳有沒有我在美國的地址？」

「不但地址，電話都有。」

「今天妳很累了，早點休息罷。」

台北傳奇錄（八六）

·陳光棣·

「你看看，這是幹什麼？」老邱搖着手回到廚房：「這小子搞什麼鬼呀」？步成材忽然想起還要回家燒飯，也搭訕着先走了。

「你的報紙包裏包的什麼寶貝呀？何至于這麼急呀」？大金紅瞇着眼睛。

「恩……」金恆貴不住的東找西找。

「問你話哪？到底是什麼東西」？大金紅不放鬆。

「沒告訴你嗎？是漂白粉」。

「你要漂白粉幹什麼」？

「有用」。

「看你帶搭不理的！」大金紅翻着眼皮，伸出了姆指和小指衝上一比劃：「我看什麼都不是，是那個東西」！

金恆貴半天說不出話，所有的動作都停下來，好像是在等着別人為他照像。

「你說實話，我就拿給你，可是要見一面分一半，有了那些東西，我就可以和老邱享幾年清福了」！大金紅坐在床沿上。

「妳別財迷心竅，東西不是我的」！金恆貴不停的想主意；「說實話，我是替別人幫忙」！

「你可眞夠朋友」！大金紅撇着咀：「不是你的也不要緊！反正這種東西到了誰手上就算是誰的！你說怎麼辦吧」？

金恆貴登時把圓臉拉成長臉：「昨天晚上為了這東西鬧的天都快塌下來了，警察還在抓人呢！妳趕快拿出來，可別沒罪找枷扛！」

「你可別嚇唬我！趕快說正經的，你心裏明白；這種事見不得天日」！

「你們擠在屋子裏幹什麼呀？」老邱在廚房探着腦頭。

「我馬上就來」！大金紅催促金恆貴：「怎麼樣啊？要是老邱知道了，你的麻煩可也不小」！

「好吧！把我的一份給了妳吧！快點拿來！」

老邱拿着個麵團從廚房走出來，一眼看到蔡百順坐在櫃台上：「你看看，眞是！那兒不好坐，你就一屁股坐在俺櫃台上」！

「我等我舅舅！」蔡百順幌了幌腦袋。

「你等誰也不行！還不快點滾下來」！老邱鐵青着臉。

「你怎麼說話這麼難聽啊」？

「嘿怎麼着？洋錢好聽，俺又沒有？」老邱說着就要抓蔡百順。大金紅怕老邱打人，也顧不得再和金恆貴討價還價了，把報紙包交給金恆貴，從屋裏跑出來拉住老邱。

「老邱，別打他」！大金紅曉得老邱的脾氣。

「這個小子和宮家那雜種是一對活寶，我今天非教訓教訓他不可呀」！

金恆貴拉着蔡百順走到街上，嘴裏不住的讒怨：「你規矩點不行嗎？老邱是個混人，他要給你吃兩記生活，還不是白吃眼前虧」！

國父當年致港督卜力函

．文滙樓主

當時北京義和團反帝國主義攻各國使館，慈禧太后下令對各國宣戰，國父孫中山先生目睹時局緊急，瓜分之禍瀕於眉睫，曾專函致香港總督卜力謂：

（從畧）竊士等十數年來，早慮滿洲政府庸懦失敗，既害本國，延及友邦。倘仍安厥故常，呆守小節，竊恐靡既。因是不憚勞瘁，先事預籌，力謀變政，以杜後患。不期果有今日之禍！當此北方肇事，大局已搖，各省地方，勢將糜爛。受其害者，不特華人也。天下安危，匹夫有責，先知先覺，義豈容辭。士等睹此時艱，亟思挽救，竊恐勢力微弱，奏效爲艱。政府頑冥，轉圜不易，亂臣重利，觀望依違。定亂蘇民，究將誰屬？深知貴國素敦友誼，保中爲心，且商務教堂，遍於內地。故士等不嫌越分，呈請助力，以襄厥成，願借殊勳，改造中國，則內無反側，外固邦交，受其利者，又不特華人已也。一害一利，相去如斯，望貴國其愼裁之。否則恐各省華人，望治心切，過爲失望，勢將自謀。且禍變之來，殊難逆料，此固非士等所願，當亦非貴國之所願也。時不可失，合則有成。如謂滿政府雖失政於先，或補救於後，則將其平素之積弊，及現在之兇頑，畧爲陳之。朝廷要務，決於滿臣，紊政弄權，惟以貴選，是謂任私人。文武兩途，專以賄進，能員循吏，轉在下僚，是謂屈俊傑。失勢則媚，得勢則驕，面從心違，交鄰慣技，是謂尚詐術。較量薄弱，恩可爲仇，朝得新權，夕忘舊好，是謂瀆邦交。外私內狠，歷怨計嫌，醸禍伏機，屢思報復，是謂嫉外人。上下交征，縱情濫耗，民膏民血，叠剝應需，是謂虐民庶。鍛鍊黨罪，殺戮忠臣，杜絕新機，閉塞言路，是謂仇志士。嚴刑取供，獄多瘦斃，寧枉無縱，多殺示威，是謂尙殘刑。此積弊也。至於現在之兇頑，此後尙無涯涘。而就現在之已見者，則如妖言惑衆，煽亂危邦，醸成民變，褒以忠義，是謂誨民變。又借元兇，命爲前導，是爲挑邊釁。教異理同，傳道何罪，咬聳民庶，屠戮遠人，是謂仇教士。通商有約，保護宜遵，乃種禍根，蕩其物業，是謂害洋商。睦鄰遣使，國體攸關，移職通攻，如待強敵，是謂叛使命。書未絕交，使猶滞境，圍困使署，因以轟攻，是謂背公法。平匪全文，乃爲主戰，竟因忠諫，慘殺忠臣，是謂戮忠臣。啓釁貪功，覬覦大位，不加誅罰，反受兵權，是謂用偵師。裂土瓜分，羣雄耽視，暗受調護，漠不知恩，是謂忘大德。民教失歡，原易排解，偏爲挑撥，遂啟禍端，是謂修小怨。凡此，皆滿政府之的確罪狀，苟有反正，爲禍何極。我南人求治之忱，良爲此矣。士等深知今日爲中外安危之所關，滿漢存亡之所繫，用是力陳治弊，懇慰同人，南省亂萌，藉資稍戢。事宜借力，謀戒輕心，貴國遠圖，或蒙取錄。茲謹擬平治章程六則，懇轉商同志之國，極力贊成，除去惛根，聿昭新治，事無佩益，利溥不同。惟是局緊機危，時刻可慮。望早賜覆，以定人心。

隋唐時期的繪畫

呂佛庭

當時這些畫家沒有不畫壁的如展子虔畫定水寺，崇聖寺，鄭法士畫海覺寺，龍興寺，瓶靈寺，東安寺，靈寶寺，光明寺，天女寺，寺，雲華寺；董伯仁畫崇聖寺，海覺寺，白雀寺（河南臨汝），終聖寺，光嚴寺；鄭法士畫海覺寺，永泰寺，開業寺，寶刹寺，光明寺，靈寶寺；孫尙子畫定水寺，總持寺；楊契丹畫西禪寺，敬愛寺，寶刹寺；尉遲跋質那畫慈恩寺，光宅寺，興唐寺，安國寺，大雲寺，空寂寺，安國寺；袁子昂畫覺寺，奉恩寺；田僧亮畫光明寺，皈依寺；釋迦佛陀畫少林寺。六朝壁畫以江南爲最多，至隋代壁畫多在長安與成都兩地，而江南壁畫反見衰微。隋代壁畫固發達，而卷軸亦無遜色。

據唐公私畫史所載：展子虔畫凡六卷，董伯仁畫凡五卷，鄭法士畫凡十卷，孫尙子畫凡五卷。歷代名畫記載：楊契丹畫凡六卷，尉遲跋質那畫凡三卷。未登錄畫史的不知還有多少呢？各家畫蹟，就其體裁看來，可分佛菩薩像，金剛鬼神，宿世人物，耕種機織，貴族生活，番夷風俗，全境山林，界畫樓台，鞍馬走獸，就其畫風看來，除尙子「雜鬼神像」爲浪漫性作風外，其他如山林人物等，都是寫實主義的傾向。史稱：「鄭法士師張僧繇，尤長人物，至冠佩帶，無不有法。而儀風度，取象其人。」又謂：「楊契丹與田僧亮、鄭法士同於長安光明寺畫塔，鄭圖東壁北壁，田圖西壁南壁，楊圖外邊四面，是稱三絕。楊以簟蔽畫處，鄭竊觀之曰：卿畫終不可學，何勞障蔽？求楊之畫本，楊引鄭至朝堂，指宮闕衣冠車馬曰：此是吾畫本也。鄭益歎服。」由此可知隋代畫家那種寫實的精神，是很值得我們佩仰的。

唐代無論政治、經濟、文學、藝術，都是蓬蓬勃勃有生氣的。就繪畫一方面說，不但體裁比前代完備，而畫家和畫蹟數量之多，也是空前所沒有的。據宋宣畫譜記載，自閻立德以下百七十七家，畫蹟一千一百八十六件。寺觀壁畫還不在此數。計閻立德畫凡九卷，閻立本畫凡四十二卷，張孝師畫凡一卷，范長壽畫凡二卷，尉遲乙僧畫凡八卷，吳道子畫凡九十二卷，孫位畫凡二十六卷，李思訓畫凡十七卷，李昭道畫凡六卷，王維畫凡一百二十六卷，韓幹畫凡五十二卷，曹霸畫凡十四卷，鄭虔畫凡一件，陳閎畫凡八卷，張南本畫凡十七卷，楊寧畫凡三卷，楊昇畫凡四卷，張萱畫凡四十七卷，周昉畫凡七十二卷，韓滉畫凡三十六卷，陸庭曜畫凡一卷，尹繼昭畫凡四卷，胡瓌畫凡六十六卷，胡虔畫凡四十四卷，盧鴻畫凡三卷，王洽畫凡二卷，項容畫凡二卷，張詢畫凡二卷，張畫凡六卷，韋偃畫凡二十七卷，戴嵩畫凡三十八卷，裴寬畫凡一卷，漢王元昌畫凡三卷，江都王緒畫凡三卷，薛稷畫凡七卷，邊鸞畫凡三十三卷，刁光胤畫凡二十四卷，滕王元嬰畫凡一卷，周　畫凡十二卷。按畫的題裁分別歸納起來，以山水畫最多，次仙佛，次人物，次花鳥，次牛馬，次仕女次番族。由此可見唐代山水畫與宗教畫抗衡發展。花鳥畫已由人物畫之附庸，而蔚爲大國。由於國威遠播，外方爭貢良馬，所以畫馬之風甚盛。由於經濟繁榮，民生安定，所以農村風俗畫亦別開生面。

就唐代繪畫的作風看來，可以說古典地，浪漫地，寫實地，印象地，自然主義地，五花八門，莫不俱備。如「佛菩薩像」、「大尊像」、「五岳眞官像」、「莊生馬知圖」、「右軍點翰圖」，及「二十八宿圖」等，是古典地作風；如「職貢獅子圖」、「星皇納涼圖」及「田家風俗圖」，是寫實地作風；如王洽的「潑墨圖」與「鍾馗圖」，是很浪漫地作風；如玄宗與張立之墨竹圖，是印象地作風；如「蜀道圖」、「春景牧牛圖」、「桃花戲貓圖」及「寫生折枝圖」等，是自然的作風。史稱：「韓幹於天寶初入爲供奉，官太府寺丞，善寫人物，尤工鞍馬，初師曹霸，後獨擅其能。時陳閎以畫馬稱，詔令韓師之。而怪其不同，因詰之。奏曰：臣自有師，陛下內廐之馬，皆臣師也。」唐代畫家不但畫牛馬，畫花鳥、畫山水，是應物寫形，就是畫文佛菩薩，眞君天師，也都不乖尺度，逼肖生人（由甘肅燉煌莫高窟唐代壁畫即可證明）。

（完）

王化行將軍

．勁草

日前在台北一個重要的集會裏，遇見了不常在熱鬧場合中露面的國防部總政治作戰部執行官王化行（昇）將軍，他肩上閃耀着三顆亮晶晶的金星，當然引起我的注意。經過打聽之後，才知道原來他的晉升是一個多月前，榮獲　總統「特」准晉升陸軍二級上將了。我恍然沉思着，今日在文人中能爬到「上將軍」，誠屬一件值得可喜可賀的事情！

因此，我認爲王　昇先生這次榮升上將，實在具有下列兩點不尋常的意義：

第一，總統在任用幹部方面已着重培植青年人才，不久前「香港時報」曾在社論中指出：「王化行以一介書生位至陸軍上將，爲國民政府奠都南京以來所僅見。這一突出的事例，反映　總統非常的決心，不斤斤於軍事學校之出身，而一本至公，致力於國家處境，時代潮流，而益以器識弘量，負起反攻復國的任務爲依歸。」這眞是一針見血之言，如果在用人方面，都能像壘守成規，帶兵者個個均非「西點」不可，從政者人人都非「哈佛」莫屬，堅守此一門戶禁閉政策，不知要損失國家多少人才？防礙政府多大進步？以軍事而論，中外歷史由書生從戎而成赫赫有名之將才者多不勝數，而我國遠者不談，即以近代清末之曾國藩等，均是旋轉乾坤的一些「文弱書生」出身，尤其今日是以政治爲中心的總體戰，戰爭已成爲軍事、政治、經濟、文化、社會的「綜合藝術」，更非是「武藝者才能爲將」的時代所能比擬。因此今日欣聞政府拔擢人才，破除成規，創下一個「外舉不避仇，內舉不避親」，使令我們感到最大的興奮。

第二，苦幹、硬幹、實幹者出頭：政府遷台至今已廿一年了，大家都受着「海風吹白了鬢，浪花淘盡英雄」的感受。然而在這廿一年漫長的歲月中，舉目四望朝野人士，有的隨波逐流，得過且過，有的驽馬戀棧，樂不思蜀，有的視台灣爲溫柔鄉，把杭州作汴州，醉生夢死的想法。做官的「坐在安樂窩」的寶座上，明哲保身，做人做事多半磨成比鉛球還要圓。讀書人，大夥兒天天爲生活奔波，處處爲三餐着想，惹人注目的「稿費」、「鐘點費」時刻在腦海中盤旋。而青年們多半思想麻痺，熱忱消逝，不知「國事」爲何物，個個成了醉心投機取巧的新進；尤其少數的「國門月亮圓」，集成一股「盲目崇洋」的歪風。時下能有抱負、有理想、在崗位上默默地耕耘，兢兢業業負責，拿出全部精神智慧苦幹、硬幹、實幹者，眞是鳳毛麟角，少之又少了！

王化行將軍這二十多年來，從幹校到國防部，他「爲革命而付出者」可觀，爲工作傾心竭力者可佩，他在復興崗時代　總統特頒發一面榮譽旗，他在艱苦環境中辦教育，先由短期班，而到專科、大學，發展至現在研究所，嚴格訓練出成千成萬男女青年學生，散播海內外爲反攻復國而工作。他在日常公務繁忙中，每日定時自修，潛心鑽研學術，數十年來不間斷。而他的著作國父思想，總統行誼，三民主義研究，俄帝侵華策略之研究、政治作戰概論、越南歷史、訓導的原理與實施、三民主義與其他主義之比較研究、訪美紀行等不下十餘部之多，不僅言論精闢，學有素養，言人之所未言，而在闡揚國父學說，　總統事功，具有極大的思想教育作用。記得一年前他在二度訪美六十多天中，與美國朝野上下，以及學術思想界討論世界和毛共問題時，被友邦人士公認爲批駁共產主義專家，這也充分表現他博學多能和眞知灼見的才華，尤其正逢美國國內反戰熱潮之際，他的言論當時對姑息主義和美奸費正清之流當頭一棒。成爲思想戰場上一名健將。

此外，近年來他在主管業務中，竭力推行文化復興運動，倡導新文藝運動等，在軍中早已掀起一片競爭的熱潮，對鼓舞民心、激勵士氣，其功實不可沒。

我們，尤其物質享受慾望日日高漲熾烈的今天，我們高級官員和將領，人人希望摒除以「錢」爲中心的做官觀念；在風浪四起，大家同乘在一艘歷史文化絕續的船上，個個應摒棄爭權奪利的自私主義，憑良心、做眞事，以肩負民族國家責任爲重，大家以王化行將軍爲榜樣，拿出苦幹、實幹、硬幹的精神來，殫精竭智爲反攻着想，爲復國效力。

（完）

諸葛亮狂想曲

（一七二）

劉玄

鐵拐李揭開葫蘆，變完了一套「五福臨門」，贏得掌聲不少。八仙中其他七仙都很高興，鐵拐李拐着腿，向戲台四面八方打拱作揖，表示謝意。然後徐徐揭開了葫蘆蓋，實踐表演請客的諾言。

葫蘆冒出一道白烟，白氣裏有好多鮮美的水蜜桃，從王母娘娘開始，一個一個送到各人的手裏。

看官，上文說過，孫悟空登台表演分身術，現在怎麼又扯到鐵拐李身上呢？原來是孫悟空好吃水果，在他表演完畢，鞠躬下台時，輕輕向何仙姑道：「鐵拐李曾經說過，要變點吃的東西請客，爲什麼不變了？」何仙姑這才又請鐵拐李二次上台的。

鐵拐李送給王母娘娘的水蜜桃大如斗，王母娘娘龍顏大悅，頷笑接受。女官在旁奏道：「剛才娘娘賞給黃雲大仙金蟠桃，玉如意，其他參加表演的人是否也都給獎？」王母娘娘點點頭，說：「你去告訴何仙姑，統統有賞。」女官奉了王母娘娘之命，跑到台上在何仙姑耳朶裏細說了一會。何仙姑向台下高聲宣佈：「今天參加表演的人，每人賞金蟠桃，玉如意，統統有獎。」這一宣佈很像電視節目兒童世界中的上官亮，一聲「統統有獎」，小朋友皆大歡喜。

呂布在台上聽了最感高興，他在天庭最潦倒，窮得連飯都沒有吃，現在垂手而得金蟠桃和玉如意又可以混一陣子了。

孫悟空分身術表演以後，接着上演的又是歌舞節目，由王昭君，趙飛燕，楊玉環，西施參加演出。這四位美人都是中國歷史上著名的美人，又是初次在蟠桃大會亮相，當然很引人矚目，她們一出場，立刻引起如雷的掌聲。

四大美人在台上載歌載舞，是典型的民族舞蹈，她們又合唱了一闋羽裳舞衣曲，由楊玉環主唱，三位美人和唱。

「趙飛燕太瘦了，眞是一位排骨美人。」呂洞賓在八仙中最不老實，曾經三攻白牡丹，看到女人就要評頭評足一番。

「休得亂批評，人家是歷史上有名的美人，她的妙處豈是你這位雜毛老道所能了解的。」張果老坐在呂洞賓身邊，立刻加以糾正。

「你懂什麼，任何女人我說美才是眞美，否則，哼，」呂洞賓很自負，可惜他不到美國，要是到了美國倒眞可以担任選美評論委員了。

四大美人在台上扭扭唱唱，唱唱扭扭，那裏知道台下有人評頭評足，不多一會工夫。表演告一段落。何仙姑在台上宣佈，「現在休息十分鐘，再繼續表演節目。」於是觀衆紛紛離席，在會場外面一個大草地上散步休息。

（未完）

巨變歷險記！

從這個地方向裏望，是密密的森林，簡直望不出去，然若向外望，情況完全不同：那是一個一個的小山，一個一個濯濯的黃山。那一個一個的小山，簡直像平地上的一個一個墳頭。那麼，向外望，一望無餘。地是鹹地，是不毛之地。視綫以外的地方，是不是也是這樣？很容易使人懷疑，很容易使人失望。

我部隊與來攻的部隊僵持不下，但結果我的部隊不能不撤離，固然槍彈不能久支，尤其重要的是粮。所有的粮都被共軍切斷了。共軍在封鎖我軍，絕對不准下邊的粮運上來。粮是軍隊的生命，無粮兵會自散的。無粮……部隊就不能不撤。蠻松山下，不但粮缺乏，水也缺乏。蠻松山上的水都是積下來的雨水，而且數量也不大。還是聽從張縣長的意見，將部隊撤出雲南，進入緬甸。

撤出雲南

（一七五）　胡慶蓉

現在要進入的是緬甸境。但這只是一種傳說，並沒有一種清楚的標誌。在距離蠻松不遠的地方，倒有一塊長的界石樹在那邊，但這也只是一種傳說，這石塊上也並沒寫什麼，怎能就說這塊石頭就是中緬界呢？假使是兩國交界的界石的話，這石頭會這麼簡單嗎？這石頭與私人的地界無異。這界石，是不是私人地界的誤會？地方的人這樣說，也姑且以中緬界石目之。

實則，我部隊現在撤近的地區是中緬的未定界，這個地區大得很，包括整個的景棟，整個的卡瓦地區，整個的臘戍地區，整個的瓦城，緬甸故都，即曼德里，這個廣大的地區亦稱中緬未定界。遠在鴉片戰爭以前，英國的勢力伸展到印度，伸展到緬甸，將印度佔領，將緬甸夷為印度的一個行省後，又向上伸展，就到了臘戍地區，卡瓦山區，景東地區，吉倫地區，在這些地區設立行政機構，並要求劃界，但大清帝國不給他劃，於是就稱這個地區為未定界，以迄於今。民國卅七年一月五日緬甸宣佈獨立，吉倫，擺夷（景棟地區），也同時進行獨立，不意緬甸竟以繼承英國自居，將未定界的土地盡量置於其統治之下。

照國際公法來說，凡主權是他的領土的人，要能證明他在這塊土地上有實際的控制權。但緬甸在未定界是沒有實際的控制力的，因而對於緬甸可以不去理會。

丁博士撤軍出雲南，撤軍進緬甸，而進的地方並不是緬甸的地方，而是中緬未定界，也是中國的地方，基於事實上的需要，現在是中緬土地之爭，不得不把部隊撤出雲南。經一場激烈的戰鬥，丁博士的部隊終於撤出了蠻松，撤出了雲南，從此中華民國國民政府再沒有部隊在大陸上了。丁博士的這一支部隊，是中華民國國民政府最後撤離大陸的部隊，也是中華民國人民反共的部隊。

一個有意義的聚會

·陸俊傑·

雙十節的第二天晚上，台北著名的欣欣餐廳裏有一個感人的聚會——一百多個大專學生，研究生，連同已畢業而在大學當了教授的老學生，聯合起來公宴他們的老師，文字學家師大教授魯實先先生。

如所週知，魯實先先是國內有數的文字學家，自然會有許多學生佩服他。但這一敬師會的形成，却無寧是為了答謝和感激魯氏不厭的循循善誘，教而不厭的精神，在今天師道淪亡，生活緊張的時代，一般教師能盡到分內的責任，按時授課，已經算是不錯的了，而魯氏却從諸生之請，於正課之外，特別開課，作深入專精的講授，不僅分文不取，甚至學生們自動的餽贈禮品，也一概拒絕不受。這一特殊講授，是講「金文」，也就是古代鐘鼎上的古文字，時間是定于星期六的下午，大家都沒課的時候，以便大家有暇來學。這一金文特別班，已經持續不斷的講了兩年，參加聽講的，師大、台大、各校以及在機關服務的各色人等，無不蓋有。其中並有美國人、越南人。也有軍人、中小學教師、大學教師，甚至還有在研究所執教的。例如最熱心的一位弟子，吳　先生，即在東海大學中文研究所教文字學。這些人儘管學歷、程度不同，却都一致的無間寒暑，熱心學習，從不間斷，在這物慾橫流，人人爭着學美國人渡周末的時代，居然還有這許多人，犧牲周末，鑽在課堂裏，研習學術，眞是空谷幽蘭，難得之至。魯氏的熱心傳道授業，不務財利，固是可敬；而這參加研習的人士之好學、尊師，也是嘉美可風，值得稱讚。

宴會中，除了魯氏師生外，尚有幾位嘉賓應邀參加觀禮，計有蔣復聰、胡秋原、張起鈞、曹敏、王靜芝……等數位。宴會開始由吳　教授，代表眾人，報告金文班的情形，及對魯氏感謝的至意。魯氏遂即以謙遜的態度致答。勉諸生要：「學究天人之際，通古今之變」，本人所講的金文，甲骨文等不過是學問的起點而已。魯氏並謂：「今天所邀的嘉賓，都是學有專長的飽學之士，請來參加，並不是向之炫耀自己的教學成就，而正是讓大家開一開眼界，認識認識這些有學問的人，以廣為學的領域，而能更上一層樓」，魯氏這種謙虛的態度，此是有修養有學問的表現，博得在場人士一致的讚揚。

自由詩壇

漁叔題

退役三年感喟

·鄒鵬奇·

頭顱空自好。鬚鬢早如霜。
解甲還初服。携鋤憶故鄉。
去國誰無淚。捫心獨欲狂。
此生終有極，恨不臥沙場。

黛眉小傳

王幻

薛濤（下）

但是願與心違，正似蜀中泣血的杜鵑，空吟着「不如歸去」！那種「何日掛帆席」的欲歸不得歸的愴然之感，日益嚙食着她的孤心。因此，有時只有借他人的酒杯，澆澆胸中的塊壘，借酒消愁的滋味，是苦澀的啊！她的「摩訶池贈蕭中丞」叠前韻詩云：

昔以多能佐碧油，今朝同泛舊仙舟；
淒涼逝水頹波遠，惟有碎泉咽不流。

詩中俯仰之間的情懷，竟忘了是持以贈人的。由於她入了樂籍，免不了蜚短流長，再加以貌美能詩，和許多男性唱和，不免有好事的人造謠誣謗，於是她也不能不有所表白。她有詠「蟬」詩云：

露滌清音遠，風吹故葉齊；
聲聲似相接，各在一枝棲。

所謂「聲聲似相接」，正是誣謗的由來；「各在一枝棲」，就是她對誹謗的答覆。此詩寄情託物，言近而旨遠，不僅是「蟬聲」，已近乎「禪理」了。

她卒時年已七十二，全唐詩小傳以為七十五歲，段文昌撰墓誌，今不傳。各書都說她有詩五百首，現在僅有百餘首，坊間有薛濤集一書，不獨遺漏尚多，且將小說中，她和田　的唱和詩載入，這類無稽的事，誕妄已極，不足採信。

距四川成都東門外八九里，離樓前江水日夜滔滔不絕的「望江樓」里許，在一片竹樹中，就是唐代女詩人薛濤的香塚埋骨地。據說墓園原是繁茂的桃林，花開的時候，一片紅浪，遠遠望去，如同她自製的深紅小彩箋的顏色一樣；但一到桃花落了，也未嘗不似這位女詩人的飄零身世之象徵！所以鄭谷「蜀中詩」有「小桃花繞薛濤墳」之句。而今不惟散落的桃花沒有了，就是一片桃葉也無處尋覓。幸有修竹千竿，以蔽驕陽，不然一坏黃土，後人更無處憑弔？她有「酬人雨後玩竹」詩云：

南天春雨時，那鑒雪霜姿。
眾類亦云茂，虛心寧自持。
多留晉賢醉，早伴舜妃悲。
晚歲君能賞，蒼蒼勁節奇。

不有烈風，無以知勁草；不到歲寒，無以知松柏之後凋。千載而後，尚有知音者在她的墓園追懷留戀——此事發生在清光緒年間，有貴陽人陳矩客居成都，常徘徊於薛濤墓及「吟欄井」畔，以風雅自命，曾將她的詩，編入「靈風草堂」作一種小品，助其流傳，但此書現在也不易看到了。陳矩在書前題詞云：「冰絲鮫綺，巧麗清奇；本貢家女，比竹調脂。剪波來霞，光彩離離；詞壇酒壘，名重當時。天桃穠李，忽化松枝；證明珠果，青燈古祠。臨流試茗，懷古生悲；遺詩流播，祥雲護持。」無異為她立了一座翰墨「牌坊」。

（完）

高市長應付議會的殺手鐧

宇文釆

高玉樹由民選而院派，做了十年台北市長，本來在政治圈子裏是一個嫩角，現在却變成老辣異常，武藝超羣，等閒人休想奈何他了。

台北市議會，自從林挺生担任議長以後，以林在執政黨地位竄紅之速，加上他在工業界的地位，也可說與高玉樹旗鼓相當，誰也不能說林對高是下駟對上駟。可是，幾度政會之爭，林挺生佔不了半點便宜，反而屈居下風。個中奧妙說穿了也並不稀奇。

原來林挺生所經營的大同鋼業公司，曾有違章建築車棚。在林未當議長前，高對林作挑戰式的折屋，這條痛胳膊被高玉樹捏在手裏，變成了高玉樹的殺手鐧。林每欲發言，就有公報私仇之嫌，遷就的結果，林挺生縱然是一員虎將，也懼怕高玉樹的打將鞭。

最近，大同公司借師大附中禮堂開晚會，附中校長問林挺生為什麼不自建禮堂？林只好搖頭苦笑，說：大同的地皮不合建築禮堂。當然，市府藉口不許大同公司建築。

不怕官，只怕管。林挺生所經營的大同公司處處要受到市政府的管制，他也就不敢過份對高玉樹吹鬍子，瞪眼了。

由台北市府會主管的行情，我們可以獲一種新概念，即：在巴力門政治的運用中，議會領袖似乎不必由企業鉅子担任，這樣才能完全發揮制衡作用。否則，種種顧忌之下，縱有天大本領，也無所施展的。林挺生為了大同公司的利益，招架不了高玉樹的殺手鐧，便是一件顯明的例子。

第十五章

岳飛孤軍奮戰　趙立楚州殉國

金兵趨岳飛來了，不及披掛急忙奔潰。岳軍力追不捨，慢者不死即俘。兀朮退到龍灣，方檢點軍士，十去四五成，忍不住長歎道：「我軍在建康時，只防岳飛截斷歸路，所以令王權等留駐廣德境內，倚作後援。今岳飛在此，想王權之軍已沒。現在前有岳家軍，後有韓世忠之軍，如何是好？」將士等進言道：「我軍不如仍回黃天蕩，再向原路渡江。料韓世忠疑我已去，不為戒備」。兀朮沉吟半晌方道：「除了此策，沒有他法」。遂自龍灣登舟，再竄黃天蕩。

兀朮奔至黃天蕩，企望韓世忠已經解嚴，以便北歸。好容易駛了數里，將出蕩口，不料口外戰船一字長蛇陣擺開，旗幡如林，帥字旗上斗大一「韓」字，隨風飄展着。兀朮一見，心中叫苦不已。士眾齊聲道：「我等明日拚命一戰，殺出一條生路便了。」是夕兩軍相持不動，到了翌晨，金兵飽食一頓，鼓譟而出。宋軍船陣見金兵衝來，一字長蛇陣忽然分為兩斷。金兵衝將上前，不料宋軍戰船駛了一程，各自繞旋打轉，一艘艘沉入江裏。金兵一見感到詫異，不知所以然。原來韓世忠知兀朮此來，必然拚命爭道，於是新生一計。預備鐵綆，貫着大鈎，分與各舟壯士，但俟敵舟衝出，便用鐵鈎搭住敵舟，每一舉動，舟便沉下。金兵不知此種奧妙。兀朮立見船忽然沉沒，宋軍必有奇計，不敢再進，盼咐退船回來；但已衝過的船，那裏收拾得住，盡被宋軍鈎沉。只有近於兀朮的數十船保住回來。兀朮不得已請世忠答話。兀朮哀求假道，誓不再犯。世忠朗聲斥道：「還我兩宮，復我疆土，某當寬汝一綫生機，令汝逃生。」兀朮不敢答話，只得退回。

次日撻賴遣來金將孛堇太一援助兀朮，因此胆稍壯。次日再與世忠對話，請求假道，世忠堅持不允。兀朮道：「韓將軍如此欺人太甚，以為無法渡江麼？他日整軍再來，當滅盡你宋室人民」。世忠大怒，張弓搭箭射兀朮，可惜被兀朮閃過。兀朮無奈退回黃天蕩，與諸將計議道：「吾觀宋船甚大，往來行動如飛，如我等之馬，此將奈何？」諸將道：「前懸重償募通老[illegible]，殿下不如再用此法？」兀朮道：「說得甚是。」遂又懸償招人獻計，求破韓世忠。時有姓王的閩人，登舟獻策，謂舟中載土，上鋪平板，並就船板鑿穴，當做划槳，俟風止乃出。海舟無風不能動，可用火箭，射其船篷，當可破敵。」這是一個小漢奸。兀朮依計而行。

（六十九）

周燕謀

自由報

（第一一一八期）

（半週刊每星期三、六出版）
每份港幣壹角・台灣零售價新台幣弍元
社長李運鵬・督印黃行營
社址：香港九龍彌敦道593—601號
廖創興銀行大廈八樓五座
LIU CHONG HING BUILDING
7th FLOOR FLAT 5
593—601 NATHAN ROAD,
KOWLOON, H.K.
TEL: K303831
電報掛號：7191

承印：景星印刷公司
地址：荔成街廿九號地下
台灣區業務管理中心：台北重慶南路一段一二九號
電話：二四五七四
台灣區直接訂戶　台灣劃撥戶
第五〇五六號張萬有（自由報會計室）
台灣分社：台北市西寧南路110號二樓
電話：三三〇三四六、台郵劃撥戶九二五二號

本報專論

爲雲五社會科學大辭典辯誣（上）

·李霜青·

倪搏九先生以筆名「微言」發表了一篇向二百餘位學者所編「雲五社會科學大辭典」加以批評的文字，雖然副題只標明所評者爲「第十二冊歷史學部份」，因其正題爲「評雲五社會科學大辭典」，令人直覺印象是倪先生的勇氣不小。乃引起我細讀倪文的興趣。

倪文的本意是想指出「雲五社會科學大辭典」的「體例上內容上尙有缺失的地方」，但其著筆用力處，却是對商務印書館用了過苛的批評，對執筆的學者作了輕率的論斷，甚至妄加罪名，這就溢出學術討論的範圍之外了。

先就體例上來說，任何一本書之編撰體例，都免不了受編撰者主觀意識所決定。批評者如以自己的見解，期强他人以同之，自非學術討論之道。況王雲五先生已寫就「答客問」一文，發表在東方雜誌，對體例上已有所交待。倪文仍欲以自己見解，强人從同，可謂爲太過主觀。更何況此體例乃經編纂委員會之集體智慧所決定，較之一人之主觀見解尤勝一籌。

次就內容上來說，倪文對「社科辭典」之內容，「因時間關係，尙未及詳加閱覽，僅就已發現者，試舉二例」。可惜的，倪先生不專在史實上作學術上之探討，一開筆就以斥責口吻說執筆者「有誤」，未選擇正史中的信史，以及可靠的史料。斥撰寫者是「捨引傳說故實，不加研判，率而點染」。倪先生就「太平天國」一條指出的缺失是：

一、「此條敘述太平天國事蹟，頗受清人著述影響，對於洪秀全極多誣抑，殊違國父及蔣總統對於洪氏起義之評斷」。國父與蔣總統對洪氏起義雖贊其民族主義精神，對太平天國滅亡之原因，國父在民權主義第四講中指出三點：（一）不懂外交，「因爲當時英國派了大使波丁渣到南京，想和洪秀全立約，承認太平天國，不承認大清皇帝」只能見到東王楊秀清，不能見天王洪秀全。因爲要見洪秀全，便要叩頭。所以波丁渣不肯去見，便到北京和滿清政府立約，後來派戈登帶兵去打蘇州，洪秀全便因此失敗」。（二）是由於他得了南京之後，不乘勢長驅直進去打北京，所以洪秀全不北伐，也是他失敗原因之一」。（三）「最大的原因，是他們那一般人到了南京之後，就互爭皇帝，閉起城來自相殘殺」。國父在「太平天國戰史序」中指出另一失敗原因是：「羅（澤南）、曾（國藩）、劉（蓉、典）、郭（嵩燾）諸輩學者，終不明春秋大義，日倚於以漢制漢之策，太平天國遂底於亡」。對於洪秀全之實行共產制度，國父認爲「便和俄國所行的共產制度一樣。現在俄國所行的共產制度，是由於先有了思想知識，然後才去實行。洪秀全實行到了，但是沒有知識，不過爲勢所迫，不得不要政府去維持農工」（打破舊思想要用三民主義）。是 國父已見到洪秀全等「妄自尊大」「不懂外交」「內鬨奪權」「共產無知」之病態。國父不是歷史學家，其他關太平天國失敗原因，當然只好留待歷史家去作增補了。「社科辭典」中對太平天國失敗原因，所作的增補，豈可誣爲「清史口吻」，又豈可云爲「殊違國父與蔣總統對洪氏起義之評斷」，起義與失敗原因豈可混爲一談？倪文對此誣爲不明層次，首尾不分之論。

二、倪文進而評論說：「在太平國史實，在清時因官廷所禁，無法加以探討，近年以來，研究此一民族革命組織史實者甚多，如簡又文、蕭一山先生等，均爲其中巨擘。簡先生尙有太平天國全史三巨冊行世，天國政治典制，燦然大備，本條執筆者不參究此書記載，信口開河，自相矛盾」。這種把執筆者罵爲「信口開河」「自相矛盾」，是學術探討的態度嗎？現在讓我們看「社科辭典」中「太平天國」條的執筆者爲誰？原來是以研究太平天國失敗的原因，而在二十七屆東方學者國際會議中享有盛譽的黃大受教授。黃教授著有中國近代史三巨冊，一百八十萬言，不能說他未讀過蕭一山，簡又文先生之著作，據我所知，簡又文先生對近代史部份，一再引用黃教授之文，或者倪先生對簡先生大著也是「尙未及詳加閱覽」，尤其對黃教授在二十七屆東方學者國際會議中提出之論文「太平天國失敗的原因」，也「尙未及詳加閱覽」，否則，倪先生是不會說「執筆者不參究此書記載」的。倪先生只知簡又文先生有「太平天國全史」此書，却不知簡又文先生更有「太平天國典制通考」一書，此二書均爲黃教授所參究。且聞簡、黃二氏，每出新書，必互相贈閱。二人有此種雅誼，豈有不參究之可能乎？倒顯得倪先生有點信口開河了。黃教授固可本乎「人不知，而不慍，不亦君子乎」之態度，一笑置之。然倪先生不參究二氏之作，遽予誣評，豈不令人可笑？

倪文所指「自相矛盾」之處，如下：「如所謂『巫術統治』、『極端專制』、『强迫褻瀆』、『嚴禁男女接近』、『拆算家庭』、『貧富均無法自存』，儼然清史口吻，其實類此罪名，太平天國全史一書中，皆有詳細研究，并不如此，讀者試閱該書，自可瞭然。又該條既謂太平天國『注重外交』，忽又說『對外妄自尊大，失去外人同情』。既謂太平天國『不許蓄妾纏足』，忽又說『諸王廣置嬪妾』，請問諸王爲誰，姬妾又爲誰？不但前後矛盾，而且毫無根據」。

倪先生想代太平天國否認「巫術統治」「極端專制」「强迫褻瀆」……等罪名，恐怕正如倪先生所言：「尤其在現階段復國收京，人同此心的時代，此類史實，斷不可誣」。因爲共匪竊據大陸後，正以太平天國第二自居，對太平天國大事鼓吹。（未完）

昨日與明日

青年的自覺

孔子說「過猶不及」，這句話用在任何方面都是至理名言，這是正確的。

今天舉世都在鬧學潮，不能安於上課，甚至還有學生居然進行搗毀學校的工作，例如去年美國哥倫比亞大學的學生，竟然佔據圖書館，而把藏書焚毀殆盡，今夏，密芝根大學竟有學生用炸彈炸毀學校的物理大樓，眞是匪夷所思，在這種情形下，唯有自由中國的教育界，一枝獨秀，學風平靜，安心上課，秩序之良好，眞是無以復加，但天下事正是「過猶不及」的，學風平靜到，除了學校交派的以外，對任何事都不聞不問，天下國家大事，無不冷淡默然，這簡直已到了氣消沉的地步了，其後果如何，我們眞不忍言。

這種情形，凡屬有識之士，都看不慣了，最近有位熱心的外國客座教授，寫了一篇文章，指出這種可痛的沉默，引起青年們自覺的慚愧，輔大新聞六十五期的社論，便是最好的例證，現在我們一字不改的引在下面，使大家欣慰，知道青年的人心並未完全冷去。

「本年十一月份第三十五期的「大學雜誌」中，有一篇羅珍斐女士所寫，由王順先生中譯的短文：「台灣大學生與政治參與」。羅女士曾於民國五十六、五十七兩年在台灣大學政治系担任客座副教授，五十六年羅女士「在台大法學院做了一個有關大學生與政治參與的研究」，從這項研究的結果看來「典型台大法學院學生對一般政治問題只有一點點興趣，但他們說比起政治認識的人，他們還算對國際政治比較有興趣的」。羅女士在短文中又說：「在台灣的大學中，法學院的學生應該是在政治上比較積極的，但他們對政治問題的興趣却甚平平，對政治問題的信心甚爲低落。他們雖有稍强烈的政治責任感，但一般說來，他們對政治並不積極，總之，他們是被「反政治化」了」（按：括弧中所引均據該文譯文，讀者諸君可以參證。）洋教授羅珍斐女士的這篇「有心語」，實在可以與數年前洋學生狄仁華先生「人情味與公德心」前後輝映，說他（她）們是我們的「諍友」，當不爲過。可是，叫我們難過的是：我們眞是一羣沉默的多數嗎？看看最近風起雲湧的國際局勢：釣魚台列嶼的主權受侵犯，國旗被撕毀，我們沉默。加拿大承認毛共政權，我們沉默。意大利承認毛共政權，我們沉默。正義竟在我們的沉默中橫受凌遲，原來身爲砥柱的青年，在狂瀾中不但不能努力挽回（最低限度也應該表示出我們對政府所發表的聲明之反應與支持，或者形諸筆墨），却一個個成了視之不見，聽之不聞的「希夷先生」！我們的青年一直在「明哲保身」，「口不臧否」的錯誤觀念中，一天挨過一天，在我們年青的肩膀上，枕着的是一個垂垂老矣的頭。於是乎「沈默是金」竟然成了我們的青年的座右銘；當然爲了出國拼命「唸」洋語時除外。「象牙塔」內的驪龍玉網已經夠人陶醉（癡木？），但走出塔外，又如何去應付那狂風暴雨？」（下略）

我們希望能在這一轉機下，把沈默的心情，鼓舞起來，作爲國家的力量，當然更希望，政府當局能予以適當的鼓勵和領導。

·成公·

自由談

反共的基本方略

人類一切事業之成敗利鈍，乃至於個人生命之存亡禍福，皆受着兩大慾望的支配誘惑，牢不可破，那就是金錢與女色是也。由於追求財富，貪戀女色之故，任何卑汚苟賤的行動，忍心害理的手段，悍然爲之，無所顧惜，眞是鞠躬盡瘁，死而後已！

共產主義者就利用人類這兩種共同的慾望——也可說是病疾，實施其醜亂的麻術，擒縱控馭，無往不利，因而使全球國家弄成今日危疑震撼的態勢。如果自由世界人類再不警覺自身與生俱來之貪財好色的散亂症，知所剋制而診療之，則俄共赫魯雪夫所謂「埋葬資本社會」的預言，很可能成爲事實。

人類之所以拼命追求財富，爲的是財產私有，生活上可以盡情享樂，逸豫苟安；財富愈聚積，貢心與志氣即愈低沉，馴致對國家民族的安危興亡，亦無所措意。昔者諸財富而沉湎女色，亦敗家禍國而不惜，更屬常事。共產主義者針對着人類這兩大病疾，製定世界革命策略：對內先把私有財產制徹底消除，控制着每個人的生活方式，不讓大家因積蓄私財而各行其是，[illegible]唆，從事奴役勞動；對外則以貿易利益作香餌，迎合資本社會人士追求私人財富的慾念，腐蝕其良心志氣，增益其內部矛盾，日、美、英、法各國之一面宣言反共，同時又對共產政權唯命是聽，表示妥協姑息作風，就是追求私有財富的慾望所使然。生活在私有財產制社會中的人類，對於女色既有追逐狂，於是乎，爲着女色而釀成許多災禍。共產主義者有見及此，將基於倫理思想的貞操觀念與婚姻制度根本掃蕩，使男女的性生活與禽獸無別，然後利用女色以對敵人行滲透顚覆活動，每多收獲。

明乎此，則知資本主義國家反共運動之當居下風劣勢的癥結所在了。自由世界要想消弭共禍，必須改革私有財產制度，實行吾國孔子所倡導的「不患寡而患不均」的均富主義，禁止財富集中於少數人之手，至少亦得切切實實地做到孫中山先生所垂示的民生主義，以減少貧富懸殊的禍根。如是可使社會上追求女色而佔有之的內部矛盾災害，亦相應減弱，不復被共黨所乘，而反共運動必卜事半功倍之效，否則人類末日的浩劫，終將不免也。

馬五先生

馮玉祥有沒有盜寶

矢原愉安

因此，很客觀地來加以估計：馮玉祥逼宮的時候，他正是北京城裏的太上皇，誰也要聽他的話，誰也奈他不何。他的最大興趣，就是擴充「槍桿子」，人槍都不成問題，問題就只在收編他們時所需要的錢。

溥儀被逐出紫禁城的時候，幾乎是「掃地出門」的。「私人行李」只准「日後派人來取」。於是，宮中所有的寶藏，就都像個酣睡的裸女一樣，一點抵抗力也沒有地玉體橫陳在馮的面前。那時，馮是不是會爲了「道義」、「法律」、「國際視聽」、「公理」、「人情」、「國家財產」、「人民利益」、「非義之財不可取」一類的好聽話，而放棄了擺在眼前的，使官兵受恩感激，而又能讓自己的部隊無限制地擴大的發財機會呢？

從理論上來講，這答案是不難找到的。那就是：

根據馮玉祥自己所談的平生經歷和言行，從心理學上加以分析；以他的潛意識、理想、思維邏輯而論，在當時那種客觀環境之下，「盜寶」的可能性，是要比其「不可能性」，大許多倍的。

五、另外的幾個旁證

爲了證明這一點，還可以在馮玉祥的自傳，和其它一些歷史資料中，找到幾個旁證。

A、「逼宮前一段時期，馮部下槍桿子」的實力，據他自己說：「我所轄的，雖然名叫一師三混成旅，但實際還不到三萬枝槍（摘引自同書四八九頁）」

然而，逼過宮以後呢？據他自己說：「首都革命以後……我們國民軍第一軍共改編爲六師……這原是五個旅，擴充成師。另加鄭金聲一師。……我的治軍理想，原是重質不重量，貴精不貴多。但西北幅員太廣，不有足夠的兵員，即難於分配……。六師之外，石敬亭、石友三各編爲一混成旅。外加炮兵兩旅，交通隊一團。人數約在十五萬左右。

人數既已擴充……特組織了軍官教導團，騎兵教導團，炮兵教導團，鐵甲車團等教育機構。更於南苑設訓練處，內分步、騎、炮、工、輜重等科……。這些編制上的更張，當然由陸軍部決定……統稱爲西北軍。」（摘引自同書五二二頁）

（未完）

大專聯考分發錯誤 教部反令將錯就錯

立委連續質詢指摘鍾皎光 答覆同一問題竟不合邏輯

（本報台北消息）女立委梁許春菊枉法說情；教育部長鍾皎光兩次答覆同一委員同一問題不合邏輯；侯庭督委員砲轟鍾皎光。因而轟動杏壇，成爲笑談「史」話。

事情是這樣發生的：本月五日，立法院教育委員會舉行第四十六會期第五次全體委員會議，議程是對教育部部長鍾皎光報告最近教育實施概況並答復質詢。立法委員侯庭督質詢謂：「大專聯考並非良好的制度，惟在未有更佳之制度代替以前，不得不依舊行之，但教育部似仍應隨時注意改善。以五十九學年度聯合招生爲例，有一名學生考試成績只一七五分，聯招會竟誤計爲三七五分，將其分發至某一省立大學。對於該事件，教育部不僅未及時糾正，而行文令該省立大學維持現狀，不知其故安在？」

當時鍾部長答覆說：「關於侯委員指出有一參加聯考學生，因發現分發有錯誤，請求聯招會覆查，而遭本（教育）部拒絕更改分發的質詢，經查本年參加大專聯考丁組的考生黃春雲，其實得分數三百五十七分，聯招會依此分數將該生分發至中興大學公共行政學系。該考生黃春雲，依據報載發現此一錯誤後，隨即向聯招會申請覆查，經於（本年）九月廿四日通知該考生「改分發」至淡江文理學院。惟彼時開學已超過三分之一的時間，將近期中考試，該考生乃又通過梁許春菊委員，轉告聯招會不要更改分發。經本（教育）部主管人員查明此事係由該生主動提出，其動機篤實，其請求不改分發的理由是因學期已超過三分之一，爲避免影響其學業，遂核准該生仍在中興大學就讀。至關侯委員建議分發……」。

此項答覆，侯庭督委員深表不滿，乃於同月九日，立法院教育委員會舉行本會期第七次會議時，再度質詢。他說：「本（十二）月五日在教育委員會會議席上向鍾部長提出質詢，有關聯招會更改分發問題，鍾部長之答覆，不合邏輯，茲再提出質詢，就教於鍾部長。我首先聲明，在提出質詢之前，並不知該分發錯誤的學生是誰？更不知有人到教育部說項，我行使質詢權，從來對事不對人。

「鍾部長强調該生分發錯誤，係該生（黃春雲）自動提出，將錯就錯似有鼓勵之意，查聯招會任何錯誤，均係由考生自動提出，諸如查卷看分數等。監察院公開接受申請查卷，亦係由考生提出，而非由聯招會或教育部提出，若果如鍾部長所言，自動提出即可不予改正，那麼，又何必復查？監察院亦何必多此一舉？

「鍾部長說發現該生分發錯誤時，學期已過三分之一，不便改爲分發等語。鍾部長答復本席（按：侯委員自稱）質詢時說：『經於九月廿四日通知該考生「改分發」至淡江文理學院』。中興大學是九月六日開學，距九月廿四日不過十八天，十八天就超過學期的三分之一了麼？鍾部長是科學家，對數學有高深造詣，一個學期總計有多少天？請鍾部長屈指算一算。

「有錯誤要承認，方不失政治家風度，鍾部長理不直而氣壯，雖然强詞，終難奪理。我舉一個例來說明：有一個學生拾到新台幣五千元，送到教育部，鍾部長如何處理？難道鍾部長把五千元就給了這個學生麼？在刑法上這叫做侵佔，是犯法的。我想鍾部長一定把五千元送到警察局，另外給拾金不昧的學生記功一次，或者提名他好人好事。改分發的道理和拾金的道理完全一樣，而鍾部長竟將錯就錯，一錯到底，這不是包庇是什麼？鍾部長身爲國家最高教育首長，不以禮義教育學生，而鼓勵青年行險僥倖，請問鍾部長：何以對參加聯考的幾萬學生？你把青年領導到那兒去？「人愛其羊，我愛其禮」，鍾部長所愛的是「羊」，而我們所愛的是「禮」，我素所敬佩的鍾部長，何以教我？」

鍾部長對侯委員第二次質詢答復說：「有關大專聯招事項，由本部高教司主辦，聯招會將今年有一位考生的三五七分數，錯誤登記爲三七五分，由少變多。大專聯考的分發因素基於：報名的志願；考試成績之高低，因此，聯招會根據三七五分的較高分數，將該生分發致中興大學。該生在發榜後請求覆查，經查明後，將該生改分發至淡江文理學院。但因與該生原來所讀的學系不同，該生乃請求就原校就讀，教育部一方面責備聯招會，另一方面暫時允許該生就讀原校」。

同一刑案被告 判決南轅北轍

監委提出調查報告 可能糾彈承辦法官

（本報台北消息）同一刑事案件的被告，一個判無罪，一個判有罪，誠咄咄怪事也。這個案子的判決，說明司法審判不公正。監察委員丁俊生爲本案調查委員，因此把他在調查報告中主張把調查意見函司法行政部查辦見復後，再依法糾彈承辦法官。

這個案子發生的經過：據丁俊生委員調查報告指證，緣本案陳情人吳秀雲以乃弟吳清溢於四十五年十二月間，涉嫌嘉義一心亭殺人案，歷經最高法院於四十八年八月間第二次發回更審時，由推事鄧玉華主辦，蔡國揚庭長爲該案審判推事，吳秀雲（女）遂邀請案外人楊培基（與蔡國揚庭長相識），購携奶粉肉鬆兩罐，陪同由嘉義趕車台南蔡宅拜託幫忙，繼於同年中秋節前兩日，又携烤鴨兩只，月餅四盒內裝新台幣二千元至蔡宅，據吳女在法院供稱：兩次所送禮物，均由蔡（國揚）親收，目的在請其主持正義等語。惟該案格於證據確鑿，卒於同年九月十五日宣判處刑五年，褫奪公權四年，乃弟（吳清溢）不甘，上訴再經第三次發回，適又分由蔡國揚主審，仍以罪證明確，無能爲力，遂仍判處有罪，再予上訴，經最高法院於五十年四月十三日駁回確定。

其後，吳女以擬再審爲由，曾多次趨蔡宅洽請指示。其中於同年五月二十九日下午八時許，在蔡宅會晤時，蔡國揚由房內取出其對吳清溢案摘記所列之有利部份文件，囑吳女抄錄，旋蔡因事外出，吳女見有機可乘，向蔡媳張鳳筠聲言佯稱時間已晚，恐不及趕回嘉義，遂允其將乃翁親書之上開文件携去，其後蔡知事有蹊蹺，多次索還均爲所拒，心存畏懼，將前收二千元，親携至嘉義交由楊培基送還，遂後吳女即向最高檢察署告發，發交台南地檢處偵查，以收受賄賂罪嫌起訴。

台南地方法院以「蔡國揚公務員對違背職務行爲，收受賄賂，處徒刑二年，褫奪公權一年。吳秀雲對於公務員關於違背職務之行爲交付賄賂處刑八月。」（按刑法第一百二十二條第三項規定處刑）二審仍維持原判決改判蔡國揚徒刑一年六個月，褫奪公權一年，吳女改判六個月，可易科罰金，至此，吳女部份確定並已執行。惟蔡國揚部份一再上訴，自二年而一年六個月，而八個月，而六個月，至無罪確定。

吳秀雲獲悉上情，遂據蔡國揚無罪之判決提出再審，嗣經高院裁定駁回，其主要理由：「……經查原判處聲請人吳秀雲對於公務員關於違背職務之行爲交付賄賂罪刑，係依據聲請人之供述，並非依據蔡國揚原有罪刑判決部份等，是縱然蔡國揚瀆職判決無罪確定，但其既非原判決所憑之裁判自與刑事訴訟法第四百廿條第一項第四款：『原判決所憑之通常法院或特別法院之裁判已經確定裁判變更者』之情自不相當……」等語。

本案調查委員丁俊生對此項裁定之認定，有嫌牽强，實難令人折服。案經監院司法委員會討論決定，先行函司法行政部依法救濟，並把辦理的情形見覆，而後依據司法行政部的答覆決定是否依法糾彈承辦該案之司法人員。

喬治桑外傳

一九七　張大夢

在桑家是很少有的，十一點多鐘，喬治桑、雅麗絲都入睡了。

第二天，喬治桑九點多鐘起牀，雅麗絲已經替他準備好早點。

「包死，剛才我和蘿蔔通過電話，他說今天要替你餞行，中飯、晚飯請你定時間。」

「他何必客氣，既然他誠意要請我，就一起吃晚飯好了。」

「在那裏吃？」

「我從後天起，就很少機會吃中菜了，還是到小南園罷。」

小南園是江浙館子，喬治桑常去吃。照例是由喬治桑點菜，三個人吃下來不滿四百元，不算太貴。

晚飯以後，蘿蔔蔡提議再找個地方玩一玩，因爲是兩男一女，商量結果到一家夜總會去看表演。無非是唱歌、雜耍、特技、魔術之類，不必細表。

在第二天上午，一早蘿蔔蔡便自己開車到了桑家。身上掛了一個照像機。

雅麗絲特別到市場買了很多菜，讓喬治桑在上機前吃一頓豐富的家常便飯。

上午十點鐘，雅麗絲下了廚房，蘿蔔則陪喬治桑聊天。

台北傳奇錄（八七）

·陳光棣·

「我的事情怎麼辦哪」？蔡百順問。

「你的事」？金恆貴心亂如麻，早把蔡百順跟他說的事忘到九霄雲外了。

「剛才跟你說的嘛！」

「噢！不錯，這件事要慢慢的合計，這個……」金恆貴摸着下巴：「你先回家吧！」

「我剛從家裏出來！」

「去到處逛逛！」

「逛逛，總在外頭逛」？

「逛逛就回家嘛！」金恆貴心不在焉。

「我害怕！」

「什麼！你爸爸」？

「什麼我爸爸呀，我是說我不敢回家」！

「有警察？在那兒？」金恆貴下意識總有警察。

「你怎麼啦？」蔡百順歪着頭子。

金恆貴掏出幾百塊錢交給蔡百順：「你叫我安靜一下好不好？你先找個地方去玩玩，咱們晚上再見面成不成？」

蔡百順拿到鈔票什麼都忘了，又高高興興的去找樂子。

金恆貴回到家裏先把包包藏好，然後就坐在沙發上喘氣，好不容易才能靜下來想想自己的處境；眞是要叫人不知，除非己莫爲，別的先不說吧；偏偏這包東西在又自己手上，這可眞是要人的老命，忽然靈機一動，想起了步成材，這傢伙懵裏懵懂，倒是可以利用一下。金恆貴打好了主意，到了步成材家。

步成材正在家裏唱着流行歌曲洗澡。金恆貴落了座開門見山的說：「我有點東西想拜託你替我存放幾天」。

「那一定是很値錢的玩藝兒」！步成材神秘的笑笑。

「値什麼錢哪？我就是不願意讓家裏的人知道」。金恆貴補充着：「咱們男人有時候很多事情，都要背着那些母老虎，免的囉唆。」

「好吧，我替你擺幾天，沒有問題，可是我有點小開銷，你得要幫我周轉周轉」。

「大家都是好朋友，一千兩千的算不了什麼！」金恆貴掏出皮夾子。

「一兩千塊錢，我可犯不上驚動朋友」！步成材毫無表情。

「噢！」金恆貴拿着皮夾子發呆。

「大家都是好隣居，找我幫忙，我是義不容辭！」

「不幫忙也可以呀！反正我把東西放在家裏也是一樣」。

「大概不一樣吧」？

「那有什麼不一樣」？

「當然不一樣，你能放在家裏的東西，絕不會這樣藏藏掖掖的，這裏頭一定有什麼名堂」。

諧史拾趣（十一）

・周其昌・

△有健忘人笑話，令人噴飯。一健忘人外出大便，手執一扇不便，置扇於樹上，蹲下大解。抬頭見樹上有扇，輒欣然取之，自言自語說道：「這是何人把扇子都忘了，」不料脚踏自己大便，滑跌一交。不禁大罵道：「這是那個王八蛋隨意大便，畜牲不如！」

△有某甲，宰鷄一隻加蘿蔔，供廿餘客宴飲。鷄魂赴冥司告狀道：「殺鷄待客是乃常事，但一鷄供二十人分吃，殊太殘忍。」冥司大怒道：「恐無此理」。鷄魂道：「有蘿蔔為我作證。」及蘿蔔審問答稱：「鬼鷄你太欺心，那日供客，只有我，那見你！」蓋言鷄肉太少不見，故只見蘿蔔也。

△一主人請客，客人久飲不去，於是講一笑話以嘲之云：有一担寶磁瓶者，在山區遇虎，瓶客急甚，乃以酒瓶擊虎，最後只有一瓶在手，怒謂虎道：「你這惡物還不走，我只此一瓶了。」

客亦還以顏色道：昔日觀音大士誕辰，請神來賀，呂純陽後至。大士道：「道人酒、色、財、氣俱全，免相見。」呂純陽不服氣，入內語大士道：「大士金容滿月，色也，淨瓶在旁，酒也，八寶瓔珞，財也，噓吸成雲，氣也。何獨說貧道而已耶？」大士怒甚，用瓶擲之。純陽笑道：「大士莫急性，這一瓶打我不去，還得幾瓶。」針鋒相對。

△陝右人呼竹為箸，一巡撫係陝人，坐堂時，論巡捕官道：「與我取一箸竿來。」巡官誤聽，以為豬肝也，因買豬肝與心，而且自以為聰明，以為既有肝，豈不得用心。於是以紙裹心，以盤盛肝，放於袖中進見曰：「蒙諭豬肝，已經有了。」巡撫笑道：「你那心在那裏？」巡官回答：「心在袖裏」。把心從袖中取出。巡撫笑怒不得。

△有人譏一僞學者，講一故事云：有一人欲造酒，請教於酒家，酒家告曰：「一斗米，一兩，加二斗水相參，和釀七日，便成酒矣。」其人善忘，回家用水二斗，一兩，相參和七日，取而嘗之，猶為水也。乃往酒家責問不傳眞法。酒家道：「你不照我說法去做，怪我何也？」健忘者道：「我照你之法，用二斗水，一兩，釀了七日呀！」酒家道：「可有米麼？」健忘者俛頭想想道：「是我忘了下米」。噫！釀酒之本竟忘了米，欲求酒豈可得乎？嗚呼！今之學者，為政者，不究其本，而齊其末，是亦釀而忘米也。

△姑蘇一妓女，花名張三，工於談諧，年逾不惑，猶為人所艷賞，每遇酒筵，得此張三助談，客皆沉醉。有富商某，與一吏目官連姻，吏目將赴任，富翁請餞，召張妓陪酒，張妓先至，吏目後到，一見張妓輒笑曰：「張三老便老也，還是個小娘。」張遂應道：「吏目小便小，也便是個老爹。」人服其敏捷而確。

▲孝廉與屠兒

張孝廉與李屠兒之妻私通。一日正在調笑，屠兒適歸闖見，反鎖其門，用竹杖從門下擊孝廉脛，孝廉哀求得脫。孝廉不服，告於官府稱：孝廉往屠家買驢，被屠所毆。縣官已悉前情。乃署一聯於狀尾曰：

張孝廉買驢，自[illegible]執其手；

李屠兒吃醋，以杖叩其脛。

▲豹牙與歪咀

明人李源方，面麻而多鬚。曹前陽僉憲咀歪而牙豹。曹出對與李源方云：

麻面鬍鬚，如羊肚石，倒栽蒲草；

李對云：

豹牙歪咀，如螺殼盃，斜釘蚌珠。

（未完）

戴高樂蓋棺論定

・宇文釆・

新聞網外之言

戴高樂死矣！固一世之雄也，而今安在哉？

戴高樂以八十高齡，在極度安詳中逝世，照中國古老說法，是很有福氣的。戴高樂個性執拗，又剛愎自用，當他執政時，專扯英美的後腿，拆北大西洋公約的台，擾亂西方國家陣營，就整個反共大局而言，他確實犯有很多過誤。但他締造法蘭西第五共和，在極度紊亂中，求得法國的安定，並勉強擧行核子試爆，躋入核子國家之列。凡此，都足證明他是法蘭西的功臣。

以戴高樂在法國所具有的歷史地位，飾終之典備極優隆，似乎為題內應有之義。可是，他沒有國葬，睡的棺材只值四百法郎，眞可以說絢爛之極歸於平淡，由此更可以顯出他的英雄本色。

戴高樂生前所以要到處與英美為難，據說是當二次大戰，法國淪陷時期，他流亡在英國，只是一個准將階級，羅斯福、邱吉爾都瞧不起他，因此他對英美有強烈的怨恨。這一潛在的心理影響了他以後在國際間種種的肆應和措施。狂風起於萍末，誠非虛語。

戴高樂平生的是非功過，將來在歷史上自有定評，他使世人發生深刻印象的，倒是他的消逝，好像天際彩虹，逐漸散失。使人悟到人生的眞諦，也許就是佛家所謂空幻的境界？

蘇俄的地下報紙

・文匯樓主・

本港知識份子雜誌，有署名林柏安者，報導一段在蘇俄廣為流傳的地下報紙「時事紀錄報」，雖祇印兩百份，但發行區域散佈蘇俄全境各地，頗合平別記性質，茲節錄如下：

是在蘇聯冒險秘密發行的地下報紙中之最重要者。

「時事紀錄報」於一九六八年四月卅日首次出現，從那時起，每兩個月出一期。

它最初出現時，是奉獻給「蘇聯人權年」的，嗣後每一期在第一版都刊印全世界人權宣言第十九條條文：「人人皆有自由發表意見的權利，還有尋求、接受及傳播消息及見解的自由。」

荷蘭萊登大學研究地下報紙專家雷甫教授認為「時事紀錄報」是莫斯科區抱有異見的知識分子非正式組織的「正式」機關報。

他說：「由於它是一九一七年十二月蘇共限制新聞出版以來的第一份自由報紙，在歷史上是極為重要的。」

關於「時事紀錄報」的活動，僅獲極少的事實。它是用打字機印行的，每期約為十五至二十頁。發行二百份左右，散佈於蘇聯全境各地。在每一個發行連鎖的環節，重新用打字機打出，再傳給另外的讀者。

該報的報導集中於事實新聞（包括姓名、日期及地點），詳述蘇聯各地的不安及警方所採取的鎮壓行動。

例如去年八月出版的第九期便報導蘇聯人權運動的十七名最傑出活躍份子於捷克受侵一周年時簽名抗議。還揭露「波羅的海潛艇隊」的官兵曾有三十一名被捕；及描述烏茲別克斯坦有六百名韃靼人舉行示威，抗議十一名韃靼領袖之在塔什干受審。

慕尼克的一位西方分析專家說：「這似可證明，該報在各處都有通訊員，而執筆者都是旅行甚多的人們。」

雷甫教授指出，「時事紀錄報」編輯人員，對於檢查消息翔實性甚為認眞。」他同意，「由於它所報導的事件涉及知識分子，學生及軍官，專業工作者，這表明，這些人們構成它的讀者及供給消息者的基幹。」該報的嚴重弱點之一便是它和工人及農民顯然缺乏聯繫。但雷甫教授深信，由於該報直截了當的事實報導，比擁有二百萬份的眞理報的影響大得多。

西方分析專家們相信，該報使用共黨傳統的秘密三人小組方式。每人只知道他的「上級」及另外一人。因之，如向秘密警察出賣，損失只為最低限度。

畧談文人畫（上）

——為紀念靜（水旁）師逝世二周年有感而作

李超哉

吾師馬靜（水旁、以下同）廬（紹文）先生，以老疾逝世，忽忽已兩周年，萬方多難，逝者如斯，感時傷舊，能不憮然！

靜師本為彝陵世家，幼躭吟詠，長絕仕進，平居以書畫自娛，排遣歲月，自避難來台，摒却世務，尤寢饋於此，故有詩書畫三絕之譽，張純（草頭）老有詩詠其遺墨云：「三絕詩書畫，夷陵馬靜廬，朋儕推巨擘，步履當安車，晚節崖松勁，幽懷水竹虛，遺刊精爽寄，披覽每愁予」！靜師畢生盡瘁於藝事，卽此一詩可以盡之！靜師詩和書法，名高一代，茲姑置而弗論，僅畧識其畫之才思與風格。

靜師為當代獨步藝林的文人畫家，此為時流所公許，因其能書故能畫，書畫本屬同源，能詩故善畫，因詩中有畫（意）。世之論文人畫者，最少必具備四種要素，第一要品端，第二要學粹，第三要有充分的才情，第四要有高邁的思想，舍此，則所為之畫難臻絕詣，流為俗品。余以為靜師能成為今之文人畫的翹楚，因為他能詩，能書、有品、有識，四者萃以成章，故其畫才臻於極致；我更以為一個有成就的畫家，必須養得胸中寬闊，意思適悅，才可使畫面的光斜偃仰，笑啼情狀布之於胸中，見之於毫端，所謂「海闊由魚躍，天高任鳥飛」卽是這種境界。古之畫家，無論軒冕巖穴，其人品必高，其才思必儁，繪畫的目的，是釋躁心，迎靜氣，滌煩襟，破孤寂，外之以烟雲供養，內之以定靜齋心，先有瀟洒出塵之想，遊心於物外之思，故一個文人畫家，必先立品，然後才可潛心藝事；今之畫師所養者不寬廣，所覽者不純熟，所經者不黎多，所取者不精粹，一經伸紙，水墨淋下，發興揮景，率然而為，天才學力人品修養俱無，豈能得性之所悟，學之所資，養之所厚，依樣葫蘆，千篇所同，畫中那裏有我在，有精神在，有生命在，有品格在？畫中失此四者，豈能謂之畫，鄙夫的塗鴉而已！

大滌子作畫，世外立法，不屑從淺近下手，靜師亦復如此，每於不經意處落筆，實則其胸中丘壑早定，位置的經營已成，故胸次寬廣，氣勢雄強，縱橫捭闔，神會心謀，時人皆驚靜師的畫已達高逸的境界，而逸入則善其倉卒成章，不關於經營布置上下功夫，靜師的畫決不似一般畫工墨守成規，如其所寫之竹，不拘於「個」「介」之分，獨遊心於繩墨之外，眞已達到幹、節、枝、葉，如正、草、篆、隸的境界。今之所謂畫家的畫，摒逸趣而不究烈！誠如陳師曾所云：「此等畫人喜工整而惡荒率，喜嚴麗而惡質樸，喜軟美而惡瘦硬，喜細緻而惡簡渾，喜濃縟而惡雅澹」。此豈藝術的勝境，實為藝術的蟊賊。文人畫還反乎其道而行之，講求氣韻，注重筆墨，決不以纖弱為娟秀，以粗礪為蒼渾，以板滯為沈厚，以淺薄為淡遠，靜師之畫，重意境，究筆墨，不以繩墨而困其飄逸，不以法度束其高，故靜師作畫實亦有法，法中無法，法中有法。倪雲林題竹有云：「余畫竹聊以寫胸中逸氣耳，豈復較其是與非！」仲圭所論，可為靜師寫照。

靜師作畫，既講求筆墨與神韻，而其運筆古秀無倫，着墨尤為生動，望之元氣淋漓，此為清王昱論畫的公論，亦為靜師所表現的才情。若有人問怎樣才算筆墨，簡言之要在輕重、疾徐、燥濕、疏密、流暢、活潑中求之！若龍單一片，是為死墨，濃淡分明，才是活筆，死墨無彩失，觀於一般畫師作畫，惟形是似，往往以皮毛，不講求筆墨，不注意內涵，往往以一團死墨死筆湊合而成幅，只求丹青、朱黃、鉛粉堆砌而成畫，這樣的畫，如何能望有生趣有韻氣。

（未完）

機要秘書新解

易儔

台北市政府機要秘書陳繼廷，為了有向市府各單位索賄之嫌，案發被拘。使歷年來貪污案件中創一新頁。

官商勾結貪污，官吏向商民索賄，已經不是新聞，陳繼廷利用職權向市政府所屬各單位要紅包才是新聞。這一套貪污案件，屬於大魚吃小魚性質，同類相殘，眞可浩嘆。

機要秘書，顧名思義自然是市長的心腹人，在戲台上刻劃的心腹人，以審頭刺湯的湯勤最為生動。他說人頭是眞的，便眞；說人頭是假的，便假。

陳繼廷不過是一名機要秘書，憑什麼可以向市府各單位要紅包？各單位為什麼非送不可？這兩點是本案需要深入偵查的關鍵所在。

「機要」者絕不能解釋為機警要錢，機密要錢或機動要錢。台北市政府丁參事在前，陳秘書在後，都是幕僚貪污案件，看來台北市政府的官常，官箴實在到了不能不整肅的時刻了。

巨變歷險記

丁博士偕部隊在蠻松的階段是非常艱苦的！這已到了沒有吃沒有喝的階段。到現在，廿年了，他還清楚的憶起當時的情形。當時大家吃辣椒水啞鹽水。山上有的是柴，但缺少糧，缺少水。到了最後，大家喝鹽水喝辣椒水。但再後，連鹽水辣椒水也沒得喝的了。張縣長張偉成帶着他的自衛隊前行，丁博士部隊隨後。丁博士先行，李團長殿後，李團長在蠻松打仗負傷，要用擔架抬着走。大家被迫離開蠻松，大家的心情是非常難過的。但形勢比人強，也是無可如何的事！……

在剛一離開蠻松的時候，大家都非常失望，好像面前是不毛之地，深入不毛，昔諸葛亮，猶引以爲痛苦，今丁博士也很難約束大家。但天下事往往是峯迴路轉疑無路的時候，突然又出現柳暗花明又一邨，到了大家快絕望的時候，面前就出現一個桃花源似的大平原。又到了瀾滄江！不，湄公河前面，即所謂猛勇地區。

進入緬境（一七六）

胡慶蓉

猛勇區傍湄公河，恢復了車里大猛隆的情景。雖不能說沃野千里——沃野十里廿里總是可以說的。湄公河的兩旁都是林立的農村。雖說是到了緬甸地，但並沒有絲毫緬甸的意味，沒有緬甸的關口，沒有緬甸的警察，沒有緬甸的士兵。實際上雖屬於景棟土司的區域，但景棟土司也並沒有在這所謂中緬交界有甚麼海關，警察，軍隊之類，沿途沒有遇到任何的干擾，沒有遇到任何的阻撓，同在自己國土上一模一樣。

原來這就是五縣自衛隊的發祥地。張縣長沿途都設有工作站，站站照顧丁博士和他的部隊。面臨浩浩蕩蕩的湄公河，面臨物產豐富的大平原，面臨糧食豐富，儲水豐富，菜蔬豐富的大農村，得到東西吃，水喝菜吃，精神爲之一振。對於景棟是中國的，景棟的地就是中國的地，景棟的人民就是中國的人民，景棟的土司就是中國的官史，大家也都有深深的體會。

都知道景棟土司，亦稱道發龍，自來是受北京政府的封號的。但自從英國勢力達到了景棟，他就把景棟土司歸附於他的勢力之下，他還是人心思漢的。雖然英國多方培植，景棟的土司，中國的土司依然是中國的土司，中國的人民，景棟的人民到中國，自古以來是絕對自由的，至今依然。就是中國的部隊進來亦然，故所以中國部隊進來，也都有賓至如歸之感。

猛勇是丁博士從速水出發所遇到的有近代工商業意味的第三個地方。猛勇傍湄公河上邊說過了。猛勇下邊就是猛叭，猛叭下邊就是大其力，大其力過去就是泰國的柿再向前就是喃旁，曼谷。猛勇可以買到電棒肥皂布匹手巾……種種日用的洋貨。要吃的各種點心，牛奶罐頭，牛油罐頭，沙丁魚罐頭……也可以買得到。連月奔波勞碌無日不在驚詫駭浪中的部隊，有今這個環境，對於丁博士的領導，無不心悅誠服。

說前生與轉世

恨海

搜異錄

中國人有前生之說，佛家有輪迴轉世之說。在關帝教中有這樣的說法：關帝（羽）的前生是伍子胥，再轉世爲張巡，再轉世爲岳武穆。世世皆爲忠良將。

民間轉世來生之說更是五花八門，不一而足。本文所要搜異不是中國貨，乃是一個外國的傳奇。一個十二歲的小孩，能說出他的前生種種事情，而且有根有據。南非布利多尼亞，有一個奇怪的女孩，名叫祖雅，她說她前生做過甚麼事，受科學試驗，她的話驗而有徵。

小女孩說：「這個老太太是我前生的女兒。」她又說到遠古時代，她被一條恐龍追逐。她的種種奇蹟，很有根據。有一位科學家爲她認眞考證：是否有前生這一回事的存在。

南非的約翰尼斯堡星期日時報，將她的新聞刊佈以後，引起眾說紛紜。這女孩閉目回憶似的，她說出遠古時代經歷的事，說到耶穌降生前後的史事，無一不是有根有據。有人問她以前活過幾世，她說活過十一次。最接近的一次，她在一家百貨公司認出一個老太太是她前生的女兒。她又說出前生幾個丈夫的名字。又說其中一個丈夫時常打罵她。

她說：一隻恐龍追逐，那恐龍「大過一間屋」。她一次走到布利尼亞一間博物館——即故總統奧馬克魯的故居，她似乎認得這間建築物。她一時靜默下來，說出博物館有幾間房，以及房間陳列的甚麼東西，她不必入室，而所說的東西數目一點不差。她畫出一幅圖樣，指出那建築物八十年前是甚麼樣子，附近的樹木，現在已不見了，還有穿軍服的人駐在館外。她說：她前生認識奧馬魯總統，而且經常到他家訪問。

她的父母對女兒所說的怪話，從來不當是一回事，可是用科學方法證驗到她能知過去的時候，却大爲驚異起來。有些相信有前生的人，聽到她說得有根有據時，十分的高興。

後來她被帶到約翰尼斯會，會見亞華德士蘭大學的皮理士博士，經過試驗及談話之後，皮理博士說：「關於她何以能知過去的人物，及不平常事情，最合理解釋是：她有強烈的傳心感。對她詢問特別題目的人心目中早有了答案。或者詢問問題時，心中已擬好怎樣作答。」「她就是有一種傳心的天賦，可以從詢問者的表狀而知道其人心中的事。她說出前生所遭到的事，可能來自下意識的印象，而此種印象，催動她立刻自回憶中搜出一句話，或者一些曾經發生過的偶然事體」。用科學方法去證明，一個人有沒有發生是十分困難的。有的人只承認她有強烈的傳心天賦。

她回答問題很快，有一次立刻答出一，羅馬士兵的衣服怎樣的。又說他們帶着皮革的盾牌，上面綴以銅和金。

詢問她的人故意說：裝在盾牌上的是鐵不是銅」。但她說：「我知道那是銅。在那個時代，我們尚未有鐵器。」

她所說的話，考證歷史是眞。詢問者被駁得啞口無言。噫！外國轉世之說，不獨中國專利耶！

黛眉小傳

王幻

魚玄機（上）

唐代是道教最發達的時代，自從高宗尊老子爲「玄元皇帝」以後，歷代帝王便崇拜尊崇，這自然是爲了同姓的關係。所謂「上好下甚」，因此，崇「道」之風，便形成習尚，一班士大夫及詩人往流往返酬唱之詩，尤不可勝數。一時風氣所趨，迹女性也被道家思想所感染，唐室公主每每修道不嫁；楊貴妃亦曾求爲女道士，宮人亦有自請出家的，女道士就成了當時一種特殊的婦女階級。

這個階級的形成，還有下面幾個原因：第一，女道士大都通曉文墨，士大夫樂與交遊。中國一向倡導「女子無才便是德」，所以丈夫是知識階級，他的妻子往往目不識丁，兩性間自乏調和的興味。如果聽說有一個具有文學素養的女子，就視爲人間麟鳳，設法與之親近，甚至來求唱和了事，純是男性追求的結果。而且這些女道士都居道觀或家中，但無家事之累，又爲了研究經文，遂專精於文事，一旦具有一點才學來，士大夫們自然願和她們往來之類。第二，唐時女冠多爲貴族，如公主宮人，由一般熱中利祿的人，攀附鳳走其門，倒是一條終南捷徑；而父母生之時，仍然未斷，借其一言，重於九鼎。兩性間的交際密了，自然有發生戀愛的可能，風氣一開，就是不想做官的人，也要交結一二女道士，當作唱和的伴侶。第三，女道士往往爲出家人，除去原來具有皇親國戚的身份者之外，多無財產，須靠賜錢設宴以爲生。這些弱質纖纖的女子，爲了生活的鞭策，不得不時常出入官宦人家，即是被人輕薄幾句，也惟有忍耐。看劉禹錫贈張鍊師詩：「……金縷機中抛錦字，玉壺煙上鍊霓衣；雲鬟不用吹簫伴，祇擬乘鸞獨自歸。」這雖欠莊，詞還得體，而劉長史的贈成鍊師詩：「大羅過却三千歲，更向人間魅阮郎。」白易居亦有贈韋鍊師詩：「上界女仙無嗜欲，何因相過兩徘徊？」便不像話了。

唐時女道士因不乏刻苦清修的人，而善於吟風弄月的，實可車載斗量，其中確有才華而爲當時一般詩人所稱許的，只有魚玄機和李冶二人。從她們的傳世作品看來，她倆都有許多的愛人與其唱和，這種多角式的戀愛，當然不足爲訓，但是應予諒解。她們和一般女道士不同者，不僅是識字而已，而且都有自己的思想。她們一方面和生活掙扎，一方面又發現人類社會對待女性的不平等，於是便產生反抗的心理。而她們的反抗手段，就是玩弄男性，是以便陷入了「半娼式」的生活漩渦，無能自拔；同時也註定了她們的命運，惟有在這種生活方式中掙扎着，一直到生命的終結。

唐代著名女詩人魚玄機，長安人，本名幼微，一名蕙蘭，後來當了女道士，才易名玄機；至於她的家世，各書都沒有記載，不能詳考了。相傳她出身士族，性聰慧，喜讀書，尤工韻律，文學的造詣頗深，才華也非常出衆。及笄時，家道中落，無奈嫁爲李億補闕侍寵，作了如夫人。雖然李億非常寵愛她，但是李億的夫人妬不能容，她因忍受不住大婦的諸般刁難和種種無理的責罵，於是下堂求去，始到「咸宜觀」披戴爲女道士。

自古男子多薄倖，被棄的女子，不是消極的痛哭；便用狐媚的手段去挽回失去的愛情，這是一般女性的態度。但魚玄機所抱的主張恰恰相反，她却毅然決然的上張脫離關係，而去另覓新歡，何必迷戀愛情的骸骨？她的「贈鄰女」詩云：

羞日遮羅袖，愁春懶起粧。
易求無價寶，難得有心郎。
枕上潛垂淚，花間暗斷腸。
自能窺宋玉，何必恨王昌。

（未完）

馬騰雲簡覆

社會服務

騰雲先生道鑒敬啓者久欽先生博學廣識，所著實用各書頗多，嘉惠人羣，何勝景仰，刻懇者拙荊患風濕症前於徵信新聞報抄得先生對是症泡製藥酒方劑服後極見功效，頃因酒已服罄而原方遺失，經洽徵信報亦未覓得，復購長壽經驗談等書，冀在四千五百六十偏方中求得亦未如願謹肅上懇
惠賜抄示該方想
先生利濟爲懷定能
俯予照辦也臨楮神馳敬頌
著安
後學　高道儲拜啓
台北市仁愛路二段七十六號高道儲緘上

答該方在生活漫談合集有詳細記載，全文曾在台北徵信新聞報登過。
馬騰雲拜　十一，十九。

第十五章

岳飛孤軍奮戰　趙立楚州殉國

韓世忠部衆皆乘大船，藉風揚帆而行，行駛甚速。兀朮俟無風時進攻。則世忠大船便無風可藉。故爲兀朮所乘。世忠未計及於此，是夕與梁夫人賞月，飲酒談心。梁夫人心有不快，因恐兀朮另有詭計，不可不防。乃向世忠道：「將軍不可因一時之小勝而忘大敵。兀朮乃金國著名將帥，倘若被他走脫，他日再來復仇，禍莫大焉。將軍未成功，遺禍他日，遭致縱敵之嫌，豈不是轉功爲罪麼？」世忠搖頭笑道：「夫人也未免太多心了。兀朮已入死地，那有生理？待他糧盡，唯有俯首投降。」紅玉道：「江南江北遍皆是金兵，將軍總得小心爲是。」世忠道：「江北金兵乃是陸師，不能入江，有何可慮？」世忠乘了三分酒意，於是拔劍起舞，口吟滿江紅一闋。梁紅玉見丈夫有點酒意，也有點驕色，即請返寢，然後對諸將道：「今晚月色如晝，敵虜不敢來犯，但須戒備小心爲是。汝等應備小舟，徹夜巡邏，以防不測。」諸將聽命而去。梁紅玉亦入寢安息。

却說兀朮準備停當，下令拂曉攻擊。世忠夫婦早已起來，忙急戎裝披掛，準備迎敵。世忠因輕視兀朮，不甚注意，惟飭令各舟將士照常截擊。世忠觀察敵態，見金舟往來梭以往快速，始覺有異。驀地聞得一聲胡哨，敵舟中跳出弓弩手，更迭注射。世忠軍士用盾牌遮蔽，怎奈射來的箭是火箭，所有船篷風帆上面盡皆着火，一時火光四起，防不勝防，江上無風，大戰船不能速動，眼看燃燒；有的跳江，有的搶了小舟逃命。否則欲逃無路。韓世忠夫婦只得跳上巡邏小艇逃走入鎮江。金兀朮戰勝不敢窮追，只顧衝出黃天蕩，強行渡江北去。

韓世忠敗回鎮江，懊傷不已。愧對紅玉歎道：「連日奉到御札，備極褒獎。今突爾失敗，教我如何覆奏。」世忠無奈，只好上章自劾。後奉詔命道：「世忠僅八千人，拒金兵十萬之衆，相持四十八日，數勝一敗，不足爲罪。」特拜檢校少保兼武德軍節度使，以示勸勉。

且說兀朮北行，到了靜安鎮，甫到鎮上，探馬前來報道：「前面乃是南朝旗號，不見我軍」。兀朮聞報，半疑半信。親趨馬瞭望。遙見旗幟飄揚，有大旗上書斗大一「岳」字，不覺大驚失色，急下令退軍。正退之間，忽聞連珠炮響，岳飛之軍由牛頭山殺將下來。原來岳飛收復建康之後，伏兵於牛頭山。

（七十）

自由報

（第一一九期）

（本週刊逢星期三、六出版）

督印兼發行：社長李運鵬

社址：香港九龍彌敦道593—601號
廖創興銀行大廈八樓五座
LIU CHONG HING BUILDING
7th FLOOR FLAT '5
593—601 NATHAN ROAD,
KOWLOON, H.K.
TEL: K303831
電報掛號：7191

承印：景星印刷公司
地址：荔城街廿九號地下
台灣區業務管理中心：台北重慶南路一段一二九號
電話：二四五七四
台灣區直接訂戶　台灣劃撥戶
第五〇五六號張萬有（自由報會計室）
台灣分社：台北市西寧南路110號二樓
電話：三三〇三四六、台郵劃撥戶九二五二號

為雲五社會科學大辭典辯誣（下）

·李霜青·

本報專論

黃大受教授將「太平天國失敗的原因」提出於國際學者會議中，正是「以正克邪」的有心人的作法。倪先生不察，難道有意爲毛共張目耶？而且，黃教授所引史料，正是倪先生所標榜的簡又文先生等可靠的史料，並非「摭引傳說故實，不加研判，率爾點染」。倒是倪先生既不知其一，又不知其二，遽而對黃教授之作「不加研判，率爾點染」認爲太平天國的罪名，在「太平天國全史」一書中，皆有詳細研究，并不如此」。殊不知，簡又文先生在全史一書中，恰爲未有詳細研究，而在倪先生未讀過的另一書「太平天國典制通考」中，皆有詳細研究，其結論并非「并不如此」，恰爲「均皆如此」。其結論均爲黃教授所引用。所以我說倪先生既不知其一，又不知其二。倪先生對於「諸王廣置姬妾」，要「請問諸王爲誰」？這是倪先生未看簡、黃二先生之作，試看：

太平天國全史第七章四五四頁：東王一到武昌，即公開強迫挑選，十餘齡殊色女子六十人。

太平天國典制通考第一二五〇頁至一二五五頁：金田起義時，洪秀全的天王妃，即有十五六位娘娘。到天京以後，天王妃加多到四十多人，天朝末期加到八十八人，

李圭「金陵兵事彙畧」卷一：僞王娘以下備媵妾者一千二百餘人，而侍女不與焉。

郭廷以「太平天國史事日誌」七四八頁：據外人報告「天王詔定東王西王各娶十一人，南王至豫王各娶六人，高級官三人，中級二人，低級一人」。

倪先生又要問「妃妾又爲誰」？這如說相聲的問孔明與周瑜的母親是誰？一樣的滑稽可笑，因非屬學術探究領域，恕不作答了。

我已說過，黃大受教授所引以證明太平天國「巫術統治」「極端專制」「強迫褒務」……等均出自「太平天國典制通考」及其他史料，如李秀成親供手跡等，這只要看黃著「太平天國失敗的原因」及簡又文先生著「太平天國典制通考」即可曉知。如若倪先生因公務太忙，向未及詳加閱覽，不妨抽暇爲之。如若詳加閱覽後，仍未發現，我願另爲文對照指出。

倪先生既未詳加閱讀他人著作，何竟鼓勇對他人著作猛烈抨擊？細讀倪文，或是在譁衆取寵，或是在對商務印書館鬧意氣，因而找「社科辭典」一書出氣。例如：

一、他抨擊商務印書館說：「如果一貫的以純生意經的手法來編書，雖起孔孟於地下，又那能編得好」？我只知道，著書立言者，抱著道不憂貧之志，或發爲濟世救時之言，或藏成而藏之名山，傳諸其人。其他以印刷出版爲業者，其編書印書，豈能不抱生意經著乎？然文化事業，雖不單以利爲目的，究其在利害利而觀，復負有宏揚文化之重任。較之一般商業，尤足令人起敬。今日台北市，任何一家觀光大飯店之營業資本，將超出全市書店業者之資本。一家觀光飯店之一日營業收入，超過全市書店一月之收入而有餘。商務印書館近年來，以少數資金，出了不少的書刊，致勵猶恐不及，何忍以「純生意經」之字眼譏評之？且「社科辭典」乃學界爲王雲五先生祝壽之作，嘉新水泥公司捐款以助成之，何得云爲「生意經」？倪先生誤矣。

二、倪先生又評「社科辭典」說：「但如都照本冊審省經費，倉促成書的方式編纂，恐怕諸如此類的缺失，不可避免，尚待今後再行研究」。又如：「因爲此類辭書一出，青年學子以翻檢輕易，比較容易吸收！書出之後，使作研究工作的人不屑一顧，而青年學生又不足實用，豈不違背出書的原意」？這些話，就似乎在說，不照我倪某的意見編纂，就是錯誤，錯誤就貽害蒼生，就使作研究工作的人不屑一顧。

我已指出，編纂體例，不可強人從同，且衆議已定，羣體之智總比一人之智長。那不是錯誤。至於倪先生所指內容上的錯誤，實是倪先生在「矯枉錯諸直」。例如倪先生所指太平天國一條中的矛盾，并非執筆之矛盾，實乃太平天國言行不一致之矛盾，此矛盾來自史實，只有毛共僞造的太平天國史，方無此矛盾，然其爲僞造，故無價值。因爲倪先生對社會科學大辭典所指出的錯誤，并不真是錯誤，相反的，倒是倪先生未曾博洽周咀的輕率譏評，故社科辭典一書，乃中國學界羣體智慧之結晶，縱因遭妄評而益增其價值。我不信二百多位學者比倪先生的水準低。

末了，我希望編輯刊物的人要審慎審查，少發表些對中國文化思想與中國文化事業，突放冷箭的文章。因爲多難的中國文化與中國文化事業，實在承受不起太多的戕害了。

（完）

昨日與明日

政治肩（手旁）客與經濟黃牛

「黃牛」是工業社會，三百六十行以外的買賣行業。娛樂界有影劇黃牛，司法界有司法黃牛，現社會還多的是經濟黃牛，幹經濟黃牛的是政治掮客。政治掮客與經濟黃牛，在文字學上可能是一巧對，實際上則是一而二、二而一的，所謂政治掮客就是幹經濟黃牛的勾當。

經濟黃牛的政治掮客，玩些什麼把戲呢？就身份講，他們本身並非官吏，可是官吏看見他們却懼怕三分，他們可以在會議席上，公開出官吏們的醜，要官吏們的好看，以至影響官吏們的升官發財。因此，官吏們都要買他們的帳，他們遂經常出入公門，代客情託，或有所圖謀，轉手發財。最厲害的，幹這種生意，不要分文資本，更無需寫字間，也不負担風險，祇要「力」大，保證賺錢。

譬如有些專賣性質的民生必需品，像液體瓦斯等等，向供應機關中購若干噸，轉讓與包商，每月不費吹灰之力，便可淨得若干好處。又如代出口商交涉一筆退稅，可以獲得多少回扣，或者獲得多少公司乾股。又如能向銀行介紹貸欵若干萬元，獲得多少報酬；或者代謀某種肥缺，可以獲得多少孝敬？或者代「客」申請建築執照，准了最好，不准就　建設局長，還見了報，出風頭呢？如此這般，這般如此，眞是戲法人人會變，巧妙各有不同，而其最終目的，則是假藉權勢，圖利自己。

多少年來，眼看一些人起高樓、坐私家汽車，家中過着豪華奢侈的生活，與他們的名義收入，距離何祇十萬八千里。稅務員要申報財產，這些特殊份子的財產有誰來管呢？政治革新，當務之急就是去貪。本報再三申論，實因爲：官吏貪污是禍國的基因，而政治掮客助長貪污風氣，作腐化惡化官吏的護航，摧毁社會的正義公理，影响一般善良人士的權益，培養政治貪污的細菌，終使國家危亡，民族沉淪而後已。其罪還滔天，無人可以否認。

誰是政治掮客呢？誰幹經濟黃牛勾當呢？社會正義人士要檢舉，政府肅貪機關要查辦，輿論界更應高舉正義之旗，大張討伐。當今國際局勢，值得我們警惕，所有國人都應發奮圖強，像這種腦　腐肉，政治掮客，極應剷除務盡。

·正言·

自由談

不值得欣慰的事

本屆聯合國大會對所謂中國代表權問題，仍由美國出面，協同十幾個會員國提出建議案，認爲這是「重要問題」，須經全體會員國三分之二同意通過，方能作最後決定，投票結果，多數贊成此項提議，使毛共政權無法混入聯合國。

可是，在同一時間內，美國務院發言人金恩與駐聯合國大使菲立浦斯公開發表談話，表示美國希望在不排除中華民國席次的條件下，歡迎毛共加入這個世界大家庭。很顯明地宣示美國的外交政策是贊成「兩個中國」。自一九四九年以來，美英當局即計劃搞兩個中國，但閃爍其詞，欲吐還茹，如今却直言無隱了！

假使毛共在過去廿年間，不是始終以「美帝」爲死敵，且否定兩個中國之說，認爲這是美英帝國主義的陰謀詭計的話，毛共政權早已由美國嚮導，進入聯合國了。由於毛共的反美政策依然不改，美國纔不好意思向敵人陪笑臉，而死七八賴地要求聯大會議邀請毛共加入聯合國。回憶一九五〇年聯大會議時，關於邀請毛共入會問題，美國務長官艾其遜曾經一馬當先，聲稱這是「程序問題」，而非「重要問題」，即知今日美國又以「重要問題」的理由，擋住毛共政權走入聯合國之路，并非忠於聯合國憲章，亦沒有主張正義公道的意念，完全是藉聯合國的席次作香餌，對毛共從事要價還價的勾當而已。

因此之故，我們對於本屆聯大會議關於所謂中國代表權問題的決議，并無値得欣慰的價値存在，那是强權主義者自私自利的魔術表演，可哂之至！如果我們自己不爭氣，缺乏自立自强的能耐，而始終在外交上俯仰由人，有如玩牌然，希望跟「郎中」合夥，坐分餘瀝，很可能連老本亦送掉，那就悔之晚矣！

自立自强之道，說來話長，但爲着杜絕强權主義者妄以台灣問題爲與共黨妥協的籌碼起見，我們至少亦須向國際間作嚴正的聲明，即台灣原係中華民國的領土，沒有甚末問題存在，縱有，亦應由中國人自己來處理，與別國無關，所謂「兩個中國」之說，乃是放屁放屁，眞正豈有此理！我們如其沒有這點革命精神，看吧，今後嘔氣的日子，多着呢！

馮王先生

依洄集

教宗的亞洲之行

易傳

天主教最高的領袖，梵諦岡教宗最近將有亞洲之行。他的行程已引起世界各地天主教徒的注意。傳說教宗將到香港一遊，但不來台灣。

在台灣發行的「教友生活」週報，已發表社論，對教宗有微詞。從民主角度說，教宗也是可以批評的，但從天主教的傳統說，就不單純了。因爲，教宗是耶穌的代表，他的人格是神化的，不容任何人批評，尤其是在教會之內。

「泡茶、泡好茶。請坐、請上坐。」是中國諷刺出家人勢利主義的絕妙聯語，當然不能隨便拿來調侃天主教的教宗。可是，事實上，教宗既來亞洲，而不到中華民國和越南，似有違「牧羊」之義。人沒有出台，先被台下喝倒采，殊爲教宗不值。他的行程有重加安排的必要。

馮玉祥有沒有盜寶

矢原愉安

從「不有足夠的兵員，即難於分配」，以及「人數約在十五萬左右」，甚至於末尾那些樣樣俱全的「教育機構」，都可以證明：馮的實力的確給人一種「三日不見，立成巨富」的感覺。實際上從一師三旅搖身一變而為六師三旅一團，從三萬人槍，一變而為十五萬人，的確不是一件簡單的事。第一個問題，就是這筆擴充部隊的經費，是從那裏張羅來的呢？

他佔領北京的時候，曹錕總統以國庫裏是一貧如洗，連照例的軍餉都發不出來的。

然而，吳佩孚是不是在他倒戈以前，對他大量接濟過呢？有是有的，但也不過一二十萬元而已，這在打仗行軍的時候，並不是什麼了不起的數目。更何況吳大帥在馮還沒有發兵以前，就早已對他的接濟，不大負責。據馮自己說：

吳佩孚早就宣佈：……此次用兵，概不設兵站。糧秣餉項，統由各軍隨地籌辦……。你們只管走到那裏，吃到那裏。……地方上官紳是十分歡迎的。……他們花了五個，可以報十個，大開財源的事，誰也唯恐搶不到手。你只管開拔，不要顧前慮後的。……吳佩孚對於我們的糧餉不加理會，但我們却不能不開拔。（摘引自同書四九頁）

由此可見，他還宮後擴充部隊的費用，也不可能是從吳佩孚給他的「糧餉餘款」中，存儲下來的。

B、事隔不久，奉軍的郭松齡部曾經同馮玉祥聯合倒奉，事敗身亡，部隊潰散，但是：

「後路魏某之部，尚在山海關，非常恐慌。……於是我派人送給他兩萬袋麵粉，十萬元現洋，藉以接濟他退出危險地區。」（摘引自同書五四頁）

不久以前，馮還為了兩萬五〇〇〇元「烟土稅」，就要和另一個軍閥，動武開仗。現在却送給「友軍」，一送就是「十萬元現洋，兩萬袋麵粉」，眞是何其闊也？對自己的部隊，當然也就更闊。這些錢又都是從何而來的？

C、馮玉祥是個喜歡沽名釣譽的人，寧可天天吃白菜豆腐，也要落一個儉樸之名。

按常理而言：別人說他「盜寶」，是侮辱名譽的一件大事。但他對這種「誣蔑」却毫無一個愛名如命，而又平白受了冤枉的人所應有的反應。而只是在自傳中毫不動火氣地說道：

「事後有人造謠，說馮某攫取了多少故宮寶物云云。」

對於這種無稽的讕言，我都無庸置辯。烟筒中冒烟，雖亦可使人眼迷，但不過一會功夫，仍現出清白的天空。這個讕言，終久也就自己消散了。」（摘引自同書五一〇頁）

簡直完全不像是那位恩怨分明，睚眦必報的馮玉祥說過的話了。

為什麼他在這件事上的反應，又如此其反常呢？（未完）

香港一百年

本報資料室

最近，香港大會堂博物美術館舉辦了一個文物性質的「百年前之香港繪圖片展覽」，它運用了深入淺出的手法，把一百年前的香港社會實況，亦即一八七〇年之香港社會實況，作為主題，分別為郊野、城市、船舶和港口、起居與工作、交通社與國情等項，技巧地把圖片放大，介紹市民觀賞認識，前往參觀者絡繹不絕，盛況空前。

為什麼選擇一八七〇年的香港，來作文物展覽主題呢？蓋其時當權派人物，在香港是麥當奴任總督（一八六六年至一八七二年），在廣東是兩廣總督瑞麟，字澄泉，滿洲正藍旗人，於清同治四年（一八六五）就任，至同治十三年（一八七四）死於任上，為時十年之久。這兩人都會致力溝通華洋關係，促進省港繁榮。那時香港擴建為城市，發展貿易，是香港歷史上一個轉捩點。與此同時，歐洲的蘇彝士運河開航，汽船代替了帆船，不特歐洲到香港的旅程，從半年縮為八個星期，航程亦有固定航期，航行亦比以前舒適得多。另一方面，那時候，正是電報紀元開始，瞬息可通八達的電報，代替了長達六個月之久的書訊傳遞，加以海程快捷的運輸，歐洲人不斷來香港建立商業關係，而中國大陸人民也不斷來此謀生，造成繁榮的城市。

因為這個緣故，一八七〇年距今恰滿一百年，香港博物美術館，遂以此為主題，將該館珍藏的圖片一百餘幀，分門別類展出七大幅圖片，並有中文說明，極為詳盡。教人看了，可以認識百年前的香港的眞實面貌，與今日之熱鬧繁盛，相去眞是不可以道里計呢！

香港割讓與全部面積

却說香港原是中國領土的一部份，舊屬廣東新安縣（今寶安縣）外洋的一個小島，名荒島，僅有少數漁民居住，它是怎樣割讓給英國呢？據英人摩斯氏所著「東印度公司對華貿易編年史」說：「公司從事鴉片貿易的船隻，在一八二九年（清道光九年）為了要避西南季節風時期內有較安定的停泊處，曾四處找尋，結果選中了香港島西北角內港為停泊處。」

「英國商人選中了這一座小島，認為它與九龍之間的內港，實在是一個優良的停泊地點，對於避免季節風，每逢遇到廣州方面，他們有所顧忌時，他們就退避到這裏。再加上由於島上高山（即香港仔與薄扶林之間）有一大瀑布，可以取得淡水供應。故而，英國商人在林則徐的壓力下勒令撤出澳門後，鴉片販，他們所選擇的避難地點就是這個小島。

「其後，停泊在九龍海面的東印度公司商船，船上人員無事可做，除了走私貿易外，便是酗酒和上岸到九龍尖沙咀一帶去向村民購物，因言語不通，往往鬧事，打死了尖沙咀村人林維喜，同時林則徐在虎門焚燬英商鴉片，終於觸發了鴉片戰爭，英艦安號砲轟廣東巡船進迫虎門，旋又進迫南京，清廷失敗，簽訂南京條約，其第三條上說：

「緣因英國商船遠路涉洋，往往有損壞須修補者，自應給予沿海一處，以便修船及存貯所用物料。今大皇帝准將香港一島給予英國君主，暨嗣後世襲主位者，永遠主掌，任便立法治理。」

這是「英國殖民地香港」誕生的根據，並設立總督治理。再經過一八六〇年（咸豐十年）北京條約，割讓九龍半島尖端土地面積四英方里，以及經過一八九八年（光緒二十四年），租借九龍新界，名稱叫做「拓展香港界址」，九龍新界，包括深圳以南，東起大鵬灣，西迄深圳灣，包括大嶼山等島嶼在內，約三百九十英方里為租借地，定期九十九年，迄今已有八十二年的歷史了。

現在人們所稱的「香港」，含有狹義的和廣義的兩種解釋：狹義是指香港本島而言，即是香港行政、商業、軍事中心的所在地；廣義的解釋，却要包括九龍新界以及香港本島前後約三十三個島嶼在內，面積共計三百九十英方里。

裙帶路及香港之命名

百年前的香港，究竟是怎樣的情形呢？最近，在香港仔至市區的一條原始軍路上，該路係百年前本港於一八四一年開埠後數年所開闢者，久已無人使用，却在一個山徑某處石屋外面，發現一塊紀念本港初期的里程碑，碑上刻有「裙帶路」的中文字樣，已糢糊不清。裙帶路一詞，係形容環繞港島之路如裙帶，即指今日上環至中環一帶。

據各方面考證：裙帶路的意義有二，一說這條山徑自對岸九龍遙望過來，蜿蜒如帶，乃當年漁舟遇逆風，賴以枝棲的小徑，頗似婦人的裙帶，故稱裙帶路。這個裙字是一個水上人裙姑的小名，當年曾屢次帶領英人從香港仔越山循徑至今日上環一帶，所以能熟悉全島形勢。為了感謝她嚮導之功，因以名其路。

另一說：相傳英人初到香港，從赤柱到山北來都是山徑，山徑有一個漁村名叫裙帶村。一八四一年香港政府公報，亦曾證明為裙帶村，且謂有居民五十名。道光二十一年（一八四一）五月間將軍奕山述及當時香港情形，亦稱：「前所修裙帶路寮房石路，未始不作銷貨之想。」是裙帶路實為島上村名，其地點為當年英人登陸後在山北（太平山之北）經營的中心，亦即今日香港心臟地帶。

原來，當時「香港」這個名稱，在中國裏還未曾普遍，他們眼見英人經營的是在太平山北的上環至中環一帶，所以也間有稱為「裙帶路」的，後來為什麼又叫「香港」呢？莊士頓氏為本港開埠初期的英國駐港商務監督，他說：「香港村，名稱就是取自這裏的。這村落很美麗的為林木所包圍，並有很多經墾殖的土地，它的居民似不超過二百人。」

新安縣志上有：「官富司所屬，有香港村。」依縣志的地圖看來，香港村的位置，正近薄扶林而當石排灣（即今香港仔），附近有湍急的水流，因其水味甘冽，土人名之為「香江」，遂名為「香港」。後來英人將港口方向更易，把原來「香港」易名「香港仔」（一名小香港），而以「香港」名全島，即大香港。

香港開埠第一年情景

香港開埠初期，外商在廣州出版的「廣州新聞」（THE CANTON PRESS）曾有報導：「一八四一年一月，香港被割據給不列顛帝國，並且即於二十六日將這座島加以接管。但是，起初對於改善當地情況的措施很少，直到五月，這才委任了一位裁判司，不久之後，開始島上的築路工作，從第一年的五月到八月，人口增加最速，一座廣大的購物商場繼之出現。」即今日中環街市的前身。

「當中國遠征軍在八月間離開本港前往廈門和舟山以後，在今日港內海濱被土人喚作裙帶路的地帶，永久性的公共建築物就開始了，從這座島的最西端部份開始，在前目，除了作為印度加利志願軍營舍的臨時軍營（按即昔年西環兵營）之外，許多大小建築物均已先後完成。在這商場內容及左近，也有二十多間商店。」

「目前最活動的中心就是在裙帶路，最早建築的一條幹道亦已完成（按即皇后大道），兩旁的建築物都有人住了。有一座作為政府首腦臨時住所的建築物，新近正落成（按即最早的督轅），在這附近又有衛兵房（按即今日美梨兵房）和郵政局及田土官住所的建築物。沿這條大路向東走，就是軍營山（按即今日金鐘兵房）營房及械庫正開工建築中。」

「沿這條大路爬上一條峽道（按即今日跑馬地峽道），可以俯瞰黃泥涌的山谷和村落，穿過山谷的支路繼續向東走去，不久可以走到掃桿埔村。石排灣（今香港仔）的港口雖小，却是形勢環抱，南北皆有入口，非常便利船隻出入。港外的鴨脷洲，雖僅有二英里的小島，却是香港仔從西南至北面的屏障，這樣，環行香港島一周便已完成了。」

「自從英國統治權在島上建立以後，各式各樣做買賣的小商人都來了，同樣的還有各種算命占卜的，玩戲法的，走江湖郎中，戲人，那些在每個人口茂盛的中國城市中慣見的人們都來了。島上經常的人口，據估計約有一萬五千名。歐洲人為了大躭心熱症和擺疾，大都用石塊作基層來建築磚石房屋，也有一些木屋。島上馬匹不過十餘匹，馬車僅有一輛而已。」（未完）

喬治桑外傳

一九八　張大萬

「桑老伯，你這次回美國什麼時候再來？」自從蘿葛蔡與雅麗絲訂婚以後，便改口叫喬治桑為「桑老伯」。

「那要看情形，也許很快會回來，也許要過一段時期。蘿葛，你知道我是拿雅麗絲當親生女兒看待的，你一定要好好愛護她。」

「這點老伯放心好了，我對她決不會三心二意。」

因為要趕時間，十一點鐘，雅麗絲便將飯菜排上桌子。雅麗絲特別準備了清蒸鯽魚，這是喬治桑最愛吃的菜。

「雅麗絲，阿翠在我們家做的時間也不算短了，雖然人笨一點，但人還忠實，妳給她二千元，如果妳要用她就留下來，不用就辭退。」

「好的，我會給她，蘿葛已經和我商量過了，阿翠我們要留用的。包死，你還有什麼吩咐？」

「牛董事長那裏的車馬費，我交一個圖章給你，你每月去領，但不知道會領多久。」

「我替你每月去領，領下替你存起來。」

吃過飯，由蘿葛開汽車到機場，雅麗絲買了一個花環套在喬治桑的頸上。蘿葛替喬治桑、和雅麗絲拍了幾張照片，然後又由雅麗絲替喬治桑雅麗絲拍了一張。

喬治桑踽踽獨行，拈了一個手提包上了飛機，這時，他忽然感到鼻子有點酸酸的。

他坐上飛機，從機窗裏看到雅麗絲與蘿葛蔡在向他揮手，他很感安慰。多年埋藏在內坎裏的內疚，似乎獲得了補贖，使他對人生的眞諦有了新的體認。

台北傳奇錄（八八）

・陳光棣・

「什麼名堂都沒有」。金恆貴大不高興：「大家都很忙，我不打攪啦，改天再見吧」！

「眞是對不起，以後有什麼事，只要你老兄吩咐一聲……」

金恆貴又氣憤又懊惱，站起來往外就走：「謝謝，改天見」！

「改天見，有什麼事隨時找我」。步成材關上房門都囔着：「他媽這小子，虎我的老趕」！

金恆貴抓着頭皮走到弄堂裏，迎頭碰上大洋馬正在焦急的張望。

「看你這個樣子，好像丟了魂」大洋馬鄭重其事的說：「你姐夫帶了話回來，說是風聲越來越緊，叫你把東西藏在個牢靠的地方」！

「藏在什麼地方啊」？

「你怎麼問我呀？」

「我都快急瘋了，實在一點主意都沒有」？金恆貴沮喪的說：「剛才我去找步成材，想利用他一下子，不想這小子一開口就是借錢，我一賭氣就出來了」！

「你怎麼亂找人哪？讓你姐夫知道了，一定會罵你個狗血噴頭，步成材那種窩囊廢能辦什麼事情？」

「我是打算利用他，想法子把東西存放在劉二爺家，劉二爺家裏最安全了」！

「這倒也是個法子」。

「可是我和步成材說僵了！」

「說僵了怕什麼？再去找他一回」。

「他要錢哪」！

「花幾個小錢算什麼？只要熬過這一陣子，還不有的是賺大錢的機會？」

「這話也對」！

「再說步成材也不是好百姓，你既然在他面前露了口風，又把他甩在一邊，可不是鬧着玩兒的」！

「我別的都沒提，就說有點東西要他替我保管一下」。

「這就夠惹麻煩的了！」大洋馬咬着牙說：「你眞是昏了頭，還不快借個引子再去找他」！

步成材這些日子有點窮的發慌，想找個朋友借點錢，實在又想不出路子來，偏巧金恆貴來託他存東西，三言兩語的又說岔了。步成材一面炒菜一面打主意，再找個什麼藉口去找金恆貴套套交情。

劉大姑奶一進家門，就聞到一種燒焦了的味道，趕到廚房一看，步成材正在仰着脖子銜着天花板出神，鍋裏的炒肉片冒着青烟。

「你是怎麼搞的？一天到晚就和丟了魂一樣！」劉大姑奶奶掀開飯鍋：「怎麼，你又忘了煮飯？等一下孩子回了家吃什麼」？（未完）

薛岳將軍大敲竹槓

·文匯樓主·

本港一家雜誌載：「薛岳將軍大敲貴陽竹槓」頗饒風趣，特節錄誌之，以饗讀者。樓主於早年曾主持第九戰區司令長官兼湖南省政府主席薛岳任內官方某報，知薛逸聞甚多，日後另文敘述。

廣東樂昌薛岳將軍，抗戰之前，曾任貴州省政府主席。以組「竹槓團」主治省會貴陽人民的晏起惰性，轟動全國。軍人主政，總是帶點蠻幹作風，表面上不免幼稚，實實上却具灼見。

當時貴陽人民的晏起惰性，說來有一段古。遠在民國十五年北伐時期，周西成任黔軍總司令，兼貴州省政府主席，發覺貴陽軍民，都以抽老刀牌香烟為時髦。老刀牌係英美烟草公司出品，每日軍民的消耗，數量龐大，不免利權外溢。周西成為了挽救這種財政危機，乃喊出「要愛國就要抽鴉片烟」的口號，鼓勵軍民棄老刀而改抽鴉片。因為鴉片是貴州土產，本省人抽本省烟，正是肥水不落外人田。周西成為了强制推行這個口號，便將軍人中抽老刀的，故意拘捕數人，以令箭插耳，使血流滿面，遊街示衆。讓人民看到知所警惕，而迅速改變嗜好。貴陽人民在周西成如此誘導的威脅之下，都養成了抽鴉片烟的惡習。周西成並且發明一種抽鴉片新法，提倡坐而抽，反對睡而抽。所以那時我們到貴陽遊歷，每能看到坐抽鴉片煙的新型姿勢。凡是抽上鴉片烟癮的，不管姿勢如何，都有一種貪睡晏起的惰性。因此日上三竿，貴陽城內還是一片蕭條，無人開業應市。薛岳上任之初，看到貴陽城內暮氣沉沉，不但有碍省會觀瞻，而且損害民族健康，决心進行改造。下令所有省會黨政人員，組織竹槓團，在日出之前，分隊挨街挨店，敲擊人家門戶。必待戶主應聲起床，開市營業而後已。同時又印發告貴陽人民傳單，隨敲隨散。

傳單內容簡要，說明省會之所以名稱貴陽者，指此地陽光的特殊珍貴也。只有人人早起，才能多多接受珍貴陽光的恩賜。想不到竹槓團出發工作未及三日，即將貴陽人民貪睡晏起的惰性，一掃而光。變為家家早起，朝氣勃然。

「天無三日晴，地無三尺平，人無三分銀」，是那時外省人遊罷貴陽的評語。貴陽一年少見陽光，四周盡係山岳，說他天氣不晴，地勢不平，確未離譜。只有說貴陽人民貧窮，連三分銀都拿不出，似乎有點冤枉。貴陽人民苦幹硬幹，謀生能力既强，賺錢機會亦多那能說盡是窮鬼？只有貴陽人民懂得享受人生樂趣，賺到錢不為錢所役，反能善於使錢。單是每人每年抽鴉片的消費，就為數可觀。再加上愛吃本省正統的官保雞，更是所剩無幾。

自經薛岳將軍大敲竹槓，不覺驚醒了十年惰性迷夢。鴉片烟癮，隨着必須早起而告解除，就是小吃的習慣，也由較昂的官保雞，改為平價的腸旺粉和牛肉粉。所以，當年貴陽人民在個人經濟狀況改善之餘，對薛岳將軍的去思，是「一敲之恩」。

文滙樓剳記

諸史拾趣

·周其昌·

二十

，有什麼忠誠禮節可言，但是孝義風氣，還沒有襲歇，不特南朝諸帝王仍竭力提倡孝道，就是北朝君主，雖係異族，亦深受中國以孝治天下風氣所影響，茲列舉幾項事實來加以證明。

先從南朝來看，齊武帝時有一朱謙之其人，為了替父報仇，殺了仇人朱幼方，然後自首，縣令同情其孝義，居然得免於死，後來朱謙之又為朱幼方的兒子朱惲所殺，而謙之哥哥選之，又刺殺惲，齊武帝不加譴責，並說：「此皆是義事，不可問悉赦之」。當時社會上很多人士，亦大讚歎說：「弟死於孝，兄殉於義，孝友之節，萃於一門。」（未完）

▲太歲當頭

雲南有趙君巧對云：曾仕楚中，為郡守，好出對句。一日見坊役用紙糊燈，遂出句云：「命紙糊燈籠，火星照命。」下聯久思不得，直到歲暮，老人高捧日曆，叩頭獻上。遂對前聯曰：頭巾頂曆日，太歲當頭。可謂確當。

▲我亦無忌

明人李空，督學江右。有生員與之同名。當唱名時，自忖道：「爾安得同我名」。出對試之曰：「藺相如、司馬相如，名相如，實不相如。」生對云：「魏無忌，孫無忌，人無忌，我亦無忌。」李空稱善不已。

▲巧對一束

有生員逐先生館儀，只用三分銀子。先生出對嘲之云：竹筍出牆，一節須高一節。生對曰：梅花遜雪，三分只是三分。

有官員出任蒙古，出對與庠生云：孟生問孝於我我。生對曰：賜也何敢望回回。

▲各人為己

有二人各為生計，皆各討便宜。一人道：「請為九醞，我出一石，君為三斗」。一人忖之，知其為米水也，頗有難色。前一人復云：「請勿過思，俟釀成當以水還我，以米還君」。

（全文完）

宏揚孝道與復興文化（一）

（一）孝道對中國政治與社會的影响

黃嘯菴

中國文化是以儒家學術思想為主流，以精神文化見重於世界。儒家哲學中心為仁，「仁者愛人」，仁即仁愛的人性，故人為萬物之靈，以其性之至仁，而與萬物相感通，助萬物之生生，可知仁綸乎天地萬物之間，其在天為天道，在物為物理，在人為人德，而仁實內在於人性之中。孟子說：「仁人心也」，朱子說：「仁者心之德，愛之理」，程子說：「心如穀種，仁則其生之性是也」。明乎仁而後明乎儒家所言道德意識，明乎儒家所說道德一義，而後可瞭解中國文化精神之所在。

仁德注重實踐，而孝道則為實踐仁德之奠基石。有子曰：「孝弟也者，其為仁之本歟」。孝道在中國倫理道德中，實最為突出最特色的一環。中國社會及中國文化，與西方社會及西方文化，最顯著不同的地方，就是一個「孝」字。日本桑厚鷺藏博士說：「孝道是中國國本，國粹，所以中國以中國為對象之研究，不可不先闡明理解其孝道」。美國漢德蘭也說：「若不牢牢記住孝道是中國人之家族、社會、宗教，乃至政治生活之根據此一事實，終究不能理解中國及中國人之真相」。的確中國社會是以孝為基礎之社會，中國文化是以孝為根本之文化。

自從漢武帝罷黜百家，獨尊儒術以後，歷代帝王均揭櫫以孝治天下，對於孝烱異常重視，兩漢選用人才，均重察舉，其最被重視的，為良賢與孝廉，所謂察舉，是要根據鄉評，如獲有孝悌之名，不但可察舉為官，有進身之階，並且受到社會的重視，尤其東漢一代名臣，多出身孝廉，故東漢士風醇厚，為各朝之冠。唐朝提倡孝道，唐玄宗為孝經作注，頒行天下，在貞觀開元時代，對孝義之家，朝廷賞賜粟帛，或旌表門閭，或授以官爵。宋太祖對孝道的獎懲，更不遺餘力，因此有宋一代，民間孝子特多。明太祖性嗜殺，人皆譏為刻薄殘忍，但其推行孝道，不下於唐宋各朝君主，他屢下詔，察舉孝悌力田之士，令府州縣官，以禮遣孝廉至京師，對民間孝子，更獎賞備至，隨時隨地立坊銘旌。足見歷代對於孝道的宣揚，其影響正為深遠。

南北朝時代，因五胡入寇，儒教衰微，風俗頹敗，已經沒

畧談文人畫（下）

——為紀念靜（水旁）師逝世二周年有感而作

李超哉

文人畫所謂筆墨，是以筆立其形質，以墨分其陰陽，因為一幅畫倘有筆無墨，則見稜稜瘦骨，索然無味；倘有墨而無筆，只是一團黑漆，形同墨豬；所以筆墨實可分而不分，不可分而分，要亦筆中有墨，墨中有筆，這樣才會融會貫通，渾然自在。靜師作畫，用筆簡而意全，用墨厚而疏空，不求巧密精細，只求氣格清新，每一臨池，落筆大膽，收拾細心，縱橫變化，皆在一筆之成，一墨之着，從筆墨處求法度，從無筆墨處探神理，更從無筆無墨處參法度，從有筆有墨處得神理，文人的畫，便於此等見其巧思。靜師常語我曰：「用筆用墨並無定法，隨人所向而習之，久久熟鍊，便能巧變。」雖言之匪艱，行之維艱！余隨靜師習畫，亦既七年，迄今無一筆是處，言之媿怍何能自已！

文人畫家作畫，非為畫而畫，是皆有所寄託，近之如金冬心、如鄭板橋；遠之如鄭所南、如八大山人，八大之畫，筆情縱恣，不泥成法，線條雖簡，但寄托深遠，即其所署「八大山人」四字，其中亦含有似笑非笑，似哭非哭之意，墨中有淚，筆下含悲；如「鄭所南」三字，亦示誓不忘趙不復北面他姓之意，題其所繪寒菊云：「寧可枝頭抱香死，何曾吹落北風牛！」志節之堅，概可想見，所南亦精墨蘭，自更祚以後，寫蘭不寫根，或有人問其故，即告以國士被番人奪去，根無所托？鄭板橋工蘭竹，秀勁獨絕，疏宕洒脫，為人尤狂放不羈，但不欺世盜名，其所繪墨竹，則別具風格，所為書隸楷兼行。「衙齋臥聽蕭蕭竹，疑是民間疾苦聲，些小吾曹州縣吏，一枝一葉總關情」！此為板橋在濰縣署中畫竹呈年伯包大中丞的詩，關心民瘼，作此苦吟！我們權舍古而談今，如近人吾鄉陳芷町先生亦文人畫的巨擘，其有題石竹詩一首云：「遯世亭亭倚澗阿，扶疏還似玉交柯，偶然借取東風力，欲向人間發浩歌：」

此詩寄托，何等深遠！文學本為生活的反映，文人畫偏多為苦悶心的象徵，最奇者文人畫多寫憂而少寫喜，芷老自港遷台後所為之畫，多抒傷時念亂的情懷，而其題識每借畫題以仲其抱負。靜師作畫，題識雖簡，而寓意極為深遠，如夢所見醒後所寫墨竹，題云：「榮枯各有數，並立而三竿」，寥寥十四字，十足表現其「聽天由命」的意念。文人畫還有一個特色，就是畫雖簡約，而多喜長題，金冬心題自畫竹，輒在一幅內綴有千言，又多雅滑稽之說，鄭板橋亦復如是：假如一個無深厚學養的畫人，縱能畫，何能題！有人說「題」比「畫」難，而更重要，所以一個文人畫家，不是一個畧識之乎也者胸無點墨的畫匠所能望其項背！

文人畫不易學，亦不能學，學亦無所成，金冬心自言無師承，鄭板橋作畫亦憑藉過人的天分。方薰山云：「作畫起首布局，却似博奕，隨勢生機，隨機應變」，博奕似無定法，隨機應變為止，亦有謂「畫無定法」。文人畫所產生的作品，構圖不一，面貌各殊，而畫工所作之畫，千篇一律，如印刷品照相機所製作者，此等畫何能求其有生命，更何能問其有深遠的寄托！我個人的淺見是：文人畫是靈感的結晶，是情性的體現，是知識的暴發是發自內心（而非手中）的意念，是抒寫生命的篇章。只能觸機而寫，不太可能強而求之！個人的偏見，不卜　師九泉有知或亦斥為狂妄否？

（完）

諸葛亮狂想曲

（一七三）

·劉玄·

太白星君離座，劉約翰隨侍在旁，諸葛亮跟在星君後面。太白星君說：「節目很好。」劉約翰連忙說：「是，是，比往年進步多了。」其實這是鬼話，在這以前，劉約翰就從來沒有參加過蟠桃大會。

今天最高興的是孫悟空，他除了因表演獲得王母娘娘金蟠桃，玉如意等獎品外，更獲得鐵拐李贈的斗大水蜜蟠桃。

孫悟空抓頭抓腮，走近何仙姑身旁，笑嘻嘻地說：「仙姑你今天辛苦了，主持節目主持得真好。」

何仙姑心裏明白，孫悟空恭維她目的是想騙果子吃。於是也微笑答道：「那裏，那裏，你的一套金箍棒耍的真好極了，使我大開眼界。我沒有別的東西送你。」說完從袋中摸出兩大包桃乾，杏脯遞給孫悟空。

這位齊天大聖就是貪吃，接過桃乾杏脯，連謝謝都來不及說，三把兩把塞進咀裏，兩腮鼓起兩個大包。

「你葫蘆裏玩意倒不少嘛，我還是第一次看見。」呂洞賓與鐵拐李是老搭檔，正站在鐵拐李旁邊，找話和他閒聊。

「哼，也讓你這個雜毛老道開開眼界，你不是說我背着的葫蘆是擺樣子的嗎？」鐵拐李很得意，說完從口袋裏摸出一個金蟠桃，一隻玉如意，分明有向呂洞賓炫耀之意。

呂洞賓看了，肚裏尋思，本來何仙姑是要八仙每一位都要表演的，是我執意不肯。現在登台的人統統有獎，自己落了空，好不氣之。

「我沒有說，你表演精彩，我與有榮焉。」呂洞賓不敢再調侃鐵拐李。說完走近張果老身旁，低聲說道：

「果老，我想麻煩你一件事，行不行？」

「什麼事？你和我還客什麼氣？」

張果老在八仙中年最長，他和一般年老人一樣，「你去問何仙姑，能不能替我安排一個舞劍的節目？」呂洞賓見臨心喜，臨時想揷一腳。

「你為什麼不自己去問她？」張果老帶着訝異的眼色。

「你不知道，前幾天就是她邀我演出，被我拒絕了。」

「却是為何？」張果老硬要打破沙鍋問到底。

「不要再問了，你不肯去就算了。」呂洞賓有點生氣。

「好，好，我去問。」張果老說完，搖擺向何仙姑那邊走去。

「果老，你找我有什麼事？」何仙姑是何等機靈，不等張果老開口，先問張果老。

向寮泰緬三角地帶前進

（一七七）　胡慶蓉

巨變歷險記！

我部隊拋出雲南，進入緬境，與在本鄉本土並沒有異樣的感覺，車佛南等五縣自衞隊的領導人物幾全在緬境，緬境是他們眞正的第二故鄉。在部隊經過之處，都有他們照料，我部隊確有賓至如歸之感。

部隊駐紮的地點選擇寮泰緬邊區三角地帶的猛蓬。從地圖上看，瀾滄江一出車里，一出雲南，是一條直綫似的，是一條垂直綫，直直的下去，所謂寮泰緬邊區三角地帶就在這一條直綫轉灣的地方。這一條直綫，現在稱湄公河了，在他轉灣的地方，這邊是緬甸地，那邊是寮國地，下邊是泰國地。更確切的說，湄公河的西邊是緬甸地，湄公河的東邊是寮國地，湄公河的南邊是泰國地。所謂猛蓬，是在緬甸地，鄰近湄公河，對面河那邊就是寮國地，旁邊就是泰國地。所謂緬甸地，也不過是從一般這麼說說而已，其實這是景棟地，這是未定界，這是中國地。景棟即我們所說的邦，英國稱之爲SHANS STATES，自古以來，就是中國政府所封的土司區。景棟土司是很大的一個土司。還是比他更大的土司，那就是興威土司了。興威土司在臘戍方面，從臘戍到猛蓬這方面有一條公路經過，前邊就是大其力，過了大其力，就是泰國地了，這條公路接着直通泰國的首都——曼谷。未定界云云，也是英國人的說法。英國人要劃的界，我們唔給他劃，他就稱之曰未定界。我們，我們中國人，我們沒有未定界。自古以來，就是屬於中國的，我們就認爲是中國地。

出蠻松向猛蓬，並不是沿着河走，是靠裏邊走的，經過猛勇猛叭。這都是著名的大的地方，其他小地方還多。從蠻松到猛蓬，也並不走公路，而走小路，不直着走，而繞着走。在法上來講，走的是中國地，但在事實上走的確是景棟地緬甸地。在景棟緬有駐軍，不過在中緬交界之處，緬甸還沒有駐軍。緬甸剛剛獨立不久，尚無暇顧及到邊境。我軍此次進入緬境，就得到了這種便利。但表面的工作還是要做的，即多作夜行軍。從猛勇上邊到猛蓬，本來四五天可達的，現在我們要走十幾天近廿天。這一路上，沒有什麼大山大水，還相當平坦，不過官兵是疲了！從雄水出發，天天在走，走了幾個月，走的實在累了！現在步調放慢了，這也倒是事實。李團長受傷，要抬着走，還有許多別的也要抬着走，自己已抬自己，自己已經累了，自己又要抬人，當然更累，沒法走快，也是實情。

丁博士要佈置沿途的糧，尤其猛蓬方面的糧，他要先行。他帶着幾位軍需，他先走。從猛叭坐了一段公共汽車。這本來算不了什麼，但因爲很久很久沒有坐汽車了，一旦坐上去，感慨多端，不由的掉下眼淚。在車開以後，淚更如湧泉，怎樣也停不住……這是因爲他想到全體官兵還在疲勞狀態下在一步一步的走。假如他們也能有汽車坐，早早的到達預定的目的地，那該是多好啊！一個步行很久的人，現在看汽車特別的快，好像在飛的一樣，風馳電掣好像都不足以形容。官兵沿途的糧，問題倒小，問題就會漸漸的來的，他決定到大其力與當地華僑商會商，張長和其他自衞隊的領袖也多有在大其力者，丁博士要同他們面商解決。沿公路兩旁，風景依稀江浙，稻禾都很茂盛，路並不好，但不管怎樣的不好，現在都覺得非常的好。糧如何的籌措呢？丁博士時時在念中並在胸中計劃。

催眠術的原始

·公予·

催眠術

我們研究事物，無論藝術與科學，必先求其本而後齊其末，然後循序漸進，才不會盲人騎瞎馬，且容易得到成功。因之學習催眠術，當以研究催眠術的所以然，爲先決問題。查催眠術創自歐美，歷史很久了。從西曆一七六六年，德意志盛行占星術，有麥司麥爾氏者，深得箇中三昧，更加以深刻研究，乃由占星術脫胎而成精神，施術的人集心力，能以自己體內之精力，影響被術者而起反應，得收遂心所欲之效，并可爲人療治內外疑難病症。德人咸驚爲仙術，奉若神明。在當時名日動物磁氣術，旋經信仰與學習此術者聚議，爲預防誤會發明者人姓名爲計，議以發明者人名爲名稱之曰麥司麥爾術，是即爲催眠術之鼻祖。至於斯術之傳到中國業已久無正史可考。

無奇不有集（一）

·恨海·

搜異錄

世界之大，眞是無奇不有。天下奇奇怪怪的事，應該與大家同享同樂。所以在下儘量搜羅天下奇事，納入我們大家的「搜異錄」。

（一）巨人餐廳

△美國加利福尼亞州所屬地名「蒙卡拉利絲」，在那兒有一間奇異的餐廳。在門前豎了一塊牌子，上面寫着：

「巨人餐室，體重在二百五十磅以下者，恕不招待」。

有一天，來了一個瘦弱的顧客，看樣子頂多不過百多磅體重。他洋洋得意的作了座上客，店裏的人都感覺奇怪。這瘦子是怎樣進來的呢？原來那餐廳大門是特別裝置的，門前有一塊大鐵板，其實就是磅人機，如果體重夠得上二百五十磅，大門才會自動打門，否則不得其門而入。

後來發現這瘦子的肚皮是假的，裏面裝滿了鉛塊，因此他已達到標準，偸過了關。店主會交涉要他離去，以免破壞他店的風格。可是瘦子據理力爭，因爲他的告示並沒說明體重是光着身體的淨重。

這「巨人餐廳」可笑，這瘦子更有趣，眞是無奇不有。

（二）東西下肚又可吐出來

△我們把東西吞進肚子裏，不能把東西從肚子裏拿出來。可是世界上就有這樣一個奇人，他很能夠隨意吐納胃裏的東西。這個奇人名叫足中行雄。是一個二十歲左右的青年人。他那奇怪的胃，並不是天賦的，而是自已經過多年努力練成的。

他在多年以前，在馬戲班中有這樣的奇人表演過。於是他下了決心學習這一套絕技；有志竟成，幾年以後，他成功了。在大家面前表面。把一枚銅幣、手錶、玻璃珠子等物，一件一件吞下去，又隨意取回那些原物。

最初，有人以爲他有秘密，這些東西可能祇在口腔內，醫生用X光照射，發現他吞下去的東西是眞的落在胃裏面，然後吐出來的。

（三）自控自審自判的法官

△世界上最妙趣的案子，發生在紐約的法庭上。

當案子開庭時，被告坐上看不見有人。法庭書記官把被告人姓名宣讀後，只見坐在法官席上的主審法官從台上走下來，直到被告人位置站着，他的罪名是「藐視法庭」，提出控告的也是這位法官。

（未完）

黛眉小傳

·王幻·

魚玄機（中）

道是何等大胆而又爽快的表白。從詩句來看：她對李億仍是一往情深，否則，不會寫出像「枕上潛垂淚，花間暗斷腸」之類的傷感之詞。由於婚姻不如意而做了女道士，只有寄情詩酒，過着閒散的浪漫生活，來打發閨中的寂寞歲月。她有首「道懷」詩云：

閑散身無事，風光獨自遊。
斷雲江上月，解纜海中舟。
琴弄蕭梁寺，詩吟庾亮樓。
叢篁堪作伴，衆石好爲儔。
燕雀徒爲貴，金銀志不求。
滿懷春酒綠，對月夜琴幽。
砌澄清沼，抽簪映細流。
臥床書冊遍，半醉起梳頭。

如果說魚玄機是一個下堂妾，因爲情感上的打擊，懷着一種報復和洩憤的念頭，於是就任意的去玩弄男性，也非持平之論。須知我國男女關係，在唐代以前較爲隨便，自宋而後，理學大師們力倡貞節之德，婦女的活動方受到禮教的約束。

過着自由自在的女道士生活的玄機，她的情人很多，如李子安、李近仁、溫飛卿等，都和她有密切的交往，同巷有李郢（字端公），因居處接近，詩簡往返，幾無虛日。她的集中，寄李子安的詩最多，而且感情也特好。茲摘錄二首於后：

山路欹斜石　危，不愁行苦苦相思。
冰銷遠　憐淸韻，雪遠寒峯想玉姿。
莫聽凡歌春病酒，休召閑客夜貪碁。
如松匪石盟長在，比翼連襟會肯遲。
雖恨獨行冬盡日，終期相見月圓時。
別君何物堪持贈，淚落晴光一首詩。
（春情寄子安）

醉別千巵不浣愁，離腸百結解無由。
蕙蘭銷歇歸春圃，楊柳東西絆客舟。
聚散已悲雲不定，恩情須學水長流。
有花時節知難遇，未肯厭厭醉玉樓。
（寄子安）

她和李近仁的交情，我們不能說全似娼妓之於狎客，不過，從詩中的稱呼上看來，語氣近乎尋常的敷衍，在她而言，這種應酬上的生活，也是難能避免的。她有「迎李近仁員外」詩云：

今日喜時聞喜鵲，
昨宵燈下拜燈花；
焚香出戶迎潘岳，
不羨牽牛織女家。

李郢和她是「住處雖同巷，經年不一過」（酬李郢夏日釣魚回見示）的詩友，但他雖「流水無情」，她却「落花有意」。她的「聞李端公垂釣回寄贈」云：

無限荷香染暑衣，
阮郎何時弄船歸；
自慚不及鴛鴦侶，
猶得奴奴近釣磯。

她對待文士雖然是纏綿多情，私生活可能很浪漫，可是她的女道士生涯却有另一種面目，她與同道的「道流」之間的來往，頗爲淸雅，由此也可見出她生活的另一面。她的詩集中有幾首贈給同道的詩，如「訪趙鍊師不遇」云：

何處同仙侶，靑衣獨在家。
暖爐留煮藥，鄰院爲煎茶。
畫壁燈光暗，幡竿日影斜。
殷勤重回首，牆外數枝花。

這首詩境界很高，深見工力，雖說是通篇道家之詞，但讀之淸新雋永，可列爲佳作之林。

魚玄機既不是深藏閨閣的千金，女道士生涯，給她精神上一種慰藉，而且因爲生活而的擴大，結識了許多名人文士及富家官宦，因此，她的遊蹤也隨着推廣。從她的「過鄂州」、「隔漢江寄子安」、「江陵愁望寄子安」及「寄子安」四詩看來，可以知道她曾到過湖北，鸚鵡州上的芳草，黃鶴樓頭的夕陽，都曾成爲她筆下的詩料。從她的「浣紗廟」一詩推測，她似乎又曾溯江而下，到過人間的樂園江南，這是多麼壯闊的行旅？如「夏日山居」云：

（未完）

第十五章

岳飛孤軍奮戰　趙立楚州殉國

牛頭山又名牛首山，位於江蘇江寧縣南四十里，山有二峯，東西相峙，二峯又名雙闕，又稱「天闕」，陸游「石闕銘」所云：「假天闕於牛頭」，即指此地。

埋伏，俟金兵來到一齊殺出。兀朮被岳飛的威名震怕了。金兵剛到牛頭山，岳飛早已得悉金兵情況：預先在牛頭山怕，不由自主退命至上。兀朮策馬飛奔，馳過宜化鎮，望六合縣方向逃竄。到了六合，收檢殘兵，去了一半，掠奪民間財物，盡行失去。而岳飛是役不過三百騎，傷得金兵落江死者不可勝計。屍首浮於江面，斬獲兀朮旗鼓以萬計，牛馬輜重不可勝計。岳飛三軍及垂耳衰甲三千餘人，獲女真三百餘人，鐵甲開入南門新城。撫慰居民，令各安生理，建康百姓挾道歡呼，自此金人無一兵一卒在建康。岳飛將俘擄獻於行在。詔問二帝消息，不禁爲之感動久之。

岳飛收復建康之後，上疏朝廷，請派官鎮撫，又請增兵守淮，以衛中樞。奏云：「建康乃國家形勢要害之地，宜選兵固守。比張俊欲使臣守鄱陽，備虜人之擾江東西者。臣以爲賊若渡江，必先二浙，江東西地僻，亦恐重兵斷其歸路，非所向也。臣乞益兵守淮，以拱腹心。」

高宗嘉納岳飛之議，賜鐵甲五十副，金節鞍馬，百花戰袍，鍍金槍等。

上章已畢，岳飛還軍宜興休兵。軍書旁午，遂張浚的「張氏譜」，張浚請岳飛題記事，由於其文洋溢着愛國忠君之思，故全文錄之，俾讀者欣賞。詞云：

近中原板蕩，金人長驅，如入無人之境。將帥無能，不及長城之壯。余發奮河朔，起自相台，總髮從軍，大小二百餘戰；雖不及遠涉遐荒，亦足以快國事之萬一。今又提一壘孤軍，振起宜興以待。一舉而復，今且休兵養卒以待。如或朝廷見念，賜予器甲，使之完備，頒降功賞，使人蒙恩，即當深入邊庭，迎二聖還京師，取故地再上版籍。他時過此，勒功金石，豈不快哉！此心一發，天地知之，知我者知之。建炎四年六月望日，河朔岳飛題。

六月，岳飛奉命討叛將戚方。戚方原爲杜充之將，以岳飛盡收杜充之衆，心常嫉妒。岳飛戰廣德時，戚方乘岳飛不備，睹放冷箭中鞍，岳飛取箭存之未發。後戚方受岳飛節制，屯於宜興。企圖併吞僞將鳳成之軍，卒擄鳳成老弱以歸，鳳成責之，戚方佯謝罪。

（七十一）

自由報

（第二〇一一期）

（半周刊每逢期三、六出版）

每份港幣壹角・新台幣式元

社長李運鴻

社址：香港九龍彌敦道593—601號聯興大廈八樓五座

LIU CHONG HING BUILDING
7th FLOOR FLAT'5
593—601 NATHAN ROAD,
KOWLOON, H.K.
TEL: K803831
電報掛號：7191

承印：景星印刷公司
地址：嘉咸街廿九號地下
台灣區業務管理中心：台北重慶南路一段一二九號
電話：二四五七四
台灣區直接訂戶　台灣劃撥戶
第五〇五六號張嘉有（自由報會計室）
台灣分社：台北市西寧南路110號二樓
電話：三三〇三四六、台郵劃撥戶九二五二號

文化運動與科學運動

丁作韶

我很榮幸的在中華文化復興運動紀念日的前夕在陽明山華岡中國文化學院的週會中講演文化運動與科學運動，我很高興的事後聽到陳立夫先生在工程師年會的講演。陳先生的講演與我的愚見也有相近之處。我的愚見：科學的領域並不是無所不包的。假如天地間有萬事萬物，科學的對象應該是萬物。人固然也是物之一種，但人與一般物究有不同。孟子雖然說：「人之異於禽獸者幾希」，但不管怎樣的幾希，人還是異於禽獸的。科學不能包括一切，科學更不能主宰一切，他的地位應該是工具的地位，他的地位應該是被統治的地位被支配的地位。科學本身是無所謂善惡的，科學本身是無可非議的，科學本身是一張白紙，他的好壞，他的是非，他的得失，全看用的得不得法，全看用的得不得當，全在用上。

文化運動，中華文化復興運動，與科學運動是相輔相成的，相得益彰的。中華文化復興運動全是用字上着眼。用關係政治。季康子問政，子曰：政者正也，苟子之不欲，雖賞之不竊。哀公問政，子曰：為政在人，其人存則其政舉，其人亡則其政息。大學上：物有本末，事有終始，知所先後，則近道矣。「不患貧而患不均」就是用的最好的指示。「大道之行也，天下為公」。必須站在公的立場，做到均的地步，科學才是好的科學才是的，科學才能有益於國家，才能有益於人類，否則將如洪水橫流，國家而不亡者，人類而不亡者幾希。

原來科學是工業之母，商業是工業的尾巴，工商是分不開的。獎勵科學也就是獎勵工商業，提倡科學也就是提倡工商業，科學之與工商業簡直如影之隨形，響之隨聲。今天台灣的情形，就是一個很好的證明。提倡科學，提倡工商業，科學是發達了，工商業是進步了，因為在用上沒有注意，在分配上沒有辦法，還是老的一套，流弊所及，造成財富集中的現象，於是富者愈富，貧者愈貧。於是產生嚴重的政治問題，嚴重的社會問題。失業恐慌，經濟恐慌，也是工商發達的國家所不能避免的，美國就是最好的例子。年來不過開端，今後定還有甚於此者。美國今日的現象過去在歐洲工業先進的國家也是常有的現象這也是必然的現象。像立夫先生所說：「人忙於研究物質，自己反而在物質文明中被遺忘了」。科學不斷底在洩漏天機，侵犯了神的境地，在神的庇護下的道德信仰被動搖了。人被物質所誘惑，所陶醉，所催眠，他的物質之外，不再對其他感到興趣，結果人類心靈的產物，而為普通動物所無者，例如理知性，道德性等，非但沒有進步，反而較前朦昧起來」，尤其小焉者也。「人心目中時時念着物，追求物，縱慾以獲取物，就不知不覺地陷入物的陷阱，成了物質世界的奴役，把自己以往獲得的自由失去了，於是智慧不再向最高度之形而上領域發展，人生的理想境界不再存在了，於是精神生活從內部腐亂，人格隨之而瓦解，造成人類幸福的物質文明，竟成了人類文化的尅星，使人類生活走向枯燥，厭倦，甚至於恐慌，精神生活終至喪亡而後已」，也是小焉者。

中國文化運動應該來領導科學運動。中國文化，是以人為主的文化，中國文化是以民為本的文化，中國文化是以德為本的文化，中國文化是以生為本的文化。以人為主，人就是宇宙的中心，社會的中心，政治的中心，科學是人研究出來的，科學應為人而用，絕對不能來害人。科學應該受人的支配來為人謀福利。我所謂人不是某幾個人某些人某一部份人而是所有的人，就一國的言，他應該是全國的人。以民為本，也就是以全國的人為本。「百姓足君孰與不足，百姓不足君孰與足」。「天視自我民視，天聽自我民聽」。哀公問政，子曰富之。后稷教民稼穡，樹五穀，五穀熟而人民育」，富而後教。「有恆產者有恆心，無恆者無恆心，苟無恆心，放僻邪侈，無不為矣」！「百畝之田，無失其時，八口之家，可以無飢矣。五畝之宅，樹之以桑，五十者可以衣帛矣。謹庠序之教，半白者不負載於道路矣，老者衣帛食肉，黎民不飢不寒，然而不王者，未之有也」。以德為本，即以仁義為本。「子曰，道之以德，齊之以禮，有恥且格」。「未有仁而遺棄其親者，未有義而後其君者也，王亦曰仁義而已矣，何必曰利」，「為政以德，譬如北辰，而眾星拱之」。以生為本，故所以衣食足而知禮義，倉廩實而知榮辱」。「仰不足以事父母，俯不足以畜妻子，奚暇治禮義哉」！「王曰何以利吾國，大夫曰何以利吾家，士庶人曰何以利吾身，上下交征利，而國危矣！萬乘之國，弒其君者，必千乘之家，千乘之國；弒其君者，必百乘之家，萬取千焉，千取百焉，苟為後義而先利，不奪不饜」。

以人主民本德本生本的中國文化來主宰科學，領導科學，控制科學，監督科學，運用科學，一切本着「均」，本着總統指示的均富，這科學才與人有益與社會有益與國家有益。「均」在經濟學上屬於分配方面。在科學時代，工商社會，分配最為重要。因為科學的生產，機器的生產，工業的生產，是大量的，消費也是大量的，買賣也是大量的。若國家不能掌握分配，落於私人之手，一切商品化，私人發財那就太容易了。試回憶光復台灣經濟的變動，在政府提倡科學獎工商之下，所有歐美資本主義的弊端都一一可以看見。財富集中，造成少數的財閥，魚肉大大多多的人民，驅大大多多的人民於窮困之境，飢餓之鄉，什麼問題都隨之而來。昔梁任公民初歐遊歸來，大呼以中國的文化去打救西洋的文化是有見地的。昔梁漱溟先生在民初他的大著中西文化及其哲學中也有同樣的呼籲，是有道理的。

我們今天在台灣從事中國文化運動，首先要依照先賢的指示，以中國的文化來補助西洋的文化，以中國的文化來領導科學的文化，以中國文化支配西洋科學，以文化支配科學，以政支配科學，以人支配科學，使科學成為為人的科學，為民的科學，道德的科學。這樣文化運動才有意義，科學運動才有意義。這樣文化運動與科學運動才能相輔相成，相得益彰。過去則不然，過去科學運動自科學運動，文化運動自文化運動，其結果文化運動成了口號，無裨實際，而科學運動，則如火如荼，無人而不科學，無事而不科學，科學成了主宰，科學成了領導，科學成了目的，科學成了政治，科學成了經濟，無處而不科學。什麼都拉上科學的關係，什麼都戴上科學的帽子？什麼都要科學，什麼都要學科學的人，科學儼然成了神，這不能不說是很大的偏差。流弊所及，科學居於第一位。但科學畢竟是手段，科學畢竟是方法，不去運用，不會運用，科學遂成了噬人的猛獸，表面上繁榮進步，內裏則含着數不盡的罪惡，道不盡的辛酸。此非科學之過也，乃人謀之不臧！

昔羅蘭夫人有言：自由，自由，世界許多罪惡假汝之名以行！我們現在可以說：科學，科學，世界許多罪惡假汝之名以行。我黃帝子孫，望能去運用科學而不為科學所用。請看今日之天下，是誰的天下？展開中國文化運動，領導科學運動。這樣科學才可以救國，這樣科學才可以救人類。

不過要緊的是實行。復興中華文化運動已數年於茲矣，一語實際上收到的效果恐微乎其微，主要的原因是將中國文化復興運動與科學運動截然分為獨立的兩件事，是將中國文化復興運動置於科學運動之下置於科學運動之後，我在中國文化學院講演已詳細道及之矣，特再將大意寫出來，邦人君子，幸望有以教之。

昨日與明日

「取締」變成「搶劫」

許多造成人民離心離德的事情，往往卻是瑣細小事，而非政府的政策，往往把人民逼上梁山，而當政者還不知道為的是什麼，正如「許多小民上了斷頭台還不知是為了什麼」一樣。而這一情勢的造成，往往都是由於執行政策的親民小吏，狐假虎威，假公濟私之所造成。我們兩千年來，一向有許多大政治家倡行黃老政治，其底蘊即在愼防此弊。

舉一件小事來說吧：台灣近些年來，由於社會發達，交通頻劇，市政當局，勢必要加強取締，違規駕駛的車輛，庶幾確保交通規則，維護行車安全。這本是天經地義的事。但是「徒法不能以自行」，由於執行規章的交通警察，良莠不齊，竟爾流弊叢生，形成一個使人咬牙切齒，痛恨至極的苛政。

許多讀者投書本報，或親向本報同仁提供具體例證，申訴其身受的不公處罰。據說有些交通警察為了分取獎金，隨意亂抓車輛。抓到後一定吹毛求疵，編造一個罰欵理由，使其受罰車主。如其據理辯白，則又誣以妨害公務而處以更多的罰欵，或加以拘留；甚至還有些蠻橫的劣警，竟然會說：「我穿制服，如代表國家，我說的話就是法律」。這簡直是路易十四「朕即國家」的口吻，這還了得！

這些不良份子，是欺軟怕硬的。他們對於軍車，小轎車，是絕對不囉唆的。而兇頑的刀鋒，專指向計程車、摩托車，或是一些商車。因為這些人都是無勢力無權威的。他們可以任意欺負，任意勒索，只要抓到，（實際是碰到）不論有理無理，都總歸要罰欵，簡直形同搶刼。這些小民正因為無力抵抗，又無處申寃，於是便把一腔悶在心裏的怨氣，化為對國家對政府的抱怨和仇恨。許多善良的老百姓，今天身處優裕之境而有時反懷念日治時代，就是這樣給「逼上梁山」的。試看這種流弊有多麼嚴重！

因此我呼籲政府趕緊面對現實，切實糾正此種現象，並對頑劣之徒，予以嚴懲，庶使愛民福國的政策，勿變為虐民傷國的惡果。

成公

自由談

談「依法跋扈」

卅餘年前，我在大陸上作過地方行政首長——行政督察專員兼駐在地的縣長——職責繁重而權力集中，對於轄區內的用人行政以及應興應革諸事宜，奄有自由處理的權能；為着維護治安，清剿匪患，另兼保安司令暨軍事委員會軍法官職銜，必要時特許「便宜行事」。

經過了一年多的努力工作，地方庶政即上了軌道，四境匪患完全肅清，曾奉到軍事委員長兩次傳令嘉獎，并加給月俸四百元以示鼓勵。當時有人問我憑何術以致此？答以四字訣：「依法跋扈」！聞者嗤然駭笑，指為怪論奇談。實則一點亦不奇怪，只是確切地實踐了現時　蔣總統所垂訓的「新、速、實、簡」條件；而其癥結即在權力集中，使具有事業心的人，能夠殫精竭力，為民服務，不越職，不濫權，在法定的職責範圍內，沒有內部的牽制，也不受外在的干擾。所謂「依法跋扈」的內容，如是而已，何怪之有呢？

時至今日，假使教我在台灣作一個縣市長，我敢具下「軍令狀」，不特一事無成，而且非得神經病不可！何以知其然耶？縣市長對於所屬幹部人員如秘書科長等，既沒有自由任免之權，即無從恪盡指揮督導的能事，而日常政務每受到上級主管官署的直接干擾，難以運用自如。這是用人行政的權力分割，其弊一也。縣市行政事宜，除經常需受民意機構的詰詢檢討外，甚至於議員可以到縣府毀物打人，還有些為明文所未見的機構，對庶政多所牽掣掣肘，令人左支右絀不能暢所欲為，所謂分層負責之說，徒託空言耳，其弊二也。曾有市長以移用了掛圖費兩萬元作其他的正當用途，即受到撤職處分，然有某縣長用太太名義套購大量的公有地產以自肥，查明不虛，卻只是停職十個月了事。如此是非混淆賞罰不明，更足以沮喪地方行政首長勇於任事，勤求治績的奮發精神，其弊三也。

有此三種弊害潛存於縣市之間，雖孔孟復生於今日而受任縣市長，其不焦頭爛額，知難而退者，吾斯之未能信，如其不畏難，硬要「依法跋扈」，必然身敗名裂，坐牢有份。這便是　蔣總統垂訓「新、速、實、簡」的政治信條，未能獲致預期效用之根本原因所在，其他皆屬枝葉也。欲求政治革新。請自養成一般行政人員的「依法跋扈」作風始！

馮玉祥有沒有盜寶

矢原愉安

D、馮玉祥在自傳中，對於他認爲不大光彩，或是不大站得住脚的事，都盡量少提或是不提。

例如：他的元配夫人之死；他和袁世凱的特務頭子陸建章的聯繫，以及他對自己部下將領不盡人情的苛刻嘲弄，都在這一千頁的巨著中，語焉不詳。對於驅逐溥儀出宮，他一方面認爲是：

「眞是對得起國家，對得住人民，可告天下後世而無愧。」

（摘引自同書五一一頁）

然而，在提到對故宮寶物的處理眞象的時候，他一共只用了一百多字。

E、溥儀的自傳「我的前半生」，基本上是本着「自我批判」和「劃淸立場」的精神來下筆的。

絕對不適合於新社會形象的人物，如陳寶琛、莊士敦、張勛一類的「孤臣孽子」都被無情地掀了底牌。

凡是「新社會」對他多少有點好感的人，也都在這本書中，得到了「洗冤」和「歌頌」。如溥儀在滿洲國時代，身邊那批寡廉鮮恥的「內侍」們就是一個例子。

奇怪的就是：馮既是新社會所承認的「民主人士」之一，溥儀理應是來替他事後講些好話的。——但他絕口不提一字，這就使人不由自主地會有一種「盡在不言中」的同感。

不然，從各種角度來看，身爲人民代表的溥儀，是不應當不站出來替這位「新社會的友人」來洗一洗冤的。

F、淸宮中，直到光緒時代，還有一套最珍貴的「珍珠八寶」，據野史記載，那些就是：

珍珠衫——係乾隆朝某總督獻，長如一袍，共計珍珠大小三萬餘粒。
珍珠簾——全體共珍珠八千餘顆。
珍珠帳
珍珠塔——塔爲金質，高約三尺，周圍珍珠。
珍珠墊——爲綉墊長丈二，闊八尺，綉花上各鑲珍珠，爲同光大婚時物，亦宣統大婚時物耶？
珍珠冠——共二項
避火珠
避水珠。

（摘引自國聞週報一卷十八期，馮二先生述「慈禧秘記」）

這些罕世奇珍，在故宮淸點的目錄中，找不到什麼蹤跡。在孫殿英盜掘的西太后陵墓中的殉葬品裏，也沒有影子，那麼，這些珍寶又跑到什麼地方去了呢？

當然，太監們是會監守自盜的，不過，他們一貫的辦法是：「以假換眞」，或者是「十中取一」。絕不敢這樣明目張胆地，一下子把「八寶」都偷了去的。

加上這些旁證，馮玉祥盜過寶這回事，在沒有任何確實可信的否定證據以前，就似乎不但是一件可能的事，而且也是必然的事了。

（全文完）

香港一百年

本報資料室

黃恩彤筆下初期香港

新聞」，以上就是「廣州新聞」在一八四二年報導的「香港開埠第一年情形」，當時爲了築路和開山塡海，會向中國內地招集大批工人，於是香港最早期的居民二千名，在開埠後的第一年，就增加到一萬五千名。現在繁盛熱鬧的中環在開埠第一年也不過僅有少數建築物，那座圓堆形的太平山，一名硬頭山、紅爐峯、維多利亞峯，山上有一座升旗台指示船隻出入，故又名扯旗山。

香港開埠後的第三年，卽一八四三年（道光二十三年），第一個官式到香港來訪問的淸廷大員，是當時欽差大臣耆英，而香港總督則是砵甸乍（滿淸官書譯名則作樸鼎查），他就是代表英方在南京條約簽字的人。在耆英未到以前，爲了磋商和修改稅則問題，廣東布政使黃恩彤和侍衞旗人咸齡却已先到香港接洽，黃恩彤在「撫遠紀畧」所記當時香港情形道：

「香港本海中荒島，在急水門，地屬新安，距縣城一百餘里，舊有蜑戶十餘家，傍岸寄居，捕魚糊口。近日英人據爲己有，實非香港，乃全島偏海濱之裙帶路也，與九龍東西相連，隔一海港。英人利其港內可以泊船避風，岸上可以築樓居貨，故於乾隆中遣使朝貢，卽以爲請，未能邀允，至是始受廛於此。其地初經開闢，房屋無多，洋樓尤少。

「有二砲台，俱在平地，開一直路（按卽最早皇后大道），可以馳馬行車。間有內民潛往貿易，大抵貧而無賴，挺而走險者也。有天主堂一、書院一，規制狹隘，書院稱馬公書院，蓋馬禮遜之父老馬禮遜，頗通漢文，在粵最久，曾充副使，進貢入京，英人推爲文學之士，故書院乃假其名也。」這是關於香港開埠後最早的中文紀錄。

王韜描述百年前香港

到了一八六〇年（咸豐十一年庚申歲）太平天國狀元王韜，曾在香港住過一個時期，他在「漫遊隨錄」上紀載開埠後十九年的香港情況道：「香港本一荒島，山下平地距海口尋丈，西人擘劃經營，不遺餘力，尺地寸金，價昂無埒。沿海一帶多開行舖，就山曲折之勢分爲三環，後又增爲四環，俗亦呼曰裙帶路。

「粵人本以行賈居奇爲尚，錐刀之徒，逐利而至，故貿易殊廣。港民取給山泉，淸冽可飲。鷄豚頗賤而味遜江浙，魚產鹹水者多腥，生魚多販自廣州，閱時稍久則味變。上中環市廛稠密，閭閻宏深，行道者趾錯肩摩，甚囂塵上。下環則樹林陰翳，綠蔭繽紛。遠近零落數家，有村落意。博胡林一帶多西人避暑屋，景物幽邃。」

「下環以往，漁家蜑戶，大半棲宿於此。中環有保羅書院，上中交界有英華書院，上環有大書院，皆有子弟肄業，教以西國語言、文字，造就人才以供國用。英華書院兼有機器活字版，排印書籍。上環高處爲太平山，兩旁屋宇參差如雁翅，碧窗紅檻，畫棟珠簾，皆妓女所居。間有若干洋樓亦頗華美，則爲英商官吏之所居也。」

「港中近日風氣一變，亦尙奢華。余初至時，爲經紀者多穿短衣袴，天寒外服亦僅大布。婦女不務妝飾，妓女多以布素應客，所謂金翠珠玉，借以作點綴者一二而已。嗣後日漸富侈，自創設東華醫院以來，董事於每年春首必行團拜禮，朝珠蟒服，競耀頭銜，冠裳蹌濟，一時稱盛，而往時樸素之風渺矣。」

王韜所述的一百年前的香港，已經是「寸地尺金，價昂無埒」、「日漸富侈」的。但一百年前的香港，由漁村變爲城市，由寂寞荒涼變爲熱鬧繁盛，住宅方面，由茅舍變爲洋樓，由小屋變爲大廈。交通呢，由羊腸小道變爲寬闊馬路，由轎兜馬車，變爲汽車飛機，眞是五彩繽紛，蔚爲大觀。

九龍開闢後更加突出

提到九龍的割讓，迄今也不過七十二年的歷史，但其發展却比香港更有突出表現，同樣地跟香港成爲現代化大都市，它在未開闢以前也是一片草萊的。一八九九年三月一日「西報譯編」所載七十一年前的九龍情景：「九龍與香港對峙，中國之海濱地也。我英藏向中國增添租界，今有成議，該處土地肥沃，山谷可種植，又有溝灣數處，形勢甚佳。」

「香港一島，海水深瀦，固便於泊船，今增闢九龍，商輪可以移泊於此，有補於商利不鮮。且香港地小人稠，若分徙九龍，不至有人滿之患。又得此地與香港互爲防衛，香港更形鞏固，計英所闢九龍地，戶口有四萬三千人。人分三種：一種流寓，一種客籍，一種蜑戶。流寓人操廣州話，客籍人所語，中原語也，蜑戶自成一族，多在港口寄居。」

讀此，可見七十一年前的九龍，也不過是普通的鄉村而已，現在香港和九龍已成世界大都市之一，且擁有人口四百萬以上了。（續完）

偷兒帶刀與黃色氾濫

宇文釆

台灣的警政工作，目前感到最頭痛的有兩大難題，第一是竊盜的猖狂，第二是黃色的氾濫。

小偷帶刀子，傷害事主甚至刑警的案件曾發生過不止一次，而偷竊的方法層出不窮，更屬防不勝防。

黃色事業的普及，在台灣由鄉村到都市可以說無處沒有。在台北旅社之多，簡直到了無法淸查，無法取締的地步。難怪有些觀光客認爲台灣是最「價廉物美」的地區了！

竊盜猖獗，黃色氾濫所顯示失業問題的嚴重還在其次，最重要的是國民道德水準的低落。如所週知，道德水準是民族文化的唯一碼尺，道德觀念崩潰以後，民族的自尊、自信也就變成徒託空言了！

現在在台灣，政府雖然高倡文化復興運動，而社會所表現的却是一片淫逸奢靡的風氣，豈至是「暖風吹得遊人醉」而已。這是國家民族最大的隱憂！

物慾思想，享樂主義之可怕並不下於共產黨。人有了物慾思想，才會飢寒起盜心，享樂主義自然是黃色氾濫的基本因素。由此可見物慾思想，享樂主義是戕賊國家民族意識的二豎。「去山中之賊易，去心中之賊難。」以台灣目前警政的力量，保密防諜有餘，移風易俗則不足，似乎是無可否認的。

根本之圖，我們認爲政府應該要用更大的人力、物力、財力來推行文化復興運動。民族是無數個人的集合，個人既然有其可塑性，民族何獨不然？

新聞網外之言

萬博憶遊（上）

韻石

萬國博覽會——這個盛況空前的壯舉，在東亞舉行，是戰後極爲新穎的大事，而且將七十多個國家、種族、地域、濃縮在一塊小的天地裏，在那個五花八門的，不同膚色，不同語言，不同習慣，不同宗教，不同的政治型態的湊合中，以國際工商業觀摩方式，而形成另一個聯合國的支派，其中所包含的最大意義，個人以爲是日本有識之士商巨子，欲促成天下一家世界大同的境界的一種嘗試和測驗，換言之，也就是要求人類和平共存的一種考驗。當好戰的極權份子，正在中東和南太平洋地區，用血與肉槍與砲兵連禍結的長期砍殺之中，使用另一種方法，而在遠東出現這一象徵和平的曙光，是值得人們稱頌的，因此：我也大發遊興而在本年的九月，邀了七位同好，去到東瀛的大阪，看一看萬博會的壓軸戲，開幕典禮。

自從大陸被共黨竊據，避難來到台灣，已經二十年了。古人說：「坐井而觀天，曰天小者，非天小也其所見者小也。」二十年來，長期蟄居在台灣，既似坐井觀天，亦類以蠡測海，對天地之大，宇宙之繁，莫窮究竟如何？能趁此良機，到萬博去參觀遊覽，他山之石，可以攻錯，於開拓胸襟，增進閱歷，一定收穫不少，因此：下定決心，到另一個新境界裏去走一遭，而有赴日本參觀萬國博覽會之行。

我們此次一行八人，從本年七月起，卽開始辦理出國手續，直到九月十日，纔購妥機票，眼看着萬博會快要結束了，朋友們見面就問：「什麼時候成行？」我只有答復說：「去看壓軸戲。」果然：在九月十一日下午六時，纔搭乘國泰航空客機，於晚九時許飛抵大阪，幸而天理市方面有友人派車派人在機場迎候，否則在那一時候，世界各地觀光客，正如潮湧一般擠到大阪來，找旅社必會遭遇到極大困難，我們這一羣人地生疏的人，不在機場或車站坐上一夜纔怪呢？

在機場，我們携帶的行李雖簡單，如經海關翻箱倒篋的檢查一番，便得費去個把鐘點，好在日本人很不在乎，把我們輕鬆放過了，似乎他們只注意黃皮書——檢疫工作，而不注意其他事項，也許是公務護照引起他們的禮貌，一個不相識的日本人，將我們由捷徑引出機場，因此：九點多下飛機，轉乘天理市派來的車子，十時後便下榻在天理教的貴賓招待所了。（未完）

台北傳奇錄（八九）

・陳光棣・

「到妳家裏去端兩碗白飯回來，湊合着吃一頓不就成啦」！步成材忙着洗青菜。

「你還有什麼好主意？」劉大姑奶奶忍着氣：「快去買幾個饅頭回來！」

步成材走到弄堂裏，迎面碰到金恆貴。

「上那兒」？金恆貴陪着笑臉：「這麼匆匆忙忙的」！

「有點事」！

「什麼事啊」？

「到老邱那兒叫幾樣菜換換胃口」。步成材歪着頭子。

「老邱的菜怎麼能吃？還不如到我家喝兩盅」。

「今天可不行」！

「老朋友！裝的什麼大瓣蒜哪」？

「我還有事情」。

「帮太太洗褲子」？

兩人到了弄堂口，看到老邱正站在馬路當中招引客人：「來吧！來吧！包子、饅頭、水餃，要啥有啥」！這時有個小生意人正從老邱身邊經過，又向飯館裏不停的張望，老邱一看就知道這傢伙沒有準主意，乃冲他大喝道：「你還往那兒跑，就是這吧！」緊接着把那人一拉就走回飯館，大金紅一伸手又把那人夾的布包奪下來放在桌子上。

「你吃什麼」？老邱擦着桌子。

「炒米粉有嗎」？那人試探的問着。

「賣完咧」！

「炒飯有嗎」？

「今天沒有」！

「炒豬肝好不好」？

「什麼好不好的！你這個人是怎麼搞的？專吃炒的，炒的有什麼好啊？」

「你竟有什麼吃的」？那人困惑的抓頭皮。

「要什麼有什麼」！

「牛肉湯有嗎」？

「你眞是，我這麼大的飯館子賣牛肉」？老邱不高興：「你吃餃子吧」！說完了又大喊了一聲：「四十餃子」！大金紅一扭身進了廚房，老邱又回到馬路當中招攬客人。

金恆貴看到老邱不敢再往前去，步成材又不願意當着金恆貴的面買饅頭，于是兩個人又走回頭。

「你不是去叫菜嗎？」金恆貴問。

「老邱正忙着」！

「我陪你到巷子口去叫」！

「你有什麼話快說吧！」步成材靠在電線桿子上：「男人家，不要婆婆媽媽的」。

金恆貴略微一楞神兒！就湊到步成材頭子旁邊咬了半天耳朵，步成材先是不住的搖頭，之後又不停的點頭。

當天下午，步成材舉着兩張戲票去找劉二爺：「我知道你老人家喜歡聽戲，好不容易買了兩張票，晚上七點鐘開場，您二位要早點去！」

三島由紀夫割腹記

·文匯樓主·

日本名作家三島由紀夫，爲日本當地文豪，爲了要求立新憲法，並重建皇軍，上週在東京的東部防衛司令部，以武士道的方式割腹自殺，其現場眞像：

穿着制服的三島，同另四名穿着制服的他的部下於上午十時四十五分左右進入總部。三島以前常來此處，而且曾加入防衛軍體驗數日的「軍中經驗」。走廊上的一位接待人員笑着歡迎他。他於是被領進司令松田的辦公室。防衛廳外面的人最初聽到司令官與三島在笑談。三十分鐘之後，三島抽出武士刀，四名他的手下從身後抓住司令官，綑綁他的雙手。司令官叫道：「別做蠢事！」三島告訴他：「我想要發表演說，你把部下召集來吧！」

當防衛軍衛入辦公室時，三島向左右猛刺，擊傷了八人。

三島前往陽台，大談武士道。他的演說聽衆只報以嘲笑，目擊者認爲，三島覺得自己受了屈辱，這時可能想到要自殺。

爲了免得外面看見，三島在憲戶及門邊擺了桌椅，然後脫下制服，將上衣脫掉後，他以武士刀切腹，他的副手森田將三島丟下的刀撿起來，替三島當「介錯」（幫助武士完成剖腹心願的人，方法是砍下武士的頭部，以免他因剖腹而受苦）。這個場面頗像三島數年前所寫的一個劇本「愛國者」，他今日自編自演道戲。

三島的助手森田自己也割喉，而另一人也砍下他的頭部。

這兩個頭顱掉在松田將軍面前的一灘血液中。三島的另三名部下面色蒼白走出司令官的辦公室，等候警察拉他們走。

三島由紀夫公之死，這是震驚日本全國的重大新聞，引起世界各國注視。三島由紀夫是日本右派的極端份子，具有強烈的國家民族意識。他的死，日本佐藤首相指爲「跡近瘋狂」，已爲日本部份人士不滿，台北各報對三島由紀夫自殺新聞的報導，態度極爲審慎，評述有所保留。其實，三島自殺，毋可諱言的是顯示戰後日本，左右兩派的政治思想，都具有一種潛在的力量，隨時隨地相激相盪。我們不宜將三島自殺事件，看成日本軍國主義幽靈的復活。因爲，在這以前，日本左翼份子的滋擾，如萬博事件，刼機事件都會使日本陷於舉國不安。

日本在二次大戰時，會於德國納粹，義大利法西斯結爲軸心同盟。軸心同盟雖有侵畧性，但就另一政治意義却是反共的。由於二次大戰內容只有軍事意義，戰後世界，缺乏政治意義，連美英法等國家，都缺乏立國的基本政治方面，作繭自縛，造成種種不安，難怪日本要發生一連串的政治思想衝突事件了。

撇開政治不談，從整個反共局面來看，美國必須扶植歐洲的西德，亞洲的日本，以箝制國際共產黨赤化世界的野心，自爲不爭之論。因此，我們對於三島的自殺，應該另外給予評價。我們知道日本的左翼份子，很多是國際共產黨的同路人，他們千方要使日本變成一個「軟體國家」，供共產黨宰割，三島想用自己的熱血，喚醒日本的國魂，這是一種壯烈的愛國行爲，相信將來歷史會給予評價的。

宏揚孝道與復興文化（二）

·黃嘯菴·

足見當時對孝義很重視。陳宣帝是一無道之君，但對孝義之事，亦常加獎勵，有叫王知玄的，很以孝聞，及丁父憂，哀毀而卒，陳宣帝也大加嘉獎，詔改其所居清苦里爲孝義里。（見陳書孝行列傳）

其次，從北朝來看，五胡入寇，中國文物制度，大遭破壞，但異族受中國的同化，對孝道亦不敢輕視，例如：後秦姚興皇初四年，秦太后也（虫旁）氏卒，秦主興哀毀過禮，不親庶政，羣臣請依漢魏故事下葬，那時尚書郎李嵩上疏說：「三王異制，五帝殊禮。孝治天下，先王之高事也，宜遵聖性，以光道訓，既葬之後，應素服臨朝，率先天下，仁孝之擧也」。後來雖有尹緯在姚興跟前進讒，說李嵩越禮，請付有司論罪，但姚興仍然以爲「嵩忠臣孝子，有何咎乎？……其一依嵩議」。又北魏時有名長孫慮的，其母嗜酒，其父長孫眞呵斥之，誤以杖擊致死，長孫眞因此被囚處以重罪。長孫慮爲父上書求情說：「父母憤爭，本無餘惡，直以謬誤，一朝橫禍，今母喪未父命旦夕，慮兄弟五人，並各幼稚，……父若就刑，皆墜溝壑，乞以身代老父命，使嬰弱衆孤，得蒙存立」。長孫慮這種至孝至情，卒感動朝廷，因此，高祖特詔，恕其父死罪。從這些事實看來，孝道經歷代的提倡，遠被異族，並同化與陶冶了異族。

至於從中國社會來觀察，孝道深入人心，其影響於民族與社會的團結，實至重大。孝子在中國社會，幾成爲人倫的表率，記得吾鄉在明朝時代有一丘姓孝子，不外一個樸實的農民，因其孝行感人，地方爲其建立專祠，馨香膜拜，如聖如神，我在小學時代，每逢假日，輒前往瞻仰致敬，其廟堂正中懸掛一聯云：「在當年，孝振家風，三十年五更五起；到於今，恩隆祀典，千百載如見如聞」。迄今我於夢寐中，懷念親恩，猶勾起一片思古之幽情。我國自古以來，都以忠孝作提倡，但孝子更爲社會所重視，所謂「求忠臣必於孝子之門」，因爲能孝才能做到忠，確有至理。

朱子（一）

吳怡

朱子，名熹，字元晦，別號晦翁。是徽州婺源人（今安徽省婺源縣），生於宋高宗建炎四年（公元一一三〇年）。他的父親，是羅豫章的學生，曾做過司勳吏部郎。後因不滿秦檜的和議政策，便忿然辭職，隱居在福建尤溪城外毓秀峯下的鄭氏草堂，這兒就是朱子誕生的地方。由於地屬福建，所以他後來開創的學派又稱爲閩學。

朱子從小就資質過人，喜歡思考。當別的小孩在遊戲時，他却一個人靜坐在沙上，用手指畫成一個個的八卦圖形。當塾師教他讀孝經時，他祇看了一遍，便能貫通書中的大意，而且還在書上題着：「不若是，非人也」。由此可見他從小便有哲學的頭腦，便有聖人的抱負。

在他十四歲時，曾遵從父親的遺囑，去拜籍溪的胡憲（原仲），白水的劉勉之（致中），屏山的劉子翬（彥沖）爲老師。這三位老師都是二程的再傳弟子，劉勉之最擅長於易學，除了把易學傳授給他外，連帶把女兒也許配給他。可惜這兩位老師都很早便逝世了，因此他單獨向胡憲問學最久，胡憲教他研究春秋。然而胡憲的春秋學，並不能滿足他追求眞理的熱情。所以這時，他又遍讀佛老的書籍。但總擺不出一條路子來，內心非常的痛苦。

直到二十四歲時，爲了求道心切，便步行到數百里遠的地方，去拜父親的同學李延平爲老師。延平是個淡於名利的思想家，他隱居著書，每天靜坐。他把洛學加以消化，從體驗中實踐出來。所以朱子見到延平後，便歎着說：「自我拜見李老師以來，才知道以前研究佛老的學說都是錯誤的」。而延平見到朱子以後，更是對他誇讚備至，認爲他稟性過人，勤於力行，讀書能從細微處鑽研，能從源頭處體會，自羅豫章老師以來，從未見過他這樣出色的人才。於是名師得高徒，相得益彰，這是朱子思想發展的起點。自此，他拋開了佛老空疏的理論，承襲了二程的洛學，奠定了一生學說的基礎。

早在朱子十九歲時，便考中進士，作了泉州同安縣的主簿，此後十餘年來，他一面留心治績，一面埋首經書，生活上並無多大波折。直到三十三歲，便升爲文學博士。那時，孝宗即位不久，正値金兵猖狂南侵，滿朝文武，都不知所措，因此孝宗下詔，鼓勵直言。於是血氣方剛的朱子就接連奏上了兩篇文章，首先他申明君主必先格物致知，心存義理，然後才能安邦治國；最後他強調，當時與金議和的政策是錯誤的，他痛切的說：「先君的血海深仇，是不共戴天的，今天我們唯一的生路，就是抗戰到底；不戰便不能復仇，不守便不能制勝」。這是何等慷慨激昂的話！他這種痛惡和議的見解，正和他父親不滿於秦檜的和議一樣。可是當朝的宰相湯思退也和秦檜一樣，是些胆怯的鼠輩，祇圖苟安於一時，自然不肯採納他的提議。於是他便帶着悲憤的心情，離開了軟弱無能的朝廷，隱居在家中，專心於讀書寫作。

在這十幾年的家居生活中，他一方面著書立說，教授生徒；一方面結識許多學者，共同討論學問。當時和他講學切磋感情最好的，要推張南軒（即張栻），和呂東萊（即呂祖謙）。南軒是湘學派的中堅人物，東萊是浙學派的開山祖師。他們都是當代最著名的學者。朱子不僅和東萊一起講學，合編過一部近思錄，而且由東萊的介紹，認識了陸象山。象山是當時心學派的領袖，由於彼此的意見不合，曾在鵝湖寺開過一次辯論會。但雙方都堅持自己的觀點，所以始終沒有得到結論。這時，朱子已是四十七歲的中年了，無論在聲望和學術上，都已名高一代。

再過了三年，孝宗又請他去治理南康軍（「軍」是宋朝的行政區域單位，並不是軍隊，南康軍即後來的南康府，在江西省境）。當地時常發生旱災，他除了積極防災，救災外，並注意發展教育。他曾去考察白鹿洞書院的遺址，該院址在江西省廬山的五老峯下，南唐時曾在此建學，名廬山國學。他覺得此地環境很好，應重興書院，來培植人才。於是便在此訂定學規，邀請四方有名的學者來講學，即使與他見解相反的象山，也在被邀請之列。

朱子在教育上的努力，雖然建樹很多，但在政治上的奮鬥，却頻遭波折。尤其在此後的二十餘年，風浪更大。主要的原因，乃是由於他的愛國心切，疾惡如仇，爲當朝所不容。

先是在白鹿洞書院創立的第二年，當地發生大旱，人民流離失所，而政府却置諸不問。他便上疏，向孝宗慷慨陳詞的指出：治國的首務在於愛民，而愛民的根本，全賴君主能正心術，立紀綱，親賢臣，遠小人。（未完）

安徽十三傑

管仲　李時　莊周　曹操　華佗　包拯　朱熹　朱元璋　戚繼光　李鴻章　楊振寧　段祺瑞　胡適

自由詩壇

武昌首義憶往

鄒鵬奇

浪激龍蛇吼。長江日夜流。武昌洒血雨。烈士決恩仇。氣貫雲霄動。旂飄楚漢秋。孤城天下重。一戰定神州。

（二）孝的真義及其價值

孝的意義是什麼？說文：「孝善事父母者，從老省，從子，子承老也」。徐鍇說文繫傳爲之解說：「子承老爲孝，孝子能錫其類，過槁木必趨之，見老者必敬承之也。從老省之者，省老之匕也，匕者變也。氣壯則變（白）衰，髮（盛）（黑）則變白（衰），又將化；孝子之心，不忍言其匕，故省之也」。孝的眞義，就是「子承老」的意思。承是奉承，「承老」便是事父母的意思，「敬承」即是善事的意思，可知孝的眞義即是善事父母了。

孝乃人子與父母間最純潔最眞摯之愛，植根於先天之性中，與生命俱來，與生命同在，孝經說：「父子之道天性也」。詩蓼莪篇：「蓼蓼者莪，匪莪伊蒿；哀哀父母，生我劬勞。蓼蓼者莪，匪莪伊蔚，哀哀父母，生我勞瘁。幷（缶旁）之罄矣，維罍之恥，鮮民之生，不如死之久矣。無父何怙，無母何恃，出則銜恤，入則靡至，父兮生我，母兮鞠我，拊我畜我，長我育我，顧我復我，出入腹我。欲報之德，昊天罔極」。父母愛護子女之深厚與周至，純出於天性，爲子女者體念父母愛己之情，欲報之心，亦發於天性。所以孝爲禮法之本，諸德之源，立德即所以行孝，中國數千年之人倫教化，治國安邦，莫不以孝爲本。

（未完）

催眠術的沿革

·公子·

催眠術

古時希臘，羅馬，猶太，波斯，埃及，印度諸國，以祈禱降神。爲人療治疾病。咸皆祇爲神祇。奉爲秘寶。不堪輕易授人。人咸莫明其妙。乃爲神話魔術之濫觴。亦就是催眠術之胚胎。後來民智繼開。由德國人麥司麥爾倡導動物磁氣術。後由其高足拉仿敦。效學路得之闡揚耶教。赴英國創設降神術會以宣傳麥氏磁氣術。引起英國醫學界羣起研究。至一八五三年。斯術流行到法國。雖然經法國神學兼哲學家阿茲阜夫阿爾雅強烈反對。麥氏之說稍稍失勢。而催眠之傳播。由德國而英國，而法國，而瑞士，而日本。各國專家們不厭求詳，悉心研究。其間尤推法國爲最盛。結果各有心得。各闢門徑。遂有南西二派之別。諸說紛紜。莫衷一是。而催眠術的價值一天高一天。英、法、日、德、等國各大學都紛設專科。研究催眠之奧秘。大有一日千里之勢。直堪與哲學，心理學，醫藥學。並駕齊驅焉。

巨變歷險記

大猛蓬（一七八）

胡慶蓉

部隊沿猛勇叭兼程前進，猛並沒有遇到任何的阻力。爲避免人的注意，並竭力走山路，不走公路。我說過通臘戍，大其力，本來是有公路的，但捨公路而不由，公路從猛叭經過，只有丁博士爲取得大其力僑胞的合作先坐公路的車前往大其力接洽。在部隊沿途停留的地方，都一站一站的預備好糧。其實，這一路都是農村，糧徵集沒有困難。

這一帶，完全是農村，每早聽得鷄叫的時候，鄉下的女人就都起來了。常常是滿天星斗，寒風侵人。因爲家家都有燒劈柴的地方，圍着睡，也倒不感覺甚麼。鷄叫後不久，就會聽到咕多咕多杵米之聲。在寂寞的農村，這不曾就是一種音樂？杵米的設備，家家都有。頭上是一個石頭的臼臼，盌形。有一個很長的木桿在中間，一頭裝一個[illegible]子，一頭有一個柱子，用脚踏一頭，木桿揚起，然後[illegible]子杵下，如此循環上下，就發生冬咕咕冬的聲音。聲音在夜間聽得特別的清楚。杵米的工作做好了，接着就是蒸飯；用[illegible]子似的鍋，蒸米飯，飯蒸好了，涼出來，然後再拿着一把一把的吃。起初不習慣，後來慢慢也就習慣了。此外就是配點野菜，生活異常簡樸。

雖然進入了所謂緬甸地的景棟，但對於部隊來說，絲毫沒有異鄉之感，更沒有異域之感，一切都同在雲南司屬所見所聞的沒有絲毫的異樣。地方上話也全是雲南擺夷的話，部隊雲南人多，到了這些地方，如同回到家鄉，地方同部隊，部隊同地方，眞可謂水乳交融。這些地方，農產品豐富，一年生產的往往可够三年之用，拿一部份出來供部隊，並不感到甚麼困難。

部隊的目的地是大猛蓬。這是很廣闊的一個地帶，在公路與湄公河之間，又是猛叭與大其力之間，大猛蓬前邊就是公路，大猛蓬後邊就是湄公河，公路與大猛蓬之間還有廣大的森林，森林的前邊，還有一個廣大的池沼。前面可以防禦緬甸的來攻，後面可以防寮泰的來攻，地勢是非常好的。特別這個地帶的農田非常肥沃，生產非常豐富，莊村更令人感覺到偉大，一座一座的大房子，一個一個的大院子，排列在路兩旁。每一個院子裏，又有很多的大椰子樹，很多的大芭蕉樹，襯托出熱帶的風光，非常爲部隊弟兄所喜愛。

大猛蓬屬於緬甸的景棟，屬於景棟的大其力縣，屬於大其力縣的大猛蓬鎭。首先要接頭的是大猛蓬鎭的鎭公所。鎭長對於供給部隊的糧食，經驗非常豐富。在第二次世界大戰期間，中國的部隊又不少是駐紮在此間的。部隊的糧食，由鎭長用徵集的方式徵集之。老百姓非常聽話，四面八方，都挑糧過來，[illegible]糧過來。鎭長還開了一個盛大的歡迎會，有地方的舞蹈。在鼓聲鑼聲中，地方上的人民自己先跳起來，部隊的弟兄們也都很自然的配合起來。歡迎會之後，部隊也就休息了。

搜異錄

偷車冠軍

．恨海．

台北近年出現不少偷車盜，防不勝防；但其偷車也不過只數十輛之紀錄，距「偷車冠軍」尙「小巫見大巫」，小鬼之比城隍，不可以相提並論。

美國的偷車大王——冠軍所保持的紀錄，平均五年四百輛。偷車冠軍麥德斯尤斯，從一九六〇年至一九六五年，總數百輛以上，平均每週五輛，這紀錄一直保持了十年之久。

尤斯今年有五十歲，身材矮小肥胖，爲人和平可近，一頭灰白的頭髮，從外表觀看，他是個善良的半老徐公；但是有誰知道他却是個偷車不眼的大王呢？

尤其在被捕以後，坦白承認不諱，他自白說：「平均每週竊車五輛」。任何複雜的汽車，他都能在五分鐘之內進入車廂，發動引擎，把汽車駛去。

尤斯說：我下手的地點多數是在支加哥一帶的停車場，每天我混到車場內，看到我歡喜的汽車，便設法把車開走。

據他透露：每個車主對自己的汽車，都不大關心。有百分之五十以上的車主，他們離開汽車的時候，只把車匙放在椅底下，或者是遮太陽的膠蓋上，或者是放在車前放東西的地方，於是他並不費力，猶如探囊取物，得來全不費工夫。

有一些謹愼的車主，他們離開，鎖好車門，拿走了車匙，但是對於一個出色的偷車賊，這是不可能防止的。他能夠以兩條鋼綫，便把車門打開，同時能夠發動引擎，把車開走。

偷車大王每次下手，都很小心，所以他從未失手。他的太太却在一個小市鎭內却開了一間汽車修理店，專門買賣舊汽車生意。

其實她的車店全是無本生意，把偷來的車子拆卸改裝，便售出去。五年以來，一共賺了三十五萬美元。

開始，他的秘密只有太座知道，後來不愼把一張眞車主的保險卡留在汽車內，被他的女婿發現了。他的快婿也是個無賴，威脅他坐地分肥，尤斯無奈，只得答允。

不過這竊車大王的動機，是値得人同情的。他在二十歲那年，被人誣告接受賊贓，被判入獄五十九天，他說那一次入獄，眞是寃枉的。但是他正如「塞翁失馬，焉知非福」，他在牢裏學到了偷車技巧。

出獄之後便和一個名叫瑪利的女子結婚了，在小鎭裏開了汽車修理店，生意興隆，他可以養活妻兒，安過小家庭生活。

但是不幸得很，在一九五九年，他駕車失事，與一輛汽車相撞，受傷不輕，需要住院。住了一年，欠下了醫藥費用，超過了一萬元，醫院對這筆款子追討甚急。

尤斯在無法可想之下，挺而走險，偷了幾輛汽車，轉售出去，還淸了一部份債。因爲他偷車生意十分順利，想洗手不幹的念頭已被打消。

偷來偷去，技術更精，胆子越大，偷車越多。最後終於失手了，但是他並未當場出醜，人贜並獲，而是警方接獲綫索，被人揭發了。據他透露：

一九五六年，美國的偷車組織共有二八九個，獨行盜就不知其數了。

偷車案件佔一切案件的第三位。一九六六年，美國汽車失竊案總數共五十餘萬宗。比一九六五年增加了百分之十。比一九五五年增加百分之五十。偷車賊有百分之六十四是不超過十八歲的。尤斯這種偷車賊在美國也是極其少見的。

（完）

黛眉小傳

魚玄機（下）

．王幻．

移得仙居此地來，花叢自偏不會栽。
庭前亞樹張衣桁，坐上新泉泛酒杯。
軒檻暗傳深竹徑，綺羅長擁亂書堆。
閑乘畫舫吟明月，信任輕風吹却回。

這類風物寫照的抒情詩，另有一種嫵媚韻味，可讀性很高。

此外，她和當代的名詩人溫飛卿交遊甚洽，這位與李商隱齊名的詩家，平生不檢於行，喜作艷體詩詞，爲執政者所鄙。她與玄機時有詩什相寄，當然他們的交情，不僅是文字之交。看她「冬夜寄溫飛卿」詩云：

苦思搜詩燈下吟，不眠長夜怕寒衾。
滿庭木葉愁風起，透幌紗窗惜月沉。
疏散未閑終遂願，盛衰空見本來心。
幽棲莫定梧桐處，暮雀啾啾空繞林。

可謂「諳盡孤眠滋味」，詩雖不見得如何好，但可窺知她對飛卿的懷念及內心的情感。又有一首「寄飛卿」的五律云：

階砌亂[illegible]鳴，庭柯烟露淸。
月中鄰樂響，樓上遠山明。
珍簟涼風著，瑤琴寄恨生。
君懶書札，底物慰秋情。

詩中的思戀之情，眞是溢於言表了。

相傳玄機嘗登「崇眞觀」南樓，覩新進士題名，賦詩云：

雲峯滿目放春晴，歷歷銀鈎指下生；
自恨羅衣掩詩句，舉頭空羨榜中名。

[illegible]進士走馬花街，不知羨煞多少懷春仕女，而玄機却有「自恨羅衣掩詩句」的慨嘆，以其詩才，設若生爲男兒身，金榜題名當無問題的。

綜合上述，魚玄機做女道士的生活，是海闊任魚躍的放浪生活，這也是下堂妾不幸中的幸運，總比做妾的侷促生活要愜意得多。可是她的生命之結束，却異常悲慘。事情的經過是這樣的：

她有一個女僮名綠翹，聰明艷麗，才華不讓於乃師。有一天玄機因事外出，到晚上才回來，綠翹告訴她說：「剛才有某客來過，因爲鍊師不在，所以就走了。」這位客人是玄機最要好的，可能是一種妒忌心理作祟，她以爲綠翹與之私通，就把綠翹的衣服剝掉，笞責數百下。綠翹氣絕復甦，請盃水酹地道：「鍊師欲求三淸長生之道，而未能忘解佩臨枕之歡，反以猜疑厚誣淸眞，翹今天必斃於毒手了。無天則無所訴，若有，誓不蠢然於冥冥之中，任汝淫佚！」言畢氣絕。玄機大恐，把她埋於後園中，以爲不會有人知道。不久，一位客人到園中散步，見有青蠅羣集，驅去復來，仔細一看，旁邊血痕多處，而且有些腥臭。返家後就將這事告訴家人，也爲他的僕人所知。僕人的兄弟在府衙裏當差，曾經想敲玄機的竹槓，她不睬他，因此懷恨在心。他聞知此事，就帶了幾個衙役，擁入玄機的後園，把靑蠅所集的地方掘開一看，綠翹面目如生，遂把玄機解到京兆府。當時的府尹溫璋加以詰詢，她只好招認不諱。當時的一班朝士，雖私下替她說情，但殺人的事實俱在，更由於玄機的名氣很大，一旦發生兇殺案，喧騰人口，致無法挽回，終於宣判斬首之罪。

這段記載，出自「三水小牘」，府尹名字不詳，而「北窗瑣言」以爲是溫璋。

據說：京兆尹溫璋是以「爲政嚴明，力鋤宿弊」出名，對於玄機的平素行爲，早已有所不滿；一旦犯罪有據，自然要嚴厲執行。況且玄機是一個半娼式的女道士，旣已定罪，平時所交遊的顯貴，誰肯爲她多事爭辯呢？

（完）

依詞集

高玉樹的花拳繡腿

．易倩．

台北府會之爭，表面很熱鬧，實際上可能有驚無險，雷聲大，雨點小，高玉樹市長憑他的花拳繡腿，必然能夠有議會過關，而不需要「斬將」。

本報曾經說高玉樹是「銅頭鐵背豆腐腰」。也即是說，議會的議員，不會攻高玉樹的弱點。理由很簡單，高玉樹是台北的老地頭蛇，他對於每一位議員，包括議長副議長在內，都摸得很淸，你有斬將劍，他有打將鞭。你如果打他的「豆腐腰」，他便踢你的「痛脚踝」。因此，台北府會之爭，很像平劇舞台上的斯殺，槍來刀往以後，雙方都不致有毫髮之傷的。

據說巴力門政治——議會政治是民主政體運用的要目之一。筆者雖不敢說「橘逾淮爲枳」，硬指這一舶來品來我國以後變質，但至少台北市議會與市政府的表演，是與眞正巴力門政治大相逕庭的。

有人說，政客是各項職業中最聰明的人，而中國政客又是各國政客之冠，諒非虛語也。

第十五章　岳飛孤軍奮戰　趙立楚州殉國

還其所擄老弱，約鳳成結爲兄弟。帳中暗伏刀斧手。鳳成不知有伴，欣然前往。酒至半酣，武士齊出，將鳳成砍死。接着屠殺鳳成全家。鳳成部衆惡戚方行爲，相率投於岳飛軍。廣德守臣亦奉書岳飛，告戚方之反。旋奉朝廷詔命，令岳飛討戚方。岳飛以三千人親往討之，軍次苦嶺，戚方斷官橋以自固。岳飛發矢，中橋石柱。戚方得箭，知岳飛軍到，大驚逃遁。岳飛命傅慶一軍追之不及。戚方又增兵來抗，岳飛自領千人來擊，戚方豈是岳飛對手，大敗而逃。岳飛揮兵追之。戚方危急之際，適張俊亦奉詔討戚方，方聞之，急赴張俊軍投降。

岳飛與張俊會師，張俊置酒請岳飛赴宴，故爲戚方解說。飲酒間，張俊使戚方出拜岳飛之前，號哭求饒。張俊復爲方排解。岳飛對張俊道：「招討有命，飛固當從；然飛與戚方同在建康討虜，不料方臨危叛亂。岳某曾派人勸諭，曉以順逆。戚方不聽，屠掠百姓，騷動郡縣，又誘友軍鳳成殺之，屠其全家，抗命不降，比諸凶爲甚，其罪豈可逭？」

張俊再三爲戚方請免。岳飛對戚方說道：「招討旣免汝一死，宜思有以報國。」戚方再拜，諾諾連聲。立於坐側。岳飛取出戚方所射之矢與戚方。方接過矢，立即折爲數寸，心惶惟謹，慚愧無地，不敢仰視。岳飛與張俊飲酒歡笑，若無其事。

張俊還自浙西，赴行在向高宗覆命，說岳飛可用。但在動盪流亡的朝廷來說，已自顧不暇。岳飛屢立奇功，均未獲得朝廷重視。有人爲岳飛抱不平之鳴。中朝有一位「删定官邵緝」者，（失其名）上書廟堂稱：

岳飛驍勇沉毅，恂恂如諸生。頃起義河北，嘗以數十騎乘險據要，却胡虜萬人之軍。又嘗於京城南薰門外，以八九百人破王善、張用五十萬之衆，威震華夷。而身與士卒最下者同食。民間秋毫無犯。如慮金人留軍江南，牽制官軍，大爲東南之患，則奮不顧身，克復建康，爲國家奪取形勢咽喉之地，使逆虜掃地而去，無一騎留者。江浙平定，其誰之力！

是書上陳數千言，廟堂以其書上陳高宗，遂有意超擢。秋七月，宰相范仲尹奏事，說張俊自浙西歸來說岳飛可大用。高宗道：「岳飛爲杜充愛將，杜充雖失臣子之節，而能重用岳飛，有知人之明，猶可喜也」。於是高宗擢岳飛爲武功大夫昌州防禦使通泰鎭撫使，兼知泰州。

（七十二）

自由報

（第一一二一期）

（半週刊每星期三、六出版）
每份港幣壹角・台灣零售價新台幣弍元
社長李連鵬・督印黃行舊
社址：香港九龍彌敦道593—601號
廖創興銀行大廈八樓五座
LIU CHONG HING BUILDING
7th FLOOR FLAT '5
593—601 NATHAN ROAD,
KOWLOON, H.K.
TEL: K303831
電報掛號：7191

承印：景星印刷公司
地址：嘉咸街廿九號地下
台灣區業務管理中心：台北重慶南路一段一二九號
電話：二四五七四
台灣區直接訂戶　台灣劃撥戶
第五〇五六號張萬有（自由報會計室）
台灣分社：台北市西寧南路110號二樓
電話：三三〇三四六、台郵劃撥戶九二五二號

增強信心面對現實

・吳相湘・

近兩日讀中國時報「面對現實接受考驗」、「我們需要重作檢討」兩篇社論，實在佩服，可以說這是近年以來非常少見的說老實話的輿論。

中華民國將近六十年歷史，尤其這二十餘年的成就，更爲國家建立鞏固基礎，這都是我們全體國民自己奮鬥的成果：辛亥大革命就是在完全沒有外力援助之下而奮鬥成功，國父在當時正至被許多國家驅逐不准居留，「全球之大，島嶼之多，竟無容身之地」。事實上：革命黨在神州大陸沒有一土一地的憑藉。清廷的腐敗，革命黨的信心是最後成功的主 因素。北伐統一的成功是在日俄交侵內外夾攻中奮鬥出來的。對日抗戰的勝利更是在海口完全被封鎖情形下自力奮鬥成功。更進一步說：這是民國十七年濟南慘案與民國二十二年塘沽協定以後，當局面對現實接受考驗的結果。

塘沽協定，世稱城下之盟。實則日本先向美英表示希望休戰意向，英國公使的告北武商談，蔣與英美公使接觸，了解日軍意向，而外交部長不敢負責任，說什麼簽訂任何軍事協定後，自己力量將永無收復失地可能。時間延宕，外人驚異。幸黃郛毅然不顧毀謗，終於停戰，爭取四年餘時間，各方面建設與人才培育即在這四年中突飛猛進。今日在台灣的許多要人士即當時學生。「非洲先生」楊西崑即一顯例。

早在民國二十三年，胡適傅斯年張繼諸先生都再三說明：不要再以岳飛文天祥來鼓勵青年，應該說辛亥前後革命烈士的精神的史實，這是活的歷史，最足振勵青年。今總統蔣公在抗戰之初，更以歷史地理為「革命教育」的中心之訓示。不幸，教育當局始終不曾實行，作虛心檢討。「民族精神教育」不着邊際。現在台灣岳飛文天祥影戲大行其道，「滿江紅」固壯烈，但賀蘭山是我青海省地，高喊「踏破」它，難道是去建縱貫公路！不求甚解，不用腦經，可憐，可嘆。

尤其是所謂「王業不偏安」這些話，更是不合時宜。對日抗戰，以西南西北作基地，正是「偏安」。結果我們創造了國史上的奇蹟：外族寇侵，北方及中原人民三次南渡，終未能北返；而我們在八年之後欣然歸故鄉。這一奇蹟即是民國十七年濟南慘案以後，蔣總司令要國人學習越王勾踐忍辱負重面對現實接受考驗的結果。勾踐生聚教訓整整二十年，而我們在內外交侵中「多難興邦」，自民國十七年五月至民國卅四年八月勝利，却只有十七年，這證明孔子所謂「後生可畏」。這二代的黃帝子孫的確是比較祖宗更能奮發有為。

這些光榮事實是不應該被神州赤沉而忽略的。相反地，惟有說明這些史實，才可以增強復國建國的信心。「舍近求遠」，用古人古事來說教，是逃避現實，是「推」「拖」的腐敗官僚作風的重演。

這二十餘年來，復興基地的物質建設卓具成績。但精神即心理建設成績如何？實在值得虛心檢討。

筆者去年曾撰「民國史研究與文化復興」，建議的民國史的研究為文化復興運動的中心，因爲中華民國的建立即係基於儒家人文主義的傳統：「民爲貴」、「民爲邦本」的古訓，國父曾再三提及。

文化復興運動以戲劇為傳播工具，是很好的。但內容要詳細選擇，即如日前電視播映「清官冊」國劇，如果稍一用心即將發現；人力法令沒有辦法可以懲治貪官奸賊，祇有借助於牛頭馬面，這不但是有「迷信」色彩，并且是宣傳印度佛教文化，孔子是不言鬼神的哩。再說今日是核子時代，「火牛陣」成影片主題，實是時光倒流了。

今天要「自立自強」，這是天經地義的。但要「自立自強」首需具有信心，才可以產生決心和勇氣——增強信心的辦法，即重視近七十餘年來革命建國的史實，這是近二代中國子孫共同奮鬥的成績，近在眼前，活生生的教訓和啟示，比較古人古事要動人多多啊。今後復國建國的憑藉，正如辛亥革命經驗一樣：我們自己的信心，毛共的殘酷苛政。相激相盪，終有成功一日。民族國家的生命是千年萬世，不必爭一年十年的短長。「士不可不弘毅，任重而致遠」。沈着，勇毅、培養信心、面對現實，這正是「文化復興」最好的課題。

昨日與明日

獎譽與諷刺

——從「傑出青年」當天入獄說起——

凡是看到台灣十二月一日報紙的人，都會發現兩則强烈對比的新聞：一則是推選出十大傑出青年；另一則則是其中一位「傑出」青年，即在當天因事刑案的，爲台南法院下令收押。這眞使人啼笑皆非到極點。

草率的選拔

原來國際青商會中國總會，每年都從各行業中選拔所謂傑出青年，今年鄭重的敦請杜元載、洪炎秋、徐慶鐘等六人爲評審委員，並以前教育部長，現任台大校長閻振興，爲主任委員，而於十月卅一日宣佈選出十位傑出的青年，那知就在那天其中一位郭村田的傑出青年，即因僱用爭執而毆傷一工廠老闆李某，而經檢察官偵訊後，下令收押。我們眞不知道評審委員會怎麼會選出這樣打鬥兇毆的流氓來！假如這案件發生在評選之後，都還可原諒。事實乃是兇毆發生在十一月十五日，遠在評審發表的半月之前，並且此前既已纏訟很久，何以連這些事都未弄清，就選拔爲傑出青年。未免太草率，太不負責了！這樣選出的得獎人，那獎還有什麼意義。

其實這在台灣已不算希奇的事了。彰明不就是曾選過十大優秀青年之一嗎？第一屆十大優秀青年中的一位王昆，不就是殺人兇犯嗎？其所以如此者，從技術方面講，是由於敷衍塞責，並無切實的考查評審；從原則上講，則往往不是憑關係講分贓，就是當局把名器當作酬功，或拉攏的手段而從未想認眞的選出衆望所歸的眞人物。這樣的選拔，就是不出這些笑話，也不會引起獲獎者的榮譽。只看看自由中國的各項學術獎金，就是明例。台灣有各項的學術獎金，試看有幾個學者，或作家因得到了學術獎金而受到社會上特別的尊敬呢？尤其是許多有骨氣的學者作家，甚至有不屑爲務的趨勢。這樣的獎金不如不辦。

「名器」得者應自愛

近些年來，自由中國的各項榮譽制度，學術獎勵，逐漸增設，這是非常好的現象。但要能眞正達到鼓勵作用，必須愼重其事，認眞不苟的作才行。若像現在這樣草率的作法，則不僅只是變成諷刺，那又還有什麼意義呢？

最後奉勸那已經獲得國家名器大人先生們，還多自愛一點，勿論在朝在野，都不要不甘寂寞，招搖生事，貽禍蒼生。

・成公・

自由談

想起「麥卡錫主義」

二次大戰期間，國際共產黨徒利用美總統羅斯福倡行所謂「新政」（NEW DEAL）的機會，大量滲透到美國政府以及文化教育機構，幹出了許多危害自由世界的事情，而以出賣中國給俄共集團的行爲尤稱傑作，貽禍迄今猶烈。幸而戰後有位國會議員麥卡錫毅然以反共的急先鋒自任，搜集一切資料和證據，在參議院大聲疾呼，檢舉一般首要的共諜及其同路人如希斯，懷特，拉鐵摩爾，居里，謝偉志，范宣德等，分別經由法院究處，或判刑，或撤職，或流竄海外，即國務長官艾其遜亦以共黨同路人的嫌疑，不安於位，使共黨在美國的潛勢力爲之萎縮不振，厥功甚偉。

因此之故，美國民主黨人士對麥卡錫參議員恨之刺骨，遂出「麥卡錫主義」的名詞來，加在一般反共人物的頭上，有如一頂黑帽子，逢人亂拋，藉以箝制反共人士之口。不幸麥卡錫議員忽然中道謝世了，繼起無人，致令轟轟烈烈的反共運動頓告消沉，眞是「君子道消，小人道長」，而美國的內政外交政策，乃凌亂無章，構成今天這樣既不能強又不能弱的艱危局勢，「人之云亡，邦國殄瘁」，信有徵也。

當麥卡錫參議員逝世之際，美國左傾報紙如紐約時報等，不斷地刊出攻訐麥氏的文字，譏爲阻礙進步的反動份子，無怪其然。詎台灣報紙上亦發生同類的評論文章，我曾在本報前身「自由人」撰文予以譏嘲，認爲膺受共禍最烈，飽嘗國破家亡之痛苦滋味的中國人，萬無攻訐麥氏之理——除非他是個潛伏在台灣的共諜！

現在以美國爲首的自由國家，姑息思想泛濫，妥協主義流行，而我中華民國在國際間的處境日見艱難了。此時此事，最應注意的即爲防制共諜乘機竊發，張爲幻，很需要有麥卡錫這類反共志士崛起，對共諜及其同路人摘奸發伏，毫無假借，先把自己內部健全起來，消弭蕭牆之患，然後纔可使朝野人士同心協力，一致從事自立自強工作，以期轉捩國際逆流，克奏反共復國之功。非如此，我認爲國家民族前途即很難樂觀。過去招致神州陸沉之禍的基本原因就是共諜作祟，再不提高警覺，嚴切防範，又讓共諜滲透台灣，乃至在政治上發揮作用，後患寧堪設想嗎？我希望鐘鳴鼎食的大人先生們，在侈談經濟起飛，工業建設與革新便民等問題時，仔細觀察自己前後左右的親信幹部中，有無共諜及其同路人以雙料忠貞姿態，處於其間？戒之哉，宜勉力！

馬五先生

教宗在菲遇刺

宇文来

教宗在菲律賓遇到刺客，一個相當有名的抽象派畫家曼杜沙，化裝成教士模樣，身懷利刃，幾乎造成流血五步的驚人事件，幸而菲總統拳腳了得，一腿一掌打退刺客。這事無疑是引起世人矚目的一項重大新聞。

關於這一新聞所可能涉及各種政治因素，各報都有評述，在此不擬贅述。值得提出來談一談的，是它所反映的當前時代的文化思想背景。

當前時代的文化思想背景是什麼？在政治思想，軍事現勢方面，共產黨正不斷構成對自由世界的威脅。同時，自由世界，以美國爲首，雖然是站在反共立場，但因物質文明的進步，科技人員變是時代的寵兒，無形中唯物思想佔有壓倒的優勢，對一切的藝術作家，文藝作家，很容易不知不覺地變成虛無主義者。這是自由世界內部最大的隱憂。

曼杜沙是抽象派畫家，所謂抽象派畫家也和野獸派畫家一樣是十足的虛無主義者。他在被捕以後，供出他行刺教宗的動機是，消滅世人迷信的偶像。曼杜沙到過中國大陸。究竟他是否毛共嗾使，在菲政府尚未公佈全部案情之前，固然不能妄加揣測，但至少曼杜沙是一個無神論者，是一個同情共產黨的人，殆無疑問。

目前在世界各地，有無數各行各業的人，雖然不是共產黨，却在替共產思想鋪路。所以，在對共產黨思想鬥爭方面，必須提高人類精神生活，強調宗教信仰自由。因此，台灣治安當局取締「嬉痞」，禁穿奇裝異服，並非限人民生活自由，而實在是防止虛無主義的潛深滋暗長必要的一種措施，亦即是反共總體，戰不可缺少的一部份。

新聞綱外之言

北市府會之爭未了
情勢複雜愈演愈劣
議員求表現未免操之過急
高市長手腕靈活沉着應付

（自由報台北消息）台北市府會磨擦，實際上自從去年十一月議員選舉就已經種下惡因，留心台北市政的一位人士指出，市長高玉樹政治嗅覺靈敏，一看情勢不妙，於是先發制人，市府斷然下令强制執行拆除林挺生議長所主持的大同公司違建車棚，意在政治與論上造成有利形勢，將來府會之間有了磨擦，便是林議長挾嫌公報私仇。林挺生沒有政治經驗，也不夠警覺，果然上了大當。一年下來，鬧得天昏地暗，焦頭爛額的，反是林挺生，并不是高玉樹。

今年一月當選議員正式就職，第一次大會期間，林議長親率全體議員，興高采烈，訪問市府聽取簡報，俾便瞭解市政狀況。高市長以事屬創見，不會親出歡迎，由秘書長余鍾驥主持簡報并予接待，議員們深覺不夠意思，高玉樹事後聲明理由是與外賓有約不克分身，但在府會關係上從此潛伏下一股失合的暗流，當然在高玉樹意料之中。

如果高玉樹仿效當年吳國楨應付民意代表那套本領，府會之爭，也許可免，也許較遲發生，不會一觸即發，而且不可收拾。

三月間議員們根據建築師和部分市民的反應，認爲市府逕自公告騎樓設置標準，是侵害市民權益，曾經數次邀請高市長蒞會說明。高市長認爲現代都市新建都應有騎樓，派建設局長答覆議員質詢已經夠了，並以各種不同理由拒不列席。議員們認定議會是市府的老闆，市長不聽議會招呼，雖然說不上大逆不道，但已違反了民主（某議員曾自況爲董事，市長是經理）。爲了建立威信，爭回面子。於是成立專案小組，調查市府「違法濫權」案。

專案小組進行調查期間，高玉樹仍然不肯低頭，府會間或明或暗磨擦，有增無已，針鋒相對，勢成騎虎。及至五月十二日專案小組提出報告，列舉「違法濫權」十六項，分呈行政、監察兩院，府會交惡，終於爆發。

在這期間，中國國民黨台北市黨部，雖曾從中斡旋，希望府會之間互相忍讓和睦相處，否則勢必影響市政建設順利推展。無奈各走極端，徒爲意氣用事，林挺生議長又是國民黨中常委，市黨部在協調方面雖欲有所作爲，終無大用，府會關係，只有眼看他步步惡化，市議會又拉進監察院、陽明山管理局，事態愈趨複雜，治絲益棼。魯仲連從此不再復生。

現任台北市議員四十八位，其中只有十五位曾當選過市縣議員或省議員，這個以新人爲主的議會，原應極其單純，只因議長林挺生也是政壇上新起的人物，加以議長及全體議員，時時刻刻以提高議會地位和聲望爲念，無時無刻不在希望有所表現。

但也無容諱言，經驗不足，又操之過急，尤其遇上久經戰陣，手腕靈活的市長高玉樹，議員諸公，顯得手足無措，處理議場糾紛，更是一籌莫展。那些接近議長的議員們，只憑熱血沸騰，毫無會場經驗，又無政治修養，就難免在議會裏，有意無意的爲議長帶來許多麻煩。

即以這次（十一月六日開始）總質詢爲例，應質詢的問題太多了，照常理來說，原不該首先特別專對「違法濫權」一案，質詢高玉樹執行政院核示各點的改進情形。林挺生議長不應事先不知內情，若是手法老練，就應運用影響力勸說打消，改變質詢內容，或另設法在質詢進行中製造高潮。相反的這次幾乎鬧成休會僵局的，正是擁護議長力求表現那些議員所引起。他們忽畧了一項事實，如果眞正鬧成罷會抗議，高玉樹固然難堪，林挺生議長並負不了這個責任，中央問起來，又將如何交代？

高玉樹市長對這一質詢，當然倒盡了胃口，他應付這一狂風暴雨即將來臨的場面，先要了一手太極拳，囑秘書長向議長表示，請議員先把送到市府的質詢唸一遍。一經議長宣布，部分議員怒火中燒，立即爆炸，紛紛指摘市長無誠意，葉生進議員急不暇擇，直指高市長爲「調皮」，其激憤情緒，想像可知。但高市長卻喜怒不形於色，坐在那裏文風不動，好像以觀衆身份跑來看熱鬧，議員們看了他那份不着急的樣子更是怒不可遏，已經有人醞釀罷會，予高玉樹以難堪，

老師議員陳明大義
語重心長發人深省
勸勉和睦相處勿用意氣
市政質詢風暴化險爲夷

這時有位深明大義的女議員，是當年高玉樹讀小學時候的級任老師賴張玉珠女士，他起立發言，次日台北各報均有刊載，因爲全文簡短，但其意義深長，特照抄於次：

「今天我想請教一個與質詢無關的問題，因爲我與高市長是同學，所以市長的事情，我非常關心。現在我當議員，你當市長，這是難得的緣份，可是年紀比較大一點，可以看清楚你的做人做事。我覺得心裏一方面非常榮幸，但是另一方面也非常緊張。我認爲一件事要辦好，天時、地利、與人和有非常重要的關係。譬如台灣如果不光復的話，高市長你再聰明，再有天才，也都當不了市長。你生長在台北市，死也要在台北市，一生在台北市爲民衆服務，總統特別提拔你，這是台灣同胞的光榮，更是你一生的光榮。所以你一定要好好的做下去。你所經歷的苦難經驗也不少。現在我就議會立場，覺得本會的議長也是工商界大企業家，也是總統所特別提拔爲中常委的人。你們兩位都是很難得代表了我們台灣同胞最優秀的人才，現在我們更應該相互團結共同爲台北市一百七十萬市民服務，在這一共同目標下共同努力。所以我們議會並無任何成見。你身爲市長所想不到，看不到的地方，甚或你的幕僚所做不到的，我們同仁都會給你幫忙，所以議會的意見你要採納。也正因爲如此，府會之間必需要互相尊重，至於像你對於本市許多馬路建設，一般市民都的很欣賞你。不過作人想不到的地方也免不了，所以我們應當和和氣氣的不要鬧意氣，互相尊重。」

賴張玉珠這一席話，口氣似專對高玉樹而發，其實也教訓了所有在場的人。賴張玉珠是台北市石牌人，今年六十三歲，師範畢業，歷任小學教師，四度當選台北縣議員，他到底老練，這幾句語重心長發人深省的話，高玉樹也確實聰明，瞭解到老師的用心，受了感動，休息十分鐘再開會，高玉樹立即登台聲明，大家旣是同爲市民服務，不必一定爭論口頭質詢口頭答覆，昨天所送書面質詢，我現在口頭答覆，但是下不爲例。其實，議會又是畫蛇添足，自己找來了麻煩，旣要立即口頭答覆，何必先送書面質詢。

有人問立法委員，高玉樹要議員先唸質詢稿，他纔答覆，有無法理根據，這位立委答得很妙，他說，議事規程，高玉樹可能比任何人研究都透澈。

民國以來，搞實業有成就而又從政活躍一時的人物，當推商務印書館力主科學管理的王雲五總經理，王氏成名之後，被政府延攬由參政員而部長而行政院副院長，當時有人譽之爲「甘草」，自稱爲「百搭」，其政治修養到家，應付得法，可以想見。林挺生議長旣有意問政，欲求在政治舞台上有所表現，應先拜王雲五爲師，學些乖巧，必然政通人和，無往不利。

據熟悉議會的某人士分析，高玉樹已經着手在議會裏結交一些議員，不甘孤立挨打。議員當選是靠選民，選民各自形成主流，助選人也就重要，選民們或是親友居住在市區裏遭遇任何問題，很自然的拜託議員代爲周全，事實上議員本身也無作法，要爲選民服務，仍然需要市府官員負責出力，倘與市府對立則於事無補，越是資深的議員，越是瞭然實點交情纔凡百順適，在彼此需要情形之下，高市長在拉攏議員這方面，顯然有了相當收穫，否則這次總質詢就不可能化險爲夷，平靜的避過了風浪。

質詢一味責難
跡近吹毛求疵
從未提出有益市政意見

府會之間的爭端，市民們都看得很清楚。所以有人說：如果所爭是有利於地方建設，倒也不失議會立場，情有可原，可惜都是些消極性的責難，跡近吹毛求疵的意氣之爭。從未見有人提出建設性有益於地方的建議，議員忽畧自己的立場，發言把握不到原則，必然得不到市民的共鳴。

有幾位新進的議員私下表示，自覺人微言輕，不能發生作用，下屆不再競選了。由此可知議會內部也有很多不同的意見。

高玉樹處處賣弄聰明，雖有政治手段，而無政治家丰度，仍不脫五百年前一人升官，雞犬登天自私的家族觀念，其用人不當，尤爲政治前途最大障碍，對輿論督促，社會淸議，向置不理。

有人說，議員們，如果眞心以市民爲重，爲地方建設仗義執言，高玉樹市長可議之處，確實不少，自前議會所表現，雖然實了力，但在一般觀感上反予人以「高玉樹四面楚歌，動輒得咎」的印象，議員諸公，應即反省，痛自檢討如何有所作爲。促進市政建設，向選民們有個交代。

今春監察委員陶百川到市議會演講，說市議會有監督市府之權，而本身無糾彈之權，今後可與監察院配合，等語，這可以表示監察院本身自知無作爲，有意借重外力。

後來市議會對抗市府不過，果然乞靈監察院，指控「市府違法濫權」，監委也就不肯放過機會，借題發揮起來。在行政院核示市府改進以後，監察院又據議會指控調查而後，神秘其事，五人小組訪問議會，全體議員茶會歡迎，這些均失常態，費時半載，才鄭而重之向行政院提出糾正市府案，又拖上過尾巴，行政責任將另作處理。不外是彈劾全移送法院，予人以口實，在市民間，又流傳許多謠言。

令人不解，監察院若如司法比擬，究竟是檢察官身份，非告訴乃論？還是推事身份告訴乃論？抑是檢察一體也可以奉命執行公務？與市議會一唱一和，難免使人同一失望，政治責任是甚麼？政治藝術究竟是甚麼？

陽明山管理局名爲市府所轄，市長巡視，潘其武局長囑主任秘書接待，局長溜之大吉，事後傳出「三朵鮮花，一杯開水」故事，這故事是說，市長到達獻花一束，只有三朵，進內開會，一杯開水不放茶葉。北投、士林兩區公所門外雖有老百姓聚集歡迎，區長也避不見面。潘其武爲官清廉，甚得轄區民衆愛戴，但其怪誕不經，忽視體制，亦爲淸議所不許。市議會旣無質詢，監察院職司風憲，未聞有人褒貶，高玉樹吃了閉門羹，也是面不改色，究竟是怎麽一回事，民主法治標準在那裏，市民們只有苦笑的份兒了。（會議）

萬博憶遊（中）

韻石

十二日用過早點後，天理教海外傳道部，派專車兩部，送我們去萬國博覽會，幷派譯員做嚮導，因此這場參觀極爲順利。在這裏，我要特別提出，曾經充任若干年駐日本公使的張伯謹先生，他在我們八人中是結伴同遊者之一，但到日本後，我們因爲他是舊地重遊，便推他爲團長，在我們對日人的國民外交中，他的一舉一動，都循外交禮貌去應酬，居然不負衆望，獲致意外成功。

當我們接近萬博會塲時，眞是人如潮湧車如雷，只見五光十色的霓虹燈遍地閃爍，電動機械器物到處滑動，萬頭攢動，各館門前均排長龍，恍惚進入了丈二金剛摸不着頭腦之境，伯謹先生首先帶着大家去找中國館，見了劉館長，談談及參觀程序，但劉館長所能影響的，祇有中國館和韓國館，他派副館長引導我們參觀了韓國館，也請禮賓官領着我們先參觀中國館，但裏面所陳列的。（未完）

台北傳奇錄（九〇）

陳光棣

「你們帶着孩子去吧」！劉二爺和藹的說。

「您去看嘛，難得的機會」。步成材問着劉太太：「您也很少出去走走」。

「好吧，戲票擱在桌子上吧，我們去散散心也好」，劉二爺冲着劉太太：「把票錢拿個姑爺」！

「不要，不要！」步成材連說帶退，一轉身走出了房門。

劉二爺夫婦果然在六點多鐘離家外出，步成材看到他們出了弄堂口，才去找金恆貴。

「鑰匙有沒有」？金恆貴問。

「從我太太手提包裏找到一把，她到她爸爸那裏都是直來直往，不要叫門」。步成材說。

「咱們去吧」！金恆貴夾起了報紙包。

「越快越好」！步成材有點緊張。

兩個人到了劉二爺家門口，聽了聽沒有動靜，步成材打開門鎖，一閃身擠進去；進來吧，老夥計」！

金恆貴進了房門一直走到廚房，站到洗菜的水池子去，沒有費多少事就揭開了一板天花板，順手把報紙包丟到裏面去，又把天花板恢復原狀，一轉身回到地上：「我的事辦完啦」！

「你倒挺內行，連我都不知道他們這裏有一塊活動的天花板」！步成材佩服的讚賞着。

「這你都不知道，咱們這個弄堂裏的公寓房子家家都一樣！我可先走啦！」金恆貴掏出幾疊鈔票遞給步成材，輕快的走出劉家，消失在黑暗裏。

步成材揣起鈔票走進臥房，掏出預先配好的鑰匙開保險櫃，不想剛一拉把手，保險櫃的鐵門就開了，步成材反而嚇了一跳，他兩手發着抖再打開裏門的暗門一看，櫃裏空空如也，什麽東西都沒有。步成材罵了一聲，關好櫃門，匆忙的走出劉家，猛一抬頭看到對門賴先生正向他不停的作揖。步成材驚惶之餘也冲着賴先生作揖，咀裏連說：「不敢當，不敢當！您才回來呀！」沒想到賴先生忽然拉長了臉。這時在墻角發出吃吃的笑聲，步成材一歪頭看到一位清湯掛麵髮型的小姐，才明白過來是怎麽回事。

「你答應給我買的房子怎麽樣啦？你說了話究竟算不算數」？清湯掛麵迫着賴先生。

「老天爺，明天我來找妳，咱們再合計」！賴先生央求着：「妳先回去好不好」！

「明天你要是再不來，我可是還到家裏來找你，也許你太太喜歡跟我談談」。清湯掛麵說完咯登咯登的下了樓梯。步成材呆呆的看着，一時也不敢鎖門。

（未完）

台北的麻將牌

·文滙樓主·

普通旅客如果携帶麻將牌，撲克牌這類品物進入台灣，海關檢查人員認係違禁品，予以沒收；但台北市街上却有商店公開出售麻將，撲克牌，百無禁忌，這也是一件怪事。

政府以「禁賭」的理由，不許本國商民製造麻將牌之類，違者處罰；但日本出產的同樣賭具，在台灣傾銷無礙，家家戶戶皆購置日本的麻將牌，讓日商獨佔賭具之利，正表現了「寧與外人，不與家奴」的作風，這也是一件怪事。

玩牌固不能說是正當娛樂，能夠禁止，誰說不好呢？可是，打麻將早已視同「國技」，十個中國人之中，依最低估計，至少有五個人樂於此道，而在國法上幷非犯罪行爲。卅年前，司法院對內政部請示人民在家庭玩麻將牌，是否適用違警律案，曾有明令解釋，說是凡不在公共場所聚集多衆，而以賭博爲目的者，不爲罪。玩麻雀牌對國家榮譽亦無害，日本在二次大戰前，東京即到處設有「麻將俱樂部」，任由民衆在內玩樂。美國人玩麻將牌的更不少，此與歐美社會的「橋牌」同屬娛樂工具，沒有甚麼大驚小怪的意義可言。

名爲禁賭，而挨家挨戶有雀牌之聲；不許本國商人製造雀牌出售，却讓日本出品在國內公開販賣；這就是中國傳統的官僚主義政象表示，掩耳盜鈴，虛應故事，是亦不可以已乎？

假使爲政者眞能「知恥，知病」，切實反省一切官樣文章之無裨治道，而採取平易近人，實事求是的措施的話，我建議徵收雀牌娛樂稅，規定一桌牌收取新台幣三十元，製定正式收據三聯頁，交由警察派出所經理其事。就台北市而言：人口在一百七十萬名以上，每天至少亦有上萬桌的牌局，區區三十元台幣的稅捐，牌友們滿不在乎，且免除了突遭「敬言先生」破門抓賭的威脅，一定踴躍輸將，取不傷廉，一個月即可收得數百萬元稅欵，以之調整警察人員的待遇，綽有餘裕，同時又可消弭一般升斗小民常以違警細故受罰的怨聲，誰不饒歎！若夫聚集多衆而以賭博爲目的其他賭局，並不在玩牌之列，自應依法查禁，不成問題，究竟是玩牌娛樂，抑係聚衆豪賭？必然逃不過當地警察人員的耳目，不會發生混淆之弊的。香港市民在街邊可以玩牌，却不能在高樓大廈內多衆聚賭，犯者决難倖逃法網，即其例證也。

宏揚孝道與復興文化（三）

·黃嘯菴·

孔子對孝道非常重視，他說：「吾志在春秋，行在孝經」，當時有人勸他從政，他說：「書云孝乎，惟孝友於兄弟，施於有政，是亦爲政」。他以爲在家能孝友於兄弟，便是爲政；爲政之道，便是孝友罷了。他又說：「入則事父兄，出則事公卿，喪事不敢不勉」。入則事父兄，便是孝友，能孝友於父兄，亦必能事於公卿，喪事不敢不勉，完全是「事死如事生，事亡如事存」的精神表現，足見孔子認孝友是爲政的基本修養。

行孝之道，不限於父母身體之所受，尤應超越其身體，求其精神上心志之滿足，孝經有云：「身體髮膚受之父母，不可毀傷，孝之始也，立身行道，揚名於後世，孝之終也」。故爲人子者，一方面要自我深重，不辱其身，一方面應積極進取，求自我發展與理想的實現。詩云：「夙興夜寐，毋忝爾所生」，孝經：「孔子曰：君子之事親孝，故忠可移於君；事兄悌，故順可以移於長；居家理，故治可以移於官；是以行成於內，而名立於後世矣」。就是這種說法。

孝的義蘊既明，我們進一步要來探究孝的價值。

第一，從家庭制度方面來研究——人類發展到社會性的組合，每個人的生活，便有賴社會上分工合作結構的完整性；也就是說，人除了在社會結構中，將無以達到生活的目的。因而爲了保持社會結構的完整性，便有了生育制度。可是人在活着的時候，雖賴社會結構的完整而得到生活的保障，然而有時却不是盡如是，譬如人到老年，工作能力喪失了，但仍需要生活，便不能只賴社會機構的完整所可保障；若眞的老而即死，還沒有什麼問題，就怕當這已老而未死的階段中，老年人需要保養，那只有靠家庭中自己所生育的兒女，所謂「養子防老」正是爲了老年可以得到兒女的侍奉。這樣，人對於自己的生活，才算有了一個完整的安排。所以中國傳統家庭最優美的特徵之一，是對老年的尊敬，這就是中國孝道最大的價值。

第二，從治理國家方面來研究——在我國古籍上，人倫之教，早在唐虞時代便已形成，堯典：「克明俊德，以親九族，九族既睦，平章百姓」。堯平章百姓，先從親睦九族開始，親睦九族，又要先從親親開始。堯讓天下於舜，因爲舜是一位孝子，孟子說：「堯舜之道，孝弟而已矣」。舜讓天下於禹，照孔子所說：「禹菲飲食而致孝乎鬼神」可見禹亦是一位孝子。湯武革命，順乎天而應乎人，湯雖不以孝稱，但他有「聖敬日躋」之德，在一家內自然亦是孝子。到了文武周公，子思稱其爲「達孝」，從堯舜禹湯文武周公踐位行禮，敬其所尊，愛其所親，完全是孝的傳統，在政治上的表現，是最淸明的時代，可見孝道對治理國家的價值。

第三，從平治天下方面來研究——儒家倫理觀念及政治觀念，都具有世界性，不以一國一民族爲限。孟子說：「人人親其親，長其長，而天下平」。又說：「孝子之至，莫大乎尊親，尊親之至，莫大乎以天下養。爲天子父，尊之至也；以天下養，養之至也」。蓋凡能本於天性，爲仁孝，以齊家治國者，自可以此愛人之心，更擴而充之，以平治天下。所謂：「老吾老以及人之老，幼吾幼以及人之幼」，則天下可運於掌。

(三)重視孝道不違背時代潮流

我國自五四運動以後，爲要趕上西方物質文明，就有人主張「全盤西化」論調，甚至數典忘祖，竟有提出「打倒孔家店」的口號，更加共匪邪說橫行，論理道德，幾蕩然無存。我們現在要中興復國，非從恢復我們的論理爲中心的文化不可。但是中國文化復興運動推行將近四年，而成效迄未顯著，尤以孝道更未被重視，一般醉心西方文化教育的青年學子，還有少數被認爲這是封建社會的產物，不適合民主時代的潮流，殊不值得提倡，此種觀念，急須予以糾正。（未完）

朱子（二）

吳怡

而現在君主被小人所包圍，宰相和諫議大夫又都失職，使得全國的命運危在旦夕。但君主仍然蒙在鼓裏，而不自知。朱子這篇措辭激烈的文章，可說罵遍了朝中的文武大臣，連孝宗也包括在內，所以孝宗看了，不禁勃然大怒，便聽信宰相趙雄的話，把他貶到江西常平等地。

由於他治績很好，孝宗又轉而信任他。但朝中的許多小人們，却視他爲眼中釘。曾多方設計陷害他。如監察御史陳賈，侍郎林栗等，便故意排斥朱子所傳的「程學」是僞學，企圖從根本上打倒朱子的學派。雖然並沒有達到目的，但孝宗這人耳根很軟，沒有定見，使得朱子或貶或升，始終沒有得志。

後來孝宗禪位給光宗，光宗禪位給寧宗，這時朱子已是六十六歲的高齡了。但他仍然熱情如昔，看不慣韓　冑的跋扈，上書直諫。不料寧宗非但沒有採納他的意見，反而聽信韓　冑的讒言，使朱子被免而歸。於是反對派便乘這個時候，指責朱學是僞學，橫加禁止。甚至有些小人誣陷朱子聚徒結黨，有窃國之嫌，應斬首以示衆。這樣由僞學一變而成爲叛黨，想不到黨禍的激烈，居然到了這種程度。其實朱子和反對派所爭執的，只有一個問題，就是反對派在外交上主和，而朱子却極端的反對和議。

朱學被誣一變而爲叛黨，這是從學術問題，一變而爲政治問題，情況顯然很嚴重。當時許多跟從朱子問學的人，都深怕遭到連累，紛紛離開他。有的隱避山林，有的過門而不入；有的却狎遊市肆，表明自己並非道學；有的甚至轉入反對派，來誣陷朱子。

這次的打擊，對朱子來說，的確是空前的。但他並不因此而灰心，而失意。相反的却鎮靜如故，仍然每天與親信的門生講學不輟。他的大弟子蔡元定（別號西山），因黨禍被貶道州，在臨行前曾來話別。但師徒兩人僅談論一些學術上的問題，對於被貶逐的事却一句未提；而且也毫無怨尤和恐懼的表示。因爲這時，他們已把個人的生死置諸度外。所以朱子在寫給朋友的信中會說：「我一身的利害，算不了甚麼？我所深憂的是：秦始皇焚書坑儒的暴政，將要殃及我們的學術了」。

這時，朱子已是六十九歲，已是他生命的最後兩年。由於平日用功過度，身體衰弱，而且又患了嚴重的眼疾，所以不能閱讀，也不能寫作。但他並沒有放鬆下來，仍然把他最後的一點精力用在講學上。就在他逝世前的兩天，看到許多學生來探病，便勉強支持起來，帶着重病，爲學生們詳細分析濂溪的太極圖，和橫渠的西銘。這是他最後的一次講學，第二天，便安然而逝了。

當時，反對派聲言：如果四方的僞徒聚合，送葬僞師的話，將以謀亂罪處罰。儘管反對派如此的威脅，由於朱子精神的感召，遠來送葬的，仍然有一千多人，可見朱子的感人之深了。

朱子的一生，在政治上雖然由於情感的激昂，而頻遭波折。但在學術上，他的深思明辨，身體力行，却使他成爲道統的繼承者。他一方面潛心於寫作，留給我們一部博大的文化遺產；一方面綜合各家學說，開創了新的思想方法。同時，更努力於文教，建書院，訂學規，定了此後七百年來的教育思潮。

朱子作品的博大，的確是前無古人的，然而那絕不是粗製濫造的多產，而是配合了寫作的辛勤，和態度的謹嚴。

他曾這樣的說過：「以前我用心良苦，思考一個道理，往往像過獨木橋一樣，相去雖在毫釐之間，但一失足，便有粉身碎骨的危險」。由於他對每一個小小的問題，都鄭重其事，不肯輕易放過。所以他孜孜苦讀，未曾一刻放鬆。即使臥病時，大家勸他好好休養，而他却一見晨光，便立即起床，不停的閱讀，不停的寫作。有時甚至爲了一個問題，而推敲整夜，忘了睡眠。他的一位朋友曾屢次的勸他，少寫作，多休養，而他的回答總是：「在世間，吃了飯後，全不做些子事，無道理。」

由於這樣的苦讀，使他博覽羣書，舉凡天文地理，儒墨道釋，以及詩詞歌賦，他都有精心的研究。因此使他的著作，不僅博大，而且精深。現在先把他的作品，列一個清單，來觀摩一下：

（未完）

諸葛亮狂想曲

（一七四）

·劉玄·

張果老遂將呂洞賓的意思，說了一遍。何仙姑聽後，微皺娥眉，輕輕地說：「這節目單是經過王母娘娘過目的，怎好變動呢。」

張果老說：「那我去回復呂洞賓罷。」

「慢，等我想辦法看。」何仙姑用玉手掠了一下鬢髮，這是她動腦筋的慣常動作。

張果老靜靜站着，等何仙姑的下文。

張果老爲了呂洞賓見獵心喜，想上台表演，來找何仙姑商量，何仙姑開始感覺爲難，後來一想，呂洞賓到底是自己人，不能讓他失望。

「這件事本來是很困難的，但你老的面子，我總得想個辦法。」何仙姑很技巧地把交情賣給張果老。

「這倒沒有什麼，假使眞有困難就作罷好了。」張果老是老實人，那裏聽得懂何仙姑話裏面文章。

「請你等我一下，我現在就去找王母娘娘的女官。」

何仙姑走到南面草坪去找瑞鳳。瑞鳳，瑞鳳是王母娘娘最寵愛的兩位女官，尤以瑞鳳更得娘娘信任。

「瑞鳳姐姐，我有一件事想請你幫幫忙。」何仙姑滿面笑容，咀吧也很甜。

「什麼事？仙姑，你不必客氣，只要我能辦到的事，我一定效勞。」瑞鳳在天庭與何仙姑交情最厚，所以說話的態度最誠懇。

「呂洞賓呂道友想登台表演劍術，以博娘娘一笑。」何仙姑爲爭取時間，不再兜圈子說話，直接點題。

「那很好嘛，當然可以。」瑞鳳女官立刻表示同意。

「不過什麼？」

「不過在節目單上，因爲呂道友登記較遲，沒有來得及編印進去。」何仙姑耍了一記花招。

「這很容易，等一會我向娘娘報告一下就行了。」瑞鳳女官果然有辦法，說話肯負責任。

「那就一切拜託了，謝謝，謝謝。」何仙姑解決了問題，心情愉快，步履也顯得格外輕鬆，幾乎是連蹦帶跳地回到張果老身邊。

「事情進行得怎樣？」張果老年紀大了，說話慢騰騰地。

「不辱使命，事情已經說妥了，你去關照呂洞賓準備登台罷。」何仙姑接着又說，我還有點事去處理，說完像一朵彩雲似的冉冉飛去。

張果老走路很慢，剛移動了兩步，呂洞賓趕忙三步併兩步迎了上來，與何仙姑擦肩而過，何仙姑看見呂洞賓，一捏手指打了一個響子，同時向他扮了一個鬼臉。呂洞賓已瞧料了幾分。

「謝謝你，事情已經辦成功了。」呂洞賓見了張果老，不等張果老開口，先向他道謝。

巨變歷險記！

大其力（一七九）

胡慶蓉

大其力，是緬甸大大有名的地方，也是景棟大大有名的地方。對於駐紮大猛蓬的中國游擊隊來說，更有他特別的地位。

大其力這個地方等於台灣的基隆高雄，大陸的上海廣州，是緬甸景棟接近泰國的一個口岸，是緬甸景棟接近寮國的一個口岸，也是緬甸景棟接近高棉越南的一個口岸。從這個口岸坐公路車可以直達泰國的清邁南邦，曼谷，這邊可以直達景棟臘戍，由臘戍向南可以達曼德里仰光，北可以直通雲南昆明，以至整個的大陸。

大其力雖然位於泰緬交界的地方，在兩國交界的地方，在丁博士部隊到達大猛蓬的時候，大橋已經斷了。據云是被炸斷的，三十八年丁博士到達的時候，橋就已經斷了，是鋼筋水泥做的，斷的橋樑還懸在那里，鋼筋露出來，還可以清楚的看見。橋並不長，長不到三丈，寬不到一丈五，下邊就是大其河，此河從山上下來，到橋下的時候水還很窄，但過橋以後就變大了。此河就在大猛蓬附近與湄公河匯合，大其力河是泰、緬兩國的天然疆界，大其力河的這邊是緬甸地，在河的那邊是泰國地。大其力的對面是泰國的夜市（女旁、以下同）。

大其力的地點就外交來說，就軍事來說，就經濟來說，均無比的重要，但在英國統治的時代並沒有什麼經營。緬甸是民國卅七年元月七日才獨立的，我游擊隊到達大其力的時候，是民國三十九年初，距離緬甸獨立才不過一年，緬甸政府也沒有注意及此。雖然通泰國的橋被炸斷了，但並阻止不了兩方面的交通。只有大卡車汽車不便來回，人民的來回還是一切照常，在斷橋旁邊，建築起來一道竹橋，就是大卡車汽車，也有方法渡過來渡過去。更方便的是緬甸這方面並沒有警察把守，泰國有警察把守，但並不在斷橋的地方，遠在橋的那邊，遠在半里路之外，遠在夜市之門。再加上斷橋的左邊，一直到湄公河邊，大其力河水非常淺，跋涉毫無困難，因此往來並無不便。

大其力也設有縣治的，有負責的縣長，而且有縣衙門，縣長公署有警察局，有警察，有警察局長。但因為大其力是景棟同中國有深遠的歷史淵源，有不可分解的血統關係，又因為一直是未定界之內，其對於中國，還是認為本國的國土，因為緬甸以繼承英國在政治上自居，特別緬甸政府沒有提出任何的異議，景棟儼然就是緬甸的地方了。但景棟的土司，景棟的官員，對中國人，對中國的官兵，還是親如家人，親如子弟。我游擊隊到達大猛蓬後，大其力的警察局長，並與各官長甚至弟兄們一見面。這邊為答謝他，給了他一支手鎗。弟兄們出入大其力不需要什麼，只需要不着軍裝，不戴軍帽，隨便作什麼，他們都不問。

大其力的縣公署，就在一座山的旁邊，這座山正對着通泰國夜市的橋，而且距離並不遠。從縣衙門到橋，有一條寬寬的馬路。山頂上還有房子的，奇怪，緬甸的國旗同中華民國國旗，簡直沒法分辨，簡直一模一樣，特別從遠處看去。緬甸的國旗也是藩地紅的，左上角是青色，繡着五個星星。丁博士第一次看見的，真以為是中國的國旗，心裏好高興啊！

紐約來鴻

美國的月亮並不圓

萬有

（略）你們都開學了吧？古人說「一年之計在於春，一日之計在於晨」，在這年度的開始的時候，應該好好自計努力用功。你們在家裏，一切舒適，想想遠在美國的我，你們應該如何把握機會加緊努力。

你們來信問我來美的觀感，我現在就來拉雜的寫一些，雖是初來，乍看，但我相信，也有許多事是你們以前想像不到的。

來到美國一個禮拜才發現帶來的東西簡直太多餘了，說起來你們一定不相信美國一般研究生裏能有一套西裝的人簡直是鳳毛麟角（連領帶都沒有，那天我把張伯伯給的那條花領帶送他，他高興極了）你們花父母這麼多的錢而不能比別人有更多的成就，真是慚愧萬分。當然我不是要你們矯俗干名，但你們不要太依從台灣的奢靡之風了，有一個觀點你們絕對要澄清，就是電影電視與現實生活有極大之出入，美國生活絕不似演戲那般寫意的，就好像中國人也沒有一個人像平劇裏那樣講話，更沒有穿着那種衣裳的。這個比喻當然未必恰當，但這是基本精神是演戲與實際生活是絕不同的。像我來美的一個禮拜還沒穿過皮鞋、和西裝，所以我建議小弟將來來美穿一雙光面皮鞋和帶一雙翻皮鞋，再加上三雙短筒球鞋就很夠了（來美皮鞋要大一兩號，否則天乾一縮，就不能穿了）。

在出國前不管別人怎麼講，心裏總有一個信念：出國雖未必怎麼好，總比在國內能獲得發展。到現在才發現是不對的，就拿××為例，在國外苦了十一年雖然拿到了學位，但是他所過的生活，住的房子和社會上的地位，那裏能跟馮××比呢？他們所過的生活，真若是還不如一個在台灣洋行做事的小職員過的好。×××常胃痛，××媽常感冒頭昏，定定毛弟鼻竇炎，那個人敢去看醫生，還不是就這麼拖着。你也許覺得我講這些話太不上進，但是這確確是千真萬確的事實。這來講，像最近鬧起失業問題，就更不是那麼回事了。美國失業問題之嚴重，尤其在我們這有色人種上，特別明顯。許多沒事做，依然仍在洗碗端盤。（×媽知道）普渡之物理博士又不願拋頭露面做下等事，又不願回台。結果竟在殯儀館做洗死人的工作，真是慘矣。至於像××這種混的還不錯的人，也是苦的很。來美十一年全家沒在館子中吃過一次飯，丫五姑他們環境好，擁有五棟房子，但是整櫃子衣服就一件夠上整齊清潔的，所以想以一個外國人打進外國人的上層社會還生根，簡直一件不太可能的事。剛見報說徐賢修放棄在美高薪，而就清大校長，真是滑天下之大稽，以美金化台幣，當然是高薪，然而這些記者就沒想到在美國是化美金，而在台北公共汽車票一元五角，而在美國只要超過五站，就得要二十四元，甚至四十元。這些新聞記者，造成一般國內盲目的崇洋媚外，真是太不應該。還有在美國，看到這些沒有尊卑長幼的情形，實在極不順眼（台灣學生來久了也一樣。）老師學生好像一樣大，父母子女好像也沒區別。少時父母辛苦把他們撫養長大，等到他們一進高中大學，就脫離家庭，遠離父母。一年半載能來看你一次，就算不錯。你想，還有那個父母熱中於養育子女。父母不熱中養育子女，社會問題和人口問題是必然的結果。這裏留學生子女都差不多美化了（楊××和馬××的兒子，在洛山磯都成了嬉皮）。倒是那些土裏土氣了老華僑的後代，還保存了中國的傳統，所以到底是上層社會的做法對呢？還是下等人對呢？真令人不解。千言萬語，無從說完，只好留着以後慢慢談吧。

最後還有一點不能忘了告訴你們的，就是你們現在要儘量享受中國菜，何況媽媽的菜又是作得有名的好，現在若不利用機會享受，將來到美國後，就要後悔莫及了，在中國城中國菜簡直鬼扯，一個中碗酸辣湯賣六塊錢，倒是真的又酸不辣（在台很難找的酸和辣）但全不是那麼一回事，麻婆豆腐更是可笑，好大好大一塊，反正就是這一回事，意思到了而已。夜深了，想來你們正是六日下午，正要快吃晚飯的時候了吧！真饞！（寄自紐約，聖若望大學）

黛眉小傳

李冶（一）

·王幻·

唐代的女道士過着浪漫無束縛的生活，倒也自由懶意，但決非出於下意識的自賤心理；她們大多數都有不足為外人道的緣由，否則，以其聰明學養，決不會像那些無知無識的娼妓一樣，過着「一生張熟魏」的賣笑生涯，而失去人性的尊嚴。當然，李冶一定也有她說不出的苦衷。

繼魚玄機的故事之後，再來談談另一位女道士，也是女詩人，李冶的韻事。

李冶字季蘭（青樓小名錄及太平廣記作秀蘭），烏程（吳興）人。她的姿容很美，神情瀟散，別有一種風韻。幼年就專心翰墨，稍長善彈琴，尤工詩。她在六歲時，作「詠薔薇」，內有「經時未架卻，心緒亂縱橫」之詩句，她的父親見了，很憤慨的說：「此女聰黠非常，恐為失行婦人。」後來果為女道士，與文士交遊，性情浪漫，富幽默感，好作雅謔。她常在來炎（刀旁）中，與山人「陸羽」及上人「皎然」意甚相得。皎然嘗作詩打趣她道：

天女來相試，將花欲染衣。
禪心竟不起，還捧舊花歸。

她的「湖上臥病喜陸鴻漸至」一詩云：

昔去繁霜月，今來若霧時。
相逢仍臥病，欲語淚先垂。
強勸陶家酒，還吟謝客詩。
偶然成一醉，此外欲何之。

由詩中顯示，她是懨懨多病身，多愁善感，猶如曹雪芹筆下的黛玉，而且他們的感情亦很純真。所言「偶然成一醉，此外欲何之？」正代表她的心聲。

她有錦繡的才華，她有經世的知識，不幸生為女兒身，設若她是個男子，儘可以發揮其才華，運用其知識，倚身士大夫階級，開創一番事業。但她畢竟是個女子，在當時以男性為中心的社會，總認為不足與謀大事，只可供作人生過程中的點綴，好像識瓶花，擺在眼前欣賞。於是，即使她有滿腔才，又有何用？她既不能作積極性的反抗，換句話說，也不容她反抗；但又不安於過着那種單調供人奴役的愚婦生活，甚且不見容於當時的環境，才做了女道士，來消磨那不幸的受創之生命。有時逢到知心的詩友，從茫然中清醒過來，低吟一句「偶然成一醉，此外欲何之？」便清淚盈睫，泫然欲滴了。

我們再看一下，和她意甚相得的兩位方外之友，是怎樣的人物，藉此更可瞭解她的真實面。

陸羽字鴻漸，不知其身世。相傳竟陵有位智積禪師，得嬰兒於水濱，育為弟子，及長，恥從削髮。以「易」自筮，得「蹇」之「漸」云：「鴻漸於陸，其羽可用為儀。」乃以陸為姓，又從而定名與字。少年時，匿優人中，撰「談笑」萬言，後遁去。上元初年，隱居苕溪，閉門讀書，與名僧高士，談飲終日，貌寢口吃而辯；與人約，雖阻虎狼不避。自稱桑苧翁，又號竟陵子，工古調，詩興極閑雅，著書甚多，嗜茶，著「茶經」三卷。扁舟往山寺，唯紗巾、籐鞋、犢鼻、擊林木、弄流水；或行野中，誦古詩，徘徊至月黑，興盡，慟哭而返。與皎然和尚為忘年之交，詔拜太子文學不就。貞元年卒，鬻茶之家，陶其像置於煬器之間，祀為茶神。（未完）

自由詩壇

五十九年國慶書感

臚歡度國慶。山海共優遊。白日光天漢。秋風蕩兕旐。我心憂故土。人自樂危舟。涕淚思維亂。悲愴哭九州。

第十五章

岳飛孤軍奮戰　趙立楚州殉國

周燕謀

岳飛的事業，建基於建炎四年杜充降金之後的幾次大捷，連勝金兵六陣於廣德，克復建康。也就是說他的資本，是接收了杜充的部隊；當然由於他本身內在的條件得到部下的擁戴。其他杜充下部將十數員，如傅慶、戚方等，皆與岳飛同列，但都未能在艱苦中脫顯而出。這就不能不歸功於岳飛本身主觀優異條件之所致。因此，我們說岳飛之能脫顯而出，良非偶然。

岳飛任命為通泰鎮撫使之後，他上了一道奏章，求免通泰鎮撫使，請除淮南東路鎮撫使。他要向最危險，最重難任的地方去發。他疏中說：

……契堪金賊侵寇虔劉，其志未艾，要當速行剿殺。若蒙朝命允飛所乞，乞將臣母妻為質，免通泰鎮撫使，止除一淮南東路重難任使，令飛招集兵馬，掩殺金賊，收復本路州郡，伺便邀邏收復山東、河北、河東、京畿等路故地，庶使飛平生之志得以稍快，以盡臣子報君之節。

從岳飛的奏章中可以看出他的素志，和他的愛國忠君的思想。他願以母妻家小為質，向最重難任之地去報效國君。此時岳飛收降杜充之部及收編賊兵降卒，總計已有兵七萬人。他最大的危機就是缺糧草、裝備。他請求向平州府、常州、江陰等處支撥糧米三萬斛，以備渡江之需。又乞借兩浙，淮南路鹽鈔一百萬貫以作充軍餉。

建炎四年八月，金兵撻賴之軍寇揚州，兀朮屯軍六合，企圖從運河引舟北歸。宋軍趙立在楚州，薛慶在承州，扼住兀朮北歸之路。旋撻賴從孫村引軍來會，決定合攻楚州，以便北歸。

揚州鎮撫使郭仲威開訊，與承州天長軍鎮撫使薛慶相約，共拒金兵。薛慶急速備戰。及薛慶去到揚州見郭仲威商議拒敵之策。薛慶見郭仲威，毫無拒敵的打算，置酒高會。薛慶見此情景大怒道：「胡虜壓境，這豈是飲酒行樂之時麼？今我為前鋒，汝當繼行。」言訖上馬而去。出了揚州西門，從騎只有百人，沿途有金兵，轉戰十餘里，只失蹤三騎。郭仲威仍按兵不動，金兵當住去路，薛慶只好折回揚州，郭仲威閉門不納，驚惶墜馬，被追來之金兵所殺害。他的坐騎逃馳回到承州，守城軍士見了大驚道：「太尉休矣！」郭仲威棄了揚州，奔到興化，金人長驅犯承州，揚、承二州皆陷。八月金兵犯楚州。楚州守將趙立，立為徐州人，個性強毅，素不知書，忠義出自天性，恨金人入骨，所俘金人立即處死，未嘗獻首計功。（七十三）

自由報

（第一一二二期）

（半週刊每星期三、六出版）
每份港幣壹角・台灣零售價新台幣弍元
社長李運鵬・督印黃行賢
社址：香港九龍彌敦道593—601號 廖創興銀行大廈八樓五座
LIU CHONG HING BUILDING
7th FLOOR FLAT '5
593—601 NATHAN ROAD,
KOWLOON, H.K.
TEL: K303831
電報掛號：7191
承印：景星印刷公司
地址：嘉咸街廿九號地下
台灣區業務管理中心：台北重慶南路一段一二九號
電話：二四五七四
台灣區直接訂戶 台灣劃撥戶
第五〇五六號張萬有（自由報會計室）
台灣分社：台北市西寧南路110號二樓
電話：三三〇三四六、台郵劃撥戶九二五二號

本報社論

泛論我國當前的經濟建設

·劉平·

記得對日抗戰末期，曾被蔣帝與毛共指爲「托匪漢奸」的陳獨秀，在重慶報紙上發表關於論文，他質詢國民政府的經濟建設途徑，究竟是走資本主義路綫呢？抑走社會主義路綫？當時僅由國民黨中央宣傳部長葉楚傖發表談話作答，說資本主義的經濟發展是專講生產而不管分配，形成無政府狀態，以致弊害叢生；民生主義的經濟發展律卻注意分配，當然不是走的資本主義路綫。陳氏認爲不滿意，說他所要探究的是生產所有制問題——即經濟建設的基本原則，分配尚屬次要，自後即未見有人答復了。這問題到今天還值得研討。

廿年來，我們朝野一致主張建設台灣爲三民主義模範省，經濟政策當然是遵從民生主義方略，不成問題。可是，我們若仔細觀察，卻不能說沒有問題，換言之：表面看來不成問題，按諸實際則問題很多，事關建國大計，未可漠然置之。

民生主義的主旨爲「節制資本，平均地權」，這是婦孺皆知的常識。台灣經過一次土地改革後，平均地權問題雖未完全解決，大體上總算不錯，所差的是都市土地部分尚待改革，以致一些資本家在都市中以炒地皮而成爲暴發戶者，所在多有，可說是「平均地權」的一大諷刺！還有鄉村間已經依法改革的農地，由於工業日益發展，人口遂漸集中都市之故，自耕農擁有的土地，是否又恢復舊時的兼併集中現象，殊堪顧慮。日本在戰後盟軍佔領時期，亦曾實行土地改革，小農皆分配自耕地，據說現在由於農村人力缺乏，生計維艱，土地又慢慢地集中於少數資本家之手了。目前台灣一家擁有若干萬坪農地者亦不少，這證明土地改革尚未達到預期的目的，仍須繼續努力。

談到節制資本，國父遺教指示很明白，是要節制私人資本，發展國家資本的。如鋼鐵、電氣、汽車、造船、水泥等工業，皆任由私人經營，自由發展，而其資金、原料與技術等，除唐榮鐵工廠與水泥廠外，百分之九十皆仰仗外國人，沒有絲毫的民族工業氣息，台灣祇是供應廉價的勞力而已。民生主義固然主張利用外資，但其主權必須操之在我，若資金、原料與技術都由外人支配着，主權倘能說是「操之在我」嗎？最壞的經濟建設方針殆莫過汽車工業了。台灣獨一無二的某汽車公司產品，百分之九十的原料與技術，都倚賴日本供應，資本額也可以想見矣。然政府卻以「保護民族工業」的理由，特許該公司壟斷專利，既不許本國人再經營同樣企業，亦不許外國汽車自由進口，而該公司的本質，幷無「民族工業」的影子可尋，這是民生主義的經濟建設路綫嗎？此不特說不上民生主義的經濟建設，即視舊有的資本主義經濟發展情形，亦落伍得不堪想像，實爲典型的特權資本企業，發展國家資本云乎哉！

台灣是島國，與丹麥、挪威相同，就經濟建設的先後緩急關係而言，應以發展航業爲首務。距經過了二十年來的光陰荏苒，航業卻呈現着「一枝獨萎」的景色。國營的招商局坐吃山空，朝不保夕，迫使其將技術人才以雇傭性質向民營航業界求出路，而一個新興的民營造船業「揚子公司」，亦由民意機構予以摧毀了。現有一所造船公司，其內容亦與前述某汽車工業相伯仲，完全脫離了民生主義的範疇。時人談到航業，每以董浩雲相誇耀，實則董氏的航業基礎多在國外，那只是一個非共的中國人在海外創造的事業而已。台灣眞正是由政府有計劃發展的經濟建設事業，祇有紡織工業這一項，這應歸功於勇於負責，而迭受民意機構紛議攻擊的前任經濟部長尹仲容，尹氏去世後，紡織業的蓬勃氣象亦隨之減退了。

台灣的金融企業，表面看來很發達，公私銀行林立，還有「合會儲蓄公司」、「信用合作社」、「區合會」等名堂，跟銀行業務大致相同，而所謂民營銀行儲蓄公司的資金，官股亦佔十分之四以上。實際上，這些金融機構，無論公營私營，只不過是一所以營利爲目的之錢莊或當舖罷了！按照民生主義的經濟建設方畧，國營銀行的經營目的，應以福國利民爲前提，卻非純粹商業性的牟利店舖，爲着達成某項經濟建設的目的，雖賠錢亦所不惜；其他各個民營銀行，既有將近半數的資金額來自公帑，亦應該在政府指導監督之下，有一定的營業方針纔對。然而，這些林林總總的金融機構，無一不是純以營利爲主，國營銀行雖由政府分別規定其業務範圍，各有專司，實際是掩耳盜鈴的官樣文章，從來就不作無利可圖而於國有益的業務，名爲國家銀行，實係專門與民爭利的錢莊當舖。歐美各國資本主義國家的商業銀行，對於工商企業的放欵，祇要有切實計劃，查核認爲可行的，即予照辦，手續甚簡便。我們的銀行呢，不管內容如何，一是皆以保證賺錢爲本，年終結帳，只問盈利若干，不問業務經營是否合乎法令規定的職責，但求賺錢，雖放高利貸亦無所謂。同時對於有權有勢的人物，又隨便可以放欵，有貸無還，因而呆帳累累，更不能不用開當舖的方法，向升斗小民方面，撈取利潤以資挹注。至於合會與信用合作社的經營方式，又比當舖更厲害，且對人民生活與社會生計更少裨益。然當舖絕不致發生倒閉情事，今之所謂信用合作社也者，於吸收存欵之後，因從事投機業務失敗而宣告倒閉的，時有所聞，這與民生主義的經濟建設宗旨，不是背道而馳嗎？

要節制資本與平均地權這兩項目的，毫無疑問，非採取計劃經濟政策不爲功。可是，基於上述的經濟發展情形，唯一的毛病，即係漫無計劃，一切憑着一時的高興而爲之，無原則，無步驟，人的因素支配着經濟建設方針。例如高速公路之建造，耗費龐大，在台灣這樣狹長的地區內，鐵路與公路四通八達，實在沒有必要，何不將這筆鉅額經費，用之於其他關係國計民生更重要的建設事業呢？據說，主管經濟事業的機關，近又準備創立「開發銀行」，誠不知所謂開發銀行的業務是那些？它與現有交通銀行所負的職責有何區別？濫設機構，多置冗員，適所以腐蝕經濟機能耳。經濟官員隨時侈言「經濟起飛」，而以美國當局誇稱我國經濟發展到了「自給自足」程度之說，引以自慰。實則這是美國爲要停止對華經援的一種藉口而已。我們的經濟是否發展到了「自給自足」階段，他們心裏比咱們更清楚，不說別的，台灣的大衆傳播工具——報紙和電視企業，如果沒有外國商家的廣告，立刻便沒法維持，這是經濟起飛到了自給自足的現象嗎？談一般的政治問題，不妨稍涉夸大虛嬌，談經濟建設卻不能離題太遠，且不能專以取悅外國人爲主，否則我們要建設台灣爲三民主義模範省的說法，也就會變成宣傳詞令，烏乎可呢！

（完）

昨日與明日

陳繼廷被訴與高玉樹今後何以自處問題

·正言·

台北市政府的紅人秘書處機要科長陳繼廷因向所屬單位索賄，經司法機關偵查終結，罪證確實，被台北地檢處以貪污罪嫌提起公訴。在政治革新的口號大唱特唱之際，這一事件實值得提出來加以檢討。

在官級上，陳繼廷並不算是大官，可是他在台北市政府的聲勢，大有一人之下，萬人以上之概。一而再，再而三，公然無忌，竟令下屬將金錢送至辦公場所，套取戲詞裏的話，如此強索，眼睛裏還有法律嗎？還有市長高玉樹嗎？還有政院長嗎？陳某何以如此膽大妄爲，顯然有所憑藉。憑藉者何？高玉樹市長的裙帶庇蔭也。因爲他是高玉樹市長的姻親，陳妻是高市長的堂妹，又是市銀行的高級職員，他以爲既然是高的親信，市府大大小小，就得買他的帳，誰也動不了他，所以便吃定下屬了。

檢察官對陳的起訴書，有幾句話非常中肯：被告陳繼廷（四十歲，湖南人，在押）身居台北市政府市長機要秘書之職，掌理機要事務及財務印章，與市長之關係至爲密切，理應不負所託，竭盡所能輔助市長，以謀市政之發展，奈竟藉其權勢，跋扈專橫，對於市府所屬職員及有關商人予取予求，公然索取不法金錢，共計六筆，達新台幣八十餘萬元，敗壞體制及風紀，莫此爲甚，應請從重量刑，以儆不法，藉收革新政風之效，並依法追繳其罪所得財物。

檢察官代表國家，既然將貪污份子起訴，將來陳繼廷應坐何罪，祇有聽候法官的裁決。目前社會注意的乃是高玉樹市長將何以自處？既然乃弟楊玉城和高姑媽犯罪於先，又有至親陳繼廷舞弊於後，可見高市長內舉不避親的政策，出了不少毛病，而手足和至親如此幹法，不僅違犯國法，也折了高市長的爛污，挖了高市長的牆角，如此忘恩負義，恩將仇報，豈不令高市長大爲傷心。

陳繼廷總算好漢作事好漢當，不要錢之事，一口承當，聲明高玉樹市長並不知情。果然如此，則高市長既然事前不徹底瞭解陳之爲人，可謂缺乏知人之明，而事後對陳之多年種種違法，毫無所知，也可謂疏於失察。陳案對高市長縱無刑責，但行政責任，高還是應負的。照台北市議會檢舉高市長濫權枉法十六案，又足見高市長爲人精明幹練，喜歡管事負責，何以對近在咫尺的機要秘書胡幹胡爲，毫無發覺，局外人眞是莫名其土地堂也。

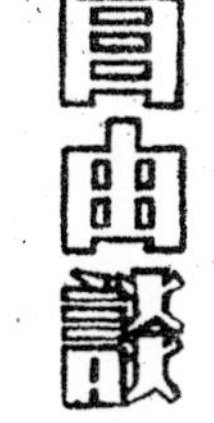

政治上的小報告

政治上的小報告與國家特設之情報機構的機密情報迥異，後者專是偵查叛逆或貪污事件，關係整個國家的安危禍福所在，古今中外任何政府，皆有這種措施，正大光明，言之有物，只是形式上不一樣而已。前者卻是官吏之流，個人爲着邀寵求榮，伺機對統治者秘密獻媚的不正當行爲，造謠誣衊，無所不至，永遠見不得天日。小報告之流行與否，因人因時而然，未可概論。凡屬英明睿智的統治者，對人對事皆有其深刻的觀察和辨別力，即不屑聽取左右親信的小報告，以免徒亂人意，且可杜塞讒言佞語之困擾，養成公正廉明的政風，進而實現盛世之治。史稱宋代中葉有人把蘇軾所作的咏柏樹詩，向神宗告密，說是意存誹謗，乃大不敬，應予究處，帝答以「彼自咏柏，與朕何干？」使進讒的佞幸小人，自討沒趣，而政風爲之肅然。清代中葉有人把主考鄉試的查嗣庭所出試題「維民所止」，說是暗將「雍正」二字截去了頭，大逆不道，而雍帝即大興文字獄，殺人不少。越至末葉，有人將岑春萱與梁啓超的相片合攝一幀，密報慈禧太后，而岑氏遂告落職。這便係小報告的例證，其他類似情事，不勝枚舉。

政治人物打小報告的情形，古今同然，勢所難免，而以亂世更多。原因是亂世的統治者，每注意於一般從政人員的忠誠問題，而讒佞小人乘隙抵罅，藉小報告以表自己是忠貞份子，摭拾細節末務，深文周內，羅織成詞，對異己者肆行傾軋構陷，企圖博得主子的信任，達到升官發財之目的。這類小報告縱使沒有事實根據，只要指說某人「思想有問題」，即足以聳動主子的聽聞，有所考慮，無形之中，乃使讒佞小人得逞，馴致正義消沉，公道泯滅，醸成「封閉的社會」狀態，一般正人君子皆視從政爲畏途，望望然去，亂象隨之激化。其始也簡，將畢也鉅，小報告之害，豈勝言哉！

爲政之道而倚賴小報告以求治，等於冥行暗索，一定治絲益棼，毫無是處。國家特設機構對於叛逆或貪污事件的情報，可說是「大報告」，值得留意。若夫左右親近和一般官吏的小報告，那是鼠竊狗偷的行爲，沒有一顧的價值，絕之便！

馮五先生

發揚鍼灸國粹

吳惠平

（自由報台北消息）十二月十七日為中華民國第九屆鍼灸節紀念日，全國鍼灸醫界人士定於是日下午二時假台北市中山堂舉行慶祝大會，將由中國鍼灸學會理事長吳惠平主持。出席大會人士除中國鍼灸學會全體會員外，尚有台中、高雄、嘉義、雲林、新竹、花蓮、桃園、台北等各縣市鍼灸學會的會員前往參加與會。全國性的中醫學術團體與台灣省中醫師公會理事長梁進光及該會理監事暨各縣市中醫師公會的理事長也已應邀將列席觀禮。

此次專程來華參加我國第九屆鍼灸節慶祝大會的外賓，計有日本中醫師總會代表中川雅嗣、立光傳。韓國漢城特別市漢醫師會代表朴勝九、崔鎮昌、李貞圭。泰國中醫師總會代表吳天恕。比國代表白彥士。越南代表張敬華。香港代表趙少鸞、巢培全、胡炳浩等。

大會中除討論發揚人類保健的鍼灸醫術等重要提案外，並有國立中國醫學研究所出刊的「鍼灸專輯」，暨高雄市中醫藥學會出版的「鍼灸專號」，新醫藥的鍼灸特刊，以及中國鍼灸學會發行五彩的「鍼灸世紀」以上四種鍼灸特刊，均係為第九屆鍼灸節而出版，將在慶祝大會時普遍分送與會人士。

十七日為第九屆鍼灸節紀念日，全國鍼灸醫師於下午二時假台北市中山堂光復廳舉行慶祝大會，有一千餘人出席，由中國鍼灸學會理事長吳惠平主持，吳理事長發表告全國鍼灸同道書，全文如下：

全國的鍼灸同道們：

今天十二月十七日是我們中華民國第九屆鍼灸節紀念日，十五年前的今天，惠平聯絡同道，發起籌組中國鍼灸學會，以努力奮鬥的精神，為我們中國鍼灸學會的誕生響起了前奏，旋於民國五十年十二月廿七日內政部前部長連震東先生，以台50內社字第七四三九一號通知核定十二月十七日為鍼灸節，到五十一年十二月十七日我們假台北市中山堂光復廳開始舉行第一屆鍼灸節慶祝大會，這就是我國歷史上由鍼灸醫師所開創的最光榮，最偉大的紀念日！十二月十七日。

民國四十四年四月惠平代表中華民國中醫藥學會應邀出席日本東洋醫學會第六次大會，返國後，即聯絡鍼灸同道於十二月十七日在台北市惠平醫寓，召開發起人會議，成立中國鍼灸學會籌備委員會，一致推舉惠平担任籌委會主任，內政部派李國安先生指導，第一次籌備委員會議亦於該日舉行，從四十四年十二月十七日起，到今天已經十五年了，十五年不是一個短暫的時間，然而往事如繪，猶在眼前，回憶十五年前，中國鍼灸學會籌備委員會籌備的時間長達三年之久，籌備會議舉行了十二次之多，及至四十七年九月一日召開成立大會，一年後理監事會方才開始活動，那時的心情來比十五年後的今天，大家熱烈慶祝佳節，就會覺得當時的憂心與現在的歡樂，却有天壤之別。

總統於中華民國五十五年十一月十二日令定 國父誕辰為中華文化復興節，全國各界組成中華文化復興運動推行委員會，我們鍼灸界同人，恪遵 總統蔣公訓詞，完成復興中華固有文化的使命，大家站在本位積極努力。

各位同道們：我們在這中興基地的台灣，從事發揚鍼灸的工作，艱苦的渡過了二十個年頭，可以說，我們是克盡了最大的努力，更沒有浪費時光，歷年來，出版中、英、法、西班牙文等鍼灸圖書，製造鍼灸銅人，展覽鍼灸文物，電視電台播放鍼灸，開設鍼灸醫院，出席巴黎國際鍼灸大會，在華召開國際鍼灸會議，舉辦鍼炙研究班，聯絡港九方面的鍼灸學者蘇天佑、梁覺玄，法國的屢昧愛、雷居松，英國的華士禮、司坦普，美國的安伯蕭、白魯克，墨西哥的雅利浦張塞爾，日本的明石輝信等，相繼成立鍼灸學會和開設鍼灸學校或學院。

在我們中國鍼灸學會的整個歷程中，無不以團結同道為主力和核心，貢獻智慧，努力研究，精進不懈地朝着世界醫學邁進，以前的成果暫且不談，茲將去年第八屆鍼灸節以後到今天第九屆鍼灸節之前的一年當中，又吸收了歐、美、非、亞四洲十國的醫學博士來華研習鍼灸，今年八月二日在台北市自由之家又召開了一次具有時代意義的國際鍼灸會議，經常做着國際醫學人士喜愛的研究工作，這種蓬勃的現象，決非是偶然的熱潮，再往深一層看，的確是補充世界醫藥不足的需要。

開發台灣東部資源
北廻鐵路籌備興築
定線測量工作已開始進行
全部經費十九億三千餘元

（自由報台北消息）政府為開發東部資源，加速經濟發展，決定興建北迴鐵路。北迴鐵路定綫測量已於今年十月底開始工作，自蘇澳向花蓮進發，預定明（六十）年八月測竣，而購地工作亦着手籌備。

北迴鐵路之興建，完全是因為台灣省政府主席陳大慶的全力支持，其所需要工程費新台幣十九億三千三百萬元，按照工程費籌措計劃，省府補助八億五千萬元，出售省有交通大廈與民衆大廈預定地價款二億三千六百餘萬元，台灣鐵路局投資舊鋼軌材料四千七百萬元，及向國外借款八億元，預定四年完成。此項工程，將由省交通處新設「北迴工程處」負責辦理。北迴綫沿綫多山工程艱鉅，故每公里平均工程費達二千一百餘萬元。

本報記者隨國會記者東部訪問團於十一月底，前往東部作為時三天之參觀訪問，聽取花蓮縣和台東縣地方各界人士的意見。由於東部交通建設落後，對外運輸困難，雖有森林，礦藏之富，迄未開採利用，形成東部人民生活的貧苦。例如，台灣雖有兩家電視公司，住在台東縣境內約三十萬人迄今仍無電視接受機，因此，該縣地方人士呼籲政府從速解決這個問題。據悉：如在台東縣設電視轉播站，需投資新台幣四千萬元，而觀衆不足三十萬人，故兩家電視公司基於利潤緣故均未投資。若從政治，文化方面作深入之觀察，便不能完全以「生意經」來決定投資與否。政府對此事應予解決。

國父有言：「交通為實業之母，而鐵路又為交通之母。」目前世界交通發展，公路雖較鐵路為迅速，但在開發地區，鐵路仍極重要。欲期東部地區之經濟急速發展，開發成果顯明收效，仍當先從興建環島鐵路着手。政府決定先建花蓮至蘇澳之北迴綫，長八十一公里，工程費用約十九億餘元；花蓮至台東原有鐵路拓寬費用七億八千萬元。

東部資源：東花兩縣之耕地面積有限，但地下資源豐富，其全部價值為一萬一千九百五十七億九千萬元。

根據建設廳五十五年底統計，全省各種礦區計有六〇六處，東部佔有四八四處，達百分之七九點八。礦業資源：蘇澳至花蓮市之間，即北迴鐵路沿綫範圍，經發現探測之礦藏資源，計有：化工原料之結晶石灰石二百億公噸，價值一萬億元。建築用材之大理石三億八千萬公噸，價值一千九百億元。白雲石一千九百萬公噸，價值九億六千萬元。滑石七十五萬公噸，價值二億三千萬元。石棉五十萬公噸，價值兩億元。錳礦一百七十五萬公噸，價值三十五億元。磁鐵礦三百萬公噸，價值九億元。礦產蘊藏量合計為：二百零四億五百萬公噸，計值一萬一千九百五十七億九千萬元。

東綫鐵路北段，即花蓮市至玉里鎮之間，其礦產資源尤為可觀，其中僅以奇美銅礦蘊藏量即有八千萬噸，可供百年開採，淨值新台幣四百億元以上，現正由中央主管單位修築道路，加緊鑽探，籌劃開採。根據台灣省土地資源開發委員會統計，其他礦產價值約八千餘億元。東部礦藏豐富，未能積極開發，實為運輸困難，運費太高所致。既時自大濁水運出礦物，致蘇澳或花蓮距離均約六十公里，卡車運費每噸為一百三十元，每噸公里運費約二．二〇元，如北迴鐵路通車，改由鐵路運輸，依現行收費標準計算，每噸公里僅需〇．二五元，較現行公路運費降低九倍。由此可見，北迴鐵路之興築與東部礦藏之開發，有決定性之影響。

林業資源，據林務管理機關統計，北迴鐵路沿綫有南澳、大濁水、研海等事業區，分屬於林務局蘭陽及木瓜兩管理處，其可開發之森林，包括國有林、公私有林、山地保留地林等，約有五萬二千公頃，其蓄積量為一千八百萬立方公尺，扣除生產投暴可獲純益新台幣六十六億七千餘萬元。至東綫鐵路北段之花蓮市以南玉里鎮以北的森林資源，尤為可觀，如木瓜、林田、玉里、大巴壟、秀姑巒等事業區蓄積量均極豐富，全部約值七十九億八千餘萬元。

（下轉第三版）

萬博憶遊（中）

韻石

多半是我們過去所習見的古董和文物，當然我們不能滿足，但參觀中韓兩館，不經過長時間排隊，而走終南捷徑，省時省力，且有人從旁講解，也就值得心感了。接着，為了覓取省事省時途徑，伯謹先生探知萬博會總負責人石阪泰山正在會場，乃以電話聯絡，石阪居然在百忙中立即允見我們這一羣，足見伯謹先生在日本高階層中實具有影響力，也可證明張與石之間是有深厚友誼的。據說：石阪泰山與足立正兩大工商界主力，乃日本自民黨之眞實支持者，佐藤首相上台與蟬聯，均賴此所謂工聯與商聯之經濟力量與社會力量為背景。足見石阪在產業界地位之重要。工業國家能做到社會領袖，尤其能被推為領導羣倫的萬博會會長，也可證明其社會地位的崇高，因此；我在這裏不惜辭廢而加以推介。

上午二時，應約去到石阪寫字間拜會晤談，原意只希望找點方便，能不經排長龍而參觀美國館和三菱未來館……等等，但經洽談結果，方知明天即須按預定計劃閉幕，絕不延期，因每天所耗各種電費即達百萬美元之巨，多延長一天，各種開支即不計其數實感吃力，因此最後幾天，各館（尤其各重要館）擁擠現象，幾不能插足，估計本（十二）日參觀人數可能達六十萬，有的人排隊三五天還沒法進入館內參觀，所以用貴賓參觀的辦法，各館也因無法應付，一律停止。當石阪把實況告訴我們後，大家俱感失望，時間已不多了，只能宮牆外望。不料正在繼續寒暄與交換意見時，石阪似乎對張先生感到歉咎，乃自動回約我們（十二）日由其秘書伯勤陪同參觀日本政府館及三菱館，明（十二）日請我們參加閉幕典禮，頓使我們心花怒放，正應着中國兩句古詩「山窮水盡疑無路，柳暗花明又一村。」我們的願望便從另一角度得到滿足了。當石阪撥電鈴喚其隨從秘書來時，告以陪同參觀日本政府館及三菱館，并劃定八個座次在貴賓席，請我們參加閉幕禮，其秘書面現難色，謂三菱館已日發生小問題，可先參觀日本館，并謂：「明日典禮席次早已排定，一個座次都不易排入，八人更毫無辦法。」石阪乃正色告之：「這八個貴賓，無論如何應設法劃定座次，快去查明辦妥，即來陪同去參觀。」其秘書始知我們八人受到石阪重視，退後不久再來回報：「席次已安排妥當了，下午四時派人去取入場證和識別證。」（未完）

台北傳奇錄（九一）

陳光棣

：…」「她是我的親戚，這這些劉親戚眞是：…」賴先生說了一半點點頭縮回家門。步成材如逢大赦，一溜烟的跑回家去，坐在椅子上喘氣。

劉二爺夫婦在馬路兜了個大圈子，看看時候差不多了才回到家，劉太太發現房門沒有鎖，冲着劉二爺笑笑：「也許你猜對了！」

「這個人眞是沒有用，連壞事都作不好！」劉二爺不住的搖頭：「他們大概也快來了，咱們等着吧，家裏什麼東西都不要動。」話沒說完，桂先生就帶着兩個刑警來了，其中一個刑警很容易就從天花板裏面找出金恆放的報紙包。

「您眞猜的不錯！」桂先生佩服的說。

「他忽然送兩張戲票來，我就知道一定有什麼名堂，沒想到這個人眞就這樣糊塗！」劉二爺莫明的憤慨。

「我們先把東西打開看看吧！」一個刑警說。

「眞是上好的貨色」，另一個刑警看完以後說。

「這些東西流到市面上，不知道要害多少人！」劉太太說。

「眞是荒唐，他們怎麼想起來藏在您家？」桂先生喝了一口茶。

「他們已經被追的走投無路，也許以為放在我這兒最安全，誰也想不到！」劉二爺冲着刑警：「你們兩位料理一下吧？」

刑警小心的把塑膠袋打開，又把每個袋裏的海洛英倒出大約百分之九十，留下十小部份作為證據，之後又倒進一些白色的粉末充數，再把塑膠袋照原樣封妥，用報紙包好，然後再放回原處。

「他們以後怎麼拿回去呢？」桂先生問。

「我們的生活很刻板，什麼時候家裏沒人他都知道」。劉二爺搖着頭：「這個人實在太不爭氣。」

客人都走了以後，劉二爺躺在床上閉目沉思，他一生痛恨販毒，沒想到自己的姑爺和毒梟攪在一起，不管怎麼說，總是自己的親戚，日後如何了局？自己的女兒和外孫女，又何以善後？想起來眞叫人頭痛。

「又有颶風警報」！劉太太聽到新聞報告。

「怎麼到了這個時候還有颶風」？劉二爺翻了個身：「管它呢，有什麼事明天再說！」

蔡先生晚上十點鐘溜回了家，告訴大洋馬：「警察已經開始掃蕩黑社會，我們道上的朋友一個一個的都被關起來，我想先到香港去躲一陣子，一兩天就離開台北，家裏不會有事，妳儘管放心！」

「你走？把我們都丟下？」

「這是不得已，而且也是暫時的」！

美國流行少夫老妻

·文匯樓主·

美國近流行「少妻老夫制」，本港新聞界有甚多精彩報導，特摘錄一篇作為「文匯樓別記」略冲淡自由報的嚴肅氣氛。

美國的婚姻習俗近年出現了一項說小不小，說大不大的轉變；許多丈夫年齡小於妻子。這種「少夫老妻」風氣的，正在美國各地，特別是洛杉磯流行開來。

例如一位叫莊遜的建築師，他現年只有卅歲，但他的當教師的妻子却已四十有五。

由於兩人的年齡相差那麼大，他們婚後頭六個月遭遇過許多令人尷尬的不愉快事件。幸好兩人均受過高深教育，脾氣比一般人為好，因此當一名女侍誇讚莊遜先生很有孝心，竟然陪伴「老母」一起到餐廳進晚膳時，兩人均顯得泰然自若，採取一笑置之態度。

另一次當莊遜夫人親自駕車到丈夫的辦公室接他外出午膳時，丈夫的一些新同事烏龍龍地大聲通知莊遜「你老母找你」。兩人對這種尷尬場面應付得十分輕鬆。他們說他們了解這是別人無意間的冒犯，不應該為此而大發雷霆。他們說，就算對方故意藉此開玩笑，他們亦不會感到氣惱，因為他們之間的愛情太深了，深得足以忘却別人的任何嘲諷。

這對恩愛的少夫老妻是由於有着許多相同的興趣，例如戲劇，旅行及藝術而由認識進而結合，不是由於朋友的介紹或電腦的撮合。他們往來了數年，像「正常」年齡的男女（男子年齡大於女子）那樣談了數年的愛才決定結婚。

莊遜夫婦是美國國內無數「少夫老妻」中的一個典型例子。甚至美國影圈中女明星，亦出現了下嫁少夫的風氣。這些女演員較令人注目的有柯德莉夏萍，瑪莉碧福，李絲莉嘉儂，茜比爾波頓（李察波頓前妻），諾瑪茜莉爾及伊蓮娜柏莉（女劇作家）。

這些女明星的丈夫的年齡雖不盡相同（一些年齡比妻子少一歲，一些少十多歲），但却有着一項共同的特點，熱愛妻子。可以說，兩人享盡了唱隨之樂。

兩年前，洛杉磯一位心理學家新斯女士會應當地電視台之邀在螢光屏上主講男女心理問題。她發現觀衆對「少夫老妻」的課題最感興趣，除了收看她的節目之外，還寫信向她提出有關這個課題的詢問。

「我一共在電視上主講了三百五十課男女心理問題，其中大部份與少夫老妻有關，新斯女士說。

「許多人均不大了解一個女子的生理及心理成長，要到中年才能發展到最高峯，一個女子在少年時期所取得的生理性及心理經驗之豐富，絕非廿餘歲的年青女子所能想像得到，更非她們所能望其項背。一個中年妻子在許多地方所具有的引力，可以抵消與青年丈夫在年齡差距方面所形成的缺憾。」新斯女士說。

她說有許多婦女到她的醫務所，問她「少夫老妻」式的婚姻是否正常。她說，她必須大費唇舌才能令那些準備同年紀小於自己的男友結婚的女子相信，男女之間差距是一件不足重視的小問題，只要雙方感情融洽，性格相同，許多憂慮均會在婚後自動消失。

她說一些中年結婚的婦女担心婚後無法生育，因此令年青的丈夫感到不滿。對於這種憂慮，新斯女士的答覆是：「現在許多地方均有待人領養的孤兒，假使你結婚後沒有孩兒，大可以到孤兒院領養一個。領養的嬰兒雖然沒有親生的那麼理想，但這只是一個短時期的想法，待到孩子進入童年之後，你們對他（她）一定會愛惜得如同己出。事實上，有數不盡的例子顯示許多領養得來的孩子比親生兒女更加孝順。

她說，老妻少夫的感情極少會因年齡的差距而破裂。她指出許多丈夫不但愛護年紀比自己大的妻子，並且會有崇拜妻子的傾向。這是由於他們的心目中，妻子是枕邊人和母親的混合體。至於性生活方面，「老妻」由於成熟較早，處於狼虎年華時期，當然比「少妻」更易令丈夫感到滿意。

東部蘊藏豐富 極具開發潛力

東西鐵車一旦築成通車 各項建設定必欣欣向榮

（接第二版）農漁業資源，蘇澳至花蓮沿途為山岳地帶，目前耕作土地僅有一萬一千餘公頃，收穫價值約一億七千餘萬元。但有待開發之山坡地甚多，只因居民稀少，乏人種植，一旦交通暢達，即可吸引移民，從事開墾。政府正在致力山地開發，將來北迴鐵路通車，因勢利導，除稻谷增產外，對特用作物之推廣與畜牧事業之發展，尤著遠景。此外，北迴鐵路瀕臨太平洋，漁業頗為發達，且富發展潛力。五十八年漁獲量為三千七百餘萬公斤，價值兩億餘萬元。惟花蓮方面因對西部交通不便，魚貨無法運出，僅停留自給自足之階段，一旦北迴鐵路通車，漁獲量必可大量增加。

據北迴鐵路興建促進委員會預測：東部資源豐富而地廣人稀，極具發展潛力，一旦東西鐵路貫連通車，各業勢必欣欣向榮，農林工礦所需人力至多，不但可使東部居民獲得工作，且將引入西部大量人力，對本省國民增加就業機會，實有很大的幫助。

基隆、高雄、花蓮為台灣省三大港，而基、高兩港均呈擁擠，獨花蓮港每年吞吐量僅四十萬噸左右。花蓮港之不振，固由於東部工商不發達，但腹地過小實為其主因，尤其儎運物資輸出之船隻，往往放空不儎運物資進口而返。北迴鐵路興建之後，不但可以減輕基、高二港之負荷，且可使花蓮港之腹，從花、東兩縣延伸至蘭陽平原及西北部地區。

目前基隆港船隻擁擠，貨輪卸貨恆須一週以上，不僅船舶等待，耗費不貲，亦且影響其他地區儎貨行程，引為困擾。一旦北迴鐵路通車，當有許多船隻駛向花蓮港卸貨，再由鐵路轉運西北部，較在基隆港停泊等候而經濟得多。至於輸出方面，西北部貨物，為求減輕在基隆港等待裝船之倉貯費用，亦必借重北迴鐵路改向花蓮港出口，以爭取時效。故北迴鐵路之興建，足以增進花蓮港之吞吐量，而減輕基、高兩港壓力，實無疑義。

至花東線係狹軌，輕便鐵路，運輸量少，而營運成本高，且未與西線貫連，貨物托運因之減少。若北迴鐵路通車，東線鐵路拓寬，使東西線連接，則東線營運既可降低成本，又以運輸路線延伸，運量勢必大增。宜蘭線到因西北部貨物自花蓮港進出，運輸量加多。尤以北部煤產供應東部工業需要，不但解除東部工業發展桎梏，鐵路運輸亦因之增一大貨源。此外，其在政治上，國府上之意義亦頗重大。

談亞運足球

宇文釆

過去在國際比賽中，關於足球一項；香港一直要選出兩個代表隊，一隊代表香港，一隊代表中華民國。於是，台灣的足球運動一直缺乏蓬勃的生氣。搞足球運動的人，也養成了惰性，反正到時有香港僑民上陣，「勝固可喜，敗亦欣然。」

蹴踢在中國是一種古老的運動，在戰前，遠東運動會中華民國一向是亞洲足壇的霸主，此一榮譽從來不讓其他亞洲國家染指。那時候，我們笑日本人是彎了腿絕對踢不好足球。事實上，日本除了田徑或其他球類運動能勝過我國外，足球一向是我國足下的敗將。

現在情形如何呢？日本不惜化鉅大代價，聘請歐洲教練埋頭苦練，日本已到了國際水準。即使我們派出香港選手也非日本之敵。不僅此也，即連韓國，我國足球代表隊遇到他們也是兇多吉少。

以台灣目前的人力、物力、財力，搞好足運應非一件難事，問題是沒有人去認真地做。別的不談，台灣到目前為止，並沒有一個合乎國際標準的足球場，更談不上照明設備了。台灣是亞熱帶，「夜波」球場是必需的。「夜波」球場的設備，不過是幾百萬台幣的事，大概至多不會超過一千萬，可是，一直到今天却無法實現，由此足見我國政府以及企業界人士之漠視體育到如何程度。

在過去亞洲運動會中，足球錦標一向是我國的囊中物，現在連參加的勇氣都沒有了，不知我國的體育當局如何向國人交代？以五年至十年時間訓練一個國家足球代表隊，似乎並不是太困難的事，這次不參加，自然是有其苦衷，如果從此抹掉足球一項，那倒不如什麼也不參加豈非更乾脆？

新聞網外之言

宏揚孝道與復興文化（三）

·黃嘯菴·

我們知道，凡是人類，必有與生俱來的天性愛的眞性，孝道就是這種以這種天性愛的倫理道德為其骨幹，決不與民主時代潮流，有所違反，因為孝的根本精神，最低限度應包含「親親」與「報本」的兩大用意，茲分別闡明如下：

首先，就「親親」的觀點而言，我們知道孝是本於天性，與生俱來，因之人皆有敬愛父母之心，順此本性，擴而充之，由最親以及於最疏，自然流出，絕不勉強，這種天倫之愛，最純潔而眞摯的，都是從親親之義出發的，以此眞純的愛做基礎，再推及他人，所謂「親親而仁民，仁民而愛物」，中國社會與文化，乃能屹立於世界，乘數千年而不墜，中國社會與文化的眞精神，完全建立在這種純潔之愛所出發的親親之義之上。外國民主政治也是主張自由平等博愛的，決不致反對人民親其所親，反對人民愛敬父母的。

其次，就報本的觀點而言，人是父母所生，沒有父母，便沒有我的生命，對父母愛敬，即是對生命的來源愛敬。（未完）

朱子

吳怡

他的詩詞散文，共有一百卷，平時講學的語類有一百四十卷，註釋的書：有周易本義，周易啟蒙，詩集傳，儀禮經傳通解，大學中庸章句或問，論語孟子集註，太極圖說解，通書解，西銘解，楚辭集註，韓文考異等。關於編纂的書：有論孟集義，孟子指要，中庸輯畧，宋名臣言行錄，近思錄，程氏遺書，伊洛淵源錄，小學書，及資治通鑑綱目等。

以上所列各書，都是流行於世，特別著名的。至於其他的著作尚多，無法一一羅列。不過僅憑這些著作，已可看出朱子學問的淵博，精力的過人了。

在這些著作中，最能代表朱子思想精神的，是由大學、中庸、論語、孟子合成的四書集註。他注這本書前，曾寫過三十四卷的論孟集義，及大學中庸或問等書，作為集註的準備工作。在集註中的每一章，每一句，都是經過他的左右思量，前後推敲；而且稍有不妥，便重新再寫，由這樣一點一滴的辛苦而集成的。因此無論在章句的解釋，思想的闡發方面，都有嚴密的組織，特殊的創見。實可說每個句讀上，都點滴着朱子的心血。

這部集註，不是以文字疏解文字，而是以思想發揮思想。他不僅是把個的心血注入了本書；而且是把整個儒家的理想寫了進去。所以這部集註對後世的影響，幾乎是空前的。宋以後的科舉，都以此書為範本。註解中的每一句話，每一個詞，都成為士子作文所依據的旨趣。其受推崇的情形，由此可見一斑。而朱子在近代思想上的影響力，就憑這本書，再也沒有第二人敢望其項背了。

（三）

由朱子的作品看來，他從周易、論語、孟子，一直註到太極圖、通書、和西銘。這正表示他上承先秦的儒學，而下集北宋的理學。可見他的興趣是多方面的，思想是折衷的。因此在他學說上表現得最為獨出的，也就是這種富有調和綜合的色彩。

雖然他承接二程的洛學，但二程終生不談濂溪的太極圖說。而他對太極圖說却有偏愛。他就是以太極為中心，畫出了整個思想的間架。

在太極以上是無極，這是引用濂溪「無極而太極」的說法。不過在朱子的體系中，無極不是另一個比太極更高的境界；而是一個形容詞。形容太極的本體，是無聲無臭，無方無體。但它雖然無形迹可尋的，却在宇宙間，又是無處不有，無時不在的。所以從無來看，是無極；對有而言，却是太極。

在太極以下是理和氣，這是兼採伊川「理氣二元」的說法。不過朱子更進一步的說明太極和理氣的關係。他認為「太極只是一個理」，太極只是天地萬物之理」，所以「人人有一太極，物物有一太極」。但為了表明高下起見，特別稱這個天地萬物最高的理為太極；而稱這人人物物各具有的太極為理。用「月印萬川」的譬喻來說明，月是太極，而萬川中的月影，就是理。（未完）

巨變歷險記！

在部隊方面（一八〇）

胡慶蓉

大其力之重要性，前已言之，如何去運用這個地方，這是以後的問題，眼下最基本的工作，莫要於鞏固廿六軍八軍彼此的團結。

廿六軍，進入滇緬寮泰三角地帶的，他們早已經到了。我說過領導廿六軍進入佛海南嶠的，如葉植楠師長，羅伯剛團長，都是過去—抗戰時期轉戰滇緬寮泰三角地帶的老將領，現在他們將佛海南嶠戰敗的部隊，帶到滇緬寮泰三角地帶，自然是老馬識途，但到了大猛蓮以後，他們二公同台逃職，廿六軍頓失重心，一時人心惶惶，有瓦解之勢。雖然領導的還留有譚忠團長，曾鳴鐘營長……但此二公都是好好先生，束手無策，一籌莫展，眼看着部隊就要解體，也無可如何，雖還有九十三師的參謀長何迷傳，他雖有能力，但因爲他堅決要回台灣，對於廿六軍的解體也不大關懷，但在丁博士敦促之下，他還在努力工作。

八軍方面，李團長受傷，養病在家，他也是眼睜睜的望着部隊，無所施其計，他的三個營長：姚昭，陳昌盛，黃亨亨，也都非常老實，對於部隊，約束力也不大。丁博士就責無旁貸了。他奔走於兩軍之間，力求鞏固，力求團結。他有時候在八軍方面，有時候則在廿六軍方面，有時候與何參謀長在兩軍中間的藏經樓，苦口婆心的在同他們講，同他們講當前的國際局勢，同他們講當前的國內局勢，同他們講台灣的種種情形，同他們講自己應有的努力應有的企劃與計劃。眼下是一陣暴風雨，這陣暴風是會過去的，暴風雨過去了就是晴天。天之將降大任於大家也，必先苦其心志，勞其筋骨，餓其體膚。行拂亂其所爲者，所以訓練大家動心忍性，增益其所不能也。

但兩軍逃亡的現象，還是天天在增加。部隊逃亡，非常容易。大其力的人都是中國人固不用說，大其力以外的地方，也無處而不是中國人「脫下軍裝，換上便裝，就可以逃亡了。脫下軍裝，換上便裝，有生意做，有田地耕，何樂而不爲呢？特別民間非常歡迎買部隊的槍，脫離部隊，不但有田種，有生意做，還可以發一個小財，又何樂而不爲？

丁博士第一個辦法，即用八軍牽制廿六軍，即命八軍把守所有出口，八軍也好，廿六軍也好，所有官兵，除特准者外，一律不准離開營地，否則格殺勿論。事實上，經過了幾個月的長征，也確實需要休息，大大多數的官兵們，對於這道命令，勿寧是歡迎的。丁博士第二個辦法：凡收容逃亡的同罪，殺一兩個，逃風也就隨之而止了。

部隊雖在休息，但訓練還是訓練。大家隨身的那件老棉襖幾乎髒的甚麼都看不見了，比王老二賣油條的那件衣服恐怕還要髒。大家都拆了一拆，洗了一洗，自己做，自己縫，都爲之「煥然一新」了！頭髮也都剪了，腳的鞋子都走爛了，都赤着腳，都在打草鞋。這樣不美觀，但非常實際。

車佛南……五縣自衛隊，現在也都撤回景棟。自[illegible]民間武力。自衛隊在景棟大都有家有地有生意有買賣。總司令羅庚，副總司令張偉成，曾憲武，現在都在景棟。丁博士除鞏固廿六軍八軍之團結外，並與五縣自衛隊取得聯繫。這對廿六軍八軍來說，是個很大的鼓勵。丁博士也[illegible]們，鞏固他們，與廿六軍，八軍行動一致。廿六軍，八軍，自衛隊對丁博士之領導，都萬分欽佩，都甘心服從他的指揮，共同努力反共大業。

無奇不有集（三）

恨海

因爲有一次他在審案子的時候，曾對一個人高聲呼叫，事後他覺得這態度要不得。他翻查法庭條例，他那種態度，實在犯了藐視法庭的嫌疑。因此他決定控告自己，並由自己審理這件案子。結果他判決罰欵四十五元或入獄一周。當然他是選擇了罰欵。

（七）握手竟吃官司

在今天人與人握手，本是平常的禮節。但是世界上竟有人因爲握手而吃上官司，甚至破財。

這古怪的事情發生在美國新澤西州。一個名叫勃拉羅的，一天遇到一久別的老友，他高興非常，伸手與他熱烈相握，不知怎的卻把對方指捏斷了，勃拉羅吃官司以後，還要賠償損失八百元。

因握手而引起意外，澳洲也曾發生過。一個專替政黨活動的人，因握手太多，竟引起右手變成殘廢，結果他不能再替政黨服務，要按年補償他的損失。

（八）少女的壯舉

美國少女，完成了她獨自步行整個歐洲和北非。她這種壯舉動曾轟動一時，沿途所經的地方，她都遭遇最難解決的問題：許多陌生男人向她求婚，大概接過一千人向她求婚的信，包括許多國籍的，超過五十封信的文字，是她不認識的，還有一個西班牙的鬥牛士，堅決要她嫁給她。結果她嫁了那位鬥牛士。

（九）賭徒與賭博城

智利巴特勒斯城是世界上最奇怪的城市，如果說蒙地卡羅是世界上著名的賭城，這城的人就是世界上著名的賭徒。

不論甚麼事情，他們都可以大賭而特賭。最奇怪的是在鬧市中時常見到兩個打扮時髦的女郎爭吵不休，一言不合就大打出手，那時你絕不會看到有人去拉架，你如果去作魯仲連的話，也將被人喝止。這爲的是他們最好的賭博機會。那時有人喊出盤口，圍觀的人越來越多，大家紛紛下注，那地區便鬧成一片，投了注的人，就爲自己的人吶喊助威，兩個女人打得落花流水，你也別怕出人命，她們只是表演逼真，一時花拳綉腿，打得難解難分，身上穿的衣服都撕得片片碎，仍不停止，賭徒看見好似兩條肉虫互相纏住，捲來捲去，直到一個被一個騎着壓在地上，再不能招架，才算打勝。敗的付錢，勝的收錢，有人還上新衣給兩位女戰士穿上，大家就告結束。這場賭博就宣告結束。人們又到別的地方，看看有沒有更新奇的賭博。

（十）發光的橋

世界上已經有了最新奇而發光的橋。美國感到交通失事的嚴重，爲減少失事，就在公路的橋樑上欄桿和整個橋架塗上夜光漆，當人們夜間駕車駛過，在車頭的反照下，全橋輪廓會發出綠色的光，看起來是一幅美麗的圖案。駕車的人也不會將車撞到橋欄桿去。

（十一）最奇異的一件衣服

安杜尼穿的衣服，是世界上最奇怪的，原來是用世界各國的鈔票拼合而成，一共用了三千張鈔票，其中沒有一張是同一地區的。

安杜尼這件衣服並非穿着招搖過市，只是穿來作電視表演的，也可謂奇異的衣服了。

菊花魚翅

李鴻章的三字經

御厨談藪

林泉隱

菊花魚翅，先將魚翅用清水發透，洗去沙碎，刮去皮，留透明而黃亮之魚翅，次把鷄鴨煮熟，取其皮，後將白菜梗冬菇、筍、切絲入鍋焙熟，入豬油鍋炎黃，然後將五花肉絲在油鍋炒熟，下酒醬酒，并將各項菜絲倒入，加肉汁燒一透，再把鷄皮包好魚翅，下鍋片時，即下白糖澱粉，起鍋裝碗，上蘸蟹粉，四周放火腿片及菊花嫩瓣即可。

這是李相國（鴻章）平常吃的菜，有一項命厨師用合肥南鄉最好粉絲照上法烹調，結果李鴻章的「三字經」馬上出籠，「入娘搗姊妹，綠豆做的東斯（西）究竟難與海鮮相比」。

黛眉小傳

·王幻·

李冶（二）

皎然和尚李清晝，吳興人，俗謝姓，宋詩人謝靈運的十世孫。初入道，肄業「杼山」，與靈澈及陸羽同居妙喜寺。羽在寺旁建亭，以癸丑歲癸卯朔癸亥日落成，湖州刺史大書法家顏真卿爲題名曰「三癸亭」，皎然賦詩誌盛，時稱「三絕」。唐代名詩人韋應物和于頔，對他極爲推重。著有詩式五卷，詩評三卷，詩集十卷傳世。

這兩個人物，既非似韓湛之的彬彬君子，又非如朱放的風流倜儻的物外，與世無爭，志行芳潔而又不同流俗的真人碩士。李冶同他們來往，固然基於志趣相同，亦說明了她自己決不是一個庸俗沒有靈魂，沒有心肝，以及沒有廉恥的蕩婦。她知識滿天下，知心有幾人，無怪她在百無聊賴的病中，一見陸羽到來，便要「欲語淚先垂」了。我們也不要忽略：一個人在患病之際，看到親友不期然而然的流淚，是感情脆弱的表現！

因爲她是一個經過波折的女性，可能是富家的棄婦，或官門的下堂妾。愈是失去人間溫暖的人，愈覺得溫暖的可貴，也就愈愛人間，熱情待人。於是，她對待任何一個同心她的人，沒有分枝上的軒輊，和程度上的差別。今日我們讀她的詩，莫去管她是寄何人是懷何人，總覺得字裏行間纏着一種真摯而親切的情感，如和風，似煦日，更像冬天裏的春天……。例如「相思怨」一詩：

人道海水深，不抵相思半。
海水尙有涯，相思渺無畔。
攜琴上高樓，樓虛月華滿。
彈得相思曲，絃腸一時斷。

所謂「茫茫人海，知己難求。」這不是古人的嗟嘆，今人猶有同感。在這清雅幽逸的吟聲裏，若淙淙的流水，飄逝在銀色的湖面，使人有冷冷然的感受。且不管她所思者是誰？但我們覺得任何一個愛她的人都可附會得上，所以這就是：「詩可以怨，可以羣」的力量。

從李冶現存的十餘首詩裏，可以看出和她有交誼的人，除上述不同泛泛的二人外，尙有朱放（才調集作朱　）、韓揆（唐詩紀事作韓撥）、閻伯均、蕭叔子四人。現各舉一首於后：

一、寄朱放

望遠試登山，山高湖又闊。
相思無曉夕，想望經年月。
鬱鬱山木青，綿綿野花發。
別後無限情，相逢一時說。

二、送韓揆之江西

相看折楊柳，別後轉依依。
萬里西江水，孤舟何時歸。
汾城潮不至，夏口信應稀。
唯有衡陽雁，年年來去飛。

三、得閻伯均書

情來對鏡懶梳頭，暮雨蕭蕭庭樹秋；
莫怪闌干垂玉砌，只緣惆悵對銀鉤。

四、聽蕭叔子彈琴賦得三峽流泉歌

妾家本住巫山雲，巫山流泉常日聞；
玉琴彈出轉寂寞，曾是當時夢中聽。
巫峽迢迢幾千里，一時流入深閨裏；
巨石崩崖指下生，飛泉走浪絃中起。
初嫌憤怒含雷風，又似嗚咽流不通；
回湍曲瀨勢將盡，時方滴瀝平沙中。
憶昔阮公爲此曲，能使仲容聽不足；
一彈既罷復一彈，願比流泉鎮相續。

（未完）

第十五章

岳飛孤軍奮戰　趙立楚州殉國

周燕謀

趙立聞金兵大舉來犯，一面固守，一面急向服廷告急。此次攻打楚州，由撻賴與兀朮夾攻，兀朮分兵兩，一隊截斷楚州糧道，楚州危急萬分。此時趙鼎爲樞密副使，主管軍事的副宰相，他得着告急文書，命張俊援楚州，又以岳飛一軍受其節制增援楚州。張俊畏縮不敢受命，對趙鼎說：「虜之兵不可當也。趙立孤軍危在旦夕，若委之以兵，猷從手以搏虎，併亡無益。」張俊這人完全是投機之徒，不足任國事。趙鼎再三辨解，張俊再三力辭。

趙鼎只好上奏高宗道：「若張俊不從命，臣願與之同往」。張俊仍不行。於是改遣劉光世，又以岳飛改受劉光世節制。劉光世受命起兵渡江，幕僚勸其勿行，遂不起兵。高宗聞知，對趙鼎說：「移文不足盡意，卿可作書與劉光世詳言之」。劉光世得書，仍不起兵。此時正是「君不君，臣不臣」，不成朝廷已極。如此驕兵悍將，有恃無恐；所恃有兵在手，朝廷因有外侮，亦無可奈何。只有岳飛奉詔起行，由宜興開抵江陰，正要準備渡江，探馬報告楚州危急。岳飛遂引輕騎先行。八月二十六日抵泰州，未到任所視事，先集合郡中敢死士及部吏使臣効用。命人各簽定「從軍志願狀」，怕死者不簽，敢死士一人擇一良馬，習射較塲，岳飛挑選善射死士百人，賜甲馬五十副，分爲四隊，置於左右。這四隊敢死士，每日由岳飛親自教練習射。至九月二日，岳飛方入治所視事，遣張憲守泰州。初三日親引兵分三墩，以爲楚州聲援。岳飛因兵少，不敢直提赴楚州增援。劉光世之兵仍按住不動，故只好先立於不敗之地，以聲勢相援。又命統制官王貴管押兵馬船隻渡江，與趙立爲犄角之勢。又急請劉光世增兵來援。劉光世只派了一千人馬，裹十日之糧來援，令偏將王德率領。劉光世佯報朝廷，說金人已退。高宗一連下了五詔，劉光世仍按兵不動。岳飛因人馬太少，只能作聲勢之援，不能相敵。金人知援兵不來，緊圍不舍。劉光世日後被奪兵權種因於此。

趙立在楚州苦等援兵，久之未到，心中難免焦急。金兵日日攻城，趙立晝夜防守，未嘗恢心。但撻賴等援絕糧盡，再加猛攻。趙立令撤去城內牆石，加強防堵，又挖深溝，在溝內放柴燃火，以阻止金兵攻城。又募城中壯士，令持長矛防守，每遇金人登城，即用長矛鉤拽入火中，金兵被燒死無數。撻賴又派了死士，夜掘地道入城，也被趙立抓住斬了。

（七十四）

自由報

（第一一二三期）

（半週刊每星期三、六出版）
每份港幣壹角・台灣零售價新台幣弍元
社長李運鵬・督印黃行晉
社址：香港九龍彌敦道593—601號
廖創興銀行大廈八樓五座
LIU CHONG HING BUILDING
7th FLOOR FLAT 5
593—601 NATHAN ROAD,
KOWLOON, H.K.
TEL: K303831
電報掛號：7191

承印：景星印刷公司
地址：[illegible]街廿九號地下
台灣業務管理中心：台北重慶南路一段一二九號
電話：二四五七四
台灣國道接訂戶　台灣劃撥戶
第五〇五六號張萬有（自由報會計室）
台灣分社：台北市西寧南路110號二樓
電話：三三〇三四六、台郵劃撥戶九二五二號

論反共救國的思想體系

·雷嘯岑·

反共救國是一場思想戰役，必須在思想上明辨敵我，確認忠奸，不能遷就，更不可模糊。這需要運用高度的智慧和技術，見微知著，追本窮源，方能獲致實事求是效果，稍有差池，貽患滋大！

蔣總統早有指示：「不是同志，便是敵人」，此乃反共救國的思想指導原則，自屬正確。所謂「同志」的界說，當然是廣義的，凡屬反共非共的中國人，一律視爲同志，齊心協力，共同奮鬥。在政治生活上雖有黨派與政見的差別，然在反共思想上決無二致，夫是之謂思想統一律，因而發揮總體戰的功能。

思想之爲物，聽之無聲，視之無形，玄妙精微，莫可究詰，要辨別每個人的思想是否正確，只有就其言行作系統的觀察，別無他途。可是，人的言行表現不一，作用亦互異，有的思想與言行，表面看來似乎不無問題，而實際則否；有的好像絕無疑義，而實不然。如果專憑形式邏輯以判斷敵我、忠奸，不特流弊孔多，甚至適得其反；特別是對於潛伏在反共陣營內的間諜人物，若以形式邏輯作結論，其爲害之烈，殆將不可勝言，往事歷歷，可資取鑑。必也本乎高度智慧基於冷靜而客觀的心情，加之以有系統的分析推究，庶幾可望求出正確的答案。孔子謂「視其所以，觀其所由，察其所安」，這認識論，到今日尚具有確切不移的妥當性，請舉數例以明之：

卅餘年前，老共幹冀朝鼎由美國財政部次長懷特介紹，進入我中央銀行擔任幹部職務，誠而工矢勤矢愼，必信必忠，其言行視一般忠誠不貳的國民黨員尤爲可靠，乃使中央某金融首長亦信任不疑，盛稱願以身家性命担保冀某決非共產黨——因當時報紙上曾指述他是共黨份子——實則冀某負着間諜使命而來，他在表面的言行上，常表出忠於國府及其直接上司的姿態，而在思想上儘量作些激起民怨的財經建議，藉以毀壞國府信譽，使其喪失人心，間接就是替共黨工作。例如抗戰剛告結束時，財政部對於人民定購黃金儲蓄，隨便打扣，說是撥作建設經費，民情爲之大譁；又如財部規定法幣一元抵值汪偽儲備票二百元，而全國物價爲之騰踊，終於不可收拾。這都是冀朝鼎的主意，表面爲國府聚斂，克迎合財政當道的嗜好，予以贊許而採行之，殊不知正中了共諜危害國家的狡計！所以，他於毛共竊據大陸之後，在共報上發表了一篇「我怎樣搞垮國民黨的財政金融」一文字，敘述他在我中央銀行服務時提出的財經計劃，皆係事先通過央行大員貝某，由貝某轉請主管首長採擇實施的。又如民國卅四年冬間，國府藉剿共機會，將雄踞擾的川省軍民兩政實行統一，交由劉湘負責整理，原係十分妥當的措施。詎有些進入川省工作的中央方面人士，以其愚忠思想的形式邏輯，指摘劉湘是「土皇帝」，其心必異，實務必打倒，迫使劉氏憂讒畏譏，力圖自保，而對中樞攜貳，以致構成地方與中央的矛盾形勢，若不是抗日戰爭發生，西南局面必告動亂無疑。當時劉氏曾對人說道：「我從軍中當排長起，直到如今，并無背叛長官的紀錄，今日居綜持軍民兩政的方面之位，年事已高，難道還想造反不成？至於對國計民生問題，獻替可否，知無不言，言無不盡，乃是封疆大吏應有職責，採擇與否，權在中央，那有敵對思想之可言」。憑此兩項史事來談敵我忠奸問題，可知專用形式邏輯以衡量人的思想是否正確，實屬幼稚淺薄，終必造出成事不足，敗事有餘的後果，恰是幫倒忙而已。

基於反共運動的總體戰利害關係，要從思想上明辨敵我，確認忠奸，固屬必要，但須瞭解兩點道理：一是反對和反動的觀念不能混淆。同係反共行列中人，他對應政得失有所批判，對政治人物有所臧否，這是民主社會的常事，與反共思想無關，如果這樣就認爲「思想有問題」，殆與秦政「以吏爲師」的君主專制主義，共產黨不許別人說二話的「階級專政」主義相同，那又何必反共呢？二是眞正具有反動思想的人，他在表面上決不隨便表示不滿現實的詞色，以免流露眞面目，尤其是共諜份子，他一定僞裝愚忠的形像，暗中作祟，毫無破綻可尋。對日抗戰時期，重慶衛戍總部辦公廳有個小職員鄺子雲，平日忠勤奉職，成績優異，對國家領袖的忠誠言行，視國民黨人尤合標準，總司令劉峙特予嘉獎，辦公廳主任郭一予倚之爲心腹。既而衛戍部保有的一件最高當局爲防範共黨陰謀活動的機密手令，竟落入共酋周恩來之手，而鄺某亦即鴻飛冥冥，不知去向了，這纔發覺他原是個共諜份子！明乎此，即知僅就表面一言一行以斷定敵我忠奸，決無是處，時人動則以「思想有問題」的帽子加在一般反共非共人士的頭上，確屬輕率不智之至。

所謂思想有問題的主旨如何，應該先弄明白。如係屬於反共救國的思想指導原則，那就是嚴重問題，非根據其人的生活史跡作系統的分析檢討不可，而且不能隨便公開指說，致滋「打草驚蛇」之弊。若係屬於批評庶政得失，臧否政治人物的一般言論，即談不上「思想有問題」的話，說此話的人，他的思想就有很大的問題，因爲他昧於「反對」與「反動」的義理，信口開河，莫識輕重，徒然自亂陣營而已。眞是思想有問題的人，平日決不輕易向外發表對現實不滿的意見，而於重要關頭纔顯出眞面目。例如邵力子原係老牌共黨份子，他在國府歷顯官時，小心翼翼，忠貞自矢，對現實政治少有立異的主張。但在「西安事變」中，他就懇勸蔣委員長接受叛徒要求，宣告下野——見「西安半月記」——他在對日抗戰時期位居中央宣傳部長，即不許報紙上刊載批評史達林政權的文字，指爲妨害邦交——我就因爲在報上寫此類文章，受過他的指摘——他到民國卅七年底剿匪戰局逆轉，中樞文武大員舉行會議之際，乃有「打不過人家就該投降」的驚人議論，原形畢露了！假使當年對邵氏的言行能作系統的分析檢討，加以防制，又何致讓他包藏禍心，爲共作倀呢？類此情事尚多，不遑枚舉。

夷考毛共之所以竊據大陸，主要原因是得力於共諜份子乘機滲透反共陣營，而以表面忠誠姿態作保護色彩，進行內部顛覆活動，實施兩項魔術：一爲促進政府與民間的矛盾對立，削弱反共力量；一則利用政治上的派系觀念，對於堅決反共人士，運用一切惡劣手段予以攻訐。例如他們在對日抗戰時期，拚命宣傳我教育部長陳立夫統制思想，殘害青年，煽動美國當道向我政府施壓力；同時又杜撰所謂「四大家族」名詞，出版小冊子，指述我國的財政金融是由「四大家族」控制壟斷着，說來像煞有介事，實則完全胡扯瞎說，然一般不明內容而又更事無多的智識青年，每多受其蠱惑。由於陳立夫先生具有完整的反共思想體系，非同小可，所以共諜要以全力來破壞他的信譽，打擊他的聲望。這就是共黨慣用的「以民主打民主」技倆，沒有高度智慧的觀察者，很容易上當的。

所以，今日我們要明辨敵我，確認忠奸，期健全反共救國的總體戰力，即須運用高度智慧，作系統的分析檢討，愼防誤中共諜的奸計。再明白地說，即應以徹底清查共諜爲首務，切忌基於個人感情好惡，或政治派系觀念，而隨便使用「思想有問題」的說法，作爲打擊異己的手段。果眞思想有問題的人，即屬反動份子，應該摒諸四夷，不與同中國，豈能說說了事而輕易放過？如其祇是對某項政事或某一政治人物表示不贊許，那是民主生活的應有現象，乃屬於異中求同，同中容異的民主憲政思想範疇，仍在廣義的「同志」之例，這是大家應該愼思明辨的！（完）

昨日與明日

立法不可草率

高中入學考試的新辦法，終於在大家一致認爲難於實施的情形下，而取消了。這是很好的現象，尤其教育部這種謙虛容物？勇於改過的精神，實在令我們佩服。

不過檢討起來，教育部近年來頻此謙虛改過之事屢出不窮；例如師大學生結業後的服務年限問題，留學生出國的標準問題，所謂「八十五分」問題；以及現下所擬議的升入高中的入學考試方法問題……這一連串的謙虛改過，放棄既定辦法，都是一經大家討論研議而謙虛改過的。不禁引起我們的焦慮，而對教育部現有人員能力的懷疑。因爲這一連串的問題，都非出於黨派政爭的意氣用事，而橫加反對；反之，却是經過各方面有經驗的人士一致認爲流弊太多，無法實行，最後不得不放棄。那也就是說所提出的方案辦法，實在考慮欠周，太不成熟。教育部是最高教育行政機關，[illegible]法竟然屢次不成熟，若無立法機關和輿論的研議，試問那時多麼危險，下面的話，我們就不再說了。

往事已矣，來者可追。我們希望今後不再有這種事實，所以研考此種事實所以發生的原因，多半都出於「閉門造車」，和「望文生義」。前者意思明顯不必談。後者則是由於未肯深思，照着想當然的觀念，因爲要注重德育、體育，我們便列爲入學考試的科目，試問這如何行的通。

當前教育界類此的措施甚多，例如目前在中學裏，爲了重視體育，軍訓，童子軍各科，而規定學生若有這種科目一科不及格，便不能升級（即降班），此在重視之意自是可嘉，但其辦法則太欠考慮。按照一般學則都是要有三科不及格才留級或降班，而這種科目縱然重視又何必提高到比主科還重視到三倍以上？（事實上學生重視與否，那只有天曉得，又何必這樣假充門面了呢？）尤其這些科目很難有具體客觀標準，而印象分數佔很大成分。在有些學校辦理良善，一切都有常軌，再加上校長領導有方，倒還好；但有些學校則形成這些科的教員，對學生的命運常有一「否決權」。尤其担任這些科的教員，一般說來，年紀都比較青，自然難免感情衝動，於是便往往使學生懾於淫威之下，受氣屈忍。因爲不論你功課多好，只要這種的老師一發怒，你就別想升班。這不是把生殺的「否決大權」俾予了一部份特定的教員了麼？我們想當初草擬這種方案的人員，絕無此種意思吧？然而竟會生出如此最重的流弊，此無他：「閉門造車」，「望文生義」而已。這一惡念，我們也希望大家能乘此時機加以修改。

·成公·

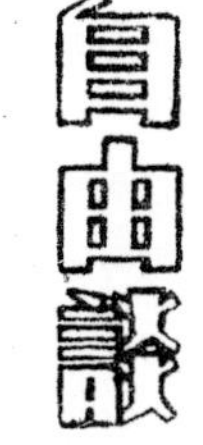

強權國家的醜態

馬五先生

記得民國卅八年（一九四九年）秋間，我空軍對竄入上海的毛共部隊進行轟炸之際，當時駐在上海的英美僑商和傳教士等，指爲不人道，聯名要求本國政府出面干涉，詞氣甚激昂，我曾在「香港時報」著文予以駁斥，認爲外國人隨便干涉中國內政，豈有此理！

迨毛共竊據大陸後，把歐美僑商的財産一概沒收，所有黃髮碧眼的男女僑民一律視爲間諜而逮捕拷問，極盡淩辱之能事，然未聞歐美人士有所異議，英國且搶先承認毛共政權。迨紅衛兵之亂作，英國駐北平的外交人員連同家屬在內，慘遭攻擊侮辱，不堪言狀，其他的西方人物亦無倖免者，然未聞歐美各國政府指爲暴虐不人道表示抗議，且向毛共陪笑臉，攀交情，說毛共已有統治大陸的能力，再三提議邀請毛共進入聯合國。最近在報紙上刊出英國人喬治華特所寫的「虎口餘生記」，其中所述共黨暴虐情形，視原始未開化的野蠻人尤有過之，然歐美人士甘之如飴，十足地表現着耶穌所謂「敵人打你的左臉，你將右臉亦送過去」的馴伏精神。

反觀英美人士在自由世界各國的言行，滿懷優越感，不可一世，在別國爲非作歹，被發覺亦不讓當地政府依法究處。如若干年前，美僑雷諾士在台灣因販賣私貨，逞兇槍殺中國商人後，揚長而去，行所無事，其他類此情節，不一而足。他們對自由國家動則講國際法規，論治外法權，振振有詞，共產黨不講國際法治觀念，唯暴力是逞，即人理亦所不顧的。可是歐美人士却讚許它有統治能力，主張承認現實存在呢！

即此可知，這世界完全是尚強權，蔑公理，甚末文明秩序，國際義務，民主憲政等類說詞，盡係廢話一堆。強權國家每以原核子武器[illegible]，實則他們跟兒童玩鞭爆的心情一樣，手裏拿着爆竹，心裏害怕燃放，適以[illegible]。所以咱們一貫的外交舊作風，實已不合時宜，非改變不可，改變之法無他，自主第一，我們爲上，強權主義者要想出賣我們，不妨將國際市場搞亂掉。[illegible]古巴，在美國的後門大放其火，而山姆叔叔無可如何，這便是很好的例證，謀國者其三思之！

依洞集

台北市的挖路

易濤

台北市因為要加强都市建設，到處修築道路，自屬無可厚非。但其他工情形似乎看不出係按照預定計劃進行。市民所看到的東挖一塊，西挖一段，一遇天陰下雨，泥濘不堪，大有行不得也哥哥之概。甚至夜晚還有人失足跌死的事故發生。

日治時代，還有所謂都市計劃，歷屆市府都奉為圭臬，一切違章建築都是由此而來。我們應該有我們自己的一套都市計劃，而不應墨守日治時代的陳規。但這不是說，建設都市可以沒有計劃。

舉例言之，譬如台北市的下水道修建工程，為了需要一筆龐大經費，始終就無法進行。下水道不修建，光是修路，與麻子搽粉何異。現在民智大開，就難怪市民對挖路有怨言了。

香港的浮屍

毛共竊據大陸以後，雖然一再向海外的中國人宣傳「祖國」如何如何進步，但香港不斷由大陸漂來浮屍，却使人不寒而慄。

中國人向來是最能容忍的，在歷史經歷過很多的暴君統治，但人命的缺乏保障，恐怕還沒有像毛共紅朝之甚。毛共有無數頂帽子，只要被扣上了任何一頂，就沒命了。這一鐵般事實，不容毛共來辯飾。套一句毛共的話「人民的眼睛是雪亮的」，毛共的草菅人命，已在中國歷史上寫下最大的一筆血債，過去如此，現在如此，將來亦必然如此。

在俄共史達林時代，替史達林做屠殺人民的劊子手，殺人越多，越能表示對黨的忠貞，也纔能獲得「領袖」的寵信。因此，克里姆林的諸酋，無一不是血腥的屠夫。毛共雖然是標榜反對「蘇修」，但是「殺人以挺與刃」與俄共並無二致。

共產主義大家都知道它是侵略主義，更須了解它就是殺人主義，為了保命除了與共產黨拚命外還有何法？

高玉樹流年貞不利　與潘其武又生齟齬
雙方爭執焦點在預算問題　市議員質詢對潘表示支持

（自由報台北通訊）台北市府，會交惡之所以受人重視，是因台北市為首善之區，市民人數佔了全省人口十分之一强，中央機關近在眼前，市府與議會關係惡化，而市府又與所屬陽明山管理局也勢成水火，格外引人注意。

高玉樹市長，從四十六年前民選以至五十六年七月官派，担任台北市長前後已有十年歷史，他當然自豪在一百七十萬市民中最為瞭解台北市的一人。即在一般市民心目中，也未嘗不是這樣觀感。但他萬萬沒有料到榮任特任官一年後，新議會成立，凡其所施為却處處觸礁。即定期巡視市區建設，到了所屬陽明山，管理局長潘其武竟藉口走開避而不見。

陽明山之有管理局，是十幾近廿年的事情。北投、士林兩鎮，原屬台北縣，地近台北，風景幽雅，有溫泉山林之勝，為了加强建設和管理，所以成立管理局，其地位可與縣市政府相埒，曾任大陸名勝區的廬山管理局長施季言，杭州市長周象賢都也先後担任過此一特殊地區陽明山管理局長。所需經費不足時，由台灣省政府補助，省的體制和院轄市不同，省府是決策機構，縣市是執行機構，因此陽明山管理局在過去近廿年中，一直是「大原則聽省府的，而事務性的行政，則從權獨斷，自行其事」。自從台北市改制，升格為院轄市，陽明山所屬北投、士林兩區併入台北市，陽明山管理局也就改隸台北市。院轄市的體制，是首長制，集決策和執行於市長一人，何者為決策性，何者為事務性，很不容易劃分的清楚，同時也沒有一定標準，府、局之間見解不同，稍有成見，勢必齟齬。究竟何時開始，非局外人所知，見諸新聞報導的，仍然由議會引起。

先是有位議員指摘高玉樹市長不能親民，勤求民隱，建議市長何不仿效潘其武局長，定期接見市民。潘其武接近民衆的辦法是，每星期三上午接見民衆聽取陳述，當場答覆問題。高玉樹未能免俗，叫他學部下，這話當然不入耳，答覆議員說漏了嘴，說潘其武故意收買人心，實際並解決不了甚麼問題。潘其武認為是可忍，孰不可忍。

其實所爭仍是經費問題，以國民教育經費為例，管理局說應由市府統籌辦理，而市府則認為應由管理局負責，所籌經費不足才由市府補助，編製預算，鬧出府局兩方都沒有編入的笑話，後來市府為陽明山列了七百八十萬元預算，距實際需要差了一億七千多萬元。管理局說：台北市全市教育經費二十億六千餘萬元，陽明山佔全市行政區八分之一，人口佔十分之一，學校佔六分之一，學生佔九分之一，教育經費僅佔三十分之一。市府說陽明山的稅收並沒有繳市庫，而以其他十分之九人口的稅金額外補助十分之一人口陽明山的教育經費，等於陽明山地區的人口，不但担教育經費，而且人事問題，市府不能過問，照管理局所說，還話怎樣說得通？

來函更正

敬啟者：貴報本年十一月廿五日第一壹一五期第二版刊登台北消息一則內載「典獄司出缺周震歐將昇」一節並非事實請即更正為荷此致

香港自由報

司法行政部十二月三日

補助陽明山管理局經費　年度過半未見撥款
潘其武向議會訴苦　火上加油弄出題外文章

根據行政院訂頒台北市陽明山管理局設置辦法規定，管理局經費以自籌為主，如有不敷，始得向市政府申請補助。市府每年編造預算時，都反被動為主動，派高級官員上山，協調補助事宜，但「移樽就教」，仍然感動不了管理局。

據市府統計，在過去兩個會計年度（五八、五九）市府用於陽明山地區各項經費，計達三億五千九百餘萬元，而且補助故宮博物院以及中山樓四千七百餘萬元，和百齡橋，北投公路貸款，尚不包括在內。

未改隸之前，管理局不足經費，由台灣省政府補助，以五十七年度為例，省府補助該局四千五百六十九萬餘元，該局稅收繳省庫三千七百餘萬元，實際補助不過八百六十萬元。

在本年度地方總額預算中，編有市府補助管理局五千萬元，但年度已經過了一半，市府仍然不曾撥款，市府解釋，五千萬元補助款，是用於陽明山建設，必須由管理局擬定工程計劃附明細表呈市府核准才可撥款。而管理局則認為既有單獨預算，已經市府核定並送請議會通過，當然不必另擬計劃附明細表專案申請，雙方僵持不下，潘其武局長向議會訴苦，議員對市府大加指摘，支持管理局，眞所謂火上加油，甚而鬧出些題外文章，高市長夫人座車出了車禍，潘其武抱着錄音帶到議會播放，議員們以為獲得鐵證，紛紛質詢，大張撻伐。

監委巡察，潘其武也提出報告，監委這回倒滿清醒，只是主張行政院應有解決辦法。

市府說：「陽明山管理局本身收支，一切歲入分文未繳市庫，如在收入方面予以整頓，支出節減，當可達平衡。其收支數字，不容市府審核或表示意見，要求補助又不謀協調，於情、理、法似均說不通。」

高玉樹又說：「市府補助陽明山經費，原則雖訂為五千萬元，管理局如能提出適當計劃，就是八千萬元，九千萬元，市府也會同意。」

萬博憶遊（下）

韻石

及到四時後日本友人代為前往取票時，石阪的秘書還一再詳詢我們八位，係如何的關係，設若普通人要一張票，石阪先生都不給，現在一次給八張，使他們均大為驚訝了！當我們向石阪辭出時，他直送至樓梯口處一一握別，以八十餘高齡而禮貌如此週到，當係伯謹先生與其友誼篤厚之故。此行雖為參觀訪問，但亦有人譽為國民外交成功，聞之愧不敢當。

十三日晨八時，仍由天理市驅車赴大阪萬博會，九時半相偕魚貫入場，在廣闊的鋼架高棚下便是大會場，尋得座次，方知係在主席團左側，（主席為明仁太子及妃，左為佐藤首相，右為石阪泰山）乃招待各國貴賓及大使之區域，不僅居高，而且居中，足見禮遇之隆重，環觀余等坐席四週，均為各國使節，白人、黃人、黑人，滲雜其間，而台灣去之中國官員與民間領袖，享此殊榮者，似僅我等八人而已。

此行而得此特殊優遇，倘無伯謹先生以私誼洽商，即我大使館以正式外交公文介紹，恐亦未必能如願以償，孔子說：「三人行，必有我師焉！」伯謹先生洵足當之而無慚色。此為旅遊扶桑之光輝冊頁，爰此筆記之如上，以誌鴻雪奇緣云。

（續完）

一束稻草自序

吳怡

當中古世紀的大哲學家聖多瑪斯年老時，他的秘書曾勸他繼續寫作，他却說：「我不再寫了，因為以我現在所見，以前所有的著作，都只是一束沒有價值的稻草而已。」

儘管多瑪斯所認為的這一束稻草不知營養了多少人的心靈，儘管由這一束稻草所燃起的新多瑪斯主義已成為今天最重要的哲學思潮之一；但就一個作者的心情來看，我們也不必把這段話當作多瑪斯的客套，或謙虛。因為一個作者，如果他的心靈沒有疲乏得只能躲在過去的回憶中的話，我想，他也許會和多瑪斯有點同感——總感覺過去的作品是一束沒有價值的稻草。

自我走筆以來，也爬過了不少的格子。尤其在大學三四年級的時候，我對寫作最為熱狂，我所有散文方面的作品，當然幾乎都成於此時。在這段期間，我的思想和情感都不夠成熟，而自視又甚高，所以編了「人與路」、「人與橋」兩冊小書，好像自己已為人類修了路，搭了橋。現在看起來，總感覺那時有點「不識愁滋味」。因此手頭還有許多小品雜文，始終不敢再出版。

後來，幾次遷居，丟了一部份；自己不滿意，撕了一部份；又被別人借閱，散失了一部份。所剩的只有五十餘篇。內人捨不得，曾一再勸我出書，藉以留念。再加以三民文庫的劉總編輯幾度索稿，於是忍下心來，又出一冊。這次，我再不敢用冠冕堂皇的書名，因此便借多瑪斯的話，取名為「一束稻草」。

台北傳奇錄（九二）

·陳光棟·

「又是暫時的」？

「這次和過去不一樣，多兩個月就再回來，還能順便帶點貨回來」！

「我們娘兒三個也要去」！

「那怎麼行？人多目標大，何況一下子都跑光了……」

「你是拿我們作壓賬是不是」？

「你先別吵，把妳弟弟喊來，我跟他交待一件事情」！蔡先生不耐煩的擺着手。大洋馬很快的就把金恆貴找來。蔡先生和小舅子嘰哩咕嚕的說着黑話，大洋馬一句也聽不懂，忍不住問東問西，被蔡先生狠狠罵了兩句。大洋馬不服氣，一頭撞在蔡先生懷裏，蔡先生不提防，被撞了個倒栽葱，半截呂宋烟也插到咀裏，跳起來就去抓大洋馬的頭髮。金恆貴夾在當中，左勸右勸，頭上挨了不少拳頭，才算把大洋馬拉開。

「你拉什麼」？大洋馬向金恆貴發脾氣：「我跟他個死王八拚啦」！

蔡先生又氣又恨，又忙不迭的從咀裏面往外掏呂宋烟。

「別吵啦！談正經事要緊」！金恆貴作好作歹，總算恢復了和平。

「把話說開了吧！你走是可以，你怎麼樣安置我們，你倒講個清楚」。大洋馬攤牌。

「現錢我是沒有，還有兩包貨，一包我帶走，一包給你們留下！」蔡先生不情願的皺着眉。

「一包？分到我名下能有幾個大錢」？

「按一成的話，也有五萬多塊」。

大洋馬一聽有五萬多塊，眉目之間馬上放了晴：「在那兒，趕快拿來！」

「我放在劉二爺家天花板上」。金恆貴插咀說。

「艾呀！怎麼放在他家呀？」大洋馬大吃一驚：「拿着多不方便啊」！

「就和放在家裏一樣」！蔡先生平靜的說：「方便的很，又不担風險」！

「劉二爺也有一份」？

「妳少廢話」！

「我不管放在那裏，明天一早就得給我」！

「現在查的很緊，妳別出了漏子」！金恆貴急的直冒汗。

「我自然有我的辦法」！

「出了事我可不管，別想我們能救妳」！蔡先生威脅着。

「出了事情我去坐牢」！

「好！明天一早給妳」！蔡先生冲着金恆貴：「明天一早拿給她」！

「明天一早」？金恆貴面有難色。

「就這麼辦」！蔡先生有把握的說：「有什麼困難跟我聯繫」！

（未完）

諸葛亮狂想曲出版

·文匯樓主·

劉玄是安徽神童，八歲能文，本報社長李運鵬欣賞其思路敏捷，原約其寫「孟夫子遊台灣」，後有感於世風日下，一切都以金錢衡量人的道德與地位，這位出招見紅的亞聖，如果亂講話，一定會碰壁，乃以「諸葛亮狂想曲」爲題，文字遊戲一番，有人說八仙像是影射「國代」，王中：雖各背武器，從未看顯過威力，其實這祇是想像，又謂一〇八個羅漢是寫立法委員的，這種說法就離題更遠了。「諸葛亮狂想曲」就是諸葛亮狂想曲，想到那裏就寫到那裏，而且着重點都在天庭，絕對不與人間鬧情緒，茲以出版在卽，用作簡略介紹來龍去脈，並附劉玄原序：

「諸葛亮狂想曲著者的幾句話」

諸葛亮狂想曲是一篇超時間，超空間的小說，也卽是卡通式的漫畫。近年來海內外中國人，由於家憂國恤，其心情的苦悶是可以想像的，所以，武俠小說，神怪小說，新鴛鴦蝴蝶派，新聊齋體小說，種種荒誕不經的故事，都能受到社會的歡迎。

諸葛亮不僅在中國，卽在東南亞一帶也是家傳戶曉的人物，他的一生充滿了傳奇和戲劇性。從正統文藝來寫，已經有了一本三國誌，用稗官野史的筆法，又有三國演義。但諸葛亮似乎仍然具有從另一角度予以渲染的價值。這便是創作「諸葛亮狂想曲」的原由。其目的是讓讀者能夠獲得一本眞正能消遣的書。如果說，眞是作者的胡言亂語，總不會比目前坊間已發行的武俠小說或新鴛鴦蝴蝶派小說更甚罷。

諸葛亮到天庭以後種種的活動，是讀者的大胆假設，封神榜，西遊記這兩部中國名著便是如此的。天上人間始終是一個謎，美國登月成功以後，已經拆穿了世界各國的各種有關月亮的神話，月亮裏面沒有桂樹，沒有嫦娥，只是極端荒涼的一大片冷寂地區。但照現代天文學家的探測，證明宇宙有數以百萬計的太陽系，在其他太陽系之中，一樣有類似地球的行星，在那種行星中可能有比地球人類智能更高的「動物」存在，這類「動物」或許也就是我們所謂的「仙」。這種事是必然有的，然而地球的人類永遠只能靠想像，這也卽是宇宙的大神秘。

人類的生命實在太短暫了，他們所生存的空間又是那樣的渺小，「寄蜉蝣於天地，渺滄海之一粟」。這兩句話一點沒錯。與其讓現代人的思想因空虛，迷惘而不知不覺走到虛無主義的境界，何如有一本充滿想像的小書使他能夠得到適意的消遣？至少這不失其爲一種正當的娛樂。

自由報在香港發行已有二十年的歷史，評論時政一向具有嚴正態度。刊載「諸葛亮狂想曲」多少也許可以增加若干輕鬆的氣氛。任何一種刊物，編者、作者、讀者原是一體之三面，作者，編者的構想，應顧到讀者的要求。因此，「諸葛亮狂想曲」印成單行本出版以後，尚希海內外讀者不吝指敎。

宏揚孝道與復興文化（四）

·黃嘯菴·

「哀哀父母，生我劬勞」，對父母感恩，就是報本，鳥猶反哺，羔羊跪乳，禽獸猶知報恩，何況人類，假如人類不孝父母，便是忘恩，便是不知返本，社會將成爲刻薄寡恩的社會，世界亦成爲刻薄寡恩的世界。只有共產主義的人們，才是專講鬥爭，成爲絕無溫情的社會。民主國家是要每一個人都能各愛其生，各遂其生的，決不致違反報本之義。

由此看來，孝道是由人類純眞之愛所出發的，而在今日民主國家中，仍存着一種偏差現象，就是人與人間，只是一種利害的關係，彼此往來，唯說權利，不知所謂人情，因而形成一種刻薄寡恩的社會，我們正要宏揚中國孝道的倫理精神，推廣到世界各民主國家去，乃是一劑補偏救弊的良藥。

（四）宏揚孝道的基本原則

復興文化決不是復古，是要承先啓後，繼往開來，推陳出新與時俱進，一面繼承中國歷史的光榮傳統，一面要適應時代要求，更加發揚光大。陳百年先生說得好：「由於我國文化歷史悠久，廣大龐雜，因此以時代性需要而對其加以抉擇，是非常重要的。我們要發揚適時的，優良的固有文化，同時我們也應揚棄失去時代意義的歷史殘跡。」因此，我們認爲宏揚孝道，必須抱定下列幾個基本原則。

一、必須迎合時代要求——建設現代化的國家，爲當前朝野上下一致的要求，總統告訴我們：「所謂現代化，也就是對科學化而言，由於科學隨時代進步，正促使我們求新求變（亦卽求動），也就是時代在促使我們的民族、文化、國家、社會，以及個人由傳統走向現代，由今天的發展，啓導明天的新機」。因此，今天宏揚孝道，就不能違背這時代的要求，孝經是儒家發揚孝道的基本理論，但在孝經論及「天子之孝」，「諸侯之孝」，「卿大夫之孝」，「士人之孝」，及「庶人之孝」共有五等，除庶人之孝如「順天之道，因地之利，謹身節用，以養父母」，還用得着外，其餘天子，諸侯，卿大夫及士四階層所應遵守的孝道，在這民主時代，已大多失却意義。因此今後一切對於孝道的內容與實踐，應該從新加以重估。錢賓四先生不贊成國民學校選讀孝經，認爲「提倡孝道與選讀孝經，乃屬兩事」，確有見地。

二、必須適應環境需要：中國以往是一個農業社會，因此傳統的中國家庭制度的主要特徵之一，就是大家庭組織，在古老的思想裏，親屬和家人居住在一起，家人是不應離開祖先所居的地方，而另外建立家庭的，好幾代的子孫居住在一起，不僅是家庭的福氣，也是整個社會的模範。這種家庭的組織在中國，還可分爲兩種型式：一爲盛行於世族門閥的，包括直系和旁系親屬的大家庭，一種僅包括直系親屬的大家庭，前一種型式的大家庭，不僅包括夫婦子女的同居，還包括祖父母、父母、兄弟、姊妹、姻娌等等親屬。這些人居住在一起，生活在一起，祭同一祖先，行同一家法，財產共有，以累世同居爲榮，如唐代孫公藝九世同堂，傳爲美談，就是一例。

可是自工業革命歐風東漸以來，中國社會已從農業文化，逐漸走向工業文化，在工業社會裏，小家庭制度取代大家庭制度，已屬必然的趨勢。在今日要保存中國傳統的孝道精神，便只有適應社會的需要，採取折衷式的家庭制度，凡是兄弟多的家庭，儘管分居，但兄弟對於奉養雙親，應採輪流式辦法，使傳統的孝道精神，仍可維持不墜，清朝理學家陸稼書所寫的「崇明老人記」，敍述有一位吳姓老人生四子，因壯年家貧，鬻子以自給，四子盡爲富家奴，及四子長，成能自立，各自贍身娶婦。

（未完）

自由詩壇

漁叔題

故宮訪吳哲夫三首

華殿蕭閒冷翠微。擘香[illegible]栩忍忘機。
白雲可得携詩袖。留與山僧補衲衣。

拳石灘頭劫後身。在山亦是骨嶙峋。
微塵寧與泯憎愛。橘頌吟來滄海情。

爭銜腐鼠見鴟心。早爲鵷雛笑不禁。
刪竹鋤梅眞羨子。時携嵐氣臥秋岑。

朱子

吳怡

然而太極是無聲無臭，無方無體的，因此理也只是個淨潔空闊的世界而已，又怎能產生作用，變化萬物呢？於是朱子便抬出一個「氣」字，認爲能動的是這個氣。氣動而生陽，氣靜而生陰，由陰陽二氣交感，便產生了宇宙萬物。所以朱子用「無極」來說明「太極」的本質，而用「理氣」來說明「太極」的作用。

當這個太極，由理氣的作用而發動後，便直接影響了心，從理發出的是人心。在這裏朱子兼採橫渠的「氣質」說，認爲由氣的變化，而產生了善惡。得人心之正者是天理；得人心之偏者是人欲。天理是性的本然，人欲是情的泛濫。天理勝人欲，就是聖人；而人欲滅天理，就是凡人。這兩者始終在我們的心中升沉，所以朱子一再的強調說：「聖人千言萬語，只是敎人存天理，滅人欲」而已。

朱子的學說，由「無極而太極」開始，綜合了濂溪、橫渠，和二程的理論，構成了他的思想體系。這體系一直發展到存天理，滅人欲，便由宇宙歸結到人事，而引出了居敬窮理的學說。這一學說的引出，正是朱子畢生思想精神的所在。

他認爲人心所以有人欲，主要的原因有二：一是心性的修養不夠切實，爲外物所誘，而流於人欲；一是對事理的了解不夠透徹，爲外物所惑，而失去天理。因此要滅人欲，必須先從內心的居敬做起；要存天理，必須先窮透天地萬物的理。這居敬和窮理，就是他修身治學的兩大工夫。

居敬，相當於伊川的用敬和明道的誠敬，也就是孟子的存心養性。在這方面，朱子只是發揮前人的學說，只是加以身體的力行罷了，並無獨特的創見。而他最精彩的還是窮理的學說。

雖然伊川曾說過：「進學則在致知」，也曾強調過窮理；但伊川只是把窮理當作致知的方法。至於理如何能窮？知如何能致？却未曾說明。但朱子不僅把這個窮理的方法是以哲學的基礎；而且與他整個思想體系銜接了起來。

首先，他把心和物分開，心是一個靈明的能知作用；而物都有一個可知的理。於是一個能知，一個可知，便構成了知識的可能條件。但這僅是可能，因爲心只是一個能知的作用，它必須格物而窮理；認識了這個理以後，能知構變爲已知，否則外物的理有未窮時，我們的心也只是永遠的能知而已。

因此我們必須今天格一物，窮一理；明天格一物，窮一理。理窮得愈多，心中的已知也愈多。已知愈多，心愈靈明，而能知的作用也愈大。於是久而久之，一旦心中的能知作用英到某種程度後，便無所不知。而我心的本體，也朗然清澈，無所不明了。這便是「表裏精粗」，

朱子這段理論，就是根據大學中的「格物致知」而引申發揮的。前[illegible]們都把注意力集中在「誠意正心」上，很少談到「格物致知」。但朱子却把「誠意正心」、和「格物致知」分成了兩截，前者是居敬的工夫，屬於道德的修養；後者是窮理的工夫，屬於知識的探討。他認爲在目的上，雖然居敬爲重；可是在次序上，却以窮理爲先。因爲理窮了以後，心自然能明。所以在求道的方法上，他却把重心偏於知識的探討，而特別強調窮理的學說。

朱子的思想，發展到這裏，已是一個十足的唯理主義。不僅太極是一個理，「理氣」中有理，人心中有理，事物中有理；甚之「誠意正心」也是一個理，所以他的思想徹頭徹尾是一個理字。這正是他集各家大成，辛苦構搭起來的一套完整的理體學系。

（未完）

安徽十三傑
管仲　李時　莊周　曹操　華佗　包拯　朱熹　朱元璋　戚繼光　李鴻章　段祺瑞　胡適　楊振寧

諸葛亮狂想曲

（一七五）　·劉玄·

「唉，你是順風耳？你是怎樣知道的？」張果老臉上帶着詫異之色。

「我看到你神情愉快，便知道了。」呂洞賓的槍花也不小。

「剛才何仙姑告訴我，叫你準備上台。」張果老說完，又壓低了聲音說，「我從來沒有見你表演過，你的玩藝兒成不成？」

「我不敢在你面前誇口，我的劍術敢說是人間第一，天上無雙。日本上段的劍士，假使與我比試，至多兩三個回合，便將棄甲曳兵而走矣。」呂洞賓大言炎炎，張果老因爲從未見過他表演，所以半信半疑。

「韓湘子、鐵拐李今天都表演得不錯，我只希望你不要使我失望。」張果老旁敲側擊，用的是激將法。

「哈哈，請你放心，我絕對不會使你失望。」呂洞賓摸了摸身後背着寶劍上的絮子，充滿自信的語氣。

此時玉闕鑼鼓大鳴，又到了進場的時候。

話分兩頭，却說女官瑞鳳受了何仙姑的囑託，在心中盤算了一下，跑到王母娘娘的休息室，向娘娘請安。

「瑞鳳，在休息的時候，他們對今年蟠桃大會有什麼批評。」王母娘娘先開口問瑞鳳。

「好極了，天庭上小各仙都認爲今年蟠桃大會很成功，節目也非常精采，尤其是韓湘子吹笛子，鐵拐李的葫蘆戲法，他們都感到大飽眼福。但他們都以未能看到呂洞賓舞劍爲憾。」瑞鳳這番話深得詞令之妙。

「說的也是，我也從來沒有看到過呂洞賓舞劍。」王母娘娘也有同感。

「我已經與呂洞賓談好，請他表演，他已答應了。」瑞鳳不露痕跡，順水推舟。

「這樣很好。」王母娘娘顯得很高興。

「但是，呂洞賓說節目單沒有他，臨時插上去恐怕不好。」瑞鳳女官，欲擒故縱。

「這有什麼關係，等一會你報告一下不就完了。」王母娘娘反認爲瑞鳳女官的顧慮是多餘的。

「我已經託何仙姑報告了。」

「這樣更好。」

瑞鳳女官與王母娘娘之談話至此告一段落，心中十分喜歡。

第二段節目開始，何仙姑婷婷走到台上，高聲向台下宣佈：「奉王母娘娘之命，特請呂洞賓登台表演舞劍。」她的話剛一完，台下爆起如雷掌聲，這當然是八仙在台下捧場。

呂洞賓見獵心喜，臨時想登台表演，多虧何仙姑、瑞鳳女官幫忙，總算如願以償。

休息時間過後，本來是要立刻上演水中芭蕾舞的，現在何仙姑站在台上，用極爲清脆的喉嚨宣佈：「各位來賓注意，今天有一個特別好消息要報告大家，呂洞賓呂道友將登台客串表演舞劍。」

巨變歷險記！

籌辦軍糧（一八一）

胡慶蓉

部隊還沒有到達泰緬邊大猛蓬之前，如何籌辦軍糧，丁博士就在籌劃了。

他的第一目標是商之華僑，請華僑設法。大其力是一個大的通商口岸，為華僑薈萃之區。大其力即謂華僑區亦無不可。大其力就在通泰國的路兩旁。在靠景棟的方面，大其力的人口並不多，大其力的人口集中在通泰國的橋右邊，距離橋不遠，靠右邊有一條路，有五馬路之稱。此所謂五馬路非大陸上海的五馬路，乃以兩旁居民有五位姓馬的得名。這五位姓馬的奇怪，都是回回的馬，此馬來頭大。其中最馳名的是馬守義，此次是馬鼎臣。馬守義個子高塊頭大，有一座樓房在馬路旁，一馬當先，一枝獨秀，非常令人注目。馬鼎臣個子不大，塊頭更小，但為人富計巧，實力恐怕是最雄厚的。五馬做的生意，是世界馳名的卡瓦山區鴉片。在台灣，鴉片是禁品，但在卡瓦山區却是美麗無比的白花，香氣撲鼻的良藥。普通裝成盒子，每盒的重量是一轉，因為鴉片以轉計算，用騾馬駝，往往一幫就是幾百匹，因而有馬幫之稱。五馬都是大馬幫的頭子。交易常以噸計，幾噸幾十噸，幾千噸，並不稀罕。土人生產鴉片同我們台灣的人民生產稻穀是一個道理。他們地區適宜鴉片的生產，他們靠鴉片換取他們一切所必需。

這是後話，暫且說到這里。五馬是大其力的大商人大富豪大華僑大僑領，丁博士就找到了他們，他們都表示的非常好，願意毀家紓難，盡力捐獻，盡力幫忙。特別馬守義，令人感到慷慨悲歌有忠義之風。他告訴丁博士：需要錢的時候，需要多少錢，請隨時到他舖子上來，三千五千老盾是隨時都有的。老盾是緬甸的幣名，有如雲南的半開，民國三十八、九年時候的幣值是非常高的。在大其力，泰國的錢，所謂銖，亦非常通行。有銖在手，有老盾在手，一樣通行無阻。在大其力用銖比用老盾還要多還要方便。發給弟兄們的錢，普通就是用銖，但腰裏能裝着老盾，弟兄們更非常高興。有銖又有老盾，眞是所向裕如，左右逢源。

這是現金部份。軍糧在起初的時候，在大猛蓬，做糧食生意的為數非常之衆，都樂於同部隊做買賣。這些糧食店，不啻軍隊的兵站，不啻部隊的後勤，供給部隊食糧，如網在綱，井井有條。部隊對他們的錢是不欠的，他們對於部隊也都非常相信，但在部隊剛一到達的前幾天，也不是沒有困難。並且可以說困難多得很，但都渡過了。回憶部隊剛一到達大猛蓬地區，部隊剩下來的錢總共只有一兩金子，一兩金子够做什麼？殊不知一兩金子作用無窮，以這一兩金子作保證，米就開始普遍供給了。這一兩金子是部隊信用的保證金，也是部隊的試金石。幸丁博士及時行動，快快準備，沒有露出馬脚來。

此外就是地方政府——大其力縣政府至景棟王趙發龍的擁護了。同我們內地一樣，大其力縣政府，景棟王趙發龍，就我們的需要，把糧食給大其力全縣的民衆，照分攤的數目，分別送到各部隊。這也是丁博士與地方官與趙發龍交涉的結果。於是對於大其力縣政府將來再提。對景棟王趙發龍，丁博士非常感激。他眞是以兄弟的情誼，由衷的感謝。這在不熟悉的人看來，未免有點奇怪，但若回顧一下景棟與中國的歷史，乃勢有必至，理所當然。

無奇不有集（四）

·恨海·

（十二）睡眠學校

世界上沒有一個不睡眠的人，嬰兒一出娘胎，就已經懂得了睡眠。在倫敦一間世界上獨一無二的「睡眠學校」，顧名思義，那是一所專門指導人如何睡眠的學校。

有人認為是標新立異的，但是這間學校的主持人却認為在文明都市中，這種性質的學校最為需要。在都市裏的人，生活那麼緊張，患失眠的人，數字直綫上升，他認為非教人能夠容易入睡的方法不可。

雖然看來是有點奇怪之感，但是在緊張的大都市的人們的確不可沒有的。而且從他們所排的課程來看，非常科學，很多睡眠專家都由專家負責教授，從睡眠的位置，手足停放的位置，怎樣擺除白天一切的煩惱，和如何鬆弛肌肉等，任何一細節，都注意到以往的紀錄。

在該校受課的失眠學生，成績非常好，不管是白天受過甚麼重大刺激，只要躺在床上，就能夠入睡。

（十三）世界最大的牧場

我們都認為世界上最大的牧場，一定是在美國。其實不然，世界上最大的牧場是在澳洲，主人名叫基曼，整個澳洲的面積達二千萬英畝，等於五之三的英格蘭。在大牧場內，養了十二萬頭牛，和八萬隻羊。最大的一處牧場面積一萬平方哩。

基曼已成為今日澳洲最富有的牧主。不過牧場並非由他一人赤手空拳創下來的，而是他父親老基曼十三歲時開始自力，生，當年他以兩鎊十先令購一匹單眼馬，袋中僅餘下五先令，一同到雪梨工作，憑他的毅力與勤儉與奮鬥，竟成世界上最大的牧場的主人。

（十四）長睡六年一美人

在童話裏面有一個睡美人的故事。但是這一個却不是童話的故事了。事情是千眞萬確的。

這睡美人名叫柏妮西亞，是芝加哥大學一個風頭人物，追求她的人多如螞蟻，不過她早已有了心上人，且已訂下婚約。

不料在她十九歲那年，一覺睡了六年之久，醒來時已是廿五歲了。但是對於以前一切情形一點也不知道，視她未婚夫如陌生的人。她當作為事實講述前，不過她當為夢境，是在世界上不會發生的事。

她十九歲那年某天，柏妮西亞參加一位同學的派對，回來之後，覺得身體有種不尋常的疲倦，倒頭便睡，睡了廿四小時還不醒來，家人恐慌已極，急請醫生診斷，也檢查不出甚麼病來，不論家人如何推動，都無從叫醒她。結果只有請醫生利用膠管把食品送進胃裏去，一方面由醫生為她注射和經常替她按摩肌肉，和將她身體移動。她在睡眠的六個月中，曾經六次移動過四肢，張開過眼睛，一次，她會醒來，但只是短短的一分鐘，她的眼睛又合上了。她剛剛睜開眼睛，不過這樣的動作，沒有醒過來吧！到了六年之後，她才把眼睛睜開，眞的醒過來，自動下床，眞一。但已把往事忘得一乾二淨了。（未完）

·王幻·

李冶（三）

由上面的幾首詩，可見出李冶的才情，非一般俗手可及。尤其「三峽流泉歌」的是不朽之作（前三首可說平平）。她從琴曲想到巫山的流泉，想到家；又從琴曲想到飛泉走浪，合怨鳴雷，以及嗚咽的流水，回湍的曲瀨……。可與白居易的「琵琶行」媲美。因此，也可以知道：她對音樂的素養頗深。

她同諸文士集會於烏程的開元寺，名詩人劉長卿亦在座。她知長卿有陰重之疾，就借陶淵明詩譏謔他道：「山（諧疝）氣日夕佳。」長卿才思敏銳，也用陶詩應聲說：「衆鳥（諧窅）欣有託。」合座為之大笑。試看：這是多麼愉悅的雅集，可以說謔不傷雅，更洋溢雅謔之趣的。

天寶時，李家的風流天子唐玄宗聞她的詩才，詔命赴闕，那時她恰在廣陵，有「恩命追人別廣陵故人」七律一首。詩云：

無才多病分龍鍾，不料虛名達九重。仰媿彈冠上華髮，多慚拂鏡理衰容。馳心北闕隨芳草，極目南山望舊峯。桂樹不能留野客，沙鷗去浦謾相逢。

這時她已有「美人遲暮」之感，無價青春與歲月同逝，一陣淒戚的況味升上她的心頭；如果不赴闕應命，情同違旨，況且一個會寫詩的女道士，說好聽一點稱詩人，能邀皇帝的恩寵召見，乃畢生的無上殊榮。祇可惜一切都晚了，若是美麗的青春未老，說不定就會成為楊玉環第二。詩句「野客」若改「野鶴」尤較切題，境界也自不同。

她到京後，明皇召見，留居宮中月餘，優賜甚厚，遣歸故里。時人評曰：「上比班姬則不足，下比韓英則有餘，不以遲暮，亦一俊嫗。」她到京後所獲眷顧之隆，可以想見。

她生平足跡所經，除了當時著名的花都「廣陵」外，姑蘇台畔，似乎她也曾駐足。看她「送閻二十六赴剡縣」詩：

流水閶門外，孤舟日復西。離情遍芳草，無處不淒淒。妾夢經吳苑，君行到剡溪。歸來重相訪，莫學阮郎迷。

這是她的送別詩。她們的感情也非泛泛之交，所以別後依然書簡往來，傾吐離懷。美人遲暮之後，是悽惋的；由絢爛歸入平淡，也是恬靜的。若能徹悟人生的眞諦，應該好好的欣賞「日薄黃昏」的燦爛境界。

不過，女詩人李冶這時已是一株冷落的殘荷，因此沒有人把她的晚景記載下來。千餘年後，只能從她僅存的十幾首詩作中，以一種惆悵的心情，去領略那已逝去的芳香。

她的著作，本來有詩集傳世，至元代尙存，但到現在，已成絕響了。（完）

語慧

英雄

哲學家黑格爾說：在僕人的眼中，沒有一個人是英雄。這並非因為英雄不再是英雄，而是因為僕人到底是僕人。

英雄並不比一般人更為勇敢，不過他的勇氣能比一般人多支持五分鐘而已。

御廚談藪

紅炒甲魚　翁同龢有五不吃

·林泉隱

紅炒甲魚，取甲魚生切成寸方塊，倒入滾油鍋中爆之，見四面透黃，以下黃酒四兩，鹽少許，再酌加醬油及清水，并下小方塊板油，合鍋蓋用慢火悶（火旁）之，已爛和以白糖，起鍋。

這個菜為清末太師翁同龢（常熟）所嗜，但有五不吃，一、六斤以上的甲魚不吃。二、甲魚肚底板有蛇紋者不吃。三、不是大河裏的水魚不吃。四、飼養的水魚不吃。五、生在草叢中的水魚不吃。有人問他甚麼原因時，他的答案是：「吃甲魚的經驗。」

第十五章　岳飛孫軍奮戰　趙立楚州殉國

惹的撻賴性起，誓破此城，遂命軍士運到飛炮攻城。飛炮是擊石頭飛出傷人的木製器械，並非火藥大炮。

一時飛石投入城中，宋兵受傷頗多，但金兵仍攻打不下，又相持了數日。一日城東緊急，趙立登城督戰，不料一石飛來，正中頭額，頓時血流滿面，雖然昏迷，尙站立不動。左右忙去救他，趙立說：「我受重傷，不能為國殄賊了。」言訖而逝，惟身體仍未倒。實不愧其名。金兵尙疑趙立詐死，未敢登城。守兵感趙立忠勇，仍照常守禦。又過十日，糧食已盡，城始被陷。高宗聞知趙立殉國，歎息不已，追贈為奉國節度使，賜諡「忠烈」。楚州遂陷入金人之手。打通北歸之路，向關陝與婁室會師去了。

第十六章　張招討賭師關陝　岳武穆怒斬傅慶

且說兀朮與婁室會師關陝。張俊調合五路大軍，分道出同州、延，東拒婁室，南擊兀朮。召調熙河經略使劉錫、秦鳳經略使孫屋（人旁、以下同），涇原經略使劉奇（金旁、以下同），環慶經略使趙哲，統制吳介（王旁、以下同），合五路大軍共四十萬人，馬七萬匹，與金兵決戰。五路大軍大以劉錫為主帥，先驅出發，張俊自為五路後應。統制王彥入諫道：「陝西兵將不相連絡，未便合作，一路有挫，五路俱敗，不如令各路分屯要害，待敵入境，檄令來援，尙若不勝，未為大失。」張俊不以為然。劉子羽亦諫此計，張俊仍不納。張俊慨然道：「我豈不知此理？但東南事尙在危急，不得已而出此。若此處擊退狡虜，將來西顧無憂，東南方可專力禦寇了。」張俊之志固可嘉，勢却不可。吳介、郭浩二將又入諫，張俊仍一意孤行，遂命各路啟行。前軍進至富平，劉錫會集諸將，共議戰略。吳介道：「兵以利動，此間一帶平原，易為敵騎兵所乘，恐有害無益，應先提高阜，憑險為營，方保萬全。」諸將皆以為迂論，齊聲道：「我衆彼寡，又前阻蘆葦澤，縱有鐵騎前來，亦無從馳騁，何必轉從高阜？」劉錫因衆議不同，亦未為定奪。觀此諸將皆各是其是，主帥又無定劃，安得不敗。

婁室引兵驟至，兵車滿載柴囊，搬投澤中，霎時泥濘具滿，與平地無異。胡馬縱轡而過，進偪宋軍各營。兀朮也提兵趨到，與婁室為左右翼，列陣待戰。劉錫見敵已偪近，

（七十五）

周燕謀

自由報

（第一一二四期）

（半週刊每星期三、六出版）
每份港幣壹角・台灣零售價新台幣貳元
社長李運鵬・督印黃行審
社址：香港九龍彌敦道593—601號廖創興大廈八樓五座
LIU CHONG HING BUILDING
7th FLOOR FLAT 5
593—601 NATHAN ROAD,
KOWLOON, H.K.
TEL: K303831
電報掛號：7191

承印：聚星印刷公司
地址：塞域街廿九號地下
台灣區業務管理中心：台北重慶南路一段一二九號
電話：二四五七四
台灣區直接訂戶　台灣劃撥戶
第五○五六號張萬有（自由報會計室）
台灣分社：台北市西寧南路110號二樓
電話：三三○三四六、台郵劃撥戶九二五二號

本報專論

毛禍非黃禍論

・侯立朝・

在世界近代史上，出現了人爲的兩大禍患，這兩大禍患都起自西方，也都給人類增加了死亡的機會，鮮血染紅了中國的長江、印度的恆河和非洲的剛果，直到現在我們仍然可以聽到黃色人種、黑色人種的呻吟、痛苦與死亡的交響。這兩大禍患就是：白色的資本主義吸血式之掠奪，赤色的共產主義攝魂式之麻醉。資本主義以海盜的姿態打劫落後地區，共產主義以鴉片販手的姿態向落後地區推銷毒品。結果，亞洲、非洲、拉丁美洲諸地區的人類，不是陷入於白色的資本主義的剝削圈中，就是跌進馬列主義的麻醉夢中，而不能自拔自救。直到現在這赤白兩大禍患並未終止，又出現一種新的禍患，這一新禍患即毛禍是。

毛禍是什麼？這就等於問：毛澤東是什麼東西？毛林共黨的性質是什麼？回答這個問題，在國際上被肯定指示的答案，都是莫斯科欽定的答案，而後由美國共黨及其同路人如早期的「太平洋學會」及近期的哈佛「東亞研究中心」予以傳習和散播的。熟知中共歷史和「第三國際」活動史的人，一定都會了解這樣的一個問題，即近代中國社會的性質，是由史太林欽定的，是所謂「半封建半殖民地社會」。故，對於毛林共黨基本性質的指定，隨時間的演進也出過三個不同的答案：

（1）毛澤東是土地革命運動者，不是共產黨。這是一九四○年以後到一九四九年間的說法。

（2）中共經過了「人民民主專政」過渡到社會主義的國家。這是一九四九年以後到一九六○年間的說法。

（3）毛澤東是「民族社會主義」和「大漢族沙文主義」的黃禍，是反馬列主義的。這是一九六○年以後到現在的說法。

現在，對於毛澤東思想的性質或毛林共黨基本的性質流行的答案，就是第三答案，哈佛「東亞研究中心」一個不通中國的中國通、政治混子共產黨員以學術做掩護的費正清，從一九六○年之後就傳播着莫斯科的答案，說毛澤東的思想和行爲及其政權的性質與對外的表現，都是中國傳統文化的體現，是中國的民族主義之新打扮云云，這決不是偶然的。

一九六○年「莫斯科聲明」之後，俄毛展開「革命路綫」的大論戰，赫魯曉夫即喊出了「黃禍論」。而後莫斯科的理論家們，即以「黃禍論」來打扮毛澤東思想，說它是源自中國的老子、孔子、墨子、孟子、董仲舒及佛教這一系列文化的系統，與「十月革命一聲炮響」毫無關係，與馬列主義毫無關係。近日莫斯科又宣告毛澤東思想是「大漢族沙文主義」、「民族社會主義」。最特別是莫斯科一位歷史學家瓦西列耶夫最近出版一本書，名爲「中國的祭祀宗教和傳統」，說明中國文化受到儒家思想的長期壓迫，使這一文化原則和民族傳統具有一種特殊的色彩，首先由於儒道統治使數世代人民堅信他們文化的完善性，規定現有理論的祖先和執政者的智慧，認爲正是代表古代聖人所要執行的全部眞理，世界上所有的智慧都是中國的智慧，追求知識都應當研究古代聖人和他們學術中的眞理，除此之外沒有眞理。這種傳統，它在最近十年中國歷史上發生的那些悲慘事件中起了作用，舊儒教的傳統被用來增加新思想和主義的威信。又在另一則評論中說：毛澤東觀點的極端民族主義方向性的表現之一，是他完全迷信於中國古代哲學的軍事和道德觀念，他不斷力求以孔子，道家的教義，出示自己的思想。我們替莫斯科的答案歸結爲一句話：毛禍即黃禍，黃禍即儒禍。這正是一種政治上的大虛構，對中國文化傳統，對儒家思想是一種大侮辱。

我們知道，莫斯科對於毛澤東思想的性質，就經過了三種不同的評準階段，因而產生了三種不同的說法，每一種說法都是政治性的，都與莫斯科政治利益有關係。而最後這一種說法，極其有深遠的影響性和混亂性，它較前兩種說法更惡毒無比。因爲前兩種說法只是策畧性的，最後這一種說法是以歷史、學術性來掩蓋它的策畧性，我們不能不揭穿它，以免長期性危害我黃族。

我們說且大聲地說：毛禍非黃禍，更非儒禍！乃是不折不扣的赤禍，亦即西禍的延續。毛禍的內在根源與其說是來自中國古代哲學，不如說是來自近代馬列主義；與其說是傳自秦皇漢武，不如說是學自史太林；與其說它是中國的民族主義，不如說它是國際的階級鬥爭。馬列主義中有絕對性排他的教義，史太林是超級獨裁的典型，而毛禍對外的表現是以國際的鄉村窮人向國際的城市富人鬥爭。這些，根本不需要也不必到兩千年前古代中國哲學中去找，更不必到儒家的思想中去找，莫斯科這二三十年來不是給他配備齊全了麼！毛澤東自稱他是「社會主義的學生」，莫斯科社會主義的先生們，你們怎能把他劃給孔子呢？在東方學習白色的資本主義制度者，一定會以白色的面孔向白色的資本主義作鬥爭，如日本。學習赤色的社會主義制度者，一定會以赤色的面孔向赤色的社會主義作鬥爭，如毛共。毛禍的根源已經被赤色的社會主義思想決定了，根本不需要孔子，道家做護航。

中國民族主義是什麼？它的精神體現是什麼樣子？將另作一文析論之。毛澤東思想決不代表中國的民族主義。

（完）

昨日與明日

另一反共戰場的勝利

于斌樞機又一偉大貢獻

來自十五個亞洲國家，爲數一六○多位的主教，在菲律賓首都所舉行的首次天主教亞洲主教聯合會議歷十天的討論，終於在十一月廿九日閉幕了。這次會議所以被世人重視，至少有以下幾點：

一、這是亞洲地區第一次天主教會議，由於亞洲人口佔全世界人口三分之二，所屬地區的經濟多在開發之中，很容易作爲共產主義滋生的溫床，亞洲地區有十億多的人是被困在共產竹幕之中。危害世界和平的中共政權，也就是在亞洲的中國。亞洲遭受紅禍最烈，共產主義威脅亞洲，而亞洲的共產主義又威脅全世界，全人類和平與幸福。此時此地在亞洲舉行全區主教會議，實在有其非常重要的意義。

二、當今教宗不僅是全世界天主教的領袖，也是全世界反唯物主義，反無神論者的旗幟。共產黨徒誹謗天主教的教宗也就是今天全世界反共的領袖。他以七十三高齡，不辭長途旅行之苦，遠來亞洲主持會議並訪問若干國家，可見教宗對亞洲的重視，同時，在國際姑息狂流甚爲激盪之際，教宗東行，更具非凡的意義。

三、最值得注意是大會通過中華民國于斌樞機主教的提議，發表宣言，保證支持抗無神論的共產主義和各種帝國主義的鬥爭，對抗共產主義爲大會所通過的二十二項決議之一，亞洲八位樞機一致贊成，與會三分之二以上的主教完全熱烈支持。此一宣言的發表，顯示教宗與亞洲全體天主教主教們的堅決反對共產主義態度，使世人對教宗反共態度的懷疑，一掃而空，同時也顯示出：天主教對共產主義及共產黨徒，不僅消極的反共而已，而且還堅決地積極地支持反共鬥爭。

于斌樞機在大會曾感慨陳詞：「狼已來了，作爲牧童的我們，難道連警報也不發」？我們知道：于樞機崇拜眞理，正義與自由，早有年矣。對日抗戰時期，他大有功於國家民族，而今在反共洪流中，他又發揮他的偉大爲眞理作證精神。國人對他崇敬，教宗也對他極爲重視，開會時位於教宗之旁，所有亞洲樞機對他也無不恭敬，據外電所載：在大會開會時，發表演說全體肅靜聆聽的祇有于樞機一人，演講如此。紐約時報論及亞洲主教會議也，盛讚于樞機的偉大影響力量，而義大利左派報紙對會議宣言，却表示無限震驚。甚至外電傳出：教宗訪港發表談話，也曾更改內容。此次于斌樞機對反共大業的貢獻，實是不言而喻的了。

・干公・

自由談

談擴建機場問題

美國駐華大使馬康衛在華府參議院作證說：「台灣最近擴建飛機場，并未取得美國同意」云云。台灣不是美國的領土，中華民國政府在自己的國土內擴建機場，爲甚末必需取得美國的同意？吾聞馬使證詞，眞如丈二和尚摩不着頭腦，不禁要大呼一聲「咄咄怪事」！

談到建築飛機場問題，我以中華民國人民一份子的立場，却另有所見，未便緘默，不能不向友邦美國當局，縷述區區的觀感。

按照美、日協定，戰後作爲美國空軍基地的琉球羣島，快要交給日本管理了。原在該島上儲備着的許多美國軍用飛機和器材，以及原子彈、核武器等，勢必就西太洋沿岸，別尋適當地點以資容納，而台灣即係最理想的所在。如果美國要把儲備在琉球的軍機和原核子武器搬來台灣，咱們却有些顧慮——顧慮到因此而有招致敵人的原子彈襲擊之日。不錯，中、美兩國訂有安全互助條約，咱們在美國的原子傘庇蔭之下，患難與共，固不在乎。可是，美國的反共戰畧是使台灣只居於挨打地位，却不許主動出擊。所以，台灣要擴建機場，而美國使節認爲未取得美方同意，表示關切，實際即是不贊成也。

旣然如此，美國亦就不宜將大量的軍機和原核子武器，隨便搬來台灣。至少至少，應該將中、美安全互助條約的換文宣告廢棄，成爲眞正的攻守同盟；同時停止那所謂討論台灣問題的美、毛「華沙談判」。

美國對自由國家反共運動的領導方法，總是害怕別人輕啟戰端，拖着美國下水，因而過事越俎代庖，抹煞別人的主權，無視別人的國格，以致凡屬接受美援的友邦，無不充滿着反美情緒，何其笨拙乃爾！兵凶戰危，絕非兒戲行爲，美國縱然不加防範干涉，別人亦不會隨便亂來，馬大使的證詞，豈非多餘的？

我們不反對美國在西太平洋岸的空軍和武器移駐台灣，但不能無條件的同意，上述各點即是最低要求。

馬五先生

牛皮膏藥治嬉皮

吳怡

筆者於九月十四日在台灣國立師範大學會作過一次演講，內容是有關「中國禪的教育精神」。其中有一段談到用禪的方法可以在半年之內使美國的嬉皮絕跡，這雖然是筆者吹的牛，但本報主編先生却認爲這劑藥方和馬騰雲先生的秘方差可比美，值得介紹給本報讀者，以廣流傳。由於筆者既不是教育專家，又不是掛牌的名醫，深恐庸醫誤人，所以特名之爲「牛皮膏藥」。一則替自己的牛皮而解嘲，一則深感像西方這種不見經傳的嬉皮之患，也只能貼貼牛皮膏藥。現在把這劑藥方抄錄如下：

今天西方對於嬉皮之患束手無策，將來的發展更不堪設想。如果美國總統請我去治嬉皮，我只要稍用一點禪的教育方法，保證不出半年，嬉皮可以絕跡。我這個牛吹得夠大了，諸位一定要問我究竟用的什麼秘方呢？方法很簡單。因爲今天嬉皮們的一個最基本心理就是引起注意。正同三四歲的小孩一樣，家中來了客人，大人們不注意，大人們愈罵他，他愈鬧得凶。嬉皮也是如此，社會上愈攻擊他們，他們感覺到愈受重視，也就愈鬧得厲害。如果採用禪宗治心賊的方法，就是讓他去。以我的看法，美國政府可以找一塊荒島，凡是不滿社會文化的嬉皮，一律送到荒島中，讓他們去得其所哉。在這個荒島中一切自由，性自由、行動自由、言論自由，但自由得沒有現成的麵包可吃，衣服可穿。一切都須靠自己去想辦法。於是他們要重溫人類野蠻時期到文明時期的發展歷程。經過了非常艱苦的生活之後，他們才知道現代文明得來的不易，才知道他們的父老沒有欺騙他們，因此不到半年，凡是想做嬉皮的不敢再嘗試，已做嬉皮的必然浪子回頭。當然要能做到這點，必須有禪宗的狠勁。要「要」「放」得乾脆，「迫」得徹底，對方才會悟得深切。

上面的例子只是說明一點中國人的智慧，今天世界上有不少難解的結，如果都能運用中國的智慧，必然都會迎刃而解。可是今天我們的發揚不力，西方人又見不及此，這實是人類文化的一大損失。

監察工作常受阻撓
糾正彈劾徒成具文
監委檢討深深感工作難做
呼籲繼續努力加强監察效能

（自由報台北航訊）監察委員馬空羣在一年一度的監察院總檢討會上，就糾彈案件辦理情形及調查案件等，加以檢討。

馬空羣委員深深感覺到「監察院的工作越來越難做了」。現行的監察制度，「是因襲我國古代御史制度的一些遺範，又吸收西方國會制度的優點，故雖具形式，但缺乏兩種制度的實際。其權力既遠不及古代御史制度，也不及西方國會制度，僅有權之名，而無力之實。」例如，「古代御史可以審理並平反人民的冤獄，西方國會可以彈劾並懲戒違失的官吏，這都是有實權有實力的。而今天的監察院，在憲法上規定是國家最高監察機關，好像擁有好大的權力，然一究其實，所謂監察權，不過是徒具虛名的糾正權、彈劾權、糾舉權和僅具象徵性的同意權，以及照例公事的審計權，如此而已。其中最重的糾正權、劾彈權、糾舉權，說穿了，僅是一種檢舉權而已。檢舉的事，別的機關重不重視，理不理會，權在他人，監察院無無干預，更談不到去約束他人，這與一般老百姓向官署提出檢舉，聽憑官署處理的情形有甚麼兩樣？」

這位貴州籍的監察委員列舉事例檢討說：如糾正案，是要請政府對於不當的措施加以改善，但改不改善，政府自有權衡，監察院無權去强制政府必須改。只有到了一定的時間，政府還沒有答復時，監察院可去函催促，請政府趕快答復。然而政府的復文，大多是對自己的措施找出種種理由來加以辯護，結果成爲公文的來往辯論，糾正案便成了具文，有何效果可言。如彈劾案是要送到司法院的公務員懲戒委員會去懲戒；糾舉案是要送到被糾舉人的上級主管機關去處理，但絕大多數的糾舉案，接受的主管機關，都是轉向公務員懲戒委員會一送，請公懲會處理。我們知道，公懲會的委員，都是政府任命的官吏，他們處理彈劾案糾舉案時，對於上級的指示，不能不有所顧慮，他們遭受的困擾，自不待言。所以本來應該撤職的，結果休職數月了事；本來應該降級的，結果申誡了事，這樣一來，營私舞弊違法瀆職之徒，不惟毫無畏懼，反而越來越胆大了。於是監察院的彈劾案糾舉案又落了空，並不發生多大作用。

一般人不知監察院的工作，是在替政府作清道伕；反認爲監察院的工作，是增加政府的困擾，好像處處都在與政府爲難。加以監察院的工作生來是一種不受人歡迎的工作，因爲要隨時批評他人的錯誤，檢討他人的過失，所以自然而然的形成一個極大的阻力，來阻撓監察工作的進步。監察院在這樣的困難情形之下，來從事監察工作，其中滋味，只有監察委員們自己知道，他人是不會瞭解的。馬委員對所謂監委年老的說法加以辯解：在開院之初，監委同仁都是精力充沛，而我們的工作並無如何特別的開展，現在我們的工作和二十年前比較起來，並無退步。二十年來，監委們還是同樣的辛勤，並未一日放棄自己的責任。今天監委中老當益壯的，還多的是。許多年高的委員，踴躍出席會議；今天還能眞正的講公道是非，如監察院這樣的機關已不多見。這都是由於一批老委員能夠守正不阿，忠公體國所表現出來的結果。許多監委都希望能夠趕快有一批新人來接棒，但大陸一日不光復，接棒的新人如何能產生呢？所以要努力早日光復大陸，一切才有辦法。而要能早日光復大陸，必須使政治弊絕風清；要使政治弊絕風清，必須加强監察的效能，這是一定的道理，所以監察工作雖是困難重重，仍要努力去做。

提案大處着眼　查案注意小處
行使職權必須公正嚴明
監委馬空羣提三點意見

最後，馬空羣委員提出三點檢討意見，希望與會監委同仁一一注意共勉之。第一、要求監委本身自重；第二、查案從小處看，提案從大處着眼；第三、行使職權須公正嚴明。

監察委員本身要自重：他說：今天我們不怕別人不重視我們的職權，而怕我們不重視自己的職權，不怕別人妨礙我們職權的行使，而怕我們自己妨礙自己職權的行使。別人不重視監委的職權，或妨礙我們職權的行使，我們猶有可爲，假若我們自己不重視自己的職權，或竟去妨礙自己職權的行使，那就成了絕症了。但不幸得很，我們有時也有忘記自己立場，不重視自己職權，或妨礙自己職權行使的情事發生，這是非常不好的現象。如過去有一些糾彈案的提出，因受自己內部的困擾，無法通過，這就是由於自己不重視自己職權的原故！

關於查案與提案的問題：馬委員認爲查案應從小處去注意，提案應從大處去注意。假如查案只是粗枝大葉的看看大處，不去注意小處，明察秋毫，就不會查出眞象來。如提案只注意一些瑣細的情弊，認爲只要一有情弊，就必須提案，而對於國家利害重大案子，反而不提出，這就有違我們工作的大前提了。糾彈案提出之先，應從大處去研究一下，如情弊較大，提出來對於大處有利而無害，我們就决不可縱容；如情節輕微，可不必吹毛求疵，有時反會因小失大。

至於行使職權須公正嚴明：馬委員主張：行使監察職權必須公正嚴明。他說：不正便不能公；不明便不能嚴。處理任何案件，首先要正，決不可偏；首先要明，決不可昧。只有先正才可以進而求公，只有先明，然後才可以進而求嚴。假如偏執己見，昧於情理，而要去講求公正嚴明，那就是南轅北轍，越走越遠了。

輔助新聞事業
省府仍甚注意
陳主席答覆議員詢

（自由報台北訊）此間各民營報對省政措施，熱心配合宣導，省政府深表感荷！

據省主席陳大慶書面答復省議員葉黃鵲喜質詢說：台灣省政府基於輔導新聞事業旨意，對於民營報業之輔助，仍甚爲注意，如爲協助民營報資金週轉，曾經由台灣銀行予以低利貸款，最近，特別對省內民營報社，由各行庫予以信用貸款，每報新台幣二十萬元，另公告補助費每年一百零八萬元，迄仍繼續撥付。至改善設備方面，如結匯進口機器，紙張和材料等。其他之輔助，如鐵、公路優待托運，優待乘車，出國採訪，配購食米，裝設電訊設備等項。從今（五十九）年度起，應台灣省議會之提案，爲協助充實各報內容，特別編列省政建設座談經費預算新台幣六十五萬元，以上各項均係促進民營報業發展之措施。事實上，由於各報善自經營運用，如多已新建廠房，添置機器設備，大都奠定良好基礎。

女省議員葉黃鵲喜是在第四屆第五次大會省政總質詢時說：本省各縣市民營報紙，一向協助政府宣傳政令，貢獻很大，但基於報社本身的條件與設備，據悉：每一家民營報紙都有虧損之現象，因此，各民營報紙經營困難，員工的待遇菲薄，對於本省文化事業影響至鉅，民營報過去都有政府若干補助，但數量極少，談不到幫助其改善設備或幫助經營，我與任何民營報紙均無關係，但基於扶助文化事業之宗旨，希望政府對民營報紙多加補助，並協助其改善設備，提高水準使每一家報紙都平均發展下去！

剷除貪污

依詞集

何如

剷除貪官汚吏，誰也雙手贊成，即一般廉正自持的從政人員亦不例外。

可是，政府當局常有懲治貪汚的措施，且頒訂特別法令以繩其後，然貪汚風氣迄未見稍戢，更不必說肅清的話了。報紙上不時刊出貪官汚吏東窗事發的消息，只不過是一鱗半爪而已，逍遙法外者尚十百倍於此，而其嚴重性亦十百倍於此。結果是小貪官偶爾倒霉，大貪官安然無恙。由今之道，不變今之法，我敢斷言：永無實現廉潔政治之望！

政治上的賄賂行爲，主動者一定是官吏，官吏如果以受賄爲可恥，老百姓誰願意破財又誰敢以身試法呢？法律上如果不替貪官汚吏訂立「與受同科」的保鏢條文，紅包主義亦就不會肆行無忌。假使立法機關能夠以舉手投足之勞，把刑律中「與受同科」這句有害無益的壞話刪除掉，再仿效南韓的律例，規定行賄者若自行檢舉，不特無罪，賄金准予原贓收回，而罪在受之者，受之者自行檢舉亦同樣處理。這樣一來，貪汚風即自然消弭於無形，雖不頒訂懲治貪汚格例，而清廉之治可立而待也。

不過，南韓這種律例是具有革命性的，必須朝野上下人士大家一條心，滿懷朝氣，視貪汚爲危害國計民生的毒素，嫉惡如仇，去之唯恐不速。如其有人別具慧心，認爲矯枉過正，而高談腐敗的法學論點，暗地裏希望保持貪汚的門檻和機會，異議橫生，詭辯百出，那就根本不要說甚末革新政治的廢話，尤其不必瞎唱「革命」的調調兒。世界上有許多落後國家的貪汚風氣，比咱們更有甚焉，咱們比上不足，比下有餘，雖讓貪官汚吏存在，容何傷乎？果若是，余欲無言矣！

台北傳奇錄（九三）

·陳光棣·

第二天，一個中型颱風奏着前進曲侵入市區，一霎時狂風怒吼，飛沙走石，風姿挾着暴雨震撼着每一個角落，衝刺所有的空間，陳舊的房屋發出了陣陣的哀鳴，高樓大厦不停的顫抖，路旁的鳳凰樹向着行人鞠躬哈腰的希冀得到一些安慰，椰子樹站的高高冲着呻吟的馬路訴苦。

大洋馬找到金恆貴，迫着他去劉二爺家拿貨物。

「這個天氣，劉二爺兩口子一定不會出門，怎麼去拿哪」！金恆貴攤着手。

「放你的大驢屁，拿東西當然是趁着劉家有人才去拿嘛」！

「妳不知道哇！我是串通了步成材偷偷放在他家的」！

「你們都是作的什麼狗屁倒灶的事？」大洋馬堅定的說：「我現在非要不可，趁着這種天氣才好處理」！

「這可眞難爲人！」金恆貴沒了主意。

「你眞是飯桶，以後我就叫你『阿桶』。好啦！你要是沒有主意，趕快去給你姐夫打電話，他的鬼花頭最多」！

金恆貴頂着大雨去打電話，看到賴先生全副防雨裝備擠進了一輛計程車。賴先生一直到了清湯掛麵住的違章建築，像煞有介事的找到釘鎚，拿起釘子，東釘釘窗戶，西敲敲門板，清湯掛麵站在旁邊不停的數落着，賴先生修理地板的時候，又把清湯掛麵穿着的一隻皮拖鞋給釘在地板上，賴先生一看表九點鐘了，匆忙的竄出香巢直奔辦公室，清湯掛麵要追上去囑咐兩句話，才發覺鞋子被釘牢了走不動，一個人氣的咬着銀牙嬌罵不提。

賴先生走進辦公室，工友老張就提出一連串的報告：「公館裏來過三次電話，說小姐生病了，太太叫你馬上回家！」賴先生一聽心裏直打鼓，正好這麼個時候又來了電話，老張把耳機子遞過來，一聽是小弟的聲音：「爸爸嗎？有你瞧的啦，媽媽去辦公室啦，你可小心着點」！賴先生正在心亂如麻，又看到老張在旁邊直笑，不由的就對着受話器大吼起來：「小心什麼？混賬東西，還不快把電話掛上」！賴先生提完電話，來不及向老張發脾氣，拿起帽子衝出辦公室，告訴秘書說：「等一下假如我太太來了，就說我到半路上去接她，也許接不到，也許接的到，噢！對啦，要是接的到，她就不會到這兒來啦，唔……總而言之一句話吧，假如我太太要是來了，你就勸她……，不是勸，用不着勸，你聽明白啦嗎！告訴她，馬上回家！」賴先生交待完了，就從後門溜之大吉。秘書聽了半天也摸不着頭腦，幸而老張一陣解說，才算弄清楚是怎麼回事。又幸而賴太太一直叫不到計程車，賭着氣又回到家去，聲言要把賴先生撕的一片一片的餵了王八。所以才沒到辦公室。

歪論也是正論

指出反共首先必須反美

·文匯樓主·

此間「民報雜誌」頃以「是怪論也是確論，要反共必先反美」爲題，對亞洲國家應組織「亞洲反共軍事聯盟」發表意見，特節錄如後：

我想用這個標題來寫這篇東西，已經在十年多前了，但時我還遲遲沒下筆，直至今天，似乎不寫出來，心中如有梗着一塊大石頭的很感不舒服。所以不顧我的意見是否會被世人同意或當局的接納，但我也好盡我一分心力，和盡我爲國家的一份子，向當局提出我的一點意見。

「反共必先反美」，這個口號也許曾被一般人認爲我是共黨的同路人，但決非如此，我所謂反美，便不是與共黨合流而共同反美，而我的意見恰好相反，就是如要反共，必先反美。也即是說，非反美便不能反共；非反美亞洲便不能獲得和平，也難免受共黨所吞併。

我這麼說，是我的觀點和理由的，讓我在這裏提出我的理由吧。

一、從歷史上言：美國是一個新興資本主義國家，它能有今天的富强與繁榮，一方面是由地理環境關係；物產豐富是事實，而兩次世界大戰都沒有受到摧殘，反而發了戰爭財，一方面是美國人的祖先，全都是逃亡客、流氓、冒險家等混合品，故美國人的思想都是祇懂得投機，和本身利益，對政治可說幼稚得很，甚至對共產黨的內容一無所知，就算是偶有一二位較突出的政治家，但這些政治家，在華爾街的大亨操縱下，一無所施，無法一展所長，除非你願意做華爾街的哈巴狗，否則，想在美國政治舞台佔一席位，是白日做夢。

美國人因爲對政治的認識太幼稚，故此造成第二次世界大戰後的共黨與自由世界瓜分這個地球。當在第二次大戰後期，德國敗像已呈，當時邱吉爾首相反對美國援助蘇聯，和盟軍應負全部歐洲戰場任務，東戰場也由盟軍（這指英、美、法等聯軍，蘇聯除外，當時因蘇德有互不侵犯協定，後德軍因攻蘇聯不下，才指揮攻蘇聯，蘇聯才加入盟國，並肩作戰）負起全部責任，邱吉爾主張盟軍應由愛琴海登陸（即在希臘、阿爾巴利亞等沿岸）進攻羅馬尼亞、奧大利亞、波蘭等國，包圍德國，也阻擋蘇聯西進；可是，當時美國總統羅斯福就犯上了政治的幼稚病，他一方面責罵英國的殖民地主義，說它祇顧剝削毫無建設，因爲在羅斯福所見的埃及，說英國祇顧搜刮殖民地，而埃及連醫院、學校都不建設。一問，那是太不合理，戰後不容許再有殖民地的存在（這方面，羅斯福總統可有清新頭腦，戰後，首先放棄美國僅有的殖民地！——菲律賓，同樣使許多殖民地紛紛獨立），但在另方面，他則昧於史太林的「和平共存的口號，仍以爲蘇聯祇是土地和社會的改革者，對世界沒有威脅或不安。因此，他主張多給蘇聯援助，利用蘇聯的人力，負担東戰場任務。這樣，戰爭是勝利了，可是便由於羅斯福總統的眼光短小，形成今日歐洲一半淪爲蘇聯附庸，成爲東西對立的形勢。

在亞洲，日本投降後，美國當朝官僚，聽信共黨宣傳，同時如史迪威之流（當時是亞洲盟軍戰場的副統帥，正統帥是蔣委員長，那時還有一個副統帥是英國蒙巴頓勳爵），史迪威人非常驕傲，有優越感，對蔣委員長的意見常有衝突，故調職回國後，便大肆攻擊國府，造成對共黨有利。後來還在美國壓力下，由馬歇爾來華作魯仲連，做成「國共協商會議」，當時稱之爲「三人小組會議」，是每一系統的會議，分由國、共、美三方面各派代表一人參加之謂，致使共產黨有喘息的機會。更獲蘇聯派軍入關後，接收日軍裝備，轉交共軍，同時美軍援華的賸餘物資也撥歸共軍，致使共軍坐大，纔有實力和國軍作戰而至荼毒整個大陸。

宏揚孝道與復興文化（五）

·黃嘯菴·

雖兄弟分爨，仍各輪流奉養雙親，克盡孝道，這可作爲我們一個好榜樣。

三、必須建立新的觀念——孝在中國社會上，在過去有地位，有價值，這是不容否認的事實。不過時代不同，在今日宏揚孝道，我們應該有一種創新的觀念，對於孝的內容與實踐，也應該重新估定其價值，如要達到這一理想，我認爲教育政治法律各方面，均應有適當的配合，共同來建立新的倫理道德觀念與制度。在教育方面，因過去受西方教育思想影響，太過相信自然主義和個人主義，過度攻擊傳統父系家庭的權威，一般青年學子，幾不知有所謂孝道，因而太保太妹，都從自由家庭中起飛，要糾正這一偏差，各級學校方面，必須要加强倫理道德教育，把孝道精義，如「先意承志」「繼志述事」，以及「顯親裕後」等理論，徹底予以發揚，倡導實踐。

在政治方面，近年來我府很提倡表揚好人好事，但孝爲百行之首，孝的倫理應該特別予以重視，可惜政府對於好人好事的表揚，只做到每年舉行一次大會，徒具形式，對於孝子的表彰，少之又少，提不起社會的注意，今後如要表彰孝道，就必須釐訂一整套辦法，頒行實施。在法律方面，古代對懲治忤逆不孝刑罰，非常嚴厲，但現今法律，處分不孝之罪，似無專條，最近報章所載：「台北市有一位現年六十七歲的老人報案說：他現在台北市建國南路開設一家機械行，民國五十五年三月間，他因身體不適，住院醫療時，其子林石礱兄弟二人曾串通他們叔叔到台北法院，謊稱父親失蹤數月，下落不明，請求法院分配產業，經過公證手續後，兄弟兩人即將家業公開佔有，當林某於病愈出院後，因無處寄身，爲向警方提出告訴，但經親朋出面調解後，他們兩個兒子曾答允按月接濟三百元生活費，可是不到半年，兩人均不履行承諾，置年老的父親生活於不顧。」這一事件，如屬眞確，眞是復興文化運動中的最大的諷刺，今後我們法律對違背倫常孝道的法條，應如何作合理合情的修訂，這也是值得我們重視的一件事情。

總之，宏揚孝道，在復興文化中，特別是恢復固有道德的問題，最要緊的是注重實踐，而不是空喊口號所能濟事，如何對古聖人孝道的崇高理論，予以保存和發揚光大，這就要靠全國上下一致的努力，造成優良的風氣，才能收到預期的效果。

（完）

自由詩壇

漁叔題

庚戌秋參加海外華僑青年國術觀摩大會賦呈諸師友正和

·張鶴·

國粹宏揚信可歌，北台演武喜觀摩；
中華兒女顯身手，大漢旌旗照海波，
昔日何如今日盛，南拳却比北拳多，
病夫東亞宜湔恥，誓共揮戈掃赤魔。

朱子

吳怡

（四）

朱子不僅理首經書，去發掘聖賢的義理；不僅揮筆疾書，去寫下自己的思想；而且身體力行，要把聖賢的學說，自己的理想，實踐出來。他在廬山所建立的白鹿洞書院，便是這種實踐精神的具體表現。

在他以前，也曾有許多的書院，也曾有許多的學規；但特別提出教育宗旨，作爲書院精神，書院理想的，却以他爲第一人。

他在白鹿洞書院的教條中，首先列出五教之目是：「父子有親，君臣有義，夫婦有別，長幼有序，朋友有信」。並在旁邊注明：「堯舜使契爲司徒，敬敷五教，卽此是也」。這正揭示出他祖述堯舜以來儒家傳統的教育理想。

其次，他申明爲學之序是：「博學之，審問之，愼思之，明辨之，篤行之」，這是孔子治學的五個綱領。他認爲前四者就是窮理的方法；至於最後的篤行，乃是依據修身，處事，接物的原則以實踐。所以接着他說明：

修身之要在於：「言忠信，行篤敬，懲忿窒慾，遷善改過」。

處事之要在於：「正其誼不謀其利；明其道不計其功」。

接物之要在於：「己所不欲，勿施於人；行有不得，反求諸己」。

這就是白鹿洞書院的教育宗旨。雖只短短幾十字，但朱子已把整個儒家道統精神都寫了進去。所以當時不僅其他許多書院，採取這個教條；而且連宋代的太學，也以它來訓示學生。這影響，一直到明代的顧憲成，在他的東林會約中曾這樣的歎着：「朱子白鹿洞書院的教條，實在是至善至美的了！讀書人要爲聖爲賢，豈能越得出這個範圍！我們在東林書院所學的，也只是講明它的道理，而加以實行罷了」。

朱子白鹿洞書院的教育宗旨，所以對後代能產生她此深長的影響，並不是書院本身培植了多少登科的人才；而是這一宗旨，維繫了一個道統的精神。儘管教育的制度，每代都有變遷；而這一個精神，却是歷萬世而不變的。

（五）

對於朱子，我們可以從許多方面來稱頌他。因爲他一方面的影響，在中國文化上，都是舉足輕重的。

他的四書集註，成爲中國思想的聖經；他的窮理學說，成爲宋明理學的靈魂；他的白鹿洞書院教條，成爲此後七百年來教育思潮的濫觴。

（未完）

諸葛亮狂想曲（一七六）

·劉玄·

呂道友劍術人間第一，天上無雙，讓我們大家鼓掌歡迎他出場。」

何仙姑說罷，台下立刻響起一法掌聲。

只見，呂洞賓穿一件茶色的道袍，腰繫一條手指般粗細的深黃色繩狀腰帶，足下穿一雙挖雲朝天蹬式雲履，戴一頂道冠，後面雙條飾帶却在右眉際打了一個活結。兩眉入鬢，目若朗星，三綹掩口鬍鬚飄拂胸前，幾一亮相，架勢果然不凡。

在尋常時候，呂洞賓的寶劍總是背在身上的，現在他用右手持劍，反於身後，這是通常舞劍一上場的準備姿勢。

呂洞賓寶劍出梢，在天庭還是第一次，大家都不免要仔細看個明白。這是一把古銅色寶劍，上面刻有燦爛奪目的七星圖案。

呂洞賓上台以後，先向台下四面八方打一稽首，然後由慢到快，舞了一趟「神龍劍」，神龍劍法招式特殊，與一般人所見者不同。最難得的，是招數看上去很慢，但却見不到他的身影。台下嘖嘖稱奇。

神龍劍演畢，有兩位黃巾力士扛來一隻巨鼎，雖然輕輕放在台上，都有點震動，這隻巨鼎之沉重可想而知。

呂洞賓離鼎約有一丈多遠。他用劍在空中劃了一個大圓圈，然後向巨鼎一伸，只見他面色紅潤，眼中露出異樣的光彩。觀衆中很多是行家，都知道他正在運用調乾振元的功夫。

大約經過有一分鐘的時間，呂洞賓側着身體，大喝一聲凌空向飛準備指向巨鼎。用劍尖一挑，將巨鼎挑在劍尖上，三足巨鼎，一足被劍尖挑起，兩足凌空，這一手確屬精采。項羽費了九牛二虎之力，不過只舉起千斤之鼎，兩相比較，不及呂洞賓多矣。

呂洞賓用劍尖挑起巨鼎，意猶未足，竟用劍尖將巨鼎旋轉不休，忽然又用劍朝上一挺，將巨鼎拋向半空，然後又輕輕接住。

這一套演完，台上掌聲如雷。

「剛才呂道長表演的是舉重若輕，現在要表演的是針鋒相對。」何仙姑看見呂洞賓表演成功，自然高興，報幕也格外起勁。

呂洞賓這時站在台的左邊，抱劍在手，意態優閒。

戲台的右邊走出一老一少兩員虎將，大家定睛一看，老的黃衣黃甲，鬚眉皆白，手挽鐵背寶弓，此人非別，乃是三國名將，第一射手老將黃忠。少的一位白衣白甲，手裏也拿着了箭，乃是水滸傳着名射手，小李廣花榮。

「現在請黃老將先射。」何仙姑上前，很禮貌的揭開表演序幕。

黃忠點了點頭，拉開架子，左手如托泰山，右手如抱嬰孩，弓開如滿月，箭去似流星，一箭向呂洞賓心窩射去。呂洞賓不慌不忙，說時遲，那時快，用手中寶劍的劍尖迎向射來的羽箭，箭鏃與劍尖碰個正着，叮噹一聲，爆起鐵器相觸的火花，一支羽箭，不偏不倚還揷到黃忠腰邊懸掛的箭囊中。

巨變歷險記！

建立領導（一八二）

胡慶蓉

丁博士奔走於大猛蓬與大其力之間，為廿六軍八軍籌劃一切，領導權之建立，也是其中主要的一項。

首先是同中華民國國民政府取得聯繫。這談來容易，做起來可不易。中華民國國民政府現在台灣，距離現在緬泰寮滇邊區的廿六軍八軍路途遙遠，用電台聯絡實屬必要。八軍沒有電台前面已經說過了。廿六軍雖給八軍一個電台，但因為缺少電池，沿途背着，但不能用。到了大猛蓬，還把這個電台看寶貝，放在李團長的身邊。雖然電池得到補充，但還是不能用。於是向佛海南嶠退下來的廿六軍打聽，知道他們有一個電台可以用。但又為五縣自衛隊羅總司令奪去了。丁博士向羅總司令商量，他非常義氣非常慷慨，一口答應。但這個電台藏在一個鄉間，拿來用並非沒有辦法，他願意代為接洽。廿六軍的余興名從中幫忙，帶着槍將電台押運到大猛蓬。丁博士高興極了。他就將這電台架在大猛蓬小甸蓬之間的佛廟裏邊，由廿六軍的李建昌負責。李建昌原來就是這個電台的台長。即藉佛海敗退下來，他還是保護着這個電台，用騾馬駝到五縣自衛隊羅總司令處。同台灣的第一個電報，就是李台長從羅總司令處發的回電，台灣居然收到了，並且給了回電。這給丁博士全體廿六軍八軍實在是一個莫大的鼓勵。電台安裝在大猛蓬後，更是暢通無阻。台灣負責聯絡的是參謀總長周至柔將軍。在大陸整個淪陷之後，還看見有這一部份砥柱中流，周將軍以至整個的國民政府都感到欣慰。

再進一步，丁博士同廿六軍的余軍長余程萬，同八軍的李軍長李彌，現任的雲南省綏靖主任與省主席聯絡，仍透過中華民國國民政府國防部參謀總長，得到的答覆是余已辭去一切職務不再過問國事，退居香港，作他的寓公，李倒興致勃勃，願意前來，並即刻復了丁博士一電，對於他不避艱險，不辭辛苦帶領部隊到達寮泰緬滇邊區，表示萬分的欽佩讚揚，並約期在泰國首都曼谷見面。屆期丁博士前往，是在曼谷的一個甚麼西式旅館見面的，李主席並帶着太太龍慧娛女士，決定親自出馬，躬親領導。

廿六軍的余主任雖不出來，但他的一位老師長，在抗戰時期轉戰緬甸的呂國銓，在他太太張靄青女士鼓勵之下，在丁博士敦促之下，三顧他的旅館，他也答應出山，他太太張靄青女士是過去興威士司（緬北臘戌地區）現任緬甸大總統蘇瑞泰的女兒，他住在大其力，常往來仰光曼谷，為丁博士一個很有力很得力的助手。人長得固然漂亮，但作事能力也非常強，更難得的是她的熱心。呂國銓，廣西人，沉默寡言，剛毅負責。他是黃埔四期，李是黃埔六期，彼此同學，自然一拍即合。現在寮泰緬邊區的隊伍，廿六軍方面的，全是他的部下。現在附近景棟地區的五縣自衛隊也都是他的部下。有呂出來領導，也非常合適的人選。

建立領導的進行在中華民國駐泰國大使館武官署，當時的武官陳振熙，他也從旁協助。丁博士把領導建立起來，得以減輕他的工作。從此，軍事方面的領導有人，財政也有了開展，這對游擊隊在今後的開展，更奠定了一個好的基礎。丁博士的精神時時可以多用在外交方面。在這個地區，同寮，同泰，同緬，同越，甚至馬來亞，新嘉坡，都可能發生外交的問題。

御廚談藪

燒四鰓鱸魚

林泉隱

燒四鰓鱸魚，有黃鱸，鱖鱸，鱸屋占（魚旁）三種，松江又有一種物產四鰓鱸尤名貴。法購松江四鰓鱸魚數尾，去鱗洗淨，以筷插入鰓中至腹捲出腹雜，洗淨盛瓷碗中，次用雞汁湯（或肉汁湯亦可）先行入鍋，急火燒滾，即將魚筍片豬油先後放入，合蓋煮二三沸之後，酒以紹酒，再加薑片，即可起鍋進食，此魚出水即死，若欲得鮮活者，于漕運時可以糟糠拌藏之，此魚之肝能損皮膚，切須棄之不可食，惟肺則甚鮮嫩，可於洗後，仍納入肚同煑食。

無奇不有集（四）

·恨海·

搜異錄

（十五）樹頂上面開酒店

在今日任何國家，幾十層樓上開酒店沒人會奇怪，假如有人在樹頂上開一間酒店，那眞是世界奇聞。

但是世界上眞的就有這樣的一間酒店在樹頂上開設。且這家酒店非常著名的，不少國際要人曾到過這兒。

這間奇怪酒店設在世界最大的叢林區的非洲，地址在東非莫愛根耶區，凡到過這酒店的，都要走一段路程纔到達，因為車子沒法駛到門前。來這一間酒店的人，目的在看看叢林區野獸的動態，他們可以看老虎走到河邊喝水，又可以看到獅子追逐小鹿，可以俯瞰整個區域。

樹頂酒店只能容納十六位顧客居住，要到那兒的人，要預先租訂日期，因為經常客滿，顧客很少能自定日期，而由酒店代為安排。雖然酒店規模很小，但設備齊全，水電之外，還有酒吧休息室。

因為酒店地處叢林高地，常受土人襲擾，酒店方面，自衛隊二十多人，用來保衛客人。此外凡客人到來，不論男女都予手槍，俾便自衛之用。等他們離去，交給酒店。那間酒店是築在五株大樹頂上，眞可算世界奇觀。

（十六）鬥慢賽馬

世界各地跑馬都是鬥快，只有墨西哥保頓城每年二月二十三日舉行的賽馬，卻是賽慢。

二月二十三日是當地一個大好日子，在這一天，鄉人有許多狂歡節目，但不及這項賽馬吸引力之大。獲得頭獎的，可以獨得五千元獎金。參加這項賽馬的多數是牧童，因為他們都懂得騎術，參加的人，要有控制馬的技術，逐角的人，要在一個廣場上環繞三周，由於他們是比慢而不是鬥快，凡參加的人，都由賽會發給一根馬鞭，他們那根馬鞭，不是用來打自己的馬，而是打別人的馬，他們用力鞭打別人的馬，使牠受鞭狂奔，自己的馬給別人鞭打時，就儘量設法使牠不受驚。

（十七）一座屋子像棺材

甚麼式樣的房子人們都見過不足為奇，但總沒有見過棺材式的房子。這座房子，外型像棺材一模一樣，是在英國福灞哈郡地方，也不是最近建築物，已是八九十年以前所建的。這棺材屋是公開任人參觀。

棺材屋的主人名叫哈巴信，幼年時代窮小子一個，日間在店子裏洗地板，做打雜的話，晚上到免費學校讀書。後來，結識了一個富家的女子，那女子很敬愛他的勤奮，兩人私訂鴛盟。但女子的父母都是勢利之徒，反對女兒嫁給窮小子，寧願女兒走進棺材去也不嫁窮小子。這段姻緣就告吹了。

過了許多年，哈巴信發跡了，憑他的奮鬥精神，已變成巨商，他心中仍記被羞辱的拒婚那件事，他那女友已嫁別人，生下兒女成羣，但為紀念過去慘痛，不但以王老五終其身，還建了一座外型這樣奇怪的屋子，自己住在裏面，屋子裏許多傢俱都造成棺材的樣子。這是對她的父母的一種報復。

（未完）

黛眉小傳

·王幻·

花蕊夫人（一）

蜀中自古多才女，漢有文君，唐有薛濤，後先輝映，大為峨眉生色。

詩歌發展到了唐代末年，達到最成熟的階段，在這類已定型的詩篇裏，作家們很難「推陳出新」，超越前人。為了擴大藝術的生命，提高詩的音樂性，他們便開創了韻文的一種新體裁——那就是「詞」。

到五代時，中原大亂，多數文學家都避難奔蜀，如溫庭筠、韋莊、牛嶠、毛文錫、歐陽炯等，都是一代大詞家，「花間集」幾乎成了蜀國文學的代表作。這時填詞的風氣十分普遍，呈現蓬勃發展的機運；適應於那種女樂聲伎的環境要求。試看五代，作為貴族享樂藝術的詞，可說是「又香又軟」，也代表「靡靡之音」的亂世文學。當日的詞人多是狎妓無行的浪子，蜀主王衍的「醉妝詞」云：「者邊走，那邊走，只是尋花柳；那邊走，者邊走，莫厭金杯酒。」再如唐莊宗的「如夢令」云：「曾宴桃源深洞，一曲清歌舞鳳；長記別伊時，和淚出門相送。如夢，如夢，殘月落花煙重。」風流蘊藉，一往情深，雖是才人，究非廊廟之器。這類徵歌度曲，日與俳優為伍的帝王，置國事於不顧，最後惟有跪降軍門，「揮淚別宮娥」了。

五代的女作家，在前蜀有賢妃、淑妃、李舜弦、李玉簫與偽裝男性的黃崇嘏；在後蜀則有「花蕊夫人」。其他女作家都是詩人，只有花蕊夫人以詩人而兼詞，而且她專於愛情，不同流俗，終於為情而死，頗值後人欽仰。

據中國文學史的記載，向來都說花蕊夫人有二，其一即前蜀王建的妃子「淑妃」，乃「賢妃」的妹妹，姊妹倆都是徐耕的女兒，也都是王建的寵妃；王衍時，冊賢妃為順聖太后，淑妃為翊聖太后。咸康元年（公元九二五），衍奉太后太妃同禱青城山，凡遊歷所到之地，各賦詩刻石。是年蜀亡，後人因以「坐游燕汚亂亡國」之罪加之於二女；亡國後，二女隨王衍入唐，半途遇害。其二為徐匡璋之女，後蜀孟昶的妃子，即著名「宮詞」百首的作者，也就是本文所要介紹的花蕊夫人。

聰明與美麗，乃名女人必須具體的條件，猶如鳥之雙翅，缺一便飛不起來，出不了人頭地。而且這二者好似影之於形，總是賦予一個人的身上；也可能是上帝的傑作，有意的安排，凡是美麗的女性多半聰明。在中國歷史上，除了西施王嬙之外，花蕊夫人也算是位聰明美麗的傑出女性。她的這個富有詩意的名號，致把她的眞名湮沒不彰。這個名號是孟昶給她題的，古來都以花來形容姣好的女子的面貌，如「勸我早回家，綠窗人似花」；「照花前後鏡，花面交相映」。但她的美麗，花尙不足比擬，故題曰「花蕊」——以比花蕊之飄輕；又升號「慧妃」，以表現她聰慧的性格，可見孟昶對她寵愛的程度了。

據「溫叟詩話」云：「蜀主孟昶，令羅城上盡種芙蓉，盛開四十里，語左右曰：『以蜀為錦城，今觀之眞錦城也。』」當夜同花蕊夫人避暑摩訶池上，作玉樓春詞。其詞云：

冰肌玉骨淸無汗，水殿風來暗香滿。繡簾明月獨窺人，倚枕釵橫雲鬢亂。三更庭戶悄無聲，時見疏星渡河漢。屈指西風幾時來？只恐流年暗中換。（見詞林紀事）

後來，蘇東坡把這首詞，改作「洞仙歌」，更流膾人口。

（未完）

第十六章　張招討敗師關陝　岳武穆怒斬傅慶

周燕謀

當開營接戰，吳介、劉奇敵左，孫屋、趙哲敵右；左為兀朮之軍，右為婁室之軍。吳介，劉奇二將身先士卒，鼓勇馳突，前拔後擁。兀朮之軍雖經百戰，也難免少怯，漸漸後退，兀朮也捏了一把冷汗。惟婁室領着右翼，與孫屋、趙立兩軍廝殺，孫屋勇不可當，只有趙哲膽小如鼠，躲在軍後不前；士卒亦因主將不前而怯戰。被婁室覷破弱點，揮動鐵騎，直衝趙哲之軍，趙哲抵敵不住，敗退下去，因此亦使得孫屋之軍孤掌難鳴，獨力難支，二路具敗。婁室一翼打敗趙哲、孫屋，又揮軍合擊左翼，劉奇吳介怎經得兩路殺來，於是吳、劉二將亦抵敵不住，四將因趙哲一敗，相繼崩潰。統帥劉錫見四路俱敗，那有心戀戰，正所謂牽一髮而動全牛，五將都敗了。

張浚駐節　州，探馬報告警急軍情，四將一師具敗，又見敗兵陸續到來，料　州亦守不住，只好退保秦州。及劉錫來會，痛加責備。劉錫力言趙哲作戰不力，牽動各軍，乃召趙哲斬首，謫劉錫於合州，飭劉奇、吳介各還本屯，上書行在，自請待罪。旋奉高宗手詔，詞多慰勉。

張浚亦憤激。奈自己部衆只有二千人，那能再戰。另有叛將慕洧引金兵入環慶路，破順德軍。因此秦州也難保了，再退致興川，或謂興州也是危地，不如徙入蜀境，就夔州駐節，方有險阻可守，始保無虞。張浚與劉子羽商議，子羽勃然道：「謹作此議，罪當斬首！四川全境向稱天府，金人非不垂涎，徒以川口有鐵山，有棧道，未易入窺，且因陝西一帶尙有我軍駐紮，更不能飛越入蜀；今若棄陝不守，縱敵深入，我卻避居夔峽，與關中聲援兩不相聞，他日進退失計，悔將何及？今幸敵方肆掠，未偪近郡，宣司當留駐興州，外繫關中人望，內安全蜀民心，並急遣官屬出關，召喚諸將，收集散亡，分佈險要，堅壁以待，俟敵而動；庶尚可挽救前失，收效將來」。

張浚道：「參軍所言皆是，我當立刻施行」。急召諸參佐出關慰勉諸將，諸參佐甚有難色，子羽道：「子羽不才願當此任」。張浚大喜，令子羽速往。子羽單騎往行，馳至秦州，檄召散亡將士，將士因富平之敗，懼罪而逃，幾不知所在。及奉命赦罪，仍復原職，因此各散亡將士接踵而來，十餘日後，先後來歸者十萬人，軍勢復振，子羽還報張浚，請速遣吳介至鳳翔，扼守大散關以東之和尙原。關師古等據西河兵，扼守岷州的大潭縣。

（七十六）

自由報
（第二一一五期）
（半刊每週星期三、六出版）
社長李蓮聰・督印黃行舊
社址：香港九龍彌敦道593—601號
廖創興銀行大廈八樓五座
LIU CHONG HING BUILDING
7th FLOOR FLAT 5
593—601 NATHAN ROAD,
KOWLOON, H.K.
TEL: K303831
電報掛號：7191
承印：景星印刷公司
地址：嘉咸街廿九號地下
台灣區業務管理中心：台北重慶南路一段一二九號
電話：二四五七四
台灣區直接訂戶　台灣劃撥戶
第五〇五六號張萬有（自由報會計室）
台灣分社：台北市西寧南路110號二樓
電話：三三〇三四六、台郵劃撥戶九二五二號

本報專論

中國大陸問題研究的正負

・侯立朝・

「中國大陸問題」的研究之實際意義，被等於「中共問題」之研究，其實「中共研究」或「研究中共」，並不等於「中國大陸問題」之研究，這在學界中或性質上是有區別的，也是可以理解的。

近日在台北舉行的「中國大陸問題」研討會，是一個「中共問題」的研討會，而非「中國大陸問題」的研討會，這是在其公佈之新聞公報中可以概見的。「中國大陸問題」與「中共問題」，在性質上顯然有這些不同的差異性：

（1）中國大陸問題，是文化意義的重於政治意義的。

（2）中國大陸問題，是普遍意義的重於局部意義的。

（3）中國大陸問題，要研究各民族的生存意識、生活模式等等，而非僅僅研究統治階級的行為心理和行為模式。

（4）中國大陸問題，是一社會問題，中共問題是一政治問題。

（5）中國大陸問題，是一社羣心理的問題，中共問題，是一統治心理的問題。

故，「中國大陸問題」，並不等於「中共問題」。不幸的是，在眼前的國際上，有一些研究中國或研究中共的「專家」，常把這兩個問題混同起來，這不僅在研究方法上不科學，而且在性質上或基本的內容上也不符實際，只是一種政治的謀殺而已。謀殺毛禍可以，謀殺中國文化不可以，謀殺中國大陸人民的社羣心理不可以。

中共之出現於中國，自始至終（現在），即被加色的化裝着，其化裝師是莫斯科的「理論家」，而其美容師是美國「太平洋學會」的「理論家」及現在哈佛的「東亞研究中心」的不通中國的中國通及私通莫斯科的「歷史家」，及暗戀中共的「理論家」。他們對中共本質的提法，隨着政治運用的不同階段而有不同的論點，最有名的說法之一，是「土地革命者」，現在的說法是「民族社會主義」、「中國傳統現代化」。把中國優性的文化傳統附加給毛澤東，這是對中國文化的謀殺，而非對毛澤東的謀殺；把中華民族附加給中共，這是對中華民族的謀殺，而非對中共的謀殺。莫斯科與哈佛現在正做這種蠢豬一樣的買賣。莫斯科說毛澤東思想不是馬列主義或共產主義，哈佛也就有人跟着說中共不是共產主義。中共不是馬列主義或共產主義，是什麼主義呢？他們說它是「民族主義」。共產主義，中國人可以消掉它；民族主義，中國人可以消掉它嗎？這是一個前提的前提。他們從這樣的錯誤的前提出發，莫斯科對毛澤東的批判，不僅失去它的正面作用，反而降低了毛澤東與中國人民的對立。哈佛的論點更糟糕，它只是誇張了中共的形相，使人不要反毛反共，因為反毛反共就等於反對中國民族主義。

由此，可以了解，莫斯科的「理論家」和哈佛的「歷史家」，在對於中共問題的研究上，不論它是以學術面貌出現的還是以政治面貌出現的論點，都犯了嚴重的錯誤，特別是在前提上犯了嚴重的錯誤，使他們的推論都變成了假值，從而去到負面價值中去。

要了解毛澤東思想和中共的性質，不必到中國文化傳統中去找，不必到中國民族主義中去找，必須到近代西方文化中去找。鴉片戰爭之後的中國人，眼睛是朝西看的，脚步也是朝西去的，恰當此時的西方，內部有新的破裂，此即以資產階級或市民階級做統治地位的文化與無產階級運動，而有了馬克思主義或無產階級運動或如宋巴特的特稱「社會主義運動」。到第一次世界大戰之後，中國大陸變成了西方這大思想的戰場，中國的傳統派徘徊在中間，遭受到這赤白二色思想的攻擊。第二次世界大戰之後，資本主義文明或資產階級的鬥爭意志，徹底喪失了，徹底暴露了「資產階級的軟弱性」，如英美的姑息主義；而莫斯科正把「無產階級革命」的精神，發展到了巔峯，中共乃得以竊踞了中國大陸，它的旗號、體制、社會規則、世界觀等等的一切表現是赤色的，而非是民族主義。現在它與莫斯科的分離，亦非民族主義，而是「社會主義體系」內部的矛盾，此矛盾表現為下列的四點：

（1）體系國家間矛盾：國家未消亡，這問題必出現。如蘇聯與捷克、匈牙利、南斯拉夫等國的衝突是。國家間的矛盾，首要的問題，是有限主權和無限主權的矛盾。這也就是「布列茲列夫主義」的特點之一，莫斯科與其附庸國矛盾的焦點之一。這是馬列主義所不會設計的新問題之一，從而產生了國家間的矛盾。（此點可以轉化為敵我矛盾）

（2）經濟建設進程上的矛盾：在所謂「社會主義體系」的國家間，於其經濟建設的進程上，有很大的差異。以所有制而論，有的在個體所有制與集體所有制的混合階段上，有的在集體所有制與全民所有制的混合階段上，有的為全民所有制的國家。而在經濟型態上，有的在建設社會主義社會，有的在建設共產主義社會。有了如此的經濟建設比例的差異，從而產生了經濟上的矛盾。

（3）政治建設進程上的矛盾：在所謂「社會主義體系」的國家間，於其政治建設的進程上，有很大的差異。有的是「人民民主專政」的國家，有的是「工農聯合專政」的國家，有的是「無產階級專政」的國家。有了如此的政治建設上的差異，從而產生了政治上的矛盾，反映到意識形態的矛盾。

（4）世界革命總路線的矛盾：由於經濟與政治的差異，對於所謂「無產階級世界革命」的總形勢，也就有了不同的判斷，從而產生了世界革命總路線的矛盾。

毛澤東是在這四點上與莫斯科爭鬥的，不是以中國民族主義的道理去爭鬥的，更不是以中國文化傳統的維護者或繼承者的身份去爭鬥的。因此，俄毛之爭是馬列主義矛盾性的表現，毛澤東之「反修反帝」絕非中國民族主義的表現，毛澤東思想及其表現早被馬列主義注定的。

只有能夠說明毛澤東思想是原自西方文化反叛的傳統，乃可說明中國人民必將戰勝毛澤東思想消滅毛澤東思想的必然性，也才能透徹地理解到中國人一定能夠措掉中共政權的信心之所在，而不致於把中國文化與七億中國人算，為毛澤東的資產。不！那恰恰是中共的負債。

（完）

昨日與明日

共產邪說何以進入中國

中國是一個有五千年悠久歷史文化的國家，以這樣的文化古國，居然成為馬克斯主義馳騁鬥爭的修羅場，能不令人呼為咄咄怪事？

儘管中國有燦爛悠久的歷史文化，卻因滿清部族政權的顢頇無能，列強的頻臨侮弄，中國在累次的喪師辱國，割地賠款之後，已喪失了民族自信心。由於謀求富國強兵，乃想學西方人的「船堅炮利」，再想學西方的思想。於是一切西方學說，乃乘機湧入中國。可憐當時的中國學界，既無選擇力，也無批判力。不管好的壞的，都糊棱吞棗的一股腦兒接受。於是，「全盤西化」「月亮是外國的圓」，甚至認為「中國未來的偉人是十足的洋鬼子」，都成了盛囂塵上的時髦之說。

馬克斯主義就在這種心理上，被擠進了中國，當時介紹馬克斯主義的青年，還以為自己在救中國呢。

鄭學稼先生考證指出：馬克斯主義是經日本前來中國的。同盟會革命家們亡命日本期間，都由日本人的著作，知道馬克斯主義。

蘇俄在十月革命後，偽裝笑臉，說要幫助中國人民，引使中國知識份子誤中圈套。可憐的中國知識份子，此時都沉緬於一個夢想，錯把共產世界看做人間天堂，他們不知他們卻是在熱心的製造中國人民的地獄。

蘇俄的共黨代表派到中國來了，由加拉罕、馬林等起，已知道：欲使共產主義順利的進入中國，必需使中國人自己唾棄自己的祖先智慧，造成中國人否定一切傳統的發洩。其次，便是把共產黨的組織向當時最受中國人歡迎的國民黨寄生。前者由陳獨秀、李大釗成為執行者，胡適的「全盤西化論」成了幫兇。後者由蘇俄共黨代表越飛來親自設計，毛澤東、周恩來成為其執行的走狗。

中國知識份子的甘受欺騙，使全國善良人民倒了大霉。對於那些甘受欺騙的中國知識份子，我們只能從歷史的回顧中來憐憫他們的知識不足，經驗不足。但，鑒往知來，如何滌除共產邪說的腥膻？今天的中國知識份子，可已有萬全之策？

・貞蒼・

自由談

戲劇的功用

戲劇是通俗的文藝作品，它包括着舞台上表演的各種新舊戲曲，以及銀幕上放映的影劇等，其作用雖具娛樂性，但教育意義必佔重要成分，否則便喪失了文藝價值。

吾國舊有的戲劇，無論是舉國通行的皮簧，或各省區特有的地方戲，內容十之八九皆以表揚忠孝節義、懲罰奸惡淫邪為主旨，即民國以來新興的話劇亦不甚離譜。唯有電影一項乃每況愈下，在四十年前的默片時期，內容尚注重教育意義，降及今日，多半不堪寓目了！我於民國十年出國留學時，在上海看過一部影片後，對於劇中描述務農的父親在鄉間辛勤耕作，資送兒子到都市求學，而兒子卻在舞廳裏摟抱着女人狂跳不已的情形，印象極深刻，因而領悟到「稼穡艱難」的道理，不敢怠忽，一輩子亦不會跳舞，甘以落伍的腐儒自居，這便是戲劇的教育作用。

現時的影片內容，除卻純粹是娛樂性而其趣味又極低級的作品外，就是些怪、力、亂、神的所謂武俠，穿着不古不今的奇裝異服，手持一柄刀劍，時而從高空跳到地下，時又一躍而騰升屋頂或樹梢，這算甚末玩藝呢？電影戲劇之所以弄成這樣糟，是由於一般市儈片商以賺錢為目的，找些毫無文藝修養，甚至連中文亦欠通的人，亂編劇本，專走旁門左道，但期迎合社會羣眾的低級趣味，不知其他，所以，任何人皆可以隨便製片，而儼居於文化人之列哩！

舊劇的缺點就是詞句俚俗，且多不通之處，俗而通順則可，俚而不知所云，即不足觀也矣。政府主管文化教育的機構，應該對舊有劇本——特別是皮簧劇，通盤審查一番，將若干俚俗不通的詞句加以修飾潤色。川戲的詞句很通達而雅俗共賞，乃得力於名翰林趙熙（堯生）之悉心修訂所致，何以皮簧戲詞竟讓它以訛傳訛，沒人注意呢？這證明近四十年來的文化事業毫無進步，陳陳相因，也就是反映着政治上重武輕文的毛病深沉現象，馴致亂七八糟的電影片，有如洪水泛濫，流毒人間。文化精神之空虛墮落如斯，國運逆轉，非偶然也。

馬五先生

瑞士大使在巴西被綁架

宇文釆

瑞士駐巴西大使被暴徒綁架，至今尚未獲釋。這一政治勒索，使國際大感震驚。

巴西是南美一個幅員最大的國家，地廣人稀，為目前世界上最理想的移民地區。早在好幾年以前，日本便對巴西作有計劃的移民，日本移民團包括各行各業人士，由醫生到廚司一應俱全。從台灣去的中國人也不在少。

另外還有一些現代「劉伯溫」，認為萬一三次核子大戰發生，巴西是世界上唯一最安全的地區云。因此，巴西對各國人士都有相當吸引力。

瑞士駐巴西大使被綁架事件發生，顯示了巴西政府維持國內治安力量之不足。以一位外國駐在該國的大使，該國尚且無法保護，則一般移民就更不必談了。

南美國家的政局，波譎雲詭，一向是不穩定的。尤其是，小獨裁者卡斯楚、卡大鬍子，在古巴建立了粉紅色政權，使原來為世界旅遊人士嚮往的遊樂勝地哈瓦那，現在變成「鬼城」。

由瑞士大使在巴西被綁事件的發生，我們可以了解共產黨一天存在，世界上就不會有一塊安樂土。

美國政府一再揚言「亞洲退出」，不知道是否在準備在美洲？南美洲的不安，是美國的心腹大患，我們所知美國在古巴擁有海空基地，美竟能聽任卡斯楚粉紅色政權在古巴存在而漫不經心，只一味注意太空和洲際飛彈，此種國防構想，無以名之，名之曰：「好高騖遠」！

新聞網外之言

監察院彈劾高玉樹
北市議會表示敬意
黃寶實委員當場昏倒不治
案未送出身先死何其不幸

（自由報台北消息）監察院委員吳大宇等四人認為台北市長高玉樹顯有不重法紀，破壞體制，違法濫權，以命令變更法律，損害人民權益等違法失職責任，依監察法第六條規定，於十二月七日，向監察院提彈劾案，監察院院長李嗣璁於九日交付審查，由第一科長談宏生通知監察委員二十人於十一日下午舉行審查會，審查會主席孫式菴，出席審查會的委員有：王贊斌、劉耀西、袁晴暉、張岫嵐、陳恩元、丁俊生、胡阜賢、王澍霖、王竹村、陳翰珍等十四人。經通知而未出席者有：高登艇（因同宗關係）、葉時修、張維貞（出國）、侯天民（監委黨部書記長）、蔡章麟（新當選之無黨無派）、張藹眞等六位委員。

提案委員吳大宇、余俊賢、陳志明、黃寶實（已故）等四人暨第三科長胡為瑜（原協查及起草的職員），均列席彈劾案審查會，說明提案的理由，為時達八十分鐘之久，旋即退出審查會，吳大宇委員等四人應中國電視公司記者之請，在監院委員休息室作現場錄影，並答復訪問；約二十分鐘，審查會作文字修改及刪除一段外，無異議通過彈劾案，移送公務員懲戒會懲戒，審查會委員紛紛離開現場時，提案暨調查委員之一的黃寶實委員，因腦溢血而昏倒於地，二十小時後，即十二日中午十二時四十分不治而死於台大醫院，而彈劾案尚未送出，監察院先忙喪事，何其不幸而至此耶！誠如一位選民在公共汽車上說：「高玉樹尚未倒，而調查及提彈劾案的監察委員先倒了一個。」

今（五九）年五月十四日，監察院舉行第一千一百六十一次會議，黃寶實委員提臨時動議第一案：「為核閱台北市議會檢附該會對台北市政府濫權違法措施專案調查報告書電請依法查糾一案，其性質似與一般書狀不同，應如何處理提請討論案」。經決議：「推吳大宇、黃寶實、余俊賢、葉時修、陳志明五委員調查，並推吳大宇委員為召集人」。十月六日，五人小組提出調查報告於監察院第一一七四次會議。十一月十三日，內政、財政、教育、經濟四委員會舉行第一次聯席會議通過糾正案，送行政院督飭注意改善。

監察院通過糾正案之翌日，將台北市議會對監察院調查發表聲明，並致崇高敬意與最大謝忱，提報第一一七七次會議，作歷史性紀錄。

彈劾案經審查會修正十餘字，刪除二百零九個字。從二百零九個字可以看出四位提案委員的心情了。被刪除的語句有：「抑有進者，近年台北市政府政風日下，貪瀆盛行，報章競載，即以本院調查本案期間而論，諸如地政處人事室主任林國樑利用職權索賄案，兒童戲院業務主任周高金葉貪污瀆職案，家畜市場管理處長邱祖中等貪污瀆職案，社會局科長劉盛財等利用職權強行貸款取財物案，工務局技士陳隆法變造世界酒店使用執照案，秘書處機要科長陳繼廷、社會局科長陳哲比，自來水廠工務組長李濟南等瀆職案等等，接踵而至。冰凍三尺，誠非一日之寒。溯本追源，要皆由於該市長不能崇法務實以身作則，因而領導無方有以啟之。」云云。提案委員吳大宇等可說，明察秋毫矣。有人說，彈劾案之所以提出，應歸功於「演雙簧」和「新聞政策」的運用正確；故黃委員因興奮過度而死亡，是耶！非耶！史家自有公論。

彈劾案的結果如何
且等待公懲會處理
盛傳高玉樹在辭職中

吳大宇委員等四人根據台北市議會代電，請查糾「台北市政府濫權違法措施案」，經調查結果，其中十案確屬措施失當，提案糾正；其中十案顯有重大違法失職責任，除核准三重汽車客運公司借道及台灣工礦公司台北紡織廠原址地區細部計劃之處理兩案（見十月廿八日本報），兼涉刑責，另送最高檢察處偵辦外，其餘八案應依法提案彈劾。

第四案；第五案；第六案的彈劾理由所用文字，幾乎完全抄自糾正案第六、第七、第八案的糾正理由文字。彈劾案中第八案的文字，非完全抄自糾正第五案的文字。這說明提案委員是如何的「認眞」行使職權。

有一位瞭解監察院內情的人告訴記者，提案彈劾高玉樹的監察委員們既如此「明察秋毫」而「認眞」行使職權，何以調查「各保險業對保險資金之運用，及其保險費率計算等問題是否合理？有無流弊等一案」，至今已整整兩年，尚未提出調查報告，何以故而不見輿薪？這是題外話，暫且不談。

彈劾第一案：係指征收敦化路拓寬工程用地，故意抑留不發道路用地應補償之地價及青苗補償費，且超過法定最後發放期限半年以上。按土地法第二三三條：「征收土地應補償之地價及其他補償費，應於公告期滿後十五日內發給之……」之明文規定，要非其他理由所可排斥。

彈劾第二案：在都市計劃住宅區內，未發佈禁建令，批示暫停核發建築執照數年之久，迄不依法有所改正，任意損害人民權益。

彈劾第三案：擅自決定以可發建築執照地區視為公共設施完竣地區，予以課征地價稅，增加人民負担。

彈劾第四案：破壞建築管理制度，規定六樓以上樓房之建築執照，須經市長親自核准始可發給。（記者按：已另提糾正案）

彈劾第五案：侵害主管機關職權，規定汽車修理廠營業執照之核發，須呈請市長親自核准，並堅認此舉為目前急切行政措施。（記者按：另已提糾正案）

彈劾第六案：擅自決定將國民小學教員任免事權改歸市長統轄，混亂行政體制。（記者按：另已提糾正案）

彈劾第七案：忽視人民權益，不循法定程序，逕行公告，違反法令規定，決議認為不合，在行政院預算案內，仍不顧一切，飭屬執行。

彈劾第八案：擅行核定追加經常性預算，有違預算制度及預算法之規定。（記者按：另已提糾正案）

彈劾案之結論文章，文字和語句，可謂：「近代民主政治首重法治觀念，法治規模之奠定，在於制度之維持；法治精神之養成，在於首長以身作則，是以為機關首長者，必須崇法務實，以身作則，嚴守法制體制，違法侵權之行為，更應杜絕於心念之始，以免自用徇情玩法之發生，以維公務員之正常發展。乃該台北市市長高玉樹作風行為違法，顯為上述八案所列情事」，亦均屬有違法失職。按公務員服務法第六條：「公務員不得假借權力，以圖本身或他人之利益，並不得利用職務上之機會，加損害於人。」該市長既為本法所稱之公務員，自應受上開法條之約束，故其一切行為，必須以國家法律或行政院命令為依據。否則，即為其本人之違法失職行為。此尤以其在監督範圍內發布之命令為然。本案情節既如上述，為維護國家紀綱，確保人民權益，自應依法彈劾」云。

本案至此，暫告一段落。並且已達到某委員於調查之初即主張不必調查而根據市議會查糾案提案糾彈的目的。至於公務員懲戒會如何懲處，那是公懲會的職權。外間盛傳高玉樹已辭職中，果爾，則不待懲戒即將去職矣。

但，中國郵報刊載消息：「高玉樹曾表示，誰能彈劾監察委員？為甚麼有些人沒有被彈劾？」高玉樹言外之意，不難明瞭也。

中美學者齊集台北
研討中國大陸問題

（自由報台北消息）國際關係研究所主辦的中美大陸問題研討會，已於十二月廿三日在台北揭幕，由國際關係研究所主辦，贊助的機構有：中央研究院中美人文社會科學合作委員會，中國大陸問題研究所，南卡羅林那州立大學，丹佛大學胡佛研究所，哈佛燕京學社，美國喬治華盛頓大學亞洲研究中心。

研討會在交換中美學術界研究「中國大陸問題」的心得，增進相互了解與認識，從彼此的切磋之中，謀求雙方更密切的合作。並且希望能經由客觀的探討，以明瞭中共統治下的中國大陸現實的本質和在國際上的地位。

研討會全部議程內容，將分三部份進行：

一、座談會，分由司徒倫（美國南卡羅林那大學教授）主持，由胡佛研究所長胡佛研究員（美）、郭華倫（中華民國國際關係研究所副主任）報告：以下中華民國國際關係研究所及美國胡佛研究所概況；美國喬治華盛頓大學中國大陸問題研究所概況；中華民國研究中國大陸問題的情報局長葉翔之報告一九四九年以後美國對中國大陸的研究；中華民國國防部情報局長葉翔之報告最近中國大陸情勢；立法委員、國際關係研究所主任郭華倫報告中國大陸社會變動中之主要問題。

二、分組討論會將分四個組進行三天，分別研討中國大陸之政治、經濟、軍事及毛共思想理論。

三、出席研討會之全體代表，將參觀一個展覽：毛共禍國史料。當前在大陸對敵鬥爭實況。中國國民黨對毛共之鬥爭史料。

出席第一屆中美「中國大陸問題」研討會之中美學者專家約一百人，係由：第一是研究中國大陸問題之專家，第二是教授有關科目之學者，第三是有關大陸問題之研究所主持人所組成。

中華民國國際關係研究所為一學術團體，創立於民國五十一年，經教育部正式批准立案，吳俊才為董事長兼主任。

台北傳奇錄（九四）

・陳光棣・

賴慧敏一早起來就叫肚子痛，賴太太為了半天賴先生才想起應該請醫生，於是給喬鑄鋼大夫打電話，不想喬大夫的電話壞了，怎麼也打不通，又叫小弟到弄堂口去等計程車，颱風的天氣稱程車生意最好，賴小弟等了半個鐘點一輛也沒有等到，只是淋成落湯雞回到家裏直發抖，賴太太急的直掉眼淚，等賴先生又等不回來，萬般無奈去敲劉二爺的房門，劉太太把賴太太讓進去，賴太太不情願的坐在沒有彈性的沙發上，冲着劉家夫婦先發了一頓牢騷，氣平了之後，才轉入正題：「看我女兒的情況，怕是盲腸炎，醫生的電話打不通，計程車又叫不來，他爸爸又不知道死在什麼地方，您說說，這可怎麼好」？

「我倒可以去幫妳請個醫生來，先診斷一下是什麼病，然後再商量辦法」！劉二爺說着就穿衣服，一套釣魚的裝備正好抵抗狂風暴雨。

「車錢由我付！您就把喬大夫給我叫來吧！」「賴太太高傲的說。

劉二爺笑笑沒有搭腔，健步如龍的走出公寓，這時弄堂裏已經積了二尺多深的水，雨點不停的跳躍着。劉二爺走到馬路上，已經水深三尺了，到處是吹落的招牌，吹斷的電線，折斷的樹木，除了軍警單位救災的人員以外，所有的市民都躲回家裏不敢再露面了。

劉二爺找到喬鑄鋼大夫的診所，喬大夫正趁着雨天沒生意，在家裏用蜂蜜水配特效藥，這種特效藥喝了以後，據說可以提神醒腦，袪病延年，一些牌鬼如何通宵，張天亮之類都是他的老主顧，這種藥水的成本是每一大瓶（連瓶）值六塊新台幣，而喬大夫為了克己起見，賣給老主顧一瓶只收一百八十元。閒話少說，劉二爺敲開門坐在候診室，等了足有二十分鐘，喬大夫才走出來，不由分說就把溫度計給劉二爺塞在咀裏。

「賴家大小姐病啦！麻煩您出診一趟」。劉二爺掏出溫度計還給喬大夫。

喬大夫正在計算剛才配的特效藥，一共可以賣多少錢；一瓶蜂密是四十元，五四二百，一共配了四十二瓶，每瓶一的八，二八一十六……他從劉二爺手裏接過溫度計繼續計算：二一得二，四八三十二……他舉起溫度計端詳了一陣，臉上的肌肉忽然繃的緊緊的：「艾呀！你這位老先生，應該早來找我，都燒到三十二度了才來……喂，慢點，是，是……三十八度，哈哈，三十八度……你這種情形先要打一針才行！」

一旁站着的護士，是一向訓練好了的，這時老早把裝滿了維他命的針筒拿在手裏等候一聲令下，便向病患的臂部肌肉進攻！

（未完）

歪論也是正論（下）

指出反共首先必須反美

・文匯樓主・

由於以上兩個實例，無不是美國的本質上幼稚政治認識所造成。所以我要反美，就是反對他們的政治幼稚病，不可隨便接受他的主張，應即行廢止中美防衛協定。

二、從本質上言：美國是一個資本主義的代表國家，祇是唯利是圖，因其文化歷史尚淺，故所謂道義一無所知，祇要其本身有利可圖，並不顧一切，甚至犧牲性命，我們可從其小說和電影中看到美國人的精神和嘴臉。中共為甚麼要反美呢？正因為共產主義是要世界革命才能徹底實施，而共產主義的死敵就是資本主義，有資本主義存在，共產主義便不能順利施行，美國是資本主義的代表國，「打蛇先打頭」，故中共就力主反美，美國倒了，其他的國家也就不堪一擊了，這是中共祇反美而不反英、反法，和其他資本主義國家的原因。反過來，美國為甚麼要援助國民政府及亞洲反共的小國呢，因為美國是資本主義國家，它的收入和過賸的物資是要爭取世界市場的，為了保持其亞洲僅有市場，所以它就援助這些國家，免使淪入共黨手中失去這個市場。這是在互利的前提下的，決不是為了維護和平、維護自由這狗屁口號，這，祇是一種藉口便了。

可是，美國人頭腦畢竟幼稚，忘了它過去所以援助亞洲國家反共的利益和前提，也不顧慮到共產主義要埋葬資本主義，便出爾反爾的一方面約束受援國家，一方面看到中共的飢餓輸出，以為亦可以和中共做生意，寧忍中共譏笑辱罵還在搖尾乞憐的和它談判，這種無恥不顧正義的行徑，簡直祇顧自身目前的利益，也不想到盟友的受害，和未來世人的禍患，這樣的美國，我們絕對要反。

如果我們仍害怕美國不予援助，而猶豫不前，到頭來豈不是要步李承晚、吳廷琰之後塵嗎？

我們如不立即聯合起亞洲的受害國家和反共國家，如：中華民國、南韓、南越、柬埔寨、高棉、菲律賓、泰國、甚至馬來西亞、印尼等國，組成一個堅強的亞洲自由國家軍事聯盟，一方面可使美軍不需參與亞洲反共戰爭，一方面不與美國訂定甚麼協定，除非是不干預受援國的內政和軍事行動，否則便一於自力更生，互相呼應，不論對內綏靖共黨作亂，或受外力共黨侵凌，這些軍盟國可有被邀請參與軍事行動的義務。

美國是欺善怕惡的國家，吃硬不吃軟，當年有尼赫魯、蘇加諾、那薩之流，不是大唱中立，和左傾嗎？可是美國就拚命去爭取、去援助，但因為它援助中附帶着條件，所以尼、蘇、納等就拒不受援了，美國還是吃了耳光，仍賠笑臉。

像這樣的盟友，我們莫如沒有更好，看南韓與南越的美軍參戰，竟然劃界作戰，祇許敵人攻來，自己卻不敢踰越界綫半步，這豈不是開歷史上前所未有之最大最大的愚蠢、拙笨和大笑話的戰爭嗎？

最近自加拿大承認中共政權後，未到一個月，美國便有作出出賣盟友的姿勢了，據最近外電傳來，美國防部竟然警告台灣當局不許反攻大陸，這種舉動，豈不是說明了國府將被出賣的徵兆嗎？與其讓其出賣，不如及早為之所，發動組織自由亞洲軍盟，抵制美國（但不反對美國無條件援助），如果美國撤消援助，難道在遠東南亞洲之地區，物產如此豐富，不能自給？

以色列雖立國時間短暫，地小人稀，為甚麼它卻能傲視於比它幅員和人口大百數十倍之阿剌伯國家？一切皆因以色列人之對國家有忠誠有骨氣，在外以僑不惜一切捐輸為國，所以它便能岸然雄踞中東。

我們有數千年的歷史文化，和有數千萬之僑胞留居海外，祇有國府爭氣，和展開活動，組織軍盟和發動華僑捐輸是不成問題，祇要每個華僑每月捐款一元也可以抵消美國的軍援二億元了，有何了不起，又何需要過仰人鼻息，過着綁手縛腳的生活呢！

湖湘畸士楊緜仲（上）

・馬五先生・

吾友楊緜仲，湖南湘潭籍，在台灣病故已有年矣。怵目今日吏治之不振，貪汚風氣流行，即思念斯人不置，然君乃以窮愁潦倒客死他鄉，人生至此，天道寧論，特述君立身行己之風格數端，藉抒黃之痛云爾。

君固清寒子弟，壯歲以才行受知於茶陵譚組庵先生，辟為湘軍總司令部記室，一入粵參預國民革命之役，頗著勞績。旋從軍長魯詠安（滌平）馳驅湘、贛、浙各省區，贊襄政事，以剛介廉幹蜚聲於時，大府嘉其能，擢為安徽省財政廳長。省主席劉鎮華統軍攝政，度支浩，君與劉氏素鮮淵源，到任之日，劉語君曰：「楊廳長係理財專家，今後本省應付之軍政各項費用，全仗大力支持，吾無憂矣。」君慨然應之曰：「職責所在，敢不唯力是視。但與主席約，請勿隨便以手令向財廳支款，一切按法制行事。」劉諾焉。

君檢覈全省各項收入。月不及百萬元，雖悉索敝賦以供應劉部軍費，亦感不給，乃急謀開源之道，除銳意整頓各縣賦稅外，即將祁門紅茶加工外銷，由省府董理其業務，果獲大利，不特軍政各費胥無匱乏之虞，庫存盈餘現金亦有可觀者。紅茶外銷所得價款，全年計算，財廳長例有回扣金若干萬元可公開取入私囊，君一律歸庫，分文不沾。然家用常感支絀，室人交謫，君即謂「我每月俸祿收入，皆掃數作家人生活之資，他非所問也」。夫人知其清苦，聽之而已。君有一鄉人尹某，善製湖湘風味食品，久為君役而工資微薄，不安於職，曾在安慶開設餐館，營業甚佳，君常就該餐館設席作公私宴會，酒餚代價皆記帳，累年未能清償，尹某賠墊過鉅，難於搘拄，常至財廳索逋，君無以應，員司悉其情，擬由公費項下支付之，君峻拒，謂私人用度不應濫費公帑，且無確實單據可資報銷，與貪汚何異耶？本人自將設法清償也。尹某失望之餘，夜間入廳長辦公室臥索不去，君亦不以為忤，和顏勸慰，囑稍安勿躁，必不賴云。

某日，劉主席手令財廳撥軍費一百五十萬元，君持原令還諸劉氏云：「早與主席有約，礙難奉命。」劉謂「我知省庫有欵堪以支付，何必拘泥手續耶？」君堅執不從，劉怒，謂明日提出省務會議通過辦理，諒無他言。次日會議時，劉怫然謂軍用亟切，此欵如稽延不撥，地方治安將發生問題，誰負其責乎？衆皆默然，主席乃聲明照案通過。（未完）

馮玉祥為妻剪頭風波

此間「萬人雜誌」頃以陳博生訃給李德全，描寫李當年蠻橫無理一段往事頗有風趣，特予誌之：

關於陳博生先生，是我國新聞界近代傑出的政論家。他以文章名滿海內，導源於北代前的主編故都晨報。

當時用「淵泉」筆名，每日寫一言簡意賅的社評，對北洋政府的腐敗，痛加攻擊，博得廣大讀者的熱烈擁戴。晨報因係政學系的機關報，有時也唱出反國民黨的論調。民十四國民黨人宋光驊領導的倒段祺瑞運動，曾遭譏諷過罵。某次故都大專學生，在天安門作示威性集會，有人持標語牌，上書「晨報是輿論的蟊賊」，遊行[illegible]一部私自相約，同往宣外大街，憤將晨報搗毀。他受過這場教訓，才決心改投三民主義懷抱。他主編晨報期內，偶刊一「馮玉祥為夫人剪頭」的花邊新聞，引起李德全的興師問罪。老馮原配，係河北鹽山劉家的閨女，教養甚佳，有賢德夫人之稱。老馮自宣統年間當管帶起，到民十三官至陸軍檢閱使，劉夫人均係節儉持家。並將歷年積餘，在故都購置房屋七八棟，儲為養老之用。老馮未經夫人同意，擅將所有房屋，自由送給愛將韓復榘、石友三、孫良誠、孫連仲諸人，劉夫人蒙此損失，鬱悶病死。當時有人說老馮虐妻殺妻，似係存心中傷。老馮遭有鼓盆之痛，不甘寂寞，在故都統帥部軍中，娶李德全為續配。

李德全是一個基督徒，婚前服務教會。頭上髮髻，猶後垂作燕尾，不改中國婦女舊風。老馮對這種式樣，有點看不順眼，親操德製較剪，為之剃斷此萬千煩惱絲。老馮一生多異行，向為花邊新聞的製造廠家。例如吳佩孚在洛陽做五十大慶，只送一壺白開水做壽禮；又如好穿半截長衫，特意裝成是一個不文不武的半吊子。這次再以堂堂陸軍檢閱使，在閨房甘充理髮師，幾可媲美張敞的畫眉。事為記者所聞，當然不會輕輕放過，爭相訪問老馮伉儷，懇作剪髮姿勢，影相製版，附在花邊新聞刊出。只有晨報編者，標作：「馮玉祥為夫人剪頭」，實在大有語病。老馮新夫人雖自幼歸主，悟道並不高深。蜜月期中，被晨報開此不吉利玩笑，依然迷信未除，深慮將受斷頭之慘。邀老馮軍中精通法學的薛篤弼，代向晨報交涉。提出兩個條件：一為登報更正；一為嚴懲編者。博生先生親自接見，只接受所提條件一半。隨於翌日在晨報原刊該條花邊新聞地位，登一啟事。聲明昨載「馮玉祥為夫人剪頭」的標題，係由編者一時疏忽，採用北京方言所致。因北京人理髮，俗稱剪頭也。晨報認錯啟事見報，李德全仍不滿意。親率娘子軍數人，到晨報找博生先生理論。並令即將主辦編者交出，由她當面懲罰。記者遇到女人，也是有理講不清。他處此尷尬場面，靈機一觸，忽然請出上帝來解圍。詐稱編者自知過失嚴重，已赴教堂祈禱懺悔去了。

李德全聽到，果為所紿，欣然自動鳴金收兵。

・胡實・

監院彈劾高玉樹的插曲

・易傳・

台北市長高玉樹，終於被監察院提出彈劾了。

據若干監委向新聞界透露：本案在進行時，他們所受的壓力和困擾，眞是一言難盡。同時，他們也異口同聲稱讚高玉樹的才幹，對他漠視官常體制表示惋惜。

由以上新聞報導，二十位監察委員開會決議彈劾高玉樹，倒很像「斬馬謖」，很戲劇化。其實，按照以往的例子，像高玉樹這樣的官，至多到了「公務員懲誡委員」申誡了事。其命運決不致像「馬謖」那樣，蓋可斷言。

監委黃寶實在討論本案時，因心情激動，突感不支倒地，現正在醫院去世了。

這一有上議院之稱的監察院，自于右老去世以後，監委大半都是白髮，逮於杖國之年。目前亞洲各國，像日、韓、越等國的議員，大半都是英年少壯之士，與我們相差何止一代？

「江山代有才人出，各飲風騷五百年」，文壇如此，議壇何嘗不如此？

監察委員們通過彈劾高玉樹案是值得敬佩的，但由黃寶實的病倒，證明他們是眞正的老了。議會政治最要緊的是新陳代謝。現在形格勢禁，成員逐年凋謝，新血無法補充，怎麼辦呢？

朱子

吳怡

不僅如此，在他逝世後的一百多年，他的思想精神，更遠渡重洋，進入了日本後醍醐天皇（日本第九十六代天皇）的宮廷，由玄惠和尚的講解，支持了當時的勤王運動。接着四百年以後，由山崎闇齋等的傳播，直接影響了後來日本的明治維新。

在這些方面，都足見他對後代影響的既深且廣。而他之所以有這樣偉大的影響，主要的是由於他富有特殊的綜合力和創造力。他不僅以二程的思想為經，以濂溪、橫渠的見解作緯，織成了龐大的理學體系。而且上追孔孟，旁及佛老，完成了儒家的新思想、新方法。

他這種綜合創造的能力，有人曾把他比之於西哲的康德（近代德國哲學家），雖然他和康德，在哲學內容與方法上不可相提並論，但在類型上却很相似。尤其在思想流變的地位上，他們的影響，東西如一。沒有康德，西洋近代的哲學必須改觀；同樣，沒有朱子，宋元明清幾百年來的思想便沒有重心。

所以一般都這樣的公認：在中國思想史上，體系之大，影響之廣，能直追孔子的，只有朱子一人而已。（完）

安徽十三傑

巨變歷險記！

於鞏固內部，籌辦軍糧，建立領導之外，丁博士所致力的，就是長期駐紮之地點了，也就是部隊的指揮中心的所在地。

部隊現在的地方——大猛蓬有他的優點，也有他的缺點。優點是接近大其力，對外交通方便，且大猛蓬本身一邊是湄公河，一邊是臘戍大其力公路，進退裕如，左右逢源。但他的優點也就可能是他的缺點。在大猛蓬，容易腹背受敵，前邊寮越方面的法國力量，後邊緬甸的力量，旁邊泰國的力量，尤其中國共產黨的力量，都可以朝發夕至，很容易受到各方面的壓迫，滇寮泰緬邊區的地形很像是一個袋，我部隊處在裏邊，隨時有被扼殺在裏邊的危險。過到寮國不易，原因是湄公河之水大而且深，無論人馬，渡過都非易。這裏的船隻極少，且係獨木輪船，容量非常有限。若大隊人馬，擠在一塊，簡直沒辦法過去。萬一一旦緬甸從後邊打上來，中共從雲南打上來，或泰國從下邊打上來，措手不及，轉移困難，是很危險的。雖然丁博士已打起「向扭轉大局邁進」的響亮口號，但大家心裏明白這並非一蹴可及，需要很長時間的準備，那麼部隊就需要離開現在的邊區，好好的休養生息。放在老虎咀邊上不是辦法，要

定都猛撤（一八三）

胡慶蓉

離開老虎咀遠一點。

但一段時間的平靜，在部隊裏邊就發現有惰性存在，不少反對移動的。丁博士獨排衆議，力云移動。現在的問題是向那裏移動？丁博士力主向南，力主離開中共的咀邊，力主向南移動，到最後把司令部設在薩爾溫江沿岸，設在薩爾溫江的出海處，孟打榜，設在馬來亞，設在新嘉坡。目下丁博士採納馬守義的建議，將大猛蓬的指揮中心將整個部隊移到猛撤。馬守義，上邊介紹過了。他並不是軍人，但有軍人的頭腦，軍人的眼光。他選擇猛撤，是非常富於智慧的。部隊，指揮中心從大猛蓬移到猛撤之後，一直就在那裏，一直到民國四十二年第一次大撤退到台灣。

猛撤的選擇，丁博士萬分的高興。這地就在名字上已經夠響亮的了，猛撤，在地理上的英文名字是MANGSAT。猛者地方的意義，壩子的意義，鄉鎮的意義，撤即蓆，音相近，意思是一樣。此地以蓆子著名。實際上這地方的蓆子確實不錯，是用竹子編的，既細而且涼。猛撤距離大其力，距離大猛蓬也並不太遠，在大其力大猛蓬的西邊；步行兩天可以到達。猛撤與大其力大猛蓬同屬於景棟，同在景棟上司管治之下。景棟位於猛撤之上，在猛撤之北，以形勢來論，無出於猛撤之右者。若從中心點向四週向周圍望猛撤，那簡直像在一個天然的大城市裏邊。周圍都是山，而且是高高的山。周圍的山，團團的將猛撤圈在裏邊，形勢比南京城偉大多了，也寬大多了。四顧都是山，四顧茫茫，經常烟雲彌漫，繞在山頭，繞在山腰，煞是好看。有人戲言王氣所鍾，將來這裏會出個帝王。游擊隊定都在這裏，召號大陸的人民，召號東南亞的人民，羣策羣力，共同反共，確切再好不過。指揮中心選在中間偏右的山上，這華名之曰五華山，用以紀念雲南昆明省府所在地。從五華山向前望是總部的辦公廳，是反共大學，是政治訓練中心，是飛機場，是神水，是老寨。五華山面前就是一條大河。沿河是一個一個大大的農村，五華山背山面水，與中國的北京也可以媲美。但北京的形勢，恐怕也沒有猛撤的偉大。這是一個大大的平原，單單這個壩子，也足以養四萬人。

無奇不有集（五）

·恨海·

搜異錄

（四）小偷騙香吻

一個竊術高明的小偷，偷竊東西猶如探囊取物。

有一夜裏，他爬進一戶人家，小心謹慎的進去了，發覺該戶人家上演了「空城計」，一個人也沒有，他這回眞是大好機會。於是翻箱倒櫃，大撈一通。正想離開，發覺酒櫃之中放有各種好酒。於是酒癮大發，禁不住拿過幾瓶來，大喝特喝，竟一氣了喝了三瓶，但是已經不能行動了。於是沉沉地闖進一間房間裏去，倒下就睡，沉沉入了夢鄉。

不知過了多久，他給尖銳的聲音呼醒，睜眼一看，看見一位美麗的動物——小姐，站立面前。原來他睡在一間小姐的房裏，他這一驚，酒興全消了，心想這一次恐怕難逃法網。他情急而智生，立刻站了起來，禮貌地對那小姐說：「小姐請恕我荒唐，闖進了香閨，我實在是喝醉了。本來我已偷到許多値錢的東西，但為彌補我闖入香閨之罪，願把所有的東西交還你。不過我的條件是希望你給我一個香吻。因為你是我見過的女人中最美麗的女人。」

這小偷說完之後，把他所偷的東西都提了過來，交給小姐。不等女主人的答應，上前輕輕在她額上吻了一下，然後有禮貌的鞠了個躬而退。那小姐却被那油腔滑調和瀟洒的外貌迷惑了，呆若木鷄的站在那裏，過了好久才恢復了神志。

（五）小偷倒貼錢

克利夫蘭是世界最著名的小偷，最有良心的「義賊」。一次他摸進一戶人家想發財，誰知搜遍了屋子裏面，也沒有一點値錢的東西，甚至一角錢也沒有。

克利夫蘭正大失所望之際，發現抽屜內有一個精緻的小錢箱，他心想裏面一定有貴重的東西，費了許多時間，才把箱子打開，裏那有値錢的東西？只有幾張借條，欠了一些債。因此引發了他的同情心，他知道這人家很窮。於是便從袋裏拿出所有的錢，放在一個信封裏，附了幾個字，說明他的身份，為了同情，特贈重金。

（六）汽車奇案

一個汽車的主人下了辦公室，到停車間去坐車，一看自己座車已不見了。急忙向警察局報案，警方展開搜查，封鎖交通要道。

三十六分鐘後，狄貝芬的失車已找回來了。但奇怪的是：偷去他汽車的並不是人，而是一輛長途巴士。原來那輛巴士經過他車子時，車後的扛把他的汽車鈎住了，那巴士司機完全沒有發覺，繼續開行，把車拖走，走了三十多里路程，在路上被警察發現，截住查問，才發現這件離奇的竊車案。

（未完）

花蕊夫人（二）

花蕊夫人的作品，特別是她的「宮詞」，尤為詩壇所傳誦。唐詩人王建也有宮詞，也很著名；不過是宮外的模寫，頗多揣測失實之處。夫人身居宮中，親臨一切，信筆拈來，都成信史。文辭流麗清新，沒有晚唐詩人腐靡的習氣。茲錄數首如下：

龍池九曲遠相通，楊柳絲牽兩岸風；長似江南好風景，畫船來往碧波中。

月頭支給買花錢，滿殿宮人近數千；遇着唱名多不語，含羞走過御牀前。

自教宮娥學打毬，玉鞍初跨柳腰柔；上棚知是官家認，遍遍長贏第一籌。

春風一面曉妝成，偷折花枝傍水行；却被內監遙覷見，故將紅豆打黃鶯。

殿前宮女總纖腰，初學乘騎怯又嬌；上得馬來纔欲走，幾回抛勒抱鞍橋。

內家追逐採蓮時，驚起沙鷗兩岸飛；蘭棹把來齊拍水，並船相鬥濕羅衣。

內庭秋燕玉池東，香散荷花水殿風；阿監采菱牽錦纜，月明猶在畫船中。

東宮花燭彩樓新，天上仙橋不鎖春；偏出六宮歌舞奏，嫦娥初到月虛輪。

小小宮娥到內園，未梳雲鬢臉如蓮；自從配與夫人後，不使尋花亂入蓮。

羅衫玉帶最風流，斜插銀篦慢裹頭；閑向殿前騎御馬，揮鞭橫過小紅樓。

夫人所作詞，除前面所引的「玉樓春」外，只有一「采桑子」半闕。據「太平清話」載：乾德三年（九六五），宋師王全斌平蜀，夫人隨孟昶入汴京，道經葭萌，在驛壁題「采桑子」云：「初離蜀道心將碎，離恨綿綿，春日如年，馬上時時聞杜鵑。」……書未竟，為軍騎催行，後有人續之云：「……三千宮女皆花貌，妾最嬋娟，此去朝天，只恐君王寵愛偏。」

到達汴京後，夫人被召入宮，蜀主孟昶遇害，相傳宋祖趙匡胤曾以蜀亡之故問夫人，夫人答詩云：

君王城上豎白旗，妾在深宮那得知？十四萬人齊解甲，更無一個是男兒！

蜀亡時，尚有精兵十四萬，而宋師不過僅有三萬人，所以夫人言下尚有所不甘。

夫人入宮後，太祖雖也非常寵愛她，但是她不是一個得新忘故的薄倖人。她的身子雖被蹂躪，可是蹂躪不到她的一顆眞情的人。孟昶被殺，使她十分哀慟，惟背人垂淚，悒悒不敢言。孟昶是個文雅的美丈夫，且解吟詠，平日此唱彼和，同聲相應，夫婦間何等篤好；太祖是個武夫，只提得起三尺龍泉，而拿不動三寸毛翰，更不懂溫存為何物，他也曾作過甚麼詩，可是粗豪不通，草莽的氣味太重。於是，愈使她憧憬往昔的溫柔荏苒，以幻想來打發囚禁。

（未完）

·王幻·

馬騰雲簡覆

馬騰雲先生助鑒：素仰　先生對中國醫學極富研究，並將幾十年來之經驗撰寫成書，以供一般人士之參攷運用，先生之功德，實復興中華文化運動之有力實踐者，可欽可佩。筆者由於工作忙碌，致染患肝病，西藥無法治癒，在報端上獲悉先生出版中醫佳典，經向台北市重慶南路一段一二九號香港自由報購買先生之大著全套，其中四五〇〇種偏方一書中，前言說明先生七年前患肝病，用中藥治癒，詳見「生活漫談」首集云云，但找遍先生所有大作未見有先生用何種中藥治癒自己之肝疾，未知是否手民之誤，抑或他書有此文章，筆者急欲拜讀此文章，未知先生可否賜示，唐突之處，敬請鑒諒。專此　並頌

研祺

你忠實的讀者蕭建勳敬上

五十九年十二月十日

賜教處：台北市忠孝西路一段四號

答：請查閱生活漫談一集第一百三十二頁「癌症的初期徵與有效預防」，鱗口殊（即大舌草）必須與白茅根等量煎熬時間得在四小時以上，鮮鱗口殊藥力較彊。

編者十二、十五日

語慧

經驗

法國作家莫洛華說：經驗給我們的惟一教訓，乃是教經並不能教訓我們什麼。

法國小說家鮑爾亥說：經驗無用的證據，可以從結婚上看出來，許多男子離婚後再娶，許多女子也離了婚再嫁。

第十六章　張招討敗師關陝　岳武穆怒斬傅慶

周燕謀

孫居、賈世方集涇原，吳玠兵，扼守階、成、鳳三州。三路分屯，斷敵來路，金兵始不敢輕進。且因婁室病死軍中，兀朮自覺勢孤，暫且擇地屯兵，養精蓄銳，再圖進取。暫且按下。

且說金帥撻賴陷了楚之師，兀朮西進，撻賴且分兵西陷汴京，汴京守將上官悟出奔，為盜賊所殺。汴京係北宋都城，稱稱東京，河東府稱為西京，大名府稱北京，應天府稱南京，至是四京皆為金所有。金主成以中華之大，人民衆多，不能統治，採取「以華制華」政策。因此前有張邦昌之立。從前遣粘罕南侵時，曾面諭諸將道：「若此去得平宋室，須擇立藩輔，如張邦昌故事。中原地由中原自治，較為妥當」。粘罕奉諭到此，一及四京相繼入金，復提前議，劉豫便到北消息，即用重金賂撻賴，求他代為推薦。撻賴得了重賄，也極樂從，遂轉告粘罕，請立劉豫為藩王。粘罕不答，撻賴再致書高慶裔，令替劉豫作說客，慶裔受金主命為大同尹，即就近至雲中，謁見粘罕道：「我朝舉兵，只欲取兩河，所以汴京既得，乃立張邦昌。今河南州郡，已歸我朝，官制猶是照舊，豈非欲仿張邦昌故事麼？元帥不早建議，乃令恩歸他人，竊為元帥不取而惜也！」粘罕聽了此言，心為之動。即遣人轉達金主成，立遣使至東平府，就劉豫所部，詢諸軍民，應立何人？大衆具未及對，獨劉豫同鄉張浚首請劉豫。因之衆人隨附和，因即定議，使人不敢報金主。撻賴亦據情上聞。金主遂命大同尹高慶裔，及知制誥韓昉，備綬齎冊，立劉豫為齊帝。冊曰「[illegible]皇帝，國號大齊，都於大名。世修子禮，永貢虔誠。付爾疆土，并同楚舊」。豫拜受冊印，居然在大名府中耀武揚威，做起大齊皇帝了。

時為宋高宗建炎四年九月，金天會八年，大名府中也築壇建幄，請出那位賣國求榮的漢奸劉豫出來。那漢奸穿了不宋不金的衣冠亮相。設壇郊天祭地，即僞兒皇帝位。用張孝純為丞相，李鄴為左丞，張柬為右丞，李儔為監察御史，鄭億年為工部侍郎，王瓊為汴京留守；長子劉麟為大中大夫，提領諸路兵馬，兼知濟南府事。孝純堅守太原，頗懷忠義，後因粘罕勸降，遂致失節。粘罕遣之助豫，豫因拜為丞相。劉豫登上僞帝之後，升東平府為東京，改東京為汴京，降南京為歸德府，惟大名仍稱北京，命其弟劉益為北京留守，且自以為生長景州。

（七十七）

史地傳記類　PC0287

自由人（十九）

編　　者 / 陳正茂
責任編輯 / 邵亢虎
圖文排版 / 彭君浩
封面設計 / 陳佩蓉

法律顧問 / 毛國樑　律師
印製經銷 / 秀威資訊科技股份有限公司
114台北市內湖區瑞光路76巷65號1樓
電話：+886-2-2796-3638　傳真：+886-2-2796-1377
http://www.showwe.com.tw
劃撥帳號 / 19563868　戶名：秀威資訊科技股份有限公司
讀者服務信箱：service@showwe.com.tw
展售門市 / 國家書店（松江門市）
104台北市中山區松江路209號1樓
電話：+886-2-2518-0207　傳真：+886-2-2518-0778
網路訂購 / 秀威網路書店：http://www.bodbooks.com.tw
國家網路書店：http://www.govbooks.com.tw

2012年12月復刻版
定價：2500元

國家圖書館出版品預行編目

自由人 / 陳正茂編. -- 一版. -- 臺北市 : 秀威資訊科技,
2012. 12-
冊； 公分. -- (史地傳記類)
BOD版
ISBN 978-986-326-020-2(第1冊 : 精裝). --
ISBN 978-986-326-016-5(第2冊 : 精裝). --
ISBN 978-986-326-017-2(第3冊 : 精裝). --
ISBN 978-986-326-018-9(第4冊 : 精裝). --
ISBN 978-986-326-019-6(第5冊 : 精裝). --
ISBN 978-986-326-022-6(第6冊 : 精裝). --
ISBN 978-986-326-023-3(第7冊 : 精裝). --
ISBN 978-986-326-024-0(第8冊 : 精裝). --
ISBN 978-986-326-025-7(第9冊 : 精裝). --
ISBN 978-986-326-026-4(第10冊 : 精裝). --
ISBN 978-986-326-034-9(第11冊 : 精裝). --
ISBN 978-986-326-035-6(第12冊 : 精裝). --
ISBN 978-986-326-036-3(第13冊 : 精裝). --
ISBN 978-986-326-037-0(第14冊 : 精裝). --
ISBN 978-986-326-038-7(第15冊 : 精裝). --
ISBN 978-986-326-039-4(第16冊 : 精裝). --
ISBN 978-986-326-040-0(第17冊 : 精裝). --
ISBN 978-986-326-041-7(第18冊 : 精裝). --
ISBN 978-986-326-042-4(第19冊 : 精裝). --
ISBN 978-986-326-043-1(第20冊 : 精裝). --

1. 報紙 2. 香港特別行政區

059.92 101021409

讀者回函卡

感謝您購買本書，為提升服務品質，請填妥以下資料，將讀者回函卡直接寄回或傳真本公司，收到您的寶貴意見後，我們會收藏記錄及檢討，謝謝！如您需要了解本公司最新出版書目、購書優惠或企劃活動，歡迎您上網查詢或下載相關資料：http:// www.showwe.com.tw

您購買的書名：＿＿＿＿＿＿＿＿＿＿＿＿＿＿＿＿＿＿＿＿

出生日期：＿＿＿＿年＿＿＿＿月＿＿＿＿日

學歷：□高中（含）以下　□大專　□研究所（含）以上

職業：□製造業　□金融業　□資訊業　□軍警　□傳播業　□自由業

□服務業　□公務員　□教職　□學生　□家管　□其它＿＿

購書地點：□網路書店　□實體書店　□書展　□郵購　□贈閱　□其他

您從何得知本書的消息？

□網路書店　□實體書店　□網路搜尋　□電子報　□書訊　□雜誌

□傳播媒體　□親友推薦　□網站推薦　□部落格　□其他＿＿＿＿

您對本書的評價：（請填代號　1.非常滿意　2.滿意　3.尚可　4.再改進）

封面設計＿＿　版面編排＿＿　內容＿＿　文／譯筆＿＿　價格＿＿

讀完書後您覺得：

□很有收穫　□有收穫　□收穫不多　□沒收穫

對我們的建議：＿＿＿＿＿＿＿＿＿＿＿＿＿＿＿＿＿＿＿＿

＿＿＿＿＿＿＿＿＿＿＿＿＿＿＿＿＿＿＿＿＿＿＿＿

＿＿＿＿＿＿＿＿＿＿＿＿＿＿＿＿＿＿＿＿＿＿＿＿

＿＿＿＿＿＿＿＿＿＿＿＿＿＿＿＿＿＿＿＿＿＿＿＿

請貼
郵票

11466
台北市內湖區瑞光路 76 巷 65 號 1 樓
秀威資訊科技股份有限公司 收
BOD 數位出版事業部

（請沿線對折寄回，謝謝！）

姓　　名：＿＿＿＿＿＿＿＿ 年齡：＿＿＿＿ 性別：□女 □男

郵遞區號：□□□□□

地　　址：＿＿＿＿＿＿＿＿＿＿＿＿＿＿＿＿

聯絡電話：(日)＿＿＿＿＿＿＿＿ (夜)＿＿＿＿＿＿＿＿

E-mail：＿＿＿＿＿＿＿＿＿＿＿＿＿＿＿＿